R.N. Champlin, Ph.D.
O ANTIGO TESTAMENTO INTERPRETADO

Versículo por Versículo

VOLUME 3

Nova edição
revisada – 2018
Inclui hebraico

2 REIS / 1 CRÔNICAS
2 CRÔNICAS / ESDRAS
NEEMIAS / ESTER / JÓ

Av. Jacinto Júlio, 27 • São Paulo, SP
Cep 04815-160 • Tel: (11) 5668-5668
WWW.HAGNOS.COM.BR | EDITORIAL@HAGNOS.COM.BR

hagnos

Copyright © 2001, 2018 por Editora Hagnos

Copyright do texto hebraico: *Biblia Hebraica Stuttgartensia*, editada por Karl Elliger e Wilhelm Rudolph, primeira edição revisada, editada por Adrian Scheker © 1977 e 1977 por Deutsche Bibelgesellschaft, Stutgard. Usado com permissão.

2ª edição: maio de 2018
2ª reimpressão: janeiro de 2024

REVISÃO
Andrea Filatro
Ângela Maria Stanchi Sinézio
Priscila Porcher
Caio Peres

DIAGRAMAÇÃO
Sonia Peticov

CAPA
Maquinaria Studio

Editor
Aldo Menezes

COORDENADOR DE PRODUÇÃO
Mauro Terrengui

IMPRESSÃO E ACABAMENTO
Imprensa da Fé

As opiniões, as interpretações e os conceitos emitidos nesta obra são de responsabilidade do autor e não refletem necessariamente o ponto de vista da Hagnos.

Todos os direitos desta edição reservados à

EDITORA HAGNOS LTDA.
Rua Geraldo Flausino Gomes, 42, conj. 41
CEP 04575-060 — São Paulo, SP
Tel.: (11) 5990-3308

E-mail: hagnos@hagnos.com.br
Home page: www.hagnos.com.br

Editora associada à:

Dados Internacionais de Catalogação na Publicação (CIP)
(Câmara Brasileira do Livro, SP, Brasil)

Champlin, Russell Norman, 1933-2018

O Antigo Testamento interpretado versículo por versículo. Volume 3: 2Reis, 1Crônicas, 2Crônicas, Esdras, Neemias, Ester, Jó / Russell Norman Champlin. 2 ed. — São Paulo: Hagnos, 2018.

Bibliografia

ISBN 85-88234-17-3

1. Bíblia AT - Crítica e interpretação
I Título.

00-2009   CDD-221.6

Índice para catálogo sistemático:
1. Antigo Testamento: Interpretação e crítica 221.6

2REIS

O livro que conta histórias dos reis de Israel e Judá

> *Disse o Senhor: Também a Judá removerei de diante de mim, como removi a Israel, e rejeitarei esta cidade de Jerusalém...*
>
> 2Reis 23.27

| 25 | Capítulos |
| 719 | Versículos |

2REIS

INTRODUÇÃO

ESBOÇO:

I. Caracterização Geral
II. Antigas Formas Desses Livros
III. Autoria
IV. Fontes
V. Data
VI. Proveniência
VII. Motivos e Propósito
VIII. Cronologia
IX. Cânon
X. Conteúdo e Mensagem
XI. Gráfico dos Reis

I. CARACTERIZAÇÃO GERAL

Os livros de 1 e 2Reis, que formavam um único livro de acordo com o cânon hebreu, são livros históricos do Antigo Testamento, incluídos entre os profetas anteriores, ou seja, os livros de Josué até 2Reis, que se seguem ao Pentateuco. Esses livros narram a história de Israel desde a conquista da terra de Canaã (século XIII a.C.) até a queda de Jerusalém, em 586 a.C. A história sempre foi importante para os hebreus. Nesses livros há um autêntico material histórico, conforme admitem até mesmo os mais liberais eruditos. Os livros de 1 e 2Reis fornecem-nos a história de Israel desde os últimos dias de Davi e da ascensão de Salomão (cerca de 970 a.C.) até o aprisionamento do rei Jeoaquim, em uma prisão na Babilônia, por Amel-Marduque, em cerca de 561 a.C. Muitos estudiosos creem que esses livros, conforme os temos atualmente, incorporam duas edições, a primeira das quais teria sido publicada em cerca de 600 a.C., escrita por um historiador deuteronômico, e a segunda, que conteria material suplementar, relativo principalmente à nação do norte, Israel, que teria sido produzida cerca de cinquenta anos mais tarde (ver sobre *Data*, abaixo). Esses livros mencionam várias fontes informativas, pelo que o autor sagrado, mesmo que tenha sido contemporâneo de alguns dos eventos históricos, foi, essencialmente, um compilador. Ver, abaixo, sobre as *Fontes Informativas*. Os historiadores respeitam esses livros canônicos como obras sérias, embora supondo alguns que ali há um certo colorido, com propósitos pessoais e teológicos. Por serem complementares do livro de Deuteronômio, eles expõem os grandes ideais da doutrina deuteronômica, como a centralização de toda a adoração sacrificial no templo de Jerusalém, ou como a doutrina da retribuição divina segundo os feitos humanos, bons ou maus.

Esses livros recebem seu nome devido à palavra inicial, no texto hebraico, do livro de 1Reis, *wehammelek*, isto é, "e o rei" bem como devido ao fato de que essa porção das Escrituras trata principalmente da descrição dos feitos e do caráter dos monarcas de Israel e de Judá.

II. ANTIGAS FORMAS DESSES LIVROS

Na Bíblia em hebraico, esses dois livros formavam um único volume, ou rolo. A divisão do livro em dois ocorreu na *Septuaginta*, por razões práticas. O hebraico, que era escrito somente com as consoantes, ocupa muito menos espaço do que o grego, que tem vogais como letras separadas. Quando esse livro foi traduzido para o grego, pois, ocupava tanto espaço que não era prático deixá-lo sob a forma de um só rolo ou volume. Por isso, foi dividido em duas porções. A divisão não apareceu na Bíblia hebraica senão quando Bomberg imprimiu a Bíblia hebraica, em Veneza, em 1516-1517. Essa divisão também apareceu na *Vulgata Latina* impressa. Na *Vulgata Latina* e na *Septuaginta*, os livros de 1 e 2Samuel, 1 e 2Reis são tratados como uma história contínua, pelo que ali temos os livros de I, II, III e IV Reis. Embora a divisão entre 1 e 2Reis seja totalmente arbitrária, tem sido preservada nas versões das línguas vernáculas. Essa arbitrária divisão corta bem pelo meio a narrativa sobre o reinado de Acazias. O primeiro capítulo de 2Reis termina a narrativa sobre o seu governo. Ainda mais estranho é que a história do profeta Elias e a unção de Eliseu aparecem em 1Rs; mas o final dramático do ministério de Elias aparece em 2Rs.

III. AUTORIA

A tradição judaica piedosa, segundo é refletida no Talmude (Baba Bathra 14b) diz que Jeremias foi o autor desses livros. Essa ideia é defendida por alguns estudiosos com base no fato de que parte desse livro (2Rs 25.27-30; atribuída por alguns a um outro autor, que teria começado a escrever em 2Rs 23.26) poderia ter sido escrita por Jeremias, para nada dizermos sobre a primeira porção, porquanto a tradição judaica afirma que Nabucodonosor levou esse profeta para a Babilônia, depois que aquele monarca conquistou o Egito, em 568 a.C. Na Babilônia, conforme prossegue a história, Jeremias morreu quando já tinha mais de 90 anos de idade. Segundo esse ponto de vista, a compilação em duas porções fica justificada (ver sobre Fontes, quarto ponto). E a avançada idade de Jeremias teria sido suficiente para satisfazer a cronologia envolvida. Naturalmente, precisamos depender da tradição, a fim de encontrar apoio para essa posição. E muitos duvidam da precisão desta tradição. Por esse motivo, outros eruditos opinam que tenha havido dois distintos autores-compiladores, defensores das tradições teológicas do livro de Deuteronômio, pelo que foram chamados de autores deuteronômicos.

A linguagem usada por Isaías, por Jeremias e pelo autor do livro de Deuteronômio assemelha-se à dos livros de Reis, por conterem um tipo comum de admoestação, de exortação, de repreenda e de encorajamento, reiterando os mesmos grandes temas da centralização da adoração, no templo de Jerusalém, e da doutrina da retribuição divina, juntamente com uma rígida avaliação espiritual das personagens descritas nesses escritos. Os eventos ali registrados cobrem um período de quatrocentos anos; mas sabemos, com base nas fontes informativas usadas, que tudo foi um trabalho de compilação, em sua maior parte, e que o autor sagrado foi contemporâneo apenas de uma pequena parte dos eventos registrados. Mesmo que Jeremias não tenha sido o autor, é perfeitamente possível que, pelo menos, uma parte dos eventos tenha ocorrido durante a vida do autor sagrado. Provavelmente esse autor foi um profeta, o que se reflete no espírito profético com que esses livros foram escritos. Em cada geração do povo de Israel, parece que os profetas mostraram-se ativos, sempre intervindo na política da nação, e não apenas no culto religioso de Israel. Houve um número muito maior de profetas que escreveram narrativas, do que aqueles cujos livros foram incluídos no cânon hebreu. Ver os comentários sobre Fontes, quarto ponto.

IV. FONTES

Com base em informes nos próprios livros de Reis, sabemos que a porção maior de 1Reis (pelo presumível primeiro autor-compilador) dependeu pesadamente de fontes informativas já existentes:
1. O livro da história de Salomão (1Rs 11.41).
2. O livro da história dos reis de Israel (1Rs 14.19).
3. O livro da história dos reis de Judá (1Rs 14.29).

   A primeira dessas obras era uma espécie de louvor a grandes homens, com o propósito de salientar a sabedoria, a magnificência e o resplendor do reinado de Salomão. Trata-se de algo similar às memórias dos reis persas. Todos os detalhes foram arranjados de tal modo que fazem os adversários de Salomão parecerem uns anões, em contraste com ele. As outras duas fontes informativas são mais históricas do que biográficas e religiosas, provavelmente representando anais oficiais reais. Os hebreus sempre mostraram ser muito sensíveis para com a história, e esses anais foram cuidadosamente compilados.

4. Alguns eruditos propõem que os capítulos sexto a oitavo de 1Reis constituem o reflexo de uma fonte informativa independente, provendo informações sobre a construção do templo de Jerusalém, sua forma de culto e sua dedicação, embora outros duvidem que isso corresponda à realidade dos fatos.
5. Parece que o autor sagrado também tinha acesso a algum tipo de coleção de livros a respeito de Isaías, narrando sobretudo o

tempo em que ele era amigo e conselheiro de certos reis (2Rs 18.13-20 e capítulo dezenove).
6. A história do reino sobrevivente de Judá, mediante a soltura, no exílio, do rei Jeoaquim (2Rs 18-25), que se alicerçaria sobre uma fonte ou fontes informativas distintas, embora não identificadas. Grande parte dessa fonte deve ter sido constituída por narrativas de testemunhas pessoais, compiladas pelo próprio autor sagrado ou por aqueles cujo material escrito foi aproveitado.

Os profetas e seus livros. As diversas fontes informativas por trás dos livros dos Reis dizem-nos aquilo que também nos é dito em outras fontes, ou seja, que houve uma grande atividade de crônica em Israel, com o envolvimento de vários profetas, de cujos escritos o Antigo Testamento é apenas uma representação parcial. Sabe-se da existência de vários livros de profetas como: a. Crônicas registradas por Samuel, o vidente (1Cr 29.29). b. Crônicas de Gade, o vidente (1Cr 29.29). c. Livro da história de Natã, o profeta (2Cr 9.29). d. A profecia de Aías, o silonita (2Cr 9.29). e. Livro da história de Ido, o vidente (2Cr 12.15). f. Livro da história de Semaías, o profeta (2Cr 12.15). g. História do profeta Ido (2Cr 13.22). h. Os atos de Uzias, escritos pelo profeta Isaías (2Cr 26.22).

V. DATA
Como é óbvio, todo o material tomado por empréstimo foi escrito antes de ter sido usado na compilação que há nos livros dos Reis. Como uma unidade, a data não pode ser anterior a 562 a.C., quando, ao que sabemos, Jeoaquim foi liberado de sua prisão, na Babilônia (2Rs 25.27-30). Esse informe histórico fala sobre os favores que lhe foram prestados no fim de sua vida, pelo que o autor sagrado estava escrevendo alguns anos após a soltura de Jeoaquim. É possível que a compilação final tenha ocorrido em cerca de 550 a.C. Entretanto, esse dado pode ter sido adicionado a uma composição escrita anterior. É possível que a porção maior desse livro tenha sido escrita durante o cativeiro babilônico, ou seja, entre 587 e 538 a.C. Alguns estudiosos, porém, acham que devemos pensar em uma data após a morte de Josias (609-600 a.C.), pois supõem que o autor sagrado tenha sido o primeiro a usar o material histórico derivado do recém-descoberto livro de Deuteronômio que, ao que se presume, apareceu em 621 a.C. A lei, sem-par, do santuário central, que figura no décimo segundo capítulo de Deuteronômio, supostamente, seria o princípio avaliador dos reis, conforme é salientado nos livros dos Reis. Esses eruditos também afirmam que um segundo escritor deuteronomista acrescentou a narrativa sobre a liberação do rei Jeoaquim, que seria a seção de 2Rs 25.27-30. Essas teorias, porém, não passam de especulações, não havendo maneira histórica, digna de confiança, que nos permita confirmá-las ou rejeitá-las.

VI. PROVENIÊNCIA
Já pudemos notar que os livros de Reis estão intimamente relacionados às atividades literárias dos profetas hebreus. Tendo sido esse o caso, é provável que esses livros tenham sido escritos em uma das cidades onde essa atividade aconteceu. Os centros proféticos estavam localizados nas áreas fronteiriças, entre as nações de Israel, ao norte, e Judá, ao sul. Lugares como Betel, Gilgal e Mizpa eram centros de ensino, nos dias de Samuel (1Sm 7.16). Essas cidades, além de Jericó, eram centros dessa natureza, nos dias de Elias e Eliseu. As duas capitais, Samaria (de Israel, ao norte) e Jerusalém (de Judá, ao sul) ficavam cerca de 65 quilômetros uma da outra, e as cidades das fronteiras eram suficientemente distantes para que um profeta pudesse expressar ideias, mas não tão distantes que não tivesse informações exatas sobre o que estava ocorrendo em ambas as capitais. Portanto, uma das cidades acima mencionadas pode ter sido o local da compilação de nossos livros de Reis. Entretanto, um lugar como a cidade da Babilônia também conta com pontos em seu favor, se os livros de Reis foram escritos durante o cativeiro babilônico.

VII. MOTIVOS E PROPÓSITO
O autor da suposta primeira edição de livros dos Reis era admirador do rei Josias, o modelo perfeito de rei aos moldes deuteronômicos. Ele também se entusiasmava diante da grandeza de Salomão, pelo que lançou mão da fonte que descrevia os resplendores do reinado salomônico. Porém, os livros de Reis não estão interessados em meros registros históricos. Há ali tentativas para avaliar a espiritualidade dos reis envolvidos, e, nessa avaliação, projetar aos leitores o tipo de líderes espirituais que convém ao povo. A espiritualidade sofreu um retrocesso, diante da divisão em duas nações, Israel e Judá. A correta adoração era aquela que se efetuava no templo de Jerusalém. As divisões e hostilidades entre os homens servem como empecilhos aos propósitos divinos, felizmente transponíveis. Os homens têm de pagar um preço por causa disso, porquanto Deus é um rígido avaliador e juiz das ações humanas. O propósito do autor sagrado é claramente revelado em 1Rs 2.3,4, nas instruções finais dadas por Davi a Salomão: "Guarda os preceitos do Senhor teu Deus, para andares nos seus caminhos, para guardares os seus estatutos, e os seus mandamentos, e os seus juízos, e os seus testemunhos, como está escrito na lei de Moisés, para que prosperes em tudo quanto fizeres, e por onde quer que fores; para que o Senhor confirme a palavra que falou de mim..."

Há um só Deus, como também um único santuário. Todos os homens são responsáveis diante de Deus. A lei da colheita segundo a semeadura haverá de prevalecer. A vida dos homens prova esses fatos. Contudo, a misericórdia divina e o destino da alma têm prosseguimento. A narrativa da soltura de Jeoaquim não deve ser considerada um mero apêndice. Antes, é uma nota de esperança. Deus, embora muito severo em seus juízos, nunca abandonou o seu povo. Ele exilou o seu povo em razão de seus pecados; mas não deixou de restaurá-los. A linha davídica não fora finalmente rejeitada. A história da redenção tinha prosseguimento.

VIII. CRONOLOGIA
O leitor poderá consultar o artigo sobre a *Cronologia do Antigo Testamento*. Ali fica demonstrado que as cronologias antigas não tinham a finalidade de serem exatas, historicamente falando. Havia outras forças por trás delas. Em primeiro lugar, há simetria. Anos foram adicionados ou subtraídos, a fim de emprestar simetria às listas cronológicas. Em segundo lugar, interesses pessoais, crenças etc podem ter alterado as listas. Um indivíduo ímpio, assim sendo, era eliminado de uma lista por razão de sua iniquidade. Em terceiro lugar, as cronologias, tal como as genealogias, eram apenas representativas, e não absolutas. Especificamente, no que diz respeito aos livros de Reis, o período da monarquia dividida é apresentado juntamente com um cuidadoso sistema de referências cruzadas, entre os reis de Judá e de Israel. Apesar disso, evidentemente está em operação a atividade simetrista, porquanto a soma dos anos de governo dos reis de Israel, em um dado período, não corresponde à soma dos anos de governo dos reis de Judá, durante o mesmo período. O período desde a subida ao trono de Reobão até a morte de Azarias aparece como 95 anos, mas o período correspondente em Israel, de Jeroboão até a morte de Jorão, aparece como 98 anos. Além disso, o total de anos de governo desde Atalias até o sexto ano do reinado de Ezequias é de 165 anos; mas o mesmo período em Israel, de Jeú até a queda de Samaria, aparece como 143 anos e sete meses. Parte dessa discrepância pode ser explicada pela contagem de parte de anos como se fossem anos inteiros. Também há o problema da corregência, onde pai e filhos compartilhavam do trono por certo número de anos, embora esses anos fossem subsequentemente alistados em separado, nos cálculos cronológicos. Ver os casos de Davi e Salomão (1Rs 1.34,35) e de Azarias e Jotão (2Rs 15.5).

A isso podemos acrescentar o problema do uso de dois tipos de calendário em Israel, o civil e o religioso, que eram diferentes um do outro. Ver sobre o *Calendário*, onde damos um gráfico sobre o calendário judaico, ilustrando a questão. Várias obras descrevem em detalhes as razões possíveis dessas discrepâncias cronológicas, sendo fácil negligenciarmos a mais grave delas, a saber, que os antigos autores simplesmente não se preocupavam com cronologias exatas, conforme os modernos historiadores fazem, pelo que nenhum exame e manipulação podem explicar as coisas que aparecem nessas genealogias bíblicas. O artigo no *Dicionário* ilustra abundantemente essa declaração.

Seja como for, as listas e as datas dos reis de Israel e de Judá, incluindo as comparações entre essas listas, aparecem no artigo sobre *Cronologia*, em seu quinto ponto, Períodos Bíblicos Específicos. f. Da fundação do templo de Salomão até a sua destruição.

IX. CÂNON

Provemos no *Dicionário* um artigo sobre o assunto, no caso do Antigo e do Novo Testamento, onde oferecemos detalhes. A questão é complexa, porquanto, em nosso cânon sagrado, há livros, de ambos os Testamentos, que por muito tempo não foram universalmente aceitos. Porém, no que tange aos livros de Reis, que, originalmente, eram apenas um rolo ou livro, o cânon hebraico nunca os omitiu. De acordo com Josefo, o cânon dos judeus ficou completo por volta de 400 a.C., composto de 22 livros, que correspondem exatamente aos 39 livros do Antigo Testamento de edição protestante, ainda que a ordem desses livros não seja a mesma na Bíblia hebraica e na Bíblia cristã. Para os hebreus, os livros de Reis fazem parte dos escritos dos profetas. Nos arranjos posteriores, porém, os nossos livros de Reis aparecem entre os livros históricos.

X. CONTEÚDO E MENSAGEM

1. Salomão, o Rei (1Rs 1.1—11.43)
   a. Subida ao trono (1.1-53)
   b. Recomendações de Davi (2.1-46)
   c. Casamento e sabedoria (3.1-28)
   d. Sua administração (4.1-34)
   e. Suas atividades como construtor (5.1—8.66)
   f. Sua prosperidade e esplendor (9.1—10.29)
   g. Sua apostasia (11.43)
2. Reinados comparativos de reis em Israel e em Judá (1Rs 12.1—2Rs 17.41)
   a. Reoboão-Josafá (1Rs 12—22)
   b. Jeorão-Acaz (2Rs 8—16)
   c. Ezequias-Amom (2Rs 18-21)
   d. Josias-Zedequias (2Rs 22—25)
3. Reis de Judá, após a queda de Samaria, até a queda de Jerusalém (2Rs 18.1—25.26)
   a. Ezequias (18.1—20.21)
   b. Manassés (21.1-18)
   c. Amom (21.19-26)
   d. Josias (22.1—23.30)
   e. Jeoacaz (23.31-35)
   f. Joaquim (23.36—24.7)
   g. Jeoaquim (24.7-17 e 25.27-30)
   h. Zedequias (24.18—25.26)

Julgamentos de Valor e História. O autor sagrado não temia fazer julgamentos de valores. Mostrou-se sempre cônscio das operações de Deus entre os homens, bem como da responsabilidade dos homens diante de Deus. Os principais aspectos de sua mensagem são bons para qualquer época. Há um só Deus. Deus é severo e inflexível em relação ao pecado. Para o autor sagrado, devemos ter uma visão teísta de Deus, um Deus que galardoa e castiga. Deus é imanente em sua criação. Ver no *Dicionário* os artigos *Teísmo*, em contraste com o *Deísmo*. O pecado é uma questão séria, que resulta em desastre para a alma, conforme a história dos livros de Reis o demonstra. A comunidade dos homens é considerada responsável, e não apenas o indivíduo. Há misericórdia divina e restauração, porquanto Deus está esperando para acolher àqueles que se voltam para ele de todo o coração, de toda a alma (1Rs 8.48). O cativeiro foi revertido por meio do retorno.

As realizações religiosas dos reis parecem mais importantes para o autor sagrado, do que seus feitos políticos e militares. Dois desses reis, Onri e Jeroboão II, que obtiveram o maior sucesso econômico e político, merecem breves comentários apenas. Os historiadores seculares, porém, ter-se-iam demorado mais sobre esses dois. Mas o autor dos livros de Reis não se interessou muito por eles. A Acabe e seus filhos foram dedicadas várias páginas, não porque foram bons, como reis ou como homens, mas por causa de seus conflitos com Elias e Eliseu. E o autor sagrado anelava por contar essa história com pormenores. Reis como Josafá, Ezequias e Josias recebem descrições entusiasmadas, porquanto lideraram movimentos de reforma religiosa.

Teologicamente falando, esses livros complementam a narrativa da história de Israel, sob a orientação divina, conforme vemos nos livros de Êxodo, Josué, Juízes e 1 e 2Samuel. O autor sagrado deve ter sido um profeta-historiador, e o resultado de seus esforços foi uma história de forte cunho religioso.

XI. GRÁFICOS DOS REIS

Ao Leitor

Na Introdução a 1-2Reis, forneço ao leitor informações sobre tópicos como autoria, formas antigas do livro, fontes de informação, data, proveniência, motivos e propósitos, cronologia, cânon, conteúdo e um gráfico dos reis. O leitor sério irá se familiarizar com esses assuntos antes de começar o estudo desses livros.

Na Bíblia hebraica, 1 e 2Reis formavam um único livro. Criei para eles uma introdução única, pois, de fato, formam uma unidade que não foi sabiamente dividida. A divisão dos livros de Reis começou na versão da *Septuaginta*, e esse modo de manusear o material foi adotado pelas traduções modernas. Naquela versão, 1 e 2Samuel são chamados de I e IIReis, e 1 e 2Reis são chamados de III e IV Reis.

Título. Esses dois livros são chamados de *Reis* porque registram e interpretam os atos e os reinados de todos os reis de Israel (o reino do norte) e de Judá (o reino do sul), exceto o reinado de Saul. Os *últimos dias* de Davi estão registrados em 1Rs, ao passo que a maior parte de sua história aparece em 1 e 2Samuel. O título *Reis* apareceu pela primeira vez na tradução latina de Jerônimo, que surgiu na cena pública cerca de seis séculos após a *Septuaginta* ter sido publicada.

Escopo. 1 e 2Reis registram a história de Israel desde o começo do movimento para levar Salomão ao trono, até o fim do reinado de Zedequias, o último dos reis de Judá. Foi em seu tempo que ocorreu o cativeiro babilônico (cerca de 597 a.C.). O cativeiro assírio, que levou cativos do reino do norte para um país estrangeiro, aconteceu em cerca de 722 a.C. Um remanescente voltou de Judá para começar tudo de novo, mas o cativeiro assírio pôs fim absoluto ao reino do norte, excetuando aqueles que porventura se tinham mudado para o reino do sul. Ver no *Dicionário* os verbetes chamados *Cativeiros; Cativeiro Assírio; Cativeiro Babilônico; Israel, Reino de; Reino de Judá* e *Rei, Realeza,* quanto a detalhes e gráficos sobre os reis.

Narrativas Paralelas. O autor sagrado dos dois livros de Reis apresentou relatos paralelos dos reis de Israel e de Judá, indo para Israel e depois para Judá, em uma ordem cronológica aproximada. Ele não apresentou primeiramente todos os reis de Israel, e então todos os reis de Judá. O autor sacro aplicou esse seu método com considerável habilidade.

"2Reis continua a história dos reinos até os cativeiros. Inclui a translação de Elias e o ministério de Eliseu. Durante esse período, Amós e Oseias profetizaram em *Israel;* e Obadias, Joel, Isaías, Miqueias, Naum, Habacuque, Sofonias e Jeremias, em *Judá...* Os eventos registrados no livro (de acordo com Ussher) cobrem um período de cerca de 308 anos" (*Scofield Reference Bible,* na introdução ao livro).

"A queda, tanto de Israel quanto de Judá, é interpretada em termos do julgamento do Senhor" (*Oxford Annotated Bible,* introdução).

Citações no Novo Testamento:
- *Marcos*: 16.9 (2Rs 2.11)
- *Lucas*: 9.54 (2Rs 1.10)
- *Apocalipse*: 6.10 (2Rs 9.7); 9.21 (2Rs 9.22); 11.5 (2Rs 1.10); 11.12 (2Rs 2.11); 19.2 (2Rs 9.7); 20.9 (2Rs 1.10)

EXPOSIÇÃO

CAPÍTULO UM

ACAZIAS DE ISRAEL (1.1-18)

"Estes versículos registram o reaparecimento de Elias, a morte de Acazias e a subida de Jeorão ao trono de Israel" (*Oxford Annotated Bible,* vs. 1).

2Rs 3.4-27 apresenta uma narrativa mais completa da tentativa malsucedida de Jeorão de reconquistar Moabe. Cf. 1Rs 22.1-37. A chamada pedra Moabita nos dá o próprio relato do rei Mesa sobre a revolta. Moabe revoltou-se contra Israel (que mantinha um país em vassalagem), nos dias de Onri, pai de Acabe.

Capítulos 1 a 17. "Esta seção de 2Reis continua a história de Israel e Judá, iniciada no capítulo 12 de 1Reis. Termina com o cativeiro assírio do reino do norte, Israel, em cerca de 722 a.C." (Thomas L. Constable, *in loc.*).

■ 1.1

וַיִּפְשַׁע מוֹאָב בְּיִשְׂרָאֵל אַחֲרֵי מוֹת אַחְאָב׃

Depois da morte de Acabe, revoltou-se Moabe. Moabe tinha sido um vassalo de Israel. Mas no tempo do rei moabita Mesa, Moabe rebelou-se contra o reino do norte, depois da morte de Acabe. Portanto, foi a morte de Acabe que encorajou Moabe à rebeldia. Acabe foi um homem bom e forte, exceto em sua espiritualidade, pois era um idólatra corrupto. Militarmente, porém, ele sempre conseguiu vencer, mesmo contra adversários muito superiores. O trecho de 1Rs 16.29—22.40 conta-nos a história desse rei de Israel. Não era sábio tentar nenhum movimento de libertação mais importante enquanto ele vivesse. Mas sua morte apresentou tempos melhores para a revolta. As tentativas de Moabe não obtiveram sucesso inicialmente, mas afinal as coisas melhoraram para os moabitas. Cf. 1Rs 16.21-24. Davi é quem tinha reduzido pela primeira vez Moabe à vassalagem (ver 2Sm 8.2; 23.20). Ver o artigo detalhado existente no *Dicionário* intitulado *Moabe*.

■ 1.2

וַיִּפֹּל אֲחַזְיָה בְּעַד הַשְּׂבָכָה בַּעֲלִיָּתוֹ אֲשֶׁר בְּשֹׁמְרוֹן וַיָּחַל וַיִּשְׁלַח מַלְאָכִים וַיֹּאמֶר אֲלֵהֶם לְכוּ דִרְשׁוּ בְּבַעַל זְבוּב אֱלֹהֵי עֶקְרוֹן אִם־אֶחְיֶה מֵחֳלִי זֶה׃ ס

E caiu Acazias. A narrativa do breve dia e do governo desse rei de Israel teve início em 1Rs 22.52-53. 1 e 2Reis, na Bíblia hebraica, formavam um único livro e, realmente, não havia nenhuma interrupção entre os dois livros. Portanto, aqui a história desse homem, que era filho de Acabe e Jezabel, continua. Ver sobre ele no *Dicionário*.

"Acazias estava amaldiçoado por maus pais. Ele foi criado na casa da crueldade e da irreligiosidade. Acabe e Jezabel eram seus pais! Como podia um filho de tal casal fazer outra coisa senão ter um mau fim? Acazias andou pelo caminho de seu pai, e pelas veredas de sua mãe (1Rs 22.53). Ruskin observou que a história de uma nação não se escreve por suas guerras, e, sim, por seus lares" (Raymond Calking, *in loc.*).

Na verdade, lares onde dominam a ganância, a luxúria, o materialismo, as indulgências exageradas e a sensualidade são lugares apropriados para a criação de crianças perturbadas, pelo menos do ponto de vista espiritual. Apesar de não haver garantias — bons pais, às vezes, produzem filhos maus — um bom lar oferece a melhor esperança para que os filhos obtenham a virtude.

A Queda de Acazias. Os cenáculos (no hebraico, 'aliyyah) normalmente eram uma câmara sobre o teto de uma casa, construída sobre um portão da cidade (2Sm 18.33), no canto de um telhado de casa (Ne 3.31). Usualmente dispunham de uma escadaria para acesso. O cenáculo de Acazias era rodeado por alguma espécie de cerca. Ao que tudo indica, Acazias chegou perto demais; a cerca partiu-se e ele desabou. A queda não o matou instantaneamente, mas o feriu de tal modo que ele nunca mais se recuperou. Josefo (*Antiq.* IX. 2.1), entretanto, conjecturou que ele caiu quando começava a descer pela escadaria. Ou então havia uma grade protetora em uma larga janela aberta, que deixava entrar ar para ventilação. Acazias apoiou-se nessa grade, ela cedeu, e ele caiu.

Buscando Ajuda Divina. A queda afetou muito a saúde de Acazias. Talvez tenha havido infecções e hemorragias internas. Assim sendo, ele buscou ajuda em altar ou santuário do deus pagão *Baal-Zebube*, uma das divindades do panteão de Ecrom. Esse culto não era para alguma obscura divindade local, conforme alguns têm pensado, mas antes, uma manifestação local do baalismo. (Ver sobre *Baal, Baalismo*, no *Dicionário*. E ver também o artigo geral chamado *Idolatria*.) No altar ou santuário (ou talvez até templo) haveria sacerdotes capazes de receber oráculos. Ver no *Dicionário* os artigos chamados *Oráculos e Adivinhações*.

Baal significa "senhor", e *Baal-Zebube* quer dizer "senhor das moscas", com referência a seu alegado poder de livrar as pessoas das pragas de moscas. Entretanto, a maneira original de grafar a palavra era *Baal-Zebul*, que significa "senhor exaltado". Entre seus muitos poderes estava, alegadamente, o seu poder de curar, sendo essa a razão pela qual ele foi consultado, em lugar de qualquer outro deus. Quanto a detalhes sobre essas questões, que não repito aqui, ver no *Dicionário* o artigo intitulado *Baal (Baalismo)*.

Ecrom. Ver sobre esse nome no *Dicionário*. A maioria das cidades antigas era centro de culto idolátrico.

■ 1.3

וּמַלְאַךְ יְהוָה דִּבֶּר אֶל־אֵלִיָּה הַתִּשְׁבִּי קוּם עֲלֵה לִקְרַאת מַלְאֲכֵי מֶלֶךְ־שֹׁמְרוֹן וְדַבֵּר אֲלֵהֶם הַמִבְּלִי אֵין־אֱלֹהִים בְּיִשְׂרָאֵל אַתֶּם הֹלְכִים לִדְרֹשׁ בְּבַעַל זְבוּב אֱלֹהֵי עֶקְרוֹן׃

O anjo do Senhor. Ver no *Dicionário* o verbete chamado *Anjos*. Algumas vezes eles eram agentes de comunicação da vontade divina, dando mensagens específicas de orientação. Oh, Senhor, concede-nos tal graça! Cf. 1Rs 19.5-9. Ver no *Dicionário* o artigo chamado *Desenvolvimento Espiritual, Meios do*. Nossa vida espiritual deve transcender os caminhos deste mundo. Nossa mente deve estar sintonizada com o Ser divino, o que não é fácil neste mundo caracterizado pela maldade, pelo materialismo, pelos cultos falsos e por uma psiquiatria puramente secular. Também existem ciências pseudopsíquicas, que prometem mais do que dão.

Elias, tesbita. Este homem estava de volta. Isso constituía más notícias para qualquer membro da família de Acabe. A queda completa e a destruição da dinastia de Acabe haviam sido profetizadas. Ver 1Rs 21.21,22,29. Elias tinha sido o agente dessas profecias, e agora Acazias tinha a má sorte de entrar em contato direto com esse temido profeta de Yahweh. Ver no *Dicionário* o artigo chamado *Elias*.

O anjo do Senhor falara a Elias, instruindo-o a interceptar os mensageiros de Acazias, que estavam a caminho para consultar *Baal-Zebube* (vs. 2). Uma dura mensagem de repreensão deveria ser dita. Havia o Deus verdadeiro em Israel para ser consultado, Yahweh-Elohim, o Deus Eterno e Todo-poderoso. Mas Acazias insistia em sua idolatria até em momentos de agonia e de morte provável. Ele seguia os maus caminhos exemplificados por seus pais, Acabe e Jezabel (ver 1Rs 22.52).

Acazias, sem dúvida, sabia que Elias sempre trouxera uma mensagem triste para seu pai (ver 1Rs 22.17,18). Ele queria ouvir falar em esperança, e não em desespero; e Elias não era um bom profeta para dar-lhe esse tipo de palavra.

Deus de Israel, ... *todos os povos andam, cada um em nome do seu deus; mas, quanto a nós, andaremos no nome do Senhor nosso Deus para todo o sempre* (Mq 4.5).

■ 1.4

וְלָכֵן כֹּה־אָמַר יְהוָה הַמִּטָּה אֲשֶׁר־עָלִיתָ שָּׁם לֹא־תֵרֵד מִמֶּנָּה כִּי מוֹת תָּמוּת וַיֵּלֶךְ אֵלִיָּה׃

O Oráculo Espontâneo. Acazias tinha mandado seus mensageiros obter uma mensagem de um oráculo pagão. Mas, antes que os mensageiros pudessem chegar a Ecrom (vs. 3), um oráculo verdadeiro lhes foi dado, o que constituiu uma surpresa. Yahweh foi a fonte originária da amarga mensagem. Acazias estava então em seu leito de morte. Nenhuma recuperação era possível. Ver os vss. 16 e 17 quanto ao cumprimento dessa mensagem aterrorizante.

A Razão. Talvez Acazias sobrevivesse aos efeitos de sua queda, se tivesse se voltado para Yahweh e seu profeta. Mas a decisão do monarca de buscar ajuda em seu culto idólatra anulou qualquer oportunidade de misericórdia da parte de Deus.

Da cama, a que subiste, não descerás. As pessoas literalmente subiam e desciam da cama, porque no Oriente as camas eram geralmente elevadas e havia degraus ou escadas que davam acesso a elas (*Adrichom. Theatrum Ter. Sacnt.* fol. 6.1). Além disso, a cama de Acazias estava no cenáculo, e isso também pode explicar essa expressão sobre subir e descer.

■ 1.5

וַיָּשׁוּבוּ הַמַּלְאָכִים אֵלָיו וַיֹּאמֶר אֲלֵיהֶם מַה־זֶּה שַׁבְתֶּם׃

Os mensageiros voltaram para o rei. Enquanto Elias voltava para casa, os mensageiros interromperam sua jornada para Ecrom e retornaram a Samaria. Eles já tinham recebido o seu oráculo. Por conseguinte, por que continuariam viagem? Quando um profeta verdadeiro nos fala, nós o sabemos. Ademais, talvez tenham pensado que poderiam compartilhar a sorte triste de Acazias, se insistissem em consultar o oráculo que Elias havia condenado. Coisa alguma poderia tê-los convencido a prosseguir viagem para Ecrom.

"Embora Elias fosse desconhecido pessoalmente dos enviados, uma interposição tão ameaçadora certamente seria considerada uma advertência divina, que não poderia ser ignorada" (Ellicott, *in loc.*).

■ 1.6

וַיֹּאמְרוּ אֵלָיו אִישׁ עָלָה לִקְרָאתֵנוּ וַיֹּאמֶר אֵלֵינוּ לְכוּ שׁוּבוּ אֶל־הַמֶּלֶךְ אֲשֶׁר־שָׁלַח אֶתְכֶם וְדִבַּרְתֶּם אֵלָיו כֹּה אָמַר יְהוָה הֲמִבְּלִי אֵין־אֱלֹהִים בְּיִשְׂרָאֵל אַתָּה שֹׁלֵחַ לִדְרֹשׁ בְּבַעַל זְבוּב אֱלֹהֵי עֶקְרוֹן לָכֵן הַמִּטָּה אֲשֶׁר־עָלִיתָ שָּׁם לֹא־תֵרֵד מִמֶּנָּה כִּי־מוֹת תָּמוּת:

Este versículo repete, pacientemente, todos os detalhes que já tínhamos visto nos versículos terceiro a quinto, uma longa explicação, dada ao rei, de por que os mensageiros tinham retornado tão rápida e inesperadamente. Os mensageiros tinham de obedecer ao mandato real; eles precisavam ir; mas uma força superior havia feito intervenção, através do profeta de Yahweh. Por conseguinte, eles tiveram de obedecer à ordem divina e voltar, esperando que Acazias não ordenasse a execução deles por terem falhado em cumprir a sua ordem.

■ 1.7,8

וַיְדַבֵּר אֲלֵהֶם מֶה מִשְׁפַּט הָאִישׁ אֲשֶׁר עָלָה לִקְרָאתְכֶם וַיְדַבֵּר אֲלֵיכֶם אֶת־הַדְּבָרִים הָאֵלֶּה:

וַיֹּאמְרוּ אֵלָיו אִישׁ בַּעַל שֵׂעָר וְאֵזוֹר עוֹר אָזוּר בְּמָתְנָיו וַיֹּאמַר אֵלִיָּה הַתִּשְׁבִּי הוּא:

Identificando o Profeta que Predissera a Condenação. Acazias precisava saber quem tivera a audácia de mandar de volta os mensageiros reais. E Acazias logo compreendeu, devido à descrição da figura do profeta, que se tratava do temido Elias. Ele era um homem "vestido de pelos", isto é, uma capa feita de couro de bodes, com os pelos voltados para o lado de fora. A *King James Version* faz Elias ser "um homem peludo", presumivelmente dando a entender seus próprios pelos corporais; mas não é esse o sentido das palavras. Além disso, ele usava um "cinto de couro". Pano tecido de pelos era um tecido áspero, e era chamado "pano de saco" (ver a respeito no *Dicionário*). Tais vestes eram usadas em tempos de arrependimento e tristeza. Ver 2Rs 6.30; Gn 37.34; 2Sm 3.31. Talvez o texto queira dizer que as roupas de Elias eram feitas de pelos de cabra, e não de um couro de cabra com os pelos voltados para o lado de fora. Seja como for, ficou óbvio para Acazias que ele estava tratando com Elias, o "inimigo" de seu pai, que nunca lhe dissera uma palavra boa (ver 1Rs 22.17,18). O pano de saco deste versículo cf. o caso de João Batista, em Mt 3.4. João Batista também usava roupas feitas de pelos de camelos. Ver ainda Hb 11.37.

■ 1.9

וַיִּשְׁלַח אֵלָיו שַׂר־חֲמִשִּׁים וַחֲמִשָּׁיו וַיַּעַל אֵלָיו וְהִנֵּה יֹשֵׁב עַל־רֹאשׁ הָהָר וַיְדַבֵּר אֵלָיו אִישׁ הָאֱלֹהִים הַמֶּלֶךְ דִּבֶּר רֵדָה:

Um capitão de cinquenta com seus cinquenta soldados. Um pequeno destacamento foi enviado pelo rei, sob as ordens de um capitão. A tarefa deles era alcançar Elias no caminho e pedir-lhe que fosse a Samaria visitar o rei. É de presumir-se que o pobre capitão tentasse fazer o profeta dar-lhe uma mensagem mais otimista. O rei não estava preparado ainda para morrer. Ainda era um homem jovem. Era rei. Tinha muitas coisas pelas quais deveria viver, planos a cumprir, cidades a fortificar, guerras a combater.

Logo o grupo de soldados encontrou Elias, em alguma colina não identificada. Eles chamaram Elias de "homem de Deus", e pediram que voltasse com eles, a fim de entregar pessoalmente a mensagem ao rei.

O rei tinha baixado uma ordem. Elias teria de cumprir. Caso contrário, teriam de levá-lo ao rei à força. Mas a ameaça deles, apesar de velada, logo foi respondida com fogo descido do céu. É possível (embora não seja provável) que o verdadeiro intuito de Acazias fosse mandar executar o perturbador profeta Elias. Mais provavelmente, ele esperava conseguir uma cura espiritual por meio dos poderes de Elias. Elias estava compreensivelmente temeroso do rei (vs. 15). Mas o homem lá em Samaria, com seu corpo alquebrado e enfermo, não queria fazer mal ao profeta. Estava apenas procurando ajuda.

■ 1.10

וַיַּעֲנֶה אֵלִיָּהוּ וַיְדַבֵּר אֶל־שַׂר הַחֲמִשִּׁים וְאִם־אִישׁ אֱלֹהִים אָנִי תֵּרֶד אֵשׁ מִן־הַשָּׁמַיִם וְתֹאכַל אֹתְךָ וְאֶת־חֲמִשֶּׁיךָ וַתֵּרֶד אֵשׁ מִן־הַשָּׁמַיִם וַתֹּאכַל אֹתוֹ וְאֶת־חֲמִשָּׁיו:

O Fogo Divino e Destruidor. O homem de Deus demonstrou seus poderes e imediatamente fez descer fogo do céu sobre o grupo de cinquenta soldados, e destruiu todos. Essa foi a segunda vez que Elias usou o fogo. A primeira vez ocorreu no monte Carmelo, quando ele contestara os sacerdotes de Baal (ver 1Rs 18.38). Os críticos, naturalmente, veem embelezamentos diversos nessa descrição, adicionados por algum editor posterior, ou o próprio autor original apelou para fantasias. Mas onde está o poder divino, coisas surpreendentes podem acontecer.

"Esta seção tem afinidades maiores com as histórias sobre Eliseu (cf. 2Rs 2.23-25), onde a moral de reverência pelo profeta é instilada da forma mais crua, às vezes, às expensas de ideias ordinárias de justiça e humanidade" (Norman H. Snaith, *in loc.*). É significativo, seja como for, que Jesus tenha rejeitado tais julgamentos de incrédulos como indignos do ofício dos apóstolos (ver Lc 9.54-56): "Vendo isto, os discípulos Tiago e João perguntaram: Senhor, queres que mandemos descer fogo do céu para os consumir? Jesus, porém, voltando-se os repreendeu [e disse: Vós não sabeis de que espírito sois]. [Pois o Filho do homem não veio para destruir as almas dos homens, mas para salvá-las.] E seguiram para outra aldeia".

O Novo Testamento, verdadeiramente, é diferente.

Não somos informados sobre como a história da matança dos cinquenta soldados chegou ao conhecimento do rei. Talvez tenha havido algum sobrevivente, ou a cena foi testemunhada por alguma outra pessoa.

Explicação Natural. Um raio fortuito apenas caiu acidentalmente quando o profeta falava com aqueles soldados! Mas dificilmente é isso que o autor sagrado queria que entendêssemos de seu relato.

Problemas Morais. Conforme ficou entendido anteriormente, alguns levantam perguntas sobre a moralidade do que aconteceu. Contra essa opinião, alguns têm sugerido as seguintes razões:

1. O ímpio Acazias tinha de ser tratado severamente, pois ele havia continuado com os absurdos de seu pai, Acabe, e de sua mãe, Jezabel.
2. Aqueles ímpios soldados estavam planejando executar Elias. Assim, receberam o que mereciam.
3. Yahweh foi a verdadeira fonte do fogo, e não Elias, portanto a vontade de Deus se cumpriu. Isso, naturalmente, reflete o voluntarismo, o que expliquei na *Enciclopédia de Bíblia, Teologia e Filosofia*. A essência do voluntarismo é que "poder é direito", independentemente do que pensemos sobre questões morais. Os críticos respondem que aquilo que os homens dizem que Deus faz, e aquilo que ele realmente faz são duas coisas diferentes.
4. O fogo não foi enviado para agradar Elias e para satisfazer algum capricho dele. Foram chamas de julgamento divino.
5. Elias havia sido investido da autoridade divina e não hesitou em usá-la. O argumento fica com Deus. Os críticos, entretanto, dizem que o argumento está com o que os homens dizem a respeito de Deus.
6. Yahweh tinha de proteger o Seu profeta de homens ímpios e desarrazoados, e Deus escolheu aquele método para cuidar deles.

7. No tocante à história do Novo Testamento, em Lc 9.54-56, podemos dizer que os dois casos (o de Elias e o de Jesus) foram diferentes. Era tarefa de Elias tentar acabar com a idolatria em Israel, mesmo com o emprego da violência entre os seus métodos. Jesus, por outra parte, era o Salvador dos homens. O julgamento de homens ímpios e desarrazoados seria deixado para uma ocasião posterior. Os críticos, entretanto, respondem que explicar as coisas dessa maneira é perder de vista o intuito das palavras de Jesus. As palavras misericordiosas de Jesus visam a alertar-nos para o fato de que o Novo Testamento, na realidade, trouxe um Novo Dia, uma mudança radical, misericórdia, amor e salvação. Jesus foi um tipo de profeta maior e diferente de Elias. Isso é exatamente o que esperaríamos ser demonstrado na revelação superior do Novo Testamento.

■ 1.11,12

וַיָּשָׁב וַיִּשְׁלַח אֵלָיו שַׂר־חֲמִשִּׁים אַחֵר וַחֲמִשָּׁיו וַיַּעַן וַיְדַבֵּר אֵלָיו אִישׁ הָאֱלֹהִים כֹּה־אָמַר הַמֶּלֶךְ מְהֵרָה רֵדָה:

וַיַּעַן אֵלִיָּה וַיְדַבֵּר אֲלֵיהֶם אִם־אִישׁ הָאֱלֹהִים אָנִי תֵּרֶד אֵשׁ מִן־הַשָּׁמַיִם וְתֹאכַל אֹתְךָ וְאֶת־חֲמִשֶּׁיךָ וַתֵּרֶד אֵשׁ אֱלֹהִים מִן־הַשָּׁמַיִם וַתֹּאכַל אֹתוֹ וְאֶת־חֲמִשָּׁיו:

Estes dois versículos são repetições dos versículos 9 e 10, cujas notas expositivas também se aplicam aqui. Nesta segunda vez, os cinquenta soldados enviados com seu capitão, a fim de tentar persuadir o homem de Deus a vir a Samaria para falar com o rei, também foram mortos com fogo descido do céu. Quanto aos problemas morais do acontecido, ver as notas expositivas sobre o versículo 10 deste capítulo.

■ 1.13

וַיָּשָׁב וַיִּשְׁלַח שַׂר־חֲמִשִּׁים שְׁלִשִׁים וַחֲמִשָּׁיו וַיַּעַל וַיָּבֹא שַׂר־הַחֲמִשִּׁים הַשְּׁלִישִׁי וַיִּכְרַע עַל־בִּרְכָּיו לְנֶגֶד אֵלִיָּהוּ וַיִּתְחַנֵּן אֵלָיו וַיְדַבֵּר אֵלָיו אִישׁ הָאֱלֹהִים תִּיקַר־נָא נַפְשִׁי וְנֶפֶשׁ עֲבָדֶיךָ אֵלֶּה חֲמִשִּׁים בְּעֵינֶיךָ:

Outro (o terceiro) grupo de cinquenta soldados, com seu capitão, foi enviado com idêntico propósito dos dois primeiros grupos, conforme foi anotado nos versículos 9 e 10. Mas esse terceiro grupo fez um apaixonado apelo por sua vida, humilhando-se perante o profeta, pedindo para não serem consumidos por aquele terrível fogo que descia do céu. Eles salientaram que a vida humana é preciosa, e solicitaram que a vida deles fosse considerada dessa maneira pelo homem de Deus. Essa consideração salvou o terceiro grupo de cinquenta soldados.

Pôs-se de joelhos diante de Elias. De fato, algumas vezes é mais vantajoso para o indivíduo ser humilde, especialmente quando sua vida depende disso. Ver no *Dicionário* o verbete intitulado *Humildade*.

> A verdadeira humildade —
> A mais nobre das virtudes, mãe delas todas.
>
> Tennyson

> A humildade é o alicerce de todas as virtudes,
> e aquele que desce mais fundo
> provê para a maior segurança.
>
> Philip J. Bailey

■ 1.14,15

הִנֵּה יָרְדָה אֵשׁ מִן־הַשָּׁמַיִם וַתֹּאכַל אֶת־שְׁנֵי שָׂרֵי הַחֲמִשִּׁים הָרִאשֹׁנִים וְאֶת־חֲמִשֵּׁיהֶם וְעַתָּה תִּיקַר נַפְשִׁי בְּעֵינֶיךָ: ס

וַיְדַבֵּר מַלְאַךְ יְהוָה אֶל־אֵלִיָּהוּ רֵד אוֹתוֹ אַל־תִּירָא מִפָּנָיו וַיָּקָם וַיֵּרֶד אוֹתוֹ אֶל־הַמֶּלֶךְ:

Lembrando. Fogo descido do céu havia consumido os dois primeiros grupos de cinquenta soldados, com seus capitães. Assim, o capitão do terceiro grupo pediu misericórdia, para que a vida dos homens fosse considerada preciosa aos olhos de Elias. O anjo do Senhor interveio, a fim de que não houvesse mais matanças. Elias sentira medo, conforme o versículo 15 nos diz; mas o anjo do Senhor havia retirado toda a ansiedade dele. Não era seu destino sofrer às mãos de Acazias. Além disso, o rei era apenas uma pessoa enferma e alquebrada. Sua intenção não era fazer mal ao profeta. Ele não tinha ambições no momento, além de receber a cura divina.

Quanto ao ministério dos anjos, na comunicação de mensagens divinas, ver as notas sobre o versículo 3 deste capítulo, onde o tema é desenvolvido. Essa foi a sexta vez que Elias recebeu ordens para ir a algum lugar, a fim de cumprir alguma missão específica. Ver também 1Rs 17.3,9; 18.1; 21.18; 2Rs 1.3.

Elias haveria de cumprir a sua missão. Ele nada tinha para temer; nem tinha coisa alguma para lamentar-se. Este episódio reveste-se de importantes lições morais que não podemos negligenciar. Elias era a encarnação da consciência moral que se levantava contra os males do seu tempo. Coisa alguma pode resistir, finalmente, à verdade incorporada na vontade de Deus.

■ 1.16

וַיְדַבֵּר אֵלָיו כֹּה־אָמַר יְהוָה יַעַן אֲשֶׁר־שָׁלַחְתָּ מַלְאָכִים לִדְרֹשׁ בְּבַעַל זְבוּב אֱלֹהֵי עֶקְרוֹן הַמִבְּלִי אֵין־אֱלֹהִים בְּיִשְׂרָאֵל לִדְרֹשׁ בִּדְבָרוֹ לָכֵן הַמִּטָּה אֲשֶׁר־עָלִיתָ שָּׁם לֹא־תֵרֵד מִמֶּנָּה כִּי־מוֹת תָּמוּת:

Assim diz o Senhor. A repreenda do profeta. Uma vez na presença do rei, Elias imediatamente o repreendeu, por causa de sua idolatria, em face da qual ele desprezara Yahweh, o verdadeiro Deus. Este versículo repete o que já tínhamos visto nos versículos 3 e 4 deste capítulo, cujas notas expositivas também se aplicam aqui. Acazias tinha esperado alguma medida de misericórdia, mas era seu destino, que ele mesmo havia cultivado, não se recuperar da queda e de suas complicações.

■ 1.17

וַיָּמָת כִּדְבַר יְהוָה אֲשֶׁר־דִּבֶּר אֵלִיָּהוּ וַיִּמְלֹךְ יְהוֹרָם תַּחְתָּיו פ בִּשְׁנַת שְׁתַּיִם לִיהוֹרָם בֶּן־יְהוֹשָׁפָט מֶלֶךְ יְהוּדָה כִּי לֹא־הָיָה לוֹ בֵּן:

Assim, pois, morreu. Algumas vezes, a morte é a única coisa que pode solucionar certos problemas. Acazias foi libertado de suas agonias, e foi a responsabilidade do Logos cuidar da alma dele, e penso que ele o fez, em algum lugar, em algum tempo. Ver no *Dicionário* o verbete chamado *Mortos, Estado dos*, onde esse problema é examinado. Há uma provisão salvadora até para os "mortos ímpios" (ver 1Pe 4.6).

Jorão, seu irmão. Note o leitor que o texto não traz o comum "seu filho". De fato, Jorão, irmão de Acazias, subiu ao trono porque não havia outro herdeiro. A *Septuaginta* e a versão siríaca é que trazem as palavras "seu irmão". Foi por pura coincidência que Jorão, irmão de Acazias, reinou paralelamente a Jeorão, filho de Josafá, rei de Judá. Foi assim que, durante algum tempo, o rei de Israel e o rei de Judá tiveram nomes muito parecidos. Ver 2Rs 3.1 quanto ao fato de que Jorão de Israel era filho de Acabe, e não de Acazias e, portanto, irmão deste último.

Relatos Paralelos. Foi plano do autor sagrado apresentar narrativas paralelas dos reis de Israel e de Judá, conforme uma ordem cronológica aproximada. Quanto a esse método de apresentação, ver 1Rs 16.29 e suas notas expositivas.

Esse Jorão começou a reinar no segundo ano do governo de Jeorão, rei de Judá. Ver no *Dicionário* os artigos chamados *Israel, Reino de*; *Reino de Judá* e *Rei, Realeza*. Esses artigos alistam os reis de Israel e de Judá e também contêm gráficos para efeitos de comparação. O Jorão deste texto reinou por volta de 854 a 843 a.C., ou seja, por cerca de doze anos. Jorão era homem mau e corrupto. Muito espaço é devotado a contar a sua história, visto que envolveu o ministério de Eliseu, que é narrado longamente. Ver o artigo sobre esse rei no *Dicionário*, quanto a detalhes. O Jeorão de Judá, por sua vez, foi corregente com seu pai, Josafá, por algum tempo, até que, finalmente, reinou sozinho em lugar dele.

A *Septuaginta* (em alguns manuscritos) fala no décimo oitavo ano de Jeorão de Judá, em lugar do segundo ano. É possível, pois, que o texto hebraico, neste ponto, esteja corrompido, ou então que diferentes fontes informativas tenham sido seguidas, dando margem a essa discrepância. Mas note o leitor que foi no décimo oitavo ano de Josafá (2Rs 3.1) que Jorão, de Israel, começou a reinar, e também no segundo ano do reinado de Jeorão. Josafá e Jeorão foram coregentes por alguns anos. E isso pode explicar adequadamente a discrepância. Teríamos apenas de substituir Josafá em lugar de Jeorão, no presente texto, na *Septuaginta*, para conseguir a solução possível do problema cronológico. Mas não há nenhuma solução mais fácil para o problema, e nem ela é necessária.

■ 1.18

וְיֶ֛תֶר דִּבְרֵ֥י אֲחַזְיָ֖הוּ אֲשֶׁ֣ר עָשָׂ֑ה הֲלוֹא־הֵ֣מָּה כְתוּבִ֗ים
עַל־סֵ֛פֶר דִּבְרֵ֥י הַיָּמִ֖ים לְמַלְכֵ֥י יִשְׂרָאֵֽל׃ פ

Quanto aos demais atos de Acazias. Encontramos aqui a nota de fim de vida, de algum rei de Israel ou de Judá, que o autor sacro empregou constantemente. Quanto a essa maneira de terminar os relatos da vida dos reis, ver as notas em 1Rs 14.19. Não há nota de obituário desse rei, como "dormiu com seus pais". Essa declaração é comentada em 1Rs 1.21 e 16.28.

CAPÍTULO DOIS

ELISEU SUCEDE A ELIAS (2.1-18)

O próprio grande profeta Elias, finalmente, precisou abandonar o palco das realizações. Por conseguinte, foi mister que um outro profeta verdadeiro tomasse o seu lugar, demonstrando os mesmos poderes que seu mestre. Israel era uma nação plena de profetas e videntes, mas a maioria deles não se qualificava como homens de Deus. Yahweh, porém, não ficaria sem uma testemunha, embora pouco tivesse sido realizado para levar Israel a ser restaurado ao yahwismo. A usual síndrome do pecado-calamidade continuou, arrebatando mais e mais vítimas, que não conseguiam desvencilhar-se da teia da depravação de Israel, nação do norte.

Elias Havia Terminado a Sua Missão. Eliseu insistiu em acompanhá-lo a Gilgal. Por nada menos de três vezes (em Gilgal, Betel e Jericó), Elias disse a Eliseu que ficasse para trás, mas de cada vez ele insistiu em acompanhar o homem mais velho. Elias agora estava prestes a ser arrebatado. Eliseu foi informado do que iria acontecer, e podemos estar seguros de que Eliseu queria estar no local, a fim de testificar esse evento estupendo. Eliseu, pois, apegou-se ao mestre, até que, de repente, de forma miraculosa, Elias foi removido deste mundo. Naquele momento, os poderes de Elias desceram sobre Eliseu, e até os profetas locais reconheceram que o homem mais novo era o legítimo sucessor de Elias.

Literatura. Os críticos e os eruditos classificam este segundo capítulo do segundo livro de Reis como um dos mais nobres capítulos da Bíblia. Este capítulo (além de ser uma literatura superior, com uma história notadamente bem narrada) ensina elevadas lições espirituais.

Tipologia. A translação de Elias é um tipo daquilo que se espera para toda a Igreja (ver 1Ts 4.13 ss.; 1Co 15.51 ss.). Ver na *Enciclopédia de Bíblia, Teologia e Filosofia* os artigos chamados *Parousia* e *Segunda Vinda*, ponto oitavo. Ver também o artigo sobre o profeta, *Arrebatamento de Elias*, ponto quinto. Quanto a um arrebatamento moderno documentado de forma convincente, ver (também na *Enciclopédia*), o artigo *Arrebatamento de Analee Skarin*, no artigo chamado *Eliseu*, em seu sexto parágrafo.

■ 2.1

וַיְהִ֗י בְּהַעֲל֤וֹת יְהוָה֙ אֶת־אֵ֣לִיָּ֔הוּ בַּֽסְעָרָ֖ה הַשָּׁמָ֑יִם וַיֵּ֧לֶךְ
אֵלִיָּ֛הוּ וֶאֱלִישָׁ֖ע מִן־הַגִּלְגָּֽל׃

Elias partiu de Gilgal. Ver a respeito desse local no *Dicionário*, em seu segundo ponto.

Por um redemoinho. As experiências místicas são usualmente inefáveis. Portanto, termos literais e físicos são usados para falar sobre os eventos espirituais. Esses modos de expressão são, naturalmente, muito inexatos e com frequência enganadores. Algo "como um redemoinho", haveria de arrebatar o profeta de súbito, mas estamos falando sobre um acontecimento espiritual desconhecido que é impossível de descrever com quaisquer termos precisos. É um erro reduzir tais eventos a meros acontecimentos físicos, conforme fazem alguns intérpretes literalistas da Bíblia. Há boas evidências em acreditarmos que Analee Skarin sofreu um moderno arrebatamento. Ver a introdução ao presente capítulo quanto a informações sobre onde se pode ler a história dela. Conheci um missionário evangélico que supunha que, se um homem pudesse atingir tamanho grau de espiritualidade, ele não morreria, mas seria (pessoalmente) arrebatado, escapando assim à morte física. Essa é a doutrina que Analee Skarin ensinava. Talvez algo como isso exista realmente, e talvez não. Se tal possibilidade existe para alguns, então podemos afirmar, mediante a observação, que poucos, de fato, têm atingido esse tipo de espiritualidade.

Eliseu acompanhou fielmente Elias naquele dia, que seria seu último dia na terra. Então o evento estupendo teve lugar. Para todo acontecimento há um tempo apropriado. O dia em que o ministério de Elias terminou foi o dia em que começou o ministério de Eliseu.

Yahweh foi o planejador e a causa do evento. Portanto, nosso destino está em suas mãos.

Redemoinho. A palavra hebraica aqui usada refere-se a um grande vendaval, com frequência associado, nas Escrituras, à vinda de Deus e seus atos especiais, como aqueles de ira e de manifestação de sua presença. Somente no Salmo 107.25 essa palavra hebraica é usada para indicar uma tempestade ordinária. Cf. Is 29.6; 40.24; Ez 13.11; Zc 9.14. A tradução que aparece na *Vulgata Latina*, turbo, deu origem à tradução "redemoinho" em traduções posteriores. Mas devemos entender algum grande e dominador vendaval divino, algo parecido com um vendaval, mas também divino. Ver no *Dicionário* o verbete intitulado Misticismo.

■ 2.2

וַיֹּ֨אמֶר אֵלִיָּ֜הוּ אֶל־אֱלִישָׁ֗ע שֵֽׁב־נָ֣א פֹה֮ כִּ֣י יְהוָה֒
שְׁלָחַ֣נִי עַד־בֵּֽית־אֵ֔ל וַיֹּ֣אמֶר אֱלִישָׁ֔ע חַי־יְהוָ֖ה
וְחֵֽי־נַפְשְׁךָ֑ אִם־אֶעֶזְבֶ֑ךָּ וַיֵּרְד֖וּ בֵּֽית־אֵֽל׃

Fica-te aqui. O arrebatamento não ocorreria em Gilgal. Elias foi enviado a Betel. A Gilgal associada com Elias e Eliseu não era a mesma da Galileia ou da fronteira de Judá. Ver no *Dicionário* sobre Gilgal, ponto b. O local é desconhecido, mas existem opiniões plausíveis. Talvez ficasse a seis quilômetros de Betel, conforme alguns supõem. Eliseu recebeu ordens de "ficar", por parte de Elias, mas ele recusou-se a isso. A ordem era ideia de Elias, e não de Yahweh, de forma que Eliseu pôde ignorá-la com segurança. Eliseu sabia que o evento estupendo estava prestes a acontecer, e ele não o perderia por coisa alguma deste mundo. Talvez a ordem de Elias tenha sido inspirada por sua incerteza se Eliseu deveria testemunhar ou não o evento extraordinário. Eliseu, por sua vez, não haveria de permitir que a incerteza de Elias o detivesse.

Tão certo como vive o Senhor e vive a tua alma... Temos aqui um solene juramento alicerçado no Ser eterno de Yahweh, cujo nome significa "o Eterno". A vida do profeta Elias também era preciosa e estava segura. Sobre esses fatores, Eliseu fez o juramento de que não deixaria o seu senhor por nenhuma razão. Cf. 1Sm 20.3 e 2Rs 4.30.

■ 2.3

וַיֵּצְא֨וּ בְנֵֽי־הַנְּבִיאִ֥ים אֲשֶׁר־בֵּֽית־אֵ֖ל אֶל־אֱלִישָׁ֑ע
וַיֹּאמְר֣וּ אֵלָ֗יו הֲיָדַ֜עְתָּ כִּ֣י הַיּ֗וֹם יְהוָ֛ה לֹקֵ֥חַ אֶת־אֲדֹנֶ֖יךָ
מֵעַ֣ל רֹאשֶׁ֑ךָ וַיֹּ֛אמֶר גַּם־אֲנִ֥י יָדַ֖עְתִּי הֶחֱשֽׁוּ׃

Sabes que o Senhor hoje tomará o teu senhor...? É significativo que as "notícias se tivessem propagado". Os profetas associados com Betel sabiam que Elias estava prestes a ser arrebatado. A história pode ter-se espalhado até eles, proveniente de outra fonte, ou talvez eles tivessem recebido a notícia diretamente em suas próprias profecias. Seja como for, eles sabiam.

Eliseu assegurou aos discípulos dos profetas que ele já sabia o que aconteceria, e ordenou-lhes que não falassem sobre a questão. Verdadeiramente, seria um acontecimento maravilhoso, mas também o separaria de seu senhor, o que seria motivo de intensa tristeza. O valor humano é renovado em outras esferas, pelo que jamais se perde. Mas a morte remove uma pessoa de nosso meio, portanto não mais podemos falar com ela. E nisso há tristeza. A translação de Elias não seria causada pela morte, mas quanto a esse aspecto agiria como se o fosse.

Devoção. Uma lição que esta história nos ensina é a devoção a outros. A verdadeira amizade é algo valioso e raro.

> Um amigo durante uma vida inteira já é muito.
> Dois amigos já é demais.
> Três amigos é quase impossível.
> As amizades precisam contar com certo paralelismo de vida, comunidade de pensamentos e rivalidade de propósitos.
>
> Henry Adams

> As amizades multiplicam as alegrias e dividem as tristezas.
>
> Henry G. Bohn

> A única maneira para termos um amigo é sendo um amigo.
>
> Ralph Waldo Emerson

Escolas dos Profetas. Ver sobre esse assunto no *Dicionário*.

■ 2.4

וַיֹּאמֶר לוֹ אֵלִיָּהוּ אֱלִישָׁע שֵׁב־נָא פֹה כִּי יְהוָה שְׁלָחַנִי יְרִיחוֹ וַיֹּאמֶר חַי־יְהוָה וְחֵי־נַפְשְׁךָ אִם־אֶעֶזְבֶךָּ וַיָּבֹאוּ יְרִיחוֹ:

Fica-te aqui. Outro adiamento no arrebatamento. Elias já estivera em Gilgal. Dali, fora enviado a Betel. Em seguida, Yahweh falou com ele e o enviou a Jericó. Novamente Elias ordenou que Eliseu ficasse em Betel. Mas Eliseu, uma vez mais, recusou-se a fazer isso, conforme anotei no segundo versículo deste capítulo. Portanto, lá se foram eles para Jericó. Esta ficava a pouco mais de seis quilômetros de Betel, portanto a jornada não foi muito longa.

Quanto ao juramento de Eliseu, sobre a vida de Yahweh e de Elias, ver o último parágrafo da exposição sobre o segundo versículo. Haveria um grande propósito para Eliseu estar ali. Ele sabia disso em seu coração, e não permitiria que as "ordens" de Elias perturbassem a sua mente.

■ 2.5

וַיִּגְּשׁוּ בְנֵי־הַנְּבִיאִים אֲשֶׁר־בִּירִיחוֹ אֶל־אֱלִישָׁע וַיֹּאמְרוּ אֵלָיו הֲיָדַעְתָּ כִּי הַיּוֹם יְהוָה לֹקֵחַ אֶת־אֲדֹנֶיךָ מֵעַל רֹאשֶׁךָ וַיֹּאמֶר גַּם־אֲנִי יָדַעְתִּי הֶחֱשׁוּ:

Os discípulos dos profetas que estavam em Jericó. Em Jericó havia mais profetas, que também falaram com Eliseu sobre o vindouro arrebatamento de Elias. E lhe perguntaram se ele sabia disso. Eliseu replicou que sabia, e também ordenou que eles se calassem sobre o assunto. Este é virtualmente igual ao terceiro versículo, exceto pelo fato de que o local mudara de Betel para Jericó. Ver as notas ali, que também se aplicam aqui.

"Embora Jericó tivesse sido reconstruída recentemente, a despeito da maldição lançada contra seu reconstrutor, contudo, era um lugar abençoado por uma escola de profetas" (John Gill, *in loc.*, referindo-se à antiga maldição de Josué sobre o lugar, em Js 6.26). Nos dias do rei Acabe, Hiel tentou reconstruir a cidade. Por causa disso, ele perdeu dois filhos, e isso foi interpretado como consequência da maldição de Josué. (Ver 1Rs 16.34.) Ver no *Dicionário* o verbete chamado Escolas dos Profetas.

■ 2.6

וַיֹּאמֶר לוֹ אֵלִיָּהוּ שֵׁב־נָא פֹה כִּי יְהוָה שְׁלָחַנִי הַיַּרְדֵּנָה וַיֹּאמֶר חַי־יְהוָה וְחֵי־נַפְשְׁךָ אִם־אֶעֶזְבֶךָּ וַיֵּלְכוּ שְׁנֵיהֶם:

Fica-te aqui. Às margens do rio Jordão. Pela terceira vez, Elias pediu que Eliseu deixasse de segui-lo. Em Gilgal, em Betel e agora em Jericó, Elias deu essa ordem para que Eliseu ficasse, mas sempre Eliseu se recusou a fazê-lo. Era importante continuar. Eliseu já possuía discernimento profético suficiente para saber que estava envolvido em um acontecimento verdadeiramente importante, e não queria perdê-lo. E assim continuaram a caminhada os dois profetas, e foram até as margens do rio Jordão. Pouco depois de atravessarem aquele rio, o grande evento ocorreria. Não somente Eliseu, mas também as várias escolas de profetas tinham consciência do que estava prestes a acontecer. Os grandes eventos projetam suas sombras adiante deles, e algumas pessoas têm a capacidade de ler esses eventos através das sombras que eles lançam.

■ 2.7

וַחֲמִשִּׁים אִישׁ מִבְּנֵי הַנְּבִיאִים הָלְכוּ וַיַּעַמְדוּ מִנֶּגֶד מֵרָחוֹק וּשְׁנֵיהֶם עָמְדוּ עַל־הַיַּרְדֵּן:

Foram cinquenta homens dos discípulos dos profetas. Cinquenta homens dos discípulos dos profetas pararam à distância, antecipando o que estaria prestes a acontecer e observando cuidadosamente, de modo a não perder nenhum episódio. Entrementes, os dois profetas maiores puseram-se à beira do rio. Grande antecipação pairava no ar. Era conforme diz uma canção: "Em um dia claro, pode-se ver para sempre".

■ 2.8

וַיִּקַּח אֵלִיָּהוּ אֶת־אַדַּרְתּוֹ וַיִּגְלֹם וַיַּכֶּה אֶת־הַמַּיִם וַיֵּחָצוּ הֵנָּה וָהֵנָּה וַיַּעַבְרוּ שְׁנֵיהֶם בֶּחָרָבָה:

Então Elias tomou o seu manto. Surgia agora o pequeno problema de como atravessar o rio Jordão, porque o arrebatamento deveria ocorrer no lado oposto do rio. Elias, que sempre vivera no Espírito, de maneira espetacular, resolveu o pequeno problema pelo milagre de fazer parar o fluxo do rio. Ele bateu nas águas com seu manto, e as águas se separaram. E assim ambos os profetas foram capazes de atravessar o rio a pé enxuto. O manto peludo de Elias parecia dotado de poder. Eliseu em breve teria a posse daquele manto miraculoso (vs. 13), e dali por diante o poder de Elias haveria de repousar sobre ele em dupla porção (vs. 9). Eliseu, ao experimentar o manto, obteve o mesmo resultado (vs. 14). O poder de Yahweh estava naquele objeto. O manto não tinha nenhum poder por si mesmo. Mas era um item poderoso que pertencia ao ofício profético, e o autor sagrado esperava que soubéssemos que esse objeto físico havia sido dotado de poder divino. Cf. o poder da vara de Moisés, ver Êx 14.16,21,22 e Js 4.22 ss.

■ 2.9

וַיְהִי כְעָבְרָם וְאֵלִיָּהוּ אָמַר אֶל־אֱלִישָׁע שְׁאַל מָה אֶעֱשֶׂה־לָּךְ בְּטֶרֶם אֶלָּקַח מֵעִמָּךְ וַיֹּאמֶר אֱלִישָׁע וִיהִי־נָא פִּי־שְׁנַיִם בְּרוּחֲךָ אֵלָי:

Pede-me o que queres que eu te faça. Eliseu tinha sido fiel seguidor, e agora era a sua estrela que se estava elevando. Elias logo seria soerguido para as alturas superiores. O homem mais novo tinha ganho o direito de receber alguma grande bênção, e Elias havia dito que daria qualquer coisa que ele quisesse. Em sua sabedoria, como Salomão, ele não pediria coisas mundanas. Queria aquele poder miraculoso. De fato, ele queria uma porção dupla do poder miraculoso de Elias. É um fato curioso que o número de milagres que Eliseu, finalmente, realizou foi mais ou menos o dobro daqueles realizados por Elias. Ver o gráfico que acompanha o presente texto para ilustrar esse fato.

Alguns estudiosos, não sendo capazes de acreditar que Eliseu faria tão fabuloso pedido, supõem que a dupla porção do Espírito teria sido dada em comparação com a de outros profetas, e não em comparação com a de Elias. Mas o texto sagrado é contra essa suposição. Não seria difícil (vs. 10) que esse fosse o sentido do que está aqui entendido. Antes, Eliseu era um filho espiritual primogênito de seu pai espiritual (Elias), e sua herança não seria meramente o dobro da dos profetas menores. Bem pelo contrário, de alguma maneira, ele ultrapassaria o homem de mais idade. Ver Dt 21.17 quanto à porção dupla dos filhos primogênitos.

Pede-me o que queres. Pensava-se, entre os hebreus, que um pai moribundo teria poder e autoridade em suas palavras finais. Sua bênção era muito procurada. Quaisquer profecias que ele pronunciasse em seu leito de morte eram seguríssimas. Ver Gn 27.4 e suas notas expositivas quanto a isso. Elias não estava morrendo, mas sendo retirado da cena terrestre, um tipo de equivalência.

"Eliseu queria bênçãos espirituais, e não materiais. Ele não estava pedindo para ser duplamente popular em relação a Elias... Ele estava pedindo para ser seu sucessor... para ter o privilégio de levar avante o ministério de Elias, sob Deus" (Thomas L. Constable, *in loc.*).

Buscai, pois, em primeiro lugar, o seu reino e a sua justiça, e todas estas cousas vos serão acrescentadas.

Mateus 6.33

■ **2.10**

וַיֹּאמֶר הִקְשִׁיתָ לִשְׁאוֹל אִם־תִּרְאֶה אֹתִי לֻקָּח מֵאִתָּךְ יְהִי־לְךָ כֵן וְאִם־אַיִן לֹא יִהְיֶה׃

Se me vires quando for tomado de ti, assim se te fará. A condição. A fim de que a dupla porção do Espírito fosse concedida a Eliseu, ele teria de ser testemunha ocular do arrebatamento de Elias. Ele teria de estar presente. Ver o poema ilustrativo nas notas sobre o vs. 14. Então ele receberia o manto miraculoso, e seu pedido lhe seria proporcionado... Cf. o fato de que, no Novo Testamento, os apóstolos de Jesus tinham de ser testemunhas oculares de seus milagres e de sua vida (At 1.21,22). Entrementes, Eliseu precisava "ter olhos" para ver o arrebatamento de Elias. Nem todos os homens, mesmo que estivessem presentes, teriam tal visão espiritual (ver 2Rs 6.17). Seria uma experiência mística da mais elevada ordem, e não um acontecimento físico. Ver o último parágrafo das notas expositivas sobre o primeiro versículo deste capítulo, e ver no *Dicionário* os verbetes denominados *Misticismo* e *Visão (Visões).* Cf. o arrebatamento da Igreja. Ver na *Enciclopédia de Bíblia, Teologia e Filosofia* os artigos chamados *Parousia e Segunda Vinda,* em seu oitavo ponto. Ver também no *Dicionário* o verbete *Arrebatamento de Elias,* especialmente a sua quinta seção.

Coisas Difíceis. O recebimento da dupla porção do Espírito não estava sujeito ao poder e à autoridade de Elias conceder. Yahweh seria o agente ativo nessa concessão. Não obstante, o profeta de mais idade teria o poder de pedir tal coisa, a qual, sem dúvida, seria concedida a Eliseu. O milagre, portanto, não viria de Elias, mas fluiria através dele.

■ **2.11**

וַיְהִי הֵמָּה הֹלְכִים הָלוֹךְ וְדַבֵּר וְהִנֵּה רֶכֶב־אֵשׁ וְסוּסֵי אֵשׁ וַיַּפְרִדוּ בֵּין שְׁנֵיהֶם וַיַּעַל אֵלִיָּהוּ בַּסְעָרָה הַשָּׁמָיִם׃

Um carro de fogo, com cavalos de fogo. Alguma manifestação grandiosa, acompanhada por um carro e por cavalos de fogo, foi o aspecto visível do acontecimento. Não devemos pensar em termos de um redemoinho literal, e nem em termos de cavalos e de um carro literal. O acontecimento manifestou-se em termos que podiam ser compreendidos. As verdadeiras experiências místicas, em sua essência, são inefáveis. Para que depois os homens sejam capazes de falar a respeito, deve haver, por assim dizer, alguns elementos físicos que possam ser descritos. A chave para a compreensão aqui é o fogo. Esse fogo, porém, não foi literal. Esse fogo era apenas a conflagração do céu manifestando-se sob formas que podiam ser comparadas a um carro de fogo e a cavalos de fogo. Quanto ao redemoinho, ver o parágrafo final das notas sobre o primeiro versículo deste capítulo. Os críticos consideram esse acontecimento uma lenda, o que também dizem sobre o arrebatamento antecipado da Igreja. Ver as notas expositivas sobre o versículo anterior, sob o subtítulo "a condição", onde encontramos algumas informações sobre o arrebatamento da Igreja. Não obstante, temos razões que nos levam a crer que tais arrebatamentos podem ocorrer. Há um paralelo moderno na experiência de Analee Skarin, poucos anos atrás, em Salt Lake City, Estado de Utah, Estados Unidos da América, onde nasci e fui criado. Não conheci pessoalmente a dama, mas conheci uma pessoa de confiança que atestou a realidade do acontecimento. Ver na *Enciclopédia de Bíblia, Teologia e Filosofia* o verbete denominado *Arrebatamento de Analee Skarin.* Se compreendermos essas questões de maneira crassa e física, então diríamos "isso é uma lenda". Mas se as compreendermos em um sentido não material, espiritual, então confessaremos que eventos assim estupendos podem ocorrer e realmente ocorrem.

"As realidades espirituais não são discernidas pelo olho externo, mas são percebidas somente por aqueles que prestam atenção e se mostram sensíveis a elas. São luminosas imediatamente apenas para os sensíveis de coração, bem como dotados de intelecto arguto, e devotos de alma... Se não virmos essas realidades, não será porque não estão ali para serem vistas, mas, antes, porque não possuímos olhos capazes de vê-las. A dificuldade não estará com a coisa a ser percebida, mas com quem não a percebe" (Raymond Calking, *in loc.*).

Supõe-se que Elias tenha sido transformado em um ser espiritual para estar apto para viver no mundo das luzes. Dificilmente podemos pensar que seu corpo físico poderia ter sido transportado para as dimensões celestiais.

Tipologia. Cf. o arrebatamento da Igreja. Ver na *Enciclopédia de Bíblia, Teologia e Filosofia* os artigos chamados *Parousia e Segunda Vinda* (seção V). O presente texto cf. 1Ts 4.13 ss. e 1Co 15.51 ss. Comparar a experiência de Eliseu a certa ocasião posterior, historiada em 2Rs 6.17.

■ **2.12**

וֶאֱלִישָׁע רֹאֶה וְהוּא מְצַעֵק אָבִי אָבִי רֶכֶב יִשְׂרָאֵל וּפָרָשָׁיו וְלֹא רָאָהוּ עוֹד וַיַּחֲזֵק בִּבְגָדָיו וַיִּקְרָעֵם לִשְׁנַיִם קְרָעִים׃

Eliseu viu a grande manifestação e clamou a Elias, quando este desaparecia de vista: "Meu pai, meu pai, carros de Israel, e seus cavaleiros!" Elias tinha-se ido para sempre. Eliseu, vencido pela emoção, rasgou suas vestes em dois pedaços. Foi uma reação inspirada por uma emoção avassaladora, e talvez marcada pela consternação, porque Elias se fora. É difícil acreditar, entretanto, que tenha havido alguma lamentação, no sentido em que nos lamentamos pelos mortos. Eliseu dificilmente pode ter pensado na ocasião como se fora "uma morte".

Cf. a ascensão de Jesus, em At 1.9,10. O evento, foi, de fato, a ascensão de Elias. Quanto ao rasgar das roupas, como um ato de lamentação, ver Gn 37.29,34; 44.13; Js 7.6; Et 4.1; Jó 1.20 e 2.12. Eliseu havia sofrido uma grande perda, e talvez ele tivesse se lamentado diante desse fato, apesar de a experiência como um todo ter sido esmagadoramente positiva e inspiradora.

"Nenhum outro fim da vida terrena de Elias poderia ter sido mais apropriado... Porquanto Elias foi um redemoinho, e a sua vida foi uma encarnação do fogo... Essa foi a lição final ensinada pela vida daquele majestático profeta" (Raymond Calking, *in loc.*).

■ **2.13**

וַיָּרֶם אֶת־אַדֶּרֶת אֵלִיָּהוּ אֲשֶׁר נָפְלָה מֵעָלָיו וַיָּשָׁב וַיַּעֲמֹד עַל־שְׂפַת הַיַּרְדֵּן׃

Então levantou o manto que Elias deixara cair. O manto ficou e agora estava à disposição de Eliseu. Naquele momento, Eliseu recebeu a dupla porção espiritual que Elias tinha possuído. Ver os versículos 9 e 10 deste capítulo. A fonte do poder era o Espírito de Deus, mas permeava aquele manto como se fora uma grande coisa viva. Equipado pelo poder divino, o profeta mais jovem retornou ao Jordão, e assim logo testaria sua autoridade como sucessor de Elias. O manto era o sinal de sua autoridade e ofício profético.

■ **2.14**

וַיִּקַּח אֶת־אַדֶּרֶת אֵלִיָּהוּ אֲשֶׁר־נָפְלָה מֵעָלָיו וַיַּכֶּה אֶת־הַמַּיִם וַיֹּאמַר אַיֵּה יְהוָה אֱלֹהֵי אֵלִיָּהוּ אַף־הוּא וַיַּכֶּה אֶת־הַמַּיִם וַיֵּחָצוּ הֵנָּה וָהֵנָּה וַיַּעֲבֹר אֱלִישָׁע׃

Onde está o Senhor, Deus de Elias? O primeiro teste. Este versículo, no texto massorético, repete a mensagem do versículo 8. Naquele versículo, fora Elias quem fizera as águas separar-se ao feri-las. Aqui, Eliseu, sucessor de Elias, demonstrou obter o mesmo sucesso, ao reatravessar o rio. Essa era a prova de seu poder e de sua autoridade como principal profeta de Israel, e também prova de que o manto de Elias retivera seus poderes miraculosos.

Variante Textual. A Vulgata, Luciano e um dos manuscritos da *Septuaginta* (Poliglota 1513-1517) dão-nos a ideia de que a primeira tentativa de Eliseu fracassou, quando ele experimentou dividir as águas, e teve que bater na água uma segunda vez. Alguns críticos textuais supõem que assim dizia o texto original, e o texto padronizado hebraico, o texto massorético, o tenha suavizado, tornando este versículo 14 igual ao versículo 8. Digo aqui "suavizou" porque seria uma declaração difícil de que o grande Eliseu, com dupla porção do Espírito que controlava Elias, tivesse de bater na água por duas vezes para obter o resultado desejado. Ver o texto massorético no *Dicionário* intitulado *Massora* (*Massorah*); *Texto Massorético*. Ver também o artigo *Manuscritos do Antigo Testamento*, seção VII.

> Não resta sobre a terra
> Nenhum homem vivo que conheceu (considerai isto!)
> Que viu com seus olhos ou tocou com suas mãos,
> Aquele que era desde o princípio, a Palavra da Vida.
> Como será quando ninguém puder dizer: "Eu vi!"

Yahweh-Elohim. Eliseu invocou o poder real que apenas fluía de maneira humilde através do manto que fora de Elias. Ele invocou o Deus Eterno e Todo-poderoso, a fonte dos milagres. Ver no *Dicionário* o verbete intitulado *Deus, Nomes Bíblicos de*. Por assim dizer, Eliseu submeteu a teste o Deus de Israel. Agora que Elias se tinha ido embora, haveria poder que restasse para fazer outros milagres? As águas do Jordão dividiram-se. A resposta foi "sim".

■ **2.15**

וַיִּרְאֻהוּ בְנֵי־הַנְּבִיאִים אֲשֶׁר־בִּירִיחוֹ מִנֶּגֶד וַיֹּאמְרוּ
נָחָה רוּחַ אֵלִיָּהוּ עַל־אֱלִישָׁע וַיָּבֹאוּ לִקְרָאתוֹ
וַיִּשְׁתַּחֲווּ־לוֹ אָרְצָה׃

Vendo-o... O espírito de Elias repousa sobre Eliseu. Honra a quem honra. Os membros da escola dos profetas viram tudo, incluindo o fato de que o espírito de Elias repousara sobre Eliseu. Isso significava que Eliseu era o legítimo sucessor de Elias e levaria avante a sua missão. Isso requeria o respeito da parte de todos. Foi por essa razão que os profetas menores vieram e se prostraram diante do agora poderoso Eliseu. Elias tinha sido o mestre de todos. Naquele momento, Eliseu tomara o lugar de Elias como cabeça da escola dos profetas. Ver no *Dicionário* o artigo intitulado *Escolas dos Profetas*. Eliseu trazia o manto de Elias, o símbolo de sua autoridade.

Os discípulos dos profetas. Ou seja, os cinquenta profetas de Jericó (ver o sétimo versículo deste capítulo). Esses homens eram filhos espirituais de seus líderes, e que estavam sendo treinados para profetas. Eram profetas secundários, ensinados por seus pais espirituais.

■ **2.16**

וַיֹּאמְרוּ אֵלָיו הִנֵּה־נָא יֵשׁ־אֶת־עֲבָדֶיךָ חֲמִשִּׁים אֲנָשִׁים
בְּנֵי־חַיִל יֵלְכוּ נָא וִיבַקְשׁוּ אֶת־אֲדֹנֶיךָ פֶּן־נְשָׂאוֹ רוּחַ
יְהוָה וַיַּשְׁלִכֵהוּ בְּאַחַד הֶהָרִים אוֹ בְּאַחַת הַגֵּאָיוֹת
וַיֹּאמֶר לֹא תִשְׁלָחוּ׃

Não os envieis. *Dúvidas.* Algo grandioso "aparentemente" tinha acontecido. Mas aqueles que estavam ao longe não tinham certeza do que era. Eles exigiram provas de que aquilo que acontecera (a translação de Elias) realmente tinha ocorrido. Portanto, quiseram enviar cinquenta homens fortes para fazer uma busca completa, certificando-se de que Elias não estaria oculto, nem havia realizado algum truque mágico para enganá-los. Elias já havia desaparecido misteriosamente antes daquela ocasião (ver 1Rs 18.9-16) e, talvez, mediante algum transporte divino, tivesse sido simplesmente transferido para algum outro lugar, não muito distante.

O Espírito do Senhor. Esse era o agente de tais transportes. Ver no *Dicionário* o artigo chamado *Espírito de Deus*. Cf. 1Rs 18.12.

Eliseu Proibiu os Profetas de Ir Atrás de Elias. Ele sabia que tal ato seria ridículo e apenas diminuiria a magnitude do que tinha acontecido. Não havia nenhum truque de magia envolvido, nem algum transporte divino; tinha acontecido algo muito maior.

■ **2.17**

וַיִּפְצְרוּ־בוֹ עַד־בֹּשׁ וַיֹּאמֶר שְׁלָחוּ וַיִּשְׁלְחוּ חֲמִשִּׁים
אִישׁ וַיְבַקְשׁוּ שְׁלֹשָׁה־יָמִים וְלֹא מְצָאֻהוּ׃

Enviai. *Finalmente,* Eliseu precisou ceder às exigências deles, porque se mostraram tão insistentes que ele se envergonhou por ter de dizer "Não! não!" por tantas vezes. Ele estava sendo um pai severo para com eles; mas tal como os pais severos podem ser mudados pelas lágrimas de seus filhos, assim também Eliseu cedeu diante do pedido de seus filhos. O resultado foi que eles procuraram por Elias, com diligência, por três dias, examinando cada esconderijo possível, cada colina conspícua, cada vale, cada bosque — por toda parte! Eles precisavam confirmar a verdade da questão. Não acharam Elias. De fato, Elias havia sido arrebatado. Todas as dúvidas foram assim removidas. Algumas vezes também precisamos investigar a fim de remover nossas dúvidas ou edificar-nos na fé. Eliseu não era tão destituído de coração a ponto de negar a seus discípulos a chance de buscar e saber.

Erasmo de Roterdã certamente tinha razão quando insistia em que a linguagem humana não pode aprisionar o infinito. Ele certamente tinha razão quando defendeu, com vigor, a liberdade da investigação.

■ **2.18**

וַיָּשֻׁבוּ אֵלָיו וְהוּא יֹשֵׁב בִּירִיחוֹ וַיֹּאמֶר אֲלֵהֶם
הֲלוֹא־אָמַרְתִּי אֲלֵיכֶם אַל־תֵּלֵכוּ׃

Não vos disse que não fôsseis? *Confirmação.* Eliseu não precisava de confirmação. Ele estava presente quando Elias foi arrebatado. Ele era o homem que sabia. Mas seus filhos, os discípulos dos profetas, tiveram de confirmar isso por meio da investigação. Não há muitas pessoas semelhantes a Eliseu. A maioria de nós pode tirar proveito da investigação das coisas para adicionar conhecimento à nossa fé, pelo método científico ou pela experiência e lições que ela nos ensina. A busca seria um empreendimento infrutífero para Eliseu, naquela ocasião. Mas para os seus filhos, isso produziu um fruto significativo. Fez deles crentes! Além disso, ainda recentemente, Eliseu havia submetido a teste os seus poderes, quando bateu nas águas do rio Jordão, para ver se elas se dividiriam (vs. 14).

> Da covardia que teme novas verdades,
> Da preguiça que aceita meias verdades,
> Da arrogância que pensa saber toda a verdade,
> Ó Senhor! Livra-nos!
>
> Arthur Ford

Houve outro bom fruto que aquela investigação produziu: doravante, os profetas secundários se mostrariam mais ansiosos por obedecer a Eliseu, sem colocar em dúvida a sua palavra.

Portanto, foi um dia glorioso em Israel, aquele quando Elias foi transladado.

> A ti, Espírito Eterno, seja o louvor!
> O qual, desde os dias antigos, até os nossos,
> Através de almas de santos e profetas, ó Senhor,
> Tem enviado tua luz, teu amor, tua palavra.
>
> Richard W. Gilder

PURIFICAÇÃO DO MANANCIAL DE ÁGUAS EM JERICÓ (2.19-22)

Na parte inicial deste segundo capítulo de 2Reis, aprendemos que Eliseu se tornou o sucessor de Elias, tomou posse de seu manto e de seu poder, e agora tinha uma dupla porção de seu Espírito miraculoso (vss. 9 e 10). Ele se tornou à cabeça das escolas dos profetas, pelo menos daquelas que ainda adoravam a Yahweh. Havia então muitos profetas apóstatas em Israel. Enquanto isso, Eliseu já havia submetido a teste os seus poderes de dividir as águas do rio Jordão (vs. 14), imitando o ato de seu mestre, Elias (vs. 8). E agora passamos para as histórias das maravilhas. É deveras curioso que Eliseu tenha realizado quase o dobro do número dos milagres efetuados por Elias, o que é ilustrado no gráfico que acompanha este texto (perto do nono versículo).

Todas essas histórias de maravilhas servem para enfatizar o poder do homem de Deus, como seu agente especial. O propósito dessas maravilhas era levar os homens a retornar a Yahweh, a fonte de todos os milagres, bem como o respeito a seu profeta.

Eliseu ainda estava em Jericó, e assim a qualidade inferior da água do lugar deu-lhe outra oportunidade para demonstrar a autoridade de Yahweh.

■ **2.19**

וַיֹּאמְרוּ אַנְשֵׁי הָעִיר אֶל־אֱלִישָׁע הִנֵּה־נָא מוֹשַׁב הָעִיר טוֹב כַּאֲשֶׁר אֲדֹנִי רֹאֶה וְהַמַּיִם רָעִים וְהָאָרֶץ מְשַׁכָּלֶת:

As águas são más. A maravilha da purificação das águas poluídas ocorreu em Jericó, onde Eliseu ficou por algum tempo, imediatamente após a translação de Elias (vs. 15). Tirando vantagem da presença do profeta Eliseu, as autoridades resolveram testar suas habilidades. De modo geral, a situação de Jericó era agradável, mas a água era de péssima qualidade. As águas más estavam causando mortes e abortos espontâneos (vs. 21). Talvez houvesse alguma poluição bacteriológica, ou algum agente envenenador. O autor sagrado não sabia qual era a causa de tal condição, de forma que também nem se aventurou a arriscar um palpite. Josefo diz-nos que tudo ali era infrutífero, as mulheres, os animais, as árvores (*De Bello Jud.* 1.4, cap. 8, sec. 3). Tudo quanto entrava em contato com aquelas águas sofria com a experiência.

A fonte daquele lugar (identificada com a moderna 'Ain es-Cultan) tinha e continua tendo a reputação de causar abortos nos seres humanos e nos animais.

Reuss (um autor citado por Ellicott, *in loc.*) falava sobre a "superstição" que dizia que diferentes águas têm diferentes poderes, pois algumas encorajariam a concepção, e outras provocariam abortos. Não há razão alguma para duvidarmos de que havia alguma verdade por trás dessa "superstição".

■ **2.20,21**

וַיֹּאמֶר קְחוּ־לִי צְלֹחִית חֲדָשָׁה וְשִׂימוּ שָׁם מֶלַח וַיִּקְחוּ אֵלָיו:

וַיֵּצֵא אֶל־מוֹצָא הַמַּיִם וַיַּשְׁלֶךְ־שָׁם מֶלַח וַיֹּאמֶר כֹּה־אָמַר יְהוָה רִפִּאתִי לַמַּיִם הָאֵלֶּה לֹא־יִהְיֶה מִשָּׁם עוֹד מָוֶת וּמְשַׁכָּלֶת:

A Cura das Águas por Meio do Sal. Pôr sal na água era apenas "algo a ser feito", como quando as pessoas tomam aspirinas, esperando que elas curem qualquer coisa. O ato foi apenas um gesto. Não tinha nenhum poder em si mesmo, a menos, naturalmente, que Yahweh tenha posto alguma espécie de virtude curadora no sal, para destruir as bactérias ou para anular algum elemento venenoso. Sabemos que o sal tem algum valor medicinal, mas isso não explica o que aconteceu. Ver o artigo geral chamado *Sal*, no *Dicionário*, quanto a seus usos e significados literais e metafóricos. Os crentes devem ser o "sal da terra" (ver Mt 5.13), opondo-se às suas corrupções e contribuindo para as virtudes curadoras. Em um sentido metafórico, podemos imitar a missão profética de Eliseu mostrando-nos virtuosos e úteis entre homens ímpios e desarrazoados, a fim de modificarmos as condições morais e espirituais deles.

Um prato novo. Novo porquanto seria um instrumento especial de cura, e realizaria aquela tarefa necessária. Poderia já ter sido corrompido por algum uso anterior, comum ou poluidor. Quanto ao sal como um agente purificador nos sacrifícios, ver Lv 2.13. A fonte continuou pura e tornou-se um lembrete perpétuo dos poderes de cura de Deus, bem como de sua graça e amor.

A morte, a infertilidade e os abortos das mulheres e dos animais cessaram. Houve assim evidência abundante de que Eliseu era um profeta verdadeiro do único Deus, Yahweh, e essa é a lição que nossas histórias maravilhosas, relatadas na Bíblia, queriam ensinar. Ver a introdução ao versículo 19 deste capítulo.

■ **2.22**

וַיֵּרָפוּ הַמַּיִם עַד הַיּוֹם הַזֶּה כִּדְבַר אֱלִישָׁע אֲשֶׁר דִּבֵּר: פ

Até ao dia de hoje. Até mesmo alguns milagres requerem mais de uma aplicação do poder divino. Também é verdade que as curas efetuadas por poderes psíquicos e espirituais não são necessariamente permanentes. Mas o manancial de Jericó ficou permanentemente limpo. Yahweh foi quem fez a purificação. O povo sabia disso e continuaria sabendo. Eliseu era o profeta do Senhor, e o povo sabia disso e continuaria sabendo. O manancial, pois, tornou-se um memorial de espiritualidade positiva.

OS MENINOS PEQUENOS E AS URSAS (2.23-25)

Temos aqui outra das histórias maravilhosas que cercaram Eliseu. Quanto às histórias maravilhosas, ver a introdução ao versículo 19 deste capítulo. O autor sacro nos fornece uma série de histórias de milagres para provar que Eliseu era um profeta do Deus verdadeiro, Yahweh. Esses elementos eram necessários ao apostatado povo de Israel. Estava em pauta a restauração de Israel. Essa restauração nunca aconteceu, mas Eliseu trabalhou a questão com todo o seu coração.

Alguns meninos pequenos mostraram-se rudes para com o profeta. Eliseu sentiu-se ofendido e amaldiçoou as crianças, que logo foram atacadas por ursas e mortas. Quarenta e duas crianças morreram! A história ilustra o respeito que um verdadeiro profeta de Yahweh exigia. Os críticos, porém, censuram a moralidade do episódio. Naturalmente, é completamente diferente das atitudes do gentil Jesus, que nos recomendou: "Abençoai aqueles que vos amaldiçoarem" (Mt 5.44).

Os comentadores recorrem aqui a toda espécie de contorções para tornar a história aceitável aos gostos cristãos. "Na verdade, porém, ela não resiste ao exame de nenhuma perspectiva moral" (Norman H. Snaith, *in loc.*). Alguns dizem que não devemos pensar em crianças pequenas e, sim, em adolescentes; mas é difícil ver como isso faria diferença. Thomas L. Constable sugeriu que esses jovens eram profetas falsos, idólatras e, portanto, mereciam o que receberam; mas não há nenhum indício disso no texto sagrado. Outros comentadores transformam-nos em filhos rebeldes, os quais, mediante a lei, mereciam morrer. E assim a Eliseu coube a tarefa de eliminá-los, em lugar de seus pais, que deveriam tê-lo feito (ver Dt 21.18 ss.). Mas o texto sagrado também não indica nada semelhante. Alguns sugerem que o julgamento foi de Yahweh, e não de Eliseu, tornando assim a punição aceitável. Mas isso reflete apenas o voluntarismo (ver a respeito na *Enciclopédia de Bíblia, Teologia e Filosofia*). Ou seja, "poder é direito", independentemente da moralidade que há no caso. Alguns críticos consideram a história um mito, uma história maravilhosa lendária, que era aceitável à moralidade da época, diferente da nossa. Outros comentadores dizem que o ataque das ursas foi uma coincidência, não devendo ser atribuído nem a Yahweh, nem a seu profeta, Eliseu.

■ **2.23**

וַיַּעַל מִשָּׁם בֵּית־אֵל וְהוּא עֹלֶה בַדֶּרֶךְ וּנְעָרִים קְטַנִּים יָצְאוּ מִן־הָעִיר וַיִּתְקַלְּסוּ־בוֹ וַיֹּאמְרוּ לוֹ עֲלֵה קֵרֵחַ עֲלֵה קֵרֵחַ:

Quanto à essência e aos significados da história, ver a introdução, anteriormente.

Uns rapazinhos. Diz a *King James Version*: "crianças pequenas". Diz a *Revised Standard Version*: "meninos pequenos". A palavra hebraica aplica-se a uma grande faixa etária. Mas notemos aqui a palavra "rapazinhos", um diminutivo, indicando que se tratava de jovens que ainda não haviam atingido toda a sua estatura. Sem dúvida, devemos pensar em jovens no começo da adolescência.

Sobe, calvo; sobe, calvo! A mentalidade dos hebreus encontrava algo de patológico na calvície, pois eles não tinham nenhuma teoria genética a respeito. A calvície chegava a ser associada à lepra (Lv 13.43). Seja como for, era uma marca de reprimenda (ver Is 3.17; 15.2). Julgamos que Eliseu era realmente calvo, de forma que os rapazinhos fizeram pouco dele e, de modo geral, não demonstraram respeito pelo grande homem. Eliseu estava "subindo" ao santuário no Carmelo, tendo partido de Jericó, pelo que foi usada pelos rapazinhos a palavra "sobe". "Eles trataram o profeta de Deus com desprezo" (Thomas L. Constable, *in loc.*).

"Eliseu, embora jovem (ele viveu cinquenta anos depois desse incidente; 2Rs 13.14), pode ter ficado calvo prematuramente" (Ellicott, *in loc.*).

■ 2.24

וַיִּפֶן אַחֲרָיו וַיִּרְאֵם וַיְקַלְלֵם בְּשֵׁם יְהוָה וַתֵּצֶאנָה שְׁתַּיִם דֻּבִּים מִן־הַיַּעַר וַתְּבַקַּעְנָה מֵהֶם אַרְבָּעִים וּשְׁנֵי יְלָדִים׃

E os amaldiçoou. O profeta não demonstrou paciência. Ele não "abençoou àqueles que o amaldiçoavam". Ele não fez "o bem para aqueles que abusaram dele desprezivelmente" (ver Mt 5.44). Ele, na verdade, pertencia a outra era, uma era da moralidade pré-cristã. Quanto aos elementos morais da história, ver a introdução ao versículo 23. Os vagabundos mostraram-se irreverentes, insultuosos, malcriados, mesmo como jovens adolescentes. Eles chegaram assim a um mau fim. A história ilustra o respeito que um verdadeiro profeta de Yahweh requeria, porquanto ele estava ali para cumprir a vontade do único verdadeiro Deus, Yahweh.

Ursas. Alguns intérpretes imaginam que não houve nenhuma conexão de causa entre a "maldição" de Eliseu e as ursas, que massacraram os jovens. Mas, como é óbvio, o autor sacro queria que víssemos uma situação de causa e efeito em sua história. A natureza, pois, rebelou-se contra os rebeldes. Ver o uso de animais selvagens em julgamentos divinos, também ilustrado em 1Rs 13.24. Feras eram comuns na Palestina, e havia muitas mortes de pessoas a cada ano. Ver Os 13.8; Pv 17.12; Am 5.19 (e cf. 2Rs 17.25).

Quarenta e dois jovens foram atacados e mortos pelas ursas. Um urso é um animal tão poderoso que pode matar um homem com um simples golpe de sua pata, mas usualmente ele prefere ficar em seu estado pacífico. Algumas espécies são bastante pacíficas, a menos que sejam provocadas, mas outras, como o urso marrom, matam imediatamente, sem nenhum aviso prévio. Ver no *Dicionário* o verbete chamado *Urso*, quanto a notas expositivas completas sobre esse animal.

■ 2.25

וַיֵּלֶךְ מִשָּׁם אֶל־הַר הַכַּרְמֶל וּמִשָּׁם שָׁב שֹׁמְרוֹן׃ פ

Dali foi ele para o monte Carmelo. Uma vez consumado o terrível incidente, Eliseu continuou sua jornada para o monte Carmelo e para o santuário que havia ali. Ele estava ocupado em algum negócio espiritual. Havia ali uma escola de profetas e, visto que agora era o líder espiritual (o pai) dos profetas, mantinha-se em contato com eles, oferecendo instruções sobre a sagrada profissão. Dali ele foi para Samaria, provavelmente em uma missão de denúncia contra o pecado e a idolatria. Portanto, Eliseu mantinha-se em circuitos em Israel, cumprindo a sua missão profética. Samaria ficava a cerca de 52 quilômetros de Carmelo.

"Esses primeiros milagres, no ministério de Eliseu, identificavam-no como um porta-voz especial de Deus, dotado da autoridade e do poder de Elias, alguém digno do maior respeito. Ele era o representante do Deus vivo" (Thomas L. Constable, *in loc.*).

CAPÍTULO TRÊS

CAMPANHA MOABITA DE JORÃO (3.1-27)

Tendo terminado, pelo momento, seu relato das histórias maravilhosas associadas à vida de Eliseu, o autor sagrado nos leva de volta a questões de política e de guerra, que eram as principais atividades dos reis de Israel e de Judá. Seu assunto, agora, passa a ser Jorão (ver a respeito dele no *Dicionário*), rei de Israel. Judá tinha também um rei de nome extremamente parecido, Jeorão (ver 1Rs 22.51). Mas Jorão era filho da temida Jezabel e de seu ímpio marido, Acabe. Ele era sucessor de seu irmão, Acazias, que tinha morrido ainda jovem, devido a um acidente, e não deixara filhos. Ver 2Rs 1.2 ss. Jorão foi o nono rei de Israel e governou pelo espaço de doze anos (ver 2Rs 1.18,3.1). Ele governou entre 853 e 842 a.C. Ver no *Dicionário* o artigo denominado *Israel, Reino de*, onde há uma lista dos reis de Israel, com breves descrições. Ver também ali o verbete chamado *Rei, Realeza*, onde há uma lista comparativa dos reis de Judá e de Israel, com os reis de países circunvizinhos, tudo ilustrado mediante um gráfico.

Narrativas Paralelas. O autor sagrado não nos fornece primeiramente uma lista e uma descrição dos reis de Judá, e, depois, dos reis de Israel. Antes, ele pula para o norte e para o sul, apresentando os reis em uma ordem cronológica aproximada. Quanto a esse modo de apresentação, ver as notas em 1Rs 16.29. Jeorão, rei de Judá, já nos foi apresentado (ver 2Rs 1.17). Mas agora o Jorão de Israel ocupa a nossa atenção. Esse rei era um ímpio, embora não tenha atingido a degradação extrema de seu pai, Acabe.

■ 3.1

וִיהוֹרָם בֶּן־אַחְאָב מָלַךְ עַל־יִשְׂרָאֵל בְּשֹׁמְרוֹן בִּשְׁנַת שְׁמֹנֶה עֶשְׂרֵה לִיהוֹשָׁפָט מֶלֶךְ יְהוּדָה וַיִּמְלֹךְ שְׁתֵּים־עֶשְׂרֵה שָׁנָה׃

Jorão, de Israel, começou a reinar no décimo oitavo ano do rei Josafá, rei de Judá. Quanto a narrativas paralelas dos reis de Judá e de Israel, ver acima e em 1Rs 16.29. Jorão teve um reinado curto e relativamente mau, desperdiçando doze anos com seus pecados. Meu artigo sobre ele, no *Dicionário*, oferece detalhes. Cf. 2Rs 1.17 e a alegada discrepância dos números envolvidos. Aquele versículo fala em segundo ano, em lugar de décimo oitavo ano. Mas, mediante alguma manipulação, podemos fazer o décimo oitavo ano de Josafá equivaler ao segundo ano de Jorão. Não há solução certa quanto ao problema cronológico, e alguns estudiosos desesperam-se de encontrar essa solução. "Os informes derivam-se de dois sistemas cronológicos irreconciliáveis" (*Oxford Reference Bible*, sobre 2Rs 3.1).

Discrepâncias. Seja como for, essas discrepâncias só parecem problemáticas para duas classes de pessoas: os céticos, que se deleitam em encontrar algum problema para debater; e os fundamentalistas extremados, que fazem qualquer esforço para tentar explicar os problemas, mesmo às expensas da honestidade. Mas a fé religiosa e a espiritualidade não repousam nessas questões. Somente uma mente infantil lhes dá grande importância. Cf. 2Rs 8.16.

■ 3.2

וַיַּעֲשֶׂה הָרַע בְּעֵינֵי יְהוָה רַק לֹא כְאָבִיו וּכְאִמּוֹ וַיָּסַר אֶת־מַצְּבַת הַבַּעַל אֲשֶׁר עָשָׂה אָבִיו׃

Fez o que era mau perante o Senhor. Jorão era ímpio e operou a iniquidade, embora não tenha chegado ao padrão de impiedade estabelecido por seu pai, Acabe, e por sua mãe, Jezabel. Chegar àquele padrão só seria possível mediante alguma ajuda especial do diabo.

Quanto ao lado positivo, esse rei derrubou a coluna de Baal, que Acabe mandara levantar. Ele não eliminou a idolatria em Israel, mas realmente a diminuiu. Ele aboliu parte do culto a Baal. Mas apesar de ter-se livrado da coluna particular mencionada neste versículo, de modo geral suportava a adoração a Baal (ver 2Rs 10.18-28). E continuou as normas políticas de seu ímpio pai, Acabe (ver 1Rs 12.26-33; 13.33). Talvez ele tenha iniciado uma reforma que não chegou, afinal, a coisa alguma. Seu único ato de reforma, porém, não teve nenhum efeito duradouro. Ele enfrentou oposição e logo abandonou essa questão de reformas. Continuou a adoração ao bezerro de Jeroboão (ver o terceiro versículo), pelo que tinha muitos pecados em sua consciência.

Nem como sua mãe. "Jezabel viveu por todo o reinado de Jorão (2Rs 9.30), o que talvez explique por que ele não erradicou a adoração a Baal (2Rs 10.19-28)" (Ellicott, *in loc.*).

Talvez Jorão tenha instituído algumas reformas para agradar a Josafá, a fim de que o rei de Judá o ajudasse em sua campanha militar contra os moabitas.

A DUPLA PORÇÃO

Eliseu solicitou uma porção dupla do poder milagroso de Elias, cujo poder era obra do Espírito Santo. Ver 2Rs 2.9,10. É curioso que Eliseu tenha efetuado numericamente quase, exatamente, o dobro de milagres de Elias.

1. Elias é alimentado por corvos (1Rs 17.2 ss.)
2. A comida da viúva multiplicada (1Rs 17.8 ss.)
3. Ressurreição do filho da viúva (1Rs 17.17 ss.)
4. O altar e o sacrifício de Elias consumidos por fogo (1Rs 18.25 ss.)
5. Acazias e seus 102 soldados consumidos por fogo celestial (2Rs 1.2 ss.)
6. O rio Jordão é separado (2Rs 2.7 ss.)
7. O arrebatamento de Elias (2Rs 2.11 ss.)

1. O rio Jordão é separado (2Rs 2.14 ss.)
2. As águas perto de Jericó são purificadas (2Rs 2.19 ss.)
3. O óleo da viúva multiplicado (2Rs 4.1 ss.)
4. O filho da sunamita levantado dos mortos (2Rs 4.31 ss.)
5. A sopa venenosa purificada (2Rs 4.38 ss.)
6. A comida do profeta multiplicada (2Rs 4.42 ss.)
7. Naamã curado da lepra (2Rs 5.1 ss.)
8. Geazi punido com lepra (2Rs 5.20 ss.)
9. O machado flutua (2Rs 6.1 ss.)
10. A proteção de um exército celestial em Dotã (2Rs 6.17 ss.)
11. Soldados inimigos cegados (2Rs 6.18 ss.)
12. Póstumo: um homem ressuscitado quando tocou nos ossos de Eliseu (2Rs 13.20,21)

UM PEDIDO INCOMUM

Elias disse a Eliseu: Pede-me o que queres
que eu te faça, antes que seja tomado de ti.
Disse Eliseu: Peço-te que me toque por herança
porção dobrada do teu espírito. Tornou-lhe
Elias: Dura cousa pediste. Todavia se me
vires quando for tomado de ti, assim se te
fará... O espírito de Elias repousa sobre Eliseu.

2Reis 2.9,10,15

MILAGRES NA BÍBLIA

A Bíblia contém milagres que são chamados divinos. Estão incluídos milagres efetuados por meio de agentes e não apenas aqueles feitos diretamente por Deus. Os dois tipos
são milagres verdadeiros, embora um possa ser mais dramático.
Na verdade fez Jesus diante dos discípulos
muitos outros sinais que não estão escritos neste livro.
Estes, porém,
foram registrados para que creiais que Jesus é o Cristo, o
Filho de Deus, e para
que, crendo, tenhais vida em seu nome.

João 20.30,31

■ 3.3

רַק בְּחַטֹּאות יָרָבְעָם בֶּן־נְבָט אֲשֶׁר־הֶחֱטִיא אֶת־יִשְׂרָאֵל דָּבֵק לֹא־סָר מִמֶּנָּה: ס

Aderiu aos pecados de Jeroboão. Jorão diminuiu o baalismo, mas não o erradicou (ver 2Rs 10.19-28), e também participou plenamente na adoração ao bezerro que Jeroboão havia estabelecido em Betel. Ver 1Rs 12.26 ss. quanto aos atos e às normas políticas idólatras de Jeroboão. Ver no *Dicionário* o artigo *Baal (Baalismo)* quanto às muitas variedades de formas desse culto pagão.

Guerra contra Moabe (3.4-27)

Moabe se tinha rebelado contra a vassalagem a Israel (ver 2Rs 2.1 e suas notas expositivas). Acazias deveria ter feito alguma coisa a respeito, mas seu acidente, no começo de seu reinado, impossibilitou-o. Foi então que seu irmão e sucessor, Jorão, assumiu a sua causa. Acabe, embora moralmente corrupto, foi um rei forte e capaz. Sua morte encorajou os moabitas a rebelar-se.

■ 3.4

וּמֵישַׁע מֶלֶךְ־מוֹאָב הָיָה נֹקֵד וְהֵשִׁיב לְמֶלֶךְ־יִשְׂרָאֵל מֵאָה־אֶלֶף כָּרִים וּמֵאָה אֶלֶף אֵילִים צָמֶר:

Mesa... era criador de gado. A economia de Moabe estava alicerçada, essencialmente, na criação de gado miúdo, utilizando-se de sua carne e de sua pele. Mesa, rei dos moabitas, estava muito envolvido nesse negócio. A cada ano, conforme nos diz o Targum, cem mil cordeiros e a lã de cem mil carneiros tinham de ser entregues a Israel; um pesado tributo, verdadeiramente. Israel ficava com os animais, sua carne e sua lã. A guerra, portanto, era inevitável. A famosa pedra Moabita nos conta a história dessa guerra sob o ângulo de Mesa. Ver no *Dicionário* o artigo chamado *Pedra Moabita*.

Cordeiros. No hebraico, *naqad*, referindo-se a um tipo menor e inferior de carneiro. Essa espécie, entretanto, fornecia lã em abundância. Amós era criador desse tipo de carneiro (Am 1.1).

Na antiguidade, animais e produtos de animais representavam grande parte das fortunas e dos tesouros de indivíduos e de governos, portanto o "comércio" era intenso, e o "tributo" era pago com esses produtos. As versões caldaica e árabe também mencionam os bois como parte desse tributo, mas isso parece não estar baseado em fatos.

■ 3.5

וַיְהִי כְּמוֹת אַחְאָב וַיִּפְשַׁע מֶלֶךְ־מוֹאָב בְּמֶלֶךְ יִשְׂרָאֵל:

Tendo, porém, morrido Acabe. Acabe, o homem forte e ímpio, estava morto. Isso encorajou os moabitas à revolta, conforme já dissemos. Acazias sofreu uma morte prematura (ver 2Rs 1.2 ss.), e Jorão, da noite para o dia, foi elevado ao trono, presumivelmente despreparado para o cargo. Mesa, pois, tirou vantagens das condições incertas e inseguras de Israel.

■ 3.6

וַיֵּצֵא הַמֶּלֶךְ יְהוֹרָם בַּיּוֹם הַהוּא מִשֹּׁמְרוֹן וַיִּפְקֹד אֶת־כָּל־יִשְׂרָאֵל:

Fez revista de todo o Israel. Muito provavelmente, tratou-se de um recenseamento militar. Jorão precisava saber de quanta força militar potencial dispunha. Ele estava sendo forçado a guerrear. Poderia ele abafar a revolta de Moabe? Ele deve ter decidido que não seria capaz de fazê-lo sozinho, pelo que imediatamente começou a formar alianças. Israel se lançaria à guerra como aliado de Judá e de Edom, uma combinação improvável.

■ 3.7

וַיֵּלֶךְ וַיִּשְׁלַח אֶל־יְהוֹשָׁפָט מֶלֶךְ־יְהוּדָה לֵאמֹר מֶלֶךְ מוֹאָב פָּשַׁע בִּי הֲתֵלֵךְ אִתִּי אֶל־מוֹאָב לַמִּלְחָמָה וַיֹּאמֶר אֶעֱלֶה כָּמוֹנִי כָמוֹךָ כְּעַמִּי כְעַמֶּךָ כְּסוּסַי כְּסוּסֶיךָ:

Mandou dizer a Josafá, rei de Judá. Devemos lembrar-nos de que Judá, na oportunidade, não era muito mais do que um reino vassalo do reino do norte, Israel. Acabe tinha pedido a ajuda de Josafá contra a Síria, e ele tivera de cooperar. Ver 1Rs 22 ss. Foi nessa batalha que Acabe perdeu a vida. Agora, seu filho Jorão voltou-se novamente para o seu "antigo aliado", Josafá, que tinha conseguido sobreviver em sua guerra contra os sírios. E, uma vez mais, Josafá veio correndo, talvez porque tinha sido forçado a fazê-lo, e, talvez, quisesse fazê-lo. Judá também teria de acalmar os moabitas, que poderiam lançar algum ataque contra o reino do sul.

Serei como tu és. Josafá respondeu que ele era um só com Jorão, que o seu povo também pertencia àquele homem; seus cavalos e carros de combate também eram uma propriedade em comum. Esta parte do versículo repete o que Josafá já havia dito a Acabe. Ver 1Rs 22.4, cujas notas expositivas também se aplicam aqui. "Josafá viveu em paz com o rei de Israel" (1Rs 22.45). A cessação das hostilidades entre o norte e o sul (Israel e Judá) encorajaram a formação de alianças. Josafá ignorou a denúncia profética contra tais alianças (ver 2Cr 19.2 e 20.37). Talvez Josafá quisesse vingar-se dos moabitas, por causa de suas incursões no território de Judá (capítulo 20 de 2Crônicas). Ele se ocuparia em um "ataque preventivo". Edom, na ocasião, estava sob a autoridade de Judá, e em breve se juntaria à aliança (ver os vss. 9 ss.).

■ 3.8

וַיֹּאמֶר אֵי־זֶה הַדֶּרֶךְ נַעֲלֶה וַיֹּאמֶר דֶּרֶךְ מִדְבַּר אֱדוֹם׃

Pelo caminho do deserto de Edom. A rota a ser tomada pela coligação de Israel, Judá e Edom era pelo deserto de Edom. Ali a ajuda de Edom seria conseguida, e esse país, sendo um virtual vassalo de Judá, não negaria auxílio. O ataque seria contra Moabe, da direção sul, onde os exércitos marchariam ao redor do mar Morto por sete dias, o que os levaria ao wadi el-Hesa, na fronteira sul de Moabe. Ver no *Dicionário* o artigo chamado *Edom*, quanto a detalhes. A fronteira norte era mais pesadamente defendida, e era a localização normal de ataque. Talvez a surpresa ajudasse na campanha. "Eles poderiam atravessar o rio Jordão e atacar a fronteira norte de Moabe; ou poderiam rodear o extremo sul do mar Morto e invadir Moabe pelo lado de Edom. A primeira dessas rotas era a mais curta para ambos os reis, mas era ali que estavam as mais fortes defesas de Moabe" (Ellicott, *in loc.*).

■ 3.9

וַיֵּלֶךְ מֶלֶךְ יִשְׂרָאֵל וּמֶלֶךְ־יְהוּדָה וּמֶלֶךְ אֱדוֹם וַיָּסֹבּוּ דֶּרֶךְ שִׁבְעַת יָמִים וְלֹא־הָיָה מַיִם לַמַּחֲנֶה וְלַבְּהֵמָה אֲשֶׁר בְּרַגְלֵיהֶם׃

Após sete dias de marcha. Os exércitos coligados tinham rodeado o extremo sul do mar Morto, o que os levara à fronteira sul de Moabe. Talvez eles tivessem marchado através do vale estreito e rochoso de El-Ahsy (também chamado de El-Qurahy), entre Moabe e Edom, onde geralmente havia água. Mas naquela ocasião não havia água nenhuma.

Não havia água para o exército e para o gado que os seguiam. A coligação optou pela rota do deserto, conforme descrito na exposição sobre o versículo oitavo, e isso criou de imediato o problema da água para os homens e para os cavalos. O desespero estabeleceu-se e tristes profecias de que eles seriam entregues às mãos de Moabe começaram a circular.

■ 3.10

וַיֹּאמֶר מֶלֶךְ יִשְׂרָאֵל אֲהָהּ כִּי־קָרָא יְהוָה לִשְׁלֹשֶׁת הַמְּלָכִים הָאֵלֶּה לָתֵת אוֹתָם בְּיַד־מוֹאָב׃

Então disse o rei de Israel. Jorão acusou as forças divinas pelo infortúnio e pelo desastre iminente. Supostamente, Yahweh teria chamado os três reis para entregá-los sem dó nas mãos dos moabitas, a fim de sofrerem desgraça e morte. Usualmente, os antigos culpavam as forças divinas ou pela vitória ou pela derrota. Estavam sempre envolvidos em guerras santas, matando e sendo mortos em nome de Deus ou de algum deus. Mais de um exército perdeu uma batalha e sua vida por falta de água. O julgamento divino era a causa de tais desgraças, na mente daqueles que as sofriam.

■ 3.11

וַיֹּאמֶר יְהוֹשָׁפָט הַאֵין פֹּה נָבִיא לַיהוָה וְנִדְרְשָׁה אֶת־יְהוָה מֵאוֹתוֹ וַיַּעַן אֶחָד מֵעַבְדֵי מֶלֶךְ־יִשְׂרָאֵל וַיֹּאמֶר פֹּה אֱלִישָׁע בֶּן־שָׁפָט אֲשֶׁר־יָצַק מַיִם עַל־יְדֵי אֵלִיָּהוּ׃

Perguntou, porém, Josafá. Uma opinião mais espiritual. Josafá era homem conhecido por possuir um pouco mais de espiritualidade.

Pelo menos ele não era um apostatado, embora se envolvesse em coisas duvidosas, como as alianças profanas com nações idólatras e apóstatas. Por conseguinte, considerou a ajuda que um profeta de Yahweh poderia oferecer. Foi por acaso que um oficial do exército de Jorão soube que Eliseu estava disponível para ser consultado. Eliseu fora servo de Elias, e era seu sucessor, e qualquer habitante de Israel era conhecedor desses fatos. Isso significa que Eliseu era um profeta poderoso, e sua palavra seria valiosa em qualquer momento crítico. A questão da água provavelmente significa que Eliseu, em seu estado humilde de servo, chegou a ajudar Elias a lavar as mãos, fazendo-lhe outros trabalhos manuais e tudo quanto o homem de mais idade lhe ordenasse. Mas agora o servo era senhor, um grande homem por seus próprios méritos. Ver 1Rs 19.21 quanto ao serviço devotado que Eliseu havia prestado a Elias.

■ 3.12

וַיֹּאמֶר יְהוֹשָׁפָט יֵשׁ אוֹתוֹ דְּבַר־יְהוָה וַיֵּרְדוּ אֵלָיו מֶלֶךְ יִשְׂרָאֵל וִיהוֹשָׁפָט וּמֶלֶךְ אֱדוֹם׃

O rei de Israel, Josafá, e o rei de Edom desceram a ter com ele. Jorão nada tinha a perder se consultasse o profeta de Yahweh, portanto ele acompanhou Josafá para ir ver Eliseu. O texto diz "desceram", mas não explica para onde. Alguns supõem que o profeta havia acompanhado o exército, mas isso não é muito provável. O ponto, pois, permanece em dúvida.

■ 3.13

וַיֹּאמֶר אֱלִישָׁע אֶל־מֶלֶךְ יִשְׂרָאֵל מַה־לִּי וָלָךְ לֵךְ אֶל־נְבִיאֵי אָבִיךָ וְאֶל־נְבִיאֵי אִמֶּךָ וַיֹּאמֶר לוֹ מֶלֶךְ יִשְׂרָאֵל אַל כִּי־קָרָא יְהוָה לִשְׁלֹשֶׁת הַמְּלָכִים הָאֵלֶּה לָתֵת אוֹתָם בְּיַד־מוֹאָב׃

Que tenho eu contigo? Era evidente que Eliseu não estava disposto a cooperar. Essas palavras do profeta equivalem a "Por que eu deveria obedecer-te?" O profeta de Yahweh dirigiu-se ao ímpio Jorão sugerindo que ele obtivesse um profeta dentre aqueles que serviam a Baal, o deus de Acabe e Jezabel, pais de Jorão. O contra-argumento do rei foi que Yahweh é que havia convocado o exército para punir os moabitas, e não o deus de seus pais, de forma que era apropriado que Yahweh fosse consultado através de seu profeta. O Targum adiciona a glosa de que Jorão, em humildade, confessou seus pecados e pediu misericórdia. Além disso, a nação do sul, Judá, também estava envolvida naquela aventura, e não meramente Israel, e, essencialmente, aquele país tinha permanecido fiel a Yahweh. Esse foi um argumento convincente, que levou Eliseu a agir. Eliseu respeitaria os desejos de Josafá.

■ 3.14

וַיֹּאמֶר אֱלִישָׁע חַי־יְהוָה צְבָאוֹת אֲשֶׁר עָמַדְתִּי לְפָנָיו כִּי לוּלֵי פְּנֵי יְהוֹשָׁפָט מֶלֶךְ־יְהוּדָה אֲנִי נֹשֵׂא אִם־אַבִּיט אֵלֶיךָ וְאִם־אֶרְאֶךָּ׃

Tão certo como vive o Senhor dos Exércitos. Esse foi um juramento feito por Yahweh, Capitão dos Exércitos, general dos exércitos, o único e verdadeiro Deus vivo, que ele não teria feito absolutamente nada por Jorão, mas serviria a Josafá na sua necessidade. Ver no *Dicionário* o artigo chamado *Senhor dos Exércitos*. "Josafá foi aceito por causa de sua fiel dependência a Yahweh (vs. 11)" (Ellicott, *in loc.*). Yahweh, na qualidade de General dos Exércitos, saberia como ajudar na batalha.

■ 3.15

וְעַתָּה קְחוּ־לִי מְנַגֵּן וְהָיָה כְּנַגֵּן הַמְנַגֵּן וַתְּהִי עָלָיו יַד־יְהוָה׃

Trazei-me um tangedor. *O poder da música.* Temos um pequeno mas lindo toque aqui. É fato bem conhecido que a música tem o poder de produzir estados alterados da consciência, e alguns místicos propositadamente empregam a música com essa intenção. Nos estados alterados de consciência, a pessoa é sujeita a visões e a intuições do discernimento que não são comuns no estado normal da consciência.

A informação acerca disso é que os místicos com frequência mostram-se muito sensíveis à música, e que ela tem um estranho poder sobre eles. O ouvido humano normalmente pode ouvir somente um pequeno espectro dos sons, mas algumas pessoas, sob determinadas condições, podem podem captar coisas na música, muito mais do que outras, e o efeito dessa audição holística pode ser devastador. Eu mesmo já tive certo número de sonhos espirituais nos quais ouvi uma música incrivelmente bela. De fato, esse tipo de música é um dos sinais que distinguem os sonhos ordinários dos sonhos espirituais. Ver no *Dicionário* o verbete chamado *Sonhos*.

Caros leitores, considerem o poder da música, da boa música, da música espiritual e também da música diabólica. Hoje em dia vemos o temível espetáculo nas igrejas evangélicas quando uma música diabólica está sendo empregada para estabelecer os sentimentos do culto de adoração! As pessoas, como ovelhas ignorantes, seguem isso e permitem que os jovens envenenem o espírito da igreja. Por certo, isso faz parte da apostasia, sendo muito mais debilitador para a igreja do que certas doutrinas consideradas errôneas. Ver no *Dicionário* o artigo chamado *Música, Instrumentos Musicais*, onde desenvolvo o tema.

Costume. Podemos presumir, à base do presente versículo, que, como costume, ou, pelo menos, com frequência, Eliseu lançava mão da música para ajudá-lo em seu ofício profético.

> A música tem encantos que amansam o peito selvagem,
> Que amolecem as rochas ou que dobram o carvalho torto.
>
> William Congreve

> É com razão que alguns dizem que a
> música é a fala dos anjos.
>
> Thomas Carlyle

> Um homem com um sonho, a seu bel-prazer,
> Poderá sair e conquistar uma coroa;
> E três, com uma nova canção,
> Podem derrubar toda uma nação.
>
> Arthur William O'Shaughnesse

Tangedor, ou seja, um "harpista". Um homem habilidoso no uso de instrumentos de cordas. O Targum diz aqui "harpa". Cf. 1Sm 10.5. Esse versículo mostra que os profetas usavam instrumentos musicais como auxílio em seu ofício. Minhas notas expositivas ali dão detalhes que não são reiterados aqui.

O poder de Deus desceu sobre Eliseu quando ele se deixou embalar pelo encanto da música. O original hebraico diz aqui, literalmente, "mão", pois esse é o instrumento de poder. O Targum e algumas versões dizem "Espírito" em lugar de "mão". Seja como for, porém, o sentido é o mesmo.

3.16,17

וַיֹּאמֶר כֹּה אָמַר יְהוָה עָשֹׂה הַנַּחַל הַזֶּה גֵּבִים גֵּבִים:

כִּי־כֹה ׀ אָמַר יְהוָה לֹא־תִרְאוּ רוּחַ וְלֹא־תִרְאוּ גֶשֶׁם וְהַנַּחַל הַהוּא יִמָּלֵא מָיִם וּשְׁתִיתֶם אַתֶּם וּמִקְנֵיכֶם וּבְהֶמְתְּכֶם:

Covas e covas. O profeta baixou a estranha ordem de que muitas covas fossem cavadas. Essas covas logo estariam cheias de água, mas não por causa de uma fonte visível, como a chuva. A água viria de alguma fonte invisível, e Yahweh seria a causa do estranho fenômeno. A água seria abundante, mais do que suficiente para os homens e os animais. Ela seria suprida de maneira miraculosa, de modo que a mente humana voltar-se-ia na direção de Yahweh. A chuva era considerada uma provisão divina, quanto mais, água abundante derivada de uma fonte invisível! Possivelmente havia ali um wadi, um leito seco de rio, que subitamente se encheria de água e encheria as covas que fossem cavadas. Ver o vs. 20 quanto ao fenômeno.

3.18

וְנָקַל זֹאת בְּעֵינֵי יְהוָה וְנָתַן אֶת־מוֹאָב בְּיֶדְכֶם:

Isto é ainda pouco aos olhos do Senhor. O milagre da água não foi grande feito para Yahweh. De fato, foi algo leve e bastante trivial em comparação com o que ele pode fazer. Além do milagre quanto à água, o sucesso na batalha seria conseguido. Naturalmente, o oráculo não falou sobre o desastre posterior, depois que o rei de Moabe houvesse sacrificado seu filho e herdeiro a fim de obter sua contra-vitória (vs. 27). A coligação dos três reinos seria forçada a retirar-se. Isso nos faz lembrar da história do oráculo de Delfos, que enganou Creso, da Lídia, e Pirro, do Épiro, a terem uma falsa confiança que terminou em calamidade. Foi assim que Eliseu disse a verdade, mas não toda a verdade. Ele contou aos três reis a verdade que eles queriam ouvir, e deixou de lado a verdade que eles não gostariam de ouvir, um modo de proceder comum nos videntes e psíquicos. Ver no *Dicionário* o artigo chamado *Milagres*.

3.19

וְהִכִּיתֶם כָּל־עִיר מִבְצָר וְכָל־עִיר מִבְחוֹר וְכָל־עֵץ טוֹב תַּפִּילוּ וְכָל־מַעְיְנֵי־מַיִם תִּסְתֹּמוּ וְכֹל הַחֶלְקָה הַטּוֹבָה תַּכְאִבוּ בָּאֲבָנִים:

Ferireis todas as cidades fortificadas... Uma vitória abundante, acompanhada pela política de terra arrasada, logo se seguiria. No entanto, finalmente, a coligação seria expulsa do país (vs. 27). Muitas cidades moabitas seriam capturadas, destruídas e saqueadas; árvores seriam derrubadas; poços de água seriam danificados; terra de plantio seria inutilizada por depósitos de pedras que não permitiriam que ela fosse arada. A vida dos moabitas seria miserável, mas eles triunfariam no fim. Algumas vezes há pouca alegria no triunfo, quando este é precedido por grandes perdas. Sem dúvida, foi o caso de Moabe, naquela oportunidade. Grande tem sido e continua sendo a desumanidade do homem contra o homem, esse animal predatório, sempre ansioso por prejudicar e matar.

3.20

וַיְהִי בַבֹּקֶר כַּעֲלוֹת הַמִּנְחָה וְהִנֵּה־מַיִם בָּאִים מִדֶּרֶךְ אֱדוֹם וַתִּמָּלֵא הָאָרֶץ אֶת־הַמָּיִם:

Eis que vinham as águas pelo caminho de Edom. A água chegou na manhã seguinte, procedente de Edom. Alguns estudiosos dão aqui uma explicação natural, presumindo que pesadas chuvas em terras distantes tivessem feito os wadis encher-se e produzir água, de modo que um grande suprimento de água chegou à localidade do tríplice exército acampado. As covas que haviam sido cavadas ficaram cheias até derramarem pelo wadi ou wadis da área. Se isso é verdade, então o milagre operado por Eliseu foi apenas uma sábia previsão de condições atmosféricas. Ele sabia o que estava chegando. Chuva, um presente de Deus, atingiria aquela região através de seus wadis. O fenômeno ocorreu, muito apropriadamente, durante o sacrifício matinal, quando a mente humana estava voltada para o Ser divino.

"É evidente que Deus fez a água das chuvas em Edom derramar-se pelo vale e encher as covas" (Thomas L. Constable, *in loc.*). Outros intérpretes continuam a ver um suprimento miraculoso de água, sem nada relacionado à chuva. Seja como for, a provisão de água foi muito abundante, e salvou o dia para os exércitos coligados.

Algo similar aconteceu no caso do imperador Marco Aurélio, o qual, quando estava prestes a atirar-se à batalha contra os germanos e os sarmatas, foi afligido ao máximo por motivo de sede. Seu exército seria uma presa fácil diante do inimigo. O imperador, sem nenhum pejo, caiu de joelhos e clamou aos deuses, pedindo água. De repente, uma poderosa tempestade atingiu a região, acompanhada por uma espetacular cena de relâmpagos e trovões. A área inteira ficou inundada, e não muito depois, o inimigo foi posto em fuga (Eusébio, *Hist. Eccl.* 1.5, cap. 5; *Orosii Hist.* 1.7, cap. 15). Jugurta, general do exército romano, experimentou um fenômeno parecido (*Orosius*, ib. 1.5, cap. 15, par. 77).

3.21

וְכָל־מוֹאָב שָׁמְעוּ כִּי־עָלוּ הַמְּלָכִים לְהִלָּחֶם בָּם וַיִּצָּעֲקוּ מִכֹּל חֹגֵר חֲגֹרָה וָמַעְלָה וַיַּעַמְדוּ עַל־הַגְּבוּל:

Ouvindo, pois, todos os moabitas. As notícias do ataque iminente das forças coligadas logo chegaram aos ouvidos do rei de Moabe, que assim fez uma apressada preparação para a batalha, equipando um grande exército para receber os invasores.

Todos os que cingiam cinto. Ou seja, todos os homens de idade suficiente foram de súbito lançados à batalha. "Foi uma convocação em massa da população masculina, tendo em vista a defesa do país" (Ellicott, *in loc.*). Os homens puseram seus cintos militares, que sustentavam as espadas. Os arqueiros prepararam seus instrumentos de guerra; talvez uma força de carros de combate e uma cavalaria tenham sido preparadas.

■ 3.22,23

וַיַּשְׁכִּימוּ בַבֹּקֶר וְהַשֶּׁמֶשׁ זָרְחָה עַל־הַמָּיִם וַיִּרְאוּ מוֹאָב מִנֶּגֶד אֶת־הַמַּיִם אֲדֻמִּים כַּדָּם:

וַיֹּאמְרוּ דָּם זֶה הָחֳרֵב נֶחֶרְבוּ הַמְּלָכִים וַיַּכּוּ אִישׁ אֶת־רֵעֵהוּ וְעַתָּה לַשָּׁלָל מוֹאָב:

As águas vermelhas como sangue. *Um truque pespegado pela refração da luz solar.* Toda aquela água, que havia no acampamento dos três exércitos coligados, bem como ao redor, dava a impressão de ser vermelha. À distância, pois, parecia sangue. Mas tudo era uma impressão ótica da luz solar, que prejudicou os moabitas. Estes chegaram à apressada conclusão de que (por alguma razão desconhecida) os membros da coligação tinham tido um desacordo, e se tinham matado mutuamente, deixando sangue no solo, por toda parte. Isso significava que a ocasião era extremamente oportuna para o ataque e para o saque, e, naturalmente, para que se matassem quaisquer sobreviventes da matança auto infligida. Havia também muito equipamento militar a ser tomado, e os moabitas entrariam na posse de cavalos e de objetos pessoais de homens mortos, um gordo salário de um dia de trabalho.

■ 3.24

וַיָּבֹאוּ אֶל־מַחֲנֵה יִשְׂרָאֵל וַיָּקֻמוּ יִשְׂרָאֵל וַיַּכּוּ אֶת־מוֹאָב וַיָּנֻסוּ מִפְּנֵיהֶם וַיָּבוֹ בָהּ וְהַכּוֹת אֶת־מוֹאָב:

Chegando eles ao arraial de Israel. Os iludidos moabitas deixaram assim sua posição inexpugnável nas montanhas e, despreparados, correram para o acampamento dos israelitas. Para horror deles, descobriram que o suposto sangue não passava de água, e o suposto exército coligado, que estaria morto, estava bem vivo. O exército dos coligados levantou-se e saiu ao encontro do surpreendido exército moabita, matando muitos e pondo o resto em fuga. O infeliz exército moabita foi perseguido de perto até dentro do território de Moabe, com homens caindo mortos por ferimentos sofridos ao longo do caminho. Foi uma grande oportunidade de levar a batalha por todo o território moabita, e muitas cidades foram assim destruídas (ver o versículo seguinte).

Os historiadores contam-nos um acontecimento semelhante, uma vitória de Guilherme da Normandia sobre Haroldo, o saxão, em 1066. Os invasores normandos fizeram os saxões pensar que os normandos estavam grandemente debilitados, e que tudo quanto os saxões precisavam fazer era administrar essa vantagem e perseguir o inimigo até o mar. Ao tentarem realizar o feito, de repente encontraram um exército bem vivo, que efetuou grande matança entre os saxões.

■ 3.25

וְהֶעָרִים יַהֲרֹסוּ וְכָל־חֶלְקָה טוֹבָה יַשְׁלִיכוּ אִישׁ־אַבְנוֹ וּמִלְאוּהָ וְכָל־מַעְיַן־מַיִם יִסְתֹּמוּ וְכָל־עֵץ־טוֹב יַפִּילוּ עַד־הִשְׁאִיר אֲבָנֶיהָ בַּקִּיר חֲרָשֶׂת וַיָּסֹבּוּ הַקַּלָּעִים וַיַּכּוּהָ:

Arrasaram as cidades. Deflagrando uma virtual guerra santa (ver as notas expositivas em Dt 7.1-5; 20.10-18), eles ofereceram tudo a Yahweh, que os tinha enviado para matar e destruir (vs. 18). Sua vitória inicial logo se propagou por todo o território de Moabe. As fontes de água foram tapadas; as árvores foram derrubadas; pedras foram espalhadas pelos campos, tornando impossível a aragem dos terrenos e a própria agricultura. E assim a profecia do versículo 19 teve cumprimento; lá encontramos a mesma informação que é dada aqui.

Quir-Haresete. Este nome significa cidade de cerâmica, embora alguns digam cidade nova. Ver também Is 16.7; Jr 48.31,36, bem como sob Quir de Moabe, em Isaías 15.1. Essa era uma cidade muito fortificada, conhecida como Queraque, a cerca de oitenta quilômetros de Jerusalém. O lugar foi inteiramente destruído pela coligação de Israel, Judá e Edom, mas foi subsequentemente reconstruído. Ver o artigo sobre esse lugar, no *Dicionário*, com o título Quir de Moabe.

As pedras da cidade foram deixadas intactas. Ou seja, a coligação não foi capaz de destruir suas fortificações, muralhas, torres etc., que eram feitas de pedras. Ao que tudo indica, em outras cidades, até as "pedras" foram derrubadas.

Os fundibulários foram os principais combatentes que obtiveram a vitória naquele lugar.

■ 3.26

וַיַּרְא מֶלֶךְ מוֹאָב כִּי־חָזַק מִמֶּנּוּ הַמִּלְחָמָה וַיִּקַּח אוֹתוֹ שְׁבַע־מֵאוֹת אִישׁ שֹׁלֵף חֶרֶב לְהַבְקִיעַ אֶל־מֶלֶךְ אֱדוֹם וְלֹא יָכֹלוּ:

Vendo o rei de Moabe. O rei Mesa, de Moabe, estava na sua cidade real de Quir-Haresete e, em um esforço desesperado, saiu e atacou os edomitas, que ele supunha serem o elo mais fraco na coligação. Ele esperava que, ao derrotar essa parte do exército atacante, faria a maré da batalha virar. Levou setecentos homens de suas tropas de elite, nessa tentativa, mas o esforço desesperado fracassou. Assim sendo, parecia que a batalha estava, realmente, perdida.

"Os edomitas relembraram-se de que haviam sido brutalmente tratados pelos moabitas, ainda tão recentemente, o que os levou a lutar com maior desespero (ver 2Cr 20.23)" (John Gill, *in loc.*).

■ 3.27

וַיִּקַּח אֶת־בְּנוֹ הַבְּכוֹר אֲשֶׁר־יִמְלֹךְ תַּחְתָּיו וַיַּעֲלֵהוּ עֹלָה עַל־הַחֹמָה וַיְהִי קֶצֶף־גָּדוֹל עַל־יִשְׂרָאֵל וַיִּסְעוּ מֵעָלָיו וַיָּשֻׁבוּ לָאָרֶץ: פ

Então tomou a seu filho primogênito. Um ato de puro desespero. Tudo quanto o rei de Moabe tinha e amava, de súbito estava sendo ameaçado. Sem dúvida, ele perderia tudo. Seu exército estava sendo esmagado. Ele mesmo e toda a sua família seriam torturados e mortos. Assim sendo, nada tendo a perder, e talvez tendo algo a ganhar, Mesa realizou um sacrifício cruento. Ele tomou seu filho mais velho, que seria seu sucessor, e ofereceu-o, como um holocausto, sobre o muro da cidade, publicamente, para que todos vissem, e esperou que esse ato de desespero despertasse os deuses para ajudá-lo. Dessa maneira, ele realizou o seu sacrifício supremo. Deu tudo quanto tinha. Os comentaristas judaicos desta passagem lembram-se do sacrifício de Abraão, de Isaque, e inutilmente imaginam que o rei de Moabe imitou o ato de Abraão, na esperança de que tal dedicação ao ser divino fosse eficaz para salvar Moabe. Presumivelmente, a dedicação de Abraão fortaleceu Israel naquele dia, visto ser ele o pai da nação. Mas toda a cena foi uma mera fantasia.

As muralhas da cidade cercada eram o muro. O deus a quem se ofereceu o sacrifício humano provavelmente foi Camos (ver 2Rs 23.13, bem como o artigo sobre essa divindade, no *Dicionário*).

De alguma maneira, que o autor sagrado não deixou clara, esse cruento sacrifício foi eficaz, e alguma forma de ira sobrenatural caiu sobre Israel, libertando os moabitas do ataque. A ira (e a destruição que a acompanhou) foi tão grande que a coligação abandonou completamente a batalha e voltou para casa.

Grande ira. O autor sacro não explicou o que ele quis dar a entender, razão pela qual aos intérpretes não resta alternativa senão fazerem suposições. As ideias principais são estas:

1. O supremo sacrifício feito por Mesa, ao oferecer seu próprio filho primogênito, despertou o exército moabita, como que possuído por uma força sobre-humana, derrotando assim a coligação e salvando o reino moabita. A ira, nesse caso, foi do exército moabita, mas inspirada por Camos.

2. Ou Yahweh, por alguma razão não-declarada, fez voltar seu poder e ira contra Israel. Talvez Mesa tenha oferecido seu sacrifício a Yahweh, o qual, em sua misericórdia, permitiu que esse rei e sua nação sobrevivessem ao ataque. Isso também teria sido feito para punir a "aliança profana" que Judá fizera com idólatras (os edomitas e os israelitas), que continuavam envolvidos na idolatria, com a adoração ao bezerro de ouro, em Betel, bem como com o baalismo.
3. Ou então forças malignas e sobre-humanas ficaram tão satisfeitas diante do sacrifício oferecido por Mesa que enviaram algum tipo de julgamento inexplicável contra Israel, alguma espécie de inexplicada maldição sobre-humana. Mas, sem dúvida, Mesa e seu povo atribuíram tudo a Camos. De fato, a Pedra moabita conta-nos a história de como Moabe obteve a vitória através da ajuda divina, particularizando o deus Camos. Talvez o autor sagrado pensasse que, realmente, isso poderia ocorrer, e, assim sendo, registrou o evento como alguma espécie de triunfo infeliz dos poderes malignos superiores aos homens.

Henoteísmo? Essa é a doutrina que diz que, apesar de haver "um Deus" a nosso favor, o qual é "mais poderoso do que outros deuses", existem outros deuses que têm seus poderes respectivos e suas áreas de autoridade. O henoteísmo (ver a respeito no *Dicionário*) foi uma espécie de degrau na direção do monoteísmo (ver também no *Dicionário*). Não é impossível que o autor de 1 e 2Reis assumisse uma posição henoteísta, e julgasse que algumas vezes uma deidade estrangeira pudesse intervir em favor de seu povo.

"É certo que a crença na supremacia de Yahweh não impediu a antiga nação de Israel de admitir a existência verdadeira e a força de divindades estrangeiras (ver 1Cr 16.25,26; 17.21; Nm 21.29; Jz 11.24)" (Ellicott, *in loc.*).

O texto talvez nos ensine que Camos teve seu dia, inspirado pelo temível sacrifício do rei dos moabitas. Existem poderes espirituais aliados, contra os quais precisamos lutar, e algumas vezes é melhor correr e esconder-se do que permanecer e lutar.

Que Dizer sobre a Profecia de Eliseu? A coligação de forças foi à luta confiando nessa profecia. Ver o vs. 18. Apesar de uma notável vitória preliminar, Camos teria providenciado para que os moabitas fizessem virar a maré da batalha, ou, talvez, tenha feito intervenção direta na questão, enviando os três reis coligados derrotados de volta para casa. Muitas profecias são parciais, e, verdadeiramente, algumas fracassam (ver 1Co 13.8). Estou supondo que as profecias de Eliseu, naquela ocasião, tenham fracassado. Ele falou o que pensava que ocorreria, mas ele e a coligação foram tomados de surpresa. Ou então poderíamos imaginar que Israel supostamente seria derrotado, e Eliseu encorajou-os a lutar e perder, como um juízo de Yahweh. Nesse caso, o profeta usou de engano, algo aceitável pela moralidade da época, embora não por nós. Esse acontecimento é instrutivo quanto à própria natureza da profecia. Se o amor é seguro e nunca falha, as profecias chegam a falhar. Lamento, mas elas falham. Somente Deus é infalível, e outras infalibilidades tornam-se idolatrias. Muitas pessoas têm transformado em ídolo a tradição profética. Atualmente, as pessoas ficam desapontadas diante de coisas que não acontecem da maneira que elas pensavam que deveriam ocorrer.

CAPÍTULO QUATRO

VÁRIAS HISTÓRIAS SOBRE ELISEU (4.1—6.23)

Temos agora três capítulos de histórias incomuns que ilustram o poder, a sabedoria e a autoridade de Eliseu, o profeta de Yahweh. São histórias que nos fornecem exemplos morais. Elas contêm muitas lições valiosas que nunca perderam o seu valor. Essas crônicas fazem parte dos acontecimentos maravilhosos da vida de Eliseu. Ele precisava ser respeitado. Eliseu foi um profeta autêntico, em contraste com os profetas falsos e apóstatas de Israel, que serviam a Baal e a outras divindades ridículas. Yahweh era o Deus de Eliseu, o único Deus vivo e verdadeiro. Israel deveria ter abandonado sua idolatria, por causa do exemplo piedoso deixado por Eliseu. Israel, pelo contrário, deixara-se envolver por meras vaidades. Eliseu, por sua vez, demonstrou uma vereda mais alta e mais nobre. Ele salientou aquela vereda onde ocorrem milagres genuínos, onde os homens entram em contato com o Ser divino. Ver no *Dicionário* o verbete chamado *Milagres*.

ELISEU AUMENTA O AZEITE DA VIÚVA (4.1-7)

■ **4.1**

וְאִשָּׁה אַחַת מִנְּשֵׁי בְנֵי־הַנְּבִיאִים צָעֲקָה אֶל־אֱלִישָׁע
לֵאמֹר עַבְדְּךָ אִישִׁי מֵת וְאַתָּה יָדַעְתָּ כִּי עַבְדְּךָ הָיָה
יָרֵא אֶת־יְהוָה וְהַנֹּשֶׁה בָּא לָקַחַת אֶת־שְׁנֵי יְלָדַי לוֹ
לַעֲבָדִים׃

Certa mulher. Essa mulher era a esposa de um dos discípulos dos profetas. Ela tinha acabado de perder seu marido. O homem tinha sido servo de Eliseu, ou seja, era alguém que estava debaixo de suas instruções, visto ser ele o cabeça das escolas dos profetas. Ver no *Dicionário* o verbete chamado *Escolas dos Profetas*. À pobre viúva sobraram dívidas assumidas por seu marido, e os abutres estavam à sua caça. O caso era tão sério que um credor tinha ameaçado vender os dois filhos da mulher à servidão, para que a dívida fosse saldada. Isso ele acabaria fazendo, sem dúvida. A viúva então apelou para Eliseu intervir no caso, de qualquer maneira que Yahweh o instruísse a agir.

O Targum faz o profeta em questão (marido da viúva) ser Obadias, que havia ocultado os cem homens em cavernas, para que escapassem da ira de Jezabel. E Josefo (*Antiq.* 1.9, cap. 4, sec. 2) recebeu essa tradição como se fosse autêntica. Ver o capítulo 18 de 1Reis quanto à história de Obadias. Tais embelezamentos, porém, dificilmente refletem a verdade. Seja como for, o profeta em questão era um homem digno, que tinha observado a lei de Yahweh e não estava envolvido na idolatria. Sendo um homem digno, sua viúva mereceu a ajuda de Eliseu, especialmente tendo em vista ser ele o pai das escolas proféticas. Ele tinha o dever de cuidar de seus filhos e filhas. Naturalmente, ministérios celibatários eram estranhos à mentalidade judaica, em contraste com certos segmentos da cristandade atual.

Servidão. Israel estava muito envolvido na instituição da escravidão. Muitos cativos de guerra eram transformados em escravos. Um israelita costumava vender a si mesmo e aos seus familiares à servidão, para pagar dívidas. Ver Êx 21.7; Lv 25.39; Ne 5.5; Is 50.1; Jr 34.8-11. O credor tinha o direito de fazer o que o presente versículo diz. Ele não estava fora da legislação mosaica. Ver no *Dicionário* o verbete denominado *Escravo, Escravidão*.

Adam Clarke (*in loc.*) aproveita esta ocasião para salientar como as sociedades antigas abusavam de seus filhos. Dionísio de Halicarnasso (*Lib.* ii, partes 96 e 97) contou-nos como qualquer coisa podia ser feita com esses filhos. As crianças eram espancadas sem misericórdia, e até lançadas na prisão e sujeitadas a torturas pelas suas "infrações". Eram empregadas como escravas no trabalho pesado, até por seus próprios familiares. Diocleciano e Maximiliano aprimoraram leis para proteger os devedores e seus filhos. Solon, o grego, eliminou certos costumes bárbaros no tocante aos filhos.

■ **4.2**

וַיֹּאמֶר אֵלֶיהָ אֱלִישָׁע מָה אֶעֱשֶׂה־לָּךְ הַגִּידִי לִי
מַה־יֶּשׁ־לָכִי בַּבָּיִת וַתֹּאמֶר אֵין לְשִׁפְחָתְךָ כֹל
בַּבַּיִת כִּי אִם־אָסוּךְ שָׁמֶן׃

Coisas valiosas? Porventura a viúva não tinha nenhuma coisa valiosa que pudesse ser vendida para saldar sua dívida e assim evitar uma desgraça maior? O que ela tinha? Ela tinha o grande tesouro de uma única botija de azeite. Esse azeite serviria para cozinhar, ou era um frasco de azeite, que serviria para unção. Os judeus, tal como os gregos e os romanos, ungiam-se com óleos fragrantes depois de tomarem banho. Esse era um artigo de luxo, e a única coisa que a mulher tinha na casa. Ver no *Dicionário* o artigo intitulado *Azeite (Óleos)*.

Embora fosse um artigo tão humilde, a única posse de algum valor da mulher, o azeite estava prestes a ser multiplicado, para salvar a situação.

■ **4.3**

וַיֹּאמֶר לְכִי שַׁאֲלִי־לָךְ כֵּלִים מִן־הַחוּץ מֵאֵת
כָּל־שְׁכֵנָכִי כֵּלִים רֵקִים אַל־תַּמְעִיטִי׃

Pede emprestadas vasilhas a todos os teus vizinhos. A mulher foi instruída a juntar grande número de vasilhas de seus vizinhos.

Algum tipo de milagre de multiplicação logo haveria de ocorrer, enchendo todas as vasilhas. De súbito, a mulher estava no negócio do azeite! A fé da mulher seria medida pelo número de vasilhas que ela juntasse. Naquele dia, a pobre viúva teve uma grande fé, na tentativa de salvar seus filhos da servidão.

4.4,5

וּבָאת וְסָגַרְתְּ הַדֶּלֶת בַּעֲדֵךְ וּבְעַד־בָּנַיִךְ וְיָצַקְתְּ עַל כָּל־הַכֵּלִים הָאֵלֶּה וְהַמָּלֵא תַּסִּיעִי׃

וַתֵּלֶךְ מֵאִתּוֹ וַתִּסְגֹּר הַדֶּלֶת בַּעֲדָהּ וּבְעַד בָּנֶיהָ הֵם מַגִּשִׁים אֵלֶיהָ וְהִיא מיצקת

Então entra, e fecha a porta sobre ti. Por trás de portas fechadas, a viúva e seus filhos foram testemunhas do grande milagre de multiplicação. As muitas vasilhas estavam espalhadas ao redor, prontas para serem enchidas. Os filhos trouxeram as vasilhas à sua mãe, uma a uma. Ela derramou o azeite precioso em uma das vasilhas, e a vasilha original continuava cheia! Assim sendo, ela encheu outra, e a vasilha original continuava cheia! E assim ela prosseguiu, e em breve a casa estava repleta de vasilhas cheias de azeite, cada qual cheia até a beira.

Isso pode ser comparado ao milagre de Jesus da multiplicação dos pães e dos peixes (Mt 14.13-21). Elias realizou um milagre similar, envolvendo azeite; ver 1Rs 17.11 ss.

Uma Lição Moral Vital. Há grande suprimento para toda necessidade, quando Deus intervém. Oh, Senhor, concede-nos tal graça! O poder divino satisfaz a necessidade humana.

> Deus pode fazer-vos abundar em toda graça,
> a fim de que, tendo sempre, em tudo,
> ampla suficiência, superabundeis em toda boa obra.
> 2Coríntios 9.8

4.6

וַיְהִי כִּמְלֹאת הַכֵּלִים וַתֹּאמֶר אֶל־בְּנָהּ הַגִּישָׁה אֵלַי עוֹד כֶּלִי וַיֹּאמֶר אֵלֶיהָ אֵין עוֹד כֶּלִי וַיַּעֲמֹד הַשָּׁמֶן׃

Não há mais vasilha nenhuma. E o azeite parou. Um toque especial. Este versículo cria o toque especial da história. Enquanto houve vasilhas para serem enchidas, o azeite continuou fluindo da vasilha original. Mas uma vez que não houve mais vasos, o fluxo de azeite cessou. Os benefícios de Deus, por igual modo, continuam fluindo para aqueles que têm fé, e, por causa das boas obras deles, produzem um contínuo e grande suprimento. A fé de um homem determina a extensão de suas obras, governadas, naturalmente, pelos ditames de sua missão. Em outras palavras, quanto maior for a sua necessidade, se você está ocupado em uma boa causa, mais você obterá. Além de suas necessidades, há aquela abundância que permite que você prospere em boas obras. Não se engane quanto a isso! O dinheiro é importante! Mas só é importante como um meio de aumentar nossas boas obras. Deus não nos dá dinheiro para trivialidades, deboche e tolices. E nem precisamos de luxos. Há uma verdade na declaração de 1Tm 6.10: "O amor ao dinheiro é a raiz de todos os males".

Mas também há uma verdade naquela outra declaração, uma pequena modificação em relação a essa primeira: "A falta de dinheiro é raiz de todos os males".

Isso será assim especialmente se a falta de dinheiro impedir as boas obras. É melhor o crente ser próspero do que ser pobre, contanto que essa prosperidade seja uma força por trás de nobres realizações. Oh, Senhor! Concede-nos tal graça!

Tipologia. O azeite dessa história representa o Espírito e a graça que ele supre através dos benefícios da missão de Cristo. Nele há um suprimento infinito de graça, bem como das riquezas do céu, por meio da salvação.

4.7

וַתָּבֹא וַתַּגֵּד לְאִישׁ הָאֱלֹהִים וַיֹּאמֶר לְכִי מִכְרִי אֶת־הַשֶּׁמֶן וְשַׁלְּמִי אֶת־נִשְׁיֵךְ וְאַתְּ בָּנַיִךְ תִּחְיִי בַּנּוֹתָר׃ פ

Comercialização. A situação da viúva e de seus filhos foi completamente resolvida pela venda do azeite. Essa também é uma ótima lição moral. Embora haja um rico suprimento da parte de Deus, temos de ser industriosos em nós mesmos. Nenhum problema teria sido resolvido se a viúva não saísse nem vendesse o azeite. Por conseguinte, precisamos comercializar nossos benefícios, isto é, pô-los a trabalhar. Em nossa sociedade, cada indivíduo precisa vender o seu produto, a sua habilidade. Todos os empregos são uma comercialização de habilidades. A pobreza ocorre ao homem preguiçoso. A pobreza espiritual acompanha a vereda do indivíduo que pouco tenta fazer. Trabalhar é divertido, e a diversão está no trabalho.

> Não há verdadeira riqueza salvo no labor do homem.
> Percy B. Shelley

> Sou um verdadeiro trabalhador.
> Ganho aquilo que como;
> obtenho pessoalmente o que visto.
> A ninguém devo nenhum ódio;
> nem invejo a felicidade de ninguém.
> Alegro-me diante do bem de todo indivíduo.
> William Shakespeare

"A história demonstra os cuidados de Deus por seus fiéis, que viviam no apostatado Israel da época. As viúvas são sempre vulneráveis, e a viúva do profeta era ainda mais necessitada. No entanto, Deus cuidou miraculosamente daquela crente fiel e dependente" (Thomas L. Constable, *in loc.*).

Outra História Maravilhosa

A MULHER DE SUNÉM (4.8-37)

O autor sagrado continua a contar suas histórias admiráveis, cada qual envolvendo um milagre especial. Cada uma dessas histórias ilustrou o poder e a autoridade de Eliseu como um profeta de Yahweh, o único Deus verdadeiro e vivo, em contraste com os falsos profetas de Baal e de outras culturas pagãs. Quanto a comentários gerais sobre a natureza e o propósito dessas histórias, ver a introdução ao primeiro versículo deste capítulo.

4.8

וַיְהִי הַיּוֹם וַיַּעֲבֹר אֱלִישָׁע אֶל־שׁוּנֵם וְשָׁם אִשָּׁה גְדוֹלָה וַתַּחֲזֶק־בּוֹ לֶאֱכָל־לָחֶם וַיְהִי מִדֵּי עָבְרוֹ יָסֻר שָׁמָּה לֶאֱכָל־לָחֶם׃

Suném. Ver as notas expositivas completas sobre esse lugar, no *Dicionário*. Essa cidade ficava perto de Jezreel e pertencia à tribo de Issacar (Js 19.18). Havia uma mulher rica ali, que chamou a atenção do profeta. Note-se o contraste. A primeira história foi sobre uma pobre viúva; esta história é a de uma mulher de uma classe do extremo oposto. O poder de Eliseu operava em qualquer nível da sociedade, onde quer que seres humanos estivessem enfrentando problemas, conforme acontece por toda parte. O profeta de Yahweh era movido pela compaixão e bania a miséria humana. Eliseu, porém, também padecia necessidades, e a mulher rica desta narrativa mostrou-se generosa para com ele. Quando ele fazia seus circuitos por todo Israel, por várias vezes ela e seu marido tinham-no visto passando. Ela pensou que seria bom providenciar um lugar para ele ficar, portanto preparou uma câmara conveniente para um profeta, que ele pudesse usar quando estivesse nas vizinhanças. E ela também lhe provia refeições, quando ele estava ali. A mulher não sabia, mas estava semeando boa semente, e finalmente colheria uma colheita de felicidade, quando o profeta usasse seus poderes miraculosos em favor dela. Ver no *Dicionário* o artigo chamado *Lei Moral da Colheita segundo a Semeadura*.

As tradições judaicas identificam essa mulher rica com a irmã de Abisague (1Rs 1.3). Nesse caso, ela deveria ter mais de duzentos anos de idade, na ocasião! Isso mostra quão insensatas são muitas das identificações rabínicas.

O Pequeno Quarto do Profeta. "... um cenáculo construído sobre o eirado, com acesso por meio de uma escada externa, pelo que a entrada ou saída era independente da própria casa" (Norman H. Snaith, *in loc.*).

4.9,10

וַתֹּאמֶר אֶל־אִישָׁהּ הִנֵּה־נָא יָדַעְתִּי כִּי אִישׁ אֱלֹהִים
קָדוֹשׁ הוּא עֹבֵר עָלֵינוּ תָּמִיד׃

נַעֲשֶׂה־נָּא עֲלִיַּת־קִיר קְטַנָּה וְנָשִׂים לוֹ שָׁם מִטָּה
וְשֻׁלְחָן וְכִסֵּא וּמְנוֹרָה וְהָיָה בְּבֹאוֹ אֵלֵינוּ יָסוּר שָׁמָּה׃

Como boa dona de casa, a mulher não ousou tomar uma decisão unilateral. Ela consultou seu marido sobre a ideia de oferecer um dormitório de profeta para Eliseu, e valorizou a ideia ao descrever como o aposento seria mobiliado com os móveis apropriados.

Santo homem de Deus. Um dos propósitos dessas narrativas maravilhosas era estabelecer o contraste entre um verdadeiro profeta de Yahweh e os profetas apóstatas de Baal, e assim assegurar aos leitores o fato de que Yahweh era o Deus do casal, o único verdadeiro Deus vivo. Ver as notas de introdução ao primeiro versículo deste capítulo.

Um lugar "... onde ele pudesse estar livre dos ruídos da casa, sentindo-se livre para orar, ler, meditar e estudar, e não ser perturbado pelos servos da família, tendo de misturar-se com eles. Tudo isso ela planejou tendo em vista honrar Eliseu, visando à quietude e à paz dele" (John Gill, *in loc.*).

Paralelos Modernos. Algumas igrejas mais ricas têm preparado dormitórios de profetas para abrigar missionários e pastores visitantes, pelas próprias razões que John Gill deu na citação encontrada acima. Outras igrejas enviam esses visitantes a hotéis e providenciam para eles dependências particulares, em lugar de forçá-los a ficarem na casa de alguém, onde uma interminável conversação perturbaria a paz deles.

4.11,12

וַיְהִי הַיּוֹם וַיָּבֹא שָׁמָּה וַיָּסַר אֶל־הָעֲלִיָּה וַיִּשְׁכַּב־שָׁמָּה׃

וַיֹּאמֶר אֶל־גֵּחֲזִי נַעֲרוֹ קְרָא לַשּׁוּנַמִּית הַזֹּאת
וַיִּקְרָא־לָהּ וַתַּעֲמֹד לְפָנָיו׃

O autor sacro não se deu ao trabalho de dizer-nos que o marido da mulher consentiu com o plano de Deus, mas é óbvio que ele aprovou. Eliseu foi o primeiro a utilizar o dormitório de profeta, tão recentemente preparado. O profeta, cansado de sua jornada, deitou-se para descansar. Ele estava acompanhado por um servo, Geazi, um aprendiz de profeta. Quando Eliseu estava relaxando ali em "seu dormitório", pensava sobre a bondade da mulher, e julgou que ela merecia alguma espécie de recompensa. Assim sendo, ordenou que seu servo falasse com a mulher, para ver se ela teria alguma necessidade especial. A mulher, como é claro, não estava querendo receber nenhuma recompensa, mas aqueles que agem bem, aqueles que mostram generosidade, receberão sua recompensa, quer a esperem, quer não. A medida de um homem é a sua generosidade, outro nome para a lei do amor. O amor é a própria prova da espiritualidade (ver 1Jo 4.7). Ver na *Enciclopédia de Bíblia, Teologia e Filosofia* o verbete intitulado *Liberalidade, Generosidade*. E ver no *Dicionário* da presente obra o artigo chamado *Amor*.

4.13,14

וַיֹּאמֶר לוֹ אֱמָר־נָא אֵלֶיהָ הִנֵּה חָרַדְתְּ אֵלֵינוּ
אֶת־כָּל־הַחֲרָדָה הַזֹּאת מֶה לַעֲשׂוֹת לָךְ הֲיֵשׁ
לְדַבֶּר־לָךְ אֶל־הַמֶּלֶךְ אוֹ אֶל־שַׂר הַצָּבָא
וַתֹּאמֶר בְּתוֹךְ עַמִּי אָנֹכִי יֹשָׁבֶת׃

וַיֹּאמֶר וּמֶה לַעֲשׂוֹת לָהּ וַיֹּאמֶר גֵּיחֲזִי אֲבָל בֵּן אֵין־לָהּ
וְאִישָׁהּ זָקֵן׃

O profeta ordenou a seu servo que trouxesse a mulher. Foi o servo quem falou inicialmente com ela. Que necessidade especial ela poderia ter? O homem de Deus tinha poder de obter de Yahweh qualquer coisa de que ela estivesse precisando. Geazi agradeceu à mulher por tudo quanto ela fizera e falou em uma recompensa. Mas a mulher era rica e habitava "no meio" do seu povo. Em outras palavras, ela não tinha necessidades especiais. Ela não estava no exílio. Sua vida era boa e confortável, ela gozava de boa saúde, e tinha muitas amigas. Ela era próspera e cheia de bens, e não necessitava de coisa alguma. Porém, ela não tinha filhos! Para uma mulher de Israel, isso era uma calamidade. Esse era o fato que arruinava a vida dela. O resto estava muito bem e em ordem. Para complicar a questão, seu marido era um homem velho e, segundo se pode presumir, tinha passado da idade de gerar filhos. Provavelmente também devemos entender que ela estivera estéril durante algum tempo. Em outras palavras, era um caso sem solução. Contudo, esse era o problema dela, o qual, em seu coração, ela continuava desejando ver resolvido.

A conversa entre o servo e a mulher aparentemente ocorreu fora da porta do dormitório do profeta, e longe o bastante para que Eliseu não compreendesse o que estava sendo dito. Por conseguinte, Geazi precisou relatar a Eliseu como tinha sido a conversa. Geazi fizera a mulher compreender que Eliseu tinha poder sobre o rei e o chefe do exército. Ele tinha recursos. Como é óbvio, ele tinha influência perto de Yahweh, e era isso que se fazia necessário para solucionar o problema da mulher.

4.15

וַיֹּאמֶר קְרָא־לָהּ וַיִּקְרָא־לָהּ וַתַּעֲמֹד בַּפָּתַח׃

A mulher foi chamada para ter uma conversa direta com Eliseu. O problema era difícil, para se dizer a verdade, do ponto de vista humano, mas o profeta vivia com um pé no outro mundo, e podia trazer para a vida dela a intervenção divina. Isso o habilitava como verdadeiro profeta do verdadeiro Deus, Yahweh, o único Deus vivo. Essas narrativas maravilhosas anelam por enfatizar essa autenticação, distinguindo o profeta de Yahweh dos profetas apóstatas de Baal.

4.16

וַיֹּאמֶר לַמּוֹעֵד הַזֶּה כָּעֵת חַיָּה אַתְּ חֹבֶקֶת בֵּן וַתֹּאמֶר
אַל־אֲדֹנִי אִישׁ הָאֱלֹהִים אַל־תְּכַזֵּב בְּשִׁפְחָתֶךָ׃

Por este tempo daqui a um ano. Ou seja, por aquele mesmo tempo do ano, dentro de um ano, a mulher teria um filho ao qual estaria abraçada. Isso significa que ela ficaria grávida quase imediatamente. Mas podemos entender a frase "por este tempo" com o significado de período próprio de gestação. Dentro de um ano, a gestação já estaria completada.

Não, meu senhor. Nenhum profeta, por maior que seja a sua reputação, é sempre exato em suas predições. Algumas de suas profecias falham. Ver o caso da derrota de Israel diante dos moabitas (2Rs 3.27), no seu último parágrafo. As profecias realmente falham (ver 1Co 13.8). Por outro lado, um verdadeiro profeta inspirado mostra-se admiravelmente exato. A mulher ficou cheia de dúvidas, e não hesitou em expressá-las. Mas o milagre aconteceria, a despeito de suas dúvidas sobre a questão. Deus nem sempre se limita às operações da fé humana. O conhecimento prévio é uma propriedade natural da psique humana. Um homem pode prever o futuro. De fato, ele prevê continuamente o futuro, conforme os estudos o demonstram. Mas também existe um conhecimento prévio divino ou diabólico, no qual a capacidade natural do ser humano é ultrapassada. Ver na *Enciclopédia de Bíblia, Teologia e Filosofia* o artigo chamado *Precognição*. E no *Dicionário* ver os artigos denominados *Profecia, Profetas* e *Dom de Profecia*.

Palavras Ousadas. Tão convencida estava a mulher de que não poderia ter filhos que ela acusou o profeta de estar mentindo somente para fazê-la sentir-se bem, ou pelo menos acusou-o de estar na linha fronteiriça entre a verdade e a fantasia. Ele poderia não estar a enganá-la propositadamente, mas segundo a estimativa dela, ele estaria falando uma tolice, com base em uma ilusão (crença falsa). Algumas vezes, a fé consiste em crermos em algo que não corresponde aos fatos.

4.17

וַתַּהַר הָאִשָּׁה וַתֵּלֶד בֵּן לַמּוֹעֵד הַזֶּה כָּעֵת חַיָּה
אֲשֶׁר־דִּבֶּר אֵלֶיהָ אֱלִישָׁע׃

Concebeu a mulher, e deu à luz. A despeito das dúvidas dela, a despeito da impossibilidade do cumprimento da profecia, a mulher ficou realmente grávida, e teve seu filho dentro do tempo predito. É sempre uma maravilhosa experiência receber alguma graça que ultrapassa aquilo que merecemos, ou mesmo aquilo que pedimos.

> *Ora àquele que é poderoso para fazer infinitamente mais do que tudo quanto pedimos, ou pensamos, conforme o seu poder que opera em nós, a ele seja a glória na igreja e em Cristo Jesus, por todas as gerações, para todo o sempre. Amém.*
>
> Efésios 3.20,21

Oh, Senhor, concede-nos tal graça! Algumas vezes a fé jaz morta, mas isso não significa que o poder espiritual também morreu. Há sempre aquela grande Fonte de poder que age em nosso favor.

"Quão frequentemente, sob a aparência externa de prosperidade e bem-estar, jaz um desapontamento oculto! Detectar isso é satisfazer a alma faminta e é um dos melhores ministérios de qualquer homem de Deus" (Raymond Calking, *in loc.*).

Nascimentos Miraculosos. Por várias vezes as Escrituras ilustram o poder de Deus por meio de nascimentos miraculosos. Cf. os nascimentos de Isaque (Gn 18.12,13; 21.2); de Samuel (1Sm 1.11 ss.) e de Jesus (Mt 1.18 ss.). Cada um desses nascimentos miraculosos produziu um homem dotado de alguma missão especial. Não foram casos de maravilhas caprichosas. Antes, foram nascimentos repletos de propósitos. Embora o autor de 1 e 2Reis nada diga a respeito (sendo até possível que ele não o soubesse), é provável que esse filho de uma promessa, do quarto capítulo de 2Reis, se tenha tornado um instrumento especial de Yahweh, tendo cumprido uma missão distintiva.

■ 4.18

וַיִּגְדַּל הַיֶּלֶד וַיְהִי הַיּוֹם וַיֵּצֵא אֶל־אָבִיו אֶל־הַקֹּצְרִים׃

A Sequela. A história admirável do nascimento maravilhoso de um filho teve sua sequela. Nenhuma vida deixa de atravessar dificuldades. Embora a criancinha tenha sido trazida a esta vida terrena pelo poder divino, ela não estava isenta das pragas comuns enfrentadas pelos homens. A criança adoeceu e morreu. Mas Eliseu estava ali para intervir, e assim temos uma excelente sequência da história original, outra história maravilhosa que ilustra o fato de que Eliseu era um profeta verdadeiro de Deus, e que o seu Deus, Yahweh, era o único Deus vivo e verdadeiro. Quanto aos propósitos das histórias maravilhosas, ver as notas de introdução a 2Rs 4.1. Há histórias de ressurreições miraculosas. Essa é a primeira história assim contada na Bíblia. Ocasionalmente, ouvimos falar de alguma instância moderna, e não há razão para duvidarmos da autenticidade de algumas histórias. Ver no *Dicionário* os verbetes intitulados *Ressurreição* e *Ressurreição de Jesus*. Ver também o artigo sobre *Sathya Sai Baba*, quanto a um moderno operador de maravilhas, que tem efetuado ressurreições, na *Enciclopédia de Bíblia, Teologia e Filosofia*. Ver também o artigo chamado *Experiências Perto da Morte*, que algumas vezes se revestem da natureza de ressurreições autênticas. Temos também grandes histórias de vida, e ocasionalmente a vida triunfa sobre a morte. Ver no *Dicionário* o artigo intitulado *Milagres*.

Foi um Dia Comum. O pequeno menino circulou entre os segadores, nos campos plantados de seu pai. Ao que tudo indica, ele teve uma insolação fatal (vs. 19). Talvez a criança tivesse 6 ou 7 anos, idade suficiente para circular pelos campos, mas não para ser um dos segadores.

■ 4.19,20

וַיֹּאמֶר אֶל־אָבִיו רֹאשִׁי רֹאשִׁי וַיֹּאמֶר אֶל־הַנַּעַר שָׂאֵהוּ אֶל־אִמּוֹ׃

וַיִּשָּׂאֵהוּ וַיְבִיאֵהוּ אֶל־אִמּוֹ וַיֵּשֶׁב עַל־בִּרְכֶּיהָ עַד־הַצָּהֳרַיִם וַיָּמֹת׃

Ai! a minha cabeça! Uma insolação é igual a qualquer outro derrame, exceto pelo fato de que sua causa é o calor violento do sol, que faz estourar uma veia na cabeça, ou a leva a inchar de modo tão extraordinário que o cérebro é afetado. Naturalmente, insolações normais não causam dano permanente, mas o filho da mulher sofreu uma insolação tão severa que lhe foi fatal. Naquela hora crítica, somente Deus poderia curá-lo. O pobre menino gritava de dor: "Ai, a minha cabeça! Ai, a minha cabeça!" E, ato contínuo, perdeu a consciência. Foi imediatamente levado à sua mãe. O menino não morreu em seguida. Ficou sentado nos joelhos de sua mãe até o meio-dia, e então morreu (vs. 20). Alguns estudiosos dizem que ele apenas teve um desmaio. Mas penso que ele realmente morreu. Todos quantos testificaram o evento, disseram: "Ele está morto!" Mas a mãe do menino não perdeu a esperança. Ela se lembrou do poderoso profeta, Eliseu. Agora a fé dela estava fortalecida. Enquanto ela, antes, quase não cria que seu filho pudesse nascer, agora ela acreditava que ele seria devolvido dentre os mortos. Sua fé havia crescido. Entrementes, o poder de Yahweh continuava o mesmo. Deus dera a vida ao menino; e agora Deus poderia restaurar-lhe a vida. O poder de Yahweh continuava o mesmo, e até hoje não sofreu nenhuma modificação! Precisamos aprender a tirar proveito do poder divino. Sabemos quão grande é esse poder. O homem natural tem conhecimento dessas coisas.

■ 4.21,22

וַתַּעַל וַתַּשְׁכִּבֵהוּ עַל־מִטַּת אִישׁ הָאֱלֹהִים וַתִּסְגֹּר בַּעֲדוֹ וַתֵּצֵא׃

וַתִּקְרָא אֶל־אִישָׁהּ וַתֹּאמֶר שִׁלְחָה נָא לִי אֶחָד מִן־הַנְּעָרִים וְאַחַת הָאֲתֹנוֹת וְאָרוּצָה עַד־אִישׁ הָאֱלֹהִים וְאָשׁוּבָה׃

O Gesto de Esperança. Eliseu estava viajando e não se encontrava no quarto que a mulher lhe havia preparado. Não obstante, a mãe deitou o filho morto na cama do profeta, no seu dormitório sagrado. Então ela deu a ordem, através do marido, de preparar um jumento para ela montar a fim de ir atrás do profeta e trazê-lo de volta. Não fora Eliseu quem tivera predito, contra todas as possibilidades, que ela teria um filho? Fora Eliseu quem, por assim dizer, lhe dera a vida, e seria o profeta, conforme ela pensava, quem a restauraria. Aquele homem tinha poder sob Yahweh, e coisa alguma seria difícil demais para ele. Eliseu era instrumento de milagres, e era isso de que ela precisava tanto naquele momento. Algumas vezes, as circunstâncias da vida vão além de nós; elas saem do controle. É aí que Deus precisa intervir, ou tudo estará perdido.

É óbvio que a mulher não disse a seu marido que o filho deles tinha morrido. Ela tentaria remediar a situação e poupar a tristeza na casa.

■ 4.23

וַיֹּאמֶר מַדּוּעַ אַתִּי הֹלַכְתִּי אֵלָיו הַיּוֹם לֹא־חֹדֶשׁ וְלֹא שַׁבָּת וַתֹּאמֶר שָׁלוֹם׃

Por que vais a ele hoje? A mulher nada disse a seu marido sobre a morte do menino, e assim ele indagou por que ela ansiava tanto por ver o homem santo. Não havia nenhum dia santo especial, nem festividade, nem sábado para ela estar presente e celebrar, nem ele estaria em algum santuário onde ela pudesse encontrá-lo com facilidade.

O autor quis indicar que, se algum feriado religioso estivesse próximo, Eliseu estaria em Carmelo, cerca de quarenta quilômetros de Suném. Talvez ele estivesse ali, seja como for. Ver o vs. 24.

"Ela era uma mulher muito prudente. Ela não perturbaria os sentimentos de seu marido informando-o da morte do filho deles, enquanto não se tivesse valido do poder do profeta" (Adam Clarke, *in loc.*).

Não é lua nova nem sábado. Ver os artigos sobre "lua nova" e "sábado", no *Dicionário*. Talvez até mesmo quando Israel estava na apostasia, certas pessoas fiéis costumavam visitar os profetas de Yahweh em dias religiosos especiais. Cf. Am 8.5.

Ela disse: Não faz mal. A mulher não quis despertar a ansiedade de seu marido e assegurou-lhe que tudo estava bem e que ela não se demoraria.

■ 4.24

וַתַּחֲבֹשׁ הָאָתוֹן וַתֹּאמֶר אֶל־נַעֲרָהּ נְהַג וָלֵךְ אַל־תַּעֲצָר־לִי לִרְכֹּב כִּי אִם־אָמַרְתִּי לָךְ׃

Não te detenhas no caminhar. Ela foi tão ligeira quanto seu animal podia avançar, dando ordens ao seu servo para que não se esquecesse de espicaçar o jumento, para que este continuasse estugando o passo. Esse *modus operandi* continuou por todo o caminho até o monte Carmelo. Esse lugar, como é evidente, tornara-se o quartel-general dos profetas autênticos de Yahweh, e a mulher sentia que havia uma boa chance de encontrar o profeta ali. Fora ali que Elias tinha obtido a sua grande vitória sobre os profetas de Baal (ver 1Rs 18.20 ss.). Depois daquilo, qual profeta de Baal ousaria aproximar-se daquele lugar?

Há outro sentido emprestado a este versículo. Alguns imaginam que a mulher foi andando, visto que o jumento serviria para o retorno montado do profeta Eliseu. Mas isso não faz sentido. Se ela quisesse andar, poderia voltar caminhando. Ademais, havia jumentos por toda parte, de forma que todos poderiam ter voltado montados para casa. Era costumeiro, entretanto, que um servo caminhasse ao lado do jumento que estivesse servindo de montaria para um senhor ou senhora. Se esse tivesse sido o caso, então foi preciso muito tempo para o grupo chegar ao Carmelo.

■ **4.25,26**

וַתֵּלֶךְ וַתָּבוֹא אֶל־אִישׁ הָאֱלֹהִים אֶל־הַר הַכַּרְמֶל
וַיְהִי כִּרְאוֹת אִישׁ־הָאֱלֹהִים אֹתָהּ מִנֶּגֶד וַיֹּאמֶר
אֶל־גֵּיחֲזִי נַעֲרוֹ הִנֵּה הַשּׁוּנַמִּית הַלָּז׃

עַתָּה רוּץ־נָא לִקְרָאתָהּ וֶאֱמָר־לָהּ הֲשָׁלוֹם לָךְ
הֲשָׁלוֹם לְאִישֵׁךְ הֲשָׁלוֹם לַיָּלֶד וַתֹּאמֶר שָׁלוֹם׃

Foi ter com o homem de Deus, ao monte Carmelo. O autor sacro não nos diz quantos dias ou horas de agonia se passaram. Eliseu viu a mulher, ainda à distância, e sentiu imediatamente que algo estava errado. Assim sendo, enviou seu profeta-servo aprendiz ao encontro da mulher, a fim de saber o que teria acontecido. E ao encontrar-se com ela, fez todas aquelas perguntas: Está tudo bem contigo? Com teu marido? Com teu filho? Ele não indagou sobre questões de dinheiro, porquanto, em momentos de crises de família, o que significa o dinheiro? Ele também não perguntou como estavam as plantações dela, pois, em tempos de crise de família, quem se importa em saber como vai o comércio? A mulher teve a coragem e a fé de responder: "Tudo está bem", porque ela sabia que, de alguma maneira, assim o tornaria o poder de Deus.

"Embora sofrendo a pior aflição de família que poderia ter sobrevindo a ela e a seu marido, contudo, acreditando que grande é a *Providência de Deus*... ela disse: Está tudo bem comigo!" (Adam Clarke, *in loc.*). Ver no *Dicionário* o verbete chamado *Providência de Deus*.

> Se em teu corpo sofres dores,
> E não podes recuperar a saúde,
> E a tua alma afunda no desespero,
> Jesus conhece as dores que sofres.
> Ele pode salvar e pode curar.
> Leva tua carga ao Senhor, e deixa-a com ele.
>
> C. Albert Tindley

■ **4.27**

וַתָּבֹא אֶל־אִישׁ הָאֱלֹהִים אֶל־הָהָר וַתַּחֲזֵק
בְּרַגְלָיו וַיִּגַּשׁ גֵּיחֲזִי לְהָדְפָהּ וַיֹּאמֶר אִישׁ הָאֱלֹהִים
הַרְפֵּה־לָהּ כִּי־נַפְשָׁהּ מָרָה־לָהּ וַיהוָה הֶעְלִים
מִמֶּנִּי וְלֹא הִגִּיד לִי׃

Abraçou-lhe os pés. Chegando ao homem de Deus, a mulher prostrou-se e agarrou-se aos seus pés, num gesto de desespero. O servo, Geazi, porém, afastou-a, pensando que ela estava demonstrando uma estúpida ousadia pela maneira como tratava o profeta de Deus. Mas Eliseu reconheceu que havia angústia no coração dela, e a angústia é que a havia inspirado naquele ato de desespero. Logo, o profeta ordenou que o servo a deixasse em paz. A tristeza dominava a mente dela, apesar de sua fisionomia de coragem e de esperanças.

"... assumindo a postura de uma suplicante humilde que tinha urgência... derramando diante dele um dilúvio de petições apaixonadas, pedindo socorro" (Ellicott, *in loc.*). Cf. Mt 28.9 e Lc 7.38. "... plena de tribulação e angústia, ela não sabia o que fazer, nem sabia bem o que estava fazendo" (John Gill, *in loc.*).

■ **4.28**

וַתֹּאמֶר הֲשָׁאַלְתִּי בֵן מֵאֵת אֲדֹנִי הֲלֹא אָמַרְתִּי לֹא
תַשְׁלֶה אֹתִי׃

A graça divina tinha provido a criança. A mãe tinha esperado pelo filho, mas não estava esperando um milagre pelo qual o menino lhe seria dado. Fora o profeta que fizera o poder de Yahweh fluir. Agora, porém, o filho da promessa estava morto. Somente o poder de Yahweh poderia trazê-lo de volta. Era isso que a mulher pedia: outra intervenção divina. Quanto mais anos vivermos, mais precisaremos das intervenções divinas para terminar nosso curso na vida!

O autor não nos informa sobre todos os apelos feitos pela mulher; ele apresentou somente a parte mais poderosa desses apelos. Teria sido melhor nunca ter tido um filho do que receber um, somente para vê-lo morrer ainda pequeno! Aquela era uma situação intolerável, que dificilmente se coadunava com a graça e a *Providência de Deus*, e o profeta precisava remediar a situação, pois, do contrário, tudo não passaria de uma insensata zombaria.

"Não zombes de mim com um filho... de quem serei privada pela morte, em sua meninice" (Adam Clarke, *in loc.*).

■ **4.29**

וַיֹּאמֶר לְגֵיחֲזִי חֲגֹר מָתְנֶיךָ וְקַח מִשְׁעַנְתִּי בְיָדְךָ וָלֵךְ
כִּי־תִמְצָא אִישׁ לֹא תְבָרְכֶנּוּ וְכִי־יְבָרֶכְךָ אִישׁ לֹא
תַעֲנֶנּוּ וְשַׂמְתָּ מִשְׁעַנְתִּי עַל־פְּנֵי הַנָּעַר׃

Toma o meu bordão contigo, e vai. Eliseu não iria pessoalmente até onde estava o menino. Ele pensou que seria suficiente enviar seu servo, que poria seu cajado (símbolo de sua autoridade) sobre a face da criança. De fato, provavelmente isso teria funcionado, mas a mulher não queria aceitar essa "ação indireta".

Se encontrares alguém, não o saúdes. A ordem de silêncio é tomada pelos comentadores como um sinal de que Geazi não deveria perder tempo: o caso era urgente. O servo não deveria perder tempo em conversas banais no caminho. Mas também existem referências literárias que demonstram que os antigos acreditavam haver "poder no silêncio", poder esse que poderia ser dissipado pelo ruído e pelas conversas insensatas. O servo de Eliseu deveria preservar o poder fazendo silêncio por todo o caminho. Naturalmente, alguns antigos faziam disso uma espécie de poder mágico. "Muitos exemplos dessa necessidade de silêncio são dados nos livros das religiões e dos costumes primitivos. No Marrocos, baraka (o poder de abençoar) é efetuado pelo ato de falar, especialmente pelo falar em voz alta, mas há poder mágico no silêncio" (Norman H. Snaith, *in loc.*, o qual prossegue para dizer que esse conceito do poder do silêncio pode ser encontrado em tribos primitivas de nosso mundo atual, como os aborígines australianos).

Apesar de ser verdade que os orientais perdiam e perdem muito tempo em saudações elaboradas (Keil), a outra ideia é, provavelmente, o princípio aqui enfocado.

■ **4.30**

וַתֹּאמֶר אֵם הַנַּעַר חַי־יְהוָה וְחֵי־נַפְשְׁךָ אִם־אֶעֶזְבֶךָּ
וַיָּקָם וַיֵּלֶךְ אַחֲרֶיהָ׃

Então ele se levantou, e a seguiu. A mãe do menino recusou-se a partir, se o profeta não fosse ver pessoalmente o filho dela. Ele pode ter acreditado na eficácia de um seu representante, mas ela não acreditava. Ela precisava do homem de poder no local da cena, para que seu filho fosse salvo. Ela jurou por Yahweh vivo, o único Deus vivo e verdadeiro, que só retornaria para casa se Eliseu fosse com ela, e cuidasse pessoalmente da difícil tarefa. Isso convenceu o homem de Deus. Ele abandonou tudo quanto tinha de fazer e concentrou seus esforços naquele milagre humanitário.

O profeta foi com a mãe do menino, "... influenciado pela importunação dela, e relembrando-se dos favores que já havia recebido da parte dela, e, mais especialmente, influenciado pelo Espírito de Deus" (John Gill, *in loc.*).

■ 4.31

וְגֵחֲזִ֞י עָבַ֣ר לִפְנֵיהֶ֗ם וַיָּ֤שֶׂם אֶת־הַמִּשְׁעֶ֙נֶת֙ עַל־פְּנֵ֣י
הַנַּ֔עַר וְאֵ֥ין ק֖וֹל וְאֵ֣ין קָ֑שֶׁב וַיָּ֤שָׁב לִקְרָאתוֹ֙ וַיַּגֶּד־ל֣וֹ
לֵאמֹ֔ר לֹ֥א הֵקִ֖יץ הַנָּֽעַר׃

O menino não despertou. Testes primitivos sobre sinais de vitalidade foram aplicados, mas nenhuma vida foi detectada na criança. Cf. 1Rs 18.29. Baal, por modo similar, não manifestara nenhum sinal de vida, a despeito do frenesi demonstrado pelos seus profetas. A ciência moderna nos tem brindado com melhores maneiras de constatar a morte física: ausência de batidas no coração; falta de circulação do sangue; falta de respiração; falta de contrações nos intestinos para a digestão, que são incessantes quando uma pessoa continua viva. Embora Geazi não fosse detentor da ciência moderna, não há razão para acreditarmos que o menino não estivesse morto. O menino seria devolvido à vida, dos mortos, e não de um mero estado de coma ou desmaio.

■ 4.32

וַיָּבֹ֥א אֱלִישָׁ֖ע הַבָּ֑יְתָה וְהִנֵּ֤ה הַנַּ֙עַר֙ מֵ֔ת מֻשְׁכָּ֖ב
עַל־מִטָּתֽוֹ׃

Eis que o menino estava morto sobre a cama. Eliseu entrou na casa e descobriu a situação exata que a mulher lhe havia informado. O menino estava morto, jazendo na cama do profeta, no cenáculo que ela havia construído para o homem de Deus, para ser sua "casa longe de casa". "... o profeta viu que o corpo e o espírito da criança se tinham separado um do outro" (Adam Clarke, *in loc.*). Conheci uma mulher que continuou dando respiração artificial a uma criança que estava morrendo. Ela disse que sabia quando o espírito partira do corpo, mas continuava a dar-lhe aquele tratamento, para prolongar as esperanças da mãe pelo menos um pouco mais.

Quando o profeta viu a situação, reconheceu o estado de morte em que o menino estava. Mas ele também sabia que a morte física pode ser revertida, quando o poder de Deus se faz presente. Esse conhecimento lançou Eliseu à ação.

■ 4.33

וַיָּבֹ֕א וַיִּסְגֹּ֥ר הַדֶּ֖לֶת בְּעַ֣ד שְׁנֵיהֶ֑ם וַיִּתְפַּלֵּ֖ל אֶל־יְהוָֽה׃

Fechou a porta sobre eles ambos. Assim, Eliseu estava agora sozinho com o menino morto e com Yahweh. Foi um encontro pleno de esperança, porque o Ser divino estava presente. Eliseu fechou a porta para que pudesse falar com Yahweh e dizer-lhe: "Vê este evidente desespero. Agora terás de ajudar-me". Conheço um pastor que caiu do teto de uma igreja, de cabeça para baixo. Suas últimas palavras foram uma oração: "Oh, Senhor, agora terás de ajudar-me". Assim também Eliseu disse: "Oh, Senhor, agora precisas ajudar-me". Há sempre a ajuda divina, mas algumas vezes essa ajuda espera a alma do outro lado da porta que chamamos de morte. De outras vezes, o poder de Deus devolve a vida física. Há um desígnio divino em todas as coisas. Os homens espirituais sabem dessas coisas.

Cf. certo milagre de ressurreição efetuado por Jesus, relatado em Mt 9.23-26. Jesus retirou os barulhentos presentes antes de aplicar o seu poder.

■ 4.34

וַיַּ֜עַל וַיִּשְׁכַּ֣ב עַל־הַיֶּ֗לֶד וַיָּשֶׂם֩ פִּ֨יו עַל־פִּ֜יו וְעֵינָ֤יו
עַל־עֵינָיו֙ וְכַפָּ֣יו עַל־כַּפָּ֔יו וַיִּגְהַ֖ר עָלָ֑יו וַיָּ֖חָם בְּשַׂ֥ר
הַיָּֽלֶד׃

Subiu à cama, deitou-se sobre o menino, e... O profeta tinha um plano, e sabia que ele funcionaria. Cf. um ato similar de Elias, quando ele ressuscitou o filho da viúva (ver 1Rs 17.17-24).

Transferência de calor, energia e vida. Estudos modernos sobre curas indicam que há uma verdadeira transferência de energia do curador para a pessoa a ser curada, uma energia aparentemente parecida, em sua natureza, com a própria vida. Cf. Mc 5.30. Quando Jesus curava, "virtude saía dele". Naturalmente, quando alguém morre, deve haver o envolvimento de outros fatores, se esse alguém tiver de ser devolvido à vida. Isso nos envolve em mistérios, mas há uma operação divina em tudo isso. "A vida do Espírito divino, que havia em Eliseu, foi miraculosamente transmitida mediante contato com o corpo sem vida (cf. Gn 2.7)" (Ellicott, *in loc.*).

"Meios naturais estão em nosso poder. Aqueles meios que são sobrenaturais pertencem a Deus. Sempre devemos fazer o que nos compete, implorando a Deus que faça a sua parte" (Adam Clarke, *in loc.*).

■ 4.35

וַיָּ֜שָׁב וַיֵּ֣לֶךְ בַּבַּ֗יִת אַחַ֥ת הֵ֙נָּה֙ וְאַחַ֣ת הֵ֔נָּה וַיַּ֖עַל וַיִּגְהַ֣ר
עָלָ֑יו וַיְזוֹרֵ֤ר הַנַּ֙עַר֙ עַד־שֶׁ֣בַע פְּעָמִ֔ים וַיִּפְקַ֥ח הַנַּ֖עַר
אֶת־עֵינָֽיו׃

Então se levantou e andou no quarto uma vez de lá para cá. O tratamento continuou. O menino não retornou imediatamente à vida física. Eliseu desceu pela escada que conduzia ao cenáculo, e andou pela casa, orando ansiosamente enquanto andava. Então voltou ao quarto de cima e repetiu seus exercícios de contato com o corpo do menino. A alma estava pairando e observando o ato, esperando pela ordem divina de retornar ao corpo. O Ser de Luz estava dando instruções à alma. A missão do menino ainda não havia terminado. Ele seria um vaso especial, ou não teria entrado em contato com o grande profeta. Ver na *Enciclopédia de Bíblia, Teologia e Filosofia* o verbete chamado *Experiências Perto da Morte*.

Este espirrou sete vezes, e abriu os olhos. "Sete" é o número místico, poderoso e divino. Ver no *Dicionário* o artigo intitulado *Número (Numeral, Numerologia)*. A eficácia já era de se esperar, através dos sete espirros. Entretanto, essa referência a espirros não se acha na *Septuaginta*, sendo provável que tenha entrado no texto por ditografia. A *Septuaginta* diz que Eliseu repetiu o contato corporal por sete vezes, sendo esse, muito provavelmente, o texto original. Portanto, o texto original (sem dúvida) dizia que Eliseu repetiu o contato corporal por sete vezes e, então, que o menino, despertando, espirrou. O texto massorético liga o sete com os espirros, desvinculando-o do contato corporal, por meio de uma ditografia. Ver no *Dicionário* os verbetes denominados *Massora* (*Massorah*); *Texto Massorético*, e *Manuscritos do Antigo Testamento*, seção VII.

Encontramos uma referência em Plínio (*Hist. Nat.* liv. xxviii. cap. 6) que diz que o espirro alivia problemas na cabeça, e é possível que os antigos tivessem tais crenças sobre esse ato, as quais podem ter influenciado o texto presente. Talvez o espirro fosse sinal da restauração da respiração.

E abriu os olhos. Foi o grande momento. O menino abriu os olhos. A alma estava de volta ao corpo. A missão terrena do menino seria cumprida. A morte perdera a sua presa. Houve gritos de alegria.

■ 4.36,37

וַיִּקְרָ֣א אֶל־גֵּיחֲזִ֗י וַיֹּ֙אמֶר֙ קְרָא֙ אֶל־הַשֻּׁנַמִּ֣ית הַזֹּ֔את
וַיִּקְרָאֶ֖הָ וַתָּב֣וֹא אֵלָ֑יו וַיֹּ֖אמֶר שְׂאִ֥י בְנֵֽךְ׃

וַתָּבֹא֙ וַתִּפֹּ֣ל עַל־רַגְלָ֔יו וַתִּשְׁתַּ֖חוּ אָ֑רְצָה וַתִּשָּׂ֥א
אֶת־בְּנָ֖הּ וַתֵּצֵֽא׃ פ

Chama a sunamita. Eliseu, imediatamente, mandou seu servo chamar a mãe do menino. E ele disse: "Toma o teu filho! Toma-o em teus braços!" Mas, antes de fazer isso, ela caiu prostrada aos pés do profeta para agradecer-lhe pela ressurreição de seu filho, com frases felizes, excitadas e confusas. Somente então ela tomou o filho em seus braços. A grande fé dela fora recompensada.

> Importa-se Jesus quando meu coração está triste,
> Tão profundamente, para permitir a alegria e o cântico,
> Quando as cargas me pressionam e os cuidados me
> afligem?
> Ele se importa o suficiente para estar perto?
> Oh, sim, ele se importa. Sei que ele se importa.
> Seu coração é tocado pela minha tristeza.
>
> Frank E. Graeff

"A mãe deixou o quarto cheia de alegria e gratidão pelo que Deus havia feito por ela" (Thomas L. Constable, *in loc.*). "Ela o tomou da cama vivo, seguro e são" (John Gill, *in loc.*). Cf. um dos milagres efetuados por Jesus, em Lc 7.15. Nesse caso, nosso Senhor também devolveu o menino, que tinha sido ressuscitado, à mãe dele.

Outra História Maravilhosa

MORTE NO VASO (4.38-41)

O autor nos brinda com três capítulos repletos de histórias maravilhosas, coisas miraculosas realizadas por Eliseu (2Rs 4.1—6.23). Eliseu tinha recebido uma porção dupla do Espírito (o Espírito de Deus) que Elias recebera. É significativo que mais ou menos o dobro de milagres é atribuído a Eliseu, em relação aos atribuídos a Elias. Demonstro isso em um gráfico apresentado próximo da exposição sobre 2Rs 2.9. Ver a introdução ao presente capítulo quanto às histórias de maravilhas e os propósitos pelos quais o autor sacro as apresenta. Ver no *Dicionário* o artigo chamado *Milagres*.

■ 4.38

וֶאֱלִישָׁע שָׁב הַגִּלְגָּלָה וְהָרָעָב בָּאָרֶץ וּבְנֵי הַנְּבִיאִים יֹשְׁבִים לְפָנָיו וַיֹּאמֶר לְנַעֲרוֹ שְׁפֹת הַסִּיר הַגְּדוֹלָה וּבַשֵּׁל נָזִיד לִבְנֵי הַנְּבִיאִים:

Voltou Eliseu para Gilgal. Eliseu, à semelhança de Elias, antes dele, estava sempre ocupado, fazendo circuitos por todo o Israel, realizando suas maravilhas, dando suas instruções, visitando as escolas dos profetas (sobre as quais ver o *Dicionário*). Certo número de lugares diferentes tinha o privilégio de ver as maravilhas que ele realizava. Ele tinha uma reputação nacional e, pelo seu poder, é como se ele estivesse dizendo: "O que faço, faço-o pela graça de Yahweh. Ele é o único Deus vivo e verdadeiro. Abandonai a vossa idolatria e voltai aos antigos caminhos de Moisés e dos verdadeiros profetas".

Gilgal. Ver a respeito dessa localidade no *Dicionário*. Esse lugar seria agora o palco de um novo e maravilhoso acontecimento. Era um tempo de fome. Portanto, qualquer panela de alimentos era valiosa. Mas a panela de nossa história estava cheia de morte. Algo tinha apodrecido. Talvez houvesse bactérias perigosas e mortíferas na panela. Era letal. A escola dos profetas estava sentada, triste, em torno daquela terrível panela. Estavam com fome, mas ninguém queria morrer envenenado. Talvez o problema fosse alguma erva venenosa que tinha sido misturada na sopa, por alguém com pouco conhecimento de botânica.

Uma fome de sete anos havia sido predita (2Rs 8.1), sendo presumível que essa fome já tivesse começado. As questões agora haviam-se complicado por uma panela envenenada, o único alimento que os profetas tinham.

■ 4.39

וַיֵּצֵא אֶחָד אֶל־הַשָּׂדֶה לְלַקֵּט אֹרֹת וַיִּמְצָא גֶּפֶן שָׂדֶה וַיְלַקֵּט מִמֶּנּוּ פַּקֻּעֹת שָׂדֶה מְלֹא בִגְדוֹ וַיָּבֹא וַיְפַלַּח אֶל־סִיר הַנָּזִיד כִּי־לֹא יָדָעוּ:

E achou uma trepadeira silvestre. Como era usual, membros escolhidos da comunidade tinham preparado uma sopa, cheia de verduras e, sem dúvida, fortalecida com pedaços de carne. As ervas usuais tinham sido colhidas, além de colocíntidas de uma parra brava. Talvez fossem ervas venenosas, colhidas por algum homem ignorante, que pensava que qualquer coisa era boa para ser consumida, contanto que crescesse da terra de Deus.

Talvez a planta ofensora fosse a colocíntida, que facilmente poderia ter sido confundida com uma cabaceira. Era uma fruta parecida com uma laranja. Tratava-se de um poderoso catártico, que, em grandes quantidades, tornava-se bastante venenoso. "... a colocíntida, cujas folhas são muito parecidas com as de uma vinha, de gosto extremamente amargo, um purgativo muito violento, que, se não fosse neutralizado, produziria ulcerações nos intestinos e provocaria a morte" (John Gill, *in loc.*). A *Vulgata Latina* traduz a palavra hebraica por "colocíntida", a mesma palavra usada por John Gill e pela nossa versão portuguesa. Aparece entre os vegetais venenosos, embora fosse usada como remédio, em pequenas quantidades.

■ 4.40

וַיִּצְקוּ לַאֲנָשִׁים לֶאֱכוֹל וַיְהִי כְּאָכְלָם מֵהַנָּזִיד וְהֵמָּה צָעָקוּ וַיֹּאמְרוּ מָוֶת בַּסִּיר אִישׁ הָאֱלֹהִים וְלֹא יָכְלוּ לֶאֱכֹל:

Morte na panela, ó homem de Deus. O gosto da sopa era terrível. Era amargo e enjoativo. Alguém deu esse grito de alerta. Todos pararam de comer, imediatamente. Eliseu estava presente, portanto lhe pediram para tornar a sopa saudável, a fim de poderem comê-la. Talvez se tivessem lembrado de como ele havia purificado a água ruim (ver 2Rs 2.19 ss.). Se ele purificara a água, tornando-a potável, por que não poderia purificar o alimento? Os profetas estavam famintos. Eles precisavam de ajuda.

Adam Clarke (*in loc.*) conta a divertida história de um bem conhecido pregador britânico que usava esse texto para fazer apelos em busca de fundos para o clero. Não é muito provável que, na época (Inglaterra do século XVIII), aqueles "profetas" estivessem passando fome. Mas usualmente os pregadores são pobres e, sem dúvida, passam por necessidades que precisam ser aliviadas.

■ 4.41

וַיֹּאמֶר וּקְחוּ־קֶמַח וַיַּשְׁלֵךְ אֶל־הַסִּיר וַיֹּאמֶר צַק לָעָם וְיֹאכֵלוּ וְלֹא הָיָה דָּבָר רָע בַּסִּיר: ס

Trazei farinha. Eliseu havia purificado a água, simplesmente adicionando sal. Aqui ele misturou à sopa uma farinha. Sua presença anulou os maus elementos que havia na sopa. A farinha não era milagrosa, pois o milagre foi feito pela fé de Eliseu! Somos chamados pelo autor sagrado a pensar no poder de Yahweh, que atendeu a Eliseu, como que a dizer: "Ele é um profeta verdadeiro, e seu Deus é Yahweh, o único Deus vivo e verdadeiro". Foi vendo o poder de Deus, atuante na vida de Eliseu, que muitos filhos de Israel abandonaram a idolatria. "A refeição foi apenas a base material da atividade espiritual que saía de Eliseu, e que tornou comestível aquele alimento venenoso" (Keil, *in loc.*).

Outra História Maravilhosa

A MULTIPLICAÇÃO DOS VINTE PÃES (4.42-44)

■ 4.42

וְאִישׁ בָּא מִבַּעַל שָׁלִשָׁה וַיָּבֵא לְאִישׁ הָאֱלֹהִים לֶחֶם בִּכּוּרִים עֶשְׂרִים־לֶחֶם שְׂעֹרִים וְכַרְמֶל בְּצִקְלֹנוֹ וַיֹּאמֶר תֵּן לָעָם וְיֹאכֵלוּ:

Vinte pães de cevada. Eliseu multiplicou alimentos, tal e qual Jesus fez séculos mais tarde. Cf. Mt 14.17-21. Os críticos mostram-se muito ativos quanto a este relato, chamando a história original de mera lenda, para então dizer-nos que a história dos Evangelhos, que envolveu a pessoa de Jesus, foi apenas uma adaptação, feita pelo autor sagrado, da história presente, então atribuída a Jesus. Mas existem histórias bem confirmadas, na tradição mística, que dizem que, algumas vezes, homens especialmente santos têm o poder de multiplicar alimentos. De fato, essa é uma das habilidades constantes de Sathya Sai Baba, o homem santo da Índia, em nossos próprios dias. Ver sobre ele na *Enciclopédia de Bíblia, Teologia e Filosofia*. Portanto, a realidade sempre nos surpreende. Existem milagres genuínos; e existem genuínos operadores de milagres, embora nesse ponto também haja muita fraude.

Quanto à dupla porção do Espírito que Eliseu recebera, em relação à porção que fora conferida a Elias, Ver 2Rs 2.9 e o gráfico anexo que ilustra a questão. Quanto ao propósito das histórias de maravilhas, ver a introdução a este quarto capítulo. E ver no *Dicionário* o artigo chamado *Milagres*.

Baal-Salisa. Ver no *Dicionário* o verbete sobre essa localidade. Era uma cidade que ficava próxima de Gilgal. A fome persistia, conforme fora predito (ver 2Rs 8.1). É natural, pois, que certos milagres tivessem girado em torno do suprimento alimentar. E Eliseu via-se envolvido nesses prodígios, por ser ele o homem dotado do poder divino.

Sem dúvida, um homem que ainda observava os requisitos da lei mosaica trouxe um pouco de alimento, as primícias das quais ele trouxera ao profeta, segundo as exigências de Nm 18.13 e Dt 18.4. Ver também Lv 23.10. Quanto aos detalhes da lei e das práticas que circundam essa doação, ver no *Dicionário* o verbete intitulado *Primícias*. Ele trouxe vinte bolos feitos de cevada, e algum grão fresco, de trigo ou de cevada, em uma sacola.

■ 4.43

וַיֹּאמֶר מְשָׁרְתוֹ מָה אֶתֵּן זֶה לִפְנֵי מֵאָה אִישׁ וַיֹּאמֶר תֵּן לָעָם וְיֹאכֵלוּ כִּי כֹה אָמַר יְהוָה אָכֹל וְהוֹתֵר׃

Dá ao povo para que coma. O alimento seria suficiente para o profeta ter algumas refeições; mas em lugar de consumir pessoalmente o alimento, ele ordenou ao homem que o desse ao "povo". O vs. 43 mostra que cem homens eram o "povo" referido por Eliseu, os quais, sem dúvida, eram seus colegas profetas, seus alunos, membros de alguma das escolas dos profetas. Eles eram as pessoas certas para receber a oferta das primícias. Cf. a ordem dada por Jesus, quando ele realizou um milagre semelhante (ver Mt 14.16). Yahweh dirigira Eliseu a fazer o que ele fez, e sua ordem teve de ser obedecida. Além disso, obedecer àquela ordem faria em breve o alimento multiplicar-se miraculosamente, dando várias refeições abundantes para o grupo inteiro de cem profetas.

■ 4.44

וַיִּתֵּן לִפְנֵיהֶם וַיֹּאכְלוּ וַיּוֹתִרוּ כִּדְבַר יְהוָה׃ פ

Comeram, e ainda sobrou. Esta narrativa deve ser confrontada à história similar sobre Jesus. "Notáveis paralelos a esse milagre podem ser encontrados no Novo Testamento (ver Mt 14.13-21; 15.32-38)" (*Oxford Annotated Bible*, referindo-se ao vs. 44).

A Lição Moral. Esse milagre instrui todos quantos ouvirem o seu relato, que Deus pode multiplicar recursos limitados (cf. 1Rs 17.7-16). As coisas que são dedicadas ao Senhor podem alimentar uma grande multidão. Mas Baal, o deus da fertilidade, conhecido como o senhor da terra, não tinha esse poder. A lição é válida para qualquer época. Aquele que dá em bom espírito certamente receberá de volta, de forma multiplicada. Ver Lc 6.38: "Dai, e dar-se-vos-á; boa medida, recalcada, sacudida, transbordante, generosamente vos darão; porque com a medida com que tiverdes medido vos medirão também".

Caros leitores, por muitas vezes tenho visto meu suprimento transbordante, porque dei. Oh, Senhor, continua dando-nos dessa graça! Mas tomemos nota: damos e nos é dado de volta para que possamos abundar em toda boa obra (ver 2Co 9.8). Deus não nos dá o dinheiro a fim de engordarmos. Ele quer que trabalhemos ainda mais, porque o nosso suprimento foi multiplicado. Oh, Senhor! Concede-nos tal graça! Ver na *Enciclopédia de Bíblia, Teologia e Filosofia* o artigo intitulado *Liberalidade e Generosidade*. Afinal, a medida de um homem é a sua generosidade, outro nome para a lei do amor. Ver 1Jo 4.7. Ver no *Dicionário* o verbete denominado *Amor*.

Digno é o trabalhador do seu salário.

Lucas 10.7

CAPÍTULO CINCO

Os capítulos 4.1—6.23 nos oferecem uma série de histórias maravilhosas de milagres realizados por Eliseu. Ele tinha recebido uma dupla porção do Espírito de Elias (2Rs 2.9), e assim efetuou cerca do dobro dos milagres deste (ver 2Rs 2.19 e suas notas de introdução). As histórias maravilhosas ilustram como Yahweh autenticou o seu profeta Eliseu, fazendo dele um violento contraste com os falsos profetas de Baal, os quais não tinham nenhum poder espiritual. Quanto a outras ideias, ver a introdução ao quarto capítulo deste livro.

CURA DE NAAMÃ (5.1-19)

Eliseu possuía abundância do poder divino. Ele tinha ressuscitado mortos; tinha multiplicado alimentos; e agora ele curaria uma doença incurável, que algumas traduções identificam com a lepra. A palavra hebraica correspondente, *sara'at*, entretanto, inclui sintomas de certo número de enfermidades. Entre essas, provavelmente havia alguns casos autênticos da doença de Hansen, mas a maioria dos sintomas dados no capítulo 13 de Levítico não descreve a lepra. Ofereço notas completas sobre essa questão na introdução ao capítulo treze de Levítico, onde tento identificar diversas doenças descritas, chamadas de "lepra" em outras traduções. Ver também no *Dicionário* o artigo chamado *Enfermidades na Bíblia*, em seu ponto 27.

■ 5.1

וְנַעֲמָן שַׂר־צְבָא מֶלֶךְ־אֲרָם הָיָה אִישׁ גָּדוֹל לִפְנֵי אֲדֹנָיו וּנְשֻׂא פָנִים כִּי־בוֹ נָתַן־יְהוָה תְּשׁוּעָה לַאֲרָם וְהָאִישׁ הָיָה גִּבּוֹר חַיִל מְצֹרָע׃

Naamã. Ver o artigo detalhado sobre ele no *Dicionário*. Estamos tratando aqui com um estrangeiro, um sírio, o povo que muitas vezes tinha sido hostil a Israel. Não muito atrás, o autor sacro nos dera uma descrição detalhada sobre uma guerra entre Israel, Judá e a Síria (ver 1Rs 22). Isso significa que o milagre a ser realizado aqui teve a distinção de ser em favor de um "inimigo" de Israel. Desse modo, o amor universal de Deus foi demonstrado. "Pois Deus amou o mundo de tal maneira..." (Jo 3.16).

Uma coisa notável, aqui destacada, foi que as vitórias obtidas por aquele militar sírio e pagão foram atribuídas à ajuda de Yahweh. Talvez o autor sagrado tivesse em mente a vontade geral de Deus, que controla todas as coisas, e não que Naamã tivesse alguma lealdade especial a Yahweh, o qual, assim sendo, o ajudava.

Porém leproso. Embora poderoso e bem-sucedido quanto a outros aspectos de sua vida, ele tinha um ponto fraco que o maculava: era afligido pela temida lepra. Naturalmente, o termo hebraico *sara'at* referia-se a certo número de enfermidades, embora também incluísse alguns casos de lepra genuína. Quanto a isso, ver a introdução ao presente capítulo e a introdução ao capítulo 11 de Levítico. "A lepra era um imposto pesado contra o valor de Naamã" (Adam Clarke, *in loc.*). O milagre visava a corrigir onde o homem estava invalidado. Também é significativo que o general sírio tenha sido forçado a buscar ajuda precisamente onde ele não queria ir: entre os odiados israelitas.

■ 5.2

וַאֲרָם יָצְאוּ גְדוּדִים וַיִּשְׁבּוּ מֵאֶרֶץ יִשְׂרָאֵל נַעֲרָה קְטַנָּה וַתְּהִי לִפְנֵי אֵשֶׁת נַעֲמָן׃

E da terra de Israel levaram cativa uma menina. Ajuda necessária no lugar errado. Assim devem ter pensado os sírios. Uma pequena menina israelita tinha sido feita cativa em um dos assaltos feitos pelas tropas sírias. Era comum nas guerras antigas que, entre os derrotados, os poucos que sobrevivessem fossem reduzidos à posição de escravos. Também era comum que mulheres e crianças fossem levadas como escravas ou para haréns estrangeiros. Ver no *Dicionário* o verbete intitulado *Escravo, Escravidão*. Assim sendo, o general sírio tinha o opróbrio de ser um leproso, ao mesmo tempo em que seu país era maculado por suas práticas imorais.

"Naamã era um homem de valor, mas era um leproso. Para quantos homens na história do mundo essas palavras são aplicáveis! Eles são poderosos no intelecto, poderosos em sua capacidade, mas não são íntegros e sãos em sua alma. Portanto, aquelas grandes habilidades não redundavam em nenhum bem para o mundo ou para os próprios eventos" (Raymond Calking, *in loc.*).

A *Providência de Deus* tinha posto a menina pequena na família de Naamã. Ali ela fora reduzida a ser escrava da esposa de Naamã. Ver no *Dicionário* o verbete chamado *Providência de Deus*.

Cf. Jl 3.6 quanto ao tráfico fenício de escravos judeus. É triste pensarmos em como uma menina pequena, levada para um país estrangeiro, arrebatada de sua parentela e de seus amigos, foi escravizada, finalmente, na casa de um general pagão. Mas assim ditava a moralidade da época. Mulheres e crianças eram as vítimas inocentes.

■ 5.3

וַתֹּאמֶר אֶל־גְּבִרְתָּהּ אַחֲלֵי אֲדֹנִי לִפְנֵי הַנָּבִיא אֲשֶׁר בְּשֹׁמְרוֹן אָז יֶאֱסֹף אֹתוֹ מִצָּרַעְתּוֹ׃

Oxalá o meu senhor estivesse diante do profeta. A pequena menina israelita tinha consciência do poder e da reputação de Eliseu e sabia que ele poderia resolver o problema de enfermidade de Naamã. Ela falou à esposa do general sírio sobre a "salvação" dele.

Em Samaria. (Ver a respeito desse lugar no *Dicionário*.) Essa cidade era a capital do reino do norte (Israel). O profeta, embora viajasse com frequência, fazendo seus circuitos por toda a nação de Israel, por muitas vezes tinha contatos com a capital do país. Muita gente ali saberia como localizar o homem de Deus. "Foi então que o mistério da providência divina começou a operar" (Adam Clarke, *in loc.*).

As circunstâncias assumem algumas vezes formas extraordinárias, a fim de que os eventos necessários possam ocorrer. Falamos em coincidências, mas isso é simplesmente a nossa ignorância sobre como as coisas operam neste mundo. Ver na *Enciclopédia de Bíblia, Teologia e Filosofia* o artigo chamado *Chance*.

■ 5.4

וַיָּבֹא וַיַּגֵּד לַאדֹנָיו לֵאמֹר כָּזֹאת וְכָזֹאת דִּבְּרָה הַנַּעֲרָה אֲשֶׁר מֵאֶרֶץ יִשְׂרָאֵל׃

Foi Naamã e disse ao seu senhor. A esperança. A palavra dita pela menina israelita logo se espalhou. Deram ouvidos à menininha por estarem desesperados. O grande general Naamã não haveria de envolver-se em alguma discussão teológica: se existem ou não as curas espirituais, se há fraude nessa questão e se ele seria o recebedor dos acontecimentos excepcionais que, ocasionalmente, ocorriam em Israel. Israel, embora por muitas vezes fraco militarmente, tinha a reputação de produzir homens de grande poder espiritual, e os sírios tinham plena consciência desse fato. Era exatamente esse tipo de fato que Naamã queria ouvir. Os leprosos geralmente caem no desespero e em profundas ansiedades, dominados por essa terrível enfermidade. Ver na *Enciclopédia de Bíblia, Teologia e Filosofia* o artigo detalhado chamado *Cura*.

"A pequena menina tinha-se comportado tão bem que foi dado o devido crédito às palavras dela, e uma embaixada do rei da Síria ao rei de Israel foi organizada a partir delas" (Adam Clarke, *in loc.*).

■ 5.5

וַיֹּאמֶר מֶלֶךְ־אֲרָם לֶךְ־בֹּא וְאֶשְׁלְחָה סֵפֶר אֶל־מֶלֶךְ יִשְׂרָאֵל וַיֵּלֶךְ וַיִּקַּח בְּיָדוֹ עֶשֶׂר כִּכְּרֵי־כֶסֶף וְשֵׁשֶׁת אֲלָפִים זָהָב וְעֶשֶׂר חֲלִיפוֹת בְּגָדִים׃

Enviarei uma carta ao rei de Israel. O portador da citada carta foi o próprio general Naamã. Ele buscava a ajuda do rei, sobretudo na localização de Eliseu. Naamã levou uma companhia de homens armados, como guarda-costas, e também uma grande soma em dinheiro e dez mudas de roupa, que serviriam de presente ao rei de Israel, a fim de encorajar a sua cooperação. Sem dúvida, parte desses materiais valiosos acabaria sendo presenteada a Eliseu, visto que era costumeiro presentear os profetas quando a ajuda deles era buscada.

Naquele tempo ainda não tinha começado o uso de moedas, portanto a referência aqui ao dinheiro, sem dúvida, deve ser a metais preciosos divididos em pequenas porções. Naamã levou consigo dez talentos de prata e seis mil siclos de ouro. Ver meu artigo sobre *Pesos e Medidas* no *Dicionário*. Ver as notas expositivas em Êx 30.13 e Lv 27.25 sobre o siclo, cujo valor variava com o tempo. Ver também *Dinheiro*, II, no *Dicionário*. Uma de minhas fontes informativas calcula o valor total em oitenta mil dólares, embora não haja maneira de calcular o poder de compra desse dinheiro. Não obstante, 340 quilogramas de prata (os dez talentos) e 68 quilogramas de ouro (os seis mil siclos) representavam um grande valor, que somente um homem muito rico poderia ter oferecido. E também havia dez mudas de roupa de primeira qualidade, conforme podemos ter certeza.

■ 5.6

וַיָּבֵא הַסֵּפֶר אֶל־מֶלֶךְ יִשְׂרָאֵל לֵאמֹר וְעַתָּה כְּבוֹא הַסֵּפֶר הַזֶּה אֵלֶיךָ הִנֵּה שָׁלַחְתִּי אֵלֶיךָ אֶת־נַעֲמָן עַבְדִּי וַאֲסַפְתּוֹ מִצָּרַעְתּוֹ׃

Para que o cures da sua lepra. O propósito da carta. Naamã, o portador e sujeito da carta, era um general sírio, mas tinha uma necessidade especial. Ele era leproso e procurava a cura para a sua enfermidade. Não há nenhuma informação sobre os presentes que teriam sido dados, embora isso fosse costumeiro. Os chefes de estado naturalmente recebiam mercadorias valiosas da parte de suplicantes e visitantes. A abordagem foi direta e honesta, mas o rei de Israel se julgaria vítima de um truque.

■ 5.7

וַיְהִי כִּקְרֹא מֶלֶךְ־יִשְׂרָאֵל אֶת־הַסֵּפֶר וַיִּקְרַע בְּגָדָיו וַיֹּאמֶר הַאֱלֹהִים אָנִי לְהָמִית וּלְהַחֲיוֹת כִּי־זֶה שֹׁלֵחַ אֵלַי לֶאֱסֹף אִישׁ מִצָּרַעְתּוֹ כִּי אַךְ־דְּעוּ־נָא וּרְאוּ כִּי־מִתְאַנֶּה הוּא לִי׃

Procura um pretexto para romper comigo. Incompreensão geral. Jorão, rei de Israel, ficou consternado diante da carta apresentada pelo general sírio. O rei de Israel compreendeu mal o teor da carta. O rei da Síria não esperava que Jorão fizesse o trabalho de Deus, de salvar e curar. Só queria que ele o enviasse a Eliseu, que tinha a autoridade de Yahweh e poderia realizar a obra de cura. Mas Jorão imaginou que fosse tudo um truque, a fim de que o rei da Síria tivesse um motivo para lançar um ataque contra Israel, que não "cooperara" quando fora solicitado, para beneficiar um grande general sírio. Por isso, o rei de Israel rasgou suas roupas para demonstrar sua indignação. Ver no *Dicionário* o artigo chamado *Vestimentas, Rasgar das*, quanto a esse costume, seus modos e significados.

Cf. outros incidentes com o caso presente, em 2Rs 2.12; 6.30 e 11.14. Os dois países estavam em paz, mas Jorão achou que Ben-Hadade estava querendo reiniciar as hostilidades, tal como havia feito contra seu pai, Acabe (ver 1Rs 20.1-3). O rei Jorão, acostumado a matanças, foi surpreendido por uma carta que propunha salvação e cura.

"Jorão estava em posição difícil para renovar as hostilidades, após a severa derrota de seu pai (1Rs 22.30 ss.)" (Ellicott, *in loc.*).

■ 5.8

וַיְהִי כִּשְׁמֹעַ אֱלִישָׁע אִישׁ־הָאֱלֹהִים כִּי־קָרַע מֶלֶךְ־יִשְׂרָאֵל אֶת־בְּגָדָיו וַיִּשְׁלַח אֶל־הַמֶּלֶךְ לֵאמֹר לָמָּה קָרַעְתָּ בְּגָדֶיךָ יָבֹא־נָא אֵלַי וְיֵדַע כִּי יֵשׁ נָבִיא בְּיִשְׂרָאֵל׃

Ouvindo, porém, Eliseu. As notícias sobre o incidente logo chegaram aos ouvidos de Eliseu. Portanto, as circunstâncias estavam sendo arranjadas pela intervenção divina, em benefício de Naamã, um ato de graça e amor. Eliseu enviou então uma repreensão ao estúpido rei de Israel. Havia, realmente, poder para curar em Israel, e Jorão sabia disso, embora em sua consternação sobre a hipotética guerra se tivesse esquecido de onde estava esse poder. Ele não tinha poder diante de Yahweh, mas sabia onde encontrar alguém que o tivesse. A solução para o problema era óbvia, mas em sua perturbação, a mente de Jorão parecia não estar funcionando muito bem.

A Vantagem. A operação de um milagre daquela envergadura teria uma repercussão internacional positiva. Os homens maus da Síria compreenderiam que havia um Deus real e ativo em Israel, Yahweh, que era uma força para ser levada em conta. Talvez as notícias tivessem um valor evangelizador. O verdadeiro Deus seria buscado pelos pagãos.

■ 5.9,10

וַיָּבֹא נַעֲמָן בְּסוּסָיו וּבְרִכְבּוֹ וַיַּעֲמֹד פֶּתַח־הַבַּיִת לֶאֱלִישָׁע׃

וַיִּשְׁלַח אֵלָיו אֱלִישָׁע מַלְאָךְ לֵאמֹר הָלוֹךְ וְרָחַצְתָּ שֶׁבַע־פְּעָמִים בַּיַּרְדֵּן וְיָשֹׁב בְּשָׂרְךָ לְךָ וּטְהָר׃

E parou à porta da casa de Eliseu. O trecho de 2Rs 6.13 parece indicar que Eliseu estava em Dotã (ver a respeito no *Dicionário*). Essa cidade ficava a apenas dezesseis quilômetros de Samaria, pelo que Naamã e seu séquito puderam chegar com facilidade até onde estava o profeta de Deus. Portanto, ali estava Naamã, e todos os seus homens de guerra, cavalos, poder e dinheiro, defronte da porta da casa do profeta. Mas Eliseu não deu a menor atenção a toda aquela pompa. Não ficou admirado, de modo nenhum, pelo "grande homem". De fato, em lugar de ir pessoalmente até o general sírio, enviou um mensageiro com a seguinte mensagem: "Vai, lava-te sete vezes no Jordão, e a tua carne será restaurada, e ficarás limpo".

Por favor, que o leitor preste atenção à completa ausência de ostentação por parte de Eliseu. A maioria dos homens teria efetuado uma festa para recepcionar o general e seu séquito, fazendo a questão tornar-se uma ocasião importante. Eliseu, em contraste com isso, nem ao menos se interessou em ir ao encontro de Naamã. Contudo, não negou o milagre de que o pobre homem precisava tão desesperadamente.

E ficarás limpo. Essas palavras foram usadas porque a lepra era considerada uma imundícia, que desqualificava a sua vítima para o contato social e para a adoração no lugar santo. Ver Lv 13.3. Ver também, no *Dicionário*, o verbete chamado *Limpo e Imundo*. A *sara'at* era um símbolo do pecado: nojenta, debilitante e incurável. Mas onde há a impossibilidade, é precisamente aí que o poder de Deus opera.

■ 5.11

וַיִּקְצֹף נַעֲמָן וַיֵּלַךְ וַיֹּאמֶר הִנֵּה אָמַרְתִּי אֵלַי יֵצֵא יָצוֹא וְעָמַד וְקָרָא בְּשֵׁם־יְהוָה אֱלֹהָיו וְהֵנִיף יָדוֹ אֶל־הַמָּקוֹם וְאָסַף הַמְּצֹרָע׃

Naamã, porém, muito se indignou. Ele tinha suas fantasias. O grande homem de Deus sairia ao encontro dele, inclinar-se-ia perante ele, como um grande homem diante de outro. Eles trocariam aquelas longas saudações e cumprimentos tipicamente orientais. Haveria grande expectação, enquanto Eliseu se preparasse para efetuar a cura. Todos em volta ficariam transidos de espanto, esperando o grande momento em que, de súbito, a lepra iria embora. Todos soltariam grandes gritos de triunfo e alegria. Haveria festividades e celebração. E para sempre, depois disso, todos falariam sobre o notável acontecimento que tivessem visto. Em lugar de tudo isso, sem embargo, o profeta simplesmente dissera para Naamã lavar-se no rio Jordão por sete vezes, e nem ao menos se importara em ir ao encontro dele, pessoalmente. Ademais, Naamã não acreditava no *modus operandi* do esperado milagre. Que bem lhe faria mergulhar por sete vezes no lamacento rio Jordão? A coisa toda era ridícula. Naamã perdeu a fé em Eliseu como um profeta. Certamente Eliseu não estava agindo de maneira dignificada, como deveria fazer um homem de Deus.

Moveria a mão sobre o lugar da lepra. Naamã esperava que Eliseu realizasse algum rito dramático de imposição de mãos, e não apenas mandasse um breve recado. Naturalmente, a imposição de mãos, por longo tempo, fora uma maneira de curar e os estudos demonstram a sua eficácia. Alguma espécie de energia é transferida do curador para o candidato à cura. Ver no *Dicionário* o artigo chamado *Mãos, Imposição de*. Ver também na *Enciclopédia de Bíblia, Teologia e Filosofia* o verbete chamado *Curas pela Fé*.

O Nome de Yahweh. Sem importar o meio pelo qual o milagre ocorresse, estava bem entendido, até pelo pagão Naamã, que Yahweh seria a fonte do poder, e que Eliseu seria apenas um instrumento da cura. O homem, só pelo fato de ser um homem, tem o poder de curar, e isso também vem de Deus. Além disso, há aquelas ocasiões em que é necessário maior poder, e então a graça supre a intervenção divina. Existe a cura psíquica, natural, mas o poder divino às vezes também intervém. Bons medicamentos que curam, e que os cientistas têm descoberto através do intelecto, da intuição e de trabalho árduo, também são dons de Deus.

■ 5.12

הֲלֹא טוֹב אֲבָנָה וּפַרְפַּר נַהֲרוֹת דַּמֶּשֶׂק מִכֹּל מֵימֵי יִשְׂרָאֵל הֲלֹא־אֶרְחַץ בָּהֶם וְטָהָרְתִּי וַיִּפֶן וַיֵּלֶךְ בְּחֵמָה׃

Abana e Farfar... melhores do que todas as águas de Israel? Os rios sírios, Abana e Farfar (ver a respeito deles no *Dicionário*), eram rios relativamente limpos, muito melhores do que o lamacento rio Jordão, de Israel. Então, se a cura pela água tivesse de ser ordenada, por que os rios da Síria não podiam ser utilizados? Parecia humilhante para Naamã sujeitar-se àquele miserável rio em Israel. Portanto, lá se foi Naamã queixando-se, desconhecendo quão grande verdade curadora lhe tinha sido dita.

Tomado de indignação, Naamã afastou-se da casa de Eliseu. O general sírio havia acabado de abandonar a esperança de cura. Sua mente estava enevoada por preconceitos e juízos precipitados. Ele estava crendo em coisas que não correspondiam à verdade. Estava iludido. Pensava que sabia muito.

"Damasco continua sendo conhecida por suas águas saudáveis" (Ellicott, *in loc.*). Ambos os rios sírios eram correntes provenientes de montanhas, alimentadas pelas colinas eternas, mas o rio Jordão era um lamacento rio de vale.

■ 5.13

וַיִּגְּשׁוּ עֲבָדָיו וַיְדַבְּרוּ אֵלָיו וַיֹּאמְרוּ אָבִי דָּבָר גָּדוֹל הַנָּבִיא דִּבֶּר אֵלֶיךָ הֲלוֹא תַעֲשֶׂה וְאַף כִּי־אָמַר אֵלֶיךָ רְחַץ וּטְהָר׃

Então se chegaram a ele os seus oficiais. Os servos de Naamã não lhe permitiram abandonar o projeto. A mente deles não estava ofuscada pela ira insensata e pelo orgulho nacionalista. Respeitosamente dirigiram-se a Naamã como seu "pai" e tentaram acalmá-lo em sua ira.

Naamã era homem de valor. Por muitas vezes ele havia arriscado a vida em batalhas. Tinha a reputação de realizar qualquer tarefa, por mais difícil que fosse. Ele não era homem de rejeitar coisas difíceis de ser realizadas. Em consequência, seus oficiais raciocinaram com ele à base de sua reputação e valor. Caso o profeta tivesse dito que ele poderia ser curado se realizasse algum ato difícil e perigoso, ele teria cumprido a tarefa sem fazer perguntas. No entanto, o profeta dera uma ordem humilde e de fácil obediência: "Vai e lava-te por sete vezes no Jordão". Por que, pois, toda aquela indignação? O raciocínio deles penetrou fundo na cabeça dura de Naamã. Sua ira se amainou. Ele concordou em tentar. Ele continuava tendo suas dúvidas, mas pelo menos faria o que lhe fora ordenado. Este versículo adiciona um pequeno e fino toque à narrativa. Os oficiais do exército sírio, querendo o melhor para o seu general, convenceram-no com palavras gentis. Ele deveria fazer o que estava certo tanto por si mesmo, como por causa deles, pois seus destinos estavam todos entrelaçados.

"... sentindo-se bastante envergonhado, Naamã humilhou-se e obedeceu à palavra do Senhor" (Thomas L. Constable, *in loc.*). A decisão de Naamã foi outro detalhe do drama que tinha sido arranjado para operar a sua cura. Naamã pôs-se na correnteza divina dos acontecimentos.

> Quando andamos com o Senhor,
> Na luz de sua palavra,
> Que glória ele derrama em nosso caminho!
>
> J. H. Sammis

■ 5.14

וַיֵּרֶד וַיִּטְבֹּל בַּיַּרְדֵּן שֶׁבַע פְּעָמִים כִּדְבַר אִישׁ הָאֱלֹהִים וַיָּשָׁב בְּשָׂרוֹ כִּבְשַׂר נַעַר קָטֹן וַיִּטְהָר׃

E mergulhou no Jordão sete vezes. Obedecendo à ordem divina, Naamã mergulhou no rio Jordão por sete vezes, o número divino, o número de poder. Ver sobre esse número no artigo do *Dicionário* chamado *Número (Numeral, Numerologia)*. Dramaticamente, Naamã mergulhou por uma, duas, três vezes, e nada acontecia. Os circunstantes olharam tudo nervosamente. A fé de Naamã ficava um pouco abalada a cada mergulho que abortava em seus resultados. Na sexta vez, todos olhavam cheios de expectação. Nada acontecera. Então veio a sétima vez; ele mergulhou, e reapareceu — e eis que ele estava curado de sua lepra! Houve grandes gritos e muito clamor, e aqueles sírios pagãos louvaram o nome de Yahweh.

"Se a cada semana banhássemos a nossa alma em um sábado real e adorássemos no santuário, e se a cada dia mergulhássemos na Bíblia e conhecêssemos momentos verdadeiros de oração consagrada, então haveria um milagre, que seria operado em nosso favor, tão verdadeiramente como foi no caso de Naamã" (Raymond Calking, *in loc.*). Mas o orgulho, o mundanismo e a fé débil nos impedirão de receber esse milagre, tal como recusar-se a mergulhar por sete vezes no rio Jordão teria deixado Naamã continuar com a sua lepra.

Como a carne duma criança, e ficou limpo. A praga horrenda tinha ido embora; juventude e vigor apareceram em lugar da horrenda enfermidade. A pele era como a pele de um menino pequeno. "Quão poderoso é Deus! Quão grandes coisas ele é capaz de fazer mediante os meios mais simples e mais fracos!" (Adam Clarke, *in loc.*).

Curas de casos de lepra, nas páginas do Novo Testamento: ver Mt 8.2,3; Mc 1.40-42; Lc 5.12,13; 17.12 ss. Cf. Mt 11.5 e Lc 7.22.

"O fato de que nos dias de Eliseu um leproso arameu foi curado, ao passo que nenhum leproso israelita o foi (ver Lc 4.27), aponta para a apostasia de Israel" (Thomas L. Constable, *in loc.*).

■ 5.15

וַיָּשָׁב אֶל־אִישׁ הָאֱלֹהִים הוּא וְכָל־מַחֲנֵהוּ וַיָּבֹא
וַיַּעֲמֹד לְפָנָיו וַיֹּאמֶר הִנֵּה־נָא יָדַעְתִּי כִּי אֵין אֱלֹהִים
בְּכָל־הָאָרֶץ כִּי אִם־בְּיִשְׂרָאֵל וְעַתָּה קַח־נָא בְרָכָה
מֵאֵת עַבְדֶּךָ׃

Voltou ao homem de Deus. O feliz retorno de Naamã. Em contraste com a história neotestamentária na qual apenas um leproso, entre dez, voltou para agradecer ao Senhor Jesus (ver Lc 17.12 ss.), Naamã retornou à casa de Eliseu para agradecer ao profeta de Deus. Em consonância com a presente história, o leproso que retornou para agradecer a Deus era um samaritano, um "estrangeiro". Dessa vez, Eliseu concedeu a Naamã uma audiência particular. Ele não enviou um mensageiro para falar com ele. Naamã louvou o Deus de Israel, algo que Eliseu tinha esperado que ele fizesse (ver o vs. 8). Naamã havia adotado um monoteísmo vital, e não apenas formal (ver a respeito no *Dicionário*). Ele agora não acreditava apenas em uma proposição teológica, mas dedicara a sua alma ao único Deus vivo e verdadeiro, Elohim. Ver no *Dicionário* o artigo intitulado *Deus, Nomes Bíblicos de*.

Naamã voltou a Eliseu com o coração cheio de gratidão e as mãos cheias de ricos presentes para serem dados ao profeta. Mas o melhor de tudo foi que ele retornou com um coração cheio de fé, a qual não existia na primeira vez. Agora Naamã era um homem novo que seguiria um destino mais alto na vida do que ele tivera antes.

■ 5.16

וַיֹּאמֶר חַי־יְהוָה אֲשֶׁר־עָמַדְתִּי לְפָנָיו אִם־אֶקָּח
וַיִּפְצַר־בּוֹ לָקַחַת וַיְמָאֵן׃

Não o aceitarei. Eliseu estava interessado na mudança ocorrida em Naamã. E estava grato a Yahweh por ter dado aquela grande demonstração de poder. Mas não estava interessado nos 340 quilos de prata (os dez talentos), nem nos 68 quilos de ouro (os seis mil siclos), nem nas dez mudas de roupa que Naamã havia trazido como presente para o homem de Deus (ver o vs. 5). Yahweh era a recompensa de Eliseu, e ele nada mais buscava. Naamã, com toda a sinceridade, continuava instando com o profeta para que aceitasse os seus presentes. Afinal, era costume dos profetas e dignitários aceitar presentes dos visitantes (ver 1Sm 9.6-9), mas Eliseu não seguia aquele costume particular. "... digno é o trabalhador do seu salário" (1Co 9.8-14). Não obstante, Eliseu não forçou a questão, tal como o apóstolo também não o fez. Presumivelmente eles ganhavam a vida à sua maneira, ou tinham alguma forma segura de rendimentos que escapa ao nosso conhecimento. Eliseu aceitou a hospitalidade da rica dama e seu suprimento de alimentos (capítulo 4), de forma que, sem dúvida, em certas ocasiões, o profeta vivia dessa maneira. É provável que a comunidade dos profetas plantasse seu próprio alimento e criasse seus próprios animais. Ver Êx 23.15 quanto ao princípio do costume na sociedade dos hebreus.

■ 5.17

וַיֹּאמֶר נַעֲמָן וָלֹא יֻתַּן־נָא לְעַבְדְּךָ מַשָּׂא
צֶמֶד־פְּרָדִים אֲדָמָה כִּי לוֹא־יַעֲשֶׂה עוֹד
עַבְדְּךָ עֹלָה וָזֶבַח לֵאלֹהִים אֲחֵרִים כִּי
אִם־לַיהוָה׃

Seja dado levar uma carga de terra de dois mulos. Levando alguma terra de Israel. Para nós, o pedido de Naamã parece incomum: ele queria levar para a Síria a quantidade de terra que seria normalmente transportada por dois mulos. Mas isso se refere a um estranho costume e crença dos antigos. Era a ideia de que cada terra tinha seu próprio deus, que só podia ser adorado ali. Deixar um território e viajar para outro era ficar sob a jurisdição de outro deus, o proprietário espiritual daquela terra. Em consequência, se Naamã quisesse adorar a Yahweh-Elohim na Síria, ele precisaria ter alguma terra com ele, sobre a qual Yahweh exerceria jurisdição. O ato de Naamã dava testemunho de sua sinceridade. Obviamente, ele ainda não se havia livrado de antigas superstições. Por outro lado, todos nós temos algumas tolices em nosso credo e em nossos atos. Provavelmente, Naamã faria alguma espécie de altar com a terra, e isso se tornaria o centro de seu culto privado. Cada vez que ele fosse adorar, orar ou sacrificar, haveria de lembrar-se do grande acontecimento no rio Jordão, e seu coração se inundaria de alegria e louvor. Cf. Êx 20.24 e 1Rs 18.38.

■ 5.18

לַדָּבָר הַזֶּה יִסְלַח יְהוָה לְעַבְדֶּךָ בְּבוֹא אֲדֹנִי
בֵית־רִמּוֹן לְהִשְׁתַּחֲוֹת שָׁמָּה וְהוּא נִשְׁעָן עַל־יָדִי
וְהִשְׁתַּחֲוֵיתִי בֵּית רִמֹּן בְּהִשְׁתַּחֲוָיָתִי בֵּית רִמֹּן
יִסְלַח־נָא יְהוָה לְעַבְדְּךָ בַּדָּבָר הַזֶּה׃

Nisto perdoe o Senhor a teu servo. Naamã teria de enfrentar uma certa dificuldade espiritual. Ele mesmo adoraria somente a Yahweh, mas como alto oficial do Estado sírio, teria de fazer-se presente quando seu rei e a casa de Rimom oferecessem ritos e sacrifícios pagãos aos deuses adorados em sua terra. Sua vida e seus rendimentos dependeriam de tal cooperação, embora seu coração se revoltasse diante disso. E assim, Naamã pediu que Eliseu perdoasse a sua presença em um templo idólatra, quando o culto religioso oficial de seu país assim o exigisse. A divindade principal da Síria era Hadade-Rimom, cujo nome é aqui abreviado simplesmente para Rimom. Ele era o deus da chuva e da agricultura e, naturalmente, um dos deuses do lugar, embora evidentemente fosse a divindade mais importante para muitos sírios. Ver no *Dicionário* o artigo chamado *Rimom* (ponto cinco), quanto a detalhes. Rimom era um ramo da adoração a Baal. Ver também o verbete chamado *Baal (Baalismo)*.

Encurvar-se na casa de Rimom tornou-se uma expressão proverbial que fala de compromissos perigosos e desonestos com o mal.

Alguns intérpretes põem os verbos deste versículo no passado, como se Naamã estivesse pedindo perdão por sua idolatria passada, e não pela participação antecipada no futuro. Mas quase certamente Naamã pediu perdão por atos futuros que ele não poderia evitar. Fisicamente ele estaria em templo pagão, mas em seu coração estaria longe dali.

"No curso de seus deveres, ocasionalmente Naamã teria de prestar respeito ao deus de seu senhor, o rei da Síria" (Thomas L. Constable, *in loc.*).

■ 5.19

וַיֹּאמֶר לוֹ לֵךְ לְשָׁלוֹם וַיֵּלֶךְ מֵאִתּוֹ כִּבְרַת־אָרֶץ׃ ס

Vai em paz. Eliseu compreendeu a dificuldade e situação impossível de Naamã e deu a sua bênção. Foi em reconhecimento disso que Eliseu se despediu dele com essas três palavras. A gentil compreensão de Eliseu sobre a questão, e sua bênção, permitiram que Naamã se fosse em paz.

Indulgências? Os versículos 18 e 19 deste capítulo foram envolvidos na controvérsia medieval sobre as indulgências (ver a respeito na *Enciclopédia de Bíblia, Teologia e Filosofia*). Podem pecados futuros ser perdoados ou negligenciados, diante de alguma espécie de provisão eclesiástica? Mas o uso desses dois versículos na controvérsia é anacrônico, para dizer o mínimo, e, quanto à realidade, um absurdo óbvio.

Certa distância. Um espaço não identificado, talvez um ou dois quilômetros. Quando Naamã ainda não ia longe, o moço ganancioso de Eliseu, Geazi, quis ir atrás do dinheiro que seu senhor havia recusado receber!

A TRISTE SEQUÊNCIA DA HISTÓRIA (5.20-27)

■ 5.20

וַיֹּאמֶר גֵּיחֲזִי נַעַר אֱלִישָׁע אִישׁ־הָאֱלֹהִים הִנֵּה
חָשַׂךְ אֲדֹנִי אֶת־נַעֲמָן הָאֲרַמִּי הַזֶּה מִקַּחַת מִיָּדוֹ
אֵת אֲשֶׁר־הֵבִיא חַי־יְהוָה כִּי־אִם־רַצְתִּי אַחֲרָיו
וְלָקַחְתִּי מֵאִתּוֹ מְאוּמָה:

Todos nós precisamos de dinheiro, e alguns seres humanos fazem coisas desonestas e insensatas para obtê-lo. Pensamos nas belas coisas que o dinheiro pode adquirir; na segurança que o dinheiro nos dá; na possibilidade de abandonar aquele emprego que odiamos, ao qual nos sentimos presos como se fôssemos escravos; em outras pessoas que poderíamos ajudar; na segurança que o dinheiro trará aos nossos filhos; nos fundos para instrução de nossos filhos; nos prazeres aceitáveis e proibidos; no prestígio e na posição social que o dinheiro conquistará para nós. Todos nós precisamos de dinheiro, mas dificilmente de tanto quanto costumamos pensar.

Seja como for, Geazi, o fiel servo de Eliseu, sofreu uma tentação com dinheiro a qual não conseguiu dominar. Seu senhor havia rejeitado aqueles 340 quilos de prata e aqueles 68 quilos de ouro, e as dez mudas de roupa, e isso fez o coração de Geazi doer. De fato, se ele tivesse aquela quantia, seria financeiramente independente, e poderia até deixar de servir o profeta.

Rapidamente, Geazi traçou seu plano diabólico. Ele correria atrás de Naamã e diria que Eliseu tinha mudado de ideia sobre a recompensa. Ele poderia recolher o dinheiro, conservá-lo para si mesmo e viver feliz até morrer. Já ouvimos falar nessas tentações às quais nenhum homem pode resistir, e Geazi experimentou, naquele momento, exatamente esse tipo de tentação.

Naqueles instantes de desvario, Geazi chegou a jurar por Yahweh, o único Deus vivo e verdadeiro. "Por Deus, não permitirei que todo esse dinheiro se perca!" Ele ficaria apenas com uma parte, e não pediria tudo, e uma parte apenas certamente não seria prejudicial a ninguém. Ele pediria apenas um talento e duas mudas de roupa (vs. 22). Mas Naamã o forçaria a tomar dois talentos (vs. 23) e duas mudas de roupa. O que ele aceitasse não o tornaria financeiramente independente, nem lhe permitiria sair da companhia do profeta, mas pelo menos ele viveria com maior conforto.

■ 5.21,22

וַיִּרְדֹּף גֵּיחֲזִי אַחֲרֵי נַעֲמָן וַיִּרְאֶה נַעֲמָן רָץ אַחֲרָיו
וַיִּפֹּל מֵעַל הַמֶּרְכָּבָה לִקְרָאתוֹ וַיֹּאמֶר הֲשָׁלוֹם:

וַיֹּאמֶר שָׁלוֹם אֲדֹנִי שְׁלָחַנִי לֵאמֹר הִנֵּה עַתָּה זֶה בָּאוּ
אֵלַי שְׁנֵי־נְעָרִים מֵהַר אֶפְרַיִם מִבְּנֵי הַנְּבִיאִים תְּנָה־נָּא
לָהֶם כִּכַּר־כֶּסֶף וּשְׁתֵּי חֲלִפוֹת בְּגָדִים:

Então foi Geazi em alcance de Naamã. Começando a efetuar seu plano, lá se foi Geazi, e não demorou a alcançar a comitiva de Naamã. Imediatamente expôs sua tola mentira (vs. 22). Naamã pensou que algo deveria estar errado, e ele tinha razão: o coração de Geazi estava sofrendo de ganância. O ganancioso servo de Eliseu contou a Naamã a mentira de que dois jovens, filhos dos profetas de Efraim, tinham chegado. Eles é que estavam precisando do dinheiro e das mudas de roupa. Portanto, foi como se o mentiroso tivesse dito: "Estou prestando um serviço humanitário, pedindo em favor de outros, e não em proveito próprio". Foi assim que Geazi poluiu a atmosfera de um grande milagre, debochando deles com mentiras e com ganância. Naamã, ainda no doce embalo do milagre recebido, e não tendo razão alguma para esperar uma fraude do servo de confiança do grande profeta, concordou em dar-lhe algum dinheiro e as duas mudas de roupa, para os "dois jovens chegados de Efraim".

■ 5.23

וַיֹּאמֶר נַעֲמָן הוֹאֵל קַח כִּכָּרָיִם וַיִּפְרָץ־בּוֹ וַיָּצַר
כִּכְּרַיִם כֶּסֶף בִּשְׁנֵי חֲרִטִים וּשְׁתֵּי חֲלִפוֹת בְּגָדִים וַיִּתֵּן
אֶל־שְׁנֵי נְעָרָיו וַיִּשְׂאוּ לְפָנָיו:

Sê servido tomar dois talentos. Geazi pediu somente um talento de prata, isto é, 34 quilos de prata, e duas mudas de roupa. Não pediu ouro. E Naamã, sendo homem generoso, deu-lhe dois talentos de prata, isto é, cerca de 68 quilos desse metal precioso. Apesar de não haver como calcular o valor em consonância com o moderno poder de compra, é provável que Geazi pudesse viver vários anos com aquele dinheiro, e talvez até mais, se o investisse cuidadosamente.

Naamã providenciou duas sacolas para o transporte da prata, e até um homem forte teria dificuldade para transportar tanto peso. Mas Geazi tinha seu jumento de confiança, e isso resolveu o problema do transporte. Mesmo assim, Naamã ordenou que dois de seus homens ajudassem Geazi com o transporte dos valores. A única dificuldade seria esconder em algum lugar a sua fortuna, sem que Eliseu de nada suspeitasse. Um crime leva a outro; uma fraude leva a outra. O pecado sempre se acumula.

■ 5.24

וַיָּבֹא אֶל־הָעֹפֶל וַיִּקַּח מִיָּדָם וַיִּפְקֹד בַּבָּיִת וַיְשַׁלַּח
אֶת־הָאֲנָשִׁים וַיֵּלֵכוּ:

E os depositou na casa. Dois dos homens de Naamã acompanharam Geazi até perto de casa. Chegando a uma colina, os dois homens de Naamã foram despedidos, e o ganancioso Geazi ficou sozinho. Ele escondeu a prata em uma casa, talvez a sua própria, aonde retornaria mais tarde para guardar em lugar mais seguro a prata e as vestes, quando tivesse oportunidade. O "outeiro" segreda-nos que a casa ficava perto de Samaria, que fora construída sobre uma colina. O plano havia funcionado bem. Geazi era agora um homem relativamente rico. Seus dias de pobreza tinham terminado. Sua vida havia, de súbito, tomado uma direção melhor.

Em lugar de "outeiro", a palavra hebraica *ophel*, é traduzida em várias versões por torre, seguindo as antigas versões: a caldaica, a *Septuaginta*, o siríaco e o árabe. Mas a *Revised Standard Version* diz "outeiro", no que é seguida pela nossa versão portuguesa. Essa palavra hebraica tem muitas aplicações, sendo usada até para significar um "tumor" (ver 1Sm 5.6). Alguns veem nesse termo uma "fortificação", mas o mais provável é que esteja mesmo em pauta a "colina" de Samaria.

■ 5.25

וְהוּא־בָא וַיַּעֲמֹד אֶל־אֲדֹנָיו וַיֹּאמֶר אֵלָיו אֱלִישָׁע מֵאָן
גֵּחֲזִי וַיֹּאמֶר לֹא־הָלַךְ עַבְדְּךָ אָנֶה וָאָנָה:

Entrou, e se pôs diante de seu senhor. Geazi vivia dentro das muralhas da cidade (ver 2Rs 6.30 ss.). Eliseu sabia onde Geazi estivera, em sua missão gananciosa e, quando o profeta lhe perguntou diretamente onde ele fora, Geazi mentiu de novo, dizendo: "Teu servo não foi a parte alguma". O pecado sempre se "acumula". O homem continuou mentindo porque "... a cobiça tinha cegado seus olhos e endurecido seu coração" (John Gill, *in loc.*).

■ 5.26

וַיֹּאמֶר אֵלָיו לֹא־לִבִּי הָלַךְ כַּאֲשֶׁר הָפַךְ־אִישׁ מֵעַל
מֶרְכַּבְתּוֹ לִקְרָאתֶךָ הַעֵת לָקַחַת אֶת־הַכֶּסֶף וְלָקַחַת
בְּגָדִים וְזֵיתִים וּכְרָמִים וְצֹאן וּבָקָר וַעֲבָדִים וּשְׁפָחוֹת:

Não fui contigo em espírito... ? Essa é uma estranha maneira de falar sobre as viagens de clarividência, conforme os estudiosos do assunto chamam o fenômeno. "Eliseu apanhou o culpado 'com a mão na botija', pela percepção extrassensorial (em espírito). Essa característica destaca-se mais fortemente no capítulo seguinte" (*Oxford Annotated Bible*, em atinência a este versículo). Naturalmente, alguns intérpretes pensam que o Espírito de Deus estava inspirando continuamente o profeta. O mais provável, porém, é que suas capacidades psíquicas naturais fossem suficientes para explicar tais acontecimentos. O Anjo do Senhor não precisava sussurrar em seus ouvidos a cada acontecimento. Ele tinha capacidades psíquicas próprias, conforme sucede a todos os seres humanos, embora com muito maior poder que as pessoas comuns. Ocasionalmente, o Ser divino intervinha, e assim acontecia que, em um ser humano, cooperavam o humano e o divino, fazendo de Eliseu um homem realmente extraordinário. Ver na *Enciclopédia de Bíblia, Teologia e Filosofia* os artigos *Percepção Extrassensorial e Parapsicologia*, este último mais detalhado que o primeiro.

Contrário ao Recebimento de Presentes. Este versículo quase certamente informa-nos que Eliseu não seguia o costume de receber presentes em troca de seus serviços (ver 1Sm 9.6-9). Ao que tudo indica, ele também ensinava a seus "filhos" (os profetas aprendizes) a não viver segundo o antigo costume. Ou, pelo menos, nas ocasiões de algum grande milagre, a atmosfera não deveria ser poluída pelo recebimento de dinheiro. Porém o mais provável é que a primeira possibilidade corresponda melhor ao significado deste versículo.

Uma terceira interpretação é a que diz que, naquela ocasião particular, seria fora de ordem preocupar-se com dinheiro e com vantagens materiais, conforme opinou John Gill (*in loc.*). Dar oráculos simples tinha sido um serviço que podia ser recompensado por meio de alguma doação. Mas chegado o tempo de grandes prodígios, ninguém poderia falar em dinheiro.

■ 5.27

וְצָרַעַת נַעֲמָן תִּדְבַּק־בְּךָ וּבְזַרְעֲךָ לְעוֹלָם וַיֵּצֵא
מִלְּפָנָיו מְצֹרָע כַּשָּׁלֶג׃ ס

Então saiu de diante dele leproso, branco como a neve. Em lugar de dinheiro, Geazi obteve a lepra! Quando a ganância se apoderou dele, apoderou-se dele, igualmente, a lepra de Naamã. Outro milagre, dessa vez de natureza negativa, de súbito entrou em cena, alterando uma vez mais o curso da vida. Eliseu tinha o dobro da porção do Espírito que tivera Elias, e realizou cerca do dobro dos milagres operados por este último. Ver isso ilustrado em 2Rs 2.9, e comentado com ideias adicionais na introdução a 2Rs 2.19. Os milagres tanto curavam quanto julgavam, dependendo da ocasião e da necessidade.

"Descobrimento e penalidade seguiam-se rapidamente um ao outro. Que tremendo capítulo é este! Fala tanto de redenção quanto de retribuição. Um pagão, mediante um ato de fé, foi curado de sua lepra. Mas um israelita, por meio de um ato desonroso, ficou leproso. Portanto, Geazi tomou seu lugar, nas Escrituras, juntamente com Acã, Judas Iscariotes e Ananias, que venderam sua alma em troca de ouro. E quantos sucessores eles têm tido em todos os séculos desde então!" (Raymond Calking, *in loc.*).

Consequências a Longo Prazo. O pecado de Geazi se multiplicara, e outro tanto sucedeu ao seu castigo, seguindo a linhagem de sua descendência. Presumimos que seus descendentes se viram envolvidos em seus próprios pecados e mereceram a sua sorte. Quanto a morrer ou ser julgado por causa dos pecados de um ascendente, ver as notas em Êx 20.5. Ver Nm 14.18 e Dt 5.9 quanto a paralelos daquele versículo. Ver Ez 18.20 quanto à responsabilidade de cada indivíduo: os filhos não são julgados pelos pecados de seus pais. Ambos os conceitos podem ser encontrados nas páginas do Antigo Testamento, e, à sua maneira, ambos dizem verdades. A teologia moderna, entretanto, parece-se mais com Ez 18.20, e assim também o amor e a misericórdia, as qualidades divinas supremas.

Comentadores mais antigos (como Ellicott, *in loc.*) supunham que a lepra fosse uma enfermidade hereditária, e talvez esse tenha sido o pensamento do autor original de 2Reis, mas em nossos dias sabemos que essa opinião não corresponde à verdade dos fatos. Portanto, um julgamento contínuo precisava ter algum outro *modus operandi*.

CAPÍTULO SEIS

O trecho de 2Rs 4.1—6.23 contém uma série de histórias maravilhosas, relatos de prodígios miraculosos, da autoria de Eliseu, que recebeu dupla porção do Espírito de Elias (ver 2Rs 2.9) e, por isso mesmo, realizou mais ou menos o dobro do número de milagres de seu senhor (ver a introdução a 2Rs 2.19). Essas histórias maravilhosas tinham por finalidade convencer os homens de que Eliseu era um verdadeiro profeta do único Deus vivo e verdadeiro, Yahweh, afastando-os da idolatria que tinha vindo dominar Israel.

O MACHADO QUE FLUTUOU (6.1-7)

Temos aqui outro relato maravilhoso que cabe dentro do propósito dos relatos anteriores. Foi um pequeno ato humanitário de Eliseu em favor de um de seus filhos (profetas aprendizes, que estudavam na sua escola de profetas; ver no *Dicionário*). A parte de metal de um machado foi recuperada das águas, um objeto precioso para aquele aprendiz de profeta, mas essencialmente de pequeno interesse para qualquer outra pessoa. Ver no *Dicionário* o artigo chamado *Milagres*.

■ 6.1

וַיֹּאמְרוּ בְנֵי־הַנְּבִיאִים אֶל־אֱלִישָׁע הִנֵּה־נָא הַמָּקוֹם
אֲשֶׁר אֲנַחְנוּ יֹשְׁבִים שָׁם לְפָנֶיךָ צַר מִמֶּנּוּ׃

Disseram os discípulos dos profetas a Eliseu. Estão aqui em foco os membros da escola dos profetas, aqueles que Eliseu estava treinando, os quais, algum dia, se tornariam profetas plenos sob seus próprios direitos. Para eles, Eliseu era um pai, e eles se voltavam para ele, em cada pequena necessidade que tinham.

A Circunstância do Milagre. A guilda dos profetas não contava com acomodação suficiente para suas necessidades, de modo que se atiraram a um programa de construção. Para isso eles precisavam de instrumentos, incluindo o machado cuja cabeça de metal se perdeu nas águas. Talvez esteja em vista a escola em Jericó, e supomos que ela tivesse crescido além das acomodações de que dispunha. É provável que a influência e os poderes de Eliseu tivessem causado um reavivamento no interesse do povo de Israel pelo yahwismo, e o número dos alunos inscritos tenha aumentado.

■ 6.2

נֵלְכָה־נָּא עַד־הַיַּרְדֵּן וְנִקְחָה מִשָּׁם אִישׁ קוֹרָה אֶחָת
וְנַעֲשֶׂה־לָּנוּ שָׁם מָקוֹם לָשֶׁבֶת שָׁם וַיֹּאמֶר לֵכוּ׃

Construamos um lugar em que habitemos. Edificações seriam erguidas perto da margem do rio Jordão. Talvez a escola de profetas devesse mudar de local. Eles precisariam de certo número de edificações de madeira, ou, pelo menos, a madeira se faria necessária para construir as casas de pau-a-pique. Nos tempos antigos, as margens do Jordão eram recobertas de árvores, arbustos, no meio de muitos alagadiços, e serviam de *habitat* para muitos animais selvagens. A degradação dos recursos, por parte dos homens, deixara o lugar essencialmente desolado. Jericó ficava somente a oito quilômetros do rio, portanto a madeira poderia ser trazida dali para fazer casas na cidade. Nesse caso, nenhuma mudança radical havia sido planejada. Somente uma expansão de suas antigas moradias seria efetuada.

■ 6.3

וַיֹּאמֶר הָאֶחָד הוֹאֶל נָא וְלֵךְ אֶת־עֲבָדֶיךָ וַיֹּאמֶר אֲנִי
אֵלֵךְ׃

Ele tornou: Eu irei. Eliseu dera a permissão para o empreendimento das construções, e para a obtenção de madeira das margens do Jordão (ver o versículo anterior). E então alguém pediu ao profeta os acompanhasse. Ele consentiu em fazê-lo. Isso levou Eliseu à cena dos trabalhos, quando a cabeça de metal do machado se perdeu nas águas do rio. As circunstâncias foram assim providencialmente arranjadas para que houvesse um milagre. Presumivelmente, o profeta supervisionaria o labor. Talvez Eliseu já soubesse o que iria acontecer, e como ele seria necessário, e essa pode ter sido a sua principal inspiração para acompanhar o grupo de aprendizes de profetas.

■ 6.4

וַיֵּלֶךְ אִתָּם וַיָּבֹאוּ הַיַּרְדֵּנָה וַיִּגְזְרוּ הָעֵצִים׃

Cortaram madeira. O plano estava em andamento. Eles caminharam os oito quilômetros até as margens do rio Jordão e deram início a seu trabalho de corte de madeira. "Havia árvores ao longo das margens do Jordão, cuja madeira seria usada para construir suas casas, ou, pelo menos, para o trabalho do teto e para os pisos, supondo-se que as paredes seriam feitas de pedras" (John Gill, *in loc.*).

6.5

וַיְהִי הָאֶחָד מַפִּיל הַקּוֹרָה וְאֶת־הַבַּרְזֶל נָפַל אֶל־הַמָּיִם וַיִּצְעַק וַיֹּאמֶר אֲהָהּ אֲדֹנִי וְהוּא שָׁאוּל׃

O machado caiu na água. Um dos homens usava esse instrumento com força, quando, de súbito, a parte de metal do machado escapuliu do cabo e caiu no rio. Com grande consternação o homem contemplou a cabeça de metal do machado mergulhar nas águas. Ele ficou especialmente triste porque o machado tinha sido pedido por empréstimo. O profeta era pobre, como a maioria dos pregadores o é, e não tinha dinheiro para comprar outro machado.

6.6,7

וַיֹּאמֶר אִישׁ־הָאֱלֹהִים אָנָה נָפָל וַיַּרְאֵהוּ אֶת־הַמָּקוֹם וַיִּקְצָב־עֵץ וַיַּשְׁלֶךְ־שָׁמָּה וַיָּצֶף הַבַּרְזֶל׃

וַיֹּאמֶר הָרֶם לָךְ וַיִּשְׁלַח יָדוֹ וַיִּקָּחֵהוּ׃ פ

Perguntou o homem de Deus. O aprendiz de profeta voltou-se imediatamente para Eliseu, pedindo-lhe ajuda. Tendo sabido onde, aproximadamente, caíra a cabeça de metal do instrumento, Eliseu cortou um pedaço de pau e lançou-o nas águas, no lugar exato. Por meio de algum poder miraculoso, isso fez a cabeça de metal do machado boiar, e ela se pôs a flutuar, perfeitamente visível. Assim, tornou-se fácil retirá-la da água, e a "pequena tragédia" terminou. Com grande alívio e alegria, o homem que tinha perdido o instrumento baixou-se e o apanhou.

As explicações dadas pelos homens incluem estas quatro possibilidades: 1. Tudo não passa de uma lenda, o que significa que não há necessidade alguma de explicação sobre como o prodígio ocorreu. 2. Foi apenas uma parábola, não devendo ser considerado um incidente sério, como se fosse um acontecimento literal. 3. Houve alguma força natural extraordinária em operação, que desafia a compreensão humana. 4. Ou, então, foi um verdadeiro milagre físico. O profeta foi capaz de reverter a lei da gravidade quanto àquele item, tornando-o leve o bastante para flutuar à superfície da água. Atualmente, temos máquinas que podem reverter a lei da gravidade, e não seria coisa difícil demais para Deus operar tal fenômeno através de seu profeta. Em meu artigo chamado Milagres, existente no *Dicionário*, menciono outras informações para esses acontecimentos inesperados e incomuns.

Lições. Deus está interessado até nas coisas mais triviais de nossa vida; e é incrível, mas verdadeiro, que ocasionalmente, um milagre é efetuado para satisfazer-nos e suprir nossas necessidades, relativamente sem importância. Isso reflete o teísmo (ver a respeito no *Dicionário*). Há um poder pessoal e criativo, e esse poder não abandonou a sua criação, conforme ensina o deísmo. Esse poder recompensa ou pune, fazendo intervenções na história humana, algumas vezes de maneiras aparentemente triviais. Jesus disse-nos que até os cabelos de nossa cabeça estão contados (ver Mt 10.30), e Deus chega a observar, com interesse, a queda dos pardais (ver Mt 10.30). Portanto, não nos podemos admirar de que houve um milagre para trazer de volta uma cabeça de machado, depois que esta caíra na água.

"A moral da história é que Deus nos ajuda tanto em nossas pequenas perturbações pessoais como naquelas de escopo realmente grande. Seu cuidado providencial beneficia tanto o indivíduo quanto a raça humana" (Ellicott, *in loc.*).

O CONHECIMENTO ESPECIAL DE ELISEU E A GUERRA (6.8-23)

Embora o relato que temos agora à frente seja sobre a guerra, ele constitui uma ocasião de dar-nos mais informações sobre o conhecimento especial de Eliseu. Esse incidente tem sido considerado, pelos observadores, um sinal de sua autoridade como um profeta do Senhor. Por conseguinte, temos aqui outra história maravilhosa, a qual ilustra a autoridade de Eliseu como profeta, e que o seu Deus, Yahweh, é o único Deus verdadeiro e vivo. Quanto a esse tema, ver a introdução a este sexto capítulo.

Fontes de Conhecimento Especial. 1. Algumas vezes, o Anjo do Senhor sussurrava aos ouvidos de Eliseu. 2. Algumas vezes, Yahweh dava alguma mensagem direta a seu profeta, através de um sonho, visão ou impulso intuitivo. 3. Mas, de outras vezes, Eliseu exercia seus poderes psíquicos naturais (embora grandemente multiplicados). Ver minhas notas em 2Rs 5.26. Não é necessário (nem correto) supormos que cada vez que Eliseu soubesse de alguma coisa, sem a intervenção dos cinco sentidos físicos, houvesse algo de divino naquilo. Os estudos mostram precisamente o contrário. Todas as pessoas têm capacidades psíquicas naturais, e todas as pessoas (nos sonhos) tomam conhecimento do futuro. É errado supormos que todas as capacidades psíquicas sejam divinas ou diabólicas. Algumas dessas capacidades são apenas naturais. Nosso espírito controla nosso corpo físico, e sem o poder psíquico nem ao menos poderíamos respirar. Nossa parte imaterial controla a parte material, portanto, quando um homem move seu dedo, ele o faz pelo exercício de um poder psíquico. A esse poder chamamos psicocinesia. Afirmar que há poderes psíquicos que podem ser e realmente são naturais não quer dizer que eles também não possam ter origem divina ou diabólica. Ver meu artigo detalhado sobre a *Parapsicologia*, na *Enciclopédia de Bíblia, Teologia e Filosofia*, para que se acompanhe toda a argumentação a respeito.

No caso de um homem extraordinário como foi Eliseu, não é necessário tentar dizer: dessa vez, o poder divino esteve em ação; pois, naquela ocasião, poderes humanos estiveram em ação. Mas podemos ter certeza de que ambas as possibilidades desempenharam o seu papel.

Seja como for, os poderes especiais de conhecimento de Eliseu ajudaram Israel em tempo de guerra, para saber, de antemão, quais seriam os estratagemas do adversário. Isso pareceu desconcertante para o rei da Síria, que não podia traçar seus planos sobre como derrotar o povo de Israel. Finalmente, ele fez uma tentativa de livrar-se do perturbador de seus planos, e isso é a essência da narrativa que temos à nossa frente.

6.8

וּמֶלֶךְ אֲרָם הָיָה נִלְחָם בְּיִשְׂרָאֵל וַיִּוָּעַץ אֶל־עֲבָדָיו לֵאמֹר אֶל־מְקוֹם פְּלֹנִי אַלְמֹנִי תַּחֲנֹתִי׃

O rei da Síria fez guerra a Israel. Esses dois países com frequência combateram um ao outro. Houve períodos de uma frágil paz. Além disso, os sírios, embora não estivessem desfechando nenhuma guerra direta, ocasionalmente enviavam grupos de ataques de comandos, atrás de despojos. Na história de nossos olhos, o rei da Síria preparou emboscadas para pegar os israelitas de surpresa, e assim obter uma vantagem da qual ele pudesse aproveitar-se. Mas Eliseu sempre sabia onde os sírios estavam escondidos. Dar essa informação ao rei de Israel evitou, ao que tudo indica, certo número de tragédias para Israel, e manteve os sírios à distância. Os acampamentos dos sírios eram armadilhas de emboscadas, e não meramente lugares onde forças armadas estacionavam temporariamente.

O rei da Síria, neste caso, muito provavelmente era Ben-Hadade II. Ver o artigo chamado *Síria*, no *Dicionário*, quanto à história desse homem, no que diz respeito a Israel.

Verificar o termo hebraico *tahanothi*, palavra essa que tem deixado perplexos os tradutores e os intérpretes. O Targum o traduz como "casa de meu acampamento", o que não faz sentido. A versão siríaca diz "armar uma emboscada". Essa palavra inclui a ideia de "ocultar", e assim sugere uma emboscada. A palavra hebraica só figura aqui em todo o Antigo Testamento.

6.9

וַיִּשְׁלַח אִישׁ הָאֱלֹהִים אֶל־מֶלֶךְ יִשְׂרָאֵל לֵאמֹר הִשָּׁמֶר מֵעֲבֹר הַמָּקוֹם הַזֶּה כִּי־שָׁם אֲרָם נְחִתִּים׃

Guarda-te de passares por tal lugar. Uma advertência. A emboscada dos sírios foi cuidadosamente preparada. Os israelitas, que de nada suspeitavam, estavam a pique de sofrer pesadas perdas. O rei da Síria continuaria a praticar seus atos insidiosos. Israel seria debilitado. Os sírios levariam muitos despojos. Disso talvez resultasse uma invasão geral. Mas Eliseu interveio com seu conhecimento especial e impediu a emboscada referida neste versículo, e, como é evidente, várias outras.

Os sírios estão descendo para ali. O Targum diz aqui "estão escondidos", ou seja, armando emboscadas. As versões siríaca e árabe dizem "estão escondidos". A *Vulgata Latina* diz aqui *insidiis sunt*.

6.10

וַיִּשְׁלַ֞ח מֶ֣לֶךְ יִשְׂרָאֵ֗ל אֶֽל־הַמָּק֞וֹם אֲשֶׁ֨ר אָֽמַר־ל֧וֹ אִישׁ־הָאֱלֹהִ֛ים וְהִזְהִירֹ֖ה וְנִשְׁמַ֣ר שָׁ֑ם לֹ֥א אַחַ֖ת וְלֹ֥א שְׁתָּֽיִם׃

E assim se salvou, não uma nem duas vezes. As tropas de Israel foram avisadas, deixando o rei da Síria consternado. Essa circunstância repetiu-se por várias vezes, e o rei da Síria ficava cada vez mais frustrado, supondo, finalmente, que um espião estivesse operando. Mas o espião eram os poderes psíquicos de Eliseu. "... escapou das armadilhas que o rei da Síria preparava para ele, não apenas por uma ou duas vezes, mas por muitas vezes" (John Gill, *in loc.*).

6.11

וַיִּסָּעֵר֙ לֵ֣ב מֶֽלֶךְ־אֲרָ֔ם עַל־הַדָּבָ֖ר הַזֶּ֑ה וַיִּקְרָ֤א אֶל־עֲבָדָיו֙ וַיֹּ֣אמֶר אֲלֵיהֶ֔ם הֲלוֹא֙ תַּגִּ֣ידוּ לִ֔י מִ֥י מִשֶּׁלָּ֖נוּ אֶל־מֶ֥לֶךְ יִשְׂרָאֵֽל׃

Não me fareis saber quem dos nossos é pelo rei de Israel? Isso seria uma explicação natural. O rei da Síria, como é natural, concluiu que um espião (um traidor entre os sírios) seria o responsável pelo que estava acontecendo. Esse homem deveria ser apanhado e executado, antes que mais missões abortivas pudessem ser planejadas. A versão da *Septuaginta* diz "Quem me está traindo ao rei de Israel?", que é a explicação correta do texto hebraico: "Quem de nós é pelo rei de Israel?"

6.12

וַיֹּ֨אמֶר֙ אַחַ֣ד מֵֽעֲבָדָ֔יו ל֖וֹא אֲדֹנִ֣י הַמֶּ֑לֶךְ כִּֽי־אֱלִישָׁ֤ע הַנָּבִיא֙ אֲשֶׁ֣ר בְּיִשְׂרָאֵ֔ל יַגִּ֖יד לְמֶ֣לֶךְ יִשְׂרָאֵ֑ל אֶת־הַ֨דְּבָרִ֔ים אֲשֶׁ֥ר תְּדַבֵּ֖ר בַּחֲדַ֥ר מִשְׁכָּבֶֽךָ׃

Ninguém, ó rei meu senhor. Um dos conselheiros do rei da Síria sabia a verdade. Não era que ele tivesse uma equipe de espiões que andasse investigando. Antes, ele conhecia a reputação de Eliseu, e, como é natural, supôs ser ele o culpado do que estava acontecendo. Os poderes de Eliseu eram tão grandes que até aquilo que Ben-Hadade falava em seu dormitório era conhecido por ele!

> *Nem no teu leito amaldiçoes o rei,*
> *nem tão pouco no mais interior do teu quarto,*
> *ao rico; porque as aves dos céus poderiam levar a tua voz,*
> *e o que tem asas daria notícia das tuas palavras.*
>
> Eclesiastes 10.20

Alguns supõem que Naamã tenha sido o conselheiro que dava as notícias sobre Eliseu, mas isso não passa de conjectura. Além disso, Naamã teria o cuidado de não expor Eliseu a algum perigo, visto que ele o tinha curado da lepra e o fizera converter-se a Yahweh. Ver o capítulo quinto deste livro, quanto à história.

6.13

וַיֹּ֕אמֶר לְכ֣וּ וּרְא֔וּ אֵיכֹ֣ה ה֔וּא וְאֶשְׁלַ֖ח וְאֶקָּחֵ֑הוּ וַיֻּגַּד־ל֥וֹ לֵאמֹ֖ר הִנֵּ֥ה בְדֹתָֽן׃

Ide, e vede onde ele está. O rei da Síria apelou para os seus espiões, para descobrir onde Eliseu estava. Obtendo essa informação, ele lançaria um ataque de surpresa contra o profeta, e o executaria. O espião sírio descobriu que Eliseu estava em Dotã, que ficava cerca de vinte quilômetros ao norte da cidade de Samaria. Sem dúvida, ali estava um dos quartéis-generais de Eliseu, e talvez até sua atual residência. Mas a verdade é que o profeta vivia em circuito, viajando por todo o Israel, e não era fácil de ser encontrado. Ver no *Dicionário* o verbete chamado *Dotã*. Essa cidade pertencia a uma das tribos de Israel (a nação do norte), Manassés. cf. Gn 37.17.

6.14

וַיִּשְׁלַח־שָׁ֛מָּה סוּסִ֥ים וְרֶ֖כֶב וְחַ֣יִל כָּבֵ֑ד וַיָּבֹ֣אוּ לַ֔יְלָה וַיַּקִּ֖פוּ עַל־הָעִֽיר׃

Chegaram de noite e cercaram a cidade. O rei da Síria criou um grande espetáculo a fim de capturar e executar um único homem, e cercou a cidade com seu pequeno exército, equipado com cavalos e carros de combate. As forças armadas foram calculadas para não permitir a fuga de Eliseu, e assim escapar à ira do rei sírio. Talvez os habitantes da cidade oferecessem resistência, e então haveria uma batalha desigual.

De noite. Não seria dada nenhuma oportunidade de fuga ao profeta de Deus. A operação ocorreu de noite, dando aos sírios o elemento surpresa. Mas seria impossível tomar Eliseu de surpresa, conforme já fora sobejamente demonstrado. Não obstante, a batalha seria resolvida por uma intervenção direta de forças angelicais, e não por conhecimento e preparação anteriores.

6.15

וַ֠יַּשְׁכֵּם מְשָׁרֵ֨ת אִ֥ישׁ הָאֱלֹהִים֮ לָקוּם֒ וַיֵּצֵ֕א וְהִנֵּה־חַ֛יִל סוֹבֵ֥ב אֶת־הָעִ֖יר וְס֣וּס וָרָ֑כֶב וַיֹּ֨אמֶר נַעֲר֥וֹ אֵלָ֛יו אֲהָ֥הּ אֲדֹנִ֖י אֵיכָ֥ה נַֽעֲשֶֽׂה׃

O moço do homem de Deus. Um dos servos de Eliseu, um de seus filhos espirituais, um dos estudantes da escola dos profetas, saiu cedo pela manhã, e, para sua consternação, viu o pequeno exército sírio escondido nas proximidades, pronto para atacar. Ele compreendeu imediatamente o intuito daquelas forças sírias. E, como era usual, apelou para Eliseu, para que resolvesse o problema. Os subprofetas eram como um bando de crianças pequenas, sempre correndo para seu pai, em qualquer tempo de crise.

Esse servo não era Geazi, que havia perdido a sua posição por motivo de ganância, e tinha ficado leproso. Ver 2Rs 5.27. Algum outro jovem tinha tomado seu lugar como atendente especial de Eliseu. Os servos de Eliseu tinham visto seus muitos milagres, e, de fato, outro milagre tornava-se agora necessário. Mas eles sempre recuavam, devido à incredulidade, tal como faríamos se estivéssemos presentes ali. É preciso um longo tempo para desenvolvermos uma fé constante. Novas crises têm o efeito de trazer de volta antigas dúvidas.

"Uma mulher que estava, certa ocasião, oprimida por grande tribulação e ansiedade mental, jazia observando o firmamento. Quando observou que nuvem após nuvem passava, uma por uma, ela percebeu que cada uma era impulsionada por uma mão invisível. Subitamente, compreendeu que sua vida estava sendo controlada e sustentada por aquele mesmo poder, e todo temor e mau pressentimento a abandonaram" (Raymond Calking, *in loc.*).

6.16,17

וַיֹּ֖אמֶר אַל־תִּירָ֑א כִּ֤י רַבִּים֙ אֲשֶׁ֣ר אִתָּ֔נוּ מֵאֲשֶׁ֖ר אוֹתָֽם׃
וַיִּתְפַּלֵּ֤ל אֱלִישָׁע֙ וַיֹּאמַ֔ר יְהוָ֕ה פְּקַח־נָ֥א אֶת־עֵינָ֖יו וְיִרְאֶ֑ה וַיִּפְקַ֤ח יְהוָה֙ אֶת־עֵינֵ֣י הַנַּ֔עַר וַיַּ֕רְא וְהִנֵּ֨ה הָהָ֜ר מָלֵ֨א סוּסִ֥ים וְרֶ֛כֶב אֵ֖שׁ סְבִיבֹ֥ת אֱלִישָֽׁע׃

Mais são os que estão conosco do que os que estão com eles. Eliseu referia-se a uma hoste angelical, vista pelo profeta, mas não pelo seu servo. Havia ali uma força contrária, invisível, para defender a cidade e Eliseu, porquanto Yahweh sabia o que estava para acontecer, e já tomara as providências apropriadas. O que, à primeira vista, parecia um momento de terror era, na realidade, um momento de vitória e poder. Ver no *Dicionário* o artigo chamado *Providência de Deus*. Ver também o verbete intitulado *Teísmo*. O Criador está sempre presente, para intervir, recompensar e punir. Deus é, ao mesmo tempo, transcendental e imanente.

> *O anjo do Senhor acampa-se ao*
> *redor dos que o temem, e os livra.*
>
> Salmo 34.7

Ver os artigos detalhados no *Dicionário*, intitulados *Anjo* e *Anjo da Guarda*.

Cheio de cavalos e carros de fogo. Poderes espirituais que se apresentavam de modos costumeiros, como se fossem cavalos e carros de combate, simbolizando o poder de agir e julgar. Ver no

Dicionário o verbete chamado *Antropomorfismo*. Cf. 2Rs 2.11, cujas as notas expositivas também se aplicam aqui. Grandes eventos espirituais assumem a forma de coisas físicas que fazem parte da nossa experiência. Mas a realidade dessas coisas ultrapassa em muito a nossa experiência.

A presença de Yahweh com frequência se apresentava como se fosse fogo (ver Gn 15.17; Êx 3.2; 13.21; 19.16; Is 29.6; 30.30,33). Naquela ocasião, o véu que separa a vida de cima da vida cá de baixo foi temporariamente levantado, e grandes realidades espirituais foram vistas.

"O Senhor havia cercado o exército dos arameus, e tudo estava sob o seu controle" (Thomas L. Constable, *in loc.*). Cf. Nm 22.31.

■ 6.18

וַיֵּרְדוּ֘ אֵלָיו֒ וַיִּתְפַּלֵּ֨ל אֱלִישָׁ֤ע אֶל־יְהוָה֙ וַיֹּאמַ֔ר הַךְ־נָ֥א אֶת־הַגּוֹי־הַזֶּ֖ה בַּסַּנְוֵרִ֑ים וַיַּכֵּ֥ם בַּסַּנְוֵרִ֖ים כִּדְבַ֥ר אֱלִישָֽׁע׃

Fere, peço-te, esta gente de cegueira. A pedido do profeta, Yahweh feriu os soldados sírios de cegueira. Bem no meio de sua invasão, eles perderam seu caminho, e, assim sendo, seu poder de fazer o mal. Foi uma solução simples mas eficaz para um problema aparentemente insolúvel. Oh, Senhor! Concede-nos tal graça!cf. Gn 19.11 quanto a uma cena similar.

■ 6.19

וַיֹּ֨אמֶר אֲלֵהֶ֜ם אֱלִישָׁ֗ע לֹ֣א זֶ֣ה הַדֶּרֶךְ֮ וְלֹ֣א זֹ֣ה הָעִיר֒ לְכ֣וּ אַחֲרַ֔י וְאוֹלִ֣יכָה אֶתְכֶ֔ם אֶל־הָאִ֖ישׁ אֲשֶׁ֣ר תְּבַקֵּשׁ֑וּן וַיֹּ֥לֶךְ אוֹתָ֖ם שֹׁמְרֽוֹנָה׃

Não é este o caminho, nem esta a cidade. Eliseu enganou os sírios. Embora cegos, os sírios tentaram continuar com sua missão de destruição. Eliseu enganou-os para fazê-los segui-lo. Então levou-os a Samaria, e não a Dotã. Ali encontrariam uma força superior de israelitas, tal como em Dotã (presumivelmente) eles seriam a força superior.

Os intérpretes tolamente lutam sobre o aspecto "moral" deste versículo. Como poderia um profeta de Deus enganar outras pessoas propositadamente? Todavia, existem mentiras não morais. Eliseu não fez mal algum ao enganar aqueles homens violentos. De fato, ele fez bem. Ele distorceu um grande mal e salvou muitas vidas.

> Algumas vezes ...
> Verdades brutais causam mais dano do
> que o fazem falsidades boazinhas.
>
> Alexander Pope

■ 6.20

וַיְהִ֞י כְּבֹאָ֣ם שֹׁמְר֗וֹן וַיֹּ֤אמֶר אֱלִישָׁע֙ יְהוָ֔ה פְּקַ֥ח אֶת־עֵינֵֽי־אֵ֖לֶּה וְיִרְא֑וּ וַיִּפְקַ֤ח יְהוָה֙ אֶת־עֵ֣ינֵיהֶ֔ם וַיִּרְא֕וּ וְהִנֵּ֖ה בְּת֥וֹךְ שֹׁמְרֽוֹן׃

Abre os olhos destes homens para que vejam. Tendo entrado em Samaria, tendo sido levados a uma armadilha, o profeta então pediu que Yahweh abrisse os olhos dos sírios. Para grande surpresa e consternação deles, estavam cercados por uma força superior, que os devorava com os olhos. O coração deles afundou no peito; estavam prestes a enfrentar a morte. O mal que eles tinham promovido lhes sobreviera. Ver no *Dicionário* o verbete intitulado *Lei Moral da Colheita segundo a Semeadura*.

> Não vos enganeis: de Deus não se zomba;
> pois aquilo que o homem semear,
> isso também ceifará.
>
> Gálatas 6.7

■ 6.21

וַיֹּ֤אמֶר מֶֽלֶךְ־יִשְׂרָאֵל֙ אֶל־אֱלִישָׁ֔ע כִּרְאֹת֖וֹ אוֹתָ֑ם הַאַכֶּ֥ה אַכֶּ֖ה אָבִֽי׃

Eliseu agora estava no controle da situação. O rei de Israel, que havia sido convocado para ver o espetáculo, naturalmente quis matar todos aqueles malignos sírios, ali mesmo, mas não o quis fazer sem a ordem do profeta. E chamavam Eliseu de meu pai, movidos pelo profundo respeito àquele homem extraordinário, e perguntavam se o grupo de militares sírios deveria ou não ser despachado. Quanto ao título pai, cf. 2Rs 2.12; 8.9; 13.14. Quanto a pedir a permissão do profeta, cf. 2Rs 4.7.

■ 6.22

וַיֹּ֙אמֶר֙ לֹ֣א תַכֶּ֔ה הַאֲשֶׁ֥ר שָׁבִ֖יתָ בְּחַרְבְּךָ֣ וּֽבְקַשְׁתְּךָ֮ אַתָּ֣ה מַכֶּה֒ שִׂים֩ לֶ֨חֶם וָמַ֜יִם לִפְנֵיהֶ֗ם וְיֹֽאכְלוּ֙ וְיִשְׁתּ֔וּ וְיֵלְכ֖וּ אֶל־אֲדֹנֵיהֶֽם׃

Não os ferirás. Os prisioneiros de guerra não eram mortos sem misericórdia, usualmente falando. Isso só acontecia em certas ocasiões. Antes, eram reduzidos a escravos, obtendo-se assim um labor barato. Eliseu apontou para Jeorão, o rei, para que ele, tendo feito prisioneiros, não os matasse; nem ele, Eliseu, ordenaria que seus prisioneiros fossem mortos. Os prisioneiros, em vez de serem mortos, receberiam uma morte em vida.

Pelo menos daquela vez, nenhuma matança ocorreu. Naquela oportunidade, a misericórdia foi aplicada, obtendo o mesmo resultado que a execução teria conseguido. Em lugar de serem mortos, um grande banquete foi feito, e sírios e israelitas sentaram-se e comeram juntos, e tiveram grande ocasião de divertimento, contando piadas e coisas engraçadas. "Esse ato, em oposição direta aos costumes da época... isola-se como um pico montanhoso, muito acima do nível moral daqueles dias. Assim sendo, o preceito de Romanos 12.19-21 foi antecipado por vários séculos. O coração dos sírios foi suavizado por esse ato de generosidade. O mal, contudo, não é vencido somente por atos isolados de gentileza. Somente o calor contínuo do sol pode dissolver um iceberg" (Raymond Calking, *in loc.*). Ver na *Enciclopédia de Bíblia, Teologia e Filosofia* o verbete chamado *Liberalidade (Generosidade)*.

■ 6.23

וַיִּכְרֶ֨ה לָהֶ֜ם כֵּרָ֣ה גְדוֹלָ֗ה וַיֹּֽאכְלוּ֙ וַיִּשְׁתּ֔וּ וַֽיְשַׁלְּחֵ֔ם וַיֵּלְכ֖וּ אֶל־אֲדֹֽנֵיהֶ֑ם וְלֹֽא־יָ֤סְפוּ עוֹד֙ גְּדוּדֵ֣י אֲרָ֔ם לָב֖וֹא בְּאֶ֥רֶץ יִשְׂרָאֵֽל׃ פ

E da parte da Síria não houve mais investidas na terra de Israel. Misericórdia adicionada à misericórdia. Aqueles homens malignos, que tinham vindo para matar, foram enviados de volta com ampla provisão, para que pudessem retornar à Síria levando abundância de bens. Eles voltaram e contaram a Ben-Hadade II as coisas admiráveis que lhes tinham acontecido em Dotã e em Samaria. Tão impressionado ficou o monarca sírio com o que tinha acontecido, que parou de lançar ataques contra Israel e desistiu de qualquer plano de invasão.

> ... a bondade de Deus é que te
> conduz ao arrependimento?
>
> Romanos 2.4

> Pelo contrário, se o teu inimigo tiver fome,
> dá-lhe de comer; se tiver sede, dá-lhe de beber;
> porque fazendo isto, amontoarás brasas vivas
> sobre a sua cabeça. Não te deixes vencer do mal,
> mas vence o mal com o bem.
>
> Romanos 12.20,21

Temos aqui uma daquelas raras ocasiões em que o bem venceu o mal, em que atos de gentileza venceram o desejo de destruição. A história de Israel usualmente envolvia matar ou ser morto. A paz veio através da gentileza, e não mediante um inimigo esmagado. Contudo, foi uma paz frágil, que logo seria quebrada.

Em breve a paz seria revertida. Ben-Hadade II enviou uma grande força armada contra Israel (ver os vss. 24 ss.).

SAMARIA CERCADA; HOUVE FOME (6.24-33)

O ímpio Ben-Hadade II esqueceu como Eliseu havia derrotado seu pequeno exército, e logo invadiu Samaria com o intuito de conquistá-la inteiramente. O cerco perdurou por tanto tempo que a fome ameaçou os israelitas. Isso estabeleceu o palco para aquele horrendo acontecimento: a fim de não morrer de fome, uma mulher comeu seu próprio filhinho! Novamente, foi mister que Eliseu invocasse Yahweh para que houvesse uma intervenção miraculosa que salvasse Israel (capítulo 7). Portanto, temos outra história maravilhosa, um feito miraculoso efetuado por meio de Eliseu. Isso o autenticava como um profeta do único Deus vivo e verdadeiro, Yahweh. Quanto a isso, ver a introdução a 2Rs 4.1. Alguns estendem as histórias maravilhosas somente até 2Rs 6.23; mas o que aconteceu em seguida continuou sendo tão maravilhoso como até ali.

A presença de Eliseu e os seus milagres não impediram Israel de cair na idolatria, como também não impediram aos sírios suas investidas e guerras. Agora veremos o espetáculo da Síria sendo usada como látego contra Israel, para punir aquele povo por sua apostasia contínua. Israel nunca aprendia.

■ 6.24

וַיְהִי אַחֲרֵי־כֵן וַיִּקְבֹּץ בֶּן־הֲדַד מֶלֶךְ־אֲרָם אֶת־כָּל־מַחֲנֵהוּ וַיַּעַל וַיָּצַר עַל־שֹׁמְרוֹן׃

Depois disto. Isto é, após o acontecimento que acabara de ser descrito, a invasão de Dotã, a cegueira dos militares sírios, sua soltura pacífica, e a resolução do rei da Síria de parar suas investidas. Alguns supõem que Ben-Hadade II tivesse falecido, e que um novo rei ordenou o reinício das hostilidades. Além disso, é possível que o rei de Israel, aqui, não fosse Jeorão, e, sim, Jeú, ou mesmo seu filho, Jeoacaz (que reinou entre 806 e 790 a.C.). Talvez o rei da Síria tenha sido o filho de Ben-Hadade II. Ver no *Dicionário* o verbete chamado *Ben-Hadade*.

Uma Grande Invasão. Ben-Hadade II aparentemente pretendia tomar a cidade de Samaria e, dali, dominar todo o Israel.

■ 6.25

וַיְהִי רָעָב גָּדוֹל בְּשֹׁמְרוֹן וְהִנֵּה צָרִים עָלֶיהָ עַד הֱיוֹת רֹאשׁ־חֲמוֹר בִּשְׁמֹנִים כֶּסֶף וְרֹבַע הַקַּב חֲרֵייוֹנִים בַּחֲמִשָּׁה־כָסֶף׃

O cerco das tropas sírias continuou por muito tempo, e a fome ameaçava os samaritanos. Diante disso, os preços dos alimentos dispararam. As pessoas começaram a comer jumentos, um animal proibido como alimento, pela legislação mosaica. E até essa carne de gosto ruim era vendida por preços fantásticos. Um pedaço da cabeça custava oitenta siclos (a *Septuaginta* diz cinquenta). Ver sobre o siclo nas notas em Êx 30.13 e Lv 27.25. Ver também no *Dicionário* os artigos chamados *Dinheiro*, ponto II; e *Pesos e Medidas*, seção VII. IV.C. Não há como calcular o poder de compra que teria o siclo, mas uma de minhas fontes informativas sugere que a compra da cabeça de um jumento custava cerca de oitenta dólares! Nos escritos de Plutarco (*Artaxerxes*, XXIV), temos a referência a uma cabeça de jumento sendo vendida por quinze siclos, ainda um preço tremendamente alto por um pedaço de carne.

Um pouco de esterco de pombas era vendido por cinco siclos. Isso, geralmente, era considerado alimento para animais. Portanto, o povo estava pagando altos preços para obter alimento que usualmente era servido aos animais. Na Inglaterra, em 1316, houve uma fome tão severa que as pessoas comeram seus próprios filhos, cães, ratos e até esterco de pombas. Esse esterco era comido (tal como se vê no presente texto) por causa das sementes que havia ali. Alguns intérpretes veem aqui uma alusão a "vagens", mas outros veem aqui uma referência, realmente, a "esterco de pombas". Ver no *Dicionário* o artigo chamado *Pombas, Esterco de*, quanto aos detalhes. As pessoas realmente comiam tais coisas, como fazem os cães, que comem esterco de cavalos, para aproveitar pequenos pedaços de alimentos? Aquele artigo tenta dar uma resposta. Seja como for, a lição moral é clara: o pecado reduz o homem a condições de miséria extrema, condições que os homens mesmos têm cultivado.

■ 6.26,27

וַיְהִי מֶלֶךְ יִשְׂרָאֵל עֹבֵר עַל־הַחֹמָה וְאִשָּׁה צָעֲקָה אֵלָיו לֵאמֹר הוֹשִׁיעָה אֲדֹנִי הַמֶּלֶךְ׃

וַיֹּאמֶר אַל־יוֹשִׁעֵךְ יְהוָה מֵאַיִן אוֹשִׁיעֵךְ הֲמִן־הַגֹּרֶן אוֹ מִן־הַיָּקֶב׃

Gritou-lhe uma mulher. O árbitro real. O rei de Israel foi chamado para ser árbitro de um caso horrendo que fora causado pela fome. Uma mulher queixava-se de que fizera um acordo com outra mulher: elas comeriam seus filhos. Em um dia, um dos filhos seria comido; no dia seguinte, seria comido o filho da outra mulher. Portanto, um dos filhos foi cozido e comido. Mas no dia seguinte a outra mulher, que tinha concordado em sacrificar também seu filho, mudara de ideia. Daí a controvérsia entre as duas. Aconteceu que o rei estava passando pelo alto de um muro quando as duas discutiam, e ele foi chamado para fazer justiça.

Ajuda da Parte de Yahweh. O rei sabia, ao ser chamado, que só havia um assunto pelo qual seria consultado: ajuda para que alguém comesse algo. Portanto, ele disse à mulher que em certos casos somente Yahweh poderia resolver a pendência entre elas. A fome, de fato, era um julgamento divino. Em consequência, somente uma decisão divina poderia aliviar a situação. Não havia cereais armazenados; nem havia vinho guardado. As condições eram desesperadoras. O rei não era um homem miraculoso, capaz de produzir alimentos do nada, como Eliseu tinha feito (ver o capítulo quarto). Cf. Os 2.8,9 e 9.2.

■ 6.28,29

וַיֹּאמֶר־לָהּ הַמֶּלֶךְ מַה־לָּךְ וַתֹּאמֶר הָאִשָּׁה הַזֹּאת אָמְרָה אֵלַי תְּנִי אֶת־בְּנֵךְ וְנֹאכְלֶנּוּ הַיּוֹם וְאֶת־בְּנִי נֹאכַל מָחָר׃

וַנְּבַשֵּׁל אֶת־בְּנִי וַנֹּאכְלֵהוּ וָאֹמַר אֵלֶיהָ בַּיּוֹם הָאַחֵר תְּנִי אֶת־בְּנֵךְ וְנֹאכְלֶנּוּ וַתַּחְבִּא אֶת־בְּנָהּ׃

Foi contada a história horrenda ao rei, conforme vimos nas notas sobre os vss. 26 e 27. A fome extrema produziu resultados inacreditáveis. Tudo foi lançado na conta de Yahweh (vs. 33), e o rei, assim sendo, procurou matar o seu profeta, Eliseu, o qual, presumivelmente, era um segundo culpado daquela situação de desespero. Cf. as odiosas predições de Dt 28.56 ss., que incluem exatamente o que está sendo relatado no presente texto. Coisas similares aconteceram quando Nabucodonosor cercou Jerusalém, pouco antes de Judá ser levado para o cativeiro. Ver Ez 5.10 quanto aos detalhes. Esse caso também foi considerado um juízo de Yahweh. Isso seria seguido pelo fato de que os habitantes de Judá seriam espalhados ao "vento". Veja o leitor a que estado o pecado reduz um homem ou uma nação! Outro tanto ocorreu quando Tito cercou Jerusalém, em 70 d.C., não muito antes do grande cativeiro e dispersão dos habitantes da Judeia, pelos romanos (ver Josefo, *Guerras dos Judeus* vi.3,4).

■ 6.30

וַיְהִי כִשְׁמֹעַ הַמֶּלֶךְ אֶת־דִּבְרֵי הָאִשָּׁה וַיִּקְרַע אֶת־בְּגָדָיו וְהוּא עֹבֵר עַל־הַחֹמָה וַיַּרְא הָעָם וְהִנֵּה הַשַּׂק עַל־בְּשָׂרוֹ מִבָּיִת׃

Rasgou as suas vestes. A consternação do rei. A mulher, em seu estupor, realmente apresentou o caso ao rei de Israel, como se alguma espécie de justiça pudesse ser feita. Que ela estivesse buscando tal "justiça" (esperando ter o filho da outra mulher como uma refeição) mostra a que nível temível a vida havia sido reduzida pela fome.

O rei, pois, rasgou as próprias vestes, um sinal de desgosto e consternação. Cf. 2Rs 2.12; 5.7 e 11.14. O rei já estava vestindo pano de saco, sinal de lamentação e aflição (1Rs 21.27). Ver no *Dicionário* os artigos chamados *Vestimentas, Rasgar das* e *Pano de Saco*, quanto a detalhes sobre esses costumes. Portanto, o rei estava em grande aflição mental, tendo-se humilhado com o uso do pano de saco; não obstante, lançara a culpa em Yahweh, pelas condições desesperadoras de Israel, e não largou a sua apostasia, que era a causa verdadeira daquela tribulação.

Provavelmente devemos compreender que o rei já estava usando o pano de saco por baixo de suas vestes. Uma vez rasgada a roupa externa, isso permitiu que as pessoas vissem as roupas de baixo, feitas de pano de saco. Isso significa que o rei já estava em período de lamentação. A história da mulher, entretanto, lançou-o ao desespero.

6.31

וַיֹּאמֶר כֹּה־יַעֲשֶׂה־לִּי אֱלֹהִים וְכֹה יוֹסִף אִם־יַעֲמֹד
רֹאשׁ אֱלִישָׁע בֶּן־שָׁפָט עָלָיו הַיּוֹם:

Assim me faça Deus. O ímpio rei de Israel fez um atrevido juramento por Elohim. Ver no *Dicionário* o artigo denominado *Deus, Nomes Bíblicos de*. Em seu desvario, ele culpava Eliseu pela drástica situação em que se achava a nação de Israel. Ele jurou que decapitaria o profeta por ser ele um homem "mau", pois supunha que predizer um evento é a mesma coisa que ser a causa do evento. A causa da aflição de Israel era a sua própria apostasia, e o agente ativo que trouxera aqueles temíveis acontecimentos à tona era o único Deus vivo e verdadeiro, e não o seu profeta, um mero instrumento da sua vontade. Entretanto, a apostasia havia cegado a mente do rei quanto à verdade da questão. Assim sendo, lá se foi o rei atrás do profeta, a fim de executá-lo, supondo, estupidamente, que esse ato poria fim às tribulações de Israel. Ele faria o profeta ficar tão morto quanto o filho cozido da mulher.

Ou o rei atribuiu as calamidades ao profeta, ou lançou a culpa sobre ele por não remover aquelas calamidades, quando tinha o poder de fazê-lo. Cf. um juramento similar feito contra Elias por Acabe e sua horrenda esposa, Jezabel (ver 1Rs 19.2).

6.32

וֶאֱלִישָׁע יֹשֵׁב בְּבֵיתוֹ וְהַזְּקֵנִים יֹשְׁבִים אִתּוֹ וַיִּשְׁלַח
אִישׁ מִלְּפָנָיו בְּטֶרֶם יָבֹא הַמַּלְאָךְ אֵלָיו וְהוּא אָמַר
אֶל־הַזְּקֵנִים הַרְאִיתֶם כִּי־שָׁלַח בֶּן־הַמְרַצֵּחַ הַזֶּה
לְהָסִיר אֶת־רֹאשִׁי רְאוּ כְּבֹא הַמַּלְאָךְ סִגְרוּ הַדֶּלֶת
וּלְחַצְתֶּם אֹתוֹ בַּדָּלֶת הֲלוֹא קוֹל רַגְלֵי אֲדֹנָיו אַחֲרָיו:

Estava, porém, Eliseu sentado em sua casa. Essa casa, presumivelmente, ficava em Dotã (ver 2Rs 6.13). Vários anciãos de Israel o estavam visitando. De súbito ele soube, mediante seu conhecimento especial (ver as notas em 2Rs 6.6,7), que um mensageiro da parte do rei estava chegando a fim de decapitá-lo. Provavelmente o perverso homem vinha na companhia de um destacamento do exército. Seja como for, Eliseu ordenou que a porta da casa fosse barrada, porquanto sabia que o rei viria não muito atrás, e que invadiria a sua casa. Ele daria a ordem de execução, e um soldado decapitaria o profeta. Cf. 2Rs 5.9.

É provável que os anciãos estivessem na casa para discutir com o profeta o que deveria ser feito para derrotar os sírios, que tinham causado toda aquela fome e aflição. O rei não daria ouvidos às soluções "deles". Ele tinha uma solução radical de sua própria decisão: executar o profeta.

Vedes como o filho do homicida mandou tirar-me a cabeça? Na qualidade de assassino potencial (e provavelmente um homem que já teria matado alguém, em uma insensata violência), o rei de Israel foi chamado de filho de homicida, ou seja, alguém cuja principal característica era matar outras pessoas. Talvez haja nessas palavras uma referência ao fato de que Acabe matou Nabote (ver 1Rs 21.19). O atual rei de Israel era descendente de Acabe, e queria pôr em prática o seu violento caráter. Se Jeorão era o rei atual, então era o filho do assassino anterior, Acabe.

Josefo pensa que os anciãos mencionados neste versículo seriam os aprendizes de profetas, mais idosos, e não oficiais de Israel, como aqueles de Samaria, a capital (ver *Antiq.* 1.9, cap. 4, sec. 4).

6.33

עוֹדֶנּוּ מְדַבֵּר עִמָּם וְהִנֵּה הַמַּלְאָךְ יֹרֵד אֵלָיו
וַיֹּאמֶר הִנֵּה־זֹאת הָרָעָה מֵאֵת יְהוָה מָה־אוֹחִיל
לַיהוָה עוֹד: ס

Falava ele ainda com eles. Eliseu, mediante seu conhecimento especial (ver as notas em 6.32), tinha previsto a breve chegada do mensageiro do rei que pronunciaria a ordem de prisão do profeta, e após quem, logo em seguida, chegaria o próprio rei, com os seus soldados. Evidentemente, ele foi admitido no interior da casa, pois logo fez sua pronunciação.

Desespero. Em lugar de anunciar a detenção de Eliseu, o homem simplesmente referiu-se à situação de Israel como sem esperança. O culpado pelo cerco era Yahweh, e apelar ao homem não faria bem algum. Mas também não teria efeito algum a execução do profeta de Deus. O que lhes restava fazer era simplesmente submeter-se aos sírios e permitir-lhes que fizessem o que melhor achassem, pois só isso acabaria com toda aquela miséria. Era melhor morrer do que continuar na situação em que estavam. "Aparentemente, Eliseu dissera a Jorão que Deus havia dito que ele não deveria render-se a Ben-Hadade, mas, antes, deveria esperar pelo livramento divino. Mas visto que nenhuma ajuda divina estava à vista, Jorão resolvera tomar a questão em suas próprias mãos" (Thomas L. Constable, *in loc.*). Isso significava que ele deveria executar o profeta de Deus, esperando que com essa execução surgisse alguma diferença para melhor. Ou, então, ele simplesmente desistiria e permitiria que os sírios fizessem o que bem entendessem.

Alguns intérpretes pensam que o mensageiro foi o próprio rei de Israel (assim diz a tradução da *Revised Standard Version*). Ou então devemos entender que o rei chegou imediatamente depois do mensageiro, e quem falou foi o rei, conforme temos a impressão, mediante a leitura de nossa versão portuguesa.

CAPÍTULO SETE

ELISEU NÃO É EXECUTADO (7.1,2)

Não há nenhuma ruptura entre os capítulos 6 e 7 de 2Reis. A história continua sem interrupção. Eliseu continuou com suas profecias otimistas, que o rei viera a rejeitar como palavras enganadoras (ver 2Rs 6.33). Mas logo Eliseu seria vindicado, provando assim que era um verdadeiro profeta do único Deus vivo e verdadeiro, Yahweh.

7.1

וַיֹּאמֶר אֱלִישָׁע שִׁמְעוּ דְּבַר־יְהוָה כֹּה אָמַר יְהוָה
כָּעֵת מָחָר סְאָה־סֹלֶת בְּשֶׁקֶל וְסָאתַיִם שְׂעֹרִים בְּשֶׁקֶל
בְּשַׁעַר שֹׁמְרוֹן:

Então disse Eliseu: Ouvi a palavra do Senhor. A chegada repentina do mensageiro do rei, logo seguida pela chegada do próprio rei, provocou uma nova profecia. O povo de Samaria seria aliviado de seu desespero. Seria uma estupidez matar o profeta de Deus, e seria igualmente estúpido permitir que os sírios entrassem na cidade e realizassem seu ritual de matança e saque. Uma intervenção divina seria a solução apropriada para o problema. O cerco logo terminaria. Suprimentos alimentares em breve retornariam. E a vida continuaria.

Amanhã, a estas horas mais ou menos. Os preços cairiam drasticamente. Isso aconteceria porque o cerco seria levantado. Ver as notas em 2Rs 6.25 quanto aos preços horrivelmente altos a que tinham chegado os alimentos na cidade. Note-se, igualmente, como Israel estava comendo coisas impróprias e proibidas para consumo humano.

Um alqueire. No hebraico, a palavra usada aqui é *seah*. Ver no *Dicionário* o artigo denominado *Pesos e Medidas*, seção VII. O *seah* de trigo custaria um siclo, e dois *seahs* de cevada poderiam ser comprados pelo mesmo preço. Ver sobre o siclo em Êx 30.13 e Lv 27.25, e também o artigo chamado *Dinheiro*, ponto II, no *Dicionário*. Apesar de não haver maneira de calcular o poder de compra moderno de um siclo, provavelmente valeria um dólar e meio. Esse preço não seria baixo, mas era muito melhor do que os preços que até ali prevaleciam. Pelo menos, o povo conseguiria comer. O trigo seria consumido pelo povo em geral, e a cevada, pelos mais pobres e pelos animais. Ver o versículo 16 deste capítulo quanto ao cumprimento dessa profecia. Ver Jz 7.13 quanto ao uso da cevada.

À porta de Samaria. O comércio voltaria a funcionar no portão da cidade, o lugar favorito para vendas, compras e escambo. Isso significa que os sírios abandonariam o lugar e voltariam para casa.

7.2

וַיַּעַן הַשָּׁלִישׁ אֲשֶׁר־לַמֶּלֶךְ נִשְׁעָן עַל־יָדוֹ אֶת־אִישׁ
הָאֱלֹהִים וַיֹּאמַר הִנֵּה יְהוָה עֹשֶׂה אֲרֻבּוֹת בַּשָּׁמַיִם
הֲיִהְיֶה הַדָּבָר הַזֶּה וַיֹּאמֶר הִנְּכָה רֹאֶה בְּעֵינֶיךָ וּמִשָּׁם
לֹא תֹאכֵל ׃ ס

Um dos principais auxiliares do rei, em quem o monarca se amparava (literal ou figuradamente), achou que a profecia era totalmente carente de realidade. Para que o trigo e a cevada fossem comprados por tais preços, "no dia seguinte", Deus teria de abrir janelas no céu e derramar o cereal do céu na terra. Para ele, nenhum modo humano de suprimento faria a coisa acontecer em tão breve tempo. Além disso, ele não acreditava em um suprimento divino.

Ao homem que duvidara, o profeta retrucou que ele veria com seus próprios olhos o "milagre" acontecer, mas, por causa de seu ceticismo sarcástico, não lhe seria permitido tirar benefício pessoal da repentina onda de prosperidade. O versículo 17 deste capítulo mostra-nos que o homem sofreu de morte violenta, e assim a segunda profecia também teve cumprimento cabal.

FIM DO CERCO (7.3-20)

A HISTÓRIA DOS LEPROSOS (7.3-10)

A intervenção divina que Eliseu havia predito (2Rs 7.1,2) logo teve lugar. O autor sagrado contou-nos uma interessante história lateral que esteve relacionada à sua história principal, sobre o levantamento do cerco por parte dos sírios. Aqueles miseráveis leprosos tornaram-se mensageiros das boas-novas, embora tivesse levado algum tempo para o rei de Israel descobrir pessoalmente a verdade dos fatos. De fato, o cerco havia sido levantado, e a profecia de Eliseu, ainda que improvável, fora cumprida com precisão. Isso demonstrava, uma vez mais, que ele era um verdadeiro profeta do único Deus vivo e verdadeiro, Yahweh. Israel deveria tê-lo ouvido e abandonado sua idolatria e apostasia. Contudo, a despeito das histórias maravilhosas de milagres, Israel preferia persistir no mal. O cativeiro assírio não estava longe. Israel em breve deixaria de existir como uma nação. Ver sobre *Cativeiro Assírio* no *Dicionário*.

7.3

וְאַרְבָּעָה אֲנָשִׁים הָיוּ מְצֹרָעִים פֶּתַח הַשָּׁעַר וַיֹּאמְרוּ
אִישׁ אֶל־רֵעֵהוּ מָה אֲנַחְנוּ יֹשְׁבִים פֹּה עַד־מָתְנוּ ׃

Quatro homens leprosos. Os leprosos, muito provavelmente, estavam abrigados em cabanas que havia fora do portão da cidade de Samaria. Ver no *Dicionário* o artigo chamado *Portão*. A legislação mosaica requeria que eles fossem isolados (ver Lv 13.46). A palavra hebraica *sara'at*, traduzida pelas versões mais antigas como "lepra", provavelmente incluía essa enfermidade, mas também incorporava outras enfermidades cutâneas, até mesmo míldios e fungos que nada têm a ver com a lepra (doença de Hansen). Quanto a descrições completas da *sara'at* e das enfermidades que podiam ser cobertas por esse termo, ver a introdução ao capítulo 13 de Levítico.

A fantasia judaica põe o ex-servo de Eliseu, Geazi, e seus filhos entre os leprosos que figuram nessa história (*Talmude Bab. Sotah*, folha 47.1 e *Sanh. fol.* 107.2). Ver 2Rs 5.20 ss quanto à história de Geazi, sobre como ele se tornou um leproso por causa de sua ganância.

7.4

אִם־אָמַרְנוּ נָבוֹא הָעִיר וְהָרָעָב בָּעִיר וָמַתְנוּ שָׁם
וְאִם־יָשַׁבְנוּ פֹה וָמָתְנוּ וְעַתָּה לְכוּ וְנִפְּלָה אֶל־מַחֲנֵה
אֲרָם אִם־יְחַיֻּנוּ נִחְיֶה וְאִם־יְמִיתֻנוּ וָמָתְנוּ ׃

Vamos, pois, agora. As vítimas da *sara'at* dependiam de sua própria agricultura e da caridade alheia. Elas tinham de organizar-se em comunidades separadas e autossustentadas, mas as referências históricas e literárias mostram-nos que, com frequência, viviam como esmoleres. É provável que os leprosos que figuram na presente história também vivessem como esmoleres. O povo de Samaria deixou de suprir-lhes alimentos, porquanto eles mesmos nada tinham para comer, em face do cerco dos sírios. Portanto fora das muralhas da cidade, lá estavam eles, padecendo fome, tal como o resto dos cidadãos de Samaria e daquela região geral.

A Condição Era Desesperadora. Eles estavam famintos. Portanto resolveram entregar-se aos sírios, pois eram estes que tinham alimentos. A pior coisa que poderia acontecer seria os sírios matarem aqueles pobres esmoleres leprosos. Mas talvez lhes fosse dado algo para comer e assim salvar a vida deles. Em desespero, resolveram arriscar a própria sorte.

7.5

וַיָּקוּמוּ בַנֶּשֶׁף לָבוֹא אֶל־מַחֲנֵה אֲרָם וַיָּבֹאוּ עַד־קְצֵה
מַחֲנֵה אֲרָם וְהִנֵּה אֵין־שָׁם אִישׁ ׃

Levantaram-se ao anoitecer. Os leprosos dirigiram-se ao acampamento dos sírios, em seu ato de desespero. Mas, chegando ali, não encontraram um único homem. Marcharam atravessando o acampamento inteiro. Procuraram alguém por toda parte. De fato, o acampamento estava totalmente deserto.

A nossa versão portuguesa diz "ao anoitecer". O versículo 9 confirma que eles foram até o acampamento dos sírios durante a noite. Ao amanhecer o dia, entretanto, foram contar as boas-novas aos habitantes de Samaria. Por outra parte, é difícil ver por que os leprosos se internaram no acampamento dos sírios à noite. A palavra hebraica *nehshaf* pode indicar o começo ou o fim da noite, um tempo quando ainda há alguma luz do sol, ou no fim da madrugada, antes do sol aparecer no horizonte.

7.6

וַאדֹנָי הִשְׁמִיעַ אֶת־מַחֲנֵה אֲרָם קוֹל רֶכֶב קוֹל
סוּס קוֹל חַיִל גָּדוֹל וַיֹּאמְרוּ אִישׁ אֶל־אָחִיו הִנֵּה
שָׂכַר־עָלֵינוּ מֶלֶךְ יִשְׂרָאֵל אֶת־מַלְכֵי הַחִתִּים
וְאֶת־מַלְכֵי מִצְרַיִם לָבוֹא עָלֵינוּ ׃

Fizera ouvir no arraial dos sírios ruído. A razão da partida dos sírios. Yahweh fizera soar o ruído como de um imenso exército, equipado com inúmeros cavalos e carros de combate. Os sírios chegaram imediatamente à conclusão de que o rei de Israel havia alugado um grande exército de mercenários para lutar contra eles. Seus inimigos perenes, os hititas e os egípcios, facilmente concordariam em lutar em troca de dinheiro, de modo que esses povos deveriam estar envolvidos, raciocinaram os sírios.

O *modus operandi* do ruído não foi explicado pelo autor sagrado. Alguns estudiosos supõem que uma hoste de anjos tenha sido responsável pelo ruído.

7.7

וַיָּקוּמוּ וַיָּנוּסוּ בַנֶּשֶׁף וַיַּעַזְבוּ אֶת־אָהֳלֵיהֶם וְאֶת־
סוּסֵיהֶם וְאֶת־חֲמֹרֵיהֶם הַמַּחֲנֶה כַּאֲשֶׁר־הִיא
וַיָּנֻסוּ אֶל־נַפְשָׁם ׃

Pelo que se levantaram, e, fugindo ao anoitecer. A fuga dos sírios foi completa e precipitada. Os sírios, aterrorizados pelo ruído divinamente provocado, partiram sem levar coisa alguma. Deixaram intacto o próprio acampamento e até abandonaram os animais, seguindo a pé. Deixaram para trás todos os seus objetos valiosos e seus alimentos. Os saqueadores certamente tiveram um dia de abundância! "Este versículo nos dá um vívido quadro de uma fuga apressada, na qual tudo foi esquecido, exceto a segurança pessoal" (Ellicott, *in loc.*).

7.8

וַיָּבֹאוּ הַמְצֹרָעִים הָאֵלֶּה עַד־קְצֵה הַמַּחֲנֶה וַיָּבֹאוּ
אֶל־אֹהֶל אֶחָד וַיֹּאכְלוּ וַיִּשְׁתּוּ וַיִּשְׂאוּ מִשָּׁם כֶּסֶף וְזָהָב
וּבְגָדִים וַיֵּלְכוּ וַיַּטְמִנוּ וַיָּשֻׁבוּ וַיָּבֹאוּ אֶל־אֹהֶל אַחֵר
וַיִּשְׂאוּ מִשָּׁם וַיֵּלְכוּ וַיַּטְמִנוּ ׃

Comendo e Enriquecendo. Os leprosos atravessaram todo o acampamento dos sírios, apossaram-se de toda espécie de alimento e bebida, e reuniram coisas valiosas como prata, ouro e vestes. Eles entravam e saíam do acampamento, recolhendo cada vez mais e escondendo tudo. Josefo diz-nos que eles fizeram quatro assaltos ao acampamento (ver *Antiq.* 1.9, cap. 4, sec. 4). Aqueles leprosos tinham acabado de tornar-se financeiramente independentes. Eles tinham um suprimento para a vida inteira de tudo quanto poderiam precisar. Oh, Senhor! Concede-nos tal graça!

Era uma prática oriental comum esconder artigos de valor no chão ou em lugares secretos nas casas. Isso lhes servia de bancos. Os antigos não dispunham de cofres, como nós os possuímos modernamente.

■ 7.9

וַיֹּאמְרוּ אִישׁ אֶל־רֵעֵהוּ לֹא־כֵן אֲנַחְנוּ עֹשִׂים הַיּוֹם הַזֶּה יוֹם־בְּשֹׂרָה הוּא וַאֲנַחְנוּ מַחְשִׁים וְחִכִּינוּ עַד־אוֹר הַבֹּקֶר וּמְצָאָנוּ עָווֹן וְעַתָּה לְכוּ וְנָבֹאָה וְנַגִּידָה בֵּית הַמֶּלֶךְ׃

Não fazemos bem: este dia é dia de boas-novas. Um toque de consciência. Aqueles leprosos, antes pobres mas agora ricos, tiveram um estalo em sua consciência. Ali estavam eles, comendo, bebendo e alegrando-se, e enriquecendo, enquanto mulheres e crianças sofriam de inanição na cidade de Samaria. Eles não estavam "agindo corretamente". Além disso, se continuassem a agir como estavam fazendo, não compartilhando do que tinham achado, algum castigo poderia alcançá-los, por causa de seu egoísmo. Assim sendo, chegaram à conclusão de que era tanto do interesse próprio como do interesse da comunidade, que eles espalhassem as boas-novas.

"Nessas verdades encontramos uma verdade profunda. Em nenhum departamento da vida pode alguém receber um grande presente e recusar-se a compartilhar sem que pratique grande mal. Quando um homem tem grandes riquezas mas as guarda para si mesmo, sofre deterioração moral. Quando uma pessoa tem o benefício de ter recebido uma boa educação, mas usa essa vantagem somente para fins pessoais e egoístas, em lugar de usá-la como um instrumento de serviço social, sua educação torna-se uma maldição para ela, em lugar de uma bênção" (Raymond Calking, *in loc.*).

Precisamos publicar as nossas boas-novas. Já recebemos o dom inefável, as insondáveis riquezas de Cristo. Uma maldição aguarda aqueles que não compartilham essas bênçãos (ver 1Co 9.16).

"Em lugar de sofrer como criminosos, eles preferiram ser tratados como heróis. Assim sendo, decidiram retornar a Samaria e proclamar suas boas-novas" (Thomas L. Constable, *in loc.*).

■ 7.10,11

וַיָּבֹאוּ וַיִּקְרְאוּ אֶל־שֹׁעֵר הָעִיר וַיַּגִּידוּ לָהֶם לֵאמֹר בָּאנוּ אֶל־מַחֲנֵה אֲרָם וְהִנֵּה אֵין־שָׁם אִישׁ וְקוֹל אָדָם כִּי אִם־הַסּוּס אָסוּר וְהַחֲמוֹר אָסוּר וְאֹהָלִים כַּאֲשֶׁר־הֵמָּה׃

וַיִּקְרָא הַשֹּׁעֲרִים וַיַּגִּידוּ בֵּית הַמֶּלֶךְ פְּנִימָה׃

Logo os leprosos estavam nos portões de Samaria, comunicando as boas-novas aos porteiros da cidade. Dali, o recado espalhou-se até a casa do rei. Aqueles homens tinham cumprido os ditames de sua consciência, e ninguém tiraria deles as riquezas que haviam adquirido de maneira tão surpreendente. Yahweh tinha feito intervenção em favor de Israel; os sírios haviam fugido por causa do ruído divino (ver o vs. 6 deste capítulo). Yahweh também havia intervindo em favor daqueles miseráveis leprosos: agora eram homens financeiramente independentes. Isso reflete a posição do teísmo (ver a respeito no *Dicionário*). O Criador não é uma força distante que criou, mas então abandonou o seu universo (conforme ensina o deísmo). Pelo contrário, ele continua vivendo entre os homens; ele recompensa e castiga; ele intervém na história humana, coletiva e pessoal. Ele se preocupa até com os pardais que caem no chão (ver Mt 10.29).

Os leprosos contaram a história exatamente conforme tinham acontecido as coisas, sem nada adicionar e sem nada subtrair. Os sírios haviam realmente fugido; eles tinham, na realidade, deixado para trás seus animais, seus alimentos e seus objetos valiosos. O acampamento deles tinha sido reduzido a uma cidade-fantasma.

■ 7.12

וַיָּקָם הַמֶּלֶךְ לַיְלָה וַיֹּאמֶר אֶל־עֲבָדָיו אַגִּידָה־נָּא לָכֶם אֵת אֲשֶׁר־עָשׂוּ לָנוּ אֲרָם יָדְעוּ כִּי־רְעֵבִים אֲנַחְנוּ וַיֵּצְאוּ מִן־הַמַּחֲנֶה לְהֵחָבֵה בַהַשָּׂדֶה לֵאמֹר כִּי־יֵצְאוּ מִן־הָעִיר וְנִתְפְּשֵׂם חַיִּים וְאֶל־הָעִיר נָבֹא׃

Bem sabem eles que estamos esfaimados. Um alegado truque dos sírios. O rei de Israel não aceitou a palavra dos leprosos como se eles representassem a verdade inteira. Sim, os sírios haviam abandonado o seu acampamento. Não, eles não tinham voltado para a Síria, pensou o rei. Antes, estavam tramando um ardil. Os famintos israelitas sairiam correndo pelos portões da cidade para obter alimento no acampamento dos sírios. E, então, de súbito, os inimigos se atirariam sobre o povo e matariam todos. Por conseguinte, o rei de Israel recomendou extrema cautela. Os sírios não tinham sido capazes de romper a resistência dos samaritanos (conforme estes poderiam pensar); e assim, um truque faria o que a fome não tinha conseguido fazer.

■ 7.13,14

וַיַּעַן אֶחָד מֵעֲבָדָיו וַיֹּאמֶר וְיִקְחוּ־נָא חֲמִשָּׁה מִן־הַסּוּסִים הַנִּשְׁאָרִים אֲשֶׁר נִשְׁאֲרוּ־בָהּ הִנָּם כְּכָל־הֲמוֹן יִשְׂרָאֵל אֲשֶׁר נִשְׁאֲרוּ־בָהּ הִנָּם כְּכָל־הֲמוֹן יִשְׂרָאֵל אֲשֶׁר־תָּמּוּ וְנִשְׁלְחָה וְנִרְאֶה׃

וַיִּקְחוּ שְׁנֵי רֶכֶב סוּסִים וַיִּשְׁלַח הַמֶּלֶךְ אַחֲרֵי מַחֲנֵה־אֲרָם לֵאמֹר לְכוּ וּרְאוּ׃

Tomaram, pois, dois carros com cavalos. Um Teste. Um dos oficiais do rei de Israel sugeriu que se fizesse uma espécie de teste, conforme o que os leprosos tinham feito. Samaria enviaria uma companhia de pessoas que serviria de teste. Eles sairiam com duas carroças e cavalos, para ver se os sírios os atacariam. Além disso, observariam cuidadosamente todo o terreno em redor, para ver se o inimigo estaria escondido em algum lugar. Assim fazendo, eles poderiam ser mortos; mas, se permanecessem na cidade, morreriam de fome de qualquer maneira. Portanto, lançaram sua sorte ao destino. Foi um esforço de "fazer ou morrer".

O oficial sugeriu que cinco cavalos e seus cavaleiros se arriscassem. Em lugar disso, entretanto, saíram duas carroças puxadas por dois cavalos cada uma. O versículo 14 pode dar a entender que uma única carroça, com seus dois cavalos, e provavelmente uma equipe de dois homens, saiu da cidade. Mas o hebraico diz, literalmente, "duas carroças de cavalos", isto é, duas carroças com dois cavalos cada uma.

Assim sendo, eles saíram, tendo pouco que perder e (talvez) muito que ganhar, a mesma situação que os leprosos haviam enfrentado. Situações desesperadoras exigem esforços desesperados.

■ 7.15

וַיֵּלְכוּ אַחֲרֵיהֶם עַד־הַיַּרְדֵּן וְהִנֵּה כָל־הַדֶּרֶךְ מְלֵאָה בְגָדִים וְכֵלִים אֲשֶׁר־הִשְׁלִיכוּ אֲרָם בְּהֵחָפְזָם וַיָּשֻׁבוּ הַמַּלְאָכִים וַיַּגִּדוּ לַמֶּלֶךְ׃

O grupo de risco aproximou-se primeiramente do acampamento dos sírios, e depois foi até o Jordão, espiando o território. Isso significa que eles percorreram cerca de quarenta quilômetros no total. Não encontraram, contudo, um único sírio. O que eles encontraram foram evidências de uma retirada precipitada. De fato, a retirada havia sido caótica. Eles haviam deixado para trás uma trilha de vestes e equipamento. Ao que tudo indica, haviam atravessado o rio Jordão e desaparecido. "Em seu espanto e medo, eles lançaram fora as vestes e as armaduras de guerra que os tolhiam" (John Gill, *in loc.*). Josefo fala em armaduras como inclusas entre os itens abandonados pelos sírios (ver *Antiq.* 1.9, cap. 4, secs. 4).

Um bom relatório foi dado ao rei de Israel, e muitos dos habitantes de Samaria imediatamente mobilizaram-se para ir buscar tanto quanto pudessem; serviriam primeiramente a si mesmos, e depois, venderiam o que pudessem a outros.

7.16

וַיֵּצֵא הָעָם וַיָּבֹזּוּ אֵת מַחֲנֵה אֲרָם וַיְהִי סְאָה־סֹלֶת
בְּשֶׁקֶל וְסָאתַיִם שְׂעֹרִים בְּשֶׁקֶל כִּדְבַר יְהוָה:

Comendo e saqueando. Os famintos israelitas imediatamente invadiram o rico acampamento sírio. Havia ali muitos alimentos e artigos valiosos que os leprosos não tinham conseguido tomar. Primeiramente, cada pessoa encheu o estômago com alimentos, e então encheu suas sacas com objetos de valor. Assim, de repente, houve abundância de alimentos, que logo eram comerciados. Os preços cobrados pelos artigos foram exatamente aqueles preditos pelo profeta (ver as notas expositivas em 2Rs 7.1). Isso foi o cumprimento da "palavra de Yahweh", visto que o profeta tinha proferido a palavra do Senhor, e não a sua própria palavra. Aqueles que não tinham corrido para o ex-acampamento dos sírios, e que haviam preferido ficar em Samaria, logo estavam comprando alimentos dos que tinham ido. Admiramo-nos por qual motivo, naquele dia, o alimento não poderia ter sido distribuído de graça; mas a verdade é que a generosidade do homem não é muito grande. O eu sempre se faz presente, querendo mais. Assim, vemos o espetáculo de "comerciantes" de estômago cheio a vender cereal sírio para seus vizinhos famintos!

7.17

וְהַמֶּלֶךְ הִפְקִיד אֶת־הַשָּׁלִישׁ אֲשֶׁר־נִשְׁעָן עַל־יָדוֹ
עַל־הַשַּׁעַר וַיִּרְמְסֻהוּ הָעָם בַּשַּׁעַר וַיָּמֹת כַּאֲשֶׁר דִּבֶּר
אִישׁ הָאֱלֹהִים אֲשֶׁר דִּבֶּר בְּרֶדֶת הַמֶּלֶךְ אֵלָיו:

O povo o atropelou na porta, e ele morreu. Cumprimento da terrível predição. O oficial do rei que havia duvidado da verdade da profecia de Eliseu, contra quem fora proferida uma maldição (vs. 2), ficou encarregado de cuidar do portão, para manter as coisas sob controle. Mas a multidão se precipitou loucamente, e o pisoteou até a morte, tal e qual o "homem de Deus" havia dito que aconteceria. O comércio pegou fogo naquele dia. O cereal sírio estava sendo vendido em grande quantidade. A multidão parecia enlouquecida, de tanto vender e comprar. O pobre oficial do rei perdeu a vida no meio daquela loucura. "Portanto, ele viu a abundância de alimentos, mas não participou dela, conforme Eliseu havia predito que aconteceria (vs. 2)" (John Gill, *in loc.*). Além da atividade de comprar e vender, o povo se precipitava pelo portão da cidade para ir visitar o ex-acampamento sírio, o que só aumentava a confusão. Era impossível manter a ordem.

"Aquele homem havia ridicularizado a capacidade de Deus fazer aquilo que ele disse que faria (ver o vs. 2). A sorte que Eliseu havia predito o alcançou" (Thomas L. Constable, *in loc.*).

7.18

וַיְהִי כְּדַבֵּר אִישׁ הָאֱלֹהִים אֶל־הַמֶּלֶךְ לֵאמֹר סָאתַיִם
שְׂעֹרִים בְּשֶׁקֶל וּסְאָה־סֹלֶת בְּשֶׁקֶל יִהְיֶה כָּעֵת מָחָר
בְּשַׁעַר שֹׁמְרוֹן:

Assim se cumpriu o que falara o homem de Deus. Este versículo repete o que já fora dito nos versículos 2 e 16 deste capítulo. Foi algo realmente notável, que mereceu ser reiterado. O "homem de Deus" havia dito que "amanhã" o cereal estaria sendo vendido pelos preços mencionados, e essa predição pareceria claramente impossível, considerando os itens pouco apetecíveis (cabeças de jumentos e esterco de pombas, 2Rs 6.25) que, no dia anterior, estavam sendo vendidos a preços astronômicos. Yahweh fizera o impossível. Foi um dos maiores milagres esse de livrar o povo dos inimigos de Israel, ao mesmo tempo que havia provisão alimentar abundante.

7.19

וַיַּעַן הַשָּׁלִישׁ אֶת־אִישׁ הָאֱלֹהִים וַיֹּאמַר וְהִנֵּה יְהוָה
עֹשֶׂה אֲרֻבּוֹת בַּשָּׁמַיִם הֲיִהְיֶה כַּדָּבָר הַזֶּה וַיֹּאמֶר הִנְּךָ
רֹאֶה בְּעֵינֶיךָ וּמִשָּׁם לֹא תֹאכֵל:

Este versículo faz referência ao versículo 2 deste capítulo, o ridículo lançado pelo oficial do rei de Israel. Seria claramente impossível que o cereal fosse vendido por qualquer preço em Samaria, no dia seguinte, quanto menos ao preço que o profeta havia estipulado. Para que isso acontecesse, seria necessário que Yahweh abrisse as janelas do céu e vertesse o cereal sobre a terra, conforme fazia cair a chuva. O homem falou com sarcasmo sobre a profecia de Eliseu, e no dia seguinte pagou com a própria vida a sua insolência.

O autor sagrado queria que entendêssemos que fora Yahweh quem fizera aquele milagre. Ele deu ao povo alimento mediante um método miraculoso. Quem fez aquilo não foi Baal, que era apenas um conceito imaginário, circundado por ídolos destituídos de vida. O milagre foi mais um chamado para Israel arrepender-se e abandonar a idolatria. Mas foi outro convite inútil. Israel estava enterrado até o pescoço em sua degradação.

7.20

וַיְהִי־לוֹ כֵּן וַיִּרְמְסוּ אֹתוֹ הָעָם בַּשַּׁעַר וַיָּמֹת: ס

Este versículo tece considerações sobre os versículos 2 e 17 deste capítulo. O homem que havia ridicularizado a profecia de Yahweh e seu profeta, por meio de quem se dera a conhecer, sofreu exatamente aquilo que foi predito a respeito dele. Ele foi pisoteado até morrer, no portão da cidade, para onde o rei o enviara para ajudar a manter a ordem. Foi vítima de sua própria incredulidade, uma história muito antiga entre os homens.

CAPÍTULO OITO

A MULHER DE SUNÉM E A FOME (8.1-6)

"Eliseu sabia que estava chegando um período de sete anos de fome, de forma que disse à sua hospedeira em Suném — a bondosa mulher que lhe mandara construir um cenáculo no qual ele costumava alojar-se, e cujo filho ele restaurara à vida — que migrasse por algum tempo para o país dos filisteus. Isso ela fez. Terminados os sete anos, ela voltou e apelou ao rei para que sua casa e sua propriedade fossem devolvidas. Além disso, Geazi estava na corte, contando ao rei os feitos miraculosos de Eliseu, particularmente como ele ressuscitara o morto à vida. Assim, Geazi voltou-se e mostrou a mulher ao rei, o qual imediatamente enviou um oficial da corte, com ela, para garantir que a propriedade dela lhe fosse devolvida" (Norman H. Snaith, *in loc.*).

O conhecimento especial de Eliseu é novamente enfatizado. Ver sobre isso em 2Rs 6.6,7. Esse conhecimento superficial o destacava como um autêntico profeta de Yahweh, o único Deus vivo e verdadeiro. Em contraste com Deus, Baal era apenas um deus-lua. Portanto, de Israel esperava-se que abandonasse a sua idolatria e se voltasse para Yahweh. Eliseu, em sua vida e com seus milagres, continuava a comunicar essa mensagem. Mas Israel insistia em ignorá-la.

8.1

וֶאֱלִישָׁע דִּבֶּר אֶל־הָאִשָּׁה אֲשֶׁר־הֶחֱיָה אֶת־בְּנָהּ לֵאמֹר
קוּמִי וּלְכִי אַתְּי וּבֵיתֵךְ וְגוּרִי בַּאֲשֶׁר תָּגוּרִי כִּי־קָרָא
יְהוָה לָרָעָב וְגַם־בָּא אֶל־הָאָרֶץ שֶׁבַע שָׁנִים:

Falou Eliseu àquela mulher cujo filho ele restaurara à vida. Quanto à essência da história, ver a introdução ao presente capítulo.

"Este relato ilustra o maravilhoso cuidado de Deus por aqueles que nele confiam, mesmo em tempos de apostasia popular" (Thomas L. Constable, *in loc.*). Os atos de Eliseu foram benéficos. Ver no *Dicionário* o artigo chamado *Lei Moral da Colheita segundo a Semeadura*. (Quanto à fome, cf. 2Rs 4.38; 6.25; 7.4.) A Palestina, aquela terra quente e poeirenta, era com frequência sujeita à seca e à fome. Ver também o verbete chamado *Fome*. Essa condição foi um instrumento na mão divina para castigar um povo apostatado. Quão dependentes somos, até hoje, da chuva! Quão dependentes somos, até hoje, da água da vida! Ver no *Dicionário* o artigo denominado *Água*, quanto a sentidos literais e metafóricos.

8.2

וַתָּקָם הָאִשָּׁה וַתַּעַשׂ כִּדְבַר אִישׁ הָאֱלֹהִים וַתֵּלֶךְ הִיא
וּבֵיתָהּ וַתָּגָר בְּאֶרֶץ־פְּלִשְׁתִּים שֶׁבַע שָׁנִים:

Levantou-se a mulher. Outro juízo divino é ameaçado. A mulher fugiu, obedecendo à palavra do profeta.

Os quatro juízos divinos: a espada; a fome; as feras; a pestilência. Esses eram, com frequência, os "quatro maus juízos" de Yahweh. Ver Ez 14.21.

Terra dos Filisteus. Ou seja, as terras das costas baixas do mar Mediterrâneo, que não estavam sujeitas à seca, como o interior da Palestina. (cf. Gn 12.10; 26.1.) Além disso, os filisteus contavam com um comércio marítimo, que aliviava qualquer problema drástico das condições atmosféricas. Ver Jl 3.4-6. Lembremo-nos de que Isaque havia migrado para a terra dos filisteus em tempo de fome (ver Gn 26.1). Ao que tudo indica, era essa uma reação comum diante da seca e da fome resultante (ver Gn 12.10; 43.2; 46.6).

■ **8.3**

וַיְהִי מִקְצֵה שֶׁבַע שָׁנִים וַתָּשָׁב הָאִשָּׁה מֵאֶרֶץ פְּלִשְׁתִּים
וַתֵּצֵא לִצְעֹק אֶל־הַמֶּלֶךְ אֶל־בֵּיתָהּ וְאֶל־שָׂדָהּ:

E saiu a clamar ao rei pela sua casa e pelas suas terras. Naturalmente, na ausência da mulher, sua casa e suas propriedades tinham sido invadidas. Os israelitas não eram destituídos de terras, porquanto cada família (mediante a legislação mosaica) tinha suas próprias terras e fazendas. Mas era natural que as terras abandonadas fossem tomadas por outras pessoas. Talvez fossem vizinhos que se tinham apossado das terras, ou mesmo parentes que não tinham direito a elas. Pois aquelas terras pertenciam a seu marido, a ela e aos filhos do casal. É até mesmo possível que o próprio governo se tivesse apossado das terras.

FILOSOFIA HEBRAICA DA HISTÓRIA

1. A história inicia-se com o ato divino da criação.
2. Ela continua através de atos, orientações, intervenções, imposições e permissões divinas, isto é, teística e teologicamente.
3. O livre-arbítrio humano é usado, não destruído, pelo desejo divino, mas como, isso nós não sabemos.
4. Deus prevê que o homem agirá livremente, portanto, ele faz exatamente isso.
5. Os hebreus eram fracos em causas secundárias, assim, atribuíam tudo, o bem e o mal, à Causa Primeira e Primária, Deus.
6. A ideia dos hebreus sobre a história é que ela é um movimento *linear*, isto é, indo de um evento para outro, com um objetivo distante na direção do qual todas as coisas se movem.
7. A redenção e realização futuras ocorrerão no Messias.

FILOSOFIA CRISTÃ DA HISTÓRIA

1. De maneira geral, a filosofia cristã emprestou o ponto de vista dos hebreus, mas adicionou a ele novas dimensões.
2. A história está dentro, é para servir e é para o Logos: Cl 1.15,16.
3. O poder criativo é identificado com o Logos, e o Logos com o Filho: Jo 1.1,14.
4. A história se move na direção da *Parousia* de Cristo: Ap 19.
5. A salvação é a mais alta realização do processo histórico do homem: Lc 19.10.
6. O amor é a única lei universal. Ele guia a história na direção da bondade e da realização: 1Co 13. O amor é o impulso vital e o instrumento de todo o progresso espiritual: 1Jo 4.7 ss.
7. Compartilhar da natureza divina é o maior conceito teológico do homem e é o objetivo de todos os homens: 2Pe 1.4.

■ **8.4**

וְהַמֶּלֶךְ מְדַבֵּר אֶל־גֵּחֲזִי נַעַר אִישׁ־הָאֱלֹהִים לֵאמֹר
סַפְּרָה־נָּא לִי אֵת כָּל־הַגְּדֹלוֹת אֲשֶׁר־עָשָׂה אֱלִישָׁע:

Ora, o rei falava a Geazi. Muito provavelmente, a história aqui relatada ocorreu antes que o servo especial de Eliseu se tivesse tornado leproso (ver a história no capítulo 5, e ver sobre Geazi no *Dicionário*). Aquele homem, como um leproso, não poderia circular livremente pela sociedade, e, muito menos ainda, ter acesso ao rei. O rei, pois, estava recebendo um relatório em primeira mão, da parte de uma testemunha ocular, de todas as maravilhas que Eliseu tinha feito, e foi exatamente naquele momento que uma das pessoas — a mulher sunamita — que tinha recebido um milagre especial do profeta apareceu para registrar sua queixa sobre suas terras furtadas. Naturalmente, isso não ocorreu por mera coincidência, mas foi um acontecimento arranjado providencialmente por Yahweh. Ver na *Enciclopédia de Bíblia, Teologia e Filosofia* o verbete chamado *Chance*. Esse incidente foi outorgado para benefício da mulher. Nada acontece por mero acaso.

Quanto a uma lista (gráfico) dos milagres de Eliseu, ver a exposição sobre 2Rs 2.9. Quanto ao fato de ele ter recebido dupla porção do Espírito de Elias, e realizado mais ou menos o dobro dos milagres efetuados por Elias, ver a introdução a 2Rs 2.19.

Julgamos que Jeorão tinha mais curiosidade em saber dos milagres de Eliseu do que em ser sério quanto a mudar de vida e abandonar a idolatria. Esses milagres apontavam para Yahweh, o único Deus vivo e verdadeiro. Mas o rei de Israel nunca abandonou sua adoração a Baal. Ele gostava de ouvir histórias, mas não estava interessado na sua própria transformação espiritual.

■ **8.5**

וַיְהִי הוּא מְסַפֵּר לַמֶּלֶךְ אֵת אֲשֶׁר־הֶחֱיָה אֶת־הַמֵּת
וְהִנֵּה הָאִשָּׁה אֲשֶׁר־הֶחֱיָה אֶת־בְּנָהּ צֹעֶקֶת אֶל־הַמֶּלֶךְ
עַל־בֵּיתָהּ וְעַל־שָׂדָהּ וַיֹּאמֶר גֵּחֲזִי אֲדֹנִי הַמֶּלֶךְ זֹאת
הָאִשָּׁה וְזֶה־בְּנָהּ אֲשֶׁר־הֶחֱיָה אֱלִישָׁע:

Contava ele ao rei. No momento exato em que Geazi contava ao rei de Israel acerca de como Eliseu ressuscitara o menino dentre os mortos, a mãe do rapaz apareceu para registrar queixa sobre como sua propriedade fora furtada (por invasores), quando ela tinha ido à Filístia, por causa da fome.

E este o seu filho. Agora um rapaz crescido e acompanhando a sua mãe, uma prova viva do poder do profeta de Deus e uma força convincente que foi capaz de fazer o rei cuidar para que as propriedades da mulher lhe fossem devolvidas por parte dos invasores.

■ **8.6**

וַיִּשְׁאַל הַמֶּלֶךְ לָאִשָּׁה וַתְּסַפֶּר־לוֹ וַיִּתֶּן־לָהּ הַמֶּלֶךְ
סָרִיס אֶחָד לֵאמֹר הָשֵׁיב אֶת־כָּל־אֲשֶׁר־לָהּ וְאֵת כָּל־
תְּבוּאֹת הַשָּׂדֶה מִיּוֹם עָזְבָה אֶת־הָאָרֶץ וְעַד־עָתָּה: פ

Interrogou o rei a mulher. O rei questionou a mulher sunamita, a qual não se furtou de contar coisa alguma ao monarca israelita, confirmando a história que Geazi tinha contado. E as duas histórias coincidiram. Isso o convenceu da justiça do caso, e, sem nenhuma hesitação ou demora, ele nomeou um oficial para que expulsasse os invasores das propriedades.

Uma Restauração Completa. Não bastava que a propriedade fosse devolvida aos seus legítimos proprietários. Tudo quanto fora produzido ali — os produtos agrícolas, quaisquer proveitos de qualquer espécie, derivados do uso das terras — teve de ser devolvido. Isso foi feito, e a propriedade, quando o autor sagrado registrou a história, continuava nas mãos da família da mulher. Quando erros são cometidos, não é suficiente arrepender-se. Restituição também precisa ser feita. Ver no *Dicionário* o artigo chamado *Reparação* (*Restituição*).

A HISTÓRIA DE ELISEU E HAZAEL (8.7-15)

Ben-Hadade (ver a respeito dele no *Dicionário*) estava muito enfermo. Ele enviou Hazael, um oficial de confiança do reino sírio, para indagar de Eliseu sobre suas chances de recuperação da saúde, provavelmente também esperando alguma espécie de cura divina, da mesma maneira que seu general, Naamã, havia sido curado de sua lepra, ou de alguma outra enfermidade designada pela palavra hebraica *sara'at*. Ver o quinto capítulo de 2Reis. Eliseu predisse que daquela enfermidade Ben-Hadade se recuperaria, mas havia outro perigo oculto que tiraria a vida dele. Houve aquela cena dramática do profeta a chorar, quando (em seu transe), ao dar a profecia, ele viu toda a confusão e destruição que Hazael provocaria. Eliseu nada lhe disse na ocasião, mas o profeta viu que esse homem assassinaria o rei da Síria e subiria ao trono. Voltando ao rei, Hazael transmitiu o recado sobre a enfermidade, mas no dia seguinte assassinou o rei da Síria. Isso aconteceu em cumprimento da profecia de Elias (ver 1Rs 19.15,16). Hazael estava então destinado a tornar-se um grande látego de Israel, matando muitos. Aqueles que ele não matasse seriam mortos pelo novo rei, Jeú. E assim a casa de Acabe, da qual Jeorão fazia parte, seria varrida da face da terra. Ver 2Rs 9.4-10.

Ben-Hadade foi morto em cerca de 841 a.C., portanto o cativeiro assírio estava apenas a 119 anos no futuro (722 a.C.). Isso poria fim definitivo ao reino do norte (Israel). A idolatria e a apostasia seriam assim punidas. Hazael faria parte da imposição desse juízo divino. Ver no *Dicionário* o verbete intitulado *Cativeiro Assírio*.

■ 8.7

וַיָּבֹא אֱלִישָׁע דַּמֶּשֶׂק וּבֶן־הֲדַד מֶלֶךְ־אֲרָם חֹלֶה וַיֻּגַּד־לוֹ לֵאמֹר בָּא אִישׁ הָאֱלֹהִים עַד־הֵנָּה׃

Veio Eliseu a Damasco. Conforme as circunstâncias determinaram, Eliseu foi a Damasco (por razões desconhecidas), e isso facilitou a que Ben-Hadade consultasse o profeta a respeito de sua saúde. Como é óbvio, essa foi outra coincidência divinamente ordenada. Ver as notas expositivas sobre o versículo 4 do presente capítulo. Ben-Hadade naturalmente sabia da reputação do profeta, e especialmente como ele havia curado Naamã, um alto oficial do exército sírio, de sua lepra. Assim, pensou ele, lhe fora dada a grande oportunidade de consultar o renomado profeta, em sua própria cidade. Mas sua condenação estava próxima.

Os intérpretes judeus embelezam a história dizendo que Eliseu foi a Damasco para levar Geazi, seu ex-moço desviado, ao arrependimento. Mas não há possibilidade de que Geazi, no tempo do acontecimento relatado nos versículos 4 a 6, fosse um leproso. Em outras palavras, o trecho de 2Rs 8.4-6 deve ter sido escrito antes do capítulo 5. Mas a cronologia da história foi perturbada.

■ 8.8

וַיֹּאמֶר הַמֶּלֶךְ אֶל־חֲזָהאֵל קַח בְּיָדְךָ מִנְחָה וְלֵךְ לִקְרַאת אִישׁ הָאֱלֹהִים וְדָרַשְׁתָּ אֶת־יְהוָה מֵאוֹתוֹ לֵאמֹר הַאֶחְיֶה מֵחֳלִי זֶה׃

Toma presentes contigo. Quando eram visitados, os dignitários (incluindo os profetas notáveis) sempre recebiam alguma espécie de presente. Isso fazia parte dos costumes de cortesia, dos costumes sociais, e também operava como encorajamento para que o dignitário ou profeta cooperasse no tocante ao motivo da visita recebida. O trecho de 2Rs 5.16 e 26 quase certamente ensina que Eliseu, contra o costume geral, não aceitava tais presentes. Talvez ele pensasse que o recebimento de presentes comprometeria seu ofício profético, encorajando-o a agradar aos homens, em lugar de Deus. Minhas notas sobre 2Rs 5.16 dão detalhes que aumentam nossa compreensão sobre tais questões. Ver também 1Sm 9.7 e 1Rs 14.3. Ver Êx 23.15 quanto ao princípio desse costume na sociedade dos hebreus. Ninguém deveria comparecer diante de Deus sem a dádiva apropriada. Esse costume acabou sendo transferido para o homem de Deus, seu representante.

■ 8.9

וַיֵּלֶךְ חֲזָהאֵל לִקְרָאתוֹ וַיִּקַּח מִנְחָה בְיָדוֹ וְכָל־טוּב דַּמֶּשֶׂק מַשָּׂא אַרְבָּעִים גָּמָל וַיָּבֹא וַיַּעֲמֹד לְפָנָיו וַיֹּאמֶר בִּנְךָ בֶן־הֲדַד מֶלֶךְ־אֲרָם שְׁלָחַנִי אֵלֶיךָ לֵאמֹר הַאֶחְיֶה מֵחֳלִי זֶה׃

Quarenta camelos carregados de tudo que era bom de Damasco. Em contraste com 2Rs 5.17 e 26, dessa vez não somos informados de que Eliseu recusou os presentes. Eles eram ridiculamente abundantes. Foram necessários quarenta camelos para transportar todos os presentes, os quais, sem dúvida, incluíam prata, ouro, sedas, muitas roupas, caros perfumes importados, unguentos, alimentos especiais. Eram todas elas coisas pelas quais uma escola de profetas ansiaria. Novamente, os intérpretes judeus embelezam o texto. Abarbanel sugeriu que os presentes eram todos alimentos, e não prata ou ouro, e esse tipo de presente Eliseu aceitou, porque seria bom para seus estudantes, nas escolas dos profetas.

Ben-Hadade, em atitude de respeito, chamou Eliseu de seu pai. Cf. 2Rs 5.13 e 6.21. Essa cortesia sem dúvida encorajaria o profeta a proferir uma boa palavra.

■ 8.10

וַיֹּאמֶר אֵלָיו אֱלִישָׁע לֵךְ אֱמָר־לֹא חָיֹה תִחְיֶה וְהִרְאַנִי יְהוָה כִּי־מוֹת יָמוּת׃

A enfermidade não seria fatal. Mas Ben-Hadade morreria em breve, de qualquer maneira. Algum perigo inesperado estava para dar o bote, ou seja, o próprio Hazael, que já trazia o assassínio em seu coração. Eliseu sentiu ser impróprio revelar a verdade inteira ao rei. De fato, ele nem ao menos avisou para que Ben-Hadade fosse cuidadoso. Também não lhe disse no que consistia o perigo desconhecido. Nesse caso, podemos compreender o porquê. Era parte da sorte ou destino de Ben-Hadade morrer em breve e cumprir, pelo menos em parte, a profecia de condenação que Elias havia proferido (ver 1Rs 19.15,16). Hazael, com toda a sua maldade e violência, seria o instrumento divino que diminuiria drasticamente a casa de Acabe, e o novo rei de Israel, Jeú, completaria a tarefa. Portanto, não fazia parte do destino de Ben-Hadade continuar governando a Síria. Hazael tinha de entrar no palco e realizar o seu ato. Cf. 2Rs 3.18 ss. Eliseu tinha transmitido uma profecia que era verdadeira somente em parte, e, no fim, bastante distante da realidade dos fatos. Portanto, as profecias podem falhar, tal e qual diz o Novo Testamento (ver 1Co 13.8). Mas, no caso presente, Eliseu simplesmente deixou de mencionar parte da verdade, por bons motivos.

■ 8.11

וַיַּעֲמֵד אֶת־פָּנָיו וַיָּשֶׂם עַד־בֹּשׁ וַיֵּבְךְּ אִישׁ הָאֱלֹהִים׃

E tanto lhe fitou os olhos que este ficou embaraçado. Eliseu estava contemplando, em visões, os quadros que o Espírito Santo lhe mostrava, indicando o que iria acontecer. Ele "viu", com aperto no coração, Hazael tornar-se um grande matador. Primeiramente, tiraria a vida de Ben-Hadade; e mais tarde, invadindo Israel, ele mataria muitos. Ele diminuiria em muito a casa de Acabe. Seria um matador de massas. A cena era tão terrível que o profeta começou a chorar, e chorou tão alto e por tanto tempo que Hazael ficou embaraçado, conforme diz a nossa versão portuguesa. A *Vulgata Latina* mostra-se aqui extremamente gráfica: "Sua fisionomia ficou fixa com um ar de horror indescritível". Alguns estudiosos dizem que foi Hazael quem ficou embaraçado, ali de pé, vendo a dolorosa cena do grande homem de Deus a chorar como um bebê. Mas a maioria das traduções dá a impressão de que o choro e o embaraço foram ambos de Eliseu. Alguns outros eruditos, porém, dizem que Hazael ficou envergonhado diante de toda a maldade que o profeta estava revelando sobre ele. O longo olhar fixo de Eliseu fez o homem ímpio ter vergonha de si mesmo. O significado exato do trecho nos escapa, mas o seu sentido geral é perfeitamente claro.

■ 8.12

וַיֹּאמֶר חֲזָהאֵל מַדּוּעַ אֲדֹנִי בֹכֶה וַיֹּאמֶר כִּי־יָדַעְתִּי אֵת אֲשֶׁר־תַּעֲשֶׂה לִבְנֵי יִשְׂרָאֵל רָעָה מִבְצְרֵיהֶם תְּשַׁלַּח בָּאֵשׁ וּבַחוּרֵיהֶם בַּחֶרֶב תַּהֲרֹג וְעֹלְלֵיהֶם תְּרַטֵּשׁ וְהָרֹתֵיהֶם תְּבַקֵּעַ׃

Hazael queria saber por que tanto choro. Eliseu então lhe disse que estava vendo os grandes males que ele efetuaria, incluindo a matança dos filhos de Israel. Ele viu as horrendas guerras provocadas por Hazael; suas tremendas vitórias contra Israel; como ele destruiria fortalezas israelitas; como ele mataria jovens israelitas; como mataria crianças e violentaria e destruiria mulheres grávidas, dando a entender que as abriria ao meio para matar seus fetos. Cf. 2Rs 15.16. Ver 2Rs 10.32,33 e 13.3,4 quanto ao cumprimento dessas horrendas predições. Horrendas, sim; mas essas coisas eram atos comuns de homens violentos em tempos de guerra. Cf. Am 1.3,4,13 e Os 10.14 e 13.16.

■ 8.13

וַיֹּאמֶר חֲזָהאֵל כִּי מָה עַבְדְּךָ הַכֶּלֶב כִּי יַעֲשֶׂה הַדָּבָר הַגָּדוֹל הַזֶּה וַיֹּאמֶר אֱלִישָׁע הִרְאַנִי יְהוָה אֹתְךָ מֶלֶךְ עַל־אֲרָם:

Pois que é teu servo, este cão, para fazer tão grandes cousas? Ou Hazael ficou chocado, ou fingiu ter ficado chocado diante do que o profeta dissera: "Seria ele um cão, uma besta, capaz de tais atrocidades?" Eliseu não respondeu diretamente à pergunta de Hazael, mas somente deixou entendido que, na qualidade de "rei da Síria", ele realizaria esses atos sangrentos. Quando ele conseguisse o poder apropriado, ele o usaria para praticar tais males. Quando ele subisse ao trono da Síria, seria um homem de violência e destruição. A maioria dos monarcas tornam-se reis por terem sido grandes matadores ou guerreiros, e esse era o melhor tipo de rei que um povo poderia ter naqueles dias de violência. Tais reis ocasionalmente saíam-se bem no campo da economia, mas sua principal virtude era manter os inimigos à distância, e somente as matanças eram suficientes para isso. Além disso, muitos deles precisavam provocar matanças e, quando as coisas ficavam quietas demais, eles invadiam países estrangeiros para brincar com seus brinquedos violentos.

> ... Deixai-os brincar.
> Que os canhões ladrem e os aviões de bombardeio
> Falem suas blasfêmias prodigiosas.
>
> ... Nunca choreis. Deixai-os brincar.
> A antiga violência não é tão antiga assim,
> A ponto de não ser capaz de gerar novos valores.
>
> Robinson Jeffers

■ 8.14

וַיֵּלֶךְ מֵאֵת אֱלִישָׁע וַיָּבֹא אֶל־אֲדֹנָיו וַיֹּאמֶר לוֹ מַה־אָמַר לְךָ אֱלִישָׁע וַיֹּאמֶר אָמַר לִי חָיֹה תִחְיֶה:

Disse-me que certamente sararás. Hazael deixou Eliseu e foi para o rei, o qual estava ansioso para saber o que o profeta havia dito. Mas Hazael lhe disse somente a parte sobre como a enfermidade não seria fatal. Ele se calou sobre os detalhes de como o próprio Hazael em breve seria rei da Síria, através de um ato de violência. Portanto, o rei sentiu-se bem, mas somente por um dia. No dia seguinte, seria assassinado.

■ 8.15

וַיְהִי מִמָּחֳרָת וַיִּקַּח הַמַּכְבֵּר וַיִּטְבֹּל בַּמַּיִם וַיִּפְרֹשׂ עַל־פָּנָיו וַיָּמֹת וַיִּמְלֹךְ חֲזָהאֵל תַּחְתָּיו: פ

E o estendeu sobre o rosto do rei até que morreu. A farsa. Hazael tirou a respiração do impotente rei (o homem estava muito enfermo), e assim fez parecer que o pobre homem tinha morrido de morte natural. O violento Hazael foi o sucessor natural no trono da Síria. Ele tornou-se conhecido como homem de ferro, um poderoso guerreiro-matador. Era, pois, o homem certo para o trabalho de rei. Elias havia profetizado a grande transformação e o soerguimento do terrível matador (ver 1Rs 19.15,16), e Eliseu tinha confirmado a profecia, acrescentando detalhes (vs. 13). Foi assim que o palco foi armado para a obliteração da casa de Acabe e para Israel ser novamente punido por ainda outro homem selvagem. Ver no *Dicionário* o artigo chamado *Lei Moral da Colheita segundo a Semeadura*. Ver também a introdução a esta seção, no versículo 7, quanto aos detalhes.

A ascensão de Hazael ao poder na Síria e algumas de suas batalhas estão registradas no Obelisco Negro de Salmaneser II (cerca de 860-825 a.C.). Essa pedra acha-se agora no Museu Britânico.

Parece que Elias havia ungido Hazael como rei, pelo que ele contava com a autoridade divina por trás de sua missão de destruição (ver 1Rs 19.15). Talvez a entrevista de Eliseu com aquele homem tenha sido encarada como sua unção como rei. Hazael não pertencia a alguma linhagem real, mas era um poderoso general do exército. Salmaneser III chamou-o de "o filho de ninguém" (Registros Antigos da Assíria e da Babilônia, 1.246). Mas isso não o impediu de realizar com esperteza sua missão de matança. Ele reinou como rei de Arã por volta de 841-801 a.C., um longo tempo, verdadeiramente. Ele expandiu seus territórios sobre os de Jeorão, Jeú e Jeoacaz, de Israel, e sobre os reinos de Acazias, Atalia e Joás, de Judá. Ver no *Dicionário* o artigo chamado *Síria*. Ver também o verbete *Rei, Realeza*, onde apresento um gráfico com a lista dos reis de Israel e de Judá, em comparação com os reis de potências estrangeiras.

O REINADO DE JEORÃO (8.16-24)

Relatos Paralelos. O autor dos livros de 1 e 2Reis não alistou primeiramente os reis de Israel, dando descrições sobre eles, para então alistar os reis de Judá, juntando detalhes. Antes, apresentou relatos paralelos, saltando de um reino para o outro, em uma ordem cronológica aproximada. Quanto a esse *modus operandi* de apresentação, ver 1Rs 16.29.

"Jeorão tornou-se rei de Judá ante a morte de seu pai, Josafá. Uma menção especial é feita à sua esposa, Atalia, filha de Acabe, por causa de certo ato posterior dela, que se apossou do trono de Judá. Foi durante esse reinado que Edom e Libna se revoltaram contra o domínio de Judá" (Norman H. Snaith, *in loc.*).

Cronologia e Comentários. Jeorão foi corregente com seu pai, Josafá. Essa corregência começou em cerca de 853 a.C., quando Josafá saiu em batalha, em parceria com Acabe, em Ramote-Gileade (853 a.C.), conforme se lê no capítulo 22 de 1Reis, contra a Síria. É provável que Josafá tivesse pensado que, enquanto ele estivesse desfechando suas guerras, poderia ter uma pessoa de confiança no trono, em casa. O décimo oitavo ano do reinado único de Josafá, em Judá, cerca de 852 a.C. (quando o filho de Acabe, Jorão, começou seu governo em Israel, 2Rs 3.1), foi o segundo ano da corregência de Jeorão com Josafá (2Rs 1.17). O quinto ano de Jorão, em Israel, foi o ano em que Jeorão começou a reinar sozinho em Judá (848 a.C.). O reinado de Jeorão perdurou treze anos. Isso incluiu sua corregência. Seu governo sozinho estendeu-se por oito anos (848-841 a.C.).

■ 8.16

וּבִשְׁנַת חָמֵשׁ לְיוֹרָם בֶּן־אַחְאָב מֶלֶךְ יִשְׂרָאֵל וִיהוֹשָׁפָט מֶלֶךְ יְהוּדָה מָלַךְ יְהוֹרָם בֶּן־יְהוֹשָׁפָט מֶלֶךְ יְהוּדָה:

Quanto a cálculos cronológicos e à prática do autor de apresentar o material em relatos paralelos, ver a introdução à seção, anteriormente.

Algumas traduções dizem "sendo ainda Josafá rei de Judá", antes de "Jeorão, filho de Josafá". Mas isso foi uma repetição descuidada feita por algum escriba. A *Septuaginta* e a versão siríaca omitem essas palavras, e parecem estar corretas, em contradição com o texto hebraico padronizado, o texto massorético. Ver no *Dicionário* o verbete chamado *Massora (Massorah); Texto Massorético*. Ver também na *Enciclopédia de Bíblia, Teologia e Filosofia* o verbete intitulado *Manuscritos Antigos do Antigo Testamento*. Poder-se-ia argumentar que a infeliz repetição foi obra do autor original, e que o texto massorético a preservou. Nesse caso, as versões *Septuaginta* e siríaca simplificaram o texto original.

■ 8.17

בֶּן־שְׁלֹשִׁים וּשְׁתַּיִם שָׁנָה הָיָה בְמָלְכוֹ וּשְׁמֹנֶה שָׁנָה מָלַךְ בִּירוּשָׁלָם:

E reinou oito anos em Jerusalém. Foram somente oito anos de reinado de Jeorão, como rei único. Mas reinou um total de treze anos se contarmos os anos de corregência com seu pai. Ver a introdução à seção quanto a detalhes sobre essa questão. Seu reinado único foi de cerca de 848 a 841 a.C. Tinha 32 anos de idade quando começou a reinar, portanto viveu somente até os 40 anos de idade. Ver sobre

Jeorão no *Dicionário*, e também no artigo chamado *Judá, Reino de*, quanto a detalhes sobre a sua vida. Ele foi filho de um pai piedoso, mas de uma mãe ímpia, e preferiu seguir o exemplo deixado por sua mãe. Foi ao extremo de matar seus próprios irmãos (ver 2Cr 21.4).

■ 8.18

וַיֵּלֶךְ בְּדֶרֶךְ ׀ מַלְכֵי יִשְׂרָאֵל כַּאֲשֶׁר עָשׂוּ בֵּית אַחְאָב כִּי בַּת־אַחְאָב הָיְתָה־לּוֹ לְאִשָּׁה וַיַּעַשׂ הָרַע בְּעֵינֵי יְהוָה׃

A filha deste [Acabe] era sua mulher. Jeorão cometeu o erro fatal de casar-se com a filha de Acabe e Jezabel, Atalia. Ela era uma mulher determinada e cheia de recursos, tal e qual sua mãe tíria, Jezabel. Ver o vs. 26. Jeorão seguiu a linhagem dos reis maus, os de Israel e os de Judá, promovendo a idolatria, a adoração a Baal e a adoração ao bezerro de Betel. Ele implantou lugares altos para propósitos idolátricos e compeliu seus súditos a submeter-se ao ridículo e à adoração de deuses pagãos estrangeiros. Ver 2Cr 21.1. "O autor de 2Reis mencionou apenas dois dos acontecimentos infelizes do reinado de Jeorão. Um de seus atos, que não é mencionado aqui, foi o assassinato de seis de seus irmãos, todos filhos de Josafá (ver 2Cr 21.2-4). Esse expurgo parece ter sido executado por inspiração de Atalia, visto que nenhum outro rei judeu praticou tal coisa. Atalia, por outra parte, cometeu tais atrocidades quando ela governava (ver 2Rs 11.1)" (Thomas L. Constable, *in loc.*).

"... através desse casamento, Josafá e Acabe continuaram confederados, e a amizade entre eles permaneceu, mesmo após a morte de Acabe" (Adam Clarke, *in loc.*).

■ 8.19

וְלֹא־אָבָה יְהוָה לְהַשְׁחִית אֶת־יְהוּדָה לְמַעַן דָּוִד עַבְדּוֹ כַּאֲשֶׁר אָמַר־לוֹ לָתֵת לוֹ נִיר לְבָנָיו כָּל־הַיָּמִים׃

O Senhor não quis destruir Judá por amor de Davi. A nação do norte, Israel, logo iria para o cativeiro assírio (ver a esse respeito no *Dicionário*). Isso assinalou o fim absoluto do reino do norte. Em contraste, Judá, punido pelo cativeiro babilônico (ver a respeito no *Dicionário*) sobreviveria, visto que um remanescente retornaria. No juízo de Yahweh, pois, foi feita uma diferença entre a nação do norte, Israel, e a nação do sul, Judá. E isso por causa de Davi, que foi o primeiro rei da linhagem de Judá, visto ter sido o segundo rei do império unificado. Seus descendentes terminaram governando o reino do sul, Judá. Quanto às promessas e profecias concernentes ao tratamento favorável que Deus daria a Judá, por amor de Davi, ver 1Rs 11.36 ss. Ver o versículo 36 dessa passagem, que menciona Davi como uma luz. Dou detalhes sobre a metáfora na exposição sobre esse versículo. Ver também 1Rs 15.4 e 2Sm 7.12-16 (a promessa original a Davi). Naturalmente, a continuação do trono de Davi dependeria, finalmente, do Messias, o Filho maior de Davi. Davi, a luz, sempre teria luzes que o seguiriam, como reis em Judá. Dessa maneira, Davi (e sua causa) sempre teria uma luz brilhando em Jerusalém.

A Luz. Os significados simbólicos da "luz" são múltiplos: Jerusalém, a dourada; Davi; a casa de Davi; Judá, a tribo de Davi; e, profeticamente, o Messias.

■ 8.20

בְּיָמָיו פָּשַׁע אֱדוֹם מִתַּחַת יַד־יְהוּדָה וַיַּמְלִכוּ עֲלֵיהֶם מֶלֶךְ׃

Nos dias de Jeorão se revoltaram os edomitas. Jeorão pecou e viu a tristeza. Ver no *Dicionário* o verbete intitulado *Lei Moral da Colheita segundo a Semeadura*. Edom se revoltou com sucesso, e o rei de Judá perdeu todo o dinheiro anual e os bens que vinham de Edom. Sua economia foi debilitada e ele mesmo foi humilhado. Essa informação fazia parte das declarações fornecidas pelo livro das Crônicas de Judá, vs. 23 (onde é comentada). Houve um esforço para subjugar Edom novamente, por outros reis de Judá, mas todos os esforços nesse sentido terminaram em desastre. Edom caíra sob o domínio de Judá quando Josafá derrotou uma coligação de reinos que incluía Edom. Ver 2Cr 20.1-29. Subsequentemente, Edom ajudou a Israel e a Judá em sua campanha contra o rei Mesa, de Moabe (ver 1Rs 22.47). Mas Jeorão perdeu seu poder sobre o território de Edom, e a sua glória foi assim diminuída. Durante 150 anos, Edom tinha pago tributo a Judá, desde os tempos de Davi. Mas conseguiu, finalmente, libertar-se da servidão a Judá e estabeleceu o seu próprio rei. Ver no *Dicionário* o artigo chamado *Edom, Idumeus*, quanto aos detalhes.

Josefo diz-nos que, nessa revolta, eles mataram o rei vassalo que Judá tinha deixado sobre eles, e que Josafá tinha nomeado (ver 1Rs 12.48).

■ 8.21

וַיַּעֲבֹר יוֹרָם צָעִירָה וְכָל־הָרֶכֶב עִמּוֹ וַיְהִי־הוּא קָם לַיְלָה וַיַּכֶּה אֶת־אֱדוֹם הַסֹּבֵיב אֵלָיו וְאֵת שָׂרֵי הָרֶכֶב וַיָּנָס הָעָם לְאֹהָלָיו׃

Jeorão passou a Zair. Ver no *Dicionário* sobre Zair. É provável que esse nome seja outro designativo para Seir. Esse era o nome da principal cidade do país, e ela figura no *Dicionário* em verbete que tem esse nome. Alguns intérpretes, contudo, não identificam os dois nomes, e meu artigo sobre Zair esclarece o que é dito sobre esse alegado lugar.

Jeorão conseguiu ferir os edomitas, e poderíamos supor que ele tenha conquistado o triunfo sobre eles. O vs. 22 mostra-nos que a revolta prosseguiu, e é presumível que esse lugar tenha retido seu próprio rei, revelando que as tentativas de Jeorão de submeter novamente Edom ao pagamento de tributo não obtiveram sucesso. As pessoas que "fugiram", conforme lemos neste versículo, sem dúvida foram os israelitas. Eles voltaram para casa, derrotados e desapontados. Assim sendo, a derrota dos edomitas, muito provavelmente, só foi um esforço bem-sucedido no tocante a cortar-lhes o cerco, para assim poderem os israelitas voltar para casa. Isto é, os sobreviventes voltaram para casa, pelo que não houve uma matança total do exército dos israelitas. Jeorão já estava começando a colher o que havia semeado.

■ 8.22

וַיִּפְשַׁע אֱדוֹם מִתַּחַת יַד־יְהוּדָה עַד הַיּוֹם הַזֶּה אָז תִּפְשַׁע לִבְנָה בָּעֵת הַהִיא׃

A revolta dos edomitas foi bem-sucedida. Quando o autor sacro escreveu esta crônica sobre a história, Edom já tinha seu próprio rei. A situação não fora revertida. E à humilhação dos israelitas de terem sido derrotados, foi adicionada mais uma. Libna, uma cidade do sudoeste de Judá, revoltou-se, de forma que houve uma pequena guerra civil que embaraçou Jeorão. Libna era uma cidade dos levitas, sendo possível que os levitas dali é que tivessem promovido a rebelião contra a idolatria de Israel. Ver Js 10.29 e 21.13, bem como, no *Dicionário*, o artigo chamado *Libna*. Mas de Ezequias em diante, Libna passou novamente a pertencer a Judá. Ver 2Rs 19.8; 23.31 e 24.18.

■ 8.23

וְיֶתֶר דִּבְרֵי יוֹרָם וְכָל־אֲשֶׁר עָשָׂה הֲלוֹא־הֵם כְּתוּבִים עַל־סֵפֶר דִּבְרֵי הַיָּמִים לְמַלְכֵי יְהוּדָה׃

Quanto aos demais atos de Jeorão. Temos aqui uma típica declaração final sobre um rei de Israel ou de Judá, que o autor sagrado empregou constantemente. Ele mencionou aqui uma das principais fontes informativas para a história que ele registrou: o *Livro das Crônicas dos Reis de Israel e Judá*. Dei completas informações sobre esse livro nas notas expositivas sobre 1Rs 14.19, onde também cito outros livros perdidos, mencionados na Bíblia, livros esses que não atingiram, finalmente, posição canônica. O capítulo 21 de 2Crônicas fornece mais detalhes sobre Jeorão que não foram oferecidos em 2Rs, mas aquele material não está sendo referido pela nota do presente versículo. Jeorão recebeu mais advertências sobre sua idolatria e os terríveis resultados, mas estava surdo para os apelos divinos. Jeorão sofreu uma morte miserável decorrente de uma doença imunda (ver 2Cr 21.15). Israel também sofreu severamente, junto com seu infeliz rei. Israel, na verdade, nunca aprendeu a lição que Deus lhe queria ensinar. Em breve, o cativeiro assírio encerraria de forma permanente a história daquela nação. Ver no *Dicionário* o artigo intitulado *Cativeiro Assírio*.

■ **8.24**

וַיִּשְׁכַּב יוֹרָם עִם־אֲבֹתָיו וַיִּקָּבֵר עִם־אֲבֹתָיו בְּעִיר דָּוִד וַיִּמְלֹךְ אֲחַזְיָהוּ בְנוֹ תַּחְתָּיו: פ

Descansou Jeorão com seus pais. Este versículo contém a nota obituária comum que o autor sagrado costumava dar aos reis de Israel e Judá. Quanto a notas a respeito, ver 1Rs 16.2. Ver também ideias adicionais nos comentários sobre 1Rs 1.21.

Acazias, seu filho. Ver sobre ele no *Dicionário*. Israel teve um rei com o mesmo nome, e os dois reis não devem ser confundidos um com o outro. Ambos governaram somente por um ano, mas seus reinados não coincidiram quanto ao tempo. Acazias, de Judá, reinou durante o último ano de Jeorão, rei de Israel, em 841 a.C.

O REINADO DE ACAZIAS, REI DE JUDÁ (8.25-29)

■ **8.25,26**

בִּשְׁנַת שְׁתֵּים־עֶשְׂרֵה שָׁנָה לְיוֹרָם בֶּן־אַחְאָב מֶלֶךְ יִשְׂרָאֵל מָלַךְ אֲחַזְיָהוּ בֶן־יְהוֹרָם מֶלֶךְ יְהוּדָה:

בֶּן־עֶשְׂרִים וּשְׁתַּיִם שָׁנָה אֲחַזְיָהוּ בְמָלְכוֹ וְשָׁנָה אַחַת מָלַךְ בִּירוּשָׁלִָם וְשֵׁם אִמּוֹ עֲתַלְיָהוּ בַּת־עָמְרִי מֶלֶךְ יִשְׂרָאֵל:

Ver os comentários no fim das notas sobre o versículo 24. Esse homem reinou só durante um ano (841 a.C.). Ele começou a reinar durante o último ano do governo de Jeorão (seu décimo segundo ano no poder).

Relatos Paralelos. Note o leitor como o autor sagrado relaciona continuamente os reinados dos reis de Judá com os reinados dos reis de Israel. Ele não nos contou primeiramente a história dos reis de Israel, para depois contar a história dos reis de Judá. Antes, ele saltava de um reino para outro, contando a história dos reis de Israel e de Judá segundo um plano cronológico aproximado. Quanto a essa prática dos relatos paralelos, ver as notas expositivas sobre 1Rs 16.29.

Acazias, de Judá, tinha apenas 22 anos de idade quando começou a reinar. A mãe dele era a temida Atalia, filha da horrenda esposa do ímpio Acabe, rei de Israel, Jezabel, mulher mais terrível ainda que sua filha. Ela era neta de Onri, mas é chamada aqui de "filha", pois com frequência se chamava uma neta ou neto de filha ou filho de alguém. Esse homem foi morto em uma batalha contra Jeú, que ficou com o trono de Israel. Ver 2Rs 9.27 quanto ao relato de sua morte.

2Cr 22.2, em nossa versão portuguesa, é trecho que diz que o rei Acazias começou a reinar quando estava com 22 anos de idade. Mas a Versão Autorizada, em inglês, do ano de 1611, a Bíblia mais usada pelos povos de língua inglesa até hoje, diz "42 anos". Em 2Cr 22.2 discuto o problema.

■ **8.27**

וַיֵּלֶךְ בְּדֶרֶךְ בֵּית אַחְאָב וַיַּעַשׂ הָרַע בְּעֵינֵי יְהוָה כְּבֵית אַחְאָב כִּי חֲתַן בֵּית־אַחְאָב הוּא:

Ele andou no caminho da casa de Acabe. A continuação no estilo ímpio de vida de Acabe assinalou a carreira de Acazias. Ele descendia de uma linhagem maligna, e não tinha nem o poder nem o interesse para resistir à sua má herança, genética e social. O autor fez questão de dizer-nos que ele era genro de Acabe, como a querer dizer: "Como poderia ele ter sido um bom rei, com um sogro como esse?" Josafá e Acabe fizeram uma aliança de amizade, selando-a com um casamento das duas famílias; e foi assim que Acazias se deixou apanhar na armadilha ímpia e insolúvel da perversidade. Naturalmente, o autor sacro referia-se à idolatria e às suas consequências. Israel chegou a rejeitar o yahwismo, promovendo o baalismo e a adoração ao bezerro de Betel. Além disso, eles tinham os chamados lugares altos (ver a respeito no *Dicionário*), para adicionar variedade a seus cultos pagãos. Esse rei foi influenciado por sua mãe maligna (ver 2Cr 22.3), que era filha de Acabe, e cuja possível mãe era Jezabel.

A Força do Exemplo. Há muitos fatores que participam na formação de um homem, no seu caráter e na sua personalidade. A genética certamente é um desses fatores. Cerca de 1.800 características são determinadas pelos genes, e estudos modernos mostram que até as atitudes morais e espirituais fazem parte desse quadro. Provavelmente, o próprio código genético é influenciado pelo que as gerações fazem. Além disso, há o meio ambiente, incluindo a influência dos pais. Portanto, o dever dos pais não consiste meramente em treinar seus filhos, mas também em dar-lhes bom exemplo. Um pai deve três coisas a seus filhos: exemplo, exemplo, exemplo. Ver o detalhado artigo na *Enciclopédia de Bíblia, Teologia e Filosofia* intitulado *Exemplo*. A educação é um aspecto vital. Mas essa educação tem de ser mais do que intelectual. Ela precisa ser também moral e espiritual. Não basta uma pessoa ser esperta, bem educada e rica. Temos de ser ricos para com Deus e para com as realidades espirituais.

"Sempre haverá uma fagulha de luz que espera somente pelo hálito bem dirigido de Deus para transformar-se na chama da vida" (Raymond Calking, *in loc.*). Ver no *Dicionário* o verbete intitulado *Desenvolvimento Espiritual, Meios do*.

■ **8.28**

וַיֵּלֶךְ אֶת־יוֹרָם בֶּן־אַחְאָב לַמִּלְחָמָה עִם־חֲזָהאֵל מֶלֶךְ־אֲרָם בְּרָמֹת גִּלְעָד וַיַּכּוּ אֲרַמִּים אֶת־יוֹרָם:

Foi com Jorão, filho de Acabe. Josafá havia estabelecido aliança com Acabe, e essa aliança prosseguiu para além da morte deles. Vemos agora Israel e Judá juntando forças para tentar deter Hazael, o homem selvagem da Síria, que havia assassinado Ben-Hadade II (ver 2Rs 8.15). A batalha ocorreria em Ramote-Gileade (ver no *Dicionário*). O ímpio Acabe tinha tentado recuperar, mas sem sucesso, o lugar que agora pertencia aos sírios, conforme ficou registrado em 1Rs 22.6 ss. Josafá participou dessa tentativa abortada. Aquele acontecimento tinha ocorrido doze anos antes, e Israel e Judá não se tinham esquecido de sua derrota, que agora queriam ver revertida. Ramote-Gileade ficava cerca de 64 quilômetros a nordeste da cidade de Samaria. Jorão, rei de Israel, fora ferido na batalha e tivera de abandonar o campo de batalha.

■ **8.29**

וַיָּשָׁב יוֹרָם הַמֶּלֶךְ לְהִתְרַפֵּא בְיִזְרְעֶאל מִן־הַמַּכִּים אֲשֶׁר יַכֻּהוּ אֲרַמִּים בָּרָמָה בְּהִלָּחֲמוֹ אֶת־חֲזָהאֵל מֶלֶךְ אֲרָם וַאֲחַזְיָהוּ בֶן־יְהוֹרָם מֶלֶךְ יְהוּדָה יָרַד לִרְאוֹת אֶת־יוֹרָם בֶּן־אַחְאָב בְּיִזְרְעֶאל כִּי־חֹלֶה הוּא: פ

Então voltou o rei Jorão para Jezreel. Ferido, Jorão não tinha condições de continuar lutando. Foi levado então para Jezreel, na esperança de recuperar-se de seus ferimentos. Neste versículo, a cidade de Ramote-Gileade é chamada por seu nome alternativo, Ramá. O rei permaneceu ali até que Jeú foi à cidade e o matou, pondo fim à história da casa de Acabe. Mas logo esse assassinato reduziu-se em sua importância, devido às matanças de Jeú. Ver 2Rs 9.18 ss., quanto à história. Cf. 2Cr 22.7. Jorão encontrou seu triste destino em Jezreel. A profecia foi ao seu encalço. A casa de Acabe precisava ser destruída. O que Hazael não destruiu, Jeú o fez. Ver 1Rs 19.17.

Jorão esperou sua triste sorte em Jezreel, mas Acazias fugira para Megido (ver 2Rs 9.27).

CAPÍTULO NOVE

A REVOLUÇÃO DE JEÚ (9.1—10.28)

JEÚ É UNGIDO REI (9.1-13)

A Unção (2Rs 9.1-13). Elias havia predito que Eliseu ungiria tanto Hazael (da Síria) quanto Jeú (de Israel), como reis, o que os administraria o golpe mortal contra a casa de Acabe. Ver 1Rs 19.15-17. Foi preciso um longo tempo (mais de vinte anos), mas essas profecias tiveram cumprimento cabal.

Embora os moinhos de Deus moam lentamente,
Moem extremamente fino.
Embora com paciência ele espere,
Com exatidão ele mói a todos.

Henry Wadsworth Longfellow

Eliseu enviou um servo (provavelmente um profeta em período de treinamento) para fazer a unção real. Jeú estava no campo, em Ramote-Gileade, lutando contra os sírios. Jeú foi ungido secretamente, a portas fechadas. Ele já tinha seus seguidores leais, os quais prontamente o homenagearam como rei, e armaram para ele um trono provisório. Foi assim que a revolução de Jeú avançava. Essa revolução poria fim à casa de Acabe, dando a Israel um novo começo. Entretanto, as coisas entrariam em desastre novamente, e os assírios estavam esperando fora do palco, prontos para realizar seu ato de cativeiro. Esse evento agora estava próximo, somente a uns cem anos para ocorrer. Ver no *Dicionário* o verbete chamado *Cativeiro Assírio*. Isso poria fim ao reino do norte, Israel. Desse cativeiro, não voltaria nenhum remanescente. Daí a famosa frase: "as tribos perdidas de Israel". Ver o massacre da casa de Acabe, em 2Rs 10.1-14. Incrivelmente, porém, Jeú não abandonou a adoração ao bezerro de ouro de Betel, pelo que suas reformas foram apenas parciais, enquanto o julgamento do cativeiro assírio chegava cada vez mais perto. Ver 2Rs 10.29 ss. De fato, finalmente Jeú tornou-se um governante quase tão ruim quanto tinha sido Jorão. E a vida continuou como era usual em Israel.

■ 9.1

וֶאֱלִישָׁע הַנָּבִיא קָרָא לְאַחַד מִבְּנֵי הַנְּבִיאִים וַיֹּאמֶר
לוֹ חֲגֹר מָתְנֶיךָ וְקַח פַּךְ הַשֶּׁמֶן הַזֶּה בְּיָדֶךָ וְלֵךְ
רָמֹת גִּלְעָד׃

Então o profeta Eliseu chamou um dos discípulos dos profetas. Um dos filhos espirituais de Eliseu, um profeta em período de treinamento, de uma das escolas dos profetas (ver no *Dicionário*), foi nomeado para ungir Jeú, o que cumpriria a profecia de Elias (ver 1Rs 19.15-17). Ver a introdução a este capítulo quanto a detalhes e porquês do presente capítulo, e os eventos nele descritos. Jeú deveria ser ungido secretamente, tal como Samuel fez no caso tanto de Saul como de Davi (ver 1Sm 10.1; 16.13). Hazael já era rei da Síria, depois de ter assassinado Ben-Hadade II. Agora Jeú mataria Jorão, rei de Israel, e tomaria o seu lugar. Os dois seriam instrumentos que poriam fim à casa de Acabe. A dinastia de Jeú deveria durar por mais de cem anos, mas durante quarenta desses anos, Israel estaria em batalha constante com Damasco da Síria. A glória de Israel já se tinha ido embora. "Foi somente quando Damasco foi destruída, pelo usurpador assírio Adade-Nirasi III (805 a.C.) que Israel, sob o rei Jeoás, foi capaz de recuperar o que tinha perdido. Houve ocasião em que Israel ficou reduzido a cinquenta cavaleiros, dez carros de combate e dez mil infantes (2Rs 13.7). Judá tornou-se um reino vassalo da Síria (2Rs 12.18), e Hazael chegou a capturar Gate, na terra dos filisteus (2Rs 12.17)" (Norman H. Snaith, *in loc.*).

Ramote-Gileade. Jeú estava fora, lutando por Israel contra a Síria. A unção dele deveria ocorrer ali. Ver no *Dicionário* o artigo chamado *Azeite*. Jeú era o principal general do exército de Israel (2Rs 9.5), bem como o sucessor lógico de Jorão. Além disso, contava com o apoio do exército de Israel, pelo que era candidato único.

Cinge os teus lombos. Ou seja, prepara-te para entrar em ação; cumpre com presteza o teu dever. Deixa de lado qualquer outro negócio, até que esse esteja feito.

■ 9.2

וּבָאתָ שָׁמָּה וּרְאֵה־שָׁם יֵהוּא בֶן־יְהוֹשָׁפָט בֶּן־נִמְשִׁי
וּבָאתָ וַהֲקֵמֹתוֹ מִתּוֹךְ אֶחָיו וְהֵבֵיאתָ אֹתוֹ חֶדֶר
בְּחָדֶר׃

Vê onde está Jeú. Ver no *Dicionário* o artigo detalhado sobre esse homem. Ele era o homem do destino para aquela hora. Ele fracassaria bastante e não tiraria Israel de sua idolatria. Suas reformas seriam parciais. Ele falharia especialmente de uma perspectiva espiritual. Mas faria bem pelo menos uma coisa: destruiria a casa de Acabe, assassinando Jorão e matando os sacerdotes de Baal (ver 2Rs 10.1-14).

Filho de Ninsi. Isso é dito aqui, no versículo 20 e em 1Rs 19.16. Ninsi era seu avô; mas era prática comum chamar um neto de filho. Cf. 2Rs 8.26. Nas inscrições assírias ele é chamado de "filho de Onri", que foi o fundador da dinastia anterior, que se desenvolveu em Acabe e sua família. O descobrimento do nome de Jeú, na superinscrição de um baixo-relevo do Obelisco Negro, de Salmaneser III (859-824 a.C.), foi uma das primeiras realizações na leitura da escrita cuneiforme dos assírios. Edward Hinks, em 1841, foi finalmente bem-sucedido na leitura desse material. É ali registrado como Jeú pagou tributo ao rei assírio, em 841 a.C. Essa, pois, tornou-se uma das datas fixas da cronologia dos hebreus. Nada sabemos sobre a origem de Jeú. Provavelmente, não se revestia de muita significação saber sobre isso, pelo que nada ficou registrado sobre essa particularidade.

■ 9.3

וְלָקַחְתָּ פַךְ־הַשֶּׁמֶן וְיָצַקְתָּ עַל־רֹאשׁוֹ וְאָמַרְתָּ כֹּה־אָמַר
יְהוָה מְשַׁחְתִּיךָ לְמֶלֶךְ אֶל־יִשְׂרָאֵל וּפָתַחְתָּ הַדֶּלֶת
וְנַסְתָּה וְלֹא תְחַכֶּה׃

Toma o vaso de azeite. Um frasco de azeite de oliveira, abençoado por Eliseu, tornando-o sagrado, foi levado pelo discípulo do profeta para a unção ritual. Ver no *Dicionário* o verbete chamado *Unção* quanto a detalhes sobre esse rito. Os azeites de unção usualmente eram tirados do tabernáculo (templo) e administrados pelo sumo sacerdote. Mas Israel havia caído na apostasia e não tinha acesso a Jerusalém. Portanto, para a unção, o azeite do profeta foi reconhecido como instrumento apropriado.

■ 9.4

וַיֵּלֶךְ הַנַּעַר הַנַּעַר הַנָּבִיא רָמֹת גִּלְעָד׃

Foi, pois, o moço. Foi assim que, em obediência à ordem de Eliseu, o jovem (profeta em período de treinamento, o filho espiritual de Eliseu) foi pelo caminho, para localizar Jeú e ungi-lo como rei. Ele saiu em missão perigosa. Se a razão de sua presença em Jezreel se tornasse conhecida, certamente ele seria executado por Jorão. Ele era instrumento (um entre vários outros) para cumprir as profecias de Elias acerca da casa de Acabe (ver 1Rs 19.15-17). Ele tinha uma segunda missão, embora importante. Todos os crentes estão envolvidos em missões, se têm alguma espécie de espiritualidade. O jovem profeta, pois, foi um herói, segundo seus próprios direitos. Talvez ele estivesse com receio, mas foi de qualquer modo, e cumpriu a palavra de seu senhor. "Precisamos de mais homens nas fileiras com o espírito desse jovem que arriscou a própria vida na realização de sua missão... Para cada pecador tão ousado quanto Satanás, deveria haver um santo tão audaz como o Filho de Deus" (Raymond Calking, *in loc.*). Quanto a essa missão, o jovem era melhor do que Eliseu. O idoso profeta certamente seria reconhecido, e isso poria em perigo a missão inteira. Cada indivíduo tem uma missão melhor a cumprir, que outros não podem fazer. Cada homem se torna distintivo se estiver disposto a servir à causa espiritual.

■ 9.5

וַיָּבֹא וְהִנֵּה שָׂרֵי הַחַיִל יֹשְׁבִים וַיֹּאמֶר דָּבָר לִי אֵלֶיךָ
הַשָּׂר וַיֹּאמֶר יֵהוּא אֶל־מִי מִכֻּלָּנוּ וַיֹּאמֶר אֵלֶיךָ הַשָּׂר׃

Entrando ele, eis que os capitães... estavam assentados. Mas Jeú era o capitão, isto é, o principal general, o chefe do exército. O subprofeta aproximou-se dele pessoalmente, anunciando que tinha uma mensagem urgente a comunicar-lhe. O autor deixa os detalhes sobre como o subprofeta encontrou o general do exército. Mas somos ao menos informados de que ele o encontrou acompanhado por seus oficiais, o que significa que, provavelmente, ele estava em seu quartel-general.

■ 9.6

וַיָּקָם וַיָּבֹא הַבַּיְתָה וַיִּצֹק הַשֶּׁמֶן אֶל־רֹאשׁוֹ וַיֹּאמֶר
לוֹ כֹּה־אָמַר יְהוָה אֱלֹהֵי יִשְׂרָאֵל מְשַׁחְתִּיךָ לְמֶלֶךְ
אֶל־עַם יְהוָה אֶל־יִשְׂרָאֵל׃

Então se levantou Jeú e entrou na casa. A unção precisava ser secreta, ou o profeta e Jeú poderiam ser executados. Assim, entraram na "casa", provavelmente indicando a residência particular do general, que lhe fora dada para usá-la. O conselho de guerra estava sentado no átrio da casa, pelo que o profeta e Jeú simplesmente entraram na casa dele, ou talvez, no edifício que servia de quartel-general das operações de guerra.

Unção. Ver a respeito no *Dicionário*. A unção era praticada no que diz respeito a coisas, reis, sacerdotes, profetas, hóspedes e estranhos; por razões estéticas; e por causa dos mortos. A unção de um rei deveria ser feita pelo sumo sacerdote, mas visto que o reino do norte e o reino do sul se haviam separado, e visto que o norte não tinha acesso a Jerusalém e seu templo, um profeta teve de fazer o trabalho. A unção foi efetuada aqui no nome de Eliseu, a mais poderosa figura religiosa da nação na época, e não há razão alguma para duvidarmos da autoridade dele.

Yahweh-Elohim era o poder por trás daquele ato, ou seja, o Deus eterno e todo-poderoso, que estava cuidando dos interesses do reino do norte, Israel. O propósito foi estabelecer um poder que pusesse fim à casa de Acabe e desse início a uma nova dinastia que perdurasse por mais cem anos, até o cativeiro assírio, que poria fim definitivo à nação do norte, Israel. Essa unção, portanto, assinalou o começo do último ciclo da nação do norte, Israel. A apostasia e a idolatria continuariam, efetuando a morte de uma nação inteira.

■ **9.7**

וְהִכִּיתָה אֶת־בֵּית אַחְאָב אֲדֹנֶיךָ וְנִקַּמְתִּי דְּמֵי ׀ עֲבָדַי הַנְּבִיאִים וּדְמֵי כָּל־עַבְדֵי יְהוָה מִיַּד אִיזָבֶל׃

Ferirás a casa de Acabe. *Vingança e Devastação.* Jeú era o instrumento divino para produzir o propósito de Yahweh de pôr fim, definitivamente, à casa inteira de Acabe e seu culto a Baal, com o aniquilamento de todo o sacerdócio daquela religião pagã, juntamente com os membros da casa de Acabe. Elias havia predito que isso aconteceria. Os dois instrumentos especiais de Deus nessa tarefa foram Hazael, o rei da Síria, e Jeú, que agora usurparia o trono de Israel. Ver 1Rs 19.15-17 quanto à profecia de Elias. Acabe e Jezabel tinham derramado o sangue dos profetas de Yahweh (ver 1Rs 18.4,13), e isso tinha de ser vingado. Ver no *Dicionário* o verbete chamado *Lei Moral da Colheita segundo a Semeadura*. Ver também 1Rs 21.21-29.

■ **9.8**

וְאָבַד כָּל־בֵּית אַחְאָב וְהִכְרַתִּי לְאַחְאָב מַשְׁתִּין בְּקִיר וְעָצוּר וְעָזוּב בְּיִשְׂרָאֵל׃

Toda a casa de Acabe perecerá. O aniquilamento da casa de Acabe seria total, ou seja, cada membro masculino seria morto, a fim de que não houvesse herdeiro da linhagem de Acabe ao trono. Aqui, novamente, encontramos a metáfora crua do autor sagrado para os homens, *"aquele que urina contra uma parede"*, o que algumas traduções (incluindo a versão portuguesa) evitam, embaraçadas. Anotei sobre essa declaração em 1Rs 14.10.

Quer escravo quer livre, em Israel. Os escravos, e os que não fossem escravos, seriam igualmente objetos da ira de Jeú, tendo eles alguma função na casa de Acabe.

■ **9.9**

וְנָתַתִּי אֶת־בֵּית אַחְאָב כְּבֵית יָרָבְעָם בֶּן־נְבָט וּכְבֵית בַּעְשָׁא בֶן־אֲחִיָּה׃

Farei à casa de Acabe como à casa de Jeroboão. A casa de Acabe não foi a única, na história de Israel, que terminou obliterada. Era costume dos novos reis do Oriente aniquilarem os membros da dinastia anterior para evitar qualquer competição ao trono. As dinastias de Jeroboão e de Baasa tinham sofrido total erradicação. Ver 1Rs 15.25,28,29; 16.3,4. Isso fora anunciado contra a casa de Acabe (1Rs 21.22), e chegara o tempo do cumprimento da ameaça.

■ **9.10**

וְאֶת־אִיזֶבֶל יֹאכְלוּ הַכְּלָבִים בְּחֵלֶק יִזְרְעֶאל וְאֵין קֹבֵר וַיִּפְתַּח הַדֶּלֶת וַיָּנֹס׃

O Fim Trágico e Merecido de Jezabel. Ela seria o objeto especial dos juízos de Yahweh. Afinal, era a influência má que houvera por trás de Acabe, não que aquele homem ímpio precisasse de grande ajuda. Jezabel fora a figura que, com tanto zelo, havia promovido o culto a Baal e tinha destruído os profetas de Yahweh (ver 1Rs 18.4,13). Ver a ameaça constante em 1Rs 21.23. Ver 2Rs 9.33-37 quanto ao cumprimento dessa profecia. Ela fora pisoteada pelos cavalos; cães lhe comeram o corpo, e somente seu crânio e as palmas das mãos escaparam ao terror. Presumivelmente, essas porções foram sepultadas. Portanto, ninguém poderia levá-la para um sepulcro e dizer: "Jezabel foi sepultada aqui".

"... comida por cães... e não sepultada, ambos os fatos pareciam uma ignomínia para os semitas" (Thomas L. Constable, *in loc.*).

O jovem profeta, segundo Eliseu lhe havia mandado, cumprida a sua missão, fugiu antes que pudesse ser preso e executado.

■ **9.11,12**

וְיֵהוּא יָצָא אֶל־עַבְדֵי אֲדֹנָיו וַיֹּאמֶר לוֹ הֲשָׁלוֹם מַדּוּעַ בָּא־הַמְשֻׁגָּע הַזֶּה אֵלֶיךָ וַיֹּאמֶר אֲלֵיהֶם אַתֶּם יְדַעְתֶּם אֶת־הָאִישׁ וְאֶת־שִׂיחוֹ׃

וַיֹּאמְרוּ שֶׁקֶר הַגֶּד־נָא לָנוּ וַיֹּאמֶר כָּזֹאת וְכָזֹאת אָמַר אֵלַי לֵאמֹר כֹּה אָמַר יְהוָה מְשַׁחְתִּיךָ לְמֶלֶךְ אֶל־יִשְׂרָאֵל׃

Vai tudo bem? Por que veio a ti este louco? Os oficiais do exército estavam ansiosos por ouvir o que o aprendiz de profeta havia comunicado a Jeú. Ele tentou desviar a mente deles da questão (que era um grande segredo), ao dizer-lhes que eles já sabiam que tipo de conversa tola os profetas estão acostumados a proferir. Eles não haviam, naquela mesma hora, chamado o homem de "louco"? Pois bem, deveriam continuar a pensar nele como um louco, e esquecer a questão toda. Mas os homens de Jeú sabiam que o general estava mentindo, e que alguma temível profecia lhe havia sido comunicada, prevendo desastre para eles e para Israel. Era bem conhecido que Eliseu estava acostumado a lançar profecias de condenação (que sempre tinham cumprimento). Portanto, os oficiais que auxiliavam Jeú continuavam insistindo. Eles tinham de saber a verdade. Então, Jeú simplesmente lhes declarou a verdade. Ele fora ungido para ser rei de Israel. Os profetas, em seu comportamento de êxtase, descontrolados, dançando ao redor como um bando de loucos, eram tidos por muitos apenas como loucos. Na verdade, porém, muitas de suas profecias se cumpriam. Por conseguinte, os oficiais de Jeú não hesitaram em aceitar o que fora dito pelo profeta, o que, sem dúvida, se cumpriria dentro de pouco tempo.

■ **9.13**

וַיְמַהֲרוּ וַיִּקְחוּ אִישׁ בִּגְדוֹ וַיָּשִׂימוּ תַחְתָּיו אֶל־גֶּרֶם הַמַּעֲלוֹת וַיִּתְקְעוּ בַּשּׁוֹפָר וַיֹּאמְרוּ מָלַךְ יֵהוּא׃

Sobre os degraus. A palavra hebraica aqui traduzida por "degrau" é de significado incerto. A *Revised Standard Version* diz "à vista". A *Septuaginta* fala em "assento", ou seja, a escada foi transformada em um assento, em um trono. O Targum diz "degraus" de uma escada. A Vulgata diz "plataforma elevada". A versão árabe diz "degraus da subida".

Jeú é rei. Quão grande foi a alegria que os homens de Jeú sentiram, ao ouvir que ele seria o próximo rei de Israel. Eles tinham sido seus mais fiéis cooperadores. Ademais, estavam cansados das loucuras da casa de Acabe e queriam um novo começo. Seria o homem deles que promoveria esse novo começo, e eles seriam homens-chave na nova dinastia. Portanto, cada um deles tomou suas vestes e as pôs aos pés do novo rei. Ele foi erguido ao alto da escada, um trono improvisado. Então tocaram as trombetas e anunciaram que Jeú era o novo rei! Eles tinham chamado o aprendiz de profeta de "louco", mas aceitaram, sem hesitação, a realidade do que ele havia dito, e lançaram-se a uma grande celebração. "... fizeram soar a fanfarra da coroação e bradaram o grito costumeiro: Jeú é rei!" (Norman H. Snaith, *in loc.*). O que eles fizeram era o rito costumeiro de anúncio de um novo rei. Cf. 2Sm 15.10; 1Rs 1.34,39 e Mt 21.7-9.

O ASSASSINATO DE DOIS REIS (9.14-29)

■ 9.14,15

וַיִּתְקַשֵּׁר יֵהוּא בֶּן־יְהוֹשָׁפָט בֶּן־נִמְשִׁי אֶל־יוֹרָם
וְיוֹרָם הָיָה שֹׁמֵר בְּרָמֹת גִּלְעָד הוּא וְכָל־יִשְׂרָאֵל
מִפְּנֵי חֲזָאֵל מֶלֶךְ־אֲרָם׃

וַיָּשָׁב יְהוֹרָם הַמֶּלֶךְ לְהִתְרַפֵּא בְיִזְרְעֶאל מִן־הַמַּכִּים
אֲשֶׁר יַכֻּהוּ אֲרַמִּים בְּהִלָּחֲמוֹ אֶת־חֲזָאֵל מֶלֶךְ אֲרָם
וַיֹּאמֶר יֵהוּא אִם־יֵשׁ נַפְשְׁכֶם אַל־יֵצֵא פָלִיט מִן־הָעִיר
לָלֶכֶת לַגִּיד בְּיִזְרְעֶאל׃

Conspiração era a palavra do momento. A profecia precisava ter cumprimento, mas foi deixado nas mãos de Jeú traçar os detalhes. Como um selvagem matador militar, acostumado às matanças e à violência, sua mente naturalmente voltou-se para a violência como um meio de levar aquela profecia a bom termo. O autor explica-nos então as circunstâncias que puseram Jorão em Jezreel. Ele havia sofrido ferimentos graves na batalha contra Hazael, em Ramote-Gileade. Estava recuperando-se em Jezreel, e seria ali que Jeú o encontraria e o mataria, sem nada sentir na consciência. Jeú deu ordens para garantir que Ramote fosse cercada e fechada. Ninguém seria capaz de escapar da cidade, para dizer a Jorão o que estava sucedendo. Devemos supor que Jeú já havia ganho a lealdade de boa parte do exército. Sua tarefa seria fácil. Ele tinha de evitar somente a resistência dos poucos que permanecessem leais à dinastia de Acabe. Era de se esperar que Jeú chegaria em Jezreel antes que se espalhasse a notícia de que ele fora ungido rei. Todo aquele ruído, feito pelos oficiais do exército, tinha alertado boa parte do exército de que alguma grande mudança estava prestes a ser efetuada. Jorão seria apanhado despreparado. Ninguém estaria ao seu lado para protegê-lo de ser morto. Ver 2Rs 8.29 quanto à presença de Jorão em Jezreel para recuperar-se de seus ferimentos.

■ 9.16

וַיִּרְכַּב יֵהוּא וַיֵּלֶךְ יִזְרְעֶאלָה כִּי יוֹרָם שֹׁכֵב שָׁמָּה
וַאֲחַזְיָה מֶלֶךְ יְהוּדָה יָרַד לִרְאוֹת אֶת־יוֹרָם׃

Então Jeú subiu a um carro, e foi-se a Jezreel. Jorão ainda estava recuperando-se dos ferimentos recebidos, deitado em seu leito. Conforme as coisas sucederam, Acazias, o rei de Judá, também estava em Jezreel, visitando Jorão. Os dois se tinham tornado bons amigos. Cf. 2Rs 8.29. Essa visita foi infeliz, pois significou que Acazias foi apanhado na teia da matança, e pouco depois do assassinato de Jorão, seria morto também (versículo 27 deste capítulo).

A viagem seria de cerca de 65 quilômetros, pelo que dois dias estariam envolvidos. Jeú levou consigo seus soldados de maior confiança, as suas tropas de elite. Reuniu forças suficientes para enfrentar a resistência, se porventura encontrasse alguma. Mas ele não deveria preocupar-se. Seria fácil matar naquele dia.

■ 9.17

וְהַצֹּפֶה עֹמֵד עַל־הַמִּגְדָּל בְּיִזְרְעֶאל וַיַּרְא
אֶת־שִׁפְעַת יֵהוּא בְּבֹאוֹ וַיֹּאמֶר שִׁפְעַת אֲנִי
רֹאֶה וַיֹּאמֶר יְהוֹרָם קַח רַכָּב וּשְׁלַח לִקְרָאתָם
וְיֹאמַר הֲשָׁלוֹם׃

Ora, o atalaia estava na torre de Jezreel. O vigia percebeu que Jeú se aproximava, sabendo que era ele, pela maneira furiosa como dirigia seu carro de combate, algo característico de um jovem desabrido. Ver o versículo 20 quanto aos hábitos de conduzir meio enlouquecidos. Jorão despachou um cavaleiro ao encontro de Jeú, para saber em que consistia sua visita. Vinha ele em uma missão de paz? Teria ele alguma boa notícia da frente de batalha? Não havia razão alguma para suspeitar de uma traição, pelo que o rei foi apanhado fora de guarda.

■ 9.18

וַיֵּלֶךְ רֹכֵב הַסּוּס לִקְרָאתוֹ וַיֹּאמֶר כֹּה־אָמַר הַמֶּלֶךְ
הֲשָׁלוֹם וַיֹּאמֶר יֵהוּא מַה־לְּךָ וּלְשָׁלוֹם סֹב אֶל־אַחֲרָי
וַיַּגֵּד הַצֹּפֶה לֵאמֹר בָּא הַמַּלְאָךְ עַד־הֵם וְלֹא־שָׁב׃

Passa para detrás de mim. O mensageiro logo chegou onde estava Jeú, e pediu-lhe informações. Qual era a missão de Jeú? Havia paz ou alguma dificuldade? A resposta de Jeú tem sido variegadamente interpretada. Alguns pensam que ela foi sarcástica: "Oh, mensageiro, que tens que ver com a paz? Tu, como um dos que apoiam a casa de Acabe, nada deverias ter senão tribulações". Ou então: "Não te preocupes com a situação. Tudo está sob controle". Ou a resposta de Jeú pode ter deixado trair sua impaciência: "Que te importa se está havendo paz ou guerra? Junta-te à minha companhia e vem na retaguarda". Foi assim que o mensageiro não retornou para trazer nenhuma mensagem a Jorão. O atalaia notou que o mensageiro não retornava.

■ 9.19

וַיִּשְׁלַח רֹכֵב סוּס שֵׁנִי וַיָּבֹא אֲלֵהֶם וַיֹּאמֶר כֹּה־אָמַר
הַמֶּלֶךְ שָׁלוֹם וַיֹּאמֶר יֵהוּא מַה־לְּךָ וּלְשָׁלוֹם סֹב
אֶל־אַחֲרָי׃

Então enviou Jorão outro cavaleiro. Visto que o primeiro cavaleiro não retornava, Jorão despachou um segundo, que fez a mesma pergunta e obteve exatamente a mesma resposta. Foi-lhe ordenado juntar-se ao grupo que acompanhava Jeú e vir na retaguarda.

■ 9.20

וַיַּגֵּד הַצֹּפֶה לֵאמֹר בָּא עַד־אֲלֵיהֶם וְלֹא־שָׁב וְהַמִּנְהָג
כְּמִנְהַג יֵהוּא בֶן־נִמְשִׁי כִּי בְשִׁגָּעוֹן יִנְהָג׃

Também este chegou a eles, porém não volta. O atalaia observou que o segundo mensageiro também não voltava, e agora o grupo chegara perto o suficiente para ele ver que o carro principal estava sendo dirigido furiosamente, como somente um louco o dirigiria. Jeú tinha a reputação de guiar assim, pelo que todos souberam que ele era o homem líder do grupo. Quando eu era jovem, ainda sob treinamento teológico, alguns de meus colegas tinham seus próprios veículos, e, como jovens que eram, alguns eram motoristas precipitados. Eles descobriram um texto de prova em apoio à imprudência deles, no presente versículo. Afinal, se Jeú podia dirigir como um idiota, por que eles não poderiam fazê-lo?

O autor sacro aproveita o ensejo para observar, meio desajeitadamente, que Ninsi era o pai de Jeú, mas, naturalmente, era o avô dele. Essa era a maneira costumeira de identificar um homem. Ver sobre isso no versículo 14 deste capítulo. Fosse como fosse, Jeú estava sempre com pressa, como fazem os motociclistas hoje em dia; ainda mais que aquele era um dia de pressa especial. Ele tinha um assassinato a cometer, o qual faria dele o rei de Israel.

"Jeú era um general ousado, corajoso, expediente e precipitado. Em suas várias operações militares, ele havia firmado o seu caráter; e agora isso se tornara quase proverbial" (Adam Clarke, *in loc.*).

■ 9.21

וַיֹּאמֶר יְהוֹרָם אֱסֹר וַיֶּאְסֹר רִכְבּוֹ וַיֵּצֵא יְהוֹרָם
מֶלֶךְ־יִשְׂרָאֵל וַאֲחַזְיָהוּ מֶלֶךְ־יְהוּדָה אִישׁ בְּרִכְבּוֹ
וַיֵּצְאוּ לִקְרַאת יֵהוּא וַיִּמְצָאֻהוּ בְּחֶלְקַת נָבוֹת
הַיִּזְרְעֵאלִי׃

Disse Jorão: Aparelha o carro. Pensando que algum negócio urgente estava para ser tratado, Jorão, na companhia de Acazias, saiu pessoalmente ao encontro de Jeú, visto que os dois mensageiros não tinham retornado. Eles talvez tenham suspeitado de traição, mas sentiram que algo de muito importante Jeú lhes estava trazendo. Eles tinham razão, mas não sabiam que Jeú estava para selar o destino deles, naquele mesmo dia, por seus atos de violência.

"Jorão preparou-se para sair ao encontro de Jeú e obter as notícias pessoalmente, tão rapidamente quanto possível. Ele não suspeitava de rebelião, mas se preocupava tanto com o andamento da guerra que fez assim, a despeito de seus ferimentos. Acazias, seu hóspede, juntou-se a ele em seu próprio carro de combate. Eles se encontraram com Jeú no local que havia pertencido a Nabote (ver o capítulo 21 de 1Reis)" (Thomas L. Constable, *in loc.*). Aquele era um lugar apropriado para eles se verem frente a frente com a ira de Yahweh.

Ver 1Rs 21.16 ss., quanto à traição contra Nabote, que agora tinha de ser vingada. A casa de Acabe não podia continuar sem o devido castigo, em face de suas atrocidades. O versículo 22 daquele capítulo fala do aniquilamento final da casa de Acabe, uma profecia de Elias.

■ 9.22

וַיְהִ֗י כִּרְא֤וֹת יְהוֹרָם֙ אֶת־יֵה֔וּא וַיֹּ֖אמֶר הֲשָׁל֣וֹם יֵה֑וּא וַיֹּ֗אמֶר מָ֤ה הַשָּׁלוֹם֙ עַד־זְנוּנֵ֞י אִיזֶ֧בֶל אִמְּךָ֛ וּכְשָׁפֶ֖יהָ הָרַבִּֽים׃

Há paz, Jeú? Jorão esperava ouvir boas-novas da frente de batalha. Ele esperava ouvir sobre o sucesso na guerra. A pergunta de Jorão equivaleu a: "Está tudo bem?" Mas como poderia estar tudo bem, com a apostasia da nação de Israel, em combinação com os crimes da casa de Acabe, e com aquela horrenda Jezabel ainda em atividade? Só haveria paz quando todas essas aberrações estivessem resolvidas.

As prostituições de tua mãe, Jezabel... ? Sem dúvida, havia grandes pecados morais em Israel; mas a referência de Jeú foi à corrupção espiritual e à idolatria, que são consideradas prostituição ou adultério nas Escrituras. Ver o artigo chamado *Prostituta, Prostituição*, no *Dicionário*, que ilustra esse fato. Ver também o verbete intitulado *Adultério*.

As prostituições eram de Jezabel por ser ela o poder principal por trás da apostasia e da idolatria em Israel, a homicida dos profetas de Yahweh (ver 1Rs 18.4). O Novo Testamento tira proveito do tema de Jezabel, a grande prostituta, corruptora das boas maneiras e pervertedora da fé religiosa. Ver na *Enciclopédia de Bíblia, Teologia e Filosofia* o verbete denominado *Jezabel* (no Novo Testamento).

As suas muitas feitiçarias? Ver no *Dicionário* o verbete chamado *Feitiço, Feiticeiro*. Isso fazia parte do adultério espiritual. Cf. Is 47.9,12; Mq 5.12. Fez parte do judaísmo posterior, que foi transportado para o cristianismo, que a idolatria e a feitiçaria operavam através do poder dos demônios. Ver 1Co 10.20 e esse versículo explicado no *Novo Testamento Interpretado*. Ver as proibições da lei mosaica contra a feitiçaria, em Êx 22.18; Dt 18.10,11 e Na 3.4. Muitos tabletes assírios contêm fórmulas mágicas, encantamentos e exorcismos. Babilônia era a pátria de tais atividades. Setenta tabletes (contendo muito desse material), dos tempos do rei Sargina, rei de Agadê (Acade), foram encontrados.

■ 9.23,24

וַיַּהֲפֹ֧ךְ יְהוֹרָ֛ם יָדָ֖יו וַיָּנֹ֑ס וַיֹּ֥אמֶר אֶל־אֲחַזְיָ֖הוּ מִרְמָ֥ה אֲחַזְיָֽה׃

וְיֵה֞וּא מִלֵּ֤א יָדוֹ֙ בַקֶּ֔שֶׁת וַיַּ֥ךְ אֶת־יְהוֹרָ֖ם בֵּ֣ין זְרֹעָ֑יו וַיֵּצֵ֤א הַחֵ֙צִי֙ מִלִּבּ֔וֹ וַיִּכְרַ֖ע בְּרִכְבּֽוֹ׃

Há traição, Acazias. De súbito, Jorão compreendeu a traição de Jeú. Ele estava ali com o propósito específico de matar o rei de Israel. Portanto, Jorão não mais fez perguntas, antes pôs-se em fuga imediatamente. Ao partir, Jorão gritou para Acazias que havia traição, e este também encetou a fuga. A traição de Jezabel estava prestes a ser vingada com uma flecha traiçoeira.

Jeú, o principal general do exército de Israel, era um homem habilitado na guerra, que já havia matado muitos, com a espada, com a lança ou com arco e flecha. Por conseguinte, foi fácil para Jeú ferir mortalmente Jorão, quando ele já fugia. Sua flecha foi veloz e direta ao alvo. Perfurou as costas de Jorão, entre os braços, e saiu pela frente do tórax, atravessando-lhe o coração. O rei de Israel teve morte instantânea e afundou em seu carro de combate. A destruição da casa de Acabe tinha começado e iria alcançar espetacular sucesso. Nenhum herdeiro do sexo masculino seria poupado para continuar a dinastia (ver 2Rs 9.8).

■ 9.25

וַיֹּ֗אמֶר אֶל־בִּדְקַר֙ שָׁלִשֹׁ֔ה שָׂ֚א הַשְׁלִכֵ֔הוּ בְּחֶלְקַ֕ת שְׂדֵ֖ה נָב֣וֹת הַיִּזְרְעֵאלִ֑י כִּֽי־זְכֹ֞ר אֲנִ֣י וָאַ֗תָּה אֵ֣ת רֹכְבִ֤ים צְמָדִים֙ אַחֲרֵי֙ אַחְאָ֣ב אָבִ֔יו וַֽיהוָה֙ נָשָׂ֣א עָלָ֔יו אֶת־הַמַּשָּׂ֖א הַזֶּֽה׃

Disse a Bidcar... lança-o no campo da herdade de Nabote. O cadáver de Jorão foi lançado no campo que fora de Nabote, por ordem de Jeú e pela agência de Bidcar (ver no *Dicionário* a seu respeito). Foi apropriado que o mesmo campo que tinha sido furtado de Nabote por Acabe (ver 1Rs 21.16 ss.), e onde aquele homem mau tivera seu sangue derramado, fosse também o lugar onde o corpo de Jorão foi lançado. Temos nisso instâncias significativas das operações da justiça. Ver no *Dicionário* o artigo chamado *Lei Moral da Colheita segundo a Semeadura*. As profecias de Elias estavam tendo cumprimento preciso. Fizera parte dessa profecia que Acabe não receberia grande parte da destruição prometida por Elias, visto que se arrependera. Mas parte da ira divina se derramaria sobre a sua casa, depois da morte dele. Ver 1Rs 21.29. Isso tudo começou no rio Jordão.

Jeú e Bidcar tinham ouvido a profecia contra Acabe, quando estavam vindo atrás do rei, e Elias disse ao rei o oráculo divino. Jeú, pois, estava consciente do cumprimento da profecia naquele momento, e lembrou Bidcar das circunstâncias. Josefo interpretou a situação como aqueles que tinham viajado na carruagem de Acabe, sentados atrás deles, enquanto Elias ia sentado na frente, junto com o ímpio rei Acabe.

■ 9.26

אִם־לֹ֡א אֶת־דְּמֵ֣י נָבוֹת֩ וְאֶת־דְּמֵ֨י בָנָ֜יו רָאִ֤יתִי אֶ֙מֶשׁ֙ נְאֻם־יְהוָ֔ה וְשִׁלַּמְתִּ֥י לְךָ֛ בַּחֶלְקָ֥ה הַזֹּ֖את נְאֻם־יְהוָ֑ה וְעַתָּ֗ה שָׂ֧א הַשְׁלִכֵ֛הוּ בַּחֶלְקָ֖ה כִּדְבַ֥ר יְהוָֽה׃

Essência da profecia de Elias, dada por Yahweh. O olho de Yahweh, que a tudo vê, tinha contemplado o assassinato de Nabote e o furto de seu campo há relativamente pouco tempo. Ele também viu a matança dos filhos de Nabote, um pouco de informação dada somente aqui. A vingança contra esses atos ocorreria no mesmo terreno onde o crime de Acabe e Jezabel tinha acontecido. Lembrando-se desses detalhes, Jeú ordenou que o corpo de Jorão fosse deixado no mesmo terreno, e assim adicionou precisão à profecia.

Embora a causa do Mal prospere,
Contudo, só a Verdade é forte.
...

A verdade para sempre no esquife,
O erro para sempre no trono.
...

Mas Deus está de pé nas sombras,
Vigiando aqueles que lhe pertencem.

James Russell Lowell

"A dinastia de Jeú foi a última do reino do norte, Israel. Sob seus sucessores, Samaria caiu em ruínas. A carreira de Jeú revela-o como um tirano sedento de sangue, homem sem consciência e sem dó... mas homens ímpios realizam tarefas necessárias para a concretização final da justiça" (Raymond Calking, *in loc.*).

■ 9.27

וַאֲחַזְיָ֤ה מֶֽלֶךְ־יְהוּדָה֙ רָאָ֔ה וַיָּ֖נָס דֶּ֣רֶךְ בֵּ֣ית הַגָּ֑ן וַיִּרְדֹּ֨ף אַחֲרָ֜יו יֵה֗וּא וַ֠יֹּאמֶר גַּם־אֹת֞וֹ הַכֻּ֣הוּ אֶל־הַמֶּרְכָּבָ֗ה בְּמַֽעֲלֵה־גוּר֙ אֲשֶׁ֣ר אֶת־יִבְלְעָ֔ם וַיָּ֥נָס מְגִדּ֖וֹ וַיָּ֥מָת שָֽׁם׃

E fugiu para Megido, onde morreu. Entrementes, Acazias, enquanto fugia, observou a morte violenta de Jorão, e assim aumentou a velocidade do veículo, na esperança de escapar da ira de Jeú. Ele fugiu por Bete-Hagã, um nome próprio que significa "a casa do jardim". É evidente que se trata da mesma En-Ganim ("fonte dos jardins"), referida em Js 19.21. Ver sobre En-Ganim no *Dicionário*. Ficava cerca de onze quilômetros ao sul de Jezreel, localizada no sopé da serra do Carmelo. Jeú e seus homens foram atrás do aterrorizado rei de Judá, até chegarem à distância de um tiro de flecha. Conseguiram alcançar o infeliz rei justamente na entrada do passo de Dotã. Foi ali que Jeú, com uma pontaria infalível e com uma flecha sem misericórdia, feriu o rei Acazias. Mas este não morreu imediatamente. O veículo do rei virou-se para noroeste e fugiu pela estrada que passava próximo ao flanco norte do monte Carmelo. Ele conseguiu chegar a Megido, cerca de dezenove quilômetros de distância dali. Mas a história estava terminada para Acazias. Seu ferimento foi fatal, e ele morreu em Megido.

O cadáver de Acazias foi levado a Jerusalém. Por conseguinte, Acazias foi sepultado ali. Mas a passagem de 2Cr 22.9 diz que Acazias foi até Samaria, ainda vivo, e que Jeú o executou ali. Não há como conciliar essas narrativas contraditórias, embora tenha havido bastante esforço dos comentaristas nesse sentido. Alguns dizem que ele foi ferido em Megido, mas conseguiu, embora gravemente ferido, atingir Samaria, onde, finalmente, morreu. Nosso versículo diz-nos especificamente que ele morreu em Megido; e 2Cr 22.9 diz que ele foi morto em Samaria. Somente os fundamentalistas, que querem ter harmonia a qualquer preço, até à custa da honestidade, e também os céticos, que buscam qualquer pequena contradição para tentarem neutralizar a fé, encontram algum problema com tais contradições. A fé religiosa, porém, não depende de detalhes como estes, que só desapontam depois dos resultados da investigação.

■ 9.28

וַיַּרְכִּבוּ אֹתוֹ עֲבָדָיו יְרוּשָׁלְָמָה וַיִּקְבְּרוּ אֹתוֹ בִקְבֻרָתוֹ
עִם־אֲבֹתָיו בְּעִיר דָּוִד׃ פ

E o enterraram na sua sepultura junto a seus pais. O cadáver de Acazias foi levado por seus auxiliares a Jerusalém, desde Megido, uma viagem de mais de 65 quilômetros. Foi assim que Acazias foi sepultado no sepulcro de seus pais, na cidade de Davi (Jerusalém), com as honrarias e a devida pompa. Agora ele estava em "seu próprio sepulcro", preparado por ele quando ainda vivia. Ver no *Dicionário* o artigo chamado *Alma*, e ver na *Enciclopédia de Bíblia, Teologia e Filosofia* o artigo chamado *Imortalidade*. Ver a nota comum de obituário acerca dos reis, empregada pelo autor, em 1Rs 1.21 e 16.2. Jeú, como é óbvio, permitiu que seu sepultamento tivesse lugar. Acazias, apesar de todas as suas falhas, era, afinal, neto de Josafá, um adorador sincero de Yahweh (ver 2Cr 22.9), e tinha de receber as honras apropriadas a um ex-rei de Judá.

■ 9.29

וּבִשְׁנַת אַחַת עֶשְׂרֵה שָׁנָה לְיוֹרָם בֶּן־אַחְאָב מָלַךְ
אֲחַזְיָה עַל־יְהוּדָה׃

No ano undécimo de Jorão... começara Acazias a reinar. O autor sacro relembra-nos aqui de quando Acazias começara a reinar, mas a nota contradiz o trecho de 2Rs 8.25, embora apenas por um ano. A versão de Luciano, porém, diz "undécimo" ano em ambos os lugares — o que também se vê em nossa versão portuguesa — embora Luciano diga isso no final do décimo capítulo. Alguns suspeitam, portanto, que a ordem das passagens tenha sido alterada, talvez até no próprio texto massorético, e que o trecho de 2Rs 9.30—10.36 tenha sido uma inserção na história original, por algum editor subsequente. Ver no *Dicionário* o verbete intitulado *Massora (Massorah); Texto Massorético*. Considerado o texto hebraico padrão, este é o texto comumente conhecido por nós hoje em dia. Algumas vezes, ele concorda com as versões, especialmente com a *Septuaginta*, contra o texto hebraico padronizado. Ver no *Dicionário* o artigo chamado *Manuscritos do Antigo Testamento*, em sua seção VII. Esse artigo contém informações sobre teorias textuais em relação ao Antigo Testamento.

O ano em que Acazias tornou-se rei foi 841 a.C.

FIM HORRENDO DA HORRENDA JEZABEL (9.30-37)

A profecia de Elias estava tendo cumprimento, e o destino estendeu as garras para alcançar aquela ímpia e desavergonhada mulher, Jezabel. Ela foi a causa principal (mas dificilmente a única) da idolatria, da apostasia e dos crimes da nação de Israel. De fato, era uma grande criminosa. Ela havia matado os profetas de Yahweh (ver 1Rs 18.4), e a ira de Yahweh se pronunciara contra ela (1Rs 21.23). Hazael, rei da Síria, e Jeú, rei de Israel, foram os mensageiros da condenação, divinamente nomeados. Ver 1Rs 19.17. Jorão, filho de Jezabel, fora morto sem misericórdia por Jeú, que já se tinha apossado do trono de Israel, através de uma revolta do exército. Agora chegara a vez dessa desavergonhada mulher.

Entrementes, Jezabel mostrou-se arrogante até o fim. Ela sabia que sua morte era certa, e preparou-se para ela, toda enfeitada e "bela", pintada e bem vestida, esperando que Jeú viesse a ser seu executor. Ela apareceu na sua janela e saudou Jeú com zombarias. Jeú, em nada abatido pelos absurdos da mulher, ordenou que ela fosse atirada janela abaixo. A queda foi fatal, e os cavalos a pisaram, como medida de garantia da morte. Então vieram os cães e comeram seu corpo todo, excetuando seu crânio, seus pés e as palmas de suas mãos. Se os cães comeram todos os seus ossos, eram ferozes devoradores, de fato! Seja como for, consumado o ato, Jeú de súbito lembrou-se de que a perversa mulher era filha de um rei, e assim ordenou seu sepultamento decente. Mas os que foram encarregados da tarefa só puderam encontrar aquelas três partes de seu corpo, para serem sepultadas. Podemos supor, embora o autor sagrado nada nos diga a respeito, que aquelas porções miseráveis do corpo da perversa rainha foram decentemente sepultadas. Novamente, temos um notável exemplo não somente do cumprimento de uma profecia, mas também das operações da justiça divina. Ver no *Dicionário* o verbete intitulado *Lei Moral da Colheita segundo a Semeadura*.

■ 9.30

וַיָּבוֹא יֵהוּא יִזְרְעֶאלָה וְאִיזֶבֶל שָׁמְעָה וַתָּשֶׂם בַּפּוּךְ
עֵינֶיהָ וַתֵּיטֶב אֶת־רֹאשָׁהּ וַתַּשְׁקֵף בְּעַד הַחַלּוֹן׃

É difícil explicar a vaidade das mulheres! Jezabel, ao ouvir sobre a traição de Jeú, e de como seu filho tinha sido morto por Jeú, e de como Israel estava em revolta total contra a casa de Acabe, ainda se preocupou em pintar o rosto, arrumar os cabelos e enfeitar-se. Afinal, seria o assassinato dela, não é mesmo? Ela precisava ter boa aparência, naquele momento. Verdadeiramente, é difícil explicar a vaidade das mulheres. Por outra parte, eu conheci pessoalmente um suicida, um homem, que deu um tiro na própria cabeça. Mas antes de fazer isso, calçou seus chinelos novos e um robe. As pessoas fazem coisas engraçadas quando estão sob pressão mental. Jezabel, pois, não fugiu à regra. Talvez ansiasse em terminar com aquela história. Talvez, em seu coração, ela se alegrasse por ver o fim de tantos males, de tanta iniquidade, de tantos crimes.

Então se pintou em volta dos olhos. O hebraico original diz, literalmente, "pôs seus olhos em antimônio". Ela escureceu suas pálpebras, acima e abaixo, com antimônio (uma pintura especialmente preparada). Até hoje é costume, no Oriente, as mulheres se pintarem assim. Esse ato faz os olhos parecerem maiores e mais brilhantes do que realmente são. A dama queria morrer em todo o esplendor de sua beleza. Lemos que Leônidas e seus espartanos, nas termópilas, pentearam os cabelos antes da batalha, para o caso de que, se morressem, parecessem apresentáveis. Talvez seja por essa razão que algumas pessoas, antes de dormir, passem tanto tempo se embelezando. Por pessoas, naturalmente, quero dizer mulheres. Elas vão deitar-se parecendo tão bem que, se morrerem durante a noite, aqueles que encontrarem seus corpos ficarão impressionados com sua beleza. É difícil compreender a vaidade das mulheres!

Portanto, ali estava Jezabel, tão bela, olhando para a rua pela janela, esperando por seu executor, e tão destemida quanto ele. Chegara a hora dela, mas o que ela se importava com isso? Não havia medo na dama.

Em Roma, tanto os homens quanto as mulheres pintavam os olhos (Plínio, Hist. Nat., livro xi. cap. 37). Juvenal ridicularizou o estúpido costume (ver Sat. ii. vs. 93). As mulheres persas pintavam o espaço entre as sobrancelhas, assim juntando uma à outra; mas as mulheres modernas arrancam os pelos da região para garantir que as duas sobrancelhas fiquem bem separadas uma da outra. É difícil explicar a vaidade das mulheres.

■ 9.31

וְיֵהוּא בָּא בַשָּׁעַר וַתֹּאמֶר הֲשָׁלוֹם זִמְרִי הֹרֵג אֲדֹנָיו׃

Ao entrar Jeú pelo portão do palácio. Assim que Jeú apareceu em cena, Jezabel zombou dele com palavras apimentadas. Ela o lembrou do caso de Zinri. Ele se havia rebelado contra seu senhor, o rei Elá (1Rs 16.9), e o matou, mas somente sete dias mais tarde o próprio Zinri foi morto. E a morte dele foi provocada pela influência de Onri, fundador da dinastia de Acabe (ver 1Rs 16.18,19). Foi assim que Onri se tornou rei, e a horrenda dinastia de Acabe teve início. Jezabel como que disse: "Tu, Jeú, me matarás, mas tu mesmo terminarás mal, tal como aconteceu a Zinri. Tua vez logo chegará". E, naturalmente, ela tinha toda a razão. Jeú reinou por 27 anos, morreu de morte natural, mas de uma morte tão fatal quanto violenta. Ver 2Rs 10.35. Sua dinastia perdurou apenas por quatro gerações.

■ **9.32,33**

וַיִּשָּׂא פָנָיו אֶל־הַחַלּוֹן וַיֹּאמֶר מִי אִתִּי מִי וַיַּשְׁקִיפוּ
אֵלָיו שְׁנַיִם שְׁלֹשָׁה סָרִיסִים׃
וַיֹּאמֶר שִׁמְטוּהָ וַיִּשְׁמְטוּהָ וַיִּז מִדָּמָהּ אֶל־הַקִּיר
וְאֶל־הַסּוּסִים וַיִּרְמְסֶנָּה׃

Quem é comigo? Quem? Jeú apelou para alguém, "lá em cima", perto da janela onde estava Jezabel, que estivesse ao lado dela, para jogar a iníqua mulher dali abaixo, para pôr fim à diatribe dela. Dois ou três eunucos responderam aos gritos dele, e lá se foi Jezabel, janela abaixo. Seu corpo bateu no solo com uma terrível pancada, e os cavalos dos soldados pisotearam-na. Mas isso foi apenas um excesso. Ela já estava morta devido à queda. O sangue dela espirrou sobre a parede, e seu corpo tornou-se uma massa horrenda. A ímpia Jezabel tinha encontrado seu destino merecido. Os eunucos que serviam Jezabel, realizando todos os desejos dela, de súbito fizeram a vontade do executor dela. Sem dúvida ela lhes tinha sido uma senhora cruel, mas não usara nem a metade da crueldade que Jeú lhes aplicaria se não tivessem obedecido. "Ela já estava quase espatifada devido à queda, e o brutal Jeú pisou seu corpo aleijado e o transformou em pedaços, pelas patas de seu cavalo!" (Adam Clarke, *in loc.*). Para Israel, foi apenas outro dia, como era usual.

■ **9.34**

וַיָּבֹא וַיֹּאכַל וַיֵּשְׁתְּ וַיֹּאמֶר פִּקְדוּ־נָא אֶת־הָאֲרוּרָה
הַזֹּאת וְקִבְרוּהָ כִּי בַת־מֶלֶךְ הִיא׃

Entrando ele e havendo comido e bebido. Jeú comeu e bebeu, algo que as pessoas geralmente fazem quando são aliviadas da tensão nervosa. Aquela horrenda mulher, Jezabel, que levara Israel ao pecado, estava morta. O mesmo havia acontecido a seu filho, Jorão. E logo outros, que apoiavam a dinastia de Acabe, incluindo os sacerdotes de Baal, encontrariam sorte similar. Por enquanto, porém, Jeú descansava. Mas quando comia lembrou-se de que Jezabel, aquela mulher ímpia, era filha de um rei. Portanto, ordenou que lhe fosse dado um sepultamento decente. Ver 1Rs 16.31.

"Jezabel era certamente uma mulher de alta linhagem: ela era filha do rei de Tiro; tinha sido esposa de Acabe, rei de Israel; era mãe de Jeorão, rei de Israel; era sogra de Jorão, rei de Judá; e era avó de Acazias, rei de Judá" (Adam Clarke, *in loc.*). Portanto, a despeito da maldição que lhe tinha sido imposta (ver 1Rs 21.23), Jeú decidiu conferir-lhe um sepultamento decente, embora não honroso.

■ **9.35**

וַיֵּלְכוּ לְקָבְרָהּ וְלֹא־מָצְאוּ בָהּ כִּי אִם־הַגֻּלְגֹּלֶת
וְהָרַגְלַיִם וְכַפּוֹת הַיָּדָיִם׃

Não acharam dela senão a caveira, os pés e as palmas das mãos. Não restara muito para ser sepultado. Jezabel havia sofrido uma queda que lhe despedaçara os ossos; ato contínuo fora pisoteada pelos cavalos; e então vieram cães que lhe devoraram o corpo quase inteiro. Portanto, tudo quanto restou foram a caveira, seus pés e as palmas de suas mãos. Presumivelmente, esses pedaços de seu corpo foram sepultados, cumprindo a ordem de Jeú (vs. 34). No Oriente, os cães corriam em matilhas, e se pareciam mais com lobos do que com os cães que conhecemos hoje em dia. Foi uma matilha daquelas feras terríveis que encontrou o cadáver de Jezabel. Ver no *Dicionário* o verbete denominado *Cachorro*.

■ **9.36**

וַיָּשֻׁבוּ וַיַּגִּידוּ לוֹ וַיֹּאמֶר דְּבַר־יְהוָה הוּא אֲשֶׁר דִּבֶּר
בְּיַד־עַבְדּוֹ אֵלִיָּהוּ הַתִּשְׁבִּי לֵאמֹר בְּחֵלֶק יִזְרְעֶאל
יֹאכְלוּ הַכְּלָבִים אֶת־בְּשַׂר אִיזָבֶל׃

No campo de Jezreel os cães comerão a carne de Jezabel. Jeú tinha conhecimento das profecias de condenação que Elias fizera acerca de Jezabel. Portanto, ao ouvir o que tinha acontecido, ele reconheceu imediatamente que aquelas profecias tinham tido um cumprimento preciso. Ver 1Rs 21.23 quanto a essa profecia.

"Ironicamente, aquela que fizera Nabote e seus filhos morrer desmerecidamente agora morria de uma morte ignominiosa — e merecida — no mesmo terreno que fora a vinha de Nabote. Ali era o lugar onde Bidcar lançara o cadáver do filho dela, Jorão (2Rs 9.25,26)" (Thomas L. Constable, *in loc.*).

■ **9.37**

וְהָיָת נִבְלַת אִיזֶבֶל כְּדֹמֶן עַל־פְּנֵי הַשָּׂדֶה בְּחֵלֶק
יִזְרְעֶאל אֲשֶׁר לֹא־יֹאמְרוּ זֹאת אִיזָבֶל׃ פ

O cadáver de Jezabel será como esterco. As palavras deste versículo não estão registradas em lugar algum como parte da profecia original (maldição) de Elias contra Jezabel. Mas o autor sagrado queria que soubéssemos que essas palavras faziam parte da profecia total. Embora não houvesse nenhuma carcaça restante, depois que os cães acabaram com tudo, ela serviria apenas como esterco, isto é, simplesmente lançada ao solo e deixada ali para apodrecer, como o esterco é lançado em nenhum lugar, para nada servindo. O ato de lançar a carcaça fora significava que não haveria sepultamento, algo que constituía grande opróbrio para os hebreus. Por não ser sepultada (conforme Elias havia predito), Jezabel foi submetida à desgraça final, por causa de seus muitos e graves pecados. Aquela perversa mulher não teria nenhum monumento fúnebre onde as gerações posteriores pudessem vir e dizer: "Os ossos de Jezabel estão sob a superfície do chão, exatamente neste lugar". E ninguém construiu um memorial em honra dela. Seria melhor esquecer que ela ao menos existira. A alma já é outra questão, e está nas mãos de Deus.

CAPÍTULO DEZ

JEÚ, REI DE ISRAEL (10.1-36)

Massacre da Casa de Acabe (10.1-14)

Aquele homem selvagem, Jeú, estava cumprindo direito o seu papel. Ele estava fazendo tudo corretamente, tendo executado ambos os reis, Jorão, rei de Israel, e Acazias, rei de Judá (capítulo nono de 2Reis). E então sua melhor realização, até aquele momento, fora a execução de Jezabel, que foi submetida à desgraça de ser comida pelos cães e deixada sem um sepultamento honroso (ver 2Rs 9.30 ss.). Mas ainda restavam ser executados os apoiadores da dinastia de Acabe, especialmente os filhos de Jorão e os sacerdotes de Baal, que haviam corrompido a terra com sua apostasia.

Agora, pois, Jeú voltou sua atenção para a próxima tarefa. Era comum que novos reis destruíssem a família e os apoiadores do antigo rei, para que não houvesse competição nem reversão da maré do poder. "Jeú, pois, seguiu o costume da época, destruindo cada membro do sexo masculino da linha real que ele havia suplantado. Isso visava a parcialmente garantir a sucessão para sua própria família, e parcialmente impedir uma inimizade de sangue, assegurando que não haveria vingança pelo rei assassinado. Acabe tinha setenta filhos que viviam em Samaria, pelo que Jeú enviou uma mensagem a seus guardiães, desafiando-os a escolher seu homem como rei e lutar por ele. Eles responderam que não poderiam oferecer resistência a um homem que era tão poderoso e havia executado dois reis, e que se submetiam a Jeú, pedindo-lhe instruções. E ele lhes ordenou que executassem aqueles que exerciam autoridade sobre eles, e trouxessem suas cabeças a Jezreel" (Norman H. Snaith, *in loc.*). Houve outras execuções, e assim Jeú estava estabelecendo seu governo mediante a violência e o derramamento de sangue, algo comum em Israel e outras nações do Oriente.

Ficamos boquiabertos diante de toda essa violência e diante da maneira brutal e sem coração com que era efetuada. Tudo isso mostra-nos o baixo nível a que o país inteiro tinha afundado, onde a vida humana não tinha o menor valor. Portanto, vamos seguindo de violência para violência, de assassinato para assassinato, ao avançarmos na história dos reis de Israel e de Judá. Era como se eles tivessem declarado guerra contra a própria vida humana.

■ 10.1

וּלְאַחְאָב שִׁבְעִים בָּנִים בְּשֹׁמְרוֹן וַיִּכְתֹּב יֵהוּא
סְפָרִים וַיִּשְׁלַח שֹׁמְרוֹן אֶל־שָׂרֵי יִזְרְעֶאל הַזְּקֵנִים
וְאֶל־הָאֹמְנִים אַחְאָב לֵאמֹר:

Achando-se em Samaria setenta filhos de Acabe. Promoção da traição. Buscando uma maneira fácil de livrar-se da dinastia de Acabe, especificamente os setenta filhos de Acabe, Jeú comissionou seus guardiães para efetuar a matança a fim de que ele não tivesse de chegar a Samaria para fazer a execução pessoalmente. Mas, para garantir o sucesso da empreitada, ele escreveu cartas não somente para os guardiães das crianças, mas também para os governantes (políticos e militares), bem como para os anciãos da cidade. A vontade de Jeú seria feita no tocante aos setenta filhos de Acabe, ou todos eles — governantes, anciãos e guardiães — seriam executados; e eles sabiam disso. Eles não tinham escolha. E mataram os filhos de Acabe. Foi preciso uma segunda carta para convencê-los, mas finalmente fizeram conforme lhes fora exigido (vs. 70). A primeira carta continha uma ameaça velada.

Em Samaria. O texto massorético diz aqui, "em Jezreel". Se isso está correto, então devemos supor que aqueles governantes haviam fugido para Samaria quando Jeú, aquele homem selvagem, tinha invadido o lugar (capítulo 9). Portanto, quando escreveu cartas, ele as endereçou àqueles homens, juntamente com os governantes, anciãos e guardiães de Samaria. Mas a versão de Luciano e a Vulgata substituem Jezreel por "cidade" (dando a entender Samaria). Mui provavelmente, isso não corresponde ao original, mas historicamente está correto. É provável que o autor original, ou um antigo escriba, por um erro de pena, tenha escrito Jezreel no texto, o que, realmente, não faz sentido. O texto massorético é o texto hebraico padronizado conhecido hoje em dia. Ver no *Dicionário* o artigo chamado *Massora* (*Massorah*): *Texto Massorético*. Ver também o artigo *Manuscritos do Antigo Testamento*, em sua seção VII.

Filhos. Isto é, herdeiros masculinos, herdeiros potenciais do trono, tanto crianças pequenas quanto talvez adolescentes. Ainda viviam sob tutores e guardiães. Temos de supor que filhos mais velhos também foram mortos, e talvez o autor suponha que saibamos disso, a despeito do fato de que todos os filhos não continuavam sujeitos a seus guardiães.

■ 10.2,3

וְעַתָּה כְּבֹא הַסֵּפֶר הַזֶּה אֲלֵיכֶם וְאִתְּכֶם בְּנֵי אֲדֹנֵיכֶם
וְאִתְּכֶם הָרֶכֶב וְהַסּוּסִים וְעִיר מִבְצָר וְהַנָּשֶׁק:
וּרְאִיתֶם הַטּוֹב וְהַיָּשָׁר מִבְּנֵי אֲדֹנֵיכֶם וְשַׂמְתֶּם
עַל־כִּסֵּא אָבִיו וְהִלָּחֲמוּ עַל־בֵּית אֲדֹנֵיכֶם:

Logo, em chegando a vós outros esta carta. Jeú escreveu com extrema ironia. Em sua primeira carta, ele sugeriu que aqueles governantes, anciãos e guardiães escolheriam um dos filhos de Acabe, fariam dele o rei, e se preparariam para combater por ele! "Se fizerdes assim", deixou ele entendido, "logo estarei aí e matarei todos vós". Eles tinham cidades fortificadas e carros de combate, talvez um considerável equipamento de guerra. Eles poderiam ter seguido a sugestão irônica de Jeú. Mas em seu íntimo sabiam que a dinastia de Acabe havia chegado ao fim de seus dias. Jeú era a onda do presente e do futuro.

Talvez Jeú tivesse sugerido uma batalha que servisse de teste. Não seria necessário que dois grandes exércitos se entrechocassem. Eles poderiam escolher tropas de elite, e ele enviaria tropas de elite contra eles. Algumas vezes, as questões eram resolvidas dessa maneira (ver 1Sm 17.8,9; 2Sm 2.9).

■ 10.4

וַיִּרְאוּ מְאֹד מְאֹד וַיֹּאמְרוּ הִנֵּה שְׁנֵי הַמְּלָכִים לֹא
עָמְדוּ לְפָנָיו וְאֵיךְ נַעֲמֹד אֲנָחְנוּ:

Porém, eles temeram muitíssimo. Dois reis (Jorão, de Israel, e Acazias, de Judá; ver o nono capítulo) não tinham podido resistir a Jeú. Era definitivamente seu dia. Sua estrela estava subindo no firmamento. O sol tinha-se posto sobre a dinastia de Acabe. Se os maiores (os reis) tinham caído defronte dele, como poderiam os menores derrotá-lo? Um rei era com frequência considerado uma pessoa sagrada, ou, pelo menos, uma pessoa diretamente controlada por algum poder divino. Supostamente, um rei possuiria algum poder sobre-humano, e recursos para além de suas próprias forças. Se um homem fora capaz de matar dois reis, como poderiam pessoas ordinárias ter a esperança de lutar com sucesso contra ele?

■ 10.5

וַיִּשְׁלַח אֲשֶׁר־עַל־הַבַּיִת וַאֲשֶׁר עַל־הָעִיר וְהַזְּקֵנִים
וְהָאֹמְנִים אֶל־יֵהוּא לֵאמֹר עֲבָדֶיךָ אֲנַחְנוּ וְכֹל
אֲשֶׁר־תֹּאמַר אֵלֵינוּ נַעֲשֶׂה לֹא־נַמְלִיךְ אִישׁ הַטּוֹב
בְּעֵינֶיךָ עֲשֵׂה:

O responsável pelo palácio e o responsável pela cidade, os anciãos e os tutores. O homem que tomava o lugar de Jorão, quando esse rei estava ausente, chamou os governantes, os anciãos e os guardiães para se consultarem juntos. Talvez devamos pensar aqui em duas personagens: uma que estava encarregada do palácio, e outra que estava encarregada da cidade. Seja como for, tratou-se de uma conferência de alto nível. Não foi preciso muito tempo para chegarem a uma decisão: eles fariam qualquer coisa, até sacrificariam a família real inteira, o que, conforme eles entenderam muito bem, fazia parte das exigências de Jeú. E eles deixaram claro, em cartas enviadas de volta a Jeú, que estavam do "lado dele". Preferiram movimentar-se juntamente com a maré, em lugar de oferecer-lhe resistência. "Eles não estabeleceram condições e tomaram o compromisso de executar os terríveis assassinatos, que esse homem execrado (Jeú) lhes ordenou em seguida" (Adam Clarke, *in loc.*).

Em outras palavras, Samaria rendeu-se incondicionalmente a Jeú, a fim de salvar vidas. Se não tivesse agido assim, provavelmente Jeú teria arrasado a cidade inteira.

■ 10.6

וַיִּכְתֹּב אֲלֵיהֶם סֵפֶר שֵׁנִית לֵאמֹר אִם־לִי אַתֶּם וּלְקֹלִי
אַתֶּם שֹׁמְעִים קְחוּ אֶת־רָאשֵׁי אַנְשֵׁי בְנֵי־אֲדֹנֵיכֶם וּבֹאוּ
אֵלַי כָּעֵת מָחָר יִזְרְעֶאלָה וּבְנֵי הַמֶּלֶךְ שִׁבְעִים אִישׁ
אֶת־גְּדֹלֵי הָעִיר מְגַדְּלִים אוֹתָם:

Então lhes escreveu outra carta. Essa segunda carta fazia exigências específicas, especialmente para que fossem mortos os setenta filhos de Acabe. Os guardiães, governantes e anciãos, como é natural, tinham antecipado essa possibilidade, porquanto era costume que um novo rei aniquilasse a antiga família real, conforme comentei na introdução ao presente capítulo. Por conseguinte, essa exigência não lhes foi imposta como uma surpresa. Jeú exigia um ato extremamente cruel. Ele queria que as cabeças dos setenta filhos de Acabe fossem trazidas a ele, de Samaria a Jezreel. Dessa maneira, saberia que suas ordens tinham sido obedecidas. Ficamos boquiabertos diante de cenas assim, mas essas eram coisas usuais em Israel, no tempo dos reis.

Naqueles dias de poligamia, era comum que os homens tivessem muitos filhos. Homens poderosos tinham mais filhos do que outros, porquanto podiam dar-se ao luxo de ter mais esposas que o normal. Naturalmente, nenhum rei se equiparou a Salomão, aquele perito em mulheres e filhos; mas outros reis de Israel e de Judá fizeram contribuições significativas: Roboão, filho de Salomão, teve 38 filhos; Abdom teve quarenta; Tola teve trinta; Gideão teve 71; e Acabe, setenta.

10.7

וַיְהִי כְּבֹא הַסֵּפֶר אֲלֵיהֶם וַיִּקְחוּ אֶת־בְּנֵי הַמֶּלֶךְ וַיִּשְׁחֲטוּ שִׁבְעִים אִישׁ וַיָּשִׂימוּ אֶת־רָאשֵׁיהֶם בַּדּוּדִים וַיִּשְׁלְחוּ אֵלָיו יִזְרְעֶאלָה:

Puseram as suas cabeças nuns cestos. *Os Caçadores de Cabeças.* Em obediência imediata à carta, os próprios guardiães (ou soldados nomeados para a tarefa) saíram à caça de cabeças. Conseguiram tirar a vida de todos os setenta filhos de Acabe e puseram as cabeças deles em cestos. Ato contínuo, levaram-nas de Samaria a Jezreel, uma distância de 32 quilômetros. Isso pôs fim, efetivamente, à dinastia de Acabe. Não restou nenhum membro do sexo masculino. Havia cabeças de infantes, de crianças, de adolescentes e de homens jovens. Tinham caído no erro de nascer como filhos de Acabe. Ontem tinham sido os membros orgulhosos da mais poderosa família de Israel. Hoje, estavam todos mortos.

10.8

וַיָּבֹא הַמַּלְאָךְ וַיַּגֶּד־לוֹ לֵאמֹר הֵבִיאוּ רָאשֵׁי בְנֵי־הַמֶּלֶךְ וַיֹּאמֶר שִׂימוּ אֹתָם שְׁנֵי צִבֻּרִים פֶּתַח הַשַּׁעַר עַד־הַבֹּקֶר:

Veio um mensageiro e lhe disse. Um mensageiro trouxe a notícia de que as cabeças tinham chegado a Jezreel, e assim o novo rei foi notificado. Ele ordenou que as cabeças fossem postas em dois montões, no portão de Jezreel. Alguém teria de contá-las. Jeú certificar-se-ia de que obtivera o que havia pedido. Jeú foi e teve uma boa noite de sono. Seu plano de aniquilamento estava operando às mil maravilhas. Ele voltaria a ocupar-se daquela tarefa no dia seguinte. Aquelas cabeças seriam um triste lembrete, a todos quantos ouvissem falar do acontecido, de que Jeú não era homem para ser levado superficialmente. Ele mataria, pois até gostava de matar, em qualquer oportunidade que tivesse. Ninguém seria capaz de fazê-lo parar, e somente os insensatos o tentariam. O portão era o lugar de negócios públicos, e, com frequência, onde funcionava o tribunal de justiça. Todos em Jezreel seriam testemunhas do feito sangrento, e temeriam. Quanto ao uso do portão, ver 1Rs 22.10 e 2Rs 7.3. Ver no *Dicionário* o artigo chamado *Portão*.

10.9

וַיְהִי בַבֹּקֶר וַיֵּצֵא וַיַּעֲמֹד וַיֹּאמֶר אֶל־כָּל־הָעָם צַדִּקִים אַתֶּם הִנֵּה אֲנִי קָשַׁרְתִּי עַל־אֲדֹנִי וָאֶהְרְגֵהוּ וּמִי הִכָּה אֶת־כָּל־אֵלֶּה:

Vós estais sem culpa. O propósito da fala de Jeú, no dia seguinte, em parte foi para aliviar os temores em Jezreel. O povo daquele lugar era inocente de qualquer ato errado. Jeú disse: "Fui eu quem matou o meu senhor, o rei Jorão. Assumo a plena responsabilidade. Vocês nada têm a ver com isso". Em seguida, ele quis saber sobre aquelas setenta cabeças. Quem tinha matado os filhos de Acabe? Eles tinham sido mortos por sua ordem, e os habitantes de Jezreel também nada tinham a ver com isso. Mas a lição objetiva era perfeitamente clara: aqueles que se opusessem a ele seriam abatidos. Os homens só teriam paz em Israel enquanto obedecessem ao novo tirano. A dinastia de Jeú duraria por quatro gerações; e então o *Cativeiro Assírio* (ver a esse respeito no *Dicionário*) poria fim à terrível confusão.

Entrementes, Jeú estava agindo por ordem divina. Elias havia dito que ele seria o instrumento da matança, e que o objeto específico de sua ira seria a casa de Acabe (ver 1Rs 19.17). Jeú relembrou o povo de Jezreel desse fato (ver o vs. 10).

Aqueles dois montes de cabeças, pois, não deveriam perturbar os habitantes de Jezreel. As duas horrendas pilhas de cabeças decepadas não deveriam ser interpretadas como se eles tivessem qualquer culpa, ou que sofreriam algum dano. Yahweh tinha ordenado a matança; Elias a tinha previsto, e Jeú foi apenas o instrumento. Outros não tinham culpa na questão, se é que alguém deveria ser o culpado.

10.10

דְּעוּ אֵפוֹא כִּי לֹא יִפֹּל מִדְּבַר יְהוָה אַרְצָה אֲשֶׁר־דִּבֶּר יְהוָה עַל־בֵּית אַחְאָב וַיהוָה עָשָׂה אֵת אֲשֶׁר דִּבֶּר בְּיַד עַבְדּוֹ אֵלִיָּהוּ:

Da palavra do Senhor... nada cairá em terra. Jeú jamais se esqueceu de que ele era o instrumento das temíveis profecias de Yahweh, dadas por intermédio de Elias. Cf. 2Rs 9.36,37. Jeú, sem dúvida, tinha ouvido em primeira mão algumas dessas profecias, enquanto servia a Jorão. Por conseguinte, aliviou os temores do povo de Jezreel, que poderia pensar que seria acusado de alguma coisa, dizendo-lhes que a autoridade por trás da matança era o próprio Yahweh. O que acontecera era inevitável, o cumprimento de profecias, o desdobramento da vontade divina. A casa de Acabe deveria ter um fim violento (ver 1Rs 19.17 e 21.21,29).

10.11

וַיַּךְ יֵהוּא אֵת כָּל־הַנִּשְׁאָרִים לְבֵית־אַחְאָב בְּיִזְרְעֶאל וְכָל־גְּדֹלָיו וּמְיֻדָּעָיו וְכֹהֲנָיו עַד־בִּלְתִּי הִשְׁאִיר־לוֹ שָׂרִיד:

Até que nem um sequer lhe deixou ficar de resto. Um aniquilamento absoluto. Jeú já havia matado pessoalmente os dois reis, Jorão, de Israel, e Acazias, de Judá (capítulo 9); ele havia ordenado a morte de Jezabel (2Rs 9.30 ss.); e ordenara a decapitação dos setenta filhos de Acabe, removendo qualquer possibilidade de algum herdeiro ao trono daquela dinastia (2Rs 10.7). Agora ele terminaria a tarefa. Suas matanças foram extensivas: todos os membros restantes da casa de Acabe foram eliminados, presumivelmente incluindo todos os membros do sexo masculino, primos, os parentes mais distantes, que não tinham chance de tornar-se herdeiros do trono; ele também executou todos os oficiais militares de Acabe; todos os governantes e anciãos que lhe tinham dado apoio; todos os sacerdotes que o serviam em Samaria; e é provável que tenha matado os guardiães que haviam matado os setenta filhos de Acabe (versículo sétimo). Ele não lhes deu nenhum crédito por terem obedecido às suas ordens. Não restou nenhum vingador do sangue. Ver no *Dicionário* o verbete chamado *Vingador do Sangue*.

"Em seu zelo, Jeú exagerou e matou muitas pessoas inocentes que poderiam tê-lo ajudado a ser um rei mais eficiente do que se mostrou capaz" (Thomas L. Constable, *in loc.*).

Os sacerdotes de Baal, em Samaria e em outros lugares de Israel, logo teriam a mesma sorte que as demais vítimas da matança. A ira de Jeú continuaria a fazer vítimas. Mas depois de tudo isso, Jeú terminaria sendo quase tão ruim quanto Acabe tinha sido. Tiranos que substituem tiranos raramente são melhores do que eles. Ditadores que tomam o lugar de ditadores raramente são melhores do que eles. Presidentes eleitos que substituem presidentes eleitos raramente são melhores que eles. O jogo político inteiro é um leito de corrupções.

10.12,13

וַיָּקָם וַיָּבֹא וַיֵּלֶךְ שֹׁמְרוֹן הוּא בֵּית־עֵקֶד הָרֹעִים בַּדָּרֶךְ:

וְיֵהוּא מָצָא אֶת־אֲחֵי אֲחַזְיָהוּ מֶלֶךְ־יְהוּדָה וַיֹּאמֶר מִי אַתֶּם וַיֹּאמְרוּ אֲחֵי אֲחַזְיָהוּ אֲנַחְנוּ וַנֵּרֶד לִשְׁלוֹם בְּנֵי־הַמֶּלֶךְ וּבְנֵי הַגְּבִירָה:

Foi a Samaria. O poderoso matador, Jeú, partiu então para Samaria. Ele tinha uma matança muito maior a efetuar, e a faria na capital do país. Devemos entender que o versículo 11, pois, não incluiu a família inteira de Acabe, porque, em Samaria, a capital do país, havia outros membros dessa família. Em breve estariam mortos. Ao longo do caminho, aconteceu que Jeú se encontrou com parentes de Acazias, rei de Judá. Eles estavam indo a Samaria visitar outros membros da família real, tanto de Judá quanto de Israel, e, especialmente, a rainha-mãe, Jezabel, embora nada soubessem a respeito. Devemos lembrar-nos de que as duas famílias reais (a de Judá e a de Israel) se tinham unido por casamentos, desde os dias de Josafá, pelo que estar relacionado com uma dessas famílias era estar relacionado com a outra. Ver o gráfico que acompanha o presente texto.

■ **10.14**

וַיֹּאמֶר תִּפְשׂוּם חַיִּים וַיִּתְפְּשׂוּם חַיִּים
וַיִּשְׁחָטוּם אֶל־בּוֹר בֵּית־עֵקֶד אַרְבָּעִים וּשְׁנַיִם
אִישׁ וְלֹא־הִשְׁאִיר אִישׁ מֵהֶם: ס

Bete-Equede. Ver no *Dicionário* o artigo sobre esse lugar. O nome, no hebraico, significa "casa de tosquia". Era um lugar de tosquia de carneiros bem conhecido; ali provavelmente havia uma pequena comunidade que se ocupava desse negócio. Tem sido identificado com a moderna Beit Kad, cerca de 26 quilômetros a nordeste de Samaria.

E a nenhum deles deixou de resto. Essas palavras referem-se a 42 parentes de Acazias, rei de Judá. Esses foram os homens mortos por Jeú. Ele estava determinado a eliminar a família da temível Jezabel. A casa de Acabe misturara-se por casamento com a casa de Josafá, e Acazias estava envolvido nessa confusão. Jeú, pois, ansiava limpar toda aquela imundícia. Portanto, aqueles infelizes viajantes foram vítimas dessa matança. Na verdade, eles deveriam ter permanecido em casa, e deixado Jezabel cuidar de sua própria vida. Quarenta e dois homens foram mortos. Quando terminaria a matança? Em 2Cr 22.8, esses homens são chamados "príncipes de Judá".

"Isso posto, foi-nos apresentado um quadro negro sobre o estado da religião naqueles dias antigos. Contudo, apenas um pouco de conhecimento da história é necessário para mostrar-nos que, até mesmo na era chamada cristã, crueldades abomináveis têm sido perpetuadas em nome da religião e com a sanção da Igreja. A consciência religiosa só muito lentamente se tem desvencilhado da horrenda aliança com a crueldade. Continuamos testificando, em tempos de guerra, o ressurgimento de uma inacreditável depravação e de uma desumanidade de sangue frio. Não obstante, a consciência religiosa de nossa época condena essas atitudes, repele-as e se volta contra elas, resolvida a mudar o quadro. Portanto, podemos acompanhar um lento mas seguro progresso, sob Deus, na evolução da moral e da religião" (Raymond Calking, *in loc.*).

Note-se o curioso paralelo dos números, comparando-se o trecho de 2Rs 2.24 com o presente versículo.

Jonadabe, Filho de Recabe, um Aliado (10.15-17)

■ **10.15**

וַיֵּלֶךְ מִשָּׁם וַיִּמְצָא אֶת־יְהוֹנָדָב בֶּן־רֵכָב
לִקְרָאתוֹ וַיְבָרְכֵהוּ וַיֹּאמֶר אֵלָיו הֲיֵשׁ אֶת־לְבָבְךָ
יָשָׁר כַּאֲשֶׁר לְבָבִי עִם־לְבָבֶךָ וַיֹּאמֶר יְהוֹנָדָב
יֵשׁ וָיֵשׁ תְּנָה אֶת־יָדֶךָ וַיִּתֵּן יָדוֹ וַיַּעֲלֵהוּ אֵלָיו
אֶל־הַמֶּרְכָּבָה:

Jeú se encontrou com 42 inimigos potenciais e os matou. Então aconteceu-lhe encontrar um aliado, e ele o convidou para ajudá-lo em sua missão de morte e destruição. Esse aliado era Jonadabe, filho de Recabe, o qual recebeu um artigo no *Dicionário*. Ver o segundo da lista. Coisa alguma se sabe sobre ele, exceto o que se pode deduzir de sua ascendência e do incidente aqui registrado. Presumimos que ele era contrário à casa de Acabe e a favor de uma reforma total e do retorno ao yahwismo. Josefo (ver *Antiq.* IX.6.6) faz de Jonadabe e Jeú amigos de longo tempo; e, se isso exprime a verdade, então o rei já sabia que tinha em seu amigo um aliado em tempos de dificuldades. Os recabitas eram descendentes dos queneus (ver 1Cr 2.55) e permaneceram firmes em suas tradições e costumes típicos de povos do deserto. Eram nômades no começo e permaneceram nômades. Eram adoradores de Yahweh e austeros em seus hábitos, abstendo-se de vinho e de prazeres supérfluos. Ver Jr 35.6,7. Ver no *Dicionário* o artigo chamado *Recabe, Recabitas*, quanto a detalhes.

A Aliança. Jonadabe tornou-se um aliado imediato, passando a ajudar Jeú a limpar a confusão em Samaria. Jonadabe tomou o carro de Jeú e estava ansioso por chegar o mais prontamente possível em Samaria. Quando Jeú ajudava seu aliado a entrar no carro, eles se deram as mãos, e isso selou a aliança entre os dois. Cf. Is 42.6.

■ **10.16**

וַיֹּאמֶר לְכָה אִתִּי וּרְאֵה בְּקִנְאָתִי לַיהוָה וַיַּרְכִּבוּ
אֹתוֹ בְּרִכְבּוֹ:

E verás o meu zelo para com o Senhor. Yahweh tinha ordenado a matança da casa de Acabe; Elias a tinha profetizado; Jeú era o instrumento dessa matança, e assim ele estava cheio do zelo da matança, atribuído a Yahweh. Jonadabe seria o aliado de Jeú e demonstraria o seu zelo pelo yahwismo.

...o levou. A versão portuguesa segue as versões siríaca e *Septuaginta*, dando o sujeito no singular. Mas o hebraico original tem o plural "eles o levaram". Se o plural está correto, então os oficiais militares de Jeú podem ter sido aqueles que ajudaram Jonadabe a entrar na carruagem de Jeú. Alguns estudiosos têm conjecturado que Jonadabe tinha sido um velho xeque, não muito hábil na batalha, porém um bom aliado por causa de seu apoio moral. Mas isso é muita conjectura para se basear em um sujeito no plural. Ver no *Dicionário* o verbete chamado *Manuscritos do Antigo Testamento*, em sua seção VII.

■ **10.17**

וַיָּבֹא שֹׁמְרוֹן וַיַּךְ אֶת־כָּל־הַנִּשְׁאָרִים לְאַחְאָב בְּשֹׁמְרוֹן
עַד־הִשְׁמִידוֹ כִּדְבַר יְהוָה אֲשֶׁר דִּבֶּר אֶל־אֵלִיָּהוּ: פ

Feriu todos os que ali ficaram de Acabe. A matança em Samaria. Jeú já havia matado todos os membros do sexo masculino da casa de Acabe, que estavam em Jezreel, residência de verão de Acabe. A temível Jezabel estivera entre as vítimas, como também parentes de Acabe, até mesmo distantes, seus oficiais militares, anciãos e sacerdotes (ver o vs. 11). A matança foi então transferida para Samaria, onde os mesmos atos de violência foram efetuados. Isso significa que a casa de Acabe foi aniquilada. Devemos lembrar-nos, uma vez mais, de que Jeú estava agindo em consonância com a vontade de Yahweh, conforme fora profetizado por Elias. Ver 1Rs 19.17 e 21.21,29. Jeú tinha consciência de que estava cumprindo profecias (ver 2Rs 9.36,37 e 10.10), e isso, sem dúvida, aumentava ainda mais o seu zelo fanático. Ver meus comentários sobre toda a questão, nas notas expositivas do vs. 14, a respeito de como a consciência cristã trabalha com tais questões.

Massacre dos Adoradores de Baal (10.18-28)

■ **10.18**

וַיִּקְבֹּץ יֵהוּא אֶת־כָּל־הָעָם וַיֹּאמֶר אֲלֵהֶם אַחְאָב עָבַד
אֶת־הַבַּעַל מְעָט יֵהוּא יַעַבְדֶנּוּ הַרְבֵּה:

A Trilha de Sangue. A partir do nono capítulo, temos seguido uma horrenda trilha de sangue. Ali vimos Jeú matar os dois reis, Jorão, rei de Israel (filho de Acabe e Jezabel), e Acazias, rei de Judá. Em seguida, a matança atingiu Jezreel, onde a horrível Jezabel foi uma das vítimas. Mas a matança foi muito extensiva, conforme vemos no versículo 11 deste capítulo. Os setenta filhos de Acabe foram mortos em Samaria, por ordem de Jeú, enquanto ele ainda estava em Jezreel (ver 2Rs 10.2 ss.). Então Jeú e seus soldados avançaram sobre Samaria e repetiram suas execuções assassinas, obliterando completamente a casa de Acabe (ver 2Rs 10.17). Agora a matança destruiria os sacerdotes de Baal, tanto em Samaria como em todo o território de Israel, que é o assunto dos vss. 18-28 deste capítulo. A apostasia de Israel tornara-se, realmente, generalizada. Havia a adoração ao bezerro, em Betel (o qual, incrivelmente, Jeú não destruiu). Mas o baalismo era a principal manifestação da idolatria. Ver no *Dicionário* o artigo chamado *Baal (Baalismo)*, quanto a detalhes.

Jeú Promoveu uma Grande Farsa. Ele fingiu ser um devoto fanático de Baal, e reuniu todos os seguidores para uma festa de adoração. Declarou-se um devoto de Baal maior do que Acabe tinha sido, e com isso ele iludiu todos os seguidores do culto. Jeú, alegadamente, faria avançar a causa do baalismo, e todos os seus fiéis seguidores quiseram ver o que ele faria. Jeú faria um grande holocausto, mas o truque é que seria de vítimas humanas, dos adoradores de Baal. Seria esse um sacrifício apropriado. A espertеza de Jeú deu certo. O lugar apontado para o sacrifício estava apinhado de gente, os apoiadores de Baal, tal como as formigas infestam um formigueiro.

10.19

וְעַתָּ֣ה כָל־נְבִיאֵ֣י הַבַּ֡עַל כָּל־עֹבְדָ֣יו וְכָל־כֹּהֲנָיו֩ קִרְא֨וּ אֵלַ֜י אִ֣ישׁ אַל־יִפָּקֵ֗ד כִּי֩ זֶ֨בַח גָּד֥וֹל לִי֙ לַבַּ֔עַל כֹּ֥ל אֲשֶׁר־יִפָּקֵ֖ד לֹ֣א יִֽחְיֶ֑ה וְיֵהוּא֙ עָשָׂ֣ה בְעָקְבָּ֔ה לְמַ֖עַן הַאֲבִ֥יד אֶת־עֹבְדֵ֥י הַבָּֽעַל׃

Todos os membros sérios do culto a Baal estariam presentes. Somente os desinteressados e os desviados se fariam ausentes naquele dia. Afinal, fora o próprio rei Jeú, o campeão do baalismo, que fizera tal proclamação, requerendo a presença de todos os adoradores de Baal. Assim sendo, eles vieram em massa. Samaria ficou sobrecarregada de peregrinos de perto e de longe, de fato, de toda a nação de Israel. Camelos, cavalos, mulas, jumentos e carruagens estavam estacionados por toda parte. Os negociantes armaram suas mesas para tentar ganhar dinheiro com o ajuntamento das pessoas. Para garantir total representação do baalismo, Jeú ameaçara executar qualquer seguidor de Baal que permanecesse em casa. É óbvio que as verdadeiras lealdades religiosas de Jeú ainda eram desconhecidas por esse tempo. Se elas fossem conhecidas, o golpe de astúcia teria falhado.

10.20

וַיֹּ֣אמֶר יֵה֔וּא קַדְּשׁ֥וּ עֲצָרָ֖ה לַבָּ֑עַל וַיִּקְרָֽאוּ׃

Consagrai uma assembleia solene a Baal. Foi um dia de feriado nacional que exigiu a presença dos seguidores de Baal em Samaria. O feriado foi fortalecido por um decreto real; o decreto apoiou-se em uma ameaça de execução para os que não se fizessem presentes à reunião. Haveria uma gigantesca festividade de sacrifícios oferecidos a Baal (vs. 19). O hebraico diz, literalmente, para "sacrifício", "matança para sacrifício", e isso pode ter sido uma pequena demonstração de humor negro da parte de Jeú. Seu sacrifício seria a matança dos adoradores de Baal. Além disso, a assembleia solene, no original hebraico, literalmente é "festividade de encerramento", o que pode ter sido outro toque de humor negro. (Cf. Dt 16.8 e Lv 23.36.) Jeú haveria de "fechar" o baalismo em Israel, com sua matança de sacrifício.

10.21

וַיִּשְׁלַ֤ח יֵהוּא֙ בְּכָל־יִשְׂרָאֵ֔ל וַיָּבֹ֙אוּ֙ כָּל־עֹבְדֵ֣י הַבַּ֔עַל וְלֹֽא־נִשְׁאַ֥ר אִ֖ישׁ אֲשֶׁ֣ר לֹֽא־בָ֑א וַיָּבֹ֙אוּ֙ בֵּ֣ית הַבַּ֔עַל וַיִּמָּלֵ֥א בֵית־הַבַּ֖עַל פֶּ֥ה לָפֶֽה׃

Enviou mensageiros por todo o Israel. A nação inteira recebeu o decreto de Jeú. Todo o Israel foi convocado. Nenhum indivíduo mostrou-se tão corajoso que desobedecesse às ordens do rei. Estavam todos presentes, todo adorador de Baal, e, especialmente, a casta sacerdotal, que se tinha espalhado como um câncer por todo o território de Israel. Esse câncer estava prestes a ser extraído com violência. O templo principal de Baal, em Samaria, estava repleto de gente. Muitos foram deixados do lado de fora, e ocuparam áreas circundantes. Jeú já os havia cercado com homens violentos, que ansiavam por iniciar a matança; mas os adoradores de Baal de nada suspeitaram. Acabe havia erigido aquele magnificente templo em honra a Baal, em Samaria (ver 1Rs 16.32). Sua utilidade, porém, estava no fim.

10.22

וַיֹּ֗אמֶר לַאֲשֶׁר֙ עַל־הַמֶּלְתָּחָ֔ה הוֹצֵ֣א לְב֔וּשׁ לְכֹ֖ל עֹבְדֵ֣י הַבָּ֑עַל וַיֹּצֵ֥א לָהֶ֖ם הַמַּלְבּֽוּשׁ׃

Tira as vestimentas para todos os adoradores de Baal. Vestimentas especiais eram usadas no culto a Baal, guardadas em um depósito do templo de Baal. Os líderes do culto eram pomposos e cheios de ostentação. Quanto mais chegado à ostentação era um homem, mais era considerado espiritual. Vestes especiais sempre fizeram parte dos cultos religiosos, e isso continua a ter seu lugar em algumas denominações. Existe aquele truque psicológico que diz que os poderes divinos não podem ser abordados com sucesso por uma pessoa em vestimentas comuns, ou, pelo menos, que esses poderes dão mais atenção aos que se vestem "apropriadamente". Os sumos sacerdotes e os sacerdotes de Israel tinham todos as suas vestes especiais, que tinham de usar quando oficiavam. Ver no *Dicionário* o verbete chamado *Sacerdotes, Vestimentas dos*. Em inglês temos a expressão Sunday best, isto é, as melhores vestes reservadas para uso na igreja, aos domingos. Mas hoje em dia as pessoas mostram-se negligentes, e até desrespeitosas, na maneira como se vestem para ir à igreja. Existem, pois, esses dois extremos: os pomposos, cheios de ostentação, e os desrespeitosos.

A Figura Simbólica. Com o intuito de aproximar-nos de Deus, precisamos do vestuário próprio da alma: a sinceridade, a fidelidade, a retidão, a preparação apropriada a humildade.

10.23

וַיָּבֹ֞א יֵה֤וּא וִיהוֹנָדָב֙ בֶּן־רֵכָ֔ב בֵּ֖ית הַבָּ֑עַל וַיֹּ֜אמֶר לְעֹבְדֵ֣י הַבַּ֗עַל חַפְּשׂ֤וּ וּרְאוּ֙ פֶּן־יֶשׁ־פֹּ֤ה עִמָּכֶם֙ מֵעַבְדֵ֣י יְהוָ֔ה כִּ֛י אִם־עֹבְדֵ֥י הַבַּ֖עַל לְבַדָּֽם׃

Examinai. Uma medida de garantia. Uma grande matança estava prestes a ocorrer, pelo que Jeú quis estar certo de que somente adoradores de Baal estavam presentes. Ele não queria que um único verdadeiro devoto de Yahweh sofresse a terrível agonia que em breve haveria de abater-se sobre aquela grande assembleia. O baalismo era uma fraternidade, e todos se conheciam uns aos outros. Receberam ordens, pois, de olhar em derredor e identificar qualquer adorador de Yahweh que pudesse estar entre eles. Jonadabe também estava presente, como observador. Ele veria o zelo de matador de Jeú (ver o vs. 16). Uma busca foi feita, e não se descobriu nenhum único devoto de Yahweh na assembleia. Tudo estava pronto para o sacrifício e o subsequente aniquilamento dos servos de Baal.

10.24

וַיָּבֹ֕אוּ לַעֲשׂ֖וֹת זְבָחִ֣ים וְעֹל֑וֹת וְיֵה֞וּא שָׂם־ל֤וֹ בַחוּץ֙ שְׁמֹנִ֣ים אִ֔ישׁ וַיֹּ֕אמֶר הָאִ֛ישׁ אֲשֶׁר־יִמָּלֵ֥ט מִן־הָאֲנָשִׁ֛ים אֲשֶׁ֥ר אֲנִ֛י מֵבִ֥יא עַל־יְדֵיכֶ֖ם נַפְשׁ֥וֹ תַּ֥חַת נַפְשֽׁוֹ׃

E, entrando eles a oferecerem sacrifícios e holocaustos. O artifício continuou. Os sacrifícios apropriados foram feitos, e ninguém suspeitou do que Jeú estava para fazer. Todos foram apanhados na teia de seu engano, e em breve receberiam a ferroada fatal. O momento do golpe mortífero aproximava-se.

Uma Vida Por Outra Vida. Jeú escolheu oitenta homens poderosos e violentos para montar guarda do lado de fora do templo de Baal. Ao dar ele a ordem, eles deveriam avançar, entrar no templo e matar todos. Se um de seus homens permitisse a fuga de algum dos adoradores de Baal, seria executado. Aqueles homens assassinos sem dúvida garantiriam que nenhum homem da companhia deles fosse executado naquele dia. Eles tremiam de excitação conforme se aproximava a hora da sua glória.

10.25

וַיְהִ֞י כְּכַלֹּת֣וֹ ׀ לַעֲשׂ֣וֹת הָעֹלָ֗ה וַיֹּ֣אמֶר יֵ֠הוּא לָרָצִ֨ים וְלַשָּׁלִשִׁ֜ים בֹּ֤אוּ הַכּוּם֙ אִ֣ישׁ אַל־יֵצֵ֔א וַיַּכּ֖וּם לְפִי־חָ֑רֶב וַיַּשְׁלִ֗כוּ הָרָצִים֙ וְהַשָּׁ֣לִשִׁ֔ים וַיֵּלְכ֖וּ עַד־עִ֥יר בֵּית־הַבָּֽעַל׃

Entrai, feri-os, que nenhum escape. Quando os sacrifícios estavam prestes a terminar, Jeú deu a ordem terrível. Os oitenta homens entraram no templo e começaram a matar. Eles não ouviram nenhum grito pedindo misericórdia. Antes, mostraram-se incansáveis e eficazes.

Penetraram no mais interior da casa de Baal. Os executores entraram na parte mais interior do santuário do templo de Baal, o lugar mais sagrado do culto, e a matança continuou. Essa palavra, em algumas versões, tem sido traduzida como "cidade", dando a entender que a matança se espalhou pelas regiões da cidade de Samaria. Mas agora se sabe que "santuário" ou "mais interior da casa de Baal" é uma tradução apropriada da palavra hebraica em questão, 'ir. Cognata é a palavra acádica erim, que significa alicerce. E também existe a palavra ur, "cidade". No presente versículo, essa palavra indica uma espécie de santo dos santos do templo pagão.

■ **10.26**

וַיֹּצִאוּ אֶת־מַצְּבוֹת בֵּית־הַבַּעַל וַיִּשְׂרְפוּהָ׃

E tiraram as colunas. Essa palavra no plural faz parte do texto massorético. Ver no *Dicionário* o artigo chamado *Massora* (*Massorah*); *Texto Massorético*. Mas quase certamente (em concordância com as evidências históricas) deveríamos entender aqui a forma singular. Possivelmente está em vista a pedra sagrada, o altar do santo dos santos do templo pagão. Mas alguns se referem ao poste sagrado, com inscrições apropriadas ao baalismo. Esse poderia ser o significado, posto que a palavra hebraica não indica claramente um objeto de madeira. A *Septuaginta* tem a forma singular. A versão siríaca diz "estátua". A coluna sagrada era um objeto comum nas antigas formas de adoração, e com frequência fazia parte do equipamento dos templos. O fato de que essa coluna pôde ser queimada faz-nos deduzir que ela era feita de madeira.

■ **10.27**

וַיִּתְּצוּ אֵת מַצְּבַת הַבַּעַל וַיִּתְּצוּ אֶת־בֵּית הַבַּעַל וַיְשִׂמֻהוּ לְמַחֲרָאוֹת עַד־הַיּוֹם׃

Também quebraram a própria coluna de Baal. Alguns eruditos pensam que a coluna deste versículo, bem como a do versículo anterior, eram uma única coisa. Mas é mais provável que o versículo 26 tenha em vista uma coluna de madeira, ao passo que o vs. 27 se refere a outra coluna (provavelmente feita de pedra), que honrava especialmente Baal. Talvez essa segunda coluna fosse uma imagem de Baal, ou então uma pedra em forma de cone, dedicada ao culto a Baal. Alguns intérpretes pensam que esse segundo objeto era um altar. Seja como for, foi demolido juntamente com o templo inteiro. Em outras palavras, os objetos sagrados do templo foram destruídos, e o edifício também. Ato contínuo, a área (ou a parte do templo que ainda restava de pé) foi transformada em uma latrina, e continuava a ser usada com esse propósito quando o autor sagrado compilou o livro de 2Reis. Essa foi a contaminação final e a desgraça daquele lugar orgulhoso que fora antes o centro da adoração a Baal. Fica entendido que parte do templo ainda estava de pé, um pedaço da parte externa, uma parte das paredes, e isso foi reduzido a uma latrina, para ser usada pelo público em geral.

■ **10.28**

וַיַּשְׁמֵד יֵהוּא אֶת־הַבַּעַל מִיִּשְׂרָאֵל׃

Jeú terminara seu dever de maneira magnífica. O baalismo recebeu um golpe mortal em Israel. Infelizmente, porém, Jeú tornou-se um homem maldoso, que não ficava muito atrás daquele modelo de maldade, Acabe. Ele também não destruiu a adoração ao bezerro, em Betel. As profecias de Elias, por igual modo, foram cumpridas da maneira mais literal possível (1Rs 19.17; 21.21,29). Ver 2Rs 10.29 ss., quanto aos fracassos de Jeú. Afinal, Jeú abandonou a vereda do yahwismo. E especializou-se nos pecados de Jeroboão (versículo 31).

Sumário do Reinado de Jeú: Seus Fracassos (10.29-31)

Jeú cumpriu as profecias, ao eliminar totalmente a casa de Acabe e ao obliterar o baalismo em Israel (capítulos 9 e 10). Em seu coração, todavia, ele era quase tão ruim quanto Acabe. Tiranos que substituem tiranos raramente são melhores que eles. Jeú também aniquilou o baalismo e matou todos os sacerdotes daquele culto. Por sua ganância, porém, continuou nos pecados de Jeroboão. É difícil entendermos a "piedade seletiva" de Jeú, que não era uma piedade real, que pudesse ter caracterizado a sua pessoa. A dinastia de Jeú teve permissão de continuar por quatro gerações. Então o cativeiro assírio (ver a respeito no *Dicionário*) pôs fim a toda aquela confusão. E Israel, o reino do norte, deixou de existir.

■ **10.29**

רַק חֲטָאֵי יָרָבְעָם בֶּן־נְבָט אֲשֶׁר הֶחֱטִיא אֶת־יִשְׂרָאֵל לֹא־סָר יֵהוּא מֵאַחֲרֵיהֶם עֶגְלֵי הַזָּהָב אֲשֶׁר בֵּית־אֵל וַאֲשֶׁר בְּדָן׃ ס

Os pecados de Jeroboão. Ver sobre ele no *Dicionário*. A fim de impedir que indivíduos do reino do norte fossem ao reino do sul, para adorar, no templo de Jerusalém (depois que ocorreu o cisma entre o norte e o sul), Jeroboão estabeleceu um culto rival em Betel, que se centralizou em torno dos bezerros de ouro. Isso foi uma repetição do pecado do deserto, quando Arão (na ausência de Moisés) cometeu o mesmo erro tolo. Ver 1Rs 12.28 ss. e 15.26,30,34, quanto a essas atividades nefandas de Jeroboão. É provável que Jeú tenha mantido o culto de Betel e de Dã com o mesmo propósito com que Jeroboão o havia instituído: impedir que o povo do norte (Israel) precisasse ir ao sul (Judá), que se tornara uma nação separada e, com frequência, hostil. Lembremo-nos, igualmente, de que Jeú havia acabado de matar o rei de Judá, Acazias (capítulo 9), e isso deve ter acendido de novo as hostilidades entre as duas nações. Portanto, de maneira bastante distinta da fé religiosa, era uma boa política manter os sistemas de adoração separados, com o centro do norte distante de Jerusalém.

Ver o capítulo 32 do livro de Êxodo a respeito do ato de idolatria e estupidez de Arão.

■ **10.30**

וַיֹּאמֶר יְהוָה אֶל־יֵהוּא יַעַן אֲשֶׁר־הֱטִיבֹתָ לַעֲשׂוֹת הַיָּשָׁר בְּעֵינַי כְּכֹל אֲשֶׁר בִּלְבָבִי עָשִׂיתָ לְבֵית אַחְאָב בְּנֵי רְבִעִים יֵשְׁבוּ לְךָ עַל־כִּסֵּא יִשְׂרָאֵל׃

Teus filhos até a quarta geração se assentarão no trono de Israel. *A Recompensa de Jeú.* Jeú havia agido bem quanto a certas coisas. Ele tinha cumprido as profecias de destruição contra a casa de Acabe e tinha eliminado o baalismo em Israel (capítulos 9 e 10). Por causa desses atos bons, foi-lhe concedido reinar em paz relativa, morrer de morte natural, e à sua dinastia foi permitido chegar à quarta geração. Mas então veio o cativeiro assírio, que obliterou a nação do norte, Israel. Ver os seguintes artigos no *Dicionário* que ilustram esses fatos: *Rei, Realeza*, que dá um gráfico dos reis de Israel e de Judá e compara seus tempos com os das nações circundantes; *Israel, Reino de*, que dá uma lista de todos os reis do norte e breves descrições de seus reinados. Ver também *Israel, História de*. A dinastia de Jeú perdurou por cerca de cem anos. Os reis que se seguiram, na linhagem de Jeú, foram Joacaz, Joás, Jeroboão II e Zacarias. O último dessa lista reinou por apenas seis meses. A bênção teria sido maior se Jeú tivesse feito tudo quanto deveria ter feito; obediência parcial, recompensa parcial.

■ **10.31**

וְיֵהוּא לֹא שָׁמַר לָלֶכֶת בְּתוֹרַת־יְהוָה אֱלֹהֵי־יִשְׂרָאֵל בְּכָל־לְבָבוֹ לֹא סָר מֵעַל חַטֹּאות יָרָבְעָם אֲשֶׁר הֶחֱטִיא אֶת־יִשְׂרָאֵל׃

Jeú não teve o cuidado de andar de todo o seu coração na lei do Senhor. Jeú não era um homem espiritual. Antes, foi um poderoso guerreiro-matador, que fez algumas coisas certas e respeitou a tradição profética. De fato, ele foi apanhado na correnteza dessa tradição e foi usado por ela. Mas não tinha piedade pessoal e particular. Ele não se preocupava em seguir os ritos, as cerimônias e os conceitos da legislação mosaica. Manteve a idolatria por motivo de um expediente político. Foi a cabeça da quinta e última dinastia de Israel. Ele tornou-se para nós um exemplo daquilo que um homem usualmente é — a mistura do bem com o mal.

Andar. Ver essa palavra no *Dicionário*, quanto à metáfora do ato de andar para indicar a maneira de viver. Parte de seu coração estava com o yahwismo, mas parte estava com o paganismo, na forma de idolatria. Ele era um homem dividido; obedeceu em parte e foi recompensado em parte. A lei de Moisés não se adaptava às suas disposições ou às suas normas como rei. Contrastem-se suas atitudes e atos ao ideal da espiritualidade, conforme esse ideal é visto na fé dos hebreus: Dt 6.4-9. Longa vida e prosperidade foram prometidas aos seguidores sérios do yahwismo (Dt 6.2,3).

> *Amarás, pois, o Senhor teu Deus*
> *de todo o teu coração, de toda a tua alma,*
> *e de toda a tua força. Estas palavras que hoje*
> *te ordeno, estarão no teu coração;*
> *tu as inculcarás a teus filhos, e delas falarás*
> *assentado em tua casa, e andando pelo caminho,*
> *e ao deitar-te e ao levantar-te.*
>
> Deuteronômio 6.5-7

Perdas de Israel para a Síria (10.32,33)

Entrementes, a questão da matança prosseguiu. A Síria nunca desistiu. Israel nunca desistiu. Então os assírios afundaram ambos os barcos. O antigo inimigo, Hazael, estava agora de volta à trilha da guerra, tal como Elias dissera que ele faria (ver 1Rs 19.17), e conforme Eliseu confirmara que ele faria (ver 2Rs 8.12 ss.). Ele tinha guerreado contra Jorão (capítulo 9) e enfraquecido continuamente Israel. Quando Jeú tornou-se rei, ele continuou com seus ataques.

■ 10.32

בַּיָּמִים הָהֵם הֵחֵל יְהוָה לְקַצּוֹת בְּיִשְׂרָאֵל וַיַּכֵּם חֲזָאֵל בְּכָל־גְּבוּל יִשְׂרָאֵל׃

Começou o Senhor a diminuir os termos de Israel. Hazael promoveu uma destruição generalizada contra Israel, fazendo investidas na fronteira, e, depois, penetrando pelo interior. Foi assim que, ao que tudo indica, Israel perdeu boa parte de seu território para aquele tirano. "A fraqueza da Assíria, em cerca de 840 a.C., deixou Hazael livre para aproveitar ao máximo as suas oportunidades para oeste. Ele tomou de Israel o território inteiro da Jordânia (Transjordânia), e esse território foi retido pela Síria até o surgimento de Adade-Nirari III, que conquistou Damasco em 805 a.C." (Norman H. Snaith, *in loc.*).

■ 10.33

מִן־הַיַּרְדֵּן מִזְרַח הַשֶּׁמֶשׁ אֵת כָּל־אֶרֶץ הַגִּלְעָד הַגָּדִי וְהָראוּבֵנִי וְהַמְנַשִּׁי מֵעֲרֹעֵר אֲשֶׁר עַל־נַחַל אַרְנֹן וְהַגִּלְעָד וְהַבָּשָׁן׃

As perdas territoriais de Israel são enumeradas neste versículo. Todo o território a leste do Jordão, chamado Transjordânia (ver a respeito no *Dicionário*), foi perdido para a Síria, dirigida por Hazael. Era nesse território que as tribos de Gade e Rúben tinham suas terras, e, naturalmente, havia também a meia-tribo de Manassés. O autor dá-nos algumas notas geográficas para ilustrar o que ele indicava: a ocupação da terra que se estendia desde o rio Aroer (também chamado Arnom). Esse rio assinalava o limite sul de Gileade, que se estendia para o norte até o monte Hermom e incluía Basã. As conquistas de Hazael eram caracterizadas por grande barbaridade, tal como Eliseu predisse (ver 2Rs 8.12 ss.).

"Antes dos ataques de Hazael, a Assíria, sob Salmaneser III, tinha forçado Jeú a encurvar-se diante dele e a pagar tributo. Um baixo-relevo, do chamado Obelisco Negro, de Salmaneser, mostra Jeú fazendo isso. Essa é a única representação de um rei de Israel que já foi descoberta" (Thomas L. Constable, *in loc.*).

■ 10.34

וְיֶתֶר דִּבְרֵי יֵהוּא וְכָל־אֲשֶׁר עָשָׂה וְכָל־גְּבוּרָתוֹ הֲלוֹא־הֵם כְּתוּבִים עַל־סֵפֶר דִּבְרֵי הַיָּמִים לְמַלְכֵי יִשְׂרָאֵל׃

O autor sacro nos dá agora uma de suas usuais conclusões ou sumários. Cumpre-nos saber como as coisas, finalmente, terminaram para Jeú, bem como acerca da obra que o autor usou como base para essas informações. A conclusão inclui a usual nota de obituário.

Ora, os demais atos de Jeú. O autor sagrado não tentou dizer-nos tudo quanto Jeú fez. Portanto, lembrou-nos de que qualquer pessoa interessada poderia recorrer a um de seus livros de consulta, e aprender mais. Esse livro de consulta chamava-se *Livro das Crônicas dos Reis de Israel e de Judá*. Quanto a maiores informações sobre esse livro, além de outros livros referidos na Bíblia que se perderam, ver 1Rs 14.19. Naquele ponto adiciono outras referências que aumentam a informação.

■ 10.35

וַיִּשְׁכַּב יֵהוּא עִם־אֲבֹתָיו וַיִּקְבְּרוּ אֹתוֹ בְּשֹׁמְרוֹן וַיִּמְלֹךְ יְהוֹאָחָז בְּנוֹ תַּחְתָּיו׃

Descansou Jeú com seus pais. Temos aqui a nota usual de obituário do autor sagrado. Quanto a notas a respeito, ver 1Rs 16.5,6. O trecho de 1Reis 1.21 também tem algumas notas expositivas quanto a isso.

Jeú foi sepultado em Samaria com a devida pompa e cerimonial. Samaria era a capital do reino do norte. Onri e Acabe também foram sepultados ali (ver 1Rs 16.28; 22.37).

Jeoacaz, filho de Jeú, reinou em lugar dele. Ver sobre ele no *Dicionário*. Estava destinado a reinar por dezessete anos (ver 2Rs 13.1). Seu reinado é descrito em 2Rs 13.1-9.

■ 10.36

וְהַיָּמִים אֲשֶׁר מָלַךְ יֵהוּא עַל־יִשְׂרָאֵל עֶשְׂרִים וּשְׁמֹנֶה־שָׁנָה בְּשֹׁמְרוֹן׃ פ

Os dias em que Jeú reinou em Israel. O reinado de Jeú perdurou por 28 anos, e foi-lhe permitido ter uma morte natural. O tempo durante o qual ele governou foi cerca de 841-814 a.C. Ele governou por mais anos do que qualquer dos outros reis de Israel, desde que o norte se separou do sul. Talvez isso tenha sido sua recompensa por ter feito bem o seu trabalho, quanto a algumas questões, embora tenha fracassado quanto a outras (ver 2Rs 10.30,31).

CAPÍTULO ONZE

DA REVOLTA DE JEÚ À QUEDA DO REINO DO NORTE (11.1—17.41)

REVOLUÇÃO E CONTRARREVOLUÇÃO EM JUDÁ (11.1-21)

A ímpia Atalia, mãe do assassinado Acazias (quase tão horrenda quanto Jezabel, que provavelmente era a mãe dela), e filha de Acabe, tomou o poder em Judá e o manteve por seis anos. Suas maldades ganharam para ela uma morte violenta. Em consonância com um antigo costume oriental, a fim de consolidar o seu poder, ela matou quase toda a família real. Ela não permitia nenhuma competição. Joás, entretanto, escapou, salvo por uma tia. Mas Judá tinha de aguentar aquela maldosa rainha, até que o propósito divino a cortasse fora. Ela mostrou ser forte apoiadora e promotora do baalismo em Judá, o qual chegou ao fim graças a Joás, quando ele assumiu o poder em Judá. Quanto à história de Atalia, ver o sumário no artigo sobre ela, no *Dicionário*.

■ 11.1

וַעֲתַלְיָה אֵם אֲחַזְיָהוּ וְרָאֲתָה כִּי מֵת בְּנָהּ וַתָּקָם וַתְּאַבֵּד אֵת כָּל־זֶרַע הַמַּמְלָכָה׃

Vendo Atalia. Infelizmente, outra rainha perversa! Atalia certamente era filha de Acabe e, provavelmente, de Jezabel. Ela tinha a herança pervertida e o exemplo certo para realizar uma missão de vergonha e destruição. E atirou-se à sua missão com zelo, primeiramente consolidando seu próprio poder, assassinando a família real inteira, exceptuando Joás, que escapou graças à misericórdia de uma tia. Atalia era mãe de Acazias, a quem Jeú tinha matado (capítulo 9). A confusão provocada pela morte dele permitiu a Atalia apossar-se do trono. Ela era uma mulher abominável, quase tanto quanto Jezabel. Ver a introdução ao presente capítulo e o artigo sobre ela, no *Dicionário*.

"A rainha-mãe conseguiu manter os caminhos da casa de Acabe, por outros seis anos, no reino de Judá; mas ela perdeu uma pessoa no massacre da linhagem geral de Acazias, e esse pequeno menino provou ser o instrumento da queda final dela" (Norman H. Snaith, *in loc.*).

Narrativas Paralelas. O autor dos livros dos Reis seguiu o plano de apresentar relatos paralelos dos reis de Israel e de Judá. Ele não preparou primeiramente uma lista de todos os reis de Israel e descreveu-os, para então descrever todos os reis de Judá. Antes, ele saltava de um reino para outro, entre esses dois reinos, o do norte, Israel, e o do sul, Judá, fornecendo relatos paralelos quase cronológicos. Quanto a essa prática, ver 1Rs 16.29.

"Quão terrível é essa concupiscência por reinar! Isso destrói todas as caridades da vida, transformando pais, mães, irmãos e filhos nos mais ferozes selvagens!

Nadar para o governo soberano,
Através de mares de sangue.

Leitor, cuidado com as revoluções. Tem havido algumas revoluções úteis, mas, de modo geral, são as piores maldições de Deus" (Adam Clarke, *in loc.*).

Costume. Naturalmente, era um costume no Oriente que algum novo rei ou rainha consolidasse o seu poder aniquilando a família real anterior. Isso, evidentemente, não tornava tais atos menos hediondos.

■ 11.2

וַתִּקַּח יְהוֹשֶׁבַע בַּת־הַמֶּלֶךְ־יוֹרָם אֲחוֹת אֲחַזְיָהוּ אֶת־יוֹאָשׁ בֶּן־אֲחַזְיָה וַתִּגְנֹב אֹתוֹ מִתּוֹךְ בְּנֵי־הַמֶּלֶךְ הַמּוּמָתִים אֹתוֹ וְאֶת־מֵינִקְתּוֹ בַּחֲדַר הַמִּטּוֹת וַיַּסְתִּרוּ אֹתוֹ מִפְּנֵי עֲתַלְיָהוּ וְלֹא הוּמָת:

Mas Jeoseba, filha do rei Jorão. *A Missão de Salvação.* Ver sobre Jeoseba no *Dicionário*. Jeoseba, de acordo com a vontade de Yahweh, conseguiu salvar um herdeiro masculino do trono, a saber, Joás, que era filho do assassinado Acazias. Jeoseba era filha do rei Jorão, a quem Jeú também havia matado (capítulo 9), pelo que ela era tia do menino Joás. A misericordiosa tia escondeu tanto o menino quanto sua ama, e proporcionou-lhes um abrigo em lugar seguro.

"Atalia era uma verdadeira filha de Jezabel. Ela cuidou para que todos os irmãos de seu marido fossem assassinados, para que a autoridade dele passasse sem nenhum desafio (ver 2Cr 21.4). Em seguida, ela adicionou homicídio a homicídio. A adoração a Baal logo se tornou a religião nacional. O sumo sacerdote Joiada foi degradado; todas as crueldades, imoralidades e falta de religiosidade da casa de Acabe foram postas em execução no reino do sul, que então caiu no pior nível de toda a sua história" (Raymond Calking, *in loc.*).

■ 11.3

וַיְהִי אִתָּהּ בֵּית יְהוָה מִתְחַבֵּא שֵׁשׁ שָׁנִים וַעֲתַלְיָה מֹלֶכֶת עַל־הָאָרֶץ: פ

Jeoseba o teve escondido na casa do Senhor seis anos. Ficamos sabendo aqui que o menino Joás e sua ama ficaram escondidos em algum lugar do templo, sem dúvida com a cooperação do sumo sacerdote. O marido da tia de Joás era o sumo sacerdote Joiada (ver 2Cr 22.11), pelo que os dois tiveram sua conspiração privada contra a ímpia Atalia. Conforme os versículos que se seguem mostrarão, Joás finalmente subiria ao trono de Judá. Joás tinha apenas 1 ano quando foi ocultado, e se tornaria rei aos 7 anos de idade (versículo 21). Josefo (*Antiq.* IX.7.1) diz-nos que Joás foi ocultado em um pequeno armazém do templo, onde eram guardados colchões. Depois disso, foi transferido para um lugar seguro no templo. Talvez Josefo quisesse dizer que esse armazém estava no templo, e que se tornou um dormitório improvisado para Joás e sua ama. Seu dormitório, entretanto, pode ter sido uma das câmaras para os sacerdotes, não no templo propriamente dito, mas anexo a ele.

As dependências privadas dos sacerdotes não podiam ser violadas por visitas profanas, nem mesmo pela rainha, pelo que Joás esteve seguro ali durante todos aqueles anos.

A Derrubada de Atalia (11.4-21)

Essa maligna mulher não teve permissão de continuar por muitos anos, conforme sucedera no caso de Jezabel. Desde o dia em que Atalia se revoltou, Joiada e sua esposa, Jeoseba, além da casta sacerdotal e outros oficiais, estiveram planejando a queda dela. Uma vez que o plano estava bem formulado, a derrubada deu-se de maneira relativamente fácil. A história que se segue se divide em duas partes. Primeiramente, somos informados sobre o plano cuidadosamente preparado. O sumo sacerdote, sua esposa e a guarda real foram as principais figuras nessa conspiração. Então, na segunda parte da história, somos informados sobre como o plano foi executado, e como Atalia foi morta (vss. 13 ss.).

■ 11.4

וּבַשָּׁנָה הַשְּׁבִיעִית שָׁלַח יְהוֹיָדָע וַיִּקַּח אֶת־שָׂרֵי הַמֵּאוֹת לַכָּרִי וְלָרָצִים וַיָּבֵא אֹתָם אֵלָיו בֵּית יְהוָה וַיִּכְרֹת לָהֶם בְּרִית וַיַּשְׁבַּע אֹתָם בְּבֵית יְהוָה וַיַּרְא אֹתָם אֶת־בֶּן־הַמֶּלֶךְ:

No sétimo ano mandou Joiada chamar os capitães. Seis anos se haviam passado. A criança, Joás, tinha sido mantida em segurança. Os conspiradores vinham esperando a oportunidade certa para se livrarem de Atalia. No sétimo ano depois que o menino-rei tinha sido ocultado (portanto, quando ele estava com 7 anos de idade, vs. 21), os conspiradores puseram em ação o mecanismo mediante o qual o desígnio deles se cumpriria. Estavam envolvidos nessa conspiração contra Atalia os centuriões dos cários. Estes eram mercenários estrangeiros, que formavam a guarda pessoal do rei (ver 2Sm 20.23, onde lemos que eles eram pertencentes aos queretitas, isto é, cretenses). No trecho paralelo de 2Cr 23.1-21, eles não são mencionados, e os levitas tomam o lugar deles. Provavelmente essa foi uma mudança propositada no relato, por algum autor que pensou ser impróprio que estrangeiros se misturassem dessa maneira com a realeza de Judá. Seja como for, a guarda pessoal de elite teve o concurso de outros oficiais de elite do exército, e esses se tornaram os instrumentos de ataque contra Atalia. Foi assim que os "legalistas" puseram seu plano em ação. E foi-lhes mostrado o jovem Joás, para que soubessem que havia um "rei" em favor de quem deveriam lutar.

■ 11.5,6

וַיְצַוֵּם לֵאמֹר זֶה הַדָּבָר אֲשֶׁר תַּעֲשׂוּן הַשְּׁלִשִׁית מִכֶּם בָּאֵי הַשַּׁבָּת וְשֹׁמְרֵי מִשְׁמֶרֶת בֵּית הַמֶּלֶךְ: וְהַשְּׁלִשִׁית בְּשַׁעַר סוּר וְהַשְּׁלִשִׁית בַּשַּׁעַר אַחַר הָרָצִים וּשְׁמַרְתֶּם אֶת־מִשְׁמֶרֶת הַבַּיִת מַסָּח:

Uma terça parte de vós. As forças conspiradas foram divididas em três grupos. Um terço dessas forças se pôs de guarda no palácio do rei. Outra terça parte ficou no portão Sur; e outra terça parte, ainda, se pôs no portão por trás dos guardas. O palácio, onde vivia a horrenda rainha Atalia, estaria sob vigilância constante e, finalmente, sob ataque. Atalia ficaria sem nenhuma proteção ou apoio militar. O ataque deveria ocorrer na troca da guarda, quando haveria alguma confusão e lassidão. Somente aqui aprendemos que a mudança da guarda fazia parte dos costumes militares de Israel. Não é fácil seguir o plano exato do ataque, e os intérpretes nos dão diferentes descrições.

Problemas Envolvidos:
1. Atalia teria tropas que lhe eram fiéis. Um choque de forças armadas precisava ser evitado. Portanto, a execução dela deveria ocorrer por ocasião da troca da guarda, quando, temporariamente, ninguém estaria esperando por um ataque.
2. A área do templo deveria ser guardada, a fim de que ninguém pudesse atacar o jovem Joás.
3. Os três contingentes armados teriam uma vantagem estratégica sobre as tropas leais à rainha-mãe. Essa vantagem deveria ser suficientemente forte, para que nenhuma resistência pudesse haver.

11.7

וּשְׁתֵּי הַיָּדוֹת בָּכֶם כֹּל יֹצְאֵי הַשַּׁבָּת וְשָׁמְרוּ
אֶת־מִשְׁמֶרֶת בֵּית־יְהוָה אֶל־הַמֶּלֶךְ:

Os dois grupos que saem no sábado. Além dos cuidados tomados, conforme foi descrito nos comentários sobre os versículos anteriores, o assassinato deveria ocorrer no fim do sábado, o que ninguém esperaria. As tropas leais a Atalia seriam apanhadas fora de vigilância. Os "dois grupos" aqui mencionados referem-se aos cários (os mercenários estrangeiros, a guarda de elite) e aos soldados estacionados no portão por trás da guarda. Ver o vs. 19 quanto ao portão da guarda. "As tropas, ao receberem dispensa, no sábado, não deviam ser postas em três companhias, em três pontos diferentes, como aqueles que entrariam nos seus postos, por ocasião da mudança da guarda. Antes, deveriam formar dois grupos: um para guardar o templo, e outro para guardar o portão" (Ellicott, *in loc.*). "A manobra inteira foi feita de tal modo que ninguém faria ideia de qualquer acontecimento especial, até estar tudo realizado" (Norman H. Snaith, *in loc.*). Os intérpretes, contudo, discordam largamente sobre exatamente qual teria sido a estratégia usada. Sem importar qual tenha sido, porém, funcionou a contento.

11.8

וְהִקַּפְתֶּם עַל־הַמֶּלֶךְ סָבִיב אִישׁ וְכֵלָיו בְּיָדוֹ
וְהַבָּא אֶל־הַשְּׂדֵרוֹת יוּמָת וִהְיוּ אֶת־הַמֶּלֶךְ בְּצֵאתוֹ
וּבְבֹאוֹ:

Rodeareis o rei. Quando o ataque fosse desfechado, poderia irromper a violência entre as tropas fiéis ao sumo sacerdote e as tropas fiéis a Atalia. Embora Joás tivesse sido cuidadosamente ocultado durante aqueles últimos sete anos, alguém poderia descobrir que um "rei-menino" potencial estava escondido no templo. E um ataque poderia ser desfechado contra ele. Portanto, cuidados especiais foram tomados para garantir-lhe a segurança. Teria sido ridículo eliminar Atalia, e perder Joás nesse processo. Portanto, qualquer pessoa que se aproximasse da área do templo deveria ser automaticamente abatida.

Qualquer que pretenda penetrar nas fileiras. Essas palavras demonstram que haveria duas linhas ou fileiras de homens armados. Se alguém atravessasse uma das fileiras, ainda teria de atravessar a segunda. O rei sairia do templo e caminharia entre as duas fileiras de tropas, a fim de ser apresentado ao povo. Sua autoridade seria assim confirmada, e ele seria aclamado rei. Então seria ungido e coroado (ver o versículo 12).

11.9

וַיַּעֲשׂוּ שָׂרֵי הַמֵּאיוֹת כְּכֹל אֲשֶׁר־צִוָּה יְהוֹיָדָע הַכֹּהֵן
וַיִּקְחוּ אִישׁ אֶת־אֲנָשָׁיו בָּאֵי הַשַּׁבָּת עִם יֹצְאֵי הַשַּׁבָּת
וַיָּבֹאוּ אֶל־יְהוֹיָדָע הַכֹּהֵן:

Segundo tudo quanto lhes ordenara o sacerdote Joiada. O plano foi cuidadosamente seguido. A mudança de guarda, no fim do sábado (18 horas), foi a oportunidade para realizar o propósito. Joiada, o sumo sacerdote, estava coordenando os movimentos. Ele foi o principal conspirador e planejador.

11.10

וַיִּתֵּן הַכֹּהֵן לְשָׂרֵי הַמֵּאיוֹת אֶת־הַחֲנִית וְאֶת־הַשְּׁלָטִים
אֲשֶׁר לַמֶּלֶךְ דָּוִד אֲשֶׁר בְּבֵית יְהוָה:

As lanças e os escudos que haviam sido do rei Davi. O equipamento. As armas a serem utilizadas eram as lanças de Davi que estavam guardadas no templo. A maioria daquelas armas tinha sido tomada de inimigos derrotados, durante as campanhas militares de Davi. Os sacerdotes usualmente andavam desarmados e eram pacíficos, mas havia armas no templo, para o caso de serem necessárias em alguma ocasião especial. Tal ocasião agora tinha chegado. Ver 2Cr 23.9. Os levitas foram armados. Alguns estudiosos supõem que a passagem paralela implique que os levitas é que deviam batalhar, e não os mercenários estrangeiros. Ver as notas sobre o versículo quarto deste capítulo, quanto a esse problema. Essa passagem paralela não faz menção aos mercenários, as tropas estrangeiras de elite que formavam a guarda pessoal do rei.

Josefo mencionou todo tipo de armas militares, e não meramente lanças, como pertencentes às armas armazenadas no templo (*Antiq.* IX. cap. 7, s. 8), e é provável que ele tivesse razão.

11.11

וַיַּעַמְדוּ הָרָצִים אִישׁ וְכֵלָיו בְּיָדוֹ מִכֶּתֶף הַבַּיִת
הַיְמָנִית עַד־כֶּתֶף הַבַּיִת הַשְּׂמָאלִית לַמִּזְבֵּחַ וְלַבָּיִת
עַל־הַמֶּלֶךְ סָבִיב:

Os da guarda se puseram. Os três postos foram ocupados de acordo com o plano (vss. 5 e 6), e a ordem de ataque foi ansiosamente esperada. O rei tinha sua proteção especial, conforme fora previsto no versículo oitavo. O hebraico diz aqui "para rodear" o rei, o que foi dito como antecipação. Quando ele saísse do templo, então as duas fileiras estariam ao redor dele, a fim de protegê-lo e apresentá-lo ao povo (vs. 12). Então ele seria coroado e ungido publicamente.

11.12

וַיּוֹצִא אֶת־בֶּן־הַמֶּלֶךְ וַיִּתֵּן עָלָיו אֶת־הַנֵּזֶר
וְאֶת־הָעֵדוּת וַיַּמְלִכוּ אֹתוֹ וַיִּמְשָׁחֻהוּ וַיַּכּוּ־כָף
וַיֹּאמְרוּ יְחִי הַמֶּלֶךְ: ס

Coroa. Ver sobre essa palavra no *Dicionário*. Esse era o grande sinal da autoridade real.

O livro do testemunho. Não se sabe exatamente o que esse livro significava. Pela omissão de uma única letra na palavra hebraica correspondente, obtemos a palavra braceletes (ver 2Sm 1.10), que eram indicadores reais. Mas John Gill refere-se ao testemunho da lei de Moisés, e supõe que o rei tenha sido nomeado com a leitura de certas porções da lei, que falavam dos deveres de um rei em Israel. Alguns estudiosos supõem que o livro da lei fosse suspenso sobre a cabeça durante a cerimônia, e que esse era o testemunho de Yahweh que confirmava a autoridade do rei. Kimchi, entretanto, faz o testemunho significar um robe real.

E o ungiram. Ver o artigo no *Dicionário* chamado *Unção*, quanto a detalhes.

Bateram as palmas e gritaram: Viva o rei! Quando o rei foi trazido para fora do templo, foi saudado ruidosamente. Ele era um filho de rei, era o legítimo herdeiro do trono, e poucas pessoas sabiam de sua existência. Foi coroado ali, perante o povo, e ungido. O povo, cansado das violências de Atalia, de suas destruições e de sua idolatria, feliz e rapidamente acolheu o novo rei. Ele já contava com o apoio popular. Houve grande ruído com os gritos de alegria e o tradicional grito de "Viva o rei!" O júbilo assinalou a ocasião. Foi como se alguém tivesse voltado dos mortos.

Bateram as palmas. Este é o primeiro lugar onde palmas são batidas, como expressão de alegria. A maioria dos povos usa esse gesto para expressar deleite, contentamento, aprovação e alegria.

11.13,14

וַתִּשְׁמַע עֲתַלְיָה אֶת־קוֹל הָרָצִין הָעָם וַתָּבֹא אֶל־הָעָם
בֵּית יְהוָה:

וַתֵּרֶא וְהִנֵּה הַמֶּלֶךְ עֹמֵד עַל־הָעַמּוּד כַּמִּשְׁפָּט
וְהַשָּׂרִים וְהַחֲצֹצְרוֹת אֶל־הַמֶּלֶךְ וְכָל־עַם הָאָרֶץ שָׂמֵחַ
וְתֹקֵעַ בַּחֲצֹצְרוֹת וַתִּקְרַע עֲתַלְיָה אֶת־בְּגָדֶיהָ וַתִּקְרָא
קֶשֶׁר קָשֶׁר: ס

Ouvindo Atalia o clamor. Ouvindo todo aquele ruído e regozijo, Atalia saiu do palácio para ver o que estava acontecendo. Para sua imensa surpresa e consternação, encontrou uma cerimônia de coroação tendo lugar. Ela estava sendo substituída por Joás, o único herdeiro do sexo masculino que havia sido salvo do massacre ordenado por ela, cerca de seis anos antes (vs. 1). A estrela dela havia caído do céu de repente; e a estrela de Joás estava subindo no firmamento. Uma nova era estava sendo inaugurada. O passado estava morto. O povo já tinha tido o suficiente de rainhas loucas, como Jezabel e Atalia.

O rei estava junto à coluna. Provavelmente, isso se refere a uma coluna no portão oriental do átrio interno do templo, o lugar onde o rei normalmente ficava de pé, por ocasião da adoração e quando ele se dirigia ao povo na área do templo (ver 2Cr 23.13). Sem dúvida, uma plataforma elevada era usualmente providenciada para tais ocasiões, a fim de que a figura do rei ficasse acima do povo comum. Ver 2Rs 23.3; 2Cr 6.13. Portanto, foi ali que o menino-rei se pôs de pé, no lugar apropriado para um rei. Atalia, assim sendo, viu o novo rei no seu devido lugar e sendo aclamado pelo povo. Ela rasgou as próprias vestes e gritou: "Traição! Traição!" Mas seus gritos foram tardios e ineficazes. Seu dia certamente havia terminado. No entanto, ela esperava excitar com seus gritos um contra-ataque, e desmanchar o que estava acontecendo. Mas as coisas já tinham saído do controle dela. Ver no *Dicionário* o artigo chamado *Vestimentas, Rasgar das*.

■ **11.15,16**

וַיְצַו֩ יְהוֹיָדָ֨ע הַכֹּהֵ֜ן אֶת־שָׂרֵ֥י הַמֵּא֣וֹת ׀ פְּקֻדֵ֣י הַחַ֗יִל וַיֹּ֤אמֶר אֲלֵיהֶם֙ הוֹצִ֤יאוּ אֹתָהּ֙ אֶל־מִבֵּ֣ית לַשְּׂדֵרֹ֔ת וְהַבָּ֥א אַחֲרֶ֖יהָ הָמֵ֣ת בֶּחָ֑רֶב כִּ֚י אָמַ֣ר הַכֹּהֵ֔ן אַל־תּוּמַ֖ת בֵּ֥ית יְהוָֽה׃

וַיָּשִׂ֤מוּ לָהּ֙ יָדַ֔יִם וַתָּב֛וֹא דֶּֽרֶךְ־מְב֥וֹא הַסּוּסִ֖ים בֵּ֣ית הַמֶּ֑לֶךְ וַתּוּמַ֖ת שָֽׁם׃ ס

Não a matem na casa do Senhor. Não era apropriado executar alguém nos terrenos do templo. Isso teria sido um terrível ato de contaminação. Por conseguinte, Atalia precisou ser removida dali. Ela foi executada na "casa do rei" (ver 2Cr 23.15), no lugar onde os cavalos entravam no recinto do palácio, e não no Portão do Cavalo, da própria cidade. Assim, a infeliz dama passou entre as fileiras dos soldados, sendo levada para o local de sua execução, gritando e chutando, mas tudo em vão, pois o dia dela definitivamente tinha terminado.

> É bom morrer antes que a pessoa tenha feito
> qualquer coisa que mereça a morte.
> Ananandrides, século IV a.C.

A Atalia não foi dado esse luxo. "Assim terminou a vida de uma das mulheres mais ímpias referidas nas Escrituras, uma verdadeira filha de Jezabel" (Thomas L. Constable, *in loc.*). Ela foi-se deste mundo. Sua alma foi deixada aos cuidados do Ser divino, o qual, em seu amor e misericórdia, sabe o que fazer com vidas destruídas e desperdiçadas.

> Morte, não sejas orgulhosa,
> Embora alguns te tenham chamado
> Poderosa e temível, pois não és isso:
> Pois aqueles a quem pensas ter derrubado
> Não morrem, pobre Morte...
> John Donne

■ **11.17**

וַיִּכְרֹ֨ת יְהוֹיָדָ֜ע אֶֽת־הַבְּרִ֗ית בֵּ֤ין יְהוָה֙ וּבֵ֤ין הַמֶּ֨לֶךְ֙ וּבֵ֣ין הָעָ֔ם לִהְי֥וֹת לְעָ֖ם לַֽיהוָ֑ה וּבֵ֥ין הַמֶּ֖לֶךְ וּבֵ֥ין הָעָֽם׃

Joiada fez aliança entre o Senhor e o rei e o povo. Uma Nova Aliança. Durante seu reinado de terror, Atalia havia destruído, em sua maior parte, o yahwismo em Judá. Uma nova aliança, segundo as linhas requeridas pela lei de Moisés, precisou ser firmada. Uma nova dedicação a Yahweh foi prometida por todo o povo de Judá. O povo do Senhor teve que voltar a ser o povo do Senhor. Tinha de haver uma nova dedicação da nação toda a Yahweh. Ver Dt 4.20 e 27.9,10. O rei também esteve envolvido nessa nova aliança. Ele precisava liderar o povo da maneira certa. Ele tinha de comprometer-se com isso, dando um bom exemplo e promovendo a autoridade apropriada. Ele conduziria o povo de acordo com a lei de Moisés, e o povo obedeceria segundo as condições dessa lei (ver 2Sm 5.3). Cf. 2Cr 23.16.

Joiada seria o rei ativo, o vice-rei, até que Joás atingisse uma idade na qual fosse capaz de assumir o controle. Esse homem daria o exemplo e as instruções certas para um reinado bem-sucedido. Por ser o povo de Deus, os judaítas abandonariam a idolatria e livrariam o país da degradação que tinha sido promovida por Atalia, filha de Acabe e Jezabel, uma promotora do baalismo. Ver Êx 19.5,6.

■ **11.18**

וַיָּבֹ֣אוּ כָל־עַם֩ הָאָ֨רֶץ בֵּית־הַבַּ֜עַל וַֽיִּתְּצֻ֗הוּ אֶת־מִזְבְּחֹתָ֤יו וְאֶת־צְלָמָיו֙ שִׁבְּר֣וּ הֵיטֵ֔ב וְאֵ֗ת מַתָּן֙ כֹּהֵ֣ן הַבַּ֔עַל הָרְג֖וּ לִפְנֵ֣י הַמִּזְבְּח֑וֹת וַיָּ֧שֶׂם הַכֹּהֵ֛ן פְּקֻדּ֖וֹת עַל־בֵּ֥ית יְהוָֽה׃

O povo da terra entrou na casa de Baal, e a derribaram. Baal foi fragorosamente derrotado. As reformas em Judá começaram imediatamente. O que havia acontecido em Israel, pelo poder e autoridade de Jeú (ver 2Rs 10.18 ss.) tinha de ocorrer em Judá, igualmente. O povo, encabeçado pelo exército, lançou-se em ataque contra todos os santuários e todo o equipamento de Baal. O templo principal, que a ímpia e horrenda Atalia havia estabelecido em Jerusalém, foi demolido. Os sacerdotes de Baal foram executados, incluindo o seu sumo sacerdote, Matã. Foi morto diante do altar no qual servia, uma circunstância apropriada. Ver no *Dicionário* o artigo intitulado *Matã*. Provavelmente esse homem havia acompanhado a rainha ímpia a Jerusalém. Ele era um especialista no baalismo, e ela precisava de sua ajuda para promover um culto eficaz em Judá. Mas o seu dia terminou de repente. O trecho de 2Cr 24.7 informa-nos sobre como Atalia havia tratado a Casa de Yahweh, em contraste com seu tratamento do templo de Baal, pelo que houve uma operação da justiça. O santo equipamento de Yahweh havia sido entregue ao templo de Baal. A vingança teria de sobrevir em algum tempo. Ver no *Dicionário* o verbete denominado *Lei Moral da Colheita segundo a Semeadura*.

O nome completo do sumo sacerdote de Baal muito provavelmente era Matã-Baal, que significa "dom de Baal". Esse nome tem sido encontrado em inscrições fenícias. Esse nome cf. o hebraico Matania ("dom de Yah"), que foi o nome do último rei de Judá, posteriormente trocado para Zedequias (2Rs 24.17). Matã, pois, tornou-se o mártir de uma causa ruim, um fenômeno bastante comum na história.

O sacerdote pôs guardas na casa do Senhor. Isso a protegeria de qualquer contra-ataque, ou de qualquer outro tipo de dano. É provável que essa posição se tivesse tornado parte permanente do sistema do templo. Alguns estudiosos têm tomado essa nota em um senso mais amplo: a ordem foi restaurada no templo. Os sacerdotes retornaram às suas devidas funções. As destruições provocadas por Atalia foram revertidas.

■ **11.19**

וַיִּקַּ֣ח אֶת־שָׂרֵ֣י הַמֵּא֡וֹת וְאֶת־הַכָּרִי֩ וְאֶת־הָרָצִ֨ים וְאֵ֣ת ׀ כָּל־עַ֣ם הָאָ֗רֶץ וַיֹּרִ֤ידוּ אֶת־הַמֶּ֨לֶךְ֙ מִבֵּ֣ית יְהוָ֔ה וַיָּב֛וֹאוּ דֶּֽרֶךְ־שַׁ֥עַר הָרָצִ֖ים בֵּ֣ית הַמֶּ֑לֶךְ וַיֵּ֖שֶׁב עַל־כִּסֵּ֥א הַמְּלָכִֽים׃

Pelo caminho da porta dos da guarda. Ou seja, a entrada principal do palácio. A multidão passou pelo templo, e marchou até a residência dos reis, e o novo monarca de Judá se estabeleceu em seu lugar, em um ambiente real.

E Joás sentou-se no trono dos reis. Em meio à pompa e à cerimônia, a guarda de elite, os cários (ver o versículo quarto deste capítulo), conduziu o novo rei ao palácio real. A antiga e desgraçada residente do palácio, Atalia, havia sido removida. Grande multidão de pessoas comuns acompanhou o cortejo até o palácio real. Joás, o rei-menino, foi posto no trono em seu palácio.

"A cerimônia terminou com a solene entronização do rei, no palácio de seus pais" (Ellicott, *in loc.*).

■ **11.20**

וַיִּשְׂמַח כָּל־עַם־הָאָרֶץ וְהָעִיר שָׁקָטָה וְאֶת־עֲתַלְיָהוּ
הֵמִיתוּ בַחֶרֶב בֵּית מֶלֶךְ פ

E a cidade ficou tranquila, depois que mataram Atalia. Depois da remoção da abominável Atalia, a paz voltou a reinar em Judá. Houve paz civil, religiosa e no coração do povo. Eles tinham sido libertados do câncer do baalismo e de seus promotores. A terra de Judá voltou a ser a terra de Yahweh. Ver no *Dicionário* o verbete intitulado *Paz*. Foi assim que a terra toda regozijou-se na saúde restaurada de Judá. E embora houvesse elementos contrários, que aprovavam Atalia, seus assassínios e sua idolatria, esses permaneceram quietos. A maré mostrara estar contra eles, e eles não tentaram nenhuma contrarrevolução.

Não somos informados sobre o que aconteceu ao cadáver de Atalia. Josefo (*Antiq.* 1.9, cap. 7, sec. 3) parece ter indicado que o cadáver foi lançado no ribeiro do Cedrom, isto é, não recebeu nenhum sepultamento decente.

■ **11.21** (na Bíblia hebraica corresponde ao **12.1**)

בֶּן־שֶׁבַע שָׁנִים יְהוֹאָשׁ בְּמָלְכוֹ: פ

Era Joás da idade de sete anos. Somos informados aqui que Joás tinha somente 7 anos de idade quando começou a reinar. O trecho de 2Rs 12.1 diz-nos que ele haveria de reinar por quarenta anos. Somos induzidos a supor que Joiada, o sumo sacerdote, continuou seu trabalho de vice-rei até que Joás chegou a uma idade certa para assumir os seus deveres reais. Ele tinha apenas um ano de idade quando a abominável Atalia matou a família real (ver o primeiro versículo do presente capítulo). As edições hebraicas dos livros dos Reis vinculam este versículo a 2Rs 12.1, tornando-o o começo de um novo parágrafo.

CAPÍTULO DOZE

JOÁS, REI DE JUDÁ (12.1-21)

Sumário do Seu Reinado (12.1-3)
Apesar de ter-se mostrado fiel a Yahweh em um sentido geral, Joás permitiu que os lugares altos permanecessem, e assim enfraqueceu uma realização forte em tudo mais. Ver no *Dicionário* o verbete intitulado *Lugares Altos*. Os reis de Judá acharam quase impossível acabar com os santuários locais, localizados nas colinas. O povo muito se apegava a eles. É verdade que alguns desses lugares altos honravam Yahweh, mas eles debilitavam a centralização da adoração no templo de Jerusalém. E sempre demonstravam a tendência de ser usados para efeito de práticas idólatras. Além de suas relações com o templo e com o culto de Yahweh, não somos muito informados sobre o que fez Joás. Talvez ele não tenha feito muita coisa. Finalmente, chegou a um fim violento através de uma conspiração de seus oficiais. Quanto a um sumário de sua vida, ver o *Dicionário*, no artigo chamado *Joás*, primeiro ponto. Um ponto baixo de sua vida foi quando perdeu os tesouros do templo para o antigo inimigo de Israel, Hazael (ver 2Rs 12.18), a fim de comprar a liberdade contra os assédios daquele homem aos territórios de Judá.

"O começo do reinado de Joás marcou o início de cem anos de governo consecutivo por quatro reis que podem ser julgados como bons reis. Nenhum dos quatro (Joás, Amazias, Azarias, ou Uzias, e Jotão) foi tão bom para Judá quanto foram Josafá, Ezequias ou Josias, mas juntos eles promoveram o período contínuo mais longo de liderança aprovada por Deus, na história de Judá" (Thomas L. Constable, *in loc.*). Jeú tinha agido bem em livrar Israel do baalismo, embora tenha fracassado por permitir, e talvez até promover, a adoração ao bezerro, em Dã e Betel. Mas, visto que havia agido corretamente, foi recompensado por uma dinastia bastante longa, por quatro gerações (ver 2Rs 10.30). Portanto, esses reis, tanto os de Israel quanto os de Judá, que agiram bem, receberam suas recompensas.

■ **12.1** (na Bíblia hebraica corresponde ao **12.2**)

בִּשְׁנַת־שֶׁבַע לְיֵהוּא מָלַךְ יְהוֹאָשׁ וְאַרְבָּעִים שָׁנָה מָלַךְ
בִּירוּשָׁלִָם וְשֵׁם אִמּוֹ צִבְיָה מִבְּאֵר שָׁבַע:

No ano sétimo de Jeú. O autor sagrado prossegue em sua prática de oferecer-nos relatos paralelos. Ele não nos deu primeiro uma lista e descrição dos reis de Israel, para então fazer a mesma coisa em relação aos reis de Judá. Antes, ele pulou do norte (Israel) para o sul (Judá), fornecendo relatos paralelos sobre os dois reinos, em ordem cronológica aproximada. Portanto, encontramos aqui a nota de que Joás começou a reinar quando Jeú já estava em seu sétimo ano como rei de Israel. Quanto à pratica dos relatos paralelos, ver as notas sobre 1Rs 16.29.

Acazias era o pai de Joás (ver 2Rs 11.2). Acazias havia sido morto por Jeú (ver 2Rs 9.27). O nome de sua mãe era Zibia (ver sobre ela no *Dicionário*). Ele era o único herdeiro do sexo masculino ao trono de Judá que a terrível Atalia não conseguiu matar; e fora escondido na área do templo por Joiada, o sumo sacerdote, e finalmente foi conduzido ao trono de Judá (detalhes no capítulo 11).

As genealogias eram quase sempre usadas para identificar pessoas, sendo de suprema importância para a mentalidade dos hebreus. Houve poucas exceções a essa regra. Elias e Jó, por exemplo, não tinham genealogias registradas.

■ **12.2** (na Bíblia hebraica corresponde ao **12.3**)

וַיַּעַשׂ יְהוֹאָשׁ הַיָּשָׁר בְּעֵינֵי יְהוָה כָּל־יָמָיו אֲשֶׁר הוֹרָהוּ
יְהוֹיָדָע הַכֹּהֵן:

Fez Joás o que era reto. Em outras palavras, ele seguia os mandamentos da legislação mosaica; promoveu o yahwismo; diminuiu a idolatria; e rejeitou o baalismo, a praga que Atalia trouxe de Israel para Judá, tendo sido ela filha de Acabe e Jezabel.

Uma Diferença de Tradução. A *King James Version* e a nossa versão portuguesa subentendem que Joás agiu corretamente somente enquanto Joiada esteve em cena, influenciando-o. Isso significa que, depois da morte de Joiada, Joás desintegrou-se. Mas a *Revised Standard Version* insiste em que Joás agiu direito todos os seus dias, porquanto o sumo sacerdote Joiada o teria instruído bem, não nos dando a ideia de nenhuma desintegração religiosa em seu período posterior de vida. John Gill, comentando sobre o texto da *King James Version*, disse: "... após a morte de Joiada, ele foi seduzido pelos príncipes de Judá e caiu na idolatria, viveu escandalosamente e morreu na ignomínia. Ver 2Cr 24.2,17,25". A *Septuaginta* e a *Vulgata Latina* traduziram o trecho dando a mesma ideia que nos dão a *King James Version* e a versão portuguesa, e isso está mais de acordo com os fatos da história, embora não seja a melhor tradução do texto hebraico do presente versículo.

■ **12.3** (na Bíblia hebraica corresponde ao **12.4**)

רַק הַבָּמוֹת לֹא־סָרוּ עוֹד הָעָם מְזַבְּחִים וּמְקַטְּרִים
בַּבָּמוֹת:

Os altos não se tiraram. Ver sobre os *Lugares Altos* no *Dicionário*. Esses lugares altos, em muitos casos, tornaram-se lugares notórios de idolatria, embora não o fossem necessariamente. Yahweh era, com frequência, adorado ali, mas a tendência deles sempre se inclinava para a idolatria. Ademais, eles enfraqueciam a adoração centralizada no templo de Jerusalém, tendendo para o cisma. Não sabemos dizer quanto yahwismo era promovido nos lugares altos quando Joás começou a reinar. Nem somos informados a que ponto a idolatria os influenciava. Eis a razão pela qual o autor sagrado menciona aqui os lugares altos como prejudiciais ao reinado de Joás. Esse rei teve suas reformas significativas, mas também teve seus fracassos. Seja como for, o começo de seu reinado assinalou o início de cerca de cem anos de "tempos melhores" e de "reis melhores". Ver a introdução a este capítulo, no seu último parágrafo, quanto a comentários sobre esse fato.

E queimava incenso nos altos. Os eruditos em hebraico informam que deveríamos traduzir melhor este trecho hebraico como "sacrificava". Somente em tempos posteriores, a palavra hebraica veio a incluir a ideia de queimar incenso. Leia-se, pois: "... continuavam os

A GENEALOGIA RELACIONADA À RAINHA ATALIA, FILHA DE ACABE

JUDÁ

Davi → Salomão → Roboão → Abias → Asa → Jeosafá → seis irmãos

? — Jeorão — Atalia

Jeoiada — Jeoseba | Acazias — diversos irmãos
Zacarias | Joás
Amazias

ISRAEL

Onri
Jezabel — Acabe

Acazias | ATALIA | Jorão

Atalia era filha do horrendo Acabe, e não do rei Acazias de Judá que Jeú matou (2Rs 9.27-29; 2Cr 22.9). Ela era filha da bárbara Jezabel. Quem poderia esperar qualquer coisa boa de Atalia considerando-se os pais que tinha? Para ganhar o trono, ela seguia os maus exemplos dos pais, aplicando atos violentos. Atalia até ordenou a matança dos próprios netos para consolidar o seu poder.

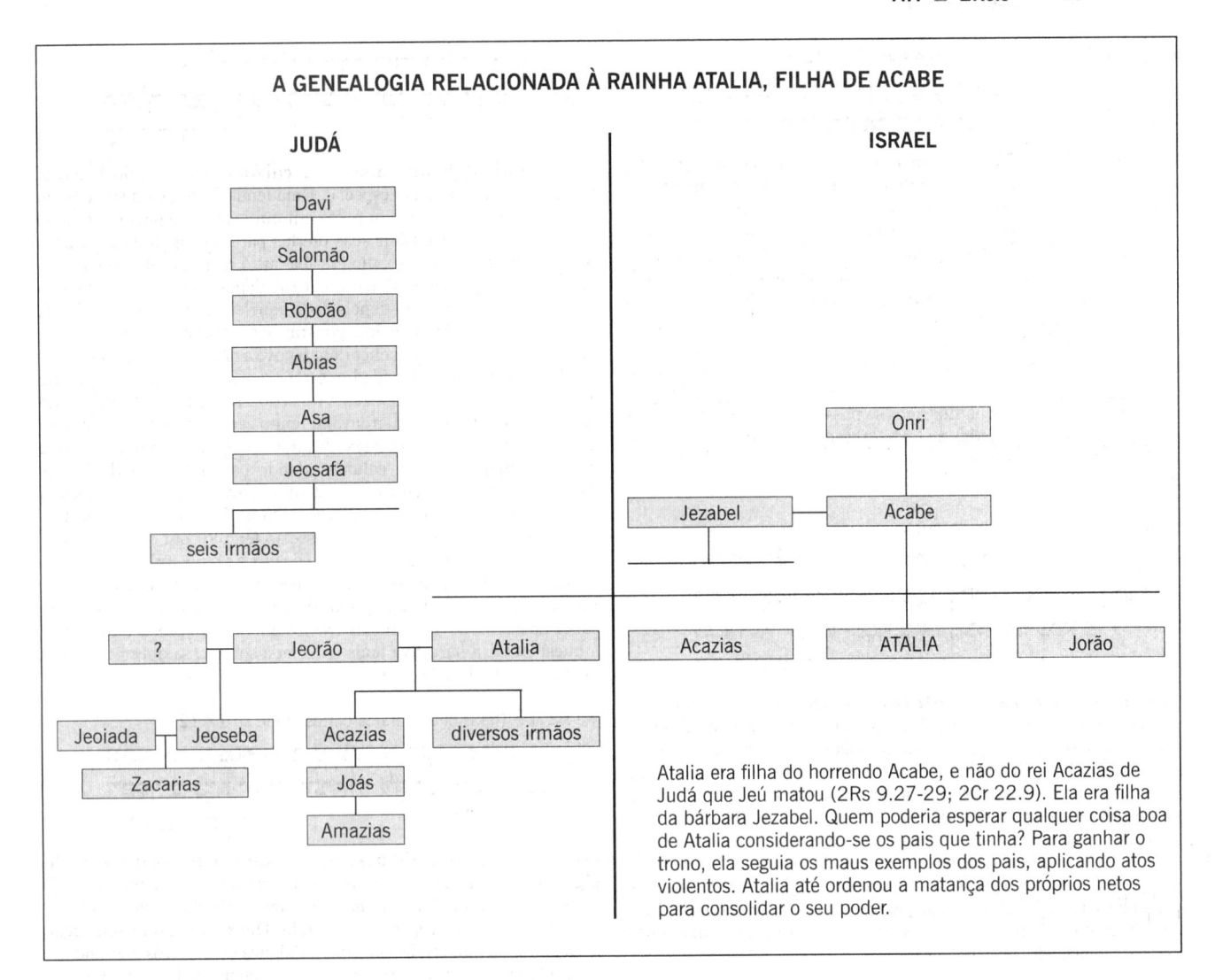

abates de animais e os sacrifícios". A primeira expressão refere-se aos animais abatidos para as refeições sagradas; e a segunda alude aos animais que eram oferecidos e queimados inteiros sobre o altar, os holocaustos (ver a respeito no *Dicionário*).

Devemos lembrar que havia muitos santuários antigos, lugares favoritos de adoração, antes que o culto viesse a ser centralizado no templo de Jerusalém. Mas o povo continuou aderindo aos antigos lugares de adoração. O povo gostava muito desses santuários. Os santuários locais facilitavam a fé religiosa. Era difícil aparecer no templo, quando o impulso espiritual movia o coração.

Reparos no Templo (12.4-16)
Uma das boas obras de Joás, muito antes de sua desintegração religiosa, consistiu em reparar o templo, que havia sido conspurcado por Atalia. Ela havia roubado seus tesouros, e até transferira seus vasos sagrados para o templo de Baal. Ver 2Rs 11.18. Joás tentou restaurar a ordem e a sanidade ao culto religioso em Jerusalém, e reparou o templo. Para esses reparos, Joás precisou de dinheiro, e o quarto versículo deste capítulo informa-nos sobre como ele obteve esse dinheiro. Ele também procurou animar o povo a trabalhar e conseguiu a cooperação popular. Portanto, gradualmente, o rei foi capaz de reverter o mal que Atalia havia feito (ver 2Cr 24.7).

■ **12.4** (na Bíblia hebraica corresponde ao **12.5**)

וַיֹּאמֶר יְהוֹאָשׁ אֶל־הַכֹּהֲנִים כֹּל כֶּסֶף הַקֳּדָשִׁים
אֲשֶׁר־יוּבָא בֵית־יְהוָה כֶּסֶף עוֹבֵר אִישׁ כֶּסֶף נַפְשׁוֹת
עֶרְכּוֹ כָּל־כֶּסֶף אֲשֶׁר יַעֲלֶה עַל לֶב־אִישׁ לְהָבִיא
בֵּית יְהוָה:

Todo dinheiro das cousas santas. A necessidade eterna de dinheiro. O rei planejou usar o dinheiro que era trazido ao templo e ao sacerdócio pelo povo, nas ofertas regulares do recenseamento (Ver Êx 30.11-16). Além disso, Joás usou as taxas de votos (capítulo 27 de Levítico e capítulo 30 de Números); também utilizou ofertas voluntárias, que sem dúvida flutuavam muito, conforme os tempos e o poder econômico do povo. Mas o plano teve sucesso apenas parcial, porque aproveitar esse dinheiro para reparar o templo deixou a casta sacerdotal com fundos insuficientes para sua simples automanutenção. Cf. o paralelo em 2Cr 24.6.

"A reabilitação do templo, em cujos recintos Joás tinha passado os anos de sua infância, foi o primeiro interesse do novo rei. Sentimentos pessoais em relação ao templo devem ter cingido seus motivos religiosos. Consideremos quão importante é inculcar no coração das crianças sentimentos de afeto pela Igreja. Nenhuma influência moral na vida dos jovens é mais bela do que os sentimentos que eles com frequência possuem pela igreja em que passaram sua infância" (Raymond Calking, *in loc.*).

■ **12.5** (na Bíblia hebraica corresponde ao **12.6**)

יִקְחוּ לָהֶם הַכֹּהֲנִים אִישׁ מֵאֵת מַכָּרוֹ וְהֵם יְחַזְּקוּ
אֶת־בֶּדֶק הַבַּיִת לְכֹל אֲשֶׁר־יִמָּצֵא שָׁם בָּדֶק: פ

Recebam-no os sacerdotes. *O Poder Humano*. Além de dinheiro, operários eram necessários. Os levitas foram encorajados a convidar seus amigos e conhecidos para ajudar. Muitos eram bons construtores, e sua ajuda seria valiosa na casa do Senhor. Cf. o trecho paralelo de 2Cr 24.5. Os atos descritos no presente versículo também se referem ao recolhimento do dinheiro das cidades levíticas, onde cada homem se aproximava de seus amigos e conhecidos para dar-lhes trabalho.

■ 12.6 (na Bíblia hebraica corresponde ao 12.7)

וַיְהִ֗י בִּשְׁנַ֨ת עֶשְׂרִ֤ים וְשָׁלֹשׁ֙ שָׁנָ֔ה לַמֶּ֖לֶךְ יְהוֹאָ֑שׁ
לֹֽא־חִזְּק֥וּ הַכֹּהֲנִ֖ים אֶת־בֶּ֥דֶק הַבָּֽיִת׃

Os sacerdotes ainda não tinham reparado os estragos da casa. *O Trabalho de Reparação Foi Sendo Adiado.* Isso aconteceu porque a coleta de fundos era insuficiente. Não era fácil construir e sustentar a casta sacerdotal ao mesmo tempo. O povo não contribuía como deveria; os levitas não coletavam dinheiro como deveriam fazê-lo. Entrementes, segundo bem podemos acreditar, cada homem cuidava de sua própria vida, vivendo em alto estilo. Mesmo no vigésimo terceiro ano do reinado de Joás, o trabalho de reparos do templo ainda não tinha sido feito, portanto foi como um daqueles programas eternos de edificação de igreja, que nunca terminam. Não somos informados em que ano o rei decretou a construção, pelo que é impossível dizer quantos anos se passaram, mas o fato é que a tarefa ficou incompleta. Mas no texto sagrado subentende-se que um tempo muito longo se passou, para vergonha de todos os envolvidos na questão.

■ 12.7 (na Bíblia hebraica corresponde ao 12.8)

וַיִּקְרָא֩ הַמֶּ֨לֶךְ יְהוֹאָ֜שׁ לִיהוֹיָדָ֤ע הַכֹּהֵן֙ וְלַכֹּ֣הֲנִ֔ים
וַיֹּ֣אמֶר אֲלֵהֶ֔ם מַדּ֛וּעַ אֵינְכֶ֥ם מְחַזְּקִ֖ים אֶת־בֶּ֣דֶק הַבָּ֑יִת
וְעַתָּ֗ה אַל־תִּקְחוּ־כֶ֙סֶף֙ מֵאֵ֣ת מַכָּֽרֵיכֶ֔ם כִּֽי־לְבֶ֥דֶק
הַבַּ֖יִת תִּתְּנֻֽהוּ׃

Por que não reparais os estragos da casa? *Uma Reprimenda.* O rei chamou Joiada e os sacerdotes para prestarem conta. Eles não tinham feito o que se esperava que fizessem. O dinheiro coletado tinha sido dividido entre os "salários" dos sacerdotes e os fundos para os reparos. Esse plano não estava funcionando, pelo que um novo plano precisava ser formulado e posto a funcionar. O rei tomou o controle do dinheiro das mãos do sumo sacerdote e de seus subordinados. Todo dinheiro que entrasse, daquele ponto em diante, seria posto em uma caixa especial, no pórtico do templo, e assim não passaria pelas mãos dos sacerdotes, que se apossavam da maior parte. E Joás nomeou um homem (não o sumo sacerdote) para tomar conta desse novo negócio.

■ 12.8 (na Bíblia hebraica corresponde ao 12.9)

וַיֵּאֹ֖תוּ הַכֹּהֲנִ֑ים לְבִלְתִּ֤י קְחַת־כֶּ֙סֶף֙ מֵאֵ֣ת הָעָ֔ם
וּלְבִלְתִּ֥י חַזֵּ֖ק אֶת־בֶּ֥דֶק הַבָּֽיִת׃

"Os sacerdotes concordaram em separar o projeto de edificação dos cultos regulares do templo, e deixar outros homens ser responsáveis pelo projeto de edificação" (Thomas L. Constable, *in loc.*). "Parece que o povo tinha trazido dinheiro em abundância, e o piedoso Joiada estava chefiando os sacerdotes, como encarregado do projeto; no entanto, coisa alguma tinha sido feita! Joiada era um homem bom, mas parece não ter tido muito espírito e zelo ativo. Simples piedade, sem zelo e atividade, é de pequeno uso quando uma reforma em matéria religiosa e de piedade se torna necessária. Filipe Melanchthon era ortodoxo e piedoso, e um homem erudito, mas não era especialmente ativo. Em muitas coisas, Martinho Lutero era muito inferior, mas em zelo e atividade era um fogo flamejante e consumidor, e por ele, debaixo de Deus, a poderosa Reforma... foi efetuada... Lutero trabalhava, e Deus trabalhava por ele e para ele" (Adam Clarke, *in loc.*). Naturalmente, os eruditos, segundo a energia mental de suas obras literárias, acreditam que Martinho Lutero deveria ter um quociente de inteligência de, no mínimo, 130! Portanto, vamos pôr a questão da seguinte maneira: ele era um trabalhador muito inteligente.

■ 12.9,10 (na Bíblia hebraica corresponde ao 12.10,11)

וַיִּקַּ֞ח יְהוֹיָדָ֤ע הַכֹּהֵן֙ אֲר֣וֹן אֶחָ֔ד וַיִּקֹּ֥ב חֹ֖ר בְּדַלְתּ֑וֹ
וַיִּתֵּ֣ן אֹתוֹ֩ אֵ֨צֶל הַמִּזְבֵּ֜חַ בַּיָּמִ֗ין בְּבוֹא־אִישׁ֙ בֵּ֣ית יְהוָ֔ה
וְנָתְנוּ־שָׁ֗מָּה הַכֹּהֲנִים֙ שֹׁמְרֵ֣י הַסַּ֔ף אֶת־כָּל־הַכֶּ֖סֶף
הַמּוּבָ֥א בֵית־יְהוָֽה׃

וַיְהִ֗י כִּרְאוֹתָם֙ כִּי־רַ֤ב הַכֶּ֙סֶף֙ בָּֽאָר֔וֹן וַיַּ֛עַל סֹפֵ֥ר
הַמֶּ֖לֶךְ וְהַכֹּהֵ֣ן הַגָּד֑וֹל וַיָּצֻ֙רוּ֙ וַיִּמְנ֔וּ אֶת־הַכֶּ֖סֶף הַנִּמְצָ֥א
בֵית־יְהוָֽה׃

O sacerdote Joiada tomou uma caixa. Era a Caixa do Tesouro. Foi preparada uma caixa especial. Uma fenda foi feita em sua tampa, para receber as ofertas. Foi posta em um lugar conspícuo, e o povo era encorajado a depositar suas ofertas para o projeto de edificação naquela caixa. Além disso, um escriba que o rei nomeou abria a caixa periodicamente, e coletava o dinheiro ali depositado, o qual era então ensacado. O dinheiro era depois dado àqueles que tinham autoridade para a edificação. Sem dúvida, por trás dos biombos, os levitas continuavam responsáveis por encorajar o povo a fazer doações, e ao trabalho foi dada grande publicidade e promoção. Sem isso, provavelmente a caixa teria permanecido vazia. A caixa do tesouro foi posta ao lado do altar, e os sacerdotes a guardavam, tendo certeza de que ladrões não atacariam o "tesouro". O Codex Alexandrinus (LXX^A) traduz a palavra hebraica em questão por "colunas", dando a entender, sem dúvida, as colunas perto do pórtico, mas o resto das versões permanece usando a palavra "altar". Mais tarde, a caixa do tesouro foi posta fora do portão, para conveniência do povo que viesse ao templo com o propósito de contribuir (ver 2Cr 24.8). E o trecho de 2Cr 24.9 mostra-nos que o rei expediu decretos, pedindo contribuições para a obra da construção. Ele não deixou as coisas ao sabor do acaso. Os projetos deixados ao sabor do acaso inevitavelmente fracassam. Alguém precisa dinamizar a questão. Cf. a narrativa mais detalhada sobre essa questão inteira, no capítulo 24 de 2Crônicas.

■ 12.11 (na Bíblia hebraica corresponde ao 12.12)

וְנָתְנוּ֙ אֶת־הַכֶּ֣סֶף הַֽמְתֻכָּ֔ן עַל־יַד֙ עֹשֵׂ֣י הַמְּלָאכָ֔ה
הַמֻּפְקָדִ֖ים בֵּ֣ית יְהוָ֑ה וַיּוֹצִיאֻ֜הוּ לְחָרָשֵׁ֤י הָעֵץ֙ וְלַבֹּנִ֔ים
הָעֹשִׂ֖ים בֵּ֥ית יְהוָֽה׃

O dinheiro, depois de pesado, davam nas mãos dos que dirigiam a obra. A casta sacerdotal, enquanto provavelmente ainda ajudava a levantar fundos, não tinha mais permissão de manusear o dinheiro para os reparos do templo. Outros tomaram seu lugar, para efeito de maior eficácia. Uma mudança de obreiros algumas vezes pode revitalizar um projeto. Os novos manuseadores do dinheiro pagavam salários e dirigiam o trabalho. A nova equipe mostrava-se mais eficaz do que a antiga.

■ 12.12 (na Bíblia hebraica corresponde ao 12.13)

וְלַגֹּדְרִ֣ים וּלְחֹצְבֵ֣י הָאֶ֔בֶן וְלִקְנ֥וֹת עֵצִ֖ים וְאַבְנֵ֣י
מַחְצֵ֑ב לְחַזֵּ֖ק אֶת־בֶּ֣דֶק בֵּית־יְהוָ֑ה וּלְכֹ֛ל אֲשֶׁר־יֵצֵ֥א
עַל־הַבַּ֖יִת לְחָזְקָֽה׃

Aos pedreiros e aos cabouqueiros. Carpinteiros (vs. 11), pedreiros e cabouqueiros estavam entre os operários especializados empregados na tarefa dos reparos do templo. Então outros tiveram de ser contratados para adquirir material de construção e verificar que esse material fosse entregue nos recintos do templo. Portanto, cada homem envolvido tinha uma tarefa específica a cumprir, e o trabalho fluía eficaz e rapidamente. Madeiras e pedras formavam o material principal de construção, e grande parte dele tinha de ser trazida de lugares distantes. Muitas despesas e labor foram gastos no projeto. Definitivamente era um esforço de equipe. Presumivelmente, a madeira vinha do Líbano, e talvez as pedras viessem de pedreiras das colinas da Judeia.

■ 12.13 (na Bíblia hebraica corresponde ao 12.14)

אַ֣ךְ לֹ֣א יֵעָשֶׂ֡ה בֵּית֩ יְהוָ֨ה סִפּ֤וֹת כֶּ֙סֶף֙ מְזַמְּר֣וֹת מִזְרָק֔וֹת
חֲצֹצְר֗וֹת כָּל־כְּלִ֛י זָהָ֖ב וּכְלִי־כָ֑סֶף מִן־הַכֶּ֖סֶף הַמּוּבָ֥א
בֵית־יְהוָֽה׃

Do dinheiro que se trazia à casa do Senhor, não se faziam... "Aparentemente, os vasos de ouro e de prata do templo haviam desaparecido. É provável que Atalia os tivesse levado para o templo de Baal, em Jerusalém (ver 2Cr 24.7). Não havia muito dinheiro para substituir esses vasos, pelo menos na ocasião. 2Cr 24.14 mostra-nos que esses vasos foram, afinal, substituídos; e podemos supor que isso fale de um tempo posterior, quando mais dinheiro estava entrando e menos dinheiro estava sendo gasto em salários e material de construção. Estão em vista os vasos para diferentes serviços e decorações: aqueles para recolher o sangue dos sacrifícios; vasos para incenso; vasos para as libações de vinho; instrumentos para preparar os pavios das lâmpadas; bacias para água; e as trombetas. Ver Êx 25.29 para os vasos em questão. O capítulo inteiro trata do equipamento do tabernáculo original.

■ **12.14** (na Bíblia hebraica corresponde ao **12.15**)

כִּי־לְעֹשֵׂי הַמְּלָאכָה יִתְּנֻהוּ וְחִזְּקוּ־בוֹ אֶת־בֵּית יְהוָה׃

Porque o davam aos que dirigiam a obra. Os salários e o material de construção consumiam o dinheiro, razão pela qual, no princípio dos reparos, nada era deixado para substituir vasos de ouro e de prata do templo. Mas, conforme as ofertas aumentavam e os custos com salários e com material de construção diminuíam, aqueles vasos de materiais nobres foram, finalmente, sendo substituídos (ver 2Cr 24.14).

■ **12.15** (na Bíblia hebraica corresponde ao **12.16**)

וְלֹא יְחַשְּׁבוּ אֶת־הָאֲנָשִׁים אֲשֶׁר יִתְּנוּ אֶת־הַכֶּסֶף עַל־יָדָם לָתֵת לְעֹשֵׂי הַמְּלָאכָה כִּי בֶאֱמֻנָה הֵם עֹשִׂים׃

Não pediam contas aos homens em cujas mãos entregavam aquele dinheiro. Confiando em Homens Honestos. Nenhuma prestação de contas do dinheiro era requerida da parte daqueles que o gastavam na compra de material de construção, no transporte, no pagamento de salários etc. Simplesmente eram homens de confiança, que gastavam o dinheiro com honestidade. Presumimos que essa norma de honra funcionava. "Eles (os escribas especialmente nomeados, e o sumo sacerdote, vs. 10) cuidavam para que eles (os supervisores da obra) fossem homens honestos e retos, e tinham uma tão elevada opinião sobre eles que nunca examinavam suas contas, ou chamavam-nos para apresentar suas contas" (John Gill, *in loc.*). "Não ficaram nunca desapontados. Aqueles homens agiam fielmente" (Adam Clarke, *in loc.*). Portanto, esse foi um dos poucos projetos de construção, em toda a história, no qual não houve suspeitas, nem esperteza, nem uso desonesto do dinheiro. Os encarregados do projeto não tinham contas secretas nos bancos da Suíça. E nem pagavam salários a seus parentes, que nunca apareciam no trabalho. Aqueles encarregados estavam "acima de qualquer suspeita" (Ellicott, *in loc.*). Ver 2Rs 22.7 quanto a uma repetição dessas mesmas declarações, no tocante a outro empreendimento.

■ **12.16** (na Bíblia hebraica corresponde ao **12.17**)

כֶּסֶף אָשָׁם וְכֶסֶף חַטָּאוֹת לֹא יוּבָא בֵּית יְהוָה לַכֹּהֲנִים יִהְיוּ׃ פ

Mas o dinheiro de oferta pela culpa... era para os sacerdotes. O dinheiro pertencente aos sacerdotes (das fontes mencionadas neste versículo) não era encaminhado ao trabalho de reparos do templo. Esse dinheiro era enviado diretamente aos sacerdotes, para seu sustento. As pessoas que moravam distante enviavam dinheiro, em lugar de gado. Esse dinheiro era para fazer expiação pelos erros que as pessoas tivessem cometido. Ver 2Cr 24.4-14 quanto à passagem paralela e cf. Lv 5.15-18; 6.26-29 e Nm 5.8. Portanto, as duas espécies de ofertas eram guardadas separadamente, para o projeto de construção e para os "salários" dos sacerdotes, conforme fora contratado (vss. 7 e 8). A caixa posta no templo não recebia esse dinheiro; a casta sacerdotal é que o recebia. Dessa forma, a justiça era feita. As despesas com o projeto de construção do templo não eram pagas com o dinheiro tradicionalmente designado para sustento da casta sacerdotal.

Série de Reversões Sofridas por Joás (12.17,18)

A Lei Moral da Colheita segundo a Semeadura (ver no *Dicionário*) esteve em operação na vida de Joás. Ele havia se desintegrado moralmente na última metade de sua vida, ao cair em uma idolatria crassa. Além disso, assassinou o filho do sumo sacerdote Joiada (ver 2Cr 24.22). Coisa alguma que o rei Joás fizesse prosperava, e ele terminaria a sua vida assassinado (vs. 21). Foi outra triste história de oportunidade perdida.

■ **12.17** (na Bíblia hebraica corresponde ao **12.18**)

אָז יַעֲלֶה חֲזָאֵל מֶלֶךְ אֲרָם וַיִּלָּחֶם עַל־גַּת וַיִּלְכְּדָהּ וַיָּשֶׂם חֲזָאֵל פָּנָיו לַעֲלוֹת עַל־יְרוּשָׁלִָם׃

Então subiu Hazael. Elias tinha predito que Hazael, rei da Síria, causaria toda espécie de confusão em Israel; e aqui nós o vemos atacando, igualmente, o reino do sul. Ver 1Rs 19.17. Eliseu havia confirmado as profecias de Elias e as tinha expandido. Foi assim que Hazael se tornou um látego nas mãos de Yahweh para punir alguns por sua iniquidade, especialmente aquela expressa através da idolatria. Hazael, o matador selvagem, aparentemente tinha varrido o país inteiro, indo para o sul até o território dos filisteus. Ele tomou de Joás todos os tesouros que vinham sendo acumulados desde os dias de Asa, que havia sofrido problemas similares com Baasa, rei de Israel, cerca de cem anos atrás (ver 1Rs 15.18). Joás estava em feroz declínio que atraía desgraça após desgraça. Era aquela destrutiva síndrome do pecado-julgamento, que tão bem explica a história dos reinos do norte e do sul, Israel e Judá, respectivamente. O que tinha sido semeado voltava sob a forma de colheitas amargas.

Não vos enganeis: de Deus não se zomba;
pois aquilo que o homem semear, isso também ceifará.
Gálatas 6.7

Gate. Tradicionalmente, essa era uma das cidades fortificadas dos filisteus. Ver no *Dicionário* o artigo chamado *Gate*. Hazael era um guerreiro-assassino selvagem, que gostava de guerrear contra qualquer um, em qualquer lugar. Talvez o texto deixe entendido que Judá exercia poder sobre Gate (ver 2Cr 11.8), e que uma campanha contra Gate era, preliminarmente, uma campanha contra Judá. Ou talvez Judá (e talvez Israel) tivesse feito uma ligação com aquela fortaleza, e talvez com outras fortalezas dos filisteus, isto é, Gaza, Asdode, Ascalom e Ecrom.

Hazael. Quanto a detalhes completos sobre esse homem, ver o artigo detalhado no *Dicionário*.

■ **12.18** (na Bíblia hebraica corresponde ao **12.19**)

וַיִּקַּח יְהוֹאָשׁ מֶלֶךְ־יְהוּדָה אֵת כָּל־הַקֳּדָשִׁים אֲשֶׁר־הִקְדִּישׁוּ יְהוֹשָׁפָט וִיהוֹרָם וַאֲחַזְיָהוּ אֲבֹתָיו מַלְכֵי יְהוּדָה וְאֶת־קֳדָשָׁיו וְאֵת כָּל־הַזָּהָב הַנִּמְצָא בְּאֹצְרוֹת בֵּית־יְהוָה וּבֵית הַמֶּלֶךְ וַיִּשְׁלַח לַחֲזָאֵל מֶלֶךְ אֲרָם וַיַּעַל מֵעַל יְרוּשָׁלִָם׃

Porém Joás, rei de Judá. Hazael haveria de levar todos os tesouros do templo, fosse como fosse, pelo que Joás não perdeu coisa alguma por ter cedido sem oferecer batalha. De fato, ele salvou milhares de vidas. Joás precisou comprar Hazael. Cf. 2Cr 24.23. Os tesouros do palácio também fizeram parte dos negócios contratados com Hazael. "Esse resgate fez Hazael retirar-se com suas tropas. O incidente inteiro ilustra a fraqueza de Judá na época, resultante da apostasia de Joás" (Thomas L. Constable, *in loc.*). Grandes riquezas se tinham acumulado durante o reinado de vários reis, conforme a lista aqui dada o demonstra. Joás, pois, precisou sacrificar tudo. Pouco tempo mais tarde, o rei foi morto por seus próprios oficiais, e a história de desintegração, declínio e futilidade chegou ao fim.

O Assassinato de Joás (12.19-21)

O homem que havia começado bem desintegrou-se moralmente, caiu nas antigas veredas da idolatria, provocou seus inimigos e terminou sendo assassinado. Mas, antes de oferecer sua nota usual de obituário, o autor sagrado interrompeu sua narrativa para informar-nos sobre como ele encontrou a morte. O trecho de 2Cr 24.25,26 nos dá maiores detalhes, dizendo-nos que isso ocorreu (em parte) por causa da morte por apedrejamento de Zacarias, filho de Joiada, o sumo sacerdote, que foi morto no terreno do próprio templo. Esse homem foi morto por ter-se oposto à idolatria de Joás e seus caminhos pagãos. Era coisa séria assassinar o filho de um sumo sacerdote, e a ira de Yahweh se vingou do ato. Felizmente, o próprio sumo sacerdote já havia morrido, pelo que foi poupado de ver o estúpido assassinato e a tragédia pessoal.

■ 12.19 (na Bíblia hebraica corresponde ao 12.20)

וְיֶ֙תֶר֙ דִּבְרֵ֣י יוֹאָ֔שׁ וְכָל־אֲשֶׁ֖ר עָשָׂ֑ה הֲלוֹא־הֵ֣ם כְּתוּבִ֗ים עַל־סֵ֛פֶר דִּבְרֵ֥י הַיָּמִ֖ים לְמַלְכֵ֥י יְהוּדָֽה׃

Quanto aos demais atos de Joás. Essa nota de sumário era a forma comum pela qual o autor sagrado encerrava suas histórias dos reis de Israel e de Judá. O *Livro das Crônicas dos Reis de Israel e de Judá* foi um de seus livros informativos. Era uma obra não-canônica, um daqueles muitos livros, ligados ao Antigo Testamento, que se perdeu. Ver as notas completas a respeito em 1Rs 14.19. O trecho paralelo, 2Cr 24, adiciona detalhes da vida de Joás que não foram usados, ou que não estavam disponíveis para o autor dos livros de Reis. Ver a introdução à presente seção (anteriormente) quanto a alguns detalhes que se aplicam a este ponto da narrativa.

■ 12.20 (na Bíblia hebraica corresponde ao 12.21)

וַיָּקֻ֥מוּ עֲבָדָ֖יו וַיִּקְשְׁרוּ־קָ֑שֶׁר וַיַּכּ֣וּ אֶת־יוֹאָ֗שׁ בֵּ֥ית מִלֹּ֖א הַיּוֹרֵ֥ד סִלָּֽא׃

Levantaram-se os seus servos. Os próprios oficiais de Joás, provavelmente figuras militares, rebelaram-se e assassinaram Joás. Isso foi feito, pelo menos em parte, por ter ele assassinado Zacarias, filho do sumo sacerdote Joiada (ver 2Cr 24.22), mas sem dúvida houve outras razões, de ordem pessoal. O velho rei se imiscuiu nos planos e nas ambições políticas, como é usual aos homens.

Milo... Sila. Ver sobre Sila, no *Dicionário*. 2Cr 24.25 diz que os sírios o tinham ferido com seriedade. Evidentemente, com o intuito de recuperar-se, ele desceu a Bete Milo, uma cidade na estrada para Sila. Atualmente desconhecem-se as localizações dessas cidades, embora haja algumas suposições. Ver 2Sm 5.9 e 1Rs 9.15 quanto a Milo, onde algumas informações são dadas sobre esse lugar. Ver também Jz 9.6.

■ 12.21 (na Bíblia hebraica corresponde ao 12.22)

וְיוֹזָבָ֣ד בֶּן־שִׁמְעָ֗ת וִיהוֹזָבָד֙ בֶּן־שֹׁמֵ֔ר עֲבָדָ֖יו הִכֻּ֑הוּ וַיָּמֹת֒ וַיִּקְבְּר֥וּ אֹת֛וֹ עִם־אֲבֹתָ֖יו בְּעִ֣יר דָּוִ֑ד וַיִּמְלֹ֛ךְ אֲמַצְיָ֥ה בְנ֖וֹ תַּחְתָּֽיו׃ פ

Jozacar... Jozabade. Este versículo dá os nomes dos assassinos de Joás. Meus artigos no *Dicionário* mostram o que se sabe sobre eles. As mães desses homens, de acordo com 2Cr 24.26, foram, respectivamente, uma amonita e uma moabita.

A Nota de Obituário. Ver sobre esta nota em 1Rs 1.21 e 16.5,6. O autor termina suas histórias sempre da mesma maneira. Joás foi sepultado em Jerusalém, mas não nos túmulos reais (ver 2Cr 24.25). Ele não foi tão respeitado quanto o foram alguns de seus antepassados, pois, afinal, tinha assassinado o filho de um sumo sacerdote.

"Assim sendo, da mesma maneira que a retidão exalta uma nação, o pecado lança a desgraça e a confusão sobre um povo. O pecado destrói tanto o bom conselho quanto a força, e os ímpios fogem sem que ninguém os persiga" (Adam Clarke, *in loc.*).

Amazias. O filho de Joás foi seu sucessor no trono de Judá. O trecho de 2Rs 14.1 ss. fornece-nos a descrição da vida e do reinado desse homem. Primeiramente, o autor sagrado nos falará sobre dois reis de Israel, segundo seu modo de expor relatos paralelos (em ordem cronológica aproximada) dos reis de Israel e de Judá. Ver 1Rs 16.12 quanto a esse modo de apresentação.

CAPÍTULO TREZE

JEOACAZ, REI DE ISRAEL (13.1-9)

O autor sagrado tinha acabado de contar sobre o reinado de Joás, um dos reis de Judá. Agora ele volta a sua atenção para dois reis de Israel. Seu modo de apresentação era o de narrativas paralelas. Ele não apresentou primeiramente os reis de Israel e depois os reis de Judá, para descrevê-los. Pelo contrário, saltou para cá e para lá, acompanhando os reis em ordem aproximadamente cronológica. Quanto a esse *modus operandi* de apresentação, ver as notas expositivas sobre 1Rs 16.2.

"A história desse reinado transpira uma melancolia sem alívio. Durante a sua totalidade, Israel esteve sob o domínio da Síria, tendo sido reduzido a uma completa impotência" (Norman H. Snaith, *in loc.*). Isso posto, as profecias de Elias estavam tendo cumprimento. Hazael, o chicote vindo do norte, o sírio terrível, estava castigando Israel, na qualidade de um agente da ira de Yahweh. Ver 1Rs 19.17.

■ 13.1

בִּשְׁנַ֨ת עֶשְׂרִ֤ים וְשָׁלֹשׁ֙ שָׁנָ֔ה לְיוֹאָ֥שׁ בֶּן־אֲחַזְיָ֖הוּ מֶ֣לֶךְ יְהוּדָ֑ה מָ֠לַךְ יְהוֹאָחָ֨ז בֶּן־יֵה֤וּא עַל־יִשְׂרָאֵל֙ בְּשֹׁמְר֔וֹן שְׁבַ֥ע עֶשְׂרֵ֖ה שָׁנָֽה׃

No ano vinte e três de Joás. *Relatos Paralelos.* O autor sacro informa-nos sobre como Jeoacaz, filho de Jeú, começou a reinar em Israel, no vigésimo terceiro ano de Joás (Jonas), de Judá. Ver sobre o modo do autor apresentar os relatos paralelos sobre os reis de Israel e de Judá, na introdução ao presente capítulo, e em 1Rs 16.29. Agora ele narrava sobre dois reis de Israel, antes de saltar para Judá, para contar a história de Amazias (capítulo 14). Ver também os artigos chamados *Rei, Realeza*; *Israel, Reino de* e *Judá, Reino de*, no *Dicionário*, quanto a listas, gráficos e descrições dos reis de Israel e de Judá.

"Jeoacaz começou a reinar no início do vigésimo terceiro ano do reinado de Jeoás, e reinou por dezessete anos, catorze sozinho e três anos com seu filho, Jeoás. O décimo quarto ano tinha apenas começado" (Adam Clarke, *in loc.*). Cf. 2Rs 12.1 e a nota cronológica ali existente. Joás subiu ao trono no sétimo ano do reinado de Jeú, e Jeú reinou por 28 anos (ver 2Rs 10.36). Joás começou a reinar em cerca de 835 a.C.

■ 13.2

וַיַּ֥עַשׂ הָרַ֖ע בְּעֵינֵ֣י יְהוָ֑ה וַיֵּ֗לֶךְ אַחַ֞ר חַטֹּ֤את יָרָבְעָ֣ם בֶּן־נְבָ֗ט אֲשֶׁר־הֶחֱטִ֣יא אֶת־יִשְׂרָאֵ֔ל לֹא־סָ֖ר מִמֶּֽנָּה׃

Esse rei não foi capaz de eximir-se da destrutiva síndrome do pecado-julgamento que tinha sido a praga de seus antecessores. Ele caiu facilmente na idolatria que Jeroboão havia estabelecido, a adoração ao bezerro em Dã e Betel. Ao assim fazer, ele levou a nação inteira ao pecado, pois foi por causa disso que Israel se tornou uma nação idólatra, tendo permanecido assim até o fim. O fim foi o cativeiro assírio (ver a esse respeito no *Dicionário*), quando o reino do norte (Israel) deixou de existir. Ver 1Rs 12.26 ss., quanto ao tipo especial de idolatria de Jeroboão, que continuou a ser uma maldição para a nação de Israel, até o cativeiro assírio. Cf. 2Rs 3.3 e 10.29 quanto às repetições dessa observação: Jeroboão pecou; ele fez Israel cair no pecado; vários reis posteriores de Israel seguiram o seu mau exemplo. Ver o sexto versículo do presente capítulo. Ver na *Enciclopédia de Bíblia, Teologia e Filosofia* o verbete intitulado *Exemplo*, quanto a um comentário detalhado sobre esse tema.

Sede meus imitadores, como também eu sou de Cristo.

1Coríntios 11.1

Os homens leem o evangelho de Cristo,
E o admiram,
Com seu amor tão infalível e autêntico;
Mas o que dizem e o que pensam eles,
Do 'evangelho' segundo nós?

Anônimo

■ 13.3

וַיִּֽחַר־אַ֥ף יְהוָ֖ה בְּיִשְׂרָאֵ֑ל וַֽיִּתְּנֵ֞ם בְּיַ֣ד ׀ חֲזָאֵ֣ל מֶֽלֶךְ־אֲרָ֗ם וּבְיַ֛ד בֶּן־הֲדַ֥ד בֶּן־חֲזָאֵ֖ל כָּל־הַיָּמִֽים׃

Pelo que se acendeu contra Israel a ira do Senhor. A ira de Yahweh se acendeu e queimou profundamente Israel, por causa de toda a iniquidade, idolatria e insensatez daquela nação. Ver no *Dicionário* o verbete intitulado *Ira de Deus*. As expressões deste versículo, naturalmente, são de natureza antropomórfica e antropopatética. Ver no *Dicionário* os verbetes chamados *Antropomorfismo e Antropopatismo*. Os homens atribuem a Deus suas próprias qualidades e emoções e assim dão descrições de Deus que são dúbias e inexatas. Contudo, somos apanhados no dilema humano, e é impossível escapar dessa atividade. Essa é a maneira positiva de descrever Deus. A forma negativa consiste em alguém dizer: "Deus não é aquilo que somos". Ele é "outro"; ele é "misterioso"; ele é imponderável. Ver no *Dicionário* os artigos denominados *Mysterium Fascinosum, Mysterium Tremendum, Deus* e *Atributos de Deus*.

Hazael, da Síria, foi o instrumento da ira divina contra Israel, tal como Elias havia predito que ele seria (ver 1Rs 19.17), e conforme Eliseu confirmou, adicionando maiores detalhes (ver o capítulo oitavo de 2Reis). Pouco antes disso, aquele rei guerreiro-matador tinha dominado Gate, uma fortaleza dos filisteus, e tinha forçado Joás a entregar os tesouros do templo e do palácio real (ver 2Rs 12.17,18). Joás precisou resgatar Jerusalém das mãos de Hazael, ou a cidade teria sido aniquilada. Ver o artigo sobre Hazael, no *Dicionário*, quanto a um sumário sobre a sua sanguinolenta carreira.

Este versículo fala de um ataque contínuo, matanças e ameaças. Ben-Hadade I, e depois Hazael foram os instrumentos do castigo, usados pelas mãos de Deus. Então Ben-Hadade III subiu ao trono da Síria e aumentou mais ainda as desgraças do povo de Israel. Ver no *Dicionário* o verbete chamado *Ben-Hadade*. Todos esses três tiranos são discutidos nesse artigo. Foi assim que Israel colheu o que havia semeado.

> Semeai um ato, e colhereis um hábito.
> Semeai um hábito, e colhereis um caráter.
> Semeai um caráter, e colhereis um destino.
> Semeai um destino, e colhereis... Deus.
>
> Prof. Huston Smith

13.4

וַיְחַל יְהוֹאָחָז אֶת־פְּנֵי יְהוָה וַיִּשְׁמַע אֵלָיו יְהוָה כִּי רָאָה אֶת־לַחַץ יִשְׂרָאֵל כִּי־לָחַץ אֹתָם מֶלֶךְ אֲרָם:

Jeoacaz fez súplicas diante do Senhor. Em seu desespero, Jeoacaz voltou-se para Yahweh. Ofereceu os devidos sacrifícios; seguiu os rituais apropriados, prescritos segundo a lei de Moisés; e temporariamente restaurou o yahwismo em Israel, mas sem dúvida deixando muito da antiga idolatria intocada. Em seguida, Jeoacaz fez as súplicas próprias, sinceras, em voz alta e longamente. Em sua misericórdia, Yahweh ouviu a voz dele, e deu-lhe alívio contra os assédios do exército assírio.

> *Então, na sua angústia, clamaram ao Senhor,*
> *e ele os livrou das suas tribulações.*
> *Fez cessar a tormenta, e as ondas se acalmaram.*
> *Então se alegraram com a bonança;*
> *e assim os levou ao desejado porto.*
>
> Salmo 107.28-30

"Temos aqui o caso de um homem injusto, em desesperadora necessidade, que ele atraíra contra si mesmo. Ele se havia esquecido de Deus, e abandonado e traído a ele. Mas agora, já no fim de suas forças, ele se voltou para Deus. Esse é o único tipo de religião que muita gente conhece. Assim, enquanto tudo vai bem, eles conseguem passar sem nenhuma religião. Mas se a calamidade os derruba, então se voltam para Deus e para a oração" (Raymond Calking, *in loc.*).

13.5

וַיִּתֵּן יְהוָה לְיִשְׂרָאֵל מוֹשִׁיעַ וַיֵּצְאוּ מִתַּחַת יַד־אֲרָם וַיֵּשְׁבוּ בְנֵי־יִשְׂרָאֵל בְּאָהֳלֵיהֶם כִּתְמוֹל שִׁלְשׁוֹם:

O Senhor deu um salvador a Israel. Este versículo é bastante vago, pois não explica como Israel foi capaz de livrar-se da opressão dos sírios. Alguns eruditos pensam que o libertador havia sido o rei Adade-Nirari III, da Assíria (811-783 a.C.), que começou suas campanhas contra a Síria e forçou aquele povo a voltar-se para a guerra das bandas do norte, deixando assim Israel em paz. Sabemos que esse rei assírio lutou contra muitos países, como Tiro, Sidom, Média, Edom e Egito. A estrela da Assíria estava-se elevando no firmamento. Israel, afinal, seria uma vítima da Assíria, mas naquela ocasião as "outras guerras" deram a Israel algum alívio. Ver no *Dicionário* o artigo chamado *Assíria*. Outra conjectura é que Hazael morreu, e assim a Síria descansou da guerra por algum tempo. Ou o libertador pode ter sido Jeoás, filho de Jeoacaz, que teve melhor sucesso contra o inimigo do norte. Ver no versículo 25 quanto a essa informação. Ainda assim eruditos dizem que foi Jeroboão II, neto de Jeoacaz, que "salvou" Israel (ver 2Rs 14.27). Seja como for, as coisas melhoraram para Israel durante algum tempo, em parte como resposta às orações de Jeoacaz. Mas por essa altura dos acontecimentos, Israel já estava perto do seu fim. Coisa alguma poderia fazer parar a Assíria.

13.6

אַךְ לֹא־סָרוּ מֵחַטֹּאות בֵּית־יָרָבְעָם אֲשֶׁר־הֶחֱטִי אֶת־יִשְׂרָאֵל בָּהּ הָלָךְ וְגַם הָאֲשֵׁרָה עָמְדָה בְּשֹׁמְרוֹן:

Contudo não se apartaram dos pecados da casa de Jeroboão. O favor de Yahweh não exerceu nenhum efeito sobre o comportamento de Israel. Na realidade, Israel nunca aprendeu suas lições. Seguiu a síndrome da destruição do pecado-julgamento até o fim. Breves períodos de melhoria logo eram cortados pelo antigo paganismo que exercia estranho fascínio sobre Israel. Não haveria nenhuma redenção. Israel continuava retornando à idolatria e às atitudes de Jeroboão. Fazia muito tempo que Jerusalém havia sido abandonada como o centro do culto religioso da raça dos hebreus. A adoração ao bezerro, em Dã e Betel, mantinha os israelitas em casa, cativos à idolatria. Além disso, os lugares altos (ver a respeito no *Dicionário*) prevaleciam. Este sexto versículo repete o segundo versículo deste capítulo, em cujo ponto dou referências ao tipo de idolatria criado por Jeroboão, e seu pecado, o que levou Israel a continuar pecando, seguindo o péssimo exemplo de seu primeiro monarca.

E também o poste-ídolo permaneceu em Samaria. Esse é o texto em algumas versões, em lugar de bosques ou lugares altos. Quanto a Aserá (Aserins) em 1Rs 14.15. Em vista, como é evidente, está o ídolo sob a forma de um poste, um símbolo da deusa Aserá, consorte de Baal. Esse tipo de idolatria permaneceu conspícuo em Samaria. Uma variedade de ideias se prende a essas palavras, que tento esclarecer em minhas notas, na referência mencionada.

13.7

כִּי לֹא הִשְׁאִיר לִיהוֹאָחָז עָם כִּי אִם־חֲמִשִּׁים פָּרָשִׁים וַעֲשָׂרָה רֶכֶב וַעֲשֶׂרֶת אֲלָפִים רַגְלִי כִּי אִבְּדָם מֶלֶךְ אֲרָם וַיְשִׂמֵם כֶּעָפָר לָדֻשׁ:

E foi o caso que não se deixaram a Jeoacaz do exército senão... *O Aniquilamento do Poder Militar de Israel.* Este versículo nos dá conta da quase total eliminação do poder militar de Israel. Isso nos surpreende. O rei da Síria tinha transformado em pó o poder militar de Israel. Este versículo sétimo continua a triste nota do terceiro versículo. Israel sempre dependera de sua infantaria; mas Salomão multiplicou carros de combate e cavalos, pelo que o exército de Israel se sofisticara. Mas a Síria fora tão bem-sucedida na guerra contra Israel que havia reduzido suas forças armadas à mera força de infantaria, uma força pequena e débil. Dessa maneira ficara preparado o caminho para o cativeiro assírio, que poria fim, para sempre, ao reino do norte, Israel. Os reis de nome Ben-Hadade (I, II e III) e Hazael tinham sido os instrumentos que Deus usara nessa destruição, para castigar a nação de Israel por causa de sua apostasia. A fraqueza de Israel era quase equivalente a um desarmamento.

13.8

וְיֶתֶר דִּבְרֵי יְהוֹאָחָז וְכָל־אֲשֶׁר עָשָׂה וּגְבוּרָתוֹ הֲלוֹא־הֵם כְּתוּבִים עַל־סֵפֶר דִּבְרֵי הַיָּמִים לְמַלְכֵי יִשְׂרָאֵל:

Ora, os demais atos de Jeoacaz. O autor sagrado oferece aqui sua costumeira nota de obituário. Cf. 2Rs 12.19; e ver as notas expositivas em 1Rs 1.21 e 16.5,6. Ver sobre o *Livro das Crônicas dos Reis de Israel e de Judá* em 1Rs 14.19.

■ 13.9

וַיִּשְׁכַּב יְהוֹאָחָז עִם־אֲבֹתָיו וַיִּקְבְּרֻהוּ בְּשֹׁמְרוֹן וַיִּמְלֹךְ יוֹאָשׁ בְּנוֹ תַּחְתָּיו: פ

Descansou com seus pais. Quanto a esse eufemismo, que nas versões inglesas aparece como "dormiu com seus pais", ver as notas em 1Rs 1.21. A Jeoacaz foi dado um sepultamento decente e honroso em Samaria, capital do reino do norte, Israel. Ver no *Dicionário* o artigo intitulado *Sepultamento, Costumes de*. Onri e seus descendentes, reis de Israel, foram sepultados em Samaria, que se tornou a capital do norte, depois que o reino do norte se separou de Judá, o reino do sul. No reino do sul, Jerusalém continuou sendo a capital.

Jeoás, filho de Jeoacaz, subiu ao trono de Israel. Sua história é narrada em 2Rs 13.10-25.

JOÁS (JEOÁS), REI DE ISRAEL (13.10-25)

O autor sagrado apresentou narrativas paralelas das histórias dos reis de Israel e de Judá. Ele não alistou todos os reis de Israel para descrevê-los, para então seguir o mesmo procedimento com os reis de Judá. Antes, pulou para cá e para lá, do norte para o sul, seguindo uma ordem cronológica aproximada. Quanto a essa maneira de apresentar a história, ver as notas expositivas em 1Rs 16.29. O autor sagrado não retorna aos reis do sul senão já em 2Rs 14.1, onde dá início à história de Amazias, de Judá. No presente versículo, o começo do reinado de Jeoás de Judá é relacionado, cronologicamente, ao reinado de Joás, de Judá.

A narrativa sobre Jeoás começa com a introdução regular do autor e termina com a costumeira nota de obituário. Eliseu volta a participar da narrativa, a começar pelo versículo 14. Ele deu mais profecias de condenação contra Israel, descrevendo como a Síria continuaria a obter vitórias sobre Israel, onde as coisas iriam de mal a pior. Por enquanto, entretanto, Jeoás conseguiria fazer a maré voltar-se contra os sírios, obtendo três vitórias sobre eles (ver os vss. 22-25). Isso só ocorreu depois que o terrível Hazael morreu.

Nesta seção também temos a história incomum do último milagre de Eliseu, que teve lugar após a morte dele! (Ver o trecho de 2Rs 13.20,21.) Quando certo homem morto tocou nos ossos de Eliseu, ressuscitou dos mortos.

■ 13.10

בִּשְׁנַת שְׁלֹשִׁים וָשֶׁבַע שָׁנָה לְיוֹאָשׁ מֶלֶךְ יְהוּדָה מָלַךְ יְהוֹאָשׁ בֶּן־יְהוֹאָחָז עַל־יִשְׂרָאֵל בְּשֹׁמְרוֹן שֵׁשׁ עֶשְׂרֵה שָׁנָה:

No ano trinta e sete de Joás, rei de Judá. A nota, em 2Rs 14.1, dá uma cronologia contraditória. Norman H. Snaith (*in loc.*) diz que o número deveria ser 39. Por outra parte, se Joás governou em parceria com seu pai por um par de anos, e então tornou-se o único rei, a diferença de dois anos estaria explicada. Ver os comentários sobre o primeiro versículo do presente capítulo.

"Quando Jeoacaz (uma variante do nome hebraico Joás) tomou as rédeas do poder em Israel, um rei de nome Joás governava em Judá... Jeoacaz começou a governar em Israel em 798 a.C., e serviu por um total de dezesseis anos, até 782 a.C. Entretanto, após cinco anos (em 793 a.C.), Jeroboão II, filho de Jeoacaz, começou a reinar como seu corregente. O rei continuou as normas religiosas de seus antecessores e fez o que era mau aos olhos do Senhor" (Thomas L. Constable, *in loc.*).

"Visto que seu pai começou a reinar no vigésimo terceiro ano de Joás, e reinou por dezessete anos (ver o vs. 1), esse rei deve ter começado a reinar no ano trinta e nove ou quarenta de Joás. Para reconciliar as notas, podemos supor que dois dos anos do seu reinado... foram passados como corregente com seu pai..." (John Gill, *in loc.*).

■ 13.11

וַיַּעֲשֶׂה הָרַע בְּעֵינֵי יְהוָה לֹא סָר מִכָּל־חַטֹּאות יָרָבְעָם בֶּן־נְבָט אֲשֶׁר־הֶחֱטִיא אֶת־יִשְׂרָאֵל בָּהּ הָלָךְ:

Fez o que era mau perante o Senhor. Os reis de Israel, mesmo quando livres do baalismo, mediante a matança dos sacerdotes desse culto por Jeú, não abandonaram a adoração ao bezerro, em Dã e Betel, que Jeroboão havia estabelecido para manter em casa o povo do reino do norte, Israel. De outra sorte, eles estariam indo a Jerusalém, para adorar no templo, e isso teria enfraquecido o norte, que se tinha separado de Judá, o reino do sul. Ver as notas sobre os vss. 2 e 6, onde a mesma explicação é dada no tocante aos atos dos outros reis. Ver 1Rs 12.26 ss., quanto ao tipo especial da apostasia e da idolatria de Jeroboão. Ver também 1Rs 15.3-5,26; 16.2 e 2Rs 14.24.

■ 13.12

וְיֶתֶר דִּבְרֵי יוֹאָשׁ וְכָל־אֲשֶׁר עָשָׂה וּגְבוּרָתוֹ אֲשֶׁר נִלְחַם עִם אֲמַצְיָה מֶלֶךְ־יְהוּדָה הֲלֹוא־הֵם כְּתוּבִים עַל־סֵפֶר דִּבְרֵי הַיָּמִים לְמַלְכֵי יִשְׂרָאֵל:

Quanto aos demais atos de Jeoás. Ao que parece, não havia muita coisa a contar sobre Jeoás, pelo que o autor sagrado imediatamente acrescenta suas observações finais, incluindo a nota padrão de obituário. Quanto a essa nota, ver 1Rs 1.21 e 16.5,6. Ver também o oitavo versículo do presente capítulo.

Alguns detalhes sobre ele seguem-se no presente capítulo, visto que ele esteve envolvido com Eliseu, sua enfermidade e morte, e teve algum sucesso na batalha contra os sírios (vss. 22-25). Ver os detalhes no capítulo 15 de 2Crônicas nas suas guerras contra Amazias, rei de Judá. Ver 2Rs 14.15,16, onde são repetidas as palavras finais e o obituário. As repetições sugerem um trabalho de edição e um arranjo um tanto desajeitado de materiais, quando o autor sagrado lutava para reunir suas fontes informativas em uma boa ordem. Talvez essa ordem fosse devida ao trabalho de algum editor posterior.

■ 13.13

וַיִּשְׁכַּב יוֹאָשׁ עִם־אֲבֹתָיו וְיָרָבְעָם יָשַׁב עַל־כִּסְאוֹ וַיִּקָּבֵר יוֹאָשׁ בְּשֹׁמְרוֹן עִם מַלְכֵי יִשְׂרָאֵל: פ

Descansou Jeoás com seus pais. A costumeira nota de obituário é encontrada em 1Rs 1.21 e 16.2. E é repetida em 2Rs 14.16. Juntamente com todos os reis do reino do norte, de Onri em diante, Jeoás foi sepultado em Samaria, capital do reino do norte. Ver os meus comentários no versículo nono deste capítulo, quanto a detalhes. Jeroboão II, seu filho, tornou-se o novo rei, conforme também ficamos sabendo em 2Rs 14.16. Seu reinado foi brevemente descrito em 2Rs 14.23-29. Kimchi e outros intérpretes hebreus dizem-nos que Jeroboão II reinou como corregente, com seu pai, por um ano, antes de tornar-se o único rei. Ver Seder Olam Rabba, cap. 19. Alguns intérpretes modernos, contudo, calculam que essa corregência perdurou por onze anos, e não por apenas um ano.

Morte e Sepultamento de Eliseu (13.14-19)

Esse profeta de Yahweh morreu no tempo de Jeoás. Portanto, a história de Eliseu termina aqui; e, além disso, obtemos mais alguns detalhes sobre o governo desse monarca de Israel. Eliseu, que havia recebido uma dupla porção do Espírito de Elias, e que realizou mais ou menos o dobro do número de milagres dele (ver 2Rs 2.9 e o gráfico que há nas proximidades), não poderia perdurar para sempre, mas tinha seu dia divinamente determinado para morrer. Sua missão foi realizada de maneira esplêndida, e dela ele não tinha razão alguma para lamentar-se.

"Encontramos aqui a cena do leito de morte de Eliseu, e do rei de Israel, que veio visitá-lo. O profeta, moribundo, tentou deixar um legado de vitórias para Israel, mas isso foi frustrado em parte pela ação tímida do rei" (Norman H. Snaith, *in loc.*).

13.14

וֶאֱלִישָׁע֙ חָלָ֣ה אֶת־חָלְי֔וֹ אֲשֶׁ֥ר יָמ֖וּת בּ֑וֹ וַיֵּ֨רֶד אֵלָ֜יו יוֹאָ֣שׁ מֶֽלֶךְ־יִשְׂרָאֵ֗ל וַיֵּ֤בְךְּ עַל־פָּנָיו֙ וַיֹּאמַ֔ר אָבִ֣י ׀ אָבִ֔י רֶ֥כֶב יִשְׂרָאֵ֖ל וּפָרָשָֽׁיו׃

A enfermidade terminal de Eliseu mostrou que ele era um homem mortal, como qualquer outro. Ele tinha atingido o ciclo final de sua vida, aquele tempo lamentável quando um homem fica tão doente que não pode mais sobreviver, a despeito de medicamentos e de orações. Seu tempo de partir deste mundo havia chegado. Jeoás, rei de Israel, ao ouvir que o velho profeta estava prestes a fazer a transição para a outra vida, foi visitá-lo, movido pelo respeito. Ele tinha sido uma pessoa extraordinária, merecedora da atenção de todos, bem como das suas congratulações, porquanto ele fez o que precisava fazer, e tudo sem o menor reparo.

É curioso que Jeoás tenha repetido aqui as mesmas palavras que o próprio Eliseu havia falado, ao testificar a translação de Elias, através da carruagem de fogo. Ver 2Rs 2.12 quanto a notas expositivas completas. Podemos compreender que a própria morte falou figuradamente, mediante referências ao Senhor e às suas carruagens de fogo, que vêm receber a alma. Talvez, naquele momento, Jeoás houvesse tido alguma espécie de visão ou alguma outra experiência mística que tenha provocado suas exclamações. Outros explicam que Eliseu tinha feito aquela exclamação por ocasião da partida de Elias, e Jeoás simplesmente a repetiu, sabendo que o idoso profeta estava preparado para a partida dele.

Foi uma Cena de Lágrimas. Embora o rei não tivesse abandonado a sua idolatria, ele havia incorporado Yahweh em seu sistema ecléctico, pelo que Jeoás não foi uma perda total.

13.15,16

וַיֹּ֤אמֶר לוֹ֙ אֱלִישָׁ֔ע קַ֥ח קֶ֖שֶׁת וְחִצִּ֑ים וַיִּקַּ֥ח אֵלָ֖יו קֶ֥שֶׁת וְחִצִּֽים׃

וַיֹּ֣אמֶר ׀ לְמֶ֣לֶךְ יִשְׂרָאֵ֗ל הַרְכֵּ֤ב יָֽדְךָ֙ עַל־הַקֶּ֔שֶׁת וַיַּרְכֵּ֖ב יָד֑וֹ וַיָּ֧שֶׂם אֱלִישָׁ֛ע יָדָ֖יו עַל־יְדֵ֥י הַמֶּֽלֶךְ׃

Então lhe disse Eliseu. *O Ritual Profético.* Embora estivesse morrendo, o idoso profeta ainda podia perceber o futuro. Israel teria algum alívio dos assédios dos sírios, e Jeoás seria o instrumento que conseguiria isso. Foi-lhe, pois, ordenado ferir o chão com flechas da vitória. As flechas do livramento de Israel foram atiradas. O rei precisou prover o material: o arco e as flechas (vs. 15). Mas ele precisava da ajuda do profeta, que pôs suas mãos a fim de cooperar e ajudar as mãos do rei (vs. 16). O ritual era simbólico. O rei teve de prover a força; mas ele também contava com a bênção divina, através do profeta, o qual tinha poder com Yahweh, que controla todas as coisas.

"O arco armado e a flecha atirada na direção do oriente estão em acordo com aquelas ideias de simbolismo eficaz, comuns às narrativas populares. Esse incidente particular foi similar ao ato de Josué estender sua lança na direção da cidade de Ai. (ver Js 8.18). O arco entesado foi considerado ao movimentação real das carruagens do Senhor em sua tarefa de livrar Israel do domínio da Síria" (Norman H. Snaith, *in loc.*).

Eliseu estava enfermo, mas não tão enfermo que seu poder não pudesse realizar mais um feito em favor de Israel. A vida de Eliseu tinha vindicado suas palavras, e mais um ato de poder miraculoso seria adicionado ao grande acúmulo de milagres que já havia. Tomando o arco em suas mãos, o rei, simbolicamente, tornou-se o instrumento de Yahweh para a vitória antecipada. O que ele fez assumiu um caráter profético por estar sendo dirigido pelo idoso profeta Eliseu.

13.17

וַיֹּ֗אמֶר פְּתַ֧ח הַחַלּ֛וֹן קֵ֖דְמָה וַיִּפְתָּ֑ח וַיֹּ֤אמֶר אֱלִישָׁ֨ע יְרֵ֜ה וַיּ֗וֹר וַיֹּ֛אמֶר חֵץ־תְּשׁוּעָ֥ה לַֽיהוָ֖ה וְחֵ֣ץ תְּשׁוּעָ֣ה בַֽאֲרָ֔ם וְהִכִּיתָ֧ אֶת־אֲרָ֛ם בַּאֲפֵ֖ק עַד־כַּלֵּֽה׃

Abre a janela para o oriente. Era a janela que dava para a parte oriental da casa, o lugar onde o sol nasce no firmamento, onde o poder de Deus se manifesta pela manhã. O sol estava prestes a levantar-se para o bem de Israel, embora escondendo-se por trás do horizonte estivesse o cativeiro assírio (ver no *Dicionário*), que viria do norte. Provavelmente Eliseu gostaria de ter parado aquele poder por algum tiro simbólico de uma flecha, mas essa tarefa estava além de seu poder, e fora da vontade de Yahweh. Passar-se-iam ainda setenta anos antes que aquele evento tivesse lugar, pelo que, nesse ínterim, Israel poderia ter algum descanso de seus inimigos.

Damasco, capital da Síria, ficava na direção nordeste, pelo que atirar flechas na direção leste não correspondia exatamente àquela direção. Mas o que importava era o leste, e o simbolismo envolvido nisso. Naturalmente, Israel precisava de vitória no oriente, isto é, na Transjordânia, que a Síria já havia conquistado. Ver 2Rs 10.33, para a conquista síria daquela região. Sem dúvida, essa era uma das razões pelas quais as flechas foram atiradas na direção do oriente. O atirar das flechas era uma declaração de guerra.

Em Afeque. Ver a respeito desse lugar no *Dicionário*. O aniquilamento das forças sírias enviadas para a batalha foi prometido, mas não do exército sírio inteiro, que nunca sofreu tal aniquilamento. Israel teria um alívio temporário, e não uma vitória total. Somente os assírios abateriam, realmente, os sírios. Afeque ficava na Transjordânia. Cf. 1Rs 20.30.

13.18

וַיֹּ֛אמֶר קַ֥ח הַחִצִּ֖ים וַיִּקָּ֑ח וַיֹּ֤אמֶר לְמֶֽלֶךְ־יִשְׂרָאֵל֙ הַךְ־אַ֔רְצָה וַיַּ֥ךְ שָׁלֹשׁ־פְּעָמִ֖ים וַֽיַּעֲמֹֽד׃

Toma as flechas. *Outra Parte do Ritual Simbólico.* Além de atirar as flechas, ao rei Jeoás foi ordenado ferir a terra com flechas. Supomos que elas tenham sido atiradas contra o solo, a fim de nele penetrarem, e ficarem ali fincadas, na direção vertical. Assim como as flechas se enterrariam no solo, os corpos dos soldados sírios seriam transpassados, e haveria uma tremenda matança. Cada flecha assim atirada simbolizaria uma vitória. O tímido rei Jeoás, não compreendendo o sentido da cerimônia do atirar das flechas, atirou somente três flechas, garantindo assim somente três vitórias.

Atira contra a terra. O rei saiu para fora da casa de Eliseu para realizar o ritual das flechas. Mas alguns pensam que ele atirou as flechas contra o chão de barro batido da casa de Eliseu.

13.19

וַיִּקְצֹ֨ף עָלָ֜יו אִ֣ישׁ הָאֱלֹהִ֗ים וַיֹּ֨אמֶר֙ לְהַכּ֨וֹת חָמֵ֤שׁ אוֹ־שֵׁשׁ֙ פְּעָמִ֔ים אָ֣ז הִכִּ֧יתָ אֶת־אֲרָ֛ם עַד־כַּלֵּ֖ה וְעַתָּ֕ה שָׁלֹ֥שׁ פְּעָמִ֖ים תַּכֶּ֥ה אֶת־אֲרָֽם׃ ס

Então o homem de Deus se indignou muito contra ele. Embora doente da doença que o matou, o idoso profeta ainda teve energia suficiente para ficar muito indignado contra o rei Jeoás, por ter o monarca ferido o chão com apenas três flechas. Jeoás, pois, havia limitado o triunfo de Israel por sua visão fraca. Naturalmente, ele ignorava como o ritual deveria funcionar, mas a ignorância usualmente está por trás de uma visão limitada. Nossa primeira incumbência é saber, e a segunda é agir. Ver no *Dicionário* o artigo intitulado *Desenvolvimento Espiritual, Meios do*. As duas grandes colunas da espiritualidade são o conhecimento e o amor. Os intérpretes têm visto a realização fraca do rei Jeoás como resultante de um caráter vacilante. Todos nós, seres humanos, estamos sujeitos a esse mesmo tipo de fraqueza. Em toda vida há um cumprimento parcial "daquilo que poderia ter sido". Há em nós a mistura da fraqueza e da fortaleza, do que é vital e do que é trivial.

> De todas as palavras tristes,
> Da língua ou da pena,
> As mais tristes de todas são estas:
> Poderia ter sido.
>
> John Greenleaf Whittier

Em tudo isso, somente o poder de Deus pode cumprir em nós o que Deus tenciona para nós.

A sorte se lança no regaço,
mas do Senhor procede toda decisão.

Provérbios 16.33

Último e Póstumo Milagre de Eliseu (13.20,21)
Eliseu foi um homem que recebeu dupla porção do Espírito de Elias, e realizou o dobro dos milagres dele. Ver sobre 2Rs 2.9 e o gráfico por perto daquelas notas, como ilustração. O idoso profeta Eliseu tinha terminado seu curso, e seguiu pelo caminho de toda carne, mas seus ossos ainda tinham o poder de operar milagres. Uma ressurreição foi efetuada mediante o mero toque desses ossos.

■ 13.20

וַיָּמָת אֱלִישָׁע וַיִּקְבְּרֻהוּ וּגְדוּדֵי מוֹאָב יָבֹאוּ בָאָרֶץ בָּא שָׁנָה׃

Morreu Eliseu, e o sepultaram. O fim de Eliseu foi narrado de maneira bem simples. O idoso profeta, de carreira tão ilustre, morreu e recebeu um sepultamento honroso. Sem dúvida, algum elogio apropriado foi proferido, mas o autor sacro não se deu ao trabalho de contar essa parte. Também é indubitável que houve grande lamentação por toda a terra de Israel. Um grande homem havia tombado em Israel. Mas o autor sagrado não se importou em contar sobre isso. Ele deixa-nos apenas o conhecimento de que tudo estava bem com Eliseu; tudo estava bem com a sua alma.

> Quando a paz, como um raio, acompanha o meu caminho,
> Quando rolam as tristezas, como ondas do mar,
> Sem importar qual a minha sorte, tens-me ensinado
> a dizer:
> Está tudo bem; está tudo bem com a minha alma.
>
> H. G. Spafford

As tradições judaicas dizem-nos que Eliseu foi sepultado no monte Carmelo, no sepulcro de Elias, e que ele morreu no décimo ano do reinado de Jeoás. Sua carreira como profeta, ao que parece, estendeu-se por sessenta anos! Não se sabe qual a sua idade quando morreu, mas ele deve ter chegado muito acima dos 80 anos.

As Molestações dos Moabitas. "À entrada do ano", isto é, por ocasião da primavera, hordas de moabitas armados costumavam invadir Israel. Esses assédios não eram feitos com grandes exércitos. Antes, eram feitos por bandos armados. Alguns estudiosos dizem que devemos pensar aqui no outono, o tempo da colheita, e não na primavera, porque era então que os moabitas teriam aproveitado o máximo com seus ataques, levando os frutos da terra. Eles tiravam vantagens das condições debilitadas de Israel, e sempre ansiavam por tirar vingança, porque o país deles fora devastado por Israel (ver 2Rs 3.26). Cf. 2Rs 5.2 quanto aos bandos de saqueadores.

A história do ataque dos moabitas nos foi narrada porque aqueles homens ímpios interromperam o sepultamento de um homem, subsequente ao sepultamento de Eliseu (algum tempo depois, onde o elemento não foi definido pelo autor sagrado). A história desse sepultamento nos é dada no versículo seguinte, o vs. 21, que assim registra o milagre da ressurreição de um homem morto, o derradeiro milagre de Eliseu, realizado postumamente.

■ 13.21

וַיְהִי הֵם קֹבְרִים אִישׁ וְהִנֵּה רָאוּ אֶת־הַגְּדוּד וַיַּשְׁלִיכוּ אֶת־הָאִישׁ בְּקֶבֶר אֱלִישָׁע וַיֵּלֶךְ וַיִּגַּע הָאִישׁ בְּעַצְמוֹת אֱלִישָׁע וַיְחִי וַיָּקָם עַל־רַגְלָיו׃ פ

O homem morto estava sendo sepultado perto do sepulcro de Eliseu. O costume oriental era usualmente escavar um buraco em uma colina, no chão de terra ou em uma rocha, e assim fazer uma espécie de perfuração onde o corpo pudesse ser sepultado. O lugar era então coberto com uma pedra. Não se usava nenhum esquife de defunto, mas o corpo era envolto em mortalhas. Ver no *Dicionário* o verbete chamado *Sepultamento, Costumes de.* Naturalmente, havia sepulcros em lugares mais planos, e presumivelmente o povo sepultava seus mortos no chão de terra ou em rochas. No tempo dos gregos e dos romanos, o costume era sepultar simplesmente no chão de terra ou em lugares rochosos, e os judeus geralmente seguiam esse costume, embora túmulos abertos nas rochas continuassem muito comuns.

Em sua pressa por escapar aos assaltantes moabitas, os homens largaram o cadáver do homem morto no túmulo de Eliseu. Eles cuidariam melhor do sepultamento mais tarde. Quando o cadáver tocou nos ossos do grande profeta, foi reanimado! "A ideia de que os ossos dos mortos retêm, pelo menos durante algum tempo, o poder sobrenatural que o morto tivera em vida, era comum entre os povos primitivos. Essas crenças sobrevivem na veneração que é dada aos ossos dos santos, que são guardados por algumas organizações religiosas como santas relíquias" (Norman H. Snaith, *in loc.*).

Quanto a uma completa discussão sobre os milagres, procurar no *Dicionário* o artigo que tem esse título. Talvez o milagre do texto tenha servido de garantia para Jeoás de que ele teria sucesso nas batalhas contra os sírios, conforme Eliseu prometera quando ainda estava vivo.

Metáfora. Homens mortos (pelo pecado) são ressuscitados quando entram em contato com os livros, com os ensinos e com a reputação de homens espirituais que, embora já tenham morrido, vivem contudo através das contribuições que fizeram. Mas o Cristo ressurreto é aquele que realmente faz reviver os homens espiritualmente mortos. Ver no *Dicionário* os verbetes intitulados *Ressurreição* e *Ressurreição de Jesus Cristo.*

A Maré Vira Temporariamente (13.22-25)
De acordo com as profecias de Eliseu, Jeoás obteria algumas vitórias contra os sírios. Ver 2Rs 13.14-19. Mas Israel marcharia na direção do cativeiro assírio (ver a respeito no *Dicionário*), agora cada vez mais próximo.

■ 13.22

וַחֲזָאֵל מֶלֶךְ אֲרָם לָחַץ אֶת־יִשְׂרָאֵל כֹּל יְמֵי יְהוֹאָחָז׃

Hazael, rei da Síria. O grande chicote, Hazael, continuou a assediar a Israel com incrível zelo e persistência. Elias havia predito que ele faria exatamente isso (ver 1Rs 19.17), e esse assédio foi confirmado com maiores detalhes por Eliseu (ver o capítulo oitavo de 2Reis). Hazael era o instrumento divino que castigaria a apostatada nação de Israel, mas o reino do norte estava fora de alcance. A narrativa agora retorna ao versículo terceiro.

■ 13.23

וַיָּחָן יְהוָה אֹתָם וַיְרַחֲמֵם וַיִּפֶן אֲלֵיהֶם לְמַעַן בְּרִיתוֹ אֶת־אַבְרָהָם יִצְחָק וְיַעֲקֹב וְלֹא אָבָה הַשְׁחִיתָם וְלֹא־הִשְׁלִיכָם מֵעַל־פָּנָיו עַד־עָתָּה׃

Por amor da aliança com Abraão, Isaque e Jacó. O Pacto Abraâmico (ver as notas expositivas completas a respeito em Gn 15.18) foi a principal razão por trás do fato de o reino do norte ter tido algum alívio em face dos assédios da Síria. Ali havia misericórdia e vida, até mesmo para a apostatada nação de Israel. Os filhos de Israel eram descendentes de Abraão, e a misericórdia divina os favorecia. Por outro lado, Deus pode levantar filhos de Abraão das rochas (ver Mt 3.9), pelo que aquela síndrome do pecado-julgamento-destruição foi apenas temporariamente interrompida pelas três vitórias de Jeoás sobre os estrangeiros sírios. Mas a misericórdia divina só entraria em operação quando morresse o poderoso guerreiro-matador, Hazael. Nenhum louco equivalente a ele assumiria o trono da Síria, e isso daria a Israel uma vantagem (ver os vss. 23 e 24).

■ 13.24

וַיָּמָת חֲזָאֵל מֶלֶךְ אֲרָם וַיִּמְלֹךְ בֶּן־הֲדַד בְּנוֹ תַּחְתָּיו׃

Morreu Hazael, rei da Síria. Isso aconteceu em 801 a.C. Ao que tudo indica, ele morreu de morte natural. A morte dele diminuiu o ímpeto da máquina de matar síria por tempo razoável para dar a Jeoás suas três vitórias e à nação de Israel algum alívio. Esse alívio, infelizmente, não deveria perdurar por longo tempo. Ben-Hadade III tornou-se rei da Síria. Ver no *Dicionário* o artigo chamado Ben-Hadade, quanto aos três homens que tiveram esse nome e que foram reis da Síria. Hazael era um usurpador e não pertencia à família real da Síria, mas o título real, "Ben-Hadade", foi retido para designar seu filho. Seu reinado sincronizou-se com o reinado de Samas-Rimom, da Assíria, que não fez nenhuma expedição armada contra o Ocidente (825-812 a.C.). Esse homem não foi mencionado nas inscrições assírias, pelo menos até onde a arqueologia nos mostra.

13.25

וַיָּשָׁב יְהוֹאָשׁ בֶּן־יְהוֹאָחָז וַיִּקַּח אֶת־הֶעָרִים מִיַּד
בֶּן־הֲדַד בֶּן־חֲזָאֵל אֲשֶׁר לָקַח מִיַּד יְהוֹאָחָז אָבִיו
בַּמִּלְחָמָה שָׁלֹשׁ פְּעָמִים הִכָּהוּ יוֹאָשׁ וַיָּשֶׁב אֶת־עָרֵי
יִשְׂרָאֵל׃ פ

Joás... retomou as cidades das mãos de Ben-Hadade. *Sucessos*. Jeoás foi capaz de retomar várias cidades que Jeoacaz perdeu para os sírios. Ver 2Rs 10.33. As perdas tinham sido sofridas na Transjordânia, pelo que Israel recuperou a porção oriental de seu reino. Afeque (ver o versículo 17 deste capítulo) sem dúvida foi uma das cidades a ser recuperada. As profecias finais de Eliseu foram assim cumpridas (ver 2Rs 13.14-19). Mas a antiga síndrome do pecado-julgamento-destruição voltaria para julgar a apostatada nação de Israel.

CAPÍTULO CATORZE

AMAZIAS, REI DE JUDÁ (14.1-22)

Empregando seu método de apresentação de relatos paralelos, o autor sagrado agora retorna a Judá, depois de ter passado tempo considerável falando sobre os reis de Israel (capítulo 13 de 2Reis). O autor sagrado não relatou primeiramente suas histórias sobre os reis de Israel, para depois contar histórias sobre os reis de Judá. Pelo contrário, ele pulava para cá e para lá, do norte para o sul, seguindo uma ordem cronológica aproximada. Ver sobre esse modo de apresentação em 1Rs 16.29.

Amazias, Rei de Judá. Como a maioria dos reis de Judá e de Israel, ele foi em parte obediente e em parte omisso. Mostrou-se leal para com Yahweh, mas não removeu os santuários locais que faziam competição com o templo de Jerusalém. Esses santuários locais (nos lugares altos, vs. 4) sempre tiveram uma tendência à idolatria, e algumas vezes foram completamente apostatados. Usualmente, em Judá, eles promoviam uma fé eclética, incorporando Yahweh no sistema de várias divindades. O povo comum amava esses santuários locais, e era quase impossível removê-los sem provocar uma guerra civil.

Para um rei, Amazias revelou-se por demais misericordioso, por demais tolerante, poupando filhos de assassinos. Essa era uma norma espiritual e tinha o apoio da legislação mosaica (vs. 6), mas politicamente foi um desastre, deixando elementos perturbadores no reino, para causarem dificuldades mais adiante. Ele mesmo terminou sendo assassinado (vs. 19), e sua leniência pode ter tido algo a ver com isso.

O resto da história de Amazias se parece muito com a história de outros reis: várias campanhas militares, matando e sendo morto. Ele venceu os edomitas, mas perdeu para o rei de Israel, Jeoás, que se tornou seu inimigo.

14.1,2

בִּשְׁנַת שְׁתַּיִם לְיוֹאָשׁ בֶּן־יוֹאָחָז מֶלֶךְ יִשְׂרָאֵל מָלַךְ
אֲמַצְיָהוּ בֶן־יוֹאָשׁ מֶלֶךְ יְהוּדָה׃

בֶּן־עֶשְׂרִים וְחָמֵשׁ שָׁנָה הָיָה בְמָלְכוֹ וְעֶשְׂרִים וָתֵשַׁע
שָׁנָה מָלַךְ בִּירוּשָׁלָ͏ִם וְשֵׁם אִמּוֹ יְהוֹעַדִּין מִן־יְרוּשָׁלָ͏ִם׃

No segundo ano de Jeoás... começou a reinar Amazias. Quanto ao problema de cronologia que envolve o primeiro desses dois versículos, ver as notas expositivas em 2Rs 13.10. O autor continuava sua norma de apresentar narrativas paralelas, comparando os reis de Israel com os de Judá, e saltando para cá e para lá, entre os dois reinos, acompanhando uma ordem cronológica aproximada. Ver as notas sobre esse método de apresentação em 1Rs 16.29.

Amazias governou por 29 anos. Tinha cerca de 25 anos quando começou a reinar (796-767 a.C.). Grande parte desse tempo ele foi co-regente com seu filho, Azarias, que governou de 790 a 767 a.C. As co-regências sempre perturbaram as informações dadas sob forma cronológica, o que deixa tão perplexos os cronologistas. Portanto, a informação dada aqui parece entrar em contradição com 2Rs 14.2. Alguns intérpretes, porém, supõem um autêntico erro na cronologia, que a mera questão das co-regências não pode explicar: "O problema da sincronização dos reis dos dois reinos é extremamente difícil, visto que há uma discrepância de pelo menos vinte anos (e talvez até de 23 anos) entre o número total dos anos dos reis de Judá e o número total dos anos dos reis de Israel, durante o período que vai da subida ao trono de Jeú (841 a.C.) até a queda de Samaria (721 a.C.), onde o total de anos de Judá representa o resultado maior. Além disso, a questão é complicada pelos relatos assírios, que fazem os anos do reino de Judá vinte e cinco anos mais longos que em outros documentos" (Norman H. Snaith, *in loc*.). Vários métodos têm sido experimentados para remover a discrepância, e o método favorito é aquele que envolve as co-regências. Talvez esse seja um modo correto de reconciliar os dados, mas talvez não. Os céticos gostam de encontrar problemas como esses para lançar o texto sagrado na dúvida. Os ultraconservadores, por sua vez, buscam harmonia a qualquer preço, mesmo à custa da verdade. Tais questões não têm grande importância para a fé religiosa, e é assim que as deveríamos ver. Não devemos esperar perfeição em nenhum livro que as mãos humanas tenham produzido ou tocado, e nem essas pequenas imperfeições detratam a mensagem espiritual.

Quanto a informações completas sobre Amazias, ver o artigo com esse nome no *Dicionário*.

14.3

וַיַּעַשׂ הַיָּשָׁר בְּעֵינֵי יְהוָה רַק לֹא כְּדָוִד אָבִיו כְּכֹל
אֲשֶׁר־עָשָׂה יוֹאָשׁ אָבִיו עָשָׂה׃

Fez ele o que era reto perante o Senhor, ainda que não como seu pai Davi. *Obediência Parcial; Sucesso Parcial*. Amazias foi tão bom quanto seu pai, Joás, mas em relação a Davi ficou muito a dever-lhe. Pois Davi, embora tendo cometido crimes e falhas terríveis em seu registro, não tolerou nenhum tipo de idolatria. Sua lealdade para com Yahweh era feroz. Essa lealdade não foi nunca igualada pelos reis posteriores de Judá. A adoração, no templo de Jerusalém, mantinha um yahwismo puro, em concordância com os ditames da legislação mosaica, mas havia aqueles santuários locais que continuaram a corromper Judá (vs. 4). Ver 1Rs 15.3 quanto a uma declaração similar sobre Davi, onde são oferecidas notas expositivas mais completas. Cf. 2Cr 25.2. Joás, pai de Amazias, no começo agiu corretamente; mais tarde, porém, desintegrou-se perigosamente. Ele foi um contra-exemplo que Amazias seguiu pelo menos em parte, negligenciando o exemplo superior deixado por Davi.

14.4

רַק הַבָּמוֹת לֹא־סָרוּ עוֹד הָעָם מְזַבְּחִים וּמְקַטְּרִים
בַּבָּמוֹת׃

Tão somente os altos não se tiraram. Quanto aos lugares altos, ver o *Dicionário*; estes permaneceram populares diante do povo comum, incorporando sua fé eclética, com Yahweh e outras divindades, de modo que a centralização da fé no templo de Jerusalém foi debilitada. Este versículo é uma duplicação virtual de 2Rs 12.3, que fala sobre Joás. As práticas de transigência continuavam operando nos dias de Amazias.

14.5,6

וַיְהִי כַּאֲשֶׁר חָזְקָה הַמַּמְלָכָה בְּיָדוֹ וַיַּךְ אֶת־עֲבָדָיו
הַמַּכִּים אֶת־הַמֶּלֶךְ אָבִיו׃

וְאֶת־בְּנֵי הַמַּכִּים לֹא הֵמִית כַּכָּתוּב בְּסֵפֶר
תּוֹרַת־מֹשֶׁה אֲשֶׁר־צִוָּה יְהוָה לֵאמֹר לֹא־יוּמְתוּ
אָבוֹת עַל־בָּנִים וּבָנִים לֹא־יוּמְתוּ עַל־אָבוֹת כִּי
אִם־אִישׁ בְּחֶטְאוֹ יָמוּת׃

Vingança. Uma vez consolidada sua autoridade sobre o reino, Amazias fez justiça, tirando a vida dos assassinos de seu pai. Ver 2Rs 12.20. Porém, em obediência à lei de Moisés (ver Dt 24.16), ele não matou os filhos dos ímpios assassinos. Isso o deixou potencialmente aberto para a retaliação dessas pessoas, mediante a lei do vingador do sangue (ver a respeito no *Dicionário*). Ao assim fazer, ele estava seguindo as leis mais nobres da legislação mosaica, e não os costumes do tempo, que exigiam total aniquilamento das famílias daqueles assassinos. Cf. as histórias de Acã (Js 7.24-26) e de Nabote (2Rs 9.26), quando famílias inteiras foram mortas por causa dos pecados do pai dessas famílias. É perfeitamente possível que o próprio assassinato de Amazias, anos mais tarde, tenha sido possível devido à sua leniência (ver o vs. 19). Esse versículo deve ser contrastado com Êx 20.5, onde é dito que a iniquidade dos pais seria cobrada sobre seus filhos. Ver Ez 18.20, que concorda em espírito com Dt 24.16, e não com as ideias mais antigas do livro de Êxodo.

Desenvolvimento. Conforme o tempo vai passando, nossas ideias espirituais e morais e nossos ideais vão-se aprimorando, e, assim sendo, nossos conceitos do próprio Deus. A revelação e o crescimento espiritual são assinalados por avanços, alguns dos quais ocorrem gradualmente, e outros que ocorrem de súbito. De fato, a verdade é uma aventura, e não uma realização a ser efetuada de uma vez por todas.

14.7

הוּא־הִכָּה אֶת־אֱדוֹם בְּגֵיא־הַמֶּלַח עֲשֶׂרֶת אֲלָפִים וְתָפַשׂ אֶת־הַסֶּלַע בַּמִּלְחָמָה וַיִּקְרָא אֶת־שְׁמָהּ יָקְתְאֵל עַד הַיּוֹם הַזֶּה: פ

Ele feriu dez mil edomitas no Vale do Sal. *Em Guerra Novamente*. Os reis de Israel e de Judá, como também todos os reis de outras nações, não tinham descanso. O coração deles não se sentia feliz se eles não tivessem alguma guerra em mente. Matar ou ser morto era uma atividade que não cessava. Assim sendo, Amazias combateu contra Edom e venceu, mas depois ele perderia na guerra contra o rei de Israel. O rei de Judá ficou inchado de orgulho devido à sua vitória contra os edomitas. Foi essa arrogância que o fez voltar-se contra Israel, e não alguma necessidade verdadeira ou alguma causa digna.

Tomou Sela. Ver notas expositivas completas sobre essa cidade, no *Dicionário*. O Vale do Sal geralmente tem sido considerado uma planície alagadiça ao sul do mar Vermelho. Sela (nome esse que significa "penhasco") é usualmente identificada com a cidade de Petra (ver a respeito no *Dicionário*). Cf. Jz 1.36 e Is 16.1. O trecho paralelo de 2Cr 25.11,12 não faz nenhuma referência à cidade. Esse trecho fornece maiores detalhes da batalha de Amazias contra Edom. A queda de Sela foi seguida por grande massacre de cativos. Insensatamente, porém, Amazias levou os deuses de Edom para a terra de Judá, e esses ídolos tornaram-se uma armadilha para ele.

Jocteel. Amazias rebatizou a cidade de Sela, chamando-a por esse novo nome. Essa palavra significa "obediência a Deus". Talvez Amazias tenha pensado que Yahweh o havia inspirado a combater os edomitas, e recompensara a sua obediência com a vitória.

Os Edomitas. "Edom era um inimigo invencível (ver também 2Cr 25.11,12). Outros adversários foram vencidos, mas Edom nunca. De Gênesis (25.30) até Malaquias (1.1-5) há um registro contínuo de hostilidades quase ininterruptas entre Israel e Edom. Não obstante, eles eram irmãos (de Jacó e Esaú)" (Raymond Calking, *in loc.*). Ver no *Dicionário* o artigo chamado *Edom, Idumeus*. Seja como for, em uma única batalha as forças de Judá conseguiram matar dez mil soldados edomitas.

14.8

אָז שָׁלַח אֲמַצְיָה מַלְאָכִים אֶל־יְהוֹאָשׁ בֶּן־יְהוֹאָחָז בֶּן־יֵהוּא מֶלֶךְ יִשְׂרָאֵל לֵאמֹר לְכָה נִתְרָאֶה פָנִים:

Então Amazias enviou mensageiros a Jeoás. Encorajado por seu sucesso contra Edom, e não tendo outra coisa para fazer, Amazias convidou Jeoás a entrar em luta armada. Ele disse literalmente: "Vem, vamos olhar um ao outro no rosto", uma curiosa maneira de convidar outro rei a um conflito armado. Quão tolo era o homem e quão barata ele considerava a vida humana! Tal guerra nada mais é do que assassínio em massa. Ver na *Enciclopédia de Bíblia, Teologia e Filosofia* o artigo chamado *Guerra Justa, Critérios de uma*.

Alguma Justificação. Devemos lembrar que Judá fora submetido a pagar tributos a Israel desde os dias de Acabe, e que, em certas ocasiões, eles foram reduzidos a uma quase vassalagem. Talvez Amazias tenha pensado em desfazer-se dessas algemas. Nesse caso, pois, ele tinha algum motivo para querer guerrear contra Jeoás, não se tratando de mera diversão. Conforme alguém disse: "Só luto pelo que é direito e pela diversão". Seja como for, Amazias, intoxicado por sua vitória recente contra Edom, estava disposto a atirar-se à guerra novamente. Ademais, Amazias tinha trazido ídolos de Edom a Judá, e chegara até a adorar esses ídolos. Ver 2Cr 25.14,20. Yahweh usaria Israel para puni-lo por essa estupidez. Outra causa da guerra foi a recusa de Amazias de levar tropas de Israel para ajudá-lo contra Edom. Em retaliação, Israel havia atacado algumas cidades de Judá e tinha matado muita gente (ver 2Cr 25.13). Isso estabeleceu o palco para a vingança.

Causas da Guerra. 1. luta por motivo de diversão; 2. arrogância; 3. vassalagem; 4. punição divina por causa de atos de idolatria; 5. vingança.

"Quero ver teu rosto", disse o arrogante Amazias a Jeoás, através de seus mensageiros. Em outras palavras: "Vamos guerrear um contra o outro". Ver as causas possíveis dessa guerra, discutidas nas notas acima. O rei de Judá foi encorajado por suas vitórias contra os edomitas, e ele pensava que deveria aproveitar a sorte para livrar Judá da vassalagem a Israel. Dessa maneira, acertaria as contas entre as duas nações. O rei de Israel também estava ansioso para lutar por motivo de vingança. Judá não tinha permitido que os da nação do norte saíssem contra os edomitas para obterem os usuais despojos de guerra (ver 2Cr 25.13). Israel, ainda recentemente, tinha sofrido perdas para os sírios, e presumivelmente estava debilitado e podia ser mais facilmente derrotado. Judá estava pronto a fazer-lhe uma pequena surpresa. Josefo (*Antiq*. IX.9, par. 2) fala de cartas que foram trocadas entre os dois reis, preparando o caminho para a guerra.

14.9

וַיִּשְׁלַח יְהוֹאָשׁ מֶלֶךְ־יִשְׂרָאֵל אֶל־אֲמַצְיָהוּ מֶלֶךְ־יְהוּדָה לֵאמֹר הַחוֹחַ אֲשֶׁר בַּלְּבָנוֹן שָׁלַח אֶל־הָאֶרֶז אֲשֶׁר בַּלְּבָנוֹן לֵאמֹר תְּנָה־אֶת־בִּתְּךָ לִבְנִי לְאִשָּׁה וַתַּעֲבֹר חַיַּת הַשָּׂדֶה אֲשֶׁר בַּלְּבָנוֹן וַתִּרְמֹס אֶת־הַחוֹחַ:

A Parábola Zombeteira. O rei Jeoás, de Israel, zombou de Amazias com uma parábola, e Amazias deveria ter dado ouvidos a ela. Jeoás comparou Amazias a um cardo que enviou recado a um poderoso cedro do Líbano (o rei Jeoás), pedindo-lhe a filha em casamento. Mas as feras do Líbano estavam passando e pisaram o humilde cardo. Com isso, o rei de Israel previu uma grande derrota para Judá, o qual tinha sido tão arrogante como um cardo por tentar misturar-se por casamento com os esplêndidos cedros do Líbano. Os pequenos cardos que tivessem a empáfia de se fazerem iguais aos cedros só podiam mesmo sofrer vergonha e destruição no fim. As "feras" representavam a força militar de Israel que, embora debilitada pela Síria, ainda assim tinha força suficiente para derrotar a humilde nação de Judá.

14.10

הַכֵּה הִכִּיתָ אֶת־אֱדוֹם וּנְשָׂאֲךָ לִבֶּךָ הִכָּבֵד וְשֵׁב בְּבֵיתֶךָ וְלָמָּה תִתְגָּרֶה בְּרָעָה וְנָפַלְתָּה אַתָּה וִיהוּדָה עִמָּךְ:

Gloria-te disso e fica em casa. Edom havia sido derrotado por Amazias e suas forças, e isso era suficiente para ele ficar contente. O rei de Judá deveria "ficar em casa", feliz com o que tinha conseguido, e esquecer seu desejo ganancioso por mais. Mas a arrogância não deixaria Amazias em paz.

*A soberba precede a ruína, e a
altivez do espírito, a queda.*

Provérbios 16.18

Orgulho, Inveja, Avareza — essas são as fagulhas
Que incendeiam o coração dos homens.

Dante, Inferno

A guerra é filha do orgulho; e o orgulho é
Filho das riquezas.

Jonathan Swift

Ver no *Dicionário* o verbete chamado *Orgulho*.
"O orgulho estava no fundo da mensagem enviada ao rei de Israel, e isso acontece antes de uma queda" (John Gill, *in loc.*).

■ 14.11

וְלֹא־שָׁמַע אֲמַצְיָהוּ וַיַּעַל יְהוֹאָשׁ מֶלֶךְ־יִשְׂרָאֵל
וַיִּתְרָאוּ פָנִים הוּא וַאֲמַצְיָהוּ מֶלֶךְ־יְהוּדָה בְּבֵית שֶׁמֶשׁ
אֲשֶׁר לִיהוּדָה׃

Mas Amazias não quis atendê-lo. A batalha era inevitável, pois Amazias era destituído de bom senso. Portanto, o rei de Israel preparou-se rapidamente, e a batalha ocorreu em Bete-Semes (ver a respeito no *Dicionário*). Esse lugar pertencia a Judá, pelo que a batalha se deu no território de Judá. Talvez as forças de Israel estivessem dirigindo-se a Jerusalém, mas encontraram resistência a cerca de 24 quilômetros para sudoeste. Embora enfraquecidas pela longa jornada (cerca de oitenta quilômetros de Samaria), as tropas de Israel ainda assim mostraram-se fortes o suficiente para derrotar as tropas de Judá.

■ 14.12

וַיִּנָּגֶף יְהוּדָה לִפְנֵי יִשְׂרָאֵל וַיָּנֻסוּ אִישׁ לְאֹהָלָיו׃

Judá foi derrotado... e fugiu cada um para sua casa. O resultado da batalha foi uma rápida derrota para Judá, cujos detalhes o autor não se importou em relatar. O exército de Amazias foi facilmente desmantelado; e os soldados judaítas, aterrorizados, fugiram para suas tendas, isto é, os poucos que sobreviveram. Cf. 2Rs 8.21.

No original hebraico temos a palavra "tenda" que aqui é traduzida por "casa". Essa palavra hebraica é uma expressão que vinha das experiências no deserto, quando Israel vivia nômade, em estruturas temporárias. Agora eles tinham casas feitas de pedras ou de tijolos, mas a antiga palavra "tenda" significava mesmo "casa", o que explica a nossa versão portuguesa. Josefo diz-nos que súbito temor e consternação se apossaram do exército de Judá, antes mesmo da chegada das tropas de Israel, o que significa que foram derrotados desde o começo. Ver *Antiq.* 1.9. cap. 9, sec. 3.

■ 14.13

וְאֵת אֲמַצְיָהוּ מֶלֶךְ־יְהוּדָה בֶּן־יְהוֹאָשׁ בֶּן־אֲחַזְיָהוּ
תָּפַשׂ יְהוֹאָשׁ מֶלֶךְ־יִשְׂרָאֵל בְּבֵית שָׁמֶשׁ וַיָּבֹאוּ
יְרוּשָׁלַםִ וַיִּפְרֹץ בְּחוֹמַת יְרוּשָׁלַםִ בְּשַׁעַר אֶפְרַיִם
עַד־שַׁעַר הַפִּנָּה אַרְבַּע מֵאוֹת אַמָּה׃

Joás, rei de Israel, prendeu Amazias, rei de Judá, filho de Jeoás, filho de Acazias. Quanto ao nome "Joás", no começo deste versículo, devemos entender "Jeoás". É evidente que temos aqui um erro de algum revisor moderno.

O Ataque a Jerusalém. O rei Amazias tinha ido pessoalmente testemunhar a "sua vitória" sobre as tropas de Israel. Mas, ao contrário, ele sofreu uma miserável derrota e foi feito prisioneiro. Enraivecidas, as tropas de Israel foram a Jerusalém para lançar a confusão ali. Em primeiro lugar derrubaram grande parte das muralhas, cerca de duzentos metros, o que lhes deu fácil acesso à cidade. As tropas dali ofereceram pouca ou nenhuma resistência, pelo que as tropas da nação do norte, Israel, tiveram plena liberdade de matar e saquear sem misericórdia, embora Judá fosse composta de "irmãos".

Desde a Porta de Efraim até a Porta da Esquina. Ou seja, a parte norte da cidade, visto que essa era a parte da cidade que dava frente para o território de Efraim. A porta de Efraim adquiriu seu nome devido a essa circunstância. A porta da Esquina, até onde foi a demolição das muralhas, juntava as muralhas norte e oriental. Naquele ponto havia o portão de Naftali. Foi assim que o rei de Israel deu evidências abundantes de seu poder, deixando sem defesa a cidade mais fortificada de Judá, ou seja, sua própria capital.

■ 14.14

וְלָקַח אֶת־כָּל־הַזָּהָב־וְהַכֶּסֶף וְאֵת כָּל־הַכֵּלִים
הַנִּמְצְאִים בֵּית־יְהוָה וּבְאֹצְרוֹת בֵּית הַמֶּלֶךְ וְאֵת בְּנֵי
הַתַּעֲרֻבוֹת וַיָּשָׁב שֹׁמְרוֹנָה׃

E voltou para Samaria. Isso depois do saque e de muitas mortes. As tropas de Israel entraram triunfalmente em Jerusalém, através da imensa brecha feita nas muralhas (ver o versículo anterior), e assim houve a fúria de matar e de saquear. Todos os tesouros do templo foram tomados; e também foram feitos reféns. Podemos imaginar que os cativos eram os principais oficiais militares e civis de Judá. Isso deixou Judá, essencialmente, sem liderança. O rei já tinha sido feito prisioneiro (vs. 13). Judá ficou assim reduzido a total impotência. Talvez alguns membros da família real também estivessem entre os cativos.

O leitor deve reconhecer, nesse ato insensato de Amazias, um quadro em miniatura do que acontece no mundo moderno, onde as nações se dão licença à guerra e ao ódio, ao passo que a mera existência depende da compreensão e da cooperação mútua.

Ao que tudo indica, uma vez reduzido a quase nada, Amazias foi libertado para reinar em seu reino grandemente reduzido. O rei de Israel resolveu não lhe tirar a vida; mas deixou-o humilhado. E Amazias nunca mais seria uma ameaça para ninguém. Talvez Jeoás tenha ficado com alguns dos reféns, para garantir o bom comportamento de Amazias.

É possível também que, quando Amazias foi aprisionado, seu filho, Azarias, se tenha feito rei em Jerusalém, e ele pode ter continuado a agir como corregente, quando seu pai foi solto. O tempo era cerca de 790 a.C. Ver o versículo 21 deste capítulo.

Morte de Jeoás, Rei de Israel (14.15,16)

"Essa é a nota formal e deuteronômica da morte do rei de Israel. Está fora de lugar aqui. Ver a exegese de 2Rs 13.10-13" (Norman H. Snaith, *in loc.*). Ver a exposição sobre 2Rs 13.12 quanto ao arranjo esquisito do material, que quebra o fluxo cronológico. Note-se também que Jeoacaz e Joás são formas variantes do hebraico, para designar a mesma pessoa. As versões portuguesas nos dão também Jeoás, como outra forma possível do nome Joás.

■ 14.15,16

וְיֶתֶר דִּבְרֵי יְהוֹאָשׁ אֲשֶׁר עָשָׂה וּגְבוּרָתוֹ וַאֲשֶׁר נִלְחַם
עִם אֲמַצְיָהוּ מֶלֶךְ־יְהוּדָה הֲלֹא־הֵם כְּתוּבִים עַל־סֵפֶר
דִּבְרֵי הַיָּמִים לְמַלְכֵי יִשְׂרָאֵל׃

וַיִּשְׁכַּב יְהוֹאָשׁ עִם־אֲבֹתָיו וַיִּקָּבֵר בְּשֹׁמְרוֹן עִם מַלְכֵי
יִשְׂרָאֵל וַיִּמְלֹךְ יָרָבְעָם בְּנוֹ תַּחְתָּיו׃ פ

Estes versículos são uma duplicação virtual do trecho de 2Rs 13.12,13, onde anotei as informações dadas. O autor sacro lançou mão de várias fontes informativas. Essas várias fontes, ao que parece, tinham sumários parecidos sobre o reinado e a morte de Jeoás, e o autor-compilador não foi cuidadoso em eliminar a repetição quando juntou as fontes informativas para formar uma narrativa contínua. Quanto a uma narrativa mais longa sobre a guerra entre Jeoás e Amazias, ver o trecho paralelo, o capítulo 25 de 2Crônicas.

Morte de Amazias, Rei de Judá (14.17-22)

Seguindo seu modo de apresentação de narrativas paralelas (ver as notas expositivas em 1Rs 16.29), o autor sacro salta agora de volta a Judá e ao seu rei, Amazias, depois de ter-nos relatado a morte de Jeoás, rei de Israel.

Amazias havia sido libertado pelo rei de Israel (embora não sejamos informados especificamente quanto a isso) e continuou em Judá, humilde e comportado. Mas em breve seria assassinado por seus próprios oficiais. Viveu ainda quinze anos após a morte de seu adversário, o rei de Israel, Jeoás.

■ 14.17

וַיְחִי אֲמַצְיָהוּ בֶן־יוֹאָשׁ מֶלֶךְ יְהוּדָה אַחֲרֵי מוֹת יְהוֹאָשׁ
בֶּן־יְהוֹאָחָז מֶלֶךְ יִשְׂרָאֵל חֲמֵשׁ עֶשְׂרֵה שָׁנָה׃

Amazias, filho de Joás, rei de Judá. Talvez tenha servido de consolo a Amazias viver quinze anos depois da morte de seu adversário, Jeoás, rei de Israel. Jeoás havia humilhado miseravelmente Amazias, e tinha saqueado Jerusalém. Mas o propósito do autor sagrado, ao fornecer-nos essa nota, foi simplesmente manter-nos informados sobre como se comparavam os reinados dos reis do norte com os reinados dos reis do sul. Lembremos que o autor sacro apresentou seus relatos paralelos em uma ordem cronológica aproximada.

A nota usual de obituário (anotada em 1Rs 1.21) foi modificada, no caso de Amazias, a fim de dar-nos uma narrativa sobre o seu assassinato.

Amazias reinou como contemporâneo de Jeoás por catorze anos, e viveu mais quinze anos, após a morte daquele, perfazendo um total de 29 anos de reinado, conforme foi dito no segundo versículo. Ao que parece, Jeoás morreu pouco depois de sua vitória sobre Amazias.

■ 14.18

וְיֶ֨תֶר דִּבְרֵ֤י אֲמַצְיָ֙הוּ֙ הֲלֹא־הֵ֣ם כְּתוּבִ֔ים עַל־סֵ֕פֶר דִּבְרֵ֥י הַיָּמִ֖ים לְמַלְכֵ֥י יְהוּדָֽה׃

Ora, os mais dos atos de Amazias... no livro da história dos reis de Judá? Temos aqui a menção costumeira às obras informativas sobre as histórias dos reis. Comentei essa informação (dada no caso de quase todos os reis) em 1Rs 14.19.

■ 14.19

וַיִּקְשְׁר֨וּ עָלָ֥יו קֶ֛שֶׁר בִּירוּשָׁלִַ֖ם וַיָּ֣נָס לָכִ֑ישָׁה וַיִּשְׁלְח֤וּ אַחֲרָיו֙ לָכִ֔ישָׁה וַיְמִתֻ֖הוּ שָֽׁם׃

Conspiraram contra ele em Jerusalém. *A Conspiração.* O rei Amazias não fizera um trabalho muito bom, se julgarmos através do que fazia os reis serem grandes. O que os tornava grandes era o heroísmo militar: vencer guerras e tomar despojos. Além disso, o autor sagrado estava sempre interessado na condição espiritual dos reis de Israel e de Judá. Amazias também não se destacou nesse campo. A princípio, permaneceu ao lado do yahwismo e da legislação mosaica, mas não eliminou os santuários locais (ver 2Rs 14.3,4). Mas depois ele se desintegrou religiosamente. Ganhou batalhas contra Edom, mas então, estupidamente, trouxe os ídolos edomitas para sua capital, e fez deles objetos de adoração (ver 2Cr 25.14,20). Assim sendo, quanto a todos os pontos importantes, ele não foi um grande rei. Foi natural, pois, que tivesse terminado sua carreira assassinado. O "eles" subentendido no verbo "conspiraram", que há no texto sagrado, indica que seus principais auxiliares, incluindo subordinados militares e civis de maior confiança, foram os conspiradores. Provavelmente os "reféns" (ver o vs. 14 deste capítulo) tomados pelo rei Jeoás, de Israel, incluíssem filhos de nobres, os quais teriam uma razão especial para odiarem o rei Amazias, pois sua guerra estúpida contra Israel tinha prejudicado o país inteiro e, especificamente, suas famílias.

Fugiu para Laquis. É possível que o rei de Judá estivesse fugindo na direção do Egito. Ele tinha ouvido falar sobre a conspiração e estava fugindo para escapar com vida. Mas seus inimigos o alcançaram em Laquis, cerca de 48 quilômetros a sudoeste de Jerusalém. Ali, não longe de casa, ele foi morto. O autor sacro poupa-nos dos detalhes, sem nos dizer "como" isso sucedeu. Josefo diz-nos "de maneira particular", isto é, não publicamente, mas em algum ambiente fechado, provavelmente com um punhal ou com uma espada (*Antiq.* 1.9, cap. 9, sec. 3). Foi assim que se somou outro assassinato à lista interminável na história dos reis de Israel e Judá.

■ 14.20

וַיִּשְׂא֥וּ אֹת֖וֹ עַל־הַסּוּסִ֑ים וַיִּקָּבֵ֧ר בִּירוּשָׁלִַ֛ם עִם־אֲבֹתָ֖יו בְּעִ֥יר דָּוִֽד׃

Trouxeram-no sobre cavalos. O cadáver do rei Amazias foi trazido de volta a Jerusalém, sobre cavalos; mas seu espírito subiu para Deus, que o dera (ver Ec 12.7). Na verdade, o rei Amazias continuou a sua vida, enquanto seu corpo apodrecia no túmulo. A Amazias foram conferidas as honras devidas a um rei de Judá, sepultado nos túmulos dos reis, juntamente "com seus pais".

Na cidade de Davi. Neste caso, em Jerusalém. Davi foi o primeiro governante de Israel naquele lugar; ele foi sepultado ali, e depois foram sepultados os demais reis de Judá, que viveram após ele. Ver no *Dicionário* o verbete intitulado *Sepultamento, Costumes de.*

> A morte tem mil portas que deixam a vida sair;
> Acharei uma delas.
>
> Philip Massinger

■ 14.21

וַיִּקְח֞וּ כָּל־עַ֤ם יְהוּדָה֙ אֶת־עֲזַרְיָ֔ה וְה֕וּא בֶּן־שֵׁ֥שׁ עֶשְׂרֵ֖ה שָׁנָ֑ה וַיַּמְלִ֣כוּ אֹת֔וֹ תַּ֖חַת אָבִ֥יו אֲמַצְיָֽהוּ׃

Uzias. O novo rei foi Uzias (ver a respeito no *Dicionário*), que começou a reinar com somente 16 anos de idade. Ver no *Dicionário* os artigos chamados *Rei, Realeza* e *Reino de Judá*, quanto a detalhes sobre os reis, seus tempos de reinado e sumários de seus labores, guerras e estado espiritual de cada um deles. O relato paralelo (2Cr 26.1), na maioria das versões, é o trecho que contém a forma "Uzias", enquanto aparece neste presente versículo seu outro nome, Azarias. Essa variante deriva-se da omissão de uma única letra (consoante) e de diferentes sinais vocálicos no hebraico. A língua hebraica, em sua forma escrita, não continha as vogais. Ver os artigos no *Dicionário* intitulados *Hebraico* e *Manuscritos do Antigo Testamento*. Ver também 2Rs 15.1 quanto ao problema cronológico que envolve o nome de Azarias ou Uzias. Ele começou a reinar em cerca de 767 a.C., isto é, quando começou a reinar sozinho. Talvez parte de seu tempo como rei ele tenha passado em corregência com seu pai, desde que seu pai fora feito prisioneiro pelo rei de Israel, por algum tempo (não especificado). Na ausência de seu pai, o jovem rei já estava governando.

■ 14.22

ה֣וּא בָּנָ֤ה אֶת־אֵילַת֙ וַיְשִׁבֶ֣הָ לִֽיהוּדָ֔ה אַחֲרֵ֥י שְׁכַב־הַמֶּ֖לֶךְ עִם־אֲבֹתָֽיו׃ פ

Ele edificou Elate. O autor sagrado estava com pressa de contar como Uzias edificou Elate, portanto relatou primeiro esse feito. E só começou sua narrativa sobre Uzias em 2Rs 15.1 ss., pelo que, por assim dizer, pôs uma importante informação na frente de seu relato. Primeiramente ele narra as questões sobre Jeroboão II, de Israel, para depois retornar a Uzias. Mas a estranha posição deste versículo, no entanto, pode dever-se a um manuseio desajeitado dos materiais informativos. Ver no *Dicionário* o artigo intitulado *Elate*. Modernamente, essa cidade chama-se Ácaba, localizada no fundo do braço nordeste do mar Vermelho. Uzias capturou a cidade, edificou-a e fortificou-a, transformando-a em um porto para o comércio marítimo com o Oriente, o que, naturalmente, incluiu Ofir e toda a região em derredor. O porto pertencia a Edom (ver Dt 2.8; 1Rs 9.26). Davi, provavelmente, conquistou a cidade no ponto culminante de seu reinado, e Judá anexou-a a seu território nos dias de Davi e Salomão. Ver 2Sm 8.14; 1Rs 9.26 e 2Cr 8.17. Quanto a maiores detalhes a respeito, ver aquele artigo. Foi assim que Uzias renovou, até certo ponto, o comércio marítimo que fora tão importante e lucrativo nos dias de Salomão. Israel era um povo que vivia à beira-mar, mas não era um povo voltado para o mar. Apenas ocasionalmente o povo de Israel desenvolveu o comércio marítimo, e sempre com a ajuda de estrangeiros. Israel não tinha a ciência necessária para atirar-se a essa aventura sozinho.

JEROBOÃO II, REI DE ISRAEL (14.23-29)

Em consonância com sua norma de apresentar relatos paralelos, o autor sagrado agora nos leva de volta a Israel. Ele não apresentou primeiramente a lista dos reis de Israel, com a descrição dos seus governos, para depois dar a lista dos reis de Judá, com a descrição dos seus governos. Pelo contrário, saltava para cá e para lá, entre Israel e Judá, apresentando os relatos em uma ordem cronológica aproximada. Sobre essa prática, ver as notas expositivas sobre 1Rs 16.29. Em 2Rs 15.1 ss., o autor sacro retorna a Judá e ao rei Uzias.

Jeroboão II foi um dos mais bem-sucedidos reis de Israel, se usarmos o critério do sucesso militar e da extensão de territórios. Espiritualmente falando, porém, ele foi apenas outro desastre na história de Israel. Ele tirou vantagem da fraqueza da Síria-Damasco, depois de Adade-Nirari III, da Assíria, tê-la subjugado, em 805 a.C. Ele estendeu seu território até o extremo norte, chegando à tradicional fronteira nortista, ou seja, a entrada de Hamate, o limite norte do reino de Salomão (1Rs 8.65). O mar de Arabá é o mar Morto, sendo Arabá a depressão que se estende do vale do Jordão ao mar Morto. Outra parte dessa mesma depressão aparece na África Oriental, no lago Tanganica e no vale da Fissura. Quanto a informações completas, ver o artigo sobre Jeroboão II, no *Dicionário*. Ver o Pacto Abraâmico, em Gn 15.18, que inclui informações sobre as fronteiras ideais de Israel, conforme lhe foram prometidas. O ideal até hoje não se concretizou, mas Salomão e Jeroboão II andaram perto desse alvo.

■ 14.23

בִּשְׁנַת חֲמֵשׁ־עֶשְׂרֵה שָׁנָה לַאֲמַצְיָהוּ בֶן־יוֹאָשׁ מֶלֶךְ יְהוּדָה מָלַךְ יָרָבְעָם בֶּן־יוֹאָשׁ מֶלֶךְ־יִשְׂרָאֵל בְּשֹׁמְרוֹן אַרְבָּעִים וְאַחַת שָׁנָה׃

No décimo quinto ano de Amazias... começou a reinar em Samaria Jeroboão. *Relatos Paralelos*. O autor sagrado, como lhe era usual, comparou o começo do reinado do rei Jeroboão II com a cronologia do reino de Judá, contemporâneo dele. Quanto a esse modo de apresentação ver as notas em 1Rs 16.29. Jeroboão II começou a reinar no décimo quinto ano do reinado de Amazias, rei de Judá. Ele nos falará sobre o reinado desse homem em 2Rs 15.1 ss. Jeroboão II tinha servido como corregente com seu pai, Jeoás, de 793 a 782 a.C. O décimo quinto ano de Amazias marcou o primeiro ano do reinado exclusivo de Jeroboão II, em cerca de 782 a.C. Jeroboão II reinou por longo tempo, nada menos de 41 anos (793-753 a.C.), que foi mais tempo do que o reinado de qualquer outro rei de Israel. Trinta anos após o fim do reinado de seu filho, Zacarias (que estava no trono fazia apenas seis meses), o reino do norte (Israel) deixou de existir como nação, por meio do cativeiro assírio (ver a esse respeito no *Dicionário*). Portanto, Jeroboão II nos levou quase ao fim do reino de Israel.

Jeroboão II reteve Samaria como a sua capital, a qual fora a capital de Israel desde os tempos de Onri.

■ 14.24

וַיַּעַשׂ הָרַע בְּעֵינֵי יְהוָה לֹא סָר מִכָּל־חַטֹּאות יָרָבְעָם בֶּן־נְבָט אֲשֶׁר הֶחֱטִיא אֶת־יִשְׂרָאֵל׃

Fez o que era mau perante o Senhor. Espiritualmente falando, Jeroboão II foi apenas mais um desastre na história de Israel. Ele tolerou e participou das formas usuais (e variegadas) de idolatria que fizeram a nação de Israel apostatar. Seguiu o mau exemplo de Jeroboão I, que se tornou o padrão para avaliar a natureza dos reis de Israel. Esse homem tanto pecou como levou Israel a pecar, obrigando a nação a seguir o seu mau exemplo, e promoveu os santuários idólatras que ele estabelecera em Betel e em Dã. Quanto a notas desse informe sobre Jeroboão I, ver 1Rs 15.26 e 16.2. Ver 1Rs 12.28 ss., quanto à instituição da idolatria em Israel, por parte de Jeroboão.

■ 14.25

הוּא הֵשִׁיב אֶת־גְּבוּל יִשְׂרָאֵל מִלְּבוֹא חֲמָת עַד־יָם הָעֲרָבָה כִּדְבַר יְהוָה אֱלֹהֵי יִשְׂרָאֵל אֲשֶׁר דִּבֶּר בְּיַד־עַבְדּוֹ יוֹנָה בֶן־אֲמִתַּי הַנָּבִיא אֲשֶׁר מִגַּת הַחֵפֶר׃

Já dei as informações essenciais sobre as declarações deste versículo na introdução ao versículo 23 (começo da presente seção), portanto não as repito aqui. Meu artigo sobre Jeroboão II adiciona detalhes de seu poder, que restaurou as fronteiras tradicionais do norte de Israel, quase até o rio Eufrates, o que somente Salomão tinha conseguido, antes dos dias de Jeroboão II.

De Hamate até ao mar da planície. Ver sobre esses locais no *Dicionário*.

Jonas, filho de Amitai, o profeta. É provável que esse seja o Jonas do livro de seu nome, embora não se possa provar essa contenção. Nada se sabe acerca dele. O que se supõe está contido no artigo sobre ele, no *Dicionário*. Gate-Hefer (ver no *Dicionário*) era uma cidade do território de Zebulom (ver Js 19.13).

É uma curiosidade histórica que Jonas tenha vindo da Galileia, o que os escribas e fariseus no tempo de Jesus disseram que não poderia acontecer (ver Jo 7.52). Gate-Hefer ficava a poucos quilômetros ao norte de Nazaré. O livro de Jonas é o João 3.16 do Antigo Testamento, e essa é outra ligação entre Jonas e Jesus, o Cristo. Mais do que qualquer outro livro do Antigo Testamento, o livro de Jonas ilustra o amor universal de Deus por todos os povos, e que se estende até a vida animal (Jn 4.11)! Jonas predisse as vitórias e a expansão de Israel, o que serviu de encorajamento a todos.

■ 14.26

כִּי־רָאָה יְהוָה אֶת־עֳנִי יִשְׂרָאֵל מֹרֶה מְאֹד וְאֶפֶס עָצוּר וְאֶפֶס עָזוּב וְאֵין עֹזֵר לְיִשְׂרָאֵל׃

Viu o Senhor que a aflição de Israel era mui amarga. A misericórdia de Yahweh estava ativa em favor de Israel, dando ao povo de Deus um alívio dos assédios contínuos dos seus adversários, especialmente da Síria, ao norte. A misericórdia de Yahweh combinou o poder de Adade-Nirari III, da Assíria, e de Jeroboão II, para dar a Israel vitórias e um território maior, que removeu as ameaças estrangeiras, por algum tempo, para mais longe. Mas o cativeiro assírio estava realmente próximo e poria fim ao reino do norte (722 a.C.). Israel estava solitário e impotente (cf. Dt 32.36) até que Yahweh interveio em seu favor. Algum alívio havia sido conseguido por meio de Jeoacaz (ver 2Rs 13.22-25), mas esse alívio aumentaria muito nos dias de Jeroboão II. Jonas foi usado para encorajar Israel, dando profecias sobre vitórias militares, expansão e paz. "Deus enviou Jonas para encorajar os israelitas e assegurar-lhes dias melhores. Ele foi o primeiro dos profetas, depois de Samuel, cujos escritos foram preservados" (Adam Clarke, *in loc.*).

■ 14.27

וְלֹא־דִבֶּר יְהוָה לִמְחוֹת אֶת־שֵׁם יִשְׂרָאֵל מִתַּחַת הַשָּׁמָיִם וַיּוֹשִׁיעֵם בְּיַד יָרָבְעָם בֶּן־יוֹאָשׁ׃

Ainda não falara o Senhor em apagar o nome de Israel de debaixo do céu. Israel, tremendamente reduzido e sob assaltos constantes, estava ameaçado de extinção. Isso logo viria, através do cativeiro assírio; mas antes disso, por algum tempo, haveria vitória e alívio. Depois disso, o profeta Oseias (1.4,9) declarou a obliteração da nação de Israel, mas nenhum profeta tinha feito tal declaração até a escrita do presente versículo. Essa horrível predição cumpriu-se no tempo de Oseias, rei de Israel (capítulo 17 de 2Reis). Jeroboão II foi um instrumento para adiar, por algum tempo, a terrível e inevitável sorte da apostatada nação de Israel.

Apagar o nome. A figura simbólica, aqui usada pelo autor sagrado, é a de apagar o nome de um cidadão de uma cidade, do livro de cidadãos daquela localidade. Esse ato significava: "Tal pessoa não mais existe". Ver Nm 5.23 quanto a esse simbolismo. Ver Ap 13.8 quanto ao emprego espiritual dessa metáfora. Deus tem seu livro da vida. Os nomes dos retos não são apagados desse livro, pelo que obtêm a salvação.

■ 14.28

וְיֶתֶר דִּבְרֵי יָרָבְעָם וְכָל־אֲשֶׁר עָשָׂה וּגְבוּרָתוֹ אֲשֶׁר־נִלְחָם וַאֲשֶׁר הֵשִׁיב אֶת־דַּמֶּשֶׂק וְאֶת־חֲמָת לִיהוּדָה בְּיִשְׂרָאֵל הֲלֹא־הֵם כְּתוּבִים עַל־סֵפֶר דִּבְרֵי הַיָּמִים לְמַלְכֵי יִשְׂרָאֵל׃

Quanto aos demais atos de Jeroboão. Como lhe era usual, o autor sagrado usa sua nota de obituário padrão. Ele nos fala aqui sobre a fonte informativa (a principal) que ele usara em suas narrativas, as *Crônicas dos Reis de Israel e Judá*. Ver 1Rs 14.19 quanto a notas sobre essa observação. Ele menciona a mais significativa realização de Jeroboão II, ou seja, o fato de que ele estendeu os territórios de Israel até sua fronteira norte tradicional, o que significa que ele obteve vitória na guerra e deu descanso a Israel (vs. 27). No versículo 25 já tínhamos recebido essa informação, a qual é comentada ali.

Pertencentes a Judá. Aqueles territórios do extremo norte de Israel nunca tinham pertencido a Judá, exceto no sentido de que, no reino unido, Israel e Judá chegaram a possuí-los, no tempo de

Salomão. As palavras "pertencentes a Judá" constituem provavelmente um deslize da pena do autor original ou de algum escriba subsequente. A versão siríaca omite aqui as palavras "a Judá", e algumas traduções modernas seguem isso como uma concordância com a verdade, mesmo que não concorde com o texto hebraico. Algumas vezes, as versões são mais corretas do que o texto massorético. Ver no *Dicionário* o artigo chamado *Massora (Massorah)*; *Texto Massorético*, bem como o verbete *Manuscritos do Antigo Testamento*. Mas alguns intérpretes conjecturam que, em algum período da história, Judá tinha controlado aqueles territórios do extremo norte, embora não haja nenhum registro disso, nem na Bíblia nem na história profana. Talvez Judá representasse todo o Reino Unido, sendo essa a mais poderosa das tribos de Israel no tempo de Salomão. Mas dizer isso é apenas outra conjectura.

■ **14.29**

וַיִּשְׁכַּב יָרָבְעָם עִם־אֲבֹתָיו עִם מַלְכֵי יִשְׂרָאֵל וַיִּמְלֹךְ
זְכַרְיָה בְנוֹ תַּחְתָּיו: פ

Descansou Jeroboão com seus pais. Essa nota de obituário é a forma comum pela qual o autor sagrado terminava suas narrativas acerca de um rei qualquer. Ver sobre essa fórmula em 1Rs 1.21 e 16.5,6. Quanto à morte retratada como um "dormir (ou descansar) com os pais", ver 1Rs 1.21. Foi assim que Jeroboão II, após seu longo reinado de 41 anos, finalmente morreu; e Zacarias, seu filho, tomou o lugar dele no trono de Israel. Seremos informados sobre o reinado de Zacarias em 2Rs 15.8-12; mas primeiramente o autor sagrado queria falar sobre o reinado de Azarias, rei de Judá (ver 2Rs 15.1-7).

Zacarias foi o rei da quarta geração depois de Jeú, pelo que essa dinastia continuou exatamente pelo período que havia sido predito sobre ela. Ver 2Rs 10.30. Mas com Zacarias essa dinastia terminaria, e então seria quase o tempo de terminar o reino do norte, Israel, que continuou apenas mais trinta anos depois de Zacarias.

CAPÍTULO QUINZE

AZARIAS, REI DE JUDÁ (15.1-7)

O autor sagrado havia apresentado Zacarias (rei de Israel), filho de Jeroboão II, que foi o quarto e último rei da dinastia de Jeú. Ver 2Rs 14.29. Mas antes de falar sobre Zacarias, ele salta novamente para o reino de Judá e fala sobre Azarias. Isso estava em consonância com seu modo de apresentação das narrativas paralelas. Ele não alistou primeiramente todos os reis de Israel, para então descrevê-los, e depois todos os reis de Judá, para em seguida descrevê-los. Antes, saltou para Israel e para Judá, dando-nos histórias postas em ordem mais ou menos cronológica. Quanto a esse modo de apresentar o material, ver 1Rs 16.29.

Espiritualmente falando, Azarias foi um rei relativamente bom, tendo preservado o yahwismo em Jerusalém e o culto no templo, em harmonia com a legislação mosaica; mas, seguindo de perto quase todos os reis de Judá, ele não removeu os santuários locais dos lugares altos (versículo quarto). Por causa desse pecado, Yahweh o afligiu com lepra, ou com alguma outra enfermidade cutânea genericamente chamada, em hebraico, de *sara'at*. Não havia muita coisa para um historiador bíblico dizer sobre esse rei, e o autor não inventou coisa alguma, de modo que o relato de sua vida e governo é breve.

■ **15.1**

בִּשְׁנַת עֶשְׂרִים וָשֶׁבַע שָׁנָה לְיָרָבְעָם מֶלֶךְ יִשְׂרָאֵל
מָלַךְ עֲזַרְיָה בֶן־אֲמַצְיָה מֶלֶךְ יְהוּדָה:

No ano vinte e sete de Jeroboão... começou a reinar Azarias. Em consonância com o método de apresentação de relatos paralelos (ver a introdução, acima), o autor sacro informa-nos que Azarias começou a reinar no vigésimo sétimo ano do governo de Jeroboão II, rei de Israel. Cf. 2Rs 14.2,17,23. Certos eruditos pensam que algum erro na cronologia torna-se evidente, e que os 27 anos deveriam transformar-se em quinze. Tais erros, se é que eles são mesmo erros, usualmente são explicados supondo-se que as corregências tenham lançado os números de governo dos reis de Israel e de Judá na confusão, pois podia-se dizer que certo homem começou seu governo em determinado ano (quando então ele era apenas um corregente) e em um ano diferente (quando começou a governar sozinho). Essa é a maneira como a discrepância tem sido explicada neste caso.

"O vigésimo sétimo ano da corregência de Jeroboão II com Joacaz foi 767 a.C. Naquele ano, Azarias começou a governar Judá como governante único. Ele tinha servido previamente como rei, no lugar de seu pai, quando este estava aprisionado em Israel, como seu corregente, depois que Amazias retornou a Judá. Azarias tinha dezesseis anos de idade quando iniciou sua corregência (em 790 a.C.), e reinou por um total de 52 anos (793-739 a.C.), em Jerusalém" (Thomas L. Constable, *in loc.*). Esse foi o maior reinado que um rei teve em Israel ou Judá.

Uzias. Esse era o nome alternativo de Azarias. Ver os versículos 13, 30, 32 e 34; 2Cr 26; Is 1.1; Am 1.1 e Zc 14.5. Quanto a como surgiu essa forma variante do nome, ver as notas expositivas em 2Rs 14.21.

Azarias ou Uzias é mencionado em duas inscrições fragmentárias de *Tiglate-Pileser II* (745-727 a.C.). As notícias dessas inscrições, naturalmente, falam sobre guerras efetuadas com resultados favoráveis da Assíria contra a Síria, e mencionam o rei de Judá em conexão com essa guerra.

■ **15.2**

בֶּן־שֵׁשׁ עֶשְׂרֵה שָׁנָה הָיָה בְמָלְכוֹ וַחֲמִשִּׁים וּשְׁתַּיִם שָׁנָה
מָלַךְ בִּירוּשָׁלִָם וְשֵׁם אִמּוֹ יְכָלְיָהוּ מִירוּשָׁלִָם:

O Reino Mais Longo de Todos. De acordo com o livro de 2Crônicas, Azarias teve um reinado longo e bem-sucedido. Além disso, ele alcançou notável recorde: reinou por mais tempo do que todos os demais reis de Israel e de Judá: 52 anos! Ver o paralelo em 2Cr 26, quanto a alguns detalhes que não são dados nos livros dos Reis. Ver o artigo sobre ele no *Dicionário*, quanto aos detalhes, e ver também *Reino de Judá*, IV.10.

■ **15.3,4**

וַיַּעַשׂ הַיָּשָׁר בְּעֵינֵי יְהוָה כְּכֹל אֲשֶׁר־עָשָׂה אֲמַצְיָהוּ
אָבִיו:
רַק הַבָּמוֹת לֹא־סָרוּ עוֹד הָעָם מְזַבְּחִים וּמְקַטְּרִים
בַּבָּמוֹת:

Estes dois versículos são virtualmente iguais a 2Rs 14.3,4, exceto pelo fato de que aqueles versículos se aplicam a Amazias (o pai de Azarias), ao passo que estes se aplicam ao próprio Azarias. A exposição no capítulo 14 serve para ilustrar a presente passagem. Ali, devemos notar, Davi aparece como o rei ideal, cujo exemplo Amazias não seguiu de modo completo. Amazias, por sua vez, seguiu o exemplo deixado por seu pai, o que nos leva a compreender que ele também fracassou em seguir o ideal davídico. O interesse do autor sacro, em ambos os casos, é o lado espiritual dos reinados dos dois homens, e não quão bem eles fizeram guerra, ou, de alguma outra maneira, beneficiaram Judá. Outras considerações eram apenas secundárias diante do interesse espiritual, e a avaliação espiritual quase sempre aparece em primeiro lugar.

Quanto a suas realizações no campo de batalha, ver o paralelo em 2Cr 26.5-22. Essa passagem também fala em atividades de edificações e, finalmente, de sua arrogância e queda.

Somente no tempo de Ezequias os lugares altos foram demolidos.

■ **15.5**

וַיְנַגַּע יְהוָה אֶת־הַמֶּלֶךְ וַיְהִי מְצֹרָע עַד־יוֹם מֹתוֹ וַיֵּשֶׁב
בְּבֵית הַחָפְשִׁית וְיוֹתָם בֶּן־הַמֶּלֶךְ עַל־הַבַּיִת שֹׁפֵט
אֶת־עַם הָאָרֶץ:

E este ficou leproso até ao dia da sua morte. No hebraico a palavra *sara'at* é usada para designar várias enfermidades da pele, incluindo a lepra genuína, mas, quando esse termo é usado, nunca podemos ter certeza se a verdadeira lepra está em vista. Quanto a notas completas sobre esse vocábulo hebraico e suas implicações, ver a introdução ao capítulo 13 de Levítico.

O trecho paralelo de 2Cr 26.16-21 diz-nos por que o rei Azarias ou Uzias contraiu essa enfermidade, sem importar qual ela tenha sido. Ele entrou no templo e queimou incenso, algo que a legislação mosaica proibia. Somente os sacerdotes devidamente autorizados podiam fazer isso. Quando foi assim atacado pela presunção e pela arrogância, o rei, de súbito, foi ferido por alguma praga, mediante o poder de Yahweh. A palavra hebraica *sara'at* era um termo vago e algumas vezes enganador, tal como a ciência médica dos hebreus era vaga e enganadora. O que não foi vago foi o fato de que alguma espécie de praga afligiu o rei Uzias, por causa de sua insolência. Ver o trecho paralelo quanto a detalhes e referências que se relacionam ao caso e à *sara'at*. Ver Êx 30.7,8 quanto às restrições da lei mosaica concernentes ao emprego do incenso. Cf. Nm 16.35. Quanto a outros castigos divinos através da *sara'at*, ver os casos de Miriã (Nm 12.10) e Geazi (2Rs 5.27).

Habitava numa casa separada. Os leprosos comuns (ou vítimas da *sara'at*) eram separados da congregação de Israel (Nm 12.14,15), pois eram considerados física e espiritualmente imundos (ver Lv 13.12,17). Ver também Lv 13.45,46 quanto à lei acerca da separação. O rei, contudo, foi isentado do tratamento comum e do isolamento em que viviam os leprosos, e foi-lhe permitido viver em sua própria casa, embora separadamente. Ele por certo não circulava na sociedade em geral, mas podemos estar certos de que vivia uma vida plena, livre de preocupações, exceto, naturalmente, que sua praga o deixava vexado diariamente.

Há uma tradição judaica que coloca sua casa separada entre os sepulcros (Talmude Hieros, apud Jarchium, ao comentar sobre o presente texto). Mas isso não passa de tolice. A Bíblia também não nos informa onde se localizava essa casa. É possível que ficasse fora dos portões da cidade. Nesse caso, o rei tinha sua própria "casa campesina" particular, onde se mantinha em exílio. Ele viveu ali até morrer, conforme o presente versículo deixa claro.

O filho do rei, Jotão, tomou seu lugar. Talvez Azarias tenha vivido mais treze anos, sendo também provável que ele exercesse alguma influência sobre as questões do reino, apesar de seu triste estado de leproso.

■ **15.6,7**

וְיֶ֙תֶר דִּבְרֵ֤י עֲזַרְיָ֙הוּ֙ וְכָל־אֲשֶׁ֣ר עָשָׂ֔ה הֲלֹא־הֵ֣ם כְּתוּבִ֗ים עַל־סֵ֛פֶר דִּבְרֵ֥י הַיָּמִ֖ים לְמַלְכֵ֥י יְהוּדָֽה׃

וַיִּשְׁכַּ֤ב עֲזַרְיָה֙ עִם־אֲבֹתָ֔יו וַיִּקְבְּר֥וּ אֹת֛וֹ עִם־אֲבֹתָ֖יו בְּעִ֣יר דָּוִ֑ד וַיִּמְלֹ֛ךְ יוֹתָ֥ם בְּנ֖וֹ תַּחְתָּֽיו׃ פ

Estes dois versículos nos fornecem a nota de obituário usual, que o autor sempre empregou para encerrar suas histórias sobre os reis de Israel e de Judá. Cf. 2Rs 14.15,16; ver as notas expositivas em 1Rs 1.21 e 16.5,6. Ver 1Rs 14.19 quanto à fonte informativa da composição do autor sacro, o *Livro das Crônicas dos Reis de Israel e Judá*. Quanto ao eufemismo para a morte, "dormiu (descansou) com seus pais", ver as notas em 1Rs 1.21.

"Esse obituário costumeiro quanto ao rei de Judá não dá nenhuma indicação da nova prosperidade que o período de Amazias-Azarias desfrutou. Ver 2Cr 26.1-15. O ano da morte do rei foi o ano da chamada de Isaías para ser um profeta do Senhor (Is 6.1-6)" (Norman H. Snaith, *in loc*.).

O capítulo 26 de 2Crônicas menciona realizações essencialmente deixadas de fora em 2Rs. Uzias estendeu seus territórios para o sul, até Elate (ver 2Rs 14.22); ele fez os amonitas pagar em tributo (2Cr 26.8); ele derrotou os filisteus (2Cr 26.6,7); ele fortificou Jerusalém e Judá (2Cr 26.9,10,15); ele reorganizou o exército de Judá (2Cr 26.11-14); mas o orgulho e a arrogância lhe provocaram uma queda relativa (2Cr 26.16-21).

ZACARIAS, REI DE ISRAEL (15.8-12)

O autor sagrado, seguindo seu modo de apresentação de relatos paralelos, faz nossa atenção voltar-se de novo para Israel, tendo apenas terminado a descrição de um rei de Judá. Quanto a esse método de relatos paralelos, mediante o qual o autor sagrado produzia suas narrativas, ver 1Rs 16.29. Os versículos 8-12 deste capítulo sumariam de modo breve o curto reinado (seis meses) de Zacarias. Praticamente coisa alguma é dita, mesmo porque nada havia por contar. Mas somos informados de que, durante esse breve espaço de tempo, ele conseguiu continuar as corrupções da idolatria de seus pais, deixando assim uma marca escura no registro de sua vida.

■ **15.8**

בִּשְׁנַ֨ת שְׁלֹשִׁ֤ים וּשְׁמֹנֶה֙ שָׁנָ֔ה לַעֲזַרְיָ֖הוּ מֶ֣לֶךְ יְהוּדָ֑ה מָ֠לַךְ זְכַרְיָ֨הוּ בֶן־יָרָבְעָ֧ם עַל־יִשְׂרָאֵ֛ל בְּשֹׁמְר֖וֹן שִׁשָּׁ֥ה חֳדָשִֽׁים׃

No ano trinta e oito de Azarias... reinou Zacarias, filho de Jeroboão, em Israel. Zacarias reinou apenas por ridículos seis meses, em contraste com os fantásticos 52 anos do governo de Azarias. A capital de Zacarias, como de todos os reis do norte, desde que o reino do norte, Israel, se separou do sul, Judá, era Samaria. Esse rei sucedeu Jeroboão II (seu pai), em 753 a.C. Ele teve tempo de praticar o mal, mas não de praticar o bem.

■ **15.9**

וַיַּ֥עַשׂ הָרַ֖ע בְּעֵינֵ֣י יְהוָ֑ה כַּאֲשֶׁ֤ר עָשׂוּ֙ אֲבֹתָ֔יו לֹ֣א סָ֔ר מֵֽחַטֹּאות֙ יָרָבְעָ֣ם בֶּן־נְבָ֔ט אֲשֶׁ֥ר הֶחֱטִ֖יא אֶת־יִשְׂרָאֵֽל׃

Fez o que era mau perante o Senhor. Nada houve de importância, nos campos político, militar ou econômico, para ser relatado. Espiritualmente, porém, Zacarias caiu na mesma armadilha em que haviam caído seus antecessores. Ele promoveu aquela mesma variedade de idolatria em que a nação de Israel estava atolada até o pescoço. Ele promoveu o mesmo tipo de idolatria que Jeroboão, primeiro rei de Israel, havia instituído, a adoração ao bezerro, em Dã e Betel, cujo intuito era impedir que seu povo fosse a Jerusalém para adorar. Isso, presumivelmente, consolidaria a separação entre a nação do norte, Israel, e a nação do sul, Judá, que Jeroboão ansiava por preservar. Jeroboão, primeiro rei de Israel, pois, pecou e fez Israel pecar. Ver 1Rs 12.28 ss.; 15.26; 16.2; 2Rs 14.24.

■ **15.10**

וַיִּקְשֹׁ֤ר עָלָיו֙ שַׁלֻּ֣ם בֶּן־יָבֵ֔שׁ וַיַּכֵּ֥הוּ קָבָל־עָ֖ם וַיְמִיתֵ֑הוּ וַיִּמְלֹ֖ךְ תַּחְתָּֽיו׃

Salum, filho de Jabes. Quanto ao que se sabe sobre ele, ver o *Dicionário*. Sem dúvida, foi um alto oficial, militar ou civil, um "amigo" do rei, conforme disse Josefo (*Antiq.* 1.9, cap. 11, sec. 1). Muito provavelmente havia um movimento popular contra o rei, e esse homem satisfez o populacho ao assassinar o rei. Foi assim que a dinastia de Jeú (que durou quatro gerações) terminou pela violência contra seu quarto descendente em linha direta. Essa dinastia recebeu permissão de ir tão longe porque Jeú havia libertado Israel do baalismo, mas foi cortada na quarta geração porque permitiu que continuassem outras formas de idolatria, incluindo aquela variedade especial instituída por Jeroboão, primeiro rei de Israel. Ver 2Rs 10.30.

Feriu-o diante do povo. O assassinato, ao que tudo indica, ocorreu durante alguma assembleia pública, e as indicações são de que isso agradou ao povo, que estava muito descontente com Zacarias como rei.

No ano de 747 a.C., dois reis de Israel foram assassinados e quatro reis sentaram-se no trono. Foi um período de anarquia. Após a morte de Jeroboão II, o reino de Israel perdurou ainda por menos de trinta anos, talvez 23 anos. Seis reis foram entronizados e cinco deles foram assassinados. Somente Pecaías teve alguma paz, e, no entanto, com mais dois anos, ele também acabou sendo assassinado. A cesta de frutos inteira (uma metáfora utilizada por Amós) entrou em decomposição. Ver Am 8.2.

■ **15.11**

וְיֶ֛תֶר דִּבְרֵ֥י זְכַרְיָ֖ה הִנָּ֣ם כְּתוּבִ֑ים עַל־סֵ֛פֶר דִּבְרֵ֥י הַיָּמִ֖ים לְמַלְכֵ֥י יִשְׂרָאֵֽל׃

Quanto aos demais atos de Zacarias. Este versículo, que faz parte da nota costumeira de obituário, diz-nos que os atos de Zacarias foram registrados em uma das obras informativas usadas pelo autor sagrado, o *Livro das Crônicas dos Reis de Israel e Judá*. Ver as notas em 1Rs 14.19. Essa declaração é feita acerca de quase todos os reis de Israel e de Judá, conforme as notas informativas ali o demonstram.

O autor sacro, no caso de Zacarias, deixou de lado a outra parte do obituário, que diz que os reis "descansaram com seus pais". Quanto a isso, ver 1Rs 1.21. Quanto a notas sobre a nota comum de obituário, ver 1Rs 16.5,6.

■ **15.12**

הוּא דְבַר־יְהוָה אֲשֶׁר דִּבֶּר אֶל־יֵהוּא לֵאמֹר בְּנֵי
רְבִיעִים יֵשְׁבוּ לְךָ עַל־כִּסֵּא יִשְׂרָאֵל וַיְהִי־כֵן׃ פ

Cumprimento de uma Profecia. A dinastia de Jeú teria cinco representantes no trono, ele e quatro de seus descendentes. Duraria todo esse tempo porque Jeú livrara Israel do baalismo. Mas terminaria na quarta geração, porque a obediência de Jeú havia sido apenas parcial. Ele permitiu a continuação de outras formas de idolatria, sobretudo a variedade de Jeroboão, ou seja, a adoração ao bezerro, posto em Dã e Betel (1Rs 12.28-30). Quanto à profecia concernente à dinastia de Jeú, Ver 2Rs 10.30. Ver no *Dicionário* os artigos denominados *Rei*, *Realeza* e *Israel, Reino de*, quanto a uma lista de reis de Israel e breves descrições sobre seus governos.

Os reis dessa dinastia foram: Jeú, Jeoacaz, Joás, Jeroboão II e Zacarias.

SALUM, REI DE ISRAEL (15.13-15)

O assassino do rei Zacarias (vs. 10) tornou-se o novo rei. Foi assim que terminou a linhagem real de Jeú. O assassino também seria assassinado (ver o vs. 14 deste capítulo). Outros homicídios se seguiriam, e o país mergulhou no caos e na anarquia. Salum foi rei apenas durante um mês! O governo dele foi o segundo mais curto da história de Israel. Zinri foi rei apenas por sete dias (1Rs 16.15-20).

■ **15.13**

שַׁלּוּם בֶּן־יָבֵישׁ מָלַךְ בִּשְׁנַת שְׁלֹשִׁים וָתֵשַׁע שָׁנָה
לְעֻזִּיָּה מֶלֶךְ יְהוּדָה וַיִּמְלֹךְ יֶרַח־יָמִים בְּשֹׁמְרוֹן׃

Salum... começou a reinar no ano trinta e nove de Uzias. Seguindo seu costume de apresentar relatos paralelos, o autor sagrado descreveu cronologicamente o rei Salum e o rei de Judá, Uzias ou Azarias. Quanto a essa maneira de apresentação, ver as notas expositivas sobre 1Rs 16.29. Salum, pois, começou a reinar no trigésimo nono ano do governo de Uzias. Foi-lhe dado governar apenas um mês, pelo que o autor sacro nem foi capaz de dizer-nos se ele continuou a idolatria de Israel e fez o mal perante o Senhor, pois Salum não teve tempo de praticar o bem ou o mal, embora seu reinado tenha começado através do mal imenso do assassinato. Esse homem foi um usurpador, e não teria dinastia. Seu filho não o sucedeu no trono.

■ **15.14**

וַיַּעַל מְנַחֵם בֶּן־גָּדִי מִתִּרְצָה וַיָּבֹא שֹׁמְרוֹן וַיַּךְ
אֶת־שַׁלּוּם בֶּן־יָבֵישׁ בְּשֹׁמְרוֹן וַיְמִיתֵהוּ וַיִּמְלֹךְ
תַּחְתָּיו׃

Menaém... veio a Samaria, feriu ali Salum. O assassino foi morto pelo general militar (conforme disse Josefo, *Antiq.* 1.9, cap. 11, sec. 1) de nome Menaém (ver a respeito dele no *Dicionário*). Isso posto, Menaém tornou-se o próximo rei de Israel. Parece que o homem estava assediando a cidade de Tirza. O texto não nos diz que ele nascera ali, e permanece duvidoso o motivo por que o lugar é mencionado. Seja como for, ouvindo que Zacarias fora assassinado, Menaém apressou-se a ir de Tirza a Samaria, e, sem demorar e sem consultar ninguém, simplesmente matou o assassino. Salum era um usurpador que precisa ser executado. Tirza ficava apenas a dezenove quilômetros da capital do país, Samaria. E isso significa que o ato de Menaém foi realizado em bem reduzido tempo.

■ **15.15**

וְיֶתֶר דִּבְרֵי שַׁלּוּם וְקִשְׁרוֹ אֲשֶׁר קָשָׁר הִנָּם כְּתֻבִים
עַל־סֵפֶר דִּבְרֵי הַיָּמִים לְמַלְכֵי יִשְׂרָאֵל׃ ס

Quanto aos demais atos de Salum. Um pouco mais de informações sobre Salum estava à disposição do leitor, se ele tivesse qualquer desejo de investigar a respeito, no *Livro das Crônicas dos Reis de Israel e de Judá*, uma das fontes informativas de que o autor sagrado lançou mão ao escrever seus relatos acerca dos reis de Israel e de Judá. Esse livro não era um dos livros canônicos, embora tenha fornecido muitos subsídios para alguns dos livros canônicos. Ver a respeito em 1Rs 14.19. Os detalhes sobre a conspiração de Salum estavam contidos naquele livro, que o autor dos livros de Reis não se interessou em passar adiante para o leitor.

MENAÉM, REI DE ISRAEL (15.16-22)

A Bíblia nos informa muito pouco sobre esse homem. Josefo adiantou que ele foi um general militar. Talvez Zacarias o tenha enviado a Tirza, a fim de abafar ali uma rebelião popular, que não queria ter Zacarias como rei. Na ausência dele, o rei foi morto, pelo que ele se apressou a voltar a Samaria, e prontamente tirou a vida do assassino (vs. 14). Quanto ao que se sabe e que se tem conjecturado sobre esse rei de Israel, ver o artigo detalhado sobre ele no *Dicionário*. Contudo, Menaém continuou na apostasia de Israel, e o cativeiro assírio agora estava a não mais de vinte anos à frente. Isso poria fim, definitivamente, à nação de Israel e à sua apostasia.

■ **15.16**

אָז יַכֶּה־מְנַחֵם אֶת־תִּפְסַח וְאֶת־כָּל־אֲשֶׁר־בָּהּ
וְאֶת־גְּבוּלֶיהָ מִתִּרְצָה כִּי לֹא פָתַח וַיַּךְ אֵת
כָּל־הֶהָרוֹתֶיהָ בִּקֵּעַ׃ פ

Menaém feriu Tifsa. Imediatamente Menaém arquitetou mais mortes, especialmente porque seu governo sofria oposição ali. Assim sendo, ele varreu Tifsa e Tirza, e a região ao redor. Ele fez uma guerra cruel e sem quartel, chegando a rasgar pelo ventre as mulheres grávidas daquelas região, o que constituía um ato dos mais cruéis das guerras antigas. Isso é mencionado em 2Rs 8.12; Os 13.16 e Am 1.13. Esses atos de insensata brutalidade tinham por propósito intimidar as pessoas, levando-as a se submeterem ao governo do ditador.

■ **15.17**

בִּשְׁנַת שְׁלֹשִׁים וָתֵשַׁע שָׁנָה לַעֲזַרְיָה מֶלֶךְ יְהוּדָה מָלַךְ
מְנַחֵם בֶּן־גָּדִי עַל־יִשְׂרָאֵל עֶשֶׂר שָׁנִים בְּשֹׁמְרוֹן׃

Relatos Paralelos. O autor sacro vincula o governo de Menaém ao governo de Azarias, de Judá, ao afirmar que ele começou a governar no décimo terceiro ano do governo de Azarias. Quanto a esse modo de apresentação, ver as notas em 1Rs 16.29. Esse método é empregado em praticamente todas as narrativas sobre os reis de Israel e de Judá. Menaém governou durante dez anos (752-742 a.C.) e se tornou o cabeça de uma dinastia muito curta, que teve apenas um sucessor no trono, seu filho Pecaías.

■ **15.18**

וַיַּעַשׂ הָרַע בְּעֵינֵי יְהוָה לֹא סָר מֵעַל חַטֹּאות יָרָבְעָם
בֶּן־נְבָט אֲשֶׁר־הֶחֱטִיא אֶת־יִשְׂרָאֵל כָּל־יָמָיו׃

Menaém, juntamente com a maioria dos sucessores de Jeroboão, primeiro rei de Israel, continuou com a apostasia iniciada por aquele homem. Este versículo é virtualmente igual ao versículo nono deste capítulo. Ver as notas expositivas ali. O mau exemplo de Jeroboão, primeiro rei de Israel, foi consistentemente seguido por seus sucessores, e assim a apostasia, em Israel, tornou-se permanente. A força do exemplo, quer o bom, quer o mau, é uma coisa poderosa. Ver o artigo detalhado na *Enciclopédia de Bíblia, Teologia e Filosofia* chamado *Exemplo*. Ver Mt 23.15 quanto ao mal em se fazer outras pessoas pecar.

15.19

בָּא פוּל מֶלֶךְ־אַשּׁוּר עַל־הָאָרֶץ וַיִּתֵּן מְנַחֵם לְפוּל אֶלֶף כִּכַּר־כָּסֶף לִהְיוֹת יָדָיו אִתּוֹ לְהַחֲזִיק הַמַּמְלָכָה בְּיָדוֹ:

Então veio Pul, rei da Assíria, contra a terra. A Assíria torna-se o látego de Deus contra Israel. Foi o começo do fim. A Assíria doravante começaria a prestar atenção em Israel, e a fazer seus avanços iniciais. Isso terminaria no cativeiro assírio (ver a respeito no *Dicionário*). Israel estava prestes a desaparecer como nação.

Os eruditos têm identificado esse homem como *Tiglate-Pileser*. Há um artigo detalhado sobre ele no *Dicionário*. Ele reinou por dezoito anos na Assíria, entre 745 e 727 a.C. Neste versículo, pois, temos a primeira menção, nos livros dos Reis, sobre os monarcas do império assírio, que poriam fim ao reino do norte, Israel. Pul foi um dos mais fortes e bem-sucedidos governantes da Assíria. A invasão preliminar de Israel ocorreu nessa época (cerca de 743 a.C.), embora o cativeiro tenha ocorrido em cerca de 722 a.C. *Tiglate-Pileser* obteve muitas vitórias em muitos lugares, e não dou aqui essa informação, visto que ela está contida no *Dicionário*.

A fim de manter o lobo distante da porta de entrada, Menaém foi forçado a pagar uma enorme soma de dinheiro, mil talentos de prata. Ver no *Dicionário* o artigo *Pesos e Medidas*, ponto VII, especialmente IV. A, que fala sobre o "talento". Não há como calcular isso no poder de compra das moedas modernas, e dizer dois milhões de dólares, conforme faz uma de minhas fontes informativas, não é dizer muito de significativo. O peso envolvia 37 toneladas de prata.

15.20

וַיֹּצֵא מְנַחֵם אֶת־הַכֶּסֶף עַל־יִשְׂרָאֵל עַל כָּל־גִּבּוֹרֵי הַחַיִל לָתֵת לְמֶלֶךְ אַשּׁוּר חֲמִשִּׁים שְׁקָלִים כֶּסֶף לְאִישׁ אֶחָד וַיָּשָׁב מֶלֶךְ אַשּׁוּר וְלֹא־עָמַד שָׁם בָּאָרֶץ:

De todos os poderosos e ricos. Para pagar esse dinheiro, conforme *Tiglate-Pileser* exigiu, o rei de Israel teve de taxar seus mais ricos cidadãos, tirando de cada um cerca de 35 dólares (conforme declara uma de minhas fontes informativas), ou seja, cinquenta siclos de prata. Ver sobre o siclo no artigo chamado *Dinheiro*, segundo ponto, no *Dicionário*, e também sobre *Pesos e Medidas*, seção VII, especialmente IV.c.

Tendo recebido seu suborno, pelo menos por algum tempo a maré assíria foi contida. *Tiglate-Pileser* retornou à Assíria. No entanto, o exército assírio voltaria para dar fim a Israel (o reino do norte). Mais tarde, em cerca de 597 a.C., a Babilônia levaria Judá ao cativeiro. Mas desse cativeiro voltaria um remanescente, dando a Judá um novo começo, que passou a chamar-se Israel. Ver os artigos do *Dicionário* chamados *Cativeiro Babilônico* e *Cativeiro (Cativeiros)*.

15.21,22

וְיֶתֶר דִּבְרֵי מְנַחֵם וְכָל־אֲשֶׁר עָשָׂה הֲלוֹא־הֵם כְּתוּבִים עַל־סֵפֶר דִּבְרֵי הַיָּמִים לְמַלְכֵי יִשְׂרָאֵל:
וַיִּשְׁכַּב מְנַחֵם עִם־אֲבֹתָיו וַיִּמְלֹךְ פְּקַחְיָה בְנוֹ תַּחְתָּיו: פ

Descansou Menaém com seus pais. Agora o autor sagrado nos dá a costumeira notícia de obituário, usada para encerrar as histórias de quase todos os reis de Israel e de Judá. Quanto a notas expositivas completas a esse respeito, ver 1Rs 1.21 e 16.5,6. Ver o eufemismo sobre a morte "dormiu (descansou) com os pais", em 1Rs 1.21. Quanto a notas sobre a obra informativa usada pelo autor sagrado, *Livro das Crônicas dos Reis de Israel e de Judá*, ver 1Rs 14.19. Esse livro é mencionado nas notas dos obituários de quase todos os reis.

Pecaías, seu filho, reinou em seu lugar. Visto que essa dinastia só consistiu em dois reis, Menaém e Pecaías, ela foi bem curta. A história de Pecaías é contada nos versículos de 23 a 26 deste capítulo. O reino que fora usurpado mediante um assassinato permaneceu na família pouco tempo a mais do que no caso de Salum. Pecaías também terminou seus dias assassinado. A anarquia era o verdadeiro governante de Israel durante aqueles tempos atribulados.

PECAÍAS, REI DE ISRAEL (15.23-26)

Esse homem só conseguiu governar por dois anos em Samaria, capital do reino do norte (742-740 a.C.), pois no fim desse tempo foi assassinado. Isso pôs fim à dinastia de Menaém. O caos passou a governar. A anarquia era a ordem do dia. Esse homem não teve tempo para fazer nenhum bem, mas conseguiu levar avante a apostasia de Israel, especialmente imitando Jeroboão, o primeiro dos reis de Israel, o qual levou a nação a pecar, adorando seu bezerro, colocado em Dã e Betel.

15.23

בִּשְׁנַת חֲמִשִּׁים שָׁנָה לַעֲזַרְיָה מֶלֶךְ יְהוּדָה מָלַךְ פְּקַחְיָה בֶן־מְנַחֵם עַל־יִשְׂרָאֵל בְּשֹׁמְרוֹן שְׁנָתָיִם:

Começou a reinar Pecaías. Ver sobre ele no *Dicionário*, quanto ao que se sabe e que se tem conjecturado acerca dele. O autor sagrado apresentou narrativas paralelas sobre os reis de Israel e de Judá. Ele não fez primeiramente uma lista dos reis de Israel e os descreveu, e depois seguiu o mesmo procedimento no caso de Judá. Antes, saltou para cá e para lá, entre os dois reinos, seguindo uma ordem cronológica aproximada. Quanto a esse modo de apresentação, ver 1Rs 16.29. Portanto, seguindo esse *modus operandi*, o autor sacro diz-nos que Pecaías começou a reinar no décimo quinto ano do reinado de Azarias, rei de Judá. Ele reteve Samaria como sua capital, a qual Onri construíra para ser a capital do seu reino do norte, Israel.

15.24

וַיַּעַשׂ הָרַע בְּעֵינֵי יְהוָה לֹא סָר מֵחַטֹּאות יָרָבְעָם בֶּן־נְבָט אֲשֶׁר הֶחֱטִיא אֶת־יִשְׂרָאֵל:

Fez o que era mau perante o Senhor. Encontramos aqui a declaração padronizada que diz como os reis de Israel continuaram o tipo de idolatria que Jeroboão, primeiro dos reis de Israel, havia instituído em sua nação do norte, a adoração ao bezerro, em Dã e Betel. Ver as notas expositivas sobre isso em 1Rs 15.26 e 16.2. Ver 1Rs 12.28 e ss., quanto à história sobre como Jeroboão introduzira essa corrupção em Israel. Ele estabelecera seu culto religioso alternativo para impedir que os cidadãos do reino do norte fossem para o sul, para irem às assembleias anuais, no templo de Jerusalém. Tais peregrinações, segundo Jeroboão, enfraqueceriam a sua autoridade e talvez anulassem o cisma entre o norte e o sul, que se tinham tornado duas nações distintas. Jeroboão, pois, estava interessado em conservar o norte como uma nação separada. Além disso, tinha ganância pelo poder, e não queria sacrificar a sua posição de rei. Ademais, havia idolatria em seu coração, pois, do contrário, ele teria encontrado alguma outra maneira de preservar a independência política da nação do norte, Israel. Ver no *Dicionário* o artigo intitulado *Idolatria*.

15.25

וַיִּקְשֹׁר עָלָיו פֶּקַח בֶּן־רְמַלְיָהוּ שָׁלִישׁוֹ וַיַּכֵּהוּ בְשֹׁמְרוֹן בְּאַרְמוֹן בֵּית־מֶלֶךְ אֶת־אַרְגֹּב וְאֶת־הָאַרְיֵה וְעִמּוֹ חֲמִשִּׁים אִישׁ מִבְּנֵי גִלְעָדִים וַיְמִיתֵהוּ וַיִּמְלֹךְ תַּחְתָּיו:

Peca... conspirou contra ele. *Conspirando para o Assassinato.* Um dos generais de Pecaías planejou matá-lo, somente após dois anos de governo em Israel. O nome desse general era Peca, e ele estava destinado a tornar-se um dos reis de Israel (versículos 27-31). Ele tinha seus auxiliares, cinquenta homens de Gileade, na Transjordânia, os quais mataram tanto o rei quanto dois de seus príncipes, Argobe e Arié. Esses homens abomináveis apanharam o rei em seu palácio e o assassinaram, aparentemente sem nenhuma oposição. Provavelmente o exército de Israel mostrou-se favorável aos conspiradores, e nada fez para deter ou punir Peca por sua conspiração.

Alguns intérpretes tomam os nomes Argobe e Arié como se fossem locais, e não nomes de pessoas. Nesse caso, esses nomes não entram aqui por equívoco, e não têm sentido. Outros pensam que Argobe e Arié eram companheiros de Peca e participantes do assassinato, e não dois auxiliares de Pecaías, mortos juntamente com ele. Nesse caso, eles foram assassinos, e não assassinados.

15.26

וְיֶ֙תֶר֙ דִּבְרֵ֣י פְקַֽחְיָ֔ה וְכָל־אֲשֶׁ֖ר עָשָׂ֑ה הִנָּ֣ם כְּתוּבִ֗ים עַל־סֵ֛פֶר דִּבְרֵ֥י הַיָּמִ֖ים לְמַלְכֵ֥י יִשְׂרָאֵֽל׃ פ

Quanto aos demais atos de Pecaías. Temos aqui parte da nota costumeira de obituário que o autor sagrado empregou para terminar suas narrativas sobre os reis de Israel e de Judá. Ver as notas em 1Rs 1.21 e 16.5,6. O autor não repete aqui a outra parte do obituário, aquela que fala em "descansar com seus pais", um eufemismo para indicar a ocorrência da morte. Quanto a isso, ver 1Rs 1.21. Minhas notas sobre 1Rs 14.19 falam sobre o *Livro das Crônicas dos Reis de Israel e de Judá*, uma das fontes informativas empregadas pelo autor sacro. Esse foi um livro não canônico, cujo conteúdo foi incorporado aos livros canônicos do Antigo Testamento. Cf. 2Rs 15.15, onde a segunda porção do obituário também é deixada de fora.

PECA, REI DE ISRAEL (15.27-31)

Peca, assassino do rei Pecaías, tornou-se rei de Israel. Aqueles foram dias de caos e anarquia. Mas Peca também foi assassinado, por sua vez (vs. 30), pelo que continuou a operar a *Lei Moral da Colheita segundo a Semeadura* (ver a respeito no *Dicionário*). Antes de perder a vida, Peca governou durante vinte anos (740-732 a.C.). A declaração de que ele governou por vinte anos é explicada pelo fato de que ele "começou a governar em Gileade, ao mesmo tempo que Menaém começou a reinar em Samaria (752 a.C.). Seu governo sobrepôs-se aos governos de Menaém e de Pecaías (752-740 a.C.)" (Thomas L. Constable, *in loc.*). Esta é a forma que certos intérpretes têm usado para tentar explicar a dificuldade cronológica do presente versículo.

"Este parágrafo (vss. 27-31) contém a nota editorial usual, juntamente com um extrato retirado dos anais reais, falando sobre o grande desastre que foi o governo de Peca, mediante o qual grande parte do reino se perdeu, e muitos israelitas foram levados para o cativeiro pela potência assíria" (Norman H. Snaith, *in loc.*). O cativeiro assírio (ver a respeito no *Dicionário*) foi um processo complexo, e não um único evento, isolado. Começou em 733 a.C. Samaria foi subjugada e as pessoas foram levadas dali para o cativeiro (722 a.C.), mas durante muitos anos depois grupos menores do norte continuaram a ser levados para o cativeiro, talvez até o ano de 668 a.C.

15.27

בִּשְׁנַ֣ת חֲמִשִּׁ֣ים וּשְׁתַּ֗יִם שָׁנָ֛ה לַעֲזַרְיָ֖ה מֶ֣לֶךְ יְהוּדָ֑ה מָלַ֣ךְ פֶּ֩קַח בֶּן־רְמַלְיָ֧הוּ עַל־יִשְׂרָאֵ֛ל בְּשֹׁמְר֖וֹן עֶשְׂרִ֥ים שָׁנָֽה׃

Começou a reinar Peca, filho de Remalias. *Narrativas Paralelas.* Quanto a notas sobre o modo de apresentação do autor sagrado, ver o vs. 23 do presente capítulo. Ver também 1Rs 16.29. Relacionando Peca, rei de Israel, ao reino de Judá, o autor informa-nos que o rei de Israel começou seu governo no ano quinquagésimo do reinado de Azarias ou Uzias, rei de Judá. Uzias governou por um total de 52 anos, o recorde em número de anos de governo de qualquer rei de Judá (ver 1Rs 15.2). Peca reteve Samaria como sua capital, cidade essa cuja construção foi iniciada pelo rei Onri. Quanto ao problema cronológico dos vinte anos de governo de Peca, ver o primeiro parágrafo da introdução acima.

15.28

וַיַּ֥עַשׂ הָרַ֖ע בְּעֵינֵ֣י יְהוָ֑ה לֹ֣א סָ֗ר מִן־חַטֹּאות֙ יָרָבְעָ֣ם בֶּן־נְבָ֔ט אֲשֶׁ֥ר הֶחֱטִ֖יא אֶת־יִשְׂרָאֵֽל׃

Fez o que era mau perante o Senhor. Temos aqui a declaração padronizada com que o autor sagrado fala sobre como os reis de Israel continuaram com o tipo de idolatria que fora instituído por Jeroboão, na nação do norte, Israel. Ver o versículo 24 do presente capítulo, 1Rs 15.26 e 16.2 quanto a maiores detalhes. Ver 1Rs 12.28 ss., quanto à história da instituição da adoração ao bezerro, em Dã e Betel, que deu início a esse tipo especial de idolatria. Ver no *Dicionário* o artigo chamado *Idolatria*.

15.29

בִּימֵ֞י פֶּ֣קַח מֶֽלֶךְ־יִשְׂרָאֵ֗ל בָּא֮ תִּגְלַ֣ת פִּלְאֶסֶר֮ מֶ֣לֶךְ אַשּׁוּר֒ וַיִּקַּ֣ח אֶת־עִיּ֡וֹן וְאֶת־אָבֵ֣ל בֵּֽית־מַעֲכָ֣ה וְאֶת־יָ֠נ֠וֹחַ וְאֶת־קֶ֨דֶשׁ וְאֶת־חָצ֤וֹר וְאֶת־הַגִּלְעָד֙ וְאֶת־הַגָּלִ֔ילָה כֹּ֖ל אֶ֣רֶץ נַפְתָּלִ֑י וַיַּגְלֵ֖ם אַשּֽׁוּרָה׃

E levou os seus habitantes para a Assíria. *O Terrível Caráter Final do Cativeiro Assírio.* Em breve Israel, o reino do norte, haveria de desaparecer da face da terra. O cativeiro assírio ocorreria em etapas. Foi um processo complexo, e não um acontecimento em uma única fase. Ver o artigo no *Dicionário* quanto a detalhes. Ver a introdução à presente seção, antes dos comentários sobre o versículo 27.

> Embora a causa do Mal prospere,
> Contudo, somente a Verdade é forte.
>
> James Russell Lowell

A apostasia de Israel estava fadada a trazer o desastre. Perdurou por tanto tempo e foi tão virulenta que só podia produzir resultados desastrosos, de acordo com a lei da colheita segundo a semeadura. A história da nação do norte, Israel, foi, em sua maior parte, um crônica em que matar e ser morto era a ação mais constante. Tão abominável violação da lei mosaica só poderia produzir os resultados mais drásticos. O fim da nação do norte, Israel, foi o resultado.

Tiglate-Pileser. Ver o artigo detalhado sobre ele no *Dicionário* e cf. o vs. 19 deste capítulo. Esse homem havia recebido larga soma em dinheiro como suborno, para manter-se afastado de Israel, mas o suborno que lhe foi pago não significou muito, pois ele voltou para conseguir mais despojos, para matar e para receber "recompensa". Ver o artigo geral no *Dicionário* chamado *Assíria*.

O ataque de *Tiglate-Pileser* contra Israel seguiu-se à sua invasão siro-efraimita. Primeiramente ele tomou conta da Síria, o tradicional inimigo do norte de Israel. Agora Israel tinha um inimigo pior vindo do norte, a Assíria.

Lugares Atacados e Subjugados. Ver sobre cada um dos lugares referidos neste versículo no *Dicionário*. A campanha da Assíria começou no norte, varreu a Síria, entrou no território de Israel pelo norte e espalhou-se para ambos os lados do rio Jordão. Gileade, na Transjordânia (parte leste do país) estava envolvida, mas também o estava Naftali, no lado ocidental da nação de Israel. Foi assim que a primeira deportação (que assinalou o começo do cativeiro assírio) ocorreu em cerca de 733 a.C. Uma segunda deportação deveria ocorrer em cerca de 722 a.C., e envolveria Samaria e as regiões ao redor dessa cidade, a capital de Israel.

Peca formou aliança com Rezim, de Damasco, a fim de combaterem juntos contra o inimigo comum, as tropas assírias. Peca teve de pagar tributo, tal como tinha acontecido a Menaém. Peca e Rezim ("os dois tocos de tições fumegantes"; ver Is 7.4) tentaram envolver Acaz, rei de Judá, na sua aliança (ver o versículo 38 deste capítulo); mas ele nada quis ter com ela. Pelo contrário, apelou para que a Assíria viesse socorrê-lo. *Tiglate-Pileser* atacou Israel, em parte por causa do apelo de Acaz. O primeiro ataque reduziu Israel a uma área de cerca de 48 quilômetros por 64 quilômetros. No ano seguinte, Peca foi assassinado por Oseias. *Tiglate-Pileser* disse que ele tinha executado Peca e posto Oseias no trono de Israel, sendo possível que isso foi o que, realmente, aconteceu. Ver o vs. 30. Seja como for, esse homem, Oseias começou seu reinado em Israel com uma atitude favorável à Assíria, mas isso não fez diferença alguma, afinal. Quanto ao governo de Oseias, Ver 2Rs 17.1-6. Ele teve de pagar tributos à Assíria (ver 2Rs 17.3).

15.30

וַיִּקְשָׁר־קֶ֜שֶׁר הוֹשֵׁ֣עַ בֶּן־אֵלָ֗ה עַל־פֶּ֙קַח֙ בֶּן־רְמַלְיָ֔הוּ וַיַּכֵּ֖הוּ וַיְמִיתֵ֑הוּ וַיִּמְלֹ֣ךְ תַּחְתָּ֗יו בִּשְׁנַ֤ת עֶשְׂרִים֙ לְיוֹתָ֖ם בֶּן־עֻזִּיָּֽה׃

Oseias... conspirou contra Peca. Ver sobre Oseias no *Dicionário*. Esse homem tornou-se o próximo assassino de um rei. Sua vítima foi o terrível Peca, que tinha antes assassinado Pecaías, rei de Israel. Portanto, o caos e a anarquia tornaram-se os verdadeiros governantes de Israel. A Assíria, finalmente, pôs fim à confusão inteira. Esse homem, Oseias, provavelmente um general militar, conspirou contra Peca e tomou uma atitude favorável à Assíria, talvez na esperança de que isso livrasse Israel do aniquilamento total. Mas quando se tornou rei, teve de pagar tributo à Assíria (ver 2Rs 17.3). Os registros assírios dizem-nos que *Tiglate-Pileser* executou Peca e pôs Oseias no trono de Israel; isso pode estar correto historicamente. Ou então o próprio Oseias assassinou Peca, com o encorajamento do rei assírio. Seja como for, Peca estava realmente morto.

No vigésimo ano de Jotão, filho de Uzias. Lembremo-nos de que Uzias também era chamado Azarias. Cf. 2Cr 26.1 e 2Reis 14.21. Acerca da notícia cronológica desse versículo, Ellicott (*in loc.*) afirmou: "Esta é uma afirmação duvidosa, que não concorda com o versículo 33, segundo o qual Jotão reinou apenas dezesseis anos". Os intérpretes agonizam (desnecessariamente) com essa discrepância, a qual nada tem a ver com a espiritualidade. "Há muitas dificuldades com a cronologia deste versículo" (Adam Clarke, *in loc.*). Tentativas de reconciliação e cálculos têm produzido resultados incertos.

■ **15.31**

וְיֶ֨תֶר דִּבְרֵי־פֶ֜קַח וְכָל־אֲשֶׁ֣ר עָשָׂ֗ה הִנָּ֤ם כְּתוּבִים֙
עַל־סֵ֙פֶר֙ דִּבְרֵ֣י הַיָּמִ֔ים לְמַלְכֵ֖י יִשְׂרָאֵֽל׃ פ

Quanto aos demais atos de Peca. Uma vez mais, o autor nos dá uma nota de obituário padronizada, que ele empregava para encerrar suas histórias sobre os reis de Israel e de Judá. Mas aqui ele deixa de lado a segunda parte do obituário, o eufemismo para indicar a morte, "descansou (dormiu) com seus pais". Ver o versículo 26 do presente capítulo, quanto a um versículo quase idêntico, onde as notas apropriadas foram fornecidas.

CATIVEIROS DE ISRAEL

1. **Cativeiro Egípcio**: Gn 47 — Êxodo. Iniciou-se em cerca de 1876 a.C. e durou 430 anos.

2. *Cativeiro Assírio*: 722 a.C., *ad infinitum*. As dez tribos do norte de Israel foram deportadas e nunca mais retornaram.

3. *Cativeiro Babilônico*: 586 a.C. — 516 a.C. (setenta anos). As duas tribos do sul foram deportadas. Um remanescente retornou.

4. **Cativeiro Romano**: 132 até 1948 d.C., quando o Estado moderno de Israel foi formado.

CATIVEIROS MORAIS E ESPIRITUAIS

1. Transformar prisioneiros de guerra em escravos: Dt 28.27-48.
2. O cativeiro evangélico ocorre quando o poderoso amor de Cristo assume o controle sobre uma pessoa: 2Co 10.5.
3. O cativeiro do pecado ocorre quando alguém é oprimido e escravizado pelo poder do mal: Rm 7.23; 1Sm 30.3; 2Tm 2.26.
4. O cativeiro moral, cujo conceito contrário é a vitória sobre pecados e vícios: Gl 3.19-21.
5. O cativeiro do mal que Jesus levou cativo: Ef 4.8.
6. O cativeiro pode ser imposto como retribuição ao mal: Ap 13.10.
7. Os males morais levam-nos ao cativeiro da lei do pecado: Rm 7.23.

JOTÃO, REI DE ISRAEL (15.32-38)

Jotão era filho de Uzias, também chamado Azarias. Cf. 2Cr 26.1 e 2Rs 14.21, e minhas notas expositivas nesses trechos bíblicos.

Depois de ter descrito os governos de vários reis de Israel, a maioria dos quais obteve o trono matando o rei anterior, o autor sagrado agora volta sua atenção para um dos reis de Judá.

Relatos Paralelos. O autor não alistou primeiramente todos os reis de Israel, para em seguida descrevê-los, e depois fazer a mesma coisa com os reis de Judá. Pelo contrário, ele saltou para cá e para lá, entre o norte e o sul, dando relatos cronológicos aproximados. Quanto a esse método de apresentação, ver 1Rs 16.29.

Dificuldades Cronológicas. "A declaração de que Jotão governou por dezesseis anos (ver o versículo 33) não concorda com a declaração do versículo 30, que diz que Oseias assassinou Peca no vigésimo ano do governo de Jotão. Além disso, se Oseias se tornou rei durante o tempo de Jotão, então ele não pode ter-se tornado rei de Judá, no décimo segundo ano do governo de Acaz (ver 2Rs 17.1). A reconstrução dos dados históricos sugeridos no versículo 27 concorda com um reinado de dezesseis anos de Jotão, mas a asserção do versículo 37 não pode estar correta, visto que Peca dificilmente pode ter-se tornado rei antes do sexto ano do governo de Acaz. A história dos últimos anos do reino de Israel ficou tão confusa que o compilador, cem anos mais tarde, foi incapaz de garantir qualquer espécie de consistência" (Norman H. Smaith, *in loc.*).

Alguns intérpretes recorrem à teoria das corregências para explicar a diferença em números, mas não temos nenhum indício, no próprio texto, de tais corregências, e nem há certeza alguma, empregando-se essa explicação *ad hoc*, pois ela, na realidade, nada explica. Por outro lado, problemas como esses, mesmo que envolvam discrepâncias genuínas, nada têm a ver com a fé religiosa. Essas questões só atraem a atenção dos harmonistas, que precisam obter harmonia a qualquer preço, até à custa da honestidade, ou a atenção dos céticos, que se alegram em encontrar problemas para tentar derrubar a fé de outras pessoas.

■ **15.32,33**

בִּשְׁנַ֣ת שְׁתַּ֔יִם לְפֶ֥קַח בֶּן־רְמַלְיָ֖הוּ מֶ֣לֶךְ יִשְׂרָאֵ֑ל מָלַ֛ךְ
יוֹתָ֥ם בֶּן־עֻזִּיָּ֖הוּ מֶ֥לֶךְ יְהוּדָֽה׃

בֶּן־עֶשְׂרִ֨ים וְחָמֵ֤שׁ שָׁנָה֙ הָיָ֣ה בְמָלְכ֔וֹ וְשֵׁשׁ־
עֶשְׂרֵ֣ה שָׁנָ֔ה מָלַ֖ךְ בִּירוּשָׁלִָ֑ם וְשֵׁ֣ם אִמּ֔וֹ יְרוּשָׁ֖א
בַּת־צָדֽוֹק׃

Informações Básicas sobre Jotão. Jotão tinha 25 anos de idade quando começou a reinar; e governou por dezesseis anos em Jerusalém, capital do reino do sul; o nome de sua mãe era Jerusa, filha de Zadoque. Ver os nomes próprios no *Dicionário*, quanto a detalhes, incluindo o artigo intitulado *Jotão*.

Relatos Paralelos. O autor sagrado, como é usual, relaciona o reino de Judá ao outro reino, Israel. Jotão começou a reinar no segundo ano de Peca, rei de Israel. Quanto ao método de apresentação do material do autor sagrado, ver a introdução à presente seção, bem como 1Rs 16.29. Quanto a dificuldades cronológicas acerca das notas sobre Jotão, ver a introdução anterior a esta seção.

Talvez Zadoque seja aqui o sumo sacerdote, conforme dizem alguns eruditos. Por outro lado, "Zadoque" era um nome bastante comum. Não seria nada incomum que um rei se casasse com a filha da mais elevada figura eclesiástica do reino.

■ **15.34,35**

וַיַּ֥עַשׂ הַיָּשָׁ֖ר בְּעֵינֵ֣י יְהוָ֑ה כְּכֹ֧ל אֲשֶׁר־עָשָׂ֛ה עֻזִּיָּ֥הוּ
אָבִ֖יו עָשָֽׂה׃

רַ֤ק הַבָּמוֹת֙ לֹ֣א סָ֔רוּ ע֛וֹד הָעָ֥ם מְזַבְּחִ֖ים
וּֽמְקַטְּרִ֣ים בַּבָּמ֑וֹת ה֗וּא בָּנָ֛ה אֶת־שַׁ֥עַר בֵּית־יְהוָ֖ה
הָעֶלְיֽוֹן׃

Fez o que era reto perante o Senhor. O autor nos dá aqui uma avaliação espiritual comum para os reis de Judá. Geralmente falando, eles agiam bem, pois continuavam as instituições mosaicas que operavam através do culto do templo, em Jerusalém; mas agiram mal por não eliminarem os lugares altos (ver a respeito no *Dicionário*), ou seja, os santuários locais tão populares aos olhos do povo comum, e que, na verdade, já existiam antes da centralização da adoração em Jerusalém. 2Rs 15.3,4 são virtualmente iguais aos dois versículos presentes, e minha exposição ali se aplica também aqui. Aqueles versículos, por sua vez, são virtualmente iguais a 2Rs 14.3,4, onde são dadas notas expositivas adicionais. Os santuários locais algumas vezes promoviam uma idolatria franca; de outras vezes, o yahwismo aparecia de mistura com a adoração a outras divindades. A tendência desses santuários foi sempre debilitar a fé centralizada do templo, onde o yahwismo puro era a essência do culto dos hebreus.

Edificou a porta de cima da casa do Senhor. Quanto ao lado positivo de suas atividades espirituais, Jotão edificou o portão de cima da área do templo; provavelmente devamos entender o portão de Benjamim, mencionado por Jr 20.2. Essa construção visava a promover o yahwismo, melhorando as instalações daquele lugar de oração. Outras atividades de construção realizadas por esse rei são mencionadas no trecho paralelo de 2Cr 27.3-5. Os historiadores judeus põem esse portão no lado oriental (*Talmude Bab. Sotah*, fol. 71; *Maimônides, Cele, Ham.* cap. 7, sec. 6).

■ **15.36**

וְיֶ֛תֶר דִּבְרֵ֥י יוֹתָ֖ם אֲשֶׁ֣ר עָשָׂ֑ה הֲלֹא־הֵ֣ם כְּתוּבִ֗ים
עַל־סֵ֛פֶר דִּבְרֵ֥י הַיָּמִ֖ים לְמַלְכֵ֥י יְהוּדָֽה׃

Quanto aos demais atos de Jotão. A nota usual de obituário foi apresentada no caso de Jotão. Este versículo é virtualmente igual ao de 2Rs 15.6. As notas dadas ali também se aplicam aqui. O trecho de 2Rs 14.18 contém uma declaração similar, mas deixa de fora a segunda parte que fala sobre "descansar com seus pais" (um eufemismo para a "morte").

■ **15.37**

בַּיָּמִ֣ים הָהֵ֔ם הֵחֵ֣ל יְהוָ֗ה לְהַשְׁלִ֙יחַ֙ בִּֽיהוּדָ֔ה רְצִ֖ין
מֶ֣לֶךְ אֲרָ֑ם וְאֵ֖ת פֶּ֥קַח בֶּן־רְמַלְיָֽהוּ׃

Começou o Senhor a enviar contra Judá a Rezim, rei da Síria, e a Peca. Rezim, rei da Síria, e Peca, rei de Israel, uniram-se contra a Assíria, seu inimigo comum. Ver as notas sobre o versículo 29. Eles tentaram forçar Jotão a fazer parte da aliança. Mas Jotão, com sabedoria, evitou totalmente qualquer envolvimento nessa aliança. Coisa alguma poderia fazer parar o adversário do norte, e qualquer um que o tentasse seria aniquilado por isso. Talvez esse aspecto da história tenha ocorrido quando Jotão e Acaz eram corregentes, isto é, cerca de 735-732 a.C. Ver a exposição sobre 2Rs 16.1. A implicação do versículo 37 é que Yahweh estava testando Jotão para ver se ele cederia, tolamente, diante das pressões impostas. Não lhe competia aliar-se a essa aliança profana. Judá, na realidade, tornou-se um aliado relutante da Assíria, na tentativa de salvar-se da obliteração. Este versículo também implica que os assédios de Rezim e de Peca eram castigos contra Judá. Esse reino também vivia em tempos perturbados por causa de uma obediência parcial. Esses assédios incluíram campanhas militares contra Judá, conforme se vê em 2Rs 16.5. Judá, entretanto, mostrou-se forte o bastante para resistir e repelir os atacantes. Ver no *Dicionário* o artigo chamado *Rezim*.

■ **15.38**

וַיִּשְׁכַּ֤ב יוֹתָם֙ עִם־אֲבֹתָ֔יו וַיִּקָּבֵר֙ עִם־אֲבֹתָ֔יו בְּעִ֖יר
דָּוִ֣ד אָבִ֑יו וַיִּמְלֹ֛ךְ אָחָ֥ז בְּנ֖וֹ תַּחְתָּֽיו׃ פ

Descansou Jotão com seus pais. Temos aqui a segunda metade da nota comum de obituário, com a qual o autor sacro encerrava suas histórias sobre os reis de Israel e Judá. Ver o versículo 36 quanto à primeira parte desse obituário. Usualmente, as duas afirmações aparecem juntas, como se vê em 2Rs 15.6,7, cujas notas expositivas se aplicam também aqui. Ver 1Rs 1.21 quanto ao eufemismo para "morte", isto é, "descansar (dormir) com seus pais".

Na cidade de Davi, seu pai. Essa cidade é Jerusalém, que Davi fez sua capital, tendo conquistado essa cidade dos jebuseus. Jotão foi sepultado ali, o que era costume no tocante aos reis de Judá. E Acaz, seu filho, tornou-se o novo rei de Judá. Ver a história de Acaz em 2Rs 16.1-4.

CAPÍTULO DEZESSEIS

ACAZ, REI DE JUDÁ (16.1-4)

Esse homem, em contraste com outros reis de Judá (que praticavam em parte o certo, em parte o errado), foi um rei que seguiu o estilo dos reis de Israel — fez somente o mal. Ele não seguiu a liderança dada pelo rei ideal, Davi. Ele era corrupto interna e externamente, por inclinação natural e pela força do mau exemplo. Inclinou-se diante da forma mais brutal de paganismo: os sacrifícios de infantes a alguma divindade pagã. Além disso, reteve certa variedade de práticas idólatras. Ver sobre ele no artigo existente no *Dicionário*.

■ **16.1,2**

בִּשְׁנַת֙ שְׁבַֽע־עֶשְׂרֵ֣ה שָׁנָ֔ה לְפֶ֖קַח בֶּן־רְמַלְיָ֑הוּ מָלַ֛ךְ
אָחָ֥ז בֶּן־יוֹתָ֖ם מֶ֥לֶךְ יְהוּדָֽה׃

בֶּן־עֶשְׂרִ֤ים שָׁנָה֙ אָחָ֣ז בְּמָלְכ֔וֹ וְשֵׁשׁ־עֶשְׂרֵ֣ה שָׁנָ֔ה
מָלַ֖ךְ בִּירוּשָׁלִָ֑ם וְלֹא־עָשָׂ֣ה הַיָּשָׁ֗ר בְּעֵינֵ֛י יְהוָ֥ה
אֱלֹהָ֖יו כְּדָוִ֥ד אָבִֽיו׃

No ano dezessete de Peca... começou a reinar Acaz. O autor sagrado introduz esse rei da mesma maneira que fizera com os demais reis, empregando sua nota estereotipada de subida ao trono. Essa nota foi sempre uma comparação com o rei corrente de Israel, para fornecer uma ideia cronológica aproximada. Acaz começou a governar no ano dezessete de Peca, rei de Israel. Ele tinha 20 anos de idade quando começou a reinar, e governou por dezesseis anos, conservando Jerusalém como sua capital. Parece que Jotão e Acaz foram corregentes. O ano dezessete do governo de Peca foi 735 a.C. Entretanto, somente em 732 a.C. Acaz começou a governar sozinho, e seu governo pessoal durou dezesseis anos, e não vinte. Jotão morreu em 732 a.C. A corregência perdurou de 744 a 735 a.C. Pelo menos essa é a reconstituição feita por alguns eruditos, que tentaram harmonizar várias notas históricas, em que a corregência sempre foi usada como instrumento favorito nesses cálculos. Ver a introdução a 2Rs 15.31 quanto às dificuldades cronológicas.

Narrativas Paralelas. Quanto ao modo de apresentação do autor sagrado, onde ele saltou para cá e para lá entre Israel e Judá, em uma ordem cronológica aproximada, ver as notas em 1Rs 16.29. Para aliviar as dificuldades cronológicas, as versões siríaca e da *Septuaginta*, em 2Cr 28.1, fazem a subida de Acaz ao trono ocorrer no ano 25 de sua vida, e não no ano vinte, conforme diz o texto massorético. Ver no *Dicionário* o verbete intitulado *Massora* (*Massorah*); *Texto Massorético*. Algumas vezes, as versões se mostram corretas em relação ao texto massorético (o texto massorético padronizado, a Bíblia hebraica), conforme os *Manuscritos do Mar Morto* o têm demonstrado. Ver no *Dicionário* o artigo chamado *Mar Morto, Manuscritos (Rolos) do*. Quanto a informações gerais sobre os manuscritos do Antigo Testamento e a crítica textual, ver *Manuscritos do Antigo Testamento* no *Dicionário*.

Quanto a Davi como o rei ideal, cujo exemplo foi raramente seguido por reis subsequentes de Israel e de Judá, ver 1Rs 15.3. Quanto à metáfora do "andar", ver no *Dicionário* sobre esse termo.

■ **16.3**

וַיֵּ֕לֶךְ בְּדֶ֖רֶךְ מַלְכֵ֣י יִשְׂרָאֵ֑ל וְגַ֤ם אֶת־בְּנוֹ֙ הֶעֱבִ֣יר
בָּאֵ֔שׁ כְּתֹֽעֲבוֹת֙ הַגּוֹיִ֔ם אֲשֶׁ֨ר הוֹרִ֤ישׁ יְהוָה֙ אֹתָ֔ם מִפְּנֵ֖י
בְּנֵ֥י יִשְׂרָאֵֽל׃

Andou no caminho dos reis de Israel. Em lugar de seguir o exemplo relativamente bom de seus antecessores, os reis de Judá (que agiam em parte bem, e em parte mal), esse rei seguiu o exemplo degenerado dos reis de Israel, que foram quase sempre maus. Mais do que isso, Acaz apelou para a idolatria antiga, e realizou o crime máximo: fez um filho seu passar pelo fogo, para honrar e aplacar uma divindade pagã. Esse homem abominável transformou seu filho em holocausto. O sacrifício do filho primogênito era uma estupidez da idolatria antiga, que tivera lugar em muitas nações, e não apenas em

Israel. Ver Lv 18.21 e 20.2,4 quanto à proibição de Moisés contra essa brutalidade da idolatria. Ver 2Rs 17.31 e Ez 16.21 quanto a outras referências sobre costumes e sobre os vários deuses que eram honrados e supostamente aplacados por esses sacrifícios do próprio filho. Ver no *Dicionário* o artigo chamado *Moleque, Moloque*, que contém detalhes sobre essa prática. Mas também temos a história de Abraão, que iria oferecer seu filho, Isaque, como holocausto (ver Gn 22.3-14). Sem dúvida, esse foi um antigo reflexo da horrenda prática, a qual não foi consumada, entretanto. O relato tornou-se uma história exemplar: Nunca ofereças tal sacrifício, do mesmo modo que nosso Pai, Abraão, foi ordenado por Yahweh a não consumar tal oferenda. Ver Êx 13.15 e as notas expositivas a respeito. Todos os filhos primogênitos eram metaforicamente sacrificados a Yahweh, em uma dedicação absoluta, mas eram remidos de qualquer sacrifício literal. O sacrifício de um animal tomava o lugar do sacrifício humano, embora esse abominável costume tenha continuado a existir, e embora tenha sido ocasionalmente praticado em Israel e em Judá. Ver 1Rs 16.34; 2Rs 16.3; Ez 20.26 e Mq 6.7.

O autor sagrado relembra-nos de que essas práticas horrorosas pertenciam àquelas nações que Yahweh expulsara da Terra Prometida; e assim advertiu a qualquer um que quisesse ocupar-se de tais práticas. A ira de Yahweh por certo feriria tal pessoa, em concordância com a *Lei Moral da Colheita segundo a Semeadura* (ver a respeito no *Dicionário*).

■ 16.4

וַיְזַבֵּחַ וַיְקַטֵּר בַּבָּמוֹת וְעַל־הַגְּבָעוֹת וְתַחַת כָּל־עֵץ רַעֲנָן׃

Queimou incenso nos altos. Entre os pecados menores de Acaz estava o seu encorajamento à prática pessoal da idolatria nos lugares altos (ver a esse respeito no *Dicionário*). Quanto a essa questão, ver o versículo 35 do capítulo 15. Talvez o uso de Acaz dos lugares altos fosse uma prática sincretista, isto é, ele retinha o yahwismo, misturado com a idolatria pagã. Considerando-se, porém, o sacrifício de seu próprio filho (ver o terceiro versículo), provavelmente é mais seguro supormos que esse rei de Judá tenha abandonado completamente a antiga fé religiosa de Judá. Notemos que este versículo fala de sua idolatria em termos amplos. Ele ficou de tal modo envolvido que toda árvore verde era suficiente para ele se servir dela como lugar de sacrifício. Cf. as declarações semelhantes em 1Rs 14.23 (envolvimento de Roboão), e que também envolveram as tribos do norte, Israel, de modo geral (ver 1Rs 17.10). Cf. a informação dada no trecho paralelo, isto é, 2Cr 28.2-5. Naturalmente, o autor sagrado exagerou um pouco.

JUDÁ ATACADO PELA SÍRIA E POR ISRAEL (16.5-9)

Aqueles eram tempos de anarquia e de rápida desintegração. O cativeiro assírio (ver a respeito no *Dicionário*) já havia começado. Ver sobre 2Rs 15.29. Israel fizera uma aliança militar com seu inimigo tradicional, a Síria, tentando barrar os movimentos de seu inimigo comum do norte, a Assíria. Esses dois reinos tentaram forçar Judá a aliar-se a eles. Quando suas solicitações não foram honradas, eles atacaram Judá como vingança. Talvez eles esperassem que um ataque convenceria Acaz a reunir-se à aliança contra a Assíria. Em lugar de deixar-se convencer por esse ataque, Acaz apelou para a ajuda da Assíria, não porque o quisesse fazer, mas porque a questão era a sobrevivência. Judá faria antes frente à Síria e a Israel do que contra a Assíria, cuja estrela estava ascendente, o que continuaria ainda por bastante tempo. Damasco, capital da Síria, foi capturada e seus habitantes foram exilados. Seu rei tinha sido executado, e outro tanto aconteceu em Israel. Ver detalhes sobre essa guerra no capítulo sétimo de Isaías e no capítulo 26 de 2Crônicas. *Tiglate-Pileser* fez a Síria e Israel parar seus ataques contra Jerusalém, e salvou Acaz, que se tornou um vassalo virtual da Assíria. O cativeiro de Judá se daria através dos babilônios, os sucessores dos assírios no drama internacional. Isso só aconteceria, entretanto, mais de cem anos depois, ou seja, em cerca de 597 a.C. Ver sobre o *Cativeiro Babilônico*, no *Dicionário*.

■ 16.5

אָז יַעֲלֶה רְצִין מֶלֶךְ־אֲרָם וּפֶקַח בֶּן־רְמַלְיָהוּ מֶלֶךְ־יִשְׂרָאֵל יְרוּשָׁלַםִ לַמִּלְחָמָה וַיָּצֻרוּ עַל־אָחָז וְלֹא יָכְלוּ לְהִלָּחֵם׃

Cercaram Acaz, porém não puderam prevalecer contra ele. A aliança da Síria com Israel era assustadora, mas não era nem metade tão assustadora quanto a Assíria. Portanto, Acaz resistiu a esses dois países próximos e não estabeleceu aliança com eles, mas voltou-se para a Assíria, em busca de ajuda. Uma grande soma de dinheiro encorajaria facilmente *Tiglate-Pileser* a agir em favor de Judá (vss. 8 e 9). Ademais, o tributo pago à Assíria se tornaria uma realidade anual para Judá. Foi assim que Acaz "comprou" a Assíria. Mas a Babilônia não se deixaria "comprar" por Judá, cerca de cem anos mais tarde. Ver a introdução à presente seção, acima, quanto a detalhes. Isaías mandou uma mensagem de consolação a Acaz. Rezim e Peca eram tão bons como se estivessem mortos.

■ 16.6

בָּעֵת הַהִיא הֵשִׁיב רְצִין מֶלֶךְ־אֲרָם אֶת־אֵילַת לַאֲרָם וַיְנַשֵּׁל אֶת־הַיְהוּדִים מֵאֵילוֹת וַאֲרַמִּים בָּאוּ אֵילַת וַיֵּשְׁבוּ שָׁם עַד הַיּוֹם הַזֶּה׃ פ

Naquele tempo Rezim... restituiu Elate à Síria. O rei da Síria não obteve sucesso com Jerusalém, mas foi capaz de dominar Elate, que o rei Uzias havia tomado dos edomitas e tinha estabelecido como um porto para promover o comércio internacional (ver 2Rs 14.22). Essa foi uma das principais realizações de Uzias (Azarias), mas agora os judaítas perdiam outra vez Elate. Provavelmente é mais correto dizer que a Síria não "liberou" Elate para dá-la de volta aos edomitas. Antes, a Síria assumiu os negócios naquele lugar, para tirar proveito da situação, algo de que os sírios muito estavam precisando, conforme crescia o cerco da Assíria.

Outra Interpretação Deste Versículo. A *Revised Standard Version* diz aqui "rei de Edom", em lugar de "rei da Síria". No hebraico, as palavras que significam Síria e Edom, bem como os sírios e os edomitas, são bastante similares, sendo possível que a *Revised Standard Version* esteja correta em sua substituição. A nota marginal, no texto massorético, na *Septuaginta* e na Vulgata, diz "edomitas". Se isso está correto, então este é um daqueles lugares onde uma emenda conjecturada é preferível ao texto massorético. Historicamente, não temos nenhuma conquista de Elate pelos sírios, nem há confirmação de que os sírios se tenham ocupado do comércio em Elate. Também seria altamente questionável que a Síria se envolvesse em um empreendimento tão ao sul, quando seu grande inimigo do norte — a Assíria — estava batendo às portas. Quanto a informações sobre os manuscritos do Antigo Testamento e quanto aos princípios da crítica textual, ver *Manuscritos do Antigo Testamento*, no *Dicionário*. Os *Manuscritos do Mar Morto* têm demonstrado que algumas emendas conjecturadas do texto massorético representam os textos originais, que em algum tempo posterior sofreram modificação. Ver no *Dicionário* o artigo chamado *Mar Morto, Manuscritos (Rolos) do*, como também *Massora (Massorah)*; *Texto Massorético*.

■ 16.7

וַיִּשְׁלַח אָחָז מַלְאָכִים אֶל־תִּגְלַת פְּלֶסֶר מֶלֶךְ־אַשּׁוּר לֵאמֹר עַבְדְּךָ וּבִנְךָ אָנִי עֲלֵה וְהוֹשִׁעֵנִי מִכַּף מֶלֶךְ־אֲרָם וּמִכַּף מֶלֶךְ יִשְׂרָאֵל הַקּוֹמִים עָלָי׃

Acaz enviou mensageiros a *Tiglate-Pileser*. Esse é o mesmo "Pul" de 2Rs 15.19; ver as notas expositivas, bem como o artigo sobre ele, no *Dicionário*. Acaz, precisando de ajuda que o livrasse do aperto em que tinha sido metido por Rezim, da Síria, e por Peca, de Israel, solicitou a ajuda do rei da Assíria. Essa ajuda seria eficaz, mas dessa forma Judá vendeu-se à Assíria, devendo pagar-lhe tributo por longo tempo. Acaz humilhou-se diante do monarca do norte, chamando-se a si mesmo de seu filho e servo, o que o reduziu à posição de vassalagem, e implorou-lhe ajuda. *Tiglate-Pileser* faria qualquer coisa por dinheiro, e assim ele concordou. Entrementes, Yahweh havia prometido a Acaz livramento dos "dois tocos de tições fumegantes" (Is 7.4-16), e alguns intérpretes, antigos e modernos, supõem que essa ajuda poderia ter sido dada, sem necessidade de Judá apelar para a Assíria, economicamente falando.

16.8

וַיִּקַּח אָחָז אֶת־הַכֶּסֶף וְאֶת־הַזָּהָב הַנִּמְצָא בֵּית יְהוָה
וּבְאֹצְרוֹת בֵּית הַמֶּלֶךְ וַיִּשְׁלַח לְמֶלֶךְ־אַשּׁוּר שֹׁחַד׃

Tomou Acaz a prata e o ouro. *O preço.* O templo de Jerusalém foi outra vez roubado de seus tesouros. Mas não estamos informados de quanto foi dado ao rei da Assíria, embora devesse ter sido uma importância considerável, levando-o esquecer-se de suas "ambições sulistas". Joás havia feito algo similar, segundo lemos em 2Rs 14.14. Esse rei de Israel tirou o dinheiro do templo de Jerusalém, mediante conquista militar. Uzias, subsequentemente, restaurou os tesouros do templo, só para vê-los ser entregues à Assíria.

16.9

וַיִּשְׁמַע אֵלָיו מֶלֶךְ אַשּׁוּר וַיַּעַל מֶלֶךְ אַשּׁוּר
אֶל־דַּמֶּשֶׂק וַיִּתְפְּשֶׂהָ וַיַּגְלֶהָ קִירָה וְאֶת־רְצִין
הֵמִית׃

Tiglate-Pileser mostrou ser uma ajuda cooperadora e altamente eficaz. Sua estrela estava subindo no firmamento. Tinha um exército invencível. Foi à época da Assíria no palco da história da humanidade. O exército assírio levou a guerra até Damasco, capital da Síria. Ele esmagou a cidade, deixando-a irreconhecível; e levou muita gente cativa para Quir (ver a respeito no *Dicionário*). Não sabemos dizer, hoje em dia, onde ficava Quir, mas Am 9.7 informa-nos que era o lar original dos sírios de Damasco. Em outras palavras, era o lugar de onde os sírios tinham vindo. Eles voltaram a seu antigo lar de origem. Pertencia ao império assírio e ficava em algum ponto entre os mares Negro e Cáspio. Alguns dizem que é a moderna Geórgia da Comunidade dos Estados Independentes (ex-União Soviética). Seja como for, fazia parte das normas políticas dos assírios relocar povos conquistados em novas terras, e isso controlava e eliminava eficazmente um povo, furtando-lhes a sua identidade.

As inscrições assírias dão-nos conta de que foram necessários dois anos para a Assíria capturar Damasco, o que significa que a resistência foi grande, mas, finalmente, inútil. Os anos desse ataque contra a Síria foram 733-732 a.C.

O Final da Guerra. O arrogante Rezim foi executado, e assim pagou o preço por haver assediado Judá, e, provavelmente, por muitos outros pecados cometidos. Ver Am 1.5. Amós tinha previsto o desastre para os sírios e para Rezim.

VISITA DE ACAZ A DAMASCO; SUA APOSTASIA (16.10-20)

Os motivos que teria tido Acaz para visitar Damasco, depois que essa cidade foi arruinada pelo exército assírio, não são claros. Provavelmente, uma das razões foi a sua arrogância: ele queria ver o fim de seus adversários e encher-se de orgulho. Mas ele também queria pagar sua dívida de gratidão a seu salvador, *Tiglate-Pileser*, que o havia agradado, destruindo seus inimigos. Naturalmente, Acaz havia pago para isso (vs. 8). Seja como for, a viagem teve resultados desastrosos. Um altar pagão, naquele lugar, chamou a atenção de Acaz, e ele quis ter uma duplicata do altar para o templo de Jerusalém. Uma cópia desse altar pagão acabou substituindo o altar sacrifical do Lugar Santo, e, podemos presumir, o sacerdócio levítico inteiro escorregou para a apostasia. A questão do altar pode ter sido uma das maneiras pelas quais Acaz disse "obrigado" ao seu salvador: ele chegou a reconhecer as divindades pagãs. É possível, conforme alguns estudiosos têm conjecturado, que aquele altar tivesse tido origem assíria, e tivesse sido dedicado aos deuses da Assíria. Os "deuses" da Assíria, deve ter pensado Acaz, deram-lhe a vitória sobre os sírios. Entrementes, Yahweh foi esquecido.

16.10

וַיֵּלֶךְ הַמֶּלֶךְ אָחָז לִקְרַאת תִּגְלַת פִּלְאֶסֶר
מֶלֶךְ־אַשּׁוּר דּוּמֶּשֶׂק וַיַּרְא אֶת־הַמִּזְבֵּחַ אֲשֶׁר
בְּדַמָּשֶׂק וַיִּשְׁלַח הַמֶּלֶךְ אָחָז אֶל־אוּרִיָּה הַכֹּהֵן
אֶת־דְּמוּת הַמִּזְבֵּחַ וְאֶת־תַּבְנִיתוֹ לְכָל־מַעֲשֵׂהוּ׃

Então o rei Acaz foi... a encontrar-se com Tiglate-Pileser. O rei assírio estava finalizando os detalhes de sua exportação dos habitantes de Damasco para Quir. Acaz quis ver com seus próprios olhos a derrota absoluta e a humilhação de seus adversários sírios. Ademais, ele havia pago para eles serem derrotados e tinha o direito de ver quão bem o trabalho de Tiglate-Pileser havia sido feito. Ele diria um "muito obrigado" ao rei assírio, e veria, com satisfação, a destruição que tinha sido causada. O poder da Síria havia chegado ao fim. Talvez isso tenha tomado dois anos, desde que ele "comprara" o rei assírio com dinheiro. Ver a introdução à presente seção quanto a detalhes.

Estando em Damasco, Acaz viu um enfeitado altar pagão que lhe chamou a atenção. Pode ter sido de origem assíria, usado para honrar suas divindades. Seja como for, podemos ter certeza de que era um altar típico do paganismo. Para Acaz, esse altar era superior ao altar dos sacrifícios do templo de Jerusalém, quanto às qualidades estéticas. Portanto, ele resolveu copiá-lo. A duplicata estava destinada a tomar o lugar do altar principal do templo de Jerusalém.

Não somos informados especificamente sobre quais oferendas às divindades pagãs seriam apresentadas sobre o novo altar no templo de Jerusalém (provavelmente de modo paralelo às oferendas apresentadas a Yahweh), mas sem dúvida é isso que devemos entender dessa crônica. Ver 2Cr 28.21-25 quanto à confirmação do que aqui dissemos.

Urias, provavelmente o sumo sacerdote dos judaítas, recebeu ordens para fazer uma duplicata daquele altar visto em Damasco. Ver sobre *Urias*, no *Dicionário*, em seu terceiro ponto. Podemos supor que o sumo sacerdote do culto a Yahweh foi forçado a fazer o que fez, pois, de outro modo, ele e todo o seu sacerdócio estariam bem avançados na vereda da idolatria e do paganismo, para ter cooperado assim com a novidade.

Outras Evidências de Apostasia em Judá. "O relógio de sol de Acaz (ver 2Rs 20.11), bem como a ereção sobre o telhado do templo, de altares aparentemente designados para a adoração às hostes celestiais (ver 2Rs 23.12), foram obras igualmente características de um rei dado a ideias sem valor e a superstições, que imaginava que a introdução de algumas novidades pagãs emprestaria brilho ao seu reino" (Ellicott, *in loc.*). O trecho paralelo de 2Cr 28.21-25 surpreende-nos com a extensão da idolatria de Acaz. Tendo sido salvo pelos assírios pagãos, ele se desmanchou em pedaços, espiritualmente falando. E voltou-se para as divindades que, supostamente, tinham dado poder ao rei de Assíria.

16.11

וַיִּבֶן אוּרִיָּה הַכֹּהֵן אֶת־הַמִּזְבֵּחַ כְּכֹל אֲשֶׁר־שָׁלַח
הַמֶּלֶךְ אָחָז מִדַּמֶּשֶׂק כֵּן עָשָׂה אוּרִיָּה הַכֹּהֵן עַד־בּוֹא
הַמֶּלֶךְ־אָחָז מִדַּמָּשֶׂק׃

Urias, o sacerdote, edificou um altar. É patente que ele cooperou de todo o coração com a crescente idolatria que invadia Judá. Ele e seu sacerdócio já haviam entrado em decadência. O homem estava com pressa. Antes que o rei de Judá pudesse voltar para casa, Urias já tinha arrumado o novo altar, cópia do de Damasco. Foi uma "agradável surpresa" para o rei Acaz, uma obra de devoção que o sumo sacerdote Urias tinha preparado para agradá-lo. E Acaz, por sua vez, estava tão ansioso por ver e experimentar o novo altar, que assim que chegou sacrificou sobre ele. E, antes de voltar a Jerusalém, enviou a planta e os planos da construção. E Urias o duplicou rapidamente, a fim de mostrar ao rei quão obediente era, e quão ansioso estava para agradá-lo. Assim sendo, uma estupidez foi adicionada a outra.

16.12

וַיָּבֹא הַמֶּלֶךְ מִדַּמֶּשֶׂק וַיַּרְא הַמֶּלֶךְ אֶת־הַמִּזְבֵּחַ
וַיִּקְרַב הַמֶּלֶךְ עַל־הַמִּזְבֵּחַ וַיַּעַל עָלָיו׃

Surpresa! O rei Acaz veio em sua carruagem de Damasco a Jerusalém, aproximou-se da área do templo, e ali viu o "seu altar". Quão satisfeito ele ficou! E imediatamente apresentou oferendas sobre o novo altar, como já dissemos. Podemos estar certos de que essas oferendas incluíram oferendas aos deuses pagãos da Assíria, que, alegadamente, eram poderes por trás do poder militar da Assíria. Acaz, pois, queria uma parte daquele poder. Portanto, embora talvez não tivesse abandonado de vez o yahwismo, caiu num ecletismo idólatra que obliterou qualquer adoração verdadeira. Em outras palavras, ele caiu na apostasia (ver a respeito na *Enciclopédia de Bíblia, Teologia e Filosofia*). O trecho de 2Cr 28.21-25 demonstra que uma extensa idolatria foi instituída em Judá por parte de Acaz. Este, portanto, exerceu funções sacerdotais. Originalmente, parece que os reis podiam fazer isso. A legislação mosaica limitou essa atividade à casta sacerdotal, mas não podemos estar seguros se tais leis chegaram a ser plenamente implementadas. Fosse como fosse, Acaz não hesitou em ser "sacerdote por um dia".

■ **16.13**

וַיַּקְטֵר אֶת־עֹלָתוֹ וְאֶת־מִנְחָתוֹ וַיַּסֵּךְ אֶת־נִסְכּוֹ וַיִּזְרֹק
אֶת־דַּם־הַשְּׁלָמִים אֲשֶׁר־לוֹ עַל־הַמִּזְבֵּחַ׃

Queimou o seu holocausto... Foram oferecidas todas as espécies de oferendas: holocaustos, ofertas de cereais e libações, todas as quais tinham sido ordenadas pela legislação mosaica. Ver as seguintes oferendas: holocaustos (Lv 1.3-17; 6.9-13); ofertas de manjares (Lv 5.1-13; 6.1-7; 7.1-7); ofertas pacíficas (Lv 3.1-17; 7.11-21); ofertas de libação (Lv 9.9; 17.11). Ver o artigo geral no *Dicionário*, intitulado *Sacrifícios e Ofertas*. É provável que Acaz tenha empregado o *modus operandi* da legislação mosaica, mas várias divindades pagãs acabaram sendo honradas pela loucura dele.

Ação de Graças. Provavelmente a principal motivação de todas essas oferendas foi oferecer ação de graças, a Yahweh e a outras divindades, pelo livramento de Judá de Israel e da Síria (2Rs 16.5). Visto que a Assíria foi o agente do livramento, pareceu a Acaz que seria justo que suas divindades também recebessem ação de graças, por meio das oferendas.

■ **16.14**

וְאֵת הַמִּזְבַּח הַנְּחֹשֶׁת אֲשֶׁר לִפְנֵי יְהוָה וַיַּקְרֵב מֵאֵת
פְּנֵי הַבַּיִת מִבֵּין הַמִּזְבֵּחַ וּמִבֵּין בֵּית יְהוָה וַיִּתֵּן אֹתוֹ
עַל־יֶרֶךְ הַמִּזְבֵּחַ צָפוֹנָה׃

Porém o altar de bronze, que estava perante o Senhor, tirou ele de diante da casa. Quanto a esse "altar de bronze", Ver Êx 27.1. Esse altar foi removido de seu devido lugar e transferido para o norte do novo altar, que assumiu a posição daquele. À luz das versões siríacas, dos Targuns e da *Septuaginta*, parece que o antigo altar de bronze continuou a ser usado. Se isso é verdade, então Acaz efetuou um sistema verdadeiramente eclético, isto é, do yahwismo com muitas formas de idolatria, e ambos os altares foram postos a funcionar, de acordo com o novo sistema criado por Acaz. Quanto à planta baixa do tabernáculo, que foi duplicada no templo de Jerusalém, ver a ilustração existente na introdução ao trecho de Êx 26.1.

"Os altares antigos deveriam ser deixados em seus lugares. Esses altares nem deveriam ser alterados nem modernizados, para conformar-se a ideias neopagãs. Não há substituições para a fé arraigada em Deus, que a Bíblia e a Igreja nos apresentam. Vamos deixar de lado os altares assírios, e cuidemos para que a religião renasça no coração das pessoas" (Raymond Calking, *in loc.*).

■ **16.15**

וַיְצַוֵּהוּ הַמֶּלֶךְ־אָחָז אֶת־אוּרִיָּה הַכֹּהֵן לֵאמֹר עַל
הַמִּזְבֵּחַ הַגָּדוֹל הַקְטֵר אֶת־עֹלַת־הַבֹּקֶר וְאֶת־מִנְחַת
הָעֶרֶב וְאֶת־עֹלַת הַמֶּלֶךְ וְאֶת־מִנְחָתוֹ וְאֵת עֹלַת
כָּל־עַם הָאָרֶץ וּמִנְחָתָם וְנִסְכֵּיהֶם וְכָל־דַּם עֹלָה
וְכָל־דַּם־זֶבַח עָלָיו תִּזְרֹק וּמִזְבַּח הַנְּחֹשֶׁת יִהְיֶה־לִּי
לְבַקֵּר׃

Queima no grande altar. Isto é, no novo altar de Damasco, impressionante e de aspecto bem estético, que havia substituído o antigo altar de bronze. Esse novo altar pagão tornou-se o centro de atrações e o lugar do culto sacrifical. Os sacrifícios matinais e vespertinos eram feitos ali, bem como todos os demais sacrifícios. O autor dá-se ao trabalho de alistar novamente os vários tipos de oferendas e sacrifícios, que eu já comentei na exposição sobre o versículo 13 deste capítulo. O culto sacrifical inteiro foi transferido para o novo altar, sumo sacerdote Urias obedeceu a todas as ordens do rei, pelo que temos aqui um notável exemplo histórico de como a Igreja obedeceu ao Estado, para seu próprio prejuízo. É de presumir-se que, através de tais atos e mudanças, Judá estaria livre de invasões estrangeiras. Mas os babilônios, que substituiriam os assírios, como a grande potência mundial da época, logo poriam fim a tudo isso. Ver no *Dicionário* o verbete intitulado *Cativeiro Babilônico*.

O altar de bronze. Ou seja, o altar antigo, menor e mais humilde. Esse altar ficou no terreno do templo, mas humilhado quanto às suas funções. Esse altar passou a ser usado somente para buscar a vontade de Yahweh, que também foi deslocado essencialmente pelas divindades pagãs. O sumo sacerdote consultaria Yahweh no altar antigo e humilde, quando Acaz julgasse ser necessário. O oráculo era tradicionalmente consultado no templo, mediante o uso do Urim e do Tumim, e não diante do altar dos holocaustos. Mas Acaz também instituiu um novo *modus operandi*. O sumo sacerdote realizaria seu ritual para buscar uma mensagem da parte de Yahweh sobre o altar antigo, sem dúvida acompanhado pelos sacrifícios apropriados para agradar o Deus de Israel. Portanto, desenvolveu-se um ecletismo doentio.

Ver Êx 29.38-42 e Nm 28.3-8 quanto aos sacrifícios matinais e vespertinos.

■ **16.16-18**

וַיַּעַשׂ אוּרִיָּה הַכֹּהֵן כְּכֹל אֲשֶׁר־צִוָּה הַמֶּלֶךְ אָחָז׃

וַיְקַצֵּץ הַמֶּלֶךְ אָחָז אֶת־הַמִּסְגְּרוֹת הַמְּכֹנוֹת וַיָּסַר
מֵעֲלֵיהֶם וְאֶת־הַכִּיֹּר וְאֶת־הַיָּם הוֹרִד מֵעַל הַבָּקָר
הַנְּחֹשֶׁת אֲשֶׁר תַּחְתֶּיהָ וַיִּתֵּן אֹתוֹ עַל מַרְצֶפֶת אֲבָנִים׃

וְאֶת־מיּסַךְ הַשַּׁבָּת אֲשֶׁר־בָּנוּ בַבַּיִת וְאֶת־מְבוֹא הַמֶּלֶךְ
הַחִיצוֹנָה הֵסֵב בֵּית יְהוָה מִפְּנֵי מֶלֶךְ אַשּׁוּר׃

Mudanças de Consequências a Longo Prazo. Em primeiro lugar, note-se que Urias, o sumo sacerdote, seguiu obedientemente os desejos do rei Acaz, aparentemente sem fazer nenhum protesto. Acaz já havia substituído o antigo altar de sacrifícios, feito de bronze, pelo novo altar, fantasiado, mais estético e maior (vss. 11-15). Agora ele efetuaria mais mudanças ainda no aparato do culto religioso, no templo e nas áreas circunvizinhas. As mudanças foram inspiradas principalmente pelo fato de que não somente o tesouro do templo, mas também alguns de seus móveis valiosos tinham sido desmantelados e enviados para a Assíria, como parte do tributo. Cf. os vss. 8 e 18. O que estava sendo feito era "para" o monarca assírio, e não por motivo de ostentação nem para agradar ao rei Acaz, que havia paganizado o culto religioso de Judá, mas por causa do valor monetário dos objetos. Em outras palavras, *Tiglate-Pileser* estava interessado no dinheiro, e não no culto religioso de Judá.

"Acaz furtou o templo, por causa do rei da Assíria. Ele precisou desmantelar os móveis do templo, a fim de pagar seu tributo ao rei assírio. Os comentadores antigos supunham que ele tinha ocultado esses tesouros a fim de que seu suserano assírio não os exigisse. Mas agora todos concordam que eles enviaram outros tesouros de Acaz para a Assíria" (Norman H. Snaith, *in loc.*).

Podemos supor que os móveis preciosos do templo de Jerusalém tenham sido substituídos por materiais inferiores, conforme Acaz os pôde conseguir.

O mar. O primeiro item do templo a sofrer abuso (após o altar de bronze) foi o maciço mar de fundição (ver 1Rs 7.27-40). Sua gigantesca base de bronze foi removida, e o lavatório foi posto sobre uma fundação de pedras. Os bois de bronze, que faziam parte dessa base de bronze e embelezavam a estrutura, foram finalmente levados pelos babilônios (ver Jr 52.20).

"No templo havia dez lavatórios para os sacerdotes se lavarem, o que aparece aqui, onde o singular representa o plural; e esses lavatórios tinham bases de bronze sobre as quais eram colocados. Em derredor dessas bases havia bordaduras ornadas, pintando várias criaturas, como leões, bois e querubins. Essas bordaduras, Acaz arrancou" (John Gill, *in loc.*). O versículo 17 fala tanto do mar de fundição como dos lavatórios móveis, menores. Ver o artigo no *Dicionário* chamado *Mar de Fundição*, que inclui descrições dos lavatórios menores, no seu quarto ponto.

Alguns intérpretes supõem que Acaz tenha feito o que fez para desfigurar o templo. Mas o propósito disso foi pagar tributo a *Tiglate-Pileser*, da Assíria. A coisa inteira ilustra até que ponto humilhante Acaz e Judá tinham sido reduzidos, por buscar a ajuda da Assíria.

O passadiço coberto. A compreensão deste versículo torna-se difícil porque o objeto em vista é referido por uma palavra hebraica cujo significado é desconhecido hoje em dia. Existem muitas conjecturas a respeito. Ao que parece, algo relacionado a uma cobertura está em pauta. Norman H. Snaith (*in loc.*) conjecturou que o termo hebraico em questão significa "a cobertura do assento". Isso, pois, seria uma alusão a um assento com cobertura. Outra ideia é uma espécie de cobertura erigida no átrio para fazer sombra para o rei e seu séquito quando estivessem de visita ao templo. Ellicott conjecturou sobre um "corredor coberto". Seja como for, sem importar o que fosse esse objeto, deveria ter algum valor monetário, pois foi removido e enviado ao rei da Assíria. E isso se tornou parte do tributo pago anualmente (ver 2Rs 17.4) por Judá à Assíria.

Existem Ainda Outras Ideias. Uma delas é que a passagem recoberta foi removida por Acaz para desencorajar o povo de vir ao templo cultuar religiosamente. Mas *Tiglate-Pileser* estava interessado no dinheiro, e não na maneira de Judá cultuar Yahweh. Ou então a remoção da passagem que ligava o palácio real com o templo visava a facilitar as coisas quando o rei da Assíria viesse visitar Jerusalém. Dessa maneira, ele não seria atraído a passar por ali e entrar no templo, encontrando os seus tesouros (ou móveis). Diante de tais coisas, ele as cobiçaria e as levaria para si mesmo. Essa ideia, porém, não faz sentido.

16.19,20

וְיֶ֨תֶר דִּבְרֵ֤י אָחָז֙ אֲשֶׁ֣ר עָשָׂ֔ה הֲלֹא־הֵ֣ם כְּתוּבִ֗ים עַל־סֵ֛פֶר דִּבְרֵ֥י הַיָּמִ֖ים לְמַלְכֵ֥י יְהוּדָֽה׃

וַיִּשְׁכַּ֤ב אָחָז֙ עִם־אֲבֹתָ֔יו וַיִּקָּבֵ֥ר עִם־אֲבֹתָ֖יו בְּעִ֣יר דָּוִ֑ד וַיִּמְלֹ֛ךְ חִזְקִיָּ֥הוּ בְנ֖וֹ תַּחְתָּֽיו׃ פ

Quanto aos demais atos de Acaz. Encontramos aqui a usual nota de obituário que o autor sagrado usou para encerrar todas as suas narrativas sobre os reis de Israel e de Judá. Estes versículos são virtualmente idênticos àqueles, em outros lugares, que dão notas de obituário. Ver 1Rs 1.21 e 16.5,6 quanto a notas expositivas completas sobre os elementos dessas notas. Não é especificamente dito que Acaz foi sepultado nos sepulcros reais, mas é provavelmente isso que devemos entender aqui. Não é provável que ele tenha recebido um sepultamento inferior, com menos honrarias do que os reis que viveram antes dele. Ver o capítulo 28 de 2Crônicas quanto a detalhes sobre Acaz e que 2Reis não apresenta.

Ezequias, seu filho, reinou em seu lugar. É incrível que o ímpio Acaz tenha tido um filho nobre, de fato, um dos melhores reis de Judá. Mas, antes de contar a sua história, o autor sagrado faz nossa atenção voltar-se para Israel, dizendo-nos como esse rei chegou a um fim absoluto. Ver 2Rs 18.1—20.21 quanto ao reinado de Ezequias.

CAPÍTULO DEZESSETE

OSEIAS, REI DE ISRAEL (17.1-6)

Chegou o Fim Inevitável. O reino do norte, Israel, estava prestes a ser obliterado. A sorte não podia mais esperar pelo devido desfecho. Oseias foi o último rei de Israel. Dessa vez, não apenas um rei, mas um reino inteiro morreria. A antiga síndrome do pecado-julgamento-destruição poria fim àquela confusão toda. A *Lei Moral da Colheita segundo a Semeadura* assinalaria o fim da nação de Israel. Ver sobre esse assunto no *Dicionário*. A nação do norte, Israel, tinha caído em uma irreversível apostasia. A história dessa nação de Israel tinha degenerado em matar, ser morto e idolatrar. A paciência divina se tinha esgotado.

"Oseias foi o último rei do reino do norte. Ele precisou submeter-se ao rei da Assíria; mais tarde, porém, ele se rebelou, atiçado pelas promessas do Egito. Então, o rei da Assíria aprisionou Oseias, cercou a cidade de Samaria, e, quando a cidade caiu, após um cerco de três anos, ele deportou uma larga porção da população" (Norman H. Snaith, *in loc.*). Mas essa não foi a primeira deportação. Ver 2Rs 15.29. O cativeiro assírio (ver a respeito no *Dicionário*) não foi um acontecimento em uma única fase. Foi um processo que se prolongou por várias décadas, tendo havido três deportações principais. Mas no fim o cativeiro assírio mostrou-se absolutamente eficaz: Israel, o reino do norte, foi varrido da face da terra.

17.1

בִּשְׁנַת֙ שְׁתֵּ֣ים עֶשְׂרֵ֔ה לְאָחָ֖ז מֶ֣לֶךְ יְהוּדָ֑ה מָלַ֞ךְ הוֹשֵׁ֣עַ בֶּן־אֵלָ֧ה בְשֹׁמְר֛וֹן עַל־יִשְׂרָאֵ֖ל תֵּ֥שַׁע שָׁנִֽים׃

Relatos Paralelos. De acordo com esse método de narrativa dos acontecimentos, quando um novo rei subia ao trono, era sempre comparado cronologicamente ao rei do "outro" reino, Judá ou Israel. O autor sagrado não apresentou primeiro todos os reis de Israel e pôs-se a descrevê-los, para, em seguida, fazer a mesma coisa no tocante a Judá. Antes, ele apresentou relatos paralelos, saltando de um reino para o outro, de Israel para Judá, em uma ordem cronológica aproximada. Quanto a esse modo de apresentação, ver as notas expositivas sobre 1Rs 16.29.

Oseias começou a reinar no décimo segundo ano do governo de Acaz, rei de Judá. Alguns eruditos salientam que o oitavo ano do governo de Acaz seria um cálculo mais correto; mas outros dizem-nos que houve uma coregência envolvida que explica a diferença de quatro anos. "O reinado de Acaz, que começou em 744 a.C., incluiu nove anos como vice-regente (744-735 a.C.), quatro anos como coregente com seu pai, Jotão (735-732 a.C.), e dezesseis anos como rei absoluto (732-715 a.C.). Cf. 2Rs 16.1,2. Oseias começou seu reinado de nove anos no vigésimo ano do governo de Jotão (2Rs 15.30), que foi o ano de 732 a.C. Os vinte anos do reinado de Jotão (750-732 a.C.) incluíram seu reinado de dezesseis anos (750-732 a.C.) e quatro anos como coregente (735-732 a.C.). O reinado de Jotão, de 750 a 732 a.C., parece ter perdurado por dezoito ou dezenove anos, mas foram considerados vinte anos porque ele reinou dezoito anos inteiros e mais parte de dois outros anos" (Thomas L. Constable, *in loc.*). Ver sobre *Israel, Reino de*, no *Dicionário*.

17.2

וַיַּ֥עַשׂ הָרַ֖ע בְּעֵינֵ֣י יְהוָ֑ה רַ֗ק לֹ֚א כְּמַלְכֵ֣י יִשְׂרָאֵ֔ל אֲשֶׁ֥ר הָי֖וּ לְפָנָֽיו׃

Fez o que era mau perante o Senhor. Mas o autor sagrado não diz que ele compartilhou da forma específica que Jeroboão havia iniciado a adoração ao bezerro, em Dã e Betel. Essa adoração alternativa, em santuários locais, foi estabelecida para impedir as pessoas de ir ao reino do sul, Jerusalém, para participarem do culto no templo. A medida tencionava consolidar a divisão entre o norte e o sul. Jeroboão não queria que descontentes em seu reino falassem a outros sobre as maravilhas do templo no reino do sul, Judá. As tradições rabínicas dizem-nos que Oseias permitiu peregrinações ao templo de Jerusalém. Além disso, temos a informação de que a primeira deportação pusera fim aos santuários de Dã e Betel (ver Seder Olam Rabba., cap. 22). Ver 2Rs 15.29. Quanto aos pecados de Jeroboão, e o fato de que ele levou Israel a pecar, ver as notas expositivas em 1Rs 12.28 ss., 15.26 e 16.2, quanto à história original.

17.3

עָלָ֣יו עָלָ֔ה שַׁלְמַנְאֶ֖סֶר מֶ֣לֶךְ אַשּׁ֑וּר וַֽיְהִי־ל֤וֹ הוֹשֵׁ֙עַ֙ עֶ֔בֶד וַיָּ֥שֶׁב ל֖וֹ מִנְחָֽה׃

Contra ele subiu Salmaneser, rei da Assíria. Ver o artigo detalhado sobre esse homem no *Dicionário*. A única outra referência bíblica a esse rei assírio fica em 2Rs 18.9. Foi rei da Assíria entre 726 e 722 a.C. Conforme o meu artigo demonstra, vários reis foram chamados por esse nome. O rei aqui em pauta é discutido no quarto ponto daquele artigo. Seu pai chamava-se Adade-Nirari III. Ele recebeu tributo de Israel e provocou perturbações locais, mas foi Sargão quem efetuou o cerco de Samaria. Por esse tempo, Salmaneser já havia morrido. Ao que parece, Salmaneser encabeçou duas invasões a Israel (em 727 e 724 a.C.), mas não levou suas campanhas militares ao extremo de obter a vitória total e a deportação dos habitantes de Samaria. Ver o artigo geral, no *Dicionário*, denominado *Assíria*.

Oseias, sabedor de que compartilharia da temível sorte da Síria (ver 2Rs 16.9), decidiu poupar Samaria, e simplesmente pagou tributo. A primeira deportação de Israel já havia ocorrido (ver 2Rs 15.29). A estrela da Assíria estava subindo no firmamento; e a de Israel estava descendo. O fim estava próximo para o reino do norte, Israel, mas Oseias adiou isso por mais algum tempo, comprando o rei assírio com dinheiro e com o pagamento de tributo. Acaz havia feito a mesma coisa (ver 2Rs 16.7 ss.), mas finalmente o tributo não seria mais suficiente para os gananciosos assírios. O tributo era uma taxa anual, e não apenas uma contribuição feita de uma vez só (vs. 4).

■ **17.4**

וַיִּמְצָא מֶלֶךְ־אַשּׁוּר בְּהוֹשֵׁעַ קֶשֶׁר אֲשֶׁר שָׁלַח מַלְאָכִים אֶל־סוֹא מֶלֶךְ־מִצְרַיִם וְלֹא־הֶעֱלָה מִנְחָה לְמֶלֶךְ אַשּׁוּר כְּשָׁנָה בְשָׁנָה וַיַּעַצְרֵהוּ מֶלֶךְ אַשּׁוּר וַיַּאַסְרֵהוּ בֵּית כֶּלֶא׃

Uma Conspiração é Descoberta. O tributo era muito pesado. A enfraquecida nação de Israel estava sendo esmagada. Oseias procurou ajuda no Egito e, no ano em que o fez isso, não pagou seu tributo à Assíria.

Sô, rei do Egito. Esse nome suscita dificuldades, porquanto é difícil colocá-lo dentro da dinastia dele, e com os nomes de homens que governaram o Egito como reis. Alguns estudiosos têm tentado identificar Sô com dois reis da vigésima quinta dinastia (etíope), ou seja, Shabaka ou Shabataka. Sargão mencionou certo Sibu, um general egípcio que ele derrotou em Rafia (na estrada para o Egito, a 27 quilômetros de Gaza). O ano foi 720 a.C. Ele também mencionou Piru (Faraó), rei do Egito. Mediante uma manipulação de vogais (e não de consoantes), o nome Sewe poderia ser lido como Sô, e essa palavra, por sua vez, poderia ser um simples equivalente a Shabi, que significa "príncipe" ou "governante". Nesse caso, nenhum nome próprio está em vista, e a identificação permanece assim na dúvida. Alguns eruditos escolhem Osorcom IV (que governou por volta de 727-716 a.C.) como a pessoa em vista. Winckler diz que não está em pauta o Egito (Miçrayim), e sim o reino árabe de Muçri.

Tendo descoberto a conspiração, e não tendo recebido seu tributo anual, Salmaneser marchou contra Samaria; ele capturou Oseias e lançou-o em uma prisão. Mas antes de a conquista ter terminado, ele mesmo morreu, e a Sargão foi conferido o dever de acabar com Samaria e deportar seus habitantes para solo assírio. Cf. Jr 32.2,3; 33.1 e 36.5.

■ **17.5**

וַיַּעַל מֶלֶךְ־אַשּׁוּר בְּכָל־הָאָרֶץ וַיַּעַל שֹׁמְרוֹן וַיָּצַר עָלֶיהָ שָׁלֹשׁ שָׁנִים׃

Porque o rei da Assíria. Agora o novo rei assírio era Sargão II (ver a respeito dele no *Dicionário*). Salmaneser gostaria de ter vivido o bastante para ver Israel no cativeiro, mas não lhe foi conferido esse luxo psicológico. Seu sucessor, Sargão, após um cerco de três anos, veria o fim da tarefa. É uma coisa terrível alguém ser cortado pela morte, antes de um projeto pessoal estar terminado. Oh, Senhor! Livra-nos de tal coisa! Alguns eruditos, porém, fazem este quinto versículo referir-se a Salmaneser, enquanto o versículo sexto estaria se referindo a Sargão II. O cerco durou três anos para produzir os efeitos desejados. É possível que Salmaneser tenha continuado por dois anos, e que Sargão tenha terminado a tarefa, em mais um ano. Nas inscrições assírias, Sargão afirma ter cumprido a tarefa em apenas um ano. Salmaneser era irmão de Sargão II.

■ **17.6**

בִּשְׁנַת הַתְּשִׁיעִית לְהוֹשֵׁעַ לָכַד מֶלֶךְ־אַשּׁוּר אֶת־שֹׁמְרוֹן וַיֶּגֶל אֶת־יִשְׂרָאֵל אַשּׁוּרָה וַיֹּשֶׁב אֹתָם בַּחְלַח וּבְחָבוֹר נְהַר גּוֹזָן וְעָרֵי מָדָי׃ פ

No ano nono de Oseias. Após três anos de lutas terríveis, a cidade de Samaria, finalmente, cedeu ao poder superior dos assírios. Isso ocorreu no nono ano do governo de Oseias. Sargão deportou a população de Samaria para uma área da Mesopotâmia e para a Média (724 a.C.). Os dois lugares específicos para onde os israelitas foram levados foram Hala, junto a Habor, o rio Gozã, e também as cidades dos medos. Ver os nomes apropriados comentados no *Dicionário*. Hala era um distrito ou cidade, e não existem evidências arqueológicas sobre esse distrito ou cidade que nos dê informações mais precisas. Gozã era uma cidade, e temos boas informações sobre ela, conforme meu artigo o demonstra. Um inimigo fora obliterado mediante deportação. Os novos lugares de habitação eram controlados; houve casamentos mistos; e assim, finalmente, a identidade dos israelitas se perdeu. No caso de Judá, um remanescente dos cativos que tinham sido levados para a Babilônia voltou à Terra Prometida para reiniciar Israel, pelo que todos os descendentes modernos dos antigos hebreus derivam-se da tribo de Judá. Tem havido várias identidades das dez tribos, propostas por aqueles que pensam que houve quem sobrevivesse ao cativeiro e tivesse migrado para outros lugares; mas todas essas coisas são fantasias sem nenhuma evidência histórica.

Nas cidades dos medos. Isto é, em vários lugares a nordeste de Nínive. Os israelitas foram assim eficazmente dispersos. A *Septuaginta* diz aqui "nos montes dos medos". Ver no *Dicionário* o artigo chamado *Média (Medos)*. Os territórios associados com esses povos estavam sob o controle assírio, quando o autor sagrado escreveu os livros dos Reis, e eles faziam parte do império assírio.

"Assim terminou o reino de Israel, que perdurara por 254 anos, desde a morte de Salomão e o cisma provocado por Jeroboão I, até que Samaria foi tomada pelo exército assírio, no nono ano do governo de Oseias" (Adam Clarke, *in loc.*).

A MORAL DA HISTÓRIA E A QUEDA DE ISRAEL (17.7-23)

Houve duas forças econômicas em operação; e houve razões militares para a queda da nação de Israel. O autor sacro tinha consciência dos outros "fatores", mas estava convicto de que, se Israel tivesse permanecido fiel a Yahweh, a providência divina teria cuidado dos outros problemas. Ver no *Dicionário* os verbetes intitulados *Providência de Deus* e *Lei Moral da Colheita segundo a Semeadura*. A seção à nossa frente é uma longa explicação quanto a por que a grande calamidade teve lugar. Infelizmente, morreu Israel, e não meramente um rei de Israel! Foi aquela antiga síndrome do pecado-julgamento-destruição que, finalmente, destruiu o reino todo de Israel. Israel se havia desintegrado muito nos últimos anos, caindo na anarquia e no caos, quando a maioria dos seus últimos reis morreu assassinado, e quando os assassinos foram, por sua vez, também assassinados.

"A destruição do reino de Israel deveu-se a seu desvio geral, à sua negligência em não obedecer aos mandamentos de Deus, mas, acima de tudo, por ter-se desligado da lealdade ao trono de Davi, e por ter adorado o bezerro de ouro em um templo diferente daquele de Jerusalém" (Norman H. Snaith, *in loc.*).

"Depois de pouco mais de dois séculos, o reino do norte, Israel, deixou de existir como nação (931-722 a.C.). Sete de seus vinte reis foram assassinados. Todos eles foram julgados maus, por parte de Deus" (Thomas L. Constable, *in loc.*).

■ **17.7**

וַיְהִי כִּי־חָטְאוּ בְנֵי־יִשְׂרָאֵל לַיהוָה אֱלֹהֵיהֶם הַמַּעֲלֶה אֹתָם מֵאֶרֶץ מִצְרַיִם מִתַּחַת יַד פַּרְעֹה מֶלֶךְ־מִצְרָיִם וַיִּירְאוּ אֱלֹהִים אֲחֵרִים׃

Tal sucedeu porque os filhos de Israel pecaram. O reino do norte, Israel, finalmente deixou de existir, por causa de pecado agravado, mormente o pecado de idolatria (ver a esse respeito no *Dicionário*), uma afronta contra a fé de Israel e a quebra do segundo e do terceiro mandamentos (ver Êx 20.2,3). Ver sobre *Dez Mandamentos*, no *Dicionário*. A versão de Luciano menciona, especificamente, a ira de Yahweh como a causa do fim da nação do norte, Israel.

Que os fizera subir da terra do Egito. O começo da nação de Israel — para que esse povo se tornasse independente e tivesse seu próprio território e sua liberdade religiosa — teve lugar quando Deus livrou Israel da servidão ao Egito. Esse acontecimento sempre foi considerado crítico e uma razão de gratidão por parte dos israelitas. Essa gratidão deveria ter levado à aderência fiel ao yahwismo. Ver como Israel foi tirado do Egito, pelo poder de Yahweh, em Dt 4.20. Essa expressão ocorre por mais de vinte vezes só no livro de Deuteronômio.

E temeram outros deuses. Quase imediatamente depois de ter sido livrado do Egito, Israel caíra na idolatria, enquanto ainda vagueava pelo deserto, e esse mau precedente nunca mais deixou Israel em paz. A corrupção continuou. Ver no *Dicionário* os artigos chamados *Deuses Falsos* e *Idolatria*. Esses artigos ilustram a tremenda variedade de cultos falsos em que Israel caiu.

"Quão irônico foi que o último rei de Israel tenha procurado a ajuda do Egito (vs. 4), quando 724 anos antes (1446 a.C.), Israel finalmente escapara do Egito" (Thomas L. Constable, *in loc.*).

■ 17.8

וַיֵּלְכוּ בְּחֻקּוֹת הַגּוֹיִם אֲשֶׁר הוֹרִישׁ יְהוָה מִפְּנֵי בְּנֵי יִשְׂרָאֵל וּמַלְכֵי יִשְׂרָאֵל אֲשֶׁר עָשׂוּ׃

Andaram nos estatutos das nações que o Senhor lançara fora. Quando Israel entrou na posse da terra de Canaã, encontrou ali grande variedade de deuses, deusas e cultos religiosos. O povo hebreu foi inicialmente influenciado por tudo isso, e logo começou a praticar uma franca idolatria, incorporando deuses estrangeiros em um sistema de adoração sincretista que incluía Yahweh como um Deus. O hebraico da última parte deste versículo não faz sentido e tem sido manuseado variegadamente pelos tradutores. A *Revised Standard Version* demonstra muita liberdade com o texto aqui. Alguma corrupção antiga entrou nesse texto. Israel havia recebido amplo aviso contra a idolatria pagã (ver Lv 18.3), mas não deu muita atenção às advertências. Os reis de Israel introduziram estranhos costumes de adoração, como foi o caso de Jeroboão I, que instituiu a adoração do bezerro de ouro, em Dã e Betel, mas reteve uma forma de yahwismo também. Talvez a última parte do versículo (que é obscuro no hebraico) pretenda salientar essa insensatez dos reis de Israel. A *Revised Standard Version* diz: "...costumes que os reis de Israel haviam introduzido". Nossa versão portuguesa tem palavras similares às da *Revised Standard Version*. O autor sagrado, pois, condenou tanto a idolatria franca quanto a fé sincretista.

■ 17.9

וַיְחַפְּאוּ בְנֵי־יִשְׂרָאֵל דְּבָרִים אֲשֶׁר לֹא־כֵן עַל־יְהוָה אֱלֹהֵיהֶם וַיִּבְנוּ לָהֶם בָּמוֹת בְּכָל־עָרֵיהֶם מִמִּגְדַּל נוֹצְרִים עַד־עִיר מִבְצָר׃

Fizeram contra o Senhor seu Deus o que não era reto. Algumas versões dizem aqui que os filhos de Israel fizeram "secretamente" contra o Senhor o que não era reto. Com isso o autor sagrado descreve as formas secretas de idolatria que eram disfarçadas como se fossem realizadas com um espírito reto, e talvez, até, em nome de Yahweh, ou, pelo menos, parcialmente em seu favor. Aqui o autor sagrado nos apresenta as falsidades do culto dos hebreus, quando eles estavam ainda em sua terra. Eles estabeleceram santuários locais, os quais geralmente ocupavam os chamados lugares altos (ver a respeito no *Dicionário*). Isso posto, Israel contava com uma idolatria disfarçada, que pretendia honrar suas antigas tradições religiosas, mas que era apenas uma mistura inaceitável de yahwismo com paganismo. Essa questão dos santuários locais (como aqueles de Betel e Dã, onde Jeroboão instituiu sua forma especial de idolatria) feria a unificação da adoração de Israel em Jerusalém, onde o templo tinha por propósito ser o centro de todo o culto. Santuários locais, naturalmente, existiam antes mesmo do templo de Jerusalém. Eles nunca cessaram de exercer forte atração sobre o povo comum. E aqueles que já existiam eram corruptos, e, além desses, inúmeros outros foram levantados, especialmente nos lugares altos.

Desde as atalaias dos vigias até a cidade fortificada. O autor sagrado nos está dizendo que centros idólatras foram estabelecidos em todos os lugares, desde os lugares remotos, onde existiam somente pastores e torres de atalaias, até as cidades fortificadas, onde habitavam largos segmentos da população. Ver 2Cr 26.10 quanto às torres solitárias, habitadas por poucos pastores ou atalaias.

■ 17.10

וַיַּצִּבוּ לָהֶם מַצֵּבוֹת וַאֲשֵׁרִים עַל כָּל־גִּבְעָה גְבֹהָה וְתַחַת כָּל־עֵץ רַעֲנָן׃

Em todos os altos outeiros, e debaixo de todas as árvores frondosas. Qualquer elevação e qualquer árvore frondosa fornecia lugar para uma grande quantidade de altares. Naturalmente, o autor sacro está exagerando, mas ele estava correto ao salientar os cultos dispersos que incluíam, naturalmente, a adoração a muitos deuses pagãos. Cf. a ideia do carvalho sagrado. Parece que as árvores tinham algum valor místico para os antigos, e até hoje olhamos para as árvores com certa admiração.

Poemas são feitos por pessoas como eu,
Mas somente Deus pode fazer uma árvore.

Joyce Kilmer

Ver no *Dicionário* os artigos denominados *Carvalhos do Manre* (em Gn 13.18) e *Carvalho dos Adivinhadores*.

Postes-ídolos. A referência aqui é aos postes sagrados, que representavam a deusa pagã Aserá, que existia virtualmente em todos os lugares onde houvesse seres humanos (ver 1Rs 18.4). Ver no *Dicionário* o artigo chamado *Aserá*. E ver em 1Rs 14.15 os artigos *Aserins* e *Aserah*. Além disso, havia aquelas pedras sagradas, algumas das quais serviam de altares, enquanto outras não. Algumas dessas pedras eram esculpidas e postas de pé. Ver 2Rs 18.4.

■ 17.11

וַיְקַטְּרוּ־שָׁם בְּכָל־בָּמוֹת כַּגּוֹיִם אֲשֶׁר־הֶגְלָה יְהוָה מִפְּנֵיהֶם וַיַּעֲשׂוּ דְּבָרִים רָעִים לְהַכְעִיס אֶת־יְהוָה׃

Como as nações, que o Senhor expulsara de diante deles. Uma vez na posse da Terra Prometida, Israel imitou as nações ao redor, estabelecendo santuários nos lugares altos (ver a esse respeito no *Dicionário*). Ali eles sacrificavam, queimando incenso. Esses lugares foram centros da mais crassa forma de idolatria, destruindo o ideal da adoração centralizada em Jerusalém, onde Yahweh era a única deidade honrada. Os reis de Israel, mesmo quando promoviam o yahwismo, ainda permitiam a continuação dos lugares altos. Ver 1Rs 11.7; 2Rs 23.15.

Ver o trecho de Dt 12.2-7,13,14 quanto a um ataque contra os lugares altos, e quanto à ordem de adorar no lugar que seria nomeado, ou seja, o templo de Jerusalém. Em todos os escritos pré-exílicos, a palavra "incenso" seria mais bem traduzida por "sacrifício", visto que no hebraico a palavra somente mais tarde adquiriu aquele outro sentido.

Cometeram ações perversas. A idolatria sempre está cercada de pontos absurdos e de imoralidades. "Não meramente os ritos idólatras, mas também as nojentas imoralidades que constituíam uma parte reconhecida da adoração à natureza, na terra de Canaã" (Ellicott, *in loc.*). As sete nações pagãs (ver Êx 33.2; Dt 7.1) foram expulsas da Terra Prometida exatamente por causa dessas práticas idólatras e imorais, e, por ocasião do cativeiro assírio, a mesma coisa aconteceu a Israel.

■ 17.12

וַיַּעַבְדוּ הַגִּלֻּלִים אֲשֶׁר אָמַר יְהוָה לָהֶם לֹא תַעֲשׂוּ אֶת־הַדָּבָר הַזֶּה׃

Não fareis estas cousas. Os mandamentos divinos contra a idolatria eram claros, a começar pelos próprios Dez Mandamentos (capítulo 20 de Êxodo). Portanto, a prática da idolatria constituía uma escolha rebelde da parte de Israel, e não algum desvio acidental para o mal, por causa de circunstâncias constrangedoras. Yahweh tinha enviado profetas e videntes com mensagens e instruções especiais. O templo de Jerusalém fora construído para prover um ambiente saudável para a expressão religiosa. Israel não era um povo que ignorasse essas coisas. Cf. 1Rs 15.19 e Dt 19.16; ver a passagem de Dt 12.2-7,13,14. Ver no *Dicionário* o artigo geral chamado *Idolatria*, quanto a amplas ilustrações sobre o tema geral da diatribe da presente seção, versículos 7-23.

■ 17.13

וַיָּעַד יְהוָה בְּיִשְׂרָאֵל וּבִיהוּדָה בְּיַד כָּל־נְבִיאוֹ כָל־חֹזֶה לֵאמֹר שֻׁבוּ מִדַּרְכֵיכֶם הָרָעִים

וְשָׁמְר֣וּ מִצְוֺתַ֗י חֻקּוֹתַי֙ כְּכָל־הַתּוֹרָ֔ה אֲשֶׁ֥ר צִוִּ֖יתִי אֶת־אֲבֹֽתֵיכֶ֑ם וַאֲשֶׁר֙ שָׁלַ֣חְתִּי אֲלֵיכֶ֔ם בְּיַ֖ד עֲבָדַ֥י הַנְּבִיאִֽים׃

O Senhor advertiu Israel. Profetas e videntes tinham sido enviados; livros religiosos foram escritos; a lei mosaica estava presente como uma diretriz. Os pais tinham obedecido e disso tinham dado exemplo. Havia uma longa tradição espiritual que promovia o yahwismo. A legislação mosaica era a essência do tipo de espiritualidade que deveria ser cultivado em Israel. Mas, em lugar de ceder diante de todas essas pressões, o povo de Israel preferiu copiar os povos pagãos!

Os Dez Mandamentos (ver a respeito no *Dicionário*) eram a essência da lei. Ver Dt 6.1-9 quanto à declaração clássica acerca da lei como guia, e como esse ideal deveria ser posto em prática. Ver no *Dicionário* os verbetes chamados *Andar* e *Amor*; este último é que forma o grande poder motivador da obediência.

■ 17.14

וְלֹ֖א שָׁמֵ֑עוּ וַיַּקְשׁ֤וּ אֶת־עָרְפָּם֙ כְּעֹ֣רֶף אֲבוֹתָ֔ם אֲשֶׁר֙ לֹ֣א הֶאֱמִ֔ינוּ בַּיהוָ֖ה אֱלֹהֵיהֶֽם׃

Antes se tornaram obstinados, de dura cerviz. A lei mosaica não servia de ameaça, mas tornou-se tal, devido à rebeldia do povo israelita. O povo endureceu a cerviz, isto é, agiu como um bando de touros rebeldes que não quer submeter-se ao jugo. Quanto a essa metáfora, ver o artigo chamado *Dura Cerviz*, alicerçado em Êx 32.9. Ver também Dt 10.16; Jr 17.23; 2Cr 36.13. Quanto a essa mesma metáfora, nas páginas do Novo Testamento, ver as notas expositivas sobre At 7.51.

■ 17.15

וַיִּמְאֲס֣וּ אֶת־חֻקָּ֗יו וְאֶת־בְּרִיתוֹ֙ אֲשֶׁ֣ר כָּרַ֣ת אֶת־אֲבוֹתָ֔ם וְאֵת֙ עֵדְוֺתָ֔יו אֲשֶׁ֥ר הֵעִ֖יד בָּ֑ם וַיֵּ֨לְכ֜וּ אַחֲרֵ֤י הַהֶ֨בֶל֙ וַיֶּהְבָּ֔לוּ וְאַחֲרֵ֤י הַגּוֹיִם֙ אֲשֶׁ֣ר סְבִיבֹתָ֔ם אֲשֶׁ֨ר צִוָּ֤ה יְהוָה֙ אֹתָ֔ם לְבִלְתִּ֖י עֲשׂ֥וֹת כָּהֶֽם׃

Rejeitaram os estatutos e a aliança que fizera com seus pais. Além da lei mosaica (com seus mandamentos, estatutos e preceitos, ver Dt 6.1), houve vários pactos estabelecidos entre Yahweh e Israel, a começar pelo pacto abraâmico (ver as notas expositivas a respeito em Gn 15.18). Ver no *Dicionário* o artigo geral denominado *Pactos*. O pacto mosaico recebe notas detalhadas na introdução à Êx 19.1; o pacto palestínico, na introdução ao capítulo 29 de Dt; e o pacto davídico, na introdução a 2Sm 7.4.

Como também as suas advertências. Escritas nos livros sagrados, proferidas pelos profetas, dentro do coração, externamente na natureza: o pecado terminaria em calamidade, de acordo com a síndrome do pecado-julgamento-calamidade. Ver no *Dicionário* o artigo *Lei Moral da Colheita segundo a Semeadura*.

E se tornaram vãos. Os ídolos nada eram, pelo que os idólatras tornam-se vãos, não recebem nenhuma ajuda, pois os ídolos não ouvem as orações de seus adoradores nem fazem coisa alguma em favor dos homens. Israel, pois, tornou-se como seus ídolos: sem valor. Ver o comentário neotestamentário sobre essa questão em Rm 1.21-28. Ver Dt 6.13,14 quanto a mandamentos específicos para que os filhos de Israel evitassem esse tipo de coisa. Cf. Êx 20.2,3.

■ 17.16,17

וַיַּעַזְב֗וּ אֶת־כָּל־מִצְוֺת֙ יְהוָ֣ה אֱלֹהֵיהֶ֔ם וַיַּעֲשׂ֥וּ לָהֶ֛ם מַסֵּכָ֖ה שְׁנֵ֣י עֲגָלִ֑ים וַיַּעֲשׂ֤וּ אֲשֵׁירָה֙ וַיִּֽשְׁתַּחֲווּ֙ לְכָל־צְבָ֣א הַשָּׁמַ֔יִם וַיַּעַבְד֖וּ אֶת־הַבָּֽעַל׃

וַֽ֠יַּעֲבִירוּ אֶת־בְּנֵיהֶ֤ם וְאֶת־בְּנֽוֹתֵיהֶם֙ בָּאֵ֔שׁ וַיִּקְסְמ֥וּ קְסָמִ֖ים וַיְנַחֵ֑שׁוּ וַיִּֽתְמַכְּר֗וּ לַעֲשׂ֥וֹת הָרַ֛ע בְּעֵינֵ֥י יְהוָ֖ה לְהַכְעִיסֽוֹ׃

Desprezaram todos os mandamentos do Senhor. O desvio dos israelitas para longe da lei era equivalente a entregar-se à idolatria, que é aqui descrita de acordo com algumas de suas manifestações principais:

1. *Bezerros fundidos*. Arão caiu nessa estúpida armadilha (Ver Êx 32); reis de Israel imitaram os atos atrozes dos pagãos (sobretudo Jeroboão I, que estabeleceu a adoração ao bezerro de ouro em Dã e Betel; ver 1Rs 12.28,29). Cf. Dt 4.15-18. Reis subsequentes de Israel preservaram essa adoração idiota, que fora estabelecida para dar ao povo de Israel um culto religioso alternativo, para que os peregrinos não tivessem de subir a Jerusalém para adorarem no seu templo. Isso foi feito para impedir que os israelitas saíssem de sua terra em direção a Judá, depois da divisão entre o norte (Israel) e o sul (Judá). Por conseguinte, esse ato teve motivações tanto religiosas quanto políticas.

2. *Postes-ídolos*, com a consequente adoração dos deuses. Ver o artigo chamado *Aserá*, em 1Rs 14.15, e ver também sobre Aserins, nessa mesma exposição. Cf. 2Rs 13.6. Aserá era apenas outro nome para Astarote (Astarte) — ver a respeito no *Dicionário*. Essa atividade idólatra fazia parte do baalismo. Ver no *Dicionário* sobre *Baal (Baalismo)*. Astarote ou Astarte era a deusa-mãe, a consorte de Baal.

3. *Adoração astral mesopotâmica*. Esse culto também foi adotado por Israel. Ao que parece, fazia parte de um culto antigo, embora não encontremos na Bíblia nenhuma notícia a respeito. Alguns estudiosos pensam que essa forma particular de idolatria só foi introduzida em Israel no tempo de Manassés (ver 2Rs 21.3). Mas ver Am 5.26. Sakkut, o deus assírio Ninurta, estava associado à adoração de Saturno (Kewan). Ver também 2Rs 21.3 e 23.4,5.

4. *Baal*. Ver o artigo chamado *Baal (Baalismo)* quanto a completas descrições. A adoração a Baal era bastante complexa, e ele era, acima de tudo, o deus da fertilidade masculina do Oriente Próximo. Astarte, por sua vez, era a deusa da fertilidade feminina. Ela era a deusa-mãe, consorte de Baal.

5. *Sacrifícios humanos no fogo*. Ver no *Dicionário* o artigo chamado *Moleque, Moloque*, e também 2Rs 16.3 e Dt 18.10, onde ofereço informações adicionais.

6. *Adivinhações e encantamentos*. Ofereci artigos sobre ambos os assuntos, no *Dicionário*. Israel tinha tais modos de culto religioso como parte do yahwismo, e essas formas eram consideradas santificadas e úteis. Mas quando imitaram os abusos, os excessos e os absurdos dos povos pagãos, então caíram em todas as formas de desvios e pecados. Cf. Dt 18.10 e Nm 23.23. Supunha-se que espíritos malignos e demoníacos estavam envolvidos nessas atividades, pelo que elas teriam forças especialmente pervertedoras.

7. *Abandono*. De todas as maneiras acima declaradas, Israel "vendeu-se", ou seja, cedeu a um total abandono ao mal. Ver o caso de Acabe, em 1Rs 21.20,25. O ato de "vender" é uma metáfora que indica total entrega e dedicação, a cessão da posse do eu, para que alguém se torne escravo dos poderes do mal. As pessoas podem vender sua alma ao diabo. A idolatria é considerada uma escravidão (ver 1Rs 23.23).

> Homens sábios, embora todas as leis
> fossem abolidas,
> Levariam a mesma vida de sempre.
>
> Aristófanes

Os filhos de Israel, a quem faltava a espiritualidade interior, desprezaram as boas leis e se entregaram às mais desgraçadas abominações.

> Pensamos que nossos pais foram uns tolos,
> e que nós somos tão sábios.
> Mas nossos filhos mais sábios,
> sem dúvida nos considerarão tolos.
>
> Adaptado de Alexander Pope

Conclusão da Diatribe; Resultados da Apostasia de Israel (17.18-23)

A ira de Yahweh voltou-se assim contra o povo de Israel, ao passo que antes eles eram seus filhos, que ele tirara da terra do Egito (ver

Dt 4.20). Ver no *Dicionário* o artigo chamado *Ira de Deus*. Essa expressão reflete, ao mesmo tempo, o antropomorfismo e o antropopatismo. Ver sobre ambos os termos no *Dicionário*. Limitados à nossa experiência humana, descrevemos Deus em termos dos atributos e das emoções humanas. Sem dúvida, essa maneira de descrever Deus é extremamente deficiente, mas nosso dilema humano força-nos a fazer assim.

Semeando e Colhendo. Concluindo sua diatribe contra os pecados de Israel, o autor sagrado diz-nos que, daquilo, poderia resultar calamidade. Israel havia perdurado como nação separada de Judá por quase dois séculos e meio, mas a sua existência como nação não poderia prosseguir com toda aquela triste confusão de idolatria e apostasia. A conclusão, pois, contém uma espécie de renovação da diatribe (vss. 21 e 22), onde alguns pontos específicos são colocados no texto pelo autor sagrado. E então a diatribe toda termina com uma menção ao cativeiro assírio, o fim de Israel (a nação do norte) como nação.

■ 17.18

וַיִּתְאַנַּף יְהוָה מְאֹד בְּיִשְׂרָאֵל וַיְסִרֵם מֵעַל פָּנָיו לֹא נִשְׁאַר רַק שֵׁבֶט יְהוּדָה לְבַדּוֹ׃

Pelo que o Senhor muito se indignou contra Israel. Este versículo é essencialmente igual ao versículo 23, já mencionando o cativeiro e lembrando-nos de que Judá (o reino do sul) sobrevivera à ira da Assíria. Mas Judá esteve sob tributo à Assíria. Ver 2Rs 17.4. A Judá, porém, só restavam mais 130 anos de liberdade, antes de seu próprio cativeiro pela Babilônia. Dali retornaria um remanescente, que iniciaria todas as coisas novamente, para fundar uma nação com basicamente apenas uma tribo, Judá. Ver no *Dicionário* os artigos chamados *Cativeiro Assírio*; *Cativeiro Babilônico* e *Cativeiro*.

A nação do sul incorporava as duas tribos de Judá e Benjamim; mas Benjamim fora essencialmente absorvida por Judá, formando apenas uma tribo.

■ 17.19

גַּם־יְהוּדָה לֹא שָׁמַר אֶת־מִצְוֹת יְהוָה אֱלֹהֵיהֶם וַיֵּלְכוּ בְּחֻקּוֹת יִשְׂרָאֵל אֲשֶׁר עָשׂוּ׃

Se a diatribe acima fora lançada essencialmente contra o reino do norte (Israel), visto que dera uma declaração detalhada de por que essa nação foi levada para o cativeiro pelos assírios, o autor sagrado não resistiu em dizer que Judá também não se comportara muito bem. Visto que seguira a sua própria corrupção interior, e visto que imitaria o mau exemplo da nação do norte, Judá também havia caído em muitas desgraças. Seu tempo de cativeiro — pela Babilônia — já estava lançando suas sombras à frente. Judá, portanto, também não seria isentada da lei da colheita segundo a semeadura. Ver o artigo informativo chamado *Exemplo*, na *Enciclopédia de Bíblia, Teologia e Filosofia*. Por conseguinte, Israel seguiu o exemplo ridículo deixado por povos pagãos, e Judá seguiu o exemplo ridículo deixado por povos pagãos e por Israel.

Acaz foi um dos principais ofensores na imitação do mau exemplo da nação do norte (ver 2Rs 16.3). Mas a verdade é que a nação de Judá inteira foi-se desviando para o mal, o bastante para merecer o próprio cativeiro. Ver Jr 3.7-10, que é uma declaração direta, paralela ao texto presente, uma queixa sobre como, de tudo quanto acontecera com a nação de Israel, Judá seguiu uma idêntica vereda de desvio e apostasia.

■ 17.20

וַיִּמְאַס יְהוָה בְּכָל־זֶרַע יִשְׂרָאֵל וַיְעַנֵּם וַיִּתְּנֵם בְּיַד־שֹׁסִים עַד אֲשֶׁר הִשְׁלִיכָם מִפָּנָיו׃

Pelo que o Senhor rejeitou toda descendência de Israel. Talvez o versículo 19 (que fala em Judá) tenha sido uma nota editorial, para dizer-nos o que antecipar, uma vez que a nação do norte, Israel, deixara de existir. Agora, o autor sagrado leva-nos de volta a Israel. O resultado da síndrome do pecado-julgamento-calamidade foi que Yahweh rejeitara Israel, entregando essa nação à morte, por parte do exército assírio. Foi assim que não apenas um rei, conforme temos visto até este ponto, mas uma nação inteira morreu. Dramaticamente, o autor sagrado escreve a nota de obituário de Israel.

Toda a descendência. Alguns intérpretes pensam que essas palavras significam que devemos incorporar Judá na declaração. Nesse caso, os versículos 18 a 20 são gerais, incluindo ambos os reinos. Portanto, esses três versículos, 18-20, podem ter sido uma adição editorial à diatribe original, especificamente com o propósito de falar com todos os descendentes de Abraão que tinham formado os dois reinos, os quais caíram em desgraça final. A doença fatal de Israel conseguiu infeccionar Judá, e tanto Israel quanto Judá acabaram no esquecimento. Somente uma ressurreição de Judá (pois um remanescente de Judá voltou da Babilônia) deu ao povo de Israel uma nova vida. As antigas promessas feitas a Abraão tinham de ser cumpridas. O pacto abraâmico (ver Gn 15.18) precisou ser honrado por Yahweh.

Se estes versículos se referem tanto a Israel quanto a Judá, então, como é óbvio, foram escritos após o cativeiro babilônico (597 a.C.). Ou podem ter sido incorporados em escritos anteriores, após esse evento. Ver na introdução à unidade, 1 e 2Reis, sob Data, seção V.

■ 17.21

כִּי־קָרַע יִשְׂרָאֵל מֵעַל בֵּית דָּוִד וַיַּמְלִיכוּ אֶת־יָרָבְעָם בֶּן־נְבָט וַיַּדַּא יָרָבְעָם אֶת־יִשְׂרָאֵל מֵאַחֲרֵי יְהוָה וְהֶחֱטִיאָם חֲטָאָה גְדוֹלָה׃

Pois quando ele rasgou Israel da casa de Davi. As dez tribos de Israel, que eram espiritualmente inferiores a Judá, foram rasgadas da casa de Davi e transformadas em uma nação separada, por decreto de Yahweh. Yahweh foi o verdadeiro poder por trás desse acontecimento, embora ele tenha acontecido como um castigo, o qual não estava em acordo com as intenções originais do pacto abraâmico.

"*O Pecado do Cisma*. A moral de tudo isso é a questão do sermão fúnebre que foi pregado pelo historiador, nos versículos 7-23. O mesmo sermão pode ser pregado hoje em dia como um comentário sobre as catástrofes que têm dominado o nosso mundo moderno. Há um item, nesse arranjo que envolveu a nação de Israel, que merece nossa menção especial. Em adição às suas outras violações da palavra e da vontade de Deus, Israel foi culpado do pecado do cisma, porquanto Jeroboão rasgou Israel da casa de Davi" (Raymond Calking, *in loc.*).

Casa de Davi. Isso aponta para Israel (norte e sul), sob Davi. Davi tomou Jerusalém dos jebuseus e fez dessa cidade a capital de seu reino. Em seguida, ele uniu todas as doze tribos sob uma única liderança, com a capital recém-adquirida servindo de centro de toda a religião e política. O filho de Davi, Salomão, continuou com o império unido, ampliou suas fronteiras e suas riquezas, e até mesmo teve uma aventura marítima, com a ajuda dos navegadores fenícios. Em seguida, subiu ao trono o filho de Salomão, Roboão, homem dotado de pouca sabedoria e de visão míope. Suas más normas de taxação levaram Jeroboão I a revoltar-se, juntamente com seus conselheiros, dividindo assim o reino em dois, o norte (Israel) e o sul (Judá). Jeroboão e seus conselheiros estavam protegendo a parte norte do império unido, ao qual pertenciam, mas a reação deles foi exagerada. E os dois reinos nunca mais se uniram.

■ 17.22

וַיֵּלְכוּ בְּנֵי יִשְׂרָאֵל בְּכָל־חַטֹּאות יָרָבְעָם אֲשֶׁר עָשָׂה לֹא־סָרוּ מִמֶּנָּה׃

Andaram os filhos de Israel em todos os pecados que Jeroboão tinha cometido. Jeroboão I, o líder da rebelião que separou o norte (Israel) do sul (Judá), fez de Israel e Judá nações separadas. Foi ele quem instituiu a adoração ao bezerro de ouro em Dã e Betel. Seu propósito principal nisso não foi, realmente, religioso. Foi político. Ele temia que os israelitas, obedecendo à antiga legislação mosaica que obrigava todos os homens a fazer três viagens anuais a Jerusalém e ao templo, para observar feriados religiosos especiais, fossem atraídos para o sul. Devemos lembrar que o impulso religioso foi sempre o maior poder motivador do povo hebreu. Foi por isso que Jeroboão I ofereceu-lhes um sistema de adoração alternativo, para conservá-los no norte. Dessa maneira, ele esperava consolidar a divisão em duas nações e preservar seu governo e poder. Isso porque ele era homem ganancioso. Além disso, podemos ter certeza de que ele era idólatra em seu coração. Por conseguinte, parte de seus motivos eram religiosos.

Jeroboão, isso posto, pecou e levou Israel a pecar. Em outras palavras, a nação inteira de Israel andou no caminho da idolatria que fora estabelecida por Jeroboão. A história original é relatada em 1Rs 12.28 ss. Cf. 2Rs 17.16. Israel seguiu com persistência nessa forma de idolatria (além de outras formas), até o próprio cativeiro assírio. Nenhuma advertência da parte dos profetas, no sentido de que uma terrível punição acabaria sobrevindo da parte de Yahweh, foi suficiente para fazer parar a maré da corrupção.

■ 17.23

עַ֠ד אֲשֶׁר־הֵסִ֨יר יְהוָ֤ה אֶת־יִשְׂרָאֵל֙ מֵעַ֣ל פָּנָ֔יו כַּאֲשֶׁ֣ר
דִּבֶּ֔ר בְּיַ֖ד כָּל־עֲבָדָ֣יו הַנְּבִיאִ֑ים וַיִּ֨גֶל יִשְׂרָאֵ֜ל מֵעַ֤ל
אַדְמָתוֹ֙ אַשּׁ֔וּרָה עַ֖ד הַיּ֥וֹם הַזֶּֽה׃ פ

Até que o Senhor afastou Israel da sua presença. Em outras palavras, ele enviou o exército assírio em várias etapas (740-668 a.C.), para tirar-lhes a vida e para dispersá-los. Aqueles que não morreram foram deportados para terras que estavam mais diretamente sob o controle dos assírios. Quanto a detalhes, ver no *Dicionário* o artigo chamado *Cativeiro Assírio*. E assim o povo de Israel não estava mais "na presença" (sob o favor) de Yahweh. Eles se tinham tornado não-filhos. No caso deles, o pacto abraâmico (ver as notas a respeito em Gn 15.18) tinha sido anulado.

Advertências Proféticas. Os profetas envolvidos nessas advertências foram Elias, Eliseu, Oseias, Amós, Miqueias e outros profetas menores. Mas nenhuma advertência divina surtiu efeito positivo. O coração do povo de Israel era rebelde e fatalmente perverso. Coisa alguma poderia influenciá-lo. Seu fim terrível era inevitável. O trecho de 2Rs 17.7-23 alista os muitos pecados deles, suas depravações e perversões. As mais horrendas crueldades (como os sacrifícios humanos) e as piores perversões (como todas as imoralidades envolvidas na adoração a Baal) foram incluídas. Ver Escrituras específicas de advertências em Os 1.6 e 9.16; Am 3.11,12 e Is 28.1-4.

Até ao dia de hoje. Essas palavras demonstram que a coletânea de 1 e 2Reis foi escrita após o cativeiro babilônico; e os versículos 19 e 20 mostram que pelo menos parte do livro foi escrito após o cativeiro babilônico (que levou a nação do sul, Judá, em 597 a.C.). Ver sobre essa questão o artigo chamado Data, seção V da introdução a esses livros.

A terra não perdeu sua população inteira, conforme sabemos com base em 2Cr 30.1 e 34.9. Os poucos que permaneceram, porém, misturaram-se por casamento com outros povos. E assim, seja como for, a identidade das dez tribos foi inteiramente obliterada da face da terra.

A ORIGEM DOS SAMARITANOS (17.24-41)

■ 17.24

וַיָּבֵ֣א מֶֽלֶךְ־אַשּׁ֡וּר מִבָּבֶ֡ל וּ֠מִכּוּתָה וּמֵעַוָּ֤א וּמֵֽחֲמָת֙
וּסְפַרְוַ֔יִם וַיֹּ֨שֶׁב֙ בְּעָרֵ֣י שֹֽׁמְר֔וֹן תַּ֖חַת בְּנֵ֣י יִשְׂרָאֵ֑ל וַיִּֽרְשׁוּ֙
אֶת־שֹׁ֣מְר֔וֹן וַיֵּשְׁב֖וּ בְּעָרֶֽיהָ׃

Importação. A nação de Israel foi deportada, e muitos povos não-hebreus foram importados. Dessa maneira, a população que veio ocupar o antigo território de Israel não era mais uma população hebreia. Os povos trazidos para ali pertenciam a vários ramos étnicos, e, naturalmente, trouxeram todas as suas idolatrias, culturas, contraculturas, políticas, modos de viver etc.

Nomes Próprios. Todos os nomes próprios que figuram neste versículo recebem artigos separados no *Dicionário*, os quais os leitores devem examinar para obter maiores detalhes.

Babilônia. Ou seja, o território principal da Assíria, que mais tarde foi tomado pelos babilônios. Quanto a diferenças territoriais, ver os artigos mencionados.

Cuta. A referência é a uma cidade a nordeste da Babilônia. Tell Ibrahim agora assinala o local antigo, a cerca de 24 quilômetros da Babilônia. Era a cidade principal daquela região.

Ava. Talvez essa cidade deva ser identificada com a cidade que, passando pelo hebraico, é chamada de Iva, em 2Rs 18.34 e 19.13. Se isso está correto, então devemos entender que algumas das pessoas de Israel, que foram deportadas, terminaram na Síria, que a Assíria tinha conquistado, estendendo seus territórios.

Hamate. Essa era uma cidade de Arã (Síria), às margens do rio Orontes.

Sefarvaim. Possivelmente, também era uma cidade que antes fizera parte da Síria, que tem sido identificada com a Shabarain, que Salmeneser IV capturou. Mas a referência pode ser a Sipar do deus-sol Samas, ou a Sipar da deusa Aninitum, uma cidade dupla, situada junto ao rio Eufrates, ao norte da cidade da Babilônia. O povo de Israel foi assim espalhado por uma área muito extensa, não havendo para ele oportunidade de reagrupar-se, reorganizar-se e rebelar-se.

Um remanescente de israelitas foi deixado no território que antes pertencera a Israel. Eles misturaram-se por casamento com os pagãos; e essa mistura deu origem aos samaritanos. Ver 2Cr 30.1 e 34.9 quanto ao fato da existência desse remanescente. Ver sobre *Samaritanos*, no *Dicionário*, quanto a maiores detalhes.

Entrementes, Samaria, a antiga capital do reino do norte, tornou-se sede de uma província assíria, e as muitas cidades do ex-reino do norte também foram ocupadas. Um império inteiro foi assim incorporado em território inimigo, sem que houvesse remédio. A nação do norte, Israel, simplesmente morrera.

■ 17.25

וַיְהִ֗י בִּתְחִלַּת֙ שִׁבְתָּ֣ם שָׁ֔ם לֹ֥א יָרְא֖וּ אֶת־יְהוָ֑ה וַיְשַׁלַּ֨ח
יְהוָ֤ה בָּהֶם֙ אֶת־הָ֣אֲרָי֔וֹת וַיִּֽהְי֥וּ הֹרְגִ֖ים בָּהֶֽם׃

Então mandou o Senhor para o meio deles leões. Quando os recém-chegados alcançaram o território da antiga nação de Israel, encontraram o lugar infestado de leões. A Yahweh foi dado o crédito por ter enviado os leões, os quais mataram e devoraram muitos. Os recém-chegados não somente tinham tomado o território dos hebreus, mas trouxeram todas as suas depravações com eles. O trecho de Is 35.9, entretanto, menciona a ausência de leões e de outras feras como um sinal da atividade da boa vontade dos poderes divinos. "Leões e ursos por causa da falta de religião na terra! Por quantas vezes essa situação se tem repetido na vida de indivíduos e da sociedade: a vida é atacada por todas as espécies de forças estranhas que a ameaçam rasgar em pedaços" (Raymond Calking, *in loc.*).

Ver no *Dicionário* os artigos chamados *Leão* e *Urso*.

■ 17.26

וַיֹּאמְר֗וּ לְמֶ֣לֶךְ אַשּׁוּר֮ לֵאמֹר֒ הַגּוֹיִ֗ם אֲשֶׁ֤ר הִגְלִ֙יתָ֙
וַתּ֙וֹשֶׁב֙ בְּעָרֵ֣י שֹׁמְר֔וֹן לֹ֣א יָֽדְע֔וּ אֶת־מִשְׁפַּ֖ט אֱלֹהֵ֣י
הָאָ֑רֶץ וַיְשַׁלַּח־בָּ֣ם אֶת־הָאֲרָי֗וֹת וְהִנָּם֙ מְמִיתִ֣ים אוֹתָ֔ם
כַּאֲשֶׁר֙ אֵינָ֣ם יֹדְעִ֔ים אֶת־מִשְׁפַּ֖ט אֱלֹהֵ֥י הָאָֽרֶץ׃

Não sabem a maneira de servir o Deus da terra. Explicação sobre a praga dos leões. As palavras "pelo que se disse ao rei da Assíria" apontam para os conselheiros e líderes do monarca assírio, aqueles que eram responsáveis pelos povos importados. Eles enviaram cartas ao rei, mediante mensageiros, para levarem a seguinte mensagem: "A gente que enviaste para habitar esta terra não conhece Elohim, o Deus dos hebreus, e ele os está castigando com essa praga dos leões". Os povos antigos acreditavam que deuses exerciam autoridade sobre territórios específicos, e que a invasão desses territórios, por parte de um povo incrédulo, despertava a ira desses deuses locais. Cf. 2Rs 5.17 quanto à mesma crença exemplificada no texto bíblico. Também se acreditava que as aventuras militares em terras estrangeiras podiam ser impedidas pelos deuses locais, que poderiam defender sua terra (e seus adoradores) por meio de pragas, súbitos ataques de pavor, terremotos ou outros desastres "naturais". O trecho de 1Rs 20.13 ss. ilustra essa crença. O rei da Síria teria sido derrotado nas colinas, porque, alegadamente, os deuses de Israel eram deuses das colinas e tinham força especial naqueles lugares.

■ 17.27,28

וַיְצַ֨ו מֶֽלֶךְ־אַשּׁ֜וּר לֵאמֹ֗ר הֹלִ֤יכוּ שָׁ֙מָּה֙ אֶחָ֣ד
מֵהַכֹּ֣הֲנִ֔ים אֲשֶׁ֥ר הִגְלִיתֶ֖ם מִשָּׁ֑ם וְיֵלְכ֖וּ וְיֵשְׁב֣וּ שָׁ֑ם
וְיֹרֵ֕ם אֶת־מִשְׁפַּ֖ט אֱלֹהֵ֥י הָאָֽרֶץ׃

וַיָּבֹא אֶחָד מֵהַכֹּהֲנִים אֲשֶׁר הִגְלוּ מִשֹּׁמְרוֹן וַיֵּשֶׁב
בְּבֵית־אֵל וַיְהִי מוֹרֶה אֹתָם אֵיךְ יִירְאוּ אֶת־יְהוָה׃

Levai para lá um dos sacerdotes que de lá trouxestes. O remédio. Aceitando o argumento da incompatibilidade dos recém-chegados para com o Deus de Israel, o rei da Assíria ordenou que algum sacerdote dos israelitas fosse enviado para instruir os invasores sobre como deveriam agradar a Yahweh. Presumia-se que Deus faria os leões agastar-se. Tudo não passava da mais crassa estupidez. A própria nação de Israel se tinha voltado para a idolatria (incorporando em seu sistema toda espécie de deuses "estrangeiros"), razão pela qual fora sujeitada ao cativeiro. Não era provável que uma conversa pia sobre Yahweh ajudasse na situação dos ataques dos leões. Mas foi assim que o antigo santuário de Betel recebeu um yahwismo renovado, em contraste com a adoração ao bezerro que Jeroboão I tinha estabelecido ali. Ver o versículo 28. Presumivelmente, o sacerdote levita que foi levado de volta a Betel esteve envolvido com a adoração ao bezerro de ouro. Mas agora ele promovia o yahwismo, embora a coisa inteira tivesse sido pequena demais, tarde demais, por demais superficial, por demais hipócrita e por demais supersticiosa.

■ **17.29**

וַיִּהְיוּ עֹשִׂים גּוֹי גּוֹי אֱלֹהָיו וַיַּנִּיחוּ בְּבֵית הַבָּמוֹת אֲשֶׁר
עָשׂוּ הַשֹּׁמְרֹנִים גּוֹי גּוֹי בְּעָרֵיהֶם אֲשֶׁר הֵם יֹשְׁבִים שָׁם׃

Cada nação fez ainda os seus próprios deuses nas cidades que habitava. A idolatria generalizada continuou, a despeito dos débeis esforços contrários em Betel, e a despeito da continuação da praga dos leões. Os santuários e templos do norte (Israel) foram tomados e os antigos deuses foram substituídos pelos deuses dos recém-chegados, ou foram aceitos, e a esses foram acrescentadas outras divindades. Assim sendo, a idolatria cresceu espetacularmente naquela terra que tinha antes pertencido aos filhos de Abraão e que Yahweh lhes dera como possessão.

Nos santuários dos altos. Temos aqui outra alusão aos "lugares altos" (ver a respeito no *Dicionário*), os santuários locais. Os pagãos aproveitaram esse grande número de santuários que os israelitas tinham deixado, e adicionaram ali sua própria idolatria pagã, ou substituíram por suas próprias formas, de acordo com a vontade deles.

Que os samaritanos tinham feito. Temos aqui o primeiro uso bíblico do termo "samaritanos", vocábulo esse que veio a indicar um povo misto, o qual, em tempos posteriores, aderiu à sua própria forma de yahwismo, com sua própria versão do Velho Testamento, o Pentateuco. Por meio desse texto, aprendemos que os samaritanos eram, virtualmente, pagãos puros. O elemento israelita entre eles deve ter sido extremamente pequeno, embora não fosse inexistente (ver 2Cr 30.1 e 34.9). A última dessas duas citações diz respeito especificamente a um remanescente de Israel, ao passo que a primeira delas mostra que algum yahwismo sobreviveu no antigo território de Israel. Quanto a detalhes sobre a natureza e a história dos samaritanos, ver o artigo sobre eles no *Dicionário*.

De acordo com as fontes informativas judaicas, os samaritanos seriam descendentes de colonos que os assírios implantaram no reino do norte, que se amalgamaram com os israelitas que os assírios haviam deixado na terra. Porém, se houve miscigenação, então os filhos tornaram-se israelitas puros, pois a teologia samaritana não demonstra sinal de influência pagã. Ver detalhes no artigo que tenta explicar essas questões.

■ **17.30,31**

וְאַנְשֵׁי בָבֶל עָשׂוּ אֶת־סֻכּוֹת בְּנוֹת וְאַנְשֵׁי־כוּת עָשׂוּ
אֶת־נֵרְגַל וְאַנְשֵׁי חֲמָת עָשׂוּ אֶת־אֲשִׁימָא׃

וְהָעַוִּים עָשׂוּ נִבְחַז וְאֶת־תַּרְתָּק וְהַסְפַרְוִים שֹׂרְפִים
אֶת־בְּנֵיהֶם בָּאֵשׁ לְאַדְרַמֶּלֶךְ וַעֲנַמֶּלֶךְ אֱלֹהֵי סְפַרְיִם

Cada grupo de imigrantes assírios estabeleceu seus próprios ídolos pagãos; e o autor sagrado nos fornece aqui alguma delineação sobre a questão. Ver todos os nomes próprios comentados em artigos separados no *Dicionário*, quanto a detalhes.

1. *Sucote-Benote* (os da Babilônia). Esse nome próprio nunca foi explicado de modo satisfatório. O artigo que me serviu de fonte informativa diz o que pode ser dito. Esperaríamos nomes típicos da Babilônia, como Marduque-Zarbanit ou Marduque-Zapanitum. Pelo contrário, temos aqui uma combinação com -benote (filhas de). Alguns eruditos pensam que o texto massorético corrompeu o nome original, que seria típico da Babilônia. Seja como for, parece termos aqui em vista Sakkut (o planeta Saturno), com sua consequente adoração às estrelas. Meu artigo também dá outras ideias. Ver sobre o texto massorético no artigo denominado *Massora* (*Massorah*); *Texto Massorético*, no *Dicionário*.
2. *Nergal* (de Cuta). Essa era a principal divindade adorada naquela cidade. Tratava-se de uma divindade do submundo, mas era também parte da adoração astral da Mesopotâmia, identificada com o planeta Marte. Havia um dia especialmente devotado a ele, a cada mês, o dia 28. Quanto a detalhes, ver o artigo. Muitas cidades da antiguidade tinham suas formas especiais dessa idolatria.
3. *Asima* (de Hamate). Os papiros de Elefantina têm o nome composto 's-m-bethel, ao que tudo indica uma referência à esposa secundária de Nahu. Quanto a detalhes, ver o artigo. As evidências demonstram que havia certa variedade de tipos dessa idolatria, dependendo do colorido local.
4. *Nibaz* (dos aveus). Não possuímos nenhuma informação sobre essa divindade pagã, embora existam algumas poucas conjecturas. As tradições judaicas dizem que esse deus era adorado sob a forma da cabeça de um cão, mas essa referência é duvidosa. Ver o artigo sobre ele, no *Dicionário*, quanto a maiores detalhes.
5. *Tartaque* (também dos aveus). Não temos informações certas sobre essa divindade pagã, embora as tradições judaicas nos digam que esse deus era adorado sob a forma de um asno. Quanto a maiores detalhes, ver o artigo no *Dicionário*.
6. *Adrameleque* (dos sefarvitas). Um deus que requeria sacrifícios humanos no fogo, entre outras formas de adoração estranhas e corrompidas. Provavelmente deveríamos ler aqui Adade-meleque, onde Meleque significa "rei", no idioma assírio. Adade, por sua vez, era uma antiga divindade da Babilônia, um deus das tempestades e da chuva, chamado de "príncipe dos céus e da terra". Seu nome aparece nos textos de Ras Shamra. Seu culto tinha muitas manifestações locais diferentes. Ver o artigo sobre ele no *Dicionário*.
7. *Anameleque* (também dos sefarvitas). É provável que devêssemos ler aqui Anu-meleque, para concordar com o que sabemos sobre a antiga idolatria da área da Assíria-Babilônia. Anu era o grande deus-firmamento dos babilônios. Ele é mencionado nas inscrições de Hamurabi. Os deuses da natureza eram: Anu (do firmamento); Enlil (da terra); Ea (das águas) e Nergal (do submundo). Por conseguinte, a idolatria assegurou que tudo fosse corrompido pela falsa adoração. Ver no *Dicionário* o artigo chamado *Deuses Falsos*, bem como o deus falso mencionado aqui sob o sétimo ponto. Ver também o artigo chamado *Idolatria*.

■ **17.32**

וַיִּהְיוּ יְרֵאִים אֶת־יְהוָה וַיַּעֲשׂוּ לָהֶם מִקְצוֹתָם כֹּהֲנֵי
בָמוֹת וַיִּהְיוּ עֹשִׂים לָהֶם בְּבֵית הַבָּמוֹת׃

Assim temiam o Senhor. Ecletismo. Dentro de sua horrenda mistura de "um deus para tudo e para todos", eles adicionaram o yahwismo; e, sem dúvida, em muitos santuários da antiga nação de Israel homens ainda tentavam seguir a legislação mosaica, ou isolada, ou misturada com formas do paganismo. A nação do norte, Israel, depois que se separou de Judá, sempre fora assim, mas agora novas formas de idolatria vieram com os recém-chegados, para "enriquecer" o culto religioso. A religião samaritana, em suas formas posteriores, requeria que os sacerdotes fossem descendentes de Arão, mas no estágio mencionado no presente versículo, coisa alguma parecida com isso estava sendo observada.

"Somente uma religião híbrida existia na terra... Não somente o sangue deles se havia corrompido mediante casamentos mistos com aquela gente pagã, mas a religião deles também foi infectada pelo paganismo" (Raymond Calking, *in loc*.).

"Esse sincretismo havia sido proibido pelo Senhor (Ver Êx 20.3)" (Thomas L. Constable, *in loc*.).

Dentre os do povo constituíram sacerdotes dos lugares altos. Ou seja, a regra que dizia que um sacerdote só podia ser aproveitado dentre os descendentes de Abraão não estava sendo praticada, nem poderia tê-lo sido, pois não havia sido deixada na terra nenhuma casta sacerdotal. Eles precisavam fazer sacerdotes vindos de qualquer classe, de qualquer povo. Eles agiram como tinha agido Jeroboão I, concernente à ordenação de sacerdotes. Ver 1Rs 12.31. Ver Êx 6.18,20; 28.1 quanto às restrições bíblicas referentes aos sacerdotes levíticos.

■ 17.33

אֶת־יְהוָה הָיוּ יְרֵאִים וְאֶת־אֱלֹהֵיהֶם הָיוּ עֹבְדִים
כְּמִשְׁפַּט הַגּוֹיִם אֲשֶׁר־הִגְלוּ אֹתָם מִשָּׁם׃

Temiam o Senhor e ao mesmo tempo serviam aos seus próprios deuses. Um autêntico ecletismo. Embora "temessem o Senhor" (ou seja, praticassem o yahwismo de acordo com os ditames da lei mosaica), eles também participavam nas idolatrias das sete nações (Ver Êx 33.2; Dt 7.1) que os filhos de Israel tinham expulsado da Terra Prometida. Essa mistura os condenava, porque quebrava o segundo e o terceiro dos Dez Mandamentos (ver a respeito no *Dicionário*), o que foi letal para a religião.

Segundo o costume das nações dentre as quais tinham sido transportados. Em sua história posterior, eles também adotaram a idolatria da Síria e da Assíria, a Síria sendo um inimigo constante e implacável, e a Assíria como o povo que os levara ao cativeiro. Esse fato nos impressiona como um absurdo. Ver o capítulo 16 de 2Reis, que mostra como Acaz imitou a idolatria assíria, e até teve um altar idólatra especial estabelecido no terreno do templo de Jerusalém, que substituiu o altar de bronze dedicado a Yahweh. Contudo, com certos propósitos, o antigo altar continuou sendo usado. O versículo 33 recapitula os versículos 28 a 32.

■ 17.34

עַד הַיּוֹם הַזֶּה הֵם עֹשִׂים כַּמִּשְׁפָּטִים הָרִאשֹׁנִים אֵינָם
יְרֵאִים אֶת־יְהוָה וְאֵינָם עֹשִׂים כְּחֻקֹּתָם וּכְמִשְׁפָּטָם
וְכַתּוֹרָה וְכַמִּצְוָה אֲשֶׁר צִוָּה יְהוָה אֶת־בְּנֵי יַעֲקֹב
אֲשֶׁר־שָׂם שְׁמוֹ יִשְׂרָאֵל׃

Até ao dia de hoje fazem segundo os antigos costumes. Ver Dt 6.1-9 quanto à declaração clássica daquilo que se esperava de Israel, em seu culto e serviço espiritual. O Pentateuco fornece as leis e os exemplos. O que se esperava deles era muito claro. A casta sacerdotal e os profetas certificavam-se de que todo o povo de Israel fosse instruído nos caminhos de Yahweh.

A primeira metade do presente versículo não é muito clara, mas parece estar dizendo que Israel, mesmo no cativeiro, continuou com sua destrutiva idolatria. Mesmo quando misturavam o yahwismo com sua salada idólatra horrenda, não o adoravam de todo coração, mas apenas hipocritamente. Yahweh, para eles, era apenas outro deus, entre muitos deuses, que merecia (na estimativa deles) alguma atenção.

O que os versículos 34 a 40 querem dizer é que o povo do norte "nunca observou a vontade do Senhor, nem antes da queda do reino do norte, nem depois" (Norman H. Snaith, *in loc.*).

Que o Senhor prescreveu aos filhos de Jacó. Israel tinha uma longa e honrosa tradição, que estava envolvida naquilo que constituía a marca distintiva deles, a legislação mosaica. Era isso que os distinguia de outros povos (ver Dt 4.1 ss., quanto ao caráter distintivo de Israel entre as nações da terra). Ver sobre o pacto abraâmico (Gn 15.18) que colocou Israel como cabeça das nações. A despeito desses fatos, entretanto, Israel, a nação do norte, preferia o paganismo.

E assim todo o Israel será salvo,
como está escrito: Virá de Sião o Libertador,
ele apartará de Jacó as impiedades.

Romanos 11.26

Minha convicção pessoal é que este versículo ensina uma salvação universal, e não meramente quanto aos últimos dias. O poder, a graça e a misericórdia de Deus penetram até o hades para salvar Israel. Ver na *Enciclopédia de Bíblia, Teologia e Filosofia* o artigo chamado *Descida de Cristo ao Hades*. Caros leitores, os pactos não podem ser quebrados, a despeito das vicissitudes da vida física, e de seus intermináveis fracassos.

■ 17.35

וַיִּכְרֹת יְהוָה אִתָּם בְּרִית וַיְצַוֵּם לֵאמֹר לֹא תִירְאוּ
אֱלֹהִים אֲחֵרִים וְלֹא־תִשְׁתַּחֲווּ לָהֶם וְלֹא תַעַבְדוּם
וְלֹא תִזְבְּחוּ לָהֶם׃

Ora, o Senhor tinha feito aliança com eles. *Os Pactos.* Ver no *Dicionário* o verbete intitulado *Pactos*, e, quanto a maiores detalhes, ver sobre o *Pacto Abraâmico* (Gn 15.18); sobre o *Pacto Mosaico* (introdução ao capítulo 19 do Êxodo); sobre o *Pacto Palestínico* (introdução ao capítulo 29 de Deuteronômio); e sobre o *Pacto Davídico* (2Sm 7.4). O pacto e a legislação mosaica requeriam obediência à lei. Essa era a condição da bênção. A principal provisão era a condenação da idolatria. Os Dez Mandamentos formavam a essência desse Pacto e o restante era formado por comentários. Minha convicção é que as provisões do Pacto Abraâmico terminarão por conceder a vitória a Israel, no fim, mas essa vitória exigirá uma operação do poder de Deus pertencente ao "outro mundo". Ver o último parágrafo dos comentários sobre o versículo anterior.

"É um consolo relembrarmo-nos de que essa condenação contra Israel não é a palavra final que a Bíblia tem a dizer sobre as doze tribos, essa família de Deus cuja história começa no livro de Gênesis... ver Ap 7.1-8... Antes do fim da Bíblia, encontramo-los todos reunidos, 'quando a lista for chamada lá em cima'. Quão indizivelmente comovente será essa chamada de cada nome em separado: Judá, Rúben, Gade, Aser, e todos os demais, todos presentes e devidamente contados. Teste e tribulação, pecado e retribuição, divisão e cisma — tudo passado, e a família de Deus reunida, juntos para sempre no lar de Deus" (Raymond Calking, *in loc.*).

Pois o amor de Deus é mais amplo
Que a medida da mente do homem;
E o coração do Deus eterno
É maravilhosamente bondoso.

Frederick W. Faber

■ 17.36

כִּי אִם־אֶת־יְהוָה אֲשֶׁר הֶעֱלָה אֶתְכֶם מֵאֶרֶץ מִצְרַיִם
בְּכֹחַ גָּדוֹל וּבִזְרוֹעַ נְטוּיָה אֹתוֹ תִירָאוּ וְלוֹ תִשְׁתַּחֲווּ
וְלוֹ תִזְבָּחוּ׃

Ao Senhor, que vos fez subir da terra do Egito. Uma ilustração favorita do poder e da misericórdia divina, que operou em favor de Israel, é aquela dada aqui: Yahweh tirou aquele povo do Egito; deu a esse povo a liberdade da servidão, uma nova vida em uma nova terra. Ver a expressão anotada em Dt 4.20. Essa expressão ocorre por mais de vinte vezes no livro de Deuteronômio. Ver o versículo sétimo deste capítulo 17, que contém a mesma declaração. O corolário necessário para ter sido tirado do Egito era a dedicação a Yahweh, o Libertador, e à sua Lei, dada por intermédio de Moisés.

■ 17.37

וְאֶת־הַחֻקִּים וְאֶת־הַמִּשְׁפָּטִים וְהַתּוֹרָה וְהַמִּצְוָה אֲשֶׁר
כָּתַב לָכֶם תִּשְׁמְרוּן לַעֲשׂוֹת כָּל־הַיָּמִים וְלֹא תִירְאוּ
אֱלֹהִים אֲחֵרִים׃

Tereis cuidado de os observar todos os dias. Este versículo é similar a Dt 6.1-9, a declaração clássica das obrigações dos homens diante da lei de Deus. Nessa lei, Israel era distinto. Esse caráter distintivo sempre esteve relacionado à lei, em suas obrigações e provisões. Ver Êx 6.6; 20.4,5; Dt 4.23,34; 5.6,12,32; 6.12 e 7.11,25.

A despeito do caráter distintivo e dos privilégios e da história miraculosa passada de Israel, essa nação jogou tudo fora e escolheu o paganismo comum, imitando as nações que a circundavam. Isso feriu o próprio âmago dos Dez Mandamentos (ver a respeito no *Dicionário*) e foi letal para Israel.

17.38

וְהַבְּרִ֤ית אֲשֶׁר־כָּרַ֙תִּי֙ אִתְּכֶ֔ם לֹ֖א תִשְׁכָּ֑חוּ וְלֹ֥א תִֽירְא֖וּ אֱלֹהִ֥ים אֲחֵרִֽים׃

Da aliança que fiz convosco não vos esquecereis. Mas o povo que tinha firmado um pacto com Deus quebrou e esqueceu esse pacto. O pacto mosaico é o principal pacto aqui em vista, embora do pacto abraâmico dependessem todos os outros pactos. Ver as notas expositivas sobre o versículo 35. Os pactos formavam uma unidade, de modo que quebrar um deles era o mesmo que quebrar todos eles, pelo menos até determinado ponto. O autor sagrado destaca aqui o absurdo do que aconteceu. Aquele povo privilegiado e distinto, esse foi o povo que caiu no nada do paganismo. A ordem para os filhos de Israel não temerem "outros deuses" figura por três vezes nesta passagem (ver os vss. 35, 37 e 38). Esse era o ponto mais profundo do pacto entre Yahweh e Israel, o âmago dos Dez Mandamentos.

17.39

כִּ֛י אִֽם־אֶת־יְהוָ֥ה אֱלֹהֵיכֶ֖ם תִּירָ֑אוּ וְה֣וּא יַצִּ֣יל אֶתְכֶ֔ם מִיַּ֖ד כָּל־אֹיְבֵיכֶֽם׃

Mas ao Senhor vosso Deus temereis. O temor a Yahweh fazia do povo de Israel um povo distinto. Temer outros deuses (ou seja, rejeitar a idolatria e seus abusos) seria o lado negativo do culto; o lado positivo seria o temor a Yahweh, ou seja, a obediência às suas leis, a prática diária de seu culto, conforme era requerido pela legislação mosaica.

> O temor ao Senhor é o princípio do saber.
>
> Provérbios 1.7

Ver o artigo geral sobre *Temor*, no *Dicionário*. O ponto I.1 fala especificamente sobre o temor a Deus. E o terceiro ponto discute sobre o temor a Deus como uma virtude. A seção III refere-se a como esse temor traz a salvação; e a seção IV dá exemplos bíblicos de heróis da fé que puseram em prática o temor a Yahweh.

17.40

וְלֹ֖א שָׁמֵ֑עוּ כִּ֛י אִֽם־כְּמִשְׁפָּטָ֥ם הָרִאשׁ֖וֹן הֵ֥ם עֹשִֽׂים׃

Porém eles não deram ouvidos a isso. Uma crassa estupidez. Altos privilégios, oportunidades sem limites, instruções completas, ameaças letais, juízos preliminares — nada foi o bastante para salvar Israel de escorregar para a total apostasia. Isso deixou Yahweh sem escolha: o cativeiro assírio tinha de acontecer. Eles mesmos permaneceram em sua conduta anterior, ou seja, na idolatria; e adquiriram novas formas de idolatria, imitando o próprio povo que acabou por levá-los para o cativeiro. E, até mesmo no cativeiro, eles continuaram com sua crassa estupidez. Talvez o "seu antigo costume", frase que aparece neste versículo, seja o que aconteceu antes do cativeiro, a história toda da apostasia de Israel. Nem mesmo depois de terem sofrido seu terrível julgamento eles aprenderam a lição. Mesmo no cativeiro, eles continuaram a praticar aquelas coisas que tinham sido a causa da miséria deles. Os hábitos errados que um homem forma finalmente furtam-lhe o livre-arbítrio. Esse homem torna-se escravo de sua própria corrupção. E ele torna-se incapaz de mudar. Foi isso que aconteceu com Israel.

> Semeai um ato, e colhereis um hábito.
> Semeai um hábito, e colhereis um caráter.
> Semeai um caráter, e colhereis um destino.
> Semeai um destino, e colhereis... Deus.
>
> George Boardman

17.41

וַיִּהְי֣וּ ׀ הַגּוֹיִ֣ם הָאֵ֗לֶּה יְרֵאִים֙ אֶת־יְהוָ֔ה וְאֶת־פְּסִילֵיהֶ֖ם הָי֣וּ עֹֽבְדִ֑ים גַּם־בְּנֵיהֶ֣ם ׀ וּבְנֵ֣י בְנֵיהֶ֗ם כַּאֲשֶׁ֤ר עָשׂוּ֙ אֲבֹתָ֔ם הֵ֣ם עֹשִׂ֔ים עַ֖ד הַיּ֥וֹם הַזֶּֽה׃ פ

Assim estas nações temiam o Senhor e serviam as suas próprias imagens de escultura. Um ecletismo letal. Cf. o versículo 33. Um yahwismo fraudulento continuou a ser praticado. Fraudulento por estar misturado com toda a variedade de idolatria. A salada era nojenta. A apostasia passava de geração em geração, como o *modus operandi* fixo na vida do povo de Israel. Eles continuavam a agir dessa maneira, mesmo no cativeiro, conforme o demonstram as palavras deste versículo, "até ao dia de hoje". O autor sagrado, ao escrever depois do cativeiro assírio, observou como o povo de Israel se conduzia no cativeiro. Ele foi informado de que coisa alguma tinha mudado. Os israelitas continuavam agindo como pagãos, estando cativos entre os pagãos. A doença era incurável. Essa doença causara a morte da nação de Israel, sua obliteração da face da terra.

"... Eles continuaram essa adoração mista e híbrida pelo espaço de trezentos anos, até os tempos de Alexandre, o Grande, de quem, Sambalate, governador da Síria, recebeu permissão para edificar um templo no monte Gerizim, para seu genro, Manassés. Ele se tornou sacerdote do culto, e os samaritanos foram convencidos a abandonar sua idolatria e a adorar o único e verdadeiro Deus de Israel. Isso eles fizeram, apesar de fazê-lo na ignorância e não sem superstições, até os tempos de Cristo (Jo 4.22)" (John Gill, *in loc.*).

CAPÍTULO DEZOITO

O REINO SOBREVIVENTE DE JUDÁ (18.1—25.30)

O PERÍODO ASSÍRIO (18.1—21.26)

EZEQUIAS, REI DE JUDÁ (18.1—20.21)

Israel, a nação do norte, tinha deixado de existir. O cativeiro assírio (ver a respeito no *Dicionário*), um processo que durou várias etapas, encarregou-se de pôr fim à nação de Israel. Essas etapas começaram em 740 a.C. e terminaram em cerca de 668 a.C. Mas o reino do sul, Judá, conseguiu sobreviver cerca de cem anos mais, antes que o cativeiro babilônico o tivesse levado embora de seu território. Ver sobre esse assunto no *Dicionário*. Do cativeiro babilônico voltou um remanescente, e as coisas começaram de novo, embora baseadas sobre uma única tribo, Judá.

Ezequias, embora filho do ímpio Acaz, foi um dos melhores reis de Judá, um hábil administrador e reformador. Ver o artigo detalhado sobre ele no *Dicionário*. "Ele procurou abolir todas as imagens e objetos de idolatria, e também os santuários locais. Uniu-se em uma revolta geral no oeste contra a Assíria, e assim perdeu tudo, exceto Jerusalém. Mas foi salvo miraculosa e inesperadamente. Foi encorajado e apoiado pelo profeta Isaías (por meio de quem Deus anunciou um prolongamento de vida). No entanto, o rei Ezequias desagradou o profeta quando recebeu favoravelmente uma embaixada enviada pela Babilônia, da parte do tição de fogo, Merodaque-Baladã" (Norman H. Snaith, *in loc.*).

"O escritor de 1 e 2Reis devotou mais espaço e elogiou mais Ezequias quanto às suas realizações do que qualquer outro rei, exceto Salomão" (Thomas L. Constable, *in loc.*).

18.1,2

וַֽיְהִ֗י בִּשְׁנַ֤ת שָׁלֹשׁ֙ לְהוֹשֵׁ֣עַ בֶּן־אֵלָ֔ה מֶ֖לֶךְ יִשְׂרָאֵ֑ל מָלַ֛ךְ חִזְקִיָּ֥ה בֶן־אָחָ֖ז מֶ֥לֶךְ יְהוּדָֽה׃

בֶּן־עֶשְׂרִ֨ים וְחָמֵ֤שׁ שָׁנָה֙ הָיָ֣ה בְמָלְכ֔וֹ וְעֶשְׂרִ֤ים וָתֵ֙שַׁע֙ שָׁנָ֔ה מָלַ֖ךְ בִּירוּשָׁלָ֑͏ִם וְשֵׁ֣ם אִמּ֔וֹ אֲבִ֖י בַּת־זְכַרְיָֽה׃

No terceiro ano de Oseias... começou a reinar Ezequias. *Relatos Paralelos.* O autor sacro não apresentou primeiramente todos os reis de Israel, contando suas histórias, para então apresentar os reis de Judá, fazendo a mesma coisa. Antes, ele saltava para cá e para lá, entre os dois reinos, dando relatórios paralelos e aproximadamente cronológicos. Quanto a esse modo de apresentação, ver 1Rs 16.29. Seguindo essa prática, o autor sagrado informa-nos que Ezequias começou a governar no terceiro ano de Oseias, rei de Israel. Dificuldades cronológicas são explicadas por alguns estudiosos como perturbações numéricas causadas pelas corregências. Por isso, os eruditos supõem que Ezequias tenha reinado com seu pai, Acaz, pelo espaço de catorze anos (729-715 a.C.). O terceiro ano de Oseias, é de presumir-se, assinala o ano em que Ezequias começou a reinar em parceria com seu pai. Ele reinou sozinho por dezoito anos (715-697 a.C.). Em seguida, reinou como corregente com seu filho, o extremamente ímpio Manassés, por onze anos. Juntando-se todos esses anos (corregência, sozinho, corregência), chegamos aos 29 anos do segundo versículo. Portanto, ele reinou no período de 715 a 686 a.C. Sua capital foi Jerusalém, o lugar que seu agora distante ancestral, Davi, havia conquistado das mãos dos jebuseus. Quanto a detalhes sobre a sua família, sua mãe e seu avô (Abi e Zacarias), ver os artigos sobre eles no *Dicionário*. E ver também no *Dicionário* os artigos intitulados *Reino de Judá* e *Rei, Realeza*.

■ **18.3**

וַיַּעַשׂ הַיָּשָׁר בְּעֵינֵי יְהוָה כְּכֹל אֲשֶׁר־עָשָׂה דָּוִד אָבִיו:

Fez ele o que era reto perante o Senhor. Ezequias, contrastando com todos os demais reis de Judá, conseguiu com sucesso imitar o exemplo do rei ideal, Davi. Ver sobre esse rei ideal em 1Rs 15.3. Embora Davi fosse culpado de alguns crimes horrendos, mostrou-se imaculado quanto ao seu culto religioso. Ele nunca permitiu nenhuma forma de idolatria durante seu reinado, mas apegou-se a um yahwismo puro. Ele seguiu a legislação mosaica sem transigência. Mas Salomão, seu filho, apesar de toda a sua sabedoria, caiu na idolatria, e nenhum rei de Judá, depois dele, exceto Ezequias, dela ficou livre. Os santuários locais nos lugares altos sempre tinham conseguido permanecer; mas Ezequias foi capaz de livrar Judá até desses lugares idólatras (vs. 4).

Andar "corretamente como Davi" é algo dito nas Escrituras acerca de somente quatro reis de Judá: Asa (1Rs 15.11); Josafá (2Cr 17.3); Josias (2Rs 22.2) e Ezequias (2Rs 18.3). Josafá, à semelhança de Ezequias, tinha removido os lugares altos, no entanto mais tarde desintegrou-se perigosamente. Isso significa que somente Ezequias, além de Davi, em toda a história de Judá, pode ser elogiado, sem nenhuma desqualificação, no tocante ao culto religioso.

■ **18.4**

הוּא הֵסִיר אֶת־הַבָּמוֹת וְשִׁבַּר אֶת־הַמַּצֵּבֹת וְכָרַת אֶת־הָאֲשֵׁרָה וְכִתַּת נְחַשׁ הַנְּחֹשֶׁת אֲשֶׁר־עָשָׂה מֹשֶׁה כִּי עַד־הַיָּמִים הָהֵמָּה הָיוּ בְנֵי־יִשְׂרָאֵל מְקַטְּרִים לוֹ וַיִּקְרָא־לוֹ נְחֻשְׁתָּן:

Removeu os altos. *Destruição e Reforma Religiosa*. Nenhum ídolo escapou à ira destruidora de Ezequias. Os lugares altos (ver a respeito no *Dicionário*) foram destruídos e queimados, e os ídolos foram destruídos. Além disso, havia um ídolo especial, a serpente de metal, que Moisés havia feito, por ordem do Senhor, para cura do povo (ver Nm 21.5-9), e que foi quebrado e anulado. O povo vinha usando aquele objeto em sua idolatria, chegando a queimar incenso defronte dele.

Neustã. Ver no *Dicionário* sobre essa palavra. Esse vocábulo, no hebraico, é parecido (quanto ao som) com as palavras hebraicas que significam "bronze" e "imundo". O rei estava ansioso por remover todos os vestígios da idolatria, e qualquer coisa que pudesse provocar práticas idólatras, pelo que despedaçou a serpente de metal.

As tradições judaicas dizem que Ezequias despedaçou a serpente de metal, moeu-a até virar pó e então espalhou as partículas ao vento (Talmude Bab. Avodah, Zarah, fol. 44.1).

■ **18.5**

בַּיהוָה אֱלֹהֵי־יִשְׂרָאֵל בָּטָח וְאַחֲרָיו לֹא־הָיָה כָמֹהוּ בְּכֹל מַלְכֵי יְהוּדָה וַאֲשֶׁר הָיוּ לְפָנָיו:

Confiou no Senhor Deus de Israel. "A irreligiosidade é a causa final da decadência e do desastre nacionais. Ezequias compreendeu isso e instituiu uma reforma religiosa nacional" (Raymond Calking, *in loc.*).

"A mais elevada qualidade de Ezequias foi que ele confiou no Senhor. Quanto a esse aspecto, ele foi o maior de todos os reis do reino do sul. Diferente de alguns outros reis, ele não se desviou mais tarde na vida, mas guardou o pacto mosaico fielmente, até o fim. Em resultado, o Senhor estava com ele e o abençoou em tudo quanto ele pôs as mãos" (Thomas L. Constable, *in loc.*).

Ele foi o melhor de todos os reis de Judá: "Ben Gersom e Abarbanel pensam que Davi e Salomão estão fora dessa lista. Davi pecou no caso de Urias, e Salomão caiu na idolatria, crimes esses dos quais Ezequiel não foi culpado" (John Gill, *in loc.*). Cf. o elogio a Josias (2Rs 23.25), que diz mais ou menos a mesma coisa. Não é mister encontrar algum meio esperto de pôr um desses dois reis acima do outro, nem é preciso reconciliar a declaração sobre qual dos reis foi o maior. Foram ambos grandes luzes, e isso é o quanto devemos saber.

■ **18.6**

וַיִּדְבַּק בַּיהוָה לֹא־סָר מֵאַחֲרָיו וַיִּשְׁמֹר מִצְוֹתָיו אֲשֶׁר־צִוָּה יְהוָה אֶת־מֹשֶׁה:

E guardou os mandamentos que o Senhor ordenara a Moisés. A legislação mosaica foi sempre o padrão da avaliação espiritual, no Antigo Testamento. Ver Dt 6.1-9. Isso significava santidade pessoal na guarda dos Dez Mandamentos (ver a respeito no *Dicionário*), mas também apontava para a fidelidade pública e particular aos ritos e ao sistema sacrifical da lei mosaica. Tudo quanto fora escrito era para ser observado.

O Targum sobre este versículo enfatiza "o temor ao Senhor", por onde começa a sabedoria (ver Pv 1.7).

Ezequias, pois, "se apegou" ao Senhor e "guardou" os mandamentos da lei mosaica. Ele tinha sentimentos piedosos e boas resoluções, mas também teve a força de vontade necessária para realizar essas coisas. Não basta sentir. Deve haver obras e realizações. Deve haver uma fé tanto subjetiva quanto objetiva: deve haver a fé e suas obras (ver Tg 2.18 ss.).

■ **18.7,8**

וְהָיָה יְהוָה עִמּוֹ בְּכֹל אֲשֶׁר־יֵצֵא יַשְׂכִּיל וַיִּמְרֹד בְּמֶלֶךְ־אַשּׁוּר וְלֹא עֲבָדוֹ:

הוּא־הִכָּה אֶת־פְּלִשְׁתִּים עַד־עַזָּה וְאֶת־גְּבוּלֶיהָ מִמִּגְדַּל נוֹצְרִים עַד־עִיר מִבְצָר: פ

Para onde quer que saía lograva bom êxito. Ezequias prosperou. Oh, Senhor, concede-nos tal graça! Ele semeava o bem e colhia o bem. Ele abençoava e era abençoado. Ver no *Dicionário* sobre a *Lei Moral da Colheita segundo a Semeadura*. Todos os empreendimentos do rei eram favorecidos pela bênção divina, conferindo-lhe plena realização. Parte de sua prosperidade era o sucesso contra seus adversários militares. Ele foi capaz de desafiar o rei da Assíria, recusando-se a pagar tributo, que fora imposto sobre Judá por longo tempo (ver 2Rs 17.4). Tudo isso, entretanto, foi apenas temporário, pois Judá sofreu novas pressões da parte da Assíria, e, finalmente, foi levado ao cativeiro pela Babilônia. Os babilônios foram os sucessores dos assírios no palco das questões internacionais.

"Essa rebelião de Ezequias contra a Assíria fez parte da revolta geral na qual Merodaque-Baladã, da Babilônia, se envolveu, juntamente com todos os reis sírios e palestinos, exceto Padi, rei de Ecrom. É provável que Merodaque-Baladã tenha sido o principal instigador da revolta. Os súditos de Padi revoltaram-se contra ele, querendo livrar-se da Assíria, como os demais países, e Ezequias manteve Padi na prisão. Foi durante esse período, no começo da revolta, que Ezequias se lançou em uma expedição contra os filisteus, varrendo tudo à sua frente, até as muralhas de Gaza. Dessa maneira, ele sujeitou aqueles poucos príncipes filisteus como Padi, de Ecrom, que tinha resistido contra a revolta geral. Assim sendo, as vitórias registradas (vs. 8)... pertencem ao período imediatamente antes de 701 a.C., o ano no qual o rei da Assíria esmagou a revolta. Naquele ano, Senaqueribe alocou certos territórios de Judá aos filisteus que lhe tinham sido fiéis durante os quatro anos perturbados anteriores" (Norman H. Snaith, *in loc.*).

Gaza. Ver a respeito dessa localidade no *Dicionário*. Ali ficava o ponto mais ao sul dos territórios filisteus.

Uma Vitória Completa. O triunfo de Ezequias contra os filisteus estendeu-se aos postos avançados onde torres de vigia tinham sido construídas, e daí até as cidades fortificadas, ou seja, desde as áreas essencialmente desabitadas até as mais densamente habitadas. "O território inteiro dos filisteus foi devastado pelas forças judaítas" (Ellicott, *in loc.*).

A QUEDA DE SAMARIA; FIM DO REINO DO NORTE (18.9-12)

Cf. 2Rs 17.23,24. O cativeiro assírio (ver a respeito no *Dicionário*) não foi um acontecimento realizado em uma única etapa. Foi, antes, uma série de cativeiros e deportações que, finalmente, varreu o reino do norte inteiro. Naturalmente, uma pequena parcela da população foi deixada na terra; mas povos de outros lugares foram importados para ali (ver 2Rs 17.24), e a identidade do povo de Israel acabou perdendo-se por motivo de casamentos mistos. Na verdade, no fim nada foi deixado do antigo povo de Israel, embora o samaritanismo, um sistema religioso eclético, tenha preservado alguma forma do yahwismo na terra, que sobreviveu até os tempos de Jesus. As notas sobre 2Rs 17.24-41 nos dão as origens dos samaritanos.

O cativeiro assírio teve início em cerca de 740 a.C. e ampliou-se até 668 a.C., com várias exportações e importações de povos. A Assíria fez um trabalho completo de eliminação da própria identidade de Israel, o reino do norte.

O versículo 12 deste capítulo vê uma razão espiritual para a queda da nação do norte: apostasia do yahwismo por meio da idolatria, o que violava o pacto mosaico. O desastre começou na alma dos homens e terminou na destruição da vida nacional.

■ 18.9

וַיְהִי בַּשָּׁנָה הָרְבִיעִית לַמֶּלֶךְ חִזְקִיָּהוּ הִיא הַשָּׁנָה הַשְּׁבִיעִית לְהוֹשֵׁעַ בֶּן־אֵלָה מֶלֶךְ יִשְׂרָאֵל עָלָה שַׁלְמַנְאֶסֶר מֶלֶךְ־אַשּׁוּר עַל־שֹׁמְרוֹן וַיָּצַר עָלֶיהָ:

No quarto ano do rei Ezequias. O autor, pois, continuava com suas narrativas paralelas sobre os reis de Israel e de Judá. Ele não nos contou primeiramente sobre os reis de Israel, relatando suas crônicas, para então voltar-se para os reis de Judá e fazer a mesma coisa. Antes, ele saltava para cá e para lá entre os dois reis, seguindo uma ordem cronológica aproximada. Ver sobre esse método de apresentação nas notas em 1Rs 16.29. Há alguma dificuldade com a cronologia apresentada, o que tem levado alguns intérpretes a incluir emendas no texto, fazendo-o dizer "no segundo ano do rei Ezequias" e no "nono ano do rei Oseias". Além disso, o versículo 10 deveria dizer, é de presumir-se, no "décimo segundo ano de Oseias" e no "quinto ano de Ezequias". Mas, manipulando alegadas corregências, alguns estudiosos encontram uma explicação: "O quarto ano do rei Ezequias, a começar com sua vice-regência, foi o ano de 725 a.C. No fim dos três anos (722 a.C.), Salmaneser V capturou a capital de Israel" (Thomas L. Constable, *in loc.*). Na exposição sobre 2Rs 18.1,2 dou um relato completo sobre a cronologia envolvida.

Naquele quarto ano, a revolta contra a Assíria foi abafada (ver 2Rs 18.7,8 quanto às descrições atinentes). Judá perdeu parte de seus territórios e foi posto de novo sob tributo à Assíria. Mas aquela potência maior, Babilônia, estava esperando fora do palco da história. A Babilônia em breve derrotaria a Assíria, e levaria Judá para o cativeiro. Quanto ao tributo renovado à Assíria, ver o versículo 14 deste capítulo.

Salmaneser. Ver o artigo detalhado sobre os vários reis da Assíria que tiveram esse mesmo nome. Ver as notas expositivas adicionais no relato paralelo sobre 2Rs 17.3,5,24 ss.

■ 18.10

וַיִּלְכְּדֻהָ מִקְצֵה שָׁלֹשׁ שָׁנִים בִּשְׁנַת־שֵׁשׁ לְחִזְקִיָּה הִיא שְׁנַת־תֵּשַׁע לְהוֹשֵׁעַ מֶלֶךְ יִשְׂרָאֵל נִלְכְּדָה שֹׁמְרוֹן:

Ao cabo de três anos. Salmaneser gostaria de ter vivido tempo suficiente para ver Israel em completo cativeiro, mas isso não lhe foi proporcionado. Ele morreu antes que o cerco de Samaria tivesse rendido resultados. Foi Sargão quem, após três anos de ataques, finalmente sujeitou a cidade de Samaria ao seu poder, quando seus habitantes (aqueles que sobreviveram à matança) foram deportados. O assédio inteiro pode ter levado quatro anos: um sob Salmaneser e três sob Sargão. Ou então o tempo todo do assédio levou três anos: um sob Salmaneser e dois sob Sargão. Seja como for, o trabalho de dominação da cidade de Samaria foi completo e devastador.

Cronologia. Quanto a comentários sobre as notas cronológicas que figuram nos versículos 9 e 10, e sobre as dificuldades que as cercam, ver meus comentários no versículo anterior, com um relato mais completo em 2Rs 18.1,2.

■ 18.11

וַיֶּגֶל מֶלֶךְ־אַשּׁוּר אֶת־יִשְׂרָאֵל אַשּׁוּרָה וַיַּנְחֵם בַּחְלַח וּבְחָבוֹר נְהַר גּוֹזָן וְעָרֵי מָדָי:

O rei da Assíria transportou Israel para a Assíria. Este versículo é paralelo ao de 2Rs 17.6, e é ali que apresento os comentários.

O reino do norte, Israel, sendo o mais forte dos dois, foi completamente derrotado, rebaixado, aniquilado e deportado. E o reino do sul, Judá, sendo o mais fraco, foi submetido a tributo, mas não foi destruído. Isso se deveu à espiritualidade superior do reino do sul. Ver o quinto versículo.

■ 18.12

עַל אֲשֶׁר לֹא־שָׁמְעוּ בְּקוֹל יְהוָה אֱלֹהֵיהֶם וַיַּעַבְרוּ אֶת־בְּרִיתוֹ אֵת כָּל־אֲשֶׁר צִוָּה מֹשֶׁה עֶבֶד יְהוָה וְלֹא שָׁמֵעוּ וְלֹא עָשׂוּ׃ פ

Porquanto não obedeceram à voz do Senhor seu Deus. *Razão Espiritual da Queda do Reino do Norte*, Israel. Israel estivera há muito tempo na apostasia, no meio de sua elaborada idolatria. A paciência divina, finalmente, esgotou-se, e, juntamente com ela, a identidade do reino do norte. A desobediência à legislação mosaica também significou o anulamento do pacto mosaico (anotado na introdução ao capítulo 19 de Êxodo). Esse anulamento significou o anulamento da nação do norte. Não havia mais razão para ela continuar existindo. Israel tinha-se tornado apenas outra nação pagã entre nações pagãs. Havia perdido seu caráter distintivo, o qual lhe fora dado pela lei mosaica (ver Dt 4.4-8). Cf. a longa diatribe que ilustra a violação, por parte de Israel, das leis e tradições ensinadas nas Escrituras (ver 2Rs 17.7-23).

CONQUISTAS MILITARES DE SENAQUERIBE (18.13—19.37)

O trecho de Is 36.1—39.8 reproduz essencialmente a presente seção. A maioria dos eruditos acredita que o autor de 1 e 2Reis produziu esta seção, por redação sua, e mais tarde toda a produção escrita (com omissões e inserções ocasionais) foi reproduzida no livro de Isaías. O interesse do autor de Isaías, ao tomar por empréstimo o material, foi preencher detalhes concernentes à vida e às obras do profeta, que, ao que tudo indica, ele não possuía da parte de outras fontes informativas.

As Três Seções do Material. 1. 2Rs 18.13-16: a derrota de Judá e o tributo renovado pago à Assíria; 2. 2Rs 18.17—19.8: a história do livramento de Ezequias. 3. 2Rs 19.9-35: o livramento de Jerusalém. Os versículos 36 e 37 proveem uma conclusão apropriada.

Sargão II, antecessor de Senaqueribe, expandiu o território da Assíria. Essa história é contada com detalhes no artigo sobre ele, no *Dicionário*. Senaqueribe foi um governante assírio menos hábil do que seu pai. Esteve envolvido na tarefa de enfrentar a Babilônia, que estava em ascendência, tentando preservar as vitórias de seu pai. A fim de manter Judá sob controle, sanguinárias campanhas foram lançadas. Uma grande soma em dinheiro e valores conservou o lobo do lado de fora da porta, mas resgates não satisfaziam Senaqueribe. Yahweh, porém, garantiu que ao homem mau se fizesse uma resistência eficaz (ver 2Rs 19.35,36). Mas tudo isso foi apenas preliminar ao inevitável: o cativeiro babilônico (ver a respeito no *Dicionário*). Quanto a detalhes sobre a história, ver no *Dicionário* o artigo chamado *Senaqueribe*.

■ 18.13

וּבְאַרְבַּע עֶשְׂרֵה שָׁנָה לַמֶּלֶךְ חִזְקִיָּה עָלָה סַנְחֵרִיב מֶלֶךְ־אַשּׁוּר עַל כָּל־עָרֵי יְהוּדָה הַבְּצֻרוֹת וַיִּתְפְּשֵׂם:

No ano décimo quarto do rei Ezequias subiu Senaqueribe. Isso, novamente, cria problemas cronológicos. Ver as minhas notas em 2Rs 18.1,2 quanto a detalhes da cronologia envolvida e ver o vs. 9 quanto a comentários adicionais. Seja como for, o ano foi o de 701 a.C., presumivelmente no décimo quarto ano do governo único de Ezequiel, que começou em 715 a.C. O ano décimo quarto de Ezequiel foi, provavelmente, o ano de sua enfermidade quase fatal (ver 2Rs 20.1-19).

A captura de várias cidades de Judá foi o primeiro resultado da invasão, e a captura de Jerusalém foi o próximo resultado. Um pesado suborno salvaria temporariamente a capital de Judá (vss. 14-16). Comparar o presente versículo com 2Cr 32.1.

■ 18.14

וַיִּשְׁלַח חִזְקִיָּה מֶלֶךְ־יְהוּדָה אֶל־מֶלֶךְ־אַשּׁוּר ׀ לָכִישָׁה
לֵאמֹר ׀ חָטָאתִי שׁוּב מֵעָלַי אֵת אֲשֶׁר־תִּתֵּן עָלַי אֶשָּׂא
וַיָּשֶׂם מֶלֶךְ־אַשּׁוּר עַל־חִזְקִיָּה מֶלֶךְ־יְהוּדָה שְׁלֹשׁ
מֵאוֹת כִּכַּר־כֶּסֶף וּשְׁלֹשִׁים כִּכַּר זָהָב׃

Ezequias deu a Senaqueribe um cheque em branco. Ele poderia escrever ali a quantia que quisesse. O rei de Judá reconheceu que o rei da Assíria tomaria tudo se capturasse Jerusalém, pelo que qualquer quantia menor do que essa seria uma vantagem para Judá, por mais miserável que a vantagem pudesse ser.

Um mensageiro foi de Jerusalém a Laquis (ver no *Dicionário*), uma distância de apenas 56 quilômetros para sudoeste. Portanto, o homem ameaçador tinha chegado bem perto da capital, e coisa alguma poderia fazê-lo parar exceto o dinheiro, e mesmo assim apenas por algum tempo.

Trezentos talentos de prata e trinta talentos de ouro. Essa foi a quantia que Senaqueribe escreveu no cheque. Quanto aos valores envolvidos, ver o artigo sobre *Pesos e Medidas*, no *Dicionário*. Não há como relacionar a quantia envolvida com o poder de compra das moedas modernas. Uma de minhas fontes informativas supõe que a quantia equivalia a US$2.500.000, combinando os pesos em prata e em ouro. Naquele tempo ainda não havia moedas, e os valores eram calculados por peso. Os pesos envolvidos foram onze toneladas de prata e uma tonelada de ouro. O templo, a casa de Yahweh, proveu a fonte principal desse pagamento (ver os vss. 15 e 16).

■ 18.15

וַיִּתֵּן חִזְקִיָּה אֶת־כָּל־הַכֶּסֶף הַנִּמְצָא בֵית־יְהוָה
וּבְאֹצְרוֹת בֵּית הַמֶּלֶךְ׃

Deu-lhe Ezequias toda a prata que se achou na casa do Senhor. *Esvaziando o Templo de Jerusalém*. Em Judá, o templo servia como o mais rico depósito de riquezas e, em várias ocasiões, foi esvaziado para manter os lobos distantes da porta. Cf. 2Rs 12.18 e 16.8. Os móveis do templo, ricos em ouro e prata, também foram desmantelados e transformados em dinheiro para suborno; e isso aconteceu por mais de uma vez (vs. 16). Mas a despeito de todos os esforços e sacrifícios, a Assíria não se deixou aplacar, e exigiu a rendição incondicional de Jerusalém (vss. 17 e ss.). A resistência era impossível, não fosse por algum milagre especial de Yahweh. Nessa oportunidade, houve esse milagre, mas não mais tarde, quando o poder opositor era a Babilônia.

■ 18.16

בָּעֵת הַהִיא קִצַּץ חִזְקִיָּה אֶת־דַּלְתוֹת הֵיכַל יְהוָה
וְאֶת־הָאֹמְנוֹת אֲשֶׁר צִפָּה חִזְקִיָּה מֶלֶךְ יְהוּדָה וַיִּתְּנֵם
לְמֶלֶךְ אַשּׁוּר׃ פ

Foi quando Ezequias arrancou das portas do templo. As portas e as ombreiras das portas do templo tinham sido recobertas de ouro, de acordo com o texto presente, por Ezequias. Mas os intérpretes pensam que isso representa um erro primitivo, ou um deslize da pena do autor-compilador original, ou de algum escriba antigo. Esse trabalho pode ter sido feito pelo rico Salomão, ou por Azarias. O ouro que Salomão havia usado para embelezar o templo provavelmente já havia sido usado, fazia muito tempo, como dinheiro para subornos. Seja como for, havia no templo grandes riquezas que entravam e saíam, conforme as vicissitudes de Judá com os adversários estrangeiros que levavam a nação de Judá da riqueza à pobreza.

As colunas também foram tiradas de seus lugares. Em vista estão as colunas do templo (conforme diz o Targum), ou seja, a verga e os lados das portas do templo.

HISTÓRIA DO LIVRAMENTO DE EZEQUIEL
(18.17—19.8)

Com grandes sacrifícios para os tesouros do templo, Ezequias havia pago um suborno ao rei da Assíria, para que ele poupasse Jerusalém. Senaqueribe já havia tomado conta de várias cidades da Judeia (ver 2Rs 18.13). Ezequias pagou o dinheiro e sentiu a desgraça. Ele se humilhou ao máximo, mas o apetite voraz da Assíria não se satisfez. Uma rendição incondicional foi exigida, e a deportação dos habitantes de Jerusalém certamente se seguiria, conforme tinha acontecido ao reino do norte, Israel (ver 2Rs 18.9-12). Ezequias tinha-se rebelado contra a Assíria e parado de pagar-lhe tributo (ver 2Rs 18.7). Agora os assírios queriam vingar-se, e não apenas extrair dinheiro de Judá. Os assírios enviaram três representantes, mensageiros do rei, para mostrar a Ezequias a futilidade de toda resistência. E nada lhe prometeram como cooperação. Os mensageiros mostraram a Ezequias que seus aliados eram fracos e indignos de confiança (vs. 21), e que nem mesmo confiar em Yahweh teria o mínimo efeito de aliviar-lhes o aperto (vs. 22). E, além disso, os assírios afirmavam que Yahweh é quem os tinha enviado para destruir Judá (vs. 25)! Os oficiais judeus pediram que os enviados do rei da Assíria falassem em aramaico, e não em hebraico, para que o povo presente não compreendesse o que estava sendo negociado. Os oficiais dos judeus compreendiam o aramaico, mas não o povo comum. O aramaico era a linguagem da diplomacia da Ásia ocidental, e também era muito usado nos círculos comerciais. Essa petição ofendeu os enviados. Um deles, portanto, falou em voz alta, gritando em hebraico, usando linguagem abusiva e com vulgaridades, e anunciou tudo quanto estava prestes a acontecer ao povo comum. Ezequias sentiu-se devastado diante da questão e vestiu-se de cilício, e mandou buscar Isaías, esperando alguma boa palavra da parte do profeta. Foi o que Ezequias obteve, e as coisas voltaram ao normal por algum tempo. Mas a estrela dos babilônios estava subindo no firmamento, e agora um cativeiro do povo de Judá já rondava por perto.

■ 18.17

וַיִּשְׁלַח מֶלֶךְ־אַשּׁוּר אֶת־תַּרְתָּן וְאֶת־רַב־סָרִיס ׀
וְאֶת־רַב־שָׁקֵה מִן־לָכִישׁ אֶל־הַמֶּלֶךְ חִזְקִיָּהוּ בְּחֵיל
כָּבֵד יְרוּשָׁלִָם וַיַּעֲלוּ וַיָּבֹאוּ יְרוּשָׁלִַם וַיַּעֲלוּ וַיָּבֹאוּ
וַיַּעַמְדוּ בִּתְעָלַת הַבְּרֵכָה הָעֶלְיוֹנָה אֲשֶׁר בִּמְסִלַּת
שְׂדֵה כוֹבֵס׃

Tartã... Rabe-Saris... e Rabsaqué. Estes poderiam ser os nomes pessoais dos três enviados pelo rei da Assíria, mas o mais provável é que alguns eruditos estejam com a razão ao declarar esses nomes como títulos de oficiais. Provi artigos sobre todos esses três nomes no *Dicionário*, explicando o que se sabe sobre esses oficiais e as funções que desempenhavam. Esses três altos oficiais assírios foram enviados para negociar a "paz", mas o que sem dúvida estava sendo ameaçado era a rendição incondicional, com a subsequente deportação da população de Jerusalém. Um grande exército assírio acompanhou os oficiais em uma demonstração de força. "Eles foram com um grande exército para intimidar Ezequias, a fim de que ele se rendesse sem oferecer resistência" (Thomas L. Constable, *in loc.*).

Na extremidade do aqueduto do açude superior. Cf. Is 7.3. Foi naquele local que o profeta Isaías tinha advertido Acaz a respeito da insensatez de buscar ajuda da parte da Assíria. O local não foi identificado de forma absoluta, mas provavelmente era um cano que trazia água do poço da Virgem, a moderna 'Ain Sitti Maryam, até o poço de Siloé, no interior da cidade. "O suprimento de água sempre foi um problema na defesa das cidades, e o poço da Virgem era o único suprimento de água alcançável pela cidade. Ezequias, pois, havia construído um canal subterrâneo a fim de tornar mais seguro o suprimento de água (ver 2Rs 20.20)" (Norman H. Snaith, *in loc.*).

Açude superior. Esse açude é chamado de Giom, em 1Rs 1.33. Ver o artigo no *Dicionário* chamado *Giom (Fonte)*.

Junto ao caminho do campo do lavandeiro. Um campo onde as pessoas lavavam suas roupas, que ficava à distância de um grito a partir das muralhas de Jerusalém (vs. 26), um local sempre cheio de gente. Ali seria fácil estabelecer contato com o rei.

■ 18.18

וַיִּקְרְאוּ֙ אֶל־הַמֶּ֔לֶךְ וַיֵּצֵ֧א אֲלֵהֶ֛ם אֶלְיָקִ֥ים בֶּן־חִלְקִיָּ֖הוּ אֲשֶׁ֣ר עַל־הַבָּ֑יִת וְשֶׁבְנָה֙ הַסֹּפֵ֔ר וְיוֹאָ֥ח בֶּן־אָסָ֖ף הַמַּזְכִּֽיר׃

Tendo eles chamado o rei. Pedindo uma audiência com o rei de Judá, aos gritos, os enviados receberam seu representante, Eliaquim. Ver sobre esse nome próprio no *Dicionário*, sob o primeiro ponto. Ele era filho de Hilquias, mordomo de sua casa ou guarda do palácio, durante o tempo do rei Ezequias. Foi o escolhido para tentar negociar com os assírios. Dois outros oficiais judeus o acompanharam, a saber: Sebna, o escrivão, e Joá, o cronista. Quanto ao pouco que se sabe acerca deles, ver os artigos com os nomes deles existentes no *Dicionário*. Portanto, três oficiais foram ao encontro de três oficiais. Esses formavam a "comissão de paz". Ver a passagem similar de 1Rs 4.1-4 no tocante aos oficiais do rei. Ver no *Dicionário* os seguintes artigos: *Mordomo*; *Escriba* e *Cronista*, quanto a informações sobre esses ofícios.

■ 18.19

וַיֹּ֤אמֶר אֲלֵהֶם֙ רַב־שָׁקֵ֔ה אִמְרוּ־נָ֖א אֶל־חִזְקִיָּ֑הוּ כֹּֽה־אָמַ֞ר הַמֶּ֤לֶךְ הַגָּדוֹל֙ מֶ֣לֶךְ אַשּׁ֔וּר מָ֧ה הַבִּטָּח֛וֹן הַזֶּ֖ה אֲשֶׁ֥ר בָּטָֽחְתָּ׃

Que confiança é essa em que te estribas? *Uma Falsa Confiança da Parte de Ezequias?* Por que Ezequias continuava sua resistência ao sumo rei, o rei da Assíria? Essa foi a pergunta que o porta-voz Rabsaqué levantou. Poderia a vã confiança de Ezequias produzir algum bem se o rei da Assíria fizesse seu exército de cães selvagens voltar-se contra eles? Naquele momento, eles precisavam de mais do que meras palavras e uma aparência esperta em suas fisionomias.

Os versículos seguintes enumeram as coisas em que Ezequias poderia confiar, e de onde ele poderia derivar sua confiança. Era uma lista lamentável, de acordo com o julgamento dos assírios. A maior delas assim alistadas, como é óbvio, era Yahweh, o Deus deles. Mas os assírios afirmavam que, na realidade, Yahweh os tinha enviado para guerrearem contra Judá! (vs. 25).

■ 18.20

אָמַ֗רְתָּ אַךְ־דְּבַר־שְׂפָתַ֛יִם עֵצָ֥ה וּגְבוּרָ֖ה לַמִּלְחָמָ֑ה עַתָּה֙ עַל־מִ֣י בָטַ֔חְתָּ כִּ֥י מָרַ֖דְתָּ בִּֽי׃

Teu conselho e poder. Recursos adequados de dentro de Judá, e ajuda externa, homens poderosos para dar conselho e traçar planos de batalha que pudessem derrotar os assírios. A tradução deste versículo é bastante diferente nas versões. A *Revised Standard Version* diz aqui: "Pensas que meras palavras são conselho e poder para a guerra?" O enviado assírio pensava que Judá tinha bem pouco, para mostrar confiança, excetuando palavras corajosas. Mas palavras corajosas dificilmente seriam suficientes na guerra. Talvez devamos vincular as palavras dos versículos 20 e 21, compreendendo conselho como sendo os egípcios como aliados.

■ 18.21

עַתָּ֡ה הִנֵּ֣ה בָטַ֣חְתָּ לְּךָ֡ עַל־מִשְׁעֶנֶת֩ הַקָּנֶ֨ה הָרָצ֤וּץ הַזֶּה֙ עַל־מִצְרַ֔יִם אֲשֶׁ֨ר יִסָּמֵ֥ךְ אִישׁ֙ עָלָ֔יו וּבָ֥א בְכַפּ֖וֹ וּנְקָבָ֑הּ כֵּ֚ן פַּרְעֹ֣ה מֶֽלֶךְ־מִצְרַ֔יִם לְכָֽל־הַבֹּטְחִ֖ים עָלָֽיו׃

Confias no Egito, esse bordão de cana esmagada... O Egito foi descrito pelo porta-voz assírio como um "pato manco", conforme diz a linguagem popular moderna, uma "cana esmagada" que, se fosse usada como apoio de alguém, se envergaria e deixaria sem apoio a quem nela se apoiasse. Ou então, lhe atravessaria a mão, ferindo-o em lugar de dar-lhe sustentação. Assim era o Egito para todos os seus aliados, o enviado afirmou.

"A disposição de depender das promessas do Egito foi o erro fatal dos estadistas de Judá, geração após geração. Os Faraós e os seus sucessores do período helênico, os Ptolomeus, estavam sempre prontos para despertar perturbações na Palestina, para os assírios, babilônios, persas e líderes gregos, quem quer que porventura estivesse no poder; mas raramente cumpriam suas promessas. E de cada vez em que isso acontecia, Judá sofria. No caso referido no presente versículo, há evidências de que o Faraó realmente enviou um exército, mas ele foi derrotado pelos assírios em Eltequé. Foi essa derrota, envolvendo o fim das esperanças de ajuda, que forçou Ezequias a render-se aos assírios (vs. 14)" (Norman H. Snaith, *in loc.*).

Cf. Is 42.3. Quanto às expectativas de Judá, acerca do Egito como um aliado, ver Is 20.1-5; 21.1-4 e 30.1-8. Tais expectativas foram denunciadas por Yahweh como contrárias à sua vontade, e contrárias à confiança nele.

O poder da Assíria já havia partido a cana (o Egito), mas Ezequias continuava esperando alguma ajuda daquela direção.

■ 18.22

וְכִי־תֹאמְר֣וּן אֵלַ֔י אֶל־יְהוָ֥ה אֱלֹהֵ֖ינוּ בָּטָ֑חְנוּ הֲלוֹא־ה֗וּא אֲשֶׁ֨ר הֵסִ֤יר חִזְקִיָּ֨הוּ֙ אֶת־בָּמֹתָ֣יו וְאֶת־מִזְבְּחֹתָ֔יו וַיֹּ֤אמֶר לִֽיהוּדָה֙ וְלִיר֣וּשָׁלִַ֔ם לִפְנֵי֙ הַמִּזְבֵּ֣חַ הַזֶּ֔ה תִּֽשְׁתַּחֲו֖וּ בִּירוּשָׁלָֽםִ׃

Mas se me dizeis: Confiamos no Senhor nosso Deus... Se não o Egito, então Yahweh logo sairia em socorro de Judá, poderia supor Ezequias. Mas o porta-voz assírio, não compreendendo o que estivera em jogo na destruição dos lugares altos, supunha que Ezequias tinha destruído os santuários de Yahweh, pelo que dificilmente poderia esperar alguma ajuda da parte dele. Os altares de Israel tinham sido destruídos, e somente o templo de Jerusalém restara, o que, segundo o oficial assírio (condicionado pelos muitos altares da idolatria), seria uma afronta a Yahweh. Quanto à destruição dos lugares altos por parte de Ezequias, Ver 2Rs 18.4. É possível que o oficial assírio estivesse repetindo coisas que tinha ouvido da parte de alguns judeus. Muitos deles devem ter-se ressentido do fato de que Ezequias tentara centralizar a adoração em Jerusalém, pensando que ele abusara ao fazer isso.

■ 18.23,24

וְעַתָּה֙ הִתְעָ֣רֶב נָ֔א אֶת־אֲדֹנִ֖י אֶת־מֶ֣לֶךְ אַשּׁ֑וּר וְאֶתְּנָ֤ה לְךָ֙ אַלְפַּ֣יִם סוּסִ֔ים אִם־תּוּכַ֕ל לָ֥תֶת לְךָ֖ רֹכְבִ֥ים עֲלֵיהֶֽם׃

וְאֵ֣יךְ תָּשִׁ֗יב אֵ֠ת פְּנֵ֨י פַחַ֥ת אַחַ֛ד עַבְדֵ֥י אֲדֹנִ֖י הַקְּטַנִּ֑ים וַתִּבְטַ֤ח לְךָ֙ עַל־מִצְרַ֔יִם לְרֶ֖כֶב וּלְפָרָשִֽׁים׃

Ora, pois, empenha-te com meu senhor, rei da Assíria. O enviado assírio zombou das forças armadas de Judá. Eles não tinham um número significativo de cavalos e carros de combate, e mesmo que o Egito lhes desse dois mil cavalos, Judá não teria cavaleiros treinados para montá-los. E, mesmo que os tivesse, o grupo todo não poderia enfrentar um único dos capitães da Assíria (ver o vs. 24). No entanto, apesar de tão óbvia fraqueza, Ezequias continuava a depender do Egito como seu socorro, esperando que os egípcios suprissem os cavalos, os carros de combate e a cavalaria treinada para enfrentar o inimigo do norte. Judá estava dependendo de "teias de aranha", conforme se diz em uma expressão idiomática popular.

Ai dos que descem ao Egito em busca de socorro,
e se estribam em cavalos; que confiam em carros,
porque são muitos, e em cavaleiros,
porque são muito fortes,
mas não atentam para o Santo de Israel,
nem buscam o Senhor.

Isaías 31.1

Por conseguinte, ao menos em um ponto, o profeta Isaías concordou com a avaliação do enviado da Assíria.

18.25

עַתָּה֙ הֲמִבַּלְעֲדֵ֣י יְהוָ֔ה עָלִ֛יתִי עַל־הַמָּק֥וֹם הַזֶּ֖ה לְהַשְׁחִת֑וֹ יְהוָה֙ אָמַ֣ר אֵלַ֔י עֲלֵ֛ה עַל־הָאָ֥רֶץ הַזֹּ֖את וְהַשְׁחִיתָֽהּ׃

O Senhor mesmo me disse: Sobe contra a terra, e destrói-a. O representante da Assíria, tornando-se eloquente em sua diatribe, de súbito afirmou que Yahweh, na realidade, é quem havia enviado a Assíria contra Judá. Se realmente fosse assim, então, como é óbvio, seria inútil o rei de Judá esperar ajuda da parte do Senhor. Alegadamente, Yahweh teria abandonado Judá e se tornado um aliado invisível da Assíria. Isso significaria, como é óbvio, que Judá estava condenada a uma sorte amarga, e seria melhor aceitar quaisquer condições que os assírios oferecessem. Os eruditos na história dizem-nos que Ciro afirmou algo semelhante, ao atacar a Babilônia. É possível que o enviado assírio pensasse que, visto que era a Assíria quem se estava erguendo poderosamente, todas as forças invisíveis (os deuses) que havia por trás das nações estavam favorecendo aquele país. Nesse caso, é comum (e sempre o foi) que os homens pensem que os poderes divinos os estejam favorecendo, quando obtêm poder e dinheiro, dando a Deus crédito por todas as espécies de coisas duvidosas.

Alguns intérpretes supõem que Senaqueribe tenha consultado alguns sacerdotes israelitas cativos, e que eles lhe tenham dado a profecia de que Yahweh ajudaria nos esforços dele contra Judá. Ou então, as ameaças dos profetas de Judá, contra seu próprio povo judeu, tinham chegado aos ouvidos do rei assírio.

O caso de Ciro, mencionado acima, é curioso. Lemos que ele oferecia sacrifícios diários a Merodaque, o principal deus da Babilônia, antes de haver cercado aquele lugar. E também sacrificava a Bel e a Nebo, para que intercedessem junto a Merodaque, em seu favor. E foi assim que Ciro ficou convencido de que os deuses babilônios estavam prestes a entregar a ele a cidade da Babilônia. E ele obteve o que desejava.

"O povo de Judá tinha visto Israel cair diante da Assíria. O plano de Deus não seria igual no caso de Judá?" (Thomas L. Constable, *in loc.*).

18.26

וַיֹּ֣אמֶר אֶלְיָקִ֣ים בֶּן־חִ֠לְקִיָּהוּ וְשֶׁבְנָ֨ה וְיוֹאָ֜ח אֶל־רַב־שָׁקֵ֗ה דַּבֶּר־נָ֤א אֶל־עֲבָדֶ֙יךָ֙ אֲרָמִ֔ית כִּ֥י שֹׁמְעִ֖ים אֲנָ֑חְנוּ וְאַל־תְּדַבֵּ֤ר עִמָּ֙נוּ֙ יְהוּדִ֔ית בְּאָזְנֵ֣י הָעָ֔ם אֲשֶׁ֖ר עַל־הַחֹמָֽה׃

Então disseram Eliaquim... e Joá a Rabsaqué. Eliaquim foi um dos três representantes judeus nas "conversações sobre a paz" (ver o vs. 18). Ele temia que a diatribe de Rabsaqué, proferida em alta voz, fosse ouvida e compreendida pelos cidadãos de Judá que estavam no alto das muralhas de Jerusalém, e que essas palavras metessem medo no coração dos judeus. Ao que parece, Rabsaqué estava falando em hebraico, e assim, o que ele dizia podia ser compreendido pelos habitantes de Jerusalém. Eliaquim, pois, solicitou que Rabsaqué falasse em aramaico, porque assim ele não seria entendido pelo povo comum, embora a elite de Judá pudesse entendê-lo. Por meio deste versículo aprendemos que embora o hebraico e o aramaico fossem linguagens irmãs (semíticas), elas não eram tão próximas uma da outra como o português é próximo do espanhol, pois, se o fossem, então ainda que o enviado assírio falasse em aramaico, seria entendido por todos os judeus presentes. O aramaico era a língua usada pela Ásia ocidental, para propósitos diplomáticos e comerciais, mas não foi uma verdadeira língua franca, conforme aconteceu com o grego, alguns séculos mais tarde.

É um fato histórico curioso que Judá, no cativeiro babilônico, tenha adotado o aramaico, que então substituiu o hebraico, falado em Israel. Quando voltou o remanescente judeu, a língua em que falada era o aramaico, embora alguns continuassem a falar o hebraico. Isso, naturalmente, foi um processo. Não aconteceu tudo de uma vez só. Eis porque, no tempo de Jesus, o aramaico, e não o hebraico, era a língua falada pelo povo hebreu. Alguns hebreus, contudo, ainda conheciam e usavam o hebraico. Como exemplo, o hebraico era usado na escrita de cartas, conforme o demonstram os *Manuscritos do Mar Morto*. Houve algum material escrito em hebraico entre aquelas descobertas, como por exemplo, cartas contemporâneas. Naturalmente, o hebraico continuou sendo a língua ensinada nas sinagogas, pelo menos quanto à liturgia empregada.

Ver o artigo no *Dicionário* chamado *Aramaico*, quanto a uma revisão dos fatos. Parte do Antigo Testamento foi escrita em aramaico, a saber: Dn 2.4—7.28; Ed 4.8—6.18; 7.12-26 e Jr 10.11 (uma glosa?). Após o exílio, os judeus usavam a escrita aramaica para escrever o hebraico. Finalmente, o aramaico suplantou o hebraico, e tornaram-se necessárias traduções do Antigo Testamento do hebraico para o aramaico. Os Targuns, os comentários judaicos como a Mishnah, a Midrash e o Talmude foram escritos em aramaico. Quanto a detalhes sobre essas e outras coisas de interesse, ver esse artigo.

Foi nos fins do século V a.C. que o aramaico chegou a ser a língua comumente falada na Palestina, embora não com exclusividade.

18.27,28

וַיֹּ֣אמֶר אֲלֵיהֶ֣ם רַב־שָׁקֵ֗ה הַעַ֨ל אֲדֹנֶ֤יךָ וְאֵלֶ֙יךָ֙ שְׁלָחַ֣נִי אֲדֹנִ֔י לְדַבֵּ֖ר אֶת־הַדְּבָרִ֣ים הָאֵ֑לֶּה הֲלֹ֣א עַל־הָאֲנָשִׁ֗ים הַיֹּֽשְׁבִים֙ עַל־הַ֣חֹמָ֔ה לֶאֱכֹ֣ל אֶת־חרייהם [צוֹאָתָ֗ם] וְלִשְׁתּ֛וֹת אֶת־שיניהם [מֵימֵ֥י רַגְלֵיהֶ֖ם] עִמָּכֶֽם׃

וַֽיַּעֲמֹד֙ רַב־שָׁקֵ֔ה וַיִּקְרָ֥א בְקוֹל־גָּד֖וֹל יְהוּדִ֑ית וַיְדַבֵּ֣ר וַיֹּ֔אמֶר שִׁמְע֛וּ דְּבַר־הַמֶּ֥לֶךְ הַגָּד֖וֹל מֶ֥לֶךְ אַשּֽׁוּר׃

Então Rabsaqué se pôs em pé, e clamou em alta voz em judaico. O turbulento Rabsaqué, querendo desmoralizar os habitantes de Jerusalém, falou com voz ainda mais alta, gritando para o povo judeu nas muralhas, ameaçando-os com o poder dos assírios, mediante ofensas, obscenidades e de modo beligerante. Sem dúvida, ele conseguiu o que queria. O povo de Jerusalém tremeu ao ouvir as palavras dele. O povo comum é que iria sofrer, e o enviado assírio fê-los saber disso, em termos nada incertos. Ele esperava pressionar Ezequiel a aceitar a rendição incondicional. O cerco assírio seria tão radical que faria homens, e até os soldados (aqueles que ficassem de guarda nas muralhas), comer seu próprio excremento e beber sua própria urina. Jerusalém seria reduzida às circunstâncias mais desesperadoras. E, no fim, Judá perderia tudo, fosse como fosse. Portanto, a sabedoria ditava uma rendição imediata por parte dos judeus. O enviado assírio, pois, levou o caso diretamente aos soldados nos postos de vigia e ao povo comum, que ouvia sua ultrajante arenga.

18.29

כֹּ֚ה אָמַ֣ר הַמֶּ֔לֶךְ אַל־יַשִּׁ֥יא לָכֶ֖ם חִזְקִיָּ֑הוּ כִּי־לֹ֣א יוּכַ֔ל לְהַצִּ֥יל אֶתְכֶ֖ם מִיָּדֽוֹ׃

Não vos engane Ezequias. Conforme disse Rabsaqué, a lealdade do povo judeu ao seu rei se tornara um absurdo. Um novo dia tinha raiado, um novo rei precisava ser honrado. O rei dotado de poder era aquele que deveria ser temido, e esse rei por certo não era Ezequias. Em Judá não havia poder capaz de salvá-lo. Seria melhor deixar o país inteiro à mercê dos assírios, do que resistir e ter de enfrentar a ira deles. A situação era desesperadora. Haveria pouco a ganhar, fosse qual fosse a reação dos judeus.

18.30

וְאַל־יַבְטַ֨ח אֶתְכֶ֤ם חִזְקִיָּ֙הוּ֙ אֶל־יְהוָ֣ה לֵאמֹ֔ר הַצֵּ֥ל יַצִּילֵ֖נוּ יְהוָ֑ה וְלֹ֤א תִנָּתֵן֙ אֶת־הָעִ֣יר הַזֹּ֔את בְּיַ֖ד מֶ֥לֶךְ אַשּֽׁוּר׃

O Senhor certamente nos livrará. Ezequias falava sobre o livramento divino. Yahweh se levantaria e livraria os judeus. Para Rabsaqué, entretanto, toda conversa nesse sentido era destituída de bom senso. Nenhum poder tinha salvado Israel, que já estava descansando em uma terra estrangeira, e nem haveria poder algum, humano ou divino, que salvasse Judá. Além disso, Yahweh, segundo o enviado assírio alegava, já tinha dado à Assíria ordens para destruir Judá (vs. 25).

18.31,32

אַל־תִּשְׁמְעוּ אֶל־חִזְקִיָּהוּ כִּי כֹה אָמַר מֶלֶךְ אַשּׁוּר
עֲשׂוּ־אִתִּי בְרָכָה וּצְאוּ אֵלַי וְאִכְלוּ אִישׁ־גַּפְנוֹ וְאִישׁ
תְּאֵנָתוֹ וּשְׁתוּ אִישׁ מֵי־בוֹרוֹ:

עַד־בֹּאִי וְלָקַחְתִּי אֶתְכֶם אֶל־אֶרֶץ כְּאַרְצְכֶם אֶרֶץ
דָּגָן וְתִירוֹשׁ אֶרֶץ לֶחֶם וּכְרָמִים אֶרֶץ זֵית יִצְהָר
וּדְבַשׁ וִחְיוּ וְלֹא תָמֻתוּ וְאַל־תִּשְׁמְעוּ אֶל־חִזְקִיָּהוּ
כִּי־יַסִּית אֶתְכֶם לֵאמֹר יְהוָה יַצִּילֵנוּ:

Fazei as pazes comigo. *As Promessas do Rei da Assíria.* A rendição incondicional evitaria uma carnificina. O rei da Assíria seria misericordioso. Enquanto ainda estivesse em sua terra, antes da deportação, o povo comum teria permissão de continuar em paz e prosperidade. Cada homem teria "sua própria vinha e sua própria figueira", uma figura de linguagem frequente para indicar o desfrute da paz em meio à prosperidade. Cada indivíduo teria sua "independência" e seu viver diário adequado. Ver essa expressão também em 1Rs 4.25; Mq 4.4 e Zc 3.10. E então, depois da deportação (vs. 32), a qual certamente viria, essa condição continuaria. Embora em uma terra estrangeira, o povo comum de Judá permaneceria em paz e prosperidade, com provisões adequadas para cada necessidade. Naturalmente, para garantir tal tratamento, eles teriam de desistir de sua identidade nacional. Eles seriam absorvidos pelos povos do norte, e sua terra receberia muitas raças diferentes que o rei da Assíria mandaria para lá para ficar com suas cidades e fazendas. Isso é o que tinha acontecido a Israel, e Judá simplesmente teria de esperar o mesmo tipo de tratamento. Mas pelo menos a vida deles seria poupada.

"Senaqueribe postou-se como um pai que desejasse fazer os preparativos necessários para receber seus filhos queridos!" (Ellicott, *in loc.*). "Ele vos transportará para uma terra tão boa quanto a vossa" (Adam Clarke, *in loc.*).

18.33

הַהַצֵּל הִצִּילוּ אֱלֹהֵי הַגּוֹיִם אִישׁ אֶת־אַרְצוֹ מִיַּד
מֶלֶךְ אַשּׁוּר:

Acaso os deuses das nações puderam livrar... ? *Uma Temida Lição Objetiva.* Nenhuma outra nação fora capaz de resistir ao temível inimigo do norte. Poderia Judá resistir-lhe? O povo judeu estava consciente da elevação constante da estrela assíria no firmamento. Era a vez de a Assíria ter seu momento de glória no palco internacional. No entanto, em breve a Babilônia derrubaria a Assíria de sua posição privilegiada no mundo. Mas isso aconteceria tarde demais para ajudar Judá. Portanto, apesar de não ter sido levada pela Assíria, Judá seria levada pela Babilônia, e esse acontecimento já se aproximava. De fato, a Judá restavam somente cerca de 115 anos de liberdade! Ver no *Dicionário* o verbete intitulado *Cativeiro Babilônico*. Por conseguinte, todas as ameaças que o abominável Rabsaqué estava fazendo teriam cumprimento, embora não da parte da Assíria. As nações antigas sempre confiavam na multidão de seus deuses para ajudá-las. Elas possuíam uma alegada proteção e ajuda divina, mas na hora do teste, essa proteção falhava. O enviado assírio acreditava que isso também aconteceria no caso de Judá. Mas Ezequias e Judá seriam, finalmente, libertados das ameaças assírias, embora mais algumas décadas, e a nação de Judá cairia diante da outra potência mundial. Rabsaqué pode ter deixado implícito que aqueles próprios deuses nos quais as nações confiavam, tinham, na verdade, ajudado a Assíria (ver o vs. 25)!

18.34

אַיֵּה אֱלֹהֵי חֲמָת וְאַרְפָּד אַיֵּה אֱלֹהֵי סְפַרְוַיִם הֵנַע
וְעִוָּה כִּי־הִצִּילוּ אֶת־שֹׁמְרוֹן מִיָּדִי:

Ilustrações. Rabsaqué ilustrou a sua tese de que não haveria nenhuma intervenção divina em favor de Judá. As cidades por ele mencionadas foram todas cidades sírias, que Senaqueribe conquistara durante sua terceira campanha militar. Cada uma daquelas cidades tinha suas próprias divindades. Todos os seus habitantes clamaram a seus deuses, pedindo livramento, mas nada aconteceu, exceto sua destruição e deportação. No *Dicionário*, quanto a cada um dos nomes próprios aqui usados, há artigos onde são oferecidos detalhes.

Samaria. Além daquelas cidades sírias que tinham sofrido uma sorte terrível, havia também Samaria, capital do reino do norte, Israel. Embora, como seria de presumir, eles contassem com Yahweh como seu protetor, aquela cidade caíra tão facilmente como as demais, e naquele momento em que o horrendo Rabsaqué falava, seus sobreviventes (os que tinham escapado do cerco) estavam descansando em territórios pertencentes à Assíria. As versões de Luciano e da *Vulgata Latina* adicionam a este versículo: "Onde estão os deuses de Samaria?"

Atrocidades. Sargão e Senaqueribe tiveram grande sucesso em suas matanças e conquistas militares. Sargão, em suas inscrições sobre a campanha síria, informou-nos que Ya-u-bi-h-di, rei dos Ramatitas, tinha induzido Arpada a revoltar-se contra a Assíria. Mas a confederação deles fora derrotada em Qarqar, onde Ya-u-bi-h-di tinha sido aprisionado e esfolado vivo! Cidades maiores tinham recebido seus próprios reis secundários, que exercem agora controle sobre as cidades e as áreas ao redor, isto é, sobre pequenas cidades-estados.

18.35

מִי בְּכָל־אֱלֹהֵי הָאֲרָצוֹת אֲשֶׁר־הִצִּילוּ אֶת־אַרְצָם
מִיָּדִי כִּי־יַצִּיל יְהוָה אֶת־יְרוּשָׁלַםִ מִיָּדִי:

Para que o Senhor possa livrar Jerusalém das minhas mãos? Este versículo encerra a diatribe contra a alegada proteção divina pelos deuses de cada cidade-estado que fora atacada. Não havia um único exemplo de sucesso. Todas as cidades-estados tinham caído diante da Assíria; todas elas tinham sido destruídas; os habitantes de todas elas tinham sido deportados. Jerusalém (e Judá) não seriam exceção.

18.36

וְהֶחֱרִישׁוּ הָעָם וְלֹא־עָנוּ אֹתוֹ דָּבָר כִּי־מִצְוַת הַמֶּלֶךְ
הִיא לֵאמֹר לֹא תַעֲנֻהוּ:

Os vss. 33-35 contêm seis perguntas retóricas levantadas pelo abominável Rabsaqué. Sua lógica era incansável. Não havia respostas para as suas afirmações. Suas perguntas não tinham respostas lógicas. Mas o povo de Judá continuou confiando em Yahweh. O rei Ezequias tinha ordenado especificamente que o povo não tentasse responder ao enviado assírio. Um grande silêncio acompanhou a sua tirada. "Sem dúvida alguma aqueles argumentos de tanta força despertaram muitas vívidas discussões entre o povo comum, depois que os mensageiros assírios partiram" (Thomas L. Constable, *in loc.*). Os argumentos de Rabsaqué eram irretorquíveis para Judá, mas não para Yahweh, conforme a história prossegue em informar-nos. Restava ao poder divino humilhar os poderosos assírios.

18.37

וַיָּבֹא אֶלְיָקִים בֶּן־חִלְקִיָּה אֲשֶׁר־עַל־הַבַּיִת וְשֶׁבְנָא
הַסֹּפֵר וְיוֹאָח בֶּן־אָסָף הַמַּזְכִּיר אֶל־חִזְקִיָּהוּ קְרוּעֵי
בְגָדִים וַיַּגִּדוּ לוֹ דִּבְרֵי רַב־שָׁקֵה:

Vieram ter com Ezequias, com suas vestes rasgadas. As conversações de paz tinham terminado, a conferência tinha-se acabado, e os três representantes de Judá (ver o vs. 18) anunciaram a Ezequias tudo quanto tinha acontecido. Em sua consternação, eles rasgaram as próprias vestes. Quanto a esse costume e suas implicações, ver no *Dicionário* o artigo chamado *Vestimentas, Rasgar das*. Ezequias não tinha resposta alguma para o problema, mas o profeta Isaías viria em seu socorro. Ele prometeria uma repentina e inesperada vitória que seria conseguida.

Quanto ao rasgar das vestimentas, como um gesto de consternação, cf. os trechos de Gn 37.29; Js 7.6; 2Rs 5.7; 6.30; 11.14; 22.11; Et 4.1; Jó 1.20 e 2.12.

CAPÍTULO DEZENOVE

ISAÍAS, MENSAGEIRO DA ESPERANÇA (19.1-8)

O capítulo 18 terminou informando-nos da consternação do rei Ezequias, e de como ele rasgou suas vestes. E agora somos informados de que ele se cobriu com pano de saco, outro símbolo de lamentação e tristeza. Confiando ainda em Yahweh, Ezequias foi ao templo para orar e sacrificar. Quando os gregos estavam desesperados, foi dito com frequência sobre eles: "Eles lançaram tudo para os deuses e para a oração". Assim também Ezequias, tendo chegado ao fim de suas forças, deixou a questão inteira aos cuidados de Yahweh.

"A primeira coisa que Ezequias fez foi ir diretamente à casa do Senhor. Ele levou sua preocupação ao santuário. Para isso é que servia a casa do Senhor. Era um lugar de refúgio para a alma humana aflita, cercada de perigos dos quais ele não via escape. Quantos, desde os dias de Ezequias, já fizeram a mesma coisa, e ali têm encontrado livramento!" (Raymond Calking, *in loc.*).

■ 19.1

וַיְהִי כִּשְׁמֹעַ הַמֶּלֶךְ חִזְקִיָּהוּ וַיִּקְרַע אֶת־בְּגָדָיו וַיִּתְכַּס בַּשָּׂק וַיָּבֹא בֵּית יְהוָה׃

Tendo o rei Ezequias ouvido isto. Este versículo repete a informação que já nos fora dada em 2Rs 18.37, mas aqui, à questão de Ezequias vestir-se de pano de saco, é acrescentado outro sinal de sua consternação e humildade. Ver no *Dicionário* o artigo chamado *Pano de Saco*, quanto a detalhes sobre esse ato.

Ezequias humilhou-se sob a potente mão de Deus (1Pe 5.6).

> Verdadeira humildade —
> A maior das virtudes, mãe
> delas todas.
>
> Tennyson

Entrou na casa do Senhor. Lá se foi Ezequias, buscando refúgio para a sua alma; buscando respostas para além de si mesmo; acima de si mesmo; para além de suas próprias forças. Oh, Senhor! Concede-nos tal graça!

> Se tua alma afunda no desespero,
> Jesus sabe a dor que estás sentindo.
> Ele pode salvar e ele pode curar.
> Leva tua preocupação ao Senhor.
> E deixa-a ali.
>
> C. Albert Tindley

Cf. 2Cr 32.20. "Vestes feitas de pelos de cabra, um tecido grosseiro, simbolizavam a auto-aflição e o desespero (cf. Gn 37.34; 1Rs 21.27; Ne 9.1; Et 4.1-4; Dn 9.3)" (Thomas L. Constable, *in loc.*).

Um Trecho Paralelo. O trecho de Is 36.1—39.8 reproduz essencialmente a seção de 2Rs 18.13—19.37. A maioria dos eruditos supõe que o autor de 1 e 2Reis foi o produtor do trecho, e que o autor do livro de Isaías copiou-o, fazendo algumas omissões e inserções. O autor de Isaías tomou o material por empréstimo a fim de dar maiores detalhes concernentes à vida e às obras do profeta, os quais, ao que tudo indica, ele não encontrou em outras fontes informativas.

■ 19.2

וַיִּשְׁלַח אֶת־אֶלְיָקִים אֲשֶׁר־עַל־הַבַּיִת וְשֶׁבְנָא הַסֹּפֵר וְאֵת זִקְנֵי הַכֹּהֲנִים מִתְכַּסִּים בַּשַּׂקִּים אֶל־יְשַׁעְיָהוּ הַנָּבִיא בֶּן־אָמוֹץ׃

Então enviou Eliaquim... ao profeta Isaías. Mensageiros enviados a Isaías. Naquela conjuntura, Ezequias novamente empregou seus oficiais especiais, Eliaquim, o mordomo, e Sebna, o escrivão, em importantíssima missão. Cf. 2Rs 18.18, onde eles foram enviados como representantes de Judá para falarem com os três representantes da Assíria. Neste versículo, porém, não há menção a Joá, o cronista. Mas nesta ocasião outros foram enviados juntamente com os dois, ou seja, certos anciãos que eram homens de confiança. O grupo foi enviado ao profeta Isaías para ver se, porventura, ele poderia ajudar naquela situação desesperadora.

> A ti, Alma Eterna, sejam os louvores!
> Tu, que desde os dias antigos até nossos dias,
> Através de almas de santos e profetas, Senhor,
> Tens enviado tua luz, teu amor, tua palavra.
>
> Francis Thompson

Isaías sempre fora contra alianças com potências estrangeiras e cria na ajuda de Yahweh, em qualquer situação. Ele simpatizaria, sem dúvida, com a causa de Judá. Talvez ele tivesse alguma solução secreta para o problema. Ele se opusera à aliança de Ezequias com o Egito. Dali só poderia vir o desastre. Ver Is 30.1-7. Agora que qualquer outra ajuda tinha falhado, conforme Isaías dissera que aconteceria, somente a confiança em Yahweh produziria bons resultados.

> Quando outros ajudadores falham
> E os consolos fogem,
> Ajudador dos desamparados,
> Fica comigo.
>
> H. F. Lyte

■ 19.3

וַיֹּאמְרוּ אֵלָיו כֹּה אָמַר חִזְקִיָּהוּ יוֹם־צָרָה וְתוֹכֵחָה וּנְאָצָה הַיּוֹם הַזֶּה כִּי בָאוּ בָנִים עַד־מַשְׁבֵּר וְכֹחַ אַיִן לְלֵדָה׃

Este dia é dia de angústia, de disciplina e de opróbrio. Uma potência estrangeira estava nos portões da cidade, dizendo como Yahweh a havia enviado para destruir o povo de Judá. Obscenidades estavam sendo clamadas a plenos pulmões; a insolência dominara o dia. Judá era como uma mulher completamente exangue, que não tinha forças para dar à luz. Foi o dia mais escuro de Judá. O poder de resistir à Assíria foi retratado mediante essa metáfora. A resistência recusava-se a nascer da mãe debilitada. "O quadro simbólico é muito definido e apropriado. Sem um milagre, seria impossível o livramento de Judá" (Adam Clarke, *in loc.*).

"Até parecia que a nação inteira morreria. A esperança de Ezequias era que Deus, tendo sido ridicularizado pelos assírios, agiria... e provaria que ele era o Deus verdadeiro e vivo, concedendo um livramento miraculoso ao seu povo" (Thomas L. Constable, *in loc.*).

■ 19.4

אוּלַי יִשְׁמַע יְהוָה אֱלֹהֶיךָ אֵת כָּל־דִּבְרֵי רַב־שָׁקֵה אֲשֶׁר שְׁלָחוֹ מֶלֶךְ־אַשּׁוּר אֲדֹנָיו לְחָרֵף אֱלֹהִים חַי וְהוֹכִיחַ בַּדְּבָרִים אֲשֶׁר שָׁמַע יְהוָה אֱלֹהֶיךָ וְנָשָׂאתָ תְפִלָּה בְּעַד הַשְּׁאֵרִית הַנִּמְצָאָה׃

Porventura o Senhor teu Deus terá ouvido todas as palavras de Rabsaqué. *As Duas Esperanças*. A primeira seria que Yahweh não permitiria que a tirada do abominável Rabsaqué contivesse, finalmente, alguma verdade; antes, ele seria repreendido por sua insolência e blasfêmia, mediante alguma espécie de livramento miraculoso de Judá. E a segunda era que as orações de Ezequias, pedindo livramento, fossem eficazes.

> Ora pela minha alma.
> Mais coisas são operadas pela oração
> Do que este mundo sonha.
> Levanta-te como uma fonte por mim,
> de noite e de dia.
>
> Tennyson

"Por mais cético que um homem seja sobre a eficácia de suas próprias orações, permanece nas câmaras secretas do coração da maioria dos homens uma fé inarticulada, sem explicação, mas inextinguível nas orações de um homem de Deus" (Raymond Calking, *in loc.*).

Pelos que ainda subsistem. *Era o remanescente.* "Israel, a nação do norte, fora levada para o exílio. Judá, um remanescente da antiga nação de Israel, ainda restava; mas até esse remanescente era agora ameaçado. Além disso, Senaqueribe tinha capturado a maior parte das cidades fortes de Judá, e somente "a filha de Sião é deixada como choça na vinha, como palhoça no pepinal" (Is 1.8). Cf. 2Cr 32.1" (Ellicott, *in loc.*).

Um remanescente de israelitas permaneceu nos antigos territórios da nação do norte, Israel, e sua mistura com vários povos pagãos tinha produzido os samaritanos (ver 2Rs 17.29). Naquele momento, Judá era apenas outro remanescente da antiga nação de Israel, e se Jerusalém fosse capturada, a própria identidade do reino do sul estaria ameaçada.

■ **19.5,6**

וַיָּבֹאוּ עַבְדֵי הַמֶּלֶךְ חִזְקִיָּהוּ אֶל־יְשַׁעְיָהוּ׃

וַיֹּאמֶר לָהֶם יְשַׁעְיָהוּ כֹּה תֹאמְרוּן אֶל־אֲדֹנֵיכֶם כֹּה אָמַר יְהוָה אַל־תִּירָא מִפְּנֵי הַדְּבָרִים אֲשֶׁר שָׁמַעְתָּ אֲשֶׁר גִּדְּפוּ נַעֲרֵי מֶלֶךְ־אַשּׁוּר אֹתִי׃

Foram, pois, os servos do rei Ezequias a ter com Isaías. Os oficiais do rei de Judá foram consultar o profeta Isaías, na esperança de ouvir alguma boa palavra em favor de Judá. Eles foram consultar o oráculo (ver a respeito no *Dicionário*). Sabiam que o profeta teria uma visão clara do que iria acontecer e, se assim o quisesse Yahweh, um milagre poderia ser obtido. Os homens sempre querem saber do futuro, na esperança de que algo ali possa livrá-los do desconforto, da agonia ou simplesmente do enfado do presente. O conhecimento anterior é uma função comum do espírito humano, não precisando ser usado pelo poder divino ou pelo poder satânico. Mas os profetas têm esse poder em maior abundância do que outras pessoas. Eles possuem o "dom profético". Ver no *Dicionário* o artigo chamado *Profecia, Profetas e o Dom da Profecia*. Um profeta é alguém capaz de prever acontecimentos pela força do Espírito de Deus. Ver na *Enciclopédia de Bíblia, Teologia e Filosofia* o verbete denominado *Precognição*.

A Mensagem Foi Consoladora. Yahweh tinha uma surpresa tanto para Judá quanto para a Assíria. Não havia razão para temor, a despeito da aparente impotência de Judá diante da situação. Yahweh reconheceu que os assírios haviam blasfemado contra ele, e não deixaria isso passar sem o devido castigo. "O Senhor tinha ouvido as blasfêmias dos assírios. Ele estava prestes a confundi-los. Ezequias tinha somente de permanecer firme" (Raymond Calking, *in loc.*).

■ **19.7**

הִנְנִי נֹתֵן בּוֹ רוּחַ וְשָׁמַע שְׁמוּעָה וְשָׁב לְאַרְצוֹ וְהִפַּלְתִּיו בַּחֶרֶב בְּאַרְצוֹ׃

Eis que meterei nele um espírito. A promessa foi que o rei da Assíria mudaria sua mente a respeito do cerco de Jerusalém, por causa de circunstâncias adversas, que não mais deixariam a campanha militar desejável ou mesmo possível. Um inimigo inesperado levantar-se-ia contra a Assíria, no momento oportuno para Judá. Senaqueribe teria de combater no sul e no leste por muitos anos. Finalmente, ele morreria de morte violenta. Assim sendo, o que os assírios tinham esperado concretizar, foi deixado aos babilônios, que conseguiriam realizar o cativeiro de Judá, e de quem Yahweh não livraria Judá. Isso ocorreria em um tempo em que não houvesse nenhum rei bom, como Ezequias, para orar. Judá sofreria por causa de seu grande acúmulo de pecados.

Um espírito. Não o Espírito de Deus, mas o próprio espírito de Senaqueribe, sua ansiedade sobre os rumores que se estavam espalhando sobre as tribulações da Assíria, com inimigos orientais. "... um espírito de temor e preocupação devido ao rumor que ele ouvira. A palavra hebraica aqui usada, *ruah*, é usada em seu sentido psicológico de um impulso dominador, que decide os atos humanos, quase a despeito de si mesmo (cf. 1Rs 10.5)" (Norman H. Snaith, *in loc.*).

O nono versículo deste capítulo mostra no que consistiria esse rumor. Os assírios haviam causado muita perturbação ao redor, e outros podiam perturbar a Assíria. Tiraca, rei da Etiópia, era um desses perturbadores.

■ **19.8**

וַיָּשָׁב רַב־שָׁקֵה וַיִּמְצָא אֶת־מֶלֶךְ אַשּׁוּר נִלְחָם עַל־לִבְנָה כִּי שָׁמַע כִּי נָסַע מִלָּכִישׁ׃

Ao retornar a Senaqueribe, o horrendo Rabsaqué encontrou o rei da Assíria em batalha contra Libna (ver a respeito no *Dicionário*). Essa foi a primeira perturbação do rei assírio. Mais perturbações ainda viriam. Libna ficava a poucos quilômetros ao norte de Laquis, onde o rei assírio tinha acampado com seu exército, esperando resposta das negociações em Jerusalém. O destacamento do exército assírio que fora a Jerusalém estava distante para poder reforçar o esforço militar contra Libna. A boa profecia de Isaías já estava começando a cumprir-se. Laquis e Libna ficavam na região montanhosa de Judá, ao sul de Jerusalém. A ameaça imediata contra a capital de Judá foi assim removida.

O LIVRAMENTO DE JERUSALÉM (19.9-35)

Isaías, o homem de Deus, mostrara-se mortalmente exato em sua previsão. Ele tinha descoberto corretamente a vontade de Yahweh, e essa era a vontade que faria a diferença. Judá tinha sido reduzido à posição de uma mulher debilitada, que não podia dar à luz (ver 2Rs 19.3). A força de Yahweh faria a mulher dar à luz. Inimigos estrangeiros, perturbando os assírios, e uma intervenção divina direta (vs. 35), removeriam a ameaça para longe de Jerusalém.

■ **19.9**

וַיִּשְׁמַע אֶל־תִּרְהָקָה מֶלֶךְ־כּוּשׁ לֵאמֹר הִנֵּה יָצָא לְהִלָּחֵם אִתָּךְ וַיָּשָׁב וַיִּשְׁלַח מַלְאָכִים אֶל־חִזְקִיָּהוּ לֵאמֹר׃

Tiraca, rei da Etiópia. Ver o artigo detalhado sobre esse homem no *Dicionário*. Ele foi rei da Etiópia, e só se tornou rei ou Faraó do Egito em 690 ou 688 a.C. Uma segunda campanha militar pode estar aqui em vista, referente a um tempo posterior. O autor escreveu conhecendo o fim da história, e não apenas o seu começo, e pode ter antecipado alguma informação. Alguns eruditos, porém, supõem que o verdadeiro inimigo, naquele momento, tenha sido a Babilônia, no Oriente. A Assíria havia derrotado o Egito e seus aliados na batalha de Elteque, em 701 a.C. Naturalmente, os velhos inimigos poderiam ter voltado à carga. Independentemente dos detalhes exatos da história, Senaqueribe permaneceu lutando no sul e no leste por muitos anos, e o resultado disso foi que Judá recebeu paz em vez de ter de engajar-se ainda em outra guerra contra a Assíria. Além desses inimigos estrangeiros, haveria uma intervenção divina direta que efetuaria grande morticínio entre as tropas assírias que tinham cercado Jerusalém (vs. 35). Assim sendo, por uma combinação de circunstâncias e por uma intervenção divina direta, a nação de Judá foi poupada.

Os mensageiros substituem os três enviados especiais de 2Rs 18.17. Esses mensageiros levaram uma carta do rei da Assíria ao rei de Judá (ver 2Rs 19.14). Na primeira história não há menção a carta alguma. Antes, Rabsaqué simplesmente fez um discurso atrevido. Podemos estar manuseando duas apresentações diferentes de um mesmo acontecimento, ou talvez dois acontecimentos similares tenham ocorrido, o primeiro através de um discurso, e o segundo, por meio de uma carta.

A carta começava sua tirada afirmando que Yahweh não poderia ajudar Judá, tal como os deuses de outros povos (vs. 12) nada tinham podido fazer por eles. Esse argumento também fazia parte da primeira história (ver 2Rs 18.22), embora esse item não tivesse sido posto em primeiro lugar, como na carta.

Aqui, o Deus de Judá é apresentado como um possível enganador, que daria mensagens falsas através dos profetas, por meio de sonhos ou de visões, fazendo Judá tentar resistir ao poder dos assírios, com claros resultados desastrosos. Na outra história, porém, Yahweh é apresentado a inspirar os assírios a atacarem Judá, prometendo ajudar aquela potência estrangeira (ver 2Rs 18.25).

■ **19.10**

כֹּה תֹאמְרוּן אֶל־חִזְקִיָּהוּ מֶלֶךְ־יְהוּדָה לֵאמֹר אַל־יַשִּׁאֲךָ אֱלֹהֶיךָ אֲשֶׁר אַתָּה בֹּטֵחַ בּוֹ לֵאמֹר לֹא תִנָּתֵן יְרוּשָׁלִַם בְּיַד מֶלֶךְ אַשּׁוּר׃

Um Relato Duplo? Alguns estudiosos supõem que a narrativa que temos agora seja realmente uma repetição da história que já fora dada em 2Rs 18.17-37. Isso significaria que foi uma história alternativa extraída de uma fonte de informações diferente, e não uma sequência da primeira história. Detalhes das duas histórias variam, mas a mensagem é essencialmente a mesma. "Esta carta é quase a mesma que o discurso feito por Rabsaqué. Ver 2Rs 18.29" (Adam Clarke, *in loc.*). "A segunda mensagem de Senaqueribe repete os argumentos de 2Reis 18.29-35" (Ellicott, *in loc.*). "A narrativa que se segue deve ser mais bem considerada como totalmente independente do que fora relatado antes" (Norman H. Snaith, *in loc.*, que assim dá apoio à teoria do relato duplo).

■ 19.11

הִנֵּה ׀ אַתָּה שָׁמַעְתָּ אֵת אֲשֶׁר עָשׂוּ מַלְכֵי אַשּׁוּר
לְכָל־הָאֲרָצוֹת לְהַחֲרִימָם וְאַתָּה תִּנָּצֵל׃

Já tens ouvido o que fizeram os reis da Assíria a todas as terras…? *O Temor dos Assírios Tinha-se Espalhado.* Todas as nações em derredor estavam conscientes de tudo quanto a Assíria tinha feito em sua política de matanças, conquistando e deportando povos. Não havia razão, pois, para supor que Judá seria uma exceção. Conspícuos entre os povos conquistados e deportados eram os habitantes da nação do norte, Israel, irmãos de Judá, no sul. Ver 2Rs 18.10-12. Cf. 2Rs 18.33-35 quanto ao paralelo na primeira história.

■ 19.12,13

הַהִצִּילוּ אֹתָם אֱלֹהֵי הַגּוֹיִם אֲשֶׁר שִׁחֲתוּ אֲבוֹתַי אֶת־
גּוֹזָן וְאֶת־חָרָן וְרֶצֶף וּבְנֵי־עֶדֶן אֲשֶׁר בִּתְלַאשָּׂר׃

אַיּוֹ מֶלֶךְ־חֲמָת וּמֶלֶךְ אַרְפָּד וּמֶלֶךְ לָעִיר סְפַרְוָיִם
הֵנַע וְעִוָּה׃

Porventura os deuses das nações livraram os povos, que meus pais destruíram…? Os deuses eram chamados para ajudar seus adoradores, e os gregos tinham uma declaração que eles usavam com frequência: "Deixa nas mãos dos deuses e da oração", quando todos os outros meios fracassavam em alguma crise. O politeísmo antigo tinha deuses que exerciam seu poder sobre nações e regiões, sobre colinas e vales, sobre rios etc., que podiam ajudar um povo aflito, se estivesse em suas áreas específicas de autoridade. Ver 1Rs 20.23, onde se supunha que os deuses de Israel eram aqueles que tinham autoridade sobre as colinas, ao passo que os reis da Síria dominavam as planícies.

Dez cidades-estados derrotadas foram mencionadas por Senaqueribe em sua carta. Todas elas foram demolidas, e seus povos foram deportados. Cinco dessas cidades já tinham sido mencionadas em contextos semelhantes, e cinco só figuram nesta lista. Naturalmente, muitas outras cidades poderiam ter sido mencionadas. Mas a lista foi suficiente com seu propósito em mira: essas cidades, algumas mais fortes do que Jerusalém, não tinham resistido ao poder do norte; e quem poderia oferecer resistência? Há artigos sobre todos os lugares mencionados nesta lista no *Dicionário*.

As cinco cidades que não tinham sido mencionadas antes foram: Gozã, localizada às margens do rio Habur, a leste de Hara, a cidade onde Abraão tinha vivido por algum tempo; Rezefe, Rusafa (ou talvez Risafe), a nordeste de Palmira e que ficava ao sul de Hara; Éden, um pequeno reino na bacia do rio Eufrates, a oeste do rio Balique; Telassar (Tell Assar), uma cidade naquela mesma área em geral. As outras cinco cidades desta lista já tinham sido mencionadas e comentadas em 2Rs 18.11,34.

Quanto às cidades mencionadas no versículo 13 deste capítulo, Ver 2Rs 18.34. Nenhuma derrota dos assírios foi mencionada, pois apesar de haver alguns poucos recuos temporários, não havia de fato nenhuma derrota a ser mencionada. Assim, a invencibilidade dos assírios foi enfatizada a fim de intimidar Ezequias e o povo de Judá.

■ 19.14

וַיִּקַּח חִזְקִיָּהוּ אֶת־הַסְּפָרִים מִיַּד הַמַּלְאָכִים וַיִּקְרָאֵם
וַיַּעַל בֵּית יְהוָה וַיִּפְרְשֵׂהוּ חִזְקִיָּהוּ לִפְנֵי יְהוָה׃ פ

Tendo Ezequias recebido a carta. Aprendemos aqui que os mensageiros tinham trazido uma carta, e a mensagem vinha diretamente de Senaqueribe, rei da Assíria. Na primeira narrativa, os mensageiros (que foram chamados por nomes), falaram através do seu porta-voz, Rabsaqué, e nenhuma carta foi mencionada. Ver o décimo versículo do presente capítulo quanto à teoria do duplo relato, ou seja, que houve duas versões do mesmo acontecimento, ou duas histórias sobre o mesmo fato, derivadas de fontes informativas diferentes, e não dois acontecimentos. A primeira história teria sido registrada em 2Rs 18.29-35, e a segunda, em 2Rs 19.9-35. Ambas se relacionam ao livramento de Judá das mãos dos beligerantes assírios.

Tendo lido a carta, Ezequias foi ao templo e, ajoelhando-se, apresentou a questão a Yahweh. Ele pôs a carta em um lugar conspícuo e disse: "Estás vendo, ó Yahweh, quais ameaças o rei da Assíria está fazendo contra o teu povo?" Ele orou, sua oração ficou registrada nos versículos 15-19 deste capítulo. Então Isaías apareceu na cena e deu a resposta de Yahweh (vss. 20-34). O versículo 35 registra uma intervenção divina direta: o anjo da morte, enviado por Yahweh, lançou a confusão no exército assírio, e eles simplesmente voltaram para a Assíria, temendo mais destruição. Ver 2Rs 19.1-7 quanto ao trecho paralelo, que é bastante abreviado e contém detalhes diferentes.

Estendeu-a perante o Senhor. A carta foi literalmente estendida, tendo sido escrita em um rolo. Ezequias, pois, desenrolou-a na presença de Yahweh. Ezequias esperava que o Senhor lesse a carta e tomasse as providências devidas, pois era Seu povo que estava sendo ameaçado. Naturalmente, temos aqui expressões antropomórficas. Ver no *Dicionário* os verbetes intitulados *Antropomorfismo* e *Antropopatismo*.

■ 19.15

וַיִּתְפַּלֵּל חִזְקִיָּהוּ לִפְנֵי יְהוָה וַיֹּאמַר יְהוָה אֱלֹהֵי
יִשְׂרָאֵל יֹשֵׁב הַכְּרֻבִים אַתָּה־הוּא הָאֱלֹהִים לְבַדְּךָ
לְכֹל מַמְלְכוֹת הָאָרֶץ אַתָּה עָשִׂיתָ אֶת־הַשָּׁמַיִם
וְאֶת־הָאָרֶץ׃

Ó Senhor Deus de Israel. A oração de Ezequias (ver os versículos 15-19). A primeira história menciona a oração, mas sem detalhes. Ver 2Rs 19.1-7. Destacamos aqui alguns pontos dessa oração:

1. *A soberania de Yahweh-Elohim*. Este fato foi enfatizado. O Deus de Israel não era somente o Deus das colinas, dos vales ou de alguma área geográfica específica, ou mesmo de algum povo específico. Embora ele habitasse no templo de Jerusalém e se manifestasse entre os querubins, na arca da aliança, contudo, sua jurisdição é universal. Esse Deus único e verdadeiro é também aquele que criou os céus e a terra. Isso exprime a posição do monoteísmo que, naquele período da história, havia ultrapassado o anterior henoteísmo de Israel. Ver sobre ambos os termos na *Enciclopédia de Bíblia, Teologia e Filosofia*. Por monoteísmo compreende-se que só existe, na realidade, um Deus; por henoteísmo entende-se que, para nós, só há um Deus, mas para outros povos há outros deuses que os governam. O único Deus tinha poder na Assíria e em Judá. Deus, portanto, poderia determinar o resultado da questão, de acordo com a sua vontade soberana. E nenhum poder poderia detê-lo.

"O lugar entre as asas estendidas dos querubins, que estavam acima do oráculo, era considerado o lugar particular onde se localizava a presença do Deus invisível (cf. 1Rs 6.23)" (Norman H. Snaith, *in loc.*). Ver Êx 25.22; 1Sm 4.4; Sl 18.10 e Ez 1.26.

■ 19.16,17

הַטֵּה יְהוָה ׀ אָזְנְךָ וּשֲׁמָע פְּקַח יְהוָה עֵינֶיךָ וּרְאֵה
וּשְׁמַע אֵת דִּבְרֵי סַנְחֵרִיב אֲשֶׁר שְׁלָחוֹ לְחָרֵף
אֱלֹהִים חָי׃

אָמְנָם יְהוָה הֶחֱרִיבוּ מַלְכֵי אַשּׁוּר אֶת־הַגּוֹיִם
וְאֶת־אַרְצָם׃

2. *Teísmo*. O segundo elemento destacado na oração de Ezequias foi que o Deus Todo-poderoso, o único verdadeiro Deus, embora

transcendental no seu céu, era (e é) também imanente, ou seja, presente entre os povos da terra. Ele não é uma figura distante, uma força divina que abandonou a sua criação, conforme ensina o deísmo; antes, ele está aqui para intervir na história humana, e isso a fim de punir, recompensar, ouvir e responder às nossas orações, conforme o teísmo ensina. Ver no *Dicionário* os verbetes intitulados *Teísmo* e *Deísmo*.

O Yahweh teísta sabia das blasfêmias (vs. 16) que o rei da Assíria havia proferido; e via a armadilha na qual se achava Judá. Ele sentia a dor de Seu povo. Ele era capaz e estava disposto a intervir no curso das coisas para libertar Judá. Ezequias, pois, confiava nesse tipo de teologia.

3. *Impotência aparente* (vs. 17) não é a mesma coisa que verdadeira falta de esperança. É verdade que todas as nações mencionadas na carta tinham sido derrotadas e seus povos tinham sido deportados. Também é verdade que as dez cidades-estados ali mencionadas (vss. 12 e 13) tinham sofrido uma sorte ingrata às mãos dos abomináveis assírios. Mas Judá poderia ser uma exceção. O poder de Yahweh poderia garantir isso. Esse foi o terceiro elemento da oração de Ezequias.

O Deus vivo (vs. 16). Quanto a essa expressão, ver Dt 5.26. Yahweh não somente é vivo, mas também é um poder divino ativo, que se pusera à disposição de Judá, para seu bem. Ele haveria de vindicar seu nome e seu povo (cf. Js 3.10; 1Sm 17.26,36).

"Ouve e vê" o que está acontecendo — essa foi a oração de Ezequias, termos esses que exprimem a fé ativa no teísmo. Os termos são antropomórficos. Ver no *Dicionário* o verbete chamado *Antropomorfismo*.

■ **19.18**

וְנָתְנ֥וּ אֶת־אֱלֹהֵיהֶ֖ם בָּאֵ֑שׁ כִּי֩ לֹ֨א אֱלֹהִ֜ים הֵ֗מָּה כִּי אִם־מַעֲשֵׂ֧ה יְדֵֽי־אָדָ֛ם עֵ֥ץ וָאֶ֖בֶן וַֽיְאַבְּדֽוּם׃

4. **Teísmo impotente.** O quarto elemento da oração de Ezequias contrastou o teísmo impotente das nações pagãs, as quais já haviam sido destruídas pelo poderoso inimigo do norte, a Assíria, com o verdadeiro teísmo, que era a garantia da segurança de Judá. A Assíria tinha derrotado não-deuses, mas não podia derrotar Yahweh-Elohim. Ver no *Dicionário* o verbete intitulado *Deus, Nomes Bíblicos de*. Os homens fazem não-deuses; mas o verdadeiro Deus é o Criador de todos os homens e de tudo (vs. 15). Ele criou os homens e deu-lhes lugares para habitarem. Ele organizou nações; ele as levanta e as derruba (ver At 17.26). Ele determina quanto tempo esses povos durarão; onde e quando eles exercerão seu poder. Ele faz suas estrelas levantar-se e deitar-se. Portanto, Judá confiava nele.

■ **19.19**

וְעַתָּה֩ יְהוָ֨ה אֱלֹהֵ֜ינוּ הוֹשִׁיעֵ֤נוּ נָא֙ מִיָּד֔וֹ וְיֵֽדְעוּ֙ כָּל־מַמְלְכ֣וֹת הָאָ֔רֶץ כִּ֥י אַתָּ֛ה יְהוָ֥ה אֱלֹהִ֖ים לְבַדֶּֽךָ׃ ס

5. **Livramento.** Esse foi o quinto pedido, que formou a conclusão da oração de Ezequias. Foi baseado nas seguintes considerações. Acrescentou o fato de que o livramento de Judá seria, ao mesmo tempo, a glorificação e a exaltação de Yahweh. Outras nações veriam onde está realmente o Poder, e reconheceriam que o Deus de Judá é o único e verdadeiro Poder divino. Yahweh não era um ídolo morto e impotente, mas um poder ativo que o mundo inteiro viria a reconhecer.

Com base nessa experiência, a religião se tornara algo real para Ezequias. E muitas outras pessoas têm feito essa mesma descoberta. A religião não pode ser apenas uma questão de tradição e costume. Tem de ser uma experiência pessoal, vital e interior. O perigo leva os homens a testar a validade de sua fé. A oração entra para liberar o poder de Deus. Deus torna-se uma realidade diária, e não apenas um item de teologia. Então os homens aprendem a andar com Deus. A verdadeira fé religiosa nasce da experiência com Deus (ver Jó 42.5).

Isaías e Sua Mensagem Jubilosa (19.20-34)

A primeira versão da história mostra Ezequias a enviar mensageiros para encontrarem-se com Isaías e pedir dele uma mensagem para o rei (ver 2Rs 19.2-5). Isaías proferiu a sua mensagem (vss. 6 e 7). Mas a segunda versão da história deixa de lado a parte concernente aos mensageiros, e simplesmente expõe uma longa resposta da parte de Isaías, que contrasta com a resposta breve da primeira versão. Naturalmente, muitos intérpretes supõem que dois acontecimentos parecidos tenham ocorrido, e isso explicaria as marcantes diferenças que há neste ponto do relato. Ver as notas sobre 2Rs 19.10 quanto à teoria do duplo relato.

■ **19.20**

וַיִּשְׁלַח֙ יְשַֽׁעְיָ֣הוּ בֶן־אָמ֔וֹץ אֶל־חִזְקִיָּ֖הוּ לֵאמֹ֑ר כֹּֽה־אָמַ֤ר יְהוָה֙ אֱלֹהֵ֣י יִשְׂרָאֵ֔ל אֲשֶׁ֧ר הִתְפַּלַּ֛לְתָּ אֵלַ֛י אֶל־סַנְחֵרִ֥ב מֶֽלֶךְ־אַשּׁ֖וּר שָׁמָֽעְתִּי׃

Então Isaías... mandou dizer a Ezequias. Ver o artigo detalhado sobre Isaías, no *Dicionário*. O profeta não foi ver o rei pessoalmente. Seus poderes proféticos permitiam-lhe entregar seu oráculo eloquente onde ele vivia e a essência de oráculo foi registrada e levada ao rei pelos mensageiros (que não são mencionados aqui). Ver 2Rs 19.5,6 quanto a esses detalhes.

Yahweh, disse Isaías, estava plenamente cônscio da insolência de Senaqueribe, o rei da Assíria. Ele tinha observado toda a transação e ouvido todas as blasfêmias ditas pelo rei da Assíria (vs. 16). Ele também ouvira a oração de Ezequias, aprovara o que ele tinha dito em sua petição e estava prestes a intervir na situação inteira. Cf. Is 37.21 ss., que é o trecho paralelo, e que aparentemente foi copiado do segundo livro dos Reis, com algumas variações.

■ **19.21**

זֶ֣ה הַדָּבָ֔ר אֲשֶׁר־דִּבֶּ֥ר יְהוָ֖ה עָלָ֑יו בָּזָ֨ה לְךָ֜ לָעֲגָ֣ה לְךָ֗ בְּתוּלַת֙ בַּת־צִיּ֔וֹן אַחֲרֶ֙יךָ֙ רֹ֣אשׁ הֵנִ֔יעָה בַּ֖ת יְרוּשָׁלָֽםִ׃

A virgem, filha de Sião. Essa é uma personificação poética de Sião. A figura fala sobre a "inviolável segurança da cidadela de Yahweh" (Ellicott, *in loc.*). Essa virgem indefesa, a jovem (Sião), não era tão indefesa que não pudesse zombar dos assírios que tinham vindo para atacá-la. Ela tinha confiança em um poder maior que faria a violência parar antes que pudesse realizar-se. A jovem mulher, ameaçada de violência sexual, era capaz de rir-se de seus estupradores. Ela veria a destruição deles. Ver Lm 1.15 quanto a uma declaração que contrastava com isso.

■ **19.22**

אֶת־מִ֤י חֵרַ֙פְתָּ֙ וְגִדַּ֔פְתָּ וְעַל־מִ֖י הֲרִימ֣וֹתָ קּ֑וֹל וַתִּשָּׂ֥א מָר֛וֹם עֵינֶ֖יךָ עַל־קְד֥וֹשׁ יִשְׂרָאֵֽל׃

A quem afrontaste e contra quem blasfemaste? A jovem virgem (Sião) não deveria ser ameaçada, vítima de abusos e blasfêmias. Antes, Yahweh, seu Deus, era o recebedor desses abusos. O resultado da batalha estava nas mãos dele (ver sobre a soberania de Deus, nas notas expositivas sobre o versículo 15).

"Essa zombaria (vss. 21-28) era um cântico contra a Assíria e foi escrita na métrica *qinah*, ou seja, três mais dois, com seu peculiar ritmo saltitante, especialmente adaptado para uma lamentação ou sátira" (Norman H. Smith, *in loc.*).

O Santo de Israel. Uma designação comum dos hebreus para Deus, muito encontrada nesse livro de Isaías. No livro de Isaías aparece por 27 vezes. Como exemplos, ver Is 1.4; 5.19; 6.3; 10.17; 12.6; 17.7; 29.19; 30.11; 31.3; 41.14; 43.3; 45.11; 54.5 e 60.9. Em outras passagens do Antigo Testamento encontra-se apenas por cinco vezes. Ver Salmos 71.22; 78.41; 89.18; Jeremias 1.29 e 51.5. Ver no *Dicionário* o artigo denominado *Deus, Nomes Bíblicos de*.

■ **19.23**

בְּיַ֣ד מַלְאָכֶיךָ֮ חֵרַ֣פְתָּ ׀ אֲדֹנָי֒ וַתֹּ֗אמֶר בְּרֹ֥ב רִכְבִּ֛י אֲנִ֥י עָלִ֛יתִי מְר֥וֹם הָרִ֖ים יַרְכְּתֵ֣י לְבָנ֑וֹן וְאֶכְרֹ֞ת קוֹמַ֤ת

אֲרָזָיו֙ מִבְחַ֣ר בְּרֹשָׁ֔יו וְאָב֙וֹאָה֙ מְל֣וֹן קִצֹּ֔ה יַ֖עַר כַּרְמִלּֽוֹ׃

Com a multidão dos meus carros subi ao cume dos montes. Um dos equívocos do povo assírio consistia em supor que, por seu próprio poder, podia realizar todos os propósitos, derrotar todos os inimigos, mover-se para onde quisesse a fim de destruir e matar. Mas, nos bastidores, era Yahweh quem poderia, se ele assim quisesse, pôr fim a tudo isso. A autoconfiança deles era uma forma de blasfêmia, porquanto roubava de Deus a sua soberania. Os vss. 25 ss. mostram que Yahweh estava por trás do poder da Assíria. Essa nação tornara-se um instrumento de destruição para castigar as nações ao redor. Mas assim como Yahweh fizera a estrela da Assíria levantar-se, também poderia fazê-la deitar-se no horizonte. De fato, esse desaparecimento da estrela da Assíria estava apenas a cem anos de distância. A Babilônia seria o instrumento que abateria o poder da Assíria.

Líbano. Esse era o baluarte de Israel, usado para representar o país inteiro (ver Zc 11.1). Cf. Is 14.13. As fortalezas das nações foram destruídas pelos assírios.

Os seus altos cedros. Os nobres cedros e ciprestes do Líbano foram derrubados pelo exército assírio em avanço, a madeira foi enviada de volta à Assíria, ou usada para fabricar implementos de guerra. Mas essas árvores, neste caso, podem representar "reis, príncipes e nobres, tudo quanto é mais alto e mais impávido" (Birks, citado por Ellicott, *in loc.*). Ver Dt 20.19 quanto à proibição mosaica contra a destruição de árvores.

Ao seu denso e fértil pomar. Estão em foco os pomares e vinhas, conforme a palavra hebraica pode indicar. O hebraico é *lamedh*, referindo-se a um distrito de fertilidade como um jardim. A parte do país que mais correspondia a essa descrição era o Carmelo, ou seja, a serra do Carmelo, mas a referência, no presente versículo, parece ser aos distritos férteis do Líbano. Ver Is 10.18.

■ 19.24

אֲנִ֣י קַ֔רְתִּי וְשָׁתִ֖יתִי מַ֣יִם זָרִ֑ים וְאַחְרִב֙ בְּכַף־פְּעָמַ֔י כֹּ֖ל יְאֹרֵ֥י מָצֽוֹר׃

Os assédios feitos pelos assírios acabavam sendo ocupações de terras e deportações das populações. Eles mesmos cavavam poços e "bebiam" a água dos estrangeiros. Alguns estudiosos pensam na palavra aqui traduzida por "cavei" como indicação de atos destrutivos, como "arar" um campo com violência, isto é, reduzi-lo a nada, em vez de cavar poços.

O ressecamento dos rios do Egito causa problemas aos intérpretes. Parece indicar que seus ataques contra uma terra eram tão grandes que eles desviavam as águas dos rios para novos leitos, sem importar o propósito que tivessem. Um desses propósitos seria cortar o suprimento de água das cidades cercadas. Ou então as coisas eram conforme disse Ellicott (*in loc.*): "Nem montes nem rios de nada adiantavam para deter-lhes o avanço".

Os rios do Egito. Senaqueribe não invadiu, realmente, o Egito, embora tivesse obtido vitória sobre uma aliança que incluía o Egito, em Eltequé. Mas seu sucessor, Esaradom (680-669 a.C.), invadiu o Egito em 671 a.C. e conquistou a cidade de Mênfis. É possível que o autor sagrado, sabedor disso, não tenha tido o cuidado de manter separados os reis invasores.

■ 19.25

הֲלֹֽא־שָׁמַ֤עְתָּ לְמֵֽרָחוֹק֙ אֹתָ֣הּ עָשִׂ֔יתִי לְמִ֥ימֵי קֶ֖דֶם וִֽיצַרְתִּ֑יהָ עַתָּ֣ה הֲבֵיאתִ֔יהָ וּתְהִ֗י לַהְשׁ֛וֹת גַּלִּ֥ים נִצִּ֖ים עָרִ֥ים בְּצֻרֽוֹת׃

Já desde os dias remotos o tinha planejado? As campanhas militares dos assírios eram cuidadosamente planejadas. E havia um período de ajuntamento de forças e de equipagem de exércitos adequados para a tarefa em mira. Finalmente, as guerras eram efetuadas com surpreendente sucesso, já que preparadas em tão pouco tempo. Até as cidades mais fortificadas logo caíam, diante das hordas assírias invasoras.

Este versículo, entretanto, mais provavelmente deveria ser entendido como a voz de Yahweh-Elohim (ver o vs. 21), injetando aqui aquilo que os assírios faziam pela vontade divina. A Assíria, pois, tornou-se a vara de punição de Yahweh. Nesse caso, o sentido deste versículo são "os antigos conselhos de Deus em ação". Esses conselhos divinos foram finalmente efetuados através do exército assírio. "A ideia é que o conquistador pagão pode ser a vara da ira do Senhor, que recebe sua expressão clássica em Is 10.5-11, onde o castigo final da Assíria também foi profetizado, por causa de sua arrogância e de seu orgulho dominante (vss. 12-19)" (Norman H. Snaith, *in loc.*).

"Deus ordenara, planejara e fizera a destruição acontecer. Cf. Is 10.5" (Thomas L. Constable, *in loc.*).

■ 19.26

וְיֹשְׁבֵיהֶן֙ קִצְרֵי־יָ֔ד חַ֖תּוּ וַיֵּבֹ֑שׁוּ הָי֞וּ עֵ֤שֶׂב שָׂדֶה֙ וִ֣ירַק דֶּ֔שֶׁא חֲצִ֣יר גַּגּ֔וֹת וּשְׁדֵפָ֖ה לִפְנֵ֥י קָמָֽה׃

Os seus moradores, debilitados, andaram cheios de temor e envergonhados. Visto que a vontade e o poder de Deus estavam por trás da Assíria, todas as potências, grandes e pequenas, eram como nada diante dos exércitos assírios em avanço; essas potências desmaiavam, aterrorizadas e confundidas, furtadas de todas as suas forças. Eram como meras plantinhas em um campo, que os conquistadores pisavam e reduziam a nada. Ou eram como o musgo que tinha crescido nas paredes das casas e era reduzido a nada. Assim como um vento quente e seco sopra em um campo e reduz sua verdura a nada, assim era o avanço do exército assírio. E o que o vento não destruía, o sol o fazia. O musgo que cresce na parede e no teto de uma casa não tem raízes. É superficial e não resiste ao calor forte. Ao meio-dia já está seco. Naquela região do mundo, a Assíria representava a única vida permanente, o único poder que no dia de amanhã com certeza continuaria existindo.

■ 19.27

וְשִׁבְתְּךָ֛ וְצֵאתְךָ֥ וּבֹאֲךָ֖ יָדָ֑עְתִּי וְאֵ֖ת הִֽתְרַגֶּזְךָ֥ אֵלָֽי׃

Mas eu conheço o teu assentar, e o teu sair. *No Entanto, Yahweh Tinha Consciência de Tudo Quanto Estava Ocorrendo.* A violência e a iniquidade do povo assírio; sua brutalidade e falta de vergonha. Apesar de ser uma vara na mão de Yahweh para punir as demais nações, eles eram também uma cana sacudida pelo vento, que em breve seria esmagada por suas abominações. E enquanto rilhavam os dentes contra outros povos, também rilhavam os dentes contra o próprio Yahweh, procurando efetuar a destruição de seu povo, Judá, e proferindo temíveis palavras de blasfêmia. A oração de Ezequias, pois, relembrou ao poder divino a insolência dos assírios, que em breve seriam derrubados tão terrivelmente quanto eles mesmos haviam derrubado outros povos.

■ 19.28

יַ֚עַן הִתְרַגֶּזְךָ֣ אֵלַ֔י וְשַׁאֲנַנְךָ֖ עָלָ֣ה בְאָזְנָ֑י וְשַׂמְתִּ֨י חַחִ֜י בְּאַפֶּ֗ךָ וּמִתְגִּי֙ בִּשְׂפָתֶ֔יךָ וַהֲשִׁ֣בֹתִ֔יךָ בַּדֶּ֖רֶךְ אֲשֶׁר־בָּ֥אתָ בָּֽהּ׃

Por causa do teu furor contra mim. A confusão era o nome do jogo. A Assíria espumava de raiva e deixava tudo desolado. Mas o principal objetivo de tudo isso era o próprio Yahweh, que defenderia seu povo cercado, Judá. Encontramos aqui o simbolismo do anzol posto no focinho da fera, para torná-la mansa e fácil de lidar, através da dor. O freio posto na boca do cavalo é outra maneira de torná-lo submisso. A ênfase recai sobre o controle através da dor. A fera, a Assíria, em breve seria submetida à vontade divina. Essa nação, que deixava tudo desolado e deportava seus habitantes, logo seria desolada e seus habitantes seriam deportados pelos babilônios, o poder mundial seguinte, e isso ocorreria apenas cem anos mais tarde.

"O anzol e o freio, que retratam a pesca de um peixe e o controle de um cavalo, são apropriados de forma admirável. Nos monumentos antigos, os conquistadores assírios pintavam-se como quem conduzia seus cativos com uma linha que passa através de argolas nos narizes das vítimas. Deus prometeu fazer de volta com eles o que eles tinham feito com outros. Ele os levaria de volta para o lugar de onde eles tinham saído, reduzindo-os a seu estado humilde anterior" (Thomas L. Constable, *in loc.*).

Assim funciona a *Lei Moral da Colheita segundo a Semeadura* (ver a esse respeito no *Dicionário*), a qual em breve seria posta em prática no caso dos assírios.

Cf. Ez 19.4, a argola no nariz do leão e no nariz de outras feras (ver Ez 29.4; Is 30.28). Ver o uso figurado do freio e das esporas, no caso dos cavalos (ver Sl 32.9), e que se mostravam eficazes no controle até do mais intratável desses animais.

■ 19.29

וְזֶה־לְּךָ֣ הָא֔וֹת אָכ֤וֹל הַשָּׁנָה֙ סָפִ֔יחַ וּבַשָּׁנָ֥ה הַשֵּׁנִ֖ית סָחִ֑ישׁ וּבַשָּׁנָ֣ה הַשְּׁלִישִׁ֗ית זִרְע֧וּ וְקִצְר֛וּ וְנִטְע֥וּ כְרָמִ֖ים וְאִכְל֥וּ פִרְיָֽם׃

Os vss. 29 a 31 acrescentam uma composição em prosa às expressões métricas anteriores (a *qinah*). Assim é que os vss. 21-28 são poesia, mas os vss. 29-31 são uma composição em prosa. E os vss. 32-34 parecem ser um oráculo temporário, com um estilo todo seu. Foi assim que o autor sagrado teceu seu tapete com habilidade, empregando vários estilos literários.

Isto te será por sinal. *As Colheitas Autopreservadoras.* A essência da passagem é que haveria colheitas através do plantio, em Judá, até o terceiro ano. A despeito desse modo incomum de obter da terra seu sustento, Judá seria preservado e protegido por Yahweh. Por dois anos, a terra produziria para Judá sem os plantios usuais. Foi dessa maneira que Yahweh prometeu que os alimentaria por dois anos, fazendo a semente que tinha sido plantada naturalmente produzir colheitas adequadas. Somente no terceiro ano o processo normal do plantio começaria de novo.

A terra seria perturbada pelas hostes assírias. Isso interromperia os processos agrícolas. Apesar dessa interrupção, porém, Yahweh alimentaria seu povo, sem que eles tivessem de plantar. Isso ocorreria a despeito do cerco dos exércitos que, naturalmente, "viveriam de explorar a terra".

■ 19.30

וְיָ֨סְפָ֜ה פְּלֵיטַ֧ת בֵּית־יְהוּדָ֛ה הַנִּשְׁאָרָ֖ה שֹׁ֣רֶשׁ לְמָ֑טָּה וְעָשָׂ֥ה פְרִ֖י לְמָֽעְלָה׃

O que escapou da casa de Judá. *A Promessa sobre um Remanescente.* Cf. Is 10.20-22. Este versículo pode ter um duplo significado: 1. o remanescente deixado na terra, apesar da deportação de muitos, por parte de Senaqueribe; 2. ou o remanescente que voltaria à terra, após a deportação babilônica. Minhas fontes informativas falam sobre ambos os significados. Talvez os dois estejam mesmo em vista. Em ambos os casos, a mensagem era a mesma: apesar das deportações, a identidade de Judá seria preservada por decreto divino, e o remanescente daria continuidade a Judá. Judá seria como uma planta que deita raízes novamente, e então produz fruto, a despeito de ter sido arrancada do solo.

Senaqueribe afirmou ter levado 200.150 prisioneiros de Judá, pelo que houve realmente uma deportação, mas não grave o bastante para destruir Judá.

■ 19.31

כִּ֤י מִירוּשָׁלִַ֙ם֙ תֵּצֵ֣א שְׁאֵרִ֔ית וּפְלֵיטָ֖ה מֵהַ֣ר צִיּ֑וֹן קִנְאַ֛ת יְהוָ֥ה תַּעֲשֶׂה־זֹּֽאת׃ ס

Este versículo elabora o versículo anterior. O zelo e o poder de Yahweh representam seu firme propósito, o que garantiria a renovação de Judá através dos sobreviventes das deportações. A planta desarraigada do solo sobreviveria e ainda produziria muito fruto. De Jerusalém, a planta de Judá se espalharia através de suas raízes, e logo haveria plantas crescendo por todo o território. Este versículo, pois, ensina o teísmo (ver a respeito no *Dicionário*), e não o deísmo (ver a respeito no *Dicionário*). Deus é o Criador e o preservador; ele intervém na história humana; ele castiga e recompensa. Ele responde às orações; e le derrota os ímpios e faz prosperar os justos. O autor sacro insiste sobre "o ativo interesse de Deus e a eficácia deliberada da salvação. O livramento e a renovação da vida do povo não seriam devidos a uma operação automática da história, nem a causas naturais e econômicas" (Norman H. Snaith, *in loc.*). Este versículo ensina que Deus se acha na história, longe de estar desinteressado por ela.

Tipologia. Talvez este versículo deixe entendida a propagação do evangelho a partir de Jerusalém, por meio da obra da Igreja primitiva. Isso seria um resultado espiritual distante da promessa de preservação da identidade de Judá.

■ 19.32

לָכֵ֗ן כֹּֽה־אָמַ֤ר יְהוָה֙ אֶל־מֶ֣לֶךְ אַשּׁ֔וּר לֹ֤א יָבֹא֙ אֶל־הָעִ֣יר הַזֹּ֔את וְלֹֽא־יוֹרֶ֥ה שָׁ֖ם חֵ֑ץ וְלֹֽא־יְקַדְּמֶ֣נָּה מָגֵ֔ן וְלֹֽא־יִשְׁפֹּ֥ךְ עָלֶ֖יהָ סֹלְלָֽה׃

Pelo que assim diz o Senhor acerca do rei da Assíria. *O Oráculo.* Os vss. 32-34 parecem preservar um antigo oráculo concernente à sorte de Jerusalém, provavelmente de autoria do próprio Isaías. O profeta confiava em que não haveria nenhum ataque fatal contra Jerusalém, por parte da Assíria, mas, antes, haveria um livramento miraculoso, prestes a acontecer. Este versículo 32 parece dizer que não haveria nenhum ataque da parte dos assírios. Isso não parece concordar com o que sabemos sobre a história, e sobre como Senaqueribe levou aquelas duzentas mil pessoas de Judá, presumivelmente muitas de Jerusalém. Mas pelo menos podemos dizer que não haveria nenhum ataque final e fatal contra a capital de Judá, conforme tinha acontecido com a nação do norte, Israel. Um remanescente seria preservado (vs. 30), o qual seria uma fonte de vida de renovação. As profecias falham (ver 1Co 13.8), elas se mostram imperfeitas (ver 1Co 13.9). Parece que, no caso presente, temos aqui uma profecia imperfeita.

Os modos usuais de guerrear seriam impedidos ou mesmo cessariam inteiramente; o atirar de flechas seria limitado; soldados armados com armaduras raramente seriam vistos; trincheiras levantadas para servir de proteção, por parte do inimigo, não seriam escavadas. Comparar esta parte do versículo com 2Sm 20.15 e Hb 1.10.

■ 19.33

בַּדֶּ֥רֶךְ אֲשֶׁר־יָבֹ֖א בָּ֣הּ יָשׁ֑וּב וְאֶל־הָעִ֥יר הַזֹּ֛את לֹ֥א יָבֹ֖א נְאֻם־יְהוָֽה׃

Pelo caminho por onde vier, por esse voltará. O adversário, que chegara como uma tempestade, seria forçado a retornar, perdendo pelo caminho seus modos fanfarrões, tal como a fúria de um temporal esvazia-se com a mera passagem do tempo. Uma tempestade acalma-se devido ao fato de que sua fúria acaba dissipando-se. Yahweh, no caso presente, tiraria a fúria da tempestade e restauraria a calma a Jerusalém. Quanto dano foi causado na própria cidade de Jerusalém é algo difícil de determinar, mas o dano não foi fatal nem final. Por outro lado, grande parte de Judá já havia sido devastada (ver 2Rs 18.13). O versículo 31 parece dar a entender que até em Jerusalém escaparia um remanescente, que proveria vida nova.

A esperança e a salvação só se encontram no Senhor (ver Is 30.15; 31.1-5; Sl 46). E isso foi supremamente verdadeiro no caso do cerco de Jerusalém, por parte de Senaqueribe.

■ 19.34

וְגַנּוֹתִ֛י אֶל־הָעִ֥יר הַזֹּ֖את לְהֽוֹשִׁיעָ֑הּ לְמַעֲנִ֖י וּלְמַ֥עַן דָּוִ֥ד עַבְדִּֽי׃

Porque eu defenderei esta cidade. Não possuindo defesa humana adequada, haveria aquela defesa divina que cercaria a cidade de Jerusalém, como se fosse um poderoso exército, impedindo que os invasores realizassem sua obra usual de destruição. Isso seria feito por causa de Yahweh, porquanto, afinal, os filhos de Deus é que estavam tremendo em Jerusalém (Ver Êx 4.22), e ele tinha uma série de pactos firmados com eles. Assim, havia o pacto mosaico (ver a introdução ao capítulo 19 do Êxodo); havia o pacto palestínico (ver a introdução ao capítulo 29 de Deuteronômio); havia o pacto davídico (ver 2Sm 7.4); e, acima de tudo, havia o pacto abraâmico, sobre o qual todos os demais pactos repousavam (ver Gn 15.18). Temos neste versículo, especificamente em vista, o pacto davídico (conforme diz o texto sagrado). Davi estabeleceu-se como rei em Jerusalém, da qual ele fez sua capital, e foi-lhe então prometido um reino perpétuo e eterno. Somente através do governo do Messias, o Filho maior de Davi, isso poderia ocorrer, conforme explico em minhas notas sobre o pacto. Cf. 1Rs 11.13. Essa promessa é declarada extensamente no sétimo capítulo de 2Samuel.

■ 19.35

וַיְהִי בַּלַּיְלָה הַהוּא וַיֵּצֵא מַלְאַךְ יְהוָה וַיַּךְ בְּמַחֲנֵה אַשּׁוּר מֵאָה שְׁמוֹנִים וַחֲמִשָּׁה אָלֶף וַיַּשְׁכִּימוּ בַבֹּקֶר וְהִנֵּה כֻלָּם פְּגָרִים מֵתִים׃

Naquela mesma noite saiu o anjo do Senhor. Houve uma intervenção divina direta, e o agente dessa intervenção foi o Anjo do Senhor. Ver no *Dicionário* o verbete chamado *Anjos*. Talvez o autor sagrado queira indicar algum tipo de praga, enviada por Deus, como aquelas que castigaram os egípcios. Essa matança em massa não é confirmada por nenhuma fonte informativa extrabíblica. Heródoto (Hist. II.141) fala de uma derrota contundente que os assírios sofreram, mas isso foi às mãos dos egípcios. Alguns eruditos pensam que temos aqui uma lenda, baseada no "pensamento de desejo". Nessa "lenda", ratos do campo foram os agentes destruidores. Isso poderia apontar para a peste bubônica. A migração e grande multiplicação de roedores, no Oriente, naquele tempo, eram um fenômeno bem conhecido e bastante comum, e o texto presente pode envolver algo parecido com isso. Registros históricos dos assírios podem ter deixado de ser produzidos por causa da vergonha sofrida. Ninguém gosta de narrar suas próprias derrotas.

Quanto ao Anjo do Senhor, ver Gn 16.9. Cf. 2Sm 24.16, onde o anjo divino é um agente destruidor. Quando os primogênitos egípcios foram mortos pelo Senhor (Ver Êx 12.29), provavelmente essas mortes foram causadas pelo Anjo do Senhor. Josefo assevera que uma pestilência foi o agente da presente história. Morreram 185 mil soldados assírios, uma coisa fantástica para acontecer tão rapidamente. Quando o povo de Israel se levantou na manhã seguinte, seus inimigos eram cadáveres. Israel saiu e descobriu a tremenda extensão da catástrofe. Jerusalém, pois, foi libertada sem luta. Alguns estudiosos pensam que uma grande tempestade ou terremoto foi o agente do desastre. O autor sagrado deixa-nos a indagar sobre o *modus operandi* do acontecimento.

■ 19.36

וַיִּסַּע וַיֵּלֶךְ וַיָּשָׁב סַנְחֵרִיב מֶלֶךְ־אַשּׁוּר וַיֵּשֶׁב בְּנִינְוֵה׃

Retirou-se, pois, Senaqueribe. Os sobreviventes da catástrofe acompanharam seu rei, Senaqueribe, de volta à Assíria. Um cerco de Jerusalém tornara-se impossível, e não meramente destituído de sabedoria. Lambendo seus ferimentos e admirado diante do terrível acontecimento, o rei assírio fixou novamente residência em sua capital, Nínive (ver a respeito no *Dicionário*). Nínive ficava localizada às margens do rio Tigre, no seu lado oriental, defronte da moderna cidade de Mosul. Fora uma importante cidade desde o século XII a.C. Tornou-se a capital do império assírio, e permaneceu como tal até 612 a.C., quando foi destruída pelos babilônios. De acordo com as histórias dos hebreus, Nínive era o grande modelo do paganismo, bem como a sede do poder satânico que pôs fim ao reino do norte, Israel. Assim, as profecias posteriores (como os capítulos 38 e 39) falam do inimigo do norte, que poderia ser a Assíria ou a Babilônia, mas que na profecia é tomado por alguns estudiosos como se fosse a Rússia. Ver no *Dicionário* sobre Gogue e Magogue.

É deveras significativo que os registros assírios nos deem conta de cinco expedições militares subsequentes realizadas por Senaqueribe, para o leste, para o norte e para o sul, mas não para o oeste (Palestina).

O livro de Jonas (o João 3.16 do Antigo Testamento) registra as misericórdias de Yahweh para com Nínive, a cidadela do paganismo. Mas isso ocorreu em cerca de 860 a.C., muito antes da descida da Assíria contra Israel e Judá.

■ 19.37

וַיְהִי הוּא מִשְׁתַּחֲוֶה בֵּית נִסְרֹךְ אֱלֹהָיו וְאַדְרַמֶּלֶךְ וְשַׂרְאֶצֶר הִכֻּהוּ בַחֶרֶב וְהֵמָּה נִמְלְטוּ אֶרֶץ אֲרָרָט וַיִּמְלֹךְ אֵסַר־חַדֹּן בְּנוֹ תַּחְתָּיו׃ פ

Adrameleque e Sarezer, seus filhos, o feriram à espada. O evento aqui mencionado aconteceu muitos anos mais tarde (681 a.C.). Senaqueribe estava adorando no templo de seu deus, Nisroque, uma divindade assíria representada em parte como água e em parte como ser humano. Muito provavelmente, esse templo ficava localizado em Nínive. Exatamente ali, no interior de sua "igreja", o rei da Assíria foi executado por dois de seus próprios filhos! Quanta ironia! Seu deus, no interior do templo dedicado a ele, foi incapaz de salvar o rei, e seus próprios filhos desafiaram todas as coisas "sagradas", matando o próprio pai bem defronte da imagem daquele ídolo.

Ver no *Dicionário* sobre *Nisroque*. Ver também sobre Adrameleque e Sarezer, os filhos traiçoeiros de Senaqueribe. Eles assassinaram o pai provavelmente com o propósito de apossar-se do trono assírio. Mas algo saiu errado, e eles terminaram fugindo para a terra de Ararate. A *King James Version* diz "terra da Armênia", e a *Revised Standard Version* também diz aqui "Ararate". Esse lugar ficava cerca de 480 quilômetros ao norte de Nínive. Isso os deixou fora do alcance da mão vingadora. No assírio, Ararate é Urartu. Ver no *Dicionário* o verbete chamado *Armênia*.

Esar-Hadom. Outro dos filhos de Senaqueribe. Foi quem herdou o trono de seu pai. Ver o artigo detalhado sobre ele no *Dicionário*. Ele reinou de 681 a 668 a.C.

Uma Lenda Judaica sobre a História. Senaqueribe, rei da Assíria, consultou seus sábios, querendo saber do segredo do poder de Judá. Foi-lhe dito que isso se deu porque Abraão havia oferecido o filho a Yahweh. Quando Senaqueribe ouviu isso, tentou prender seus filhos para serem oferecidos aos deuses. Mas eles conseguiram executar o próprio pai. Pura fantasia! "Quando um rabino não pode desatar um nó, não tem nem escrúpulo nem dificuldade em cortá-lo" (Adam Clarke, *in loc.*).

CAPÍTULO VINTE

A DOENÇA DE EZEQUIAS (20.1-11)

Ezequias, rei de Judá, que havia obtido uma surpreendente vitória sobre a Assíria, através do poder divino (ver 2Rs 19.35), caiu diante de uma doença fatal. Tais são as vicissitudes da vida humana. Mas assim como Yahweh tinha feito intervenção em favor de Ezequias, no campo militar, por amor a Davi (ver 2Rs 19.34), assim também faria intervenção novamente em favor dele, dessa vez pessoalmente, concedendo-lhe alguns anos extras (cerca de quinze anos). Oh, Senhor, concede-nos tal graça! Talvez Ezequias não tivesse muito para fazer, e, de fato, não fez muita coisa naqueles quinze anos; mas algumas vezes a misericórdia divina, que agrada a um homem, não está acima da vontade e da permissão de Deus. A história ensina-nos, incidentalmente, uma excelente verdade. A oração é mais forte do que a profecia! Isaías, o profeta, havia predito que aquela enfermidade seria fatal (ver 2Rs 20.1), mas Ezequias não tomou essa palavra como final. Ele orou e foi capaz de anular a profecia de Isaías. Isso nos ensina algo sobre a natureza da profecia e da precognição. Nem todos os eventos previstos, até mesmo da parte de profetas geralmente dignos de confiança, têm de acontecer. Algumas dessas profecias realmente ocorrem, mas outras podem ou não confirmar-se. Há um nível de probabilidade em muitas profecias. A oração pode ser feita e anular um evento que estava marcado para acontecer. Assim, concluímos, a oração é uma atividade criativa que pode até mudar o futuro! Ver no *Dicionário* o artigo chamado *Oração*.

A base do apelo da oração de Ezequias era que ele fora sempre fiel a Yahweh. Sua oração foi ouvida, e o relógio de sol de Acaz recuou dez graus, um pequeno milagre para confirmar as boas intenções de Yahweh acerca do rei Ezequias. O incidente foi um excelente acontecimento que ilustrou a natureza e o poder da oração, bem como a natureza da profecia em relação à oração. Deus pode e realmente concede coisas até miraculosas em resposta à oração. Portanto, ore! Continue orando!

■ 20.1

בַּיָּמִים הָהֵם חָלָה חִזְקִיָּהוּ לָמוּת וַיָּבֹא אֵלָיו יְשַׁעְיָהוּ בֶן־אָמוֹץ הַנָּבִיא וַיֹּאמֶר אֵלָיו כֹּה־אָמַר יְהוָה צַו לְבֵיתֶךָ כִּי מֵת אַתָּה וְלֹא תִחְיֶה׃

Naqueles dias. Ou seja, nos dias da invasão de Jerusalém por Senaqueribe, registrada em 2Rs 18.13—19.36. Deus adicionou quinze anos à vida de Ezequias, em resposta à sua petição por misericórdia (ver 2Rs 20.6). Ezequias faleceu em 686 a.C., o que poria esse incidente de sua doença em 701 a.C., ano da invasão dirigida por Senaqueribe (cf. o capítulo 38 de Isaías)" (Thomas L. Constable, *in loc.*).

O capítulo 38 do livro de Isaías fornece-nos um paralelo da passagem presente. O sexto versículo indica que Ezequias estava passando por uma dupla tribulação. Senaqueribe ameaçava destruir Jerusalém, e Ezequias apanhou uma enfermidade que ameaçava lhe destruir o corpo. Mas o poder da oração anulou ambos os eventos. Entrementes, Isaías, que foi consultado acerca dos dois fatos, predisse o livramento das mãos da Assíria, e morte para Ezequias. Mas o rei orou, e recebeu livramento quanto a ambas as coisas. Portanto, olhemos para este exemplo, e continuemos orando!

Põe em ordem a tua casa. Isaías viu o pouco tempo que restaria de vida para Ezequias. A morte era iminente, mas a oração ampliou a sua vida em quinze anos. Cf. 2Sm 17.23 quanto ao "pôr em ordem a própria casa".

■ **20.2**

וַיַּסֵּב אֶת־פָּנָיו אֶל־הַקִּיר וַיִּתְפַּלֵּל אֶל־יְהוָה לֵאמֹר׃

Então virou Ezequias o rosto para a parede. O gesto de Ezequias foi de tristeza e desespero, e não para ocultar-se do olhar de outras pessoas. Não obstante, o espírito entristecido leva um homem a buscar o isolamento. Uma criança com medo cobre a cabeça com alguma coisa. Uma pessoa perturbada entra em seu quarto e fecha a porta. Uma pessoa mentalmente enferma pode esconder-se debaixo da cama para proteger-se de algum mal. Outro gesto dessa mesma categoria consiste em sentar-se no chão, com a cabeça sobre os joelhos.

E orou ao Senhor, dizendo. Fora Yahweh quem tinha comunicado, através de Isaías, que Ezequias em breve morreria. Portanto, foi para Yahweh que Ezequias se voltou em seu desespero. Visto que havia um decreto divino que tinha marcado o dia de sua morte (ver Sl 37.23), outro decreto divino poderia anular o primeiro, e foi isso o que Ezequias esperou obter por meio de sua oração.

O Dia da Morte de uma Pessoa Está Fixado? A experiência humana com a morte e a tradição mística concordam ao dizer que o dia de algumas mortes está fixado. Contudo, o tempo das mortes de muitas pessoas, comuns ou extraordinárias, não está fixado. Portanto, é perfeitamente possível que essas pessoas prolonguem sua vida por meio da oração. Mas também é possível que elas morram antes do tempo apropriado, por negligência quanto à saúde, por causa de algum acidente tolo, por julgamento devido a algum erro específico que foi cometido etc. Alguns eventos na vida de uma pessoa têm de acontecer. Essas coisas foram predestinadas, provavelmente pela escolha da própria pessoa, no caso de almas altamente desenvolvidas. O restante dos acontecimentos, a grande maioria das coisas, está em estado de fluxo, e pode ser alterada mediante esforço, determinação, força de vontade e oração. É provável que, em algumas ocasiões, até um evento fixo possa ser mudado. A intuição espiritual de Ezequias informou-o sobre esses fatos, e ele agiu com base nesse conhecimento intuitivo.

> A oração é o desejo sincero da alma,
> Que fica mudo ou é expresso,
> É o movimento de uma chama oculta
> Que tremula no peito.
> ...
> Os santos, na oração, aparecem como um só,
> Na palavra, nos feitos, na mente,
> Quando, com o Pai e o Filho,
> Encontram seu companheirismo.
>
> Montgomery

Além do mais, nenhuma oração é feita somente neste mundo. Até a menor oração pode ser ouvida acima da mais feroz tempestade.

■ **20.3**

אָנָּה יְהוָה זְכָר־נָא אֵת אֲשֶׁר הִתְהַלַּכְתִּי לְפָנֶיךָ
בֶּאֱמֶת וּבְלֵבָב שָׁלֵם וְהַטּוֹב בְּעֵינֶיךָ עָשִׂיתִי וַיֵּבְךְּ
חִזְקִיָּהוּ בְּכִי גָדוֹל׃ ס

Era comum na teologia dos hebreus da época que uma morte prematura fosse sinal do desprezo divino, e os homens ímpios sofriam essa calamidade. Por outro lado, acreditava-se que vida longa era uma recompensa dada aos justos. Por conseguinte, Ezequias relembrou a Yahweh o fato de que ele tinha sido fiel, tendo servido ao culto do yahwismo por toda a sua vida. Seu andar tinha preenchido os requisitos da lei mosaica. Ver o trecho de Dt 6.1-9. Como rei, ele tinha seguido o exemplo do rei ideal, Davi (ver em 1Rs 15.3). Conclusão: Ezequias merecia uma longa vida, embora isso lhe viesse a ser dado através da misericórdia e graça divina, visto que nenhum homem pode exigir coisa alguma da parte de Deus.

E chorou muitíssimo. Ezequias não estava psicologicamente preparado para morrer. Embora Yahweh pudesse levantar outro homem para enfrentar Senaqueribe e libertar Jerusalém, e executar outras coisas que ele deixara de realizar em seu ofício real, Ezequias queria fazer essas coisas e ver essas vitórias.

Uma Prova da Eficácia da Oração. Na teologia judaica posterior, Ezequias e sua oração tornaram-se um sinal dessa eficácia. Ver 2 Baruque 63.5.

Que Dizer sobre a Alma? O texto sagrado não diz uma única palavra sobre a sobrevivência da alma. Essa doutrina entrou na teologia dos hebreus no tempo dos Profetas e dos Salmos, mas a ideia não se desenvolveu senão já no período intermediário entre o Antigo e o Novo Testamento. Portanto, muitas passagens do Antigo Testamento, nas quais poderíamos esperar encontrar alguma indicação a respeito, deixam-nos sem resposta. Ver no *Dicionário* o artigo chamado *Alma*, e na *Enciclopédia de Bíblia, Teologia e Filosofia* o verbete denominado *Imortalidade*.

■ **20.4,5**

וַיְהִי יְשַׁעְיָהוּ לֹא יָצָא הָעִיר הַתִּיכֹנָה וּדְבַר־יְהוָה
הָיָה אֵלָיו לֵאמֹר׃

שׁוּב וְאָמַרְתָּ אֶל־חִזְקִיָּהוּ נְגִיד־עַמִּי כֹּה־אָמַר יְהוָה
אֱלֹהֵי דָּוִד אָבִיךָ שָׁמַעְתִּי אֶת־תְּפִלָּתֶךָ רָאִיתִי
אֶת־דִּמְעָתֶךָ הִנְנִי רֹפֶא לָךְ בַּיּוֹם הַשְּׁלִישִׁי תַּעֲלֶה
בֵּית יְהוָה׃

Ouvi a tua oração, e vi as tuas lágrimas. Yahweh ouviu a oração de Ezequias e lhe comunicou uma resposta favorável através do profeta Isaías. Deus reverteu sua mensagem anterior, dada através do mesmo profeta, que falava em morte certa para o rei (vs. 1 deste capítulo). Portanto, Yahweh mudou de ideia (ver Êx 32.14). Não há nenhum problema teológico nisso, porque, afinal, somente certos eventos estão absolutamente predestinados. A maioria das coisas acontece em estado de fluxo e está sujeita a modificações. A oração pode mudar essas coisas, e, às vezes, até um evento fixo pode ser alterado.

> Mais coisas são operadas pela oração
> Do que este mundo sonha.
>
> Tennyson

O nosso Pai celeste está sempre pronto e até mesmo anseia por modificar as coisas em favor de seus filhos, mesmo quando o curso normal dos eventos tem de ser perturbado, e certos acontecimentos têm de ser anulados, pois, de outro modo, ocorreriam. Portanto, continuemos orando!

Isaías já estava no caminho de volta para casa, e havia atingido a parte central da cidade. De súbito, Yahweh falou com ele: "Volta e diz a Ezequias que sua oração foi ouvida. Ele viverá, e não morrerá". Alguns intérpretes falam da parte média do palácio real, e pensam que Isaías teria atingido o primeiro piso. Dali, pois, ele foi enviado para dar novo recado ao rei. Ver 2Rs 22.14, que fala na "Cidade Baixa" de Jerusalém. Ver sobre a Variante Textual, a seguir.

"*A Oração Prevaleceu.* Sem dúvida, o diagnóstico humano estava correto. Ezequias estava prestes a morrer. Mas esse diagnóstico omitiu a possibilidade de uma cura espiritual, através do contato imediato da alma com Deus, o contato imediato da vida de Deus com a alma e o corpo. Que a oração é uma poderosa agência na cura dos enfermos é agora geralmente admitido pela ciência médica. Foi assim que Alexis Carrel escreveu: 'Já vi homens, depois que toda a terapia falhou, ser levantados da enfermidade... pelo esforço sereno da oração. Esse é o único poder no mundo que parece predominar sobre as chamadas leis da natureza'" (Raymond Calking, *in loc.*). Ver na *Enciclopédia de Bíblia, Teologia e Filosofia* o artigo chamado *Cura*, quanto a uma discussão detalhada sobre essa questão.

Variante Textual. Versículo 4 deste capítulo. A palavra hebraica *hatstser* (átrio) é o que se lê em alguns manuscritos hebraicos, mas o texto comum diz *keri*, "cidade". A margem do texto massorético diz "átrio", provavelmente a correção de um texto que alguém pensou estar incorreto. Ver no *Dicionário* os verbetes chamados *Massora* (*Massorah*); *Texto Massorético*; e também *Manuscritos do Antigo Testamento*, seção VII.

Ao terceiro dia subirás à casa do Senhor. Foi feita a promessa de cura completa. No terceiro dia Ezequias iria ao templo. O poder divino viria ao encontro dele ali. Mas talvez ele até já tivesse recebido a cura, e iria dar graças a Deus no templo. Ou então o milagre ocorreria ali e, então, estando ali, Ezequias daria graças a Deus.

"A oração de Ezequias moveu Deus para curá-lo" (Thomas L. Constable, *in loc.*, que usou aqui de antropoformismos e antropopatismos — ver sobre ambos os termos no *Dicionário* — mas que, não obstante, expressam verdades).

O PODER DA ORAÇÃO

A Vida de Ezequias é Prolongada

Lembra-te, Senhor, peço-te, de que andei diante de ti com fidelidade, com inteireza de coração, e fiz o que era reto aos teus olhos; e Ezequias chorou muitíssimo...
Ouvi a tua oração, e vi as tuas lágrimas; eis que eu te sararei... Acrescentarei aos teus dias quinze anos.

2Reis 20.3-6

A Fonte

O desespero, a dor, a chaga aberta,
Para as angústias todas deste mundo!
Vem, alma aflita, de sentido alerta;
Vem, peito triste, em seu sofrer profundo.
Em tuas mágoas é que me confundo
Porque minha alma, de sofrer, desperta.
Vem, coração magoado, vem buscar comigo
O lenitivo de um suave abrigo.
Que impressivo, eu também supus.
Alguma coisa há que tal sofrer isola.
Vem, vem que terás tudo que consola,
Vem da fonte divina, que é Jesus!

Camilo Flamarion Pires, Guaratinguetá, SP, Brasil, 17-6-73

Ouvido Por Acaso Num Pomar

Um passarinho falou para outro: "Realmente gostaria de saber por que estes seres humanos são tão ansiosos, correndo para lá para cá, sempre preocupados".
Respondeu o outro passarinho: "Amigo, eu acho que deve ser que eles não têm um Pai Celestial que cuida deles como cuida de mim e de você".

Elizabeth Cheney

Canto porque estou feliz;
Canto porque estou livre.
Seu olho segue o pardal.
E sei que me segue também.

Está cansado? Está fraco?
Está angustiado?
Venha para mim, fala Alguém,
Venha e descanse.

John M. Neale

■ 20.6

וְהֹסַפְתִּ֣י עַל־יָמֶ֗יךָ חֲמֵ֤שׁ עֶשְׂרֵה֙ שָׁנָ֔ה וּמִכַּ֤ף מֶֽלֶךְ־אַשּׁוּר֙ אַצִּ֣ילְךָ֔ וְאֵ֖ת הָעִ֣יר הַזֹּ֑את וְגַנּוֹתִ֗י עַל־הָעִ֥יר הַזֹּ֖את לְמַעֲנִ֑י וּלְמַ֖עַן דָּוִ֥ד עַבְדִּֽי׃

Acrescentarei aos teus dias quinze anos. Provavelmente Ezequias não precisava desses anos, mas ele os queria muito, e Yahweh lhe concedeu o desejo, embora eles não lhe fossem necessários. É assim que Deus trata conosco, como seus filhos. É excelente coisa quando uma criança obtém aquilo que quer, para sentir-se feliz, mesmo quando seus pais acham que a questão é trivial e insensata. A maioria das coisas que os pais negam aos filhos são prejudiciais. Os pais buscam conforto e conveniência para seus filhos, e por muitas vezes demonstram indiferença para com o querer deles, embora sejam cuidadosos quanto às suas necessidades. Um bom pai é sensível para com os desejos de seu filho, e não meramente para com as suas necessidades.

Aqueles quinze anos extras permitiriam que Ezequias visse, com seus próprios olhos, o livramento de Jerusalém, concedido por Yahweh, das mãos do exército assírio. Isso, por certo, era importante para Ezequias, embora não fosse necessário para as operações de Deus contra os assírios (ver 2Rs 18.35 quanto ao livramento miraculoso, dado por Deus).

E por amor de Davi, meu servo. Isso repete a declaração constante em 2Rs 18.34, onde as notas sobre a ideia foram dadas.

Os dois favores divinos, ambos realizados por meio de milagres: o inimigo externo, a Assíria, estava prestes a matar Jerusalém, massacrar muitos e deportar os restantes. O inimigo no corpo de Ezequias estava prestes a matá-lo. A graça e a misericórdia de Deus impediram ambas as mortes.

Os quinze anos conferidos a Ezequias ocuparam o tempo entre 701 e 686 a.C. Talvez Ezequias não tivesse feito muita coisa nesses anos, mas ele estava feliz e, além disso, foi-lhe dado o privilégio de ver dois milagres, algo também muito desejável. Oh, Senhor! Concede-nos tal graça!

Um Exemplo Contrário. Minha mãe tinha uma ambição especial. Ela queria viver até os 80 anos de idade. Mas quando estava com cerca de 62 anos, o câncer a feriu. Ela orou fervorosa, longa e insistentemente, à semelhança de Ezequias. Continuou viva até quase os seus 68 anos de vida, e morreu. Ela costumava dizer: "Algumas vezes podemos barganhar com Deus, e de outras vezes, não". Seja feita a vontade do Senhor.

Jesus sabe a dor que sentes,
Ele pode salvar e ele pode curar.
Leva tua carga ao Senhor,
E deixa-a ali.

C. Albert Tindley

■ 20.7

וַיֹּ֣אמֶר יְשַֽׁעְיָ֔הוּ קְח֖וּ דְּבֶ֣לֶת תְּאֵנִ֑ים וַיִּקְח֛וּ וַיָּשִׂ֥ימוּ עַל־הַשְּׁחִ֖ין וַיֶּֽחִי׃

Tomai uma pasta de figos. Isaías ordenou que se preparasse uma pasta de figos e que ela fosse aplicada à úlcera, ou tumor (ou o que quer que fosse). O "remédio caseiro" tinha pouco poder em si mesmo. Esse foi o sinal do poder de Deus, que se manifestaria no corpo de Ezequias. Teria ele apanhado uma infecção generalizada que se manifestava na pele sob a forma de úlceras? A pasta de figos era um remédio comum no antigo Oriente, usado para amolecer e abrir tumores e úlceras. Sem dúvida, a pasta de figos foi de alguma utilidade para esse propósito, mas não poderia ter curado Ezequias de uma enfermidade fatal. Seja como for, o texto ensina que devemos fazer o que nos for possível. Não é errado usar medicamentos criados pela ciência para obter curas, nem esse uso demonstra falta de fé, conforme dizem alguns fanáticos. Bem pelo contrário, Deus é o originador de bons medicamentos! As ideias dos cientistas vêm diretamente de Deus, talvez através de alguma entidade espiritual, ou então da própria inteligência e poderes criativos dos pesquisadores, que também são dons de Deus aos homens e que deveriam ser usados para aliviar o sofrimento.

Um homem enfermo sempre deve ter duas
coisas que caminham juntas: a oração e o médico.
E um não deve excluir o outro.

Raymond Calking, *in loc.*

Ezequias obteve duas grandes respostas às suas orações: Jerusalém foi livrada da Assíria, e ele foi curado de uma enfermidade fatal. Poderia ele esquecer-se desses milagres?

■ 20.8

וַיֹּאמֶר חִזְקִיָּהוּ אֶל־יְשַׁעְיָהוּ מָה אוֹת כִּי־יִרְפָּא יְהוָה
לִי וְעָלִיתִי בַּיּוֹם הַשְּׁלִישִׁי בֵּית יְהוָה:

Qual será o sinal de que o Senhor me curará... ? A cura deveria ocorrer dentro de três dias (vs. 5). Antes que isso acontecesse, Ezequias continuaria enfermo, e esperava algum sinal que confirmasse a intenção de Yahweh de curá-lo. Tendo recebido o sinal, após algum tempo ele faria uma caminhada ao templo, ou para ser curado e agradecer, ou para agradecer por já haver sido curado. O trecho paralelo do capítulo 38 de Isaías dá a ordem correta dos acontecimentos. O sinal veio primeiro (ver Is 38.7,8) e, então, a cura (vs. 21). A mente dos hebreus sempre ansiava por sinais, e penso que não somos melhores do que eles. Gostamos de ouvir sobre milagres potenciais e bons acontecimentos. A profecia é algo excelente. Mas um bom sinal que nos edifique na fé é sempre importante. Algumas pessoas realmente espirituais não carecem de sinais, mas as demais continuam pedindo sinais. E o Pai satisfaz a seus filhos, mesmo quando recebemos algo de que não temos verdadeira necessidade. Ver Is 7.11 ss., onde Isaías pediu que Acaz escolhesse um sinal.

Portanto, Ezequias precisava de um milagre que confirmasse a promessa de outro milagre, que estava prestes a acontecer. Talvez isso fosse esperar demais, mas Deus tem muito que dar, e aqueles que pedem, recebem (ver Mt 7.7).

Pedi, e dar-se-vos-á; buscai, e achareis; batei,
e abrir-se-vos-á. Pois todo o que pede recebe;
o que busca, encontra; e a quem bate, abrir-se-lhe-á.

Mateus 7.7,8

É conforme diz um ditado popular: "É a dobradiça barulhenta que obtém o azeite".

■ 20.9

וַיֹּאמֶר יְשַׁעְיָהוּ זֶה־לְּךָ הָאוֹת מֵאֵת יְהוָה כִּי יַעֲשֶׂה
יְהוָה אֶת־הַדָּבָר אֲשֶׁר דִּבֵּר הָלַךְ הַצֵּל עֶשֶׂר מַעֲלוֹת
אִם־יָשׁוּב עֶשֶׂר מַעֲלוֹת:

Adiantar-se-á a sombra dez graus, ou os retrocederá? O poder de Deus poderia mover-se para frente ou para trás, no relógio de sol. O trecho paralelo do capítulo 38 de Isaías fala somente no movimento de recuo. À atual versão da história pode ter sido adicionada a alternativas mediante uma falta de compreensão do paralelo poético envolvido na declaração. Ver Is 38.8. Somente um ato foi proposto, o movimento para trás; mas uma dupla declaração pode ter sido entendida, como se incluísse o processo alternativo, ou seja, o movimento para frente. Naturalmente, o movimento da sombra para trás implicava um ato divino dos movimentos do globo terrestre, o reverso de seu movimento normal, ou seja, fazer o tempo retroceder. Naturalmente, os antigos pensavam que o sol é que se movia em redor da terra, e por trás da presente narrativa estava a ideia de algum ato divino que fizesse o sol mover-se um pouco para trás, e assim afetar a sombra no relógio de sol. Ver no *Dicionário* o verbete intitulado *Relógio de Sol*. Mas talvez um relógio de sol não estivesse em vista. Ver as notas sobre o versículo seguinte. Assim como a sombra voltaria, outro tanto aconteceria à enfermidade de Ezequias. Ambas as coisas foram milagrosas, por certo. Ver no *Dicionário* o artigo intitulado *Milagres*.

■ 20.10

וַיֹּאמֶר יְחִזְקִיָּהוּ נָקֵל לַצֵּל לִנְטוֹת עֶשֶׂר מַעֲלוֹת לֹא כִי
יָשׁוּב הַצֵּל אֲחֹרַנִּית עֶשֶׂר מַעֲלוֹת:

Antes retroceda dez graus. Naturalmente, Ezequias estava equivocado ao pensar que seria mais fácil a sombra avançar do que retroceder dez graus. De acordo com a ciência da época, ele estava pensando em alguma espécie de permanência, e então a reversão do movimento do sol faria a sombra voltar. Os povos antigos pensavam que o sol fosse um corpo luminoso relativamente pequeno, mas muito intenso, nas mais elevadas atmosferas da terra. Eles não faziam ideia de sua dimensão e nem da grande distância que o separa da terra. Os dez graus, pelos cálculos dos hebreus, seriam, ao que parece, cinco horas, visto que cada grau exigia cerca de meia hora. Mas a palavra usada no texto original é equivalente à nossa palavra "degraus", e isso pode significar que não era um verdadeiro relógio de sol que estava sendo usado. Antes, deveria ser uma espécie de escada usada para marcar o tempo. Nesse caso, cada degrau tinha um valor medido em tempo, mas não sabemos qual era o valor de cada degrau.

Graus. "... uma escada que o rei Acaz havia construído. Pode ter sido construída para funcionar como um relógio de sol, para medir o tempo do dia, ou pode ter sido uma escada regular, empregada para marcar o tempo" (Thomas L. Constable, *in loc.*). O Targum diz dez horas, correspondentes aos dez graus. Conforme sabemos pelas inscrições, o relógio de sol dos babilônios tinha um grau para cada duas horas.

Natureza do Milagre:

1. A história é apenas uma lenda, portanto não há razão para tentarmos explicá-la. Assim pensam muitos estudiosos liberais e críticos.
2. A questão envolveu um tremendo milagre, pois a terra girou ao contrário do seu movimento normal, em redor de seu eixo, o que fez parecer que o sol tinha revertido sua carreira no firmamento.
3. Ou um evento geológico natural, mas muito raro, ocorreu, ou seja, uma mudança dos polos. Sabemos que, ocasionalmente, a crosta terrestre desliza e os polos são subitamente mudados. O fenômeno altera a relação da terra com o sol, bem como os cálculos sobre a hora do dia. Naturalmente, o texto fala de uma considerável mudança de tempo (cinco ou dez horas), e isso teria requerido um tremendo deslize na crosta terrestre. Porém, não existe nenhum registro geológico ou histórico de tal evento no tempo de Ezequias. Ver na *Enciclopédia de Bíblia, Teologia e Filosofia* o artigo chamado *Polos, Mudança dos*. Talvez o dilúvio de Noé também tenha envolvido um fenômeno desses.
4. O milagre só envolveu a refração dos raios solares, e foi local. A sombra reverteu porque os raios de sol foram refratados pelo poder de Deus. Não houve movimento algum no eixo da terra, nem a crosta terrestre deslizou.
5. Ocasionalmente, ocorre algum grande milagre que é visto por somente poucas pessoas. Como o sol caindo do céu, no caso das crianças de Fátima, Portugal. Pessoas viram isso. Isto é, poucas pessoas viram o fenômeno, mas o evento não foi fisicamente real. Foi um acontecimento espiritual, psicológico.
6. A história é uma parábola e reveste-se de sentido espiritual. Não devemos esperar algum milagre físico que tenha envolvido a questão.

Cf. o longo dia de Josué. Há notas a respeito na *Enciclopédia de Bíblia, Teologia e Filosofia*, sob o título de *Bete-Horom, Batalha de*. Há notas expositivas adicionais sobre a questão em Js 10.12.

■ 20.11

וַיִּקְרָא יְשַׁעְיָהוּ הַנָּבִיא אֶל־יְהוָה וַיָּשֶׁב אֶת־הַצֵּל
בַּמַּעֲלוֹת אֲשֶׁר יָרְדָה בְּמַעֲלוֹת אָחָז אֲחֹרַנִּית עֶשֶׂר
מַעֲלוֹת: פ

Então o profeta Isaías clamou ao Senhor. A oração de Isaías foi suficiente para efetuar o milagre. A sombra nos degraus reverteu aqueles dez graus ou degraus. Assim, Ezequias recebeu o sinal que pedira. Ele recuperaria a saúde e desfrutaria de quinze anos extras de vida (vs. 6). Jerusalém seria livrada das mãos dos assírios, e o corpo de Ezequias seria livrado de sua enfermidade fatal. Isso evidencia o poder da oração.

E a oração da fé salvará o enfermo,
e o Senhor o levantará... Muito pode,
por sua eficácia, a súplica do justo.

Tiago 5.15,16

> A oração é a linguagem mais simples
> Que lábios infantis podem experimentar;
> A oração é o clamor mais sublime que atinge
> A Majestade nas alturas.
> ...
> Nenhuma oração é feita só no mundo,
> Pois o Espírito Santo intercede;
> E Jesus, no trono eterno,
> Intercede pelos pecadores.
>
> Montgomery

"Sem importar o que pensemos sobre esse extraordinário incidente, ele aponta para uma verdade profunda, mas com frequência esquecida: Deus não está limitado por aquilo que chamamos de leis da natureza" (Raymond Calking, *in loc.*).

A oração é mais poderosa do que a profecia; a oração é mais forte do que o processo de envelhecimento. A oração é mais forte que a enfermidade. Portanto, continuemos orando!

O Símbolo. Da mesma maneira que a sombra do sol recuou por dez graus, assim também o corpo de Ezequias rejuvenesceu; o processo de envelhecimento foi revertido, e assim o homem viveu quinze anos extras, desafiando o seu código genético natural e o processo de envelhecimento que esse código genético controla.

A EMBAIXADA DE MERODAQUE-BALADÃ (20.12-21)

Ezequias, uma vez libertado da Assíria e também de sua enfermidade fatal, em sua excitação sobre tudo quanto havia acontecido, caiu em em pequena insensatez. Merodaque-Baladã ficou satisfeito ao ouvir que o rei de Judá se tinha recuperado de sua doença quase fatal. Ele enviou a Jerusalém uma embaixada com uma carta de congratulações e um presente. Ezequias ficou deleitado com a atenção recebida do rei da Babilônia, e tolamente mostrou aos embaixadores todos os tesouros do templo, o depósito das riquezas do reino de Judá. Também exibiu todos os tesouros que havia em seu próprio palácio, e todos os outros tesouros que havia em seu domínio. Podemos estar certos, pois, de que ele excitou a ganância dos babilônios. Isaías lamentou muito a imprudência de Ezequias e repreendeu-o devidamente por esse seu ato infantil. E revelou ao rei Ezequias que não estava longe o dia em que o "inimigo do norte" seria a Babilônia, e não a Assíria. Além disso, seriam os babilônios (e não os assírios) que massacrariam Jerusalém e deportariam os sobreviventes para a Babilônia (vs. 17).

Ezequias também se tornou culpado de outra atitude tola: afirmou que a palavra de Yahweh, através do profeta, era "boa"; mas não se preocupou com a terrível predição, pois calculou que, "durante os seus dias", a paz prevaleceria. Ele esqueceu os sofrimentos do povo de Jerusalém, e os sofrimentos de seus próprios descendentes. Ver o vs. 19.

■ 20.12

[texto hebraico]

Merodaque-Baladã. Ver o artigo sobre esse homem no *Dicionário*. No tempo desse rei, a Assíria continuava a ser o poder dominante, e é impossível que sua amizade com Ezequias tivesse sido calculada para encorajá-lo a unir-se em uma aliança contra a Assíria. Isaías opôs-se a qualquer plano dessa natureza. O rei em questão não foi o rei do cativeiro babilônico, por meio do qual Judá foi finalmente sujeitado a uma potência estrangeira, quando a maioria de seus habitantes foi deportada. Algumas versões grafam seu nome como Berodaque, em lugar de Merodaque, mas isso envolve uma troca acidental da letra hebraica *beth*, em lugar da letra *men*, uma substituição comum, que também ocorria ao contrário, isto é, a letra *men* era trocada pela letra *beth*. Josefo (*Antiq* X.2.2) asseverou que a atenção dada por esse rei a Ezequias tinha por intuito garantir que ele seria um seu aliado contra a Assíria. Talvez a exibição das riquezas de Judá tivesse a finalidade de revelar o poder econômico de Judá para participar na aliança. Merodaque-Baladã reinou na Babilônia em dois períodos, de 721 a 710 a.C. e depois, novamente, em 703 e 702 a.C. Quanto a maiores detalhes, ver o artigo mencionado. Cf. 2Cr 32.31 e Is 39.1.

■ 20.13

[texto hebraico]

Ezequias se agradou. Assim diz também a *Septuaginta*, e também é o texto das versões da *Vulgata Latina* e do siríaco, sendo adotado por muitos eruditos como o original, embora o texto massorético diga aqui: "Ezequias deu audiência". O paralelo em Is 39.2 também diz "se agradou". Ezequias estava ansioso por agradar; ansioso por fazer parte da aliança. Ver o texto massorético no artigo do *Dicionário*, chamado *Massora* (*Massorah*); *Texto Massorético*. Algumas vezes, as versões mostram-se corretas em relação ao texto massorético, o que é confirmado pelos textos hebraicos dos *Manuscritos do Mar Morto*, visto que, algumas vezes, aqueles textos antigos concordam com as versões, contra o texto massorético posterior. Ver no *Dicionário* o artigo *Manuscritos (Rolos) do Mar Morto*, em sua seção VII.

E lhes mostrou toda a casa do seu tesouro. Talvez Ezequias tenha agido levado por seu orgulho e ostentação. Ele mostrou-se orgulhoso dos tesouros que tinha sido capaz de reter, a despeito das tentativas de ataque dos assírios e das peitas que ele tivera de pagar para manter os assírios afastados de Jerusalém (ver 2Rs 18.14-16). Mas o mais provável é que a exibição desses tesouros tenha sido para reassegurar aos babilônios que Judá seria um aliado valioso na luta contra o inimigo comum, a Assíria. Judá, embora quase esmagado, ainda assim poderia contribuir com algo para esse esforço. A maior parte de Judá já havia caído nas mãos dos assírios (ver 2Rs 18.1), mas a capital, Jerusalém, ainda resistia, o que é descrito para nós, detalhadamente, no capítulo 19 de 2Reis. Em sua ansiedade para mostrar aos babilônios que Judá valia alguma coisa, que ainda lhe restava alguma força, Ezequias revelou tudo: os tesouros do templo; os tesouros do palácio real; e os tesouros de outros recursos espalhados pelo reino. "Nada" havia que tivesse sido escondido dos olhos dos enviados babilônicos.

■ 20.14

[texto hebraico]

Então Isaías, o profeta, veio ao rei Ezequias, e lhe disse. Isaías ouviu sobre o ato imprudente de Ezequias. Naturalmente, ele sabia por que os tesouros tinham sido exibidos. Mas o profeta era diametralmente contrário ao que tinha sido feito, contra qualquer aliança com a Babilônia. Mediante o seu discernimento profético, ele sabia que o inimigo maior de Judá seria a Babilônia, e não a Assíria. O cativeiro babilônico jazia no futuro a apenas cem anos de distância. Isso não era muito, conforme os eventos históricos correm.

"Isaías sempre se mostrou contrário a qualquer plano e conluio que envolvessem hostilidades francas contra potências estrangeiras" (Norman H. Snaith, *in loc.*). As alianças que levavam Judá a envolver-se em "guerras estrangeiras" eram sempre prejudiciais em termos de dinheiro e sofrimentos. Também eram contrárias à fé do yahwismo, que requeria que o único aliado fosse o Todo-poderoso Yahweh, o qual não precisava da ajuda de potências pagãs.

"Duas orações respondidas miraculosamente e, no entanto, esqueceu-se de Deus! Lisonjeado pela sugestão da Babilônia de uma aliança contra a Assíria, Ezequias acolheu fraternalmente os seus embaixadores, e orgulhosamente exibiu os seus tesouros, nada lhes ocultando. Mas os olhos de Isaías penetraram por baixo da superficial pretensão de tal aliança. Ele advertiu Ezequias de que ele estava meramente trocando um inimigo potencial por outro... que finalmente esmagaria Jerusalém" (Raymond Calking, *in loc.*).

20.15

וַיֹּ֕אמֶר מָ֥ה רָא֖וּ בְּבֵיתֶ֑ךָ וַיֹּ֣אמֶר חִזְקִיָּ֗הוּ אֵ֣ת כָּל־אֲשֶׁ֤ר בְּבֵיתִי֙ רָא֔וּ לֹא־הָיָ֥ה דָבָ֛ר אֲשֶׁ֥ר לֹֽא־הִרְאִיתִ֖ם בְּאֹצְרֹתָֽי׃

Perguntou ele. A inquirição feita por Isaías revelou a extensão da demonstração e da ostentação. Ezequias nada havia escondido dos embaixadores babilônios. A ganância deles se excitara. Viriam tempos difíceis, mesmo que não da parte de Merodaque-Baladã. O homem que acabara de contemplar dois milagres — um que salvara Jerusalém da Assíria (ver 2Rs 18.35), e o outro que libertara seu corpo de uma doença fatal (ver 2Rs 20.5,6) — e que recebera outros quinze anos preciosos de vida sofreu um lapso, devido à sua insensatez e falta de discernimento.

Aquele, pois, que pensa estar em pé,
veja que não caia.
                                    1Coríntios 10.12

A soberba precede a ruína,
e a altivez do espírito, a queda.
                                    Provérbios 16.18

O orgulho é o começo do pecado.
                                    Ben Siraque, Livro da Sabedoria

Cf. 2Cr 32.31, que nos diz que Yahweh estava testando Ezequias, em toda essa questão, para ver o que ele faria.

20.16,17

וַיֹּ֥אמֶר יְשַׁעְיָ֖הוּ אֶל־חִזְקִיָּ֑הוּ שְׁמַ֖ע דְּבַר־יְהוָֽה׃

הִנֵּה֮ יָמִ֣ים בָּאִים֒ וְנִשָּׂ֣א ׀ כָּל־אֲשֶׁ֣ר בְּבֵיתֶ֗ךָ וַאֲשֶׁ֨ר אָצְר֧וּ אֲבֹתֶ֛יךָ עַד־הַיּ֥וֹם הַזֶּ֖ה בָּבֶ֑לָה לֹֽא־יִוָּתֵ֥ר דָּבָ֖ר אָמַ֥ר יְהוָֽה׃

Ouve a palavra do Senhor. Aquelas circunstâncias provocaram um oráculo severo e temível. Naquele momento, Isaías foi tomado pelo espírito da profecia e viu claramente o cativeiro babilônico (ver a respeito no *Dicionário*). Os babilônios tomariam todos aqueles tesouros preciosos que Ezequias, tão tolamente, havia exibido. "Nada" seria deixado, tal como "nada" fora ocultado dos olhos do inimigo (vs. 13).

Além da perda dos tesouros, Jerusalém seria nivelada até o chão, e aqueles que não fossem massacrados seriam deportados, incluindo a família real, os descendentes do próprio Ezequias (vs. 18). Cf. Dn 1.1-3.

20.18

וּמִבָּנֶ֜יךָ אֲשֶׁ֨ר יֵצְא֧וּ מִמְּךָ֛ אֲשֶׁ֥ר תּוֹלִ֖יד יִקָּ֑ח וְהָיוּ֙ סָרִיסִ֔ים בְּהֵיכַ֖ל מֶ֥לֶךְ בָּבֶֽל׃

Tomarão, para que sejam eunucos no palácio do rei da Babilônia. *A Humilhação Final.* Os filhos de Ezequias, que deveriam estar na glória, reinando em Judá, seriam transformados em eunucos, homens castrados, que fariam tarefas domésticas na corte de um rei estrangeiro. É verdade que alguns eunucos se tornavam homens importantes, até mesmo altos oficiais, mas não há nenhum indício disso no versículo presente. Ver no *Dicionário* o verbete chamado *Eunuco*. Ver 2Rs 24.13-15 e Dn 1.1-3 quanto ao cumprimento dessa temível profecia. Parcialmente em vista, está o aprisionamento e cativeiro do próprio ímpio filho de Ezequias, Manassés (ver 2Cr 33.11).

20.19

וַיֹּ֤אמֶר חִזְקִיָּ֙הוּ֙ אֶל־יְשַׁעְיָ֔הוּ ט֥וֹב דְּבַר־יְהוָ֖ה אֲשֶׁ֣ר דִּבַּ֑רְתָּ וַיֹּ֕אמֶר הֲל֛וֹא אִם־שָׁל֥וֹם וֶאֱמֶ֖ת יִהְיֶ֥ה בְיָמָֽי׃

Boa é a palavra do Senhor. Isso significava que a profecia teria cumprimento. Ezequias, porém, pronunciou que ela seria "boa", por duas razões: 1. era uma profecia autêntica; 2. mas teria lugar depois dos dias de Ezequias, deixando-o em paz pelo resto de seus dias. Essa foi uma notável demonstração de egoísmo da parte do rei Ezequias. Manassés é que sofreria devido a toda aquela questão do avanço dos babilônios. Mas que importava isso a Ezequias? Ele mesmo terminaria o curso de sua vida em paz. Ezequias arrependeu-se de seu orgulho (ver 2Cr 32.26). Isso o salvou, mas não à sua nação. "Ele parecia não deplorar as calamidades que desceriam sobre a sua terra, contanto que a paz e a verdade prevalecessem em seus próprios dias" (Adam Clarke, *in loc.*).

UMA LONGA VIDA ERA REALIZADA

Cumprindo a Promessa Divina

Quanto aos mais atos de Ezequias, todo o seu poder, e como fez o açude e o aqueduto, e trouxe água para dentro da cidade, porventura não está escrito no livro da história dos reis de Judá? Descansou Ezequias com seus pais.
                                    2Reis 20.20,21

A TAREFA REALIZADA

Agora a tarefa do trabalhador termina —
A batalha passou.
Agora à costa distante
O viajante chega.
O dia que tu deste, ó Senhor, terminou.
                                    John Ellerton

Ó que sem um gemido demorado
Possa dar bem-vindo ao mundo que vem.
Deito este corpo, a tarefa realizada,
E triunfantemente seguro a coroa eterna.
                                    Russell Champlin

Conclusão: Morte de Ezequias (20.20,21)

20.20

וְיֶ֛תֶר דִּבְרֵ֥י חִזְקִיָּ֖הוּ וְכָל־גְּבוּרָת֑וֹ וַאֲשֶׁ֣ר עָשָׂ֗ה אֶת־הַבְּרֵכָה֙ וְאֶת־הַתְּעָלָ֔ה וַיָּבֵ֥א אֶת־הַמַּ֖יִם הָעִ֑ירָה הֲלֹא־הֵ֣ם כְּתוּבִ֗ים עַל־סֵ֛פֶר דִּבְרֵ֥י הַיָּמִ֖ים לְמַלְכֵ֥י יְהוּדָֽה׃

Quanto aos demais atos de Ezequias. O autor-compilador de 1 e 2Reis termina a sua história sobre Ezequias com a usual nota de obituário, mas adiciona uma das obras públicas feitas por esse rei de Judá. Ele fez um açude e um aqueduto, uma espécie de reservatório de água e um canal subterrâneo para fornecer água à cidade de Jerusalém. O suprimento de água a essa cidade sempre fora precário e sujeito a atos terroristas de invasores, que facilmente podiam cortar o suprimento de água para a capital do país. A situação foi melhorada pelas obras públicas de Ezequias, que, sem dúvida, foram feitas principalmente por razões de defesa.

"Ele trouxe água da fonte da Virgem, passando pelo monte do templo, até o poço de Siloé (ver 2Cr 32.30; Eclesiástico 48.19). Esse túnel já foi encontrado, e nele há uma inscrição em antiga escrita hebraica, na parede do lado direito, a cerca de 5,80 m da saída para o poço de Siloé. A inscrição, meio apagada pela água corrente, conta como dois grupos de operários, trabalhando em extremidades opostas, conseguiram encontrar-se no meio. O comprimento desse túnel chega a 520 m, mas uma linha direta, entre as duas bocas do túnel, é de apenas 332,45 m" (Norman H. Snaith, *in loc.*).

Quanto a notas expositivas sobre uma das obras de consulta do autor sagrado, as *Crônicas dos Reis de Israel e Judá*, ver 1Rs 14.19. Ver a notícia usual de obituário em 1Rs 1.21 e 16.5,6. Ver sobre Siloé e Giom, no *Dicionário*.

20.21

וַיִּשְׁכַּ֥ב חִזְקִיָּ֖הוּ עִם־אֲבֹתָ֑יו וַיִּמְלֹ֛ךְ מְנַשֶּׁ֥ה בְנ֖וֹ תַּחְתָּֽיו׃ פ

Quanto ao eufemismo para "morte", "descansou com seus pais", ver as notas em 1Rs 1.21.

Manassés, seu filho, reinou em seu lugar. Um péssimo filho de Ezequias, a contradição de tudo quanto seu pai foi, assumiu o trono de Judá. Ver o artigo detalhado sobre Manassés, no *Dicionário*. "Anos antes de sua morte, Ezequias fez de Manassés seu vice-regente, em 697 a.C. Pai e filho governaram juntos até que Ezequias morreu, em 686 a.C. Então Manassés sucedeu a seu pai no trono e governou como rei único" (Thomas L. Constable, *in loc.*).

CAPÍTULO VINTE E UM

MANASSÉS, REI DE JUDÁ (21.1-18)

Depois de Salomão, o autor-compilador de 1 e 2Reis devotou mais espaço à história de Ezequias. Mas foi seu ímpio filho, Manassés, quem reinou por mais tempo no reino do sul, Judá. A ele, entretanto, o autor sagrado conferiu apenas breves comentários, especificamente sobre quão mau ele foi. Ver no *Dicionário* o artigo chamado *Reino de Judá*. E ver também *Rei, Realeza*. Gráficos fornecem comentários sobre os anos de reinado dos reis.

Manassés foi um rei da eclipse e do pôr do sol de Judá. Apenas cinco reis se seguiriam a ele, e então o cativeiro babilônico (ver no *Dicionário*) poria fim ao reino do sul. Após setenta anos, um remanescente de Judá retornaria a Israel, embora fosse apenas a tribo de Judá, com quase exclusividade, pelo que também, atualmente, chamamos os hebreus de "judeus", porquanto quase todos eles derivam-se dessa única tribo. De Manassés até o fim de Judá, são cerca de cem anos, mas isso é pouco tempo, com relação à história.

"Manassés reinou de 696 a 641 a.C. De 671 a.C. em diante, quando Esar-Hadom invadiu o Egito, exércitos assírios marchavam para cá e para lá, ao longo da planície costeira de Judá. O Egito só recuperou a sua independência em 652 a.C., durante o governo do rei Assurbanipal. Durante todo esse período, o minúsculo reino de Judá permaneceu em paz, em segurança, enquanto as grandes nações em guerra passavam perto. Mas a paz e a segurança de Judá envolviam completa subserviência às exigências do senhor da Assíria, um pagamento regular de tributo, e a introdução em massa de cultos religiosos estrangeiros... Manassés não parecia opor-se a essas tendências, sendo mesmo provável que as tivesse encorajado... A seção diante de nós contém os detalhes da introdução de cultos estrangeiros por parte de Manassés, com dois oráculos entremeados. O primeiro oráculo (vss. 7 e 8) é uma reiteração dos mandamentos deuteronômicos impostos a Davi; e o segundo é um oráculo deuteronômico contra Manassés, lançando sobre ele a culpa e a responsabilidade pela destruição do templo e do reino de Judá" (Norman H. Snaith, *in loc.*).

21.1

בֶּן־שְׁתֵּ֨ים עֶשְׂרֵ֤ה שָׁנָה֙ מְנַשֶּׁ֣ה בְמָלְכ֔וֹ וַחֲמִשִּׁ֤ים וְחָמֵשׁ֙ שָׁנָ֔ה מָלַ֖ךְ בִּירוּשָׁלִָ֑ם וְשֵׁ֥ם אִמּ֖וֹ חֶפְצִי־בָֽהּ׃

Tinha Manassés doze anos de idade quando começou a reinar. Ver 2Rs 20.21 quanto a notas cronológicas sobre o reinado de Manassés. Houve o envolvimento de uma corregência com Ezequias, seu pai. Manassés começou a reinar como corregente quando tinha somente 12 anos de idade (697 a.C.). Seu reinado total, incluindo seu período de corregente, foi de 55 anos. Jerusalém permaneceu como a capital do que foi deixado de Judá. Grande parte de Judá tinha sido destruída pela Assíria (ver 2Rs 18.13).

Hefzibá. Ver sobre a mãe de Manassés no *Dicionário*. As tradições judaicas apresentam-na como uma mulher reta, filha do profeta Isaías; mas custa confiar nas tradições. Contudo, é difícil de acreditar que o reto Ezequias ter-se-ia casado com uma mulher que não fosse piedosa. Portanto, o filho deles, Manassés, insurgiu-se contra os ensinamentos de seu pai e de sua mãe, e fez Judá mergulhar em uma de suas piores apostasias, se não mesmo a pior.

"Manassés foi levado cativo para a Babilônia, arrependeu-se, foi restaurado ao trono de Judá, combateu a idolatria e morreu aos 67 anos de idade (ver 2Cr 33.1-20)" (Adam Clarke, *in loc.*).

21.2

וַיַּ֥עַשׂ הָרַ֖ע בְּעֵינֵ֣י יְהוָ֑ה כְּתוֹעֲבֹת֙ הַגּוֹיִ֔ם אֲשֶׁר֙ הוֹרִ֣ישׁ יְהוָ֔ה מִפְּנֵ֖י בְּנֵ֥י יִשְׂרָאֵֽל׃

Fez ele o que era mau perante o Senhor. Em lugar de continuar com o puro yahwismo de seu pai Ezequias, Manassés copiou os pagãos, adotando os cultos idólatras comuns na Palestina, ou seja, as abominações das nações que Israel havia expulsado da Terra Prometida. Ver a lista dessas nações (sete), que foram expulsas, em Êx 33.2 e Dt 7.1. Cf. Dt 29.17 e 1Rs 11.5. Aquilo que Yahweh expulsou, Manassés restaurou!

21.3

וַיָּ֗שָׁב וַיִּ֙בֶן֙ אֶת־הַבָּמ֔וֹת אֲשֶׁ֥ר אִבַּ֖ד חִזְקִיָּ֣הוּ אָבִ֑יו וַיָּ֣קֶם מִזְבְּחֹ֣ת לַבַּ֗עַל וַיַּ֤עַשׂ אֲשֵׁרָה֙ כַּאֲשֶׁ֣ר עָשָׂ֗ה אַחְאָב֙ מֶ֣לֶךְ יִשְׂרָאֵ֔ל וַיִּשְׁתַּ֙חוּ֙ לְכָל־צְבָ֣א הַשָּׁמַ֔יִם וַֽיַּעֲבֹ֖ד אֹתָֽם׃

Tornou a edificar os altos. Ver no *Dicionário* o verbete chamado *Lugares Altos*. Salomão havia erigido ali altares dedicados a deuses estrangeiros. Depois de Salomão, a maioria dos reis de Judá tolerou esses santuários locais. Ezequias, entretanto, destruiu-os, centralizando a adoração em Jerusalém. Ver 2Rs 18.4 quanto ao expurgo de Ezequias acerca desses santuários idólatras. Mas aqui vemos o estúpido espetáculo de seu filho a restaurar essas abominações. Provavelmente, em consonância com um sistema eclético, Yahweh era um dos deuses honrados nesses lugares. E a mistura resultou em uma horrenda idolatria. Ver 2Rs 17.10 quanto à natureza generalizada dos santuários locais. Cada árvore frondosa parecia um lugar apropriado para honrar algum ídolo. Ver também 2Rs 23.12.

Manassés restaurou antigas formas de idolatria, mas também fez adições à idolatria incluindo formas assírias de culto e também as deidades astrais. Chegou ao extremo de erigir altares a essas divindades astrais no terreno do templo (vs. 5). Ver Dt 4.19; 17.3; 18.10,11 quanto à condenação a tais práticas. Altares a Baal foram erigidos, e o poste-ídolo em honra a Aserá (ver as notas sobre 1Rs 14.15) foi novamente instituído. Isso posto, o ímpio Manassés imitou o abominável rei Acabe, de Israel (ver 1Rs 16.33). Ver 2Rs 18.4 quanto a como Ezequias dera fim a tudo isso. Ver também as notas em 2Rs 21.7.

"Um dos piores dentre todos os reis de Judá, foi ele quem reinou por mais tempo" (Raymond Calking, *in loc.*). "Qualquer bem, feito por Ezequias, foi rapidamente desfeito por Manassés" (*Oxford Annotated Bible*, comentando sobre o primeiro versículo deste capítulo).

21.4,5

וּבָנָ֥ה מִזְבְּחֹ֖ת בְּבֵ֣ית יְהוָ֑ה אֲשֶׁר֙ אָמַ֣ר יְהוָ֔ה בִּירוּשָׁלִַ֖ם אָשִׂ֥ים אֶת־שְׁמִֽי׃

וַיִּ֥בֶן מִזְבְּח֖וֹת לְכָל־צְבָ֣א הַשָּׁמָ֑יִם בִּשְׁתֵּ֖י חַצְר֥וֹת בֵּית־יְהוָֽה׃

Edificou altares na casa do Senhor. Esses altares foram erigidos por Manassés no próprio templo de Jerusalém e, sem dúvida, honraram uma boa variedade de deuses. Também havia altares construídos em honra a divindades astrais (vs. 5), nos dois átrios. Foi assim que o templo e sua área imediata não escaparam ao deboche generalizado.

Nos dois átrios da casa do Senhor. Essa observação tem causado problemas para os intérpretes. O templo pré-exílico tinha apenas um átrio. O segundo templo (pós-exílico), ao que parece, tinha dois átrios. É possível que o autor sacro, estando familiarizado com as dependências do segundo templo, tenha escrito aqui "dois átrios" mediante uma antecipação. Ou, embora seja menos provável, o autor chamou as áreas ao redor dos edifícios reais (que Salomão havia construído) de átrio, isto é, o segundo.

21.6

וְהֶעֱבִ֤יר אֶת־בְּנוֹ֙ בָּאֵ֔שׁ וְעוֹנֵ֣ן וְנִחֵ֔שׁ וְעָ֥שָׂה א֖וֹב וְיִדְּעֹנִ֑ים הִרְבָּ֗ה לַעֲשׂ֥וֹת הָרַ֛ע בְּעֵינֵ֥י יְהוָ֖ה לְהַכְעִֽיס׃

E queimou seu filho como sacrifício. Completamente abominável, Manassés chegou a imitar os cultos de sacrifícios humanos dos pagãos. Ver no *Dicionário* o artigo chamado *Moleque, Moloque,* quanto a esse tipo de idolatria, que começou como uma abominação dos filhos de Amom. Cf. 1Rs 11.7; 33.2 e 2Rs 23.10,13. Manassés chegou mesmo a fazer um de seus filhos passar pelas chamas daquela divindade pagã, um crime abominável.

Além de todas essas muitas iniquidades, o rei Manassés também praticou os ritos de feitiçaria, adivinhação e necromancia. Provavelmente essas práticas não tinham realmente desaparecido, mas apenas seus praticantes se tinham ocultado durante o reinado de Ezequias. Mas com o "liberal" Manassés como rei, todas as abominações voltaram. Ver no *Dicionário* os verbetes denominados *Adivinhação* e *Necromancia.* Ver Dt 18.10,11 quanto à proibição de Moisés acerca de tais práticas. Ver também Lv 19.26-31 e 2Cr 33.6.

21.7

וַיָּ֕שֶׂם אֶת־פֶּ֥סֶל הָאֲשֵׁרָ֖ה אֲשֶׁ֣ר עָשָׂ֑ה בַּבַּ֗יִת אֲשֶׁ֨ר אָמַ֤ר יְהוָה֙ אֶל־דָּוִד֙ וְאֶל־שְׁלֹמֹ֣ה בְנ֔וֹ בַּבַּ֨יִת הַזֶּ֜ה וּבִירוּשָׁלִַ֗ם אֲשֶׁ֤ר בָּחַ֨רְתִּי֙ מִכֹּל֙ שִׁבְטֵ֣י יִשְׂרָאֵ֔ל אָשִׂ֥ים אֶת־שְׁמִ֖י לְעוֹלָֽם׃

Pôs a imagem de escultura do poste-ídolo. Essa imagem foi erigida no interior do próprio templo. Ver sobre Aserá e Aserins em 1Rs 14.15. Essa foi uma horrenda violência contra toda a ideia do templo de Jerusalém, dedicado a Yahweh, que foi construído para centralizar toda a adoração de Israel em Jerusalém e, como é óbvio, a adoração exclusiva a Yahweh. O nome de Yahweh deveria ser honrado ali, sem deboche mediante a competição com ídolos. O que aconteceu foi "o clímax da impiedade de Manassés" (Ellicott, *in loc.*). Cf. 2Rs 23.4; Ez 43.7; Jr 7.30 ss. Ver 1Rs 8.29 e 9.3 quanto ao fato de que Yahweh pusera seu nome no templo (antecipado nos dias de Davi e concretizado nos dias de Salomão).

21.8

וְלֹ֣א אֹסִ֗יף לְהָנִיד֙ רֶ֣גֶל יִשְׂרָאֵ֔ל מִן־הָ֣אֲדָמָ֔ה אֲשֶׁ֥ר נָתַ֖תִּי לַאֲבוֹתָ֑ם רַ֣ק ׀ אִם־יִשְׁמְר֣וּ לַעֲשׂ֗וֹת כְּכֹל֙ אֲשֶׁ֣ר צִוִּיתִ֔ים וּלְכָל־הַ֨תּוֹרָ֔ה אֲשֶׁר־צִוָּ֥ה אֹתָ֖ם עַבְדִּ֥י מֹשֶֽׁה׃

Nem farei os pés de Israel anderam errantes da terra que dei a seus pais. O cativeiro assírio da nação do norte (Israel) já tinha ocorrido. E por causa das abominações efetuadas por Manassés no reino do sul (Judá), os babilônios massacrariam Jerusalém e fariam que seus habitantes fossem deportados, por causa dos pecados do povo, dentre os quais Manassés aparecia como o ofensor de número um. A permanência na terra era condicionada ao fato de que os israelitas não se envolvessem na idolatria dos povos pagãos. Naturalmente, a idolatria trouxe em sua esteira toda sorte de corrupção, como sacrifícios humanos, deboches morais etc. A obediência à legislação mosaica era a condição para os filhos de Israel permanecerem na Terra Prometida, que Yahweh lhes dera. Cf. 2Sm 7.10. Ver Dt 12.5,29-31; 17.3; 18.8-14 e Is 1.19.

21.9

וְלֹ֖א שָׁמֵ֑עוּ וַיַּתְעֵ֤ם מְנַשֶּׁה֙ לַעֲשׂ֣וֹת אֶת־הָרָ֔ע מִן־הַ֨גּוֹיִ֔ם אֲשֶׁר֙ הִשְׁמִ֣יד יְהוָ֔ה מִפְּנֵ֖י בְּנֵ֥י יִשְׂרָאֵֽל׃

Manassés de tal modo os fez errar, que fizeram pior do que as nações. Embora tenha havido pressão sobre o rei Manassés para incorporar os deuses da Assíria em seu culto, por razões políticas e sociais, o presente versículo informa-nos que ele não foi somente um participante voluntário na idolatria, mas também um promotor da idolatria em Judá. A natureza virulenta do que ele fez foi demonstrada pelo fato de que ele levou a idolatria ao interior do próprio templo, tendo corrompido os átrios com ídolos pagãos.

"A idolatria de Judá tornou-se pior que a dos cananeus, porque estes adoravam somente seus deuses nacionais, ao passo que Judá se esqueceu de seu Deus e adotou vários cultos estrangeiros com os quais havia entrado em contato (ver Jr 2.11)" (Ellicott, *in loc.*).

21.10,11

וַיְדַבֵּ֧ר יְהוָ֛ה בְּיַד־עֲבָדָ֥יו הַנְּבִיאִ֖ים לֵאמֹֽר׃

יַ֡עַן אֲשֶׁר֩ עָשָׂ֨ה מְנַשֶּׁ֤ה מֶֽלֶךְ־יְהוּדָה֙ הַתֹּעֵב֣וֹת הָאֵ֔לֶּה הֵרַ֕ע מִכֹּ֛ל אֲשֶׁר־עָשׂ֥וּ הָאֱמֹרִ֖י אֲשֶׁ֣ר לְפָנָ֑יו וַיַּחֲטִ֥א גַֽם־אֶת־יְהוּדָ֖ה בְּגִלּוּלָֽיו׃ פ

Então o Senhor falou por intermédio dos profetas. *Oráculo e Profecia contra Manassés.* O rei de Judá havia semeado iniquidade, e agora colheria calamidade. A antiga síndrome da apostasia-calamidade nunca parou de operar. Ver no *Dicionário* o verbete chamado *Lei Moral da Colheita segundo a Semeadura.*

A Causa da Calamidade. Manassés foi pior do que os amorreus (um termo usado para indicar todos os habitantes primitivos da Palestina), porquanto esqueceu-se de Yahweh e voltou-se para cultos estrangeiros, enquanto os habitantes primitivos da Palestinas se contentavam em continuar a adorar os deuses de seus pais. O sistema religioso eclético de Manassés estava totalmente pútrido. Ele encheu Judá de ídolos, não poupando nem ao menos o templo, dessa podridão (vs. 7).

Yahweh falou através de seus profetas Isaías, Joel, Naum e Habacuque, os quais tiveram algo a ver com Manassés, e cujos oráculos o denunciavam.

Amorreus. Ver sobre esse povo no *Dicionário.* O nome representa as sete nações primitivas da Palestina, que Israel expeliu dali. Quanto a uma lista, ver Êx 33.2 e Dt 7.1. Amorreus era uma designação geral das raças nativas da terra de Canaã, tal como Homero usou o termo aqueus, danaes etc., em diferentes ocasiões, para referir-se a todos os gregos. Ver Am 2.9; Ez 16.3; 1Rs 21.26" (Ellicott, *in loc.*).

21.12

לָכֵ֗ן כֹּֽה־אָמַ֤ר יְהוָה֙ אֱלֹהֵ֣י יִשְׂרָאֵ֔ל הִנְנִ֨י מֵבִ֥יא רָעָ֖ה עַל־יְרוּשָׁלִַ֣ם וִיהוּדָ֑ה אֲשֶׁר֙ כָּל־שֹׁמְעָ֔יו תִּצַּ֖לְנָה שְׁתֵּ֥י אָזְנָֽיו׃

Eis que hei de trazer tais males sobre Jerusalém e Judá. Quem falou assim? O "Senhor Deus de Israel", ou seja, Yahweh-Elohim, o Deus eterno e Todo-poderoso. Ver no *Dicionário* o artigo chamado *Deus, Nomes Bíblicos de,* quanto a detalhes sobre esses nomes. A ameaça foi feita pelo mais elevado dos poderes, e coisa alguma poderia impedir seu cumprimento.

... lhe tinirão ambos os ouvidos. O desastre seria tão grande que apenas ouvir sobre ele deixaria ambos os ouvidos tinindo, e sofrer o que era predito seria totalmente devastador. O oráculo predizia tanto o cativeiro assírio (para Israel, o reino do norte) como o cativeiro babilônico (para Judá, o reino do sul). No *Dicionário* há artigos assim chamados. O norte seria totalmente destruído, seria deportado e perderia sua identidade como nação. Um remanescente de Israel permaneceria no território pátrio e se misturaria com habitantes importados de várias outras regiões do mundo, transformando-se nos samaritanos (ver 2Rs 17.24-41). E o sul seria devastado e seus habitantes, deportados. Passados setenta anos, um pequeno remanescente voltaria e começaria de novo a nação de Israel, partindo de uma única tribo, Judá.

"Aquilo faria tanto ruído no mundo, soando tão horrível e terrivelmente, e o relato seria tão assustador que os ouvidos de um homem tiniriam, e seu coração estremeceria. Quanto terror os judaítas teriam de suportar! Ver Ez 22.14; 1Sm 3.11" (John Gill, *in loc.*). O sonido traspassador lançaria o terror no coração dos homens.

21.13

וְנָטִ֣יתִי עַל־יְרוּשָׁלִַ֗ם אֵ֚ת ק֣ו שֹֽׁמְר֔וֹן וְאֶת־מִשְׁקֹ֖לֶת בֵּ֣ית אַחְאָ֑ב וּמָחִ֧יתִי אֶת־יְרוּשָׁלִַ֛ם כַּֽאֲשֶׁר־יִמְחֶ֥ה אֶת־הַצַּלַּ֖חַת מָחָ֑ה וְהָפַ֥ךְ עַל־פָּנֶֽיהָ׃

Estenderei sobre Jerusalém o cordel de Samaria. O cativeiro assírio é relembrado neste versículo. Samaria era a capital do reino do norte, a partir de Onri. Jerusalém, capital do sul, experimentaria a mesma sorte no cativeiro babilônico. O que tinha acontecido à casa de Acabe, por causa de sua desavergonhada idolatria, aconteceria a Judá, por causa de sua desavergonhada imitação do abominável Acabe.

O cordel e o prumo, como é óbvio, representam o julgamento (cf. Am 7.8). Yahweh estacaria seu cordel sobre Jerusalém, e a mediria para ser julgada, e esse cordel seria o mesmo que tinha medido Samaria. O fim de Jerusalém já estava sendo contemplado. Seguiria a mesma dolorosa maldição de Samaria. Ela seria limpa como um prato que estivera sujo, e esse limpar é outra metáfora que indica um julgamento devastador.

E o emborca. Outra metáfora ainda, para dizer que Jerusalém ficaria esperando até a volta do remanescente de Judá, que aconteceu a partir de setenta anos depois do cativeiro babilônico. Enquanto o prato estivesse emborcado, o julgamento continuaria em seus efeitos. Jerusalém ficaria sem uso algum durante setenta anos.

A *Vulgata Latina* faz o prato transformar-se em um tablete de escrever, e o limpar do prato transforma-se no ato de apagar as letras que tinham sido escritas nesse tablete. As tabuinhas de escrever eram recobertas com uma fina camada de cera, e as impressões (letras) eram escritas sobre a cera. Era fácil esquecer o que estava escrito sobre a cera, e começar a escrever de novo. Yahweh estava prestes a obliterar Jerusalém e começar tudo de novo.

A *Septuaginta* faz o prato tornar-se um vaso de alabastro. Quando o unguento se acaba, o vaso é limpo, e fica preparado para receber novo unguento, em outro dia. A antiga Jerusalém seria limpa por Yahweh. Haveria um novo vaso, uma nova Jerusalém, capaz de conter o novo azeite das operações de Deus.

■ **21.14**

וְנָטַשְׁתִּי אֵת שְׁאֵרִית נַחֲלָתִי וּנְתַתִּים בְּיַד אֹיְבֵיהֶם וְהָיוּ לְבַז וְלִמְשִׁסָּה לְכָל־אֹיְבֵיהֶם:

Abandonarei o resto da minha herança. Tanto a nação do norte, Israel, quanto a nação do sul, Judá, seriam abandonadas por Yahweh, como indignas de qualquer atenção e proteção. Israel era a herança de Deus, mas a coisa inteira tinha apodrecido.

*Mas o Senhor vos tomou,
e vos tirou da fornalha de ferro do Egito,
para que lhe sejais povo de herança, como hoje se vê.*
Deuteronômio 4.20

A herança de Yahweh seria perdida e potências estrangeiras atacariam e devorariam o povo de Deus, tal e qual animais ferozes devoram sua presa. Cf. Is 42.22 e Jr 30.16.

■ **21.15**

יַעַן אֲשֶׁר עָשׂוּ אֶת־הָרַע בְּעֵינַי וַיִּהְיוּ מַכְעִסִים אֹתִי מִן־הַיּוֹם אֲשֶׁר יָצְאוּ אֲבוֹתָם מִמִּצְרַיִם וְעַד הַיּוֹם הַזֶּה:

E me provocaram à ira. Ver no *Dicionário* o verbete intitulado *Ira de Deus*. O autor sagrado empregou o antropomorfismo e o antropopatismo para reforçar seu argumento. Ver sobre esses dois termos no *Dicionário*. O Todo-poderoso Yahweh entregaria à ira a Sua herança, sujeitando-a a uma total destruição. Somos reduzidos a descrever Deus em termos que tenham significado para nós, como seres humanos, pelo que nos referimos aos atributos de Deus como se fossem semelhantes aos nossos, embora vastamente mais amplos; e falamos dele como dotado de emoções humanas, como a ira; porém, quando assim fazemos ficamos muito aquém da descrição de Deus em qualquer sentido significativo. Deus é o *Mysterium Fascinosum* e é também o *Mysterium Tremendum*, o que não pode ser descrito por nenhuma exatidão de linguagem. Ver sobre esses termos no *Dicionário*. Ver também ali os verbetes Deus e Atributos de Deus.

Uma Antiga Provocação. Acabe e Manassés provocaram extremamente Deus, mas a provocação do povo de Israel era antiquíssima, vinda do tempo do êxodo, quando Yahweh tirou seu filho do Egito (ver Êx 4.22,23). Quanto a esse ato de poder e de graça divina (registrado por mais de vinte vezes, somente no livro de Deuteronômio), ver Dt 4.20. Nenhum favor ou graça divina eram suficientes para Israel, que continuava a desconsiderar a legislação mosaica, a qual os distinguia como um povo entre as nações da terra. Quanto a esse caráter distintivo de Israel, ver Dt 4.4-8. O autor sagrado estava dizendo que Israel era um filho renegado desde o começo, insolente, arrogante e incurável. Ver Hb 3.8,15 quanto à provocação no deserto, onde Israel ficou perambulando durante quarenta anos.

■ **21.16**

וְגַם דָּם נָקִי שָׁפַךְ מְנַשֶּׁה הַרְבֵּה מְאֹד עַד אֲשֶׁר־מִלֵּא אֶת־יְרוּשָׁלַ͏ִם פֶּה לָפֶה לְבַד מֵחַטָּאתוֹ אֲשֶׁר הֶחֱטִיא אֶת־יְהוּדָה לַעֲשׂוֹת הָרַע בְּעֵינֵי יְהוָה:

Manassés derramou muito sangue inocente. Josefo declarou que Manassés, à semelhança de Acabe, matou os profetas (*Antiq.* X.3.1), sendo provável que os profetas figurassem entre os inocentes que foram mortos por Manassés. É fato que Manassés matou Isaías serrando-o ao meio com uma serra de madeira. Ao assim agir, Manassés copiou a abominável e ímpia Jezabel, que fez tais coisas na nação de Israel (ver 1Rs 18.13). Podemos ter a certeza de que a casta sacerdotal (qualquer um que se tenha mostrado leal a Yahweh) também teve de enfrentar a ira e a crueldade de Manassés. Sabemos que ele sacrificou crianças às deidades pagãs, e que até um de seus filhinhos sofreu essa sorte terrível (ver 2Rs 21.6). "Manassés era um homem feroz e cruel; um tirano sem misericórdia e sem princípios. Ele matou pessoas inocentes e também os profetas de Deus" (Adam Clarke, *in loc.*). Ver Hb 11.37, que pode referir-se à história do Talmude, acerca da morte de Isaías.

Afora o seu pecado, com que fez pecar Judá. Tal e qual Jeroboão, que levou a nação de Israel a pecar (ver 1Rs 1.26; 16.2). Ver 1Rs 12.28 ss., quanto ao pecado de Jeroboão. Por conseguinte, Manassés, de Judá, foi o paralelo de Jeroboão I, de Israel.

■ **21.17**

וְיֶתֶר דִּבְרֵי מְנַשֶּׁה וְכָל־אֲשֶׁר עָשָׂה וְחַטָּאתוֹ אֲשֶׁר חָטָא הֲלֹא־הֵם כְּתוּבִים עַל־סֵפֶר דִּבְרֵי הַיָּמִים לְמַלְכֵי יְהוּדָה:

Quanto aos demais atos de Manassés. O obituário usual, que o autor tinha usado no caso de todos os reis de Israel e de Judá, é agora repetido no caso de Manassés. Ver sobre isso em 1Rs 1.21 e 16.5,6. O trecho de 2Cr 33.11 dá-nos a informação (não incluída em 2Rs) de que Manassés, por causa de seu pecado, foi levado cativo para a Babilônia. O rei assírio envolvido provavelmente foi Assurbanipal (669-626 a.C.). Ali, no estrangeiro, em desespero, o rei de Judá arrependeu-se, e Deus, em Sua misericórdia e graça, permitiu-lhe retornar a Jerusalém, após certo período de aprisionamento. Ver 2Cr 33.12,13 e cf. 2Cr 33.18,19. Manassés, uma vez convertido, limpou grande parte da idolatria que ele antes havia promovido. Mas seus pecados macularam a nação de Judá de tal maneira que era impossível curá-la, e o povo foi levado para o cativeiro babilônico. Até mesmo reformas posteriores, sob Josias, não puderam evitar isso (ver 2Rs 23.26).

Quanto ao livro não canônico, intitulado *Livro da História dos Reis de Israel e de Judá* (uma das obras constantemente consultadas pelo autor sagrado), ver 1Rs 14.19.

■ **21.18**

וַיִּשְׁכַּב מְנַשֶּׁה עִם־אֲבֹתָיו וַיִּקָּבֵר בְּגַן־בֵּיתוֹ בְּגַן־עֻזָּא וַיִּמְלֹךְ אָמוֹן בְּנוֹ תַּחְתָּיו: פ

Descansou com seus pais. Quanto a essa expressão, que é um eufemismo para a morte, ver 1Rs 1.21 e suas notas expositivas.

Foi sepultado no jardim da sua própria casa. *Um Lugar Diferente de Sepultamento.* O antes ímpio mas agora convertido Manassés não foi sepultado nos túmulos dos reis. Como é evidente, ele preferiu ser sepultado no jardim de seu próprio palácio. "Os últimos monarcas de Judá, aqueles que morreram em sua própria terra, foram sepultados em sua próprias sepulturas (ver 2Rs 21.26; 23.30 e 24.6)" (Norman H. Snaith, *in loc.*). Ver no *Dicionário* o artigo chamado *Sepulcro dos Reis*.

No jardim de Uzá. Ver sobre esse jardim no *Dicionário*, quanto ao que se sabe ou se especula sobre o local.

Amom. O novo rei, filho do ímpio-convertido rei Manassés, foi Amom (ver sobre ele no *Dicionário*, quanto a maiores detalhes). Sua história é narrada em sete versículos (2Rs 21.19-26). Ele copiou o começo da vida de seu pai e viveu uma vida de deboches e de idolatria. Terminou assassinado em seu próprio palácio; uma vida estragada.

AMOM, REI DE JUDÁ (21.19-26)

A nação de Judá estava em um declínio que coisa alguma seria capaz de fazer parar. O ímpio Manassés tinha deixado um mau exemplo para seu filho; nem mesmo seu arrependimento posterior foi capaz de modificar seu filho (ver 2Cr 33.12,13 e seu contexto). Até mesmo as reformas posteriores de Josias (ver 2Rs 22.2 ss.) foram inúteis para refrear o inevitável julgamento de Yahweh, que veio sob a forma do cativeiro babilônico. Esse evento estava agora a meros cinquenta anos no futuro.

Quanto à importante questão do *Exemplo*, ver o termo na *Enciclopédia de Bíblia, Teologia e Filosofia*. Nenhum sucesso pode compensar o fracasso na própria casa. Manassés tinha deixado de inspirar espiritualmente seu filho. O profeta Baha Ullah afirmou que o pior erro que um pai pode cometer é conhecer os ensinamentos, mas não transmiti-los a seu filho. Oh, Senhor! Ajuda-nos a não falhar acerca dessa questão!

O infeliz Amom governou somente por dois anos, e foi assassinado (642-640 a.C.). Foi morto com a idade de 24 anos! Sua vida, até onde podemos ver, foi estragada. Por outra parte, há misericórdia e amor até mesmo no hades, onde a missão de Cristo operava e continua operando (conforme acredito), e Amom provavelmente foi recolhido ao rebanho (conforme acredito). Ver na *Enciclopédia de Bíblia, Teologia e Filosofia* o verbete intitulado *Descida de Cristo ao Hades*.

■ 21.19

בֶּן־עֶשְׂרִים וּשְׁתַּיִם שָׁנָה אָמוֹן בְּמָלְכוֹ וּשְׁתַּיִם
שָׁנִים מָלַךְ בִּירוּשָׁלִָם וְשֵׁם אִמּוֹ מְשֻׁלֶּמֶת
בַּת־חָרוּץ מִן־יָטְבָה׃

Tinha Amom vinte e dois anos de idade quando começou a reinar. Quando atingiu os 24 anos de idade, foi assassinado, vítima de seus próprios servos domésticos. Ele, pois, imitou a iniquidade que seu pai, Manassés, tinha praticado durante muitos e muitos anos. O exemplo foi estabelecido, e ele não estava interessado em agir e ser um homem diferente do que era. O fato de que seu pai, finalmente, se arrependeu, não o interessava nem um pouco. O poder do mau exemplo, e sua própria corrupção interior, o destruíram. Sua vida foi dilapidada. Ele agiu mal quando chegou o momento de postar-se no palco da vida. Que dizer sobre a alma dele? (Ver a introdução à presente seção, acima).

Mesulemete. Esse era o nome da mãe de Amom. Ver o artigo sobre ela, no *Dicionário*. Supõe-se que essa mulher não tinha exercido uma boa influência sobre seu filho. E se ela tentou fazê-lo, então fracassou.

"Tendo nascido no ano quarenta e cinco da vida de seu pai, e no trigésimo terceiro ano de seu reinado, Amom reinou por dois anos em Jerusalém, o que, segundo Abarbanel observou, foi o tempo usual que os filhos de reis ímpios reinaram: ver as instâncias dos filhos de Jeroboão, Baasa e Acabe, em 1Rs 15.25; 16.8 e 21.15" (John Gill, *in loc.*).

■ 21.20

וַיַּעַשׂ הָרַע בְּעֵינֵי יְהוָה כַּאֲשֶׁר עָשָׂה מְנַשֶּׁה אָבִיו׃

Por uma questão da natureza humana, é mais fácil seguir um caminho fácil do que um difícil. O caminho fácil é repleto de vícios e pecados, e falta-lhe espiritualidade. Isso concorda com a natureza corrupta do ser humano. Amom seguiu a vereda fácil, que lhe fora demonstrada tão bem pelo ímpio Manassés, seu pai. A vereda mais difícil, seguida por seu pai nos últimos anos de idade, não exerceu nenhuma atração sobre Amom. Assim sendo, quanto ao pouco tempo que lhe restava, ele estava determinado a ser tão mau quanto podia. Nisso, pois, ele obteve pleno sucesso.

■ 21.21

וַיֵּלֶךְ בְּכָל־הַדֶּרֶךְ אֲשֶׁר־הָלַךְ אָבִיו וַיַּעֲבֹד
אֶת־הַגִּלֻּלִים אֲשֶׁר עָבַד אָבִיו וַיִּשְׁתַּחוּ לָהֶם׃

Andou em todo o caminho em que andara seu pai. O caminho de Manassés era o do sincretismo, a combinação do yahwismo com toda espécie de idolatria (ver 2Rs 21.3-7). O sincretismo era muito atraente para Amom. E assim, quanto ao pouco tempo que teve, ele se ocupou dessa abominação. O resultado disso foi que, finalmente, Amom abandonou Yahweh completamente. Ao fazer isso, ele estava ajudando a apressar a descida dos babilônios para destruir Jerusalém e deportar os sobreviventes para a Babilônia. Ver no *Dicionário* o artigo chamado *Cativeiro Babilônico*. Este estava agora a menos de cinquenta anos no futuro. Talvez Amom pudesse ter feito algo (espiritualmente falando) para evitar esse temível acontecimento. Mas mesmo que pudesse tê-lo feito, nem ao menos tentou. Ele fracassou.

De todas as palavras tristes, da língua ou da pena,
As mais tristes de todas são estas:
Poderia ter sido.

John Greenleaf Whittier

"... em sua maneira ímpia, em sua idolatria, feitiçaria e assassinatos, servindo aos ídolos, que seu pai servia e adorava, ídolos de Baal, Astarte e as hostes do céu; ele serviu às imagens esculpidas, conforme seu pai tinha feito... 2Cr 33.22" (John Gill, *in loc.*).

■ 21.22

וַיַּעֲזֹב אֶת־יְהוָה אֱלֹהֵי אֲבֹתָיו וְלֹא הָלַךְ בְּדֶרֶךְ
יְהוָה׃

Abandonou ele o Senhor. Manassés, em seus últimos anos de vida, se arrependeu e procurou desfazer alguns dos males que tinha cometido. Mas Amom, seu filho, não teve tempo de desfazer coisa nenhuma. Ele simplesmente terminou abandonando completamente o yahwismo, a antiga fé de Israel. Ele ignorou o fato de que os "pais" de Israel e de Judá conservaram a fé. Para ele, nada significavam os nomes divinos Yahweh-Elohim. Ele se esqueceu do Deus eterno e Todo-poderoso. Negligenciou o caráter distintivo de Israel (dado através da lei mosaica; ver Dt 4.4-8). E também não seguiu o exemplo do rei ideal, Davi (comentado em 1Rs 15.3). Manassés (e presumivelmente Amom) perseguira e matara os que permaneceram leais a Yahweh (2Rs 21.16). Mas o cativeiro babilônico estava aproximando-se rapidamente. A antiga fé sobreviveria na volta do remanescente, depois desse acontecimento. Ver os oráculos pungentes de Sofonias contra a corrupção geral de Jerusalém (ver Sf 1.4,5; 3.1-4). Cf. Mq 6.10 ss. e 7.2-6.

Fé de nossos pais, que ainda vive!
Apesar de masmorra, fogo e espada.
Oh, como nosso coração bate de alegria,
Sempre que ouvimos essa gloriosa palavra!

Frederick W. Faber

■ 21.23,24

וַיִּקְשְׁרוּ עַבְדֵי־אָמוֹן עָלָיו וַיָּמִיתוּ אֶת־הַמֶּלֶךְ
בְּבֵיתוֹ׃

וַיַּךְ עַם־הָאָרֶץ אֵת כָּל־הַקֹּשְׁרִים עַל־הַמֶּלֶךְ אָמוֹן
וַיַּמְלִיכוּ עַם־הָאָרֶץ אֶת־יֹאשִׁיָּהוּ בְנוֹ תַּחְתָּיו׃

Os servos do rei Amom conspiraram contra ele e o mataram. Uma morte violenta pôs fim à carreira miserável de Amom. Ele perdeu a vida quando estava com 24 anos de idade. Seus próprios oficiais, ou querendo uma mudança de reis, ou por causa de ambições políticas quanto a si mesmos, foram os assassinos. Talvez o tivessem matado por causa da confusão em que o reino foi afundado. As coisas tinham ficado intoleráveis. Mas uma rebelião popular contra os assassinos pôs fim a eles, pelo que os homicidas foram mortos (vs. 24). O filho de Amom, Josias, tornou-se o rei seguinte, a fim de que a linhagem de Ezequias continuasse em seu neto. Josias era um homem que fazia parte da tradição profética. Cerca de trezentos anos antes dele, seu reino foi previsto. Ver 1Rs 13.2.

■ **21.25**

וְיֶ֛תֶר דִּבְרֵ֥י אָמ֖וֹן אֲשֶׁ֣ר עָשָׂ֑ה הֲלֹא־הֵ֣ם כְּתוּבִ֗ים
עַל־סֵ֛פֶר דִּבְרֵ֥י הַיָּמִ֖ים לְמַלְכֵ֥י יְהוּדָֽה׃

Quanto aos demais atos de Amom. O autor registrou aqui a comum nota de obituário para Amom, conforme se vê nos comentários sobre 1Rs 1.21 e 16.5,6. Quanto ao *Livro da História dos Reis de Israel e Judá*, ver 1Rs 14.19.

■ **21.26**

וַיִּקְבֹּ֥ר אֹת֛וֹ בִּקְבֻרָת֖וֹ בְּגַן־עֻזָּ֑א וַיִּמְלֹ֛ךְ יֹאשִׁיָּ֥הוּ בְנ֖וֹ
תַּחְתָּֽיו׃ פ

Foi ele enterrado na sua sepultura, no jardim de Uzá. Amom também não foi sepultado nas sepulturas dos reis de Judá, mas no jardim de seu palácio real. Ver as notas sobre o vs. 18 quanto a explicações completas sobre essa questão. Os últimos reis de Judá (aqueles que morreram em Jerusalém) foram sepultados em sepulcros privados que lhes pertenciam. Ver também o versículo 18 deste capítulo, e também 2Rs 23.30 e 24.6. O lugar de sepultamento estava situado perto dos jardins reais (Ez 43.7). No *Dicionário* há um artigo chamado *Jardim de Uzá*.

Josias. Ele sucedeu a seu pai, Amom, como rei de Judá. Sua história é relatada no trecho de 2Rs 22.1—23.30. Ver o artigo sobre ele no *Dicionário*, quanto a detalhes.

CAPÍTULO VINTE E DOIS

FIM DO REINO DE JUDÁ (22.1—25.30)

JOSIAS, REI DE JUDÁ (22.1—23.30)

"Esta passagem (2Rs 22.1—25.30) (à parte algumas interpolações) assinala o fim da obra do compilador original deuteronômico, que escreveu em cerca de 610 a.C. (ver 2Rs 23.25). Josias foi a inspiração do autor sacro, bem como o peso real de seu tema, do começo ao fim, pois com Josias, o grande reformador, são comparados todos os reis, do norte e do sul. Foi ele o rei de Judá que pôs em prática os mandamentos e os estatutos do livro da Lei, que fora achado no templo, e até 610 a.C., o Senhor o recompensou com prosperidade e sucesso" (Norman H. Snaith, *in loc.*).

Apesar dessa maré de bom governo, ainda assim Judá iria para o cativeiro na Babilônia. Após a morte de Josias, esse evento ocorreu, quinze anos mais tarde. Quanto a completas informações sobre esse acontecimento, ver no *Dicionário* o artigo chamado *Cativeiro Babilônico*. Josias foi um dos melhores, se não o melhor, dos reis de Judá, depois de Davi, naturalmente. Paz, prosperidade, reformas e espiritualidade caracterizaram o seu reinado. Ele foi um rei modelar, mas o seu exemplo em nada contribuiria para salvar Jerusalém da calamidade que se aproximava rapidamente. A maior parte de Judá já havia sido deportada, e as cidades tinham sido destruídas (ver 2Rs 18.13). A capital, Jerusalém, mediante uma proteção miraculosa (ver 2Rs 19.35) tinha sido capaz de resistir à Assíria, mas outro tanto não aconteceu no caso da Babilônia.

INTRODUÇÃO (22.1,2)

O autor sagrado registrou sua notícia usual da subida ao trono de um rei de Judá. Josias e seu bisavô, Ezequias, foram os dois únicos reis do sul a receber aprovação sem nenhuma desqualificação. Mas o seu bom reino foi tardio e curto demais para salvar Jerusalém do desastre. A antiga síndrome do pecado-julgamento-calamidade em breve poria fim ao reino de Judá.

■ **22.1,2**

בֶּן־שְׁמֹנֶ֤ה שָׁנָה֙ יֹאשִׁיָּ֣הוּ בְמָלְכ֔וֹ וּשְׁלֹשִׁ֤ים וְאַחַת֙ שָׁנָ֔ה
מָלַ֖ךְ בִּירוּשָׁלָ֑͏ִם וְשֵׁ֣ם אִמּ֔וֹ יְדִידָ֥ה בַת־עֲדָ֖יָה מִבָּצְקַֽת׃

וַיַּ֥עַשׂ הַיָּשָׁ֖ר בְּעֵינֵ֣י יְהוָ֑ה וַיֵּ֗לֶךְ בְּכָל־דֶּ֙רֶךְ֙ דָּוִ֣ד אָבִ֔יו
וְלֹא־סָ֖ר יָמִ֥ין וּשְׂמֹֽאול׃ פ

Tinha Josias oito anos de idade quando começou a reinar. Um Josias bem jovem começou a reinar em Judá, porquanto estava apenas com 8 anos de idade quando começou. Presumimos que, por algum tempo, ele tenha sido apenas uma figura de adorno no trono, até chegar a uma idade mais apropriada para governar. É certo que ele não governou como corregente pois até mesmo isso lhe foi impossível, visto que seu pai, Amom, governou apenas por dois anos, e então foi assassinado (ver 2Rs 21.23).

Josias governou por trinta e um anos, em sua capital, Jerusalém. Ele seguiu o exemplo do rei ideal, Davi (vs. 2). Embora Davi tenha cometido alguns pecados horrendos, ele não se deixou manchar por qualquer forma de idolatria, e essa foi a vara de medir que o autor sagrado usou para julgar a espiritualidade dos reis de Israel e de Judá. Quanto a Davi como um rei ideal, cujo exemplo era para ser seguido, Ver 2Rs 15.3. Um rei ideal era alguém que obedecia à legislação mosaica, todos os seus mandamentos, ritos e cerimônias (ver Dt 6.1-9). Esse tipo de obediência era o que tornava Israel uma nação distinta de outras nações (ver Dt 4.4-8). "Josias começou bem, continuou bem e terminou bem" (Adam Clarke, *in loc.*).

Cronologia. Josias governou de 640 a 609 a.C., o que significa que após sua morte restavam menos de quinze anos até o cativeiro babilônico. Nínive, capital da Assíria, foi destruída em 612 a.C. pelos babilônios, os quais se tornaram assim senhores daquela região, bem como o novo inimigo de Judá, proveniente do norte. O império assírio caiu, de modo absoluto, em 609 a.C.

O trecho de 2Cr 34.3-7 diz-nos que Josias começou a buscar Yahweh quando tinha 16 anos de idade, e começou suas extensas reformas quando estava com 20 anos. Ver no *Dicionário* os verbetes chamados *Reino de Judá* e *Rei, Realeza*, que fornecem gráficos sobre a cronologia dos reis e proveem breves descrições sobre eles.

Jedida. Ela foi a mãe de Josias. Ver o artigo sobre ela, no *Dicionário*.

DESCOBERTA DO LIVRO DA LEI (22.3-20)

Durante o processo de reparos que ocorria no templo, o sacerdote Hilquias encontrou um rolo e mostrou-o ao escriba real. O escriba leu o livro e levou-o ao rei. A obra previa todos os terríveis julgamentos pelos quais Judá deveria passar, por causa de sua iniquidade. Consternado, Josias rasgou as próprias vestes e entrou em período de lamentação. O rei, em consequência, consultou o oráculo para confirmar a questão. Foi por isso que a profetisa Hulda foi chamada. Ela disse que a condenação temível era inevitável. Seu oráculo está registrado em 2Rs 22.14-20.

O Livro da Lei (vs. 8). Surpreende-nos que a lei (provavelmente dando a entender o núcleo de nosso atual livro de Deuteronômio, embora alguns pensem no Pentateuco inteiro) se tenha perdido e houvesse apenas uma cópia daquele documento, pelo que a descoberta de um único manuscrito causou tanta agitação. Quão precária, do ponto de vista humano, era a preservação daquela parte das Escrituras!

■ **22.3**

וַיְהִ֗י בִּשְׁמֹנֶ֤ה עֶשְׂרֵה֙ שָׁנָ֔ה לַמֶּ֖לֶךְ יֹאשִׁיָּ֑הוּ שָׁלַ֣ח הַמֶּ֡לֶךְ
אֶת־שָׁפָ֣ן בֶּן־אֲצַלְיָ֣הוּ בֶן־מְשֻׁלָּם֩ הַסֹּפֵ֨ר בֵּ֧ית יְהוָ֛ה
לֵאמֹֽר׃

No décimo oitavo ano do seu reinado. Josias tinha então 26 anos de idade. Foi quando começou a fazer os reparos do templo, seu primeiro passo nas reformas que, afinal, influenciariam todos os aspectos religiosos do reino de Judá. Sua primeira providência foi verificar quanto dinheiro estava guardado no tesouro do templo. Ele começaria usando a prata para custear os reparos.

Safã foi o oficial do rei comissionado com a iniciativa de reformar o templo. Para tanto, ele precisou recolher informações sobre o potencial econômico do tesouro do templo. Ver sobre Safã no *Dicionário*. Quanto a seu pai, Azalias, e a seu avô, Mesulão, também há artigos a respeito, no *Dicionário*.

Devemos lembrar-nos de que Manassés havia contaminado o templo, por sua variegada idolatria, construção de altares e ídolos (ver 2Rs 21.4,5,7,21). Todas essas coisas tiveram de ser removidas do interior do templo. Além disso, podemos imaginar que, de modo geral, o templo tinha entrado em decadência. Safã (talvez seu secretário de estado, acompanhado por outros oficiais; ver 2Cr 34.8) tomou os passos iniciais para pôr as coisas em boa ordem.

"A narrativa dos reparos do templo sob Josias naturalmente parece-se com o mesmo procedimento, sob Joás (2Rs 12.10 ss.). Desde então, mais de duzentos anos se tinham passado, pelo que o templo inteiro estava mesmo requerendo reparos, para nada dizer sobre as desfigurações que ele havia sofrido às mãos de príncipes pagãos (2Cr 34.11)" (Ellicott, *in loc.*).

■ 22.4

עֲלֵה אֶל־חִלְקִיָּהוּ הַכֹּהֵן הַגָּדוֹל וְיַתֵּם אֶת־הַכֶּסֶף הַמּוּבָא בֵּית יְהוָה אֲשֶׁר אָסְפוּ שֹׁמְרֵי הַסַּף מֵאֵת הָעָם:

Sobe a Hilquias, o sumo sacerdote. Ver sobre Hilquias no *Dicionário*. Ele teria consciência de quanto tesouro o templo tinha para ser usado no custeio das obras de reparação. Uma oferta especial fora recolhida entre o povo, com esse propósito; por isso estamos supondo que os tesouros regulares do templo não seriam tocados com o propósito atual. Cf. o procedimento de Joiada, que recolheu dinheiro para fazer reparos no templo. No presente texto não somos informados sobre como as oferendas foram recolhidas. Caixas de coletas, sem dúvida, foram usadas. No primeiro século d.C., havia treze caixas coletoras para o recebimento de ofertas de caridade. Estavam espalhadas pelo átrio das mulheres, em lugares conspícuos. Essas caixas eram estreitas no alto e largas no fundo, e, popularmente, eram denominadas "trombetas", por causa de seu formato peculiar.

Os guardas da porta. Essas caixas foram postas na entrada do átrio do templo, e havia guardas encarregados de vigiar as caixas, certificando-se de que o dinheiro seria apropriadamente recolhido. Eram levitas a quem esse dever fora atribuído (ver 2Cr 34.9). O Targum chama essas caixas de tesouros do templo. Os guardas coletavam, guardavam, contavam e protegiam o dinheiro. Também parece que faziam o trabalho de vigilância na entrada do átrio do templo. Eles tinham a guarda dos tesouros gerais do templo como um de seus principais deveres.

■ 22.5

וְיִתְּנֻהוּ עַל־יַד עֹשֵׂי הַמְּלָאכָה הַמֻּפְקָדִים בְּבֵית יְהוָה וְיִתְּנוּ אֹתוֹ לְעֹשֵׂי הַמְּלָאכָה אֲשֶׁר בְּבֵית יְהוָה לְחַזֵּק בֶּדֶק הַבָּיִת:

Os tesoureiros, ou seja, os levitas encarregados da tarefa de recolher o dinheiro (vs. 4), tinham a responsabilidade de dar o dinheiro aos operários que faziam o trabalho de reparos do templo. Eles eram os responsáveis pelo dinheiro, e esperava-se que fossem honestos. Eles entregavam o dinheiro aos supervisores, que, por sua vez, o distribuíam entre os operários. Ninguém fazia a contagem do dinheiro (vs. 7). Todos eles, os tesoureiros e os supervisores, eram homens tão honestos que mereciam total confiança. Eles cumpriam seus deveres sem nenhum lapso. Os nomes dos supervisores são mencionados no trecho paralelo de 2Cr 34.12.

■ 22.6

לֶחָרָשִׁים וְלַבֹּנִים וְלַגֹּדְרִים וְלִקְנוֹת עֵצִים וְאַבְנֵי מַחְצֵב לְחַזֵּק אֶת־הַבָּיִת:

Para repararem os estragos da casa. *Os Operários.* A variedade desses operários mencionados alerta-nos para o fato de que grande parte do templo tinha entrado em decadência, e que muitas espécies de artífices habilidosos se faziam necessários para a restauração física do templo. Foi um empreendimento dos maiores. O templo tinha sido construído a fim de que o culto a Yahweh pudesse ser centralizado em Jerusalém, e para que os santuários locais fossem descontinuados. Essa descontinuação nunca aconteceu, nem mesmo nos melhores tempos. Seja como for, um velho e decrépito templo não servia muito de encorajamento para o povo honrar o conceito do "único templo" como centro do culto religioso. As reformas de Josias, sem dúvida, tinham como um dos seus alvos principais a norma da centralização. Os santuários locais (como os de Betel e Dã, bem como os situados nos lugares altos) sempre tenderam para a idolatria e, quando olhados pelo seu aspecto melhor, competiam com o templo de Jerusalém.

■ 22.7

אַךְ לֹא־יֵחָשֵׁב אִתָּם הַכֶּסֶף הַנִּתָּן עַל־יָדָם כִּי בֶאֱמוּנָה הֵם עֹשִׂים:

Não se pediu conta do dinheiro... procediam com fidelidade. Os supervisores não foram obrigados a prestar conta do dinheiro que lhes passava pelas mãos. Esperava-se que trabalhassem honestamente, pagassem os salários e não se apropriassem de nenhum fundo para uso pessoal. De fato, manuseavam todo o dinheiro com honestidade absoluta, pelo que foi desnecessária qualquer escrituração mercantil, recibos, ou quaisquer outros meios de garantir que o trabalho tivesse sido feito corretamente. "Eram pessoas de tanta honra e integridade que sua fidelidade nunca foi posta em dúvida. Eram homens de confiança, sem que suas contas fossem examinadas" (John Gill, *in loc.*). Outro tanto aconteceu nos reparos anteriores do templo. Ver 2Rs 12.15, que é essencialmente um trecho igual ao presente versículo.

■ 22.8

וַיֹּאמֶר חִלְקִיָּהוּ הַכֹּהֵן הַגָּדוֹל עַל־שָׁפָן הַסֹּפֵר סֵפֶר הַתּוֹרָה מָצָאתִי בְּבֵית יְהוָה וַיִּתֵּן חִלְקִיָּה אֶת־הַסֵּפֶר אֶל־שָׁפָן וַיִּקְרָאֵהוּ:

Achei o Livro da Lei na casa do Senhor. Durante o processo de reparos do templo deu-se uma fantástica descoberta. Hilquias, o sumo sacerdote, encontrou por acaso uma cópia do Livro da Lei. Isso pode ser uma referência ao núcleo do livro de Deuteronômio. Alguns estudiosos, entretanto, pensam que está aqui em vista a totalidade do Pentateuco, ou consideráveis partes dele. Alguns limitam o achado aos capítulos 12 a 26 de nosso atual livro de Deuteronômio. Essa porção trata dos deveres essenciais do culto a Yahweh, juntamente com suas aplicações práticas. No extremo oposto, alguns supõem que a parte original do Pentateuco tenha sido achada, o que pode estar sendo destacado em 2Cr 34.14. Mas por certo isso já é um exagero. Seja como for, um importante documento do Antigo Testamento foi encontrado, o qual orientaria as reformas religiosas de Josias.

Alguns intérpretes supõem que o sumo sacerdote tenha dramatizado o livro encontrado. Ele saberia muito bem onde o "livro" estava, e apresentou-o no tempo apropriado, a fim de ajudar nas reformas. "Nunca se saberá se Hilquias realmente achou o rolo, ou se ele sabia perfeitamente bem onde ele estava" (Norman H. Snaith, *in loc.*). Seja como for, o rolo tornou-se uma chave importante para a reforma.

Este versículo nos toma de surpresa. Subentende a natureza precária da preservação das Escrituras que existiam até aquele tempo. Poderia mesmo haver apenas uma cópia, e até essa ter ficado perdida por tantos séculos? John Gill (*in loc.*) supunha que essa tinha sido a cópia oficial do templo, mas outras cópias estivessem disponíveis, talvez em mãos de particulares. Mas o texto não dá a entender tal coisa. Jarchi supunha que a cópia tivesse sido encontrada em um buraco feito na parede, e os operários, ao fazerem os reparos, descobriram o rolo. Talvez Manassés tivesse destruído todas as cópias das Escrituras que pôde achar, e algum sacerdote escondeu uma única cópia em um buraco na parede do templo.

■ 22.9

וַיָּבֹא שָׁפָן הַסֹּפֵר אֶל־הַמֶּלֶךְ וַיָּשֶׁב אֶת־הַמֶּלֶךְ דָּבָר וַיֹּאמֶר הִתִּיכוּ עֲבָדֶיךָ אֶת־הַכֶּסֶף הַנִּמְצָא בַבַּיִת וַיִּתְּנֻהוּ עַל־יַד עֹשֵׂי הַמְּלָאכָה הַמֻּפְקָדִים בֵּית יְהוָה:

Então o escrivão Safã veio ter com o rei. A tarefa de recolher o dinheiro foi realizada fielmente. Nenhuma prestação de conta foi requerida (vs. 7), mas Safã, o escriba (secretário de Estado), que tivera a tarefa de verificar a questão das finanças, para custear as reformas do templo (vs. 3), trouxe um relatório exato sobre o dinheiro disponível. Os levitas, responsáveis por recolher o dinheiro (vs. 4), tinham feito um bom trabalho de coleta. Eles também haviam entregado o dinheiro nas mãos dos supervisores (vs. 5), os quais, por sua vez, haveriam de pagar os salários dos diversos operários (vs. 5). O programa de reformas do templo, portanto, teve um bom começo. Safã tinha lido o livro que fora descoberto (vs. 8), e essa questão também fez parte do seu relatório.

O dinheiro que se achou na casa, ou seja, no templo (vs. 5). A *Septuaginta*, a *Vulgata Latina* e as versões árabes adicionam a essas palavras a expressão "do Senhor". Historicamente isso está correto, embora não faça parte integral do presente versículo.

■ **22.10**

וַיַּגֵּד שָׁפָן הַסֹּפֵר לַמֶּלֶךְ לֵאמֹר סֵפֶר נָתַן לִי חִלְקִיָּה הַכֹּהֵן וַיִּקְרָאֵהוּ שָׁפָן לִפְנֵי הַמֶּלֶךְ׃

O sacerdote Hilquias me entregou um livro. E Safã o leu diante do rei. Hilquias, sem dúvida, tinha sugerido que o livro fosse lido aos ouvidos do rei, e foi isso que Safã fez. Este versículo quase certamente indica que o "livro" foi uma parte do Pentateuco ou do Deuteronômio, e não o todo de algum livro. Ver os comentários sobre o oitavo versículo. Ou então, conforme poderíamos supor, o suficiente para mostrar que os reis de Judá (para nada dizermos sobre os reis de Israel) não tinham obedecido à palavra de Yahweh, e o julgamento seria, inevitavelmente, resultado dessa desobediência (vs. 13).

Este versículo brinda-nos ainda com outra surpresa. Temos de supor que o rei de Judá não era versado na lei mosaica. Ele deve ter sido essencialmente ignorante das Escrituras, que haviam sido escritas até o seu tempo. Essa ignorância nos deixa admirados. Nossa primeira surpresa é que as Escrituras tivessem sido tão precariamente preservadas, havendo tão poucas cópias delas (vs. 8). É evidente que os sacerdotes não tinham feito um bom trabalho de ensinar a lei ao povo, e até à família real. Se o tivessem feito, Josias não teria ficado chocado com coisa alguma que Safã lesse. Ele teria conhecido "tudo aquilo" há muito tempo. O ensino fora negligenciado, algo muito estranho para aquela casta cuja tarefa específica era certificar-se de que o povo em geral conhecesse a lei. Ver na *Enciclopédia de Bíblia, Teologia e Filosofia* o artigo chamado *Ensino*. Ensine ou pereça. Note-se a importância dos livros no ensino.

> O mestre efetua a eternidade.
> Ele nunca pode saber onde sua influência parará.
>
> Henry Adams

> Todos os livros que eu li
> me transformaram — um pouco.
>
> John Updike

■ **22.11**

וַיְהִי כִּשְׁמֹעַ הַמֶּלֶךְ אֶת־דִּבְרֵי סֵפֶר הַתּוֹרָה וַיִּקְרַע אֶת־בְּגָדָיו׃

Tendo o rei ouvido as palavras... rasgou as suas vestes. Josias ficou muito emocionado diante do que ouviu. Ele compreendeu imediatamente que os reis, grosso modo, não tinham obedecido aos mandamentos contidos nos livros sagrados. Ele antecipou o julgamento divino contra o povo negligente (vs. 13), e o cativeiro babilônico seria uma ofuscante ilustração do que acontecia a um povo desobediente. Ver as instruções em Dt 17.18,19. O rei era obrigado a conhecer e seguir a lei, e receber instruções especiais a respeito dela. O rei precisava ler diariamente a lei, e guardar todos os seus preceitos. O rei Josias, na ocasião, estava com 26 anos, e é evidente que nunca seguira as instruções bíblicas dadas. Talvez houvesse apenas fragmentos da lei em disponibilidade, e mesmo esses fragmentos tinham sido negligenciados. Seja como for, o rei Josias ficou consternado e rasgou suas vestimentas. Quanto ao modo e ao significado desse costume, ver no *Dicionário* o verbete chamado *Vestimentas,*

*Rasgar das.*cf. Gn 37.29,34; Js 7.6; 2Rs 5.7; 6.30; 11.14; 19.1; Et 4.1; Jó 1.20; 2.12. O rei também chorou, conforme somos informados no versículo 19 deste mesmo capítulo.

Quanto a comentários sobre o tema, a redescoberta da Bíblia, ver o vs. 12, último parágrafo

> *E o que de minha parte ouviste,*
> *através de muitas testemunhas,*
> *isso mesmo transmite a homens*
> *fiéis e também idôneos para instruir outros.*
>
> 2Timóteo 2.2

O pior erro que um homem pode cometer é conhecer os ensinamentos, mas não ensiná-los a seu filho (conforme dito pelo profeta Baha Ullah).

■ **22.12**

וַיְצַו הַמֶּלֶךְ אֶת־חִלְקִיָּה הַכֹּהֵן וְאֶת־אֲחִיקָם בֶּן־שָׁפָן וְאֶת־עַכְבּוֹר בֶּן־מִיכָיָה וְאֵת שָׁפָן הַסֹּפֵר וְאֵת עֲשָׂיָה עֶבֶד־הַמֶּלֶךְ לֵאמֹר׃

Ordenou o rei a Hilquias, o sacerdote. *Uma Delegação.* Vários homens importantes de Judá foram enviados para obterem um oráculo da parte de Yahweh, através de sua profetisa Hulda (vs. 14). O fato de que o rei sentiu ser necessário enviar uma delegação oficial para inquirir sobre a questão mostra a grande importância que o Livro da Lei teve para ele. Estou calculando que, intuitivamente, ele reconheceu (ou foi iluminado para reconhecer) que a questão era crítica. O julgamento em breve cairia sobre o negligente e iníquo povo de Judá, tal como havia acontecido com Israel. Os babilônios, dentro de trinta anos, destruiriam Jerusalém e deportariam os sobreviventes para o norte.

Quanto ao que se sabe a respeito da delegação, ver os artigos sobre cada um desses nomes, no *Dicionário*. Os membros da delegação eram auxiliares próximos do rei, homens importantes. A questão era urgente.

Servo do rei. Esse termo é aplicado a Asaías. Ele foi um oficial de considerável posição, conforme o demonstra uma inscrição encontrada em Tell en-Nasbeh. Quanto à inscrição "a Yaázanyahu", cf. 2Rs 25.23; Jr 40.8. O homem pode ter sido Gedalias, um general do exército, mencionado naquelas referências. Ou pode ter sido o "capitão" citado em 2Rs 7.2 e 9.25.

A Redescoberta da Bíblia. Quando a Bíblia é redescoberta por um indivíduo ou por uma nação, as coisas mudam. O divino entra no humano. Coisas inesperadas acontecem. Essa é uma das lições do texto que temos à frente. A grande reforma de Josias foi edificada sobre a redescoberta de uma porção da Bíblia. Tinha sido um livro perdido, e as coisas estavam ficando cada vez piores. As nuvens da tempestade estavam juntando-se. Periodicamente a Bíblia tem sido redescoberta, como se deu no caso de Wydciff (a Bíblia inglesa) e de Lutero (a Bíblia alemã), ou mesmo no decreto do papa Paulo VI, que encorajou os católicos romanos a ler a Bíblia, revertendo assim a norma da Igreja Católica Romana, que antes até queimou muitas Bíblias e dizia que a leitura das Escrituras deveria ser vedada aos leigos.

■ **22.13**

לְכוּ דִרְשׁוּ אֶת־יְהוָה בַּעֲדִי וּבְעַד־הָעָם וּבְעַד כָּל־יְהוּדָה עַל־דִּבְרֵי הַסֵּפֶר הַנִּמְצָא הַזֶּה כִּי־גְדוֹלָה חֲמַת יְהוָה אֲשֶׁר־הִיא נִצְּתָה בָנוּ עַל אֲשֶׁר לֹא־שָׁמְעוּ אֲבֹתֵינוּ עַל־דִּבְרֵי הַסֵּפֶר הַזֶּה לַעֲשׂוֹת כְּכָל־הַכָּתוּב עָלֵינוּ׃

Grande é o furor do Senhor, que se acendeu contra nós. A leitura da Bíblia deixou claro para Josias que os reis de Judá não tinham obedecido adequadamente à legislação mosaica, e, por causa disso, estavam sujeitos à ira do Senhor. Em vista disso, ele queria receber as instruções de um oráculo, para certificar-se de que estava compreendendo bem as coisas, e para obter conselhos sobre como proceder. O trecho de Dt 28.36 contém uma predição acerca do cativeiro babilônico; e, visto que essa era uma ameaça nos dias do reino de Judá, parecia natural que essa seria uma manifestação específica da ira de Yahweh. Poderia o rei Josias fazer alguma coisa para impedir isso?

■ 22.14

וַיֵּ֣לֶךְ חִלְקִיָּ֣הוּ הַכֹּהֵ֡ן וַ֠אֲחִיקָם וְעַכְבּ֨וֹר וְשָׁפָ֜ן וַעֲשָׂיָ֗ה אֶל־חֻלְדָּ֨ה הַנְּבִיאָ֜ה אֵ֣שֶׁת ׀ שַׁלֻּ֣ם בֶּן־תִּקְוָ֗ה בֶּן־חַרְחַס֙ שֹׁמֵ֣ר הַבְּגָדִ֔ים וְהִ֛יא יֹשֶׁ֥בֶת בִּירוּשָׁלַ֖͏ִם בַּמִּשְׁנֶ֑ה וַֽיְדַבְּר֖וּ אֵלֶֽיהָ׃

A profetisa Hulda. Ver sobre ela no *Dicionário*. Era profetisa do Senhor (ver a respeito no *Dicionário*). Tanto Jeremias (Jr 1.2) quanto Sofonias (Sf 1.1) foram contemporâneos do rei Josias, e sem dúvida estavam disponíveis para consulta. Por outro lado, provavelmente Hulda foi lembrada pois tinha grande reputação de exatidão e discernimento espiritual. Talvez houvesse outras razões para sua escolha, que podemos apenas imaginar. O texto sagrado deixa a questão inexplicada. Hulda era esposa de Salum (ver sobre ele no *Dicionário*), que estava encarregado do guarda-roupa dos sacerdotes e do rei. Ela vivia em Jerusalém, no segundo distrito (a parte mais baixa da cidade). Sua disponibilidade pode ter sido a principal razão pela qual ela foi escolhida. Ela estava ali mesmo, fácil de ser encontrada.

Uma Questão Lendária. Suidas assevera que Hulda foi a primeira das sibilas. Ver na *Enciclopédia de Bíblia, Teologia e Filosofia* o verbete chamado *Sibilinos, Oráculos*. Parece haver uma referência específica a Hulda e suas habilidades proféticas, em *Pausanius* (*Phocica, sive.* 1.10, par. 631). E, nesse caso, sua reputação se espalhara por muitos lugares.

■ 22.15

וַתֹּ֣אמֶר אֲלֵיהֶ֔ם כֹּֽה־אָמַ֥ר יְהוָ֖ה אֱלֹהֵ֣י יִשְׂרָאֵ֑ל אִמְר֣וּ לָאִ֔ישׁ אֲשֶׁר־שָׁלַ֥ח אֶתְכֶ֖ם אֵלָֽי׃

Ela lhes disse. Os enviados entraram em contato com Hulda, a qual concordou em dar o oráculo. Talvez ela tivesse entrado em um estado de transe, ou em algum tipo de estado alterado da consciência, o que é comum nas declarações proféticas. Ver no *Dicionário* o verbete chamado *Transe*. Sem importar qual tenha sido o seu *modus operandi*, ele foi eficaz. Na sociedade dos hebreus, o rei não era considerado divino, como em algumas outras culturas. Portanto, um profeta estaria mais próximo de Deus do que um rei normalmente estaria. Além disso, um profeta (ou profetisa) tinha a liberdade de falar qualquer mensagem que recebesse, sem temer ser censurado. Hulda chamou o rei de "homem que vos enviou a mim", e não exibiu nenhuma deferência especial quanto ao "primeiro homem" do reino. Ela não se humilhou porque o rei mandara consultá-la. Ela simplesmente proferiu o seu oráculo. Para ela, o rei era apenas um homem comum. "Dizei ao homem", pois, parece ser uma maneira um tanto rude de mandar um recado ao rei. Mas quando lembramos que ela falava não de si mesma, mas em lugar de Yahweh, o Rei dos reis e Senhor dos senhores, então entendemos a sua atitude" (John Gill, *in loc.*).

■ 22.16

כֹּ֚ה אָמַ֣ר יְהוָ֔ה הִנְנִ֨י מֵבִ֥יא רָעָ֛ה אֶל־הַמָּק֥וֹם הַזֶּ֖ה וְעַל־יֹשְׁבָ֑יו אֵ֤ת כָּל־דִּבְרֵי֙ הַסֵּ֔פֶר אֲשֶׁ֥ר קָרָ֖א מֶ֥לֶךְ יְהוּדָֽה׃

Todas as palavras do livro que leu o rei de Judá. Tudo aconteceria conforme fora predito, e pelas razões enumeradas no livro. A síndrome do pecado-julgamento-calamidade operaria uma vez mais. Haveria uma temível punição, enviada por Yahweh, contra os iníquos habitantes de Judá. Passagens como o capítulo 26 de Levítico ou 28 de Deuteronômio, com as maldições ali proferidas, eram palavras conspícuas do livro, ou o livro continha coisas similares a elas. Cf. 2Cr 32.24.

"Deus enviaria desastre contra Jerusalém e o povo de Judá, conforme ele tinha advertido na lei de Moisés" (Thomas L. Constable, *in loc.*). O desastre, como é óbvio, seria o cativeiro babilônico (ver a respeito no *Dicionário*).

■ 22.17

תַּ֗חַת אֲשֶׁ֤ר עֲזָב֙וּנִי֙ וַֽיְקַטְּרוּ֙ לֵאלֹהִ֣ים אֲחֵרִ֔ים לְמַ֙עַן֙ הַכְעִיסֵ֔נִי בְּכֹ֖ל מַעֲשֵׂ֣ה יְדֵיהֶ֑ם וְנִצְּתָ֧ה חֲמָתִ֛י בַּמָּק֥וֹם הַזֶּ֖ה וְלֹ֥א תִכְבֶּֽה׃

Visto que me deixaram, e queimaram incenso a outros deuses. *As Causas da Destruição de Judá.* A idolatria era a causa principal. Mas também devemos lembrar os falsos cultos, que trouxeram toda espécie de pecados e crimes, como os sacrifícios humanos, o demonismo, a necromancia etc. Ver sobre os crimes de Manassés, em 2Rs 21.6,7. Acima de tudo, qualquer forma de idolatria anulava o yahwismo, a fé tradicional de Israel e de Judá. Ver no *Dicionário* o artigo chamado *Idolatria*, quanto a detalhes.

Queimaram incenso. O termo hebraico assim traduzido naquele período apontava consistentemente para a ideia de "sacrifício". Somente mais tarde (após o cativeiro), essa palavra hebraica adquiriu o sentido de queimar incenso. A ira de Deus (ver a respeito no *Dicionário*) foi provada pela apostasia e pelo ecletismo dos reis, os quais arrastaram o povo de Judá para os pecados deles. Cf. o vs. 13. A profetisa falou tal e qual o livro. Cf. 1Rs 16.7 e também Is 44.9-17. "... a ira de Deus se tinha acendido, e não se apagaria. Foi uma mensagem terrível" (Adam Clarke, *in loc.*). "A ira de Deus era um emblema do fogo inextinguível do inferno; ver Mt 3.12 e Mc 9.48" (John Gill, *in loc.*).

■ 22.18,19

וְאֶל־מֶ֣לֶךְ יְהוּדָ֗ה הַשֹּׁלֵ֤חַ אֶתְכֶם֙ לִדְרֹ֣שׁ אֶת־יְהוָ֔ה כֹּ֥ה תֹאמְר֖וּ אֵלָ֑יו כֹּֽה־אָמַ֤ר יְהוָה֙ אֱלֹהֵ֣י יִשְׂרָאֵ֔ל הַדְּבָרִ֖ים אֲשֶׁ֥ר שָׁמָֽעְתָּ׃

יַ֠עַן רַךְ־לְבָ֨בְךָ֜ וַתִּכָּנַ֣ע ׀ מִפְּנֵ֣י יְהוָ֗ה בְּֽשָׁמְעֲךָ֡ אֲשֶׁ֣ר דִּבַּ֣רְתִּי עַל־הַמָּק֣וֹם הַזֶּ֣ה וְעַל־יֹשְׁבָיו֩ לִהְי֨וֹת לְשַׁמָּ֜ה וְלִקְלָלָ֗ה וַתִּקְרַע֙ אֶת־בְּגָדֶ֔יךָ וַתִּבְכֶּ֖ה לְפָנָ֑י וְגַ֧ם אָנֹכִ֛י שָׁמַ֖עְתִּי נְאֻם־יְהוָֽה׃

O teu coração se enterneceu. Os idólatras tinham endurecido o coração contra Yahweh e o culto a ele. Josias, em contraste, teve seu coração amolecido e sensibilizados, diante das palavras do livro da lei, e ele acolhia naturalmente as realidades espirituais. O coração fala do homem essencial, em contraste com o cérebro e o corpo, e talvez envolvesse algo da alma, em harmonia com a crescente teologia dos hebreus, que tinha tomado dimensões próprias do outro mundo, pelos tempos de Josias.

Quanto a "enterneceu", ver 1Cr 29.1 e Dt 20.8. Quanto a "humilhou", ver 1Rs 21.27 ss. Ver no *Dicionário* o artigo denominado *Humildade*. Em sua consternação, Josias rasgou suas roupas e chorou (o que é adicionado aqui ao que já fora dito no vs. 11, onde o leitor deverá examinar as notas expositivas). Temos aqui o importante ensino de que a consternação de um homem, no tocante ao pecado, e sua sensibilidade para com as questões espirituais tocam no coração de Yahweh e levan-no a agir de modo diferente do que faria diante de outro homem. Isso é uma expressão do teísmo (ver no *Dicionário*), e não do deísmo (ver também no *Dicionário*). O poder criador não abandonou sua criação, mas está presente para punir ou recompensar, e para intervir, sempre que for aconselhável e necessário.

Também eu te ouvi. *Palavras Bondosas para Josias.* O homem do vs. 15 agora torna-se o rei, porquanto Hulda sabia, mesmo sem que isso lhe tivesse sido dito, quem era o homem que tinha mandado fazer a inquirição. Josias não era um rei comum. Ele não era iníquo como outros reis tinham sido, pelo que receberia um tratamento especial. Yahweh-Elohim, o Deus eterno e Todo-poderoso, era o doador da mensagem, bem como o poder divino que imporia o julgamento contra Judá, mas também teria misericórdia de Josias, por causa de sua espiritualidade superior. Josias mostrara-se sensível para com a palavra de Deus; ele fizera sua inquirição em meio à humildade; ele temia Deus, o que é o princípio da sabedoria.

O temor ao Senhor é o princípio da sabedoria.

Salmo 111.10

22.20

לָכֵן֩ הִנְנִ֨י אֹֽסִפְךָ֜ עַל־אֲבֹתֶ֗יךָ וְנֶאֱסַפְתָּ֣ אֶל־קִבְרֹתֶיךָ֮
בְּשָׁלוֹם֒ וְלֹא־תִרְאֶ֣ינָה עֵינֶ֔יךָ בְּכֹל֙ הָֽרָעָ֔ה אֲשֶׁר־אֲנִ֥י
מֵבִ֖יא עַל־הַמָּק֣וֹם הַזֶּ֑ה וַיָּשִׁ֥יבוּ אֶת־הַמֶּ֖לֶךְ דָּבָֽר׃

Tu serás recolhido em paz à tua sepultura. *A Recompensa de Josias.* As horrendas profecias de destruição, que se cumpririam através do cativeiro babilônico, não ocorreriam no tempo de Josias. Esse homem poderia continuar sua missão de reformas sem nenhuma interferência da parte do poder da Babilônia. Ele teria uma morte pacífica e natural. Essa seria a sua recompensa. Por outra parte, as profecias não estavam anuladas no tocante a Judá e Jerusalém. Cf. 2Rs 20.19, onde vemos que Ezequias ficou feliz porque as profecias não se cumpririam em seus dias.

"... Ele morreria em paz espiritual e entraria na paz eterna, que é o dom do homem perfeito e reto... Sl 37.37" (John Gill, *in loc.*).

Sepultura. Muitos manuscritos hebraicos dizem aqui "sepulturas", provavelmente uma referência aos sepultamentos que ocorreram no jardim de Uzá, onde os últimos reis de Judá foram sepultados, em vez de terem sido sepultados nos sepulcros dos reis. Ver 2Rs 21.18 e 26 e o artigo sobre aquele jardim, no *Dicionário*.

A morte de Josias ocorreu em 609 a.C., somente quatro anos antes do primeiro ataque de Nabucodonosor contra Jerusalém. Em 597 a.C. o cativeiro de Judá estava completo.

Notemos que Josias foi morto em batalha (ver 2Rs 23.29). Portanto, como pode ter sido dito que ele morreu em paz? A explicação dada por alguns estudiosos a essa contradição é que o ferido Josias foi trazido para Jerusalém, e morreu ali, em paz. Mas essa tola explicação dificilmente pode esclarecer o caso. A questão sem dúvida envolve uma contradição. Mas essas coisas nada têm a ver com a fé espiritual. É inútil buscar perfeição nas narrativas bíblicas, e nem essa perfeição é necessária, de acordo com qualquer sã teoria de inspiração. O oráculo de Hulda, pois, não precisava ser perfeito. As profecias às vezes se cumprem parcialmente, e de outras vezes fracassam completamente (ver 1Co 13.8,9).

CAPÍTULO VINTE E TRÊS

UM NOVO PACTO FIRMADO PARA CONFIRMAR O PACTO MOSAICO (23.1-3)

Josias ficou muito emocionado pela mensagem do livro que fora encontrado no templo, quando este estava em processo de reparos (ver 2Rs 22.8,11). O oráculo de Hulda confirmou a mensagem de ira divina que dizia que Judá e Jerusalém sofreriam um terrível julgamento. Josias humilhou-se e rasgou suas vestes; chorou diante de Yahweh e foi recompensado. A sua recompensa seria não viver para ver o cativeiro babilônico (ver 2Rs 22.19). Portanto, Josias teve permissão de continuar agindo em paz e efetuar suas reformas religiosas, e assim se tornou um dos maiores reis de Judá, do ponto de vista espiritual. Ele já havia reparado a maior parte do templo (ver 2Rs 12.4 ss.). Agora ele tomava providências para estabelecer um novo pacto que confirmasse o pacto mosaico (ver sobre esse pacto na introdução ao capítulo 19 do livro de Êxodo). Era essencial que todas as leis, ritos e costumes do yahwismo fossem rigidamente observados. A essência moral desse pacto eram os Dez Mandamentos (ver a respeito no *Dicionário*). Josias desejava voltar aos caminhos antigos, e seu novo pacto com o povo convidava todos os habitantes do reino a fazer esse retorno juntamente com ele.

23.1,2

וַיִּשְׁלַ֖ח הַמֶּ֑לֶךְ וַיַּאַסְפ֣וּ אֵלָ֔יו כָּל־זִקְנֵ֥י יְהוּדָ֖ה
וִירוּשָׁלָֽ͏ִם׃

וַיַּ֣עַל הַמֶּ֣לֶךְ בֵּית־יְהוָ֡ה וְכָל־אִ֣ישׁ יְהוּדָה֩ וְכָל־יֹשְׁבֵ֨י
יְרוּשָׁלַ֜͏ִם אִתּ֗וֹ וְהַכֹּֽהֲנִים֙ וְהַנְּבִיאִ֔ים וְכָל־הָעָ֖ם לְמִקָּטֹ֣ן
וְעַד־גָּד֑וֹל וַיִּקְרָ֣א בְאָזְנֵיהֶ֗ם אֶת־כָּל־דִּבְרֵי֙ סֵ֣פֶר
הַבְּרִ֔ית הַנִּמְצָ֖א בְּבֵ֥ית יְהוָֽה׃

E todos os anciãos de Judá e de Jerusalém se ajuntaram a ele. Para o estabelecimento do novo pacto, Josias precisava da aprovação e cooperação dos anciãos, representantes do povo, chefes de tribos, cabeças de famílias e principais oficiais. Primeiramente ele conseguiu a cooperação deles. Homens vieram do território inteiro de Judá e de Jerusalém, a fim de efetuarem uma assembleia solene. Profetas e sacerdotes estavam presentes, incluindo Jeremias e Sofonias e, muito provavelmente, a profetisa Hulda (vs. 2). O povo comum também se reuniu, pelo que uma grande assembleia ocorreu. Foi lido o livro que tinha sido encontrado no templo (ver 2Rs 22.8). Assim, todo o povo de Judá tomou consciência das temíveis profecias que ameaçavam pôr fim ao próprio reino de Judá.

Quanto ao que se pode especular sobre a natureza do livro da lei, ver as notas em 2Rs 22.8. A leitura do livro da lei convenceria qualquer homem espiritual e pensante de que uma renovação do pacto mosaico, mediante o estabelecimento de uma nova aliança, era urgente. Que Hulda, a profetisa, tinha confirmado as ameaçadoras profecias, deveria ser fato amplamente conhecido (ver 2Rs 22.14 ss., quanto à história). Cf. 2Cr 34.30, onde a participação dos levitas na assembleia é mencionada. A carta sacerdotal teve uma função especial na cerimônia. O Targum sobre a passagem menciona especificamente os escribas e a participação deles. Foi, verdadeiramente, um ato nacional.

23.3

וַיַּעֲמֹ֣ד הַ֠מֶּלֶךְ עַֽל־הָ֨עַמּ֜וּד וַיִּכְרֹ֥ת אֶֽת־הַבְּרִ֣ית ׀
לִפְנֵ֣י יְהוָ֗ה לָלֶ֜כֶת אַחַ֤ר יְהוָה֙ וְלִשְׁמֹ֨ר מִצְוֺתָ֜יו
וְאֶת־עֵדְוֺתָ֤יו וְאֶת־חֻקֹּתָיו֙ בְּכָל־לֵ֣ב וּבְכָל־נֶ֔פֶשׁ
לְהָקִ֗ים אֶת־דִּבְרֵי֙ הַבְּרִ֣ית הַזֹּ֔את הַכְּתֻבִ֖ים
עַל־הַסֵּ֣פֶר הַזֶּ֑ה וַיַּעֲמֹ֥ד כָּל־הָעָ֖ם בַּבְּרִֽית׃

O rei se pôs em pé junto à coluna. Evidentemente, esse era o lugar regular e apropriado para ele pôr-se de pé, quando adorava no templo. Cf. 2Rs 11.14, onde apresentei as notas expositivas sobre a questão. O rei estava presente para levar o povo a rededicar-se à legislação mosaica. Ver Dt 6.1-9, que é o paralelo da presente passagem, em sua essência espiritual, e pode ter sido a passagem lida na assembleia, extraída do livro da lei. Todo o povo de Judá uniu-se nesse pacto. Eles seguiram a boa orientação imprimida por Josias. Ele deu o exemplo, e liderou o povo, com bons resultados.

O original hebraico literal aqui é "firmou-se sobre a aliança", traduzido pela *Revised Standard Version* por "juntou-se na aliança". Algum tipo de cerimônia foi realizado, através do qual o povo se comprometeu a seguir o pacto. Talvez tivesse havido a cerimônia de passar pelas duas metades de um animal morto (sacrificado), que simbolizava o intuito de ambas as partes (que firmavam a aliança), cumprirem suas condições. Ver a história em Gn 15.9-11 quanto a detalhes sobre esse rito. A palavra original traduzida por "firmou-se" pode ser uma referência a "pôr-se de pé" entre as duas metades do animal sacrificado. Dictys Cretensis (De Bello Trojano, I.15) descreveu atos similares que confirmavam alianças na antiga Grécia. *Pausanias* (*Descriptions of Greece*, III) também fala dessa forma de estabelecimento de pactos, mas dessa vez acerca dos litigantes de Helena, que deveriam defender sua causa contra os gregos. Ver Jr 34.18, onde temos outra referência a esse mesmo tipo de cerimônia. Jeremias era contemporâneo de Josias, pelo que isso poderia indicar que, na ocasião do novo pacto, alguma cerimônia como essa tenha sido efetuada.

O rei Josias foi o mediador do pacto, através da leitura do livro da lei que fora encontrado. Essa tarefa não foi entregue ao sumo sacerdote, à casta sacerdotal, nem a algum profeta. Josias tinha a autoridade espiritual necessária para ocupar-se dessa função.

A REFORMA GERAL DO CULTO (23.4-14)

As reformas de Ezequias, embora longamente registradas pelo autor sacro de 1 e 2Reis, não perduraram. Seu filho ímpio, Manassés, quase anulou todo o bem feito por Ezequias. E o arrependimento posterior de Manassés não contribuiu quase nada para fazer estancar a maré da corrupção em Judá. Em seguida, subiu ao trono de Judá Amom, que não durou muito, mas fez uma série de coisas prejudiciais no pouco tempo em que governou. Josias, seu filho, foi um dos melhores reis de Judá; ele instituiu um novo pacto (ver 2Rs 23.1-3), o qual confirmou, uma vez mais, em Judá, as provisões do pacto mosaico (comentado na introdução ao capítulo 19 do livro de Êxodo).

O texto à nossa frente (vss. 4-14) fala da extensa reforma religiosa imposta por Josias. Entretanto, até mesmo essa reforma não impediu o cativeiro babilônico, por ser muito tardia e muito pequena, e agora o cativeiro babilônico estava apenas a vinte anos no futuro. Josias reinou entre 640 e 609 a.C., e o cativeiro babilônico ocorreu em 597 a.C. O verdadeiro trabalho de reparos no templo só começou quando Josias estava em seu décimo oitavo ano de governo (621 a.C.). A partir daí, houve reformas que varreram todo culto idólatra, primeiramente no templo, e depois nos lugares altos e nos santuários locais. Josias fez, realmente, uma "limpeza da casa". Ele limpou as coisas, mas não tinha o poder de mudar o coração da população em geral de Judá, que tanto se apegava a seus caminhos desviados. As corrupções, embora suprimidas, continuavam abrigando-se no coração e na mente daqueles que tinham criado as expressões externas de idolatria.

Isso nos ensina uma lição: Nenhuma reforma pode ser bem-sucedida se não tratar da fonte da perversão — o coração humano. "Nenhuma reforma que dependa exclusivamente da supressão, ou de meios negativos, ou da mão pesada da lei, pode durar por muito tempo" (Raymond Calking, *in loc.*).

■ 23.4

ויצו המלך את־חלקיהו הכהן הגדול ואת־כהני
המשנה ואת־שמרי הסף להוציא מהיכל יהוה את
כל־הכלים העשוים לבעל ולאשרה ולכל צבא
השמים וישרפם מחוץ לירושלם בשדמות קדרון
ונשא את־עפרם בית־אל׃

Que tirassem do templo do Senhor todos os utensílios que se fizeram para Baal. *Purificando Primeiramente o Templo.* Ficamos admirados por ver que, a despeito de tudo quanto Ezequias tinha feito (ver 2Rs 18.4 ss.), por causa do poder de Manassés em favor do mal (ver 2Rs 21.2 ss.), a idolatria tinha retornado não somente aos lugares altos e aos santuários locais, mas ao próprio templo. Portanto, foi mister que Josias ordenasse que o sumo sacerdote e os sacerdotes limpassem o templo de Jerusalém. As imagens foram removidas e queimadas nos campos de Cedrom. Josias ordenou que o sumo sacerdote Hilquias e os sacerdotes da segunda ordem encabeçassem essa operação de limpeza. Está em pauta o segundo curso dos sacerdotes, o de Jedaías (ver 1Cr 24.7). Mas alguns estudiosos fazem desses sacerdotes um singular "segundo sacerdote", ou "dois sacerdotes" que só perdiam em autoridade para o sumo sacerdote, provavelmente das linhagens de Eleazar e Itamar. O Targum diz "sacerdote deputado", ou seja, o principal auxiliar do sumo sacerdote. Além desses, os guardas da porta, os levitas, aqueles que estavam encarregados de proteger o templo, de manter suas entradas e seu funcionamento em boa ordem, também foram postos a trabalhar. Foi assim que as imagens de Baal foram retiradas, como também o foram os postes-ídolos (ver 1Rs 14.15). Divindades astrológicas também estão em vista (ver 2Rs 21.3-5). A queima dessas imagens foi efetuada no vale de Cedrom, a leste de Jerusalém. Todos os vasos ou implementos da idolatria também foram destruídos.

E levou as cinzas deles para Betel. Um santuário local idólatra tinha sido estabelecido nessa cidade, que desafiava a centralização da adoração em Jerusalém. As cinzas dos ídolos queimados ali foram levadas para Betel, a fim de contaminar cerimonialmente o lugar. Fora ali que Jeroboão I tinha estabelecido seu tipo especial de idolatria: a adoração ao bezerro de ouro. Ver 1Rs 12.28 ss., quanto a detalhes sobre o "pecado de Jeroboão".

■ 23.5

והשבית את־הכמרים אשר נתנו מלכי יהודה ויקטר
בבמות בערי יהודה ומסבי ירושלם ואת־המקטרים
לבעל לשמש ולירח ולמזלות ולכל צבא השמים׃

Também destituiu os sacerdotes. No hebraico, a palavra aqui usada para "sacerdotes" é *kemarim*, termo usado somente em Os 10.5 e Sf 1.4. A ideia por trás desse vocábulo é a de um sacerdote que se prostra defronte de um ídolo. O autor sagrado falava aqui de um puro paganismo, que afastou o povo de Judá para longe do yahwismo. Josias, pois, removeu todos esses corruptores da fé e da moral. O verbo "destituiu", aqui usado, significa "depôs", mas é provável que a "execução" deles esteja em pauta. Este versículo expressa novamente uma generalizada e variegada idolatria praticada no templo de Jerusalém e também nos santuários locais, especialmente aqueles dos lugares altos (ver a esse respeito no *Dicionário*). Ver também ali o verbete intitulado *Idolatria*. Essa prática violava o primeiro e o segundo mandamentos. Ver sobre os Dez Mandamentos no *Dicionário*. A punição capital era ordenada aos idólatras.

Os que incensavam. Deveríamos entender aqui por "ofereciam sacrifícios". Somente em tempos posteriores, a palavra hebraica em questão veio a significar "queimar incenso".

Baal. A principal divindade daquela época, para os pagãos que habitavam nas regiões adjacentes a Israel, o deus-sol, mas adorado sob muitas formas em inúmeros santuários locais. Ver no *Dicionário* o verbete chamado *Baal (Baalismo)*.

Planetas. A palavra aqui é *mazzaloth*, tomada por empréstimo do assírio. Os planetas, conforme os conhecemos, provavelmente não estão em vista. A tradução da *Revised Standard Version*, "constelações", está mais próxima da realidade. A palavra siríaca refere-se aos signos do zodíaco. Provavelmente estão em foco as 36 estrelas que governavam o ano, de acordo com a astrologia dos assírios, e que incluíam os nossos planetas. Três estrelas eram alocadas para cada mês do ano. O autor sagrado, pois, estava descrevendo uma elaborada idolatria astrológica. Ver no *Dicionário* o artigo chamado *Astrologia*. Os homens costumam olhar para poderes fora de si mesmos, a fim de adorá-los, crendo que eles teriam, supostamente, o poder de controlar e beneficiar sua vida. Alguns homens encontram tais poderes nos céus, entre as estrelas.

■ 23.6

ויצא את־האשרה מבית יהוה מחוץ לירושלם
אל־נחל קדרון וישרף אתה בנחל קדרון וידק
לעפר וישלך את־עפרה על־קבר בני העם׃

O poste-ídolo. Ver as notas expositivas sobre 1Rs 14.15. Esse item de idolatria havia sido implantado no próprio templo de Jerusalém, um insulto final contra Moisés e sua legislação. "O rei removeu o poste-ídolo do templo (ver 2Rs 21.7), queimou-o no vale de Cedrom (ver 2Rs 23.4) e espalhou suas cinzas (cf. o vs. 4) sobre os sepulcros das pessoas comuns idólatras" (Thomas L. Constable, *in loc.*). Esse ato indicava o desprezo e a contaminação dos sepulcros dos idólatras. Ver 2Rs 21.3,7 sobre como Manassés estabeleceu esse tipo de idolatria e então removeu-o quando se arrependeu (ver 2Cr 33.15). É provável que seu filho, Amom, o tenha instituído de novo (ver 2Rs 21.21).

Sobre as sepulturas do povo. "Os ricos eram sepultados em cavernas escavadas nas faldas das colinas; mas os pobres eram sepultados em sepulcros comuns, em grandes sepulturas feitas no chão (ver Jr 26.23). O contato com as sepulturas comuns destruiria qualquer santidade que ainda estivesse apegada aos restos contaminados dos ídolos. Os objetos sagrados (naquele período) eram considerados santos, embora fossem usados nos cultos idólatras. Portanto, uma contaminação definitiva tornava-se necessária a fim de impedir que fossem considerados santos" (Norman H. Snaith, *in loc.*). Cf. 2Cr 34.4.

■ 23.7

ויתץ את־בתי הקדשים אשר בבית יהוה אשר
הנשים ארגות שם בתים לאשרה׃

Derribou as casas da prostituição-cultual. A referência aqui é aos prostitutos do sexo masculino, ou prostitutos cultuais. Estão em foco aqueles que serviam nos templos e se prostituíam a fim de honrar e trazer dinheiro ao culto que praticavam. Havia prostitutos e prostitutas cultuais que participavam de tais debochos. Esses prostitutos religiosos profissionais eram comuns nos templos que honravam os deuses e as deusas da fertilidade, embora a prática envolvesse outros deuses, e não somente os deuses da fertilidade. Os prostitutos (cultuais ou outros) eram proibidos pela legislação mosaica (ver Dt 23.17). Cf. 1Rs 14.12; 14.24 e 22.46. "Esta passagem mostra-nos que a adoração à natureza, dos cananeus, que praticava as piores infâmias, tinha sido estabelecida no próprio santuário de Yahweh" (Ellicott, *in loc.*).

Em 1Rs 14.24 e suas notas expositivas, dou informações mais detalhadas acerca da "prostituição cultual".

Teciam tendas. A palavra hebraica por trás de "tendas" significa "casas" na maioria dos contextos. Provavelmente estão em vista aquelas tendas, ou áreas fechadas, que tinham cortinas ou "paredes". Essas tendas eram levantadas em redor dos santuários, sem que se precisasse construir edifícios ou templos mais caros e elaborados. Ver Am 5.26. Cf. Ez 16.16 e a versão da *Septuaginta* em Am 2.8, que diz: "E amarrando suas roupas com cordas, eles fizeram tendas perto do altar". Era assim que eles faziam roupas especiais para seus ritos, e realizavam seus debochas em seus templos-tendas.

■ 23.8

וַיָּבֵא אֶת־כָּל־הַכֹּהֲנִים מֵעָרֵי יְהוּדָה וַיְטַמֵּא
אֶת־הַבָּמוֹת אֲשֶׁר קִטְּרוּ־שָׁמָּה הַכֹּהֲנִים
מִגֶּבַע עַד־בְּאֵר שָׁבַע וְנָתַץ אֶת־בָּמוֹת
הַשְּׁעָרִים אֲשֶׁר־פֶּתַח שַׁעַר יְהוֹשֻׁעַ שַׂר־הָעִיר
אֲשֶׁר־עַל־שְׂמֹאול אִישׁ בְּשַׁעַר הָעִיר׃

A todos os sacerdotes trouxe das cidades de Judá, e profanou os altos. A reforma ampliou-se por todas as cidades de Judá. Josias limpou a idolatria do país, e não meramente a capital.

De Geba até Berseba. Ou seja, da fronteira norte de Judá à fronteira sul. As reformas de Josias ampliaram-se por todo o território de Judá. Cf. "de Dã a Berseba", as fronteiras norte e sul da nação inteira de Israel (ver as notas em 1Sm 3.20). Os santuários locais, especialmente aqueles localizados nos lugares altos, foram destruídos, como tinha acontecido em Jerusalém e suas cercanias.

Os altares das portas. Com uma leve correção da palavra hebraica assim traduzida, obtemos "sátiros" ou "bodes". Se isso está correto, então está em pauta outra forma de idolatria que Josias eliminou. A referência parece ser aos "peludos", ou bodes-demônios, uma antiga idolatria que aparentemente sobreviveu até o tempo dos reis de Judá. Ver Lv 17.7 e 2Crônicas 11.15.

Porta de Josué, governador da cidade. Esse homem era o governador de Jerusalém, no começo do reinado de Josias. Um dos portões da cidade, pois, foi batizado com base no nome desse homem. Um ponto de idolatria tinha sido estabelecido no lado esquerdo desse portão, quando a pessoa entrava na cidade. Esse ponto idólatra não foi poupado.

■ 23.9

אַךְ לֹא יַעֲלוּ כֹּהֲנֵי הַבָּמוֹת אֶל־מִזְבַּח יְהוָה בִּירוּשָׁלִָם
כִּי אִם־אָכְלוּ מַצּוֹת בְּתוֹךְ אֲחֵיהֶם׃

Os sacerdotes dos altos não sacrificavam sobre o altar do Senhor. *Falhou a Centralização da Adoração em Jerusalém.* Apesar dos ingentes esforços de Josias, o culto "lá fora" não morreu. Os santuários locais e os cultos permaneceram. Não temos certeza se, nesse tempo, os santuários persistiram, mas é claro que os cultos sobreviveram. Havia levitas que conduziam seus próprios ritos, separados dos de Jerusalém. Os levitas que viviam no interior do país teriam direitos em Jerusalém (ver Dt 18.6-8), mas não é certo que os sacerdotes dos cultos na capital permitissem participação daqueles levitas. Talvez fossem considerados corruptos por suas práticas anteriores.

Comiam pães asmos no meio de seus irmãos. Isto é, continuavam a dirigir um culto sagrado e recebiam oferendas do povo, mediante as quais eram capazes de viver (ver Lv 2.1-11; 6.16-18; 10.12). Ver no *Dicionário* o artigo chamado *Pães Asmos*.

Os sacerdotes que operavam no interior do país, embora rejeitados por aqueles que operavam na capital, por causa da participação deles nos cultos dos lugares altos, ainda assim recebiam apoio das ofertas e, ao que parece, continuavam a praticar os ritos sagrados, distantes de Jerusalém. Esses levitas que tinham conduzido ritos pagãos agora estavam "desempregados", porquanto Josias tinha destruído seus santuários. E também não eram bem recebidos em Jerusalém. Sem dúvida, continuaram a agir como sempre, isolados dos demais.

■ 23.10

וְטִמֵּא אֶת־הַתֹּפֶת אֲשֶׁר בְּגֵי בְנֵי־הִנֹּם לְבִלְתִּי לְהַעֲבִיר
אִישׁ אֶת־בְּנוֹ וְאֶת־בִּתּוֹ בָּאֵשׁ לַמֹּלֶךְ׃

Também profanou Tofete, que está no vale dos filhos de Hinom. *Eliminando os Sacrifícios Humanos.* Manassés, aquele homem abominável, adicionou sacrifícios humanos, em cópia às formas pagãs de adoração, às suas muitas formas de idolatria, e até fez um de seus próprios filhos "passar pelo fogo" (ver 2Rs 21.6). Josias, pois, terminou com essa abominação.

Tofete. Ver o artigo detalhado sobre essa palavra, no *Dicionário*. Tofete era um bosque ou jardim sagrado, pertencente aos cananeus, que, posteriormente, veio a tornar-se um dos grandes centros de adoração a Baal, por parte de judeus apóstatas (ver Jr 32.35). Entre as atividades desse culto, parece que estava envolvido o sacrifício ritual de recém-nascidos. A palavra Tofete significa "lareira". Está em pauta o vale de Hinom. "A adoração ao deus Moloque (o rei celeste) se tinha espalhado entre os semitas do Oriente, e o sacrifício de crianças era a característica especial e distintiva desse culto. É muito provável que o culto observado em Tofete fosse um sincretismo de Yahweh-Moloque" (Norman H. Snaith, *in loc.*). Ver no *Dicionário* o verbete intitulado Moleque (Moloque). Ver também ali o artigo denominado *Hinom, Vale de*.

Os rabinos explicavam que a palavra Tofete vem da palavra *toph*. Havia o toque de tambores que acompanhavam os sacrifícios dos infantes; grandes ruídos eram feitos para que os pais não pudessem ouvir os gritos de dor dos infantes, quando o fogo os matava. Com razão, pois, o vale de Hinom tornou-se o símbolo do inferno. É a Geena do Novo Testamento. Ver no *Dicionário* o artigo chamado *Geena*.

Meus amigos, deixem-me dizer aqui o que se passa em minha mente. Estremecemos e encolhemo-nos de terror quando lemos o que o presente versículo tem a dizer. Ficamos horrorizados ao saber o que os pais permitiam que acontecesse a seus infantes, sacrificados ali nas chamas em honra a Moleque. E no entanto, em muitas partes da Igreja, ainda se promove a interpretação literal de Deus a queimar pessoas para sempre no inferno. E podemos chamar isso de justo? Ver meu artigo no *Dicionário* intitulado *Julgamento de Deus dos Homens Perdidos*. O amor de Deus enviou Seu filho ao hades para aliviar os sofrimentos ali (ver na *Enciclopédia de Bíblia, Teologia e Filosofia* o verbete *Descida de Cristo ao Hades*). Na verdade, algumas blasfêmias tornaram-se doutrinas padronizadas em alguns segmentos da Igreja cristã. Mas eu não hesito em chamar certos pontos de vista sobre o julgamento apenas de: blasfêmias. No inferno, os demônios batem tambores para encobrir os gritos dos condenados?

■ 23.11

וַיַּשְׁבֵּת אֶת־הַסּוּסִים אֲשֶׁר נָתְנוּ מַלְכֵי יְהוּדָה לַשֶּׁמֶשׁ
מִבֹּא בֵית־יְהוָה אֶל־לִשְׁכַּת נְתַן־מֶלֶךְ הַסָּרִיס אֲשֶׁר
בַּפַּרְוָרִים וְאֶת־מַרְכְּבוֹת הַשֶּׁמֶשׁ שָׂרַף בָּאֵשׁ׃

Tirou os cavalos que os reis de Judá tinham dedicado ao sol. *Intermináveis Formas de Idolatria.* Cf. At 17.16 ss. A fértil imaginação do homem era e continua sendo posta a funcionar, inventando inúmeras formas de idolatria. Meu artigo quanto a esse assunto, no *Dicionário*, ilustra o fato. Uma ideia comum entre os povos semitas orientais era que o deus-sol dirigia sua carruagem de fogo através do céu. O deus solar dirigia sua carruagem alada furiosamente, através do firmamento, para que todos vissem a sua glória. Uma moeda descoberta em Gaza retrata a cena (de cerca de 400 a.C.). Foi assim que alguma espécie de representação do cavaleiro da carruagem do deus-sol foi posta bem na entrada do templo de Yahweh, sem dúvida uma blasfêmia. Mas alguns intérpretes pensam em termos de cavalos literais, cavalos muito bem criados usados pelo deus-sol e nos cortejos em honra a ele. Jarchi diz-nos que havia um ritual, exercido todos os dias, onde aqueles que adoravam o sol saíam em cavalos para se encontrarem com o sol quando este surgia no horizonte. Mas Adam

Clarke (*in loc.*) provavelmente está correto em sua suposição de que estão em pauta cavalos esculpidos, no presente versículo.

Por outra parte, Thomas L. Constable (*in loc.*) opina que cavalos sagrados (literais) eram conservados em estrebarias, no átrio do templo. Josias, pois, queimou as carruagens cerimoniais, usadas nos cortejos e ritos em honra ao deus-sol.

Natã-Meleque. Ao que tudo indica, ele era o líder desse culto pagão particular, pelo que seu nome é mencionado somente aqui em todo o Antigo Testamento. Esse homem teria incorporado a seu nome a designação Meleque, a deidade pagã referida no vs. 10.

Outras referências não bíblicas a essa forma de idolatria: Heródoto, l.189; Xenofonte, Anab. iv.5.34; Quintiliano, Curt. iii.3,11.

■ **23.12**

וְאֶת־הַמִּזְבְּחוֹת אֲשֶׁר עַל־הַגָּג עֲלִיַּת אָחָז אֲשֶׁר־עָשׂוּ
מַלְכֵי יְהוּדָה וְאֶת־הַמִּזְבְּחוֹת אֲשֶׁר־עָשָׂה מְנַשֶּׁה בִּשְׁתֵּי
חַצְרוֹת בֵּית־יְהוָה נָתַץ הַמֶּלֶךְ וַיָּרָץ מִשָּׁם וְהִשְׁלִיךְ
אֶת־עֲפָרָם אֶל־נַחַל קִדְרוֹן:

O rei derribou os altares. Esses altares estavam localizados no teto do próprio local, um lugar natural para a adoração a divindades astrais. Quando a influência assíria se acentuou em Judá, tais altares tornaram-se parte integrante de sua variegada idolatria. Parece que Acaz construiu câmaras no teto, associadas a esses altares, e supomos que sacerdotes e equipamento especial tivessem sido guardados ali. Cf. Sf 1.5; Jr 19.13 e 32.29. Sem dúvida, Ezequias havia eliminado todas essas estruturas, mas Manassés e Amom as reconstruíram.

Manassés acrescentou mais altares idólatras nos átrios do templo. O contexto do presente versículo alerta-nos para o fato de uma liberdade total dada à idolatria. Talvez em algum lugar na grande salada abominável de altares e ídolos, houvessem reservado um lugar para Yahweh, talvez as pessoas até se lembrassem ocasionalmente de Moisés. Ver 2Rs 21.5 quanto aos atos de Manassés.

Josias destruiu sistematicamente todos esses ídolos e altares, transformando-os em pó, e lançou todo esse material no ribeiro Cedrom. A expressão aqui usada, "lançou o pó deles no ribeiro Cedrom", pode significar que ele jogou esse pó por sobre a muralha do templo, sobre o ribeiro, lá em baixo. Nenhum remanescente dos cultos pagãos permaneceu para ser usado novamente em algum culto idólatra.

■ **23.13**

וְאֶת־הַבָּמוֹת אֲשֶׁר עַל־פְּנֵי יְרוּשָׁלִַם אֲשֶׁר מִימִין
לְהַר־הַמַּשְׁחִית אֲשֶׁר בָּנָה שְׁלֹמֹה מֶלֶךְ־יִשְׂרָאֵל
לְעַשְׁתֹּרֶת שִׁקֻּץ צִידֹנִים וְלִכְמוֹשׁ שִׁקֻּץ מוֹאָב וּלְמִלְכֹּם
תּוֹעֲבַת בְּנֵי־עַמּוֹן טִמֵּא הַמֶּלֶךְ:

À mão direita do monte da Destruição. Isto é, ao oriente da cidade. Naquele local, santuários foram edificados sobre as colinas. O monte da Destruição refere-se ao monte das Oliveiras. De fato, obtemos a palavra "oliveiras" se emendarmos a palavra hebraica *mishhah* para tornar-se a palavra similar *mashihith*. Aquele lugar vinha sendo usado para a construção de santuários pagãos desde Salomão (1Rs 11.7). "O local particular mencionado ficava no extremo sul da serra comumente identificada com o chamado monte das Ofensas (Jebel Batn 'el-Hawa)" (Norman H. Snaith, *in loc.*).

Astarote, abominação dos sidônios. Ver a respeito dessa deusa no *Dicionário*. Ver também 1Rs 11.5,7 quanto a notas expositivas completas sobre os atos de Salomão e as divindades pagãs envolvidas em sua idolatria. Além de destruir todos os artefatos pagãos, altares e ídolos, Josias profanou os lugares de adoração idolátrica (vs. 14), ao pôr ossos humanos ali, o que os tornava imundos. Assim foi que aqueles lugares nunca mais puderam ser usados como sedes de cultos religiosos.

■ **23.14**

וְשִׁבַּר אֶת־הַמַּצֵּבוֹת וַיִּכְרֹת אֶת־הָאֲשֵׁרִים וַיְמַלֵּא
אֶת־מְקוֹמָם עַצְמוֹת אָדָם:

Encheu ele de ossos humanos. *Profanação.* O ato de colocar ossos humanos nos antigos lugares de santuários não permitia que esses locais fossem novamente empregados como lugares de cultos religiosos. Dessa maneira, Josias limpou as formas idólatras externas, mas não tinha o poder de limpar o coração dos próprios idólatras. A ira de Yahweh não foi dissipada pelas reformas, que vieram tarde demais e de forma muito tímida. O cativeiro babilônico em breve haveria de ocorrer (597 a.C.). E esse seria o trabalho de limpeza efetuado por Yahweh.

Os ossos empregados na profanação dos santuários pagãos muito provavelmente eram ossos dos sacerdotes idólatras, que tinham sido sepultados em áreas adjacentes aos santuários. Cf. Nm 19.16 e 1Rs 13.2.

■ **23.15,16**

וְגַם אֶת־הַמִּזְבֵּחַ אֲשֶׁר בְּבֵית־אֵל הַבָּמָה אֲשֶׁר
עָשָׂה יָרָבְעָם בֶּן־נְבָט אֲשֶׁר הֶחֱטִיא אֶת־יִשְׂרָאֵל
גַּם אֶת־הַמִּזְבֵּחַ הַהוּא וְאֶת־הַבָּמָה נָתַץ וַיִּשְׂרֹף
אֶת־הַבָּמָה הֵדַק לְעָפָר וְשָׂרַף אֲשֵׁרָה:

וַיִּפֶן יֹאשִׁיָּהוּ וַיַּרְא אֶת־הַקְּבָרִים אֲשֶׁר־שָׁם בָּהָר
וַיִּשְׁלַח וַיִּקַּח אֶת־הָעֲצָמוֹת מִן־הַקְּבָרִים וַיִּשְׂרֹף
עַל־הַמִּזְבֵּחַ וַיְטַמְּאֵהוּ כִּדְבַר יְהוָה אֲשֶׁר קָרָא אִישׁ
הָאֱלֹהִים אֲשֶׁר קָרָא אֶת־הַדְּבָרִים הָאֵלֶּה:

Também o altar que estava em Betel. *O Clímax da Purificação.* Betel (ver a respeito no *Dicionário*) era um lugar santo antiquíssimo, onde tinham existido santuários através dos séculos. Jeroboão I (cerca de 931 a.C.) corrompeu aquele lugar transformando-o em um centro de adoração ao bezerro, juntamente com outro local, Dã. Quanto ao pecado dele, que foi causa de que Israel inteiro pecasse, ver 1Rs 12.28 ss., com notas adicionais em 1Rs 15.26 e 16.2. Josias, pois, não se contentou em atacar os santuários pequenos. Ele foi ao principal de todos os lugares santos fora de Jerusalém, Betel. Novamente quebrou imagens e as reduziu a pó. Ele também queimou os bosques que havia nos lugares altos. Em seguida, profanou o lugar, como tinha feito com outros pontos, próximos de Jerusalém, desenterrando ossos de sepulturas e de cavernas, queimando-os sobre o altar e espalhando as cinzas por toda parte (cf. o vs. 14). "Esses ossos, muito provavelmente, pertenciam aos sacerdotes pagãos (cf. 1Rs 12.31,32), os quais, devido à reverência pelo altar, tinham sido sepultados próximo dele" (Thomas L. Constable, *in loc.*).

O homem de Deus, que havia anunciado estas cousas. *A Predição.* Um homem de Deus (um profeta) de Judá havia predito, cerca de 350 anos antes, o que iria acontecer em Betel. Nessa predição, o profeta chegara a chamar o rei por seu nome. Ver 1Rs 13.2,3 e as notas expositivas ali oferecidas. Naturalmente, os estudiosos liberais pensam que essas predições foram, na realidade, escritas como história, e que o autor já sabia o que tinha acontecido. Ou, pelo menos, que o nome Josias foi escrito não como uma previsão, mas com base no conhecimento dos fatos. Mas a experiência nos tem ensinado que a função profética pode ser muito exata e muito surpreendente.

Embora os moinhos de Deus moam lentamente,
Moem excessivamente fino.

Henry W. Longfellow

■ **23.17,18**

וַיֹּאמֶר מָה הַצִּיּוּן הַלָּז אֲשֶׁר אֲנִי רֹאֶה וַיֹּאמְרוּ אֵלָיו
אַנְשֵׁי הָעִיר הַקֶּבֶר אִישׁ־הָאֱלֹהִים אֲשֶׁר־בָּא מִיהוּדָה
וַיִּקְרָא אֶת־הַדְּבָרִים הָאֵלֶּה אֲשֶׁר עָשִׂיתָ עַל הַמִּזְבַּח
בֵּית־אֵל:

וַיֹּאמֶר הַנִּיחוּ לוֹ אִישׁ אַל־יָנַע עַצְמֹתָיו וַיְמַלְּטוּ
עַצְמֹתָיו אֵת עַצְמוֹת הַנָּבִיא אֲשֶׁר־בָּא מִשֹּׁמְרוֹן:

Que monumento é este que vejo? O famoso mas anônimo profeta de Judá, que fizera as maravilhosas predições, foi sepultado sob um monumento construído em sua honra. Josias poderia tomar seus ossos dali e queimá-los juntamente com o resto, pensando que o sepulcro seria de um sacerdote pagão. Mas, ao ser informado de que aquele monumento pertencia ao admirável profeta, o rei deu ordens para que deixassem intacto o seu túmulo. Ver o capítulo 13 de 1Rs quanto à história.

Outros Ossos. No mesmo túmulo havia os ossos de um profeta mais antigo, de Samaria. Ver 1Rs 13.31,32 quanto à história desse outro profeta. Foi assim que a fidelidade dos dois antigos profetas foi honrada mais de 350 anos depois. A história do capítulo 13 de 1Reis mostra-nos que ambos os homens cometeram seus erros. Eles não eram inocentes de atos estúpidos e tolos. Mas de modo geral, cumpriram seus deveres. Contudo, não se perderam nos anais do tempo. Yahweh lembrou-se deles, e não permitiu que os homens os esquecessem. Esses dois profetas retratam para nós a história da maioria dos homens "bons": mistura de bem e mal; tolices e sabedoria. Mas, em um homem bom, o propósito divino cumpre-se, apesar de suas fraquezas e erros. No programa de Deus, homens assim imperfeitos são capazes de vencer, no fim.

■ 23.19

וְגַם אֶת־כָּל־בָּתֵּי הַבָּמוֹת אֲשֶׁר ׀ בְּעָרֵי שֹׁמְרוֹן אֲשֶׁר עָשׂוּ מַלְכֵי יִשְׂרָאֵל לְהַכְעִיס הֵסִיר יֹאשִׁיָּהוּ וַיַּעַשׂ לָהֶם כְּכָל־הַמַּעֲשִׂים אֲשֶׁר עָשָׂה בְּבֵית־אֵל׃

Todos os santuários dos altos, que havia nas cidades de Samaria. *Fora de Seu Próprio Território.* O autor sagrado não nos informa como Josias teve autoridade e capacidade de avançar pelo território da nação do norte, Israel (Samaria), para efetuar ali suas reformas. Por que os assírios (e os povos transplantados, e não israelitas) permitiram-lhe tais atos? O trecho de 2Cr 34.6 parece dizer que ele levou seu programa de reformas até o antigo território de Naftali. É difícil imaginar que Josias tenha feito isso sem permissão dos assírios; e também é difícil imaginar por que ele recebeu tal permissão, se é que a recebeu. Lembremo-nos que alguns israelitas permaneceram nos antigos territórios da nação do norte, a despeito da deportação, e seus lugares altos, e provavelmente aqueles de povos para ali importados foram destruídos. Quanto ao remanescente de Israel que permaneceu na terra após o cativeiro assírio, ver 2Cr 30.1 e 34.9. Ver também 2Rs 17.24-41 quanto à origem dos samaritanos, ou seja, o povo misto que veio a ocupar os territórios antes pertencentes a Israel, a nação do norte, após o cativeiro assírio.

É possível que o império assírio não tenha sido tão organizado a ponto de controlar "possessões" distantes, ou talvez estivesse passando por um período de fraqueza política e militar, quando seu fim já se aproximava, impedindo-o de interferir e bloquear as reformas de Josias nos antigos territórios da nação do norte, Israel.

■ 23.20

וַיִּזְבַּח אֶת־כָּל־כֹּהֲנֵי הַבָּמוֹת אֲשֶׁר־שָׁם עַל־הַמִּזְבְּחוֹת וַיִּשְׂרֹף אֶת־עַצְמוֹת אָדָם עֲלֵיהֶם וַיָּשָׁב יְרוּשָׁלִָם׃

E matou todos os sacerdotes dos altos, que havia ali. *O Expurgo.* Talvez fosse verdade (conforme dizem alguns intérpretes) que os santuários dos territórios do norte eram controlados por sacerdotes pagãos, e que foram eles que Josias executou (ver 1Rs 12.31). Mas é razoável supormos que também houvesse ali sacerdotes israelitas apostatados que não tinham sido deportados e continuavam com suas práticas idólatras. Seja como for, qualquer sacerdote (sem importar de que raça) que o rei Josias apanhasse na área era executado. Em seguida, seus ossos eram queimados sobre os altares pagãos e as cinzas eram espalhadas ao redor para profanar os locais. A profanação por meio de ossos é mencionada por três vezes nesta passagem, vss. 14, 18 e 20. "O costume de queimar ossos de homens mortos sobre um altar tinha como objetivo profanar o local sagrado a fim de torná-lo impróprio para qualquer propósito religioso" (Norman H. Snaith, *in loc.*, comentando sobre 1Rs 13.2).

Depois voltou para Jerusalém. Tendo abolido a idolatria, na plena extensão de sua habilidade (no que ele deve ter gasto tempo considerável), o rei retornou a Jerusalém, tendo realizado a sua missão.

CELEBRAÇÃO DA PÁSCOA (23.21-23)

Josias, tendo completado a destruição das formas, dos ritos, dos ídolos, dos santuários e dos sacerdotes, voltou a atenção do povo judeu à antiga fé dos hebreus, celebrando então a Páscoa. Ele seguiu os mandamentos de Dt 16.1-8. O versículo 22 deste capítulo informa-nos que uma celebração apropriada da Páscoa não ocorrera desde o tempo dos juízes. Essa celebração, que teve lugar em Jerusalém, foi uma afirmação do intuito de centralizar a adoração em Jerusalém, a fim de evitar a futura idolatria "lá fora", nos santuários locais que provavelmente seriam reabertos no futuro. Podemos ter certeza de que a celebração da Páscoa seguiu as normas mosaicas tradicionais. Nenhuma inovação seria inventada ou permitida. Ver no *Dicionário* o artigo chamado *Páscoa*, para detalhes, incluindo a história dessa festividade religiosa. Cf. 2Cr 35.1-19 quanto a um relato mais detalhado da celebração dirigida por Josias. A festa era uma festividade da colheita da cevada, e tal como todas as festas de colheitas, exigia uma peregrinação a Jerusalém por todos os varões adultos. As outras duas festas que requeriam peregrinações a Jerusalém eram o Pentecostes (festa das Semanas) e os Tabernáculos. Ver no *Dicionário* o verbete intitulado *Festas (Festividades) dos Judeus*, bem como os artigos em separado sobre essas três principais festas anuais.

Israel tinha seu centro de adoração em Jerusalém, o lugar ideal para isso, e as festas anuais que requeriam peregrinações serviam de um vívido lembrete sobre isso.

■ 23.21

וַיְצַו הַמֶּלֶךְ אֶת־כָּל־הָעָם לֵאמֹר עֲשׂוּ פֶסַח לַיהוָה אֱלֹהֵיכֶם כַּכָּתוּב עַל סֵפֶר הַבְּרִית הַזֶּה׃

Celebrai a páscoa ao Senhor vosso Deus. Ver a introdução a esta seção, anteriormente, quanto à importância daquela festa, conforme foi realizada por Josias como parte de suas reformas. Ver o artigo no *Dicionário* sobre essa festa.

Como está escrito neste livro da aliança. A referência primária é ao livro que fora encontrado no templo, e que servia de guia para a conduta e a adoração. Esse livro fazia parte do Pentateuco, embora não possamos determinar a natureza exata dele. Ver as notas sobre o segundo versículo deste capítulo quanto a várias ideias a respeito. Quanto a maiores detalhes sobre esse livro, Ver 2Rs 22.8. Naturalmente, a referência principal é ao pacto mosaico, comentado na introdução ao capítulo 19 do Êxodo. A essência desse pacto era a lei, que faz exigências aos homens e determina toda a conduta deles. O pacto requeria a observância da Páscoa, que comemorava o livramento de Israel do Egito, um acontecimento histórico fundamental para todo o Israel e sua história.

Ver Êx 12.21 ss., quanto à narrativa histórica que criou a Páscoa. O livramento do Egito (a redenção nacional) possibilitou, finalmente, a fundação da nação de Israel, na Palestina. Uma festividade anual, como uma peregrinação forçada de todos os varões a Jerusalém, celebrava o acontecimento.

Mediante essa celebração, Josias fez a atenção de todo o povo de Judá voltar-se para a antiga fé dos hebreus. Esse foi o clímax das reformas de Josias, tanto em Judá quanto em Israel, que este capítulo descreve longamente.

■ 23.22

כִּי לֹא נַעֲשָׂה כַּפֶּסַח הַזֶּה מִימֵי הַשֹּׁפְטִים אֲשֶׁר שָׁפְטוּ אֶת־יִשְׂרָאֵל וְכֹל יְמֵי מַלְכֵי יִשְׂרָאֵל וּמַלְכֵי יְהוּדָה׃

Porque nunca se celebrou tal páscoa como esta desde os dias dos juízes. Naturalmente, a Páscoa vinha sendo celebrada desde o tempo dos juízes, mas Josias fez dessa celebração uma ocasião especial, de uma maneira que não havia caracterizado as práticas do povo israelita fazia séculos. Este versículo indica que tanto os reis de Israel quanto os reis de Judá se tinham tornado lassos, e não haviam observado devidamente a Páscoa, não lhe emprestando a dignidade apropriada. O trecho de 2Cr 35 nos fornece um relato mais completo sobre a questão. Sim, a Páscoa vinha sendo observada, mas "... não com tal pureza, com tal alegria e ânimo de coração, ou com tantos sacrifícios acompanhantes, ou tão exatamente em concordância com a lei, e com tal liberalidade de custos. O rei e os principais sacerdotes e levitas proveram o dinheiro de seu próprio bolso, visando ao benefício do povo e seus irmãos" (John Gill, *in loc.*).

É evidente que uma celebração nacional foi organizada, da qual um remanescente de povos da ex-nação do norte (Israel) também participou. Ver 2Cr 35.18 quanto a esse item.

■ 23.23

כִּי אִם־בִּשְׁמֹנֶה עֶשְׂרֵה שָׁנָה לַמֶּלֶךְ יֹאשִׁיָּהוּ נַעֲשָׂה
הַפֶּסַח הַזֶּה לַיהוָה בִּירוּשָׁלִָם׃

Corria o ano décimo oitavo do rei Josias. *Cronologia.* O autor sagrado informa-nos quando essa celebração da páscoa ocorreu, no décimo oitavo ano do reinado de Josias, que foi também o ano principal (se não mesmo o único) no qual suas reformas religiosas se completaram. Cf. 2Rs 22.3–23.20, especialmente o versículo terceiro. Josias reinou por 31 anos, de 640 a 609 a.C., pelo que a data dessa Páscoa especial foi 622 a.C., ou seja, a apenas 25 anos do cativeiro babilônico, que poria fim ao reino do sul, Judá. Um remanescente de Judá voltaria setenta anos mais tarde, reiniciando as coisas, mas de maneira extremamente humilde. Portanto, as reformas de Josias vieram tarde demais e foram por demais pequenas. O grande juízo do cativeiro babilônico não foi evitado.

OBSERVAÇÕES FINAIS (23.24,25)

Alguns críticos têm suposto que o livro original de 1 e 2Reis tinha, como sua conclusão, a informação dada nestes dois versículos, e que um compilador posterior adicionou o restante do livro, até o fim. Presumivelmente, a compilação original ocorreu em cerca de 610 a.C. Por outra parte, essas observações podem ter sido apenas uma conclusão apropriada da questão das reformas de Josias, e não o final do livro inteiro. Depois de Josias, outros quatro reis ocuparam o trono de Judá. Ver o gráfico adjacente. As observações de conclusão sobre as reformas de Josias contam-nos ainda outros atos que tiveram por intenção restaurar a antiga fé dos hebreus (mosaica), livrando-a de inovações, da idolatria e talvez até de algumas formas de demonismo.

■ 23.24

וְגַם אֶת־הָאֹבוֹת וְאֶת־הַיִּדְּעֹנִים וְאֶת־הַתְּרָפִים
וְאֶת־הַגִּלֻּלִים וְאֵת כָּל־הַשִּׁקֻּצִים אֲשֶׁר נִרְאוּ
בְּאֶרֶץ יְהוּדָה וּבִירוּשָׁלִַם בִּעֵר יֹאשִׁיָּהוּ לְמַעַן
הָקִים אֶת־דִּבְרֵי הַתּוֹרָה הַכְּתֻבִים עַל־הַסֵּפֶר
אֲשֶׁר מָצָא חִלְקִיָּהוּ הַכֹּהֵן בֵּית יְהוָה׃

Aboliu também Josias os médiuns, os feiticeiros... Cf. o que Ezequias fez, em 2Rs 18.5, o que é bastante semelhante. Ver 2Rs 21.6 e suas notas quanto a uma lista similar de corrupções que Manassés praticou e que foram agora anuladas por Josias. Ver no *Dicionário*, quanto a detalhes, os artigos chamados *Adivinhação* e *Necromancia*. E na *Enciclopédia de Bíblia, Teologia e Filosofia* ver os artigos chamados *Espiritismo* e *Terafins*. Os terafins eram ídolos domésticos de vários tamanhos, alguns deles tão pequenos que podiam ser postos sobre uma cornija, e outros tão grandes que tinham dimensões de uma pessoa (ver 1Sm 19.13-16). Raquel colocou alguns deles em sua bagagem (ver Gn 31.32,34). A idolatria em Israel e em Judá não estava meramente "lá fora", nos templos e nos santuários locais dos lugares altos. Também saturava as residências. Provavelmente alguns dos terafins eram usados para oráculos e adivinhações, e outros pertenciam a famílias, misturados com os objetos de herança. O autor sagrado, pois, enfatiza aqui o grande poder e a variedade dos ídolos, e como foi somente Josias quem teve a coragem de fazer guerra contra toda a idolatria. Por causa disso, ele obteve notas tão elevadas como rei de Judá.

Ver Dt 18.11 quanto às leis contra os espíritos familiares, os sábios etc. Ver também Lv 20.27; Êx 20.4,5 e 23.24 quanto a proibições atinentes à idolatria.

■ 23.25

וְכָמֹהוּ לֹא־הָיָה לְפָנָיו מֶלֶךְ אֲשֶׁר־שָׁב אֶל־יְהוָה
בְּכָל־לְבָבוֹ וּבְכָל־נַפְשׁוֹ וּבְכָל־מְאֹדוֹ כְּכֹל תּוֹרַת
מֹשֶׁה וְאַחֲרָיו לֹא־קָם כָּמֹהוּ׃

Antes dele não houve rei que lhe fosse semelhante. Ezequias foi altamente elogiado por suas reformas (ver 2Rs 18.5), mas o autor sagrado dá a Josias louvores ainda mais entusiasmados. Josias foi o herói do autor sagrado, e alguns pensam que foi com essa observação que o autor-compilador original terminou suas narrativas. Nesse caso, um autor-compilador diferente teria terminado o duplo livro de 1 e 2Reis, tendo narrado sobre os quatro reis restantes de Judá, que subiram ao trono antes do cativeiro babilônico.

O padrão espiritual de julgar os reis de Israel e de Judá girava em torno de quão bem eles guardavam a legislação mosaica. Davi era o rei ideal (1Rs 15.3). Davi cometeu alguns pecados terríveis, mas nunca, em nenhuma ocasião, ele se envolveu na idolatria. Antes, sempre mostrou-se zeloso na defesa das antigas instituições dos hebreus, mormente as tradições e leis transmitidas por Moisés. Ver Dt 6.1-9 quanto ao padrão de conduta dos hebreus. Era a lei que fazia de Israel uma nação distinta das outras nações (ver Dt 4.4-8). Observando a lei, um israelita contava com uma prometida longa vida (Dt 5.16; 22.6,7 e 25.15). Davi foi um homem maior do que Josias, mas moralmente não lhe foi superior.

De todo o seu coração, e de toda a sua alma. Essas palavras são um reflexo de Dt 6.5. "Que os méritos de Josias não consistiam em uma observância meramente estrita da adoração e de um cerimonial legítimo, se evidencia em Jr 22.15,16, onde ele é louvado por sua retidão como juiz" (Ellicott, *in loc.*).

Ele serviu e adorou a Yahweh "... com sinceridade, de todo o coração, zelo e constância, tendo respeito por todo mandamento... com a maior precisão e exatidão" (John Gill, *in loc.*).

A MORTE DE JOSIAS (23.26-30)

De acordo com as crenças dos hebreus, uma pessoa boa seria abençoada com uma longa vida, uma daquelas coisas especiais que Yahweh confere a tais pessoas. Mas Josias apresenta uma exceção flagrante a essa expectativa. Ele morreu de morte violenta, antes de chegar aos 40 anos de idade! O vs. 26 lança a culpa sobre Manassés por todos os maus eventos que atingiram Judá no fim de sua história. Ele pôs em movimento uma maré de ruindade que varreu tudo quanto estava à sua frente, incluindo a vida física de Josias, apesar de sua bondade. Chegara o dia do mal, e nem uma bondade pessoal ou temporária poderia detê-lo. Conforme é típico em 1 e 2Reis (e, de fato, em todo o Antigo Testamento, até este ponto), não há nenhuma esperança de vida para além do sepulcro, como se o mal que sobreveio a Josias lhe tivesse negado até isso. Essa crença entrou na teologia dos hebreus no tempo dos Salmos e dos Profetas, mas nunca se desenvolveu bem senão já no período intermediário entre o Antigo e o Novo Testamento. Ver a longa vida prometida aos homens bons, aqueles que obedecessem à legislação mosaica: Deuteronômio 5.16; 22.6,7 e 25.15. O oráculo de Hulda havia prometido a Josias uma morte pacífica, e também que ele não veria muitos males que sobreviriam à sua nação, atingindo homens menores do que ele (ver 2Rs 22.20). Mas até nisso a profecia fracassou essencialmente, conforme às vezes as profecias falham (1Co 13.8,9).

■ 23.26

אַךְ לֹא־שָׁב יְהוָה מֵחֲרוֹן אַפּוֹ הַגָּדוֹל אֲשֶׁר־חָרָה אַפּוֹ
בִּיהוּדָה עַל כָּל־הַכְּעָסִים אֲשֶׁר הִכְעִיסוֹ מְנַשֶּׁה׃

O Senhor não desistiu do furor da sua grande ira. Ver as notas de introdução à presente seção, que servem de comentários essenciais sobre o conteúdo do presente versículo. A ira de Yahweh, provocada pelos pecados abomináveis de Manassés, avô de Josias, criou uma terrível maré de maus eventos, que varreu todo o bem feito por Josias, antes atingir os 40 anos de idade! Mas pelo menos ele foi salvo dos terrores do cativeiro babilônico, que ocorreu cerca de doze anos após a sua morte. Ver no *Dicionário* o verbete chamado *Ira de Deus*. "Nem mesmo a reforma de Josias, por maior que tenha sido, pôde aplacar a ira acumulada de Deus contra Judá, por seus anos de rebelião, especialmente sob a liderança de Manassés (cf. 2Rs 22.16,17)" (Thomas L. Constable, *in loc.*). Houve um grande calor de ira, que queimou, conforme é indicado literalmente pelo hebraico. "De nada adiantaria tentar continuar poupando aquele povo volúvel e radicalmente privado de bondade. Eles foram poupados somente durante a vida de Josias" (Adam Clarke, *in loc.*).

23.27

וַיֹּ֣אמֶר יְהוָ֗ה גַּ֤ם אֶת־יְהוּדָה֙ אָסִיר֙ מֵעַ֣ל פָּנַ֔י כַּאֲשֶׁ֥ר
הֲסִרֹ֖תִי אֶת־יִשְׂרָאֵ֑ל וּ֠מָאַסְתִּי אֶת־הָעִ֨יר הַזֹּ֤את
אֲשֶׁר־בָּחַ֙רְתִּי֙ אֶת־יְר֣וּשָׁלִַ֔ם וְאֶת־הַבַּ֔יִת אֲשֶׁ֣ר אָמַ֔רְתִּי
יִהְיֶ֥ה שְׁמִ֖י שָֽׁם׃

Também Judá removerei de diante de mim, como removi a Israel. Este versículo, como é evidente, faz parte de um oráculo de algum profeta contemporâneo, que foi parcialmente preservado aqui. O profeta desconhecido expressou a palavra e a vontade de Yahweh. Sua profecia exprimiu total condenação e desespero. Nem mesmo a bondade de Josias e suas extensas reformas (descritas longamente neste capítulo) puderam fazer estacar a ira divina. O cativeiro babilônico seria o meio de pôr fim a toda aquela massa triste. Jerusalém estava condenada à mesma sorte que Samaria (a capital da nação do norte, Israel) tinha sofrido, cerca de 125 anos antes. A corrupção maior do norte fez aquela nação ser destruída e sua população essencial ser deportada para a Assíria. E a nação do sul, Judá, seguindo o ridículo exemplo da nação do norte, caiu vítima da Babilônia, a nova potência mundial. Ver no *Dicionário* o artigo chamado *Cativeiro Babilônico*, quanto a detalhes. A ira de Deus removeria o povo de Judá de sua presença, o que foi verdadeiro tanto espiritual quanto fisicamente. Ser removido da Terra Prometida era ser removido da presença divina, pois era na Terra Prometida que Yahweh manifestava a sua presença, sobretudo no templo. Cf. 2Rs 17.18,20,23.

Vss. 26 e 27. "O historiador naturalmente adicionou essas observações para preparar o caminho para o que ele em breve relataria: a ruína final do reino de Judá. E é provável que também o tenha feito para sugerir uma explanação para o que deve ter parecido, para ele e para seus contemporâneos, um golpe muito misterioso da providência divina: o fim prematuro de um bom rei" (Ellicott, *in loc.*). Ver no *Dicionário* o verbete *Providência de Deus*. Cf. as predições de Jeremias 15.4 ss.; 25.2 ss.

Estará ali o meu nome. Nem mesmo o fato de que Yahweh tinha designado Jerusalém como o local especial da manifestação de seu nome, poder e glória (sua presença, manifestada no templo), fez parar a terrível destruição daquele lugar e a deportação de seus habitantes. Isso nos mostra quão radicais eram os pecados de Judá.

23.28

יֶ֛תֶר דִּבְרֵ֥י יֹאשִׁיָּ֖הוּ וְכָל־אֲשֶׁ֣ר עָשָׂ֑ה הֲלֹא־הֵ֣ם
כְּתוּבִ֗ים עַל־סֵ֛פֶר דִּבְרֵ֥י הַיָּמִ֖ים לְמַלְכֵ֥י יְהוּדָֽה׃

Quanto aos demais atos de Josias. *O Obituário*. O autor sagrado encerrou a história sobre o bom rei Josias com a simples nota de sua morte, sem nenhum adorno. Conforme era usual, ele mencionou uma de suas obras de consulta, o *Livro da História dos Reis de Judá*, a fim de encerrar a narrativa. Ver as notas sobre a notícia comum de obituário do autor em 1 e 2Reis, em 1Rs 1.21 e 16.5,6. Quanto aos livros perdidos da Bíblia, incluindo aquele aqui mencionado, ver 1Rs 14.19. A expressão comum "descansou com seus pais" é deixada de fora no tocante a Josias. Quanto a essa expressão, ver 1Rs 1.21. Em seguida temos um pequeno relato da morte de Josias, e de como seu filho, Jeoacaz, tomou o lugar dele como rei de Judá (vss. 29 e 30). A morte de Josias e as circunstâncias associadas foram registradas com maior abundância de detalhes em 2Cr 35.20-27.

A história do rei Josias, interrompida em 2Rs 22.2, agora continua. O trecho paralelo, de 2Cr 35.20 ss., é mais completo. Provavelmente fontes informativas diferentes foram empregadas.

23.29

בְּיָמָ֡יו עָלָה֩ פַרְעֹ֨ה נְכֹ֧ה מֶֽלֶךְ־מִצְרַ֛יִם עַל־מֶ֥לֶךְ
אַשּׁ֖וּר עַל־נְהַר־פְּרָ֑ת וַיֵּ֨לֶךְ הַמֶּ֤לֶךְ יֹאשִׁיָּ֙הוּ֙ לִקְרָאת֔וֹ
וַיְמִיתֵ֙הוּ֙ בִּמְגִדּ֔וֹ כִּרְאֹת֖וֹ אֹתֽוֹ׃

Faraó-Neco, rei do Egito. Seus dias de governo no Egito foram 610-595 a.C. Nesse período a Assíria deixou de ser uma potência mundial, e a Babilônia tornou-se a grande potência mundial no Oriente Médio. Ele foi filho de Psamlique I e o segundo Faraó da XXVIª dinastia. Nínive já havia caído (612 a.C.), e o império assírio cambaleava, pronto para morrer. O versículo não diz se o Faraó estava tentando ajudar a Assíria contra a nova potência, a Babilônia, ou se ele estava atacando o império assírio, tentando aplicar-lhe o golpe de misericórdia. Portanto, as traduções dizem "contra" (a *King James Version* e a nossa versão portuguesa). Ele pode ter ido à Assíria a fim de ajudar aquele império contra a Babilônia. Seja como for, os verdadeiros inimigos reais eram Cyaxares, o medo, e Nebopolassar, o babilônio. Essa força combinada tinha acabado com Nínive. O lugar de cabeça das nações tinha sido deixado vago, em 626 a.C., com a morte de Assurbanipal, e várias forças estavam precipitando-se para preencher o vácuo. Talvez o Faraó-Neco esperasse restabelecer o poder do Egito naquela área, ajudando ou a Assíria ou a Babilônia, e então tomando partido como um aliado.

Também não fica claro quais foram os motivos de Josias. Há três possibilidades: 1. Talvez ele estivesse tentando ajudar a causa dos assírios contra o novo poder que se levantava, a Babilônia. 2. Ou então ele estava ajudando a terminar com a Assíria e a erguer a Babilônia, considerando os recém-chegados como o mal menor e menor ameaça para Judá. 3. Ou, finalmente, ele estava lutando por si mesmo e por Judá, a fim de estender seu próprio poder e autoridade, conforme 2Cr 35.20-24 parece indicar. Seja como for, Josias estava cheio de confiança. Ele agira bem em sua própria terra. Suas reformas generalizadas tinham sido postas em ação, a despeito de grande oposição popular. Ele chegara a ir ao norte (Israel) e reformar as coisas ali, entre os poucos israelitas que tinham sido deixados na Terra Prometida (2Rs 23.19). Josias era jovem e forte, e sua cabeça estava repleta de visões de grandeza. Ele atacou as forças do Faraó, do Egito. Esse era um inimigo que precisava permanecer quieto. Ele se preocuparia com a Assíria e com a Babilônia mais tarde. Mas o Faraó-Neco surpreendeu todos, e rápida e facilmente despachou Josias para o país celestial.

John Gill (*in loc.*) expressou a opinião de que Josias se tornara aliado da Babilônia, supondo que essa potência seria um mal menor do que a Assíria. Nesse caso, Neco II provavelmente estava atacando a Babilônia. Josias calculou que ele estaria ajudando a Babilônia a derrotar um de seus inimigos, o Egito, o qual teria juntado forças com a Assíria, contra a Babilônia. Por outra parte, Ellicott (*in loc.*) supunha que Judá fosse um vassalo da Assíria, e Josias se tinha ressentido do Egito por ter-se aliado àquele poder que pusera em eclipse a posição de Judá. Além disso, ele deve ter pensado que o Egito estava traspassando o seu território, o que era absolutamente impróprio.

Em Megido. Nesse antigo campo de batalha, Josias perdeu a vida. Ver sobre esse lugar no *Dicionário*, quanto à história e quanto a detalhes. Ficava na planície de Jezreel (ver 1Rs 4.12). Neco não parece ter marchado com suas forças através do sul da Palestina, para chegar ali, mas sim ter atravessado o mar de Aco (Acre). Seja como for, as forças egípcias e judaicas se encontraram em Megido, que era uma fortaleza bem fortificada da antiga nação de Israel.

"Monte de Megido" é, no hebraico, *har-meghiddo*, o que deu no grego do Novo Testamento, *armagedon*, o símbolo do lugar onde a última luta contra os inimigos de Deus ocorrerá (ver Ap 16.16). Ver na *Enciclopédia de Bíblia, Teologia e Filosofia* o verbete chamado *Armagedom*.

A versão siríaca nos informa adicionalmente que Neco declarou a Josias que não viera lutar contra ele, portanto Josias deveria voltar para casa. Mas Josias não deu atenção à advertência do rei do Egito e terminou morto.

"Desvio", há uma estrada lamacenta adiante;
"Desvio", não deu atenção ao que o aviso dizia.
"Desvio", deveria ter lido o sinal de desvio.

De uma antiga canção americana

23.30

וַיַּרְכִּבֻ֨הוּ עֲבָדָ֥יו מֵת֙ מִמְּגִדּ֔וֹ וַיְבִאֻ֖הוּ יְרוּשָׁלִָ֑ם
וַֽיִּקְבְּרֻ֖הוּ בִּקְבֻֽרָת֑וֹ וַיִּקַּ֣ח עַם־הָאָ֗רֶץ אֶת־יְהוֹאָחָ֣ז בֶּן־
יֹאשִׁיָּ֙הוּ֙ וַיִּמְשְׁח֣וּ אֹת֔וֹ וַיַּמְלִ֥יכוּ אֹת֖וֹ תַּ֥חַת אָבִֽיו׃ פ

Lamentação e Louvores. Josias, que ainda não atingira os 40 anos de idade, estava morto, o que representou grande catástrofe para Judá. "A morte de Josias foi para Judá um desastre de primeira magnitude.

Foi seguida por grandes lamentações (ver 2Cr 35.25); e a memória do rei foi grandemente entesourada por séculos (Eclesiástico 49.1-3). Sua morte assinalou o fim de qualquer esperança judaíta de independência, e interrompeu abruptamente o reavivamento do culto purificado" (Norman H. Snaith, *in loc.*).

Onde o sepultaram no seu jazigo. Josias não foi sepultado nos sepulcros dos reis, mas em seu próprio cemitério particular. Ver 2Cr 35.24. Ver 2Rs 21.18 e 26 quanto ao fato de que os últimos poucos reis de Judá foram sepultados em seus próprios sepulcros privados. Ver no *Dicionário* os artigos chamados *Sepulcro dos Reis* e *Sepulcro de Davi*, em contraste com os sepultamentos privados.

Jeoacaz. Ver no *Dicionário* sobre ele. O versículo 36 mostra que Jeoacaz não era o filho mais velho de Josias. Ele deve ter sido escolhido como o filho mais qualificado para ocupar o lugar de rei. Jr 22.10 e ss. mostra-nos que ele não mereceu a confiança nele depositada. Seu reinado foi descrito nos versículos 31-34. O filho mais velho era Eliaquim, que foi o sucessor de seu irmão mais novo. Ele também se chamava Jeoaquim.

JEOACAZ, REI DE JUDÁ (23.31-35)

O grande rei Josias foi seguido por seu filho e sucessor, Jeoacaz. A grandeza foi sepultada no jazigo, e a mediocridade, misturada com a maldade, subiu ao trono de Judá. Judá, ao voltar a cair na apostasia, mostrou claramente que as reformas de Josias não tinham mudado o coração dos rebeldes. "Quanto ao progresso espiritual da reforma, à parte da destruição dos cultos e santuários do paganismo, ficamos inteiramente no escuro" (James Montgomery *in loc.*). É verdade, mas a vereda fácil e maligna que foi seguida pelo filho de Josias indica que a espiritualidade não tinha penetrado fundo nas reformas, a despeito do yahwismo forçado instituído por Josias. É significativo que a avaliação de Jeoacaz, por parte do autor sagrado, seja essencialmente apenas uma condenação (versículos 31 e 32). Jeoacaz terminou seus dias como prisioneiro no Egito. A estrada de Judá por certo estava afundando.

■ 23.31

בֶּן־עֶשְׂרִים וְשָׁלֹשׁ שָׁנָה יְהוֹאָחָז בְּמָלְכוֹ
וּשְׁלֹשָׁה חֳדָשִׁים מָלַךְ בִּירוּשָׁלִָם וְשֵׁם אִמּוֹ
חֲמוּטַל בַּת־יִרְמְיָהוּ מִלִּבְנָה׃

Tinha Jeoacaz vinte e três anos... e reinou três meses. Jeoacaz reinou apenas por três miseráveis meses, mas nesse breve tempo fez todo o mal que pôde. O ano no qual reinou foi 609 a.C., somente a doze anos de distância do cativeiro babilônico. A retidão pessoal e as reformas de Josias não fizeram estacar a corrente de eventos posta em movimento por Manassés (ver 2Rs 23.26). A despeito do esplêndido exemplo deixado por seu pai, Jeoacaz preferiu seguir os caminhos destruidores de Manassés, seu bisavô. Ver na *Enciclopédia de Bíblia, Teologia e Filosofia* o verbete chamado *Exemplo*.

Hamutal... de Libna. Quanto ao que se sabe sobre essa mulher e sobre esse lugar, ver os artigos com esses nomes no *Dicionário*.

Jeoacaz é chamado de Salum, em Jr 22.11 e 2Cr3.15, o qual pode ter sido seu nome antes da subida ao trono. Ou talvez Jeremias lhe tenha dado esse nome, como se ele fosse um "segundo Salum", em alusão a seu breve reinado. Ver 2Rs 15.13.

■ 23.32,33

וַיַּעַשׂ הָרַע בְּעֵינֵי יְהוָה כְּכֹל אֲשֶׁר־עָשׂוּ אֲבֹתָיו׃
וַיַּאַסְרֵהוּ פַרְעֹה נְכֹה בְרִבְלָה בְּאֶרֶץ חֲמָת בִּמְלֹךְ
בִּירוּשָׁלִָם וַיִּתֶּן־עֹנֶשׁ עַל־הָאָרֶץ מֵאָה כִכַּר־כֶּסֶף
וְכִכַּר זָהָב׃

Yahweh Sorriu para Josias, Mas Fez uma Carranca para Seu Filho, Jeoacaz. Por conseguinte, ele não foi protegido de Neco II, Faraó do Egito. Antes, Jeoacaz foi deposto, Judá foi forçado a pagar tributo, e seu irmão mais velho, Jeoaquim (também chamado Eliaquim), tomou seu lugar no trono. Assim sendo, vemos o absurdo em que Judá, tão próximo de ser totalmente destruído pela Babilônia, e de sua população ser deportada para ali, imediatamente antes disso, ficou sujeito ao Egito. A estrela de Judá caiu de maneira estranha e inexplicável, por causa da ira de Yahweh (vs. 26).

Fez ele o que era mau perante o Senhor. Ou seja, Jeoacaz promoveu a idolatria, revertendo qualquer vestígio das reformas de Josias. Ele seguiu o abominável exemplo de Manassés, seu bisavô, e estava destinado a sofrer o julgamento que foi pronunciado contra Judá, por causa de Manassés (ver 2Rs 23.36).

"Presumivelmente, Jeoacaz deu apoio à política nacionalista de seu pai (ver os vss. 31 e 36). Quase imediatamente, Neco o convocou ao quartel-general egípcio, em Ribla, às margens do rio Orontes, e o depôs em favor de seu irmão mais velho, Eliaquim, cujo nome ele mudou para Jeoaquim" (Norman H. Snaith, *in loc.*). O fato de que o Faraó-Neco II teve o poder de fazer todas essas coisas mostra-nos que, quando Josias foi morto, o Egito ganhou ascendência sobre Judá, tornando-o uma nação praticamente vassala do Egito. Ver no *Dicionário* sobre Ribla. A antiga síndrome do pecado-calamidade-julgamento foi novamente posta em movimento por Jeoacaz, que preferiu praticar o mal, isto é, voltou-se para cultos idólatras, anulando assim as reformas de Josias.

Tributo. Na qualidade de estado vassalo, Judá tinha de pagar um pesado tributo: cem talentos de prata (3.750 kg.), e um talento de ouro (cerca de 34 kg.). Ver no *Dicionário* sobre *Pesos e Medidas*, seção VII, quanto aos valores do talento. Podemos ter certeza de que essa quantia seria cobrada todo ano. A *Septuaginta* dá cem talentos de ouro, e as versões siríaca e árabe falam em dez talentos de ouro, o que vários eruditos pensam ser o texto correto do original. Cobrar um único talento de ouro teria sido muito pouco para um Faraó do Egito. Cf. 2Rs 15.19, um tributo de mil talentos de ouro.

"Quanto à importância de Ribla, capital da Coele-Síria, na época, cf. 2Rs 25.6 ss. e 20 ss." (James Montgomery, *in loc.*).

■ 23.34

וַיַּמְלֵךְ פַּרְעֹה נְכֹה אֶת־אֶלְיָקִים בֶּן־יֹאשִׁיָּהוּ תַּחַת
יֹאשִׁיָּהוּ אָבִיו וַיַּסֵּב אֶת־שְׁמוֹ יְהוֹיָקִים וְאֶת־יְהוֹאָחָז
לָקָח וַיָּבֹא מִצְרַיִם וַיָּמָת שָׁם׃

Porém levou consigo para o Egito a Jeoacaz, que ali morreu. Jeoacaz foi levado prisioneiro para o Egito e morreu no exílio. Seu irmão mais velho, Eliaquim, foi posto no trono, em Jerusalém, pelo Faraó-Neco II. O nome de Eliaquim foi mudado para Jeoaquim, por razões não explicadas no texto. O ato demonstrava, acima de qualquer dúvida, que o novo rei estava sujeito ao Faraó, o qual tinha poder até de mudar nomes a seu bel-prazer. Talvez esse tenha sido o motivo da mudança de nome. Outros atos de mudança de nome, por parte de monarcas pagãos, podem ser vistos em Dn 1.6,7. Ver também Gn 41.45. A mudança de nome, no caso presente, foi algo bastante superficial, e não tinha nenhuma significação em si mesma. Jeoacaz significa "El estabelece", e Jeoaquim significa "Yah estabelece", sendo referências aos nomes divinos El e Yahweh (nomes comuns da deidade em Israel). Alguns eruditos pensam que o segundo nome sugere algum nome similar, pois Aah é o nome do deus-lua do Egito. Se essa foi a motivação para a mudança do nome, então temos um nome hebraico sagrado para Deus trocado por um nome sagrado para os egípcios. Mas essa teoria é apenas uma sugestão.

■ 23.35

וְהַכֶּסֶף וְהַזָּהָב נָתַן יְהוֹיָקִים לְפַרְעֹה אַךְ הֶעֱרִיךְ
אֶת־הָאָרֶץ לָתֵת אֶת־הַכֶּסֶף עַל־פִּי פַרְעֹה אִישׁ
כְּעֶרְכּוֹ נָגַשׂ אֶת־הַכֶּסֶף וְאֶת־הַזָּהָב אֶת־עַם הָאָרֶץ
לָתֵת לְפַרְעֹה נְכֹה׃ ס

Tributos Aumentados. Jeoaquim foi forçado a continuar dando o tributo que era cobrado de seu irmão, Jeoacaz (vs. 33). Para fazer esse pagamento, ele precisou elevar os impostos e aumentar as misérias de toda a população de Judá. O novo rei não pagou o tributo de seu próprio bolso. Talvez ele nada tivesse. Além disso, ele não tirou o dinheiro dos tesouros do templo. Talvez nenhum tesouro restasse ali. Ele precisou vascular os bolsos do povo comum, enquanto Neco II o ameaçava com guerra e violência se ele assim não fizesse.

De cada um segundo a sua avaliação. Em outras palavras, a taxação foi proporcional, dependendo dos recursos de cada cidadão. Algum tipo de porcentagem foi cobrado dos valores das terras, dos lucros nos negócios e dos produtos agrícolas. Algumas vezes, somente os ricos pagavam impostos, como no tempo de Menaém, mas no texto presente a população inteira foi envolvida.

JEOAQUIM, REI DE JUDÁ (23.36—24.7)

Ver os vss. 34 e 35 quanto a alguns detalhes sobre o governo de Jeoaquim que o autor sacro já havia fornecido. Esse homem subiu ao trono de Judá porque Neco II, Faraó do Egito, depôs seu irmão mais jovem, Jeoacaz, e o substituiu por Jeoaquim. Judá, como é óbvio, tornou-se uma nação vassala do Egito, tão perto do tempo de ser destruída pela Babilônia, através do cativeiro babilônico.

Durante o tempo em que estava reinando, Jeoaquim teve a boa sorte de ver o inimigo egípcio eliminado, quando os babilônios aniquilaram Neco e seu exército na batalha de Carquêmis. Esse acontecimento livrou Jeoaquim de ser um rei vassalo do Egito. Mas quase imediatamente, o rei de Judá teve a má sorte de cair sob o domínio da Babilônia, a nova potência mundial. Jeoaquim morreu antes que chegassem as agonias finais da nação de Judá, e deixou uma situação desesperadora para seu filho, Joaquim.

■ 23.36,37

בֶּן־עֶשְׂרִים וְחָמֵשׁ שָׁנָה יְהוֹיָקִים בְּמָלְכוֹ וְאַחַת
עֶשְׂרֵה שָׁנָה מָלַךְ בִּירוּשָׁלִָם וְשֵׁם אִמּוֹ זְבִידָה
בַת־פְּדָיָה מִן־רוּמָה׃

וַיַּעַשׂ הָרַע בְּעֵינֵי יְהוָה כְּכֹל אֲשֶׁר־עָשׂוּ
אֲבֹתָיו׃

Jeoaquim, com 25 anos de idade, foi posto no trono por Neco II, Faraó do Egito, em substituição a seu irmão mais novo, Jeoacaz, que foi deposto. Seu reinado, entre 609 e 598 a.C., ocorreu um único ano antes do cativeiro babilônico. Ele foi um rei vassalo, totalmente submisso a Neco II, do Egito. Sua mãe se chamava Zebida, filha de Pedaías; e ela era da cidade de Ruma (ver a respeito no *Dicionário*). Esse lugar ficava perto de Siquém (ver Jz 9.41). O pouco que se sabe sobre essas pessoas aparece em artigos que figuram no *Dicionário*.

Fez ele o que era mau perante o Senhor. A maldade do rei Jeoaquim foi que ele se envolveu na idolatria, revertendo assim as reformas de Josias. Ele seguiu o mau exemplo de seus antepassados mais distantes, sobretudo Manassés. A síndrome do pecado-calamidade-julgamento continuou a toda velocidade. Os eventos postos em movimento por Manassés, o bisavô do rei, não puderam mais ser interrompidos. O justo Josias não exerceu nenhum efeito sobre esses eventos. Ver 2Rs 23.26 quanto à maré maligna que Manassés pôs em movimento, que tornou inevitável a Judá o cativeiro babilônico. Jeoaquim livrou-se de tornar-se vassalo do Egito devido à vitória dos babilônios, por ocasião da batalha de Carquêmis (ver a introdução à presente seção). Mas não demorou a cair sob o domínio da Babilônia, a nova potência mundial. Entrementes, promoveu o paganismo, com toda a sua grande variedade de idolatria, conforme tinham feito antes dele muitos de seus antepassados.

Cf. o vs. 37 com o vs. 32, que mostra que esses dois versículos são virtualmente iguais, exceto pelo fato de que Jeoaquim está em mira, em lugar de Jeoacaz.

CAPÍTULO VINTE E QUATRO

EVENTOS QUE LEVARAM AO *CATIVEIRO BABILÔNICO* (24.1-7)

O autor-editor de 1 e 2Reis agora toma por empréstimo seus últimos subsídios dos anais reais de Judá, um dos livros que ele usou como fonte informativa, ou seja, as *Crônicas dos Reis de Israel e Judá*. Ver as notas expositivas sobre 1Rs 14.19. Ver o quinto versículo do presente capítulo quanto à última menção do autor sagrado daquela fonte informativa para 1 e 2Reis. Naquela composição ele mencionou esses livros por 32 vezes: 1Rs 14.19,29; 15.7,23,31; 16.5,14,20,27; 22.39,46; 2Rs 1.18; 8.23; 10.34; 12.19; 13.8,12; 14.15,18,28; 15.6,11,15,21,26,31,36; 20.20; 21.17,25; 23.28 e 24.5.

Vs. 7. Evidentemente, temos aqui um minúsculo fragmento da história da derrota do Faraó-Neco II, às mãos dos babilônios, principalmente em Carquêmis (localizado no rio Eufrates, ao norte de Arã), onde o exército egípcio foi aniquilado. Isso ocorreu em 605 a.C. Os resultados dessa batalha livraram Judá de ser um vassalo do Egito. As aventuras do Egito estavam findas, até o tempo dos Ptolomeus, no período intermediário entre o Antigo e o Novo Testamento. A estrela da Babilônia agora estava em franca ascendência no firmamento, e a Palestina caiu sob o seu poder. Os versículos primeiro a quarto deste capítulo fornecem algumas indicações preliminares quanto ao cativeiro babilônico; dizem que foi Yahweh quem ordenou a queda de Jerusalém e, finalmente, fazem breve menção à agonia de Jerusalém, quando ela foi sufocada (vs. 4). Jeoaquim sofreu alguns choques preliminares do avanço dos babilônios, mas os reis que o seguiram, Joaquim e Zedequias, sofreram o pior tratamento possível.

"Eventos portentosos seguem-se agora em rápida sucessão. Em 612 a.C., Nínive caiu com um baque que assustou o mundo (Na 2 e 3). Então ergueu-se a Babilônia com grande poder, sob seu brilhante novo rei, Nabucodonosor, que derrotou os egípcios em Carquêmis (ver Jr 46.1-12). No quarto e no quinto ano do reinado de Jeoaquim, a Babilônia invadiu a Palestina, e, sem nenhuma luta, Judá cedeu e tornou-se vassalo da nova potência mundial. Jerusalém foi poupada. Mas este foi um breve período de descanso. Após alguns anos, a despeito dos avisos de Jeremias (25.9; 36.30,31), Jeoaquim rebelou-se. Judá foi invadido e assolado e, em um dos entreveros, Jeoaquim foi morto" (Raymond Calking, *in loc.*). Ver o artigo detalhado no *Dicionário*, chamado *Carquêmis*.

■ 24.1

בְּיָמָיו עָלָה נְבֻכַדְנֶאצַּר מֶלֶךְ בָּבֶל וַיְהִי־לוֹ יְהוֹיָקִים
עֶבֶד שָׁלֹשׁ שָׁנִים וַיָּשָׁב וַיִּמְרָד־בּוֹ׃

Nabucodonosor, rei de Babilônia. Quanto a detalhes completos sobre esse monarca babilônico, ver o artigo do *Dicionário*. Ver a introdução ao presente capítulo quanto ao pano de fundo. O pai de Nabucodonosor foi Nabopolassar, a quem ele sucedeu. Nabucodonosor subiu ao trono da Babilônia em 605 a.C. Naquele mesmo ano ele derrotou o exército egípcio em Carquêmis, e essa batalha deu aos babilônios uma liderança mundial quase indisputada. A Palestina em breve seria outra vítima de suas habilidosas campanhas militares. De fato, ainda em 605 a.C. vieram as primeiras invasões. Alguns prisioneiros judeus foram deportados, incluindo Daniel (ver Dn 1.1-3). Jeoaquim não ofereceu resistência e permitiu que Judá se tornasse vassalo da Babilônia, sem luta. Esse ato, por algum tempo, preservou Jerusalém da destruição. Mas a futura rebelião desse rei de Judá garantiu o cumprimento de todas as profecias de condenação contra o lugar. O cativeiro babilônico logo ocorreria. Jeoaquim tornou-se prisioneiro na Babilônia, mas evidentemente foi mais tarde solto e enviado de volta para sua pátria (ver 2Cr 36.6). E Jeoaquim morreu em Jerusalém, de acordo com Jr 22.19.

Cronologia. Os acontecimentos descritos neste primeiro versículo do capítulo 24 de 2Reis ocorreram no quarto ano do reinado de Jeoaquim, e no primeiro ano do reinado de Nabucodonosor (ver Jr 25.1; 46.2). O rei de Judá novamente apelou para a ajuda dos egípcios, mas disso nada resultou.

■ 24.2

וַיְשַׁלַּח יְהוָה בּוֹ אֶת־גְּדוּדֵי כַשְׂדִּים וְאֶת־גְּדוּדֵי אֲרָם
וְאֵת גְּדוּדֵי מוֹאָב וְאֵת גְּדוּדֵי בְנֵי־עַמּוֹן וַיְשַׁלְּחֵם
בִּיהוּדָה לְהַאֲבִידוֹ כִּדְבַר יְהוָה אֲשֶׁר דִּבֶּר בְּיַד
עֲבָדָיו הַנְּבִיאִים׃

Enviou o Senhor contra Jeoaquim bandos. O autor sacro oferece-nos neste versículo um breve quadro de eventos terríveis. Judá foi atacado por bandos de vários povos, da Babilônia, Arã, Moabe e Amom, que tiraram vantagem do estado debilitado de Judá. O autor sagrado via a ira de Yahweh nesses eventos preliminares que conduziram, finalmente, ao cativeiro. Os profetas que haviam feito temíveis predições contra Judá tinham sido Isaías, Miqueias, Jeremias, Habacuque e, naturalmente, Hulda (ver 2Rs 22.16). Ver também os capítulos 14 a 16 de Jeremias. Esse mesmo profeta fala-nos sobre os maus vizinhos de Judá (ver Jr 12.8-17) que participaram da sua queda final.

■ 24.3

אַ֣ךְ ׀ עַל־פִּ֣י יְהוָ֗ה הָֽיְתָה֙ בִּֽיהוּדָ֔ה לְהָסִ֖יר מֵעַ֣ל פָּנָ֑יו
בְּחַטֹּ֣את מְנַשֶּׁ֔ה כְּכֹ֖ל אֲשֶׁ֥ר עָשָֽׂה׃

Isto sucedeu a Judá, por mandado do Senhor. A ira de Yahweh estava removendo Judá de sua presença. Cf. 2Rs 17.18,20,23 e 23.27. O mandado do Senhor foram as ordens de marcha para os inimigos de Judá atacarem. A antiga síndrome do pecado-calamidade-julgamento significava que Judá seria destruído por seus inimigos estrangeiros. Judá, devido à sua idolatria, tinha abandonado Yahweh; e assim Yahweh abandonara Judá. Ver no *Dicionário* o verbete chamado *Lei Moral da Colheita segundo a Semeadura*. Aquele abominável rei Manassés tinha ensinado Judá a pecar, tal como Jeroboão I tinha feito com Israel. Foi Manassés quem despertou a maré do mal que inundou, de forma permanente, Judá. Naturalmente, houve outros reis quase tão ruins quanto ele. E as reformas encabeçadas por Josias não conseguiram fazer parar a maré do mal. Ver sobre os pecados de Manassés em 2Rs 21.1-16. Ver também Jr 15.4.

Mandado. O hebraico original diz aqui, literalmente, boca. Visto que uma ordem sai pela boca, foi pela boca de Yahweh que saiu a ordem para os inimigos de Judá atacarem essa nação. As versões da *Septuaginta* e siríaca têm a palavra "ira" em lugar de "boca", tal como se vê no versículo 20 do presente capítulo. Mas isso é uma interpretação. A boca ordenou que a ira se derramasse. Ver no *Dicionário* o verbete chamado *Ira de Deus*.

■ 24.4

וְגַ֤ם דַּֽם־הַנָּקִי֙ אֲשֶׁ֣ר שָׁפָ֔ךְ וַיְמַלֵּ֥א אֶת־יְרוּשָׁלַ֖͏ִם דָּ֣ם נָקִ֑י
וְלֹֽא־אָבָ֥ה יְהוָ֖ה לִסְלֹֽחַ׃

Por isso o Senhor não quis perdoar. O autor sagrado reflete neste versículo sobre os pecados de Manassés, falando do sangue inocente que ele derramou e apontando para os profetas de Yahweh e outros, que não se deixaram envolver em seus esquemas e em seu culto idólatra. Ele também participou dos sacrifícios humanos, tendo sacrificado no fogo até mesmo um de seus filhinhos. Ver 2Rs 21.16 quanto a notas completas sobre essas questões. Ver 2Rs 23.26, que nos informa que nem os atos bons de Josias puderam deter o cumprimento das profecias de condenação, em que a principal culpa também recai sobre Manassés. Foi ele quem deu o golpe fatal contra Judá. Outros foram apenas marionetes. A perseguição contra os profetas e os servos de Yahweh continuou após Manassés, e adicionou combustível às chamas. Ver Jr 26.21-24.

Não Quis Perdoar. "Os pecados de Manassés foram considerados o clímax no longo curso de provações de Judá. Agora, o seu cálice estava cheio. O julgamento tinha de sobrevir. Fora apenas suspenso por algum tempo, e não revogado, durante o reinado do bom rei Josias. O sangue inocente, derramado por Manassés, clamava ao céu pedindo vingança, e a ruína do reino foi a resposta do Juiz Todo-justo" (Ellicott, *in loc.*).

Morrendo pelos Próprios Pecados, e também pelos pecados alheios. Os filhos só morrem por seus próprios pecados; mas os pecados dos pais também trazem destruição sobre eles. Esses dois princípios fazem parte dos ensinamentos do Antigo Testamento. Ver quanto à morte pelos próprios pecados (Dt 24.6; Ez 18.20), e ver quanto aos filhos morrerem pelos pecados de seus pais (Êx 20.5).

Castigos Temporais e Eternos. Manassés arrependeu-se e foi perdoado pelo Senhor. Sua alma estava segura, mas os resultados de suas corrupções tiveram de percorrer todo o seu curso. Ver 2Cr 33.13,18,19.

■ 24.5

וְיֶ֛תֶר דִּבְרֵ֥י יְהוֹיָקִ֖ים וְכָל־אֲשֶׁ֣ר עָשָׂ֑ה הֲלֹא־הֵ֣ם
כְּתוּבִ֗ים עַל־סֵ֛פֶר דִּבְרֵ֥י הַיָּמִ֖ים לְמַלְכֵ֥י יְהוּדָֽה׃

Quanto aos demais atos de Jeoaquim. O autor sacro coloca aqui sua costumeira nota de obituário dos reis de Israel e de Judá. Quanto a isso, ver as notas em 1Rs 1.21 e 16.5,6. Pela última vez, ele mencionou uma de suas obras de consulta, o *Livro da História dos Reis de Judá*. Ele se valeu dessa fonte informativa por 32 vezes, em sua compilação de 1 e 2Reis. Ver 1Rs 14.19 quanto a detalhes, e a introdução ao presente capítulo, em seu primeiro parágrafo, quanto a uma lista de referências onde essa fonte informativa é mencionada. Presumivelmente, Jeoaquim foi sepultado em sua sepultura privada, e não nos sepulcros dos reis. Cf. 2Rs 21.18,26; 23.30.

A MORTE DE JUDÁ

Os Últimos Cinco Reis de Judá
Antes do *Cativeiro Babilônico*

Os Reis	Datas	Referências Bíblicas e Circunstâncias
1. Josias	604-609	2Reis 21,22,23; 2Crônicas 33,34,35. Reinou 31 anos e foi um rei reformador. Tinha quatro filhos; três deles tornaram-se reis de Judá.
2. Jeoacaz (Salum)	609	2Reis 23; 2Crônicas 36. Reinou somente três meses e foi levado prisioneiro por Neco, Faraó do Egito.
3. Jeoaquim (Eliaquim)	609-598	2Reis; 2Crônicas 36. Reinou onze anos. Morreu em Jerusalém.
4. Joaquim (Jeconia, Conias)	597	2Reis 24; 2Crônicas 36. Reinou somente três meses. Foi levado cativo para a Babilônia.
5. Zedequias	597-586	2Reis 24; 2Crônicas 36; Jeremias 52. Reinou onze anos. Foi levado prisioneiro para a Babilônia por Nabucodonosor.

A retidão morreu com Josias, cujas reformas duraram pouco. A lei da colheita segundo a semeadura trouxe tempos desastrosos para Judá, e sua morte como nação.

O CATIVEIRO BABILÔNICO

O cativeiro assírio do reino do norte (Israel) marcou o fim da nação em 722 a.C. Não houve a volta de nenhum remanescente. O reino do sul (Judá) durou até 597 a.C., quando sua história quase acabou em matanças e uma série de cativeiros na Babilônia. Um pequeno fragmento permaneceu na Babilônia por setenta anos. Depois um pequeno número de cativos voltou a Jerusalém. Judá tornou-se o novo Israel. A velha glória nunca foi recuperada. Ver no *Dicionário* o artigo *Cativeiro Babilônico*.

■ 24.6

וַיִּשְׁכַּ֥ב יְהוֹיָקִ֖ים עִם־אֲבֹתָ֑יו וַיִּמְלֹ֛ךְ יְהוֹיָכִ֥ין בְּנ֖וֹ
תַּחְתָּֽיו׃

Descansou Jeoaquim com seus pais. Quanto a essas palavras, que são um eufemismo para a morte, ver as notas expositivas sobre 1Rs 1.21.

O próximo rei foi Joaquim, filho de Jeoaquim. Ele foi o penúltimo dos reis de Judá. O cativeiro babilônico tinha começado em seus primeiros entreveros. Mas o cerco principal agora estava próximo.

Ver Jr 22.18,19 quanto a notícias sobre a desgraçada morte de Jeoaquim. Ao que parece, ele morreu em um encontro com bandos de atacantes (vs. 2). Foi deixado apodrecer fora da cidade de Jerusalém. Nada nos é dito quanto a um sepultamento decente, na cidade de Jerusalém. Presumivelmente, ele terminou sendo sepultado, mas não recebeu honrarias, como rei de Judá. John Gill (*in loc.*) compreendeu que Jeoaquim nem foi sepultado, e, naquele tempo, vasos do templo foram levados para a Babilônia. Ver 2Cr 36.6,7 e Jr 27.16.

■ 24.7

וְלֹא־הֹסִיף עוֹד מֶלֶךְ מִצְרַיִם לָצֵאת מֵאַרְצוֹ כִּי־לָקַח מֶלֶךְ בָּבֶל מִנַּחַל מִצְרַיִם עַד־נְהַר־פְּרָת כֹּל אֲשֶׁר הָיְתָה לְמֶלֶךְ מִצְרָיִם׃ פ

O rei do Egito nunca mais saiu da sua terra. A vitória dos babilônios sobre o Egito imobilizou-o, pelo que não houve mais ameaça deles contra Judá, senão já no tempo de Zedequias. Ver as notas expositivas na introdução ao presente capítulo, em seu último parágrafo, e em 2Rs 24.1. O Egito foi transformado em uma polpa por sua derrota em Carquêmis. Ver Jr 37.7 quanto a um infeliz ato de levantar a cabeça, por parte do Egito, mas que logo se transformou em nada.

JOAQUIM, REI DE JUDÁ (24.8-17)

Joaquim, o penúltimo dos reis de Judá, filho de Jeoaquim, reinou apenas três meses e só apressou a destruição de Judá, por suas maldades. Judá tinha atingido um ponto de onde não podia mais retornar. O cativeiro babilônico (que já havia começado de forma preliminar) não feriria com plena força. O cativeiro assírio da nação do norte, Israel, veio em etapas, o que também é verdadeiro no caso dos babilônios. Meu artigo detalhado intitulado *Cativeiro Babilônico*, dado no *Dicionário*, fornece plenas informações sobre aquele acontecimento.

Joaquim herdou uma situação impossível. Ele não tinha recursos para resistir ao exército babilônico que o cercava. Simplesmente se rendeu e entrou no exílio com toda a sua corte. Diante disso, Nabucodonosor saqueou o templo de Jerusalém e levou para a Babilônia todo o equipamento militar, todos os tesouros, os artífices, os ferreiros e outros que poderiam causar uma revolta. E deixou na Palestina somente as classes mais desfavorecidas. O ano era 597 a.C. Zedequias, o último rei de Judá, conseguiria armar uma revolta contra a Babilônia (e contra todo bom senso e bom conselho), e Jerusalém seria novamente assolada, em 587 a.C. Isso completaria a tragédia.

■ 24.8

בֶּן־שְׁמֹנֶה עֶשְׂרֵה שָׁנָה יְהוֹיָכִין בְּמָלְכוֹ וּשְׁלֹשָׁה חֳדָשִׁים מָלַךְ בִּירוּשָׁלָ͏ִם וְשֵׁם אִמּוֹ נְחֻשְׁתָּא בַת־אֶלְנָתָן מִירוּשָׁלָ͏ִם׃

Tinha Joaquim dezoito anos de idade quando começou a reinar. Governou apenas por três meses, de 9 de dezembro de 598 a.C. a 16 de março de 597 a.C. Foi então levado prisioneiro para a Babilônia, por Nabucodonosor, porém mais tarde foi solto. Ver 2Rs 25.27-30. Quanto a detalhes, ver o artigo sobre ele no *Dicionário*. Ele tinha 18 anos quando começou a reinar, mas em algumas versões de 2Cr 36.9 lemos que ele tinha 8 anos de idade quando isso aconteceu. Alguns eruditos consideram esse um simples engano por parte do autor original, embora outros lancem a culpa sobre algum escriba subsequente. Há alguns eruditos que pensam que uma "declaração" feita por seu pai, quando o filho tinha 8 anos de idade, no sentido de que ele seria o próximo rei, seja o que está destacado pelo autor de 2Crônicas; mas essa é uma conjectura infrutífera. E há outras explicações infrutíferas, que buscam harmonia a qualquer preço.

Neusta... filha de Elnatã, de Jerusalém. Ver sobre esses nomes próprios no *Dicionário*.

■ 24.9

וַיַּעַשׂ הָרַע בְּעֵינֵי יְהוָה כְּכֹל אֲשֶׁר־עָשָׂה אָבִיו׃

Fez ele o que era mau perante o Senhor. Em outras palavras, Joaquim continuou com todas as práticas idólatras corruptas de seus antecessores, seguindo o exemplo ridículo de Manassés, em lugar de seguir o bom exemplo de Josias, o reformador. Cf. 2Rs 23.37, que é uma duplicação quase exata do presente versículo, e cujas notas expositivas aplicam-se também aqui. Ver também 2Rs 23.32, outra declaração quase idêntica. Em lugar de tentar virar a maré do mal, da qual resultaria o cativeiro babilônico, Joaquim encorajou a ira de Yahweh ainda mais. Ver no versículo 2 do presente capítulo como Yahweh deu ordens para os vizinhos de Judá atacarem, o que eles fizeram sem demora. Contrastar este versículo com Ezequias 17.22-24, onde Joaquim parece ser considerado favoravelmente. Não há como explicar essa diferença de avaliação. Para complicar mais ainda a questão, Josefo chamou esse homem de "naturalmente bom e justo", mas isso pode ser uma compreensão equivocada sobre Jr 22.24,28.

■ 24.10,11

בָּעֵת הַהִיא עָלָה עַבְדֵי נְבֻכַדְנֶאצַּר מֶלֶךְ־בָּבֶל יְרוּשָׁלָ͏ִם וַתָּבֹא הָעִיר בַּמָּצוֹר׃

וַיָּבֹא נְבוּכַדְנֶאצַּר מֶלֶךְ־בָּבֶל עַל־הָעִיר וַעֲבָדָיו צָרִים עָלֶיהָ׃

Naquele tempo subiram os servos de Nabucodonosor... e a cidade foi cercada. O tempo foi o ano de 597 a.C. Temos aqui o primeiro cerco sério de Jerusalém pelas forças de Nabucodonosor, rei da Babilônia. O cativeiro babilônico ocorreu em ondas, e não em um único golpe. Houve, nessa oportunidade, um cativeiro parcial, da elite da nação, deixando o povo essencialmente desamparado. No entanto, Zedequias provocaria um estágio final no cativeiro babilônico, em 587 a.C., com uma devastação total da cidade. Por essa ocasião, houve resistência. Parece que o rei da Babilônia foi pessoalmente (vs. 11) conduzir o cerco. Isso ocorreu durante a primavera daquele ano (ver 2Cr 36.10). O trecho de Jr 13.19 talvez infira que o exército babilônico tinha cortado todo acesso a Jerusalém, pelo sul, não permitindo que chegasse do Egito nenhum socorro. Além disso, mediante esse ato, o exército babilônico isolou Jerusalém da parte sul de Judá. Nenhuma ajuda poderia vir de lugar algum. A situação era verdadeiramente desesperadora, sem nenhum socorro possível.

■ 24.12

וַיֵּצֵא יְהוֹיָכִין מֶלֶךְ־יְהוּדָה עַל־מֶלֶךְ בָּבֶל הוּא וְאִמּוֹ וַעֲבָדָיו וְשָׂרָיו וְסָרִיסָיו וַיִּקַּח אֹתוֹ מֶלֶךְ בָּבֶל בִּשְׁנַת שְׁמֹנֶה לְמָלְכוֹ׃

E o rei da Babilônia, no oitavo ano do seu reinado, o levou cativo. *O Cativeiro da Elite de Judá.* Joaquim desistiu de defender-se e, com uma situação insustentável, rendeu-se. Diante disso, ele, sua família e os príncipes de Judá, seus principais chefes militares, isto é, a elite da nação, e qualquer um que tivesse alguma força para revoltar-se, foram levados para o cativeiro. Mas Zedequias revoltou-se no último suspiro de Judá, antes de sua morte, e outra devastação ocorreria em 587 a.C. Cf. Jr 25.1 e 46.2. A partir desse tempo, o primeiro ano dos setenta anos de cativeiro deve ser contado. Um remanescente retornaria, e Israel (através de uma única tribo, Judá) continuaria a existir. A data foi 16 de março de 597 a.C. Um dia verdadeiramente negro.

■ 24.13

וַיּוֹצֵא מִשָּׁם אֶת־כָּל־אוֹצְרוֹת בֵּית יְהוָה וְאוֹצְרוֹת בֵּית הַמֶּלֶךְ וַיְקַצֵּץ אֶת־כָּל־כְּלֵי הַזָּהָב אֲשֶׁר עָשָׂה שְׁלֹמֹה מֶלֶךְ־יִשְׂרָאֵל בְּהֵיכַל יְהוָה כַּאֲשֶׁר דִּבֶּר יְהוָה׃

Levou dali todos os tesouros da casa do Senhor. *Saque.* Além de deportar a elite da nação, o rei da Babilônia e seu exército abominável saquearam a cidade de Jerusalém, começando pelos tesouros do templo e do palácio real. Os objetos feitos de ouro foram cortados em pedaços. Não tinham mais nenhuma significação espiritual. Para os babilônios eram apenas dinheiro. As grandes contribuições e a glória de Salomão foram reduzidas a nada. A palavra de Deus teve cumprimento (ver 1Rs 9.6-9). Algo foi deixado (ver Jr 27.18-22), mas não muita coisa. Alguns vasos, intactos, foram deixados em um templo pagão da Babilônia (ver Dn 1.2). Outros desses vasos foram restituídos, muitos anos mais tarde, a Esdras, por Ciro (ver Ed 1.2,7). Todo o bronze e prata também foram confiscados, mas a maior parte foi reduzida a dinheiro (metais preciosos dissolvidos).

■ 24.14

וְהִגְלָה אֶת־כָּל־יְרוּשָׁלִַם וְאֶת־כָּל־הַשָּׂרִים וְאֵת
כָּל־גִּבּוֹרֵי הַחַיִל עֲשָׂרָה אֲלָפִים גּוֹלֶה וְכָל־הֶחָרָשׁ
וְהַמַּסְגֵּר לֹא נִשְׁאַר זוּלַת דַּלַּת עַם־הָאָרֶץ׃

Ao todo dez mil; ninguém ficou senão o povo pobre da terra. Aleijando a nação de Judá. Aqueles que tinham autoridade, poder e dinheiro foram levados para o cativeiro. Somente os pobres e fracos permaneceram na Palestina. Essa era uma forma de eliminar a identidade de um povo, e terminar com eles como uma ameaça para todo o sempre. Essa norma funcionou no caso do cativeiro assírio. As dez tribos (Israel, o reino do norte) perderam-se de modo absoluto, a despeito do fato de que algumas pessoas ficaram na terra, dando origem aos samaritanos. Ver 2Cr 30.1; 34.9. Quanto aos samaritanos, Ver 2Rs 17.24-41 e suas notas expositivas. Judá também ter-se-ia perdido, exceto por um remanescente que voltou após setenta anos, e a nação renasceu com o nome de Judeia.

Quanto aos números envolvidos nesse primeiro estágio do cativeiro, cf. o vs. 16 e Jr 52.28-30. O cativeiro babilônico também ocorreu em diversos estágios. Ver no *Dicionário* o artigo chamado *Cativeiro Babilônico*, quanto a detalhes. Os números dados não podem ser reconciliados com toda a certeza, e os vss. 13 e 14 vêm de uma fonte informativa diferente da dos vss. 15 e 16, de acordo com alguns eruditos. Ver também Ez 1.1-3 quanto ao número de dez mil.

O povo pobre da terra. Aqueles que não tinham nem dinheiro nem propriedades (exceto as propriedades das famílias), que não eram líderes militares nem eram artífices. Ou seja, aqueles que, embora deixados para trás, não teriam inteligência, dinheiro ou conhecimento para armarem uma revolta contra os seus opressores. Cf. Jr 39.10. O período de deportação de Judá só terminou em 538 a.C.

■ 24.15

וַיֶּגֶל אֶת־יְהוֹיָכִין בָּבֶלָה וְאֶת־אֵם הַמֶּלֶךְ וְאֶת־נְשֵׁי
הַמֶּלֶךְ וְאֶת־סָרִיסָיו וְאֵת אוּלֵי הָאָרֶץ הוֹלִיךְ גּוֹלָה
מִירוּשָׁלִַם בָּבֶלָה׃

Transferiu também Joaquim para a Babilônia. O rei Joaquim juntamente com a família real estiveram entre as vítimas da deportação. Seus oficiais civis e militares foram com ele, como também qualquer homem rico, poderoso ou influente de Judá. O trecho de Jr 27.10 nos dá essa mesma informação, não mencionando outro grupo exceto a família real. Jeremias foi deixado para sofrer com os andrajosos de Judá. Ezequiel foi deportado (ver Ez 1.1-3).

"Os vss. 15 e 16 mostram os particulares daquilo que foi dito de modo geral no vs. 14. No versículo 15 é definido aquilo que se entendia por príncipes (vs. 14)" (Ellicott, *in loc.*).

Diante da aproximação do exército babilônico, é provável que qualquer nobre e pessoa poderosa se tenha refugiado em Jerusalém, e isso facilitou a deportação da elite da sociedade judaica. O Targum fala nos "magnatas da terra", um termo geral que apontava para qualquer pessoa que sobressaísse da média e pudesse apresentar uma ameaça de revolta posterior.

■ 24.16

וְאֵת כָּל־אַנְשֵׁי הַחַיִל שִׁבְעַת אֲלָפִים וְהֶחָרָשׁ וְהַמַּסְגֵּר
אֶלֶף הַכֹּל גִּבּוֹרִים עֹשֵׂי מִלְחָמָה וַיְבִיאֵם מֶלֶךְ־בָּבֶל
גּוֹלָה בָּבֶלָה׃

Todos os homens valentes, até sete mil, e os artífices e ferreiros até mil. Este versículo refere-se especificamente a oito mil homens (sete mil homens valentes e mil artífices), ao passo que o versículo 14 generalizou um total de dez mil homens. É perfeitamente possível, conforme já dissemos, que o versículo 14 e os versículos 15 e 16 representem diferentes fontes informativas, cujos números diferiam um pouco. Caso contrário, o autor sagrado não se importou em fazer com que o versículo 16 concordasse com o versículo 14. Ellicott (*in loc.*) pensava que os dois mil homens que faltavam pertenciam às classes aristocráticas. Isso ainda deixaria mil sem identificação. Josefo nos dá o número de 10.832 homens. Alguns eruditos explicam a discrepância nos números como devida a uma confusão com o Y maiúsculo (isto é, dez) com o g (isto é, três). O número de Josefo fala em dez mil (primeira deportação), ao passo que os 832 corresponderiam à segunda deportação. Os esforços para reconciliar as narrativas são inúteis, e nenhuma reconciliação se faz necessária. Todas as contagens por cabeça provavelmente foram apenas parciais, e nenhuma exatidão geral e absoluta foi almejada e alcançada.

ZEDEQUIAS, ÚLTIMO REI DE JUDÁ (24.17—25.7)

Esse homem foi um rei títere, abandonado na Palestina para cuidar do rebotalho humano que fora deixado ali. Tudo quanto era de valor e força foi deportado (ver os vss. 14-16). Quanto a detalhes completos, ver o artigo do *Dicionário* chamado *Zacarias*. E ver também ali os verbetes chamados *Reino de Judá* e *Rei, Realeza*, quanto a breves descrições sobre todos os reis de Israel e de Judá. Embora fosse apenas um rei títere, que não possuía recurso material algum, ele armou uma revolta (ver 2Rs 24.20), o que provocou outro cerco e outra deportação (ver 2Rs 25.1-7). A tragédia se abatera sobre Judá de maneira terrível. Os filhos do rei Zedequias foram mortos na sua presença e ele mesmo foi cegado e levado para o cativeiro.

O "governo" de Zedequias deu-se entre 597 e 586 a.C., um total de onze anos tristes. Embora vendo quanta confusão e destruição a idolatria tinha provocado, ele continuou a andar em concordância com os caminhos de Manassés, que fizeram Judá pecar. Ver 2Rs 23.32,37 e cf. 2Rs 23.26 quanto ao mau exemplo de Manassés.

A seção à nossa frente é repetida no capítulo 52 do livro de Jeremias, com algumas modificações. 2Reis 24.1-12 acha-se em Jr 39.1-10 com algumas modificações. Ver o paralelo em 2Cr 36.11-21.

■ 24.17

וַיַּמְלֵךְ מֶלֶךְ־בָּבֶל אֶת־מַתַּנְיָה דֹדוֹ תַּחְתָּיו וַיַּסֵּב
אֶת־שְׁמוֹ צִדְקִיָּהוּ׃ פ

Estabeleceu rei... Matanias, de quem mudou o nome para Zedequias. Ver a introdução anterior, à seção, quanto ao quadro geral e informações básicas.

A autoridade real vinha de Nabucodonosor, rei da Babilônia; o títere era Zedequias, o "rei" de Judá. Há inscrições que se referem a Joaquim como o último rei de Judá, e é evidente que, para muitos, Zedequias nunca teve a posição de rei. Um rei posto no trono por um monarca estrangeiro não seria jamais reconhecido como rei de Judá. Cf. 2Cr 36.10-13.

De quem mudou o nome. Seu nome original era Matanias (dom de Yah). O nome que lhe foi dado pelo rei da Babilônia foi Zedequias (Yah é retidão). Jeremias havia predito a mudança de seu nome para um novo nome (ver Jr 23.1-19), mas Zedequias não cumpriu as expectativas que o profeta, como é evidente, tinha no tocante a ele. A mudança de nome de Zedequias, ao que tudo indica, não teve outro sentido além de mostrar a sujeição absoluta em que o "rei" de Judá foi posto por Nabucodonosor. Cf. 2Rs 23.34 sobre como o rei do Egito modificou o nome de Eliaquim para Jeoaquim, sem dúvida pelas mesmas razões.

Zedequias foi o terceiro filho de Josias (ver Jr 1.3 e 27.1), e irmão por parte de pai e mãe de Jeoacaz-Salum (ver 2Rs 23.31). Joaquim não tinha filhos nessa época (cf. os vss. 12 e 15 a Jr 22.30), embora, no exílio, ele os tenha tido (ver 1Cr 3.17,18). Foi assim que o sucessor no trono teve de vir de outro ramo da família, de um tio paterno. A *Septuaginta* corrompe o *theion* (tio) para *uion* (filho).

24.18

בֶּן־עֶשְׂרִים וְאַחַת שָׁנָה צִדְקִיָּהוּ בְמָלְכוֹ וְאַחַת עֶשְׂרֵה שָׁנָה מָלַךְ בִּירוּשָׁלָ͏ִם וְשֵׁם אִמּוֹ חֲמִיטַל בַּת־יִרְמְיָהוּ מִלִּבְנָה׃

Tinha Zedequias a idade de vinte e um anos. Essa era a idade de Zedequias quando deu início a seu governo, e continuou a farsa por onze anos. Quanto a Hamutal e a Jeremias, ver o *Dicionário*. Cf. Jr 52.1-3 e 2Cr 36.12,13. Ver no *Dicionário* o verbete chamado *Jeremias* (outras pessoas que não o profeta), no ponto quinto, para o homem que ocupa o presente versículo. Ele era nativo da cidade de Libna. A esposa de Josias foi mãe de Jeoacaz (2Rs 23.31) e de Zedequias (2Rs 24.18; Jr 52.1). Seu breve reinado de onze anos ocorreu de 597 a 586 a.C.

24.19

וַיַּעַשׂ הָרַע בְּעֵינֵי יְהוָה כְּכֹל אֲשֶׁר־עָשָׂה יְהוֹיָקִים׃

Fez ele o que era mau perante o Senhor. A síndrome do pecado-calamidade-julgamento continuava a operar. O insensato Zedequias, embora estivesse vendo a tragédia do cativeiro babilônico, causado pela idolatria de Judá, não alterou em nada a sua conduta pessoal. Ele rejeitou o bom exemplo de Josias, que fez muitas reformas e restaurou o yahwismo (capítulo 23), e preferiu seguir o mau exemplo do abominável Manassés. Cf. 2Rs 23.26 (o mau exemplo de Manassés) e 2Rs 23.32,37, que são versículos quase idênticos a este. Ver os comentários do profeta Jeremias, que foi o profeta da situação, em Jr 24.8; 28.5 e 37.1,2. Manassés estabeleceu o mau exemplo; Jeoaquim reiterou esse mau exemplo; e Zedequias seguiu na mesma linha estúpida. "Quão espantoso é tudo isso! Nenhum desses reis aceitou a palavra de advertência provida pelos julgamentos de Deus, embora tivessem caído, cada qual segundo seu antecessor pecaminoso" (Adam Clarke, *in loc.*). Ver na *Enciclopédia de Bíblia, Teologia e Filosofia* o verbete chamado *Exemplo*.

24.20

כִּי עַל־אַף יְהוָה הָיְתָה בִּירוּשָׁלַ͏ִם וּבִיהוּדָה עַד־הִשְׁלִכוֹ אֹתָם מֵעַל פָּנָיו וַיִּמְרֹד צִדְקִיָּהוּ בְּמֶלֶךְ בָּבֶל׃ ס

Assim sucedeu por causa da ira do Senhor. Ver no *Dicionário* o artigo chamado *Ira de Deus*. O autor sacro usa aqui de antropomorfismo e de antropopatismo (atribuição, a Deus, dos atributos e das emoções humanos). Ver sobre ambos os termos no *Dicionário*. Nosso dilema humano força-nos a usar esse tipo de descrição sobre Deus, embora ele seja o *Mysterium Fascinosum* e o *Mysterium Tremendum* (ver sobre esses termos no *Dicionário*). Seja como for, quando lemos sobre a ira de Deus, sabemos que está em pauta o julgamento divino, imposto por causa do pecado.

O Resultado. Judá foi tirado da presença de Yahweh, ou seja, de Jerusalém, onde sua presença se manifestava, no templo, e também de sua presença espiritual, em qualquer lugar. 2Rs 17.23 contém essa mesma mensagem, e é ali que ofereço notas expositivas adicionais. Aquele versículo refere-se à má sorte de Israel no cativeiro assírio, ao passo que este refere-se à má situação de Judá, no cativeiro babilônico. Ambas as nações perderam o favor de Deus que a sua presença garantia.

Zedequias rebelou-se contra o rei da Babilônia. Embora estivesse em sua miserável e impossível sujeição, ele ainda assim teve a coragem de tentar rebelar-se contra a hegemonia da Babilônia. "Durante vários anos, Zedequias submeteu-se obedientemente ao senhor da Babilônia. Finalmente, sem embargo, sob a pressão contínua de indivíduos nacionalistas, em sua própria pátria (ver Jr 37-38), o rei Zedequias tolamente rebelou-se contra o domínio babilônico. Ele fez aliança com o Faraó Hofra (589-570 a.C.), que foi um agressivo monarca egípcio antibabilônico" (Thomas L. Constable, *in loc.*). A tentativa de libertação terminou em mais desastre, mais matança e mais deportações de judeus para a Babilônia, conforme o capítulo seguinte nos conta. Naturalmente, devemos compreender essa insensata revolta de Zedequias, a qual foi determinada por Yahweh, que usou dos atos violentos da Babilônia para punir o iníquo rei Zedequias. Jeremias havia advertido contra a rebeldia como algo fútil e contrário à vontade de Yahweh, que estava punindo o Seu povo pelas circunstâncias prevalentes. Mas essas advertências foram ignoradas, e o profeta foi perseguido.

CAPÍTULO VINTE E CINCO

A BABILÔNIA DE NOVO NA VEREDA DA GUERRA (25.1-30)

A Nação de Judá Estava Morrendo. A insensata rebelião de Zedequias contra Nabucodonosor, rei da Babilônia, provocou outro ataque contra Jerusalém, e outra deportação. O cativeiro babilônico (ver no *Dicionário*) foi efetuado por etapas, que terminaram somente em cerca de 538 a.C.

Em janeiro de 588 a.C., o décimo mês do nono ano do governo de Zedequias, o rei da Babilônia, Nabucodonosor, marchou novamente contra Jerusalém. O Egito atacou Nabucodonosor (ver Jr 37.5), que interrompeu de modo breve o cerco de Jerusalém. Mas a Babilônia mostrou-se triunfal em todas as frentes. Seguiram-se a matança, a fome e a miséria. Zedequias foi torturado e deportado para a Babilônia, onde morreu (ver Jr 52.11).

25.1

וַיְהִי בִשְׁנַת הַתְּשִׁיעִית לְמָלְכוֹ בַּחֹדֶשׁ הָעֲשִׂירִי בֶּעָשׂוֹר לַחֹדֶשׁ בָּא נְבֻכַדְנֶאצַּר מֶלֶךְ־בָּבֶל הוּא וְכָל־חֵילוֹ עַל־יְרוּשָׁלַ͏ִם וַיִּחַן עָלֶיהָ וַיִּבְנוּ עָלֶיהָ דָּיֵק סָבִיב׃

Décimo mês. "O costume de contar os meses por números foi um costume pós-exílico, que entrou na literatura judaica devido à influência babilônica. O cerco começou mais ou menos no fim do mês de dezembro, no décimo dia. Mas aí pelo mês de junho do ano seguinte não havia mais alimento deixado para os habitantes civis da cidade" (Norman H. Snaith, *in loc.*). Zedequias reinou por onze anos (ver 2Rs 24.18), mas provavelmente poderia ter continuado a reinar por longo tempo, em paz relativa, se não se tivesse rebelado (ver 2Rs 24.20, quanto a detalhes). Ele havia permanecido quieto por nove anos, mas, agitado pelos nacionalistas e ignorando o conselho de Jeremias, resolveu revoltar-se.

O profeta Jeremias havia predito calamidade se houvesse tentativa de revolta da parte de Zedequias; e o rei de Judá aprisionara Jeremias, por causa de sua suposta atitude antijudaica (ver Jr 34.1-7; 32.1-16).

Ver a narrativa em Jr 39.1-10; capítulos 40-43 e 52.4 ss. Ver os detalhes dados em Ez 24.1,2. Ao que tudo indica, embora sujeitado à Babilônia, Zedequias fora capaz de armar uma considerável força de resistência. Ele conseguiu a ajuda do Egito, mas esse inimigo da Babilônia foi posto em fuga (conforme Josefo, *Antiq.* lib. 10, cap. 10, nos informa).

25.2,3

וַתָּבֹא הָעִיר בַּמָּצוֹר עַד עַשְׁתֵּי עֶשְׂרֵה שָׁנָה לַמֶּלֶךְ צִדְקִיָּהוּ׃

בְּתִשְׁעָה לַחֹדֶשׁ וַיֶּחֱזַק הָרָעָב בָּעִיר וְלֹא־הָיָה לֶחֶם לְעַם הָאָרֶץ׃

A cidade ficou sitiada. O cerco estendeu-se do nono ano do governo de Zedequias (vs. 1) e foi até o seu décimo primeiro ano de governo, tendo perdurado cerca de ano e meio. Quanto mais tempo ele demorasse, mais sofrimento traria: fome e temor. Isso foi seguido por matanças e deportação.

"Os babilônios levantaram o cerco por algum tempo, e então marcharam contra o Faraó Hofra, que estava vindo ajudar os judeus (Jr 28.ss.; Ez 17.17; 30.20 ss.)" (Ellicott, *in loc.*). "Jerusalém foi sitiada e, após terríveis privações (2Rs 25.3; Dt 28.52-57; Lm 4.10), caiu no décimo primeiro ano do rei Zedequias, ou seja, 587 ou 586 a.C. O rei Zedequias foi torturado e levado para a Babilônia, onde morreu (ver

Jr 52.11)" (*Oxford Annotated Bible*, em comentários sobre o versículo 3 deste capítulo). Ver Jr 39.2 e 42.6. Os horrores do cerco são descritos em Lm 2.11 ss.; 19 ss.; 4.3-10; Ezequiel 4.10; Baruque 2.3. "Tal como na fome de Samaria e no cerco anterior de Jerusalém, pais comeram seus próprios filhos. Cf. as ameaças proféticas de Lv 26.29; Dt 28.53 ss.; Jr 15.2 ss.; 27.13; Ez 4.16 ss." (Ellicott, *in loc.*).

25.4

וַתִּבָּקַע הָעִיר וְכָל־אַנְשֵׁי הַמִּלְחָמָה הַלַּיְלָה דֶּרֶךְ שַׁעַר בֵּין הַחֹמֹתַיִם אֲשֶׁר עַל־גַּן הַמֶּלֶךְ וְכַשְׂדִּים עַל־הָעִיר סָבִיב וַיֵּלֶךְ דֶּרֶךְ הָעֲרָבָה:

Todos os homens de guerra fugiram de noite pelo caminho da porta que está entre os dois muros perto do jardim do rei. Finalmente, após um longo assédio e muito sofrimento, principalmente fome, os babilônios realizaram seu propósito. A resistência dos judeus foi quebrada e a cidade foi invadida. Os capacitados, incluindo o rei, fugiram à noite para escapar ao terror. O rei Zedequias e alguns de seus auxiliares fizeram uma abertura que saía de entre os dois antigos muros jebuseus que ainda existiam no lado norte da cidade antiga. "Nos três outros lados da cidade havia descidas inclinadas, e pouca proteção fazia-se necessária, mas no lado norte foram tomadas precauções extraordinárias. Esses muros duplos do norte foram recentemente descobertos" (F. Garrow Duncan, Millo and the City of David). "Para leste, o deserto chegava perto da cidade e esse acesso fácil a terras desoladas provou mais de uma vez ser um refúgio para os defensores da cidade. Muitos homens escaparam por esse mesmo meio, nos estágios finais da resistência contra Tito, em 70 a.C." (Norman H. Snaith, *in loc.*).

A perfuração através da muralha ocorreu a 16 de julho de 586 a.C., o quarto mês do décimo primeiro ano do governo de Zedequias (vss. 2 e 3). Aqueles que fugiram da cidade encaminharam-se para Arabá (o vale do Jordão), mas foram alcançados e capturados.

25.5

וַיִּרְדְּפוּ חֵיל־כַּשְׂדִּים אַחַר הַמֶּלֶךְ וַיַּשִּׂגוּ אֹתוֹ בְּעַרְבוֹת יְרֵחוֹ וְכָל־חֵילוֹ נָפֹצוּ מֵעָלָיו:

O exército dos caldeus. Ver no *Dicionário* o artigo chamado *Caldeia*. Esse era o antigo nome do território, antes que o termo Babilônia se tornasse seu nome. A palavra vem do acádico, *kaldu*, que originalmente era um pequeno território no sul da Babilônia, no começo do golfo Pérsico. Posteriormente, o nome passou a referir-se a todo o império neobabilônico.

"Zedequias seguiu a mesma direção geral que Davi tomara, quando escapava do primeiro estágio da revolta de Absalão, mas foi alcançado pelos babilônios perseguidores no vale do Jordão, perto de Jericó" (Norman H. Snaith, *in loc.*). Aqueles que o acompanhavam foram dispersos, de modo que ele ficou impotente. Ele deveria ter aceitado o conselho de Jeremias e esquecido a arrogância dos nacionalistas judeus.

"Eles rejeitaram os apelos de Jeremias e, como resultado, foram alcançados por calamidades finais. Judá pagou caro por seu ato de perfídia. E muitas nações de nosso mundo moderno têm pago um elevado preço por terem seguido um curso similar de desonra. Os juízos de Deus são verdadeiros e absolutamente retos" (Raymond Calking, *in loc.*).

25.6,7

וַיִּתְפְּשׂוּ אֶת־הַמֶּלֶךְ וַיַּעֲלוּ אֹתוֹ אֶל־מֶלֶךְ בָּבֶל רִבְלָתָה וַיְדַבְּרוּ אִתּוֹ מִשְׁפָּט:
וְאֶת־בְּנֵי צִדְקִיָּהוּ שָׁחֲטוּ לְעֵינָיו וְאֶת־עֵינֵי צִדְקִיָּהוּ עִוֵּר וַיַּאַסְרֵהוּ בַנְחֻשְׁתַּיִם וַיְבִאֵהוּ בָבֶל: ס

Então o tomaram preso. *A Miséria Final.* Os irados e desafeiçoados babilônios mataram os filhos de Zedequias bem diante de seus olhos, e então o cegaram. A última coisa que ele viu em sua vida foi o assassinato dos filhos. Ele ouviu seus gritos de angústia, mas não podia fazer nada por eles. Sim, algumas vezes, o preço do pecado pode ser muito, muito alto realmente. Zedequias, pois, foi levado para Ribla, na Síria (vs. 6), e ali, naquele miserável lugar de exílio, as desgraças se cumpriram. Ribla tinha sido o quartel-general do Faraó-Neco (ver 2Rs 23.33). Atuava como um centro conveniente para a subjugação da Síria, que foi absorvida pelo império babilônico. Ver o artigo sobre esse lugar, no *Dicionário*. Cf. 2Rs 23.33. Ficava localizada às margens do rio Orontes, ao norte de Damasco. As Cartas de Laquis informam-nos que, por esse tempo, Nabucodonosor também estava efetuando campanhas militares naquela região, contra outras cidade de Judá e contra Tiro e Sidom.

O rei cego de Judá foi atado com cadeias de bronze e foi conduzido à Babilônia (Jr 32.4; 34.1-3; 39). E ele morreu ali, no exílio (ver Jr 52.11).

Vazar os olhos de um inimigo era um ultraje babilônico comum, conforme sabemos por Heródoto (Hist. vii.18). Ver Ez 12.13 quanto a uma aparente predição desse ultraje no tocante ao rei de Judá. Ele não veria a Babilônia, mas morreria ali, não obstante.

25.8

וּבַחֹדֶשׁ הַחֲמִישִׁי בְּשִׁבְעָה לַחֹדֶשׁ הִיא שְׁנַת תְּשַׁע־עֶשְׂרֵה שָׁנָה לַמֶּלֶךְ נְבֻכַדְנֶאצַּר מֶלֶךְ־בָּבֶל בָּא נְבוּזַרְאֲדָן רַב־טַבָּחִים עֶבֶד מֶלֶךְ־בָּבֶל יְרוּשָׁלִָם:

Nebuzaradã... veio a Jerusalém. "Cerca de quatro semanas depois que a cidade de Jerusalém foi invadida (vss. 3 e 8), Nabucodonosor mandou Nebuzaradã, comandante de sua guarda imperial, incendiar Jerusalém. Era o sétimo dia do quinto mês do décimo nono ano do reinado de Nabucodonosor (16 de agosto de 586 a.C.). Entretanto, o trecho de Jr 52.12 diz 'o décimo dia'. Esse oficial liderou suas tropas para incendiarem cada edifício importante de Jerusalém, incluindo o templo e o palácio real, que tinha ficado de pé por quase quatro séculos" (Thomas L. Constable, *in loc.*).

Norman H. Snaith (*in loc.*) informa-nos que a cronologia de 2Reis é correta, em contradição com a declaração de Jeremias. Verdadeiramente, o ano da ocorrência foi 586 a.C. Métodos engenhosos de reconciliar os dados cronológicos têm se mostrado infrutíferos, e uma harmonia exata não é necessária para a fé espiritual. Alguns intérpretes preferem ser desonestos a admitir que há leves contradições no texto sagrado.

Chefe da guarda. Literalmente, o principal executor, o comandante da guarda pessoal do rei, um chefe militar, está em pauta. De acordo com um antigo costume, esse homem era o instrumento de execuções importantes, o que explica a conexão entre as duas funções. O trecho de Jr 39.3 não menciona esse chefe militar, mas não há nenhuma razão para duvidarmos da autenticidade desse registro. Ver sobre *Nebuzaradã*, no *Dicionário*.

Foi assim que o glorioso templo de Salomão foi reduzido a nada, porque Yahweh deixara de ser o objeto da adoração em Jerusalém. Um tempo novo mas inferior, em todos os sentidos, seria construído após o cativeiro. O templo de Salomão ficara de pé cerca de 424 anos. Ver no *Dicionário* o artigo chamado *Templo de Jerusalém*.

25.9

וַיִּשְׂרֹף אֶת־בֵּית־יְהוָה וְאֶת־בֵּית הַמֶּלֶךְ וְאֵת כָּל־בָּתֵּי יְרוּשָׁלִַם וְאֶת־כָּל־בֵּית גָּדוֹל שָׂרַף בָּאֵשׁ:

E a casa do rei, como também todas as casas de Jerusalém. Além do templo e do palácio real, Nebuzaradã também incendiou todo edifício importante, incluindo as residências dos ricos e poderosos. Foi um terrível dia em que a cidade foi nivelada até o chão. A narrativa é simples, mas nossa imaginação enche-se para imaginar o povo vendo tudo ser destruído e incendiado, e os gritos dos que eram executados por tentarem defender suas propriedades. 2Cr 36.19 diz "palácios", em lugar de "casas" dos cidadãos importantes. As casas comuns dos pobres permaneceram intocadas, porque não mereciam a atenção do exército babilônico. Além disso, a maior parte do povo de Jerusalém seria deportada, e os povos importados poderiam fazer uso daquelas casas.

25.10

וְאֶת־חוֹמֹת יְרוּשָׁלִַם סָבִיב נָתְצוּ כָּל־חֵיל כַּשְׂדִּים
אֲשֶׁר רַב־טַבָּחִים׃

Metáfora. O pecado derruba as muralhas da defesa da alma, e deixa-a exposta aos ataques dos inimigos.

Caldeus. Ver as notas sobre 2Rs 25.5 quanto a informações sobre essa palavra. Ver no *Dicionário* o artigo chamado *Caldeia*.

Derribou os muros em redor de Jerusalém. As muralhas eram agentes comuns de proteção das cidades antigas, porquanto, naquele tempo, não havia jeito de voar por cima delas e deixar cair para-quedistas. A entrada nas cidades precisava ser obtida no solo e através das muralhas. Quanto mais rica fosse uma cidade, mais altas e espessas eram as muralhas protetoras. As muralhas de Jerusalém foram demolidas e não havia poder para reconstruí-las. Por conseguinte, a cidade ficou indefesa. Terminado o cativeiro, Neemias reconstruiria as muralhas da cidade e o seu templo, sendo essa a informação que nos é dada no livro que tem o seu nome e também no livro de Esdras.

25.11,12

וְאֵת יֶתֶר הָעָם הַנִּשְׁאָרִים בָּעִיר וְאֶת־הַנֹּפְלִים אֲשֶׁר
נָפְלוּ עַל־הַמֶּלֶךְ בָּבֶל וְאֵת יֶתֶר הֶהָמוֹן הֶגְלָה
נְבוּזַרְאֲדָן רַב־טַבָּחִים׃

וּמִדַּלַּת הָאָרֶץ הִשְׁאִיר רַב־טַבָּחִים לְכֹרְמִים
וּלְיֹגְבִים׃

O chefe da guarda, levou cativos. *Outra Deportação.* O cativeiro babilônico (tal como o assírio) não ocorreu mediante uma única deportação. Houve vários estágios, pois várias deportações estiveram envolvidas. Ver meu artigo sobre o *Cativeiro Babilônico*, no *Dicionário*, quanto a detalhes. O texto à nossa frente descreve a segunda deportação. Os povos que tinham sobrevivido à primeira deportação e aqueles que tinham sido deixados após a matança, juntamente com os desertores, os quais em temor se tinham bandeado para o lado dos babilônios, foram reunidos e levados para a Babilônia. Somente alguns pequenos agricultores foram deixados na Palestina (vs. 12), para garantir que ela não se transformasse em terrenos devolutos. A agricultura continuou em pequena escala, e podemos estar certos de que o rei da Babilônia tinha controle até sobre aquelas batatinhas, conforme se diz em uma expressão idiomática inglesa, para indicar algo insignificante. Cf. 2Rs 24.14 e Jr 39.10. A passagem de Jr 52.29 diz-nos que somente 832 pessoas foram levadas para a Babilônia nessa segunda deportação. Mas o mais provável é que estejam em vista somente os chefes de famílias e os oficiais. As mulheres e as crianças sem dúvida aumentavam de modo significativo esse número, tal como aconteceu aos dez mil da primeira deportação.

25.13

וְאֶת־עַמּוּדֵי הַנְּחֹשֶׁת אֲשֶׁר בֵּית־יְהוָה וְאֶת־הַמְּכֹנוֹת
וְאֶת־יָם הַנְּחֹשֶׁת אֲשֶׁר בְּבֵית־יְהוָה שִׁבְּרוּ כַשְׂדִּים
וַיִּשְׂאוּ אֶת־נְחֻשְׁתָּם בָּבֶלָה׃

E levaram o bronze para a Babilônia. Este versículo deve ser comparado a uma declaração similar feita em 2Rs 24.13, que diz respeito à primeira deportação. A maior parte das obras de metal que havia no templo de Salomão foi cortada, e os metais preciosos foram transformados em dinheiro. Mas alguns vasos foram transportados inteiros para a Babilônia. Esses vasos foram postos em um templo pagão na Babilônia (ver Dn 1.2). E, após o cativeiro, alguns desses vasos foram restituídos ao segundo templo, conforme aprendemos em Ed 1.2,7.

A Lição. Os vasos que tinham sido feitos para a promoção do yahwismo, quando não mais estavam sendo usados com essa finalidade, foram levados para um templo pagão. O yahwismo foi abandonado, e Yahweh abandonou o povo de Judá (ver 2Rs 24.20). A presença de Deus se foi.

As colunas de bronze. As maciças colunas de bronze tiveram de ser cortadas. Cf. Jr 52.19,20. O grande altar de bronze não é mencionado, mas é provável que ele também tenha sido cortado para ser deportado. "A remoção de uma vasta quantidade de metal para a Babilônia deve ter sido um empreendimento formidável" (Jamieson, *in loc.*).

Neste ponto (2Rs 25.13), o trecho paralelo do capítulo 39 de Jeremias deixa de ser um paralelo. Várias fontes informativas foram usadas, e nem todo autor tinha acesso a todas essas fontes informativas. Seleções diferentes de material informativo produziram relatos diferentes, com declarações variegadas e, algumas vezes, até contraditórias.

25.14,15

וְאֶת־הַסִּירֹת וְאֶת־הַיָּעִים וְאֶת־הַמְזַמְּרוֹת וְאֶת־הַכַּפּוֹת
וְאֵת כָּל־כְּלֵי הַנְּחֹשֶׁת אֲשֶׁר יְשָׁרְתוּ־בָם לָקָחוּ׃

וְאֶת־הַמַּחְתּוֹת וְאֶת־הַמִּזְרָקוֹת אֲשֶׁר זָהָב זָהָב
וַאֲשֶׁר־כֶּסֶף כָּסֶף לָקַח רַב־טַבָּחִים׃

Levaram também as panelas... e tudo quanto fosse de ouro ou de prata. O autor sagrado enumera alguns dos vasos do templo, que foram cortados ou dissolvidos com outros propósitos, ou ainda foram levados intactos para o templo pagão da Babilônia. "Os objetos menores de bronze, de ouro e de prata foram simplesmente empacotados e carregados para a Babilônia" (Thomas L. Constable, *in loc.*). Quanto à manufatura e uso dos vasos mencionados, ver Êx 27.3 e seu contexto.

Com que se ministrava. Ou seja, os vasos mencionados foram empregados no culto sagrado que distinguia o templo de Salomão dos templos pagãos. Quando o culto do templo deixou de ser distintivo, não havia motivos para continuar existindo. Quanto ao caráter distintivo da nação de Israel, baseada sobre a observância da legislação mosaica, ver Dt 4.4-8.

25.16

הָעַמּוּדִים שְׁנַיִם הַיָּם הָאֶחָד וְהַמְּכֹנוֹת
אֲשֶׁר־עָשָׂה שְׁלֹמֹה לְבֵית יְהוָה לֹא־הָיָה
מִשְׁקָל לִנְחֹשֶׁת כָּל־הַכֵּלִים הָאֵלֶּה׃

O peso do bronze de todos esses utensílios era incalculável. As duas colunas de bronze que estavam no pórtico do templo eram tão gigantescas que ninguém se deu ao trabalho de calcular seu peso. Cf. 1Rs 7.15-22 e Jr 52.20-23. A passagem no livro de Jeremias dá mais detalhes do que este trecho bíblico. Aqui não há menção aos touros gigantescos que apoiavam o mar de bronze. Essa omissão provavelmente está historicamente correta, visto que 2Rs 16.17 indica que Acaz os removeu e os deu ao seu senhor assírio. Outros objetos de bronze já tinham sido removidos do templo. "Por conseguinte, ele omitiu o número das romãs e reduziu os demais números" (Norman H. Snaith, *in loc.*). Jr 52.20 menciona os doze touros de bronze, em contraste com este texto.

Não há nenhuma menção à remoção da arca da aliança, que pode ter sido escondida por algum sacerdote piedoso antes que os babilônios entrassem correndo pelo templo adentro. Ver no *Dicionário* o verbete chamado Arca da Aliança.

25.17

שְׁמֹנֶה עֶשְׂרֵה אַמָּה קוֹמַת הָעַמּוּד הָאֶחָד וְכֹתֶרֶת
עָלָיו נְחֹשֶׁת וְקוֹמַת הַכֹּתֶרֶת שָׁלֹשׁ אַמָּה וּשְׂבָכָה
וְרִמֹּנִים עַל־הַכֹּתֶרֶת סָבִיב הַכֹּל נְחֹשֶׁת וְכָאֵלֶּה
לַעַמּוּד הַשֵּׁנִי עַל־הַשְּׂבָכָה׃

A altura duma coluna era de dezoito côvados. *As Dimensões.* A altura das colunas era, aproximadamente, de 8,30 m. Além disso, o capitel que havia no alto delas adicionava mais 1,35 m. Jeremias porém, fala em cerca de 2,30 m. Três, no presente capítulo, provavelmente é um erro de transcrição. Cinco côvados (2,30 m.) era a verdadeira dimensão. Ver 1Rs 7.16; Jr 52.22; 2Cr 3.15.

A obra de rede. Alguma espécie de adorno do tipo trançado enfeitava o capitel. Era um adorno feito artisticamente em bronze. Incluía os frutos, com seus ramos e brotos. O trecho de Jr 52.23 nos fornece os números: "Havia noventa e seis romãs aos lados; todas as romãs todas sobre a obra de rede ao redor eram cem". O texto de 2Reis é compacto, e alguns críticos pensam que ele está mais correto quanto a alguns detalhes, porquanto pilhagens anteriores já tinham estragado vários vasos e estruturas do templo.

■ 25.18

וַיִּקַּח רַב־טַבָּחִים אֶת־שְׂרָיָה כֹּהֵן הָרֹאשׁ וְאֶת־צְפַנְיָהוּ כֹּהֵן מִשְׁנֶה וְאֶת־שְׁלֹשֶׁת שֹׁמְרֵי הַסַּף׃

Levou também o chefe da guarda a Seraías... e a Sofonias... e aos três guardas da porta. *Alguns Cativos Importantes.* O autor se detém para informar-nos que alguns homens importantes, que não tinham sido levados na primeira deportação (2Rs 24.14 ss.), foram deportados na segunda. Entre eles estava Seraías (sumo sacerdote) e Sofonias (seu principal assistente). Ver sobre ambos os nomes no *Dicionário*. Além desses dois, havia três porteiros, levitas importantes, cujos nomes não são mencionados. O versículo 19 prossegue descrevendo a cena da deportação de importantes oficiais. Os babilônios caçaram-nos; fizeram inquirições; levaram-nos de seus esconderijos. Eram pessoas escolhidas para serem executadas em Ribla (vs. 21). Os babilônios gostavam de guerras e de matanças, e estavam divertindo-se muito. Seraías foi um dos antepassados de Esdras (ver Ed 7.1). Talvez ele e seus companheiros, e os outros, que são mencionados no versículo seguinte, fossem líderes da revolta promovida por Zedequias. Esses precisavam ser executados. Não continuariam soltos para promover mais confusões.

■ 25.19

וּמִן־הָעִיר לָקַח סָרִיס אֶחָד אֲשֶׁר־הוּא פָקִיד עַל־אַנְשֵׁי הַמִּלְחָמָה וַחֲמִשָּׁה אֲנָשִׁים מֵרֹאֵי פְנֵי־הַמֶּלֶךְ אֲשֶׁר נִמְצְאוּ בָעִיר וְאֵת הַסֹּפֵר שַׂר הַצָּבָא הַמַּצְבִּא אֶת־עַם הָאָרֶץ וְשִׁשִּׁים אִישׁ מֵעַם הָאָרֶץ הַנִּמְצְאִים בָּעִיר׃

Da cidade tomou um oficial, que era comandante das tropas de guerra. O principal general de Judá estava entre os prisioneiros. Além desses, havia cinco conselheiros principais, homens escolhidos pelo rei, dotados de influência e autoridade. O pobre secretário do general-em-chefe também foi apanhado. Ele providenciou a convocação do exército, para opor-se à Babilônia, e teve de pagar por isso com a vida. Além disso, havia sessenta homens mais proeminentes cujos ofícios específicos não foram mencionados. Talvez fossem anciãos, altos líderes do povo, chefes de famílias principais. Jeremias fala aqui em "sete", em lugar de "cinco" conselheiros, provavelmente seguindo uma fonte diferente de informações. Ver Jr 52.25. O árabe tem o mesmo número que Jeremias, como também o fazem outras versões. Não há como explicar essa diferença de cálculo, e nem há razão para tentarmos fazer uma reconciliação. 2Reis dá um total de 72 homens importantes que foram capturados e, subsequentemente, executados em Ribla (vs. 21). O relato é simples, mas podemos sentir a emoção do autor sagrado em suas palavras.

> Os deuses fiaram de tal maneira o fio
> Para os desgraçados dos mortais, que
> Eles devem viver em dores.
>
> Homero, *A Ilíada*

Cinco homens. Assim diz 2Reis. Jr 52.25 diz sete. A versão árabe concorda com Jeremias, mas as demais versões concordam com 2Reis, incluindo a *Septuaginta*. O Targum, porém, fala em cinquenta homens.

Sessenta homens do povo do lugar. Isto é, anciãos, líderes principais, militares e civis. Todos eles haviam promovido a revolta contra os babilônios, ou eram importantes demais para terem licença de continuar vivendo. Poderiam envolver-se novamente em confusão.

■ 25.20,21

וַיִּקַּח אֹתָם נְבוּזַרְאֲדָן רַב־טַבָּחִים וַיֹּלֶךְ אֹתָם עַל־מֶלֶךְ בָּבֶל רִבְלָתָה׃

וַיַּךְ אֹתָם מֶלֶךְ בָּבֶל וַיְמִיתֵם בְּרִבְלָה בְּאֶרֶץ חֲמָת וַיִּגֶל יְהוּדָה מֵעַל אַדְמָתוֹ׃

Esse infeliz grupo de 72 homens (ver os vss. 18 e 19) nunca chegaria à Babilônia para viver no cativeiro. Tinham sido líderes da revolta e não se podia confiar neles. Foram levados a Ribla (na Síria), onde foram executados. Cf. 2Rs 25.6. O rei Zedequias, seus familiares e alguns de seus homens principais, também foram levados primeiramente a Ribla; os filhos do rei foram executados diante dos olhos dele, que depois foi cegado. Ele então foi conduzido à Babilônia para viver no exílio, mas nunca viu o país, tal como havia sido predito que aconteceria. Ver as notas na referência dada. Os babilônios asseguraram-se que pelo menos aqueles homens nunca liderariam outra revolta. "Todos os líderes remanescentes foram executados" (*Oxford Annotated Bible*, referindo-se aos vss. 18-21).

Assim Judá foi levado cativo. Uma declaração específica concernente à segunda deportação, mas que também, provavelmente, deve ser compreendida como uma declaração geral, que abarcasse o processo inteiro do cativeiro. Este veio em estágios. "Essa sentença, como é evidente, conclui a narrativa inteira da destruição de Jerusalém e a deportação do povo (cf. 2Rs 17.23; Jr 52.27). Mais do que aqueles que Nebuzaradã fora prender estão em pauta. A profecia de Obadias refere-se à conduta sem coração dos edomitas, por ocasião da ruína de Judá (ver Sl 137; Lm 4.21,22)" (Ellicott, *in loc.*).

> A guerra é o inferno. Olho para ela com horror.
>
> William Sherman

> A guerra é a pior praga que pode afligir a humanidade.
>
> Martinho Lutero

> Nas artes da vida, o homem nada inventa.
> Mas, nas artes da morte, ele ultrapassa a
> própria natureza e produz, mediante a química
> e suas máquinas, toda a matança das pragas,
> da pestilência e da fome.
>
> George Bernard Shaw

■ 25.22

וְהָעָם הַנִּשְׁאָר בְּאֶרֶץ יְהוּדָה אֲשֶׁר הִשְׁאִיר נְבוּכַדְנֶאצַּר מֶלֶךְ בָּבֶל וַיַּפְקֵד עֲלֵיהֶם אֶת־גְּדַלְיָהוּ בֶּן־אֲחִיקָם בֶּן־שָׁפָן׃ פ

Quanto ao povo que ficara na terra de Judá. Tal como no caso do cativeiro assírio (ver 2Cr 30.1; 34.9), um remanescente foi deixado na Palestina, aqueles que podiam cuidar da agricultura, mas não sabiam promover uma revolta. Nabucodonosor, o rei da Babilônia, nomeou um governador títere. Porém, era insensato falar em termos de um rei, quando não havia mais reino para governar. O nome desse governador era Gedalias, que aparece em um verbete no *Dicionário*. Esse homem descendia de Safã, secretário de Estado de Josias, o rei que tinha implementado suas reformas (ver 2Rs 22.3).

Safã também era amigo do profeta Jeremias (ver Jr 39.14) e seguia as orientações dadas pelo profeta, para não causar mais confusão e revolta contra a Babilônia. Foi assim que Gedalias assumiu primeiramente uma posição favorável à Babilônia, porquanto sentia-se ser aquela a vontade de Yahweh; e, segundo, porque isso era necessário para a sobrevivência. Outros nomes próprios deste versículo recebem artigos em separado no *Dicionário*. Aicão, pai de Gedalias, foi um dos príncipes de Josias (ver 2Rs 22.12). Em certa ocasião, Aicão salvou Jeremias da fúria popular (ver Jr 26.24). Ver as notas em Jr 40.7-9.

Gedalias, Governador de Judá (25.23-26)

O desgraçado remanescente, composto principalmente de trabalhadores de fazendas (ver 2Rs 25.12), tinha um governador fantoche,

Gedalias (ver o vs. 22, precedido de alguma informação básica). O autor-editor havia chegado agora à porção final de sua triste história. O governador (não rei, porque não havia reino restante) tinha seus pontos fortes, mas lhe faltava autoridade. Josefo (*Antiq.* X.9.1-2) diz-nos que ele era um homem generoso e gentil, que conquistou a confiança do bando de guerrilheiros e os convenceu a não se revoltarem mais contra a Babilônia. Gedalias, porém, era mais generoso do que sábio. Ele recusou-se a acreditar na traição de Ismael, embora tivesse sido devidamente advertido contra ele. Essa confiança mal colocada custou a Gedalias a sua vida, porquanto terminou sendo morto pelo homem em quem confiava. Ismael então acertou um golpe de destruição (Jr 40.1-16). Mas seus esforços deram em nada. Nenhuma circunstância ou poder poderia roubar a Babilônia de sua hora de glória.

■ 25.23

וַיִּשְׁמְעוּ כָל־שָׂרֵי הַחֲיָלִים הֵמָּה וְהָאֲנָשִׁים
כִּי־הִפְקִיד מֶלֶךְ־בָּבֶל אֶת־גְּדַלְיָהוּ וַיָּבֹאוּ
אֶל־גְּדַלְיָהוּ הַמִּצְפָּה וְיִשְׁמָעֵאל בֶּן־נְתַנְיָה
וְיוֹחָנָן בֶּן־קָרֵחַ וּשְׂרָיָה בֶן־תַּנְחֻמֶת הַנְּטֹפָתִי
וְיַאֲזַנְיָהוּ בֶּן־הַמַּעֲכָתִי הֵמָּה וְאַנְשֵׁיהֶם׃

Vieram ter com este a Mispa. Um bando de oficiais, que ainda tinha restado na Palestina, o que nos permite supor que era formado por homens dotados de pouca sabedoria, poder e inteligência, veio falar com Gedalias. Entre os assuntos discutidos, provavelmente houve a conversa de mais revoltas, contra as quais o governador os advertiu. Além disso, homens espirituais sabiam que Yahweh tinha julgado o seu povo, e era melhor deixar as coisas como estavam, para que não houvesse maiores calamidades ainda.

Nomes Próprios. Todos os nomes próprios pessoais que figuram neste versículo receberam artigos individuais no *Dicionário*, embora saibamos muito pouco sobre essas pessoas.

Mispa. Ver a respeito dessa cidade no *Dicionário*. Esse lugar era a nova "capital", que o governador tornara seu quartel-general. Era uma cidade da tribo de Benjamim, que fora fortificada por Asa (ver 1Rs 15.22). Ficava a cerca de treze quilômetros de Jerusalém. Jerusalém jazia em ruínas, pelo que não mais servia de capital.

O líder do bando era Ismael, neto de Elisama, o secretário real (vs. 25). Ver Jr 36.12,20. Ele tinha sangue real nas veias (ver Jr 41.1). O grupo inteiro era favorável ao Egito, e tinha esperança de que essa potência (com sua ajuda miserável) ainda pudesse derrotar a Babilônia.

Vivo na esperança, e penso que também o fazem,
Todos que chegam neste mundo.

Robert Bridges

A esperança eterna brota no peito humano.

Alexander Pope

As esperanças são apenas sonhos dos acordados.

Píndaro

■ 25.24

וַיִּשָּׁבַע לָהֶם גְּדַלְיָהוּ וּלְאַנְשֵׁיהֶם וַיֹּאמֶר לָהֶם
אַל־תִּירְאוּ מֵעַבְדֵי הַכַּשְׂדִּים שְׁבוּ בָאָרֶץ וְעִבְדוּ
אֶת־מֶלֶךְ בָּבֶל וְיִטַב לָכֶם׃ ס

Nada temais da parte dos caldeus. *Ansiedade.* O bando que viera visitar o governador Gedalias expressara seus temores e esperanças. Gedalias, porém, jurou que eles estavam seguros, contanto que esquecessem todos os planos de mais revolta contra a Babilônia. Ademais, eles teriam de servir os novos senhores e contar Judá como perdido. Mas o espírito nacionalista daqueles homens não permitiria, muito naturalmente, que eles se sujeitassem a um poder estrangeiro, e mais tribulações já estavam começando a ferver. Além disso, Gedalias, devido à sua postura pró-babilônica, tornou-se objeto do ódio daqueles homens. Ele era um traidor, naturalmente, e precisava ser eliminado, de acordo com a avaliação dos homens que o visitaram. Gedalias prometeu-lhes imunidade do poder devastador dos invasores, mas somente sob a condição de que eles se estabelecessem em paz e aceitassem a nova situação. O governador providenciaria para que eles fossem protegidos, se aceitassem as condições impostas pelos babilônios.

■ 25.25,26

וַיְהִי בַּחֹדֶשׁ הַשְּׁבִיעִי בָּא יִשְׁמָעֵאל
בֶּן־נְתַנְיָה בֶן־אֱלִישָׁמָע מִזֶּרַע הַמְּלוּכָה
וַעֲשָׂרָה אֲנָשִׁים אִתּוֹ וַיַּכּוּ אֶת־גְּדַלְיָהוּ וַיָּמֹת
וְאֶת־הַיְּהוּדִים וְאֶת־הַכַּשְׂדִּים אֲשֶׁר־הָיוּ אִתּוֹ
בַּמִּצְפָּה׃

וַיָּקֻמוּ כָל־הָעָם מִקָּטֹן וְעַד־גָּדוֹל וְשָׂרֵי הַחֲיָלִים
וַיָּבֹאוּ מִצְרָיִם כִּי יָרְאוּ מִפְּנֵי כַשְׂדִּים׃ פ

E feriram Gedalias, e ele morreu. *Assassinato.* Infeliz diante das promessas e condições referidas por Gedalias (vs. 24), Ismael reuniu seu bando de assassinos (dez homens) e mandou matar o governador. Como medida de segurança, eles também mataram os auxiliares de Gedalias e alguns oficiais babilônicos, que estavam ali, desempenhando seus deveres como captores. Provavelmente Ismael tinha sonhos de substituir Gedalias e promover maiores revoltas contra os babilônios. Mas seu ato de assassinato provocou uma onda de medo. A Babilônia não permitiria que aquele ato ficasse sem a devida punição, pelo que, em temor da represália, Ismael, seus homens e quase todos os que tinham sido deixados na Judeia fugiram para o Egito (vs. 26). E o profeta Jeremias foi forçado a fugir com eles (ver Jr 41.1-43.7).

A matança ocorreu durante uma suposta refeição amigável na própria casa do governador. Yahweh não ignoraria tal traição. Josefo diz que o governador e seus auxiliares estavam bêbados de vinho, e isso facilitou o ato atrevido de Ismael e seus homens. Ismael, sendo um descendente da família real (ver Jr 41.1), pensou que estava mais qualificado para governar do que Gedalias, mas sua importância resumia-se ao fato de que ele foi capaz de causar mais tribulações ainda, as quais já abundavam na Palestina. O trecho de Jr 40.14 informa-nos que Baalis, rei dos amonitas, tinha encorajado Ismael a efetuar seu assassinato, e podemos ter certeza de que não foi difícil convencê-lo. Joanã advertiu o governador, mas este não acreditou na possibilidade de traição. E, assim sendo, não tomou nenhuma precaução. Ver Jr 41.13-16.

Alguma Esperança (25.27-30)

O autor sagrado, tendo terminado sua narrativa lamentável do cativeiro babilônico e de suas devastadoras consequências, fez brilhar um raio de esperança no caminho cada vez mais largo do futuro. Houve algum bom tratamento na Babilônia. O rei Joaquim foi favorecido pelo novo rei da Babilônia, Evil-Merodaque. Joaquim foi solto de sua prisão e recebeu um tratamento decente. Talvez isso servisse como indicação de que as coisas poderiam melhorar. O fato foi que, após setenta anos, um remanescente de Judá teve permissão de voltar a Jerusalém, e, sob a orientação de Neemias e de Esdras, Jerusalém foi reconstruída, as muralhas foram reerguidas e o segundo templo foi edificado. Isso significa que Israel teve um novo começo, com uma única tribo, Judá, sendo esse o motivo pelo qual chamamos os hebreus, hoje em dia, de judeus.

"Na primavera de 561 a.C., Joaquim, após 37 anos de cativeiro, foi restaurado a uma posição de favor. Não lhe foi permitido voltar à Palestina, mas foi-lhe proporcionada uma boa medida de preferências. Nabucodonosor morreu em 562 a.C., e o novo rei, Evil-Merodaque (que reinou de 562 a 560 a.C.), mudou as normas de seu pai no tocante ao rei cativo" (Norman H. Snaith, *in loc.*).

■ 25.27

וַיְהִי בִשְׁלֹשִׁים וָשֶׁבַע שָׁנָה לְגָלוּת יְהוֹיָכִין
מֶלֶךְ־יְהוּדָה בִּשְׁנֵים עָשָׂר חֹדֶשׁ בְּעֶשְׂרִים
וְשִׁבְעָה לַחֹדֶשׁ נָשָׂא אֱוִיל מְרֹדַךְ מֶלֶךְ בָּבֶל

בִּשְׁנַת מָלְכוֹ אֶת־רֹאשׁ יְהוֹיָכִין מֶלֶךְ־יְהוּדָה מִבֵּית כֶּלֶא׃

Para Joaquim, o cativeiro tinha durado 37 anos. Durante todo esse tempo, o rei Joaquim ficou cativo em uma miserável prisão babilônica. De súbito, o novo rei (ver a introdução à presente seção) mudou de ideia no tocante a esse duro tratamento, e soltou o rei de Judá da prisão, demonstrando-lhe favor. O novo rei da Babilônia tinha iniciado seu governo em 562 a.C., e foi em março de 560 a.C. que ele libertou Joaquim, de Judá. O relato é ilustrado por tabletes cuneiformes recuperados em uma câmara no lado nordeste do forte de Nabucodonosor. Quatro desses tabletes mencionam Joaquim e as provisões de boca que lhe foram concedidas. Antes desse tempo, o rei de Judá tivera uma miserável provisão, mas as coisas de súbito melhoraram. Os tabletes datam do período de 594-569 a.C.

Evil-Merodaque. Quanto a detalhes sobre esse rei da Babilônia, ver o artigo, no *Dicionário*. A Babilônia nada mais tinha que provar. Judá e o resto do mundo daquela área em geral, naquele tempo, estavam sujeitos à nova potência mundial. Coisa alguma haveria de mudar em breve. Assim sendo, o novo rei da Babilônia foi capaz de sentir misericórdia pelo rei de Judá, que estava na prisão fazia tanto tempo. Assim sendo, Evil-Merodaque tornou-se um instrumento da misericórdia divina.

Libertou Joaquim do cárcere. Sim, o novo rei da Babilônia mudou suas atitudes para com o ex-rei de Judá, revertendo seu duro tratamento, como também aquele imposto durante tantos anos por seu pai. Ver Gn 40.13, que tem um uso similar. Joaquim tinha então 55 anos de idade. Restava-lhe um pouco de vida para desfrutar os luxos da Babilônia. Entretanto, nunca mais haveria de voltar à Palestina. Cf. Jr 52.31-34 quanto a outra narrativa sobre a bondade de Evil-Merodaque para com Joaquim. Metástenes chama esse rei babilônico de Amilino Evil-Merodaque, e faz Belchasar ser seu terceiro filho. Esse rei babilônico reinou somente por dois anos, e foi então assassinado por seu cunhado, Nerglissar, também chamado de Nergal-Serezer. Nergal-Serezer apoderou-se então do trono da Babilônia.

Mudou-lhe as vestes do cárcere. A fim de assinalar a mudança de normas políticas, Evil-Merodaque tirou Joaquim da prisão, para que trocasse seu uniforme de prisioneiro, e deu-lhe novas vestes, algo condizente com sua posição real. A mesma coisa aconteceu a José, quando ele foi tirado da prisão, no Egito (ver Gn 41.14).

■ 25.28,29

וַיְדַבֵּר אִתּוֹ טֹבוֹת וַיִּתֵּן אֶת־כִּסְאוֹ מֵעַל כִּסֵּא הַמְּלָכִים אֲשֶׁר אִתּוֹ בְּבָבֶל׃

וְשִׁנָּא אֵת בִּגְדֵי כִלְאוֹ וְאָכַל לֶחֶם תָּמִיד לְפָנָיו כָּל־יְמֵי חַיָּו׃

Passou a comer pão na sua presença. Joaquim, uma vez solto da prisão, começou a comer na mesa real, como um dos convivas. Comer na mesa do rei era considerado uma honra elevada (ver 2Sm 19.33; 1Reis 2.7). Essa expressão implica em sustento, e não apenas estar presente à mesa quando as refeições fossem servidas. Houve outros reis conquistados que o novo rei da Babilônia favoreceu, mas acima de todos eles estava Joaquim, por razões que não são explicadas. O autor sacro, sem dúvida, tinha em mente destacar o favor de Yahweh, que prevalece sobre a dureza dos homens.

■ 25.30

וַאֲרֻחָתוֹ אֲרֻחַת תָּמִיד נִתְּנָה־לּוֹ מֵאֵת הַמֶּלֶךְ דְּבַר־יוֹם בְּיוֹמוֹ כֹּל יְמֵי חַיָּו׃

Da parte do rei lhe foi dada subsistência vitalícia. Pelo resto de sua vida, Joaquim foi bem tratado e tinha sustento por parte da corte real da Babilônia. Cf. Jr 52.31-34. Evidentemente, recebeu boa medida de liberdade, mas nunca teve permissão para voltar a Jerusalém. Joaquim morreu no exílio, na Babilônia. O autor sacro exibe diante de nossos olhos um pequeno brilho de esperança, uma prefiguração da libertação final de um remanescente de Judá que voltaria a Jerusalém e reiniciaria as coisas.

Assim é que o livro de 2Reis termina com uma nota de esperança. O poder de Deus encontraria Judá no exílio e produziria grandes e positivas transformações. A nação prosseguiria. O pacto abraâmico (ver Gn 15.18) não fora anulado. A dinastia davídica não fora neutralizada. Uma chama rebentou de novo dentre as cinzas. A misericórdia de Deus continuava presente; sua graça ainda estava operando, apesar de um julgamento devastador. Cf. Sl 106.46; Ne 2.2 e Ed 9.9.

Com essa nota de esperança, pois, "terminou a história da catástrofe dos reis judeus, do povo e do estado judeu. O que eles sofreram foi consequência de rebeliões nunca antes ouvidas e de provações contra a Majestade nas alturas" (Adam Clarke, *in loc.*).

"Assim descobrimos também que não existe coração humano que não tenha alguma semente de bondade e de compaixão. Nosso historiador escreveu durante o exílio, e ele parecia alegre ao registrar esse toque de misericórdia, que ele pode ter sentido como uma profecia de misericórdias que ainda estavam por vir. E assim, realmente, as coisas se revelaram. Pois, no próprio tempo de Deus, aqueles exilados, ensinados na tristeza e na disciplina dos sofrimentos, haveriam de ver um novo dia, não somente para sua própria gente, mas para toda a humanidade" (Raymond Calking, *in loc.*).

O tom positivo que encerra o livro de 2Reis faz-nos lembrar da misericórdia de Deus, que tem sido repetidamente enfatizada na história e em 1 e 2Reis. A dinastia davídica continuaria algum dia, cumprindo assim a promessa divina (ver 2Sm 7.16). Quando Ciro, rei da Média-Pérsia, derrubou a Babilônia, permitiu que um remanescente de Judá voltasse à sua terra (Ed 1.1-4).

O temor ao Senhor é o princípio da sabedoria.

Salmo 111.10

Pedi, e dar-se-vos-á; buscai, e achareis; batei, e abrir-se-vos-á.

Mateus 7.7

Enquanto houver vida, haverá esperança.

Cícero

Agora, pois, permanecem a fé, a esperança e o amor, estes três; porém o maior destes é o amor.

1Coríntios 13.13

A verdadeira esperança é veloz.
Ela voa com asas de andorinha.
Transforma reis em deuses.
E transforma criaturas menores em reis.

Shakespeare

JERUSALÉM DESOLADA

Richard Laurence, *The Book of Enoch*, 1821.

Todo o exército dos caldeus que estava com o chefe da guarda, derribou os muros em redor de Jerusalém... Os mais pobres da terra deixou o chefe da guarda ficar alguns para vinheiros e para lavradores... Tomando-os Nebuzaradã, o chefe da guarda, levou-os ao rei de Babilônia, a Ribla. O rei de Babilônia os feriu e os matou em Ribla, na terra de Hamate. Assim Judá foi levado cativo para fora de sua terra. Quanto ao povo que ficara na terra de Judá, Nabucodonosor, rei de Babilônia, que o deixara ficar, nomeou governador sobre ele a Gedalias, filho de Aicão.

2Reis 25.10,12,20,21,22

1 CRÔNICAS

O livro que descreve as façanhas de Davi

> *Quem há como o teu povo Israel, gente única na terra, a quem tu, ó Deus, foste resgatar para ser teu povo, e fazer a ti mesmo um nome...?*
>
> 1 CRÔNICAS 17.21

29	Capítulos
942	Versículos

1CRÔNICAS

O LIVRO QUE DESCREVE
AS FAÇANHAS DE DAVI

"Quem tal como o teu povo
Israel, gente única na terra, a
quem tu, ó Deus, foste resgatar
para o ser teu povo, e fazer-te a ti
mesmo um nome...?"

1Crônicas 17.21

29	Capítulos
942	Versículos

INTRODUÇÃO

ESBOÇO:

  I. Declaração Geral
  II. Título
  III. Autoria
  IV. Data
  V. Autenticidade Histórica
  VI. Fontes Informativas Literárias
  VII. Motivos e Propósitos
  VIII. Filosofia e Teologia
  IX. Canonicidade
  X. Alguns Problemas
  XI. Conteúdo
  XII. Bibliografia

I. DECLARAÇÃO GERAL

1 e 2Crônicas são livros históricos do Antigo Testamento, contidos na terceira e última divisão do cânon hebraico, *os Escritos e os Hagiógrafos*. Originalmente, esses livros formavam um único volume. Eles narram desde Adão até Ciro (538 a.C.), dando atenção especial a Davi e aos reis subsequentes de Judá. Essas obras têm sinais de ser uma revisão de livros anteriores e canônicos do Antigo Testamento, sobretudo com base em 1 e 2Samuel e 1 e 2Reis, de acordo com os interesses e ideias do autor. O autor exibe interesse especial pelo templo de Jerusalém, com sua adoração e ritos. Também demonstra interesse especial pela doutrina da retribuição divina. A tradição judaica atribui a obra desses dois livros a Esdras; mas muitos eruditos modernos supõem que eles pertençam a um período posterior, isto é, à primeira metade do século III a.C., do mesmo autor que escreveu os livros de Esdras e Neemias. Se Esdras viveu na primeira metade do século IV a.C., entretanto, não é impossível que ele tivesse sido, realmente, o autor sagrado. Além dos livros canônicos históricos (Gn a 2Reis), parece que outras fontes também foram usadas. O valor especial dos livros de Crônicas reside nas explicações e avaliações feitas pelo autor sagrado acerca das ideias e instituições do judaísmo de sua época. Alguns estudiosos supõem que esses livros sejam escritos suplementares no espírito dos escritos sacerdotais, *P.(S.)*, embora representem um estágio posterior. Ver o artigo sobre as fontes informativas do *Pentateuco*.

II. TÍTULO

O título "Crônicas" foi usado pela primeira vez já nos fins do século IV d.C., em seu equivalente latino, por Jerônimo. A LXX, a versão grega do Antigo Testamento compilada no século II a.C., emprega o nome *Paralipomena*, que significa "coisas omitidas", a saber, omitidas de outros livros do Antigo Testamento, e que o autor sagrado desejava suprir. O nome hebraico desses livros é *Dibre Hayamim*, que significa "anais" ou "história". Nas Bíblias grega e latina e na maioria dos idiomas hebraicos, os livros de Crônicas aparecem entre os livros de Reis e de Esdras, ou entre os livros de Esdras e Neemias. Porém, na Bíblia hebraica, aparecem no fim dessa coletânea. Originalmente, eles formaram um único volume. A divisão retrocede à LXX, o que não foi adotado na Bíblia hebraica senão já na Idade Média. Entretanto, não há evidência de que, originalmente, os livros de Crônicas e Esdras-Neemias formavam um único volume.

III. AUTORIA

A tradição judaica atribui os livros de Crônicas a Esdras, o escriba que é personagem nos livros de Esdras e Neemias (Ed 7.6). A tradição talmúdica (Baba Bathra 15a) confirma essa opinião. O trecho de 2Macabeus 2.13-15 indica que Neemias reuniu uma extensa biblioteca, a qual provavelmente esteve à disposição de Esdras, para ser usada como fonte informativa. O relato de Esdras-Neemias cobre aproximadamente o primeiro século do Estado judeu restaurado, após o retorno do exílio babilônico em 539 a.C., aludindo, principalmente, às atividades de Esdras e Neemias, após uma breve narrativa sobre o retorno dos judeus e a reconstrução do templo de Jerusalém. É bem provável que Esdras tenha sido o autor de ambos os livros. Também é possível que ele tenha sentido que um relato atualizado da história de Israel seria útil para conscientizar a sua geração sobre a importância do templo e da tradição judaica em geral. Os livros de Crônicas, segundo parece, resultam desse desejo. O elo entre o final dos livros de Crônicas e o começo do livro de Esdras, bem como a similaridade de ponto de vista desses livros, sugere que eles formam uma unidade. E isso, por sua vez, sugere uma autoria única. Adições de natureza histórica, muito tardias para Esdras, podem ser explicadas como obra de escribas posteriores, que atualizaram os livros. Assim, nas genealogias, em 1Cr 3.19-25, os nomes dos descendentes de Zorobabel, até a sexta geração (na LXX, até a décima primeira geração), e a lista dos sumos sacerdotes, em Ne 12.22, continuam até Jadua, que, conforme Josefo explica, viveu na época de Alexandre, o Grande, tendo falecido em 333 a.C., o que ultrapassa a época de Esdras, pelo que deve representar essas adições às quais acabamos de nos referir. Em favor da autoria de Esdras temos igualmente o fato de que nenhum dentre os demais nomes sugeridos adapta-se tão bem aos fatos, como um todo, como o nome de Esdras.

IV. DATA

Esdras retornou a Jerusalém em 457 a.C. O templo de Jerusalém foi reconstruído em 520-515 a.C., mas a lassidão geral prevalecia no tocante à observância apropriada das instituições judaicas. Portanto, Esdras anelava por melhorar a situação. Neemias retornou à Palestina em 444 a.C., e novamente, em 432 a.C., como governador do novel Estado judaico, provendo a liderança necessária no tocante à reconstrução das muralhas da cidade. Provavelmente, foi durante esse período de ajustamento e reorientação que Esdras escreveu os dois livros de Crônicas. O arqueólogo W.F. Albright defendeu a autoria de Esdras, datando a escrita desses livros entre 400 e 305 a.C. Porém, alguns estudiosos pensam em uma data tão tardia quanto 250 a.C., supondo que escribas posteriores tivessem feito uma compilação, incluindo algum material que obviamente dizia respeito a um período posterior ao de Esdras. No entanto, esse material pode ser justificado como adições feitas por escribas posteriores, com o intuito de atualizar a obra.

V. AUTENTICIDADE HISTÓRICA

O autor sagrado aventura-se a incluir material ainda não contido nos livros canônicos anteriores do Antigo Testamento. Os críticos têm posto em dúvida a historicidade desse material adicional. Todavia, W.F. Albright dá-nos a seguinte garantia: "Os livros de Crônicas contêm grande quantidade de material que aborda a história de Judá, e não se encontra nos livros dos Reis e... o valor histórico desse material original está sendo confirmado pelas descobertas arqueológicas" (*Bulletin Am. School of Oriental Research* 100, 1945, pág. 18). É verdade que o autor sagrado usou muitas fontes informativas (ver o ponto sexto, abaixo), mas parece que ele se mostrou cuidadoso na seleção que fez. Acresça-se a isso que é bom lembrar que os hebreus eram muito sensíveis à história, e pelo menos desde 1000 a.C. em diante os relatos apresentados por ele têm sido achados bastante exatos.

VI. FONTES INFORMATIVAS LITERÁRIAS

O próprio autor sagrado refere-se a vários escritos que contêm novas informações sobre a história de Israel; e, apesar de não afirmar especificamente que se utilizou deles, é isso o que se pode deduzir. Os livros de Crônicas distinguem-se por serem as obras do Antigo Testamento que mais alusões fazem a fontes externas aos livros sagrados.

Muitas dessas fontes informativas estão agora perdidas.

As Fontes Informativas:
1. *Registros oficiais,* talvez existentes na biblioteca de Neemias, incluindo outros livros do Antigo Testamento:
   a. A história do Rei Davi (1Cr 27.24).
   b. Os livros canônicos dos reis (2Cr 16.11; 25.26; 27.7; 28.26; 32.27; 35.27 e 36.8).
   c. O livro da história dos reis (2Cr 24.27).

d. A prescrição de Davi, rei de Israel, e a de Salomão, seu filho (2Cr 35.4).
2. *Escritos e registros proféticos:*
   a. Samuel (1Cr 29.29).
   b. Natã (1Cr 29.29 e 2Cr 9.29).
   c. Gade (1Cr 21.9).
   d. Ido (2Cr 9.29; 12.15 e 13.22).
   e. Aías (2Cr 9.29).
   f. Semaías (2Cr 20.34).
   g. Jeú, filho de Hanani (2Cr 12.15).
   h. Isaías (2Cr 26.22; 32.32).
   i. Hozai (2Cr 33.19).
3. *Diversas outras fontes.* Listas genealógicas e documentos oficiais (2Cr 32.10-15); as cartas de Senaqueribe (2Cr 32.10-15); as palavras de Asafe e Davi (2Cr 29.30); o documento com planos para a construção do templo de Jerusalém (1Cr 28.19). Essas fontes informativas não são, necessariamente, todas elas, documentos separados. Além dos escritos canônicos do Antigo Testamento, que contêm a essência da mensagem dos profetas, também há um número regular de escritos que lhes são semelhantes, mas nunca fizeram parte do cânon do Antigo Testamento.

VII. MOTIVOS E PROPÓSITOS
Esdras já vinha atuando ativamente em Jerusalém, como mestre da lei, por mais de uma década, antes que Neemias chegasse como governador, em 444 a.C. A obra de Neemias renovou os interesses espirituais do povo judeu, o que pode ter sido aproveitado por Esdras como a ocasião apropriada para reforçar esse avanço, pondo em dia os escritos históricos de Israel. Se o povo judeu adquirisse maior orgulho a respeito de sua história e de suas tradições religiosas, sentir-se-ia mais fortalecido em uma época de renovação. Alianças foram renovadas, festas religiosas foram celebradas (Ne 8—10). O livro não declara especificamente o seu propósito; mas, com base em seu conteúdo, podemos obter uma boa ideia sobre ele. O autor sagrado não queria meramente repetir a história. Ele não apresentou fatos, deixando de mencionar muitos deles. Porém, por trás dessa sua nova narração da história, ele tinha certo propósito teológico e filosófico. Por exemplo, ao descrever o reinado de Davi, ele demonstrou a supremacia militar e os interesses religiosos desse grande rei de Israel. Relatou, com abundância de detalhes, as coisas que Davi realizou, como se estivesse dizendo obviamente ao povo: "É chegado o tempo de restaurar as coisas, em consonância com o estilo davídico". Ele retratou Salomão sob luzes favoráveis, visto que foi Salomão quem construiu o templo de Jerusalém. Sem dúvida é significativo que a apostasia de Salomão, tão cuidadosamente delineada no décimo primeiro capítulo de 1Reis, seja inteiramente omitida nas Crônicas. É que o autor sagrado queria projetar um exemplo positivo, que pudesse ser seguido; e ele não queria obscurecer esse ponto, narrando os aspectos negativos do relato. E o autor sagrado usou do mesmo esquema ao relatar os atos de outros reis. As virtudes deles foram enfatizadas, para que pudessem servir de bons exemplos.

VIII. FILOSOFIA E TEOLOGIA
A fim de transmitir a sua mensagem, o autor sagrado teve a inspiração de apresentar pontos de vista e propósitos específicos. Ele tinha uma filosofia a comunicar.
a. *A lei da colheita segundo a semeadura.* Deus ocupa-se da retribuição, de uma maneira ativa. A história não é algo que meramente acontece. Há uma reconhecida relação entre causas e efeitos, e essas causas e efeitos estão baseados em condições morais. O vigésimo primeiro capítulo de 2Reis, que é a base de 2Cr 33, diz muita coisa má a respeito de Manassés. Porém, nas mãos do autor sagrado dos livros de Crônicas, esses atos errados não foram relatados, porquanto isso seria incompatível com o longo e pacífico reinado de Manassés. E o autor também teve o cuidado de narrar o exílio e o arrependimento de Manassés, mostrando como ele retornou a Israel a fim de levar uma vida caracterizada pela piedade (2Cr 33.11-13).
b. *A questão da autoridade.* A fim de que a vontade de Deus seja cumprida entre o povo, é mister que haja uma autoridade apropriada, estabelecida entre os homens, com líderes legítimos. Os primeiros 405 versículos dos livros de Crônicas enfatizam esse tema.
c. *O davidismo.* Davi é o grande herói que o autor sagrado pintou com cores brilhantes, a fim de que pudesse ser o grande exemplo heroico para o povo judeu seguir. As questões éticas sempre foram importantes. O autor sagrado diz que Davi traçou planos cuidadosos para a construção do templo, algo que não é revelado em outras fontes informativas. No entanto, isso era importante para o propósito do autor sagrado. Ele precisava de exemplos claros sobre o uso apropriado do templo e de seus rituais. Davi e Salomão servem de exemplo sobre a preocupação apropriada a respeito dessas coisas. Precisamos estar interessados em cumprir a vontade de Deus.
d. *Uma ênfase exclusiva.* Os lances mais antigos do Antigo Testamento, como a história dos patriarcas, o êxodo, a conquista da Palestina etc., quase não são mencionados. Isso se harmoniza com o propósito do autor sagrado de salientar o templo de Jerusalém. Por essa razão, a sua narrativa não é proporcional, e, quanto a esse aspecto, deixou de ser história, para tornar-se muito mais uma crônica. Poderíamos chamar essa narrativa de história *selecionada*, compilada para servir a um propósito religioso e prático. Alguns eruditos fazem objeção a essa distorção, acusando o autor sagrado de ter reescrito a história. Porém, parece melhor supormos que essa porção do livro não tivesse o propósito específico de ser história, no seu sentido comum. Há porções dos livros de Crônicas que são mais tratados religiosos, baseados historicamente.

IX. CANONICIDADE
Desde que se completou o cânon do Antigo Testamento ou Bíblia hebraica, os livros de Crônicas foram adicionados. Esses livros foram incluídos por Josefo dentro dos 22 livros em que consistia o cânon hebreu. Mas então a arrumação dos livros era outra, e esse número correspondia aos nossos mesmos 39 livros. Segundo se pode depreender de seus escritos, parece que Josefo acreditava que o cânon do Antigo Testamento se havia completado por volta de 400 a.C. Os livros de Crônicas ficavam dentro da classe dos *Escritos*, a terceira divisão do cânon hebraico. Aparecem em último lugar dentro da coletânea da Bíblia hebraica original; mas isso parece estar de acordo com um arranjo histórico, não servindo de indicação de prioridade canônica. Quanto a maiores detalhes sobre a questão, ver no *Dicionário* o artigo sobre o *Cânon do Antigo Testamento*.

X. ALGUNS PROBLEMAS
a. A questão da data e da autoria é criada pelo problema que cerca o trecho de 1Cr 3.19-24, bem como a lista dos sumos sacerdotes, em Ne 12.22. Ambas as passagens ultrapassam a época de Esdras. Podemos encarar isso como indicação de que os livros foram escritos após a época de Esdras ou então como indicação de que a obra original foi expandida por escribas posteriores. Ver a discussão sob *Data* e *Autoria*.
b. Alguns críticos não se satisfazem com a implicação dos livros de Crônicas de que Davi fez todos os planos relativos ao templo de Jerusalém e estabeleceu as guildas de cantores. Eles supõem que isso promova uma espécie de davidismo, segundo o qual Davi seria manipulado como uma espécie de herói, a fim de inspirar o povo a interessar-se pelo templo e seu ritual. Porém, o arqueólogo W.F Albright descobriu evidências em prol da assertiva de que essas guildas musicais não somente remontam aos dias de Davi, mas até mesmo aos tempos dos cananeus, muito antes da época de Davi (*The Old Testament and Archeology*, conforme citado por Alleman e Flack, em *Old Testament Commentary*, pág. 63). E há fontes informativas egípcias que se referem a músicos cananeus durante o segundo milênio a.C.; e os fundadores das guildas musicais nos registros do Antigo Testamento têm nomes cananeus.
c. *Novos informes históricos.* Nos pontos em que os livros de Crônicas vão além da história canônica do Antigo Testamento, têm sido levantadas algumas dúvidas. Sobre tais questões, entretanto, Albright declara que as descobertas arqueológicas têm confirmado coerentemente a historicidade dos livros de Crônicas. Ver o quinto ponto, *Autenticidade Histórica*.

XI. CONTEÚDO

I. *Genealogias de Adão a Saul* (1Cr 1.1—9.44)
  1. De Adão a Noé (1.1-4)
  2. Dos filhos de Noé a Jacó e Esaú (1.5-54)
  3. Os filhos de Jacó (2.1—9.44)
      a. Judá, a linhagem real (2.1—4.23)
      b. Outras tribos (4.24—8.40)
      c. Levi (6.1-81)
      d. Oficiais do templo (9.1-34)
      e. Saul (9.35-44)
II. *Davi, o Grande Exemplo* (1Cr 10.1—29.30)
  1. Morte de Saul (10.1-14)
  2. A captura de Sião e os guerreiros de Davi (11.1—12.40)
  3. Davi como rei (13.1—21.30)
  4. Contribuição de Davi para o templo (22.1—29.30)
III. *História de Salomão* (2Cr 1.1—9.31)
  1. Sua sabedoria e prosperidade (1.1-17)
  2. Construção do templo (2.1—7.22)
  3. Sua obra e sua morte (8.1—9.31)
IV. *Os Reis de Judá* (10.1—36.23)
  1. De Reoboão a Zedequias (10.1—36.21)
  2. O decreto de Ciro, o exílio e o retorno (36.22,23)

XII. BIBLIOGRAFIA
ALBR AM BRI IB KEI ND ROW Z

Ao Leitor

Na *Introdução* provi ao leitor informações sobre tópicos tais como caracterização geral, título, autoria, data, autenticidade histórica, fontes literárias, motivo e propósitos dos livros (1 e 2Crônicas), filosofia e teologia, canonicidade, problemas especiais e conteúdo. O leitor sério não começará a estudar a unidade literária de 1 e 2Crônicas sem se informar, primeiramente, quanto a esses tópicos gerais. Uma única introdução foi provida para ambos os livros, visto que eles formam uma só unidade literária, e, de fato, na Bíblia hebraica original, formavam um só livro.

Ao que tudo indica, foi a versão grega, a Septuaginta, que separou pela primeira vez o material em dois livros, visando mais fácil manuseio. Esse arranjo tem sido seguido pelas traduções modernas.

"1 e 2Crônicas deveriam ser lidos juntos a fim de ser apreciada a *unidade* e o desenvolvimento progressivo do argumento dos livros" (Eugene H. Merrill, *in loc.*).

Relações para com 1 e 2Samuel e 1 e 2Reis. Mais da metade de 1 e 2Crônicas apresenta paralelos diretos com os quatro livros mencionados. É provável que esses livros não sejam citados diretamente. Antes, têm fontes informativas comuns, que cada autor-compilador utilizou em consonância com os seus propósitos. O principal entre eles foi o livro não canônico da *História dos Reis de Israel e de Judá*. Esse livro é citado por 32 vezes em 1 e 2Reis. Ver a introdução ao capítulo 24 de 2Reis quanto a comentários a respeito. Vários outros livros informativos foram utilizados para compilar 1 e 2Crônicas, e apresento uma discussão detalhada sobre essa questão na introdução à sexta seção, intitulada *Fontes Informativas Literárias*. Ver também a exposição sobre 1Cr 29.29, onde várias obras informativas são identificadas pelo autor sagrado.

Uma Filosofia da História. O texto de 1 e 2Crônicas é mais do que uma simples narrativa histórica. O leitor que suponha estar lendo somente uma história pode achar esses livros embotados e repetitivos. Mas, quando se reconhece que eles representam um esforço de expor a filosofia da história dos hebreus, combinada com profundas afirmações teológicas, então os livros adquirem vida e, de fato, tornam-se uma produção literária ímpar do cânon bíblico hebraico.

O autor sacro escreveu depois do cativeiro babilônico e quis demonstrar que a tribo de Judá (que sobreviveu àquele evento) tinha autoridade tanto política quanto espiritual para dar continuação ao povo de Israel. A *dinastia davídica* provia a continuação política legal, e os *ministros levíticos* proviam a continuação espiritual. Tanto a dinastia davídica quanto o ministério levítico sobreviveram ao cativeiro.

Cinco Princípios Normativos da Filosofia da História:
1. *Deus* controla a existência humana e intervém na história da humanidade. Deus pôs o homem sob uma *obrigação moral.* Isso reflete o *teísmo* (ver a respeito no *Dicionário*).
2. Deus havia estabelecido formas de adoração que promoviam o yahwismo. Seguir o que era espiritualmente apropriado resultava em uma vida de bênçãos, ao passo que negligenciar a espiritualidade apropriada (governada pela legislação mosaica) acarretava a síndrome do pecado-calamidade-julgamento que, ao manifestar-se, era sempre destrutiva.
3. Deus se manifestava através da *revelação*. Ele assim se manifestou no passado e continua a fazê-lo no presente. Esse é um importante aspecto do *teísmo*, em contraste com o *deísmo* (ver sobre ambas as ideias no *Dicionário*). Deus faz intervenções contínuas entre os seres humanos.
4. Por toda a parte nos livros de Crônicas, a dinastia davídica é exaltada, porquanto foi com base nessa autoridade, após o cativeiro, que Israel pôde continuar como unidade política, a despeito do fato de que uma única tribo, Judá, provia a continuação. Além disso, visto que um número suficiente de levitas retornou do cativeiro, havia autoridade espiritual investida na tribo isolada de Judá, de modo que a história de Israel pôde continuar através dessa tribo. Assim, revestido de autoridade política e espiritual, Judá pôde continuar a história de Israel, a despeito de os dois cativeiros, o assírio e o babilônico, terem reduzido Israel a quase nada.
5. *A lei moral da colheita segundo a semeadura* (ver sobre esse assunto no *Dicionário*). A obrigação moral operava através da legislação mosaica. Essa lei fazia de Israel um povo distinto (anotado em Dt 4.4-8), e esse povo foi considerado responsável por todos os seus atos. As calamidades, bem como os cativeiros, podiam ser explicadas com base na síndrome da colheita-semeadura. Os sucessos e as bênçãos também podiam ser explicados sobre essa mesma base.

Um Contraste. Os livros de 1 e 2Reis apresentam a história dos reinos de Israel e Judá. Mas a unidade formada por 1 e 2Crônicas limita-se ao reino unido (Saul-Davi-Salomão) e então aos reis de Judá.

Escopo. A unidade de 1 e 2Crônicas cobre o período da morte de Saul (cerca de 1050 a.C.) até o cativeiro babilônico (597 a.C.). Esses livros oferecem um relato mais completo sobre os reis de Judá do que os livros de 1 e 2Reis, a despeito de muito material repetido. Naturalmente, as genealogias (capítulos 1-9) retrocedem até Adão, mas dificilmente isso pode ser considerado parte do escopo histórico dos livros de Crônicas.

EXPOSIÇÃO

CAPÍTULO UM

GENEALOGIAS DE ADÃO A SAUL (1.1—9.44)

DE ADÃO A NOÉ (1.1-4)

O verdadeiro escopo histórico do livro de 1Crônicas abrange somente da morte de Saul ao reino de Davi. Mas os capítulos primeiro a nono apresentam uma série de genealogias para vincular os reis do Reino Unido (e então aqueles de Judá) com os propósitos históricos e as operações de Deus. O autor sagrado enfatizou o fato de que *Deus* trouxe, da história antiga, um *povo escolhido.* Davi foi o *rei ideal,* a quem todos os reis deveriam imitar.

Na dinastia davídica (constantemente exaltada pelo autor sacro) o Israel pós-exílico tinha autoridade *política* que permitia sua continuidade, embora através de uma *única* tribo, Judá. Nos ministérios levíticos, residia a autoridade *espiritual* da nação.

Houve a criação física do mundo, e então houve Adão e a humanidade, mas da humanidade veio o *povo escolhido,* a nação de Israel. Os capítulos 10 a 29 são dedicados a Davi e ao seu reinado, visto que *em Davi* o propósito divino operou para a formação da nação, seu templo e seu culto.

"As genealogias foram dadas para mostrar que Davi e Judá foram escolhidos por Deus; que a seleção divina pode ser traçada de volta aos tempos patriarcais e até pré-patriarcais" (Eugene H. Merrill, *in loc.*).

É evidente, na maioria dos casos, que o autor-compilador *copiou* diretamente as genealogias, com pouquíssimas modificações, e deve ter usado outros livros do Antigo Testamento para fazer suas compilações. No primeiro capítulo de 1Crônicas, as genealogias foram copiadas do livro de Gênesis, mas não foi propósito do autor meramente repetir nomes. Ele usou os nomes seletivamente para incluir nações, tribos e indivíduos que fossem relevantes ao seu desígnio geral.

Os Nomes Próprios e o Dicionário. No *Dicionário,* provi artigos sobre quase todos os nomes próprios das genealogias. As pequenas omissões são comentadas nos textos dos quais essas genealogias foram tomadas por empréstimo.

A história idealizada de Israel (Judá) começa com Saul, o primeiro rei do reino unido. Saul aparece dentro do propósito divino por meio de uma história passada das operações de Deus. As genealogias, pois, fazem-nos relembrar essa história.

"Essas listas originaram-se em um propósito sério e sagrado, pois estabelecem os direitos de várias famílias levíticas na Jerusalém do pós-exílio, para que pudessem cumprir suas funções sagradas. E também davam sustento às reivindicações de outras famílias importantes da comunidade judaica, as quais, por conseguinte, consideravam-se, verdadeiramente, filhos de Abraão e herdeiros da promessa divina. Significava muito para homens leais e devotados ler os nomes de seus antepassados em uma lista aprovada. O interesse genealógico não se relacionava *somente* a questões de dignidade e títulos de propriedades, vantagens e ofícios. Repousava sobre a profunda e honrosa crença de que o *povo eleito* tinha uma obrigação sagrada, em razão de seu conhecimento do Deus verdadeiro, e do *caminho certo* de adorar a ele e servir à sua justa vontade. Com a passagem do tempo, cada indício de informação genealógica digna de confiança foi recolhido, filtrado e, finalmente, coordenado, a fim de formar esses *nove capítulos* (supostamente desinteressantes)" (W. A. L. Elmslie, *introdução* ao primeiro capítulo).

Os vss. 1-34 foram copiados, de forma abreviada, de Gn 5.3-32; 10.2-29 e 25.1-16.

■ **1.1-4**

V1 : אָדָם שֵׁת אֱנוֹשׁ

V2 : קֵינָן מַהֲלַלְאֵל יֶרֶד

V3 : חֲנוֹךְ מְתוּשֶׁלַח לָמֶךְ

V4 ס : נֹחַ שֵׁם חָם וָיָפֶת

Os primeiros treze nomes designam os patriarcas antediluvianos. Na seção seguinte, encontramos os fundadores das nações conhecidas pelo autor sagrado, que povoaram o mundo antigo. Em seguida, encontramos a partir do vs. 24 os primeiros ancestrais do povo hebreu. Dessa maneira, o autor sagrado estava desdobrando sua filosofia de história, conforme comentei nos parágrafos introdutórios ao primeiro capítulo de 1Crônicas. Todos os nomes próprios recebem artigos no *Dicionário* ou, se omitidos ali, nos lugares de onde o autor sagrado os tomou por empréstimo.

"O ponto aqui salientado é que, quando um judeu adorava a Deus, ele acreditava estar adorando ao Criador e Pai de todos, e cujas 'ternas misericórdias permeiam todas as suas obras' (Sl 145.9). O universalismo implícito permeia quase a totalidade da grande literatura do período judaico, dando-lhe uma qualidade desvinculada do tempo" (W. A. L. Elmslie, *in loc.*).

Os nomes que aparecem nos quatro primeiros versículos deste capítulo baseiam-se em Gn 5.3-32. A história da raça humana é traçada desde Adão (o primeiro homem), passando por Noé e seus três filhos. Isso dá ao cronista uma raiz para o povo através do qual o propósito de Deus haveria de operar. A linhagem davídica seria o passo crucial para um importante estágio das operações divinas. A linhagem de Davi descenderia de Sem (Gn 9.26,27). E, naturalmente, o Cristo, conhecido como Jesus em sua vida terrena, teria origem nessa linhagem. Esse passo universalizou o *plano divino* de modo que o autor sacro só poderia ter previsto de forma preliminar. Os hebreus mostraram-se culpados de um nacionalismo às vezes cru. Mas isso não deteve a operação do plano divino. Algo operava neles, e era maior do que aquilo que eles já sabiam. O *caminho cada vez mais largo* foi-se tornando cada vez mais evidente, conforme o tempo foi passando.

DOS FILHOS DE NOÉ A JACÓ E ESAÚ (1.5-54)

Genealogia de Jafé (1.5-7)

■ **1.5-7**

V5 בְּנֵי יֶפֶת גֹּמֶר וּמָגוֹג וּמָדַי וְיָוָן וְתֻבָל וּמֶשֶׁךְ וְתִירָס : ס

V6 : וּבְנֵי גֹּמֶר אַשְׁכְּנַז וְדִיפַת וְתוֹגַרְמָה

V7 ס : וּבְנֵי יָוָן אֱלִישָׁה וְתַרְשִׁישָׁה כִּתִּים וְרוֹדָנִים

Cf. Gn 10.2-4, de onde estes nomes foram tomados por empréstimo. Os vss. 5-23 são uma versão compacta do capítulo 10 de Gênesis. Os nomes próprios representam não apenas indivíduos, mas também povos e países. Somando esses nomes, os intérpretes judeus encontraram um total de setenta nações do mundo inteiro. Mas esse foi um cálculo ideal, e não literal, pois sabemos que, de fato, havia muito mais do que setenta povos e nações. Coisa alguma é dita sobre o mundo fora da área do mar Mediterrâneo e terras imediatamente adjacentes. Ver no *Dicionário* o verbete chamado *Nações*.

Jafé figura no vs. 5 na ordem reversa, quando comparamos com o modo usual de apresentação. Seus filhos foram os caucasianos, as raças brancas ou de tez clara. Até aqui a história já avançou a algum ponto após o dilúvio.

Genealogia de Cão (1.8-16)

■ **1.8-16**

V8 : בְּנֵי חָם כּוּשׁ וּמִצְרַיִם פּוּט וּכְנָעַן

V9 וּבְנֵי כוּשׁ סְבָא וַחֲוִילָה וְסַבְתָּא וְרַעְמָא וְסַבְתְּכָא

וּבְנֵי רַעְמָא שְׁבָא וּדְדָן : ס

V10 וְכוּשׁ יָלַד אֶת־נִמְרוֹד הוּא הֵחֵל לִהְיוֹת גִּבּוֹר בָּאָרֶץ : ס

V11 וּמִצְרַיִם יָלַד אֶת־לוּדִיִּים וְאֶת־עֲנָמִים וְאֶת־לְהָבִים וְאֶת־נַפְתֻּחִים :

V12 וְאֶת־פַּתְרֻסִים וְאֶת־כַּסְלֻחִים אֲשֶׁר יָצְאוּ מִשָּׁם פְּלִשְׁתִּים וְאֶת־כַּפְתֹּרִים : ס

V13 וּכְנַעַן יָלַד אֶת־צִידוֹן בְּכֹרוֹ וְאֶת־חֵת :

V14 : וְאֶת־הַיְבוּסִי וְאֶת־הָאֱמֹרִי וְאֶת־הַגִּרְגָּשִׁי

V15 : וְאֶת־הַחִוִּי וְאֶת־הַעַרְקִי וְאֶת־הַסִּינִי

V16 ס : וְאֶת־הָאַרְוָדִי וְאֶת־הַצְּמָרִי וְאֶת־הַחֲמָתִי

Esta lista é quase igual à de Gn 10.6-8 e 13.18, e inclui a narrativa abreviada acerca de Ninrode (ver 1Cr 1.10 e Gn 10.8-12). Isto nos permite concluir que, ao compilar suas genealogias e comentários, o autor tinha diante de si o livro de Gênesis.

Presumivelmente, temos aqui a menção a povos de tez escura e queimada. Quanto a uma discussão detalhada a respeito das teorias envolvidas, ver sobre *Cão,* no *Dicionário.* Ver também sobre *Cuxe,* que na Bíblia é chamado ainda de Etiópia (ver Is 19.1). A versão árabe diz *Habesh,* isto é, a Etiópia.

Genealogia de Sem (1.17-27)

■ **1.17-23**

V17 בְּנֵי שֵׁם עֵילָם וְאַשּׁוּר וְאַרְפַּכְשַׁד וְלוּד וַאֲרָם

וְעוּץ וְחוּל וְגֶתֶר וָמֶשֶׁךְ : ס

V18 : וְאַרְפַּכְשַׁד יָלַד אֶת־שָׁלַח וְשֶׁלַח יָלַד אֶת־עֵבֶר

V19 וּלְעֵבֶר יֻלַּד שְׁנֵי בָנִים שֵׁם הָאֶחָד פֶּלֶג כִּי בְיָמָיו נִפְלְגָה הָאָרֶץ וְשֵׁם אָחִיו יָקְטָן׃

V20 וְיָקְטָן יָלַד אֶת־אַלְמוֹדָד וְאֶת־שָׁלֶף וְאֶת־חֲצַרְמָוֶת וְאֶת־יָרַח׃

V21 וְאֶת־הֲדוֹרָם וְאֶת־אוּזָל וְאֶת־דִּקְלָה׃

V22 וְאֶת־עֵיבָל וְאֶת־אֲבִימָאֵל וְאֶת־שְׁבָא׃

V23 וְאֶת־אוֹפִיר וְאֶת־חֲוִילָה וְאֶת־יוֹבָב כָּל־אֵלֶּה בְּנֵי יָקְטָן׃ ס

Foi de Sem, naturalmente, que se originaram os povos semitas, e isso nos conduz ao povo de Israel e às suas raças irmãs imediatas, incluindo assírios e babilônios. Os semitas eram descendentes de Noé. A história bíblica sobre eles passa por Abraão, por Davi e daí para o Cristo. A base da primeira porção da lista é Gn 10.22-29. Quanto a notas adicionais, ver os comentários sobre os vss. 24-27.

O artigo do *Dicionário* denominado *Nações* provê um gráfico que nos ajuda a visualizar as informações dadas nessas listas. Esse gráfico fundamenta-se essencialmente sobre Gn 10.1-32 e 1Cr 1.4-23.

■ **1.24-27**

V24 שֵׁם אַרְפַּכְשַׁד שָׁלַח׃

V25 עֵבֶר פֶּלֶג רְעוּ׃

V26 שְׂרוּג נָחוֹר תָּרַח׃

V27 אַבְרָם הוּא אַבְרָהָם׃ ס

Estes versículos incluem um breve sumário de nomes; os primeiros nomes citados (de Sem até Pelegue) são importantíssimos na apresentação da linhagem de descendência. Além desses, há cinco nomes adicionais oferecidos (de Reú a Abraão; Gn 11.18-26). O autor sacro não fez menção alguma aos *irmãos* de Abraão, isto é, Naor e Harã (que figuram em Gn 11.26). Curiosamente, em 1Cr 1.26, Naor é avô de Abraão, e não seu irmão. Os irmãos de Abraão foram deixados de fora por não estarem na linhagem de Davi. Presume-se também que o Naor de 1Cr 1.26 não seja o Naor que foi irmão de Abraão, embora certos intérpretes pensem que há neste texto alguma espécie de confusão.

Genealogia de Abraão (1.28-34)

■ **1.28-31**

V28 בְּנֵי אַבְרָהָם יִצְחָק וְיִשְׁמָעֵאל׃ ס

V29 אֵלֶּה תֹּלְדוֹתָם בְּכוֹר יִשְׁמָעֵאל נְבָיוֹת וְקֵדָר וְאַדְבְּאֵל וּמִבְשָׂם׃

V30 מִשְׁמָע וְדוּמָה מַשָּׂא חֲדַד וְתֵימָא׃

V31 יְטוּר נָפִישׁ וָקֵדְמָה אֵלֶּה הֵם בְּנֵי יִשְׁמָעֵאל׃ ס

Os descendentes de Abraão foram dispostos nesta *primeira seção* de acordo com as mães envolvidas. Primeiramente temos os descendentes de Ismael, filho de *Hagar*, concubina de Abraão (cf. Gn 25.12-16). Ismael tornou-se fundador de várias tribos ismaelitas e, finalmente, dos povos árabes. O autor sacro considerou importante esse ramo da descendência de Abraão, conforme sabemos de suas repetições. Cf. 1Cr 27.30; 2Cr 17.11; 21.16; 22.1; 26.7. Ver também Ne 2.19; 4.7 e 6.1.

Os vss. 28 a 42 enumeram uma segunda série de *setenta* tribos ou povos derivados de Abraão. Esses povos originaram-se de três nomes representativos: Ismael, Quetura e Isaque. Os *setenta* povos anteriores derivaram-se de Noé, por meio de Sem, Cão e Jafé. As manipulações do autor sagrado dos nomes e grupos levariam a Isaque, e então a *Israel*, sendo esse o objetivo principal de todas as suas narrativas e listas.

■ **1.32,33**

וּבְנֵי קְטוּרָה פִּילֶגֶשׁ אַבְרָהָם יָלְדָה אֶת־זִמְרָן וְיָקְשָׁן וּמְדָן וּמִדְיָן וְיִשְׁבָּק וְשׁוּחַ וּבְנֵי יָקְשָׁן שְׁבָא וּדְדָן׃ ס

וּבְנֵי מִדְיָן עֵיפָה וָעֵפֶר וַחֲנוֹךְ וַאֲבִידָע וְאֶלְדָּעָה כָּל־אֵלֶּה בְּנֵי קְטוּרָה׃ ס

Esta *segunda seção* lista os descendentes de *Quetura*. A seção anterior dava os descendentes da primeira mãe nomeada, *Hagar*. Dessa outra concubina, pois, surgiu outra linhagem. Cf. Gn 25.2-4. *Doze* tribos derivaram de Quetura. A promessa do pacto abraâmico, de que Abraão seria pai de muitos povos, foi assim abundantemente cumprida. Ver sobre o *Pacto Abraâmico* em Gn 15.18, onde são dadas notas expositivas completas.

O autor sagrado omitiu os descendentes de Dedã que aparecem em Gn 25.3, talvez simplesmente para manter as listas abreviadas, ou por causa da distância geográfica que separava as terras de Dedã e Judá, o que os tornou desinteressantes para propósito de narrativa do autor sacro.

■ **1.34**

וַיּוֹלֶד אַבְרָהָם אֶת־יִצְחָק ס בְּנֵי יִצְחָק עֵשָׂו וְיִשְׂרָאֵל׃ ס

Este versículo isolado introduz a *terceira seção* dos descendentes de Abraão. Aqui encontramos a linhagem prometida, isto é, Israel, através de Isaque. Mas o autor sacro deveria primeiramente dar a descendência de Esaú, irmão gêmeo de Jacó (vss. 35-54). Em 1Cr 2.1,2 o autor sagrado chegará, finalmente, ao povo que era o foco de interesse de todas as suas manipulações genealógicas, a genealogia de Judá, de Davi e da dinastia davídica. Ver Gn 25.19.

Genealogia de Esaú (1.35-54)

■ **1.35**

בְּנֵי עֵשָׂו אֱלִיפַז רְעוּאֵל וִיעוּשׁ וְיַעְלָם וְקֹרַח׃ ס

Os descendentes de Esaú estabeleceram-se nas terras de Edom, a leste e ao sul do mar Morto (ver Gn 36.8). Duas listas distintas são dadas aqui, o que também ocorre na fonte informativa, o livro de Gênesis. Primeiramente temos os filhos de Esaú (ver 1Cr 1.35-37); então são dados os reis que reinaram em Edom (vss. 43-54). Cf. Gn 36.20-29 e os vss. 31-43 quanto às duas listas.

■ **1.36,37**

בְּנֵי אֱלִיפָז תֵּימָן וְאוֹמָר צְפִי וְגַעְתָּם קְנַז וְתִמְנָע וַעֲמָלֵק׃ ס

בְּנֵי רְעוּאֵל נַחַת זֶרַח שַׁמָּה וּמִזָּה׃ ס

Algumas versões apresentam *Timna* como um dos filhos de Elifaz, mas a palavra hebraica é um nome próprio feminino. Timna era concubina de Elifaz, o qual, por sua vez, era filho de Esaú. Ver Gn 36.12. Ela foi a mãe de Amaleque. O autor sagrado, quanto a esse ponto, foi um tanto descuidado, não deixando claros os detalhes.

Os vss. 38 e 39 dizem-nos que Timna era nativa de Seir (na verdade, filha de Seir), uma tribo pré-edomita. Suas conexões familiares aparecem nos vss. 38-42. Gn 36.20-29 é a fonte, embora haja algumas leves variantes na forma de escrever os nomes.

As esposas de Esaú são mencionadas no capítulo 36 de Gênesis; mas aqui o autor, em sua condensação de material, deixou-as de fora de sua narrativa.

Filhos de Seir (1.38-42)

■ **1.38-42**

וּבְנֵי שֵׂעִיר לוֹטָן וְשׁוֹבָל וְצִבְעוֹן וַעֲנָה וְדִישֹׁן וְאֵצֶר וְדִישָׁן׃

V39 וּבְנֵי לוֹטָן חֹרִי וְהוֹמָם וַאֲחוֹת לוֹטָן תִּמְנָע: ס

V40 בְּנֵי שׁוֹבָל עַלְיָן וּמָנַחַת וְעֵיבָל שְׁפִי וְאוֹנָם ס
וּבְנֵי צִבְעוֹן אַיָּה וַעֲנָה:

V41 בְּנֵי עֲנָה דִּישׁוֹן ס וּבְנֵי דִישׁוֹן חַמְרָן וְאֶשְׁבָּן
וְיִתְרָן וּכְרָן: ס

V42 בְּנֵי־אֵצֶר בִּלְהָן וְזַעֲוָן יַעֲקָן בְּנֵי דִישׁוֹן עוּץ
וַאֲרָן: פ

A comparação com Gn 36.20-30 mostra que Seir representa os habitantes indígenas de Edom ("os moradores da terra", Js 7.9), *antes* de sua conquista pelos filhos de Esaú. Com o tempo, como é natural, houve a fusão desses povos, ou seja, dos descendentes de Esaú e dos pré-edomitas, resultando daí apenas um povo.

"*Filhos de Seir*. Esse homem e sua posteridade não pertenciam à mesma raça de Esaú, mas são mencionados porque eram uma família na qual Esaú e seus filhos se casaram, e cujas possessões suas famílias, finalmente, obtiveram. A narrativa, dali por diante, até o fim do vs. 42, é idêntica à de Gn 36.20-28, com algumas variações nos nomes" (John Gill, *in loc.*).

■ **1.43-54**

V43 וְאֵלֶּה הַמְּלָכִים אֲשֶׁר מָלְכוּ בְּאֶרֶץ אֱדוֹם לִפְנֵי
מְלָךְ־מֶלֶךְ לִבְנֵי יִשְׂרָאֵל בֶּלַע בֶּן־בְּעוֹר וְשֵׁם עִירוֹ
דִּנְהָבָה:

V44 וַיָּמָת בָּלַע וַיִּמְלֹךְ תַּחְתָּיו יוֹבָב בֶּן־זֶרַח
מִבָּצְרָה:

V45 וַיָּמָת יוֹבָב וַיִּמְלֹךְ תַּחְתָּיו חוּשָׁם מֵאֶרֶץ הַתֵּימָנִי:

V46 וַיָּמָת חוּשָׁם וַיִּמְלֹךְ תַּחְתָּיו הֲדַד בֶּן־בְּדַד
הַמַּכֶּה אֶת־מִדְיָן בִּשְׂדֵה מוֹאָב וְשֵׁם עִירוֹ עֲיוֹת:

V47 וַיָּמָת הֲדָד וַיִּמְלֹךְ תַּחְתָּיו שַׂמְלָה מִמַּשְׂרֵקָה:

V48 וַיָּמָת שַׂמְלָה וַיִּמְלֹךְ תַּחְתָּיו שָׁאוּל מֵרְחֹבוֹת
הַנָּהָר:

V49 וַיָּמָת שָׁאוּל וַיִּמְלֹךְ תַּחְתָּיו בַּעַל חָנָן בֶּן־עַכְבּוֹר:

V50 וַיָּמָת בַּעַל חָנָן וַיִּמְלֹךְ תַּחְתָּיו הֲדַד וְשֵׁם עִירוֹ
פָּעִי וְשֵׁם אִשְׁתּוֹ מְהֵיטַבְאֵל בַּת־מַטְרֵד בַּת מֵי זָהָב:

V51 וַיָּמָת הֲדָד ס וַיִּהְיוּ אַלּוּפֵי אֱדוֹם אַלּוּף תִּמְנָע
אַלּוּף עַלְיָה אַלּוּף יְתֵת:

V52 אַלּוּף אָהֳלִיבָמָה אַלּוּף אֵלָה אַלּוּף פִּינֹן:

V53 אַלּוּף קְנַז אַלּוּף תֵּימָן אַלּוּף מִבְצָר:

V54 אַלּוּף מַגְדִּיאֵל אַלּוּף עִירָם אֵלֶּה אַלּוּפֵי אֱדוֹם: פ

Encontramos aqui as listas dos reis de Edom, e, excetuando alguma pequena variação na maneira de grafar os nomes, o trecho de Gn 36.31-43 é uma duplicação. Pouco se sabe sobre esses reis, mas seu relacionamento com Israel e Judá era próximo, pelo que o autor sagrado lhes conferiu algum espaço.

Ver Gn 25.30 quanto ao fato de o termo *Edom* se derivar de Esaú. Esse nome tornou-se a designação da terra das famílias de Esaú e seus descendentes. A mesma ordem dos chefes das tribos aparece aqui e em Gn 30.31-43. Naturalmente, devemos lembrar que Esaú perdeu seu direito de primogenitura. Ele se tornou o antepassado dos edomitas, habitantes do deserto, mas não estava na linhagem que levou a Davi e, finalmente, a Cristo. Isso não significa, porém, que eles perderam o direito de primogenitura da vida eterna.

O livro de 1Crônicas menciona apenas *onze* príncipes de Edom, ao passo que a fonte informativa (Gn) dá doze, ou talvez treze príncipes. Talvez um dos nomes tenha sido eliminado do texto antigo que o autor de Crônicas usou; ou então o próprio autor sagrado, em um momento de descuido, omitiu um desses nomes. Seja como for, sem dúvida é historicamente correto falar de *doze* como o número das tribos de Edom, tal como esse era o número das tribos de Israel. Cf. Gn 36.15-19.

CAPÍTULO DOIS

FILHOS DE JACÓ (2.1—9.44)

JUDÁ, A LINHAGEM REAL (2.1—4.23)

Todos os *doze filhos de Jacó* foram mencionados, mas, como é evidente, apenas as três tribos do sul — Judá, Simeão e Benjamim _ tiveram importância no plano do autor sagrado. Isso porque o propósito era, finalmente, concentrar a atenção naquela parte de Israel em que a dinastia davídica deveria ser localizada. Dos descendentes de Judá, após o cativeiro babilônico, Israel foi preservado, ao passo que as dez tribos do norte não se perderam no cativeiro assírio para sempre. Os samaritanos cresceram nos territórios da antiga nação de Israel. Eles eram uma mistura de *alguns* indivíduos das dez tribos perdidas com um forte elemento pagão. Naturalmente, a preocupação do autor sagrado também envolveu Levi, que tinha deixado de ser uma tribo e se tornara uma casta sacerdotal. Ver no *Dicionário* os artigos *Tribo (Tribos) de Israel* e *Tribos, Localização das*.

GENEALOGIA DE JUDÁ (2.1-55)

Filhos de Judá (2.1-4)

■ **2.1,2**

אֵלֶּה בְּנֵי יִשְׂרָאֵל רְאוּבֵן שִׁמְעוֹן לֵוִי וִיהוּדָה יִשָּׂשכָר
וּזְבֻלוּן:

דָּן יוֹסֵף וּבִנְיָמִן נַפְתָּלִי גָד וְאָשֵׁר: ס

O autor sagrado chega agora ao seu destino. Ele mencionou as *doze tribos* de Israel, mas seu verdadeiro propósito era contar o que havia acontecido em Judá, onde Davi se estabeleceu e onde sua dinastia cresceu. "Davi e a dinastia davídica eram judeus, e assim é apenas natural que a genealogia de Judá seja traçada em primeiro lugar" (Eugene H. Merrill, *in loc.*).

Agora as *famílias dos hebreus* são destacadas. Cada indivíduo é salientado como "o filho de". Em contraste com os gregos e os romanos (e também conosco), o indivíduo era relacionado à sua família, e as genealogias tinham importância. A existência de um homem era um fragmento da existência de sua família. Para os hebreus, a *família* não era apenas uma unidade doméstica, mas a comunidade inteira; e a comunidade participava de uma série de pactos espirituais, que tornavam todos os indivíduos de uma família sujeitos às bênçãos especiais de Deus. Havia um forte relacionamento de pacto com todas as suas obrigações, e esse fato distinguia Israel das outras nações do globo.

■ **2.3,4**

בְּנֵי יְהוּדָה עֵר וְאוֹנָן וְשֵׁלָה שְׁלוֹשָׁה נוֹלַד לוֹ
מִבַּת־שׁוּעַ הַכְּנַעֲנִית וַיְהִי עֵר בְּכוֹר יְהוּדָה רַע
בְּעֵינֵי יְהוָה וַיְמִיתֵהוּ: ס

וְתָמָר כַּלָּתוֹ יָלְדָה לּוֹ אֶת־פֶּרֶץ וְאֶת־זָרַח כָּל־בְּנֵי
יְהוּדָה חֲמִשָּׁה: ס

O autor sagrado poupou seus leitores da sórdida história (Gn 38) dos filhos de Judá, dois dos quais (Er e Onã) foram mortos pelo julgamento divino, ao passo que o terceiro, Selá, foi impedido de casar-se com Tamar. O autor apressou-se para contar-nos sobre Judá (com Perez e Zera) a fim de seguir a linhagem através de Perez, até Davi e sua dinastia.

Judá. "A genealogia começa por ele, embora fosse o quarto filho de Jacó, porquanto, conforme disse Kimchi, o livro trata principalmente dos reis de Judá, e também porque (digo eu) Jessé e Davi vieram dele, como também o rei Messias" (John Gill, *in loc.*).

Tamar. Esposa de Er. A história de seu incesto com Judá, cujo fruto foram os gêmeos Perez e Zera, é contada em Gn 38.8-30.

Genealogias de Perez e Zera (2.5-8)

■ 2.5-8

V5 בְּנֵי־פֶרֶץ חֶצְרוֹן וְחָמוּל: ס

V6 וּבְנֵי זֶרַח זִמְרִי וְאֵיתָן וְהֵימָן וְכַלְכֹּל וָדָרַע כֻּלָּם חֲמִשָּׁה: ס

V7 וּבְנֵי כַּרְמִי עָכָר עוֹכֵר יִשְׂרָאֵל אֲשֶׁר מָעַל בַּחֵרֶם: ס

V8 וּבְנֵי אֵיתָן עֲזַרְיָה:

O autor sacro apresenta uma condensação de sua fonte informativa, o livro de Gênesis, dando somente uma seleção de nomes. O versículo quinto baseia-se em Gn 46.12. Um período de quase 500 anos é coberto em apenas quatro gerações, o que é claramente impossível. Datas: Zera (cerca de 1877 a.C.) até Acã (cerca de 1406 a.C., Js 7).

Observações:

1. *Filhos* têm o sentido de *descendentes* em vários casos, como, por exemplo, o pai de Carmi nunca é mencionado, enquanto seu *filho* é chamado de Acã, o infame "perturbador de Israel" (Js 7.1).
2. Talvez Zinri (vs. 6) seja uma forma variante de Zabdi, porquanto na história do pecado de Acã (Js 7) o "perturbador" é chamado de filho de Carmi, o qual, por sua vez, era filho de Zabdi (Js 7.1).
3. Zera foi um ancestral, e não o pai literal de Etã, Hemã, Calcol e Dada. O verdadeiro pai deles foi Maol (ver 1Rs 4.31). Eles foram renomados sábios, aos quais Salomão foi comparado (1Rs 4.31; Sl 89, no título).
4. Na história de Acã, diz o trecho de Js 7.25: "Por que nos conturbaste?" (no hebraico, *'achartanu*), o que demonstra que seu nome era, realmente, *Acar*. A palavra hebraica traduzida por "conturbação" é *acor*. Seja como for, houve um jogo de palavras para chegar à designação "perturbador".

Genealogia de Hezrom (2.9-20)

A linhagem escolhida continuou através de Hezrom, filho de Perez, o qual era, por sua vez, um dos filhos de Judá. Dali a descendência chega a Davi, conforme se vê também em Rt 4.18-21. A linhagem inclui aqui a família imediata de Davi, suas meias-irmãs (1Cr 2.16,17). No artigo do *Dicionário*, chamado *Davi*, provi um gráfico ilustrativo sobre Davi e sua família, e explico como os vários ramos foram originados por certo número de mulheres. Ver também o gráfico em 1Sm 17.12, que traça a linhagem real de Abraão a Davi, onde vários nomes correspondem às listas do presente capítulo.

■ 2.9-20

V9 וּבְנֵי חֶצְרוֹן אֲשֶׁר נוֹלַד־לוֹ אֶת־יְרַחְמְאֵל וְאֶת־רָם וְאֶת־כְּלוּבָי:

V10 וְרָם הוֹלִיד אֶת־עַמִּינָדָב וְעַמִּינָדָב הוֹלִיד אֶת־נַחְשׁוֹן נְשִׂיא בְּנֵי יְהוּדָה:

V11 וְנַחְשׁוֹן הוֹלִיד אֶת־שַׂלְמָא וְשַׂלְמָא הוֹלִיד אֶת־בֹּעַז:

V12 וּבֹעַז הוֹלִיד אֶת־עוֹבֵד וְעוֹבֵד הוֹלִיד אֶת־יִשָׁי:

V13 וְאִישַׁי הוֹלִיד אֶת־בְּכֹרוֹ אֶת־אֱלִיאָב וַאֲבִינָדָב הַשֵּׁנִי וְשִׁמְעָא הַשְּׁלִשִׁי:

V14 נְתַנְאֵל הָרְבִיעִי רַדַּי הַחֲמִישִׁי:

V15 אֹצֶם הַשִּׁשִּׁי דָּוִיד הַשְּׁבִעִי:

V16 וְאַחְיֹתֵיהֶם צְרוּיָה וַאֲבִיגָיִל וּבְנֵי צְרוּיָה אַבְשַׁי וְיוֹאָב וַעֲשָׂה־אֵל שְׁלֹשָׁה:

V17 וַאֲבִיגַיִל יָלְדָה אֶת־עֲמָשָׂא וַאֲבִי עֲמָשָׂא יֶתֶר הַיִּשְׁמְעֵאלִי:

V18 וְכָלֵב בֶּן־חֶצְרוֹן הוֹלִיד אֶת־עֲזוּבָה אִשָּׁה וְאֶת־יְרִיעוֹת וְאֵלֶּה בָנֶיהָ יֵשֶׁר וְשׁוֹבָב וְאַרְדּוֹן:

V19 וַתָּמָת עֲזוּבָה וַיִּקַּח־לוֹ כָלֵב אֶת־אֶפְרָת וַתֵּלֶד לוֹ אֶת־חוּר:

V20 וְחוּר הוֹלִיד אֶת־אוּרִי וְאוּרִי הוֹלִיד אֶת־בְּצַלְאֵל: ס

Observações:

1. Rão (vs. 10) foi um dos antepassados de Davi. Quelubai (vs. 9) não é o mesmo Calebe, companheiro de Josué, embora esta seja uma forma variante do mesmo nome próprio.
2. Os calebitas e jerameelitas (vss. 9, 25 e 42) originalmente não eram hebreus, mas edomitas que abandonaram seu estilo nômade de viver e se estabeleceram no território sul de Judá. Com o tempo, passaram a ser considerados hebreus por associação, casamentos mistos e fé religiosa.
3. Vss. 6 e 21. Nenhuma outra referência é feita aos filhos de Zera, nem ao fato de que os hezronitas entraram em Canaã com os hebreus de Gileade (vs. 21). Isso mostra que o autor do presente relato possuía mais material informativo diante dele do que apenas o livro de Gênesis.
4. Os vss. 9-41 traçam as linhagens dos filhos de Perez através dos hezronitas. Essa família originou-se de três linhagens: a de Jerameel, de Rão e de Quelubai. Os vss. 10-17 traçam a linhagem de Rão, visto que dele se derivou a linhagem real. Rt 4.18-22 dá a linhagem de Perez até Davi. Confira as genealogias em Mt 1 e Lc 3.
5. Cf. o vs. 11 com Mt 1.4 e Lc 3.32. Ocorrem diferenças quanto ao modo de grafar os nomes.
6. Os vss. 13-17 dão-nos a família de Jessé, pai de Davi. A forma de escrever o seu nome no hebraico é *Yishai* no vs. 12, mas *'Ishai* no vs. 13. Sete filhos são mencionados aqui, mas 1Sm 17.12,13 diz que houve *oito filhos*. Ver também 1Sm 16.6-10. O texto presente omite Eliú, o qual, na versão siríaca, é o sétimo filho, ao passo que Davi é o oitavo. Talvez Eliú possa ser identificado com o Eliabe de 1Sm 16.6. Ver também 1Cr 27.18.

■ 2.21-24

V21 וְאַחַר בָּא חֶצְרוֹן אֶל־בַּת־מָכִיר אֲבִי גִלְעָד וְהוּא לְקָחָהּ וְהוּא בֶּן־שִׁשִּׁים שָׁנָה וַתֵּלֶד לוֹ אֶת־שְׂגוּב:

V22 וּשְׂגוּב הוֹלִיד אֶת־יָאִיר וַיְהִי־לוֹ עֶשְׂרִים וְשָׁלוֹשׁ עָרִים בְּאֶרֶץ הַגִּלְעָד:

V23 וַיִּקַּח גְּשׁוּר־וַאֲרָם אֶת־חַוֹּת יָאִיר מֵאִתָּם אֶת־קְנָת וְאֶת־בְּנֹתֶיהָ שִׁשִּׁים עִיר כָּל־אֵלֶּה בְּנֵי מָכִיר אֲבִי־גִלְעָד:

V24 וְאַחַר מוֹת־חֶצְרוֹן בְּכָלֵב אֶפְרָתָה וְאֵשֶׁת חֶצְרוֹן אֲבִיָּה וַתֵּלֶד לוֹ אֶת־אַשְׁחוּר אֲבִי תְקוֹעַ:

Observações:
1. *Segube* foi outro filho de Hezrom, que nasceu da filha de Maquir, o qual era filho de Manassés (Gn 50.23). Maquir era pai de Gileade (ver Nm 26.29).
2. A história da conquista de sessenta cidades de Gileade, por Gesur e Arã, é registrada somente aqui, de forma que o autor sacro continuava a usar fontes informativas desconhecidas para nós hoje em dia, livros extracanônicos ou histórias isoladas.
3. Asur nasceu após a morte de seu pai, Hezrom. Sua mãe era Abia (vs. 24).
4. Os vss. 21-24 volvem nossa atenção para outros hezronitas, separados da casa de Quelubai. Eles apontam para um elemento hezronita na Gileade de Manassés. É demonstrada uma conexão entre Jair e as duas tribos de Judá e Manassés, conforme se vê neste quadro:

Judá	Manassés
Perez	Hezrom (que se casou com uma filha de Maquir, chefe de Gileade)
Segube	Jair

5. *Jair* tornou-se a designação de um grupo de famílias aparentadas ou clãs que ocuparam 23 cidades.
6. *Havote-Jair.* Ver sobre essa combinação de nomes próprios no *Dicionário*. É difícil reconciliar as diferentes declarações sobre *Havote-Jair*. Cf. Jz 10.3,4; Js 13.30 e 1Rs 4.13. O artigo mencionado tenta alcançar alguma reconciliação.

■ 2.25-41

V25 וַיִּהְיוּ בְנֵי־יְרַחְמְאֵל בְּכוֹר חֶצְרוֹן רָם הַבְּכוֹר וּבוּנָה וָאֹרֶן וָאֹצֶם אֲחִיָּה׃

V26 וַתְּהִי אִשָּׁה אַחֶרֶת לִירַחְמְאֵל וּשְׁמָהּ עֲטָרָה הִיא אֵם אוֹנָם׃ ס

V27 וַיִּהְיוּ בְנֵי־רָם בְּכוֹר יְרַחְמְאֵל מַעַץ וְיָמִין וָעֵקֶר׃

V28 וַיִּהְיוּ בְנֵי־אוֹנָם שַׁמַּי וְיָדָע וּבְנֵי שַׁמַּי נָדָב וַאֲבִישׁוּר׃

V29 וְשֵׁם אֵשֶׁת אֲבִישׁוּר אֲבִיהָיִל וַתֵּלֶד לוֹ אֶת־אַחְבָּן וְאֶת־מוֹלִיד׃

V30 וּבְנֵי נָדָב סֶלֶד וְאַפָּיִם וַיָּמָת סֶלֶד לֹא בָנִים׃ ס

V31 וּבְנֵי אַפַּיִם יִשְׁעִי וּבְנֵי יִשְׁעִי שֵׁשָׁן וּבְנֵי שֵׁשָׁן אַחְלָי׃

V32 וּבְנֵי יָדָע אֲחִי שַׁמַּי יֶתֶר וְיוֹנָתָן וַיָּמָת יֶתֶר לֹא בָנִים׃ ס

V33 וּבְנֵי יוֹנָתָן פֶּלֶת וְזָזָא אֵלֶּה הָיוּ בְּנֵי יְרַחְמְאֵל׃

V34 וְלֹא־הָיָה לְשֵׁשָׁן בָּנִים כִּי אִם־בָּנוֹת וּלְשֵׁשָׁן עֶבֶד מִצְרִי וּשְׁמוֹ יַרְחָע׃

V35 וַיִּתֵּן שֵׁשָׁן אֶת־בִּתּוֹ לְיַרְחָע עַבְדּוֹ לְאִשָּׁה וַתֵּלֶד לוֹ אֶת־עַתָּי׃

V36 וְעַתַּי הֹלִיד אֶת־נָתָן וְנָתָן הוֹלִיד אֶת־זָבָד׃

V37 וְזָבָד הוֹלִיד אֶת־אֶפְלָל וְאֶפְלָל הוֹלִיד אֶת־עוֹבֵד׃

V38 וְעוֹבֵד הוֹלִיד אֶת־יֵהוּא וְיֵהוּא הוֹלִיד אֶת־עֲזַרְיָה׃

V39 וַעֲזַרְיָה הוֹלִיד אֶת־חָלֶץ וְחֶלֶץ הוֹלִיד אֶת־אֶלְעָשָׂה׃

V40 וְאֶלְעָשָׂה הוֹלִיד אֶת־סִסְמָי וְסִסְמַי הוֹלִיד אֶת־שַׁלּוּם׃

V41 וְשַׁלּוּם הוֹלִיד אֶת־יְקַמְיָה וִיקַמְיָה הֹלִיד אֶת־אֱלִישָׁמָע׃

Observações:
1. *Jerameel,* filho mais velho de Hezrom, é mencionado em último lugar. Sua descendência familiar aparece somente aqui em todo o Antigo Testamento, e, ao que tudo indica, isso foi extraído de relatos extracanônicos. Os jerameelitas eram vistos como um clã intimamente relacionado a Judá no tempo de Davi (ver 1Sm 27.10).
2. Conforme vimos nos comentários sobre os vss. 9-20 (ponto 2), esse povo não era originalmente hebreu, mas tornou-se hebreu, com todos os propósitos práticos.
3. Consultar 1Sm 17.10 quanto a uma declaração paralela sobre esses povos.
4. O *Rão* do vs. 25 não é, naturalmente, o homem mencionado no vs. 9, que tinha o mesmo nome.
5. *Onã.* As ramificações do clã que se originaram desse homem aparecem nos vss. 28-34. De *Selede* em diante não surgiram subdivisões, ou porque ele não teve filhos, ou porque seus filhos não se multiplicaram formando clãs.
6. Curiosamente, o total dos nomes dados, de Judá a Zaza (vs. 33), chega ao número místico de *setenta*. Cf. Gn 46.27 e o primeiro capítulo deste livro. Ver também os comentários sobre 1Cr 1.5-7. Os cálculos, entretanto, são idealistas, e não literais, pois reduções os promoveram.
7. O vs. 34 contradiz o vs. 31. *Alai* é, provavelmente, o nome de um clã, e não de um indivíduo. Para reconciliar as declarações, alguns eruditos acreditam que Alai era uma filha, mas outros pensam que as duas afirmações tenham vindo de fontes informativas diferentes, que já estavam em conflito.
8. Os vss. 35-41 traçam treze gerações da linhagem de Sesã-Jará. Coisa alguma se sabe sobre os membros desses clãs, à parte do texto presente. *Elisama* (vs. 41) foi a vigésima quarta geração a partir de Judá. A lista prolonga-se por cerca de 720 anos. Se supusermos que o êxodo ocorreu em cerca de 1330 a.C., então chegamos a cerca de 610 a.C. como a data de Elisama. Cf. Jr 36.12 e 41.1.

Genealogia de Calebe (2.42-55)

■ 2.42-55

V42 וּבְנֵי כָלֵב אֲחִי יְרַחְמְאֵל מֵישָׁע בְּכֹרוֹ הוּא אֲבִי־זִיף וּבְנֵי מָרֵשָׁה אֲבִי חֶבְרוֹן׃

V43 וּבְנֵי חֶבְרוֹן קֹרַח וְתַפֻּחַ וְרֶקֶם וָשָׁמַע׃

V44 וְשֶׁמַע הוֹלִיד אֶת־רַחַם אֲבִי יָרְקֳעָם וְרֶקֶם הוֹלִיד אֶת־שַׁמָּי׃

V45 וּבֶן־שַׁמַּי מָעוֹן וּמָעוֹן אֲבִי בֵית־צוּר׃

V46 וְעֵיפָה פִּילֶגֶשׁ כָּלֵב יָלְדָה אֶת־חָרָן וְאֶת־מוֹצָא וְאֶת־גָּזֵז וְחָרָן הוֹלִיד אֶת־גָּזֵז׃ ס

V47 וּבְנֵי יָהְדָּי רֶגֶם וְיוֹתָם וְגֵישָׁן וָפֶלֶט וְעֵיפָה וָשָׁעַף׃

V48 פִּלֶגֶשׁ כָּלֵב מַעֲכָה יָלַד שֶׁבֶר וְאֶת־תִּרְחֲנָה׃

V49 וַתֵּלֶד שַׁעַף אֲבִי מַדְמַנָּה אֶת־שְׁוָא אֲבִי מַכְבֵּנָה וַאֲבִי גִבְעָא וּבַת־כָּלֵב עַכְסָה׃ ס

V50 אֵלֶּה הָיוּ בְּנֵי כָלֵב בֶּן־חוּר בְּכוֹר אֶפְרָתָה שׁוֹבָל אֲבִי קִרְיַת יְעָרִים:

V51 שַׂלְמָא אֲבִי בֵית־לָחֶם חָרֵף אֲבִי בֵית־גָּדֵר:

V52 וַיִּהְיוּ בָנִים לְשׁוֹבָל אֲבִי קִרְיַת יְעָרִים הָרֹאֶה חֲצִי הַמְּנֻחוֹת:

V53 וּמִשְׁפְּחוֹת קִרְיַת יְעָרִים הַיִּתְרִי וְהַפּוּתִי וְהַשֻּׁמָתִי וְהַמִּשְׁרָעִי מֵאֵלֶּה יָצְאוּ הַצָּרְעָתִי וְהָאֶשְׁתָּאֻלִי: ס

V54 בְּנֵי שַׂלְמָא בֵּית לֶחֶם וּנְטוֹפָתִי עַטְרוֹת בֵּית יוֹאָב וַחֲצִי הַמָּנַחְתִּי הַצָּרְעִי:

V55 וּמִשְׁפְּחוֹת סֹפְרִים יֹשְׁבֵי יַעְבֵּץ תִּרְעָתִים שִׁמְעָתִים שׂוּכָתִים הֵמָּה הַקִּינִים הַבָּאִים מֵחַמַּת אֲבִי בֵית־רֵכָב: ס

Observações:

1. Estes versículos voltam aos ramos calebitas. Ver o vs. 9, onde temos *Quelubai*, uma forma variante do mesmo nome. Mas não está em foco aqui Calebe, companheiro de Josué, e provavelmente Quelubai não era descendente direto de Calebe. O homem deste versículo era o terceiro filho de Hezrom. Ver também os vss. 18-20, onde ele é introduzido de modo breve. Seguem-se agora os detalhes.

2. Vários dos nomes pessoais dados aqui (Zife, Js 15.24; Tapua, Js 15.34; Maressa, Js 15.44; Hebrom, Js 15.54; Requém, Js 18.27; Samai, 1Cr 2.44 etc.) tornaram-se nomes locativos. A maioria desses lugares ficava dentro do território de Judá, sendo provável que calebitas estivessem envolvidos na fundação de vários deles. Os calebitas e os jerameelitas originalmente não eram hebreus, mas tornaram-se virtualmente hebreus por motivo de casamentos mistos, associações e adoção da fé religiosa.

3. "De particular interesse são as referências a Belém (1Cr 2.51,54), lugar do nascimento tanto de Davi quanto de Jesus. A cidade foi ou fundada ou nomeada de acordo com o nome do bisneto de Calebe, através da esposa de Calebe, Efrata (vs. 50). A combinação de Belém e Efrata aparece também na história da morte de Raquel, quando ela dava à luz (Gn 35.19), onde o nome é usado de maneira anacrônica. É usado em Rt 4.11, em referência à bênção dada a Rute, e também em Mq 5.2, acerca do lugar de nascimento do Messias" (Eugene H. Merrill, *in loc.*).

4. O autor sagrado leva-nos em seguida aos filhos de Davi (1Cr 3.1-9), mostrando que a linhagem real veio através de Perez-Hezrom, descendentes do patriarca Abraão. O terceiro capítulo reinicia a genealogia da casa heroznita de Rão, suspensa em 1Cr 2.17.

5. Três ramos dos queneus são mencionados no vs. 55. O sogro de Moisés pertencia a esse povo, tal como sua esposa, Zípora. Ver sobre os *queneus*, no *Dicionário*. Ver Êx 2.18.

6. Os nomes próprios das genealogias são discutidos nos artigos do *Dicionário*, e, em alguns poucos casos, no texto em que aparecem, de forma que esses artigos fornecerão os detalhes.

7. *Netofatitas*. Ver em 1Cr 9.16, bem como no *Dicionário*, o artigo chamado *Netofa (Netofatitas)*.

CAPÍTULO TRÊS

Continuamos neste capítulo a seção I.3: *Judá, a Linhagem Real,* que ocupa a seção de 1Cr 2.1—4.23.

FILHOS DE DAVI (3.1-9)

Temos seguido em grandes pinceladas a genealogia de Judá, e então, de súbito, como parte dela, a linhagem de Davi, o *rei ideal*. A genealogia de Judá continuará no capítulo quarto. Serão apresentadas outras *credenciais* de Judá (a tribo por meio da qual Israel continuou a existir após o cativeiro babilônico), a respeito de como o sacerdócio levítico continuou a exercer a sua autoridade (capítulo 6).

Os *propósitos de Deus* (que pareceram falhar no cativeiro assírio, quando as dez tribos do norte deixaram de existir; e também no cativeiro babilônico, após o qual uma única tribo deu nova vida à antiga nação de Israel) não foram anulados. As genealogias de 1Crônicas têm um valor polêmico: mostrar que, a despeito de tudo quanto sucedeu, o propósito de Deus no Pacto Abraâmico (anotado em Gn 15.18) não foi esquecido. O povo escolhido continuou a ser o povo escolhido, e isso por causa dos antigos pactos. O remanescente de Israel continuou sendo o povo que descendia dos povos antigos cujas instituições tinham sido preservadas, a despeito dos muitos desastres que sobreviveram. Convido o leitor a consultar os comentários de introdução, antes da exposição em 1Cr 1.1, onde esse tema é desenvolvido. O autor sagrado fornece os elementos de uma filosofia da história. Ele escuda a autoridade dessa filosofia com nove capítulos de genealogias, a fim de vincular o presente degenerado de Israel (em Judá) com a glória anterior do povo escolhido. Naturalmente, ele estava escrevendo na esteira do cativeiro babilônico. Mas o autor precisou de muito tempo para conduzir-nos aos eventos correntes, detendo-se pausadamente na história passada da nação e, sobretudo, na história passada de Judá.

"Este capítulo nos dá um relato sobre os filhos de Davi, que lhe nasceram tanto em Hebrom quanto em Jerusalém (vss. 1-9); e de seus sucessores no reino, até o cativeiro babilônico (vss. 10-16); e, finalmente, de sua família, até a vinda do Messias (vss. 17-24)" (John Gill, *in loc.*). Ver no *Dicionário* o artigo *Cativeiro Babilônico*.

■ 3.1-9

V1 וְאֵלֶּה הָיוּ בְּנֵי דָוִיד אֲשֶׁר נוֹלַד־לוֹ בְּחֶבְרוֹן הַבְּכוֹר ׀ אַמְנֹן לַאֲחִינֹעַם הַיִּזְרְעֵאלִית שֵׁנִי דָּנִיֵּאל לַאֲבִיגַיִל הַכַּרְמְלִית:

V2 הַשְּׁלִשִׁי לְאַבְשָׁלוֹם בֶּן־מַעֲכָה בַּת־תַּלְמַי מֶלֶךְ גְּשׁוּר הָרְבִיעִי אֲדֹנִיָּה בֶן־חַגִּית:

V3 הַחֲמִישִׁי שְׁפַטְיָה לַאֲבִיטָל הַשִּׁשִּׁי יִתְרְעָם לְעֶגְלָה אִשְׁתּוֹ:

V4 שִׁשָּׁה נוֹלַד־לוֹ בְחֶבְרוֹן וַיִּמְלָךְ־שָׁם שֶׁבַע שָׁנִים וְשִׁשָּׁה חֳדָשִׁים וּשְׁלֹשִׁים וְשָׁלוֹשׁ שָׁנָה מָלַךְ בִּירוּשָׁלִָם: ס

V5 וְאֵלֶּה נוּלְּדוּ־לוֹ בִּירוּשָׁלָיִם שִׁמְעָא וְשׁוֹבָב וְנָתָן וּשְׁלֹמֹה אַרְבָּעָה לְבַת־שׁוּעַ בַּת־עַמִּיאֵל:

V6 וְיִבְחָר וֶאֱלִישָׁמָע וֶאֱלִיפָלֶט:

V7 וְנֹגַהּ וְנֶפֶג וְיָפִיעַ:

V8 וֶאֱלִישָׁמָע וְאֶלְיָדָע וֶאֱלִיפֶלֶט תִּשְׁעָה:

V9 כֹּל בְּנֵי דָוִיד מִלְּבַד בְּנֵי־פִילַגְשִׁים וְתָמָר אֲחוֹתָם: פ

Observações:

1. Salomão foi o filho de Davi que proveu sucessão na linhagem real e deu a Israel sua época áurea. Mas para proporcionar um quadro completo, outros filhos de Davi também são mencionados nos vss. 1-9.

2. Cf. a lista dos nomes com 2Sm 3.2-5. Os nomes correspondem, exceto o segundo filho, por Abigail. No artigo sobre *Davi*, no *Dicionário*, dou um gráfico da descendência de sua família. Ver também o gráfico em 1Sm 17.12. Além de suas esposas, Davi também teve grande número de concubinas, pelo menos dez (2Sm 5.13; 15.16). Ver uma lista de filhos, por meio delas, em 1Cr.

3. *Quileabe* (2Sm 3.3), o segundo filho de Abigail, é *Daniel* no texto presente, mas talvez não esteja em foco a mesma pessoa. Havendo tantas esposas e filhos envolvidos, é perfeitamente possível que alguma inexatidão tenha ocorrido nas listas, as quais nunca foram harmonizadas. Além disso, pode ter havido omissões.

4. Os nomes dos *seis* filhos de Davi que nasceram em Hebrom (1Cr 3.1-4) são seguidos pelos nomes dos *nove* filhos nascidos em

Jerusalém (vss. 4b-8). Cf. esses nomes com os da lista paralela em 2Sm 5.14-16. Quatro desses filhos nasceram de Bate-Seba (chamada neste texto de Bate-Sua). Este é o único lugar em todo o livro de 1Crônicas, onde ela é mencionada, embora lhe tenha sido dado um lugar proeminente em 2Samuel.

5. *Elifelete* (vs. 6) e *Nogá* (vs. 7) não são mencionados no paralelo de 2Samuel, mas reaparecem em 1Cr 14.4-7. Por isso, temos nesta lista dois *Elifeletes* (ver 1Cr 3.6,8). É possível que o primeiro tenha morrido e o segundo tenha recebido o mesmo nome. Talvez a lista mais curta de 2Samuel registre somente os filhos *sobreviventes*, e não todos os filhos que nasceram.

Os nomes próprios recebem artigos no *Dicionário*, onde o leitor poderá apreciar detalhes.

6. *Eliada* é chamado *Beeliada* em 1Cr 14.7, que, sem dúvida, era seu nome original. Mas o nome composto com Baal, a divindade pagã, pode ter parecido ofensivo, tendo sido substituído.

7. A *poligamia de Davi* é descrita detalhadamente, sem nenhuma censura. Seria totalmente anacrônico censurar a poligamia dentro do contexto do Antigo Testamento. Homens ricos e poderosos naturalmente tinham muitas esposas. Eram apenas os pobres que tinham apenas uma esposa, e mesmo assim porque lhes faltavam os meios pecuniários para sustentar mais de uma esposa. E mesmo nas sociedades "monógamas", a poligamia continua a reinar sob a forma de amantes e esposas plurais, em série, através do divórcio e de novos casamentos. Ver no *Dicionário* os artigos chamados *Poligamia* e *Monogamia*.

8. *Tamar* é a única filha de Davi a ser mencionada *por nome,* sem dúvida por causa do triste relato de violência sexual e assassinato que há em sua história. Ver 2Sm 13.

9. Foram mencionados *seis* filhos nascidos em Hebrom. Nove são historiados como nascidos em Jerusalém. Mas o número dos filhos das concubinas não é dado no presente texto. Davi *reinou* em Hebrom por sete anos, antes de tornar-se rei do império unido (vs. 4). Depois disso, ele reinou por 33 anos em Jerusalém, num total de quarenta anos.

LISTA DOS REIS DE JUDÁ (3.10-18)

■ 3.10-18

V10 וּבֶן־שְׁלֹמֹה רְחַבְעָם אֲבִיָּה בְנוֹ אָסָא בְנוֹ יְהוֹשָׁפָט בְּנוֹ׃

V11 יוֹרָם בְּנוֹ אֲחַזְיָהוּ בְנוֹ יוֹאָשׁ בְּנוֹ׃

V12 אֲמַצְיָהוּ בְנוֹ עֲזַרְיָה בְנוֹ יוֹתָם בְּנוֹ׃

V13 אָחָז בְּנוֹ חִזְקִיָּהוּ בְנוֹ מְנַשֶּׁה בְנוֹ׃

V14 אָמוֹן בְּנוֹ יֹאשִׁיָּהוּ בְנוֹ׃

V15 וּבְנֵי יֹאשִׁיָּהוּ הַבְּכוֹר יוֹחָנָן הַשֵּׁנִי יְהוֹיָקִים הַשְּׁלִשִׁי צִדְקִיָּהוּ הָרְבִיעִי שַׁלּוּם׃

V16 וּבְנֵי יְהוֹיָקִים יְכָנְיָה בְנוֹ צִדְקִיָּה בְנוֹ׃

V17 וּבְנֵי יְכָנְיָה אַסִּר שְׁאַלְתִּיאֵל בְּנוֹ׃

V18 וּמַלְכִּירָם וּפְדָיָה וְשֶׁנְאַצַּר יְקַמְיָה הוֹשָׁמָע וּנְדַבְיָה׃

Observações:

1. Esta lista nos fornece os reis de Judá, de Salomão a Zedequias. Ver no *Dicionário* os artigos intitulados *Rei, Realeza* e *Reino de Judá*, quanto a informações sobre todos esses reis, acompanhadas por gráficos ilustrativos. O *Dicionário* também traz artigos individuais sobre todos esses reis.

2. A inclusão de *Joanã* (vs. 15) é surpreendente, visto que sabemos que ele não reinou. Os livros de Reis não o mencionam.

3. *Zedequias* (vs. 16) não foi filho de seu antecessor, Jeconias, conforme declara o texto. Antes, era *tio* do rei que governou antes dele. O autor acostumou-se a chamar cada um desses reis de *filho* do anterior, e não se importou em alterar aqui sua designação.

4. *Jeconias* (ver 1Cr 3.16) é chamado de *Jeoaquim* em 2Cr 36.8 e 2Rs 24.6. Em Jr 22.24, entretanto, seu nome aparece sob a forma de *Conias*.

5. A rainha *Atalia,* a usurpadora, não é mencionada em 1Cr (vs. 11). Ela governou entre Acazias e Joás. Cf. o capítulo 11 de 2Reis.

6. O filho de Josias, *Joanã,* é mencionado somente aqui, em todo o Antigo Testamento, e não figurou entre os reis, conforme mostrei no ponto 2, anteriormente. Alguém poderia contrapor que ele teve um reinado curto, omitido nas narrativas paralelas, mas isso não é provável. Por certo, ele não foi o mesmo Jeoacaz de 2Rs 23.31, porque aquele homem era mais jovem do que Jeoaquim (2Rs 23.36). Provavelmente, *Salum* (ver 1Cr 3.15) deve ser identificado com *Jeoacaz*. Ele antecedeu seu irmão mais velho no trono. Ver Jr 22.11,12.

■ 3.19-24

V19 וּבְנֵי פְדָיָה זְרֻבָּבֶל וְשִׁמְעִי וּבֶן־זְרֻבָּבֶל מְשֻׁלָּם וַחֲנַנְיָה וּשְׁלֹמִית אֲחוֹתָם׃

V20 וַחֲשֻׁבָה וָאֹהֶל וּבֶרֶכְיָה וַחֲסַדְיָה יוּשַׁב חֶסֶד חָמֵשׁ׃

V21 וּבֶן־חֲנַנְיָה פְּלַטְיָה וִישַׁעְיָה בְּנֵי רְפָיָה בְּנֵי אַרְנָן בְּנֵי עֹבַדְיָה בְּנֵי שְׁכַנְיָה׃ ס

V22 וּבְנֵי שְׁכַנְיָה שְׁמַעְיָה וּבְנֵי שְׁמַעְיָה חַטּוּשׁ וְיִגְאָל וּבָרִיחַ וּנְעַרְיָה וְשָׁפָט שִׁשָּׁה׃

V23 וּבֶן־נְעַרְיָה אֶלְיוֹעֵינַי וְחִזְקִיָּה וְעַזְרִיקָם שְׁלֹשָׁה׃

V24 וּבְנֵי אֶלְיוֹעֵינַי הֳדַיְוָהוּ וְאֶלְיָשִׁיב וּפְלָיָה וְעַקּוּב וְיוֹחָנָן וּדְלָיָה וַעֲנָנִי שִׁבְעָה׃ ס

Observações:

1. Esta lista dá os nomes dos reis que governaram após o cativeiro babilônico, em continuidade à dinastia davídica.

2. *Dificuldades da Lista:*

   a. *Zorobabel* (vs. 19) é chamado de filho de *Pedaías*. Mas em outras passagens (ver Ed 3.2; 5.2; Ne 12.1; Ag 1.12,14; 2.2,23; Mt 1.13 e Lc 3.27) ele é chamado de filho de *Sealtiel*. Pedaías e Sealtiel eram irmãos (1Cr 3.17,18). É possível que Sealtiel tenha morrido cedo e então seu irmão tenha ficado com o trono, por isso o autor sacro não se importou em dizer precisamente o que sucedeu.

   b. *A genealogia de Lucas* faz Sealtiel filho de *Neri,* filho de Melqui (Lc 3.27,28). Além disso, a descendência de Neri era do filho de Davi, Natã (ver Lc 3.27-31), e não de Salomão. Eugene H. Merrill (*in loc.*) ofereceu a seguinte solução: "A resposta pode jazer na possibilidade de que, visto que Jeconias não teve herdeiros do sexo masculino que se assentassem no trono (ver Jr 22.30), então uma filha de Jeconias casou-se com Neri, filho de Melqui (ver Lc 3.27,28), mas não o Melqui de Lc 3.24, da linhagem de Natã. Legalmente, Sealtiel (neto de Jeconias) continuaria a dinastia davídica através de Salomão, um ponto de vista esposado por Mateus (1.6-12)".

   c. O *autor sagrado* faz uma lista de sete filhos e uma filha de Zorobabel (vss. 19b-20), mas nenhum deles é mencionado nas genealogias de Mateus ou Lucas. Mateus insiste em traçar as genealogias da linhagem real através de Salomão, e faz de Abiúde o filho de Zorobabel (ver Mt 1.13). Lucas, por outro lado, faz a linhagem passar por Natã, e daí para *Resa,* filho de Zorobabel. Vários esquemas têm sido empregados para solucionar essas discrepâncias, tais como: Sealtiel e Zorobabel mencionados em Lucas não são as mesmas pessoas mencionadas em 1Cr. Ou então a genealogia de Lucas é a de Maria, e não a de José, de forma que uma linhagem diferente é assim traçada. Nesse caso, a genealogia de Lucas simplesmente não é paralela à de 1Crônicas. Mas mesmo que essas conjecturas tenham alguma verdade, as diferenças entre 1Cr 3.18-20 e Mt 1.13 permanecem inexplicadas. Seja como for, seria uma estupidez requerer harmonia a qualquer preço, embora essa seja uma atitude que atrai a um número muito grande de intérpretes, cuja fé começa a hesitar cada vez que uma discrepância, real ou aparente, é encontrada nas Escrituras. Discrepâncias realmente existem, e um intérprete honesto admite esse fato sem permitir que isso atrapalhe sua fé. As falsas ideias sobre a doutrina da inspiração das Escrituras fazem algumas pessoas advogar, desonestamente, "reconciliações" impossíveis.

d. A casa de Davi continuou, mesmo depois do cativeiro babilônico. Zorobabel foi o governador de Jerusalém, sob os persas, em 520 a.C. Ele é declarado neto do rei Jeconias, portanto nele a linhagem real continuou. Seguiram-se vários outros reis, levando-nos até cerca de 350 a.C., embora isso não signifique que o livro de 1Crônicas tenha sido escrito tão tarde. Provavelmente, foram feitas algumas adições ao texto por algum escriba subsequente. A Septuaginta estende a lista até a décima primeira geração, ou seja, cerca de 250 a.C. Quiçá o texto hebraico tenha sido influenciado pela lista mais longa da Septuaginta. Em outras palavras, a lista pode ter sido mantida "atualizada" por escribas subsequentes.

O Nosso Próprio Nome. Somente alguns poucos reis de Judá são relembrados pelo bem que praticaram. Muitos foram relembrados pela confusão que causaram. Alguns não fizeram especialmente nem bem nem mal. Mas todos temos um nome para zelar. Todos nós seremos relembrados por alguma coisa. Quando o nosso nome é mencionado, o que os homens pensam? Deixamos um exemplo digno de ser seguido?

CAPÍTULO QUATRO

Continuamos neste capítulo a seção 1.3a: *Judá, a Linhagem Real*, que vai até 1Cr 4.23. Naquele ponto, a atenção do autor volta-se para a tribo de Simeão. Oriento meus leitores para os comentários dados na introdução ao terceiro capítulo, que também se aplicam aqui.

A genealogia de Judá já foi dada no segundo capítulo. É possível que a lista que se segue seja uma versão mais antiga. O segundo capítulo de 1Crônicas pode ser uma lista mais longa, inserida com base em uma fonte informativa diferente. O autor-compilador relutava em abandonar qualquer de suas listas, pelo que terminou apresentando muita repetição.

"Tendo traçado a linhagem davídica especificamente e com detalhes (capítulo terceiro), o cronista retornou à linhagem de Judá em geral. seu intuito aqui foi:
a. prover informações genealógicas e geográficas;
b. mostrar a proeminência do papel do clã davídico de Judá entre as tribos, trabalhando primeiramente com a tribo de Judá, e apelando para a antiguidade de sua residência em sua área determinada (4.22)" (Eugene H. Merrill, in loc.).

■ 4.1-7

V1 בְּנֵי יְהוּדָה פֶּרֶץ חֶצְרוֹן וְכַרְמִי וְחוּר וְשׁוֹבָל:

V2 וּרְאָיָה בֶן־שׁוֹבָל הוֹלִיד אֶת־יַחַת וְיַחַת הֹלִיד אֶת־אֲחוּמַי וְאֶת־לָהַד אֵלֶּה מִשְׁפְּחוֹת הַצָּרְעָתִי: ס

V3 וְאֵלֶּה אֲבִי עֵיטָם יִזְרְעֶאל וְיִשְׁמָא וְיִדְבָּשׁ וְשֵׁם אֲחוֹתָם הַצְלֶלְפּוֹנִי:

V4 וּפְנוּאֵל אֲבִי גְדֹר וְעֵזֶר אֲבִי חוּשָׁה אֵלֶּה בְנֵי־חוּר בְּכוֹר אֶפְרָתָה אֲבִי בֵּית לָחֶם:

V5 וּלְאַשְׁחוּר אֲבִי תְקוֹעַ הָיוּ שְׁתֵּי נָשִׁים חֶלְאָה וְנַעֲרָה:

V6 וַתֵּלֶד לוֹ נַעֲרָה אֶת־אֲחֻזָּם וְאֶת־חֵפֶר וְאֶת־תֵּימְנִי וְאֶת־הָאֲחַשְׁתָּרִי אֵלֶּה בְּנֵי נַעֲרָה:

V7 וּבְנֵי חֶלְאָה צֶרֶת יִצְחַר וְאֶתְנָן:

Os filhos de Judá. Uma genealogia dessa tribo já havia sido dada no segundo capítulo. Com algumas variações, essa genealogia é novamente apresentada. Provavelmente havia cópias diferentes nos cartórios públicos. O escritor do livro, descobrindo que a segunda lista continha particularidades notáveis, pensou ser apropriado inserir uma lista adicional. "Nenhum leitor se lamentará pela inserção, quando considerar cuidadosamente a questão" (Adam Clarke, in loc.).

Observações:

1. Perez. Somente esse homem, dos cinco listados no primeiro versículo, foi, literalmente, filho de Judá (cf. 1Cr 2.3,4). Todos os outros nomes, com a possível exceção de Carmi, representam grandes divisões tribais ou clãs e, nesse sentido, eram filhos do patriarca Judá.
"Carmi é um erro textual para Calebe" (W. A. L. Elmslie, in loc.). Ver em 1Cr 2.9 "Quelubai", outra variante textual para Calebe. Não está em vista o grande companheiro de Josué.
2. Reaías (4.2) deve ser identificado com Haroé (1Cr 2.52). Ele foi o fundador do clã dos zoratitas, a família da qual veio Sansão (Jz 13.2).
3. O cabeça de ouro desse clã foi Hur (1Cr 2.19.,20; 4.3,4). Hur foi um distinguido membro dos betelemitas.
4. O clã dos asuritas (1Cr 4.5-7) produziu Tecoa. Nesse local havia uma mulher dotada de sabedoria especial (ver 2Sm 14.2), e daí era originário o profeta Amós (Am 1.1).
5. Paralelos. 1Cr 4.1 (1Cr 2.5,9,19,50); 4.2 (2.53,54); 4.3 (Jz 15.8; 2Cr 11.6); 4.4 (2.19,51); 4.5 (2.24); 4.6 (sem paralelo); 4.7 (sem paralelo).

■ 4.8-15

V8 וְקוֹץ הוֹלִיד אֶת־עָנוּב וְאֶת־הַצֹּבֵבָה וּמִשְׁפְּחוֹת אֲחַרְחֵל בֶּן־הָרוּם:

V9 וַיְהִי יַעְבֵּץ נִכְבָּד מֵאֶחָיו וְאִמּוֹ קָרְאָה שְׁמוֹ יַעְבֵּץ לֵאמֹר כִּי יָלַדְתִּי בְּעֹצֶב:

V10 וַיִּקְרָא יַעְבֵּץ לֵאלֹהֵי יִשְׂרָאֵל לֵאמֹר אִם־בָּרֵךְ תְּבָרֲכֵנִי וְהִרְבִּיתָ אֶת־גְּבוּלִי וְהָיְתָה יָדְךָ עִמִּי וְעָשִׂיתָ מֵּרָעָה לְבִלְתִּי עָצְבִּי וַיָּבֵא אֱלֹהִים אֵת אֲשֶׁר־שָׁאָל:

V11 וּכְלוּב אֲחִי־שׁוּחָה הוֹלִיד אֶת־מְחִיר הוּא אֲבִי אֶשְׁתּוֹן:

V12 וְאֶשְׁתּוֹן הוֹלִיד אֶת־בֵּית רָפָא וְאֶת־פָּסֵחַ וְאֶת־תְּחִנָּה אֲבִי עִיר נָחָשׁ אֵלֶּה אַנְשֵׁי רֵכָה: ס

V13 וּבְנֵי קְנַז עָתְנִיאֵל וּשְׂרָיָה וּבְנֵי עָתְנִיאֵל חֲתַת:

V14 וּמְעוֹנֹתַי הוֹלִיד אֶת־עָפְרָה וּשְׂרָיָה הוֹלִיד אֶת־יוֹאָב אֲבִי גֵּיא חֲרָשִׁים כִּי חֲרָשִׁים הָיוּ: פ

V15 וּבְנֵי כָּלֵב בֶּן־יְפֻנֶּה עִירוּ אֵלָה וָנָעַם וּבְנֵי אֵלָה וּקְנַז:

Observações:

1. Coz não é mencionado em nenhuma outra parte, e somos novamente lembrados que o autor usou fontes informativas extracanônicas em parte de suas genealogias. A maioria dos nomes dados, mediante fontes canônicas ou não canônicas, é conhecida somente em conexão com as genealogias. Não temos nenhuma informação sobre eles. O pouco que se sabe figura em artigos no *Dicionário* e/ ou nas listas dadas nos demais livros canônicos.

2. Jabez (vs. 9) é mencionado também em 1Cr 2.55. Jabez foi "mais ilustre do que seus irmãos". A Septuaginta diz aqui "foi mais glorioso"; a versão siríaca diz "mais querido"; a versão caldaica diz "mais honroso e habilidoso", falando especificamente em sua habilidade quanto à lei de Moisés. Por etimologia popular, seu nome estava associado às dores do parto. Suas raízes ancestrais não foram delineadas. Ele era homem de sabedoria e oração, acima de seus contemporâneos. Ele orou pedindo a bênção de Deus e a obteve (vs. 10). E devemos notar que sua oração foi espiritual, e não apenas materialista. Ver no *Dicionário* sobre *Oração*. Jabez obteve prosperidade tanto material quanto espiritual. O Talmude diz que ele foi um homem "mais sábio" do que seus irmãos.
3. Os homens de Reca (vs. 12) são mencionados somente neste versículo da Bíblia.
4. Os filhos de Quenaz (vss. 13-15) formavam um clã proeminente do mesmo ramo de Calebe, companheiro de Josué, e de seu genro, Otniel. Ver Jz 1.13. Otniel foi o primeiro juiz de Israel. Quenaz não é o mesmo Quenaz mencionado em 1Cr 4.15. Quanto a Calebe, ver também Nm 13.6,30; 14.24 e o artigo detalhado sobre ele no *Dicionário*.

4.16-20

V16 : וּבְנֵי יְהַלֶּלְאֵל זִיף וְזִיפָה תִּירְיָא וַאֲשַׂרְאֵל

V17 וּבֶן־עֶזְרָה יֶתֶר וּמֶרֶד וְעֵפֶר וְיָלוֹן וַתַּהַר
אֶת־מִרְיָם וְאֶת־שַׁמַּי וְאֶת־יִשְׁבָּח אֲבִי אֶשְׁתְּמֹעַ׃

V18 וְאִשְׁתּוֹ הַיְהֻדִיָּה יָלְדָה אֶת־יֶרֶד אֲבִי גְדוֹר
וְאֶת־חֶבֶר אֲבִי שׂוֹכוֹ וְאֶת־יְקוּתִיאֵל אֲבִי זָנוֹחַ וְאֵלֶּה
בְּנֵי בִּתְיָה בַת־פַּרְעֹה אֲשֶׁר לָקַח מָרֶד׃ ס

V19 וּבְנֵי אֵשֶׁת הוֹדִיָּה אֲחוֹת נַחַם אֲבִי קְעִילָה הַגַּרְמִי
וְאֶשְׁתְּמֹעַ הַמַּעֲכָתִי׃

V20 וּבְנֵי שִׁימוֹן אַמְנוֹן וְרִנָּה בֶּן־חָנָן וְתוֹלוֹן וּבְנֵי
יִשְׁעִי זוֹחֵת וּבֶן־זוֹחֵת׃

Observações:
1. Os descendentes de *Jealelel* (vs. 16), os filhos de *Ezra* (vs. 17,18), de *Hodias* (vs. 19) e de *Simão* (vs. 20). Todos esses nomes são mencionados apenas aqui, nos livros canônicos, e sobre eles coisa alguma sabemos, exceto o que pode ser deduzido da própria genealogia.
2. *Jerede* (vs. 18) casou com uma filha do Faraó egípcio de seu tempo, o que, muito provavelmente, indica que estamos tratando aqui com uma época em que Israel mantinha boas relações com os egípcios. Ver Êx 1.8. Alguns intérpretes, entretanto, não entendem que Jerede realmente se tenha casado com a filha de um Faraó, mas tão somente com uma egípcia, de um clã egípcio, metaforicamente uma filha de Faraó. A expressão é usada no seu sentido literal em 2Cr 8.11 e 1Rs 9.24.

■ 4.21-23

V21 בְּנֵי שֵׁלָה בֶן־יְהוּדָה עֵר אֲבִי לֵכָה וְלַעְדָּה אֲבִי
מָרֵשָׁה וּמִשְׁפְּחוֹת בֵּית־עֲבֹדַת הַבֻּץ לְבֵית אַשְׁבֵּעַ׃

V22 וְיוֹקִים וְאַנְשֵׁי כֹזֵבָא וְיוֹאָשׁ וְשָׂרָף אֲשֶׁר־בָּעֲלוּ
לְמוֹאָב וְיָשֻׁבִי לָחֶם וְהַדְּבָרִים עַתִּיקִים׃

V23 הֵמָּה הַיּוֹצְרִים וְיֹשְׁבֵי נְטָעִים וּגְדֵרָה עִם־הַמֶּלֶךְ
בִּמְלַאכְתּוֹ יָשְׁבוּ שָׁם׃ ס

Observações:
1. O segundo registro genealógico da tribo de Judá se encerra com um breve sumário da família de Selá (vss. 21-23). O filho mais novo de Judá com a cananeia, filha de Sua, é o mesmo Selá que figura em 2Cr 2.3. Ver sobre *Sua*, ponto 2, e sobre *Selá*, ponto 2, no *Dicionário*, quanto a outras informações sobre essa situação. Selá supostamente se tornaria marido de Tamar (ver Gn 38.5—11,14), mas isso lhe foi negado, o que armou palco para o drama de incesto entre Judá e Tamar.
2. Esse ramo da família de Judá estabeleceu-se no negócio de linho e tornou-se conhecido por seus excelentes tecidos (vs. 21).
3. Outros membros da família de Judá, como Joquim e os homens de Cozeba, de Joás e de Sarafe, tornaram-se oleiros habilidosos, e seus produtos eram conhecidos em toda a parte (vss. 22,23). Portanto, profissões específicas foram desenvolvidas em certos ramos dos descendentes de Judá. Nem todos eles eram fazendeiros. Nesse país, os oleiros residiam com o rei de Moabe, pelo que tinham alguma importância política e gozavam de favores especiais nos lugares altos. Outros estudiosos, contudo, pensam estar em foco o rei da Babilônia e, nesse caso, a expressão só pode significar que eles *serviam* a esse rei, em sua profissão. Outros acreditam ainda que esse rei é Salomão. Nossas informações, porém, são incertas.

OUTRAS TRIBOS (4.24—8.40)

GENEALOGIA DE SIMEÃO (4.24-43)

O autor sagrado fala de modo *abreviado* das outras onze tribos, pois Judá, que deu continuidade à história de Israel após o cativeiro babilônico, ocupava quase toda a sua atenção. Talvez a tribo de Simeão tenha sido listada após Judá porque foi finalmente assimilada a Judá, como também ocorreu com Benjamim. Ver Js 19.1-9.

Observações:
1. A lista de filhos, dada em 1Cr 4.24, difere levemente daquela de Gn 46.10, e podemos supor que uma fonte informativa extra, não canônica, também esteve à disposição do autor sacro. No livro de Gênesis são dados *seis* nomes, mas aqui foram dados *cinco* nomes. A lista de Nm 26.12,13 é quase idêntica à do presente texto. Diferenças na grafia dos nomes ocorrem nas três listas, quando elas são comparadas entre si. Ver também Êx 6.15, que tem os mesmos seis nomes, como em Gênesis.
2. *Oade* é um dos nomes mencionados nos livros de Gênesis e Êxodo, que foi omitido em 1Cr e Números. Ver no *Dicionário*, quanto ao que se sabe sobre ele.

■ 4.24-43

V24 : בְּנֵי שִׁמְעוֹן נְמוּאֵל וְיָמִין יָרִיב זֶרַח שָׁאוּל

V25 : שַׁלֻּם בְּנוֹ מִבְשָׂם בְּנוֹ מִשְׁמָע בְּנוֹ

V26 : וּבְנֵי מִשְׁמָע חַמּוּאֵל בְּנוֹ זַכּוּר בְּנוֹ שִׁמְעִי בְנוֹ

V27 וּלְשִׁמְעִי בָּנִים שִׁשָּׁה עָשָׂר וּבָנוֹת שֵׁשׁ וּלְאֶחָיו
אֵין בָּנִים רַבִּים וְכֹל מִשְׁפַּחְתָּם לֹא הִרְבּוּ עַד־בְּנֵי
יְהוּדָה׃ ס

V28 : וַיֵּשְׁבוּ בִּבְאֵר־שֶׁבַע וּמוֹלָדָה וַחֲצַר שׁוּעָל

V29 : וּבְבִלְהָה וּבְעֶצֶם וּבְתוֹלָד

V30 : וּבִבְתוּאֵל וּבְחָרְמָה וּבְצִיקְלָג

V31 וּבְבֵית מַרְכָּבוֹת וּבַחֲצַר סוּסִים וּבְבֵית בִּרְאִי
וּבְשַׁעֲרָיִם אֵלֶּה עָרֵיהֶם עַד־מְלֹךְ דָּוִיד׃

V32 וְחַצְרֵיהֶם עֵיטָם וָעַיִן רִמּוֹן וְתֹכֶן וְעָשָׁן עָרִים
חָמֵשׁ׃

V33 וְכָל־חַצְרֵיהֶם אֲשֶׁר סְבִיבוֹת הֶעָרִים הָאֵלֶּה
עַד־בָּעַל זֹאת מוֹשְׁבֹתָם וְהִתְיַחְשָׂם לָהֶם׃

V34 : וּמְשׁוֹבָב וְיַמְלֵךְ וְיוֹשָׁה בֶּן־אֲמַצְיָה

V35 : וְיוֹאֵל וְיֵהוּא בֶּן־יוֹשִׁבְיָה בֶּן־שְׂרָיָה בֶּן־עֲשִׂיאֵל

V36 וֶאֱלִיוֹעֵינַי וְיַעֲקֹבָה וִישׁוֹחָיָה וַעֲשָׂיָה וַעֲדִיאֵל וִישִׂימִאֵל וּבְנָיָה:

V37 וְזִיזָא בֶן־שִׁפְעִי בֶן־אַלּוֹן בֶּן־יְדָיָה בֶן־שִׁמְרִי בֶּן־שְׁמַעְיָה:

V38 אֵלֶּה הַבָּאִים בְּשֵׁמוֹת נְשִׂיאִים בְּמִשְׁפְּחוֹתָם וּבֵית אֲבוֹתֵיהֶם פָּרְצוּ לָרוֹב:

V39 וַיֵּלְכוּ לִמְבוֹא גְדֹר עַד לְמִזְרַח הַגָּיְא לְבַקֵּשׁ מִרְעֶה לְצֹאנָם:

V40 וַיִּמְצְאוּ מִרְעֶה שָׁמֵן וָטוֹב וְהָאָרֶץ רַחֲבַת יָדַיִם וְשֹׁקֶטֶת וּשְׁלֵוָה כִּי מִן־חָם הַיֹּשְׁבִים שָׁם לְפָנִים:

V41 וַיָּבֹאוּ אֵלֶּה הַכְּתוּבִים בְּשֵׁמוֹת בִּימֵי יְחִזְקִיָּהוּ מֶלֶךְ־יְהוּדָה וַיַּכּוּ אֶת־אָהֳלֵיהֶם וְאֶת־הַמְּעִינִים אֲשֶׁר נִמְצְאוּ־שָׁמָּה וַיַּחֲרִימֻם עַד־הַיּוֹם הַזֶּה וַיֵּשְׁבוּ תַחְתֵּיהֶם כִּי־מִרְעֶה לְצֹאנָם שָׁם:

V42 וּמֵהֶם מִן־בְּנֵי שִׁמְעוֹן הָלְכוּ לְהַר שֵׂעִיר אֲנָשִׁים חֲמֵשׁ מֵאוֹת וּפְלַטְיָה וּנְעַרְיָה וּרְפָיָה וְעֻזִּיאֵל בְּנֵי יִשְׁעִי בְּרֹאשָׁם:

V43 וַיַּכּוּ אֶת־שְׁאֵרִית הַפְּלֵטָה לַעֲמָלֵק וַיֵּשְׁבוּ שָׁם עַד הַיּוֹם הַזֶּה:

Observações:
1. Esta lista não tem paralelo nos livros canônicos do Antigo Testamento e foi tomada por empréstimo de um ou mais fontes não canônicas. O *Dicionário* oferece a pouca informação que temos sobre as pessoas envolvidas.
2. Revestem-se de interesse especial os dois atos descritos nos vss. 39-43, que também não têm paralelos nas páginas do Antigo Testamento e devem ter-se originado em alguma antiquíssima tradição fielmente preservada, mas que somente o nosso autor sacro registrou nos livros canônicos. Mais guerras e matanças estavam envolvidas, os atos favoritos dos antigos hebreus.
3. Esses *atos aventureiros* traziam vantagens materiais e riquezas, mas a um custo horrendo. Como poderia um homem desfrutar de suas terras, da produção agrícola, de sua vida, quando obtivera tais coisas mediante a matança de seus ocupantes anteriores? Parecia não haver tal consciência, nesse ponto da história do antigo povo hebreu. Nem entre os criminosos modernos parece haver consciência. Assim é que um homem pode matar e sentir-se "aliviado" por ter feito isso. Esse é um dos aspectos da mente criminosa. Um dos piores matadores da história dos Estados Unidos matou mais de seiscentas pessoas, e geralmente "apenas por diversão e para sentir-se aliviado". É impossível compreendermos esse tipo de perversidade. Outra coisa dificílima de entendermos é como tal perversidade transforma-se então em um ato *heroico*. Os homens são louvados pelo mal que praticam.
4. *Gedor* (vs. 39) aparece na Septuaginta com a forma de *Gerar*. Isso envolve o povo na parte ocidental do alto Neguebe, não longe de *Gaza*. Os camitas (clãs que vieram do Egito, vs. 40) habitavam ali e foram deslocados mediante violência. A época era a do rei Ezequias, de Judá (715-686 a.C.) Os *meunitas* também estiveram envolvidos na questão (vs. 41). Cf. 2Cr 26.7. Não temos nenhuma informação indiscutível sobre eles. No entanto, no *Dicionário* há um detalhado artigo chamado *Meunim (Meunitas)*.
5. Nos dias de Ezequias (715 a.C.), quinhentos simeonitas espalharam-se pelo leste e estabeleceram-se na região montanhosa de *Seir* (Edom). Logo que chegaram, mataram aos amalequitas que ali viviam, e assim obtiveram um nome para si mesmos. Os amalequitas haviam sobrevivido aos massacres dos tempos de Davi, mas finalmente caíram defronte dos simeonitas. Cf. 1Sm 30.16-20. Ver também em 1Sm 14.48, as guerras de Saul contra aquela gente, e alguns dos ataques desfechados por Davi, em 2Sm 8.12.

CAPÍTULO CINCO

Continuamos aqui a seção geral iniciada em 1Cr 4.24, intitulada "Outras Tribos", e chegamos, especificamente, às *Tribos Transjordanianas* (1Cr 5.1-26). O autor sagrado estava interessado, particularmente, na tribo de Judá (que ele descreveu empregando dois registros genealógicos distintos, um refletido no capítulo 2, e o outro dado em 1Cr 4.1-23). Sem embargo, ele não negligenciou as outras tribos, embora, quando as escreveu, elas tivessem deixado de existir por causa do cativeiro assírio. Terminado o cativeiro babilônico, a tribo de Judá levou avante a história de Israel. A fim de apresentar genealogias completas, as doze tribos receberam alguma menção e descrição. Quanto ao propósito do autor sagrado ao dar suas genealogias (1Cr 1—9), ver os comentários antes da introdução ao primeiro capítulo. Não repito aqui esse material (que é vital para compreendermos o "porquê" de tantas genealogias).

"Este quinto capítulo relata a genealogia das tribos que viviam no *outro lado* do rio Jordão: a tribo dos rubenitas (vss. 1-10); a dos gaditas (vss. 11-17); a meia tribo de Manassés (vss. 23 e 24); e sua guerra contra os hagarenos, em conjunto uns com os outros; e a conquista desses hagarenos pelos manassitas (vss. 18-26). Mas, por causa de todos os seus pecados, essas tribos foram levadas cativas pelo rei da Assíria (vss. 25,26)" (John Gill, *in loc.*).

AS TRIBOS TRANSJORDANIANAS (5.1-26)

O lado *oriental* do rio Jordão era chamado de "outro lado" ou *Transjordânia*. Esse território era o lar dos rubenitas, gaditas e da meia tribo de Manassés. A narrativa dada aqui tem "um ferrão em sua cauda, pois registra (vss. 25 e 26) que eles 'cometeram transgressões contra o Deus de seus pais, e se prostituíram seguindo os deuses dos povos da terra', razão pela qual foram levados pelos assírios, para nunca mais retornarem. Eles eram *hebreus*, mas cometeram tantos erros que não houve recuperação nem lugar para eles na renovação da vida judaica. Os livros de Crônicas subentendem que os judeus e muitos de Israel se *recuperaram*, porque se dispuseram a aprender, adquiriram discernimento moral e pensamentos mais sábios acerca de Deus e de suas exigências, e assim, através de sua fé, encontraram forças" (W. A. L. Elmslie, *in loc.*).

■ 5.1,2

וּבְנֵי רְאוּבֵן בְּכוֹר־יִשְׂרָאֵל כִּי הוּא הַבְּכוֹר וּבְחַלְּלוֹ יְצוּעֵי אָבִיו נִתְּנָה בְּכֹרָתוֹ לִבְנֵי יוֹסֵף בֶּן־יִשְׂרָאֵל וְלֹא לְהִתְיַחֵשׂ לַבְּכֹרָה:

כִּי יְהוּדָה גָּבַר בְּאֶחָיו וּלְנָגִיד מִמֶּנּוּ וְהַבְּכֹרָה לְיוֹסֵף: ס

Observações:
1. A tribo de *Rúben* foi punida por causa do tolo ataque sexual dele contra Bila, concubina de Jacó (Gn 35.22). A tribo que descendia de Rúben acabou perdendo seu direito de primogenitura e sua herança, embora Rúben fosse o filho primogênito de Jacó. Mas seu pecado foi grave demais para permitir que as coisas seguissem um curso natural. Foi assim que a tribo de Judá absorveu a tribo de Rúben, como também a tribo de Benjamim, tornando-se uma "supertribo". O direito de primogenitura passou para José (isto é, para seus filhos, Efraim e Manassés; ver Gn 48.15-22). Contudo, foi através de Judá que *Davi* se tornou rei, e sua dinastia elevou-se acima de todos os outros poderes em Israel. Foi através de Judá que veio o Cristo. E assim no final a tribo de Judá foi a grande campeã, o poder central da história de Israel.
2. Ver Gn 49.8-12 quanto à glória de Judá, realizada à custa das demais tribos de Israel.
3. O *príncipe*, isto é, Davi, e então a sua dinastia, embora muitos tomem essa expressão como uma predição profética sobre o Rei Messias. Os direitos de primogenitura iam e vinham, mas Davi

chegou para permanecer. Isso só pode ser verdade no Messias, Jesus Cristo, pois há muito tempo deixou de existir na terra a dinastia davídica.

4. Quanto a Rúben como o filho primogênito de Jacó, ver Gn 49.3. Ver também Gn 29.32. Embora Rúben fosse o primogênito, a ascendência e o governo de Davi foram legítimos, porque a vontade divina assim ordenara, devido ao pecado de Rúben. Rúben e José tinham reivindicações genealógicas acima de Judá, mas as circunstâncias as reverteram. Efraim sempre foi uma tribo de liderança, mas o cativeiro assírio terminou com essa vantagem. Judá acabou ficando sozinho. Quanto à liderança de Efraim, ver Jz 2.9; 4.5; 5.14; 8.1,2 e 12.1,15.

5. José recebeu dupla porção em sua herança. Ver Dt 21.15-17 quanto aos seus privilégios de primogenitura. Mas, após o cativeiro assírio, a única porção que restou foi a que pertencia a Judá.

■ 5.3-10

V3 בְּנֵי רְאוּבֵן בְּכוֹר יִשְׂרָאֵל חֲנוֹךְ וּפַלּוּא חֶצְרוֹן וְכַרְמִי:

V4 בְּנֵי יוֹאֵל שְׁמַעְיָה בְנוֹ גּוֹג בְּנוֹ שִׁמְעִי בְנוֹ:

V5 מִיכָה בְנוֹ רְאָיָה בְנוֹ בַּעַל בְּנוֹ:

V6 בְּאֵרָה בְנוֹ אֲשֶׁר הֶגְלָה תִּלְּגַת פִּלְנְאֶסֶר מֶלֶךְ אַשּׁוּר הוּא נָשִׂיא לָראוּבֵנִי:

V7 וְאֶחָיו לְמִשְׁפְּחֹתָיו בְּהִתְיַחֵשׂ לְתֹלְדוֹתָם הָרֹאשׁ יְעִיאֵל וּזְכַרְיָהוּ:

V8 וּבֶלַע בֶּן־עָזָז בֶּן־שֶׁמַע בֶּן־יוֹאֵל הוּא יוֹשֵׁב בַּעֲרֹעֵר וְעַד־נְבוֹ וּבַעַל מְעוֹן:

V9 וְלַמִּזְרָח יָשַׁב עַד־לְבוֹא מִדְבָּרָה לְמִן־הַנָּהָר פְּרָת כִּי מִקְנֵיהֶם רָבוּ בְּאֶרֶץ גִּלְעָד:

V10 וּבִימֵי שָׁאוּל עָשׂוּ מִלְחָמָה עִם־הַהַגְרִאִים וַיִּפְּלוּ בְּיָדָם וַיֵּשְׁבוּ בְּאָהֳלֵיהֶם עַל־כָּל־פְּנֵי מִזְרָח לַגִּלְעָד: פ

Observações:

1. A genealogia de Rúben, conforme apresentada aqui, inclui seus quatro filhos (cf. Nm 26.5-11) e, depois deles, um número *selecionado* de pessoas, quanto às gerações seguintes. Não há nenhuma tentativa de conseguir uma genealogia completa.

2. De um certo *Joel* (vs. 4), temos uma linhagem que chegou a Beera (vs. 6). Dessas diversas gerações conhecemos apenas os seus nomes, pois nenhuma informação pessoal nos é dada. Esse Joel é mencionado somente aqui, sendo impossível determinar o grau de parentesco entre ele e seu antepassado, Rúben. Ao conquistar Samaria, Tiglate-Pileser III (745-727 a.C.) levou Beera cativo, durante o *cativeiro assírio* (ver sobre esse assunto no *Dicionário*). Em todo o Antigo Testamento, a deportação de Beera só é mencionada aqui. A linhagem de Joel é traçada por sete gerações, cerca de 280, se calcularmos 7 x 40 (quarenta anos para cada geração, em média).

3. Os vss. 9 e 10 fornecem uma ideia geral sobre como a tribo de Rúben expandiu o seu território. Os rubenitas chegaram a ocupar toda a área da Transjordânia, desde o rio Arnom até Nebo, ao norte, e também Gileade, que ficava na porção leste do rio Jordão. Séculos de conquista e de habitação foram cortados pelo cativeiro assírio. O mal estava por trás desses acontecimentos. O julgamento divino sobreveio aos apóstatas da nação do norte (Israel).

4. Entre os feitos heroicos de Rúben esteve a derrota dos hagarenos (vs. 10), descrita com maiores detalhes nos vss. 18-22 deste capítulo. Ver o artigo sobre os *Hagarenos* no *Dicionário*. Esse nome ocorre somente neste capítulo (vss. 10,19,20). "Os descendentes de Rúben extirparam os hagarenos, tomaram suas propriedades e suas tendas, e habitaram no seu território " (Adam Clarke, *in loc.*). Assim matanças e saques continuaram sendo atos heroicos.

■ 5.11-17

V11 וּבְנֵי־גָד לְנֶגְדָּם יָשְׁבוּ בְּאֶרֶץ הַבָּשָׁן עַד־סַלְכָה:

V12 יוֹאֵל הָרֹאשׁ וְשָׁפָם הַמִּשְׁנֶה וְיַעְנַי וְשָׁפָט בַּבָּשָׁן:

V13 וַאֲחֵיהֶם לְבֵית אֲבוֹתֵיהֶם מִיכָאֵל וּמְשֻׁלָּם וְשֶׁבַע וְיוֹרַי וְיַעְכָּן וְזִיעַ וָעֵבֶר שִׁבְעָה: ס

V14 אֵלֶּה בְּנֵי אֲבִיחַיִל בֶּן־חוּרִי בֶּן־יָרוֹחַ בֶּן־גִּלְעָד בֶּן־מִיכָאֵל בֶּן־יְשִׁישַׁי בֶּן־יַחְדּוֹ בֶּן־בּוּז:

V15 אֲחִי בֶּן־עַבְדִּיאֵל בֶּן־גּוּנִי רֹאשׁ לְבֵית אֲבוֹתָם:

V16 וַיֵּשְׁבוּ בַגִּלְעָד בַּבָּשָׁן וּבִבְנֹתֶיהָ וּבְכָל־מִגְרְשֵׁי שָׁרוֹן עַל־תּוֹצְאוֹתָם:

V17 כֻּלָּם הִתְיַחְשׂוּ בִּימֵי יוֹתָם מֶלֶךְ־יְהוּדָה וּבִימֵי יָרָבְעָם מֶלֶךְ־יִשְׂרָאֵל: פ

Observações:

1. Nestes versículos encontramos as gerações dos gaditas, e os nomes aqui apresentados figuram somente neste lugar, em todo o Antigo Testamento. Isso nos alerta para o fato de que o autor sagrado tinha, à sua disposição, cartas genealógicas não utilizadas por outros livros canônicos. "Os gaditas estabeleceram-se em Basã, ao sul e a leste do mar de Quinerete e ao norte do rio Iarmuque. Não havia nenhuma fronteira bem definida entre Gileade e Basã (vs. 6), pelo que, sem dúvida, as tribos orientais de Israel se misturaram de forma bastante livre" (Eugene H. Merrill, *in loc.*). As fronteiras orientais de Israel sempre foram indefinidas.

2. Os documentos utilizados foram, como é evidente, compilados no tempo de Jeroboão II, de Israel (793-753 a.C.), e no tempo de Jotão, de Judá (750-735 a.C.), conforme informa o vs. 17.

3. *Basã* era o domínio antigo do famoso rei Ogue (Nm 21.33-35; Dt 3.1-12). *Salcá* (vs. 11) ficava no declive sudoeste do Jebel Haurã, situado no extremo oriental de Gileade.

4. O trecho de Gn 46.16 enumera *sete* filhos de Gade, número que corresponde aos clãs listados no vs. 13 deste capítulo, mas não há correlação entre os nomes. Portanto, não sabemos dizer o que aconteceu aqui. Podemos apenas conjecturar que ambas as listas são representativas e seletivas, e que havia muitas outras pessoas que não foram mencionadas por nenhum dos autores sagrados.

5. *Sarom* (vs. 16) era uma planície bem conhecida, que ficava a oeste do rio Jordão, entre Carmelo e Jope, ao longo da costa do Mar Grande. Ver sobre esse mar no *Dicionário*.

6. "Até aos termos de todos os arredores de Sarom" (vs. 16), ou seja, "suas extremidades" (Nm 34.4,5). "Os gaditas alimentavam seus rebanhos nos vales estreitos e profundos ao pé das montanhas, aqui chamados de saídas" (Ellicott, *in loc.*). Não havia fronteiras bem definidas.

■ 5.18-22

V18 בְּנֵי־רְאוּבֵן וְגָדִי וַחֲצִי שֵׁבֶט־מְנַשֶּׁה מִן־בְּנֵי־חַיִל אֲנָשִׁים נֹשְׂאֵי מָגֵן וְחֶרֶב וְדֹרְכֵי קֶשֶׁת וּלְמוּדֵי מִלְחָמָה אַרְבָּעִים וְאַרְבָּעָה אֶלֶף וּשְׁבַע־מֵאוֹת וְשִׁשִּׁים יֹצְאֵי צָבָא:

V19 וַיַּעֲשׂוּ מִלְחָמָה עִם־הַהַגְרִיאִים וִיטוּר וְנָפִישׁ וְנוֹדָב:

V20 וַיֵּעָזְרוּ עֲלֵיהֶם וַיִּנָּתְנוּ בְיָדָם הַהַגְרִיאִים וְכֹל שֶׁעִמָּהֶם כִּי לֵאלֹהִים זָעֲקוּ בַּמִּלְחָמָה וְנַעְתּוֹר לָהֶם כִּי־בָטְחוּ בוֹ:

V21 וַיִּשְׁבּוּ מִקְנֵיהֶם גְּמַלֵּיהֶם חֲמִשִּׁים אֶלֶף וְצֹאן
מָאתַיִם וַחֲמִשִּׁים אֶלֶף וַחֲמוֹרִים אַלְפָּיִם וְנֶפֶשׁ אָדָם
מֵאָה אָלֶף:

V22 כִּי־חֲלָלִים רַבִּים נָפָלוּ כִּי מֵהָאֱלֹהִים הַמִּלְחָמָה
וַיֵּשְׁבוּ תַחְתֵּיהֶם עַד־הַגֹּלָה: פ

Observações:
1. As tribos *orientais,* aquelas da Transjordânia, a saber, os rubenitas, os gaditas e a meia tribo de Manassés, eram capazes de reunir uma força de combate de 44.760 competentes e brutais guerreiros, habilidosos no uso do arco e flecha e da lança. (Ver Js 4.13 quanto a esse número.) Israel não possuía cavalaria senão já nos dias de Salomão, mas conseguia criar grande confusão com sua habilidosa infantaria.
2. Para conquistar aquele território, eles tiveram de incluir os habitantes anteriores da terra, incluindo os *hagarenos* (vss. 10 e 20). Os atos heroicos eram atos de matança e saque. Ver sobre esse povo no *Dicionário*. "Os infelizes hagarenos foram mortos e desapossados de suas terras! Os hebreus triunfaram porque (segundo pensavam) Deus (Yahweh) saíra em socorro deles (Sl 24.8; 144.1)" (W. A. L. Elmslie, *in loc.*). Elmslie, o crítico, adicionou: "Danos incalculáveis têm sido causados à verdadeira religião por causa da ideia de que tudo quanto é *dito* sobre Deus, na Bíblia, de capa a capa, deve ser posto lado a lado, formando um amálgama incongruente. Antes, o valor permanente das Escrituras deve ser descoberto mediante a ideia de que, pela vontade paciente do Deus eterno, os hebreus estavam sendo levados, gradualmente, ao *discernimento* da verdadeira natureza de Deus. De fato, eles foram tirados das trevas para a luz, no que concerne à natureza do Ser divino". Assim é que, atualmente, crimes espantosos continuam sendo cometidos em nome de Deus e da *guerra santa*. Quanto a essa questão, ver Dt 7.1-5 e 20.10-18.
3. Os *hagarenos* foram expulsos de seu território pelas tribos orientais de Israel, até o cativeiro assírio. Então os israelitas de toda a nação do norte foram afastados por povos trazidos de outros lugares, ao mesmo tempo que foram deportados, para nunca mais retornarem. Os poucos que permaneceram misturaram-se com os povos importados e formaram os *samaritanos* (ver no *Dicionário*). Os samaritanos retiveram certa modalidade de yahwismo, mas eram essencialmente pagãos. Verdadeiramente, as dez tribos se perderam. Tiglate-Pileser III, em 734 a.C., levou alguns israelitas para fora de seu país. Então houve o estágio final do cativeiro assírio, em 722 a.C. Ver os vss. 6 e 26 deste capítulo.

5.23-26

V23 וּבְנֵי חֲצִי שֵׁבֶט מְנַשֶּׁה יָשְׁבוּ בָּאָרֶץ מִבָּשָׁן
עַד־בַּעַל חֶרְמוֹן וּשְׂנִיר וְהַר־חֶרְמוֹן הֵמָּה רָבוּ:

V24 וְאֵלֶּה רָאשֵׁי בֵית־אֲבוֹתָם וְעֵפֶר וְיִשְׁעִי וֶאֱלִיאֵל
וְעַזְרִיאֵל וְיִרְמְיָה וְהוֹדַוְיָה וְיַחְדִּיאֵל אֲנָשִׁים גִּבּוֹרֵי
חַיִל אַנְשֵׁי שֵׁמוֹת רָאשִׁים לְבֵית אֲבוֹתָם:

V25 וַיִּמְעֲלוּ בֵּאלֹהֵי אֲבוֹתֵיהֶם וַיִּזְנוּ אַחֲרֵי אֱלֹהֵי
עַמֵּי־הָאָרֶץ אֲשֶׁר־הִשְׁמִיד אֱלֹהִים מִפְּנֵיהֶם:

V26 וַיָּעַר אֱלֹהֵי יִשְׂרָאֵל אֶת־רוּחַ פּוּל מֶלֶךְ־אַשּׁוּר
וְאֶת־רוּחַ תִּלְּגַת פִּלְנֶסֶר מֶלֶךְ אַשּׁוּר וַיַּגְלֵם לָראוּבֵנִי
וְלַגָּדִי וְלַחֲצִי שֵׁבֶט מְנַשֶּׁה וַיְבִיאֵם לַחְלַח וְחָבוֹר
וְהָרָא וּנְהַר גּוֹזָן עַד הַיּוֹם הַזֶּה: פ

Naquela terra. "Não na terra dos hagarenos, mas na terra de Gileade e Basã, além do rio Jordão, terra que lhes tinha sido doada por Moisés. O autor sagrado, tendo apresentado as genealogias de alguns dos principais homens de Rúben e Gade, prossegue agora dando um sucinto relato de alguns dos principais homens da meia tribo de Manassés. Primeiramente eles se estabeleceram em Basã, mas depois ampliaram seus territórios até Baal-Hermom, Senir e o monte Hermom, montes esses que jaziam ao norte da terra de Canaã, à qual os geógrafos chamam de 'antilíbano'" (John Gill, *in loc.*).

1. A tribo de Manassés dividiu-se em duas partes. Uma permaneceu nos territórios a oeste do Jordão, e a outra uniu-se a Rúben e Gade, a leste daqueles territórios, o que explica a expressão "meia tribo de Manassés". Ver Js 17.1-12; 22.7; Dt 3.12. Quanto a detalhes completos, ver no *Dicionário* o verbete chamado *Manassés*, mormente em sua terceira seção.
2. A lista dada (vs. 24) inclui dois nomes conhecidos em Nm 26.31,32 (Efer e Azriel). O restante dos nomes não é mencionado em nenhuma outra parte do Antigo Testamento. Estão em pauta cabeças de clãs e, presumivelmente, homens de valor *na guerra*, visto que a conquista e a preservação de terras dependiam da violência bem-sucedida.
3. Os vss. 25 e 26 são o "porém" da passagem. As duas tribos e meia tiveram grande sucesso na guerra, mas a alma dessas tribos era pequena. Eles derrotaram inimigos poderosos, mas perderam a batalha contra a corrupção interior. Tornaram-se ativos na estúpida idolatria, abandonando o antigo yahwismo. Derrotaram os povos do território, mas logo depois adotaram os deuses deles! Deus destruiu os inimigos na frente deles, mas foi forçado, por causa das atitudes caprichosas deles, a destruí-los, usando o látego do exército assírio.
4. Pul (Tiglate-Pileser III) foi o homem forte que encabeçou a invasão, e o poder das tribos orientais transformou-se em nada. Ver 2Rs 17.6, quanto aos lugares para onde os infelizes israelitas foram enviados. *Hara* é um lugar não mencionado em 2Rs, e é também desconhecido. Temos, entretanto, algumas informações sobre os outros lugares, anotados no *Dicionário*.
5. Ver no *Dicionário* o verbete intitulado *Pul*. Esse nome é uma forma alternativa de Tiglate-Pileser III, sobre quem também ofereço um artigo. Talvez *Pul* fosse o nome pessoal do homem, e o outro nome fosse um título real.
6. Ver 2Rs 17.6-18 quanto a uma narrativa mais completa sobre o cativeiro das três tribos orientais. Ver também, no *Dicionário,* o verbete chamado *Idolatria,* a praga que causou tantos desastres ao longo da história de Israel. Os israelitas foram culpados de adultério espiritual, conforme indica a terminologia da passagem presente.
7. Os assírios, e não meramente os hebreus, consideravam suas conquistas militares o resultado "do favor e da ajuda divina". Istar e Bel eram louvados e tinham o crédito pelas conquistas militares dos assírios; eles formavam um grupo de divindades menores.
8. O vs. 26 retrata o Deus dos hebreus (Elohim) como o inspirador de Pul para ele fazer o que fez. Desse modo, o rei assírio tornou-se um instrumento na mão de Deus. Cf. isso com 2Cr 21.16; Ed 1.1,5; Is 44.28 e 45.1-13.

CAPÍTULO SEIS

LEVI (6.1-81)

Este longo capítulo é devotado à tribo de Levi, que se tornou a casta sacerdotal. Devemos lembrar que o autor escreveu depois do cativeiro babilônico. Restou somente a tribo de Judá para reiniciar a história de Israel. Para que essa história se reiniciasse, tinha de haver uma casta sacerdotal ativa. Portanto somos informados com longos pormenores sobre a tribo (ou casta sacerdotal) de Levi; e devemos compreender que alguns desses ministros sobreviveram aos dois cativeiros e assumiram seus lugares entre o remanescente do segundo cativeiro. Sem essa realidade, a nação de Israel dificilmente poderia ser chamada de Israel.

Terminado o cativeiro babilônico, quando o remanescente de Israel (tribo de Judá) retornou a Jerusalém, não mais do que 38 levitas puderam ser reunidos. A pureza de sangue deles e suas posições foram cuidadosamente preservadas por Esdras e Neemias. E, quando os romanos destruíram o templo de Jerusalém, em 70 d.C., e então dispersaram de vez aos judeus, depois de 132 d.C., os levitas desapareceram da história como um grupo distinto dentre os judeus,

O CATIVEIRO ASSÍRIO

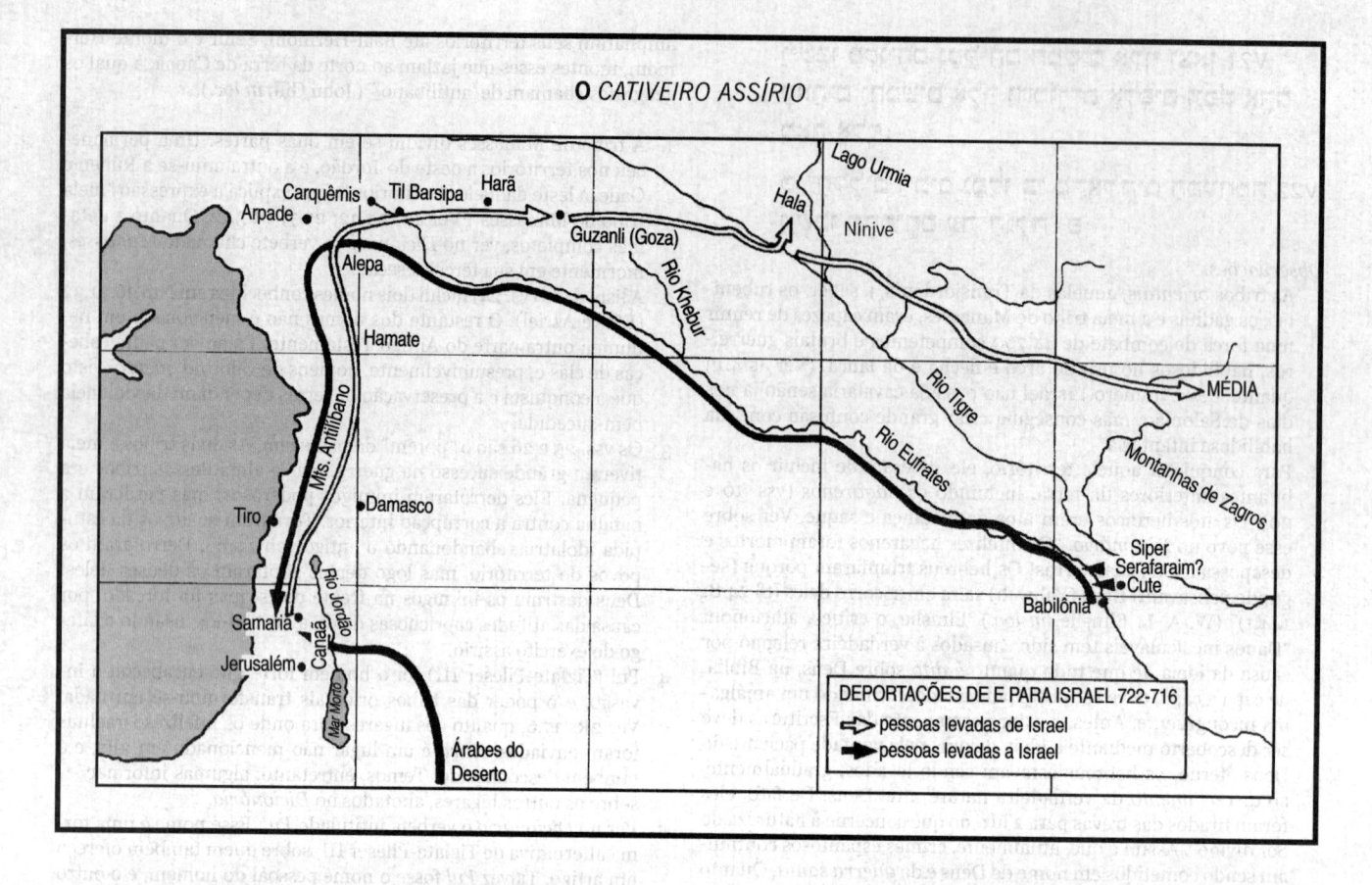

[Mapa mostrando as deportações de e para Israel 722-716, com localidades: Arpade, Carquêmis, Til Barsipa, Harã, Guzanli (Goza), Hala, Lago Urmia, Nínive, Alepa, Hamate, Mts. Antilíbano, Rio Khebur, Rio Tigre, Rio Eufrates, Montanhas de Zagros, Média, Tiro, Damasco, Siper Serafaraim?, Cute, Babilônia, Samaria, Canaã, Rio Jordão, Jerusalém, Mar Morto, Árabes do Deserto]

DEPORTAÇÕES DE E PARA ISRAEL 722-716
⇨ pessoas levadas de Israel
➡ pessoas levadas a Israel

O PROCESSO AGONIZANTE

Os assírios eram peritos em genocídio. Empregavam matanças em massa, deportavam os sobreviventes e mandavam outros povos para ocupar os territórios dos vencidos. No cativeiro assírio, Israel (as dez tribos do norte) morreu.

Embora nos refiramos a esse cativeiro como um evento único, na realidade estava envolvido um processo complexo. Podemos dividir esse período em quatro fases: 1. A daqueles levados cativos por Tiglate-Pileser III, nos dias de Peca, rei de Israel, em cerca de 740 a.C. (1Cr 5.26). 2. Durante o reinado de Oseias, rei de Israel, Salmaneser, rei da Assíria, invadiu Israel por duas vezes (2Rs 17.3,5, provavelmente levando os israelitas que tinham sobrevivido à invasão anterior). 3. Seu sucessor, Sargão II, em 721 a.C., conquistou a capital, Samaria, e levou mais de 20 mil pessoas. 4. O que não fora levado cativo pelos reis anteriores, outros monarcas assírios, especialmente Esar-Hadom, em cerca de 681-668 a.C., levaram.

misturando-se à multidão dos cativos e peregrinos judeus pelo mundo inteiro.

Dúvidas e Controvérsias. Há muitas controvérsias e conjecturas sobre a origem, a natureza e a função dos levitas, e sobre como eles se relacionavam aos sacerdotes. Os críticos não aceitam as declarações simples das Escrituras e saem à procura de outras informações. "Levi, tal como os outros 'filhos de Jacó', era, originalmente, uma tribo que, juntamente com Simeão, em uma data do período patriarcal, muito antes do tempo de Moisés, atacou a cidade cananeia de Siquém e depois sofreu uma derrota tão grande que os sobreviventes não formavam mais um grupo coerente, mas meramente famílias dispersas, dos quais alguns perambulavam para cá e para lá na terra de Canaã, enquanto outros migraram para o Egito e então retornaram no tempo de Moisés (conforme Gn 34; 49.5-7). Uma conjectura interessante é a que diz que os levitas, por acaso, tornaram-se sacerdotes guardiães do santo lugar dos hebreus, em Cades-Barneia, antes da invasão da terra de Canaã. Nesse caso, seria apenas natural que aqueles levitas tivessem sido escolhidos para servir aos primeiros santuários hebreus em Silo, onde o templo foi erigido" (W. A. L. Elmslie, *in loc.*, tentando descobrir a verdadeira história dos levitas, e como foi que aquela *tribo* se transformou em uma casta sacerdotal).

Em lugar de acompanhar outras conjecturas sobre os levitas e os sacerdotes, solicito aos meus leitores consultar os artigos do *Dicionário* chamados *Levitas; Sacerdotes e Levitas* e também *Levitas, Cidades dos*. Se o leitor estudar com paciência esses artigos, obterá uma ideia de como os críticos e os estudiosos conservadores têm lidado com os problemas aqui envolvidos.

Descendentes de Levi (6.1-15)

■ **6.1-3a** (na Bíblia hebraica corresponde ao **5.27-29**)

בְּנֵי לֵוִי גֵּרְשׁוֹן קְהָת וּמְרָרִי׃

וּבְנֵי קְהָת עַמְרָם יִצְהָר וְחֶבְרוֹן וְעֻזִּיאֵל׃ ס

וּבְנֵי עַמְרָם אַהֲרֹן וּמֹשֶׁה וּמִרְיָם וּבְנֵי אַהֲרֹן נָדָב

וַאֲבִיהוּא אֶלְעָזָר וְאִיתָמָר׃ ס

"A genealogia de Levi começa referindo-se à linhagem da qual Moisés e Arão faziam parte, por causa da óbvia importância deles. Após ter-se referido aos *três filhos de Levi*, o cronista concentrou sua atenção sobre *Coate* e seu descendente, Anrão. O período de tempo entre a morte de Levi e o nascimento de Moisés (1800-1526 a.C.) requer que entendamos que a sequência — Levi-Coate-Anrão-Moisés — representa uma lista muito maior de nomes. Ver os comentários sobre Nm 26.58,59. É provável que os nomes desse trecho se refiram a tribo, clã, família e indivíduo, respectivamente (cf. Js 7.16-18). A lista para em Moisés porque o propósito é tratar a linhagem sumo sacerdotal" (Eugene H. Merrill, *in loc.*).

Comparações. Cf. o vs. 1 com Gn 46.11 e Êx 6.16; o vs. 2 com Êx 6.18; o vs. 3 com Êx 6.20; Miriã com Nm 26.59; os filhos de Arão com Êx 6.23 e Nm 26.59; a profetisa, irmã de Arão, com Êx 15.20 e Nm 26.59.

6.3b-15 (na Bíblia hebraica corresponde ao 5.30-41)

אֶלְעָזָר הוֹלִיד אֶת־פִּינְחָס פִּינְחָס הוֹלִיד אֶת־ V4
אֲבִישׁוּעַ׃

וַאֲבִישׁוּעַ הוֹלִיד אֶת־בֻּקִּי וּבֻקִּי הוֹלִיד אֶת־עֻזִּי׃ V5

וְעֻזִּי הוֹלִיד אֶת־זְרַחְיָה וּזְרַחְיָה הוֹלִיד אֶת־ V6
מְרָיוֹת׃

מְרָיוֹת הוֹלִיד אֶת־אֲמַרְיָה וַאֲמַרְיָה הוֹלִיד אֶת־ V7
אֲחִיטוּב׃

וַאֲחִיטוּב הוֹלִיד אֶת־צָדוֹק וְצָדוֹק הוֹלִיד אֶת־ V8
אֲחִימָעַץ׃

וַאֲחִימַעַץ הוֹלִיד אֶת־עֲזַרְיָה וַעֲזַרְיָה הוֹלִיד אֶת־ V9
יוֹחָנָן׃

וְיוֹחָנָן הוֹלִיד אֶת־עֲזַרְיָה הוּא אֲשֶׁר כִּהֵן בַּבַּיִת V10
אֲשֶׁר־בָּנָה שְׁלֹמֹה בִּירוּשָׁלִָם׃

וַיּוֹלֶד עֲזַרְיָה אֶת־אֲמַרְיָה וַאֲמַרְיָה הוֹלִיד אֶת־ V11 H
אֲחִיטוּב׃

וַאֲחִיטוּב הוֹלִיד אֶת־צָדוֹק וְצָדוֹק הוֹלִיד אֶת־ V12
שַׁלּוּם׃

וְשַׁלּוּם הוֹלִיד אֶת־חִלְקִיָּה וְחִלְקִיָּה הוֹלִיד אֶת־ V13
עֲזַרְיָה׃

וַעֲזַרְיָה הוֹלִיד אֶת־שְׂרָיָה וּשְׂרָיָה הוֹלִיד אֶת־ V14
יְהוֹצָדָק׃

וִיהוֹצָדָק הָלַךְ בְּהַגְלוֹת יְהוָה אֶת־יְהוּדָה V15
וִירוּשָׁלִָם בְּיַד נְבֻכַדְנֶאצַּר׃ ס

Observações:

1. A lista dos descendentes de Arão concorda com a de Ed 7.1-15 excetuando algumas poucas formas variantes. Além disso, a lista de Esdras omite seis nomes, a saber, Meraiote a Azarias (ver 1Cr 6.7).
2. Arão foi o primeiro sumo sacerdote (Êx 28.1), e aos seus descendentes diretos foi dado o ofício sumo sacerdotal. Todos os sacerdotes tinham de ser levitas, mas nem todos os levitas eram sacerdotes. Esse ofício era reservado à família imediata de Arão.
3. 1Crônicas faz de Jeozadaque o filho de Seraías (1Cr 6.14,15). Esdras se dizia filho daquele homem (ver Ed 7.1), mas a época não corresponde (Ed nasceu não muito antes de 500 a.C.), portanto supomos que ele se dizia *descendente* de Seraías, e não um filho literal, o que está em harmonia com o uso da palavra no hebraico.
4. Adições e omissões nessas duas listas alertam-nos para o fato de que a palavra "filho" foi usada imprecisamente, e que por muitas vezes há elos perdidos. As genealogias não foram traçadas para serem exatas, em muitos casos, mas apenas listas representativas.
5. O cativeiro babilônico levou os levitas e sacerdotes juntamente com o resto do povo, tal como sucedeu no caso do cativeiro assírio. Cf. 1Cr 6.15 com 5.22,26. Note que Yahweh é visto como a força que causou o cativeiro, em julgamento contra a apostasia.
6. A lista refere-se a *Zadoque* como sumo sacerdote, e não menciona Abiatar, que era descendente de Eli, cuja família acabou sendo desqualificada para o ofício por causa dos pecados graves dos filhos de Eli. Além disso, Abiatar tomou o partido de Adonias, contra Salomão. Contudo, em 1Cr 15.11, o cronista faz alusão a Abiatar, o que significa que ele sabia que Abiatar ocupara o ofício sumo sacerdotal por algum tempo. Essa lista, curiosamente, deixa de lado dois sumos sacerdotes, *Joiada* (mencionado em 2Cr 22.11) e *Azarias* (mencionado em 2Cr 26.20).
7. *Urias*, mencionado em 2Rs 16.11, está completamente ausente em 1 e 2Crônicas.
8. *Seraías* era o sumo sacerdote no momento da queda de Jerusalém (588 a.C.), e Nabucodonosor mandou executá-lo em Ribla (2Rs 25.18-21 e Jr 52.24 ss.).
9. *Vinte e dois sucessores* de Arão estão na lista, para preencher o tempo desde a morte de Arão até o exílio babilônico, mas a lista é apenas representativa, e não definitiva.

Outros Descendentes de Levi (6.16-21)

6.16-21 (na Bíblia hebraica corresponde ao 6.1-6)

בְּנֵי לֵוִי גֵּרְשֹׁם קְהָת וּמְרָרִי׃ V16

וְאֵלֶּה שְׁמוֹת בְּנֵי־גֵרְשׁוֹם לִבְנִי וְשִׁמְעִי׃ V17

וּבְנֵי קְהָת עַמְרָם וְיִצְהָר וְחֶבְרוֹן וְעֻזִּיאֵל׃ V18

בְּנֵי מְרָרִי מַחְלִי וּמֻשִׁי וְאֵלֶּה מִשְׁפְּחוֹת הַלֵּוִי V19
לַאֲבוֹתֵיהֶם׃

לְגֵרְשׁוֹם לִבְנִי בְנוֹ יַחַת בְּנוֹ זִמָּה בְנוֹ׃ V20

יוֹאָח בְּנוֹ עִדּוֹ בְנוֹ זֶרַח בְּנוֹ יְאָתְרַי בְּנוֹ׃ V21

Observações:

1. São listados os *três ramos* dos levitas, com suas principais subdivisões. Ver as passagens paralelas em Êx 6.16-19 e Nm 3.17-20.
2. São listados os mesmos filhos e netos de Levi, e então as gerações subsequentes de pessoas proeminentes (1Cr 6.20-30).
3. *Gérson* é o primeiro nome da lista (vss. 20,21); depois vem *Coate* (vss. 22-30) e, finalmente, Merari (vss. 29,30). Esses foram os cabeças dos três ramos dos levitas.
4. A linhagem de Gérson é acompanhada por sete gerações, nos vss. 20 e 21.
5. Os filhos de Gérson e Merari, que aparecem nos livros canônicos da lei, não são em número suficiente para transpor as gerações desde Levi aos dias de Davi. O cronista adiciona cinco nomes (vss. 39 e 40) e mais nove (vss. 44-47), porém os críticos duvidam da validade dessas listas, supondo que esses sejam nomes do período pós-exílico colocados, anacronicamente, na história mais antiga.
6. *Famílias* (vs. 19) é palavra que significa clãs, e não famílias em nosso sentido moderno. "Segundo as casas de seus pais" conclui a lista no fim de cada uma das famílias. E essa expressão tem a mesma função em Nm 3.20. Ver também Êx 6.19.
7. As *sete* gerações dos descendentes de Gérson não aparecem no Pentateuco. Isso nos permite compreender que uma fonte informativa diferente estava sendo seguida, ou, pelo menos, foi incorporada nas listas do presente capítulo.

6.22-28 (na Bíblia hebraica corresponde ao 6.7-13)

בְּנֵי קְהָת עַמִּינָדָב בְּנוֹ קֹרַח בְּנוֹ אַסִּיר בְּנוֹ׃ V22

אֶלְקָנָה בְנוֹ וְאֶבְיָסָף בְּנוֹ וְאַסִּיר בְּנוֹ׃ V23

תַּחַת בְּנוֹ אוּרִיאֵל בְּנוֹ עֻזִּיָּה בְנוֹ וְשָׁאוּל בְּנוֹ׃ V24

וּבְנֵי אֶלְקָנָה עֲמָשַׂי וַאֲחִימוֹת׃ V25

אֶלְקָנָה בְּנוֹ אֶלְקָנָה צוֹפַי בְּנוֹ וְנַחַת בְּנוֹ׃ V26

אֱלִיאָב בְּנוֹ יְרֹחָם בְּנוֹ אֶלְקָנָה בְּנוֹ׃ V27

וּבְנֵי שְׁמוּאֵל הַבְּכֹר וַשְׁנִי וַאֲבִיָּה׃ ס V28

Observações:

1. A linhagem de Coate é mencionada em seguida. Esse homem não era somente ancestral de Arão (vss. 2 e 3), mas também antepassado de Samuel, o profeta-sacerdote.
2. *Aminadabe* (vs. 22) é algures chamado *Jizar* (1Cr 6.2,18,38).

3. Arão era coatita e fundador da linhagem sacerdotal. Samuel, por outra parte, embora fosse coatita, não podia exercer o ofício de sumo sacerdote. Entretanto, ele oficiava no tabernáculo e realizava outros ministérios sacerdotais, incluindo sacrifícios (ver Nm 3.27-32; 1Sm 1.21; 2.11 e 9.11-14). Não descender diretamente de Arão era algo que o desqualificava para a posição de sumo sacerdote.
4. No texto massorético, *Vasni* (vs. 28) certamente não está correto. Leia-se, antes, *Joel* (conforme faz nossa versão portuguesa). A Septuaginta, a Vulgata e o caldaico preservaram o erro, mas as versões siríaca e árabe, seguindo o capítulo oitavo de 1Samuel, diz também *Joel*. Muito tempo e papel têm sido gasto na tentativa de explicar a presença do nome Vasni aqui. Adam Clarke está correto ao chamar isso de um simples *equívoco* do autor sacro.
5. Foi a má conduta e as injustiças dos dois filhos de Samuel que inspiraram o povo a pedir um rei. Naturalmente, houve outros fatores envolvidos. Ver o capítulo oitavo de 1Samuel.

■ **6.29,30** (na Bíblia hebraica corresponde ao **6.14,15**)

בְּנֵי מְרָרִי מַחְלִי לִבְנִי בְנוֹ שִׁמְעִי בְנוֹ עֻזָּה בְנוֹ:

שִׁמְעָא בְנוֹ חַגִּיָּה בְנוֹ עֲשָׂיָה בְנוֹ: פ

Observações:
1. Uma breve nota nos fornece uma parca descrição da *terceira* linhagem dos levitas, os descendentes de Merari. Esse homem foi o terceiro filho de Levi.
2. Nomes adicionais são dados para preencher melhor a descendência de Merari (vss. 44-47). Mas esses nomes parecem pertencer ao hebraico pós-exílico, e não figuram no Pentateuco. Por isso os críticos duvidam da autenticidade da adição. A lista do presente capítulo traça a sua descendência por cerca de sete gerações. Nada sabemos sobre as pessoas mencionadas. Os detalhes que porventura possam ser dados são oferecidos no *Dicionário*.

Músicos Levitas (6.31-48)

■ **6.31-48** (na Bíblia hebraica corresponde ao **6.16-33**)

V31 וְאֵלֶּה אֲשֶׁר הֶעֱמִיד דָּוִיד עַל־יְדֵי־שִׁיר בֵּית יְהוָה מִמְּנוֹחַ הָאָרוֹן:

V32 וַיִּהְיוּ מְשָׁרְתִים לִפְנֵי מִשְׁכַּן אֹהֶל־מוֹעֵד בַּשִּׁיר עַד־בְּנוֹת שְׁלֹמֹה אֶת־בֵּית יְהוָה בִּירוּשָׁלִָם וַיַּעַמְדוּ כְמִשְׁפָּטָם עַל־עֲבוֹדָתָם:

V33 וְאֵלֶּה הָעֹמְדִים וּבְנֵיהֶם מִבְּנֵי הַקְּהָתִי הֵימָן הַמְשׁוֹרֵר בֶּן־יוֹאֵל בֶּן־שְׁמוּאֵל:

V34 בֶּן־אֶלְקָנָה בֶּן־יְרֹחָם בֶּן־אֱלִיאֵל בֶּן־תּוֹחַ:

V35 בֶּן־צִיף בֶּן־אֶלְקָנָה בֶּן־מַחַת בֶּן־עֲמָשָׂי:

V36 בֶּן־אֶלְקָנָה בֶּן־יוֹאֵל בֶּן־עֲזַרְיָה בֶּן־צְפַנְיָה:

V37 בֶּן־תַּחַת בֶּן־אַסִּיר בֶּן־אֶבְיָסָף בֶּן־קֹרַח:

V38 בֶּן־יִצְהָר בֶּן־קְהָת בֶּן־לֵוִי בֶּן־יִשְׂרָאֵל:

V39 וְאָחִיו אָסָף הָעֹמֵד עַל־יְמִינוֹ אָסָף בֶּן־בֶּרֶכְיָהוּ בֶּן־שִׁמְעָא:

V40 בֶּן־מִיכָאֵל בֶּן־בַּעֲשֵׂיָה בֶּן־מַלְכִּיָּה:

V41 בֶּן־אֶתְנִי בֶּן־זֶרַח בֶּן־עֲדָיָה:

V42 בֶּן־אֵיתָן בֶּן־זִמָּה בֶּן־שִׁמְעִי:

V43 בֶּן־יַחַת בֶּן־גֵּרְשֹׁם בֶּן־לֵוִי: ס

V44 וּבְנֵי מְרָרִי אֲחֵיהֶם עַל־הַשְּׂמֹאול אֵיתָן בֶּן־קִישִׁי בֶּן־עַבְדִּי בֶּן־מַלּוּךְ:

V45 בֶּן־חֲשַׁבְיָה בֶּן־אֲמַצְיָה בֶּן־חִלְקִיָּה:

V46 בֶּן־אַמְצִי בֶן־בָּנִי בֶּן־שָׁמֶר:

V47 בֶּן־מַחְלִי בֶּן־מוּשִׁי בֶּן־מְרָרִי בֶּן־לֵוִי: ס

V48 וַאֲחֵיהֶם הַלְוִיִּם נְתוּנִים לְכָל־עֲבוֹדַת מִשְׁכַּן בֵּית הָאֱלֹהִים:

Observações:
1. A *música* era parte importante do culto hebreu. Ver o artigo no *Dicionário* intitulado *Música, Instrumentos Musicais*. O poder da música é realmente grande e deve ser usado com cuidado pela Igreja. A música rock e outros ritmos sensuais dificilmente são apropriados como veículos de mensagem espiritual. Sim, eles podem atrair pessoas às reuniões e aumentar o número da congregação, mas nada dão à alma. De fato, esse tipo de música prejudica o homem espiritual.

> Um homem com um sonho, a seu bel-prazer,
> Poderá sair e conquistar uma coroa;
> E três homens, com uma nova canção,
> Podem derrubar toda uma nação.
>
> Arthur William E. O'Shaughnesse

2. *As guildas musicais.* Três divisões principais ou famílias de levitas estavam especificamente envolvidas na música: a família de Coré, a família de Asafe e a família de Etã, que os críticos atribuem à época do segundo templo de Jerusalém. Eles tinham "direitos musicais", empregando e alterando salmos conforme quisessem. O livro de Salmos foi virtualmente transformado em "Hinário do Segundo Templo".
3. A seção compreendida pelos vss. 31-38 contém os nomes dos músicos do tabernáculo aos quais Davi nomeou entre as três famílias levíticas (vss. 31 e 32). Estiveram envolvidos os filhos de Coate (vss. 33-38), os filhos de Gérson (vss. 39-43) e os filhos de Merari (vss. 44-47).
4. A lista dos coatitas concorda bem de perto com a lista dos vss. 22-28, mas as diferenças provavelmente indicam que havia uma fonte informativa diversa sendo usada. Assir e Elcana (vss. 22 e 23) não são repetidos na segunda lista. Cronologicamente, eles se ajustam entre Coré e Ebiasafe.
5. Samuel é novamente mencionado (vs. 33), porque sua família estava envolvida na música. Cf. os vss. 27 e 28.
6. Há seis variantes na grafia, quanto a alguns dos nomes: Eliel (vs. 34) em lugar de Eliabe (vs. 27); Toá (vs. 34) por Naate (vs. 26); Zufe (vs. 35) por Zofai (vs. 26); Joel (vs. 36) por Uzias (vs. 24); Sofonias (vs. 36) por Uriel (vs. 24).
7. Os vss. 39,40 preenchem a linhagem de Gérson, e os vss. 44-47 preenchem a linhagem de Merari. No primeiro caso temos a adição de *cinco* nomes e, no segundo, a adição de *nove* nomes. As adições preenchem os hiatos da descendência de Levi a Davi. Mas os nomes dados não representam a história hebraica antiga. São, na verdade, de origem pós-exílica, e os críticos, por isso mesmo, supõem que os acréscimos sejam artificiais.
8. *Asafe*, o primeiro nome da ordem dos gersonitas, foi um famoso cantor e salmista (autor de alguns dos salmos canônicos). Seu nome aparece nos títulos dos Salmos 50 e 73—83, num total de doze salmos. O restante da lista não tem paralelo em 1Cr 6.20,21.
9. A lista dos cantores meraritas começa com *Etã*, chamado *Jedutum* em 1Cr 9.16. A sua linhagem recua aqui até Merari através de Musi (vs. 47). A lista não se harmoniza com a dos vss. 29 e 30, e os críticos pensam que ela é em parte artificial. Ver o ponto 7, acima. Seja como for, Merari teve dois filhos, Mali e Musi (vs. 19). A sucessão de Mali aparece nos vss. 29 e 30, e a de Musi nos vss. 47 e 48.
10. "O propósito desta seção inteira (vss. 31-47) era justificar o ministério dos principais músicos de Davi, a saber, Hemã, Asafe e Etã, ao descrever sua pura linhagem levítica" (Eugene H. Merrill, *in loc.*).

11. Adam Clarke fazia objeções ao abuso musical em sua época (1760-1832). Assegurava que a música havia sido transferida do teatro para a igreja, "a fim de atrair pessoas a ouvir o evangelho!" Ele se queixava sobre como as pessoas "brincavam" com a Igreja de Cristo, introduzindo elementos espúrios. Quão hodiernos são os seus comentários!
12. Ministros de qualquer categoria, no culto do tabernáculo, precisavam ser *levitas*, incluindo os músicos. Mas os *sacrifícios* cabiam aos descendentes diretos de Arão, conforme o texto passa a informar.

■ **6.49-53** (na Bíblia hebraica corresponde ao **6.34-38**)

V49 וְאַהֲרֹן וּבָנָיו מַקְטִירִים עַל־מִזְבַּח הָעוֹלָה וְעַל־מִזְבַּח הַקְּטֹרֶת לְכֹל מְלֶאכֶת קֹדֶשׁ הַקֳּדָשִׁים וּלְכַפֵּר עַל־יִשְׂרָאֵל כְּכֹל אֲשֶׁר צִוָּה מֹשֶׁה עֶבֶד הָאֱלֹהִים: פ

V50 וְאֵלֶּה בְּנֵי אַהֲרֹן אֶלְעָזָר בְּנוֹ פִּינְחָס בְּנוֹ אֲבִישׁוּעַ בְּנוֹ:

V51 בֻּקִּי בְנוֹ עֻזִּי בְנוֹ זְרַחְיָה בְּנוֹ:

V52 מְרָיוֹת בְּנוֹ אֲמַרְיָה בְנוֹ אֲחִיטוּב בְּנוֹ:

V53 צָדוֹק בְּנוֹ אֲחִימַעַץ בְּנוֹ: ס

Observações:

1. "Na distinção do ministério da música, efetuado pelas ordens levíticas (vss. 31-48), estavam os *sacrifícios* expiatórios realizados pelos *descendentes* de Arão. Para enfatizar quão *apropriado* era o sacerdócio zadoquita de Davi, o cronista, *uma vez mais* (cf. os vss. 3-8) traçou a linhagem aarônica de Arão a Aimaás, filho de Zadoque" (Eugene H. Merrill, *in loc.*).
2. "Arão e seus filhos" era a expressão hebraica sinônima de "sacerdotes". Três funções sacerdotais são mencionadas: a. sacrifícios nos altares dos holocaustos e do incenso; b. obra do Santo dos Santos; c. expiação, por parte de Israel, mediante ritos especiais de sacrifícios e purificações.
3. "Tudo quanto Moisés ordenara", os regulamentos do Pentateuco, como diretrizes de todos os ritos e cerimônias sacrificiais. O "servo de Deus" é Moisés, o transmissor de informações e principal líder. Ver Dt 34.5; Js 1.1,13. Ele foi fiel como servo (ver Hb 3.5).
4. O autor sacro *repete* a genealogia de Arão, seja por ênfase, empregando a mesma fonte informativa, seja simplesmente por cópia da genealogia com base em outra fonte informativa, para adicionar alguns poucos detalhes. Ao repetir a genealogia, o autor parou em Aimaás, que viveu na época de Davi e Salomão, porquanto, ao que tudo indica, a seção anterior se preocupava principalmente com os levitas daquele tempo.

Onde os Levitas se Estabeleceram (6.54-81)

■ **6.54-81** (na Bíblia hebraica corresponde ao **6.39-66**)

V54 וְאֵלֶּה מוֹשְׁבוֹתָם לְטִירוֹתָם בִּגְבוּלָם לִבְנֵי אַהֲרֹן לְמִשְׁפַּחַת הַקְּהָתִי כִּי לָהֶם הָיָה הַגּוֹרָל:

V55 וַיִּתְּנוּ לָהֶם אֶת־חֶבְרוֹן בְּאֶרֶץ יְהוּדָה וְאֶת־מִגְרָשֶׁיהָ סְבִיבֹתֶיהָ:

V56 וְאֶת־שְׂדֵה הָעִיר וְאֶת־חֲצֵרֶיהָ נָתְנוּ לְכָלֵב בֶּן־יְפֻנֶּה: ס

V57 וְלִבְנֵי אַהֲרֹן נָתְנוּ אֶת־עָרֵי הַמִּקְלָט אֶת־חֶבְרוֹן וְאֶת־לִבְנָה וְאֶת־מִגְרָשֶׁיהָ וְאֶת־יַתִּר וְאֶת־אֶשְׁתְּמֹעַ וְאֶת־מִגְרָשֶׁיהָ:

V58 וְאֶת־חִילֵז וְאֶת־מִגְרָשֶׁיהָ אֶת־דְּבִיר וְאֶת־מִגְרָשֶׁיהָ:

V59 וְאֶת־עָשָׁן וְאֶת־מִגְרָשֶׁיהָ וְאֶת־בֵּית שֶׁמֶשׁ וְאֶת־מִגְרָשֶׁיהָ: ס

V60 וּמִמַּטֵּה בִנְיָמִן אֶת־גֶּבַע וְאֶת־מִגְרָשֶׁיהָ וְאֶת־עָלֶמֶת וְאֶת־מִגְרָשֶׁיהָ וְאֶת־עֲנָתוֹת וְאֶת־מִגְרָשֶׁיהָ כָּל־עָרֵיהֶם שְׁלֹשׁ־עֶשְׂרֵה עִיר בְּמִשְׁפְּחוֹתֵיהֶם: ס

V61 וְלִבְנֵי קְהָת הַנּוֹתָרִים מִמִּשְׁפַּחַת הַמַּטֶּה מִמַּחֲצִית מַטֵּה חֲצִי מְנַשֶּׁה בַּגּוֹרָל עָרִים עָשֶׂר: ס

V62 וְלִבְנֵי גֵרְשׁוֹם לְמִשְׁפְּחוֹתָם מִמַּטֵּה יִשָּׂשכָר וּמִמַּטֵּה אָשֵׁר וּמִמַּטֵּה נַפְתָּלִי וּמִמַּטֵּה מְנַשֶּׁה בַבָּשָׁן עָרִים שְׁלֹשׁ עֶשְׂרֵה: ס

V63 לִבְנֵי מְרָרִי לְמִשְׁפְּחוֹתָם מִמַּטֵּה רְאוּבֵן וּמִמַּטֵּה־גָד וּמִמַּטֵּה זְבוּלֻן בַּגּוֹרָל עָרִים שְׁתֵּים עֶשְׂרֵה:

V64 וַיִּתְּנוּ בְנֵי־יִשְׂרָאֵל לַלְוִיִּם אֶת־הֶעָרִים וְאֶת־מִגְרָשֵׁיהֶם:

V65 וַיִּתְּנוּ בַגּוֹרָל מִמַּטֵּה בְנֵי־יְהוּדָה וּמִמַּטֵּה בְנֵי־שִׁמְעוֹן וּמִמַּטֵּה בְּנֵי בִנְיָמִן אֵת הֶעָרִים הָאֵלֶּה אֲשֶׁר־יִקְרְאוּ אֶתְהֶם בְּשֵׁמוֹת: ס

V66 וּמִמִּשְׁפְּחוֹת בְּנֵי קְהָת וַיְהִי עָרֵי גְבוּלָם מִמַּטֵּה אֶפְרָיִם:

V67 וַיִּתְּנוּ לָהֶם אֶת־עָרֵי הַמִּקְלָט אֶת־שְׁכֶם וְאֶת־מִגְרָשֶׁיהָ בְּהַר אֶפְרָיִם וְאֶת־גֶּזֶר וְאֶת־מִגְרָשֶׁיהָ:

V68 וְאֶת־יָקְמְעָם וְאֶת־מִגְרָשֶׁיהָ וְאֶת־בֵּית חוֹרוֹן וְאֶת־מִגְרָשֶׁיהָ:

V69 וְאֶת־אַיָּלוֹן וְאֶת־מִגְרָשֶׁיהָ וְאֶת־גַּת־רִמּוֹן וְאֶת־מִגְרָשֶׁיהָ: פ

V70 וּמִמַּחֲצִית מַטֵּה מְנַשֶּׁה אֶת־עָנֵר וְאֶת־מִגְרָשֶׁיהָ וְאֶת־בִּלְעָם וְאֶת־מִגְרָשֶׁיהָ לְמִשְׁפַּחַת לִבְנֵי־קְהָת הַנּוֹתָרִים: פ

V71 לִבְנֵי גֵּרְשׁוֹם מִמִּשְׁפַּחַת חֲצִי מַטֵּה מְנַשֶּׁה אֶת־גּוֹלָן בַּבָּשָׁן וְאֶת־מִגְרָשֶׁיהָ וְאֶת־עַשְׁתָּרוֹת וְאֶת־מִגְרָשֶׁיהָ: ס

V72 וּמִמַּטֵּה יִשָּׂשכָר אֶת־קֶדֶשׁ וְאֶת־מִגְרָשֶׁיהָ אֶת־דָּבְרַת וְאֶת־מִגְרָשֶׁיהָ:

V73 וְאֶת־רָאמוֹת וְאֶת־מִגְרָשֶׁיהָ וְאֶת־עָנֵם וְאֶת־מִגְרָשֶׁיהָ: ס

V74 וּמִמַּטֵּה אָשֵׁר אֶת־מָשָׁל וְאֶת־מִגְרָשֶׁיהָ וְאֶת־עַבְדּוֹן וְאֶת־מִגְרָשֶׁיהָ:

V75 וְאֶת־חוּקֹק וְאֶת־מִגְרָשֶׁיהָ וְאֶת־רְחֹב וְאֶת־מִגְרָשֶׁיהָ:

וּמִמַּטֵּה נַפְתָּלִי אֶת־קֶדֶשׁ בַּגָּלִיל וְאֶת־ V76
מִגְרָשֶׁיהָ וְאֶת־חַמּוֹן וְאֶת־מִגְרָשֶׁיהָ וְאֶת־קִרְיָתַיִם
וְאֶת־מִגְרָשֶׁיהָ: ס

לִבְנֵי מְרָרִי הַנּוֹתָרִים מִמַּטֵּה זְבוּלֻן אֶת־רִמּוֹנוֹ V77
וְאֶת־מִגְרָשֶׁיהָ אֶת־תָּבוֹר וְאֶת־מִגְרָשֶׁיהָ:

וּמֵעֵבֶר לְיַרְדֵּן יְרֵחוֹ לְמִזְרַח הַיַּרְדֵּן מִמַּטֵּה V78
רְאוּבֵן אֶת־בֶּצֶר בַּמִּדְבָּר וְאֶת־מִגְרָשֶׁיהָ וְאֶת־יַהְצָה
וְאֶת־מִגְרָשֶׁיהָ:

וְאֶת־קְדֵמוֹת וְאֶת־מִגְרָשֶׁיהָ וְאֶת־מֵיפַעַת וְאֶת־ V79
מִגְרָשֶׁיהָ:

וּמִמַּטֵּה גָד אֶת־רָאמוֹת בַּגִּלְעָד וְאֶת־מִגְרָשֶׁיהָ V80
וְאֶת־מַחֲנַיִם וְאֶת־מִגְרָשֶׁיהָ:

וְאֶת־חֶשְׁבּוֹן וְאֶת־מִגְרָשֶׁיהָ וְאֶת־יַעְזֵיר וְאֶת־ V81
מִגְרָשֶׁיהָ: ס

Observações:
1. Os levitas não eram uma tribo dotada de terras, porquanto se tornaram uma casta sacerdotal. Por conseguinte, não tinham terras familiares que lhes dessem sustento, mas possuíam cidades e áreas adjacentes que podiam usar como fazendas. O próprio Yahweh era a herança deles.

   Pelo que Levi não tem parte
   nem herança com seus irmãos;
   o Senhor é a sua herança,
   como o Senhor teu Deus lhe tem prometido.
   Deuteronômio 10.9

2. Para ajudar o leitor que está acompanhando a exposição, apresentei um gráfico com os nomes das cidades dos levitas, empregando as listas do capítulo 21 de Josué e do capítulo 6 de 1Crônicas. Ver também no *Dicionário* o artigo denominado *Levitas, Cidades dos*.
3. Quarenta e oito cidades foram dadas por Moisés e Josué aos levitas (ver Nm 35.1-8; Js 21). Quanto a versículos que dizem que os levitas não receberam uma herança regular sob a forma de território, ver Nm 26.62; 35.1-8; Dt 10.9; 18.1,2 e Js 18.7.
4. Os levitas, além de sua medida de auto-sustento — as terras adjacentes às cidades —, também recebiam os dízimos do povo. Ver Nm 18.21.
5. As cidades dos levitas estavam dispersas entre as tribos. Eles não eram, contudo, forçados a habitar em uma área específica. Entre essas cidades, algumas eram cidades de refúgio (ver Nm 35.9-34; Dt 4.41-43). Ver no *Dicionário* o artigo chamado *Cidades de Refúgio*.
6. Espalhados entre as tribos, os levitas eram capazes de conduzir o culto a Yahweh em qualquer lugar da nação.
7. Embora as cidades estivessem entre as tribos e a elas pertencessem, os levitas tinham total direito sobre elas. Eles podiam vendê-las e redimi-las. Mas não podiam vender os *campos adjacentes*. Ver Lv 25.32 ss.
8. A lista deste capítulo é um pouco menor que a lista do capítulo 21 de Josué. É possível que, com o tempo, algumas poucas cidades se tenham perdido, ou talvez nunca tenham sido ocupadas pelos levitas, embora estes tivessem o direito de fazê-lo. O problema da *conquista* de certas cidades, na posse de povos estrangeiros, também pode ter entrado na questão da não ocupação.
9. Algumas das cidades pertenciam aos sacerdotes da linhagem de Coate, e outras pertenciam aos levitas que não desempenhavam um papel sacerdotal (ver 1Cr 6.61,64-70).
10. Uma das cidades levíticas do território da tribo de Benjamim era Anatote (vs. 60). O profeta Jeremias era filho de um sacerdote daquele lugar, e, assim sendo, deve ter sido um levita coatita (ver Jr 1.1).
11. *Distribuição entre os Clãs dos Levitas:*
    a. Os vss. 57-60 listam as cidades dos coatitas das tribos de Judá, Simeão e Benjamim. Esses levitas eram *sacerdotes*. Treze cidades são citadas na lista do capítulo 21 de Josué. Mas a lista deste capítulo dá onze cidades.
    b. Os vss. 61,64-70 listam as cidades dos coatitas não sacerdotes. As tribos envolvidas eram Efraim, Dã e a parte ocidental de Manassés. Dez cidades estão listadas no capítulo 21 de Josué; e oito cidades neste capítulo.
    c. Os vss. 71-76 listam as cidades dos gersonitas. As tribos envolvidas foram a de Manassés oriental, Issacar, Aser e Naftali. Um total de treze cidades aparece tanto no capítulo 21 de Josué como neste capítulo. Mas há variantes quanto à grafia, e/ou algumas cidades têm seus nomes alterados entre Josué e 1Crônicas.
    d. Os vss. 77-81 listam as cidades dos meraritas, que se espalhavam pelos territórios das tribos de Zebulom, Rúben e Gade. Doze cidades figuram tanto na lista do capítulo 21 de Josué quanto na lista deste capítulo, e/ou algumas cidades têm seus nomes alterados entre Josué e 1Crônicas. Josué viveu em cerca de 1399 a.C., e o autor de 1Crônicas em cerca de 400 a.C., ou seja, aproximadamente mil anos mais tarde. Algumas das 48 cidades mencionadas provavelmente nunca foram conquistadas e ocupadas pelos levitas.

CAPÍTULO SETE

AS TRIBOS DO NORTE (7.1-40)

Issacar (7.1-5)
O intuito principal do autor sagrado era autenticar os direitos religiosos e políticos dos que tinham retornado do cativeiro babilônico. Visto que somente Judá, a única tribo sobrevivente de Israel, retornou, esta foi tratada com mais pormenores nas genealogias. Mas o autor não ignorou as outras tribos, embora, na realidade, elas não mais existissem desde o cativeiro assírio. A inclusão das tribos perdidas nas genealogias visou apenas dar um quadro completo do povo de Israel. Ver os parágrafos introdutórios ao primeiro capítulo quanto a uma explicação sobre a razão das genealogias. Além dessa questão de um quadro completo, o autor sacro também dava a entender em sua genealogia, mediante a inclusão de todas as doze tribos, que o antigo propósito de Deus, que operava através do Israel unido, continuava operando através da Israel restaurado (através da tribo de Judá). Ver no *Dicionário* os artigos chamados *Tribo (Tribos de Israel)* e *Tribos, Localização das*.

■ **7.1-5**

וְלִבְנֵי יִשָּׂשכָר תּוֹלָע וּפוּאָה יָשִׁיב וְשִׁמְרוֹן V1
אַרְבָּעָה: ס

וּבְנֵי תוֹלָע עֻזִּי וּרְפָיָה וִירִיאֵל וְיַחְמַי וְיִבְשָׂם V2
וּשְׁמוּאֵל רָאשִׁים לְבֵית־אֲבוֹתָם לְתוֹלָע גִּבּוֹרֵי חַיִל
לְתֹלְדוֹתָם מִסְפָּרָם בִּימֵי דָוִיד עֶשְׂרִים־וּשְׁנַיִם אֶלֶף
וְשֵׁשׁ מֵאוֹת: ס

וּבְנֵי עֻזִּי יִזְרַחְיָה וּבְנֵי יִזְרַחְיָה מִיכָאֵל וְעֹבַדְיָה V3
וְיוֹאֵל יִשִּׁיָּה חֲמִשָּׁה רָאשִׁים כֻּלָּם:

וַעֲלֵיהֶם לְתֹלְדוֹתָם לְבֵית אֲבוֹתָם גְּדוּדֵי צְבָא V4
מִלְחָמָה שְׁלֹשִׁים וְשִׁשָּׁה אָלֶף כִּי־הִרְבּוּ נָשִׁים וּבָנִים:

וַאֲחֵיהֶם לְכֹל מִשְׁפְּחוֹת יִשָּׂשכָר גִּבּוֹרֵי חֲיָלִים V5
שְׁמוֹנִים וְשִׁבְעָה אֶלֶף הִתְיַחְשָׂם לַכֹּל: פ

Observações:
1. Estes versículos vêm de alguma fonte desconhecida, sem paralelo em outras porções do Antigo Testamento. A descendência da tribo

AS CIDADES LEVÍTICAS: COMPARAÇÃO ENTRE JOSUÉ 21.9-42 E 1CRÔNICAS 6.54-81

ORDENS LEVÍTICAS	JOSUÉ	1CRÔNICAS
Descendentes de Coate (Sacerdotes)		
Receberam cidades de Judá e Simeão	Hebrom Libna Jatir Estemoa Holom Debir Aim Jutá Bete-Semes	Hebrom Libna Jatir Estemoa Holom Debir Aim Jutá Bete-Semes
Receberam cidades de Benjamim	Gibeon Geba Anatote Almon	Omitida Geba Alemete (Almom) Ananote
Descendentes de Coate (não sacerdotes)		
Receberam cidades de Efraim	Siquém Gezer Quibzaim Bete-Horom	Siquém Gezer Jocmeão Bete-Horom
Receberam cidades de Dã	Elteque Gibeton Aijolom Gate-Rimom	Omitida Omitida Aijalom Gate-Rimom
Receberam cidades da meia tribo de Manassés	Taanaque Gate-Rimom	Aner Bileã
Descendentes de Gérson	Golã	Golã
Receberam cidades da meia tribo de Manassés	Beesterá	Astarote
Receberam cidades de Issacar	Quision Daberate Jarmute En-Ganin	Guedes Daberate Ramote Aném
Receberam cidades de Aser	Misal Abdom Helcate Reole	Masal Abdom Hocoque Reobe
Receberam cidades de Naftali	Quedes Hamote-Dor Cartã	Quedes Hamom Quiriataim
Descendentes de Merari		
Receberam cidades de Zebulom	Jocneão Cartá Dimna Naal	Omitida Omitida Rimono Tabor
Receberam cidades de Rúben	Bezer Jaza Quedemote Mefaate	Bezer Jaza Quedemote Mefaate
Receberam cidades de Gade	Ramote Maanaim Hesbom Jazer	Ramote Maanaim Hesbom Jazer

Observações: Em alguns casos, temos variantes de soletração dos nomes das cidades. Mas alguns nomes podem ser de cidades diferentes. Condições e nomes mudaram entre 1399 (o tempo de Josué) e 400 a.C. (o tempo de Crônicas).

de Issacar não é completamente traçada. Gn 46.1 e Nm 26.23-25 citam *quatro* filhos de Issacar, mas o cronista apresenta a linhagem de *Tola* e apenas menciona as outras.

2. *Números na lista*:
   a. O número total de homens militarmente capazes que descendiam de Tola, no tempo de Davi, atingia 22.700. Ver 1Cr 7.2 e cf. 2Sm 24.1-9.
   b. O número dos descendentes de Uzi era de 36 mil (ver 1Cr 7.4).
   c. O número total dos descendentes de Tola, incluindo os filhos mencionados e outras famílias não chamadas por nome, era de 87 mil. Desses, 28.400 vinham de famílias não chamadas por nome.

3. O autor sagrado idealizou os soldados que eram o instrumento utilizado por Yahweh para conquistar a Terra Prometida e estabelecer Israel como uma nação. A comunidade inteira compartilhava das horrendas tarefas da guerra, e de seus resultados positivos. O apóstolo Paulo, no sexto capítulo da epístola aos Efésios, empregou metáforas militares para ensinar importantes lições espirituais. Por isso mesmo compôs o autor de hinos:

   Soldados de Cristo, erguei-vos,
   E vesti vossas armaduras.

   Charles Wesley

4. Confira os números dados aqui e aqueles do primeiro e do segundo recenseamento, conforme se vê nos gráficos existentes em Nm 1.2. Encontramos aqui alguns dos resultados do recenseamento de Davi (2Sm 24).

Benjamim (7.6-12)

■ 7.6-12

בִּנְיָמִן בֶּלַע וָבֶכֶר וִידִיעֲאֵל שְׁלֹשָׁה׃ V6

וּבְנֵי בֶלַע אֶצְבּוֹן וְעֻזִּי וְעֻזִּיאֵל וִירִימוֹת V7
וְעִירִי חֲמִשָּׁה רָאשֵׁי בֵּית אָבוֹת גִּבּוֹרֵי חֲיָלִים
וְהִתְיַחְשָׂם עֶשְׂרִים וּשְׁנַיִם אֶלֶף וּשְׁלֹשִׁים
וְאַרְבָּעָה׃ ס

וּבְנֵי בֶכֶר זְמִירָה וְיוֹעָשׁ וֶאֱלִיעֶזֶר וְאֶלְיוֹעֵינַי V8
וְעָמְרִי וִירֵמוֹת וַאֲבִיָּה וַעֲנָתוֹת וְעָלָמֶת כָּל־אֵלֶּה
בְּנֵי־בָכֶר׃

וְהִתְיַחְשָׂם לְתֹלְדוֹתָם רָאשֵׁי בֵּית אֲבוֹתָם גִּבּוֹרֵי V9
חָיִל עֶשְׂרִים אֶלֶף וּמָאתָיִם׃ ס

וּבְנֵי יְדִיעֲאֵל בִּלְהָן וּבְנֵי בִלְהָן יְעִישׁ וּבִנְיָמִן V10
וְאֵהוּד וּכְנַעֲנָה וְזֵיתָן וְתַרְשִׁישׁ וַאֲחִישָׁחַר׃

כָּל־אֵלֶּה בְּנֵי יְדִיעֲאֵל לְרָאשֵׁי הָאָבוֹת גִּבּוֹרֵי V11
חֲיָלִים שִׁבְעָה־עָשָׂר אֶלֶף וּמָאתַיִם יֹצְאֵי צָבָא
לַמִּלְחָמָה׃

וְשֻׁפִּם וְחֻפִּם בְּנֵי עִיר חֻשִׁם בְּנֵי אַחֵר׃ V12

Observações:

1. A genealogia apresentada aqui é bastante sucinta, uma característica das genealogias atinentes às tribos do norte. O oitavo capítulo de 1Crônicas, entretanto, expande-a grandemente. Essa expansão foi uma espécie de clímax da história pré-davídica.
2. *Comparações*. O trecho de Gn 46.21 lista dez dos filhos de Benjamim. Mas Nm 26.38-41 lista cinco desses filhos. O cronista, por sua vez, menciona somente três filhos no texto presente, mas cinco na lista expandida (2Cr 8.1,2). É provável que alguns dos "filhos" de Benjamim (na lista de Gênesis) incluam netos, e isso explicaria as diferenças nas listas. Contudo, existem diferenças inexplicáveis nas listas, que ninguém conseguiu elucidar.
3. *Bela* e *Bequer* são mencionados em ambas as listas, mas *Jediael* (vs. 6) é citado somente aqui. Alguns especulam que ele deve ser identificado com o Asbel de Gn 46.21; Nm 26.38 e 1Cr 8.1.
4. A lista está obviamente truncada. Cinco filhos de Bela aparecem aqui, mas eles são nove em 1Cr 8.3-5. Bequer, que teve nove filhos (ver 1Cr 7.8), não é mencionado no capítulo oitavo. O autor sacro, como é óbvio, não estava interessado em precisão, e, ainda que estivesse interessado em informações extras, não tinha como consegui-las.
5. *Bilã* (vs. 10) não aparece no capítulo oitavo.
6. A descendência de Bela é acompanhada no oitavo versículo, enquanto a de seus irmãos é omitida. Isso se deu porque o autor queria apresentar a linhagem de Saul, visto ter sido ele o primeiro rei de Israel (ver 1Cr 8.33).
7. *Supim* e *Hupim* vieram através de Ir (1Cr 7.12), que era um dos filhos de Bela (vs. 7) (supondo-se que devamos identificar Ir com Iri). *Husim* era filho de Aer, filho de Benjamim (supondo-se que Aer seja identificado com Airão, e este com Aarã). Esses nomes são dados nos trechos paralelos de Nm 26.38 e 1Cr 8.1.
8. *Números dos recenseamentos:* Descendentes de Bela, 22.034 (7.7); de Bequer, 20.200 (vs. 9); de Jediael, 17.200 (vs. 11). Grande total: 58.434 homens aptos para a guerra. A tribo de Benjamim havia sido dizimada pela guerra civil e reduzida a meros seiscentos homens no tempo dos juízes (20.44-48). Mas isso ocorrera cerca de quatrocentos anos antes do recenseamento de Davi, e seiscentas famílias poderiam ter-se reproduzido de modo a resultar nos números apresentados.
9. Em 1Cr 7.12b, as palavras "filhos de Ir; e Husim, filho de Aer", são consideradas um erro textual por muitos eruditos, que preferem corrigi-las para: "... os filhos de Dã, Husim, seu filho, e único". Cf. a Septuaginta e Gn 46.23.

Naftali (7.13)

■ 7.13

בְּנֵי נַפְתָּלִי יַחֲצִיאֵל וְגוּנִי וְיֵצֶר וְשַׁלּוּם בְּנֵי בִלְהָה׃ פ

São listados quatro filhos de Naftali, o que concorda com Gn 46.24 e Nm 6.38-41. O nome Jaziel é grafado como *Jazeel*, em Nm 26.48. Netos são, novamente, chamados filhos, em concordância com o uso comum entre os hebreus. Naftali era filho de Bila, concubina de Jacó.

Manassés (7.14-19)

■ 7.14-19

בְּנֵי מְנַשֶּׁה אַשְׂרִיאֵל אֲשֶׁר יָלָדָה פִּילַגְשׁוֹ V14
הָאֲרַמִּיָּה יָלְדָה אֶת־מָכִיר אֲבִי גִלְעָד׃

וּמָכִיר לָקַח אִשָּׁה לְחֻפִּים וּלְשֻׁפִּים וְשֵׁם אֲחֹתוֹ V15
מַעֲכָה וְשֵׁם הַשֵּׁנִי צְלָפְחָד וַתִּהְיֶנָה לִצְלָפְחָד בָּנוֹת׃

וַתֵּלֶד מַעֲכָה אֵשֶׁת־מָכִיר בֵּן וַתִּקְרָא שְׁמוֹ פֶּרֶשׁ V16
וְשֵׁם אָחִיו שָׁרֶשׁ וּבָנָיו אוּלָם וָרָקֶם׃

וּבְנֵי אוּלָם בְּדָן אֵלֶּה בְּנֵי גִלְעָד בֶּן־מָכִיר V17
בֶּן־מְנַשֶּׁה׃

וַאֲחֹתוֹ הַמֹּלֶכֶת יָלְדָה אֶת־אִישְׁהוֹד וְאֶת־אֲבִיעֶזֶר V18
וְאֶת־מַחְלָה׃

וַיִּהְיוּ בְּנֵי שְׁמִידָע אַחְיָן וָשֶׁכֶם וְלִקְחִי וַאֲנִיעָם׃ פ V19

Observações:

1. O livro de Gênesis não registra uma genealogia separada de Manassés, pois naquele tempo Manassés fazia parte da tribo de José, que ainda não havia sido dividida em Manassés e Efraim.
2. *Maquir* era filho de Manassés, por sua concubina arameia (vs. 17; Nm 26.29; Js 17.1). Ele foi pai de Gileade (Nm 26.29; 36.1).
3. *Asriel* é mencionado somente aqui (vs. 14).
4. A referência dupla a Maaca (1Cr 7.15,16) pode ser explicada pela suposição de esse era o nome tanto da irmã quanto da esposa de Maquir.

5. Outro importante descendente de Manassés era Zelofeade, que, embora tivesse cinco filhas, não tinha filhos. Cf. Nm 36.1-9. Ver também Js 17.3.
6. A tribo de Manassés foi dividida pelo rio Jordão em duas partes: a parte oriental (Transjordânia) e a parte ocidental. Na parte ocidental estavam Hamolequete, irmã de Maquir, que teve Is-Hode, Abiezer e Maalá como filhos. Além desses, havia os quatro filhos de Semida (vs. 19). Quanto a detalhes sobre a tribo de *Manassés*, ver no *Dicionário*.
7. "A passagem inteira parece afirmar um elemento arameu e benjamita na população de Manassés ocidental" (Ellicott, *in loc.*).

Efraim (7.20-29)

■ 7.20-29

V20 וּבְנֵי אֶפְרַיִם שׁוּתָלַח וּבֶרֶד בְּנוֹ וְתַחַת בְּנוֹ וְאֶלְעָדָה בְנוֹ וְתַחַת בְּנוֹ:

V21 וְזָבָד בְּנוֹ וְשׁוּתֶלַח בְּנוֹ וְעֵזֶר וְאֶלְעָד וַהֲרָגוּם אַנְשֵׁי־גַת הַנּוֹלָדִים בָּאָרֶץ כִּי יָרְדוּ לָקַחַת אֶת־מִקְנֵיהֶם:

V22 וַיִּתְאַבֵּל אֶפְרַיִם אֲבִיהֶם יָמִים רַבִּים וַיָּבֹאוּ אֶחָיו לְנַחֲמוֹ:

V23 וַיָּבֹא אֶל־אִשְׁתּוֹ וַתַּהַר וַתֵּלֶד בֵּן וַיִּקְרָא אֶת־שְׁמוֹ בְּרִיעָה כִּי בְרָעָה הָיְתָה בְּבֵיתוֹ:

V24 וּבִתּוֹ שֶׁאֱרָה וַתִּבֶן אֶת־בֵּית־חוֹרוֹן הַתַּחְתּוֹן וְאֶת־הָעֶלְיוֹן וְאֵת אֻזֵּן שֶׁאֱרָה:

V25 וְרֶפַח בְּנוֹ וְרֶשֶׁף וְתֶלַח בְּנוֹ וְתַחַן בְּנוֹ:

V26 לַעְדָּן בְּנוֹ עַמִּיהוּד בְּנוֹ אֱלִישָׁמָע בְּנוֹ:

V27 נוֹן בְּנוֹ יְהוֹשֻׁעַ בְּנוֹ:

V28 וַאֲחֻזָּתָם וּמֹשְׁבוֹתָם בֵּית־אֵל וּבְנֹתֶיהָ וְלַמִּזְרָח נַעֲרָן וְלַמַּעֲרָב גֶּזֶר וּבְנֹתֶיהָ וּשְׁכֶם וּבְנֹתֶיהָ עַד־עַיָּה וּבְנֹתֶיהָ:

V29 וְעַל־יְדֵי בְנֵי־מְנַשֶּׁה בֵּית־שְׁאָן וּבְנֹתֶיהָ תַּעְנַךְ וּבְנֹתֶיהָ מְגִדּוֹ וּבְנוֹתֶיהָ דוֹר וּבְנוֹתֶיהָ בְּאֵלֶּה יָשְׁבוּ בְּנֵי יוֹסֵף בֶּן־יִשְׂרָאֵל: פ

Observações:
1. *Efraim* (juntamente com Manassés) era filho de José. Estritamente falando, não havia nenhuma tribo de José. Antes, duas tribos desenvolveram-se de seus filhos, a de Manassés (vss. 14-19) e a de Efraim (vss. 20-29). Quanto a detalhes, ver no *Dicionário* sobre a tribo de *Efraim*.
2. A descendência de Efraim culminou em Josué (vs. 27). Ele era o companheiro ilustre de Moisés e seu sucessor.
3. Do primeiro filho de Efraim, Sutela, desenvolveu-se uma linhagem. Várias gerações são listadas, incluindo um segundo Sutela (vss. 20 e 21).
4. Os outros dois filhos de Efraim foram mortos pelos filisteus em Gate, o que constituiu matéria de grande consternação para o pai deles. Isso ocorreu por volta de 1200 a.C. (vss. 21 e 22).
5. Efraim nasceu no Egito, antes da grande fome (Gn 41.50-52). Talvez os homens de Gate tivessem ido ao Egito em sua missão de matança. Mais provável ainda é que, embora vivessem no Egito, certos israelitas fizessem viagens à terra de Canaã, e talvez até mantivessem algum comércio e agricultura naquele lugar. Essa circunstância, pois, armou o palco para a tragédia. Somos informados especificamente de que *Seerá* construiu Bete-Horom (a baixa e a alta) e também Uzém-Seerá (vs. 24). Isso tudo deve ter acontecido durante a permanência de Israel no Egito. Mas alguns estudiosos pensam que há nessas afirmações algum anacronismo. Ver como a edificação foi atribuída a uma mulher, algo muito incomum na cultura dos hebreus.
6. *O Trabalho Feminino*. O vs. 24 tem inspirado autores a desenvolver uma lição sobre a contribuição da mulher. Envergonhado seja o homem que disse, ao comentar sobre o vs. 24: "No vs. 24, realmente achamos uma mulher fazendo alguma coisa!" Por outra parte, ele se apressou a adicionar: "Quão grandes construtoras podem ser as mulheres! Que caráter podem edificar em seus filhos e filhas! Que influência podem construir em redor de si mesmas! As mulheres podem fazer um trabalho que os homens nem ao menos podem tentar" (citado por W. A. L. Elmslie, que não identificou a fonte originária). O autor desconhecido enfatizou as contribuições domésticas da mulher, que é onde quase sempre recai a ênfase bíblica. No século XXI a contribuição feminina em todas as esferas da humanidade tem aumentado muito [muitas vezes em detrimento da sua própria família], e é assim como hoje vemos mulheres se destacando no basquete, Formula 1 e também governando países como é o caso da Chanceler da Alemanha: Ângela Merkel, e isso é algo admirável. Há uma grande verdade espiritual naquilo que Paulo nos disse: "Dessarte, não pode haver judeu nem grego; nem escravo nem liberto; nem homem nem mulher; porque todos vós sois um em Cristo Jesus" (Gl 3.28). Mas no tempo de Paulo essa foi, realmente, uma declaração revolucionária.
7. Existem *oito gerações* entre Efraim e Josué (vss. 25-29). Com Josué veio a colonização pós-conquista da tribo de Efraim (vss. 28,29). O território envolvido foi mais ou menos o de *Betel*, ao norte do vale de Jezreel, e o do rio Jordão ao mar Mediterrâneo. Ver no *Dicionário* os verbetes intitulados *Tribo (Tribos de Israel)* e *Tribos, Localização das*.

Aser (7.30-40)

■ 7.30-40

V30 בְּנֵי אָשֵׁר יִמְנָה וְיִשְׁוָה וְיִשְׁוִי וּבְרִיעָה וְשֶׂרַח אֲחוֹתָם:

V31 וּבְנֵי בְרִיעָה חֶבֶר וּמַלְכִּיאֵל הוּא אֲבִי בִרְזָוִת:

V32 וְחֶבֶר הוֹלִיד אֶת־יַפְלֵט וְאֶת־שׁוֹמֵר וְאֶת־חוֹתָם וְאֵת שׁוּעָא אֲחוֹתָם:

V33 וּבְנֵי יַפְלֵט פָּסַךְ וּבִמְהָל וְעַשְׂוָת אֵלֶּה בְּנֵי יַפְלֵט:

V34 וּבְנֵי שָׁמֶר אֲחִי וְרָהְגָּה יַחֻבָּה וַאֲרָם:

V35 וּבֶן־הֵלֶם אָחִיו צוֹפַח וְיִמְנָע וְשֵׁלֶשׁ וְעָמָל:

V36 בְּנֵי צוֹפָח סוּחַ וְחַרְנֶפֶר וְשׁוּעָל וּבֵרִי וְיִמְרָה:

V37 בֶּצֶר וָהוֹד וְשַׁמָּא וְשִׁלְשָׁה וְיִתְרָן וּבְאֵרָא:

V38 וּבְנֵי יֶתֶר יְפֻנֶּה וּפִסְפָּה וַאֲרָא:

V39 וּבְנֵי עֻלָּא אָרַח וְחַנִּיאֵל וְרִצְיָא:

V40 כָּל־אֵלֶּה בְנֵי־אָשֵׁר רָאשֵׁי בֵית־הָאָבוֹת בְּרוּרִים גִּבּוֹרֵי חֲיָלִים רָאשֵׁי הַנְּשִׂיאִים וְהִתְיַחְשָׂם בַּצָּבָא בַּמִּלְחָמָה מִסְפָּרָם אֲנָשִׁים עֶשְׂרִים וְשִׁשָּׁה אָלֶף: ס

Observações:
1. A primeira parte da lista parece ter sido uma cópia direta de Gn 46.17 e Nm 26.44-46. Mas a começar com *Birzavite* (vs. 31), através de *Rizia* (vs. 39), temos uma lista que aparece somente neste livro de 1Crônicas. Foram empregadas fontes originárias separadas, não canônicas, das quais não dispomos atualmente.
2. Os 26 mil homens em idade e aptidão para a guerra eram

descendentes de Aser (vs. 40).
3. Em Js 16.3, *Jaflete* aparece como um clã, mas esse clã vivia longe das fronteiras de Aser, portanto é difícil perceber como tal clã poderia estar relacionado ao homem citado no vs. 33 deste capítulo.
4. *Arã* (vs. 34) é o nome ordinário dos sírios, a leste e a oeste do rio Eufrates. Talvez aqui designe um clã de origem meio-arameia.
5. Cf. 26 mil homens (vs. 40) com os dois recenseamentos de Nm 1.2, onde apresento um gráfico. O número que aparece no presente versículo aparentemente resultou do recenseamento feito nos dias de Davi, e vemos um grande declínio no número dos homens da tribo de Aser, sem dúvida devido a guerras e enfermidades. A maioria dos recenseamentos feitos em Israel tinha uma natureza militar, listando somente os que eram capazes de ir à guerra. Portanto, para chegar ao número verdadeiro dos *habitantes*, temos de multiplicar os resultados ao menos por três.

CAPÍTULO OITO

GENEALOGIA DE BENJAMIM (8.1-40)

O autor sacro já havia apresentado uma genealogia abreviada de Benjamim (ver 1Cr 7.6-12), mas agora volta a fazê-lo, com maiores detalhes. A principal peça de informação que ele queria transmitir aos leitores, pelo emprego de nove capítulos de genealogias, era que Judá, a única tribo que tinha voltado do cativeiro babilônico, trazia consigo toda a autoridade de Yahweh necessária para começar Israel tudo de novo. As dez tribos do norte perderam-se totalmente durante o cativeiro assírio. Contudo, o autor sagrado apresentou genealogias abreviadas dessas tribos, para que sua exposição fosse completa, e também para dizer: "As antigas promessas feitas a *Israel* não falharam. Israel continua sob o favor de Deus, a despeito das calamidades. Um novo começo teve início com Judá". A tribo de Benjamim, conforme sabemos, foi absorvida por Judá, portanto restou somente uma tribo sulista, afinal. Naquela tribo isolada — Judá — nova vida foi conferida ao povo em pacto com Deus, e assim esse povo teve continuidade. Quanto a comentários adicionais sobre os *propósitos* das genealogias, ver os parágrafos introdutórios da exposição sobre 1Cr 1.1.

A genealogia de Benjamim, conforme é dada aqui, tinha outro propósito: traçar a linhagem de Saul, primeiro dos reis de Israel, cuja história o autor sagrado começará a relatar no capítulo 10 de 1Crônicas.

"O presente registro é bastante diferente daquele preservado em 1Cr 7.6-12, o qual, conforme vimos, é o extrato de um documento registrado com propósitos militares. Ao que parece, essa nova lista era baseada em informações topográficas e concorda melhor com os informes dados no Pentateuco (Gn 46 e Nm 26), contanto que demos espaço para os equívocos das várias gerações de copistas. O cronista bem pode ter pensado que a breve seção do sétimo capítulo era por demais pequena para uma tribo que havia fornecido a primeira casa real" (Ellicott, *in loc.*).

■ **8.1-5**

V1 וּבִנְיָמִן הוֹלִיד אֶת־בֶּלַע בְּכֹרוֹ אַשְׁבֵּל הַשֵּׁנִי
וְאַחְרַח הַשְּׁלִישִׁי:

V2 נוֹחָה הָרְבִיעִי וְרָפָא הַחֲמִישִׁי: ס

V3 וַיִּהְיוּ בָנִים לְבָלַע אַדָּר וְגֵרָא וַאֲבִיהוּד:

V4 וַאֲבִישׁוּעַ וְנַעֲמָן וַאֲחוֹחַ:

V5 וְגֵרָא וּשְׁפוּפָן וְחוּרָם:

Observações:
1. *Comparações*. Gn 46.21 menciona dez filhos de Benjamim. Nm 26.38-41 fornece cinco nomes. No sétimo capítulo, o cronista dá apenas três nomes, mas sua lista expandida do capítulo oitavo também tem cinco nomes (vss. 1,2). Sem dúvida, alguns dos filhos são, na realidade, *netos*, de acordo com o uso dos hebreus, o que pode explicar algumas diferenças. Contudo, há diferenças intransponíveis na comparação das várias listas, que nenhuma argumentação tem obtido sucesso ao explicar.
2. *Noá* e *Rafa* figuram somente aqui, no oitavo capítulo de 1Crônicas. "A série presente de nomes concorda com Nm 26.38, ao atribuir *cinco* filhos a Benjamim, onde Bela aparece como o filho primogênito, e Asbel como o segundo filho. Além disso, há bastante semelhança entre o nome *Aará* e o nome *Airão* (Nm 26.38) para garantir a hipótese de que esses dois nomes apontam para uma única pessoa. Mas daí não podemos concluir que o *Noá* e o *Rafa* da lista presente sejam paralelos a Sefudã-Hufã da outra lista. O mais provável é que Noá e Rafa representem clãs diferentes" (Ellicott, *in loc.*).
3. *Bela*, segundo lemos, teria tido *nove filhos*, tal como os filhos de Bequer, em 1Cr 7.8, mas nenhum dos nomes corresponde.
4. *Adar* é o mesmo *Arde* do capítulo 26 de Números, mas se trata do filho mais velho de Bela, ao passo que no capítulo 46 de Gênesis ele é, aparentemente, seu irmão caçula.
5. Números e 1Crônicas concordam que Arde e Naamã eram *netos* de Benjamim (Nm 26.40; 1Cr 8.3,4). As listas são bastante incompletas (de diferentes maneiras) e também usam o termo "filho" de maneira frouxa, indicando neto ou descendente. Algumas listas podem ter sido editorialmente seletivas, e algumas *fontes originárias* podem ter sido representativas e/ou defeituosas. Problemas intransponíveis foram assim criados para os harmonistas, mas não para a espiritualidade.
6. *Sefufá* e *Hurão* (vs. 5), que figuram no presente capítulo, são apresentados como filhos mais jovens de Bela; mas em Gênesis e Números, são seus irmãos mais jovens, chamados Mupim (Supim), Hupim, Sefudá e Hurão. Diferentes graus de parentescos e diferentes grafias dos nomes nos perseguem.

■ **8.6-28**

V6 וְאֵלֶּה בְּנֵי אֵחוּד אֵלֶּה הֵם רָאשֵׁי אָבוֹת לְיוֹשְׁבֵי
גֶבַע וַיַּגְלוּם אֶל־מָנָחַת:

V7 וְנַעֲמָן וַאֲחִיָּה וְגֵרָא הוּא הֶגְלָם וְהוֹלִיד אֶת־עֻזָּא
וְאֶת־אֲחִיחֻד:

V8 וְשַׁחֲרַיִם הוֹלִיד בִּשְׂדֵה מוֹאָב מִן־שִׁלְחוֹ אֹתָם
חוּשִׁים וְאֶת־בַּעֲרָא נָשָׁיו:

V9 וַיּוֹלֶד מִן־חֹדֶשׁ אִשְׁתּוֹ אֶת־יוֹבָב וְאֶת־צִבְיָא
וְאֶת־מֵישָׁא וְאֶת־מַלְכָּם:

V10 וְאֶת־יְעוּץ וְאֶת־שָׂכְיָה וְאֶת־מִרְמָה אֵלֶּה בָנָיו
רָאשֵׁי אָבוֹת:

V11 וּמֵחֻשִׁים הוֹלִיד אֶת־אֲבִיטוּב וְאֶת־אֶלְפָּעַל:

V12 וּבְנֵי אֶלְפַּעַל עֵבֶר וּמִשְׁעָם וָשָׁמֶד הוּא בָּנָה
אֶת־אוֹנוֹ וְאֶת־לֹד וּבְנֹתֶיהָ:

V13 וּבְרִעָה וָשֶׁמַע הֵמָּה רָאשֵׁי הָאָבוֹת לְיוֹשְׁבֵי אַיָּלוֹן
הֵמָּה הִבְרִיחוּ אֶת־יוֹשְׁבֵי גַת:

V14 וְאַחְיוֹ שָׁשָׁק וִירֵמוֹת:

V15 וּזְבַדְיָה וַעֲרָד וָעָדֶר:

V16 וּמִיכָאֵל וְיִשְׁפָּה וְיוֹחָא בְּנֵי בְרִיעָה:

V17 וּזְבַדְיָה וּמְשֻׁלָּם וְחִזְקִי וָחָבֶר:

V18 וְיִשְׁמְרַי וְיִזְלִיאָה וְיוֹבָב בְּנֵי אֶלְפָּעַל:

V19 וְיָקִים וְזִכְרִי וְזַבְדִּי:

V20 וֶאֱלִיעֵנַי וְצִלְּתַי וֶאֱלִיאֵל:

וַעֲדָיָה וּבְרָאיָה וְשִׁמְרָת בְּנֵי שִׁמְעִי: V21

וְיִשְׁפָּן וָעֵבֶר וֶאֱלִיאֵל: V22

וְעַבְדּוֹן וְזִכְרִי וְחָנָן: V23

וַחֲנַנְיָה וְעֵילָם וְעַנְתֹתִיָּה: V24

וְיִפְדְיָה וּפְנִיאֵל בְּנֵי שָׁשָׁק: V25

וְשַׁמְשְׁרַי וּשְׁחַרְיָה וַעֲתַלְיָה: V26

וְיַעֲרֶשְׁיָה וְאֵלִיָּה וְזִכְרִי בְּנֵי יְרֹחָם: V27

אֵלֶּה רָאשֵׁי אָבוֹת לְתֹלְדוֹתָם רָאשִׁים אֵלֶּה יָשְׁבוּ V28 בִירוּשָׁלִָם: ס

Observações:

1. *Eúde* foi neto de Jediael, conforme aprendemos em 1Cr 7.10. Talvez este último também fosse chamado de *Asbel* (ver Gn 46.21). A família de Eúde era hostil aos demais benjamitas e saiu perdendo em sua inimizade. Esse fato só nos é transmitido aqui.
2. *Saaraim*. Provavelmente trata-se do mesmo Aisaar de 1Cr 7.10. Era filho de Bilã, o que indica que a linhagem foi traçada através de Asbel (Jediael), Bilã e outros. Saaraim viveu por algum tempo na terra de Moabe. Ali chegando, divorciou-se de suas esposas, Husim e Baara, mas uma terceira esposa lhe deu sete filhos. O cronista, porém, estava interessado na descendência através de Husim (vs. 11a). Essa linhagem passou de Saaraim a Elpaal (vs. 12) e Berias (vs. 13). O limite é levado à sua conclusão pela menção aos filhos de Simei (vss. 19-21) e aos de Sasaque (vss. 22-25) e Jeroão (vss. 26 e 27), aos quais conhecemos apenas pelos nomes, pois nenhuma informação foi dada acerca deles na Bíblia.
3. Os muitos descendentes mencionados viviam todos em Jerusalém (vs. 28). Devemos compreender que isso aconteceu depois que Davi tomou a cidade das mãos dos jebusitas, transformando-a em sua capital (ver 2Sm 5.1-10).
4. O décimo terceiro versículo lembra-nos de que estamos tratando aqui com "clãs" (os homens mencionados eram cabeças "das casas do pai"). As listas que aparecem nos capítulos primeiro a nono são com frequência representativas e são defeituosas. Não houve nenhuma preocupação em apresentar listas completas, e isso nem mesmo foi possível ao autor. Várias fontes informativas (algumas vezes contraditórias) foram usadas quanto às informações colhidas.
5. *Nove* filhos de Berias são listados (vss. 14-16); *sete* de Elpaal (vss. 17,18); *nove de* Simei (vss. 19-21); *onze de* Sasaque (vs. 14); e *seis* de Jeroão (vss. 26 e 27). Ocorre repetição de nomes. Todas as listas são apenas representativas.
6. *Chefes das famílias,* isto é, de clã, expressão que apresenta um sumário dos versículos anteriores. O autor sacro descreve a cabeça dos clãs principais e dá alguns detalhes sobre como os descendentes foram distribuídos entre os clãs.

■ **8.29-40**

וּבְגִבְעוֹן יָשְׁבוּ אֲבִי גִבְעוֹן וְשֵׁם אִשְׁתּוֹ מַעֲכָה: V29

וּבְנוֹ הַבְּכוֹר עַבְדּוֹן וְצוּר וְקִישׁ וּבַעַל וְנָדָב: V30

וּגְדוֹר וְאַחְיוֹ וָזָכֶר: V31

וּמִקְלוֹת הוֹלִיד אֶת־שִׁמְאָה וְאַף־הֵמָּה נֶגֶד V32 אֲחֵיהֶם יָשְׁבוּ בִירוּשָׁלִַם עִם־אֲחֵיהֶם: ס

וְנֵר הוֹלִיד אֶת־קִישׁ וְקִישׁ הוֹלִיד V33 אֶת־שָׁאוּל וְשָׁאוּל הוֹלִיד אֶת־יְהוֹנָתָן וְאֶת־ מַלְכִּי־שׁוּעַ וְאֶת־אֲבִינָדָב וְאֶת־אֶשְׁבָּעַל:

וּבֶן־יְהוֹנָתָן מְרִיב בָּעַל וּמְרִיב בַּעַל הוֹלִיד V34 אֶת־מִיכָה: ס

וּבְנֵי מִיכָה פִּיתוֹן וָמֶלֶךְ וְתַאְרֵעַ וְאָחָז: V35

וְאָחָז הוֹלִיד אֶת־יְהוֹעַדָּה וִיהוֹעַדָּה הוֹלִיד V36 אֶת־עָלֶמֶת וְאֶת־עַזְמָוֶת וְאֶת־זִמְרִי וְזִמְרִי הוֹלִיד אֶת־מוֹצָא:

וּמוֹצָא הוֹלִיד אֶת־בִּנְעָא רָפָה בְנוֹ אֶלְעָשָׂה בְנוֹ V37 אָצֵל בְּנוֹ:

וּלְאָצֵל שִׁשָּׁה בָנִים וְאֵלֶּה שְׁמוֹתָם עַזְרִיקָם בֹּכְרוּ V38 וְיִשְׁמָעֵאל וּשְׁעַרְיָה וְעֹבַדְיָה וְחָנָן כָּל־אֵלֶּה בְּנֵי אָצַל:

וּבְנֵי עֵשֶׁק אָחִיו אוּלָם בְּכֹרוֹ יְעוּשׁ הַשֵּׁנִי V39 וֶאֱלִיפֶלֶט הַשְּׁלִשִׁי:

וַיִּהְיוּ בְנֵי־אוּלָם אֲנָשִׁים גִּבֹּרֵי־חַיִל דֹּרְכֵי קֶשֶׁת V40 וּמַרְבִּים בָּנִים וּבְנֵי בָנִים מֵאָה וַחֲמִשִּׁים כָּל־אֵלֶּה מִבְּנֵי בִנְיָמִן: פ

Observações:

1. Aprendemos, no vs. 28, que uma das principais cidades dos benjamitas era Jerusalém. *Agora* somos informados que outro centro principal dos benjamitas era *Gibeão*. Era a essa linhagem dos benjamitas à qual o rei Saul estava relacionado.
2. A lista presente começa com o bisavô de Saul, *Jeiel* (vs. 29, conforme a *Revised Standard Version*. Ao texto hebraico falta o nome *Jeiel*).
3. Não nos é dada nenhuma informação sobre como relacionar essa linhagem aos outros nomes, que já tinham sido citados. A linhagem começa em data muito posterior às outras, antecedentes ao trecho de 1Cr 8.1 ss.
4. A descendência parece ter sido: Jeiel (vs. 29); Ner (vs. 30; cf. 9.36); Quis (vs. 33); Saul (vs. 33). Ver comentários sobre Ner, Quis e Saul, em 1Sm 14.50,51.
5. Então aparecem os filhos de Saul: Jônatas; Malquisua; Abinadabe = Isvi, 1Sm 14.49; Esbaal = Is-Bosete, 2Sm 2.8, todos listados aqui no vs. 33.
6. O *neto* de Saul, Meribe-Baal = Mefibosete, 2Sm 4.4. Davi o favoreceu por amor a Jônatas.
7. Depois de *Mica* (filho de Mefibosete, vs. 34), temos uma lista que aparece somente aqui e na genealogia de 1Cr 9.41-44. Assim, somente o cronista mencionou esses nomes, a partir de fontes informativas de que outros historiadores não dispunham.
8. A lista dos antepassados de Saul é repetida em 1Cr 9.35-44. Sua função ali era agir como prelúdio das histórias sobre Davi e os demais reis de Judá contadas pelo autor sacro.
9. *Os Nomes e a Piedade*. Baal era um antigo nome palestínico para Deus e, aparentemente, também era um nome usado pelos hebreus. Mas chegou o tempo em que os hebreus rejeitaram esse nome como de origem pagã; e então Yahweh, Elohim e Adonai predominaram na cultura hebraica. Assim sendo, *Esbaal* significa "adorador de Baal". O trecho de 2Sm 2.8 altera esse nome para a forma mais aceitável de Is-Bosete, provavelmente porque o livro de 2Samuel era lido em voz alta nos cultos das sinagogas, onde a palavra "Baal" chocaria ouvidos sensíveis. Os livros de Crônicas, entretanto, não eram lidos em voz alta nos cultos de Israel, assim o nome Baal poderia ser retido ali. Baal, em uma data anterior, significava apenas que o Deus dos hebreus era o *Senhor* (Ba'al) da terra de Canaã. Is-Bosete significa "homem (adorador) de vergonha", termo que expressava repugnância contra qualquer coisa relacionada a Baal.
10. A proximidade entre as duas tribos facilitou a incorporação de Benjamim à tribo de Judá, mediante o que Benjamim perdeu sua própria identidade e foi absorvida pela tribo maior do sul. Ver no *Dicionário* o artigo chamado *Benjamim*. Ver também ali os verbetes chamados *Tribo (Tribos) de Israel* e *Tribos, Localização das*.
11. *Habitações de Benjamim*. Os campos de Moabe (vss. 8-10); Ono e Lode (vs. 12); Aijalom (vs. 13); Jerusalém (vs. 28); Gibeom (vs. 29).

CAPÍTULO NOVE

OFICIAIS DO TEMPLO (9.1-34)

Cidadãos de Jerusalém; Líderes Políticos (9.1-9)

Neste ponto o autor sagrado relata a principal razão para ter arrolado todas aquelas genealogias (capítulos 1—8), o que ele concluirá neste nono capítulo. A despeito do cativeiro assírio (722 a.C.), que pôs fim às dez tribos do norte (Israel) e do cativeiro babilônico (que *quase* pôs fim às tribos do sul-Judá), sobreviveu um remanescente e havia autoridades suficientes, civis e religiosas, para *reiniciar* a história da nação de Israel através de uma única tribo, Judá, a qual já havia absorvido as outras. Contudo, o povo escolhido continuava sendo o povo escolhido de Yahweh. A pequena nova nação de Israel, pois, tinha autoridade divina para levar adiante o plano divino, apesar das grandes perdas sofridas. As genealogias falam da nação escolhida. Embora de maneira modesta, essas genealogias promoveram uma base histórica para a nova nação, por meio da tribo de Judá.

■ 9.1

וְכָל־יִשְׂרָאֵל֙ הִתְיַחְשׂ֔וּ וְהִנָּ֣ם כְּתוּבִ֔ים עַל־סֵ֖פֶר מַלְכֵ֣י
יִשְׂרָאֵ֑ל וִיהוּדָ֛ה הָגְל֥וּ לְבָבֶ֖ל בְּמַעֲלָֽם: ס

No livro dos reis de Israel. O autor sagrado refere-se aqui a um livro não canônico que lhe serviu como uma de suas fontes informativas. Os livros canônicos dos Reis não estão em foco nessas palavras. Quanto aos livros não-canônicos, ver 1Rs 14.19. A respeito de suas genealogias e crônicas históricas, o autor sagrado tinha à disposição diários, histórias e anais, cuja natureza exata só podemos tentar adivinhar. Ver no *Dicionário* o verbete intitulado *Livros Perdidos da Bíblia*.

Foi o *pecado* que levou Judá ao cativeiro babilônico, mas o favor divino não cessou no caso deles. Um remanescente retornou à Palestina, para levar avante o propósito divino. Ver no *Dicionário* o artigo chamado *Cativeiro Babilônico*.

■ 9.2-9

V2 וְהַיּוֹשְׁבִים֙ הָרִאשֹׁנִ֔ים אֲשֶׁ֥ר בַּאֲחֻזָּתָ֖ם בְּעָרֵיהֶ֑ם
יִשְׂרָאֵל֙ הַכֹּ֣הֲנִ֔ים הַלְוִיִּ֖ם וְהַנְּתִינִֽים:

V3 וּבִירוּשָׁלִַ֙ם֙ יָשְׁב֔וּ מִן־בְּנֵ֥י יְהוּדָ֖ה וּמִן־בְּנֵ֣י בִנְיָמִ֑ן
וּמִן־בְּנֵ֥י אֶפְרַ֖יִם וּמְנַשֶּֽׁה:

V4 עוּתַ֨י בֶּן־עַמִּיה֤וּד בֶּן־עָמְרִי֙ בֶּן־אִמְרִ֣י בֶן־בָּנִימִ֔ן
בְּנֵי־פֶ֖רֶץ בֶּן־יְהוּדָֽה:

V5 וּמִן־הַשִּׁילוֹנִ֑י עֲשָׂיָ֥ה הַבְּכ֖וֹר וּבָנָֽיו:

V6 וּמִן־בְּנֵי־זֶ֖רַח יְעוּאֵ֑ל וַאֲחֵיהֶ֕ם שֵׁשׁ־מֵא֖וֹת וְתִשְׁעִֽים:

V7 וּמִן־בְּנֵ֖י בִּנְיָמִ֑ן סַלּ֗וּא בֶּן־מְשֻׁלָּם֙ בֶּן־הוֹדַוְיָ֔ה
בֶּן־הַסְּנֻאָֽה:

V8 וְיִבְנְיָ֣ה בֶן־יְרֹחָ֔ם וְאֵלָ֥ה בֶן־עֻזִּ֖י בֶּן־מִכְרִ֑י וּמְשֻׁלָּ֗ם
בֶּן־שְׁפַטְיָ֛ה בֶן־רְעוּאֵ֥ל בֶּן־יִבְנִיָּֽה:

V9 וַאֲחֵיהֶם֙ לְתֹלְדוֹתָ֔ם תְּשַׁ֥ע מֵא֖וֹת וַחֲמִשִּׁ֣ים וְשִׁשָּׁ֑ה
כָּל־אֵ֣לֶּה אֲנָשִׁ֗ים רָאשֵׁ֥י אָב֖וֹת לְבֵ֥ית אֲבֹתֵיהֶֽם: ס

Observações:

1. *Estes versículos* continuam com a discussão sobre os cidadãos de Jerusalém, especificamente os líderes políticos. No vs. 10 é mencionada a presença de *sacerdotes,* e então há uma breve descrição sobre eles nos versículos seguintes. Foi assim que a nova nação, que emergiu do cativeiro babilônico, estava equipada com os oficiais apropriados e os sacerdotes que tinham autoridade para dar prosseguimento ao plano divino.

2. Após o cativeiro, os *primeiros habitantes* de Jerusalém foram enumerados por classes, no segundo versículo. Essa lista também figura em Ne 11.3-19, mas com algumas diferenças, o que a torna um pouco mais vaga.
   a. *Israelitas.* Esta palavra aponta particularmente para o remanescente da tribo de Judá que retornou do cativeiro babilônico. Judá é aqui chamado de Israel, porquanto nessa tribo de Judá o povo de Israel recebia um novo começo. Cf. 2Cr 30.18 e Sl 80.2. Naturalmente, estavam incluídos alguns poucos provenientes de outras tribos, como Benjamim, Efraim e Manassés. Mas o número de israelitas de "outras" tribos não era muito grande. Ver os comentários sobre o terceiro versículo. Provavelmente devemos compreender que os descendentes de Judá *incluíam* alguns cujas genealogias comprovavam uma origem nas antigas tribos do norte. Esse detalhe dava um toque de universalidade ao remanescente que retornou do cativeiro babilônico.
   b. *Sacerdotes.* Isto é, levitas da família de Arão que tinham o direito de efetuar sacrifícios sacerdotais e outras funções ritualísticas. Alguns também conseguiram sobreviver ao cativeiro. E assim a nova nação tinha *autoridade* sacerdotal.
   c. *Levitas.* Além dos descendentes de Levi através de Arão, havia outros ramos representados, de modo que tarefas não sacerdotais do culto divino também podiam ser realizadas com autoridade, de acordo com os requisitos do Pentateuco.
   d. *Servos do Templo ou Netinins.* Esses homens faziam trabalho servil no templo, e é provável que a maioria deles, se não mesmo a totalidade, fosse composta por escravos. Eram, sem dúvida, como os antigos gibeonitas (ver Js 9.27). Foram nomeados por Davi para tarefas pesadas (ver Ed 8.20). Ver no *Dicionário* o artigo intitulado *Netinim (Servos do Templo)*, quanto a maiores detalhes. Não é historicamente correto afirmar que essa classe pertencia à tribo de Levi. De fato, historicamente eles tinham origem pagã (os gibeonitas). Em Cristo, porém, não há nem libertos nem escravos, nem homem nem mulher (ver Gl 3.27,28). No Antigo Testamento, entretanto, os escravos podiam trabalhar no templo, sem que houvesse nenhuma conexão de sangue com os levitas. As classes inferiores efetuavam um trabalho inferior, que pessoas de outras classes não queriam desempenhar. Portanto, a regra dos "levitas somente" no tabernáculo e no templo de Jerusalém sofria exceções quando se tratava de trabalhos pesados, como transportar água e cortar lenha.

3. O *terceiro versículo* informa-nos que, entre os que retornaram do cativeiro babilônico, havia representantes de outras tribos além de Judá, mas é provável que até nesse caso devamos compreender pessoas de outras tribos, fora de Judá, que tinham sido absorvidas pela tribo do sul. Pode ter havido algumas poucas pessoas, provenientes da nação do norte, que terminaram no cativeiro babilônico, mas é provável que o autor sagrado não quisesse transmitir-nos essa informação aqui. Quando a idolatria tornou-se insuportável na nação do norte, muitos fugiram dali para a nação do sul, de forma que houve uma mistura de gente do norte em Judá, antes mesmo do cativeiro babilônico. Judá se tinha tornado, até certo ponto, uma tribo universal, e assim estava apta a continuar a nação de "Israel" (vs. 1), embora, de fato, fosse apenas uma das tribos de Israel.

4. *Vss. 4 e 5.* "Os descendentes de Judá representavam todas as três linhagens dos filhos de Judá: a de *Perez* (vs. 4); a dos silonitas (vs. 5), descendentes de *Selá* (ver Gn 38.5); e a de *Zerá* (vs. 6). Ver Gn 38.30.

5. Note o leitor quão *poucos* retornaram do cativeiro babilônico (vs. 6), no caso dos descendentes de Zerá. Não havia muitos totais, e mesmo assim o número de pessoas que retornaram era bem pequeno. Ver o ponto 8 quanto a outros comentários sobre o número de pessoas que retornaram do cativeiro babilônico.

6. O oitavo versículo cita alguns poucos descendentes de Benjamim que estavam entre o remanescente do cativeiro babilônico. Nenhum dos mencionados era filho direto de Benjamim, mas algum parente afastado. Nos nomes dados, *quatro linhagens* são arroladas. Cf. a lista de Ne 11.4-9.

7. As listas sobre Judá, dadas aqui e no capítulo 11 de Neemias, não correspondem entre si. Talvez *Utai* seja o mesmo Ataías, de Ne

11.4; e *Asaías* (1Cr 9.5) seja o mesmo Maaseias, de Ne 11.5. Neemias ignora completamente a linhagem de Zerá.

8. 1Cr 9.6 dá um total de 690 homens, ao passo que Ne 11.6 fala em 468. Talvez a linhagem de Zerá, ignorada por Neemias, explique essa diferença.
9. 1Cr 9.9 tem outros números (956, total de Benjamim), ao passo que Ne 11.8 fala em 928. Não há como explicar essa diferença, nem é importante fazê-lo. Os números revelam quão poucos retornaram do cativeiro babilônico. Verdadeiramente, até Judá (para nada dizermos sobre as tribos do norte) tinha sido reduzido a alguns preciosos poucos indivíduos.

Os Sacerdotes (9.10-13)

■ **9.10-13**

V10: וּמִן־הַכֹּהֲנִים יְדַעְיָה וִיהוֹיָרִיב וְיָכִין׃

V11 וַעֲזַרְיָה בֶן־חִלְקִיָּה בֶּן־מְשֻׁלָּם בֶּן־צָדוֹק בֶּן־מְרָיוֹת בֶּן־אֲחִיטוּב נְגִיד בֵּית הָאֱלֹהִים׃ ס

V12 וַעֲדָיָה בֶן־יְרֹחָם בֶּן־פַּשְׁחוּר בֶּן־מַלְכִּיָּה וּמַעְשַׂי בֶּן־עֲדִיאֵל בֶּן־יַחְזֵרָה בֶּן־מְשֻׁלָּם בֶּן־מְשִׁלֵּמִית בֶּן־אִמֵּר׃

V13 וַאֲחֵיהֶם רָאשִׁים לְבֵית אֲבוֹתָם אֶלֶף וּשְׁבַע מֵאוֹת וְשִׁשִּׁים גִּבּוֹרֵי חֵיל מְלֶאכֶת עֲבוֹדַת בֵּית־הָאֱלֹהִים׃

Observações:

1. Israel (preservado como a tribo de Judá) não poderia funcionar como a nação divina sem seus sacerdotes, descendentes de Arão, conforme requerido pela legislação mosaica acerca dos sacerdotes. Assim sendo, o autor assegura-nos que alguns sacerdotes conseguiram sobreviver ao cativeiro babilônico e retornaram junto com o remanescente.
2. Seis famílias sacerdotais são mencionadas, através de seus representantes. Essas famílias correspondem de perto, com variantes na grafia, à lista de Ne 10.10-14, exceto pelo fato de que, em Ne 11.10, *Jedaías* é filho de *Joiaribe*. O nome que aparece aqui é *Jeoiaribe*, mas sua relação paternal não é dada, ou então se trata de uma pessoa diferente.
3. A lista de Neemias é mais completa, e deve ter sido copiada de uma fonte informativa diferente.
4. Os totais fornecidos não coincidem. 1Crônicas cita 1.760 pessoas (vs. 13), ao passo que Neemias fala em 1.192 pessoas (vs. 14). Não sabemos explicar a razão dessa diferença, nem é importante saber.
5. A famosa família dos *macabeus*, que trouxe um período de independência de potências estrangeiras (posteriormente à época dos livros de Crônicas), afirmava ser descendente de *Joiaribe*, e não há razão para duvidarmos dessa assertiva, embora ela não possa ser provada.

Os Levitas (9.14-16)

■ **9.14-16**

וּמִן־הַלְוִיִּם שְׁמַעְיָה בֶן־חַשּׁוּב בֶּן־עַזְרִיקָם בֶּן־חֲשַׁבְיָה מִן־בְּנֵי מְרָרִי׃

וּבַקְבַּקַּר חֶרֶשׁ וְגָלָל וּמַתַּנְיָה בֶן־מִיכָא בֶּן־זִכְרִי בֶּן־אָסָף׃

וְעֹבַדְיָה בֶן־שְׁמַעְיָה בֶן־גָּלָל בֶּן־יְדוּתוּן וּבֶרֶכְיָה בֶן־אָסָא בֶּן־אֶלְקָנָה הַיּוֹשֵׁב בְּחַצְרֵי נְטוֹפָתִי׃

Observações:

1. O segundo versículo fornece *quatro* classes de habitantes de Jerusalém que compunham as autoridades e os artífices de valor. Entre elas estavam levitas que não pertenciam à família sacerdotal de Arão. Eles eram importantes para o culto divino, e, pela legislação mosaica, indispensáveis.

2. *Sete famílias* de levitas viviam em Jerusalém depois do cativeiro babilônico e emprestavam legalidade ao culto dos judeus. Ver o vs. 34 e comparar o termo *Cidade Santa*, em Ne 11.18. Ver no *Dicionário* o artigo *Levitas*.
3. *Aldeias dos netofatitas* (vs. 16). É possível que eles formassem um dos subúrbios de Jerusalém. Em vista está *Netofa*, que alguns estudiosos consideram uma aldeia separada, próxima de Belém. A sua localização exata é desconhecida atualmente. Ver no *Dicionário* o artigo chamado *Netofa (Netofatitas)*, quanto a detalhes. Esse nome é preservado em uma fonte perto de um antigo lugar de habitação chamada 'Ain en-Natuf. Ver Ne 7.26 e 1Cr 2.54.
4. O paralelo da presente passagem é Ne 11.15-18, mas há diferenças significativas, incluindo a grafia de nomes e adições e omissões que não temos meios de explicar. Os artigos dados no *Dicionário* sobre os nomes próprios adicionam alguns detalhes.

Porteiros e Trabalhadores — O Pessoal do Templo (9.17-34)

■ **9.17-34**

V17 וְהַשֹּׁעֲרִים שַׁלּוּם וְעַקּוּב וְטַלְמֹן וַאֲחִימָן וַאֲחִיהֶם שַׁלּוּם הָרֹאשׁ׃

V18 וְעַד־הֵנָּה בְּשַׁעַר הַמֶּלֶךְ מִזְרָחָה הֵמָּה הַשֹּׁעֲרִים לְמַחֲנוֹת בְּנֵי לֵוִי׃

V19 וְשַׁלּוּם בֶּן־קוֹרֵא בֶּן־אֶבְיָסָף בֶּן־קֹרַח וְאֶחָיו לְבֵית־אָבִיו הַקָּרְחִים עַל מְלֶאכֶת הָעֲבוֹדָה שֹׁמְרֵי הַסִּפִּים לָאֹהֶל וַאֲבֹתֵיהֶם עַל־מַחֲנֵה יְהוָה שֹׁמְרֵי הַמָּבוֹא׃

V20 וּפִינְחָס בֶּן־אֶלְעָזָר נָגִיד הָיָה עֲלֵיהֶם לְפָנִים יְהוָה עִמּוֹ׃

V21 זְכַרְיָה בֶּן מְשֶׁלֶמְיָה שֹׁעֵר פֶּתַח לְאֹהֶל מוֹעֵד׃

V22 כֻּלָּם הַבְּרוּרִים לְשֹׁעֲרִים בַּסִּפִּים מָאתַיִם וּשְׁנֵים עָשָׂר הֵמָּה בְחַצְרֵיהֶם הִתְיַחְשָׂם הֵמָּה יִסַּד דָּוִיד וּשְׁמוּאֵל הָרֹאֶה בֶּאֱמוּנָתָם׃

V23 וְהֵם וּבְנֵיהֶם עַל־הַשְּׁעָרִים לְבֵית־יְהוָה לְבֵית־הָאֹהֶל לְמִשְׁמָרוֹת׃

V24 לְאַרְבַּע רוּחוֹת יִהְיוּ הַשֹּׁעֲרִים מִזְרָח יָמָּה צָפוֹנָה וָנֶגְבָּה׃

V25 וַאֲחֵיהֶם בְּחַצְרֵיהֶם לָבוֹא לְשִׁבְעַת הַיָּמִים מֵעֵת אֶל־עֵת עִם־אֵלֶּה׃

V26 כִּי בֶאֱמוּנָה הֵמָּה אַרְבַּעַת גִּבֹּרֵי הַשֹּׁעֲרִים הֵם הַלְוִיִּם וְהָיוּ עַל־הַלְּשָׁכוֹת וְעַל הָאֹצְרוֹת בֵּית הָאֱלֹהִים׃

V27 וּסְבִיבוֹת בֵּית־הָאֱלֹהִים יָלִינוּ כִּי־עֲלֵיהֶם מִשְׁמֶרֶת וְהֵם עַל־הַמַּפְתֵּחַ וְלַבֹּקֶר לַבֹּקֶר׃

V28 וּמֵהֶם עַל־כְּלֵי הָעֲבוֹדָה כִּי־בְמִסְפָּר יְבִיאוּם וּבְמִסְפָּר יוֹצִיאוּם׃

V29 וּמֵהֶם מְמֻנִּים עַל־הַכֵּלִים וְעַל כָּל־כְּלֵי הַקֹּדֶשׁ וְעַל־הַסֹּלֶת וְהַיַּיִן וְהַשֶּׁמֶן וְהַלְּבוֹנָה וְהַבְּשָׂמִים׃

V30 וּמִן־בְּנֵי הַכֹּהֲנִים רֹקְחֵי הַמִּרְקַחַת לַבְּשָׂמִים׃

V31 וּמַתִּתְיָה מִן־הַלְוִיִּם הוּא הַבְּכוֹר לְשַׁלֻּם הַקָּרְחִי בֶּאֱמוּנָה עַל מַעֲשֵׂה הַחֲבִתִּים:

V32 וּמִן־בְּנֵי הַקְּהָתִי מִן־אֲחֵיהֶם עַל־לֶחֶם הַמַּעֲרָכֶת לְהָכִין שַׁבַּת שַׁבָּת: ס

V33 וְאֵלֶּה הַמְשֹׁרְרִים רָאשֵׁי אָבוֹת לַלְוִיִּם בַּלְּשָׁכֹת פְּטִירִים כִּי־יוֹמָם וָלַיְלָה עֲלֵיהֶם בַּמְּלָאכָה:

V34 אֵלֶּה רָאשֵׁי הָאָבוֹת לַלְוִיִּם לְתֹלְדוֹתָם רָאשִׁים אֵלֶּה יָשְׁבוּ בִירוּשָׁלָ͏ִם: פ

Observações:

1. Os versículos anteriores (14-16) não descrevem as diversas tarefas dos levitas não sacerdotais, de maneira que agora o autor nos dá algumas ideias. Quanto a detalhes, ver no *Dicionário* o verbete intitulado *Levitas*.
2. O autor diz aqui que, embora Israel (a nação do norte) tivesse deixado de existir por causa do cativeiro assírio, e embora Judá (a nação do sul) tivesse sido reduzida a praticamente nada, o remanescente que retornou tinha sacerdotes e levitas em número suficiente para efetuar o culto divino em concordância com as exigências da legislação mosaica. Os levitas que figuram nesta seção (vss. 17-27) tinham a responsabilidade de abrir e fechar as portas do templo, no tempo certo, e agir como guardas no recinto do templo.
3. O trecho paralelo — Ne 11.19-23 — varia grandemente e é mais breve do que a presente seção. *Salum,* o "chefe" dois porteiros, nem ao menos é mencionado no paralelo. seu dever era guardar a Porta do Rei, que levava à entrada oriental do templo. Ver Ez 46.1,2. Esse tinha sido o papel de seus antepassados, recuando ao tabernáculo original, quando *Fineias,* filho de Eleazar, era o supervisor (ver 1Cr 9.19,20).
4. *Zacarias* (vs. 21), filho de Meselemias, era o guarda da "porta da tenda" (tabernáculo), e isso nos informa que, nos dias de Davi, duas famílias estavam envolvidas na guarda da porta do próprio tabernáculo, a porta principal. A porta mencionada pode ter sido aquela que conduzia ao átrio interior, através da qual nenhuma pessoa imunda podia passar, ou aquela que levava ao átrio dos sacerdotes, que mantinha afastadas todas as pessoas que não fossem sacerdotes, incluindo os levitas que não pertencessem à linhagem de Arão.
5. O livro de 1Crônicas diz-nos que os guardas das portas eram 212. Isso envolvia Jerusalém e as aldeias próximas. Mas Ne 11.19 dá o número de 172 porteiros. Esse número pode estar limitado somente às famílias de Acube e Talmom, ao passo que 1Crônicas envolve quatro famílias, às quais se somavam as famílias de Salum e de Aimã.
6. Os guardas das portas serviam nas quatro direções do tabernáculo (e então do templo) (vs. 24), de modo que a vigilância era completa e elaborada.
7. As famílias estavam divididas em grupos que trabalhavam em turnos de sete, em uma base de trocas (vs. 25).
8. Os deveres incluíam guardar as câmaras e os tesouros do templo (vs. 26). Não era permitido nenhum furto dos vasos sagrados (vs. 27). Portanto, os levitas que guardavam as portas também eram guardas internos. Constantemente havia uma contagem dos vasos sagrados de ouro e de prata do templo, ou seja, era efetuada uma verificação contínua para evitar qualquer tipo de perda. Além disso, o suprimento dos sacerdotes e dos levitas precisava ser guardado (vss. 28-34). O azeite e as refeições sagradas faziam parte desse suprimento. Eram considerados partes *materiais* do culto.
9. O trecho de 1Cr 6.31-48 já tinha descrito o trabalho dos músicos, que, como era óbvio, pertenciam à tribo dos levitas. Ver o vs. 33 do presente capítulo. O cronista mostrou-se cuidadoso em ressaltar que *todo* o labor efetuado no templo, de qualquer tipo, era dever dos levitas. Os sacerdotes também eram levitas, mas da linhagem especial de Arão. A única exceção a essa regra eram os escravos que faziam o trabalho braçal mais difícil. Eles eram chamados de "servos do templo" ou *netinins* (ver o segundo versículo).

"Em suma, os levitas eram o pessoal do templo" (conforme W. A. L. Elmslie, *in loc.*, os chamou).

10. Por motivo de conveniência, o pessoal que cuidava do templo vivia nos recintos do templo de Jerusalém.

SAUL (9.35-44)

9.35-44

V35 וּבְגִבְעוֹן יָשְׁבוּ אֲבִי־גִבְעוֹן יְעוּאֵל וְשֵׁם אִשְׁתּוֹ מַעֲכָה:

V36 וּבְנוֹ הַבְּכוֹר עַבְדּוֹן וְצוּר וְקִישׁ וּבַעַל וְנֵר וְנָדָב:

V37 וּגְדוֹר וְאַחְיוֹ וּזְכַרְיָה וּמִקְלוֹת:

V38 וּמִקְלוֹת הוֹלִיד אֶת־שִׁמְאָם וְאַף־הֵם נֶגֶד אֲחֵיהֶם יָשְׁבוּ בִירוּשָׁלַ͏ִם עִם־אֲחֵיהֶם: ס

V39 וְנֵר הוֹלִיד אֶת־קִישׁ וְקִישׁ הוֹלִיד אֶת־שָׁאוּל וְשָׁאוּל הוֹלִיד אֶת־יְהוֹנָתָן וְאֶת־מַלְכִּי־שׁוּעַ וְאֶת־אֲבִינָדָב וְאֶת־אֶשְׁבָּעַל:

V40 וּבֶן־יְהוֹנָתָן מְרִיב בָּעַל וּמְרִי־בַעַל הוֹלִיד אֶת־מִיכָה:

V41 וּבְנֵי מִיכָה פִּיתוֹן וָמֶלֶךְ וְתַחְרֵעַ:

V42 וְאָחָז הוֹלִיד אֶת־יַעְרָה וְיַעְרָה הוֹלִיד אֶת־עָלֶמֶת וְאֶת־עַזְמָוֶת וְאֶת־זִמְרִי וְזִמְרִי הוֹלִיד אֶת־מוֹצָא:

V43 וּמוֹצָא הוֹלִיד אֶת־בִּנְעָא וּרְפָיָה בְנוֹ אֶלְעָשָׂה בְנוֹ אָצֵל בְּנוֹ:

V44 וּלְאָצֵל שִׁשָּׁה בָנִים וְאֵלֶּה שְׁמוֹתָם עַזְרִיקָם בֹּכְרוּ וְיִשְׁמָעֵאל וּשְׁעַרְיָה וְעֹבַדְיָה וְחָנָן אֵלֶּה בְּנֵי אָצַל: פ

Os *vss.* 35-44 deste capítulo repetem a genealogia de Saul, que já fora dada, em sua forma essencial, em 1Cr 8.29-38. Essa repetição teve o propósito de introduzir a história de Davi e dos reis de Judá. Saul foi o primeiro rei de Israel e, obviamente, teve uma missão importante. Mas 1 e 2Crônicas foram escritos para enfatizar a proeminência da casa de Davi, sua linhagem real, que continuou após o cativeiro babilônico.

"... visto que o cronista iria narrar a morte de Saul (capítulo 10) e a sua sucessão por Davi (1Cr 11.1-3), ele repetiu a genealogia de Saul (1Cr 9.35-44)" (Eugene H. Merrill, *in loc.*).

Observações:

1. A grande lista de genealogias de 1Crônicas agora chega ao fim. O autor sagrado nos deu nove capítulos repletos de listas, incorporando toda a nação de Israel, mas enfatizando a tribo de Judá, a tribo que dera vida ao novo Israel, terminado o cativeiro babilônico.
2. O principal propósito das genealogias era provar que a nova nação de Israel era legítima, continuadora da antiga nação de Israel, visto que representava toda a antiga nação de Israel, e seus habitantes representavam o antigo povo de Israel, o povo em pacto com Deus. Outrossim, possuía todos os requisitos legais para a continuação, a autoridade política e os líderes religiosos autorizados, incluindo sacerdotes e levitas autenticados. E também contava com a casa de Davi, que continuava em seu papel de rei.
3. Saul é descrito aqui para mostrar como a monarquia *havia começado,* e então como havia *continuado* na pessoa de Davi.
4. A genealogia de Saul em 1Cr 8.29-38 é um pouco mais completa, falando de Ezeque e sua linhagem (vs. 39), o que foi omitido neste capítulo.

CAPÍTULO DEZ

DAVI, O GRANDE EXEMPLO (10.1—29.30)

MORTE DE SAUL (10.1-14)

Este breve capítulo atua como peça de transição para introduzir a dinastia davídica. Os vss. 3-14 são, essencialmente, uma repetição de 1Sm 31.3-13, cujas notas o leitor é convidado a examinar. Mas algumas diferenças foram acrescentadas aqui. Os vss. 13 e 14 dão-nos a *causa* da morte de Saul, e não meramente o seu *modus operandi*.

"O cronista tinha em mente um grande propósito: relatar como um reino, que foi trazido à existência pela vontade de Deus, tinha sido reduzido, no fim, a nada, pela perversidade humana. Ele também desejava mostrar que o elevado desígnio de Deus não tinha sido frustrado. Do reino caído, haviam restado o templo e sua adoração: um sinal visível de uma fé indestrutível... Ele viu as vívidas narrativas, nos livros de Samuel, sobre a vida de Saul, que estavam fora do escopo de seu propósito. O reino tivera um falso começo, por assim dizer, com Saul. Somente a morte de Saul foi importante, um prelúdio do reinado de Davi. Com *aquela morte*, ele começou citando o trecho de 1Sm 31.1-13, alterando habilidosamente um versículo (vs. 6) e adicionando suas próprias reflexões (vss. 13 e 14)" (W. A. L. Elmslie, *in loc.*).

A Saul foi dado um breve tratamento, porquanto o verdadeiro propósito de 1 e 2Crônicas era promover o reinado de Davi e sua dinastia, mostrando como ele primeiramente substituiu o falso começo em Saul e então cumpriu o plano divino para Israel após o cativeiro babilônico.

A *dinastia de Davi* perdurou por 425 anos (1011-586 a.C.), mas depois disso, na nova nação, através da tribo isolada de Judá. Naturalmente, em um sentido profético, essa tribo está destinada a continuar no Rei Messias e, falando espiritualmente, continua agora em seu reino espiritual, através do evangelho.

Vss. 1-12. O leitor deve examinar 1Sm 31.1-13, onde temos a mesma história com algumas poucas diferenças. É quase certo que o autor sagrado simplesmente copiou aquele material, fazendo algumas poucas modificações. Os vss. 13 e 14 são adições, a fim de atribuir uma *causa* à queda da primeira dinastia de Israel, a de Saul.

A ordem e os números dos versículos, em nossas traduções, são os mesmos nos dois relatos, exceto pelo fato de que 1Sm 31.12,13 é registrado como um único versículo, 1Cr 10.12. O versículo sexto foi trabalhado pelo autor sacro, e os vss. 13 e 14 constituem um comentário pessoal, atribuindo uma causa à queda de Saul.

"A coincidência geral dos dois textos é tão exata que fica excluída a suposição de independência" (Ellicott, *in loc.*).

■ 10.1

וּפְלִשְׁתִּים נִלְחֲמוּ בְיִשְׂרָאֵל וַיָּנָס אִישׁ־יִשְׂרָאֵל מִפְּנֵי פְלִשְׁתִּים וַיִּפְּלוּ חֲלָלִים בְּהַר גִּלְבֹּעַ:

Note o leitor o começo abrupto. Compare esse estilo literário com o trecho de Is 2.1.

Os homens de Israel. O hebraico usa a forma singular, "homem". Israel, como se fosse um único homem, caiu diante dos filisteus.

■ 10.2

וַיַּדְבְּקוּ פְלִשְׁתִּים אַחֲרֵי שָׁאוּל וְאַחֲרֵי בָנָיו וַיַּכּוּ פְלִשְׁתִּים אֶת־יוֹנָתָן וְאֶת־אֲבִינָדָב וְאֶת־מַלְכִּי־שׁוּעַ בְּנֵי שָׁאוּל:

O texto hebraico diz aqui, literalmente, "apegaram-se", em lugar de "perseguiram". A perseguição estava tão próxima de Saul e de seus homens que os filisteus pareciam estar apegados a eles. O exército derrotado de Israel fugiu para as montanhas, mas isso não os salvou, nem a Saul, o general.

■ 10.3

וַתִּכְבַּד הַמִּלְחָמָה עַל־שָׁאוּל וַיִּמְצָאֻהוּ הַמּוֹרִים בַּקָּשֶׁת וַיָּחֶל מִן־הַיּוֹרִים:

A batalha ficou "pesada" contra Saul, conforme indica o texto hebraico original. O peso o esmagou. Um arqueiro foi o instrumento escolhido para a morte de Saul. Saul *estremeceu* perante o inimigo. seu tempo havia chegado. Não houve misericórdia para com ele, tal como não houve misericórdia para com os demais israelitas.

■ 10.4

וַיֹּאמֶר שָׁאוּל אֶל־נֹשֵׂא כֵלָיו שְׁלֹף חַרְבְּךָ וְדָקְרֵנִי בָהּ פֶּן־יָבֹאוּ הָעֲרֵלִים הָאֵלֶּה וְהִתְעַלְּלוּ־בִי וְלֹא אָבָה נֹשֵׂא כֵלָיו כִּי יָרֵא מְאֹד ס וַיִּקַּח שָׁאוּל אֶת־הַחֶרֶב וַיִּפֹּל עָלֶיהָ:

Saul preferiu morrer por um golpe dado pelo povo de Israel a sucumbir diante de um golpe mortal inimigo, provavelmente precedido por tortura. Os filisteus teriam transformado Saul em um brinquedo repulsivo. Cf. Êx 10.2. Sua própria espada foi o instrumento de sua morte. Saul, finalmente, caiu sobre a própria espada, porquanto seu escudeiro não teve coragem de aplicar ao rei o golpe de morte. A história contraditória do golpe mortal, por um certo amalequita, é deixada de lado. É provável que o autor sagrado não a tivesse à disposição. Cf. o primeiro capítulo de 2Samuel.

■ 10.5

וַיַּרְא נֹשֵׂא־כֵלָיו כִּי מֵת שָׁאוּל וַיִּפֹּל גַּם־הוּא עַל־הַחֶרֶב וַיָּמֹת: ס

Embora o escudeiro do rei Saul não tivesse ousado matar o rei, teve coragem de suicidar-se. Foi assim que o escudeiro "morreu com ele [Saul]", conforme lemos em 1Sm 31.5. O escudeiro de Saul, pois, viveu com o rei, serviu ao rei e morreu com o rei, cumprindo definitivamente a sua missão.

■ 10.6

וַיָּמָת שָׁאוּל וּשְׁלֹשֶׁת בָּנָיו וְכָל־בֵּיתוֹ יַחְדָּו מֵתוּ:

O autor sacro alterou este versículo. Cf. 1Sm 31.6. Ele enfatizou o fato de que, quando Saul morreu, "toda a sua casa" morreu com ele, embora, naturalmente, não no mesmo dia da batalha contra os filisteus. Foi mister algum tempo para completar a transição da casa de Saul para a casa de Davi, mas a morte de Saul, juntamente com a morte de seus filhos, foi o começo dessa transição. 1Samuel menciona a morte do escudeiro de Saul e de seus *homens*, mas este autor emprestou um significado mais amplo ao acontecimento, que ocorreu *por causa* da morte desgraçada de Saul no monte Gilboa. Pelo menos dois filhos de Saul, Is-Bosete e Mefibosete sobreviveram, e foi Is-Bosete (e não Davi) que governou no reino do norte, ao passo que Davi ficou com o reino do sul. No entanto, o autor sacro não estava interessado nessas *questões preliminares,* embora, sem dúvida, as conhecesse.

A passagem de 2Sm 3.1 mostra que houve um longo período de conflitos armados entre as facções rivais. Por *sete* anos, Davi governou somente as tribos do sul. Mas o cronista ignora esses acontecimentos, para chegar ao que, finalmente, aconteceu. Além disso, sete anos não representam muito tempo! Pela mesma razão, o cronista ignorou a rebelião de Absalão. Ele não estava interessado em retrocessos temporários, mas somente em narrar o *evento principal,* a dinastia de Davi.

■ 10.7

וַיִּרְאוּ כָּל־אִישׁ יִשְׂרָאֵל אֲשֶׁר־בָּעֵמֶק כִּי נָסוּ וְכִי־מֵתוּ שָׁאוּל וּבָנָיו וַיַּעַזְבוּ עָרֵיהֶם וַיָּנֻסוּ וַיָּבֹאוּ פְלִשְׁתִּים וַיֵּשְׁבוּ בָּהֶם: ס

Neste versículo está em pauta a *planície de Jezreel*, onde se lê sobre o "vale". O vale foi abandonado pelo exército de Saul, em fuga. Aqueles que viviam nas cercanias abandonaram suas cidades e fugiram, e alguns filisteus as ocuparam. Foi uma derrota cabal tanto para o exército como para o povo de Israel.

10.8,9

וַיְהִי מִמָּחֳרָת וַיָּבֹאוּ פְלִשְׁתִּים לְפַשֵּׁט אֶת־הַחֲלָלִים וַיִּמְצְאוּ אֶת־שָׁאוּל וְאֶת־בָּנָיו נֹפְלִים בְּהַר גִּלְבֹּעַ׃

וַיַּפְשִׁיטֻהוּ וַיִּשְׂאוּ אֶת־רֹאשׁוֹ וְאֶת־כֵּלָיו וַיְשַׁלְּחוּ בְאֶרֶץ־פְלִשְׁתִּים סָבִיב לְבַשֵּׂר אֶת־עֲצַבֵּיהֶם וְאֶת־הָעָם׃

Os soldados filisteus levaram algumas coisas valiosas, principalmente armas de guerra, uma coleta interessante para qualquer exército conquistador. No dia seguinte ao da derrota de Israel, os filisteus chegaram para coligir seus prêmios de vitória, que faziam parte de seu "salário". Para seu deleite, acharam mortos a Saul e seus filhos, e os mais vigorosos entre eles tomaram a armadura e as armas desses homens. Como ato final de triunfo, e para vergonha de todo o povo de Israel, a cabeça de Saul foi decepada e enviada para ser exibida entre as populações da Filístia. A cabeça de Saul foi exibida nas cidades, mas principalmente nos templos pagãos em honra aos deuses que (alegadamente) lhes tinham dado tão grande vitória.

10.10

וַיָּשִׂימוּ אֶת־כֵּלָיו בֵּית אֱלֹהֵיהֶם וְאֶת־גֻּלְגָּלְתּוֹ תָקְעוּ בֵּית דָּגוֹן׃ ס

A principal divindade a ser honrada era *Dagom*. Foi no templo de Dagom que a cabeça de Saul foi pendurada. Sua armadura foi exibida em outros templos. Assim sendo, ídolos de madeira, pedra e metal foram honrados por algo que não fizeram, mas assim eram os atos dos pagãos. Comparar o paralelo em 1Sm 31.1-13 quanto aos detalhes. Quanto ao versículo presente, ver o vs. 10. *Dagom* não é especificamente mencionado no paralelo. Ver sobre esse nome no *Dicionário*. O cadáver de Saul foi pendurado em uma parede, em Bete-Seã, conforme outros relatos informam. Dessarte, o presente relato conta-nos o que aconteceu à cabeça de Saul, e o paralelo descreve o que aconteceu ao seu corpo.

10.11,12

וַיִּשְׁמְעוּ כֹּל יָבֵישׁ גִּלְעָד אֵת כָּל־אֲשֶׁר־עָשׂוּ פְלִשְׁתִּים לְשָׁאוּל׃

וַיָּקוּמוּ כָּל־אִישׁ חַיִל וַיִּשְׂאוּ אֶת־גּוּפַת שָׁאוּל וְאֵת גּוּפֹת בָּנָיו וַיְבִיאוּם יָבֵישָׁה וַיִּקְבְּרוּ אֶת־עַצְמוֹתֵיהֶם תַּחַת הָאֵלָה בְּיָבֵשׁ וַיָּצוּמוּ שִׁבְעַת יָמִים׃

Os cadáveres de Saul e de seus filhos foram recolhidos para serem sepultados. Mas o trecho paralelo diz-nos que eles foram queimados, embora o presente relato diga que eles foram sepultados sob o carvalho de *Jabes*. É evidente que nessas narrativas, fontes informativas extras foram usadas. O autor presente não copiou meramente o relato de 1Samuel. Ele dispunha de alguns poucos detalhes adicionais e conseguiu criar algumas poucas discrepâncias.

Queimar os corpos era considerado uma desgraça para os hebreus, algo reservado mais aos criminosos (ver Josefo, *Antiq*. vii.25; Lv 20.14 e 21.9). Por isso, alguns eruditos supõem que não tenham sido queimados os cadáveres, mas as caras especiarias usadas no ritual do sepultamento. Ver Jr 35.5 e 2Cr 16.15; 21.19. Mas, se foi isso que o autor sagrado quis dizer, então ele evitou cuidadosamente contar-nos. Os críticos veem apenas uma contradição aqui. A queima pode ter ocorrido se os corpos estivessem num estado avançado de putrefação. Além disso, os corpos estavam horrivelmente mutilados, e isso pode ter inspirado a "limpeza" pelo fogo.

O mais provável é que tenham ocorrido tanto a queima como o sepultamento. Os corpos foram queimados, mas os ossos maiores, que resistiram ao fogo, foram então sepultados.

Debaixo dum arvoredo. Conforme a mentalidade dos hebreus, as árvores tinham um valor místico e, em algumas ocasiões, eram usadas como santuários. O livro de Samuel diz, segundo nossa versão portuguesa, "arvoredo", mas outras versões falam em "tamargueira", que representa uma espécie definida de árvore, criando assim mais uma diferença nos relatos sagrados (ver 1Sm 31.13).

Jejuaram. Ambos os relatos — este e o de 1Samuel — concordam que houve um jejum de sete dias, acompanhado por lamentações. Cf. Jó 2.11-13; Ez 3.15. Ver no *Dicionário* o artigo chamado *Jejum*. Os mortos eram lamentados pelo ato do jejum, e os sete dias formavam um período comum para o ritual.

10.13,14

וַיָּמָת שָׁאוּל בְּמַעֲלוֹ אֲשֶׁר מָעַל בַּיהוָה עַל־דְּבַר יְהוָה אֲשֶׁר לֹא־שָׁמָר וְגַם־לִשְׁאוֹל בָּאוֹב לִדְרוֹשׁ׃

וְלֹא־דָרַשׁ בַּיהוָה וַיְמִיתֵהוּ וַיַּסֵּב אֶת־הַמְּלוּכָה לְדָוִיד בֶּן־יִשָׁי׃ פ

O *cronista* adicionou sua "moral da história", que não aparece no paralelo de 1Samuel. Saul era o homem que havia falhado. Contudo, obtivera muitos sucessos que o autor dos livros de Crônicas não se incomodou em relatar. O cronista viu claramente como Saul falhou, e como um severo julgamento divino pôs fim à primeira dinastia (potencial) de Israel. Foi dessa maneira que a casa de Davi se tornou a "casa real". A dinastia de Davi haveria de perdurar por 425 anos.

Por causa de seus atos e atitudes, Saul perdeu tudo o que poderia ter alcançado. O cronista pronunciou um severo veredicto contra ele. Saul falhou ao não observar os mandamentos de Yahweh. Ele desprezou a orientação da lei mosaica. Além disso, quando precisou de orientação, apelou para uma "médium". Saul não se valeu dos ritos comuns que buscavam iluminação no tabernáculo, por meio do sumo sacerdote, e empregavam o Urim e o Tumim. Talvez ele tenha consultado profetas e videntes autorizados de Israel, mas cometeu um erro fatal ao *paganizar* a sua busca por iluminação. Por isso, Yahweh o matou, concedendo vitória aos filisteus. Yahweh, pois, pôs fim à casa de Saul.

"Saul não pereceu devido às fortunas da guerra, ou porque os filisteus fossem mais poderosos do que Israel, mas por haver desafiado a injunção de Samuel, o verdadeiro profeta de Deus, e buscado conselho da parte dos mortos" (W. A. L. Elmslie, *in loc*.).

"... Ele não buscou conselho da parte do Senhor, mediante o Urim e o Tumim, porquanto havia matado os sacerdotes que estavam em Nobe; por conseguinte, o Senhor o matou, transferindo o reino para Davi, o filho de Jessé" (Adam Clarke, *in loc*.).

Erros de Saul. 1. Ele não observou a palavra profética de Yahweh (ver 1Sm 13.13; 15.23). 2. Ele consultou uma força espiritual pagã, uma necromante (1Sm 28). Ver Lv 19.31 quanto a um mandamento que condena essa prática. 3. Ele também matou os sacerdotes de Nobe (ver 1Sm 22.18), embora nosso autor tenha ignorado esse importante dado. 4. Ele cultivava um ódio implacável contra Davi, e tentara matá-lo por um longo período de tempo. Nosso autor também ignorou esse dado. Ver 1Sm 20.

Assim terminou o perturbado, mas não inútil, reinado de Saul, o primeiro rei de Israel. Aquilo que Saul deixara por fazer, Davi realizaria. Saul debilitou os inimigos de Israel. Davi haveria de esmagá-los. A pena de outro autor sacro registrou os atos de valentia de Saul. Mas o autor dos livros de Crônicas registrou somente seus fracassos. Contudo, Saul foi um homem poderoso. E, a despeito de todos os seus fracassos, creio que ele está agora entre as almas entesouradas sob o altar de Deus (1Sm 25.29).

CAPÍTULO ONZE

CAPTURA DE SIÃO E OS GUERREIROS DE DAVI (11.1—12.40)

OS TRIUNFOS DE DAVI (11.1-9)

As *genealogias* (capítulos 1 a 9) tinham, como um de seus propósitos principais, demonstrar que a nação de Israel que continuara na tribo isolada de Judá, terminado o cativeiro babilônico, era um Israel legítimo, capaz de levar avante as antigas promessas e pactos. Os que acabaram voltando para Jerusalém incluíam todos os descendentes apropriados e necessários dos sacerdotes, levitas e poderes políticos. A casa real de Davi continuou a existir após o cativeiro. Os livros de 1 e 2Crônicas foram escritos para fomentar a dinastia davídica e demonstrar sua autoridade pós-exílica. As promessas de Yahweh não fracassaram, apesar dos dois cativeiros devastadores. Ver no *Dicionário* os verbetes intitulados *Cativeiro Assírio* e *Cativeiro Babilônico*.

O *décimo capítulo* de 1Crônicas conta como Saul, o primeiro rei de Israel, falhou totalmente, e como Yahweh o julgou por esse fracasso. O autor sagrado não se importou em mencionar suas virtudes e triunfos. Ele via somente como a desobediência de Saul pôs fim à sua dinastia potencial, e como isso abriu caminho para uma nova linhagem real. A dinastia davídica durou 425 anos. E agora, terminado o cativeiro babilônico, continuaria por mais alguns séculos, até que o cativeiro romano pusesse fim a qualquer semelhança de poder davídico. Mas no rei Messias (o Filho maior de Davi), há o cumprimento eterno das promessas divinas.

■ 11.1

וַיִּקָּבְצוּ כָל־יִשְׂרָאֵל אֶל־דָּוִיד חֶבְרוֹנָה לֵאמֹר הִנֵּה עַצְמְךָ וּבְשָׂרְךָ אֲנָחְנוּ׃

Em seu relato, o autor sagrado ignorou todas as lutas ocorridas para que Davi fosse estabelecido rei sobre a nação de Israel. A impressão que se tem em 1Cr é que, *sem esforço algum,* Davi tornou-se rei tanto de Judá quanto de Israel. Nosso autor, pois, ignorou a informação contida em 2Sm 1—4 e 5.4,5. Is-Bosete (filho de Saul), na verdade, governou o reino do norte após a morte de seu pai (ver 2Sm 2.8). Foram necessários nada menos que sete anos para que Davi consolidasse sua autoridade sobre o norte, e assim se tornasse rei sobre a nação unificada de Israel. O trecho de 2Sm 3.1 mostra-nos que houve um longo período de atritos entre as facções armadas. O autor sagrado diria: "Sete anos? E daí? Sete anos não são grande coisa". Ele não tinha interesse em recuos temporários. Apressou-se para relatar as vitórias de Davi. Esse era o *evento principal*. O autor sacro não estava preocupado com eventos preliminares, embora, sem dúvida, deles tivesse consciência. Ver no *Dicionário* o artigo chamado *Esbaal,* outro nome de *Is-Bosete.*

Hebrom. Davi governou primeiramente a tribo de Judá, antes de governar as tribos do norte. Portanto, *todo o Israel* dirigiu-se a Hebrom para pedir que Davi fosse também o rei da parte norte da nação. Ele era um compatriota israelita, de carne e osso, unido a seus irmãos do norte, de maneira que estava qualificado para ser rei. Abner tornou-se culpado de maquinações (ver 2Sm 2.8-32), e então houve lutas e derrotas, mas que se revelaram apenas *inconveniências* que o cronista preferiu ignorar. Foi também verdade, contudo, que *finalmente* o que foi dito neste primeiro versículo tornou-se realidade, e as circunstâncias favoráveis assim criadas fizeram de Davi rei sobre todo o Israel unido.

"A narrativa começa, portanto, com um apelo dos habitantes de Israel (a nação do norte) para Davi tornar-se o rei deles. Eles reconheceram que Davi era rei por determinação divina (1Cr 11.2)" (Eugene H. Merrill, *in loc.*).

Ver 2Sm 5.1 quanto ao fato de que Davi era "carne e osso" deles. Aquele capítulo registra o que está referido no presente texto: a delegação veio do norte solicitar que Davi se tornasse o rei de toda a nação israelita.

Ver 2Sm 2.11 quanto aos sete anos do governo de Davi, em Judá, antes de ele se tornar rei também do norte (Israel). E o trecho de 2Sm 5.5 mostra-nos que Davi teve um reinado de quarenta anos: sete anos sobre Judá somente; e 33 anos sobre o reino unido de Israel.

■ 11.2

גַּם־תְּמוֹל גַּם־שִׁלְשׁוֹם גַּם בִּהְיוֹת שָׁאוּל מֶלֶךְ אַתָּה הַמּוֹצִיא וְהַמֵּבִיא אֶת־יִשְׂרָאֵל וַיֹּאמֶר יְהוָה אֱלֹהֶיךָ לְךָ אַתָּה תִרְעֶה אֶת־עַמִּי אֶת־יִשְׂרָאֵל וְאַתָּה תִּהְיֶה נָגִיד עַל עַמִּי יִשְׂרָאֵל׃

Tu apascentarás o meu povo de Israel. Que Davi era rei por escolha divina, foi reconhecido, afinal, por todo o Israel. Os vss. 1-9 são paralelos a 2Sm 5.1-10, cujas notas expositivas também se aplicam aqui. Quanto a este segundo versículo, ver 2Sm 5.2.

O Pastor. Davi é aqui retratado como o pastor do povo de Israel, que o conduziria para fora e para dentro, e lhe proveria bem-estar e prosperidade. Ele era também o rei-pastor que prefigurava o Rei Messias como profeta, sacerdote e rei, e como o grande pastor das ovelhas (Jo 10). Cf. Is 40.11 e Sl 80.1, que são passagens messiânicas em seu caráter. O rei era o representante de Deus (ver Rm 13.1). Documentos em escrita cuneiforme revelam o antigo conceito, no estágio pré-semítico da história babilônica, em que o rei figura como pastor. Ver no *Dicionário* o verbete chamado *Pastor.*

Proteção, orientação e *nutrição* são os deveres óbvios do pastor, e as ovelhas dependem dele totalmente. Só Deus é independente. O resto da criação é dependente, um princípio característico dos seres finitos.

■ 11.3

וַיָּבֹאוּ כָּל־זִקְנֵי יִשְׂרָאֵל אֶל־הַמֶּלֶךְ חֶבְרוֹנָה וַיִּכְרֹת לָהֶם דָּוִיד בְּרִית בְּחֶבְרוֹן לִפְנֵי יְהוָה וַיִּמְשְׁחוּ אֶת־דָּוִיד לְמֶלֶךְ עַל־יִשְׂרָאֵל כִּדְבַר יְהוָה בְּיַד־שְׁמוּאֵל׃ ס

Este versículo é diretamente paralelo a 2Sm 5.3, e as notas dadas ali também se aplicam aqui. O pacto foi feito "perante o Senhor", implicando que todos os requisitos da legislação mosaica seriam satisfeitos. Os deveres de um rei foram declarados abertamente em Dt 17.14-20.

■ 11.4,5

וַיֵּלֶךְ דָּוִיד וְכָל־יִשְׂרָאֵל יְרוּשָׁלַםִ הִיא יְבוּס וְשָׁם הַיְבוּסִי יֹשְׁבֵי הָאָרֶץ׃

וַיֹּאמְרוּ יֹשְׁבֵי יְבוּס לְדָוִיד לֹא תָבוֹא הֵנָּה וַיִּלְכֹּד דָּוִיד אֶת־מְצֻדַת צִיּוֹן הִיא עִיר דָּוִיד׃

Estes dois versículos têm paralelo em 2Sm 5.6, cujas notas expositivas também se aplicam aqui. Cf. Js 18.16,28. Jerusalém tinha excelente localização para servir de capital, situada entre Israel e Judá. Quem liderou o caminho foi Joabe, o principal general das tropas davídicas, um homem brutal e habilidoso, diante de quem nenhum inimigo podia resistir.

"A subida de Davi ao trono foi seguida por um empreendimento guerreiro, de acordo com o precedente deixado por Saul (1Sm 11). Isso corresponde à razão atribuída para a eleição de um rei (1Sm 8.20), bem como ao que sabemos sobre os costumes assírios, e serve de sinal de verdade histórica" (Ellicott, *in loc.*, que salientou o fato de que um rei, naquela época, tinha de ser um guerreiro líder, visto que os povos nunca cessavam de matar ou ser mortos, e precisavam de um comando forte para seus empreendimentos guerreiros). Ver os artigos do *Dicionário* intitulados *Jebus; Jebuseus; Salém* e *Jerusalém.*

■ 11.6

וַיֹּאמֶר דָּוִיד כָּל־מַכֵּה יְבוּסִי בָּרִאשׁוֹנָה יִהְיֶה לְרֹאשׁ וּלְשָׂר וַיַּעַל בָּרִאשׁוֹנָה יוֹאָב בֶּן־צְרוּיָה וַיְהִי לְרֹאשׁ׃

Este versículo tem paralelo em 2Sm 5.7,8, com a única diferença de que ali o temível Joabe não foi mencionado como quem cumpriu a ordem do rei e ousadamente tomou a fortaleza dos jebuseus. O paralelo (vs. 8) menciona o *modus operandi* da tomada de Jerusalém por Joabe, mediante uma fenda na rocha, o túnel pelo qual vinha o suprimento de água para a cidade, usado como acesso à cidadela. O cronista ou condensou a narrativa paralela ou contou com uma fonte informativa mais simples, para seguir neste ponto. Ver no *Dicionário* o verbete chamado *Joabe,* para acompanhar a carreira do mais habilidoso e brutal guerreiro de Davi, o qual, por longo tempo, foi seu principal general e homem de lealdade cega e inflexível.

"A fortaleza de Sião (vs. 5) evidentemente estava em uma colina que dava frente para a cidade jebuseia que Davi adicionou ao povoado original. Ele mesmo fixou residência em Sião (ver 1Cr 11.5,7) e estendeu a cidade inteira para o norte, até os terraços, engolfando sua inteireza com muralhas. Então isso foi chamado de cidade de Davi. (Cf. 2Sm 5.7,9; 1Rs 2.10)" (Eugene H. Merrill, *in loc.*).

■ 11.7

וַיֵּ֧שֶׁב דָּוִ֛יד בַּמְצָ֖ד עַל־כֵּ֣ן קָרְאוּ־ל֑וֹ עִ֥יר דָּוִֽיד׃

Habitou Davi na fortaleza. Davi conquistou a fortaleza ou fortim, que se tornou a *acrópole* de sua cidade. Dessa maneira, pois, Davi conseguiu efetuar uma grande vitória militar, consolidando o seu poder como rei das nações do norte (Israel) e do sul (Judá). Infelizmente, porém, somente Salomão, seu filho, haveria de governar sobre um império unido de Israel. A disputa entre Roboão (filho de Salomão) e Jeroboão (um dos principais líderes da nação do norte) em breve dividiria o reino em dois sub-reinos rivais, que vieram a tornar-se conhecidos como Judá e Israel, respectivamente.

■ 11.8

וַיִּ֤בֶן הָעִיר֙ מִסָּבִ֔יב מִן־הַמִּלּ֖וֹא וְעַד־הַסָּבִ֑יב וְיוֹאָ֕ב יְחַיֶּ֖ה אֶת־שְׁאָ֥ר הָעִֽיר׃

1Cr 11.7,8 é trecho paralelo de 2Sm 5.9, cujas notas expositivas também se aplicam aqui. A cidade ampliada, incluindo os terraços (Milo) (vs. 8), tornou-se a cidade de Davi, a nova capital. *Milo* é transliteração da palavra hebraica que significa "enchimento". Isso pode referir-se a uma área, entre as duas colinas de Jebus e Sião, que foi preenchida para nivelar a cidade inteira. As notas no trecho paralelo fornecem detalhes.

■ 11.9

וַיֵּ֥לֶךְ דָּוִ֖יד הָל֣וֹךְ וְגָד֑וֹל וַיהוָ֥ה צְבָא֖וֹת עִמּֽוֹ׃ פ

Este versículo tem paralelo em 2Sm 5.10, cujas notas expositivas também se aplicam aqui. Davi teve um começo esplendoroso e foi lançado imediatamente na grandeza. Isso foi obra de Yahweh, que transformou Davi por amor a Israel.

"... Davi avançou, caminhando e crescendo (conforme diz o trecho hebraico, literalmente), uma metáfora comum, no hebraico, para indicar um aumento gradual e progressivo. Cf. Gn 8.5" (Ellicott, *in loc.*).

OS PODEROSOS GUERREIROS DE DAVI (11.10-47)

Esta seção tem paralelo em 2Sm 23.8-39, onde a maior parte das notas expositivas é apresentada. Os feitos são descritos naturalmente no decorrer de certo período de tempo, alguns deles antes de Davi tornar-se rei, mas a maioria depois. Os *feitos,* naturalmente, envolviam derramamento de sangue. Os grandes matadores eram os grandes heróis, porquanto era essa habilidade que preservava uma nação. Devemos lembrar que, naqueles dias, as "nações" eram, de fato, pequenos países compostos por tribos ou clãs aguerridos, que viviam em constante conflito. Os fracos simplesmente deixavam de existir, e a misericórdia era um fenômeno raro. Cf. com as histórias épicas de Homero, a *Ilíada* e a *Odisseia*. Ali, os heróis também eram os mais habilidosos para matar seus semelhantes, e, de modo geral, o derramamento de sangue era exaltado como nobre maneira de viver.

Os "heróis" de Davi eram aqueles homens leais que, antes ou depois de ele tornar-se rei, agiram como seus guarda-costas e instrumentos de seus feitos guerreiros. No começo, formavam um pequeno exército. Depois vieram a tornar-se o núcleo de seu exército expandido, generais e oficiais militares.

Apesar de reconhecer a necessidade de tais matanças, pois a questão era matar para não ser morto, dificilmente podemos exaltar tais passagens do Antigo Testamento como modelos espirituais. Mas podemos extrair deles algumas lições valiosas.

Em seu quarto livro, *De Principiis,* Orígenes diz *como* podemos interpretar melhor as Escrituras. Elas, tal como o próprio homem, têm vários níveis de significado. E assim como o homem tem um corpo físico mortal, algumas vezes as Escrituras também podem ser interpretadas *literalmente*. Da mesma forma que o homem tem uma *alma,* algumas vezes as Escrituras também podem ser interpretadas *moralmente.* Ou, em outras palavras, podemos extrair lições morais, por exemplo, de passagens que falam em muito sangue, como esta diante de nós, o capítulo 11 de 1Crônicas. E, igualmente, assim como o homem tem um *espírito,* algumas vezes as Escrituras também podem ser interpretadas mística ou espiritualmente. É nesse ponto que obtemos as maiores lições e informações. Muitas passagens prestam-se a mais de um modo de interpretação.

As dificuldades exegéticas (conforme Orígenes sugeriu) foram postas nas Escrituras pelo próprio Deus, a fim de apresentar-nos alguns *obstáculos*. Esses obstáculos estão presentes para forçar-nos a *usar a nossa mente*. Embora a verdade possa ser dada facilmente, por muitas vezes ela é mais como uma mina de ouro. Temos de *esforçar-nos* para extrair o metal precioso.

Todos os nomes próprios que aparecem neste versículo recebem artigos separados no *Dicionário*. As diferenças entre as duas listas também são observadas.

■ 11.10-14

V10 וְאֵ֨לֶּה רָאשֵׁ֤י הַגִּבּוֹרִים֙ אֲשֶׁ֣ר לְדָוִ֔יד הַמִּתְחַזְּקִ֨ים עִמּ֤וֹ בְמַלְכוּתוֹ֙ עִם־כָּל־יִשְׂרָאֵ֔ל לְהַמְלִיכ֖וֹ כִּדְבַ֣ר יְהוָ֑ה עַל־יִשְׂרָאֵֽל׃ ס

V11 וְאֵ֛לֶּה מִסְפַּ֥ר הַגִּבֹּרִ֖ים אֲשֶׁ֣ר לְדָוִ֑יד יָשָׁבְעָ֣ם בֶּן־חַכְמוֹנִ֗י רֹ֚אשׁ הַשָּׁלִישִׁ֔ים הֽוּא־עוֹרֵ֧ר אֶת־חֲנִית֛וֹ עַל־שְׁלֹשׁ־מֵא֥וֹת חָלָ֖ל בְּפַ֥עַם אֶחָֽת׃

V12 וְאַחֲרָ֛יו אֶלְעָזָ֥ר בֶּן־דּוֹד֖וֹ הָאֲחוֹחִ֑י ה֖וּא בִּשְׁלוֹשָׁ֥ה הַגִּבֹּרִֽים׃

V13 הֽוּא־הָיָ֨ה עִם־דָּוִ֜יד בַּפַּ֣ס דַּמִּ֗ים וְהַפְּלִשְׁתִּים֙ נֶאֶסְפוּ־שָׁ֣ם לַמִּלְחָמָ֔ה וַתְּהִ֛י חֶלְקַ֥ת הַשָּׂדֶ֖ה מְלֵאָ֣ה שְׂעוֹרִ֑ים וְהָעָ֥ם נָ֖סוּ מִפְּנֵ֥י פְלִשְׁתִּֽים׃

V14 וַיִּֽתְיַצְּב֤וּ בְתוֹךְ־הַחֶלְקָה֙ וַיַּצִּיל֔וּהָ וַיַּכּ֖וּ אֶת־פְּלִשְׁתִּ֑ים וַיּ֥וֹשַׁע יְהוָ֖ה תְּשׁוּעָ֥ה גְדוֹלָֽה׃

Primeiro Grupo: Vss. 10-14: "Este catálogo corresponde ao de 2Sm 23.8-39, que, entretanto, não trata de Urias, o heteu. Além disso, o texto presente menciona dezesseis nomes adicionais. Esse fato prova que o cronista tinha ou uma fonte informativa mais completa, ou uma recensão diferente. Há numerosas variantes quanto à grafia das palavras, provavelmente a maior parte consistente em erros de transcrição" (Ellicott, *in loc.*).

Joabe. Era o mais feroz de todos, já mencionado no sexto versículo. A ele, o autor agora adiciona outros três, compondo um total de *quatro* no primeiro e mais notável dos grupos. Esses quatro formavam o *círculo interior* de força. Ver o paralelo em 2Sm 23.11. Joabe era sobrinho de Davi, filho de sua meia-irmã, Zeruia (ver 1Cr 2.16; 18.15; 26.28 e 27.24).

Jasobeão. Era o principal dos oficiais, ou seja, dos *trinta* homens que compõem a lista (ver o vs. 15). Esse número de trinta, como é óbvio, variava com a passagem do tempo, com algumas mortes e acréscimos de combatentes. seu grande feito foi matar trezentos homens em uma única ocasião (ver 1Cr 11.11). O trecho de 2Sm 23.8 fala em oitocentos homens. Talvez esteja envolvido um erro de transcrição por parte de algum escriba, pois os símbolos para os números trezentos e oitocentos são similares.

Eleazar. Distinguiu-se por ter ajudado Davi a defender Pas-Damim (vs. 13) com singular habilidade e bravura (vss. 12-14).

Samá. (Ver 2Sm 23.11-13) Ele não figura na lista presente, mas o trecho paralelo conta seus feitos heroicos.

■ 11.15-25

V15 וַיֵּרְד֤וּ שְׁלוֹשָׁה֙ מִן־הַשְּׁלוֹשִׁ֣ים רֹ֔אשׁ עַל־הַצֻּ֖ר אֶל־דָּוִ֑יד אֶל־מְעָרַ֣ת עֲדֻלָּ֑ם וּמַחֲנֵ֣ה פְלִשְׁתִּ֔ים חֹנָ֖ה בְּעֵ֥מֶק רְפָאִֽים׃

V16 וְדָוִ֖יד אָ֣ז בַּמְּצוּדָ֑ה וּנְצִ֣יב פְּלִשְׁתִּ֔ים אָ֖ז בְּבֵ֥ית לָֽחֶם׃

V17 וַיִּתְאָ֥יו דָּוִ֖יד וַיֹּאמַ֑ר מִ֚י יַשְׁקֵ֣נִי מַ֔יִם מִבּ֥וֹר בֵּֽית־לֶ֖חֶם אֲשֶׁ֥ר בַּשָּֽׁעַר׃

V18 וַיִּבְקְעוּ הַשְּׁלֹשָׁה בְּמַחֲנֵה פְלִשְׁתִּים וַיִּשְׁאֲבוּ־מַיִם מִבּוֹר בֵּית־לֶחֶם אֲשֶׁר בַּשַּׁעַר וַיִּשְׂאוּ וַיָּבִאוּ אֶל־דָּוִיד וְלֹא־אָבָה דָוִיד לִשְׁתּוֹתָם וַיְנַסֵּךְ אֹתָם לַיהוָה׃

V19 וַיֹּאמֶר חָלִילָה לִּי מֵאֱלֹהַי מֵעֲשׂוֹת זֹאת הֲדַם הָאֲנָשִׁים הָאֵלֶּה אֶשְׁתֶּה בְנַפְשׁוֹתָם כִּי בְנַפְשׁוֹתָם הֱבִיאוּם וְלֹא אָבָה לִשְׁתּוֹתָם אֵלֶּה עָשׂוּ שְׁלֹשֶׁת הַגִּבֹּרִים׃

V20 וְאַבְשַׁי אֲחִי־יוֹאָב הוּא הָיָה רֹאשׁ הַשְּׁלוֹשָׁה וְהוּא עוֹרֵר אֶת־חֲנִיתוֹ עַל־שְׁלֹשׁ מֵאוֹת חָלָל וְלוֹ־שֵׁם בַּשְּׁלוֹשָׁה׃

V21 מִן־הַשְּׁלוֹשָׁה בַשְּׁנַיִם נִכְבָּד וַיְהִי לָהֶם לְשָׂר וְעַד־הַשְּׁלוֹשָׁה לֹא־בָא׃ ס

V22 בְּנָיָה בֶן־יְהוֹיָדָע בֶּן־אִישׁ־חַיִל רַב־פְּעָלִים מִן־קַבְצְאֵל הוּא הִכָּה אֵת שְׁנֵי אֲרִיאֵל מוֹאָב וְהוּא יָרַד וְהִכָּה אֶת־הָאֲרִי בְּתוֹךְ הַבּוֹר בְּיוֹם הַשָּׁלֶג׃

V23 וְהוּא־הִכָּה אֶת־הָאִישׁ הַמִּצְרִי אִישׁ מִדָּה חָמֵשׁ בָּאַמָּה וּבְיַד הַמִּצְרִי חֲנִית כִּמְנוֹר אֹרְגִים וַיֵּרֶד אֵלָיו בַּשָּׁבֶט וַיִּגְזֹל אֶת־הַחֲנִית מִיַּד הַמִּצְרִי וַיַּהַרְגֵהוּ בַּחֲנִיתוֹ׃

V24 אֵלֶּה עָשָׂה בְּנָיָהוּ בֶּן־יְהוֹיָדָע וְלוֹ־שֵׁם בִּשְׁלוֹשָׁה הַגִּבֹּרִים׃

V25 מִן־הַשְּׁלוֹשִׁים הִנּוֹ נִכְבָּד הוּא וְאֶל־הַשְּׁלוֹשָׁה לֹא־בָא וַיְשִׂימֵהוּ דָוִיד עַל־מִשְׁמַעְתּוֹ׃ ס

Segundo Grupo: Vss. 15-25. Os *três homens* são citados por terem arriscado a própria vida para obter água para Davi, extraindo-a do poço de Belém, quando ele se escondia dos filisteus em Adulão. Davi ficou tão comovido com o sacrifício e a lealdade deles que derramou a água como libação oferecida a Yahweh. Aquela água tornara-se por demais preciosa para ser consumida. O trecho paralelo é 2Sm 23.13-17, que oferece informações detalhadas. É provável que o incidente tenha ocorrido quando Davi encontrou, pela primeira vez, os filisteus (ver 2Sm 5.17-21), depois de capturar Jerusalém. Foi Davi quem "limpou a terra" dos inimigos de Israel. Os que não foram exterminados, foram confinados, especialmente nas áreas costeiras. Isso possibilitou o surgimento do império unido de Israel, e longo período de paz que se seguiu, durante o qual se deu a consolidação do reino de Davi. Salomão trouxe a Israel sua "época áurea", tanto econômica quanto culturalmente. Foi Salomão quem erigiu o templo de Jerusalém. Essas coisas não poderiam ter acontecido sem os feitos militares de Davi. Ver sobre a *guerra santa*, em Dt 7.1-5; 20.10-18. Ver os *oito* inimigos que foram derrotados por Davi, em 2Sm 10.19.

Abisai. Irmão de Joabe e chefe do segundo grupo de três (vs. 20), em certa ocasião matou trezentos homens. Era o líder do segundo grupo, mas inferior aos quatro componentes do primeiro grupo (vss. 10-14). É difícil entender como um homem que em uma única ocasião mata, sozinho, trezentos homens pode ser inferior a outro ser humano! O fato de ele ser inferior revela quão temíveis eram os outros guerreiros.

> Não é ruim; que eles brinquem.
> Que os canhões ladrem e o avião de bombardeio
> Fale suas prodigiosas blasfêmias.
> ...
>
> Quem se lembraria da face de Helena,
> sem o terrível halo de lanças?
> ...
> Nunca chores; deixe-os brincar.
> A antiga violência não é antiga demais,
> A ponto de não poder gerar novos valores.
>
> Robinson Jeffers

Uma Exposição Abreviada. A maior parte dos nomes aqui citados já foi comentada no trecho paralelo de 2Sm 23.13-17, e os feitos aqui mencionados também foram descritos no trecho paralelo. Além disso, esses guerreiros mereceram artigos individuais no *Dicionário*. Essas circunstâncias permitem uma breve exposição aqui no capítulo 11 de 1Crônicas.

Benaia (vss. 22-24). Tornou-se conhecido por ser capaz de matar homens semelhantes a leões, além de leões propriamente ditos. Ele matava bestas humanas e bestas-feras. Além disso, abateu um egípcio que tinha cerca de 2,30 metros de altura. Benaia foi um grande guerreiro, porém não tão grande que pudesse ser classificado entre o primeiro grupo dos quatro. Salomão, em seu tempo de reinado, nomeou Benaia como comandante em chefe do exército de Israel (1Rs. 2.35). Ver 2Sm 23.20 ss. quanto ao trecho paralelo.

O *terceiro homem do segundo grupo* não foi chamado por seu nome.

■ 11.26-47

V26 וְגִבּוֹרֵי הַחֲיָלִים עֲשָׂה־אֵל אֲחִי יוֹאָב אֶלְחָנָן בֶּן־דּוֹדוֹ מִבֵּית לָחֶם׃ ס

V27 שַׁמּוֹת הַהֲרוֹרִי חֶלֶץ הַפְּלוֹנִי׃ ס

V28 עִירָא בֶן־עִקֵּשׁ הַתְּקוֹעִי אֲבִיעֶזֶר הָעַנְּתוֹתִי׃ ס

V29 סִבְּכַי הַחֻשָׁתִי עִילַי הָאֲחוֹחִי׃ ס

V30 מַהְרַי הַנְּטֹפָתִי חֵלֶד בֶּן־בַּעֲנָה הַנְּטוֹפָתִי׃ ס

V31 אִיתַי בֶּן־רִיבַי מִגִּבְעַת בְּנֵי בִנְיָמִן ס בְּנָיָה הַפִּרְעָתֹנִי׃

V32 חוּרַי מִנַּחֲלֵי גָעַשׁ ס אֲבִיאֵל הָעַרְבָתִי׃ ס

V33 עַזְמָוֶת הַבַּחֲרוּמִי אֶלְיַחְבָּא הַשַּׁעַלְבֹנִי׃ ס

V34 בְּנֵי הָשֵׁם הַגִּזוֹנִי יוֹנָתָן בֶּן־שָׁגֵה הַהֲרָרִי׃ ס

V35 אֲחִיאָם בֶּן־שָׂכָר הַהֲרָרִי אֱלִיפַל בֶּן־אוּר׃ ס

V36 חֵפֶר הַמְּכֵרָתִי אֲחִיָּה הַפְּלֹנִי׃ ס

V37 חֶצְרוֹ הַכַּרְמְלִי נַעֲרַי בֶּן־אֶזְבָּי׃ ס

V38 יוֹאֵל אֲחִי נָתָן מִבְחָר בֶּן־הַגְרִי׃ ס

V39 צֶלֶק הָעַמּוֹנִי נַחְרַי הַבֵּרֹתִי נֹשֵׂא כְּלֵי יוֹאָב בֶּן־צְרוּיָה׃ ס

V40 עִירָא הַיִּתְרִי גָּרֵב הַיִּתְרִי׃ ס

V41 אוּרִיָּה הַחִתִּי זָבָד בֶּן־אַחְלָי׃ ס

V42 עֲדִינָא בֶן־שִׁיזָא הָראוּבֵנִי רֹאשׁ לָרֵאוּבֵנִי וְעָלָיו שְׁלוֹשִׁים׃ ס

V43 חָנָן בֶּן־מַעֲכָה וְיוֹשָׁפָט הַמִּתְנִי׃ ס

V44 עֻזִיָּא הָעַשְׁתְּרָתִי שָׁמָע וִיעוּאֵל ס בְּנֵי חוֹתָם הָעֲרֹעֵרִי׃ ס

V45 יְדִיעֲאֵל בֶּן־שִׁמְרִי וְיֹחָא אָחִיו הַתִּיצִי׃ ס

V46 אֱלִיאֵל הַמַּחֲוִים וִירִיבַי וְיוֹשַׁוְיָה בְּנֵי אֶלְנָעַם
וְיִתְמָה הַמּוֹאָבִי׃

V47 אֱלִיאֵל וְעוֹבֵד וַיַעֲשִׂיאֵל הַמְּצֹבָיָה׃ פ

O Restante da Lista: Vss. 26-47. Até Urias, o heteu, a presente lista é quase idêntica à de 2Sm 23.24-39. Ocorrem algumas pequenas diferenças, bem como algumas pequenas variantes na grafia dos nomes. Depois de Urias, entretanto, a lista presente provê outros dezesseis nomes. A nova lista ocupa os vss. 42 a 47. Os nomes adicionais foram acrescentados aos originais, que eram cerca de trinta. O número específico de trinta fora mantido nesse nível apenas por pouco tempo, mas o grupo inteiro continuou a ser chamado de "os trinta" por motivo de conveniência. O trecho de 2Sm 23.39 apresenta o total de 37 nomes. É provável que o número exato de trinta nunca tenha existido.

Adina, filho de Siza, rubenita... e com ele trinta. "Estas últimas palavras, na Septuaginta, foram traduzidas por 'além dele'. A versão siríaca diz 'e ele estava comandando trinta homens', que dá o sentido aparente do versículo. Se, conforme parece provável, esses trinta eram os *oficiais* da guarda de Davi, composta por seiscentos homens (ver 1Sm 23.13; 30.10; 2Sm 10.7; 20.7 e 1Rs 1.8), então cada capitão ordenaria cerca de *vinte* homens" (Ellicott, *in loc.*).

Eugene H. Merrill, *in loc.*, manipula a lista para conseguir os *trinta* homens. Para tanto, os primeiros cinco nomes dos dois grupos (1Cr 11.10-14 e 15-25) têm de ser deixados de fora da lista. A partir de Azael (vs. 30) e passando por Urias (vs. 41), há trinta nomes; porém, como é fácil notar, é necessária alguma manipulação para chegar ao número exato de trinta; mas a precisão não é importante aqui. Ver o gráfico ilustrativo que acompanha o texto presente.

As Adições: Vss. 41-46. Visto que os nomes anteriores (vss. 26-41a) têm paralelo em 2Sm 23.24-39, e não há diferenças significativas, peço que o leitor examine a passagem paralela quanto às notas expositivas. Aqui comento sobre os dezesseis nomes adicionais.

Observações:
1. Meu gráfico lista os nomes, de forma que não os repito aqui.
2. Todos os nomes dados nesta lista de dezesseis apelativos recebem artigos separados no *Dicionário,* apesar do pouco que se sabe sobre eles.
3. Presumivelmente, esses homens substituíram outros que figuravam na lista original, ou simplesmente somaram-se às suas forças. O pequeno exército inicial de Davi foi crescendo com a passagem do tempo e passou a ser o núcleo de suas forças armadas permanentes. Muitos tornaram-se oficiais no exército expandido de Davi.

CAPÍTULO DOZE

O PODER E O EXÉRCITO EXPANDIDO DE DAVI (12.1-40)

Feitos Heroicos

Este capítulo 12 de 1Crônicas atua como uma espécie de lista suplementar de guerreiros que se foram unindo ao bando de Davi com a passagem do tempo. O trecho de 1Cr 11.10-47 (paralelo de 2Sm 23.8-39) lista os *trinta* poderosos guerreiros e mais uma lista de dezesseis nomes que foram sendo acrescentados, em substituição a alguns ou em acréscimo ao número dos heróis. O propósito do autor sagrado foi engrandecer a Davi, demonstrando que ele era um digno rei-guerreiro, que exercia autoridade sobre Israel e era o homem escolhido por Yahweh. A maior parte do material que aparece aqui não se encontra nem em 2Samuel nem em 1Rs, por isso alguns críticos supõem que essa lista tenha sido uma invenção baseada em tradições pouco fundamentadas sobre os fatos históricos. Por outro lado, já vimos em 1Cr que o autor sacro tinha à sua disposição outras fontes informativas, e que o guerreiro Davi teve uma vida plena de atividades não relatadas por nenhuma das fontes informativas.

"Este capítulo oferece uma narrativa de pessoas que estiveram ligadas a Davi em tempos diferentes, e juntaram-se a ele e ajudaram-no antes da morte de Saul, quando ainda o perseguia, e depois que Davi foi feito rei de Judá, em Hebrom, mas antes de tornar-se rei de todo o reino unido de Israel" (John Gill, *in loc.*).

O capítulo 12 descreve "a habilidade de Davi em atrair homens de valor. Temos aqui uma descrição do exército de Davi. Ele é vinculado ao passado mediante alusões históricas e, no entanto, é, ao mesmo tempo, o protótipo do futuro rei ideal ou Messias" (*Oxford Annotated Bible,* sobre o primeiro versículo deste capítulo).

■ **12.1**

וְאֵלֶּה הַבָּאִים אֶל־דָּוִיד לְצִיקְלַג עוֹד עָצוּר מִפְּנֵי
שָׁאוּל בֶּן־קִישׁ וְהֵמָּה בַּגִּבּוֹרִים עֹזְרֵי הַמִּלְחָמָה׃

São estes os que vieram a Davi. "O capítulo 12 é uma espécie de suplemento ao capítulo 11, e, em sua inteireza, é peculiar ao livro de 1Crônicas. Contém dois registros: 1. dos guerreiros que se aliaram com sucesso a Davi, durante seus anos de fora da lei (cf. 1Sm 22.1 ss.): vss. 1-22; e 2. dos representantes tribais que coroaram Davi em Hebrom. Isso forma um apêndice a 1Cr 11.1-3: vs. 23-40.

A primeira lista é subdividida em *três* porções: vss. 1-7; 8-18 e 19-22.

A maioria dos homens poderosos de Davi (listados em 1Cr 11.10-47) pertencia à própria tribo de Judá. Gradualmente, porém, alguns elementos de outras tribos, cansados de apoiar Saul, associaram-se a Davi. Foi assim que a autoridade de Davi passou a ser *universalizada*.

"Estando no exílio, fugindo de Saul, em Ziclague (cf. 1Sm 27.1-7), Davi recebeu ajuda de vários elementos da própria tribo de Saul, isto é, *Benjamim*. Esses 23 homens são listados em 1Cr 12.3-7" (Eugene H. Merrill, *in loc.*).

Ver os nomes próprios no *Dicionário,* quanto a detalhes. *Ziclague* ficava localizada cerca de quarenta quilômetros a sudoeste de Hebrom. Foi ali que Davi se refugiou, temendo o louco Saul, que procurava matá-lo para livrar-se de um rival ao trono. Ver 1Sm 22 e, especificamente, 1Cr 27.1-7 quanto ao quartel-general de Davi, em Ziclague.

Aquis lhe provera asilo, simpatizando com a causa de Davi. Ver 1Sm 27.10. Aquis era um dos principais líderes dos filisteus, o rei suserano de Gate.

Que o ajudaram na guerra. Não de Davi contra Saul, mas contra os amalequitas e outros (ver 1Sm 27.8 e 30.16,17). Davi nunca teve descanso. Sempre havia alguém contra quem ele tinha de lutar. Somente nos dias de Salomão houve paz em Israel. Na época referida no presente versículo, ocorriam conflitos contra Gesur, Gezer e Amaleque (ver 1Sm 27.8). Ver também os vss. 17 e 21 do presente capítulo.

■ **12.2**

נֹשְׁקֵי קֶשֶׁת מַיְמִינִים וּמַשְׂמִאלִים בָּאֲבָנִים וּבַחִצִּים
בַּקָּשֶׁת מֵאֲחֵי שָׁאוּל מִבִּנְיָמִן׃

Tinham por arma o arco. Esses extraordinários guerreiros eram ambidestros e habilidosos nas táticas da infantaria ligeira. A vida deles era a guerra, e eles lutavam em defesa do direito e para se divertirem; da guerra eles faziam seu meio de subsistência (através dos despojos), e de sobrevivência (para permanecerem vivos).

Eram dos irmãos de Saul, da tribo de Benjamim. A palavra "irmãos", aqui usada, é de sentido geral, e não específico. Eles eram da *mesma tribo* de Saul, e não de sua família imediata. O homem forte, Saul, que era violento e, por muitas vezes, irracional, naturalmente fazia inimigos "em sua casa". E por isso, muitos se voltavam contra ele. A lista seguinte nos dá 23 guerreiros valentes, da tribo de Benjamim, que se uniram a Davi. E, sem dúvida, houve muitos outros. Eles preferiam Davi ao filho de Saul, *Is-Bosete* (ver no *Dicionário* o artigo chamado *Esbaal*).

"... detestando a crueldade de Saul e sensíveis para com a inocência de Davi e para com o serviço por ele prestado ao país; e talvez não ignorando o seu *direito divino* ao reino, juntaram-se a ele, para consolá-lo, fortalecê-lo e ajudá-lo" (John Gill, *in loc.*).

"Os fundibulários canhotos de Benjamim eram famosos desde os tempos antigos. Cf. Jz 20.16" (Ellicott, *in loc.*).

■ **12.3**

הָרֹאשׁ אֲחִיעֶזֶר וְיוֹאָשׁ בְּנֵי הַשְּׁמָעָה הַגִּבְעָתִי וִיזוּאֵל
וָפֶלֶט בְּנֵי עַזְמָוֶת וּבְרָכָה וְיֵהוּא הָעַנְּתֹתִי׃

Os vss. 3-7 deste capítulo listam 23 homens da tribo de Benjamim que se bandearam para o lado de Davi. Pouco se sabe sobre eles, exceto o que é sugerido no texto presente. O *Dicionário* apresenta artigos sobre eles, mas as informações pouco nos ajudam a conhecê-los melhor.

Embora, sem dúvida, muitos deles estivessem descontentes, bandear-se para o lado de Davi, quando o exército de Israel o estava perseguindo, representou um ato de extrema coragem. A coragem é a virtude do soldado.

Com frequência, a prova da coragem
não é morrer, mas viver.

Vittorio Alfieri

A mais forte, mais generosa e mais orgulhosa
de todas as virtudes é a verdadeira coragem.

Michel de Montaigne

A coragem é a virtude que defende
a causa do direito.

Cícero

Dá de teu melhor ao Mestre,
Dá da força de tua juventude;
...
Revestido da armadura completa da salvação,
Reúne-te na batalha pela verdade.
...
Jesus nos deixou exemplo.
Destemido era ele, jovem e bravo.
...

H. B. G.

O gibeatita. Ou seja, de Gibeá, a cidade natal de Saul (1Sm 11.4).

Filhos de Azmavete. Um dos descendentes de Jônatas foi assim chamado (1Cr 8.36), e é possível que alguns dos que se aliaram a Davi, vindos de Benjamim, fossem aparentados dele e, por conseguinte, de Saul. A singular amizade de Davi com Jônatas pode ter inspirado, da parte dos "filhos" de Jônatas, alguma lealdade para com Davi.

O leitor pode obter, no *Dicionário,* outras informações sobre os nomes próprios que aqui aparecem. Esses nomes não são repetidos aqui.

■ **12.4**

וְיִשְׁמַעְיָה הַגִּבְעוֹנִי גִּבּוֹר בַּשְּׁלֹשִׁים וְעַל־הַשְּׁלֹשִׁים:
הַגְּדֵרָתִי: וְיוֹזָבָד וְיוֹחָנָן וְיַחֲזִיאֵל וִירְמְיָה

Este versículo contém *cinco* dentre os 23 nomes dos guerreiros de Davi que a ele se associaram, vindos da tribo de Benjamim.

Ismaías. Gibeom pertencia a Benjamim (1Cr 9.35), e o vs. 2 mostra que Ismaías era um benjamita, e não um ibeonita, no sentido extremo da palavra. A menção aos trinta pode significar que Ismaías obteve um lugar entre a famosa lista do capítulo 11, embora seu nome não apareça ali. Ou talvez isso indique que ele era comandante de trinta homens que o acompanharam em sua deserção de Saul (e de Is-Bosete, que o substituiu no trono). Detalhes sobre as pessoas e os lugares são dados no *Dicionário*.

■ **12.5** (na Bíblia hebraica corresponde ao **12.6**)

אֶלְעוּזַי וִירִימוֹת וּבְעַלְיָה וּשְׁמַרְיָהוּ וּשְׁפַטְיָהוּ הַחֲרִיפִי

Este quinto versículo adiciona outros *cinco* nomes aos 23 nomes que são mencionados. Quanto à palavra "harufita", ver Ne 7.24 e o *Dicionário*.

Bealias. *Baal* era o nome comum de um deus semita, e um nome para a divindade nos idiomas da Palestina. Portanto, em Israel, havia nomes próprios de pessoas e de lugares que incorporavam esse título. Gradualmente, Israel passou a rejeitar o nome como um apelativo pagão. Ver no *Dicionário* o artigo chamado *Baal (Baalismo)*.

■ **12.6,7** (na Bíblia hebraica corresponde ao **12.7,8**)

אֶלְקָנָה וְיִשִּׁיָּהוּ וַעֲזַרְאֵל וְיוֹעֶזֶר וְיָשָׁבְעָם הַקָּרְחִים:
וְיוֹעֵאלָה וּזְבַדְיָה בְּנֵי יְרֹחָם מִן־הַגְּדוֹר:

De acordo com alguns intérpretes, este versículo lista *cinco* nomes de pessoas do clã levítico de Coré (ver 1Cr 9.19). Mas John Gill provavelmente está certo ao argumentar que não estão em vista os descendentes de Levi através de Coré, mas, sim, a posteridade de Coré, um benjamita. Acerca desse benjamita não temos nenhuma informação, exceto o que podemos depreender do texto presente.

Jasobeão. Cf. 1Cr 11.11. Talvez o mesmo homem esteja em pauta, um dos *trinta* heróis. Ou então outro homem com nome idêntico, acerca de quem nada sabemos.

Os Gaditas; Alguns de Judá e Outros de Benjamim (12.8-16)

■ **12.8** (na Bíblia hebraica corresponde ao **12.9**)

וּמִן־הַגָּדִי נִבְדְּלוּ אֶל־דָּוִיד לַמְצַד מִדְבָּרָה גִּבֹּרֵי
הַחַיִל אַנְשֵׁי צָבָא לַמִּלְחָמָה עֹרְכֵי צִנָּה וָרֹמַח וּפְנֵי
אַרְיֵה פְּנֵיהֶם וְכִצְבָאיִם עַל־הֶהָרִים לְמַהֵר: ס

A *primeira lista* de nomes que aparece neste capítulo (vss. 1-22) está subdividida em três grupos: vss. 1-7; vss. 8-18 e vss. 19-22. Os guerreiros extraordinários agora mencionados eram gaditas. *Onze* homens são mencionados e o *Dicionário* dá detalhes sobre eles, o que não é repetido aqui. Juntamente com os gaditas houve outros (cujo número não é especificado), provenientes das tribos de Benjamim e de Judá (vss. 16 e 17). Esses acreditavam que Deus estava com Davi, o que explica a decisão de abandonar a casa de Saul (vs. 18).

Dos gaditas. Eram eles descendentes de Gade, sobre o qual há um artigo detalhado no *Dicionário*. Essa tribo vivia na Transjordânia, ou seja, no lado oriental do rio Jordão. O poder carismático de Davi trazia pessoas de todos os lugares de Israel. seu direito de ser rei estava sendo demonstrado pela *universalidade* de seu apelo. O divino estava com ele (vs. 18).

Fortaleza no deserto. "... em algum fortim no deserto de Zife ou de Maom (1Sm 23.14,24,25). Ou, como alguns pensam, quando Davi estava em Ziclague, no deserto de Judá" (John Gill, *in loc.*).

Qualidades Belicosas. Eram homens de guerra, habilidosos na manipulação de armas e armaduras; belicosos, valentes e corajosos; disciplinados na arte de matar; homens que se pareciam com leões, dotados de rostos duros, plenos de terror e violência, como leões que olhassem para a presa; eram ousados e selvagens; matadores ferozes; e, além disso, rápidos como feras, como as corças nas colinas. Cf. Ct 2.17 e 8.14.

Aelihnus (*De Animal* 1.14, cap. 14) refere-se a homens desse naipe, homens que corriam como animais selvagens, "velozes como uma tempestade". Aqueles gaditas, com sua aparência atrevida e sua coragem, intimidavam os inimigos e os punham em fuga, e eram velozes na perseguição aos fugitivos, alcançando-os com facilidade" (John Gill, *in loc.*). E, quando os alcançavam, matavam-nos, naturalmente.

Cf. este versículo com 2Sm 2.18. "Que a presteza era considerada uma grande vantagem em um guerreiro, aparece em todos os escritos antigos que tratam de questões militares" (Adam Clarke, *in loc.*).

■ **12.9-13** (na Bíblia hebraica corresponde ao **12.10-14**)

V10: עֵזֶר הָרֹאשׁ עֹבַדְיָה הַשֵּׁנִי אֱלִיאָב הַשְּׁלִשִׁי

V11: מִשְׁמַנָּה הָרְבִיעִי יִרְמְיָה הַחֲמִשִׁי

V12: עַתַּי הַשִּׁשִּׁי אֱלִיאֵל הַשְּׁבִעִי

V13: יוֹחָנָן הַשְּׁמִינִי אֶלְזָבָד הַתְּשִׁיעִי

V14: יִרְמְיָהוּ הָעֲשִׂירִי מַכְבַּנַּי עַשְׁתֵּי עָשָׂר

Os vss. 9-13 mencionam *onze* gaditas, adições bem acolhidas no pequeno exército de Davi. As informações sobre eles, embora contemos com escassas informações, aparecem nos vss. 14 e 15. Os artigos no *Dicionário* oferecem alguns detalhes sobre o significado dos nomes e possíveis laços de família. Talvez essa lista siga situações cronológicas, como idade, época em que cada um se bandeou para o lado de Davi, posto militar, realizações, ou talvez isso tenha sido dado sem nenhum desígnio especial.

■ **12.14** (na Bíblia hebraica corresponde ao **12.15**)

אֵ֥לֶּה מִבְּנֵי־גָ֖ד רָאשֵׁ֣י הַצָּבָ֑א אֶחָ֤ד לְמֵאָה֙ הַקָּטֹ֔ן וְהַגָּד֖וֹל לְאָֽלֶף׃

Este versículo é um tanto vago. As palavras podem significar que o menor daqueles heróis era capaz de afrontar e derrotar cem inimigos, e o mais poderoso deles podia arrostar mil adversários. Ou, então, conforme outros entendem, o menor deles era capitão de cem homens, e o maior comandava mil homens. Muitos entendem que é isso o que está em pauta aqui. Também poderia significar que aqueles homens trouxeram consigo as divisões que comandavam, ou então, conforme o exército foi crescendo, Davi os colocou sobre os números mencionados. Cf. Lv 26.8 e Dt 32.30, que dão apoio à primeira das interpretações aqui mencionadas.

■ **12.15** (na Bíblia hebraica corresponde ao **12.16**)

אֵ֣לֶּה הֵ֗ם אֲשֶׁ֨ר עָבְר֤וּ אֶת־הַיַּרְדֵּן֙ בַּחֹ֣דֶשׁ הָרִאשׁ֔וֹן וְה֥וּא מְמַלֵּ֖א עַל־כָּל־גְּדוֹתָ֑יו וַיַּבְרִ֙יחוּ֙ אֶת־כָּל־הָ֣עֲמָקִ֔ים לַמִּזְרָ֖ח וְלַֽמַּעֲרָֽב׃ ס

Aqueles gaditas atravessaram o Jordão no primeiro mês do ano, provavelmente em abril ou maio, quando o rio estava cheio (cf. Js 3.15 e 4.19). Sendo eles guerreiros habilidosos, eram bem-sucedidos em todas as suas matanças e tarefas de destruição. Eles limparam os vales e as planícies de inimigos. "Esses inimigos eram os filisteus que, por ocasião da derrota de Saul, apossaram-se das cidades de Israel nos vales que tinham sido abandonadas pelos israelitas (ver 1Sm 31.7); ou então, esses inimigos eram moabitas ou árabes, que faziam incursões na terra de Israel, à cata de despojos. Os gaditas, pois, encontraram-se com eles e os derrotaram, quando atravessaram o rio Jordão" (John Gill, *in loc.*).

O fato de terem cruzado o rio quando este estava cheio, não esperando pelo verão, época em que o nível das águas do rio baixaria, serviu de prova de seu valor e zelo em favor de Davi. O rio Jordão enchia-se devido às neves do Líbano, que então se dissolviam. Cf. Js 3.15.

■ **12.16** (na Bíblia hebraica corresponde ao **12.17**)

וַיָּבֹ֗אוּ מִן־בְּנֵ֤י בִנְיָמִן֙ וִֽיהוּדָ֔ה עַד־לַמְצָ֖ד לְדָוִֽיד׃

Também vieram alguns. O poder de atração de Davi era universal. Várias tribos de Israel, se não mesmo todas, proveram soldados para seu pequeno mas aguerrido exército. Este versículo menciona especificamente homens de Benjamim e Judá. Judá, naturalmente, era a principal tribo supridora de homens a Davi. Mas havia muitos que tinham abandonado Saul, vindos, inclusive, da própria tribo de Benjamim. O presente versículo provavelmente significa que "além dos que foram mencionados anteriormente, outros vindos das duas tribos especificadas também se juntaram ao crescente exército de Davi".

■ **12.17** (na Bíblia hebraica corresponde ao **12.18**)

וַיֵּצֵ֨א דָוִ֜יד לִפְנֵיהֶ֗ם וַיַּ֙עַן֙ וַיֹּ֣אמֶר לָהֶ֔ם אִם־לְשָׁל֞וֹם בָּאתֶ֧ם אֵלַ֛י לְעָזְרֵ֖נִי יִֽהְיֶה־לִּ֥י עֲלֵיכֶ֛ם לֵבָ֖ב לְיָ֑חַד וְאִֽם־לְרַמּוֹתַ֣נִי לְצָרַ֗י בְּלֹ֤א חָמָס֙ בְּכַפַּ֔י יֵ֛רֶא אֱלֹהֵ֥י אֲבוֹתֵ֖ינוּ וְיוֹכַֽח׃ ס

Aqueles foram tempos perturbados e brutais. Davi não podia ter certeza se aqueles que estavam vindo a ele eram homens de confiança. Talvez alguns fingissem ser seus amigos, lançando um ataque de surpresa contra ele e seus homens, quando estivessem dormindo. Talvez fossem agentes de Saul, leais ao rei, ou mercenários. Ele precisava estar seguro da lealdade deles antes que os admitisse em seu exército. Davi sabia que estava *inocente*. Saul era o culpado, o odiador, o destruidor. Mas Saul tinha declarado Davi criminoso e traidor ao reino. Talvez aqueles homens estivessem esperando a chance de executar algum ato de traição "em favor do rei de Israel".

Jônatas estava preso a Davi pelo coração (ver 1Sm 18.1), sendo possível que outros, vindos do norte do país, também gostassem muito de Davi. Nesse caso, Davi por certo desejava a ajuda deles. Mas já havia dificuldades suficientes e não era preciso convidar inimigos para vir habitar com ele, em sua fortaleza. Ele invocava a Elohim como testemunha e para derrotar traidores e espiões. Certamente, em sua situação precária, precisava da orientação e proteção divina. Ele não tinha a sabedoria para manusear *todas* as situações, como certamente nós também não temos. Eis por que a *iluminação*, em certas ocasiões, é necessária, para que possamos cumprir nossa missão. Cf. este versículo com 2Cr 24.22. "Os salmos de Davi respiram uma confiança de que Yahweh é um justo Juiz que nunca deixa de vindicar a inocência e de julgar a violência altiva e os negócios de traição. Ver Sl 9.12; 10.14; 18.20" (Ellicott, *in loc.*).

■ **12.18** (na Bíblia hebraica corresponde ao **12.19**)

וְר֣וּחַ לָבְשָׁ֗ה אֶת־עֲמָשַׂי֮ רֹ֣אשׁ הַשָּׁלוֹשִׁים֒ לְךָ֤ דָוִיד֙ וְעִמְּךָ֣ בֶן־יִשַׁ֔י שָׁל֨וֹם ׀ שָׁל֜וֹם לְךָ֗ וְשָׁלוֹם֙ לְעֹ֣זְרֶ֔ךָ כִּ֥י עֲזָרְךָ֖ אֱלֹהֶ֑יךָ וַיְקַבְּלֵ֣ם דָּוִ֔יד וַֽיִּתְּנֵ֖ם בְּרָאשֵׁ֥י הַגְּדֽוּד׃ פ

Então entrou o Espírito em Amasai. *Amasai*, um dos chefes dos trinta heróis, tornou-se o porta-voz do grupo e convenceu Davi de que todos os desertores da causa de Saul estavam sinceramente ao lado de Davi. Ele invocou a paz e o favor de Elohim sobre Davi e prometeu-lhe lealdade e apoio. Diante disso, Davi acolheu aqueles poderosos guerreiros, e a alguns deles fez capitães sobre seus soldados. A versão siríaca diz aqui: "o Espírito de valor revestiu Amasai". Em outras palavras, ele foi dotado e inspirado pelo Espírito de Yahweh, para que servisse de ajuda a Davi e o fortalecesse em seu tempo de grande necessidade. Cf. Is 11.2.

Esse Amasai provavelmente é o mesmo homem mencionado em 1Cr 2.17, onde é chamado de Amasa. Ele era filho de Abigail, irmã de Davi, a quem, em ocasião posterior, Joabe matou, por motivo de inveja (ver 2Sm 17.25; 20.4-10). Seu nome, originalmente, não estava listado entre os "trinta"; mas depois, provavelmente após a compilação das listas de heróis estrangeiros que serviam a Davi, veio a tornar-se um dos líderes dos chamados "trinta", sem a intenção de indicar que os heróis fossem, realmente, "trinta". Ver o gráfico e as explicações no capítulo 11. Ele foi mencionado neste versículo como quem fazia parte do grupo por antecipação, visto que o autor sagrado sabia o que, finalmente, aconteceria.

"Esse notável versículo tem a forma rítmica da poesia dos hebreus, o que, provavelmente, serve de indicação de sua antiguidade" (W. A. L. Elmslie, *in loc.*).

A estrutura da declaração de Amasai foi poética, o que Ellicott tentou imitar em sua tradução:

A ti, Davi!
E contigo, filho de Jessé,
Paz, paz a ti.
E paz a teus ajudadores,
Pois teu Deus te tem ajudado.

■ **12.19** (na Bíblia hebraica corresponde ao **12.20**)

וּמִֽמְּנַשֶּׁ֞ה נָפְל֣וּ עַל־דָּוִ֗יד בְּבֹא֨וֹ עִם־פְּלִשְׁתִּ֧ים עַל־שָׁא֛וּל לַמִּלְחָמָ֖ה וְלֹ֣א עֲזָרֻ֑ם כִּ֣י בְעֵצָ֗ה שִׁלְּחֻ֜הוּ סַרְנֵ֤י פְלִשְׁתִּים֙ לֵאמֹ֔ר בְּרָאשֵׁ֕ינוּ יִפּ֖וֹל אֶל־אֲדֹנָ֥יו שָׁאֽוּל׃

A essência dos vss. 19-22, que relatam um encontro militar, é: "Quando Davi foi com os filisteus batalhar por Israel em Gilboa (cf. 1Sm 28.1-4), alguns homens da tribo de Manassés chegaram para ajudá-lo. Mas juntamente com Davi, foram dispensados de participar da batalha, a fim de que não se bandeassem para Saul (vs. 19). Quando Davi retornou a Ziclague, os sete homens de Manassés acompanharam-no e até ajudaram-no a perseguir e a derrotar os amalequitas que tinham pilhado a cidade em sua ausência (1Sm 30)" (Eugene H. Merrill, *in loc.*).

A *principal lição* deste breve episódio foi que *a Providência de Deus* protegeu Davi (e alguns outros de Israel) de ter de lutar contra seus irmãos de raça. Davi precisava da ajuda dos filisteus para manter a vida e a liberdade em seu exílio, quando estava fugindo de Saul. Mas teria sido um erro aliar-se aos filisteus num conflito contra os israelitas. Ver no *Dicionário* o artigo chamado *Providência de Deus*. Quanto a detalhes, ver a história conforme apresentada no trecho paralelo.

■ **12.20** (na Bíblia hebraica corresponde ao **12.21**)

בְּלֶכְתּ֣וֹ אֶל־צִֽיקְלַ֗ג נָפְל֣וּ עָלָ֣יו ׀ מִֽמְּנַשֶּׁ֡ה עַ֠דְנַח וְיוֹזָבָ֨ד וִידִיעֲאֵ֤ל וּמִֽיכָאֵל֙ וְיוֹזָבָ֣ד וֶאֱלִיה֔וּא וְצִלְּתָ֑י רָאשֵׁ֥י הָאֲלָפִ֖ים אֲשֶׁ֥ר לִמְנַשֶּֽׁה׃

Passaram-se para ele, de Manassés. Este versículo garante-nos que alguns homens de *Manassés* também vieram ajudar a causa de Davi, tal como os versículos precedentes já nos haviam dito sobre homens de Benjamim, Judá e Gade. A tribo de Manassés contava com colônias nos lados oriental e ocidental do rio Jordão. Provavelmente houve representantes de ambos os lados dessa tribo.

Sete chefes de Manassés, homens poderosos, de decisão, habilidosos na arte de matar, juntaram-se a Davi. Eles tinham sido capitães de milhares no exército da tribo de Manassés. Cf. Nm 31.14 e 1Cr 13.1; 15.25 e 26.26. Provavelmente cada clã forneceu mil homens de guerra, e os homens aqui mencionados representavam a elite, seus líderes naturais. Ser um chefe era a mesma coisa que ser um "guerreiro-chefe", pois os guerreiros eram os chefes, com exceção dos anciãos que, idosos demais para combater no campo de batalha, eram procurados por sua sabedoria, e não por sua capacidade de combater.

"A tribo de Manassés, tal como todas as outras, estava dividida em grupos de cem e de mil homens; aqueles homens eram capitães de mil da milícia daquela tribo" (John Gill, *in loc.*).

■ **12.21** (na Bíblia hebraica corresponde ao **12.22**)

וְהֵ֗מָּה עָזְר֤וּ עִם־דָּוִיד֙ עַֽל־הַגְּד֔וּד כִּֽי־גִבּ֥וֹרֵי חַ֖יִל כֻּלָּ֑ם וַיִּהְי֥וּ שָׂרִ֖ים בַּצָּבָֽא׃

Este versículo, conforme apresentado na maior parte das traduções, depende da tradução das versões da Vulgata e do siríaco. Aos olhos modernos, o texto hebraico é breve e ininteligível. Talvez para os hebreus parecesse claro. Os termos "aquela tropa" são traduzidos por "como oficiais de suas tropas", na *Revised Standard Version*. Na *King James Version* temos também as palavras "bando de salteadores", as quais podem apontar para os amalequitas que capturaram e incendiaram Ziclague, na ausência de Davi (ver 1Sm 30.8,15). Mas com igual facilidade podemos entender "oficiais do bando de soldados de Davi". Nesse caso, o versículo significaria somente que aqueles homens estavam sempre prontos para ajudar a Davi em qualquer empreendimento que ele decidisse realizar.

Homens valentes, e capitães no exército. Havia algo de *divino* na maneira como o exército de Davi crescia. O Espírito de Deus estava por trás do movimento. Os vss. 23-40 expandem essa questão. Os Targuns falam sobre *anjos* que engrossavam o exército de Davi, mas essa já é uma interpretação exagerada. Antes, o exército de Davi estava tornando-se *numeroso,* da mesma maneira que numerosas são as hostes angelicais no céu.

■ **12.22** (na Bíblia hebraica corresponde ao **12.23**)

כִּ֞י לְעֶת־י֤וֹם בְּיוֹם֙ יָבֹ֣אוּ עַל־דָּוִ֔יד לְעָזְר֑וֹ עַד־לְמַחֲנֶ֥ה גָד֖וֹל כְּמַחֲנֵ֥ה אֱלֹהִֽים׃ פ

O pequeno exército de Davi estava crescendo em número. A popularidade de Saul estava caindo. Sua estrela se punha no horizonte. Já a estrela de Davi subia no firmamento. A mudança era inevitável. Saul enfraqueceu os inimigos de Israel. Davi, porém, haveria de aniquilá-los ou confiná-los. Assim, estava sendo preparado o caminho para o reino unido e sua monarquia.

■ **12.23-38** (na Bíblia hebraica corresponde ao **12.24-39**)

וְ֠אֵלֶּה מִסְפְּרֵ֞י רָאשֵׁ֤י הֶֽחָלוּץ֙ לַצָּבָ֔א בָּ֥אוּ V24
עַל־דָּוִ֖יד חֶבְר֑וֹנָה לְהָסֵ֞ב מַלְכ֥וּת שָׁא֛וּל אֵלָ֖יו
כְּפִ֥י יְהוָֽה׃ ס

בְּנֵ֣י יְהוּדָ֔ה נֹשְׂאֵ֥י צִנָּ֖ה וָרֹ֑מַח שֵׁ֧שֶׁת אֲלָפִ֛ים V25
וּשְׁמוֹנֶ֥ה מֵא֖וֹת חֲלוּצֵ֥י צָבָֽא׃ ס

מִן־בְּנֵ֣י שִׁמְע֔וֹן גִּבּ֥וֹרֵי חַ֖יִל לַצָּבָ֑א שִׁבְעַ֥ת אֲלָפִ֖ים V26
וּמֵאָֽה׃ ס

מִן־בְּנֵ֣י הַלֵּוִ֔י אַרְבַּ֥עַת אֲלָפִ֖ים וְשֵׁ֥שׁ מֵאֽוֹת׃ ס V27

וִיהוֹיָדָ֖ע הַנָּגִ֣יד לְאַהֲרֹ֑ן וְעִמּ֕וֹ שְׁלֹ֥שֶׁת אֲלָפִ֖ים V28
וּשְׁבַ֥ע מֵאֽוֹת׃ ס

וְצָד֥וֹק נַ֖עַר גִּבּ֣וֹר חָ֑יִל וּבֵית־אָבִ֛יו שָׂרִ֥ים עֶשְׂרִ֖ים V29
וּשְׁנָֽיִם׃ ס

וּמִן־בְּנֵ֣י בִנְיָמִ֗ן אֲחֵ֤י שָׁאוּל֙ שְׁלֹ֣שֶׁת אֲלָפִ֔ים V30
וְעַד־הֵ֕נָּה מַרְבִּיתָ֗ם שֹׁמְרִ֖ים מִשְׁמֶ֥רֶת בֵּ֥ית שָׁאֽוּל׃ ס

וּמִן־בְּנֵ֣י אֶפְרַ֔יִם עֶשְׂרִ֥ים אֶ֖לֶף וּשְׁמוֹנֶ֣ה מֵא֑וֹת V31
גִּבּ֣וֹרֵי חַ֔יִל אַנְשֵׁ֥י שֵׁמ֖וֹת לְבֵ֥ית אֲבוֹתָֽם׃ ס

וּמֵחֲצִי֙ מַטֵּ֣ה מְנַשֶּׁ֔ה שְׁמוֹנָ֥ה עָשָׂ֖ר אָ֑לֶף אֲשֶׁ֤ר נִקְּבוּ֙ V32
בְּשֵׁמ֔וֹת לָב֖וֹא לְהַמְלִ֥יךְ אֶת־דָּוִֽיד׃ ס

וּמִבְּנֵ֣י יִשָּׂשכָ֗ר יוֹדְעֵ֤י בִינָה֙ לַֽעִתִּ֔ים לָדַ֖עַת V33
מַה־יַּעֲשֶׂ֣ה יִשְׂרָאֵ֑ל רָאשֵׁיהֶ֣ם מָאתַ֔יִם וְכָל־אֲחֵיהֶ֖ם
עַל־פִּיהֶֽם׃ ס

מִזְּבֻל֞וּן יוֹצְאֵ֣י צָבָ֗א עֹרְכֵ֧י מִלְחָמָ֛ה בְּכָל־כְּלֵ֥י V34
מִלְחָמָ֖ה חֲמִשִּׁ֣ים אָ֑לֶף וְלַעֲדֹ֖ר בְּלֹא־לֵ֥ב וָלֵֽב׃ ס

וּמִנַּפְתָּלִ֖י שָׂרִ֣ים אָ֑לֶף וְעִמָּהֶם֙ בְּצִנָּ֣ה וַחֲנִ֔ית V35
שְׁלֹשִׁ֥ים וְשִׁבְעָ֖ה אָֽלֶף׃ ס

וּמִן־הַדָּנִ֕י עֹרְכֵ֖י מִלְחָמָ֑ה עֶשְׂרִֽים־וּשְׁמוֹנָ֥ה אֶ֖לֶף V36
וְשֵׁ֥שׁ מֵאֽוֹת׃ ס

וּמֵאָשֵׁ֗ר יוֹצְאֵ֥י צָבָ֛א לַעֲרֹ֥ךְ מִלְחָמָ֖ה אַרְבָּעִ֥ים V37
אָֽלֶף׃ ס

וּמֵעֵ֣בֶר לַ֠יַּרְדֵּן מִן־הָראוּבֵנִ֨י וְהַגָּדִ֜י וַחֲצִ֣י ׀ שֵׁ֣בֶט V38
מְנַשֶּׁ֗ה בְּכֹל֙ כְּלֵ֣י צְבָ֣א מִלְחָמָ֔ה מֵאָ֥ה וְעֶשְׂרִ֖ים אָֽלֶף׃

Todas as tribos de Israel contribuíram para aumentar o exército crescente de Davi. O autor sagrado teve o cuidado de enumerar todas elas, para fazer o leitor tomar consciência da extensão do movimento. O total ultrapassava trezentos mil, e eles já eram homens experientes de guerra (vss. 23-37). "Todas as tribos foram nomeadas por sua ordem, para mostrar que o apoio a Davi tinha base larga, algo que não fora salientado em 2Samuel. Esse mesmo ponto também foi ressaltado quando da descrição de seu encontro com Davi em Hebrom, como uma grande ocasião de festividade e alegria (vss. 38-40)" (Eugene H. Merrill, *in loc.*).

O suprimento de homens era "sobre-humano" quanto ao número. O trecho de 1Cr 23.40 supre um comentário fantástico" (W. A. L. Elmslie, *in loc.*).

A Impressionante Descrição. "A delegação (chefes de família) que veio coroar Davi chegava a pouco menos de quatrocentos mil homens, e todos, com exceção de vinte mil, pertenciam às tribos centrais e do norte. Como é óbvio, este é um modo simbólico de insistir que os israelitas tinham sido realmente hebreus. Graças a Deus! Todos os outros israelitas, em Jerusalém — 378 mil israelitas, homens vindos de *todo* o Israel, cumpriram seu dever naquele grande dia!" (W. A. L. Elmslie, *in loc.*).

Toda essa massa humana dirigiu-se a Davi em *Hebrom,* depois da morte de Is-Bosete, filho de Saul. Ver 2Sm 4.5.

Para lhe transferirem o reino de Saul. A breve dinastia de Saul estava terminada. Sua família não mais seria a fonte da realeza em Israel. E esse foi um grande cumprimento profético. Ver as notas expositivas em 1Rs 15.3, onde se vê Davi como *rei ideal* de Israel. Ver também sobre o *pacto davídico,* em 2Sm 7.4. Cf. 1Cr 10.14.

Os vss. 24 a 37 enumeram, individualmente, todas as tribos de Israel, dando suas contribuições específicas em soldados infantes, capitães e equipamentos de guerra. Limito aqui minha exposição a algumas observações.

Observações:

1. *Vs. 24.* Judá era o núcleo do exército, a tribo que sempre fora fiel e leal a Davi. Judá já tivera Davi como rei pelo período de sete anos (ver 1Rs 2.11). Seu reinado total seria de quarenta anos, incluindo os sete anos iniciais como rei de Judá.

2. *Vs. 25.* Simeão contribuiu com 7.100 guerreiros habilidosos, acostumados ao jogo da guerra e para ele equipados.

3. *Vs. 26.* Havia até mesmo guerreiros pertencentes à casta sacerdotal de Levi. "Esses levitas marciais nos fazem lembrar dos guerreiros sacerdotes das cruzadas da Idade Média. Que os levitas poderiam ser soldados e, de fato, devem ter sido para a defesa dos santuários, é observado em 1Cr 9.13,19 e em 2Cr 23" (Ellicott, *in loc.*).

4. *Vs. 27.* Uma notável figura militar, embora se tratasse de um sacerdote, foi *Joiada* (ver sobre ele no *Dicionário).* O clã aarônico era o principal dos descendentes de Levi. Talvez esse Joiada fosse o pai de Benaia (ver 1Cr 11.22). Ele não era o sumo sacerdote (1Sm 23.9), mas o cabeça dos guerreiros de seu clã. Liderava 3.700 homens, provavelmente um número que difere dos 4.600 do vs. 26.

5. *Vs. 28.* Esse Zadoque (um valente guerreiro) também foi, mais tarde, o sumo sacerdote, sucessor de Abiatar (1Rs 2.26,27 e 4.4). Ele encabeçava um subclã, o de Eleazar, que supriu o exército de Davi com um bom número de hábeis capitães. John Gill disse que esses capitães eram cabeças dos turnos dos sacerdotes, que, posteriormente, totalizaram 24 turnos (ver 1Cr 24.4). E isso pode ser tudo quanto é indicado aqui.

6. *Vs. 29.* Até mesmo Benjamim (a tribo de Saul) supriu alguns homens, a saber, três mil. Mas a grande maioria dessa tribo continuava esperando que a família de Saul ganhasse no fim.

Até então. Isso indica um tempo em que os filhos de Benjamim transferiram sua lealdade para o lado de Davi, abandonando as aspirações da dinastia de Saul.

7. *Vs. 30.* Este versículo informa-nos que uma das tribos que mais contribuíram para a causa de Davi foi Efraim, que enviou não somente homens em quantidade, mas também homens de grande habilidade na guerra. Nada menos de 28.800 homens vieram dessa tribo. Embora reduzidos em número na guerra contra os filisteus (ver 2Sm 2.9), a contribuição dos efraimitas continuou grande.

8. *Vs. 31.* Os chefes da tribo de Manassés foram apontados por recrutamento. Foi feita uma lista dos homens cujos nomes estavam arrolados, e eles foram enviados a Davi. Os chefes tribais anelavam por realizar os deveres da tribo, e não deixaram a questão para *voluntários,* o que, provavelmente, sucedeu como método usado pelas demais tribos.

9. *Vs. 32.* A tribo de Issacar contribuiu não somente com soldados, mas também com homens sábios, que eram capazes de dar conselhos e dirigir Israel naquele tempo de reorganização. Alguns antigos expositores judeus pensam que esses sábios eram *astrólogos.* Presumivelmente, eles podiam ler coisas no céu, para dar orientações ao povo de Israel. Porém o mais provável é que este versículo queira dizer que aqueles homens eram dotados de "sabedoria política". Ver no *Dicionário* o verbete intitulado *Astrologia.* Somos apanhados de surpresa ao ver que, no Talmude, esses "astrólogos" são encarados de maneira favorável. Mas a verdade é que as nossas ideias não precisam corresponder, necessariamente, às noções da antiga nação de Israel, ou da nação mais recente de Israel (tempo em que o Talmude foi compilado).

10. *Vs. 33.* Zebulom enviou não somente bons soldados, mas também um exército bem equipado. Eram homens de propósito singular, e Davi poderia confiar que seriam súditos fiéis. Eles muito lutariam até que Davi tivesse conquistado os inimigos de Israel. Ver 2Sm 10.19 quanto às *oito nações* inimigas que foram derrotadas por Davi. O hebraico literal diz aqui "sem um coração e um coração", ou seja, destituídos de coração dúplice, que aponta para a *indecisão* que tende para a traição. Cf. Sl 12.3, "os lábios bajuladores", que apontam para homens que pensam uma coisa e dizem outra. Ou que dizem uma coisa e fazem outra. Notáveis cinquenta mil homens de Zebulom foram enviados, tornando-a a tribo que contribuiu com maior número de combatentes.

11. *Vs. 34.* Naftali fez uma significativa contribuição, com 37 mil soldados comandados por mil capitães.

12. *Vs. 35.* Dã foi capaz de enviar 8.600 guerreiros experimentados, para ajudar a garantir a qualidade profissional do exército de Davi.

13. *Vs. 36.* Aser enviou um numeroso exército, composto por quarenta mil homens, e todos eles eram especialistas no jogo da guerra.

14. *Vs. 37.* Do lado *oriental* do rio Jordão (a Transjordânia), 120 mil soldados foram enviados das tribos combinadas de Rúben e Gade, e da meia tribo de Manassés, que viviam naquele território.

O grande total chegou perto dos quatrocentos mil homens, um exército deveras numeroso para aquele estágio da história de Israel. O vs. 37 enfatiza que as três tribos da Transjordânia possuíam considerável equipamento de guerra. E já vimos que outros também contribuíram com sua parte para o empreendimento. Ver no *Dicionário* o artigo chamado *Guerra.* Naquele tempo, o exército de Israel era, essencialmente, uma infantaria. Somente nos dias de Salomão seriam adicionados a cavalaria e carros de combate de ferro às forças armadas dos israelitas, algo que os inimigos de Israel (pelo menos alguns deles) já tinham há muito tempo.

15. *Vs. 38.* Conclusão sobre a *convocação voluntária* do exército de Israel. Davi atraiu a si todo o povo de Israel. Eles o escolheram por rei. Foi assim que, após ter derrotado *oito* inimigos (ver 2Sm 10.19), a monarquia foi capaz de prosperar com um mínimo de interferência da parte de potências estrangeiras. Esse foi um estágio necessário à história de Israel. A dinastia davídica foi assim estabelecida, e grandes questões proféticas desempenharam seu papel em todos esses acontecimentos. Ver sobre o *Pacto Davídico* em 2Sm 7.4.

Para que os israelitas formassem *um único reino,* foi mister que Israel tivesse *um só coração.* Davi conseguiu esse feito, mas Roboão (filho e sucessor de Salomão, filho de Davi) destruiu a unidade e produziu uma contenda interminável.

Festividades de Coroação (12.39,40)

■ **12.39,40**

כָּל־אֵלֶּה אַנְשֵׁי מִלְחָמָה עֹדְרֵי מַעֲרָכָה V39
בְּלֵבָב שָׁלֵם בָּאוּ חֶבְרוֹנָה לְהַמְלִיךְ אֶת־דָּוִיד
עַל־כָּל־יִשְׂרָאֵל וְגַם כָּל־שֵׁרִית יִשְׂרָאֵל לֵב אֶחָד
לְהַמְלִיךְ אֶת־דָּוִיד:

וַיִּהְיוּ־שָׁם עִם־דָּוִיד יָמִים שְׁלוֹשָׁה אֹכְלִים V40
וְשׁוֹתִים כִּי־הֵכִינוּ לָהֶם אֲחֵיהֶם:

וְגַם הַקְּרוֹבִים־אֲלֵיהֶם עַד־יִשָּׂשכָר וּזְבֻלוּן וְנַפְתָּלִי
מְבִיאִים לֶחֶם בַּחֲמוֹרִים וּבַגְּמַלִּים וּבַפְּרָדִים וּבַבָּקָר
מַאֲכָל קֶמַח דְּבֵלִים וְצִמּוּקִים וְיַיִן וְשֶׁמֶן וּבָקָר וְצֹאן
לָרֹב כִּי שִׂמְחָה בְּיִשְׂרָאֵל: פ

Assim como todas as tribos contribuíram com homens para o exército, também a maioria delas contribuiu com provisões de boca para as festividades em Hebrom. Por três dias e três noites todos comeram e beberam, e o vinho fluiu como o rio Amazonas. Animais de carga fizeram parte do nobre cortejo a Hebrom, e várias tribos contribuíram com animais, de modo que houvesse na festa grande quantidade de alimentos de todos os tipos. A presença dos animais de sacrifício pode significar que a casta sacerdotal fez oferendas apropriadas. Os homens tiveram *alegria,* e Yahweh foi louvado pelo que aconteceu naqueles dias.

"... bolos de uvas passas; massas de figos secos e uvas passas eram e continuam sendo artigos alimentares no Oriente Próximo. Cf. 1Sm 25.18; Am 8.1. A simples dicção da narrativa faz-nos lembrar das festas descritas por Homero, sendo sinal da origem antiga da festa" (Ellicott, *in loc.*).

"A guerra civil havia terminado, e agora estavam todos unidos, formando, uma vez mais, um único reino. Eles tinham sobre si um rei que o coração deles desejava... Quando o Filho de Davi e seu antítipo, o rei de Sião, estiver reinando, quando ele for o rei de toda a terra, então haverá um só Senhor, pois seu nome será um (Sl 97.1; Is 52.7; Zc 14.9; Ap 11.15-17" (John Gill, *in loc.*).

CAPÍTULO TREZE

O paralelo deste capítulo é 2Sm 6.1-11, mas o texto presente tem algumas adições. A consulta descrita nestes versículos ocorreu algum tempo após a coroação de Davi em Hebrom (cf. 2Sm 6.1). As grandes hordas, concentradas em Hebrom, tinham partido, deixando a área geral de Hebrom. Ou então a consulta pode ter acontecido em Hebrom. Seja como for, Davi não agiu por conta própria quanto à questão de trazer a arca para Sião. Ele precisou da ajuda e da cooperação dos cabeças de tribos e dos chefes militares.

Informação Dada em 2Sm 5.6 ss:
1. Davi capturou Sião, dos jebuseus.
2. Davi efetuou campanhas militares de sucesso contra os filisteus.
3. O rei de Tiro proveu material e operários habilidosos para construir um palácio para Davi.
4. *Depois disso*, Davi pensou em trazer a arca para Sião. Ela tinha sido depositada em *Quiriate-Jearim* (ver no *Dicionário*), onde ficara por longo tempo.
5. O historiador de 2Samuel ignorou a questão da necessidade de os levitas fazerem o transporte, o que foi adicionado pelo cronista. 1Crônicas põe em primeiro lugar a preocupação com o transporte da arca; mas 2Samuel apresenta uma sequência de eventos diferente.

O texto à nossa frente provavelmente não é uma reformulação do trecho paralelo de 2Sm 6.1-11. Os vss. 1-5 atuam como uma espécie de introdução que pode ter incluído materiais provenientes de fonte informativa distinta.

DAVI COMO REI (13.1—21.30)

■ 13.1

וַיִּוָּעַץ דָּוִיד עִם־שָׂרֵי הָאֲלָפִים וְהַמֵּאוֹת לְכָל־נָגִיד׃

Consultou Davi os capitães de mil e os de cem. Esta passagem tem paralelo em 2Sm 6.1. Temos aqui os capitães de mil, os capitães de cem e "todos os príncipes", como os que foram consultados por Davi. O trecho paralelo diz meramente "trinta mil", sem dúvida os homens principais, capitães e anciãos. O propósito de ambas as narrativas foi demonstrar que Davi convocou "todo o Israel" sobre a questão da arca. Ver 2Sm 6.2, "com todo o povo". O corpo laico de Israel correspondeu fielmente (vs. 5). Chegaram os *levitas* para legitimar a adoração, de acordo com o que estipulava a legislação mosaica.

Quanto aos capitães de mil, ver 1Cr 12.20; e quanto aos capitães de cem, ver Nm 31.14. Além desses capitães, os príncipes de Israel também foram consultados. Esses chefes atuavam como uma espécie de Grande Conselho de Israel.

■ 13.2

וַיֹּאמֶר דָּוִיד לְכֹל קְהַל יִשְׂרָאֵל אִם־עֲלֵיכֶם טוֹב
וּמִן־יְהוָה אֱלֹהֵינוּ נִפְרְצָה נִשְׁלְחָה עַל־אַחֵינוּ
הַנִּשְׁאָרִים בְּכָל אַרְצוֹת יִשְׂרָאֵל וְעִמָּהֶם הַכֹּהֲנִים
וְהַלְוִיִּם בְּעָרֵי מִגְרְשֵׁיהֶם וְיִקָּבְצוּ אֵלֵינוּ׃

A arca não podia ser movida com a ajuda dos levitas, que estavam autorizados somente a transportar os itens sagrados. Ver Nm 10.33; Dt 1.33. Ver no *Dicionário* os artigos chamados *Arca* e *Levitas*, quanto a maiores detalhes. Parece que os levitas estavam ocupados com atividades pastorais, quando não engajados nos cultos religiosos, de modo que tiveram de ser convocados para a tarefa que Davi estava propondo.

O fraseado do versículo parece dizer que Davi procurou a ajuda dos levitas que estavam espalhados pelas tribos do norte. Tendo sido escrita após o cativeiro assírio, essa expressão provavelmente sofreu a influência do cativeiro. O hebraico diz que os levitas estavam "dispersos no norte".

Pano de Fundo Histórico. Os filisteus haviam capturado a arca em Silo (ver 1Sm 4.4,11). A arca foi exibida na Filístia por vários meses (ver 1Sm 6.1). Quando uma série de pragas atingiu os filisteus, por causa da presença da arca, ela foi devolvida a Israel e então abrigada em Bete-Semes (ver 1Sm 6.13-15). A seguir foi transportada para Quiriate-Jearim, onde ficou por cerca de cem anos. Isso aconteceu por volta de 1104 e 1003 a.C. Que o leitor consulte 1Sm 7.2 e as notas expositivas ali existentes. No começo de seu reinado, estava no coração de Davi trazer a arca para Sião, onde ela ficou até o cativeiro babilônico. Os historiadores desconhecem o que aconteceu à arca por ocasião do cativeiro babilônico e posteriormente.

■ 13.3

וְנָסֵבָּה אֶת־אֲרוֹן אֱלֹהֵינוּ אֵלֵינוּ כִּי־לֹא דְרַשְׁנֻהוּ בִּימֵי שָׁאוּל׃

Nos dias de Saul. Durante o período do primeiro rei de Israel, houve negligência generalizada no tocante à arca da aliança. Davi, pois, queria reverter essa atitude e condição. A arca fora deixada na casa de Abinadabe, em Quiriate-Jearim, e outros tinham ajudado a cuidar dela. Mas não lhe foi dada a importância devida, considerando que ela era o centro do culto dos israelitas, o lugar onde a presença divina se manifestava. Não existe nenhuma evidência clara de que a arca, "estando fora", tenha sido usada como oráculo. O culto continuou acontecendo em Gibeá, sem a arca. Davi ansiava por restaurar a presença divina ao culto, em consonância com a legislação e as provisões mosaicas.

■ 13.4

וַיֹּאמְרוּ כָל־הַקָּהָל לַעֲשׂוֹת כֵּן כִּי־יָשַׁר הַדָּבָר בְּעֵינֵי
כָל־הָעָם׃

Isso pareceu justo aos olhos de todo o povo. Era da vontade divina que a arca fosse transportada para Sião (ver o vs. 3). Orientação da parte de Yahweh-Elohim foi buscada. Além disso, todo o povo de Israel estava de acordo com esse transporte, pois estavam conscientes de que iam fazer a "coisa certa".

"Buscai, pois, em primeiro lugar, o seu reino e a sua justiça, e todas estas cousas vos serão acrescentadas" (Mt 6.33). Isso, de acordo com os termos do Novo Testamento, foi o que o povo de Israel decidiu fazer. "A arca era considerada a depositária dos dois tabletes de pedra que tinham sido gravados pelo dedo de Deus, os grandes Dez Mandamentos considerados o sinal da certeza de que Yahweh estaria com o seu povo. Davi estava determinado a estabelecer *esse tesouro* no próprio coração de seu reino. Na civilização moderna de nosso mundo, há uma desesperada necessidade de estabelecer, como centro, a fé cristã" (W. A. L. Elmslie, *in loc.*).

■ 13.5

וַיַּקְהֵל דָּוִיד אֶת־כָּל־יִשְׂרָאֵל מִן־שִׁיחוֹר מִצְרַיִם
וְעַד־לְבוֹא חֲמָת לְהָבִיא אֶת־אֲרוֹן הָאֱלֹהִים מִקִּרְיַת
יְעָרִים׃

Os *vss. 5-14* têm como paralelo a passagem de 2Sm 6.1-11, e nos vss. 1-4 o autor sagrado introduz a questão.

O autor sacro havia salientado a necessidade de os levitas transportarem a arca, uma questão que o autor de 2Samuel deixou de mencionar. Ele havia, entretanto, enfatizado a universalidade do projeto. Todo o Israel estava envolvido na questão. Esse foi também um tema explorado no trecho paralelo.

Reuniu, pois, Davi a todo o Israel. O *cronista* nos deu essa informação que também tinha sido ignorada no trecho paralelo. Ele declarou a extensão do empreendimento de trazer todo o povo de Israel para ajudar na questão. As pessoas foram trazidas de tão longe quanto Sior, isto é, o ribeiro do Egito. Ver no *Dicionário* os verbetes intitulados *Sior* e *Ribeiro do Egito*. Esse rio (não o Nilo, conforme fora prometido no *Pacto Abraâmico*, ver Gn 15.18) servia como fronteira sudoeste de Israel. A palavra "Sior" significa "turvo", "lamacento", o que nos dá uma ideia da natureza desse ribeiro.

Entrada de Hamate. Ver a respeito no *Dicionário*. Está em pauta a fronteira norte, ficando assim indicado um ajuntamento universal do povo de Israel a Davi, para ajudá-lo na tarefa de transportar a arca da aliança. Cf. 1Rs 8.65. Hamate era a sede de um reino antigo, independente, que mantinha relações de amizade com Davi. Ver Am 6.2, onde o nome aparece como *Hamate Rabá,* ou seja, "a Grande Hamate". O artigo do *Dicionário* apresenta os detalhes.

■ **13.6**

וַיַּעַל דָּוִיד וְכָל־יִשְׂרָאֵל בַּעֲלָתָה אֶל־קִרְיַת יְעָרִים אֲשֶׁר לִיהוּדָה לְהַעֲלוֹת מִשָּׁם אֵת אֲרוֹן הָאֱלֹהִים יְהוָה יוֹשֵׁב הַכְּרוּבִים אֲשֶׁר־נִקְרָא שֵׁם:

Deste versículo até o fim do capítulo, o cronista está em concordância íntima com o trecho paralelo de 2Cr 6.2-11, de modo que faço minha exposição através de *observações* adicionais, confiando que o leitor examinará a exposição no texto de 2Samuel.

Observações:

1. O texto presente cita Quiriate-Jearim como o lugar onde a arca estava guardada. A passagem de 2Sm 6.2 diz *Baalim,* que pode ter sido um nome alternativo para o lugar, ou, então, algum tipo de erro penetrou no texto, mediante transcrição. Ver Js 18.14, que favorece a ideia de um nome alternativo. Provavelmente, o nome original era "cidade de Baal". Isso foi então modificado para "cidade das madeiras", o que explicaria os dois nomes.

2. O autor presente enfatizou a arca como o lugar da presença de Deus, um item ignorado no trecho paralelo, neste ponto da narrativa. Ver sobre *Querubins,* no *Dicionário*. Havia representações desses seres angelicais por cima da arca da aliança, enfatizando assim a guarda da adoração.

3. A arca foi referida como algo "diante do qual é invocado o nome do Senhor". "Essa identificação da presença de Deus com o *seu nome* era comum nas porções posteriores do Antigo Testamento, sobretudo nos livros de Crônicas; mas também era conhecida desde os dias de Moisés (ver Dt 12.5; 14.23,24; 16.2,6; 26.2" (Eugene H. Merrill, *in loc.*). "Senhor, que se assenta acima dos querubins" é expressão que também figura em Sl 18.11; 80.1 e Is 37.16.

Nos dias posteriores do povo de Israel, os israelitas evitavam pronunciar o nome divino, Yahweh, ou mesmo outros nomes divinos, como Elohim. Temos um reflexo disso neste trecho. O *nome* era suficiente como uma referência ao apelativo divino.

■ **13.7**

וַיַּרְכִּיבוּ אֶת־אֲרוֹן הָאֱלֹהִים עַל־עֲגָלָה חֲדָשָׁה מִבֵּית אֲבִינָדָב וְעֻזָּא וְאַחְיוֹ נֹהֲגִים בָּעֲגָלָה:

Este versículo é uma forma abreviada de 2Sm 6.3, onde oferecemos a exposição. O trecho paralelo de 2Sm 6.4 é completamente omitido pelo cronista. Uma nova carroça foi usada, que não tinha sido empregada em nenhum outro serviço. Teria sido uma profanação transportar a arca em um veículo que já tivesse sido usado em algum propósito "comum".

■ **13.8**

וְדָוִיד וְכָל־יִשְׂרָאֵל מְשַׂחֲקִים לִפְנֵי הָאֱלֹהִים בְּכָל־עֹז וּבְשִׁירִים וּבְכִנֹּרוֹת וּבִנְבָלִים וּבְתֻפִּים וּבִמְצִלְתַּיִם וּבַחֲצֹצְרוֹת:

Este versículo é um paralelo essencial de 2Sm 6.5, onde provemos a exposição.

■ **13.9**

וַיָּבֹאוּ עַד־גֹּרֶן כִּידֹן וַיִּשְׁלַח עֻזָּא אֶת־יָדוֹ לֶאֱחֹז אֶת־הָאָרוֹן כִּי שָׁמְטוּ הַבָּקָר:

Este versículo é paralelo de 2Sm 6.6, onde damos a exposição. As diferenças que ocorrem no presente versículo (bem como em outros versículos desta passagem), em comparação com o texto do sexto capítulo de 2Samuel, são anotadas no texto paralelo.

■ **13.10**

וַיִּחַר־אַף יְהוָה בְּעֻזָּא וַיַּכֵּהוּ עַל אֲשֶׁר־שָׁלַח יָדוֹ עַל־הָאָרוֹן וַיָּמָת שָׁם לִפְנֵי אֱלֹהִים:

Este versículo tem paralelo em 2Sm 6.7, onde apresentamos a exposição.

■ **13.11**

וַיִּחַר לְדָוִיד כִּי־פָרַץ יְהוָה פֶּרֶץ בְּעֻזָּא וַיִּקְרָא לַמָּקוֹם הַהוּא פֶּרֶץ עֻזָּא עַד הַיּוֹם הַזֶּה:

Ver a exposição em 2Sm 6.8, que é o trecho paralelo ao presente versículo. O lugar da morte de Uzá obteve imediatamente reputação negativa, que se prolongou até os dias do cronista.

■ **13.12**

וַיִּירָא דָוִיד אֶת־הָאֱלֹהִים בַּיּוֹם הַהוּא לֵאמֹר הֵיךְ אָבִיא אֵלַי אֵת אֲרוֹן הָאֱלֹהִים:

Ver 2Sm 6.9 quanto à exposição das declarações deste versículo. Note a diferença nos nomes divinos. Samuel diz Yahweh, ao passo que aqui e no oitavo versículo o presente autor diz *Elohim*. Ver no *Dicionário* o verbete chamado *Deus, Nomes Bíblicos de*. Talvez o cronista tenha evitado usar o nome santíssimo, Yahweh.

■ **13.13**

וְלֹא־הֵסִיר דָּוִיד אֶת־הָאָרוֹן אֵלָיו אֶל־עִיר דָּוִיד וַיַּטֵּהוּ אֶל־בֵּית עֹבֵד־אֱדֹם הַגִּתִּי:

Este versículo é paralelo ao trecho de 2Sm 6.10, onde damos a exposição. A narrativa do cronista é levemente abreviada.

■ **13.14**

וַיֵּשֶׁב אֲרוֹן הָאֱלֹהִים עִם־בֵּית עֹבֵד אֱדֹם בְּבֵיתוֹ שְׁלֹשָׁה חֳדָשִׁים וַיְבָרֶךְ יְהוָה אֶת־בֵּית עֹבֵד־אֱדֹם וְאֶת־כָּל־אֲשֶׁר־לוֹ: פ

Este versículo tem paralelo em 2Sm 6.11, onde é apresentada a exposição. Ver a natureza da bênção conferida a Obede-Edom (que ficou tomando conta da arca) em 1Cr 26.4-8, e comparar com Sl 127.

O Targum tem um comentário elaborado dessa bênção, enfatizando a numerosa descendência de Obede-Edom e sua prosperidade material. "ele [Yahweh] abençoou e aumentou grandemente tudo quanto lhe pertencia." Oh, Senhor, concede-nos tal graça!

"Uma atitude própria para com as coisas de Deus traz a bênção, enquanto um espírito frívolo atrai o desprezar divino" (Eugene H. Merrill, *in loc.*).

CAPÍTULO CATORZE

DAVI ESTABELECE-SE EM JERUSALÉM (14.1—16.43)

SEU PALÁCIO (14.1,2)

Davi empreendeu vários projetos de construção (1Cr 15.1). O primeiro e maior desses edifícios foi sua própria residência pessoal, um lugar magnífico. Devemos levar em conta que era esperado que um monarca oriental vivesse no luxo, começando pela sua própria residência. Além disso, os hebreus viam a prosperidade econômica como um sinal do favor e da bênção divina. A mente dos hebreus nunca glorificou a pobreza e o sacrifício material. Abundância material, riquezas e edifícios sofisticados tinham o efeito de autenticar um monarca oriental. Davi, pois, observou essa tradição dos hebreus;

e Salomão chegou a exagerar quanto a isso. Davi convidou seu bom amigo Hirão, rei da Fenícia, para ajudá-lo no projeto de edificações. Os hebreus nunca foram muito bons nas ciências, incluindo a arquitetura e a matemática (necessárias à boa organização). Ver 2Cr 2.8,9 quanto às habilidades arquitetônicas dos fenícios. Ver no *Dicionário* os artigos chamados *Hirão* e *Tiro*.

O paralelo da presente passagem é 2Sm 5.11-25, onde ofereço a exposição. Aqui forneço apenas alguns poucos comentários adicionais. John Gill, que usualmente faz comentários extensos, meramente envia seus leitores ao trecho paralelo, e não dá nenhuma exposição quanto ao capítulo 14 de 1Crônicas.

Este capítulo fala do palácio de Davi e das duas vitórias que ele obteve sobre os filisteus. Davi estava consolidando o seu reino, material e militarmente.

■ 14.1

וַיִּשְׁלַח חִירָם מֶלֶךְ־צֹר מַלְאָכִים אֶל־דָּוִיד
וַעֲצֵי אֲרָזִים וְחָרָשֵׁי קִיר וְחָרָשֵׁי עֵצִים לִבְנוֹת
לוֹ בָּיִת׃

Para lhe edificarem uma casa. Este versículo tem paralelo em 2Sm 5.11, onde a exposição é oferecida. O cronista escreveu, literalmente, "artífices de paredes e artífices de madeira", enquanto 2Sm 5.11 diz "artífices em madeira e artífices em pedras de paredes".

■ 14.2

וַיֵּדַע דָּוִיד כִּי־הֱכִינוֹ יְהוָה לְמֶלֶךְ עַל־יִשְׂרָאֵל
כִּי־נִשֵּׂאת לְמַעְלָה מַלְכוּתוֹ בַּעֲבוּר עַמּוֹ
יִשְׂרָאֵל׃ פ

Reconheceu Davi que o Senhor o confirmara rei sobre Israel. Ao edificar um palácio portentoso como residência e devido à sua prosperidade geral, com a ajuda de uma potência estrangeira, Davi sentiu que estava sob o favor divino, em consonância com as ideias orientais no tocante aos monarcas da região e em harmonia com a ideia hebraica da prosperidade como uma bênção divina e da pobreza como uma maldição. Ver a introdução ao presente capítulo quanto a comentários adicionais sobre essa questão. No trecho paralelo de 2Sm 5.12 damos a exposição.

Israel inteiro beneficiou-se do que estava acontecendo, e não apenas Davi, pessoalmente. Davi estava sendo abençoado por Yahweh para que, por sua vez, firmasse e abençoasse o povo de Israel, o filho de Yahweh (ver Êx 4.22). O rei e seu povo estavam intrinsecamente unidos nos propósitos de Deus.

A FAMÍLIA DE DAVI (14.3-7)

■ 14.3-7

V3 וַיִּקַּח דָּוִיד עוֹד נָשִׁים בִּירוּשָׁלָ͏ִם וַיּוֹלֶד דָּוִיד עוֹד
בָּנִים וּבָנוֹת׃

V4 וְאֵלֶּה שְׁמוֹת הַיְלוּדִים אֲשֶׁר הָיוּ־לוֹ בִּירוּשָׁלָ͏ִם
שַׁמּוּעַ וְשׁוֹבָב נָתָן וּשְׁלֹמֹה׃

V5 וְיִבְחָר וֶאֱלִישׁוּעַ וְאֶלְפָּלֶט׃

V6 וְנֹגַהּ וְנֶפֶג וְיָפִיעַ׃

V7 וֶאֱלִישָׁמָע וּבְעֶלְיָדָע וֶאֱלִיפָלֶט׃

O trecho paralelo é 2Sm 5.13-16, onde a exposição é oferecida. Ocorrem neste trecho algumas poucas variações quanto à grafia dos nomes próprios, ou mesmo nomes diferentes são aplicados às mesmas pessoas. Esses detalhes são explicados na passagem sobre 2Samuel. Ver também o artigo no *Dicionário* chamado *Davi*, que apresenta um gráfico de sua família.

Quanto mais esposas Davi tivesse, mais filhos geraria. Quanto mais filhos gerasse, mais "sangue azul" seria espalhado pelo território de Israel. Os habitantes de Salt Lake City, Estado de Utah, nos Estados Unidos, descendentes de Brigham Young, que foi um polígamo, ainda se gabam de descender daquele grande pioneiro, um líder primitivo da Igreja Mórmon.

Ver no *Dicionário* o artigo intitulado *Poligamia* e também artigos sobre os nomes próprios que aparecem nesta passagem. É um anacronismo acusar Davi de ter tomado tantas esposas e concubinas. Somente os *pobres* em Israel limitavam-se a uma única esposa. Os ricos e os poderosos sempre tinham muitas mulheres, e Davi, como um monarca oriental, provava assim a sua *virilidade* e, por conseguinte, a virilidade de seu reinado, por sua vida sexual extremamente ativa. "... um sinal de esplendor real oriental era o acúmulo de um grande harém de esposas e concubinas (cf. Dt 17.17). A lista de treze filhos nascidos em Jerusalém difere da lista de 2Sm 5.14-16, mediante a adição de Elifelete (ver a grafia diferente, em 1Cr 3.6) e de Nogá (1Cr 14.5,6). Entretanto, esses dois também aparecem na genealogia de 1Cr 3.5-9)" (Eugene H. Merrill, *in loc.*).

Beeliada, nome que aparece no versículo sétimo, é um apelativo composto com *Baal,* o deus pagão. O cronista, neste lugar, não se incomodou em alterar o nome do inocente Beeliada, do vs. 7. O nome Baal foi incorporado a muitos nomes próprios em Israel. Com a passagem dos séculos, estes foram substituídos por nomes inofensivos, a fim de agradar os piedosos.

DAVI DERROTA SEUS INIMIGOS (14.8-17)

Sinais da Autoridade e da Grandeza de Davi. 1 e 2Crônicas foram escritos para fomentar a grandeza da dinastia de Davi. Até agora vimos várias coisas que serviram a esse propósito:

1. Davi teve o apoio de muitos homens valentes que lhe foram fiéis desde o começo. Ele inspirava lealdade e dedicação (capítulo 11).
2. Israel, universalmente, apoiou a causa de Davi, abandonando de vez a casa de Saul (capítulo 12).
3. Davi foi cuidadoso quanto ao aspecto espiritual de seu reinado, tentando trazer a arca para a sua nova capital. Ele falhou na primeira tentativa, mas finalmente cumpriu o seu desígnio (capítulo 13).
4. Davi subiu ao trono em meio a grande demonstração de força (capítulo 12).
5. Davi teve um extenso programa de edificações, que começou com a construção de um suntuoso palácio. Isso estava em harmonia com o que se esperava de um monarca oriental (1Cr 14.1,2).
6. Davi contava com um numeroso harém para provar sua virilidade, bem como a virilidade de seu reinado (1Cr 14.3-8).
7. Davi obteve sucesso como poderoso guerreiro, a começar por derrotar os filisteus (1Cr 14.8-17). Ver como ele derrotou oito países inimigos a fim de consolidar o seu poder e trazer paz à Palestina, em 2Sm 10.19.

Davi, por algum tempo, tinha sido (presumivelmente) um vassalo e aliado de confiança dos filisteus; mas isso foi só um jogo do qual ele aceitou participar, embora inimigos o tivessem levado a sério. Ver 2Sm 5.17-25. Mas quando Davi teve o poder de fazê-lo, lançou-se na guerra para aniquilar aquele povo.

O paralelo da presente passagem é 2Sm 5.17-25, onde é provida a exposição. As observações a seguir não substituem a exposição sobre 2Samuel.

■ 14.8

וַיִּשְׁמְעוּ פְלִשְׁתִּים כִּי־נִמְשַׁח דָּוִיד לְמֶלֶךְ עַל־
כָּל־יִשְׂרָאֵל וַיַּעֲלוּ כָל־פְּלִשְׁתִּים לְבַקֵּשׁ אֶת־דָּוִיד
וַיִּשְׁמַע דָּוִיד וַיֵּצֵא לִפְנֵיהֶם׃

O paralelo deste versículo é 2Sm 5.17. Davi, supostamente antes um vassalo fiel, agora se tornara rei de Israel. Isso só poderia significar a guerra, razão pela qual os filisteus avançaram contra Davi.

■ 14.9

וּפְלִשְׁתִּים בָּאוּ וַיִּפְשְׁטוּ בְּעֵמֶק רְפָאִים׃

O paralelo deste versículo é 2Sm 5.18. Os dois autores seguiram a mesma fonte informativa. O cronista, entretanto, fez algumas alterações adições.

14.10

וַיִּשְׁאַ֨ל דָּוִ֤יד בֵּֽאלֹהִים֙ לֵאמֹ֔ר הַאֶֽעֱלֶה֙ עַל־פְּלִשְׁתִּ֔ים
וּנְתַתָּ֖ם בְּיָדִ֑י וַיֹּ֨אמֶר ל֤וֹ יְהוָה֙ עֲלֵ֔ה וּנְתַתִּ֖ים בְּיָדֶֽךָ׃

O paralelo é 2Sm 5.19.

14.11

וַיַּעֲל֣וּ בְּבַֽעַל־פְּרָצִים֮ וַיַּכֵּ֣ם שָׁ֣ם דָּוִיד֒ וַיֹּ֣אמֶר דָּוִ֔יד
פָּרַ֨ץ הָאֱלֹהִ֧ים אֶת־אוֹיְבַ֛י בְּיָדִ֖י כְּפֶ֣רֶץ מָ֑יִם עַל־כֵּ֗ן
קָרְא֛וּ שֵֽׁם־הַמָּק֥וֹם הַה֖וּא בַּ֥עַל פְּרָצִֽים׃

O paralelo é 2Sm 5.20.

14.12

וַיַּעַזְבוּ־שָׁ֖ם אֶת־אֱלֹהֵיהֶ֑ם וַיֹּ֣אמֶר דָּוִ֔יד וַיִּשָּׂרְפ֖וּ
בָּאֵֽשׁ׃ פ

O paralelo é 2Sm 5.21. "O cronista alterou completamente a declaração espantosa de 2Sm 5.21: "Os filisteus deixaram lá os seus ídolos; e Davi e os seus homens os levaram" (W. A. L. Elmslie, *in loc.*). Lemos aqui que Davi ordenou que esses ídolos fossem queimados a fogo. Mas talvez devamos compreender que eles levaram dali os ídolos deixados pelos filisteus, a fim de que, mais tarde, pudessem queimá-los, em indignação contra a idolatria. "O cronista teve o cuidado de registrar a obediência de Davi à lei exarada em Dt 7.25" (Ellicott, *in loc.*). Os filisteus tinham levado seus deuses como medida de proteção, mas isso se revelou uma vã superstição.

14.13

וַיֹּסִ֤יפוּ עוֹד֙ פְּלִשְׁתִּ֔ים וַֽיִּפְשְׁט֖וּ בָּעֵֽמֶק׃

O paralelo é 2Sm 5.22. Uma segunda invasão iniciada pelos filisteus foi repelida com êxito.

14.14

וַיִּשְׁאַ֨ל ע֤וֹד דָּוִיד֙ בֵּֽאלֹהִ֔ים וַיֹּ֤אמֶר לוֹ֙ הָֽאֱלֹהִ֔ים לֹ֥א
תַֽעֲלֶ֖ה אַחֲרֵיהֶ֑ם הָסֵב֙ מֵעֲלֵיהֶ֔ם וּבָ֥אתָ לָהֶ֖ם מִמּ֥וּל
הַבְּכָאִֽים׃

O paralelo deste versículo é 2Sm 5.23. O cronista apresenta-nos uma descrição mais completa e mais clara.

Amoreiras. No hebraico, temos uma palavra rara, traduzida para o português "balsameiros". Essa palavra só é usada aqui e no paralelo, em todo o Antigo Testamento. Algum tipo de árvore de bálsamo está em foco, chamada *baka* pelos árabes. O termo hebraico é *beka'im*. Essa árvore exsudava goma como se fossem lágrimas, daí o seu nome em hebraico, pois nessa língua *baka* significa "chorar". Ver no *Dicionário* o artigo chamado *Bálsamo*.

14.15

וִ֠יהִי כְּֽשָׁמְעֲךָ֞ אֶת־ק֤וֹל הַצְּעָדָה֙ בְּרָאשֵׁ֣י הַבְּכָאִ֔ים אָ֖ז
תֵּצֵ֣א בַמִּלְחָמָ֑ה כִּֽי־יָצָ֤א הָאֱלֹהִים֙ לְפָנֶ֔יךָ לְהַכּ֖וֹת
אֶת־מַחֲנֵ֥ה פְלִשְׁתִּֽים׃

O paralelo é 2Sm 5.24. Haveria um ruído como que de tropas marchando, e isso seria o sinal de avanço contra os filisteus. Yahweh, que controla os ventos, proveria o sinal, um pequeno milagre para ajudar a causa de Israel. Os árabes acreditavam que arbustos espinhentos eram capazes de proferir sons e palavras proféticas, mas o autor sagrado estava pensando, definitivamente, em algo *divino*. O Talmude refere-se aqui à intervenção dos *anjos*.

14.16

וַיַּ֣עַשׂ דָּוִ֔יד כַּאֲשֶׁ֥ר צִוָּ֖הוּ הָאֱלֹהִ֑ים וַיַּכּוּ֙ אֶת־מַחֲנֵ֣ה
פְלִשְׁתִּ֔ים מִגִּבְע֖וֹן וְעַד־גָּֽזְרָה׃

O paralelo é 2Sm 5.25. A obediência conduziu ao sucesso na batalha. O agente da vitória foi *Yahweh* (2Sm e o presente texto). Davi estava recebendo ajuda divina na consolidação de seu reino e na derrota dos adversários de Israel, a fim de que pudesse firmar a sua monarquia. Salomão produziu a época áurea de Israel, em paz, porquanto Davi lhe preparara o caminho.

14.17

וַיֵּצֵ֥א שֵׁם־דָּוִ֖יד בְּכָל־הָאֲרָצ֑וֹת וַֽיהוָ֛ה נָתַ֥ן אֶת־פַּחְדּ֖וֹ
עַל־כָּל־הַגּוֹיִֽם׃

Assim se espalhou o renome de Davi. Este versículo não tem paralelo no quinto capítulo de 2Samuel. Trata-se de uma reflexão editorial, provavelmente não encontrada na fonte informativa do autor sacro. Cf. observações similares em 2Cr 17.10 e 20.29.

A reputação de Davi como um poderoso guerreiro crescia de tal modo que os inimigos vizinhos a Israel estavam transidos de medo. Eles temiam ser a próxima vítima, e tinham toda a razão. Ver 2Sm 10.19, onde se lê que Davi derrotou *oito povos* específicos, a fim de consolidar o seu reino e trazer a paz à Palestina. Notemos como a *Yahweh* foi dado o crédito pelo sucesso de Davi. Em última análise, Deus foi o Poder que derrotou os inimigos de Davi. Cf. Et 8.17. O autor sagrado, pois, diz-nos que Davi cumpriria uma missão divina. A dinastia davídica foi um instrumento especial de Yahweh, um fato ilustrado nos livros de 1 e 2Crônicas. Terminado o cativeiro babilônico, essa dinastia continuou e emprestou vida nova à nação de Israel. No Rei Messias haverá um benefício universal, e ele seria Filho de Davi.

CAPÍTULO QUINZE

A ARCA É TRAZIDA PARA SIÃO (15.1—16.43)

O fio da narrativa fora interrompido em 1Cr 13.14. O autor agora reinicia a história, contando como a arca da aliança foi trazida para a nova capital do reino, Jerusalém. Os levitas seriam empregados para trazer a arca da casa de Obede-Edom. O cronista nos fornece um relato elaborado que é paralelo à versão abreviada de 2Sm 6.12-20.

Conteúdo:
1. Preparativos de Davi para a transferência (vs. 1).
2. Construção de uma tenda para receber a arca (vs. 1).
3. Reunião de representantes, especialmente dentre os levitas e sacerdotes, para realizar a tarefa (vss. 2-16).
4. Escolha de indivíduos específicos para participar do empreendimento (vss. 17-24).
5. Incidentes ocorridos durante o cortejo (vss. 25-29).

Salomão, com o tempo, substituiria a tenda provisória (ou tabernáculo) de Davi pelo esplendoroso templo de Jerusalém. Ver as notas em 2Sm 6.17 quanto ao tabernáculo provisório.

15.1

וַיַּֽעַשׂ־ל֥וֹ בָתִּ֖ים בְּעִ֣יר דָּוִ֑יד וַיָּ֤כֶן מָקוֹם֙ לַֽאֲר֣וֹן
הָאֱלֹהִ֔ים וַיֶּט־ל֖וֹ אֹֽהֶל׃

Fez também Davi. "Os vss. 1-3. De acordo com o capítulo 6 de 2Samuel, Davi ouviu que Obede-Edom estava prosperando. Portanto, o rei tomou coragem e fez uma segunda tentativa para buscar a arca e instalá-la em Sião. Nessa segunda tentativa, Davi logrou bom êxito. O cronista transformou a história de tal modo que deixou iluminados os seus princípios e métodos. Davi, dessa vez, fez todas as coisas conforme recomendado. *Em primeiro lugar,* preparou um abrigo para a arca. Em seguida, por proclamação real, declarou que somente os levitas haveriam de transportar a arca. E, finalmente, reuniu todo o Israel para acompanhar a arca em sua jornada" (W. A. L. Elmslie, *in loc.*).

Davi fez o sagrado invadir a vida secular. Não se contentou meramente em construir palácios, receber glória e declarar guerra aos inimigos de Israel. Cuidou também do culto a Yahweh. Davi deu orientações aos levitas. Ele não estava contente em permitir-lhes trabalhar sozinhos. Ele se envolveu igualmente com a vida espiritual. Estava no coração de Davi dar à arca um lugar honroso, permanente, um templo; mas não lhe caberia tal honra (ver 1Cr 17.1-4). Ele fez o que foi ordenado fazer, mas não ultrapassou sua jurisdição.

Casas. Ou seja, "duas casas". A primeira foi o seu próprio palácio, onde ele residia (ver 1Cr 14.1,2). A segunda foi a tenda, similar à que Moisés havia levantado no deserto. Em outras palavras, Davi construiu outro tabernáculo provisório, esperando que seu filho, Salomão, edificasse o templo de Jerusalém. A tenda do deserto, pois, foi substituída por essa feita por Davi, em Jerusalém. Conforme já ficou claro, essa tenda seria posteriormente substituída pelo esplendoroso templo construído por Salomão. Ver no *Dicionário* os artigos chamados *Tabernáculo* e *Templo*.

■ 15.2

אָז אָמַר דָּוִיד לֹא לָשֵׂאת אֶת־אֲרוֹן הָאֱלֹהִים כִּי אִם־הַלְוִיִּם כִּי־בָם ׀ בָּחַר יְהוָה לָשֵׂאת אֶת־אֲרוֹן יְהוָה וּלְשָׁרְתוֹ עַד־עוֹלָם: ס

Ninguém pode levar a arca de Deus, senão os levitas. Ver Nm 1.50; 4.2,15; Dt 10.8 e 31.9 quanto à lei mosaica de que os levitas eram os únicos autorizados e qualificados para transportar a arca da aliança. Essa informação não consta de 2Samuel, embora haja tantos outros paralelos com 1Crônicas. A primeira tentativa de transportar a arca terminou em desastre, porque tal regra não foi seguida (capítulo 13).

■ 15.3

וַיַּקְהֵל דָּוִיד אֶת־כָּל־יִשְׂרָאֵל אֶל־יְרוּשָׁלִָם לְהַעֲלוֹת אֶת־אֲרוֹן יְהוָה אֶל־מְקוֹמוֹ אֲשֶׁר־הֵכִין לוֹ:

Todo o Israel. O povo inteiro de Israel, através de representantes de cada tribo, deveria fazer parte do cortejo que levaria a arca até Jerusalém. Mas os *levitas* eram os participantes mais importantes, conforme demonstram os versículos seguintes. A casa de Obede-Edom foi grandemente abençoada, porque a arca estivera ali por três meses, e esperava-se que todo o povo de Israel fosse abençoado, uma vez que a arca estivesse "em casa", em Jerusalém, a nova capital. Ver 2Sm 6.12 ss.

2Sm 6.15 é um paralelo direto do presente versículo e oferece informações adicionais. Cf. 1Cr 13.2,3, sobre como *todo o Israel* foi envolvido no projeto.

ENUMERAÇÃO DOS LEVITAS QUE AJUDARAM (15.4-10)

Todo o povo de Israel deveria cooperar para que a arca fosse trazida para Jerusalém, por meio de seus chefes, dos anciãos, das autoridades militares etc. Mas os principais participantes eram os levitas. Dentre os levitas seriam escolhidos os que teriam a incumbência real de transportar a arca. Os vss. 4-10 dão-nos a lista e o número dos levitas que foram chamados para encabeçar o cortejo.

■ 15.4

וַיֶּאֱסֹף דָּוִיד אֶת־בְּנֵי אַהֲרֹן וְאֶת־הַלְוִיִּם:

Os filhos de Arão, ou seja, os sacerdotes, seriam os principais atores do drama. Arão era descendente de Levi, isto é, um levita. Mas foi à sua família (aquele ramo dos levitas) que foi dado o ofício do sacerdócio. Os sacerdotes ministravam no tabernáculo e, mais tarde, no templo de Jerusalém. Outros levitas (que não pertenciam à família de Arão) eram ajudantes, executando certas tarefas braçais. Naturalmente, os críticos provavelmente têm razão quando supõem que, "originalmente", essas distinções não existissem. Ver no *Dicionário* os verbetes intitulados *Levitas* e *Sacerdotes e Levitas*, quanto a detalhes. É verdade, sem dúvida, que os levitas não pertencentes à linhagem de Arão realizavam serviços sacerdotais por todo o Israel, mesmo que não estivessem diretamente envolvidos no culto do tabernáculo e do templo propriamente dito.

O Total. Foram convocados 862 homens, provenientes dos vários ramos da tribo de Levi (casta sacerdotal). Além desses levitas, havia *seis* líderes.

■ 15.5-10

V5 לִבְנֵי קְהָת אוּרִיאֵל הַשָּׂר וְאֶחָיו מֵאָה וְעֶשְׂרִים: ס

V6 לִבְנֵי מְרָרִי עֲשָׂיָה הַשָּׂר וְאֶחָיו מָאתַיִם וְעֶשְׂרִים: ס

V7 לִבְנֵי גֵּרְשׁוֹם יוֹאֵל הַשָּׂר וְאֶחָיו מֵאָה וּשְׁלֹשִׁים: ס

V8 לִבְנֵי אֱלִיצָפָן שְׁמַעְיָה הַשָּׂר וְאֶחָיו מָאתָיִם: ס

V9 לִבְנֵי חֶבְרוֹן אֱלִיאֵל הַשָּׂר וְאֶחָיו שְׁמוֹנִים: ס

V10 לִבְנֵי עֻזִּיאֵל עַמִּינָדָב הַשָּׂר וְאֶחָיו מֵאָה וּשְׁנֵים עָשָׂר: ס

A Distribuição Numérica:
1. Os filhos de Coate: 120 (vs. 5)
2. Os filhos de Merari: 220 (vs. 6)
3. Os filhos de Gérson: 130 (vs. 7)
4. A posteridade de Elisafã: 200 (vs. 8)
5. Os filhos de Hebrom: 80 (vs. 9)
6. Os filhos de Uziel: 112 (vs. 10).

Seis líderes foram mencionados por nome:
1. Uriel (vs. 5)
2. Asaías (vs. 6)
3. Joel (vs. 7)
4. Semaías (vs. 8)
5. Eliel (vs. 9)
6. Aminadabe (vs. 10)

Quanto ao pouco que se sabe sobre esses homens, ver os artigos no *Dicionário*. Havia quatro descendentes de Coate, e um de cada um dos outros dois ramos de levitas (descendentes de Merari e de Gérson). O grande total envolvia, assim, 868 nomes.

O trecho paralelo é o sexto capítulo de 2Samuel. Essa passagem não dá uma lista elaborada, nem ao menos menciona os levitas. Alguns críticos supõem que o paralelo seja mais antigo e reflita uma época em que os levitas ainda não se tinham tornado uma casta sacerdotal. Se isso é verdade, então a casta sacerdotal, criada algum tempo depois, foi "lida de volta" no Pentateuco. Essa posição, como é natural, é vigorosamente contestada pelos eruditos conservadores. Se os críticos estiverem corretos nesse ponto, então permanece mistério *por qual* razão o trecho paralelo nem ao menos menciona nominalmente os levitas, como participantes especiais no transporte da arca da aliança para Jerusalém.

■ 15.11

וַיִּקְרָא דָוִיד לְצָדוֹק וּלְאֶבְיָתָר הַכֹּהֲנִים וְלַלְוִיִּם לְאוּרִיאֵל עֲשָׂיָה וְיוֹאֵל שְׁמַעְיָה וֶאֱלִיאֵל וְעַמִּינָדָב:

Zadoque e Abiatar. Além dos 868 levitas convocados para ajudar, a Zadoque e a Abiatar, os dois sumos sacerdotes, foram atribuídas responsabilidades especiais. Cf. 2Sm 15.27,29; 1Rs 4.4. Esses dois homens representavam as linhagens respectivas de Eleazar e Itamar. Dessa forma, o autor sacro teve o cuidado de dizer-nos que todos os ramos dos levitas estavam representados, assim o ato realizado fora autorizado por Yahweh, o Cabeça de todos os sacerdotes e autoridades. Ver 1Cr 16.39 quanto a Zadoque e a Abiatar, *ambos* sumos sacerdotes.

■ 15.12

וַיֹּאמֶר לָהֶם אַתֶּם רָאשֵׁי הָאָבוֹת לַלְוִיִּם הִתְקַדְּשׁוּ אַתֶּם וַאֲחֵיכֶם וְהַעֲלִיתֶם אֵת אֲרוֹן יְהוָה אֱלֹהֵי יִשְׂרָאֵל אֶל־הֲכִינוֹתִי לוֹ:

Vós sois os cabeças das famílias dos levitas. Os líderes, a fim de poder liderar, precisavam estar limpos e devidamente preparados para realizar os sacrifícios e as cerimônias de lavagem. "Essa santificação especial, requerida em todas as ocasiões religiosas sérias e importantes, consistia em observar a mais estrita abstinência, bem como a limpeza tanto pessoal quanto no vestuário. Ver Gn 35.2 e Êx 19.10,15. Se tais regras tivessem sido negligenciadas, o processo inteiro teria sido interrompido. Ver 2Cr 30.3" (Jamieson, *in loc.*). Ver o trecho paralelo em 2Sm 6.20.

Coisas Envolvidas. Lavagem do corpo em um molde cerimonial apropriado; abstinência sexual; lavagem das roupas; evitação de qualquer coisa que pudesse estar imunda. Ver o *Dicionário* quanto ao *Limpo e Imundo*. Provavelmente sacrifícios especiais também foram oferecidos a Yahweh, para evitar um segundo desastre no transporte da arca da aliança.

■ 15.13

כִּי לְמַבָּרִאשׁוֹנָה לֹא אַתֶּם פָּרַץ יְהוָה אֱלֹהֵינוּ בָּנוּ
כִּי־לֹא דְרַשְׁנֻהוּ כַּמִּשְׁפָּט׃

Pois visto que não a levastes na primeira vez. A *causa* do desastre (capítulo 13), na primeira tentativa, é agora revelada. Os levitas não tinham efetuado o transporte da arca; a arca não fora carregada mediante seus varais, conforme ordenado; não tinha havido procedimentos santificadores preliminares. Conforme dizem os gregos: "Um segundo pensamento é mais sóbrio, de alguma maneira". O pensamento mais sóbrio levou Davi a fazer as coisas *conforme o molde mosaico*, nessa segunda vez.

Irrompeu contra nós. *Elohim* havia lançado seu raio fulminante e ferido os descuidados israelitas. Deus julgara o homem que tocou na arca matando-o, ao que tudo indica instantaneamente (ver 1Cr 13.10; ver também 2Sm 6.7). Está em vista uma morte súbita, mas não nos é dito o que a causou.

■ 15.14

וַיִּתְקַדְּשׁוּ הַכֹּהֲנִים וְהַלְוִיִּם לְהַעֲלוֹת אֶת־אֲרוֹן יְהוָה אֱלֹהֵי יִשְׂרָאֵל׃

Santificaram-se, pois, os sacerdotes. As devidas cerimônias de santificação foram realizadas, conforme lhes fora ordenado (vs. 12). Ver as notas expositivas nesse versículo. O transporte da arca usualmente era efetuado pelos levitas, e não especialmente pelos sacerdotes. Mas os sacerdotes podiam transportar a arca, e algumas vezes assim o faziam. Ver Js 3.14,15 e 6.6. Ao que tudo indica, o presente versículo significa que, nesta ocasião, tanto os levitas quanto os sacerdotes estiveram envolvidos no transporte da arca. Naturalmente, os ritos de santificação tinham de ser efetuados por todos os participantes do cortejo, e não meramente por aqueles que transportassem a arca da aliança.

■ 15.15

וַיִּשְׂאוּ בְנֵי־הַלְוִיִּם אֵת אֲרוֹן הָאֱלֹהִים כַּאֲשֶׁר צִוָּה מֹשֶׁה כִּדְבַר יְהוָה בִּכְתֵפָם בַּמֹּטוֹת עֲלֵיהֶם׃ פ

Trouxeram a arca de Deus aos ombros pelas varas. *Nesta oportunidade*, a arca foi devidamente transportada. Foi carregada nos ombros pelos levitas (e pelos sacerdotes), através das varas que passavam por anéis existentes na arca. Desse modo, a arca da aliança não podia ser tocada pelos transportadores. Na desastrosa ocasião anterior, a arca foi transportada em uma carroça puxada por bois. Ver 1Cr 13.7,9. A legislação mosaica dava instruções específicas sobre *como* a arca deveria ser transportada. Ver Nm 4.5,15. Ver também Nm 7.9 e Êx 25.13-15.

Fazendo a Coisa Certa da Maneira Certa. Os fins não justificam os meios. Algumas coisas não fazem diferença alguma, mas outras ocultam um sentido moral e espiritual. As regras divinas governam as realidades divinas. Existem formas certas de fazer coisas certas. E, naturalmente, nunca será certo fazer coisas erradas para produzir bons resultados.

ACOMPANHAMENTO MUSICAL — AS GUILDAS MUSICAIS (15.16-24)

Entre os levitas havia *guildas musicais*, compostas por aqueles treinados em produzir música para o culto divino. Esta seção explica elaboradamente como funcionaram essas guildas por ocasião do transporte da arca para Jerusalém. Israel tinha uma bateria de instrumentos musicais de corda, sopro e percussão. Hodiernamente, a música das igrejas tem sido *paganizada*, o que discuto em meu artigo no *Dicionário*, intitulado *Música*. Adam Clarke queixou-se de que em seu tempo (1760-1832) a música dos teatros era executada na igreja para "atrair" pessoas para o evangelho. Ele preferia que não houvesse instrumentos musicais na igreja, de maneira alguma, para evitar abusos. Atualmente vemos um espetáculo pagão na igreja, quando se executa até o ritmo rock para "entreter" os frequentadores. Isso, sem dúvida, faz parte da apostasia que testemunhamos em nossos próprios dias. Nem toda a apostasia ocorre fora da Igreja. A apostasia tem penetrado no próprio coração da Igreja cristã. A Igreja transformou-se em uma embarcação de espetáculos, e não em um navio da vida.

O transporte da arca foi acompanhado por grande celebração religiosa, na qual a música ocupava importante função. Ver 1Cr 6.31-48 quanto às *Guildas Musicais*. Naquela seção dou notas expositivas que têm aplicação aqui. Ver no *Dicionário* o verbete intitulado *Música, Instrumentos Musicais*.

> Com razão diz-se que a música
> é a língua dos anjos.
>
> Thomas Carlyle

> A música tem encantos que
> Aplacam o peito selvagem,
> Que amolecem as rochas
> E dobram o carvalho nodoso.
>
> William Congreve

■ 15.16

וַיֹּאמֶר דָּוִיד לְשָׂרֵי הַלְוִיִּם לְהַעֲמִיד אֶת־אֲחֵיהֶם הַמְשֹׁרְרִים בִּכְלֵי־שִׁיר נְבָלִים וְכִנֹּרוֹת וּמְצִלְתָּיִם מַשְׁמִיעִים לְהָרִים־בְּקוֹל לְשִׂמְחָה׃ פ

A Panóplia de Instrumentos Musicais. No artigo do *Dicionário* chamado *Música, Instrumentos Musicais*, descrevi individualmente os muitos instrumentos musicais usados pelos hebreus, incluindo os especificamente mencionados neste versículo. Portanto, não entro aqui em descrições. Havia instrumentos de *corda*, de *sopro* e de *percussão*. Este versículo também mostra que o canto fazia parte da música que acompanhou o cortejo. Idêntica parafernália musical fora provida na primeira tentativa de trazer a arca para Jerusalém. Ver 1Cr 13.8, onde a descrição é mais completa do que aqui.

Um Ruído Jubiloso. Houve extremo cuidado para garantir que a música fosse válida e digna da ocasião. Davi foi ajudado por um chefe de coro, que dirigia a música, "porque era entendido nisso" (vs. 22). Das muitas referências à música do templo e ao cântico de salmos, derivamos a estimativa popular de que "quanto mais ruidosa a música, melhor".

Nos assentos de uma igreja interiorana, no coro, na Cornuália Britânica, está inscrito o seguinte lema: *Amor, nom clamor, ascendit in aures Dei* (O amor, e não o barulho, eleva-se aos ouvidos de Deus) (W. A. L. Elmslie, *in loc.*, com uma sábia nota). Observe-se a sábia escolha de palavras no latim original: É *amor*, e não *clamor*, que Deus quer. Em outras palavras, *amor*, e não *barulho*. Meus amigos, o ruído das reuniões de alguns grupos evangélicos é simplesmente irritante, para dizer o mínimo.

■ 15.17

וַיַּעֲמִידוּ הַלְוִיִּם אֵת הֵימָן בֶּן־יוֹאֵל וּמִן־אֶחָיו אָסָף בֶּן־בֶּרֶכְיָהוּ סוּמָן־בְּנֵי מְרָרִי אֲחֵיהֶם אֵיתָן בֶּן־קוּשָׁיָהוּ׃

Os nomes próprios que figuram neste versículo receberam artigos no *Dicionário*, que fornecem a pouca informação disponível a respeito deles. Os críticos veem "referências misturadas" ou confusão, devido ao uso de mais de uma fonte informativa de materiais, provenientes de diferentes épocas. Ver minhas notas expositivas sobre o versículo seguinte, quanto a uma ilustração a respeito. Cf. 1Cr 6.44. Os chefes dos *cantores* estão aqui em mira. "Cantores, para que, com instrumentos musicais, alaúdes, harpas e címbalos se fizessem ouvir e levantassem a voz com alegria" (vs. 16). O principal chefe era Hemã, filho de Joel (vs. 17), que era neto de Samuel (1Cr 6.33), Asafe e Etã, que faziam soar os címbalos de bronze. Oito outros músicos (vs. 20) tocavam "alaúdes", *em voz de soprano* (no hebraico, *alamote*). Seis outros tocavam harpas em *tom de oitava* (também um termo musical) (Eugene H. Merrill, *in loc.*).

15.18

וְעִמָּהֶ֖ם אֲחֵיהֶ֣ם הַמִּשְׁנִ֑ים זְכַרְיָ֡הוּ בֵּ֣ן וְיַעֲזִיאֵ֡ל
וּשְׁמִֽירָמ֡וֹת וִיחִיאֵ֣ל ׀ וְעֻנִּ֡י אֱלִיאָ֡ב וּבְנָיָ֡הוּ וּמַעֲשֵׂיָ֡הוּ
וּמַתִּתְיָ֡הוּ וֶאֱלִיפְלֵ֡הוּ וּמִקְנֵיָ֡הוּ וְעֹבֵ֥ד אֱדֹ֖ם וִֽיעִיאֵ֑ל
הַשֹּׁעֲרִֽים׃

Os críticos veem aqui somente referências *confusas,* visto que *Obede-Edom* e *Jeiel* aparecem como porteiros neste versículo, mas como harpistas no vs. 21. "Talvez seus descendentes pós-exílicos se tivessem elevado da posição de porteiros para a posição de músicos" (W. A. L. Elmslie, *in loc.*). Ou, então, conforme outros estudiosos supõem, eles podem ter exercido ambas as funções (embora alguns pensem que isso não seja muito provável), ou alternado entre uma e outra função, em tempos diferentes. O autor sacro escreveu em tempos pós-exílicos e deveria estar consciente da mudança de posição, registrando então sua função *anterior* e, em seguida, sua função *posterior,* sem explicar por quê. John Gill, *in loc.*, supunha uma dupla função: "Quando eles não estavam empregados no canto, agiam como porteiros do santuário".

15.19

וְהַמְשֹׁרְרִ֑ים הֵימָ֥ן אָסָ֖ף וְאֵיתָ֑ן בִּמְצִלְתַּ֥יִם נְחֹ֖שֶׁת
לְהַשְׁמִֽיעַ׃

Se faziam ouvir com címbalos de bronze. Três cantores cujos nomes aparecem neste versículo eram cantores, acompanhando a si mesmos com címbalos de bronze, para reforçar o cântico e os salmos. Ver o artigo chamado *Música, Instrumentos Musicais,* em sua seção IV, quanto a descrições dos instrumentos que os hebreus usavam no culto. Cf. o vs. 16 deste capítulo e 1Co 13.1, no Novo Testamento.

15.20

וּזְכַרְיָ֨ה וַעֲזִיאֵ֜ל וּשְׁמִֽירָמ֣וֹת וִיחִיאֵ֗ל וְעֻנִּ֤י וֶאֱלִיאָב֙
וּמַעֲשֵׂיָ֣הוּ וּבְנָיָ֔הוּ בִּנְבָלִ֖ים עַל־עֲלָמֽוֹת׃

Os oito cantores aqui nomeados acompanhavam-se de *alaúdes* (um tipo de harpa ou instrumento de corda). Ver o vs. 16 quanto aos três tipos de instrumentos empregados no culto divino.

Em voz de soprano. A transliteração dessa palavra, do hebraico para o português, seria *alamote.* Trata-se de um termo musical que possivelmente significa "voz de soprano", isto é, uma imitação da voz feminina, que é o que diz a nossa versão portuguesa. Ellicott (*in loc.*) concorda com esse parecer, dizendo "após a voz de donzelas", isto é, em tom alto ou de soprano, a voz feminina. A mesma expressão ocorre no título do Sl 46. Alguns estudiosos supõem que cantoras virgens se ocupassem dessa parte do cântico, mas dificilmente isso ocorreria na antiga sociedade hebraica. Alguns eruditos pensam que o *alamote* seria um instrumento musical. A Vulgata diz que elas cantavam "coisas secretas", ou seja, provavelmente, hinos proféticos.

15.21

וּמַתִּתְיָ֣הוּ וֶאֱלִיפְלֵ֡הוּ וּמִקְנֵיָ֡הוּ וְעֹבֵ֥ד אֱדֹ֖ם וִיעִיאֵ֑ל
וַעֲזַזְיָ֖הוּ בְּכִנֹּר֥וֹת עַל־הַשְּׁמִינִ֖ית לְנַצֵּֽחַ׃

Com harpas, em tom de oitava. Outros *seis cantores* eram acompanhados por harpas, um terceiro tipo de instrumento a ser empregado no culto divino (ver as notas sobre o vs. 16). Portanto, os harpistas referidos neste versículo eram os porteiros do vs. 18, um problema que discuti nas notas sobre o versículo anterior.

As palavras "em tom de oitava" (no hebraico, *sheminith),* segundo nossa versão portuguesa, parecem referir-se ao registro mais grave da música, tal como o vs. 20 refere-se ao tom mais elevado, ou voz de soprano. Isso não significa, entretanto, que temos aqui uma alusão à voz masculina, ao passo que o versículo anterior é uma referência à voz feminina. Somente os levitas estavam qualificados para servir no tabernáculo (e no templo), e uma mulher não podia atuar como levita. Talvez o que encontramos nos vss. 20 e 21 sejam tenores e baixos, todos cantores homens, naturalmente. Mas outros estudiosos pensam que o *sheminith* era um instrumento de oito cordas, visto que a palavra implica o número "oito". As versões siríaca e árabe veem instrumentos musicais para uso *diário,* mas a Vulgata traduz o termo indicando "cântico de vitória". Ou, então, conforme outras argumentações, oito grupos de músicos seriam referidos por essa palavra.

Seja como for, um grupo diferente de cantores entoava as notas mais baixas, ou cantava em tons mais baixos do que aqueles do vs. 20, acompanhados por harpas. Ver o vs. 16 quanto aos três tipos de instrumentos empregados pelos músicos. O termo hebraico *sheminith* também aparece no título do Sl 6.

15.22

וּכְנַנְיָ֥הוּ שַֽׂר־הַלְוִיִּ֖ם בְּמַשָּׂ֑א יָסֹר֙ בַּמַּשָּׂ֔א כִּ֥י מֵבִ֖ין הֽוּא׃

Quenanias. O "chefe dos levitas músicos", um músico especialmente habilitado e também um bom diretor de canto. Ver sobre ele no *Dicionário.* Quenanias era professor de música, o homem que mantinha a guilda musical em boa forma para desempenhar as suas tarefas. Era ele quem organizava os músicos e certificava-se de que atuassem harmonicamente. Era um homem extremamente *habilidoso* na música (cf. 1Cr 25.7 e 2Cr 34.12).

15.23

וּבֶרֶכְיָה֙ וְאֶלְקָנָ֔ה שֹׁעֲרִ֖ים לָאָרֽוֹן׃

Porteiros da arca. Em outras palavras, guardas e protetores que estavam sempre presentes, procurando impedir problemas com a arca da aliança. A referência poderia ser ao serviço deles na casa de Obede-Edom, quando a arca esteve ali guardada. O mais provável, entretanto, é que eles se tenham *tornado* porteiros (o que o autor sacro antecipou), uma vez que Davi preparara seu tabernáculo provisório para abrigar a arca, até que Salomão edificasse o templo. Para outros estudiosos, porém, o versículo indica que esses porteiros guardavam a arca quando ela estava sendo transportada para Jerusalém: caminhavam adiante dela e certificavam-se de que nenhum acidente ocorreria. Seja como for, sempre que o serviço era efetuado, eles eram responsáveis por impedir a aproximação de qualquer pessoa não autorizada.

15.24

וּשְׁבַנְיָ֣הוּ וְֽיוֹשָׁפָ֡ט וּנְתַנְאֵ֡ל וַעֲמָשַׂ֡י וּזְכַרְיָ֡הוּ וּבְנָיָ֡הוּ
וֶאֱלִיעֶ֡זֶר הַכֹּהֲנִ֡ים מַחְצְרִים֙ בַּחֲצֹ֣צְר֔וֹת לִפְנֵ֖י אֲר֣וֹן
הָאֱלֹהִ֑ים וְעֹבֵ֣ד אֱדֹ֔ם וִיחִיָּ֖ה שֹׁעֲרִ֥ים לָאָרֽוֹן׃

Tocavam as trombetas perante a arca de Deus. Este versículo lista os *tocadores de trombetas* que iam à frente da arca, enquanto o cortejo avançava na direção de Jerusalém.

Esses homens eram *habilidosos* no uso das trombetas de prata. Ver Nm 10.5,6. Uma vez terminada a tarefa de transportar a arca, eles continuariam como sopradores das trombetas, para outros propósitos. Quanto a como Obede-Edom e Jeías foram chamados de harpistas no vs. 21, e aqui são chamados de porteiros, ver as explicações oferecidas na referência anterior. A tentativa de explicação que diz que homens diferentes, com os mesmos nomes, estão em pauta, é a menos provável de todas. Talvez o presente versículo queira indicar que os dois homens em pauta iam *atrás* da arca, conforme ela avançava na direção de Jerusalém, enquanto outros iam adiante dela. Eles iam por trás, a fim de guardá-la de qualquer ataque pela retaguarda. Nenhuma explicação definitiva ou satisfatória tem sido dada, até hoje, para explicar o problema envolvido.

DETALHES SUPLEMENTARES (15.25-29)

"Em algum ponto ao longo do cortejo, talvez à testa, *Davi* dançava (vs. 29), coberto com as vestes de um sacerdote (um manto de linho fino e uma estola de linho; vs. 27). *Mical,* uma de suas esposas, que observava tudo de uma janela... desprezou-o, visto que tomou seu santo zelo como se fosse *exibicionismo* (ver 2Sm 6.20)" (Eugene H. Merrill, *in loc.*). Naturalmente, muito do que acontece hoje em dia nas igrejas é apenas isso, exibicionismo. O homem que diz Amém em voz mais alta é, com frequência, aquele que quer chamar a atenção para si mesmo. O pregador prepara um sermão para impressionar os ouvintes, em vez de querer torná-los espiritualmente melhores. A dama que canta seu solo está preocupada somente em impressionar os ouvintes quanto às suas qualidades como cantora. E até o indivíduo que faz os anúncios e conta piadas para as pessoas rirem quer mostrar como ele é homem espirituoso. E, além disso, meus amigos, que poderia haver de pior do que aqueles cantores de "rock" que trazem para o seio da igreja um teatro barato, e cujas contorções corrompem as boas maneiras?

Não clamor, mas amor, é que atinge os ouvidos de Deus.

■ 15.25

וַיְהִ֤י דָוִיד֙ וְזִקְנֵ֣י יִשְׂרָאֵ֔ל וְשָׂרֵ֥י הָאֲלָפִ֖ים הַהֹלְכִ֑ים לְהַעֲל֞וֹת אֶת־אֲר֧וֹן בְּרִית־יְהוָ֛ה מִן־בֵּ֥ית עֹבֵֽד־אֱדֹ֖ם בְּשִׂמְחָֽה׃ ס

Foram Davi e os anciãos de Israel. Aquele foi um grande dia para Davi. Davi foi um homem de violência, que cometeu tremendos equívocos. Mas jamais se afastou do culto a Yahweh, e nunca se envolveu em nenhuma forma de idolatria. Foi assim que ele, juntamente com os elevados oficiais de Israel, civis e militares, trouxe a arca para Jerusalém e liderou o caminho do cortejo, enquanto este avançava na direção da cidade.

"Encontramos aqui a descrição do *piedoso desígnio* de Davi, ao ordenar que todos os principais ministros e oficiais tomassem parte da obra solene. E ele mesmo emprestou muita pompa e cerimônia imponente ao cortejo. Ele quis inspirar a mente popular com uma profunda veneração pela arca" (Jamieson, *in loc.*).

A arca da aliança do Senhor. Um título que só se vê aqui, em todo o Antigo Testamento. No hebraico, normalmente temos "arca de Yahweh" ou "arca de Elohim". Ver no *Dicionário* o verbete denominado *Arca da Aliança*. O trecho paralelo de 2Sm 6.12 não menciona os oficiais que acompanharam Davi, mas não há razão alguma em duvidarmos da autenticidade da narrativa, conforme relatada em 1Cr.

■ 15.26

וַיְהִי֙ בֶּעְזֹ֣ר הָאֱלֹהִ֔ים אֶת־הַלְוִיִּ֔ם נֹשְׂאֵ֖י אֲר֣וֹן בְּרִית־יְהוָ֑ה וַיִּזְבְּח֥וּ שִׁבְעָֽה־פָרִ֖ים וְשִׁבְעָ֥ה אֵילִֽים׃

Tendo Deus ajudado os levitas que levavam a arca. Provavelmente devemos incluir aqui os sacerdotes, pois devemos pensar nos sacrifícios apropriados que supostamente ocorreram antes ou depois do cortejo. 2Sm 6.13 é trecho que fala em algum sacrifício realizado durante o trajeto da arca até Jerusalém. A informação de que os levitas ofereceram sacrifícios, sem limitar isso aos sacerdotes (levitas da família de *Arão*), faz os críticos entenderem que, originalmente, não havia nenhuma distinção nas famílias dos levitas, e somente mais tarde uma casta sacerdotal específica se desenvolveu dentro da casta geral dos levitas.

Sacrifícios de expiação e ação de graças certamente foram realizados. Alguns dos sacrifícios ocorreram ao longo do caminho, conforme nos mostra 2Sm 6.13. Uma das razões prováveis disso foi impedir qualquer golpe dado por Yahweh, que poderia ficar desagradado com algum aspecto da segunda tentativa. Cf. 1Cr 13.9 quanto ao ataque divino contra os que erraram, na primeira tentativa de trazer a arca para Jerusalém.

Somente esta narrativa de 1Crônicas menciona a natureza extensa dos sacrifícios. Foram oferecidos sete novilhos e sete carneiros. Não sabemos quantos sacrifícios, no total, ocorreram. É provável que mais do que isso tenha sido feito ao longo do caminho. E é difícil imaginar que não houve nenhum outro sacrifício *depois* que a tarefa foi terminada com sucesso.

Deus Ajudou os Levitas. Elohim não os impediu com algum juízo ao longo do caminho, conforme acontecera na primeira tentativa de transportar a arca. Por não havê-los julgado, Deus ajudou os levitas em sua missão divina. Ele também lhes deu forças físicas e propósito espiritual para a tarefa, algo de que os obreiros espirituais sempre precisam.

■ 15.27

וְדָוִ֞יד מְכֻרְבָּ֣ל ׀ בִּמְעִ֣יל בּ֗וּץ וְכָל־הַלְוִיִּם֙ הַנֹּשְׂאִ֣ים אֶת־הָאָר֔וֹן וְהַמְשֹׁרְרִ֕ים וּכְנַנְיָ֖ה הַשַּׂ֣ר הַמַּשָּׂ֑א הַמְשֹׁרְרִ֑ים וְעַל־דָּוִ֖יד אֵפ֥וֹד בָּֽד׃

Davi ia vestido. O rei estava vestido como se fosse um sacerdote, pois usava um manto de linho fino e uma estola sacerdotal de linho. Ao que parece, isso foi permitido para o *rei,* ainda que, costumeiramente, não fosse concedido a um não levita. John Gill salientou que houve precedentes para esse ato. Em algumas ocasiões especiais, e com propósitos especiais, as vestes sacerdotais dos levitas podiam ser usadas por outras pessoas. Ver 1Sm 2.18, que descreve o caso do profeta Samuel. Todas as regras admitem exceções.

O *me'il* (manto de linho fino) era uma veste externa usada por pessoas de alta posição (1Sm 15.27 e Jó 29.14). A *estola* de linho fino era uma espécie de capa que distinguia os sacerdotes das demais pessoas (ver 1Sm 22.18). Ver no *Dicionário* o verbete chamado *Estola*. Ver também *Sacerdotes, Vestimentas dos*. Ver 2Sm 6.14, onde ofereço notas expositivas mais detalhadas. O vs. 18 daquele capítulo indica que Davi também participou da oferta de sacrifícios, o que pode não ter sido um ato restrito à casta sacerdotal. Ou então ele o fez *por meio* de um sacerdote que agiu como seu representante. O simples fraseado, entretanto, por certo dá a entender que o próprio Davi participou como ofertante dos atos sacrificais a ele atribuídos.

■ 15.28

וְכָל־יִשְׂרָאֵ֗ל מַעֲלִים֙ אֶת־אֲר֣וֹן בְּרִית־יְהוָ֔ה בִּתְרוּעָ֖ה וּבְק֣וֹל שׁוֹפָ֑ר וּבַחֲצֹצְר֖וֹת וּבִמְצִלְתָּ֑יִם מַשְׁמִעִ֕ים בִּנְבָלִ֖ים וְכִנֹּרֽוֹת׃

Assim todo o Israel fez subir com júbilo a arca. Este versículo sumaria o que aconteceu ao longo do caminho. Houve muitos gritos, cânticos e regozijo. Foi uma ocasião jubilosa, solene e de muita felicidade. Os três tipos de instrumentos musicais (vs. 16) foram empregados o tempo todo, assim como foram empregadas as trombetas de prata. Foi um cortejo ruidoso, podemos ter certeza. A *Revised Standard Version* diz-nos que "uma música alta" acompanhou o cortejo. Cf. este versículo com 2Sm 2.18. "Os egípcios conduziam seus cortejos religiosos no mesmo estilo" (Jamieson, *in loc.*, extraindo informações da obra de Wilkinson, *Ancient Egyptians*).

■ 15.29

וַיְהִ֗י אֲרוֹן֙ בְּרִ֣ית יְהוָ֔ה בָּ֖א עַד־עִ֣יר דָּוִ֑יד וּמִיכַ֨ל בַּת־שָׁא֜וּל נִשְׁקְפָ֣ה ׀ בְּעַ֣ד הַחַלּ֗וֹן וַתֵּ֨רֶא אֶת־הַמֶּ֤לֶךְ דָּוִיד֙ מְרַקֵּ֣ד וּמְשַׂחֵ֔ק וַתִּ֥בֶז ל֖וֹ בְּלִבָּֽהּ׃ פ

Ao entrar a arca da aliança do Senhor na cidade de Davi, Mical. O cronista devotou uma declaração isolada sobre o desprazer de Mical com Davi, que o texto paralelo amplia bem mais. Ver 2Sm 6.16-23. Davi tirara Mical da companhia de um bom *segundo marido,* e o antigo amor entre Davi e Mical nunca mais se renovou. Talvez Mical se tenha chocado com o que pareceu o exibicionismo de Davi. Parece que os órgãos genitais de Davi se mostravam para as jovens quando ele realizou sua dança selvagem. Mas o mais provável é que ela estivesse simplesmente infeliz com seu casamento. Ademais, ela era filha do rei morto, Saul, e havia em tudo isso uma competição familiar no conflito pelo poder político. Adam Clarke (*in loc.*) supõe que o paralelo de 2Samuel "vindica" a conduta de Davi. Provavelmente isso é verdade, visto que é especificamente afirmado que Mical permaneceu *sem filhos,* ficando implícito que isso aconteceu por um ato divino contra uma esposa rebelde e queixosa. Mical era uma "mulher orgulhosa e apaixonada" (Jamieson) e não soube como controlar as suas emoções naquela ocasião.

CAPÍTULO DEZESSEIS

Este capítulo continua a narrativa desenvolvida com tanto cuidado no capítulo 15. Em primeiro lugar, temos a história de como sacrifícios especiais consagraram a arca em seu abrigo, em Jerusalém (vss. 1-3). Então somos informados de que os cantores foram nomeados para cantarem perante a arca continuamente (vss. 4-6). Em seguida temos um salmo-hino que Davi compôs e entregou aos cantores (vss. 7-36). Davi nomeou não somente as pessoas apropriadas para cantarem diante da arca, mas também no tabernáculo em Gibeom (vss. 37-43). Um tabernáculo temporário tinha sido levantado em Jerusalém para abrigar a arca. Eventualmente, Salomão, filho de Davi, construiria um templo que abrigaria a arca até o tempo do cativeiro babilônico, por volta de 597 a.C.

Ver mais notas expositivas detalhadas sobre o tabernáculo provisório, erguido em Jerusalém, em 2Sm 6.17. A narrativa dos vss. 1-3 deste capítulo é paralela a 2Sm 6.17-19.

CARACTERIZAÇÃO GERAL (16.1-6)

"Tendo sido trazida a arca para dentro da tenda... que tinha sido levantada para ela, e tendo sido completados os sacrifícios de holocaustos e ofertas pacíficas, Davi abençoou o povo de Israel e distribuiu pães, carne e bolos de tâmaras e uvas passas para cada participante (vss. 1-3). Ato contínuo, ele nomeou Asafe para estar encarregado da arca, em seu novo meio ambiente (vss. 4,5; cf. o vs. 37), e para oferecer orações e louvores ao Senhor (vs. 5). Juntamente com Asafe estiveram outros levitas, todos eles mencionados por nomes em 1Cr 15.17,18, os quais deveriam acompanhar os louvores com instrumentos musicais. Segue-se um modelo de tais louvores, uma peça sem dúvida composta por Davi para a oportunidade (1Cr 16.8-36)" (Eugene H. Merrill, *in loc.*).

■ 16.1

וַיָּבִיאוּ אֶת־אֲרוֹן הָאֱלֹהִים וַיַּצִּיגוּ אֹתוֹ בְּתוֹךְ הָאֹהֶל אֲשֶׁר נָטָה־לוֹ דָּוִיד וַיַּקְרִיבוּ עֹלוֹת וּשְׁלָמִים לִפְנֵי הָאֱלֹהִים׃

Introduziram, pois, a arca de Deus. O verdadeiro desejo de Davi era construir o templo de Jerusalém, conforme somos informados mais adiante, no capítulo 17. Mas isso não lhe foi permitido, e a tarefa foi dada a seu filho, Salomão. Em vez do templo, pois, ele construiu um tabernáculo provisório para abrigar a arca. Quanto ao lugar de culto temporário, Davi proveu um ministério, imitando os princípios da adoração no tabernáculo.

O paralelo dos vss. 1-3 é 2Sm 6.17-19. Notas expositivas mais detalhadas são dadas ali.

■ 16.2

וַיְכַל דָּוִיד מֵהַעֲלוֹת הָעֹלָה וְהַשְּׁלָמִים וַיְבָרֶךְ אֶת־הָעָם בְּשֵׁם יְהוָה׃

Tendo Davi acabado de trazer os holocaustos. Primeiramente, houve os sacrifícios e, em seguida, houve a bênção real especial. Ver 1Sm 6.17,18 quanto a detalhes.

"Bênção e Poder. O rei, na qualidade de *ungido* de Yahweh, era o mediador das bênçãos divinas para o seu povo. Quando os reis passaram da cena, em Israel, a lei judaica confiava aos sacerdotes a prerrogativa de proferir uma bênção durante os cultos de adoração. Os hebreus acreditavam em uma troca de bênçãos — primeiro de Deus para o homem, depois do homem para Deus e, finalmente, de indivíduo para indivíduo — e julgavam que isso era necessário para o bem-estar. Assim, em 1Cr 29.10,20, é relatado que Davi, tendo abençoado a congregação no nome do Senhor, ordenou que aqueles que tivessem recebido em sua alma o fortalecimento divino, deveriam, por sua vez, 'abençoar o Senhor'... Não se pode compreender claramente essa questão sem primeiro entender a psicologia dos hebreus" (W. A. L. Elmslie, *in loc.*).

"A alma, como um todo, fica saturada com poder... Esse poder *vital* é chamado pelos israelitas de *berakha*, que significa 'bênção'. Por trás da bênção do indivíduo postam-se os pais. A bênção conecta almas... Grandes assembleias, cúlticas ou não, devem, necessariamente, terminar com uma bênção, para que cada um leve consigo a *força da comunidade*" (Johannes Pederson, em seu livro, *Israel, Its Life and Culture*).

■ 16.3

וַיְחַלֵּק לְכָל־אִישׁ יִשְׂרָאֵל מֵאִישׁ וְעַד־אִשָּׁה לְאִישׁ כִּכַּר־לֶחֶם וְאֶשְׁפָּר וַאֲשִׁישָׁה׃

Profissão Física e Festejos. É tradição, tão antiga quanto o homem é capaz de lembrar, oferecer refeições nos eventos comemorativos. Afinal, comer é um prazer, além de ser uma maneira de sustentar a vida física. É apenas natural, portanto, que os banquetes sejam parte das comemorações tanto civis quanto religiosas. Até o grande sacrifício do Senhor Jesus e a esperança de seu retorno são assinalados pela refeição comunal.

Um bolo de pão. Ou seja, *kikkar*, o bolo redondo (ver 2Sm 2.36). O trecho paralelo tem uma palavra menos comum para esse item, *hallath*. Está em vista o bolo sacrificial, todo furado. Cf. Êx 29.23.

Um bom pedaço de carne. À comunidade foram concedidas certas porções dos animais sacrificados. Outras porções foram entregues aos sacerdotes, para serem comidas. E ainda outras porções, a gordura e o sangue, foram oferecidas a Deus. Por conseguinte, as comunidades, celeste e terrena, comeram juntas. Ver as *oito* porções reservadas aos sacerdotes, em Lv 6.26; 7.11-24; 7.28-38; Nm 18.8; Dt 12.17,18.

E passas. Era uma massa de uvas secas ao sol (Os 3.1; Is 16.7). Um confeito era preparado com as passas, combinadas com farinha de trigo e mel (2Sm 6.19). Ver notas adicionais no trecho paralelo.

■ 16.4

וַיִּתֵּן לִפְנֵי אֲרוֹן יְהוָה מִן־הַלְוִיִּם מְשָׁרְתִים וּלְהַזְכִּיר וּלְהוֹדוֹת וּלְהַלֵּל לַיהוָה אֱלֹהֵי יִשְׂרָאֵל׃ פ

Designou dentre os levitas. Davi nomeou certo número de levitas para cuidar da arca em seu novo tabernáculo provisório. Eles também efetuariam os atos de adoração e louvor que fossem apropriados, acompanhando o culto inteiro com sua música, o que foi enfatizado e descrito longamente em 1Cr 6.31-48, sobre as *guildas musicais*. Asafe era o chefe dos que serviam no tabernáculo provisório. O quinto versículo deste capítulo fornece uma lista dos participantes, comentados no *Dicionário*. Cf. 1Cr 15.20,21, onde já vimos e comentamos a respeito desses ministros.

Na versão final da lei, o assoprar das trombetas de prata era uma prerrogativa sacerdotal; antes disso, porém, qualquer levita poderia estar envolvido nessa função.

Asafe e seus associados compunham a primeira ou principal companhia, tocando os címbalos. Zacarias e seus colegas, entre os quais estavam Obede-Edom e Jeiel, usavam harpas ou instrumentos similares. Ver 1Cr 15.16 quanto aos *três* tipos de instrumentos musicais empregados. Além disso, ver o artigo no *Dicionário*, chamado *Música, Instrumentos Musicais*. Jeiel estava incumbido de tocar as trombetas de prata a certos intervalos, diante da arca e no tabernáculo.

■ 16.5,6

אָסָף הָרֹאשׁ וּמִשְׁנֵהוּ זְכַרְיָה יְעִיאֵל וּשְׁמִירָמוֹת וִיחִיאֵל וּמַתִּתְיָה וֶאֱלִיאָב וּבְנָיָהוּ וְעֹבֵד אֱדֹם וִיעִיאֵל בִּכְלֵי נְבָלִים וּבְכִנֹּרוֹת וְאָסָף בַּמְצִלְתַּיִם מַשְׁמִיעַ׃

וּבְנָיָהוּ וְיַחֲזִיאֵל הַכֹּהֲנִים בַּחֲצֹצְרוֹת תָּמִיד לִפְנֵי אֲרוֹן בְּרִית־הָאֱלֹהִים׃

Os versículos 5 e 6 deste capítulo registram os nomes de dez levitas e dois sacerdotes. Todos eles já haviam sido previamente mencionados (1Cr 15.19-21), com exceção de Jaaziel. Alguns estudiosos supõem que ele seja o mesmo Eliezer de 1Cr 15.24. Seja como for, o número padrão desses ministros parece ter sido de *doze*, correspondendo às doze tribos de Israel.

O HINO DE LOUVOR (16.7-36)

■ 16.7-36

V7 בַּיּוֹם הַהוּא אָז נָתַן דָּוִיד בָּרֹאשׁ לְהֹדוֹת לַיהוָה בְּיַד־אָסָף וְאֶחָיו׃ פ

V8 הוֹדוּ לַיהוָה קִרְאוּ בִשְׁמוֹ הוֹדִיעוּ בָעַמִּים עֲלִילֹתָיו׃

V9: שִׁירוּ לוֹ זַמְּרוּ־לוֹ שִׂיחוּ בְּכָל־נִפְלְאֹתָיו׃

V10: הִתְהַלְלוּ בְּשֵׁם קָדְשׁוֹ יִשְׂמַח לֵב מְבַקְשֵׁי יְהוָה׃

V11: דִּרְשׁוּ יְהוָה וְעֻזּוֹ בַּקְּשׁוּ פָנָיו תָּמִיד׃

V12: זִכְרוּ נִפְלְאֹתָיו אֲשֶׁר עָשָׂה מֹפְתָיו וּמִשְׁפְּטֵי־פִיהוּ׃

V13: זֶרַע יִשְׂרָאֵל עַבְדּוֹ בְּנֵי יַעֲקֹב בְּחִירָיו׃

V14: הוּא יְהוָה אֱלֹהֵינוּ בְּכָל־הָאָרֶץ מִשְׁפָּטָיו׃

V15: זִכְרוּ לְעוֹלָם בְּרִיתוֹ דָּבָר צִוָּה לְאֶלֶף דּוֹר׃

V16: אֲשֶׁר כָּרַת אֶת־אַבְרָהָם וּשְׁבוּעָתוֹ לְיִצְחָק׃

V17: וַיַּעֲמִידֶהָ לְיַעֲקֹב לְחֹק לְיִשְׂרָאֵל בְּרִית עוֹלָם׃

V18: לֵאמֹר לְךָ אֶתֵּן אֶרֶץ־כְּנָעַן חֶבֶל נַחֲלַתְכֶם׃

V19: בִּהְיוֹתְכֶם מְתֵי מִסְפָּר כִּמְעַט וְגָרִים בָּהּ׃

V20: וַיִּתְהַלְּכוּ מִגּוֹי אֶל־גּוֹי וּמִמַּמְלָכָה אֶל־עַם אַחֵר׃

V21: לֹא־הִנִּיחַ לְאִישׁ לְעָשְׁקָם וַיּוֹכַח עֲלֵיהֶם מְלָכִים׃

V22: אַל־תִּגְּעוּ בִּמְשִׁיחָי וּבִנְבִיאַי אַל־תָּרֵעוּ׃ פ

V23: שִׁירוּ לַיהוָה כָּל־הָאָרֶץ בַּשְּׂרוּ מִיּוֹם־אֶל־יוֹם יְשׁוּעָתוֹ׃

V24: סַפְּרוּ בַגּוֹיִם אֶת־כְּבוֹדוֹ בְּכָל־הָעַמִּים נִפְלְאֹתָיו׃

V25: כִּי גָדוֹל יְהוָה וּמְהֻלָּל מְאֹד וְנוֹרָא הוּא עַל־כָּל־אֱלֹהִים׃

V26: כִּי כָּל־אֱלֹהֵי הָעַמִּים אֱלִילִים וַיהוָה שָׁמַיִם עָשָׂה׃

V27: הוֹד וְהָדָר לְפָנָיו עֹז וְחֶדְוָה בִּמְקֹמוֹ׃

V28: הָבוּ לַיהוָה מִשְׁפְּחוֹת עַמִּים הָבוּ לַיהוָה כָּבוֹד וָעֹז׃

V29: הָבוּ לַיהוָה כְּבוֹד שְׁמוֹ שְׂאוּ מִנְחָה וּבֹאוּ לְפָנָיו הִשְׁתַּחֲווּ לַיהוָה בְּהַדְרַת־קֹדֶשׁ׃

V30: חִילוּ מִלְּפָנָיו כָּל־הָאָרֶץ אַף־תִּכּוֹן תֵּבֵל בַּל־תִּמּוֹט׃

V31: יִשְׂמְחוּ הַשָּׁמַיִם וְתָגֵל הָאָרֶץ וְיֹאמְרוּ בַגּוֹיִם יְהוָה מָלָךְ׃

V32: יִרְעַם הַיָּם וּמְלוֹאוֹ יַעֲלֹץ הַשָּׂדֶה וְכָל־אֲשֶׁר־בּוֹ׃

V33: אָז יְרַנְּנוּ עֲצֵי הַיָּעַר מִלִּפְנֵי יְהוָה כִּי־בָא לִשְׁפּוֹט אֶת־הָאָרֶץ׃

V34: הוֹדוּ לַיהוָה כִּי טוֹב כִּי לְעוֹלָם חַסְדּוֹ׃

V35: וְאִמְרוּ הוֹשִׁיעֵנוּ אֱלֹהֵי יִשְׁעֵנוּ וְקַבְּצֵנוּ וְהַצִּילֵנוּ מִן־הַגּוֹיִם לְהֹדוֹת לְשֵׁם קָדְשֶׁךָ לְהִשְׁתַּבֵּחַ בִּתְהִלָּתֶךָ׃

V36: בָּרוּךְ יְהוָה אֱלֹהֵי יִשְׂרָאֵל מִן־הָעוֹלָם וְעַד הָעֹלָם וַיֹּאמְרוּ כָל־הָעָם אָמֵן וְהַלֵּל לַיהוָה׃ פ

A passagem que se segue é uma compilação em que foram aproveitadas passagens do livro de Salmos, a saber:

	1Crônicas	Salmos
1.	16.8-22	105.1-15
2.	16.23-33	96.1-13
3.	16.34-36	106.1b,c, 47,48

Observações:

1. Alguns eruditos supõem que Davi tenha composto esta passagem para a ocasião. Porém o mais provável (se é que ele realmente foi o autor do salmo inteiro) é que ele simplesmente tenha compilado porções de composições que já havia escrito antes.
2. Ou então, o hino é uma inserção posterior, que foi simplesmente copiada de porções dos salmos. Nesse caso, o uso dessas porções não teria ocorrido na época apresentada pelo cronista, mas tornou-se parte do texto padronizado de 1Crônicas tempos mais tarde.
3. Talvez o próprio cronista, ou algum editor posterior, tenha feito a seleção das partes.
4. Notemos que a ordem das porções dos salmos não segue a ordem encontrada no livro de Salmos.
5. Não há muita diferença entre essas porções e os salmos correspondentes, conforme os conhecemos atualmente; isso sugere que houve uma *cópia*, conforme o quadro anteriormente fornecido, e não uma composição original do hino para aquela ocasião específica.
6. *Essas porções*, tomadas por empréstimo, provavelmente estavam entre os primeiros salmos a serem empregados no culto divino, a começar pelo tabernáculo provisório.
7. As porções escolhidas foram empregadas para estimular o senso de adoração e ação de graças entre os hebreus, elementos essenciais em qualquer autêntico culto espiritual.
8. O vs. 37 liga-se suavemente ao versículo 6, e isso sugere que o trecho original de 1Crônicas não dispunha do hino. Foi adicionado em data posterior. Os críticos supõem que o editor que inseriu o material deva ter vivido por volta de 200 a.C., quando o saltério foi dividido em cinco livros.
9. O vs. 36 é igual a Sl 106.48; não fazia parte do próprio salmo, mas foi uma doxologia adicionada para completar o *quarto livro* do saltério.
10. "A ambiguidade do versículo sétimo pode ser tomada, juntamente com outras considerações, como indicação que essa *ode* não constituía parte do livro original de 1Crônicas, mas foi inserida por alguma mão posterior" (Ellicott, *in loc.*).

Ellicott mencionou algumas considerações para demonstrar esse ponto de vista:

a. O vs. 7 é ambíguo e parece provir da pena de um compilador que inseriu o hino.
b. O hino é uma compilação de partes de três salmos, portanto, como é óbvio, esse hino não era uma composição originada na época do transporte da arca da aliança para Jerusalém.
c. As palavras empregadas nesta seção em geral sugerem uma época posterior à de Davi, assim não admira que o próprio hino não tenha sido composto naquele período.
d. Visto que o incidente inteiro, descrito no capítulo 16, foi acompanhado por música, foi apenas natural que um editor posterior compilasse alguns salmos para ilustrar e embelezar o texto. Isso foi especialmente apropriado, visto que combinava porções das composições de Davi, o principal ator do drama do capítulo 16 de 1Crônicas.

Os eruditos *ultraconservadores* naturalmente ignoram esses raciocínios, supondo que Davi tenha composto seu hino no momento, empregando certas fontes de materiais que ele mesmo havia criado anteriormente.

A Exposição. Solicito que o leitor examine os salmos utilizados no presente hino, conforme o quadro que aparece anteriormente. As diferenças são tão diminutas que não merecem uma exposição separada e adicional neste ponto.

OUTRAS OBSERVAÇÕES SOBRE OS DEVERES DOS LEVITAS MUSICAIS (16.37-43)

1. O cronista continua a atribuir aos levitas o que esperaríamos ser peculiar somente aos sacerdotes, à família de Arão, os quais

também eram levitas, mas se tinham tornado uma casta sacerdotal. Os críticos consideram isso uma prova de que, nos primeiros dias, antes da forma final da lei, não havia clara distinção entre os levitas e os levitas-sacerdotes. Somente os sacerdotes podiam realizar *sacrifícios*.

2. A passagem geral não faz a distinção padronizada entre sacerdotes e levitas, mas combina-os em um todo homogêneo. Presume-se que a forma final da lei tenha estabelecido clara distinção entre as duas classes, o que não fazia parte da ordem original das coisas.

3. Os críticos duvidam que os sacrifícios fizessem parte da questão de transferência da arca para sua nova localização, em Jerusalém. Por outro lado, os hebreus voltavam-se de tal maneira para os *sacrifícios* que usavam grande variedade de ocasiões para oferecê-los.

4. O trecho de 1Rs 3.4 diz-nos que Salomão, tendo ganhado o trono de Israel, ofereceu sacrifícios abundantes em seu lugar alto de Gibeom, dez quilômetros a noroeste de Jerusalém. Isso, por certo, reflete uma situação anterior à lei padronizada que permitia somente aos sacerdotes fazer tais coisas. Naturalmente, pode ser verdade, conforme alguns eruditos supõem, que Salomão tenha empregado os sacerdotes aarônicos apropriados para os seus sacrifícios, embora isso não fique claro no texto. De fato, esse é um aspecto que não foi tratado na narrativa no livro de 1Crônicas.

■ 16.37

וַיַּעֲזָב־שָׁם לִפְנֵי אֲרוֹן בְּרִית־יְהוָה לְאָסָף וּלְאֶחָיו לְשָׁרֵת לִפְנֵי הָאָרוֹן תָּמִיד לִדְבַר־יוֹם בְּיוֹמוֹ׃

Então Davi deixou ali diante da arca. Davi foi a autoridade que nomeou os devidos ministros apropriados e autenticou o ofício deles. Tendo feito isso, deu-lhes a oportunidade de cumprir seus deveres sem que fosse preciso guiá-los continuamente ou com constante interferência.

Segundo se ordenara para cada dia. Havia deveres *diários* relacionados ao culto, incluindo os sacrifícios matinais e vespertinos sobre os quais tanto Jarchi quanto Kimchi nos lembram.

Conforme já dissemos, após este versículo, foi reafirmada, com algumas pequenas adições, a questão dos deveres dos que foram nomeados por Davi para cuidar das questões do culto. "A sequela do capítulo descreve a nomeação dos músicos sagrados e seus respectivos deveres" (Jamieson, *in loc.*). Cf. Êx 5.13.

■ 16.38

וְעֹבֵד אֱדֹם וַאֲחֵיהֶם שִׁשִּׁים וּשְׁמוֹנָה וְעֹבֵד אֱדֹם בֶּן־יְדִיתוּן וְחֹסָה לְשֹׁעֲרִים׃

Para serem porteiros. Em outros lugares, Obede-Edom é chamado de cantor. Ele e Jeiel são chamados de porteiros em 1Cr 15.18 e 24, mas de harpistas em 1Cr 15.21. Ver a exposição sobre 1Cr 15.18 quanto às tentativas de reconciliação. Alguns estudiosos simplesmente supõem que estejam em foco dois Obede-Edoms, mas isso é apenas uma conjectura. O trecho de 1Cr 26.8 atribui 62 membros à casa de Obede-Edom, mas temos aqui 68, embora não saibamos *por quê*. Os intérpretes também supõem que o Jedutum deste versículo não deva ser identificado com o homem do mesmo nome que era um dos principais músicos da nação (ver 1Cr 16.41,42; 25.1,3; 2Cr 5.12). O Jedutum deste texto era neto de Coate, um descendente de Coré (1Cr 26.1,4).

■ 16.39

וְאֵת ׀ צָדוֹק הַכֹּהֵן וְאֶחָיו הַכֹּהֲנִים לִפְנֵי מִשְׁכַּן יְהוָה בַּבָּמָה אֲשֶׁר בְּגִבְעוֹן׃

"A referência a Zadoque como sacerdote do tabernáculo, em Gibeom, revela a retenção de *dois* sumos sacerdotes. Zadoque, da linhagem aarônica de Eleazar (1Cr 6.4-8), estava encarregado do santuário em Gibeom, ao passo que Abiatar, da linhagem de Itamar (1Cr 24.6), oficiava no nova tenda-santuário de Jerusalém. Não se sabe a origem de Gibeom como local do tabernáculo, mas não deve ter sido considerado ilícito, visto que Davi nomeou Zadoque como sacerdote naquele lugar, e, mais tarde, Salomão ofereceu sacrifícios ali, com a aprovação divina (ver 1Rs 3.4-10). De fato, parece que, algum tempo depois que a arca foi levada de Silo, o tabernáculo também foi mudado e terminou em Gibeom (1Cr 21.29). Zadoque, pois, estava ministrando na casa mosaica original de adoração. Se Asafe estava com Abiatar no tabernáculo de Davi, que agora abrigava a arca da aliança, Hemã e Jedutum (também chamado Etã, em 1Cr 6.44 e 15.17) atuavam, juntamente com Zadoque, no tabernáculo mosaico original de Gibeom" (Eugene H. Merrill, *in loc.*).

Gloriai-vos no seu santo nome; alegre-se o coração dos que buscam o Senhor. Buscai o Senhor e o seu poder, buscai perpetuamente a sua presença. Lembrai-vos das maravilhas que fez, dos prodígios e dos juízos dos seus lábios.

1Crônicas 16.10-12

Os leõezinhos sofrem necessidade e passam fome, porém aos que buscam o Senhor bem nenhum lhes faltará.

Salmo 34.10

UM BUSCADOR PERPLEXO

DEUS?

Quem me terá trazido a mim suspenso,
Atônito, alheado... ou a quem devo,
Enfim, dizer que em nada mais me enlevo,
A ninguém mais de coração pertenço?
Se desço ao vale, ao alcantil me enlevo,
Quem é que eu busco, que será que eu penso?
És tu, memória de horizonte imenso
Que me encheu a alma de um eterno enlevo?
Segues-me sempre... e só por ti suspiro!
Vejo-te em tudo... terra e céu te escondem!
Nunca te vi... cada vez mais te admiro!
Nunca essa voz à minha voz responde...
E eco fiel até do ar que aspiro.
Sinto-te o hálito... em minha alma ou aonde?

João de Deus

■ 16.40

לְהַעֲלוֹת עֹלוֹת לַיהוָה עַל־מִזְבַּח הָעֹלָה תָּמִיד לַבֹּקֶר וְלָעָרֶב וּלְכָל־הַכָּתוּב בְּתוֹרַת יְהוָה אֲשֶׁר צִוָּה עַל־יִשְׂרָאֵל׃

Ver Êx 29.20,21 quanto à regulamentação para os sacrifícios. Nos sacrifícios matinal e vespertino imolavam-se carneiros. Eram holocaustos oferecidos sobre o altar de bronze, no tabernáculo. Ver os *cinco* tipos de animais que podiam ser sacrificados, anotados em Lv 1.14-16. O "sacerdote", neste caso, é o sumo sacerdote, o sacerdote por excelência. Ver 1Sm 1.9; 2.11; 2Rs 11.9,15. Quanto às *ofertas contínuas*, ver Êx 39.38 e Nm 28.3,6. O capítulo 28 do livro de Números fornece-nos regulamentações sobre os sacrifícios. No tempo de Davi, até a centralização do culto divino em Jerusalém, os dois lugares eram usados: Gibeom (o local do tabernáculo) e Jerusalém (o local do novo tabernáculo provisório, que Davi havia preparado para receber a arca da aliança).

■ 16.41

וְעִמָּהֶם הֵימָן וִידוּתוּן וּשְׁאָר הַבְּרוּרִים אֲשֶׁר נִקְּבוּ בְּשֵׁמוֹת לְהֹדוֹת לַיהוָה כִּי לְעוֹלָם חַסְדּוֹ׃

E com eles a Hemã, a Jedutum e aos mais escolhidos. Os principais auxiliares levíticos foram os homens citados neste versículo, cujos nomes já vimos e anotamos previamente. Esses homens proviam o aspecto musical do culto. Os filhos de Jedutum eram os porteiros ou guardas. Neste versículo, está em vista o ministério em Gibeom. Ver os vss. 38 e 39. Foi assim que *Zadoque*, descendente de Arão, e seus colegas de clã tomavam cuidado dos sacrifícios, e os demais eram homens dedicados à música, ajudando no culto. O resto compunha-se de porteiros ou guardas. Dessa maneira, todos os requisitos da adoração divina eram atendidos de modo decente e em boa ordem.

Porque a sua misericórdia dura para sempre. O culto era uma provisão divina por meio da qual o favor divino era trazido a Israel. A bênção assim provida merecia o louvor dos homens. Ver no *Dicionário* o verbete chamado *Misericórdia*.

Ver Sl 106.1 e 107.1. O conceito dos hebreus de misericórdia "denotava relações de integridade e bondade entre Deus e o homem, bem como *amor constante*, bondade desmerecida, qualidades de espiritualidade que emanam somente da imutabilidade da graça divina" (W. A. L. Elmslie, *in loc.*).

■ 16.42

וְעִמָּהֶם הֵימָן וִידוּתוּן חֲצֹצְרוֹת וּמְצִלְתַּיִם לְמַשְׁמִיעִים וּכְלֵי שִׁיר הָאֱלֹהִים וּבְנֵי יְדוּתוּן לַשָּׁעַר׃

Este versículo repete o que já vimos e comentamos nos vss. 38 e 41. Ver sobre os *três* tipos de instrumentos musicais mencionados, em 1Cr 15.16. Ver no *Dicionário* o artigo intitulado *Música, Instrumentos Musicais*. Este versículo enfatiza a natureza *completa* do culto sagrado: os sacrifícios realizados pelos ministros apropriados; o ministério da música efetuado por homens devidamente treinados e habilitados; e o ministério dos que guardavam os recintos do tabernáculo. Cada homem tinha sua própria incumbência, e era igualmente abençoado. A versão siríaca diz, neste versículo: "Esses eram homens retos que *não* cantavam com instrumentos de música, nem com tambores, nem com alaúdes, nem com órgãos retos ou tortos, nem com címbalos, mas *cantavam* diante do Senhor Todo-poderoso com uma boca alegre e com pura e santa oração". A versão árabe diz quase a mesma coisa. Mas traduções assim são, por certo, interpretações baseadas na eisegese, e não em uma autêntica exegese.

■ 16.43

וַיֵּלְכוּ כָל־הָעָם אִישׁ לְבֵיתוֹ וַיִּסֹּב דָּוִיד לְבָרֵךְ אֶת־בֵּיתוֹ׃ פ

Então se retirou todo o povo, cada um para sua casa. "Tendo acompanhado a arca até seu lugar, e tendo louvado o Senhor, e tendo-se satisfeito com os alimentos (2Sm 6.19)" (John Gill, *in loc.*). Com este versículo, o cronista terminou sua narrativa, uma conclusão apropriada para a história do retorno da arca da aliança a Jerusalém, que foi um grande e mui celebrado evento. A arca permaneceu segura, em Jerusalém, até o cativeiro babilônico (597 a.C.), cerca de quatrocentos anos mais tarde. Quando do cativeiro babilônico, porém, a arca desapareceu para nunca mais reaparecer.

Uma Significativa Omissão. O trecho paralelo do sexto capítulo de 2Samuel encerra vários versículos que descrevem o desprazer de Mical com Davi, e a briga familiar daí resultante. Ver 2Sm 6.20-23. Neste ponto, o autor sacro provavelmente sentiu que esse incidente, embora historicamente veraz, não tinha lugar na história em tudo mais inspiradora do retorno da arca da aliança, de forma que deixou o evento fora de sua narrativa. O autor sacro estava interessado nas instituições divinas, e não nos problemas pessoais de Davi.

CAPÍTULO DEZESSETE

DAVI PLANEJA CONSTRUIR O TEMPLO (17.1-27)

Davi, em seu esplêndido palácio de cedro, enfeitado tão elegantemente em sua honra real como um monarca oriental, tinha momentos de consciência desassossegada. Ali estava ele, em sua glória, enquanto a "casa de Deus", a tenda provisória armada para abrigar a arca da aliança devolvida a Jerusalém (capítulo 16), era pobre e desgraçada, em comparação ao palácio. Davi possuía grande poder e muitos recursos materiais, assim teve a ideia de edificar um magnífico templo para abrigar a arca, que tomaria o lugar da tenda das andanças de Israel pelo deserto. Israel não era mais um povo nômade, a armar e desarmar suas tendas, conforme se movia de lugar para lugar.

Jerusalém estava sendo embelezada. Israel não seria uma grande nação apenas com uma bela capital. Esta seria apropriada se também houvesse um templo para o culto divino que se tornasse o centro das atividades da nova capital. Além de seus próprios recursos, Davi contava com a ajuda dos estrangeiros, que eram habilidosos na arquitetura e na matemática. O povo de Israel não era habilitado para tal tarefa, mas a ajuda estrangeira estava facilmente à disposição. Portanto, Davi perguntou a si mesmo: "Por que não me atarefar e levar avante este projeto?" Ele chamou o profeta Natã, que concordou com a boa e nobre ideia de Davi. Mas, em uma visão noturna, o profeta descobriu que Yahweh não concordava que Davi fosse o construtor do templo, embora estivesse agradado com a ideia. A construção do templo seria obra de Salomão, filho de Davi, mas Davi teria o privilégio de recolher os materiais para a construção do templo, conforme lemos em 1Cr 22.1—29.30. O segundo capítulo de 2Crônicas dá início ao relato da construção do templo, por parte de Salomão. Salomão apelou para Hirão, rei de Tiro, para encabeçar a construção do templo, tal como Davi havia feito no tocante ao seu palácio (1Cr 14.1).

O trecho paralelo, o sétimo capítulo de 2Samuel, é quase idêntico, portanto somente algumas observações adicionais são oferecidas na exposição que se segue. 1Cr 17.1-15 corresponde a 2Sm 7.1-17; e 1Cr 17.16-27 corresponde a 2Sm 7.18-29.

Os *críticos* supõem que esta seção "interrompa" a *fonte informativa anterior* que o cronista vinha usando até este ponto. Esta seção, pois, é chamada por eles de "comentário teológico posterior", inserido para explicar *por que* ao grande rei Davi não foi permitido edificar o templo de Jerusalém. Mesmo que tardia, não há razão alguma para questionarmos a autenticidade da narrativa.

Houve algumas razões poderosas *pelas quais* Davi não pôde construir o templo de Jerusalém:

1. *O elemento tempo.* Tudo tem seu próprio tempo. Davi ainda não havia terminado sua missão de matança. Ele ainda precisava aniquilar ou confinar todos os *oito* povos inimigos de Israel (anotado em 2Sm 10.19). Davi teria de continuar sua missão de combate, a fim de impor a paz. Na prosperidade e na paz, livre dos percalços da guerra, Salomão seria o homem escolhido para construir o templo. Note como o capítulo 18 de 1Crônicas reinicia a narrativa das guerras de Davi. Ver 2Sm 7.10 e 1Cr 22.9.
2. *O elemento pessoa.* Davi não tinha em seu destino a questão da construção do templo. Esse privilégio fora dado a Salomão. O trabalho fazia parte do seu destino. O propósito divino opera de modos diferentes em diferentes pessoas. Diferentes tarefas são assim atribuídas a diferentes indivíduos. Ver 1Cr 22.9.
3. *O elemento provisão.* Israel, depois que descansasse das guerras e desenvolvesse seu sistema de comércio doméstico e estrangeiro, estaria em melhor posição para dedicar-se a projetos de edificação. Ver 1Cr 22.13-16.
4. *O elemento propriedade moral.* Davi, o habilidoso e prático *matador*, não estava qualificado para o trabalho de construir o Edifício Sagrado. Quanto a isso, ver 1Cr 22.8.

A Vontade Divina Trabalhava no Tempo

Que ninguém pense que, de súbito, em um minuto,
Tudo estará feito, e o trabalho estará completo —
Embora bem de madrugada possas começar a fazer,
Dificilmente terminarás ao pôr do sol.
O Esforço de Equipe

Trabalhamos juntos com equipes espirituais, cada qual contribuindo com sua parte. Reiniciamos as missões iniciadas por aqueles que já morreram, e outros continuarão as missões que tivermos deixado por fazer. O esforço de equipe ocupa geração após geração, século após século, e assim é construída a casa espiritual.

■ 17.1-15

V1 וַיְהִי כַּאֲשֶׁר יָשַׁב דָּוִיד בְּבֵיתוֹ וַיֹּאמֶר דָּוִיד אֶל־נָתָן הַנָּבִיא הִנֵּה אָנֹכִי יוֹשֵׁב בְּבֵית הָאֲרָזִים וַאֲרוֹן בְּרִית־יְהוָה תַּחַת יְרִיעוֹת׃

V2 וַיֹּאמֶר נָתָן אֶל־דָּוִיד כֹּל אֲשֶׁר בִּלְבָבְךָ עֲשֵׂה כִּי הָאֱלֹהִים עִמָּךְ׃ ס

V3 וַיְהִי בַּלַּיְלָה הַהוּא וַיְהִי דְּבַר־אֱלֹהִים אֶל־נָתָן לֵאמֹר:

V4 לֵךְ וְאָמַרְתָּ אֶל־דָּוִיד עַבְדִּי כֹּה אָמַר יְהוָה לֹא אַתָּה תִּבְנֶה־לִּי הַבַּיִת לָשָׁבֶת:

V5 כִּי לֹא יָשַׁבְתִּי בְּבַיִת מִן־הַיּוֹם אֲשֶׁר הֶעֱלֵיתִי אֶת־יִשְׂרָאֵל עַד הַיּוֹם הַזֶּה וָאֶהְיֶה מֵאֹהֶל אֶל־אֹהֶל וּמִמִּשְׁכָּן:

V6 בְּכֹל אֲשֶׁר־הִתְהַלַּכְתִּי בְּכָל־יִשְׂרָאֵל הֲדָבָר דִּבַּרְתִּי אֶת־אַחַד שֹׁפְטֵי יִשְׂרָאֵל אֲשֶׁר צִוִּיתִי לִרְעוֹת אֶת־עַמִּי לֵאמֹר לָמָּה לֹא־בְנִיתֶם לִי בֵּית אֲרָזִים:

V7 וְעַתָּה כֹּה־תֹאמַר לְעַבְדִּי לְדָוִיד ס כֹּה אָמַר יְהוָה צְבָאוֹת אֲנִי לְקַחְתִּיךָ מִן־הַנָּוֶה מִן־אַחֲרֵי הַצֹּאן לִהְיוֹת נָגִיד עַל עַמִּי יִשְׂרָאֵל:

V8 וָאֶהְיֶה עִמְּךָ בְּכֹל אֲשֶׁר הָלַכְתָּ וָאַכְרִית אֶת־כָּל־אוֹיְבֶיךָ מִפָּנֶיךָ וְעָשִׂיתִי לְךָ שֵׁם כְּשֵׁם הַגְּדוֹלִים אֲשֶׁר בָּאָרֶץ:

V9 וְשַׂמְתִּי מָקוֹם לְעַמִּי יִשְׂרָאֵל וּנְטַעְתִּיהוּ וְשָׁכַן תַּחְתָּיו וְלֹא יִרְגַּז עוֹד וְלֹא־יוֹסִיפוּ בְנֵי־עַוְלָה לְבַלֹּתוֹ כַּאֲשֶׁר בָּרִאשׁוֹנָה:

V10 וּלְמִיָּמִים אֲשֶׁר צִוִּיתִי שֹׁפְטִים עַל־עַמִּי יִשְׂרָאֵל וְהִכְנַעְתִּי אֶת־כָּל־אוֹיְבֶיךָ וָאַגִּד לָךְ וּבַיִת יִבְנֶה־לְּךָ יְהוָה:

V11 וְהָיָה כִּי־מָלְאוּ יָמֶיךָ לָלֶכֶת עִם־אֲבֹתֶיךָ וַהֲקִימוֹתִי אֶת־זַרְעֲךָ אַחֲרֶיךָ אֲשֶׁר יִהְיֶה מִבָּנֶיךָ וַהֲכִינוֹתִי אֶת־מַלְכוּתוֹ:

V12 הוּא יִבְנֶה־לִּי בָּיִת וְכֹנַנְתִּי אֶת־כִּסְאוֹ עַד־עוֹלָם:

V13 אֲנִי אֶהְיֶה־לּוֹ לְאָב וְהוּא יִהְיֶה־לִּי לְבֵן וְחַסְדִּי לֹא־אָסִיר מֵעִמּוֹ כַּאֲשֶׁר הֲסִירוֹתִי מֵאֲשֶׁר הָיָה לְפָנֶיךָ:

V14 וְהַעֲמַדְתִּיהוּ בְּבֵיתִי וּבְמַלְכוּתִי עַד־הָעוֹלָם וְכִסְאוֹ יִהְיֶה נָכוֹן עַד־עוֹלָם:

V15 כְּכֹל הַדְּבָרִים הָאֵלֶּה וּכְכֹל הֶחָזוֹן הַזֶּה כֵּן דִּבֶּר נָתָן אֶל־דָּוִיד: פ

Observações:

1. *Vs. 1.* O paralelo, 2Sm 7.1, menciona um período de *descanso*. Por enquanto, Davi tinha suspendido suas guerras. Portanto, parecia ser um bom momento para pensar na construção do templo. Ver anteriormente as *razões* pelas quais Davi não recebeu permissão de construí-lo. Mas esse período de descanso logo terminou, e Davi voltou a atirar-se às lides da guerra, conforme vemos no capítulo 18 de 1Crônicas.
2. *Vs. 3.* Note-se que a mensagem profética de Natã veio em uma visão noturna. Ele não usou o Urim e o Tumim. A tendência era o ofício profético substituir esse método mais antigo de adivinhação. Ver no *Dicionário* o artigo chamado *Adivinhação*.
3. Segundos pensamentos algumas vezes são mais sóbrios, afirmavam os gregos. O primeiro pensamento de Natã não foi o correto. Foi mister que ele recebesse uma visão para aclarar a questão sobre quem seria responsável pela construção do templo. Oh, Senhor, conceda-nos tal graça!
4. *A sinfonia por terminar* da vida de Davi não seria longa o bastante para que ele terminasse a construção do templo. Salomão seria o grande maestro que receberia esse privilégio.
   "O dia é breve, e a tarefa é grande... Não compete a ti terminar a obra, nem deves desligar-te do desejo de completá-la. Fiel é o Mestre do teu trabalho. Ele te recompensará pelo seu labor, e ele sabe qual é a recompensa que dará aos justos, no tempo vindouro" (Charles Taylor).
5. Era Deus quem estava construindo uma casa (a dinastia davídica), e não Davi quem deveria construir o templo de Deus (vs. 10; cf. os vss. 25 e 27). 1 e 2Crônicas foram escritos para fomentar a importância da dinastia davídica. Embora essa dinastia tivesse sido interrompida, em 587 a.C., por causa do cativeiro babilônico, continuaria através dos descendentes de Davi após o cativeiro. Ela foi interrompida de novo pela grande dispersão romana, de 132 d.C. e posteriormente. Contudo, o Rei Messias, o Filho maior de Davi, continuaria a dinastia de Davi espiritualmente, mesmo que não o fizesse literalmente. A Igreja e o reino milenar serão modos dessa continuação.
6. *Vs. 13.* Note-se como o cronista não menciona Saul pelo nome, como se ele não pudesse entrar nominalmente no texto. Mas o trecho paralelo, de 2Sm 7.15, cita especificamente o nome de Saul.
7. *Paternidade divina*, vs. 13. Coisa alguma deveria ter permissão de obscurecer essa importante doutrina. É verdade que o Antigo Testamento usualmente via Deus como Pai de Israel e, no calvinismo extremo, o mesmo equívoco tem sido cometido. Apesar de existirem os eleitos, há também os não eleitos, que são favorecidos por Deus e por ele restaurados, embora nunca cheguem à posição divina de eleitos. Ver na *Enciclopédia de Bíblia, Teologia e Filosofia* o artigo intitulado *Restauração*. A missão de Cristo é maior que as pequenas teologias humanas. Ele teve uma tríplice missão: na terra, no hades e nos céus, e o seu propósito é reunir toda a família de Deus, para que forme uma unidade. *Nisso constitui* o mistério da vontade de Deus (Ef 1.10). Ver sobre esse versículo em *O Novo Testamento Interpretado*. Permitamos que Deus se mova e cumpra o que esse mistério diz, não o limitando a ideias e revelações menores.
8. *Vs. 14.* Note-se como o cronista alterou o texto que aparece em 2Sm 7.16. Ele substituiu "tua casa" por "minha casa", e "teu reino" por "meu reino". Assim sendo, a dinastia davídica era de Davi, mas, supremamente, de Deus. O homem ímpio chama tudo de *seu*. O homem espiritual reconhece que todas as coisas pertencem a Deus, que as empresta aos homens, para que possam aprender e crescer. Deus é o principal proprietário e, em um sentido mais estrito, o único proprietário.
9. O *pacto* é o poder por trás da promessa divina (vs. 15). Devemos ter isso em mente. Ver sobre o *pacto davídico*, em 2Sm 7.4.

A Oração de Davi (17.16-27)

■ 17.16-27

V16 וַיָּבֹא הַמֶּלֶךְ דָּוִיד וַיֵּשֶׁב לִפְנֵי יְהוָה וַיֹּאמֶר מִי־אֲנִי יְהוָה אֱלֹהִים וּמִי בֵיתִי כִּי הֲבִיאֹתַנִי עַד־הֲלֹם:

V17 וַתִּקְטַן זֹאת בְּעֵינֶיךָ אֱלֹהִים וַתְּדַבֵּר עַל־בֵּית עַבְדְּךָ לְמֵרָחוֹק וּרְאִיתַנִי כְּתוֹר הָאָדָם הַמַּעֲלָה יְהוָה אֱלֹהִים:

V18 מַה־יּוֹסִיף עוֹד דָּוִיד אֵלֶיךָ לְכָבוֹד אֶת־עַבְדֶּךָ וְאַתָּה אֶת־עַבְדְּךָ יָדָעְתָּ:

V19 יְהוָה בַּעֲבוּר עַבְדְּךָ וּכְלִבְּךָ עָשִׂיתָ אֵת כָּל־הַגְּדוּלָּה הַזֹּאת לְהֹדִיעַ אֶת־כָּל־הַגְּדֻלּוֹת:

V20 יְהוָה אֵין כָּמוֹךָ וְאֵין אֱלֹהִים זוּלָתֶךָ בְּכֹל אֲשֶׁר־שָׁמַעְנוּ בְּאָזְנֵינוּ:

1Crônicas ■ ATI

v21 וּמִי כְּעַמְּךָ יִשְׂרָאֵל גּוֹי אֶחָד בָּאָרֶץ אֲשֶׁר הָלַךְ הָאֱלֹהִים לִפְדּוֹת לוֹ עָם לָשׂוּם לְךָ שֵׁם גְּדֻלּוֹת וְנֹרָאוֹת לְגָרֵשׁ מִפְּנֵי עַמְּךָ אֲשֶׁר־פָּדִיתָ מִמִּצְרַיִם גּוֹיִם:

v22 וַתִּתֵּן אֶת־עַמְּךָ יִשְׂרָאֵל לְךָ לְעָם עַד־עוֹלָם וְאַתָּה יְהוָה הָיִיתָ לָהֶם לֵאלֹהִים:

v23 וְעַתָּה יְהוָה הַדָּבָר אֲשֶׁר דִּבַּרְתָּ עַל־עַבְדְּךָ וְעַל־בֵּיתוֹ יֵאָמֵן עַד־עוֹלָם וַעֲשֵׂה כַּאֲשֶׁר דִּבַּרְתָּ:

v24 וְיֵאָמֵן וְיִגְדַּל שִׁמְךָ עַד־עוֹלָם לֵאמֹר יְהוָה צְבָאוֹת אֱלֹהֵי יִשְׂרָאֵל אֱלֹהִים לְיִשְׂרָאֵל וּבֵית־דָּוִיד עַבְדְּךָ נָכוֹן לְפָנֶיךָ:

v25 כִּי אַתָּה אֱלֹהַי גָּלִיתָ אֶת־אֹזֶן עַבְדְּךָ לִבְנוֹת לוֹ בָּיִת עַל־כֵּן מָצָא עַבְדְּךָ לְהִתְפַּלֵּל לְפָנֶיךָ:

v26 וְעַתָּה יְהוָה אַתָּה־הוּא הָאֱלֹהִים וַתְּדַבֵּר עַל־עַבְדְּךָ הַטּוֹבָה הַזֹּאת:

v27 וְעַתָּה הוֹאַלְתָּ לְבָרֵךְ אֶת־בֵּית עַבְדְּךָ לִהְיוֹת לְעוֹלָם לְפָנֶיךָ כִּי־אַתָּה יְהוָה בֵּרַכְתָּ וּמְבֹרָךְ לְעוֹלָם: פ

Esta seção tem paralelo em 2Sm 7.18-29, onde a exposição é oferecida. Adiciono aqui apenas algumas poucas observações:

1. *Vss. 16-27. A Obra de Deus.* Aqui ergo meu Ebenézer, até aqui o Senhor me trouxe. "Quem quer que leia esta comovente passagem, se puder discernir razões para ser grato, durante o curso de sua própria vida, haverá de encontrar nestes versículos palavras que falam à sua experiência pessoal. Acima de tudo, ele deve concordar com a declaração de Davi: 'Quem sou eu, Senhor Deus, e qual é a minha casa, para que me tenhas trazido até aqui?' (vs. 16)" (W. A. L. Elmslie, *in loc.*).

2. Cf. sentimentos similares nas palavras de Moisés: "Quem sou eu para ir a Faraó e tirar do Egito os filhos de Israel?" (Êx 3.11). É com essa atitude que os homens espirituais devem começar sua carreira, continuar e terminar os seus labores. Ver Ef 2.10. Somos feitura de Deus, preparados para realizar boas obras.

3. Note-se como o vs. 17 da presente versão da oração se refere à *exaltada* posição de Davi. Isso está em consonância com o propósito do autor de fomentar a importância da dinastia davídica, que haveria de continuar após o cativeiro babilônico. Ele estava dizendo que Israel tinha a autoridade e a legalidade para começar de novo, a despeito dos desastrosos acontecimentos, porquanto a dinastia davídica fora renovada. As genealogias dos capítulos primeiro a nono de 1Crônicas mostram-nos que *todo* o povo de Israel, incluindo os sacerdotes e os levitas, proveu um novo começo, após o cativeiro babilônico. Havia descendentes de todas as tribos e as provisões legais da lei foram mantidas intactas. Naturalmente, a tribo de Judá era a personagem principal desse drama.

4. *Vs. 25.* "Teu servo se animou para fazer-te esta oração." O Targum comenta como segue a respeito: "Ele encontrou uma boca aberta para que pudesse orar diante de ti". Deus deu a Davi uma boca de oração, e este teve a coragem de orar e buscar.

5. *Vs. 27.* A bênção de Yahweh *começou* no tempo previsto, e dali a mesma bênção haveria de espalhar-se por todo o Israel, em todas as partes e para todo o sempre. Cf. Nm 22.6.

6. Ver o artigo geral sobre a *Oração,* no *Dicionário.* Davi estava em um grande momento histórico. O Reino Unido de Israel teria um culto unido, centralizado em Jerusalém. O templo ajudaria a produzir essa centralização. O culto a Yahweh unificar-se-ia. Antigos santuários continuariam existindo em Betel e em outros lugares sagrados, mas o centro estaria em Jerusalém.

CAPÍTULO DEZOITO

AS VITÓRIAS DE DAVI (18.1—20.8)

■ 18.1-17

v1 וַיְהִי אַחֲרֵי־כֵן וַיַּךְ דָּוִיד אֶת־פְּלִשְׁתִּים וַיַּכְנִיעֵם וַיִּקַּח אֶת־גַּת וּבְנֹתֶיהָ מִיַּד פְּלִשְׁתִּים:

v2 וַיַּךְ אֶת־מוֹאָב וַיִּהְיוּ מוֹאָב עֲבָדִים לְדָוִיד נֹשְׂאֵי מִנְחָה:

v3 וַיַּךְ דָּוִיד אֶת־הֲדַדְעֶזֶר מֶלֶךְ־צוֹבָה חֲמָתָה בְּלֶכְתּוֹ לְהַצִּיב יָדוֹ בִּנְהַר־פְּרָת:

v4 וַיִּלְכֹּד דָּוִיד מִמֶּנּוּ אֶלֶף רֶכֶב וְשִׁבְעַת אֲלָפִים פָּרָשִׁים וְעֶשְׂרִים אֶלֶף אִישׁ רַגְלִי וַיְעַקֵּר דָּוִיד אֶת־כָּל־הָרֶכֶב וַיּוֹתֵר מִמֶּנּוּ מֵאָה רָכֶב:

v5 וַיָּבֹא אֲרַם דַּרְמֶשֶׂק לַעְזוֹר לַהֲדַדְעֶזֶר מֶלֶךְ צוֹבָה וַיַּךְ דָּוִיד בַּאֲרָם עֶשְׂרִים וּשְׁנַיִם אֶלֶף אִישׁ:

v6 וַיָּשֶׂם דָּוִיד בַּאֲרַם דַּרְמֶשֶׂק וַיְהִי אֲרָם לְדָוִיד עֲבָדִים נֹשְׂאֵי מִנְחָה וַיּוֹשַׁע יְהוָה לְדָוִיד בְּכֹל אֲשֶׁר הָלָךְ:

v7 וַיִּקַּח דָּוִיד אֵת שִׁלְטֵי הַזָּהָב אֲשֶׁר הָיוּ עַל עַבְדֵי הֲדַדְעָזֶר וַיְבִיאֵם יְרוּשָׁלִָם:

v8 וּמִטִּבְחַת וּמִכּוּן עָרֵי הֲדַדְעֶזֶר לָקַח דָּוִיד נְחֹשֶׁת רַבָּה מְאֹד בָּהּ עָשָׂה שְׁלֹמֹה אֶת־יָם הַנְּחֹשֶׁת וְאֶת־הָעַמּוּדִים וְאֵת כְּלֵי הַנְּחֹשֶׁת: פ

v9 וַיִּשְׁמַע תֹּעוּ מֶלֶךְ חֲמָת כִּי הִכָּה דָוִיד אֶת־כָּל־חֵיל הֲדַדְעֶזֶר מֶלֶךְ־צוֹבָה:

v10 וַיִּשְׁלַח אֶת־הֲדוֹרָם־בְּנוֹ אֶל־הַמֶּלֶךְ־דָּוִיד לִשְׁאָול־לוֹ לְשָׁלוֹם וּלְבָרֲכוֹ עַל אֲשֶׁר נִלְחַם בַּהֲדַדְעֶזֶר וַיַּכֵּהוּ כִּי־אִישׁ מִלְחֲמוֹת תֹּעוּ הָיָה הֲדַדְעָזֶר וְכֹל כְּלֵי זָהָב וָכֶסֶף וּנְחֹשֶׁת:

v11 גַּם־אֹתָם הִקְדִּישׁ הַמֶּלֶךְ דָּוִיד לַיהוָה עִם־הַכֶּסֶף וְהַזָּהָב אֲשֶׁר נָשָׂא מִכָּל־הַגּוֹיִם מֵאֱדוֹם וּמִמּוֹאָב וּמִבְּנֵי עַמּוֹן וּמִפְּלִשְׁתִּים וּמֵעֲמָלֵק:

v12 וְאַבְשַׁי בֶּן־צְרוּיָה הִכָּה אֶת־אֱדוֹם בְּגֵיא הַמֶּלַח שְׁמוֹנָה עָשָׂר אָלֶף:

v13 וַיָּשֶׂם בֶּאֱדוֹם נְצִיבִים וַיִּהְיוּ כָל־אֱדוֹם עֲבָדִים לְדָוִיד וַיּוֹשַׁע יְהוָה אֶת־דָּוִיד בְּכֹל אֲשֶׁר הָלָךְ:

v14 וַיִּמְלֹךְ דָּוִיד עַל־כָּל־יִשְׂרָאֵל וַיְהִי עֹשֶׂה מִשְׁפָּט וּצְדָקָה לְכָל־עַמּוֹ:

v15 וְיוֹאָב בֶּן־צְרוּיָה עַל־הַצָּבָא וִיהוֹשָׁפָט בֶּן־אֲחִילוּד מַזְכִּיר:

v16 וְצָדוֹק בֶּן־אֲחִיטוּב וַאֲבִימֶלֶךְ בֶּן־אֶבְיָתָר כֹּהֲנִים וְשַׁוְשָׁא סוֹפֵר:

ATI ■ 1Crônicas

וּבְנָיָהוּ בֶן־יְהוֹיָדָע עַל־הַכְּרֵתִי וְהַפְּלֵתִי V17
וּבְנֵי־דָוִיד הָרִאשֹׁנִים לְיַד הַמֶּלֶךְ: פ

Negócios Estrangeiros de Davi:
1. Os filisteus e os moabitas (18.1,2)
2. Os arameus (18.3-11)
3. Os idumeus (18.12,13)

Os capítulos seguintes continuam mostrando os negócios estrangeiros de Davi com outros povos.

Paralelos. Os capítulos 18—21 de 1Crônicas são, em essência, paralelos às passagens em 2Samuel, e a exposição a respeito é dada ali. Conforme observou John Gill, há bem pouca variação nesses paralelos. Homens verbosos simplesmente enviaram seus leitores aos paralelos, em vez de repetirem materiais. Somente três versículos (1Cr 22.28-30) são verdadeiras adições feitas pelo cronista; e esses três versículos recebem sua devida exposição, a seguir.

Paralelos no Capítulo 18:
1. 1Cr 18.1-11 é trecho paralelo a 2Sm 8.1-11, e a mesma ordem e os mesmos números de versículos foram preservados por aqueles que prepararam a divisão de nossa Bíblia moderna. Ver na *Enciclopédia de Bíblia, Teologia e Filosofia* o artigo intitulado *Versículos e Capítulos, Divisão da Bíblia em*.
2. 2Sm 18.11-12 é levemente diferente de 1Cr 18.11,12, mas a essência é a mesma.
3. 1Cr 18.12 tem paralelo em 2Sm 8.13, com leves variações.
4. 1Cr 18.13 tem paralelo em 2Sm 8.14.
5. 1Cr 18.14 tem paralelo em 2Sm 8.15.
6. 1Cr 18.15 tem paralelo em 2Sm 8.16.
7. 1Cr 18.16 tem paralelo em 2Sm 8.17.
8. 1Cr 18.17 tem paralelo em 2Sm 8.18.

O propósito do autor foi mostrar como Davi consolidou o seu reino, derrotando os oito inimigos de Israel e preparando assim um tempo de paz para seu filho, Salomão, trazer a época áurea de Israel, da qual a construção do templo fez parte integral. Ver os *oito inimigos* derrotados por Davi, nas notas expositivas sobre 2Sm 10.19. Esse propósito fez parte do grande desígnio de 1 e 2Crônicas: fomentar a dinastia davídica como a força que dava a Israel vida e continuação, mesmo após o cativeiro babilônico.

Observações:
1. Note-se a variação de grafia no nome de Toú (vs. 9), que aparece com a forma de Toí, no trecho paralelo de 2Sm 8.9.
2. O vs. 12 do texto presente dá o crédito pela vitória a *Abisai*, ao passo que o trecho paralelo, de 2Sm 8.13, dá o crédito a Davi, comandante em chefe. Por isso, os romanos costumavam dizer: *Qui facit per alterum, facit per se*.
3. O vs. 12 do trecho paralelo apresenta "os siros", em lugar de "os edomitas", segundo se vê no texto presente. No hebraico, *Edom* e *Síria* são nomes quase idênticos em sua grafia, o que significa que facilmente um podia ser trocado pelo outro. Mas é possível que Davi tenha obtido vitórias tão ao norte quanto a Síria, e o livro de 2Samuel pode ter preservado essa tradição.
4. Vss. 14-17. Temos aqui listados os altos oficiais de Davi. Veja o leitor, no vs. 16, "Abiatar, filho de Aimeleque" (cf. 1Cr 15.11 e 24.3). O texto de 2Samuel chama os filhos de Davi de "sacerdotes" (8.17). O cronista alterou isso para "primeiros", supondo que, de maneira alguma, os filhos de Davi podiam ser chamados "sacerdotes", visto que Davi não pertencia à linhagem de Arão. Ver minha exposição sobre 2Sm 8.18, quanto a como os filhos de Davi podiam ser chamados de "sacerdotes".

CAPÍTULO DEZENOVE

■ 19.1-19

וַיְהִי אַחֲרֵי־כֵן וַיָּמָת נָחָשׁ מֶלֶךְ בְּנֵי־עַמּוֹן וַיִּמְלֹךְ V1
בְּנוֹ תַּחְתָּיו:

וַיֹּאמֶר דָּוִיד אֶעֱשֶׂה־חֶסֶד עִם־חָנוּן בֶּן־נָחָשׁ V2
כִּי־עָשָׂה אָבִיו עִמִּי חֶסֶד וַיִּשְׁלַח דָּוִיד מַלְאָכִים
לְנַחֲמוֹ עַל־אָבִיו וַיָּבֹאוּ עַבְדֵי דָוִיד אֶל־אֶרֶץ בְּנֵי־
עַמּוֹן אֶל־חָנוּן לְנַחֲמוֹ:

וַיֹּאמְרוּ שָׂרֵי בְנֵי־עַמּוֹן לְחָנוּן הַמְכַבֵּד דָּוִיד אֶת־ V3
אָבִיךָ בְּעֵינֶיךָ כִּי־שָׁלַח לְךָ מְנַחֲמִים הֲלֹא בַּעֲבוּר
לַחְקֹר וְלַהֲפֹךְ וּלְרַגֵּל הָאָרֶץ בָּאוּ עֲבָדָיו אֵלֶיךָ: פ

וַיִּקַּח חָנוּן אֶת־עַבְדֵי דָוִיד וַיְגַלְּחֵם וַיִּכְרֹת V4
אֶת־מַדְוֵיהֶם בַּחֵצִי עַד־הַמִּפְשָׂעָה וַיְשַׁלְּחֵם:

וַיֵּלְכוּ וַיַּגִּידוּ לְדָוִיד עַל־הָאֲנָשִׁים וַיִּשְׁלַח V5
לִקְרָאתָם כִּי־הָיוּ הָאֲנָשִׁים נִכְלָמִים מְאֹד וַיֹּאמֶר
הַמֶּלֶךְ שְׁבוּ בִירֵחוֹ עַד אֲשֶׁר־יְצַמַּח זְקַנְכֶם וְשַׁבְתֶּם:

וַיִּרְאוּ בְּנֵי עַמּוֹן כִּי הִתְבָּאֲשׁוּ עִם־דָּוִיד וַיִּשְׁלַח V6
חָנוּן וּבְנֵי עַמּוֹן אֶלֶף כִּכַּר־כֶּסֶף לִשְׂכֹּר לָהֶם
מִן־אֲרַם נַהֲרַיִם וּמִן־אֲרַם מַעֲכָה וּמִצּוֹבָה רֶכֶב
וּפָרָשִׁים:

וַיִּשְׂכְּרוּ לָהֶם שְׁנַיִם וּשְׁלֹשִׁים אֶלֶף רֶכֶב וְאֶת־מֶלֶךְ V7
מַעֲכָה וְאֶת־עַמּוֹ וַיָּבֹאוּ וַיַּחֲנוּ לִפְנֵי מֵידְבָא וּבְנֵי עַמּוֹן
נֶאֶסְפוּ מֵעָרֵיהֶם וַיָּבֹאוּ לַמִּלְחָמָה:

וַיִּשְׁמַע דָּוִיד וַיִּשְׁלַח אֶת־יוֹאָב וְאֵת כָּל־צָבָא V8
הַגִּבֹּרִים:

וַיֵּצְאוּ בְּנֵי עַמּוֹן וַיַּעַרְכוּ מִלְחָמָה פֶּתַח הָעִיר V9
וְהַמְּלָכִים אֲשֶׁר־בָּאוּ לְבַדָּם בַּשָּׂדֶה:

וַיַּרְא יוֹאָב כִּי־הָיְתָה פְנֵי־הַמִּלְחָמָה אֵלָיו פָּנִים V10
וְאָחוֹר וַיִּבְחַר מִכָּל־בָּחוּר בְּיִשְׂרָאֵל וַיַּעֲרֹךְ לִקְרַאת
אֲרָם:

וְאֵת יֶתֶר הָעָם נָתַן בְּיַד אַבְשַׁי אָחִיו וַיַּעַרְכוּ V11
לִקְרַאת בְּנֵי עַמּוֹן:

וַיֹּאמֶר אִם־תֶּחֱזַק מִמֶּנִּי אֲרָם וְהָיִיתָ לִּי לִתְשׁוּעָה V12
ס וְאִם־בְּנֵי עַמּוֹן יֶחֱזְקוּ מִמְּךָ וְהוֹשַׁעְתִּיךָ:

חֲזַק וְנִתְחַזְּקָה בְּעַד־עַמֵּנוּ וּבְעַד עָרֵי אֱלֹהֵינוּ V13
וַיהוָה הַטּוֹב בְּעֵינָיו יַעֲשֶׂה:

וַיִּגַּשׁ יוֹאָב וְהָעָם אֲשֶׁר־עִמּוֹ לִפְנֵי אֲרָם לַמִּלְחָמָה V14
וַיָּנוּסוּ מִפָּנָיו:

וּבְנֵי עַמּוֹן רָאוּ כִּי־נָס אֲרָם וַיָּנוּסוּ גַם־הֵם מִפְּנֵי V15
אַבְשַׁי אָחִיו וַיָּבֹאוּ הָעִירָה וַיָּבֹא יוֹאָב יְרוּשָׁלָ͏ִם: פ

וַיַּרְא אֲרָם כִּי נִגְּפוּ לִפְנֵי יִשְׂרָאֵל וַיִּשְׁלְחוּ V16
מַלְאָכִים וַיּוֹצִיאוּ אֶת־אֲרָם אֲשֶׁר מֵעֵבֶר הַנָּהָר וְשׁוֹפַךְ
שַׂר־צְבָא הֲדַדְעֶזֶר לִפְנֵיהֶם:

וַיֻּגַּד לְדָוִיד וַיֶּאֱסֹף אֶת־כָּל־יִשְׂרָאֵל וַיַּעֲבֹר V17
הַיַּרְדֵּן וַיָּבֹא אֲלֵהֶם וַיַּעֲרֹךְ אֲלֵהֶם וַיַּעֲרֹךְ דָּוִיד
לִקְרַאת אֲרָם מִלְחָמָה וַיִּלָּחֲמוּ עִמּוֹ:

V18 וַיָּ֣נָס אֲרָם֮ מִלִּפְנֵ֣י יִשְׂרָאֵל֒ וַיַּהֲרֹ֣ג דָּוִ֡יד מֵאֲרָם֩
שִׁבְעַ֨ת אֲלָפִ֜ים רֶ֗כֶב וְאַרְבָּעִ֥ים אֶ֛לֶף אִ֥ישׁ רַגְלִ֖י וְאֵ֥ת
שׁוֹפַ֥ךְ שַֽׂר־הַצָּבָ֖א הֵמִֽית׃

V19 וַיִּרְא֞וּ עַבְדֵ֣י הֲדַדְעֶ֗זֶר כִּ֤י נִגְּפוּ֙ לִפְנֵ֣י יִשְׂרָאֵ֔ל
וַיַּשְׁלִ֥ימוּ עִם־דָּוִ֖יד וַיַּֽעַבְדֻ֑הוּ וְלֹא־אָבָ֣ה אֲרָ֔ם לְהוֹשִׁ֛יעַ
אֶת־בְּנֵֽי־עַמּ֖וֹן עֽוֹד׃ פ

Este capítulo continua a narrativa de como Davi derrotou os inimigos de Israel e assim preparou o caminho para a paz que dominou o reino unido no tempo de Salomão. Não foi permitido a Davi construir o templo de Jerusalém. Isso seria parte da missão de Salomão, e da época áurea de Israel que seu reinado traria.

Ver as observações de introdução ao capítulo 18, que também se aplicam aqui. O autor sacro prossegue em seu desígnio de fomentar a dinastia davídica, que é o tema central dos livros de 1 e 2Crônicas. Foi através *dessa* dinastia que Israel continuou, terminado o cativeiro babilônico.

Davi derrotou *oito* nações adversárias de Israel, aniquilando-as ou confinando-as, o que deu a Israel um período de liberdade da opressão "estrangeira". Isso foi altamente necessário para o estabelecimento devido da monarquia em Israel. Quanto a notas sobre os *oito inimigos* derrotados por Davi, ver 2Sm 10.19.

Os capítulos 18—21 de 1Crônicas são, em essência, paralelos a passagens de 2Samuel. O cronista, contudo, fez algumas alterações, as quais estão comentadas na exposição sobre 2Samuel ou entre as *observações* que provi para cada capítulo.

A derrota dos amonitas é registrada longamente em 1Cr 19.1—20.3.

Paralelos:
1. O trecho de 1Cr 19.1-6 é, essencialmente, o mesmo que 2Sm 10.1-6.
2. Mas 1Cr 19.7 divide parte de 2Sm 10.6 e faz deste um versículo separado. Alguns detalhes são diferentes, anotados no paralelo do capítulo 10 de 2Samuel ou nas observações que se seguem. O cronista incluiu alguns pormenores diferentes, que podem ter sido tirados de uma fonte informativa diversa.
3. 1Cr 19.8 é paralelo de 2Sm 10.7.
4. 1Cr 19.9 é paralelo de 2Sm 10.8, com algumas diferenças de detalhes.
5. 1Cr 19.10 é paralelo de 2Sm 10.9.
6. 1Cr 19.11 é paralelo de 2Sm 10.10.
7. 1Cr 19.12 é paralelo de 2Sm 10.11.
8. 1Cr 19.13 é paralelo de 2Sm 10.12.
9. 1Cr 19.14 é paralelo de 2Sm 10.13.
10. 1Cr 19.15 é paralelo de 2Sm 10.14.
11. 1Cr 19.16 é paralelo de 2Sm 10.15.
12. 1Cr 19.17 é paralelo de 2Sm 10.16, com algumas diferenças de detalhes.

Portanto, 1Cr 19.16 incorpora o material de 2Sm 10.15 e 16.

13. 1Cr 19.17-19 é paralelo de 2Sm 10.17-19, assim os dois capítulos terminam com o mesmo número de versículos, o que, naturalmente, foi arranjado em nossas Bíblias mediante capítulos e versículos. Ver na *Enciclopédia de Bíblia, Teologia e Filosofia* o artigo chamado *Versículos e Capítulos, Divisão da Bíblia em*.

Observações:
1. Neste ponto, o cronista omitiu a história da bondade de Davi para com Mefibosete, neto de Saul, filho de Jônatas, que foi amigo chegado de Davi. Ver o capítulo nono de 2Samuel quanto a essa narrativa. Ele deixou questões *particulares* e apressou-se em registrar os grandes eventos *públicos* que ocorreram e levaram a dinastia davídica a um pleno poder.
2. Há *diferenças* com o trecho paralelo que são evidentes em 1Cr 19.6,7. Cf. 2Sm 10.6,7. É provável que, nesta altura, o cronista dispusesse de informações extraídas de uma fonte independente, as quais ele inseriu no relato, e 2Samuel tinha algumas adições próprias.

Eugene H. Merrill, *in loc.*, sumariou a questão para nós (ver também a exposição sobre 2Samuel, que adiciona alguns detalhes): "O relato que se segue, da preparação para a guerra e da própria batalha, difere, em diversas maneiras, dos detalhes, quanto ao fraseado e aos fatos, no capítulo 10 de 2Samuel. O cronista

mencionou que *Hanum* alugou os arameus da Mesopotâmia (Arã Naaraim), de Arão, de Maaca e de Zobá por mil talentos de prata (cerca de 37 toneladas), enquanto 2Sm 10.6,7 lista os arameus de Bete-Reobe, Zobá, Maaca e Tobe. Não há nisso nenhuma contradição. Os dois historiadores apenas mencionaram os arameus de interesse especial para eles, por qualquer razão. Por igual modo, 2Samuel omite a informação acerca do preço pago aos mercenários. O cronista também frisou que a força total de carros de combate dos arameus consistia em 32 mil unidades (19.7), mas o autor de 2Samuel deu o número de infantes, que foi de 33 mil (2Sm 10.6)". Quanto a notas expositivas adicionais, ver a exposição sobre 2Sm 10.6,7.

3. O trecho de 1Cr 19.8-19 é praticamente igual ao seu paralelo, 2Sm 10.7-19. Ver as notas expositivas ali. "Divergências entre esta passagem e 2Sm 8.4 e 10.18 apresentam dificuldades intransponíveis" (W. A. L. Elmslie, *in loc.*). Eugene H. Merrill tentou uma reconciliação, conforme se vê anteriormente, mas isso é desnecessário. Provavelmente fontes informativas diferentes foram usadas com algum detalhe, e não precisamos buscar uma harmonia absoluta, que nada tem a ver com a fé religiosa. "Os desvios indicam fontes informativas independentes" (Ellicott, *in loc.*).

CAPÍTULO VINTE

Este capítulo continua a descrever a guerra de Davi contra os amonitas, que se iniciou em 1Cr 19.1. Ver as notas expositivas na introdução ao capítulo 19, que também se aplicam aqui. O trecho de 1Cr 18.1—20.8 registra as grandes vitórias de Davi sobre *seis inimigos* de Israel. Em 2Sm 10.19, mostro que Davi derrotou *oito* povos distintos, a fim de livrar o seu império de ataques "estrangeiros", impondo assim um período de estabilidade e paz. Nessa atmosfera, Salomão, filho de Davi, foi capaz de levar Israel à sua "época áurea", incluindo a edificação do templo. Isso unificou a adoração em Jerusalém.

Os capítulos 18—21 de 1Crônicas são, em sua essência, paralelos de passagens de 2Samuel. Nas introduções a cada um desses capítulos, provi um gráfico dos paralelos. As observações foram adicionadas para discutir as variações e/ou os pontos especiais de interesse. Uma exposição detalhada dos materiais aparece em 2Samuel.

■ 20.1-4

V1 וַיְהִ֡י לְעֵת֩ תְּשׁוּבַ֨ת הַשָּׁנָ֜ה לְעֵ֣ת ׀ צֵ֣את
הַמְּלָכִ֗ים וַיִּנְהַ֣ג יוֹאָב֩ אֶת־חֵ֨יל הַצָּבָ֜א וַיַּשְׁחֵ֣ת ׀
אֶת־אֶ֣רֶץ בְּנֵֽי־עַמּ֗וֹן וַיָּבֹא֙ וַיָּ֣צַר אֶת־רַבָּ֔ה וְדָוִ֖יד
יֹשֵׁ֣ב בִּירֽוּשָׁלִָ֑ם וַיַּ֥ךְ יוֹאָ֛ב אֶת־רַבָּ֖ה וַיֶּֽהֶרְסֶֽהָ׃

V2 וַיִּקַּ֣ח דָּוִ֣יד אֶת־עֲטֶֽרֶת־מַלְכָּם֮ מֵעַ֣ל רֹאשׁוֹ֒
וַיִּמְצָאָ֣הּ ׀ מִשְׁקַ֣ל כִּכַּר־זָהָ֗ב וּבָ֖הּ אֶ֣בֶן יְקָרָ֑ה וַתְּהִ֖י
עַל־רֹ֣אשׁ דָּוִ֑יד וּשְׁלַ֥ל הָעִ֛יר הוֹצִ֖יא הַרְבֵּ֥ה מְאֹֽד׃

V3 וְאֶת־הָעָ֣ם אֲשֶׁר־בָּ֗הּ הוֹצִיא֙ וַיָּ֣שַׂר בַּמְּגֵרָ֔ה
וּבַחֲרִיצֵ֥י הַבַּרְזֶ֖ל וּבַמְּגֵר֑וֹת וְכֵ֣ן יַעֲשֶׂ֤ה דָוִיד֙ לְכֹ֔ל
עָרֵ֖י בְנֵֽי־עַמּ֑וֹן וַיָּ֧שָׁב דָּוִ֛יד וְכָל־הָעָ֖ם יְרוּשָׁלִָֽם׃ פ

V4 וַיְהִי֙ אַחֲרֵיכֵ֔ן וַתַּעֲמֹ֧ד מִלְחָמָ֛ה בְּגֶ֖זֶר עִם־פְּלִשְׁתִּ֑ים
אָ֣ז הִכָּ֞ה סִבְּכַ֣י הַחֻשָׁתִ֗י אֶת־סִפַּ֛י מִילִדֵ֥י הָרְפָאִ֖ים
וַיִּכָּנֵֽעוּ׃

Davi Continua a Lutar Contra os Amonitas. Paralelos:
1. 1Cr 20.1-3 tem paralelo em 2Sm 12.26-31.
2. 1Cr 20.4-8 tem paralelo em 2Sm 21.15-22.

Observações:
1. 1Cr 20.1 é uma declaração mais elaborada que seu paralelo, 2Sm 12.26. Na primavera de cada ano, os exércitos punham-se em marcha. O inverno havia terminado, a neve tinha cessado. O começo do ano oferecia novas oportunidades para matar ou ser morto. O

cronista diz-nos como Joabe assolou o território dos amonitas. O trecho paralelo meramente diz que Joabe os derrotou. Isso significa que ele era um técnico em assolações. Davi permaneceu em Jerusalém, deixando tudo nas mãos de Joabe, um informação adicional que nos é prestada pelo cronista.

2. Ofereci uma exposição mais completa no paralelo. 2Samuel mostra como Joabe foi cuidadoso ao dar a Davi o crédito pela vitória, já que o chamou para estar presente à batalha final. O cronista adiciona a história da coroa do rei amonita, que caiu nas mãos de Davi por causa da vitória (1Cr 20.2). Pesava um talento de ouro, ou seja, cerca de 34 quilos, e era enfeitada com pedras preciosas. Naturalmente, era uma coroa simbólica. Ninguém poderia aguentar tal coroa sobre a cabeça por longo tempo. Além dessa magnífica coroa, muito despojo, de todos os tipos, foi tomado. Esse era o *salário* dos soldados, que não eram pagos por um governo central.

3. O cronista deixou de fora o relato do adultério de Davi com Bate-Seba, e o assassinato do marido dela (ver 2Sm 11.2—12.25), que contraria seu propósito de exaltar a dinastia davídica. Ele não achou necessário contar toda a verdade e falar sobre os problemas pessoais e domésticos de Davi. Ele só tratou das *questões públicas*.

4. Os sobreviventes foram reduzidos ao trabalho escravo (1Cr 20.3 e 2Sm 12.31), a norma política usual seguida no Oriente.

■ 20.4-8

V5 וַתְּהִי־עוֹד מִלְחָמָה אֶת־פְּלִשְׁתִּים וַיַּךְ אֶלְחָנָן בֶּן־יָעִיר אֶת־לַחְמִי אֲחִי גָּלְיָת הַגִּתִּי וְעֵץ חֲנִיתוֹ כִּמְנוֹר אֹרְגִים׃

V6 וַתְּהִי־עוֹד מִלְחָמָה בְּגַת וַיְהִי אִישׁ מִדָּה וְאֶצְבְּעֹתָיו שֵׁשׁ־וָשֵׁשׁ עֶשְׂרִים וְאַרְבַּע וְגַם־הוּא נוֹלַד לְהָרָפָא׃

V7 וַיְחָרֵף אֶת־יִשְׂרָאֵל וַיַּכֵּהוּ יְהוֹנָתָן בֶּן־שִׁמְעָא אֲחִי דָוִיד׃

V8 אֵל נוּלְּדוּ לְהָרָפָא בְּגַת וַיִּפְּלוּ בְיַד־דָּוִיד וּבְיַד־עֲבָדָיו׃ פ

Observações:

1. Agora encontramos grande deslocamento de material. O paralelo é 2Sm 21.15-22. O cronista começou e terminou sua narrativa sobre a derrota dos inimigos de Israel pelo poderoso guerreiro, Davi, com a sua vitória sobre os filisteus, o inimigo de *número um* de Israel, desde tempos antigos. Cf. 1Cr 18.1 com 20.4-8. Israel nunca tinha conseguido dominar aquele inveterado inimigo. Davi, finalmente, teve de confinar os filisteus sobreviventes nas costas do mar Mediterrâneo. Mas os filisteus confinados finalmente multiplicaram-se e tornaram-se de novo uma praga para reis posteriores de Israel.

2. O livro de 2Samuel também deixou registrada uma série de guerras contra os filisteus (21.15-22), mas pôs essa narrativa *depois* da guerra contra os amonitas. O cronista narra essas guerras de modo mais abreviado.

3. O cronista deixou de fora os problemas pessoais e os erros de Davi, como a história de Bate-Seba (2Sm 11.2—12.15); a violência sexual sofrida por Tamar (2Sm 13); e a rebelião de Absalão (2Sm 15). O propósito do autor sacro foi promover a dinastia davídica, e os problemas pessoais e os pecados de Davi não se encaixavam nesse desígnio.

4. O cronista deixou de fora a história do combate pessoal entre Isbi-Benobe e Davi, quando este último quase perdeu a vida (2Sm 21.15-17). Abisai salvou Davi e livrou Israel de grande tristeza. Talvez a *quase morte* de Davi não tivesse sido tomada pelo cronista como um acontecimento que aumentava a sua glória. Ele continuou apresentando uma "história ideal", de incidentes cuidadosamente selecionados, enquanto outros episódios deixaram de ser relatados, tudo visando o propósito de engrandecer a dinastia davídica.

5. As narrativas de 1Crônicas têm paralelo em três narrativas dadas em 2Samuel (21.18-22). Na primeira delas, 2Samuel cita Gobe, em lugar de Gezer do presente texto. Esse lugar ficava 36 quilômetros a noroeste de Jerusalém, onde Sibecai matou Sipai, um gigante filisteu. A segunda narrativa conta a morte de Lami, irmão de Golias, por Elanã. Um problema envolvendo nomes é criado com o paralelo, 2Sm 21.19, onde são dados diferentes nomes para o pai de Elanã. Ver as notas no trecho paralelo. Na terceira dessas narrativas, em 2Sm 21.19, Elanã aparece como quem matou Golias, enquanto em 1Sm 17 temos uma elaborada narração da morte de Golias por Davi. Anotei completamente essa discrepância em 1Sm 17 e 2Sm 21.19. Nesta última referência, examino nove pontos, e o que pode ser dito sobre a questão é narrado ali. Portanto, não sobrecarrego meu leitor duplicando esses materiais aqui.

6. A declaração de que Elanã matou o irmão de Golias, e não o próprio Golias (vs. 5), é considerada pelos críticos uma correção da tradição. O trecho de 2Sm 21.19 declara especificamente que Elanã matou o próprio Golias. Isso faz parte da discussão oferecida em 2Sm 21.29.

CAPÍTULO VINTE E UM

O CENSO E A PRAGA (21.1-30)

Encontramos aqui, essencialmente, uma adaptação do trecho paralelo, o capítulo 24 de 2Samuel. Em 1Cr 21.28-30 há adições feitas pelo cronista, que são anotadas em seguida. Quanto à exposição detalhada, o leitor deve consultar o trecho paralelo. Neste ponto, ofereço algumas poucas observações adicionais.

■ 21.1-27

V1 וַיַּעֲמֹד שָׂטָן עַל־יִשְׂרָאֵל וַיָּסֶת אֶת־דָּוִיד לִמְנוֹת אֶת־יִשְׂרָאֵל׃

V2 וַיֹּאמֶר דָּוִיד אֶל־יוֹאָב וְאֶל־שָׂרֵי הָעָם לְכוּ סִפְרוּ אֶת־יִשְׂרָאֵל מִבְּאֵר שֶׁבַע וְעַד־דָּן וְהָבִיאוּ אֵלַי וְאֵדְעָה אֶת־מִסְפָּרָם׃

V3 וַיֹּאמֶר יוֹאָב יוֹסֵף יְהוָה עַל־עַמּוֹ כָּהֵם מֵאָה פְעָמִים הֲלֹא אֲדֹנִי הַמֶּלֶךְ כֻּלָּם לַאדֹנִי לַעֲבָדִים לָמָּה יְבַקֵּשׁ זֹאת אֲדֹנִי לָמָּה יִהְיֶה לְאַשְׁמָה לְיִשְׂרָאֵל׃

V4 וּדְבַר־הַמֶּלֶךְ חָזַק עַל־יוֹאָב וַיֵּצֵא יוֹאָב וַיִּתְהַלֵּךְ בְּכָל־יִשְׂרָאֵל וַיָּבֹא יְרוּשָׁלָ͏ִם׃

V5 וַיִּתֵּן יוֹאָב אֶת־מִסְפַּר מִפְקַד־הָעָם אֶל־דָּוִיד וַיְהִי כָל־יִשְׂרָאֵל אֶלֶף אֲלָפִים וּמֵאָה אֶלֶף אִישׁ שֹׁלֵף חֶרֶב וִיהוּדָה אַרְבַּע מֵאוֹת וְשִׁבְעִים אֶלֶף אִישׁ שֹׁלֵף חָרֶב׃

V6 וְלֵוִי וּבִנְיָמִן לֹא פָקַד בְּתוֹכָם כִּי־נִתְעַב דְּבַר־הַמֶּלֶךְ אֶת־יוֹאָב׃

V7 וַיֵּרַע בְּעֵינֵי הָאֱלֹהִים עַל־הַדָּבָר הַזֶּה וַיַּךְ אֶת־יִשְׂרָאֵל׃ פ

V8 וַיֹּאמֶר דָּוִיד אֶל־הָאֱלֹהִים חָטָאתִי מְאֹד אֲשֶׁר עָשִׂיתִי אֶת־הַדָּבָר הַזֶּה וְעַתָּה הַעֲבֶר־נָא אֶת־עֲווֹן עַבְדְּךָ כִּי נִסְכַּלְתִּי מְאֹד׃ פ

V9 וַיְדַבֵּר יְהוָה אֶל־גָּד חֹזֵה דָוִיד לֵאמֹר׃

V10 לֵךְ וְדִבַּרְתָּ אֶל־דָּוִיד לֵאמֹר כֹּה אָמַר יְהוָה שָׁלוֹשׁ אֲנִי נֹטֶה עָלֶיךָ בְּחַר־לְךָ אַחַת מֵהֵנָּה וְאֶעֱשֶׂה־לָּךְ׃

V11 וַיָּבֹא גָד אֶל־דָּוִיד וַיֹּאמֶר לוֹ כֹּה־אָמַר יְהוָה קַבֶּל־לָךְ׃

V12 אִם־שָׁלוֹשׁ שָׁנִים רָעָב וְאִם־שְׁלֹשָׁה חֳדָשִׁים נִסְפֶּה מִפְּנֵי־צָרֶיךָ וְחֶרֶב אוֹיְבֶךָ ׀ לְמַשֶּׂגֶת וְאִם־שְׁלֹשֶׁת יָמִים חֶרֶב יְהוָה וְדֶבֶר בָּאָרֶץ וּמַלְאַךְ יְהוָה מַשְׁחִית בְּכָל־גְּבוּל יִשְׂרָאֵל וְעַתָּה רְאֵה מָה־אָשִׁיב אֶת־שֹׁלְחִי דָבָר׃ פ

V13 וַיֹּאמֶר דָּוִיד אֶל־גָּד צַר־לִי מְאֹד אֶפְּלָה־נָּא בְיַד־יְהוָה כִּי־רַבִּים רַחֲמָיו מְאֹד וּבְיַד־אָדָם אַל־אֶפֹּל׃

V14 וַיִּתֵּן יְהוָה דֶּבֶר בְּיִשְׂרָאֵל וַיִּפֹּל מִיִּשְׂרָאֵל שִׁבְעִים אֶלֶף אִישׁ׃

V15 וַיִּשְׁלַח הָאֱלֹהִים ׀ מַלְאָךְ ׀ לִירוּשָׁלִַם לְהַשְׁחִיתָהּ וּכְהַשְׁחִית רָאָה יְהוָה וַיִּנָּחֶם עַל־הָרָעָה וַיֹּאמֶר לַמַּלְאָךְ הַמַּשְׁחִית רַב עַתָּה הֶרֶף יָדֶךָ וּמַלְאַךְ יְהוָה עֹמֵד עִם־גֹּרֶן אָרְנָן הַיְבוּסִי׃ ס

V16 וַיִּשָּׂא דָוִיד אֶת־עֵינָיו וַיַּרְא אֶת־מַלְאַךְ יְהוָה עֹמֵד בֵּין הָאָרֶץ וּבֵין הַשָּׁמַיִם וְחַרְבּוֹ שְׁלוּפָה בְּיָדוֹ נְטוּיָה עַל־יְרוּשָׁלִָם וַיִּפֹּל דָּוִיד וְהַזְּקֵנִים מְכֻסִּים בַּשַּׂקִּים עַל־פְּנֵיהֶם׃

V17 וַיֹּאמֶר דָּוִיד אֶל־הָאֱלֹהִים הֲלֹא אֲנִי אָמַרְתִּי לִמְנוֹת בָּעָם וַאֲנִי־הוּא אֲשֶׁר־חָטָאתִי וְהָרֵעַ הֲרֵעוֹתִי וְאֵלֶּה הַצֹּאן מֶה עָשׂוּ יְהוָה אֱלֹהַי תְּהִי נָא יָדְךָ בִּי וּבְבֵית אָבִי וּבְעַמְּךָ לֹא לְמַגֵּפָה׃ ס

V18 וּמַלְאַךְ יְהוָה אָמַר אֶל־גָּד לֵאמֹר לְדָוִיד כִּי ׀ יַעֲלֶה דָוִיד לְהָקִים מִזְבֵּחַ לַיהוָה בְּגֹרֶן אָרְנָן הַיְבֻסִי׃

V19 וַיַּעַל דָּוִיד בִּדְבַר־גָּד אֲשֶׁר דִּבֶּר בְּשֵׁם יְהוָה׃

V20 וַיָּשָׁב אָרְנָן וַיַּרְא אֶת־הַמַּלְאָךְ וְאַרְבַּעַת בָּנָיו עִמּוֹ מִתְחַבְּאִים וְאָרְנָן דָּשׁ חִטִּים׃

V21 וַיָּבֹא דָוִיד עַד־אָרְנָן וַיַּבֵּט אָרְנָן וַיַּרְא אֶת־דָּוִיד וַיֵּצֵא מִן־הַגֹּרֶן וַיִּשְׁתַּחוּ לְדָוִיד אַפַּיִם אָרְצָה׃

V22 וַיֹּאמֶר דָּוִיד אֶל־אָרְנָן תְּנָה־לִּי מְקוֹם הַגֹּרֶן וְאֶבְנֶה־בּוֹ מִזְבֵּחַ לַיהוָה בְּכֶסֶף מָלֵא תְּנֵהוּ לִי וְתֵעָצַר הַמַּגֵּפָה מֵעַל הָעָם׃

V23 וַיֹּאמֶר אָרְנָן אֶל־דָּוִיד קַח־לָךְ וְיַעַשׂ אֲדֹנִי הַמֶּלֶךְ הַטּוֹב בְּעֵינָיו רְאֵה נָתַתִּי הַבָּקָר לָעֹלוֹת וְהַמּוֹרִגִּים לָעֵצִים וְהַחִטִּים לַמִּנְחָה הַכֹּל נָתָתִּי׃

V24 וַיֹּאמֶר הַמֶּלֶךְ דָּוִיד לְאָרְנָן לֹא כִּי־קָנֹה אֶקְנֶה בְּכֶסֶף מָלֵא כִּי לֹא־אֶשָּׂא אֲשֶׁר־לְךָ לַיהוָה וְהַעֲלוֹת עוֹלָה חִנָּם׃

V25 וַיִּתֵּן דָּוִיד לְאָרְנָן בַּמָּקוֹם שִׁקְלֵי זָהָב מִשְׁקָל שֵׁשׁ מֵאוֹת׃

V26 וַיִּבֶן שָׁם דָּוִיד מִזְבֵּחַ לַיהוָה וַיַּעַל עֹלוֹת וּשְׁלָמִים וַיִּקְרָא אֶל־יְהוָה וַיַּעֲנֵהוּ בָאֵשׁ מִן־הַשָּׁמַיִם עַל מִזְבַּח הָעֹלָה׃ פ

V27 וַיֹּאמֶר יְהוָה לַמַּלְאָךְ וַיָּשֶׁב חַרְבּוֹ אֶל־נְדָנָהּ׃

Observações:

1. Quanto a outros recenseamentos feitos em Israel, ver o gráfico em Nm 1.2.
2. *Motivos*. O cronista não oferece razão alguma para o louco desejo de Davi fazer o recenseamento, mas lança a culpa sobre Satanás por tentá-lo a realizar o empreendimento. O paralelo (2Sm 24.1), entretanto, informa-nos que Yahweh (por alguma razão que não é esclarecida) queria punir Israel, e assim inflamou no coração de Davi o desejo de fazer o que não deveria ser feito. Os cristãos encontram grande dificuldade em seguir essa "lógica divina", mas para a mente judaica isso não constituía problema algum. Ver a introdução ao capítulo 24 de 2Samuel e a exposição sobre 2Sm 24.1, quanto a comentários e raciocínios sobre a questão. Ver na *Enciclopédia de Bíblia, Teologia e Filosofia* o artigo denominado *Voluntarismo*. Esse termo refere-se à crença de que aquilo que a mente e o poder divino resolvem fazer, mesmo que nos pareça totalmente arbitrário, é um ato que está automaticamente correto. Mas perguntamos se essa maneira de pensar não é uma *humanologia* transformada em *teologia*. Fazer a *vontade* de Deus parecer suprema, sem as qualificações da razão e da misericórdia, certamente não é a maneira correta de falar acerca de Deus.
3. 1Cr 21.1 diz-nos que *Satanás* inspirou Davi a fazer o que ele fez; mas, em violento contraste, 2Sm 24.1 atribui essa influência e inspiração a *Yahweh*. Não basta falar aqui sobre a *vontade permissiva* de Deus, conforme fazem muitos intérpretes, os quais apontam para Jó 1.1 como outra instância dessa espécie de "ato divino". Certamente parece difícil imaginar Deus barganhando com o diabo, estando a sorte de seus filhos na balança. Antes, é melhor reconhecer que a teologia dos hebreus era fraca quanto a *causas secundárias*. O judaísmo tinha uma espécie de determinismo inquestionável, que reconhecia somente *uma causa*. Por conseguinte, *qualquer coisa* que acontecesse era considerada proveniente daquela causa, mesmo que fosse má. Portanto, se Satanás fizesse alguma coisa e provocasse tribulação, o ato só poderia ser atribuído, em última análise, à *causa única*, pois os filhos de Israel não reconheciam que Satanás pudesse ser uma causa *independente*. O calvinismo radical cai dentro da mesma armadilha teológica, com sua incansável predestinação que deixa de fora qualquer real consideração sobre causas secundárias. Alguns evangélicos atuais continuam presos ao absolutismo dos hebreus; mas a teologia já se moveu para o lugar que reconhece existirem *muitas coisas* causadas por forças espirituais malignas, incluindo o homem, nas quais *não há participação* divina. Ver minha introdução ao capítulo 24 de 2Samuel quanto a observações adicionais sobre esse problema. Meus amigos, o nono capítulo de Romanos não está livre daquele antigo absolutismo dos hebreus, e é por isso que temos tanta dificuldade com sua interpretação.

Eugene H. Merrill, dando apoio ao antigo *monismo*, observou aqui: "Em sua soberania, a autoridade final de Deus estende-se até as operações de Satanás. Mas pergunto: 'Como então Deus não deve ser considerado a causa do mal?'. Certamente esse absolutismo é uma blasfêmia que distorce nosso quadro sobre a pessoa de Deus".

Até mesmo homens bons, incluindo os antigos profetas hebreus, têm dito coisas sobre Deus que simplesmente não exprimem a verdade. A teologia é uma ciência crescente. Nossas ideias continuam aprimorando-se, conforme o Espírito opera. *Estagnação* não é uma palavra encontrada no dicionário divino. Não tema descartar uma ideia antiga por uma nova ideia. O Novo Testamento encerra certo número de novas ideias que substituíram as anteriores. No Novo Testamento, há novas ideias que são melhores do que as mais antigas, que alguns autores daquele documento haviam preservado, baseados, como estavam, principalmente, no Antigo Testamento. O próprio Jesus disse que a teologia se moveria para além do lugar até onde ele a levara, através das operações contínuas do Espírito Santo (ver Jo 16.12,13). Se *isso* é verdade, quanto mais nós devemos crer que o Novo Testamento ultrapassou o Antigo, e que certas porções do Novo Testamento avançaram mais do que outras dessa mesma coletânea de documentos sagrados. Paulo, em suas passagens revelatórias, por certo estava em *terreno mais elevado* do que outros autores do Novo Testamento. Seus mistérios ultrapassaram as posições doutrinárias de outros autores do Novo Testamento, especialmente no caso do mistério da vontade de Deus e do destino dos homens (ver Ef 1.9,10).

4. *Satanás.* Ver sobre esse termo no *Dicionário*. Parece que, por essa altura da teologia dos hebreus, um diabo-chefe, pessoal, já havia feito sua aparição. Mas alguns veem aqui apenas um *adversário* (significado da palavra *satanás*), sem as armadilhas metafísicas. Talvez isto queira dizer que algum ser sobrenatural (um anjo), que fazia a vontade de Deus cumprir-se, estivesse envolvido na questão, e, ao fazer isso, assumiu a posição de *adversário* de Davi. Se um diabo pessoal ainda não havia entrado na teologia dos hebreus, então a contradição entre 1Cr 21.1 e 2Sm 24.1 desaparece, visto que nenhuma alta agência do *mal* estaria em pauta. Mas o uso absolutista da palavra "Satanás" no presente texto, como se fora um nome próprio, parece apontar para o pai de toda a maldade. Todavia, visto que não temos aqui o artigo definido antes da palavra "Satanás", talvez não devamos entender "o Adversário", mas talvez somente "um adversário". Naturalmente, esta passagem é disputada pelos teólogos, e eles ainda não chegaram a nenhuma conclusão definitiva.

5. *Vs. 5.* Este versículo não concorda, em seu número, com o paralelo de 2Sm 24.9. Eugene H. Merrill (o qual sempre tenta, de todo o seu poder, reconciliar tudo), *in loc.*, produziu 32 linhas de comentários, apresentando várias maneiras que têm sido usadas para explicar as diferenças entre os dois relatos. Essa atividade é essencialmente inútil. Teremos de usar então as palavras "possível", "conjectura" etc., e mesmo depois ficaremos sem nenhum resultado certo. "Harmonia a qualquer preço" é uma doença que aflige alguns intérpretes das Escrituras. A espiritualidade não depende dessas contorções, e não deveríamos estar ansiosos por ceder diante do impulso de harmonizar tais coisas. Discrepâncias genuínas às vezes existem, mas isso em nada contraria a inspiração. Qualquer coisa que vem através da mente humana é maculada por algum problema. Ver minhas notas em 2Sm 24.9, onde ofereço algumas maneiras de reconciliação, além de outros comentários que lançam certa luz sobre o problema.

6. O versículo sexto do presente relato não consta do trecho paralelo do capítulo 24 de 2Samuel. Nm 1.49 isenta os levitas do serviço no exército. O cronista, pois, afirma que essa lei era observada. Além disso, os benjamitas também não foram numerados, mas só podemos conjecturar acerca de por que isso aconteceu. Essa tribo foi absorvida por Judá e deixou de ser (para todos os propósitos práticos) uma tribo separada e funcional. Talvez no tempo em que Davi mandou fazer o recenseamento, esse processo já estivesse tão avançado que seria inútil tentar fazer o censo da tribo de Benjamim. Josefo (ver *Antiq.* vii.13.1) declara que Joabe não fez o recenseamento da tribo de Benjamim pela simples razão de que lhe faltou tempo para isso. Essa explicação supõe que Davi tenha estabelecido algum limite de tempo para a tarefa que entregara a Joabe, e este, em seu desprazer com a coisa inteira (ver o vs. 3), não foi capaz de cumpri-lo.

7. *Vss. 7-22.* 1. A lei da colheita segundo a semeadura foi aplicada, e Davi e Israel foram punidos por seu orgulho. Ver no *Dicionário* o verbete chamado *Lei Moral da Colheita segundo a Semeadura*. A Davi foram oferecidas três maneiras pelas quais Israel poderia ser punido. O profeta da mensagem foi Gade. Poderia haver um dos seguintes castigos: 1. três anos de fome; 2. três meses de perdas para o inimigo, na guerra; e 3. uma grande pestilência. Davi, tremendo e não sabendo o que escolher, retirou-se do caso e permitiu que Yahweh escolhesse o castigo. Então, uma tremenda praga, divinamente provocada, matou setenta mil homens!

8. O anjo do Senhor esteve envolvido nessa praga, uma informação dada por ambas as fontes informativas (vs. 15). Cf. 2Sm 24.15-17. Ver no *Dicionário* o verbete chamado *Anjo*. Fazia parte da teologia dos hebreus que a questão da saúde e da enfermidade fosse governada por Deus. Tão firmes eram eles nessa suposição que não tinham respeito pela profissão médica, e pensavam ser errado apelar para os homens em busca de cura. Alguns fanáticos na Igreja moderna conservam a mesma atitude insensata. Seja como for, qualquer pestilência em Israel era tida como enviada diretamente por Deus, devido a essa noção fixa.

9. O texto hebraico de 2Sm 24.13 diz "sete anos" de fome, que a Septuaginta alterou para "três anos", para concordar com 1Cr 21.12. Os harmonistas tiveram imensa tarefa aqui.

10. O vs. 16 registra Davi a ver o anjo do Senhor, e a narrativa do cronista (vs. 20) diz que Ornã participou da visão, um detalhe ignorado no trecho paralelo. A passagem de 2Samuel nomeia como proprietário do terreno *Araúna* (ver 2Sm 24.18). Ver sobre esse nome no *Dicionário*.

11. Somente o cronista menciona a presença dos quatro filhos de Ornã. Talvez o autor dos livros de Crônicas quisesse enfatizar que houve muitas *testemunhas* do acontecido, um evento certamente incomum.

12. *Vs. 25.* O trecho paralelo (2Sm 24.24) fala em cinquenta siclos de prata como o preço pago por Davi pela eira de Ornã. O cronista diz seiscentos siclos de ouro, que os críticos pensam ser uma informação incorreta, adotando o preço mais baixo referido em 2Samuel. "As duas estimativas são obviamente discordantes" (Ellicott, *in loc.*), porém os harmonistas, uma vez mais, tentam reconciliar as duas informações. Ver minhas notas expositivas sobre o trecho paralelo quanto a uma ilustração a respeito dos modos de reconciliação, nenhum dos quais oferece resultados seguros.

13. *Vs. 26.* Aqui e em 1Cr 22.1, o cronista, embora usualmente seguindo o relato conforme aparece no capítulo 24 de 2Samuel, adicionou alguns pensamentos. Um sinal divino de aprovação foi dado a Davi quando ele realizou o sacrifício na eira. Além disso, foi-lhe relevado que *exatamente ali* seria construído o templo. Foi assim que a pestilência que castigou Israel, por causa do recenseamento, produziu resultados tremendamente bons. Mostrou onde o templo seria construído, através dos sacrifícios oferecidos para aplacar a Yahweh. Os sacrifícios oferecidos ali por Davi fizeram cessar a praga. Por isso, em breve, todo o povo de Israel teria sua adoração a Yahweh centralizada no templo, construído naquele exato lugar.

14. Note o leitor como a história do censo e da punição divina resultante termina o livro de 2Samuel. Mas o autor sagrado, o cronista, adiciona a longa seção de 1Cr 22.2—29.30 (o restante do livro presente) para mostrar que Davi, embora não tivesse sido o verdadeiro construtor do templo, fez extensos preparativos para essa construção, suprindo planos e materiais. *Isso* fomentou a causa de Davi e, juntamente com ele, a dinastia davídica, uma das principais razões pelas quais 1 e 2Crônicas foram escritos.

Adições do Cronista ao Relato: O Local do Templo Futuro (21.28-30)

A Davi foi outorgada uma visão especial que mostrava que Yahweh estava satisfeito com os sacrifícios por ele oferecidos na eira de Araúna (Ornã). A visão agradou a Davi e também lhe deu orientação sobre onde o templo deveria ser construído, ou seja, bem no local onde ele tinha oferecido os sacrifícios para aplacar a Yahweh, a eira de Ornã. O fogo divino que descera do céu para consumir os sacrifícios de Davi (vs. 26) dera evidências positivas sobre o caráter sagrado do local. Para Davi o local substituiu imediatamente a Gibeom. (Ver o vs. 29.) "Davi sacrificou ali. E ele *continuou* a oferecer sacrifícios ali" (Jamieson, *in loc.*).

■ **21.28,29**

בָּעֵת הַהִיא בִּרְאוֹת דָּוִיד כִּי־עָנָהוּ יְהוָה בְּגֹרֶן אָרְנָן הַיְבוּסִי וַיִּזְבַּח שָׁם׃

וּמִשְׁכַּן יְהוָה אֲשֶׁר־עָשָׂה מֹשֶׁה בַמִּדְבָּר וּמִזְבַּח הָעוֹלָה בָּעֵת הַהִיא בַּבָּמָה בְּגִבְעוֹן׃

Estavam naquele tempo no alto de Gibeom. Naquele tempo, o tabernáculo continuava em *Gibeom* (ver a respeito no *Dicionário*). Esse lugar ficava a apenas cerca de oito quilômetros de Jerusalém, ou seja, não era grande a distância que tinha de ser coberta por Davi. Contudo, por causa de sua notável experiência na eira de Ornã, ele compreendeu que a vontade divina estava movendo seu lugar especial de manifestação para o coração de Jerusalém, a saber, o local da eira. Após a destruição de Nobe por parte de Saul, o tabernáculo foi armado em Gibeom, onde permaneceu até a construção do templo. Ver 1Cr 16.39; 1Rs 3.4,5; 2Cr 1.3 ss. Ver no *Dicionário* o artigo chamado *Tabernáculo* quanto a informações que incluem os vários lugares onde o tabernáculo parou, depois que deixou o deserto. Os intérpretes judeus dizem-nos que o tabernáculo esteve em Nobe e em Gibeom por um total combinado de 57 anos. Ver a seção V do artigo sobre o *Tabernáculo* quanto aos muitos lugares de parada. O templo de Jerusalém conferia a Israel um local sagrado e permanente de adoração. O templo incorporava tudo quanto o tabernáculo havia possuído, mas adicionou muitos outros equipamentos. O cativeiro babilônico (597 a.C.) pôs fim ao templo de Salomão, mas, terminado o cativeiro, um segundo templo foi construído. Os antigos móveis e utensílios, entretanto, tinham desaparecido.

■ 21.30

וְלֹא־יָכֹל דָּוִיד לָלֶכֶת לְפָנָיו לִדְרֹשׁ אֱלֹהִים כִּי נִבְעַת מִפְּנֵי חֶרֶב מַלְאַךְ יְהוָה: ס

Davi, aterrorizado pelos terríveis julgamentos divinos por causa do recenseamento, e debilitado por seu encontro próximo com o anjo do Senhor, não foi capaz, física e espiritualmente, de fazer uma viagem até Gibeom. Portanto, continuou a sacrificar no novo lugar sagrado, a eira de Ornã, onde o templo seria construído por seu filho, Salomão. Além disso, ele já sabia que Deus havia escolhido um novo lugar para os sacrifícios, razão pela qual o antigo lugar não lhe parecia mais atrativo. Talvez Davi sentisse que, se deixasse o novo local de sacrifícios, a fim de visitar Gibeom, o anjo do Senhor atacaria Jerusalém durante a sua ausência. Portanto, ele permaneceu em Jerusalém e ofereceu os seus sacrifícios, alguns dos quais, sem dúvida, solicitavam que o terrível anjo do Senhor não retornasse a Jerusalém para causar mais confusão. Em outras palavras, ele pensou que sua presença e seus ritos sagrados haveriam de proteger a cidade.

CAPÍTULO VINTE E DOIS

CONTRIBUIÇÃO DE DAVI PARA O TEMPLO
(22.1—29.30)

O trecho paralelo, em 2Samuel, concluía a história do recenseamento e a destruição de Israel que se seguiu, às mãos do anjo de Yahweh. O cronista provê agora uma longa adição que é encontrada somente aqui. O autor já nos tinha informado sobre como Davi desejava em seu coração construir o templo, mas isso não lhe fora permitido (capítulo 17). Contudo, embora ele não tenha efetivamente realizado o trabalho de construção, sua contribuição em planos e materiais foi bastante significativa. A intenção do autor foi mostrar como Davi era um grande rei e como a sua dinastia foi abençoada por Yahweh. Foi através da dinastia davídica que a Israel foi conferido um novo começo, após o cativeiro babilônico. 1 e 2Crônicas foram escritos para fomentar a dinastia davídica, e a seção de 1Cr 22.1—29.30 é uma longa ilustração de sua importância e de como Yahweh estava abençoando a nação de Israel o tempo todo. Alguns críticos pensam que a seção toda é uma invenção do cronista, o qual estaria escrevendo uma história idealizada, e não necessariamente correspondente aos fatos. Porém, não é mister concordar com os críticos neste ponto. Obviamente, é estranho que o autor de 2Samuel tenha deixado de fora o incidente inteiro. Várias fontes informativas estavam disponíveis, e as diferenças, adições e omissões podem ser explicadas por esse fato. Mas algumas grandes omissões permanecem misteriosas.

O local divinamente escolhido para o templo tinha sido indicado por meio do incidente dos sacrifícios oferecidos na eira de Ornã (1Cr 21.28-30). Yahweh estivera ali e demonstrara sua glória e seu poder. Daquele dia em diante, Davi não foi mais a Gibeom, embora o tabernáculo continuasse ali por mais algum tempo. Mas o processo histórico de mudança de local já estava em curso. O culto divino haveria de centralizar-se em Jerusalém. Ver 1Cr 21.29,30. 1Reis também deixa de fora a seção à nossa frente, de modo que temos de dizer que o cronista fez uma significativa contribuição ao dar-nos essa informação sobre as provisões de Davi. Davi preparou o caminho para a paz em Jerusalém, ao derrotar *oito* nações adversárias de Israel (ver as notas expositivas a respeito em 2Sm 10.19). Além disso, contribuiu diretamente para a edificação do templo de Jerusalém, das muitas maneiras descritas a seguir.

Conteúdo do Capítulo 22. Inspirado pelo contato próximo com o anjo do Senhor, e provavelmente por outras indicações, Davi determinou que a eira de Ornã seria o local indicado (divinamente escolhido) para a construção do templo. Ver o primeiro versículo.

Davi também proveu artífices para a construção e os metais apropriados (vss. 2-5).

Seu filho, Salomão, foi incumbido de dar prosseguimento ao avanço do projeto (vss. 6-16), e aos chefes de Israel foi ordenado auxiliar Salomão na consecução do plano (vss. 17-19).

■ 22.1

וַיֹּאמֶר דָּוִיד זֶה הוּא בֵּית יְהוָה הָאֱלֹהִים וְזֶה־מִּזְבֵּחַ לְעֹלָה לְיִשְׂרָאֵל: ס

Este versículo vincula o capítulo 22 ao capítulo anterior. Ver 1Cr 21.28-30. O incidente com o anjo do Senhor, sua exibição de ira e poder, e o fato de Yahweh ter sido aplacado por sacrifícios oferecidos na eira de Ornã, foram indicações de que aquele local fora escolhido para a construção do templo. Através desse incidente, o culto divino seria centralizado na nova capital, Jerusalém. Tudo parecia negativo quando o Senhor matara aquelas setenta mil pessoas, pela praga que trouxe julgamento contra o tolo recenseamento de Davi (capítulo 21). Mas, pelo lado positivo, tudo isso permitiu que o local da construção do templo fosse revelado. A escolha era divina. O autor (o cronista) queria que soubéssemos disso. Coisa alguma estava sendo deixada ao sabor do acaso. Ver o artigo geral sobre *Templo*, no *Dicionário*.

O templo deveria incorporar toda a planta baixa, o equipamento e os móveis do tabernáculo, para que pudesse funcionar, servindo como lugar de sacrifícios e rituais religiosos. A arca da aliança ficaria ali, e a presença de Yahweh haveria de agraciar o lugar. Uma longa era de centralização assinalaria Israel, ou pelo menos, a tribo de Judá. Jeroboão perderia seus próprios altares e sua adoração apostatada em antigos santuários, como Betel. Mas pelo menos o *ideal* da centralização foi provido.

Quanto às perambulações do *tabernáculo*, ver sobre esse assunto no *Dicionário*, em sua V seção. O tabernáculo, finalmente, foi abrigado em Jerusalém, e seus dias de vagueação estavam terminados.

"Como é óbvio, temos aqui o *alvo* da narrativa inteira do recenseamento e da pestilência, que o cronista, mui provavelmente, teria omitido, tal como omitiu a história sobre a fome (ver 2Sm 21), não fora o fato de que o incidente mostrou como o local do templo foi determinado" (Ellicott, *in loc.*).

■ 22.2

וַיֹּאמֶר דָּוִיד לִכְנוֹס אֶת־הַגֵּרִים אֲשֶׁר בְּאֶרֶץ יִשְׂרָאֵל וַיַּעֲמֵד חֹצְבִים לַחְצוֹב אַבְנֵי גָזִית לִבְנוֹת בֵּית הָאֱלֹהִים:

Para que fossem ajuntados os estrangeiros. Os "estrangeiros" reunidos para fazer o trabalho manual provavelmente consistiam em escravos. Mas devemos lembrar que os hebreus não tinham o conhecimento científico e matemático para realizar nenhum grande projeto arquitetural. Assim sendo, sem dúvida, *alguns* dos estrangeiros aqui mencionados eram trabalhadores habilidosos, como os enviados pelo rei de Tiro, Hirão, que ajudaram Davi a construir o seu palácio. Ver o capítulo 14 de 1Crônicas para averiguar essa história. W. A. L. Elmslie diz que este versículo faz o capítulo começar de forma ruim, visto que ficou *implícito* que os hebreus permaneciam assentados, ociosamente, enquanto os estrangeiros punham-se a trabalhar. Mas esse comentário perde de vista o fato de que aos hebreus faltavam habilidades arquiteturais. É provável que a população cananeia, povo conquistado, esteja especialmente em foco aqui, mas os fenícios, sem dúvida, deram uma contribuição especial, tal como fizeram quando da construção do palácio de Davi. O *labor forçado* era um fator comum nas nações antigas. Ver 2Cr 8.7,9; 1Rs 9.20 ss. Certamente estão em pauta servos cananeus (ver 2Cr 2.17), e Salomão, em seus dias, descobriu que o número deles era de 153.600. Ver no *Dicionário* o verbete intitulado *Escravo, Escravidão*.

"... Eles eram melhores artífices do que os israelitas, os quais trabalhavam principalmente na agricultura e na criação de gado, sem mencionarmos o fato de que os israelitas, que eram homens livres, não podiam ser sujeitados a trabalho duro. Mas isso envolvia, principalmente, um *mistério*. O templo de Deus era a casa espiritual, um tipo da Igreja (Zc 6.16)" (John Gill, *in loc.*, que menciona certa previsão de coisas vindouras, no emprego dos *gentios,* quanto a tão importante tarefa espiritual).

■ 22.3

וּבַרְזֶ֣ל ׀ לָרֹ֗ב לַֽמִּסְמְרִ֛ים לְדַלְת֥וֹת הַשְּׁעָרִ֖ים וְלַֽמְחַבְּר֑וֹת הֵכִ֣ין דָּוִ֑יד וּנְחֹ֥שֶׁת לָרֹ֖ב אֵ֥ין מִשְׁקָֽל׃

Aparelhou Davi ferro em abundância. O *trabalho em metais* que deveria ser realizado, como é óbvio, incluiu os fenícios. Havia abundância de ferro para os pregos que juntavam tábuas e para construir portas e portões, além de muito bronze para a fabricação do altar e para o lavatório, além de outros vasos de metal. O bronze era muito usado pelos antigos, sendo um metal relativamente flexível que não requeria tecnologia avançada. Além de ser empregado em armas de guerra, esse metal também era usado nos templos pagãos, conforme observou Macrobius (*Saturnal.* 1.5, cap. 19).

Para os pregos. No hebraico, *mismerim,* um termo antigo que só ocorre aqui e nos últimos livros do Antigo Testamento. O ferro era usado com os propósitos mencionados.

Das folhas das portas. As portas dobradiças do templo (ver 1Rs 6.34,35).

Para as junturas. Qualquer coisa que liga ou conecta, ou seja, grampos de ferro e dobradiças (ver 2Cr 34.11, onde o termo é usado para indicar objetos feitos de madeira).

Bronze em abundância. Havia tanto bronze que lemos que seu peso nem foi calculado, uma hipérbole oriental. Empregaram-se também outros metais, mas o bronze foi usado em grande abundância. Também havia prodigiosa quantidade de ouro e prata, foram aplicados na construção do *tabernáculo*. Ver sobre este termo no *Dicionário*. Ver também o vs. 14, quanto aos metais preciosos.

■ 22.4

וַעֲצֵ֧י אֲרָזִ֛ים לְאֵ֥ין מִסְפָּ֖ר כִּ֠י הֵבִ֨יאוּ הַצִּֽידֹנִ֜ים וְהַצֹּרִ֗ים עֲצֵ֧י אֲרָזִ֛ים לָרֹ֖ב לְדָוִֽיד׃ פ

Madeira de cedro sem conta. Essa madeira era proveniente de Tiro, assim como a madeira usada para a construção do palácio de Davi (ver 1Cr 14.1 quanto a ideias que também se aplicam aqui). Este versículo tem seu paralelo em 2Sm 5.11, que também deve ser consultado quanto à exposição principal.

"... Davi garantiu incontáveis toras de madeira de cedro do Líbano. Ele fez todos esses preparativos, segundo disse, porque seu filho, Salomão, era ainda muito jovem (cf. 1Cr 29.1). Salomão não teria o conhecimento necessário para construir um templo apropriado para o grande Deus de Israel, de maneira que teve de conseguir ajuda de elementos estrangeiros" (Eugene H. Merrill, *in loc.*). Ver no *Dicionário* sobre *Cedro*. Cf. 1Cr 5.8-11, onde Salomão segue o exemplo de Davi e consegue auxílio dos fenícios, cujo rei era Hirão.

■ 22.5

וַיֹּ֣אמֶר דָּוִ֗יד שְׁלֹמֹ֣ה בְנִי֮ נַ֣עַר וָרָךְ֒ וְהַבַּ֜יִת לִבְנ֤וֹת לַֽיהוָה֙ לְהַגְדִּ֣יל ׀ לְמַ֗עְלָה לְשֵׁ֣ם וּלְתִפְאֶ֔רֶת לְכָל־הָאֲרָצ֖וֹת אָכִ֣ינָה נָּ֣א ל֑וֹ וַיָּ֧כֶן דָּוִ֛יד לָרֹ֖ב לִפְנֵ֥י מוֹתֽוֹ׃

Pois dizia Davi. Os preparativos de Davi ocorreram, pelo menos em parte, por causa do fato de que seu filho, Salomão (o construtor do templo, divinamente designado), era um jovem rapaz. Cf. 1Cr 29.1. Em 1Cr 13.7, a mesma expressão é empregada acerca de Roboão, que, então, já estava com 41 anos de idade! Portanto, podemos entender aqui "jovem na experiência". Salomão chamou a si mesmo de "uma criança", mesmo depois de haver subido ao trono, pelo que, novamente, temos aqui um uso metafórico da expressão (ver 1Rs 3.7). Na verdade, Salomão nasceu depois da guerra siro-amonita (ver 2Sm 12.24). Jarchi calculou que Salomão tinha, na época, 12 anos, e John Gill conjecturou que Salomão teria, então, 20 anos.

O templo de Diana, em Éfeso, foi edificado com a ajuda de muitos reis asiáticos, e foram gastos duzentos anos nessa edificação. Assim também, muitos estrangeiros ocuparam-se na construção do templo. Era grande o bastante para ser chamado de "magnificente" pelo cronista, que presumivelmente reverberou as palavras de Davi. Os povos ao derredor reconheciam sua grandiosidade, e eles seriam atraídos a Yahweh, pela magnificência da estrutura de seu templo. Por conseguinte, temos aqui um *motivo espiritual* nas preparações abundantes e elaboradas feitas por Davi. O rei exaltaria o Deus de Israel no esplendor do templo. Ele atrairia atenção internacional.

DAVI ENCARREGA SALOMÃO DA CONSTRUÇÃO DO TEMPLO (22.6-16)

Davi não foi o construtor físico do templo, mas sim o planejador e *construtor espiritual*, de modo que tinha muito que dizer a Salomão sobre a construção, e é isso que esta seção registra com detalhes. Nesta narrativa, encontramos a comprovação de um importante fato: as missões são continuadas por outras pessoas. Há *equipes* que efetuam grandes projetos espirituais, e essas equipes ampliam-se por gerações ou mesmo séculos. Cada membro da equipe contribui com sua parte para a mesma grande missão em geral.

■ 22.6

וַיִּקְרָ֖א לִשְׁלֹמֹ֣ה בְנ֑וֹ וַיְצַוֵּ֕הוּ לִבְנ֣וֹת בַּ֔יִת לַיהוָ֖ה אֱלֹהֵ֥י יִשְׂרָאֵֽל׃ ס

Este versículo mostra-nos que Davi primeiramente deu ordens a Salomão para edificar o templo. Foi Davi, e não Salomão, quem recebeu a mensagem da parte de Yahweh, que havia designado Salomão para a obra da construção (ver 1Cr 17.11 ss.). É sobremodo excelente quando um filho prossegue na missão de seu pai, mas não são muitos os pais que testemunham esse privilégio. E também não nos devemos preocupar demasiadamente com esse fato. A vontade de Deus opera de várias maneiras, e não depende, necessariamente, da sequência de pai-filho, para sua realização. Cf. a presente passagem com 1Rs 2.1-9, especialmente os versículos terceiro e quarto, que ecoam o presente texto. *Yahweh-Elohim* era o verdadeiro edificador espiritual do templo, mas seu primeiro instrumento foi Davi. Além disso, Salomão teve de suportar a carga principal. Ver no *Dicionário* o verbete chamado *Deus, Nomes Bíblicos de*.

■ 22.7

וַיֹּ֥אמֶר דָּוִ֖יד לִשְׁלֹמֹ֑ה בְּנִ֕י אֲנִי֙ הָיָ֣ה עִם־לְבָבִ֔י לִבְנ֥וֹת בַּ֖יִת לְשֵׁ֥ם יְהוָ֥ה אֱלֹהָֽי׃

Filho meu, tive intenção de edificar uma casa. *Boas Intenções*. Davi tinha boas intenções, nobres desejos. Entre eles estava a edificação do templo. Ver o capítulo 17 quanto à história completa. O ditado popular diz que "boas intenções pavimentam o caminho para o inferno", mas esse ditado não expressaria a verdade no caso presente. Davi tinha anelos legítimos que eram dignos de louvor, mas não estava pessoalmente destinado a concretizá-los, exceto parcialmente no planejamento e na provisão de materiais de construção. Algumas tarefas fracassam, por motivo de preguiça ou falta de poder para levar avante a questão, devido a uma fraca força de vontade. Mas alguns nobres projetos não se completam meramente porque a vontade de Deus não está ali. Ou então "outras pessoas" foram designadas para completá-las, como no caso de Davi e do templo de Jerusalém. A filosofia ética ensina-nos a importância da *boa vontade*. É isso que está por trás de todos os nobres empreendimentos, e Davi possuía essa atitude. Davi "tinha seu coração na questão"; e poderíamos indagar: "O que há em nosso coração?" Podemos reivindicar qualquer nobreza em nossas motivações, as coisas que governam nossa vida. A tarefa hercúlea de Davi consistia em trazer paz a Israel, a fim de que a monarquia pudesse firmar-se. Portanto, o trabalho de Davi era guerrear com os oito povos inimigos de Israel. *Em meio à paz,* Salomão faria o trabalho espiritual da construção.

ARMADURAS/ARMAS

Tipos de capacetes:
1. de plantas; 2. egípcio; 3. e 4. asiáticos;
5. cariano; 6. e 7. egípcios; 8. assírio; 9. grego;
10. jônio; 11. parto; 12. e 13. tribos da Ásia

Espada persa

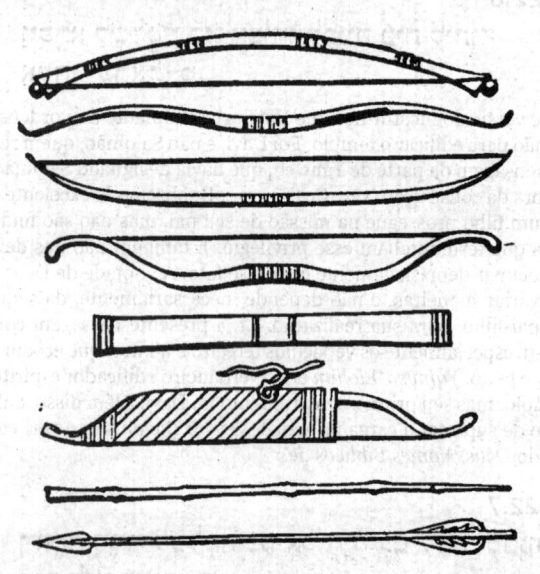

Arcos, flechas e aljavas

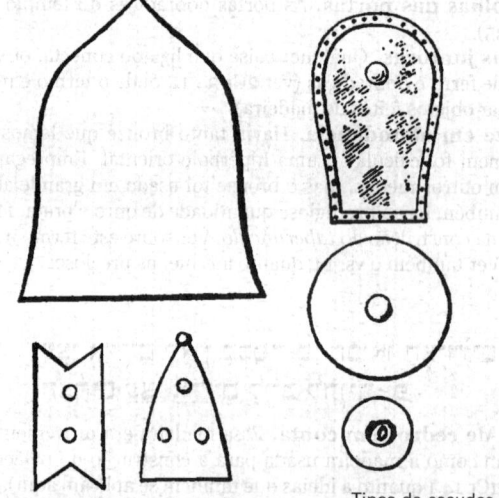

Tipos de escudos

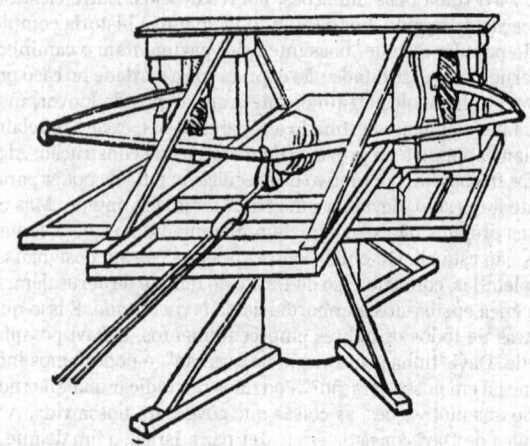

Balista

Aríete

ARMADURAS/ARMAS

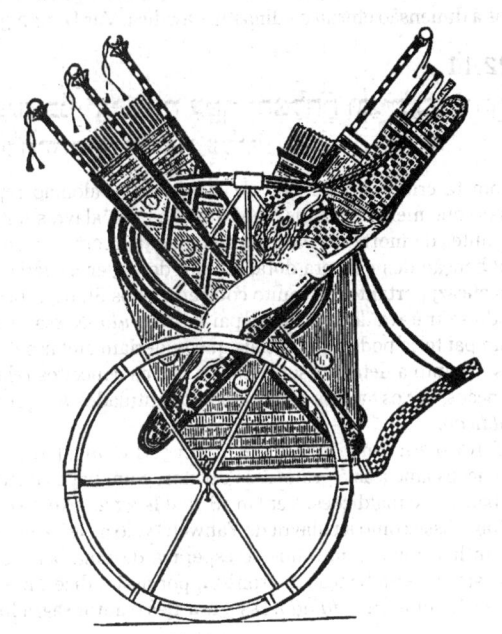

Carro de batalha egípcio

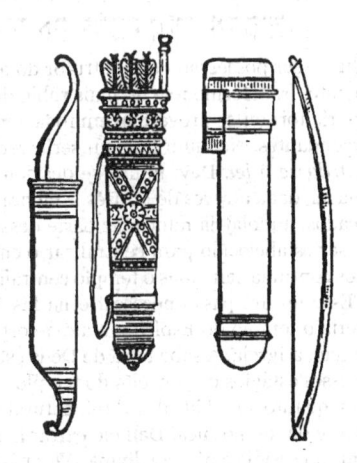

Máquinas de guerra assírias

Flechas e arcos egípcios

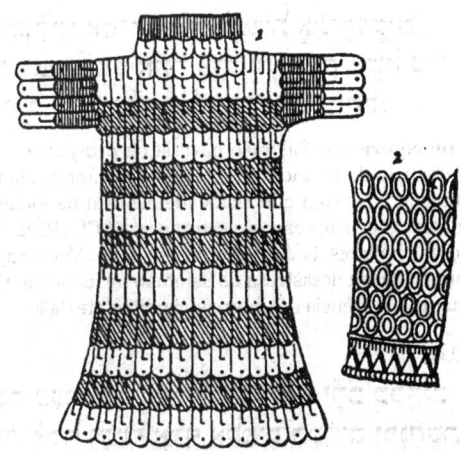

Estilingues egípcios

Cota de malha 1. egípcia e 2. jônia

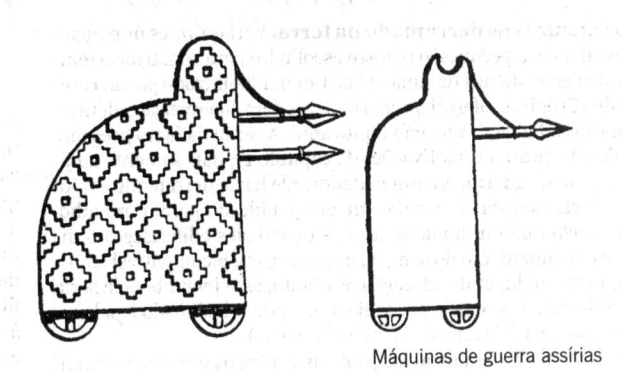

Roupas de guerra
1. e 2. gregas muito antigas; 3. grega;
4. e 5. romanas; 6. bárbara

22.8

וַיְהִ֤י עָלַי֙ דְּבַר־יְהוָ֣ה לֵאמֹ֔ר דָּ֤ם לָרֹב֙ שָׁפַ֔כְתָּ
וּמִלְחָמ֥וֹת גְּדֹל֖וֹת עָשִׂ֑יתָ לֹֽא־תִבְנֶ֥ה בַ֙יִת֙ לִשְׁמִ֔י כִּ֚י
דָּמִ֣ים רַבִּ֔ים שָׁפַ֖כְתָּ אַ֥רְצָה לְפָנָֽי׃

Muito sangue tens derramado na terra. Várias razões impediam que Davi tivesse a permissão (e fosse escolhido) para construir o templo, e este versículo nos dá uma delas. Em minha introdução ao capítulo 17 de 1Crônicas, ofereci *quatro* motivos para sua rejeição, além de comentários adicionais que não repito aqui. A razão dada no presente versículo não entra nas motivações do capítulo 17, mas somente aqui: Davi, homem de guerra, era um matador. Ele havia derramado muito sangue. Portanto estava *moralmente* desqualificado para o trabalho. Não era *certo* supor que um homem de suas qualidades edificasse o templo. "... o derramamento do sangue, na guerra, era incompatível com a edificação de um lugar de adoração. Portanto, essa incumbência seria dada a Salomão, homem de paz (cujo nome está relacionado à palavra hebraica para 'paz')" (Eugene H. Merrill, *in loc.*).

Cf. Gn 9.5,6 e a denúncia dos profetas contra os que derramaram sangue, como em Am 1.3,13; 2.1. Cf. também o tratamento dado por Davi aos filhos de Amom (1Cr 20.3). Seria ultrapassar os limites supor que o cronista pensasse que as guerras efetuadas por Davi estavam erradas por si mesmas. De fato, Davi foi exaltado por haver conseguido destruir os oito inimigos de Israel (2Sm 10.19). Mas a matança era incompatível com uma missão de paz. O templo era, idealmente, uma "casa de oração para todos os povos" (Is 56.7), e destruir outros povos dificilmente harmonizava-se com o *ideal* do templo. Cf. Mc 11.17.

22.9

הִנֵּה־בֵ֞ן נוֹלָ֤ד לָךְ֙ ה֣וּא יִהְיֶ֣ה אִ֣ישׁ מְנוּחָ֔ה וַהֲנִח֥וֹתִי
ל֖וֹ מִכָּל־אוֹיְבָ֣יו מִסָּבִ֑יב כִּ֤י שְׁלֹמֹה֙ יִהְיֶ֣ה שְׁמ֔וֹ וְשָׁל֥וֹם
וָשֶׁ֛קֶט אֶתֵּ֥ן עַל־יִשְׂרָאֵ֖ל בְּיָמָֽיו׃

Portanto Salomão será o seu nome. Um homem de *paz* e *serenidade* foi designado para a tarefa divina da construção do templo. Mas isso seria feito dentro da dinastia de Davi. 1 e 2Crônicas exaltam essa dinastia, e o templo de Jerusalém estava destinado a ser construído pela dinastia davídica. O trecho de 1Rs 5.3 permite-nos compreender que Davi não construiria o templo por estar *ocupado demais* com suas guerras. Isso representa uma das razões, a qual não aparece listada entre as razões espirituais. Salomão trouxe a *época áurea* de Israel, e foi durante esse período que se construiu o templo, por decreto divino. O nome "Salomão", no hebraico, alicerça-se sobre uma raiz que significa "paz", e a conexão era obviamente intencional. Cf. 2Sm 7.12,13 e 12.24. Salomão é uma das seis figuras do Antigo Testamento cujo nome foi escolhido antes do nascimento, por desígnio divino. Cf. com 1Rs 4.24,25 e 5.3,4.

22.10

הֽוּא־יִבְנֶ֥ה בַ֙יִת֙ לִשְׁמִ֔י וְהוּא֙ יִהְיֶה־לִּ֣י לְבֵ֔ן וַאֲנִי־ל֖וֹ
לְאָ֑ב וַהֲכִ֨ינוֹתִ֜י כִּסֵּ֧א מַלְכוּת֛וֹ עַל־יִשְׂרָאֵ֖ל עַד־עוֹלָֽם׃

Este edificará casa ao meu nome. Cf. com o capítulo 17 deste livro. Partes de 1Cr 17.11-13 são repetidas aqui. A exposição é oferecida nos versículos mencionados. O cronista nunca se cansa de exaltar a dinastia davídica. Uma das razões foi que *essa dinastia* deu continuidade à nação de Israel, terminado o cativeiro babilônico; e o autor sacro estava ansioso por demonstrar que o novo começo de Israel, após o cativeiro, era legítimo e tinha a autoridade de Yahweh por trás dele. Foi por isso também que o autor apresentou os nove capítulos de genealogia. Alguém poderia indagar: "Israel realmente tinha condições de começar de novo mediante uma única tribo, a saber, a tribo de Judá? Havia nisso *legalidade* do ponto de vista mosaico?" A resposta do autor sagrado foi um ressonante "sim". Parte dessa resposta reside no fato de que um número suficiente de levitas sobreviveu ao cativeiro para legitimar o culto. Além disso, politicamente falando, Israel tinha legalidade para continuar, devido ao prosseguimento da dinastia davídica. Ademais, temos a dinastia ideal em Cristo, a extensão espiritual da dinastia davídica, uma vez que Jesus descendeu de Davi. "Os reis da dinastia davídica não somente foram antepassados de Cristo, mas também tinham papéis como 'filhos de Deus', o que preparou o caminho para o conceito da filiação divina de Jesus" (Eugene H. Merrill, *in loc.*). Cf. 2Sm 7.13,14 e Hb 1.5. No Rei Messias temos a dimensão eterna da dinastia davídica. Ver Lc 1.32,33; Hb 1.8.

22.11

עַתָּ֣ה בְנִ֔י יְהִ֥י יְהוָ֖ה עִמָּ֑ךְ וְהִצְלַחְתָּ֗ וּבָנִ֙יתָ֙ בֵּ֚ית יְהוָ֣ה
אֱלֹהֶ֔יךָ כַּאֲשֶׁ֖ר דִּבֶּ֥ר עָלֶֽיךָ׃

O cronista cria que a *bênção de Davi* sobre Salomão representou mais do que meras palavras. Sem dúvida, tais palavras foram proferidas antes da morte de Davi, no seu leito de morte. Considerava-se que a bênção dos pais era dotada tanto de poder profético como de graça eficaz, portanto era muito cobiçada pelos filhos, especialmente quando se tratava da bênção do pai *moribundo*. Nessa *oportunidade*, um pai teria poderes especiais que poderiam afetar o destino dos filhos. Quanto a detalhes sobre esse e outros conceitos relacionados às bênçãos, ver os artigos do *Dicionário* intitulados *Bênção* e *Bênção e Maldição*.

Cf. 1Cr 9.20; 1Sm 3.19; 2Rs 18.7; 2Cr 7.11 e Gn 24.40. Havia nessas bênçãos ameaças e promessas divinas, e um pai as misturava em suas bênçãos e maldições. Ver Gn 18.19 e Is 37.22. Note-se, no vs. 8, que Davi disse como a palavra de Yahweh "veio a ele", e esse conceito está em harmonia com o que se esperava de uma bênção paterna. Deus estava nessa bênção, o cronista, por assim dizer, nos relatava. Yahweh-Elohim *tinha falado*, assegura-nos o autor sagrado.

22.12

אַ֣ךְ יִתֶּן־לְךָ֤ יְהוָה֙ שֵׂ֣כֶל וּבִינָ֔ה וִיצַוְּךָ֖ עַל־יִשְׂרָאֵ֑ל
וְלִשְׁמ֕וֹר אֶת־תּוֹרַ֖ת יְהוָ֥ה אֱלֹהֶֽיךָ׃

A *sabedoria* tinha de ser possessão do construtor do templo, e Salomão, posteriormente, transformou-se no mais sábio de todos os homens. Sua sabedoria tornou-se proverbial em toda a nação de Israel e nas nações circundantes. Nenhum homem seria verdadeiramente sábio se *não guardasse a lei*. Davi nunca se desviou da sua fé em Yahweh ou de sua lei, dada através de Moisés. Embora tivesse cometido grandes pecados, a idolatria nunca fez parte desses pecados. O templo tinha de ser estabelecido para centralizar o culto divino. Os antigos santuários continuariam, mas o templo centralizaria e padronizaria o culto. Esse foi um passo necessário na história de Israel. Além disso, haveria o templo do Espírito, a alma-corpo do homem, e o templo espiritual, a Igreja. A sabedoria de Deus estava operando através de todos esses estágios do conceito do templo.

Ver Dt 17.14 ss. quanto ao rei ideal. Tal rei, naturalmente, era um supremo observante da lei mosaica. Dali ele extrairia sua sabedoria e sua força, porque ali residia a bênção divina. *Nisso* Salomão estaria qualificado para ser o rei e o construtor do templo de Jerusalém.

22.13

אָ֣ז תַּצְלִ֔יחַ אִם־תִּשְׁמ֗וֹר לַעֲשׂוֹת֙ אֶת־הַ֣חֻקִּ֔ים
וְאֶת־הַמִּשְׁפָּטִ֔ים אֲשֶׁ֨ר צִוָּ֧ה יְהוָ֛ה אֶת־מֹשֶׁ֖ה עַל־
יִשְׂרָאֵ֑ל חֲזַ֣ק וֶאֱמָ֔ץ אַל־תִּירָ֖א וְאַל־תֵּחָֽת׃

Então prosperarás. Salomão haveria de *prosperar* por causa de sua observância da lei mosaica. Nessa observância, ele teria forças e estabilidade. Mas com que facilidade ele caiu na idolatria, devido à má influência de suas esposas estrangeiras! Cf. 1Rs 2.2,3 quanto a declarações similares às do presente versículo. Ver o capítulo 11 de 1Rs quanto à queda desastrosa de Salomão na idolatria. Ver Dt 7.11 e 11.32 quanto à exigência de observância diligente da lei.

22.14

וְהִנֵּ֨ה בְעָנְיִ֜י הֲכִינ֣וֹתִי לְבֵית־יְהוָ֗ה זָהָ֞ב כִּכָּרִ֤ים
מֵֽאָה־אֶ֙לֶף֙ וְכֶ֗סֶף אֶ֤לֶף אֲלָפִים֙ כִּכָּרִ֔ים וְלַנְּחֹ֖שֶׁת
וְלַבַּרְזֶ֔ל אֵ֥ין מִשְׁקָ֖ל כִּ֣י לָרֹ֣ב הָיָ֑ה וְעֵצִ֤ים וַאֲבָנִים֙
הֲכִינ֔וֹתִי וַעֲלֵיהֶ֖ם תּוֹסִֽיף׃

Preparei para a casa do Senhor. As *riquezas de Salomão* seriam muito maiores do que a provisão de metais preciosos para o templo preparada por Davi. Não obstante, os números dados aqui são impressionantes. Davi acumulou cem mil talentos de ouro, ou seja, 3.750 toneladas; e um milhão de talentos de prata, ou seja, 37.500 toneladas! Ao todo, esses metais preciosos pesavam 41.250 toneladas! Era uma quantidade impressionante que havia sido acumulada através da conquista militar (2Sm 8.7-13; 1Cr 18.11). Davi não extraiu de minas essa quantidade de metais preciosos: ele as tomou dos inimigos que conquistara. Em tempos posteriores, a riqueza de Salomão tornou-se tão admirável que, em *um ano,* sua renda chegou a 666 talentos de ouro (ver 1Rs 10.14). Os críticos, naturalmente, supõem que este vs. 14 seja uma grande hipérbole oriental, sem fundamento histórico. Eles presumem que nem o cronista nem seus leitores judeus tomariam tão literalmente essas prodigiosas quantidades. Outros chamam esses números de "retóricos", e alguns supõem que erros tenham entrado no texto hebraico, aumentando, fora de todas as proporções, os cálculos envolvidos. Ellicott (*in loc.*) chama nossa atenção para as hipérboles usadas na cultura egípcia, palavras usadas por Pentaur, sobre Ramsés II. Quando estava sendo atacado pelos hititas, ele chamou o deus *Amem* em sua ajuda, e lembrou-lhe o que havia feito por seu culto: "Não tenho eu construído para ti casas por milhões de anos? Não sacrifiquei trinta mil touros?" Quando o deus o ajudou na batalha, ele continuou a sua hipérbole: "Descobri que Amem vale mais que um milhão de soldados, cem mil homens de cavalaria, dez mil irmãos, e todos eles reunidos em um só!" Ellicott mostrou a sua moral: grandes números nem sempre devem ser tomados ao pé da letra. Devemos compreender o espírito da questão.

■ **22.15**

וְעִמְּךָ לָרֹב עֹשֵׂי מְלָאכָה חֹצְבִים וְחָרָשֵׁי אֶבֶן וָעֵץ וְכָל־חָכָם בְּכָל־מְלָאכָה׃

Além disso tens contigo trabalhadores em grande número. Somos relembrados que Davi fizera provisão para que houvesse trabalhadores em número suficiente, o que já vimos nos vss. 2-4. Este versículo enfatiza a *universalidade* da provisão. Havia grande quantidade de obreiros habilidosos para *toda* espécie de tarefa. Davi não se esqueceu de nenhum detalhe. Ele foi um *mestre planejador,* embora não tivesse sido o edificador do templo. Assim, apesar de não haver erguido o templo, em um sentido importante, foi ele quem o construiu. Sua contribuição foi *indispensável.*

■ **22.16**

לַזָּהָב לַכֶּסֶף וְלַנְּחֹשֶׁת וְלַבַּרְזֶל אֵין מִסְפָּר קוּם וַעֲשֵׂה וִיהִי יְהוָה עִמָּךְ׃

Dispõe-te, pois, e faze a obra. Não havia carência de *operários* (vss. 2-4,15), nem de *materiais* (vss. 3,4,14). Por conseguinte, Salomão poderia tomar a edificação do templo e continuá-la. Agora ele tinha muitíssima *provisão* para a missão que estava destinado a realizar. Oh, Senhor, concede-nos tal graça! Salomão foi exortado a "levantar-se e ocupar-se". Algumas vezes, sem materiais e sem operários, somos convocados a levantar-nos e ocupar-nos, esperando por alguma provisão futura. Então a fé tem de entrar em ação e realizar o seu papel. Cf. o presente versículo com Ed 10.4.

INCUMBÊNCIA DE DAVI AOS LÍDERES DA NAÇÃO (22.17-19)

A construção do templo foi um imenso empreendimento que exigiu um esforço de *equipe.* Muitos tiveram de colaborar. Não fazia muito tempo que Jerusalém, a nova capital do reino de Israel, havia sido conquistada por Davi. Agora Salomão centralizaria o culto divino naquele lugar, por meio do templo. Os líderes da nação também teriam um papel a desempenhar nesse acontecimento histórico que, por um longo tempo, seria um fator importante na história de Israel. Salomão precisaria de muita ajuda e de uma cooperação voluntária. Ele não poderia construir o templo sozinho.

■ **22.17**

וַיְצַו דָּוִיד לְכָל־שָׂרֵי יִשְׂרָאֵל לַעְזֹר לִשְׁלֹמֹה בְנוֹ׃

Os príncipes. Estão em vista os líderes civis e religiosos, os chefes das famílias e dos clãs, bem como os generais militares. O que está aqui em pauta é a *classe governante,* sem importar de que classe social. Salomão precisava da ajuda deles na administração, no amparo financeiro e nos conselhos. Salomão haveria de escolher dentre eles os supervisores da obra.

■ **22.18**

הֲלֹא יְהוָה אֱלֹהֵיכֶם עִמָּכֶם וְהֵנִיחַ לָכֶם מִסָּבִיב כִּי נָתַן בְּיָדִי אֵת יֹשְׁבֵי הָאָרֶץ וְנִכְבְּשָׁה הָאָרֶץ לִפְנֵי יְהוָה וְלִפְנֵי עַמּוֹ׃

Porventura não está convosco o Senhor vosso Deus...? Os *benefícios* advindos de *Yahweh-Elohim* haveriam de inspirar os líderes para ajudar Salomão em sua tarefa. O primeiro desses benefícios seria a *paz.* A guerra teria cessado em Israel. A *prosperidade* estaria em plena ascensão, visto que Israel estava entrando em sua época áurea. Mas o principal benefício seria a *ajuda divina* em tudo, um poder que estava criando benefícios históricos para o bem de todo o Israel. Davi havia aniquilado ou confinado os *oito* povos inimigos de Israel. Tinha armado o palco para uma monarquia bem-sucedida, especialmente ao fazer de Jerusalém a capital onde o culto divino seria unificado. As unificações seriam possíveis através do templo.

■ **22.19**

עַתָּה תְּנוּ לְבַבְכֶם וְנַפְשְׁכֶם לִדְרוֹשׁ לַיהוָה אֱלֹהֵיכֶם וְקוּמוּ וּבְנוּ אֶת־מִקְדַּשׁ יְהוָה הָאֱלֹהִים לְהָבִיא אֶת־אֲרוֹן בְּרִית־יְהוָה וּכְלֵי קֹדֶשׁ הָאֱלֹהִים לַבַּיִת הַנִּבְנֶה לְשֵׁם־יְהוָה׃ פ

Disponde, pois, agora o vosso coração e a vossa alma. A *obra* deveria começar com uma devida *atitude do coração.* Haveria, da parte do povo, um zelo divino. Yahweh, também chamado Elohim, seria honrado pelo culto centralizado em Jerusalém. Esse culto se processaria no novo templo. A arca da aliança seria transferida do tabernáculo provisório, erigido por Davi, tal como, não fazia ainda muito tempo, ele a tinha trazido para Jerusalém do lugar onde ela ficara, em Gibeom. Com isso, a arca estaria em sua casa, onde permaneceria até o cativeiro babilônico, em 597 a.C. No artigo do *Dicionário* chamado *Arca da Aliança,* tracei as vagueações da arca, e o artigo *Tabernáculo* descreve os movimentos da tenda sagrada. Ver as notas sobre o tabernáculo temporário de Davi em 2Sm 6.1. A arca traria a presença de Deus, e a presença de Deus traria a época áurea de Israel, por meio de Salomão, filho de Davi. A arca estava agora no tabernáculo temporário de Davi. O restante dos móveis, pelo menos a maioria, continuava em Gibeom. Tudo seria unificado no templo de Salomão. Ver no *Dicionário* o artigo intitulado *Templo de Jerusalém.*

A construção de um templo belo e nobre era o equivalente a buscar o favor de Yahweh. Essa busca não deixaria de ser notada por Deus. Finalmente, a alma humana se tornaria o templo do Espírito (ver 1Co 6.19), e o templo coletivo do Espírito Santo seria a Igreja (Ef 2.19 ss.). E então os homens passariam a buscar Deus *no seu íntimo,* e não em alguma estrutura material.

CAPÍTULO VINTE E TRÊS

OS DEVERES DOS LEVITAS (23.1—26.32)

O autor sacro voltou agora sua atenção para a casta sacerdotal e para os levitas, que supriam tanto os sacerdotes como os ministros secundários da obra do templo. Eles tinham sido nomeados pela lei mosaica para o ministério do tabernáculo. Visto que o templo estava tomando o lugar da estrutura temporária e mais antiga, os levitas em breve serviriam no culto de Jerusalém. Nosso autor sagrado (que viveu depois do retorno do cativeiro babilônico) estava ansioso para mostrar que, embora Israel tivesse voltado sob a forma de uma única tribo, *Judá,* mesmo assim a legitimidade estava preservada, pois os levitas retornaram em número suficiente para efetuar o culto divino. Embora o cronista falasse sobre o que sucedeu a Israel no tempo de Salomão, ele, em sua posição após o cativeiro, assegurava aos leitores, indiretamente, da legitimidade do culto de seus próprios dias. A dinastia davídica continuaria após o retorno dos judeus do cativeiro babilônico.

Davi, com meticuloso cuidado, proveu o templo com seu culto apropriado, em concordância com a legislação mosaica, que era o coração de tudo. Ver 1Cr 22.12,13. A passagem que se segue, por acordo comum entre os críticos, oferece "os problemas mais desconcertantes e intricados para a crítica... Essa exegese parte do pressuposto de que o cronista viveu antes do surgimento da rígida distinção entre sacerdotes aarônicos e demais levitas... O principal motivo das atividades dos revisores, ao alterarem e adicionarem ao texto o que o autor sacro havia escrito, foi a sua frequente inconsistência com essa distinção" (W. A. L. Elmslie, *in loc.*). Irei anotando as dificuldades ao longo do caminho.

"Após uma breve notícia sobre a coroação de Salomão, durante a idade avançada de Davi, o cronista passa para o principal assunto dos capítulos 23—26: a organização dos sacerdotes e dos levitas por Davi. O capítulo diante de nós apresenta: 1. um relato sumário do número e dos vários deveres dos levitas (vss. 2-5); 2. as casas dos pais ou clãs dos levitas, com um apêndice de observações acerca dos deveres daquele tempo em diante (vss. 6-32)" (Ellicott, *in loc.*).

■ 23.1

וְדָוִיד זָקֵן וְשָׂבַע יָמִים וַיַּמְלֵךְ אֶת־שְׁלֹמֹה בְנוֹ עַל־יִשְׂרָאֵל:

Sendo, pois, Davi, já velho e farto de dias. O *autor* já havia glorificado a dinastia davídica na incumbência dada por Davi a Salomão e aos líderes de Israel (1Cr 22.6-19), e agora passou por cima da cerimônia de coroação de Salomão (a qual, sem dúvida, foi magnificente). O autor sagrado meramente menciona a coroação e apressa-se por chegar ao que fazia parte de seu propósito para este capítulo, a obra dos levitas no novo templo. Ver os comentários de introdução anteriormente.

"Fica entendido que longos anos se passaram entre o seu ajuntamento dos levitas e o discurso de Davi, registrado no capítulo 22. É mesmo provável que a passagem inteira tenha sido inserida por um revisor e que sua obra foi, por sua vez, sujeitada em certos lugares (por exemplo, vss. 24-27,32) a ainda outra emenda" (W. A. L. Elmslie, *in loc.*). Talvez Davi tivesse 70 anos na ocasião, mas ainda não estivesse recolhido ao leito. Ver 1Cr 28.2. Adonias foi rejeitado como rei, e Salomão, confirmado como monarca. Ver a história contada com mais amplitude no primeiro capítulo de 1Reis, especialmente os vss. 32-48. O trecho de 1Cr 23.1 provavelmente quer dizer que Salomão se tornou corregente com Davi. O trecho de 1Cr 29.22b significa que ele se tornou rei sozinho.

Velho e farto de dias. Ver Gn 25.8.

■ 23.2

וַיֶּאֱסֹף אֶת־כָּל־שָׂרֵי יִשְׂרָאֵל וְהַכֹּהֲנִים וְהַלְוִיִּם:

Ajuntou todos os príncipes de Israel. Temos aqui a reunião dos levitas e de suas tarefas, nos vários misteres no templo.

Caracterização Geral. "No fim da vida de Davi, ele entregou as rédeas do governo a Salomão (vs. 1) e então ocupou-se da tarefa de organizar e assegurar a perpetuação de uma estrutura política e religiosa que satisfaria o melhor possível às necessidades da nação de Israel. Ele mandou contar os levitas que tinham 30 anos de idade ou mais, sendo essa a idade legal para que eles começassem seu ministério (ver Nm 4.3). O total foi 38 mil levitas. Esse número foi então dividido como segue: 24 mil para o trabalho do templo; seis mil para servirem como oficiais e juízes; quatro mil como porteiros e quatro mil como músicos (vss. 3-5). Cada uma dessas divisões deu origem, por sua vez, a grupos de acordo com a descendência de suas famílias a partir de Levi (vs. 6)" (Eugene H. Merrill, *in loc.*).

Todas as medidas importantes foram então submetidas à assembleia geral para serem aprovadas (ver 1Cr 13.1; 15.25; 22.17; 26). Os cabeças das tribos e outros oficiais teriam de votar a favor do plano geral. Ver em 1Cr 22.17 as notas sobre os *príncipes*.

■ 23.3

וַיִּסָּפְרוּ הַלְוִיִּם מִבֶּן שְׁלֹשִׁים שָׁנָה וָמָעְלָה וַיְהִי מִסְפָּרָם לְגֻלְגְּלֹתָם לִגְבָרִים שְׁלֹשִׁים וּשְׁמוֹנָה אָלֶף:

Foram contados os levitas de trinta anos para cima. Tudo foi feito de acordo com o modelo deixado por Moisés (ver Nm 4.3,23,30): foram contados os levitas de 30 anos para cima, a idade em que eles podiam começar o ministério. O censo foi feito de acordo com o *crânio*, conforme diz, literalmente, o hebraico, isto é, cada *homem* foi contado. As mulheres, como é óbvio, embora também fossem descendentes de Levi, não foram contadas, visto que não estavam qualificadas para o sacerdócio e ministério. Os números aqui excediam vastamente o número relatado nos dias de Moisés. Ver Nm 4.48,49. Os levitas com 50 anos ou mais não foram contados, mas esse recenseamento incluiu os homens mais velhos. Agora eles não mais precisavam carregar o tabernáculo com seus pesados móveis, portanto homens mais idosos eram capazes de ocupar-se das tarefas atribuídas por Davi. O vs. 27 deste capítulo diz que foram contados os levitas de 20 *anos* para cima.

■ 23.4,5

מֵאֵלֶּה לְנַצֵּחַ עַל־מְלֶאכֶת בֵּית־יְהוָה עֶשְׂרִים וְאַרְבָּעָה אָלֶף וְשֹׁטְרִים וְשֹׁפְטִים שֵׁשֶׁת אֲלָפִים:

וְאַרְבַּעַת אֲלָפִים שֹׁעֲרִים וְאַרְבַּעַת אֲלָפִים מְהַלְלִים לַיהוָה בַּכֵּלִים אֲשֶׁר עָשִׂיתִי לְהַלֵּל:

Ver a *Caracterização Geral*, apresentada no versículo 2 deste capítulo, que explica como os 38 mil levitas foram divididos para tarefas específicas. O trabalho sacerdotal e os ministérios secundários foram planejados, e os homens foram nomeados para suas respectivas tarefas. O próprio templo contava com o trabalho de 24 mil homens, em grupos que se revezavam. Mil deles serviam a cada semana. Além disso, havia o trabalho fora do templo, no qual oficiais e juízes serviam. "Eles agiam como juízes de paz nas várias partes do país, ouvindo causas e administrando justiça entre o povo, estando treinados na lei de Deus, tanto no campo civil quanto no campo religioso. Alguns deles eram mais apropriadamente juízes, enquanto outros executavam as sentenças proferidas. Ver Dt 16.18 e 17.9" (John Gill, *in loc.*).

Além desses, havia quatro mil porteiros, guardiães dos recintos do templo. Um número adicional de quatro mil levitas cuidava do ministério da música. Cf. 2Cr 29.26 e Ne 12.36. Obviamente, Davi, como músico mestre, inventou alguns dos instrumentos usados pelos levitas. Parte da música utilizada era executada por esses instrumentos, segundo depreendemos dos títulos de vários dos salmos. Ver no *Dicionário* o verbete intitulado *Música, Instrumentos Musicais*. Ver Am 6.5 quanto a um comentário negativo a respeito dos criadores de instrumentos musicais, em imitação ao que Davi havia feito.

■ 23.6

וַיֶּחָלְקֵם דָּוִיד מַחְלְקוֹת ס לִבְנֵי לֵוִי לְגֵרְשׁוֹן קְהָת וּמְרָרִי: ס

Davi os repartiu por turnos. A primeira grande divisão dos levitas foi feita de acordo com os três ramos dos descendentes de Levi, por meio de seus três filhos: Gérson, Coate e Merari. Esses, por sua vez, foram subdivididos segundo os vários tipos e as tarefas a serem realizadas. Cf. Êx 6.16. Ver também 1Cr 24.3 e Gn 14.15. "Esses foram enumerados de acordo com as casas de seus pais, mas não mais são mencionados além dos 24 mil, que estavam ocupados na obra do templo. As 'casas dos pais' desses levitas correspondiam às 'classes' segundo as quais eles e os sacerdotes foram divididos (Josefo, *Antiq.*), tal e qual os sacerdotes foram divididos (ver 1Cr 24.30,31; 26.20-38)" (Jamieson, *in loc.*).

■ 23.7

לַגֵּרְשֻׁנִּי לַעְדָּן וְשִׁמְעִי: ס

Muitos dos nomes dados ocorrem de novo nos trechos de 1Cr 24.30,31 e 26.20-28. Mas os nomes dos músicos (1Cr 25.1-31), dos porteiros (1Cr 26.1-19), dos escribas e dos juízes (1Cr 26.29-32) são totalmente diferentes. O *Dicionário* dá artigos acerca desses nomes, e o pouco que se sabe sobre eles é ali asseverado. Usualmente, tudo quanto sabemos foi que eles eram levitas designados para as tarefas especificadas nos textos que apresentam seus nomes.

Os *vss. 7-11* dão os nomes de *nove* casas ou guildas dos levitas gersonitas. "Os turnos dos levitas foram formados de acordo com a divisão natural já existente; isto é, coincidiam com as casas dos pais. Sem dúvida eram 24 dessas casas, tais como aquelas de seus irmãos, os músicos (1Cr 25.31) e como as classes sacerdotais (ver 1Cr 24.4). Assim disse Josefo (*Antiq.* vii.14,7)" (Ellicott, *in loc.*).

Ladã e Simei. Cf. 1Cr 6.17, onde os dois ramos principais dos gersonitas são chamados *Libni* e *Simei*. Ladã não é a mesma coisa que Libni, mas é um ramo daquela família, proeminente no tempo de Davi. Cf. Êx 6.17.

■ 23.8

בְּנֵי לַעְדָּן הָרֹאשׁ יְחִיאֵל וְזֵתָם וְיוֹאֵל שְׁלֹשָׁה׃ ס

Filhos de Ladã. São listados *três filhos* de Ladã. Provavelmente trata-se de *descendentes* (e não de filhos diretos), e o principal deles era *Jeiel*. Dos *nove* "pais de casas", seis descendiam de Ladã e três de Simei.

■ 23.9

בְּנֵי שִׁמְעִי שְׁלֹמוֹת וַחֲזִיאֵל וְהָרָן שְׁלֹשָׁה אֵלֶּה רָאשֵׁי הָאָבוֹת לְלַעְדָּן׃ ס

Selomote, Haziel e Harã. Descendente de Ladã, o *Simei* deste versículo não é o mesmo Simei do versículo seguinte, irmão de Ladã (vs. 7).

■ 23.10

וּבְנֵי שִׁמְעִי יַחַת זִינָא וִיעוּשׁ וּבְרִיעָה אֵלֶּה בְנֵי־שִׁמְעִי אַרְבָּעָה׃

Filhos de Simei. Este Simei era irmão de Ladã e descendente de Gérson, conforme declarou Kimchi. Nomes similares semeiam confusão nos textos. O nosso texto diz "filhos", porém a interpretação mais provável é "descendentes". As quatro casas eram contadas como *três*, porque as duas últimas a serem mencionadas, Jeús e Berias, eram numericamente fracas, e consideradas uma única casa ou classe, conforme aprendemos no versículo seguinte.

■ 23.11

וַיְהִי־יַחַת הָרֹאשׁ וְזִיזָה הַשֵּׁנִי וִיעוּשׁ וּבְרִיעָה לֹא־הִרְבּוּ בָנִים וַיִּהְיוּ לְבֵית אָב לִפְקֻדָּה אֶחָת׃ ס

Jaate... Ziza. Os clãs desses dois homens eram numerosos, de modo que foram contados como casas separadas, mas os de Jeús e Berias foram contados como uma única casa, por causa de seu pequeno número. Assim Simei, filho de Gérson (vs. 7), deu origem a quatro líderes, mas a somente três casas. Portanto, no total, havia *nove clãs* gersonitas — *seis* através de Ladã e *três* através de Simei —, e eles, por sua vez, faziam parte dos 24 mil (vs. 4).

FILHOS (DESCENDENTES) DE COATE (23.12-20)

■ 23.12

בְּנֵי קְהָת עַמְרָם יִצְהָר חֶבְרוֹן וְעֻזִּיאֵל אַרְבָּעָה׃ ס

Coate. Segundo filho de Levi, dele descendia um clã que sempre esteve envolvido no ministério sagrado. São listados quatro de seus descendentes. Cf. Êx 6.18. Coate foi o fundador de *nove casas* levíticas. De sua linhagem veio a casta sacerdotal, via Arão (vs. 13).

■ 23.13

בְּנֵי עַמְרָם אַהֲרֹן וּמֹשֶׁה וַיִּבָּדֵל אַהֲרֹן לְהַקְדִּישׁוֹ קֹדֶשׁ קָדָשִׁים הוּא־וּבָנָיו עַד־עוֹלָם לְהַקְטִיר לִפְנֵי יְהוָה לְשָׁרְתוֹ וּלְבָרֵךְ בִּשְׁמוֹ עַד־עוֹלָם׃

Filhos de Anrão: Arão e Moisés. A linhagem de Arão (Aarão) foi separada para o ofício sacerdotal. Outros levitas tinham funções secundárias, tanto no templo quanto nas cidades, como juízes e magistrados. Os críticos supõem que essa rígida distinção não tenha ocorrido no tempo de Moisés, mas tenha resultado do processo histórico. "O autor salientou as ordenanças da *lei final* dos sacerdotes" (W. A. L. Elmslie, *in loc.*). Ver Êx 6.20 quanto a Arão como filho de Anrão, e Nm 6.23-27 quanto à distinção da linhagem aarônica. Cf. Dt 10.8.

Para queimar incenso. Ou seja, para trabalhar nos deveres sacerdotais dos sacrifícios, dos serviços do templo, incluindo a queima do incenso.

"O sentido é que os sacerdotes representavam um grau mais elevado de santidade, uma consagração mais completa que a dos levitas, porquanto foram chamados para desempenhar um ministério mais elevado e mais santo" (Ellicott, *in loc.*). Esse clã seria especialmente ativo em *bendizer o nome de Yahweh*, por causa de sua função superior. Isso deveria ocorrer "eternamente", mas quão breve se revelou esse "eternamente"! Em Cristo, todas as funções sacerdotais se combinaram, mas, antes mesmo de seu tempo, o templo e suas funções sacerdotais e levíticas desapareceram da face da terra. O cativeiro (ou dispersão) romano cuidou disso com eficácia, pois a partir de 132 d.C. o que sobrou de Israel foi espalhado por todo o império romano. Somente em nossa época (1948) houve a restauração da nação de Israel, porém *sem* os antigos ritos que se haviam tornado *obsoletos* de longa data.

■ 23.14

וּמֹשֶׁה אִישׁ הָאֱלֹהִים בָּנָיו יִקָּרְאוּ עַל־שֵׁבֶט הַלֵּוִי׃

Quanto a Moisés. Em contraste com os descendentes de Arão, o grande líder Moisés produziu levitas de menos distinção e função. Este versículo informa-nos desse fato. Moisés foi levantado como o grande legislador. Também foi notório profeta, mas seus descendentes eram levitas comuns. Dessa forma, o governo civil ficou ao encargo de Josué, e o sacerdócio passou a ser responsabilidade de Arão.

Homem de Deus. Moisés foi um instrumento especial de Yahweh. Ver Dt 33.1; Sl 90 e Js 14.6 quanto ao título dado a Moisés no presente versículo. Moisés recebera uma *missão divina,* o que explica seu título. Os profetas também eram chamados "homens de Deus". Timóteo, filho espiritual de Paulo e ministro notável, também recebeu essa denominação (ver 1Tm 6.11).

■ 23.15

בְּנֵי מֹשֶׁה גֵּרְשֹׁם וֶאֱלִיעֶזֶר׃

Os filhos de Moisés: Gérson e Eliezer. Ver Êx 18.3,4. Os filhos de Moisés foram classificados juntamente com os levitas em geral, mas eram distinguidos dos filhos de Arão, os sacerdotes. O *Dicionário* dá artigos sobre os nomes que aparecem no texto presente, e ali são fornecidos alguns detalhes.

■ 23.16

בְּנֵי גֵרְשׁוֹם שְׁבוּאֵל הָרֹאשׁ׃

Os vss. 16 a 20 listam a descendência de Moisés. A posteridade de Gérson, no tempo de Davi, era chamada Sebuel (Subael) (ver 1Cr 24.20). O Targum faz ele ser o mesmo Jônatas (Jz 18.30).

Os descendentes de Moisés compunham-se de duas casas paternas, ou clãs, a saber, Subael e Reabias.

■ 23.17

וַיִּהְיוּ בְנֵי־אֱלִיעֶזֶר רְחַבְיָה הָרֹאשׁ וְלֹא־הָיָה לֶאֱלִיעֶזֶר בָּנִים אֲחֵרִים וּבְנֵי רְחַבְיָה רָבוּ לְמָעְלָה׃

Filho de Eliezer: Reabias. Eliezer teve apenas um filho, Reabias, mas este teve muitos filhos e foi um chefe importante em Israel. O Targum acrescenta aqui que os descendentes de Reabias eram seiscentos mil nos dias de Davi, mas esse é um número improvável. Seja como for, o clã que descendia de Reabias era muito grande e mereceu a atenção do cronista.

■ 23.18

בְּנֵי יִצְהָר שְׁלֹמִית הָרֹאשׁ׃ ס

Filhos de Jizar: Selomite, o chefe. Jizar (Izar) foi o segundo filho de Coate, e seus filhos compunham um clã, a saber, o de Selomite (1Cr 24.22).

■ 23.19

בְּנֵי חֶבְרוֹן יְרִיָּהוּ הָרֹאשׁ אֲמַרְיָה הַשֵּׁנִי יַחֲזִיאֵל הַשְּׁלִישִׁי וִיקַמְעָם הָרְבִיעִי׃

Filhos de Hebrom. Os filhos de Hebrom compunham-se de *quatro casas* ou *clãs*. Seus nomes figuram em 1Cr 24.23. Hebrom foi o terceiro filho de Coate (vs. 12).

■ 23.20

בְּנֵי עֻזִּיאֵל מִיכָה הָרֹאשׁ וְיִשִּׁיָּה הַשֵּׁנִי׃ ס

Filhos de Uziel. Os filhos de Uziel constituíam *duas casas* ou *clãs*. Os *nove* clãs de Coate são novamente apresentados em 1Cr 24.20-25. Uziel era outro filho de Coate, cujos descendentes assumiram posições como ministros em Israel.

FILHOS (DESCENDENTES) DE MERARI (23.21,22)

O *autor sacro* continua aqui sua cuidadosa delineação dos clãs dos levitas, a quem Davi nomeou para o culto divino. Havia descendentes dos levitas em número suficiente para, terminado o cativeiro babilônico, renovar o culto divino, a despeito do golpe devastador que isso representou. Portanto, no tempo de Davi, o ministério era autenticado pelas genealogias, e outro tanto se deu após o cativeiro. A lei de Moisés precisava ser satisfeita para que Israel fosse um povo distinto. Ver a *distinção* de Israel, em Dt 4.4-8.

■ 23.21

בְּנֵי מְרָרִי מַחְלִי וּמוּשִׁי בְּנֵי מַחְלִי אֶלְעָזָר וְקִישׁ׃

Filhos de Merari: Mali e Musi. Merari, o terceiro filho de Levi, teve dois filhos: *Mali* e *Musi*. E deles levantou-se o restante do ramo levita de Merari. Ver Êx 6.19; Nm 3.33 e 1Cr 6.19. Ver também 1Cr 24.28,39 quanto a detalhes.

■ 23.22

וַיָּמָת אֶלְעָזָר וְלֹא־הָיוּ לוֹ בָּנִים כִּי אִם־בָּנוֹת וַיִּשָּׂאוּם בְּנֵי־קִישׁ אֲחֵיהֶם׃

Morreu Eleazar, e não teve filhos, porém filhas. Ninguém sucedeu a Eleazar, e primos casaram-se com suas filhas, alguma informação verdadeira quanto aos fatos históricos, a qual se reveste de certo interesse para a mensagem do capítulo. A casa de Eleazar, por conseguinte, mesclou-se à casa de Quis, cumprindo-se a lei de Nm 36.6-9. Os filhos de Mali eram assim representados nos dias de Davi pela casa de Quis. Cf. 1Cr 24.29.

■ 23.23

בְּנֵי מוּשִׁי מַחְלִי וְעֵדֶר וִירֵמוֹת שְׁלֹשָׁה׃

Os filhos de Musi: Mali, Eder e Jeremote, três. "Esses, com os filhos de Quis, compunham somente *quatro* casas meraritas, ao passo que *seis* eram requeridas para formar um total de 24 casas levíticas. Mas 1Cr 24.26,27 mostra que os registros do cronista dão conta de um terceiro filho de Merari, chamado *Jaazias*, cujos descendentes constituíam as três casas de Soão, Zacur e Iri, no tempo de Davi. Acrescentando essas casas, obtemos *sete clãs*, uma a mais para o nosso propósito. Talvez o Mali do presente versículo seja uma repetição equivocada do vs. 21, devido a algum erro escribal antigo" (Ellicott, *in loc.*).

■ 23.24

אֵלֶּה בְנֵי־לֵוִי לְבֵית אֲבֹתֵיהֶם רָאשֵׁי הָאָבוֹת לִפְקוּדֵיהֶם בְּמִסְפַּר שֵׁמוֹת לְגֻלְגְּלֹתָם עֹשֵׂה הַמְּלָאכָה לַעֲבֹדַת בֵּית יְהוָה מִבֶּן עֶשְׂרִים שָׁנָה וָמָעְלָה׃

São estes os filhos de Levi. O autor sagrado listou as *três classes* das famílias dos levitas (os descendentes dos três filhos de Levi).

Temos aqui uma interessante emenda que o autor apresentou como obra de Davi. A idade normal para um levita entrar no ministério era aos 30 anos, conforme vimos nas notas expositivas sobre o vs. 3 deste capítulo. Os críticos sugeriram que a mudança de 30 para 20 anos ocorreu após o cativeiro babilônico, quando foi construído o segundo templo, por volta de 520 a.C. Visto que havia poucos levitas restantes, devido à calamidade do cativeiro, foi mister diminuir a idade requerida, a fim de que houvesse levitas suficientes para o culto sagrado. Os eruditos conservadores, entretanto, tomando o texto como aplicável aos dias de Davi, supõem que ele tenha feito a mudança. Nesse caso, não há razão alguma para atribuir a ele essa mudança no limite mínimo de idade. Por certo, não existia falta de levitas no tempo de Davi. A outra explicação diz que a idade mínima de 20 anos entrou no texto por causa de um erro escribal de transcrição, uma conjectura que não convence, e uma solução *ad hoc*, ou seja, criada apenas para explicar a dificuldade, sem evidências comprobatórias.

■ 23.25

כִּי אָמַר דָּוִיד הֵנִיחַ יְהוָה אֱלֹהֵי־יִשְׂרָאֵל לְעַמּוֹ וַיִּשְׁכֹּן בִּירוּשָׁלַםִ עַד־לְעוֹלָם׃

O Senhor Deus de Israel deu paz. O descanso possibilitado pelas conquistas militares que Davi efetuou, ajudado pelas contínuas provisões de Deus, tornou possível aos levitas atuar sem temor, e assim cumprir os deveres no culto divino. Jerusalém era a nova capital de Israel, mas incorporava a *antiga adoração* que era governada pela legislação mosaica. Davi cuidou para que todos os requisitos dessa legislação fossem honrados. Davi deu a Israel um novo começo, e assim deixou todas as coisas em ordem. Não devemos esquecer nunca que ele foi um instrumento de Yahweh para um novo tempo, a monarquia unida. O templo deu permanência ao culto.

> *Pois o Senhor escolheu a Sião,*
> *preferiu-a por sua morada:*
> *Este é para sempre o lugar do meu repouso;*
> *aqui habitarei, pois o preferi.*
>
> Salmo 132.13,14

Haviam terminado os dias de perambulação pelo deserto, quando a tenda (ou tabernáculo) acompanhava o povo de Israel. Três vezes por ano, para os festivais principais, todos os varões de Israel tinham de comparecer em Jerusalém e participar das festividades. Ver no *Dicionário* o artigo chamado *Festas (Festividades) Judaicas*. Mas Jeroboão, ao revoltar-se contra Roboão, filho de Salomão, e ao separar as tribos do norte das tribos do sul, imediatamente interrompeu a unidade e proibiu os nortistas de participar do culto de Jerusalém. Betel e outros centros antigos logo se tornariam locais de reunião para o norte, e uma desgraçada apostasia em breve haveria de controlá-los. O sul também entraria em um infeliz período de apostasia, até que o cativeiro babilônico pusesse fim à questão. Então se tornaria necessária a renovação, terminado o cativeiro babilônico.

■ 23.26

וְגַם לַלְוִיִּם אֵין־לָשֵׂאת אֶת־הַמִּשְׁכָּן וְאֶת־כָּל־כֵּלָיו לַעֲבֹדָתוֹ׃

Os levitas já não precisarão levar o tabernáculo. O trabalho maçante da vida nômade, que requeria que o tabernáculo fosse carregado por toda a parte, chegou ao fim. Era tarefa dos levitas transportar a tenda e seus acessórios. Ver Dt 10.8 quanto a esse dever dos levitas. O trabalho, pois, foi aliviado, de maneira que os levitas ainda poderiam ser mais *meticulosos* na conclusão de seus afazeres sagrados. Eles tinham a paz, o tempo e a juventude a seu favor.

■ 23.27

כִּי בְדִבְרֵי דָוִיד הָאַחֲרֹנִים הֵמָּה מִסְפַּר בְּנֵי־לֵוִי מִבֶּן עֶשְׂרִים שָׁנָה וּלְמָעְלָה׃

Segundo as últimas palavras de Davi. Pouco antes de sua morte, Davi baixou ordens concernentes ao andamento do culto divino, o que mostra quão importante era essa questão para ele. Ao que tudo indica, o autor sagrado estava dizendo que Davi ordenou um *recenseamento* dos levitas pouco antes de sua morte. Todos os levitas que tinham 20 anos ou mais deveriam garantir pessoal suficiente para as muitas tarefas da casta ministerial.

■ 23.28

כִּי מַעֲמָדָם לְיַד־בְּנֵי אַהֲרֹן לַעֲבֹדַת בֵּית יְהוָה עַל־הַחֲצֵרוֹת וְעַל־הַלְּשָׁכוֹת וְעַל־טָהֳרַת לְכָל־קֹדֶשׁ וּמַעֲשֵׂה עֲבֹדַת בֵּית הָאֱלֹהִים׃

O cargo destes era. Os levitas não aarônicos tinham um ministério secundário em relação à linhagem de Arão. Ajudavam os sacerdotes, juízes e oficiais, mas não eram sacerdotes. Assim, todos os sacerdotes eram levitas, mas nem todos os levitas eram sacerdotes. Pelo menos essa é a verdade no que toca à história posterior de Israel. Os críticos pensam que essa distinção ocorreu mais tarde. Os eruditos conservadores, entretanto, supõem que ela tenha começado com o próprio Arão, o primeiro sumo sacerdote. Ver, no *Dicionário*, os artigos que esclarecem essas questões, chamados *Levitas* e *Sacerdotes e Levitas*. Embora os levitas não aarônicos ocupassem posições de responsabilidade em Israel, também tinham de realizar trabalhos manuais e pesados no tabernáculo, e então no templo de Jerusalém: limpeza, arranjo dos apartamentos e carregamento para fora da imundícia deixada pelos sacrifícios sangrentos. Também precisavam limpar continuamente todos os vasos sagrados. Cf. 2Cr 30.19. Eles tinham de manter os recintos do templo em boa ordem, de modo que o trabalho deles não se limitava ao recinto do templo. Outros deveres dos levitas também foram descritos.

■ 23.29

וּלְלֶחֶם הַמַּעֲרֶכֶת וּלְסֹלֶת לְמִנְחָה וְלִרְקִיקֵי הַמַּצּוֹת וְלַמַּחֲבַת וְלַמֻּרְבָּכֶת וּלְכָל־מְשׂוּרָה וּמִדָּה׃

A saber. Os *instrumentos* do templo e a preparação dos pães da proposição e dos bolos para as ofertas de cereais também estavam sob a responsabilidade dos levitas não aarônicos. Ver 1Cr 9.31,32. Ver o segundo capítulo do livro de Levítico quanto a detalhadas descrições e notas expositivas. Assim sendo, os *materiais* usados nos sacrifícios e nas oferendas, animais e vegetais, deveriam ser cuidados e preparados pelos levitas não aarônicos, ao passo que os próprios sacrifícios eram realizados somente pela linhagem de Arão. Ver a informação dada em Êx 29.40. Proporções fixas eram requeridas nas oferendas. Ver Êx 30.13.

"Alguns dos rabinos pensavam que os sacerdotes semeavam, colhiam, moíam, amassavam e coziam o grão com os quais os pães da proposição eram feitos, mas parece que isso é um erro de opinião" (Adam Clarke, *in loc.*). Essas tarefas pertenciam aos levitas não aarônicos.

■ 23.30

וְלַעֲמֹד בַּבֹּקֶר בַּבֹּקֶר לְהֹדוֹת וּלְהַלֵּל לַיהוָה וְכֵן לָעָרֶב׃

Para renderem graças ao Senhor, e o louvarem. *Louvores e cânticos,* acompanhados por instrumentos musicais, eram deveres dos levitas. Esses atos acompanhavam o culto em geral. *Ruídos de júbilo* sempre eram ouvidos do tabernáculo e, mais tarde, do templo. Os sacrifícios matinais e vespertinos eram acompanhados por esses atos e pela participação dos levitas não aarônicos. Ver Nm 28.6. "Isso diz respeito à função especial dos quatro mil músicos (vs. 5). Cf. 1Cr 16.4. Aqueles que matavam e tiravam o couro das vítimas dificilmente poderiam fazer parte do serviço dos cânticos" (Ellicott, *in loc.*).

■ 23.31

וּלְכֹל הַעֲלוֹת עֹלוֹת לַיהוָה לַשַּׁבָּתוֹת לֶחֳדָשִׁים וְלַמֹּעֲדִים בְּמִסְפָּר כְּמִשְׁפָּט עֲלֵיהֶם תָּמִיד לִפְנֵי יְהוָה׃

E para cada oferecimento dos holocaustos. Devemos agora compreender o trabalho dos sacerdotes, os levitas aarônicos (vs. 28), embora o autor não esclareça isso neste ponto. Os críticos aproveitam-se da falta de indicações claras para declarar que o texto não faz distinção entre as duas classes de levitas, e para argumentar que isso foi imposto sobre o contexto geral por meio de uma *revisão* da prática original. Seja como for, *alguns* dos levitas não aarônicos *ajudavam* os sacerdotes nos atos de sacrifício preparando e trazendo os animais, e retirando as escórias.

Além dos sacrifícios diários (vs. 30), havia também os sacrifícios especiais, próprios de cada estação, como os sábados, as luas novas e os sacrifícios das grandes festividades. Ver as descrições detalhadas em Nm 28 e 29. Ver também no *Dicionário* os artigos chamados *Sacrifícios* e *Sacrifícios e Ofertas*.

■ 23.32

וְשָׁמְרוּ אֶת־מִשְׁמֶרֶת אֹהֶל־מוֹעֵד וְאֵת מִשְׁמֶרֶת הַקֹּדֶשׁ וּמִשְׁמֶרֶת בְּנֵי אַהֲרֹן אֲחֵיהֶם לַעֲבֹדַת בֵּית יְהוָה׃ פ

Para que tivessem a seu cargo a tenda da congregação e o santuário. Nenhuma pilhagem podia ocorrer no templo; nenhum roubo de vasos era permitido; nada de atos insensatos; nenhuma conduta irregular. Os levitas faziam-se presentes para ajudar os levitas aarônicos continuamente. Cf. Nm 18.3-5. Outro aspecto do serviço dos levitas era impedir que qualquer pessoa cerimonialmente impura entrasse nos recintos do templo e assim poluísse o lugar. Ver no *Dicionário* o verbete intitulado *Limpo e Imundo*.

CAPÍTULO VINTE E QUATRO

ORGANIZAÇÃO DOS SACERDOTES EM 24 TURNOS (24.1-19)

Esta parte do capítulo 24 revisa e adiciona alguns detalhes às informações apresentadas no capítulo 23. É provável que alguma informação, colhida em fontes informativas diversas, tenha inspirado as diferenças.

"A fim de implementar o plano anterior (capítulo 23), Davi conseguiu de Zadoque e Aimeleque, os dois principais sacerdotes, ajuda para separar primeiramente os sacerdotes, e então os levitas nas *divisões* em que deveriam servir" (Eugene H. Merrill, *in loc.*).

■ 24.1

וְלִבְנֵי אַהֲרֹן מַחְלְקוֹתָם בְּנֵי אַהֲרֹן נָדָב וַאֲבִיהוּא אֶלְעָזָר וְאִיתָמָר׃

Quanto aos filhos de Arão. Os filhos imediatos de Arão (enumerados neste versículo) encabeçavam os turnos dos sacerdotes. Cf. 1Cr 6.3. "Esses eram os filhos imediatos de Arão. Mas a divisão ou distribuição da posteridade deles em classes ocorreu no tempo de Davi. Os sacerdotes descendiam dos dois últimos filhos" (John Gill, *in loc.*). Esses dois últimos filhos eram Eleazar e Itamar.

■ 24.2

וַיָּמָת נָדָב וַאֲבִיהוּא לִפְנֵי אֲבִיהֶם וּבָנִים לֹא־הָיוּ לָהֶם וַיְכַהֲנוּ אֶלְעָזָר וְאִיתָמָר׃

Nadabe e Abiú morreram. Feridos pelo julgamento divino, eles morreram antes de seu pai, Arão. A história é relatada no capítulo 10 do livro de Levítico. Os dois que morreram ainda não tinham filhos, razão pela qual a linhagem de Arão se perpetuou através de seus dois filhos mais novos, a saber, Eleazar e Itamar. "Dentre esses dois homens principais das respectivas famílias, um funcionava como sumo sacerdote, e o outro era o *sagan,* ou deputado; ou, *então,* ambos oficiavam como sumos sacerdotes, alternando-se até que um foi removido no tempo de Salomão e o outro tornou-se o único sumo sacerdote. Portanto, seus descendentes, os sacerdotes... eram as pessoas que Davi dividiu em turnos... para realizar seu ofício como sacerdotes no serviço do templo" (John Gill, *in loc.*). Enquanto Arão continuou vivo, Eleazar e Itamar serviriam como deputados. Após a morte de Arão, Eleazar sucedeu a seu pai e tornou-se o sumo sacerdote. Sob Eli, o sumo sacerdote, a linhagem de *Itamar* reassumiu o ofício sumo sacerdotal.

24.3

וַיֶּחָלְקֵם דָּוִיד וְצָדוֹק מִן־בְּנֵי אֶלְעָזָר וַאֲחִימֶלֶךְ מִן־בְּנֵי אִיתָמָר לִפְקֻדָּתָם בַּעֲבֹדָתָם׃

Aimeleque dos filhos de Itamar. *Aimeleque* é citado aqui no lugar de *Abiatar,* que foi sumo sacerdote no tempo de Davi. Talvez Abiatar também fosse chamado Aimeleque, pois pai e filho poderiam ter o mesmo nome. O vs. 6 diz-nos que Aimeleque era filho de Abiatar. Eles pertenciam à linhagem de Itamar. Zadoque e Aimeleque ajudaram Davi na distribuição dos sacerdotes em turnos. Ver em 2Sm 15.24,25 e 20.25 informações sobre Abiatar como sumo sacerdote nos dias de Davi. Cf. 1Cr 18.14-17.

24.4

וַיִּמָּצְאוּ בְנֵי־אֶלְעָזָר רַבִּים לְרָאשֵׁי הַגְּבָרִים מִן־בְּנֵי אִיתָמָר וַיַּחְלְקוּם לִבְנֵי אֶלְעָזָר רָאשִׁים לְבֵית־אָבוֹת שִׁשָּׁה עָשָׂר וְלִבְנֵי אִיתָמָר לְבֵית אֲבוֹתָם שְׁמוֹנָה׃

Eram mais os filhos de Eleazar... do que os filhos de Itamar. Havia 24 turnos de clãs. Eleazar contribuiu com dezesseis clãs, e Itamar com oito. Jarchi informa-nos que, para o tabernáculo, enquanto este permaneceu em Silo, havia apenas dezesseis turnos, assim, na época de Davi, esse número havia crescido. Mas alguns eruditos pensam que não houve nenhum turno antes do tempo de Davi, e foi ele quem inventou o sistema. Os críticos datam essa invenção de um tempo ainda posterior. Seja como for, havendo agora 24 turnos, cada um serviria cerca de duas semanas por ano, de modo que o ministério dos levitas e dos sacerdotes envolvia certo aspecto democrático. As divisões estavam baseadas no número dos chefes de famílias ou clãs, e não nos totais dos clãs propriamente ditos, mas é de presumir que os clãs maiores tivessem um número maior de chefes.

Estamos tratando com os chefes sacerdotais que serviam no templo, e não com os levitas que se tornaram juízes e autoridades civis, conforme deixa claro o vs. 5.

24.5

וַיַּחְלְקוּם בְּגוֹרָלוֹת אֵלֶּה עִם־אֵלֶּה כִּי־הָיוּ שָׂרֵי־קֹדֶשׁ וְשָׂרֵי הָאֱלֹהִים מִבְּנֵי אֶלְעָזָר וּבִבְנֵי אִיתָמָר׃ ס

Repartiram-se por sortes, uns como os outros. As divisões foram feitas por meio de *sortes,* procedimento que, provavelmente, reverbera que, de outro modo, haveria disputas em torno das nomeações. Tudo foi deixado ao sabor da *sorte;* mas devemos lembrar que Yahweh era tido como o governador da sorte. Ver no sexto versículo comentários referentes ao uso de *sortes.*

Príncipes do santuário e príncipes de Deus. Essas expressões mostram que, do começo ao fim, está em foco o culto no templo. Por isso havia 24 turnos. Este capítulo não leva em consideração os levitas que serviam em outras funções por todo o território de Israel. Os levitas que se tornaram autoridades civis não faziam parte dos 24 turnos. Estão em vista os cabeças dos clãs, aqueles chefes que encabeçavam os turnos. Também havia mais levitas que podiam servir no culto sagrado, o que explica a necessidade da nomeação por sortes. Como é óbvio, a precedência *na ordem* da ministração também era determinada por sortes. Ver os vss. 7-18 deste capítulo.

24.6

וַיִּכְתְּבֵם שְׁמַעְיָה בֶן־נְתַנְאֵל הַסּוֹפֵר מִן־הַלֵּוִי לִפְנֵי הַמֶּלֶךְ וְהַשָּׂרִים וְצָדוֹק הַכֹּהֵן וַאֲחִימֶלֶךְ בֶּן־אֶבְיָתָר וְרָאשֵׁי הָאָבוֹת לַכֹּהֲנִים וְלַלְוִיִּם בֵּית־אָב אֶחָד אָחֻז לְאֶלְעָזָר וְאָחֻז אָחֻז לְאִיתָמָר׃ פ

Semaías, escrivão. O levita *Semaías* recebeu o ofício de escrivão. Ele era um escriba chefe que cuidava da escrituração, registrando os resultados das sortes lançadas, de modo que se cumprisse o que havia sido determinado. As sortes, provavelmente, eram pedaços de madeira contendo nomes inscritos, lançados em uma urna e subsequentemente retiradas ao acaso. O negócio foi feito na presença de importantes testemunhas, incluindo os sumos sacerdotes. Foi uma atividade pública, a fim de evitar qualquer fraude.

Alternadamente, para Eleazar e para Itamar. Um nome era escolhido para representar a casa de Eleazar, e então outro nome era escolhido para representar a casa de Itamar. Estão aqui em vista os cabeças que eram responsáveis por liderar a participação do clã durante as duas semanas de seu serviço e glória. Pode-se supor que dentro do próprio clã houvesse mais membros que podiam participar do serviço divino, e alguma espécie de lançamento de sortes reduziria esse número. Ver também o vs. 31.

Ordem do Ministério dos 24 Turnos (24.7-18)

24.7-18

וַיֵּצֵא הַגּוֹרָל הָרִאשׁוֹן לִיהוֹיָרִיב לִידַעְיָה הַשֵּׁנִי׃ V7

לְחָרִם הַשְּׁלִישִׁי לִשְׂעֹרִים הָרְבִעִי׃ V8

לְמַלְכִּיָּה הַחֲמִישִׁי לְמִיָּמִן הַשִּׁשִּׁי׃ V9

לְהַקּוֹץ הַשְּׁבִעִי לַאֲבִיָּה הַשְּׁמִינִי׃ V10

לְיֵשׁוּעַ הַתְּשִׁעִי לִשְׁכַנְיָהוּ הָעֲשִׂרִי׃ V11

לְאֶלְיָשִׁיב עַשְׁתֵּי עָשָׂר לְיָקִים שְׁנֵים עָשָׂר׃ V12

לְחֻפָּה שְׁלֹשָׁה עָשָׂר לְיֶשֶׁבְאָב אַרְבָּעָה עָשָׂר׃ V13

לְבִלְגָּה חֲמִשָּׁה עָשָׂר לְאִמֵּר שִׁשָּׁה עָשָׂר׃ V14

לְחֵזִיר שִׁבְעָה עָשָׂר לְהַפִּצֵּץ שְׁמוֹנָה עָשָׂר׃ V15

לִפְתַחְיָה תִּשְׁעָה עָשָׂר לִיחֶזְקֵאל הָעֶשְׂרִים׃ V16

לְיָכִין אֶחָד וְעֶשְׂרִים לְגָמוּל שְׁנַיִם וְעֶשְׂרִים׃ V17

לִדְלָיָהוּ שְׁלֹשָׁה וְעֶשְׂרִים לְמַעַזְיָהוּ אַרְבָּעָה וְעֶשְׂרִים׃ פ V18

Estes versículos nos dão os resultados do lançamento das sortes. Em cada caso, o nome do *cabeça* do clã está em pauta. Era, pois, sua tarefa encabeçar o trabalho do clã pelas duas semanas em que aquele *turno* estaria ativo no serviço sagrado. Cada turno consistia em mil homens (1Cr 23.4).

Temos aqui nomes de indivíduos, mas também vinculados aos turnos que eles fundavam. Por exemplo, *Jeoiaribe* e *Jedaías* (vs. 7) também são listados entre os que retornaram do exílio babilônico (ver 1Cr 9.10; Ne 7.39). Zacarias, pai de João Batista, pertencia à divisão de *Abias* (1Cr 24.10; Lc 1.5)" (Eugene H. Merrill, *in loc.*).

"De todos esses cursos, sabemos pouco mais que os seus nomes, embora tivessem continuado, de uma forma ou de outra, tanto sob o primeiro como sob o segundo templo. As autoridades judaicas dizem-nos que somente *quatro* dos turnos voltaram do cativeiro babilônico, a saber, os de Jedaías, Harim, Pasur e Imer. *Pasur* não aparece listado aqui, mas os oficiais judaicos afirmam a sua autoridade" (John Gill, *in loc.*).

Os turnos sobreviventes foram:

1. Jedaías (vs. 7)
2. Harim (vs. 8)
3. Pasur (não mencionado no presente texto)
4. Imer (vs. 14)

Essa representação, embora pequena, foi suficiente para dar ao segundo templo autoridade levítica, para que Israel pudesse ter um novo começo por meio da tribo isolada de Judá. A autoridade civil foi transmitida através da dinastia davídica.

Matatias, que era da família dos Macabeus, pertencia ao turno de Jeoiaribe (vs. 7), o primeiro e, presume-se, o mais prestigioso dos turnos, que deu àqueles governantes o direito divino de continuar o culto divino. O grande historiador judeu, Josefo, também pertencia a esse turno. O pai de João Batista pertencia ao turno de Abias (Lc

1.5). Ver o vs. 10. A maioria dos nomes dessa lista não é confirmada em nenhum outro lugar fora dos livros de Crônicas; assim, se houve alguma informação importante acerca deles, fomos furtados disso pelo processo histórico.

■ 24.19

אֵ֣לֶּה פְקֻדָּתָ֞ם לַעֲבֹדָתָ֗ם לָב֤וֹא לְבֵית־יְהוָה֙ כְּמִשְׁפָּטָ֔ם בְּיַ֖ד אַהֲרֹ֣ן אֲבִיהֶ֑ם כַּאֲשֶׁ֣ר צִוָּ֔הוּ יְהוָ֖ה אֱלֹהֵ֥י יִשְׂרָאֵֽל׃ פ

O ofício destes no seu ministério. Os levitas sacerdotais (descendentes de Arão) foram assim ordenados para o culto sagrado e efetuavam suas tarefas. Alguns estudiosos calculam que cada turno serviu por duas semanas, mas outros falam em apenas uma semana. Cada turno consistia em mil homens, como aprendemos em 1Cr 23.4.

Segundo a maneira estabelecida por seu pai Arão. Somente levitas diretamente descendentes de Arão podiam atuar como sacerdotes, e cada qual tinha de servir em concordância com a legislação que governava essa casta.

"Todas as funções sacerdotais estavam fixas, e cada um dos 24 turnos desempenhava suas responsabilidades por uma semana, em rotação com os outros turnos, a começar por um sábado (2Rs 11.9; 2Cr 23.8). Josefo (*Antiq.* vii.14,7) declarou que o arranjo de Davi perdurou até os seus próprios dias" (Ellicott, *in loc.*).

OS NOVOS LEVITAS NÃO-GERSONITAS E SEUS GRUPOS MINISTRANTES (24.20-31)

■ 24.20-31

V20 וְלִבְנֵ֤י לֵוִי֙ הַנּ֣וֹתָרִ֔ים לִבְנֵ֥י עַמְרָ֖ם שׁוּבָאֵ֑ל לִבְנֵ֥י שׁוּבָאֵ֖ל יֶחְדְּיָֽהוּ׃

V21 לִרְחַבְיָ֔הוּ לִבְנֵ֥י רְחַבְיָ֖הוּ הָרֹ֥אשׁ יִשִּׁיָּֽה׃

V22 לַיִּצְהָרִ֖י שְׁלֹמ֑וֹת לִבְנֵ֥י שְׁלֹמ֖וֹת יָֽחַת׃

V23 וּבְנָ֑יו יְרִיָּ֤הוּ אֲמַרְיָ֙הוּ֙ הַשֵּׁנִ֔י יַחֲזִיאֵל֙ הַשְּׁלִישִׁ֔י יְקַמְעָ֖ם הָרְבִיעִֽי׃

V24 בְּנֵ֣י עֻזִּיאֵ֔ל מִיכָ֑ה לִבְנֵ֥י מִיכָ֖ה שמור

V25 אֲחִ֣י מִיכָ֔ה יִשִּׁיָּ֑ה לִבְנֵ֥י יִשִּׁיָּ֖ה זְכַרְיָֽהוּ׃

V26 בְּנֵ֣י מְרָרִ֔י מַחְלִ֖י וּמוּשִׁ֑י בְּנֵ֖י יַעֲזִיָּ֥הוּ בְנֽוֹ׃

V27 בְּנֵ֖י מְרָרִ֑י לְיַעֲזִיָּ֣הוּ בְנ֔וֹ וְשֹׁ֥הַם וְזַכּ֖וּר וְעִבְרִֽי׃

V28 לְמַחְלִ֖י אֶלְעָזָ֑ר וְלֹא־הָ֥יָה ל֖וֹ בָּנִֽים׃

V29 לְקִ֖ישׁ בְּנֵי־קִ֥ישׁ יְרַחְמְאֵֽל׃

V30 וּבְנֵ֣י מוּשִׁ֔י מַחְלִ֥י וְעֵ֖דֶר וִירִימ֑וֹת אֵ֛לֶּה בְּנֵ֥י הַלְוִיִּ֖ם לְבֵ֥ית אֲבֹתֵיהֶֽם׃

V31 וַיַּפִּ֣ילוּ גַם־הֵ֡ם גּוֹרָלוֹת֩ לְעֻמַּ֨ת אֲחֵיהֶ֜ם בְּנֵֽי־אַהֲרֹ֗ן לִפְנֵ֨י דָוִ֤יד הַמֶּ֙לֶךְ֙ וְצָד֣וֹק וַאֲחִימֶ֔לֶךְ וְרָאשֵׁי֙ הָֽאָב֔וֹת לַכֹּהֲנִ֖ים וְלַלְוִיִּ֑ם אָב֣וֹת הָרֹ֔אשׁ לְעֻמַּ֖ת אָחִ֥יו הַקָּטָֽן׃ ס

Esta lista ignora os gersonitas por razões não declaradas ou meramente acidentais. *Mas talvez esses levitas tivessem deixado de trabalhar quando esta lista foi compilada.* Os gersonitas aparecem listados em 1Cr 23.7-11, mas isso pode ter sido uma compilação mais antiga, refletindo uma época em que os homens daquele clã ainda estavam ativos. A lista tem alguns nomes comuns aos da lista do capítulo 23, mas vários nomes são diferentes, provavelmente indicando tempos posteriores. Ver as notas sobre o vs. 31, quanto a ideias adicionais.

Caracterização Geral:
1. A lista cita primeiro os *coatitas* (vss. 20-25).
2. Então aparecem os clãs de *Merari* (vss. 26-30).
3. Os clãs de Gérson são ignorados, conforme declarei e comentei na introdução ao vs. 20.
4. "Essa lista não tem conexão integral com seu contexto, e como ela se relaciona à lista em 1Cr 23.6-24 é um quebra-cabeça. Parece uma adição bem tardia, pois ignora os gersonitas, que já poderiam ter deixado de atuar no tempo de sua compilação" (W. A. L. Elmslie, *in loc.*).
5. Os coatitas (vss. 20-25). "A lista deles começa com *Anrão* (vs. 20), e com o descendente de *Subael, Jedias*. O segundo anramita foi *Reabias*, cujo filho foi *Issias* (vs. 21, cf. com 1Cr 23.16-20). Os *jizaritas* são listados em seguida (1Cr 24.22; cf. 23.18). Depois vêm os de *Hebrom* (vs. 33; cf. 23.19) e os de *Uziel* (vss. 24,25; cf. 23.20). Todos esses são coatitas (ver também 1Cr 23.12)" (Eugene H. Merrill, *in loc.*).
6. Os filhos de Merari (vss. 26-30). Os nomes dados nestes cinco versículos são os mesmos da lista de 1Cr 23.21-23, exceto pelo fato de que temos várias adições, a começar nos vss. 21-23, de *Jerameel* a *Quis*. Em seguida, há menção a outra linhagem, a saber, a de *Jaazias* (vss. 26 e 27). Presume-se que essas pessoas representassem uma descendência de tempos posteriores, após a compilação do capítulo 23. Finalmente, temos os filhos de Musi. Cf. 1Cr 23.23.
7. Os filhos dos levitas (vs. 30). Esta expressão (um subscrito) sugere que a lista original era mais completa e incluía os gersonitas. Provavelmente a apresentação da lista original foi abreviada pelo autor sagrado, e também pode ter contido várias omissões acidentais (ou propositadas).
8. *Vs. 31.* Os levitas não aarônicos receberam suas tarefas, e os períodos de tempo em que serviriam (ajudando os sacerdotes) também foram definidos por *sortes.* Cf. os vss. 5 e 6, cujas notas aplicam-se também aqui. Presumivelmente, 24 cursos de levitas servidores (ajudantes) foram selecionados para ajudar os 24 turnos dos levitas sacerdotais, embora o próprio autor sagrado não nos forneça esse detalhe, e não possamos saber exatamente como operava o sistema da volta para trás.

É possível que essa lista incluísse somente os que usavam o sistema da volta para trás, e não fosse uma lista representativa completa dos levitas não sacerdotais. Isso poderia explicar algumas omissões. Talvez os gersonitas não estivessem envolvidos nesse sistema, e por isso não foram arrolados na lista.

CAPÍTULO VINTE E CINCO

OS LEVITAS MÚSICOS (25.1-31)

Conteúdo do Capítulo:
1. Os *líderes*, cabeças dos levitas músicos, eram Asafe, Hemã e Jedutum (vss. 1-6).
2. Os clãs (e descendentes) foram *distribuídos* por sortes, em 24 turnos, para servirem juntamente com os 24 turnos dos sacerdotes e levitas auxiliares (vss. 8-31). Ver a divisão dos levitas sacerdotais e ajudantes (não aarônicos) em 24 turnos, no capítulo 24.

Caracterização Geral. "Davi organizou os músicos (vss. 1-8), correspondentes às 24 divisões dos sacerdotes (capítulo 24), e projetou 24 divisões dos músicos, arranjados sob os três grandes nomes, Asafe, Hemã e Jedutum. Cf. 1Cr 6.31-48; 15.16-24; 16.4-7,34-72; 23.5. Aqui Jedutum toma o lugar de Etã, o nome citado nas outras listas. De acordo com 1Cr 23.5, o número total de músicos era de cerca de 4.000; mas aqui (vs. 7) somente 288 (24 x 12) são considerados" (*Oxford Annotated Bible*, na introdução ao capítulo 25).

Músicos Proféticos. O versículo 1 evidentemente significa mais do que os músicos acompanhavam o trabalho sacerdotal com cânticos e instrumentos. Quase certamente, devemos compreender que esses homens *produziam* declarações proféticas quando estavam em estado de *êxtase*, induzidos pela música rítmica. Esse uso da música é bem conhecido na tradição mística, e tem sido correntemente empregado, quer sem intenção, como no caso de místicos amadores, quer propositadamente, por místicos profissionais que conhecem o poder da música.

Esses profetas profissionais, que produziam em seu êxtase declarações proféticas por meio da música, faziam parte do pessoal do templo. Havia uma subdivisão da tradição profética. Isso não significa, naturalmente, que todas (ou mesmo a maioria) de suas declarações fossem realmente inspiradas pelo Espírito de Deus. No misticismo ocorre toda espécie de coisas produzidas pelos poderes psíquicos dos homens, bons ou maus, aos quais não devemos ser tentados a chamar de *divinos.*

■ 25.1

וַיַּבְדֵּל דָּוִיד וְשָׂרֵי הַצָּבָא לַעֲבֹדָה לִבְנֵי אָסָף וְהֵימָן וִידוּתוּן הַנִּבְּאִים בְּכִנֹּרוֹת בִּנְבָלִים וּבִמְצִלְתָּיִם וַיְהִי מִסְפָּרָם אַנְשֵׁי מְלָאכָה לַעֲבֹדָתָם:

Davi, juntamente com os chefes do serviço. O *ministério* do templo incluía, em base regular, o uso da música, tanto sob a forma de canto como sob a forma de instrumentos musicais. Na introdução ao capítulo, dou várias referências a este fato. Quatro mil músicos estavam envolvidos, mas 288 atuavam no templo (vs. 7). Cada turno tinha doze participantes, e podemos deduzir daí que estavam envolvidos 24 turnos, pois 24 x 12 = 288. Além disso, com base nos vss. 9 ss., é mencionado especificamente doze como o número dos participantes nos 24 turnos. Esses 24 turnos pertenciam a *três* grandes clãs musicais, cujos cabeças originais (e antepassados) foram *Asafe, Hemã e Jedutum* (vs. 1). Jedutum pode ter sido outro nome para Etã, citado nas outras listas que tratam do assunto. Ver 1Cr 15.7,19. Cf. 1Cr 23.2 e 24.6. Os 24 turnos dos levitas sacerdotais eram ajudados por 24 turnos de levitas profetas-músicos, e, sem dúvida, o lançamento de sortes era usado para selecionar e nomear cada grupo e o período de serviço. Ver no vs. 8 comentário a respeito do uso de sortes.

Para profetizarem com harpas, alaúdes e címbalos. Isso implica mais do que dizer que eles entoavam cânticos espirituais com um conteúdo profético. O que acontecia era mais do que uma proclamação musical da revelação divina. Ver 1Sm 10.5; 2Rs 3.15. Aqueles homens usavam a música para induzir o êxtase e o transe, e, nessa condição, profetizavam ou davam supostas declarações inspiradas. Em outras palavras, eles formavam uma subdivisão da tradição profética.

O *poder da música* para produzir o transe e o êxtase é bem conhecido, sendo empregado, com esse propósito, por muitos ramos da tradição mística. Chico Xavier produzia seus transes por meio da música; os crentes pentecostais fazem-no através de sua música rítmica e alta, acompanhada por palmas; os africanos pagãos recorrem a atabaques e cânticos; os hindus, assim como os budistas, também valem-se de cânticos. Além disso, no Brasil, temos vários ramos do espiritismo, especialmente os que sofrem a influência africana, que usam a música e a dança para induzir o transe e o êxtase. Quanto disso, no judaísmo, no cristianismo, nas religiões e culturas não cristãs, pode ser atribuído ao Espírito de Deus ou a bons poderes espirituais inferiores, como o dos anjos, é algo aberto à questão. O transe e o êxtase podem ser postos a funcionar para promover toda espécie de expressão espiritual, boa ou má. Não é necessário supor que tudo quanto acontecia no judaísmo (dessa natureza) ou no cristianismo primitivo (ou dos nossos dias) fosse bom ou espiritual. Poderes psíquicos humanos e naturais podem produzir coisas realmente fantásticas. *Algumas vezes* o Espírito Santo está envolvido, mas com muita frequência é bastante arriscado tentar adivinhar. Ver no *Dicionário* o artigo intitulado *Música, Instrumentos Musicais.*

■ 25.2

לִבְנֵי אָסָף זַכּוּר וְיוֹסֵף וּנְתַנְיָה וַאֲשַׂרְאֵלָה בְּנֵי אָסָף עַל יַד־אָסָף הַנִּבָּא עַל־יְדֵי הַמֶּלֶךְ:

Dos filhos de Asafe. Asafe, nomeado para o ministério musical pelo rei Davi, teve vários filhos que foram orientados por ele para desempenhar suas tarefas. Eles estavam envolvidos na atividade de música profética, que descrevi na exposição do primeiro versículo. Como em todos os casos em que são fornecidos nomes próprios, ver o *Dicionário,* que provê artigos separados sobre esses nomes. Usualmente, nada sabemos sobre os donos desses nomes, exceto o que pode ser deduzido dos próprios textos bíblicos.

Os filhos de *Asafe* são listados nos vss. 2, 9, 10, 11 e 14. Com seus filhos e parentes, quatro dos 24 turnos de músicos levitas foram supridos. A seleção dos serviços deles e de seus tempos de serviço foi determinada pelo lançamento de sortes (vs. 8). Ver 1Cr 24.5,6 sobre essa questão. Originalmente, os quatro cursos derivados de Asafe estavam sob sua direção e controle direto. Davi havia nomeado os músicos espirituais para seu ofício (ver 1Cr 16.37-41), e devemos compreender que ele estava também diretamente envolvido na questão dos 24 turnos que serviam no templo de Jerusalém.

■ 25.3

לִידוּתוּן בְּנֵי יְדוּתוּן גְּדַלְיָהוּ וּצְרִי וִישַׁעְיָהוּ חֲשַׁבְיָהוּ וּמַתִּתְיָהוּ שִׁשָּׁה עַל יְדֵי אֲבִיהֶם יְדוּתוּן בַּכִּנּוֹר הַנִּבָּא עַל־הֹדוֹת וְהַלֵּל לַיהוָה: ס

Quanto à família de Jedutum. Jedutum, nomeado para o ministério pelo rei Davi, teve vários filhos que foram orientados por ele para desempenhar suas tarefas. Eles estavam envolvidos na atividade de música profética, que descrevi na exposição sobre o primeiro versículo deste capítulo. Essa família proveu seis dos 24 turnos de músicos levitas. Eles, assim como os outros, foram selecionados e designados para seus períodos específicos de serviço, por meio do lançamento de sortes (vs. 8). Ver 1Cr 24.5,6 quanto a essa questão. Ver os vss. 9, 11, 15, 17, 19 e 21 quanto aos músicos descendentes de Jedutum. O ministério era de profecia (vss. 2 e 3), mas também de ação de graças e louvores a *Yahweh-Elohim,* a fonte de todo o bem-estar. Ver no *Dicionário* o artigo chamado *Deus, Nomes Bíblicos de.*

■ 25.4

לְהֵימָן בְּנֵי הֵימָן בֻּקִּיָּהוּ מַתַּנְיָהוּ עֻזִּיאֵל שְׁבוּאֵל וִירִימוֹת חֲנַנְיָה חֲנָנִי אֱלִיאָתָה גִּדַּלְתִּי וְרֹמַמְתִּי עֶזֶר יָשְׁבְּקָשָׁה מַלּוֹתִי הוֹתִיר מַחֲזִיאוֹת:

Quanto à família de Hemã. Os filhos (descendentes) de *Hemã* formavam catorze dos 24 turnos de levitas musicais. Além do presente versículo, os vss. 5, 13, 16, 18, 20 e 22-31 dão os nomes dos membros desse clã, que participava do ministério da música e da profecia. Portanto, havia 24 turnos de levitas não sacerdotais (ajudantes) que serviam no templo de Jerusalém. Os levitas musicais totalizavam 288 homens (vs. 7, isto é, 24 x 12 = 288). Como é óbvio, foi feita uma seleção para atingir esse número. Havia quatro mil levitas musicais (1Cr 23.5), mas somente uma pequena porcentagem deles servia no templo.

■ 25.5

כָּל־אֵלֶּה בָנִים לְהֵימָן חֹזֵה הַמֶּלֶךְ בְּדִבְרֵי הָאֱלֹהִים לְהָרִים קָרֶן וַיִּתֵּן הָאֱלֹהִים לְהֵימָן בָּנִים אַרְבָּעָה עָשָׂר וּבָנוֹת שָׁלוֹשׁ:

Todos estes foram filhos de Hemã, o vidente do rei. Presumimos que o clã musical de Hemã fizesse mais do que tocar os instrumentos de sopro (os chifres) que este versículo menciona. *Catorze* turnos vinham desse clã, conforme nos diz o presente versículo. Além de seus catorze filhos, Hemã também teve três filhas, as quais, por serem mulheres, não tinham parte ativa no culto do templo. Filhos e filhas são presentes de Deus (ver Sl 127.3). Mas as filhas de Hemã distinguiram-se de uma maneira que atraiu a atenção do autor. Ellicott (*in loc.*) supõe que a menção às filhas de Hemã implique que elas desempenharam algum papel no ministério da música e chama a nossa atenção para Êx 15.20; Jz 11.34 e 1Sm 18.6. Sem dúvida, mulheres entoavam cânticos espirituais e algumas delas agiam como profetisas (ver o vs. 1). Mas isso era feito sobre uma base particular. Nenhuma mulher poderia servir no templo de Jerusalém.

25.6

כָּל־אֵ֣לֶּה עַל־יְדֵ֣י אֲבִיהֶם֮ בַּשִּׁיר֒ בֵּ֣ית יְהוָ֗ה בִּמְצִלְתַּ֙יִם֙ נְבָלִ֣ים וְכִנֹּר֔וֹת לַעֲבֹדַ֖ת בֵּ֣ית הָאֱלֹהִ֑ים עַ֚ל יְדֵ֣י הַמֶּ֔לֶךְ ס אָסָ֥ף וִידוּת֖וּן וְהֵימָֽן:

Todos estes estavam sob a direção respectivamente de seus pais. Este versículo recapitula a questão toda: os pais eram líderes e professores de seus clãs musicais e responsáveis pelos atos de seus filhos e descendentes. Cada clã foi preservado quanto às suas funções, através das gerações que se seguiriam. Seus membros usavam com habilidade instrumentos musicais, os três instrumentos aqui citados e os chifres (vs. 5). Eram profetas cantantes; faziam parte do pessoal do templo. Todos eles eram levitas que provinham dos três cabeças de clãs mencionados novamente no versículo presente. Este capítulo 25 mostra uma função muito elaborada, a qual foi preservada através das gerações. Havia uma *liturgia* musical. Aqueles músicos não improvisavam cada vez que apanhavam seus instrumentos, embora alguns cânticos espontâneos provavelmente também fizessem parte do ritual. O uso dos instrumentos musicais tinha de ser aprendido, tal como acontecia à liturgia. Havia mestres e alunos de música, tal como havia mestres e estudantes da lei. Davi, músico e compositor habilidoso, colocou assim grande ênfase sobre a questão, pois estava consciente do poder da música para auxiliar na adoração divina. Ver no *Dicionário* o artigo chamado *Música, Instrumentos Musicais*.

25.7

וַיְהִ֣י מִסְפָּרָ֞ם עִם־אֲחֵיהֶ֗ם מְלֻמְּדֵי־שִׁיר֙ לַיהוָ֔ה כָּל־הַמֵּבִ֕ין מָאתַ֖יִם שְׁמוֹנִ֥ים וּשְׁמוֹנָֽה:

O número deles... era duzentos e oitenta e oito. Este versículo fornece-nos o número do total dos profetas-músicos, isto é, 288, distribuídos entre 24 turnos, cada qual composto por doze músicos. Os versículos que se seguem continuam a repetir o número *doze*. Conforme os anos foram passando, deveria haver substituições contínuas, devidas a enfermidades e morte de membros dos turnos, além do fato de que o processo de ensino-aprendizado permitia substituições. Cada turno servia por uma ou duas semanas, conforme ocorria com os levitas auxiliares (a casta não-sacerdotal). Quando não era sua vez de servir no templo, eles tinham um ministério público e privado que envolvia a música. O templo não era o único lugar onde eles cantavam e tocavam. Havia também ministérios itinerantes (ver Êx 15.20; Jz 11.34; 1Sm 18.6), e sem dúvida alguns levitas, assim como algumas mulheres, dedicavam-se a essa atividade.

25.8

וַיַּפִּ֜ילוּ גּוֹרָל֣וֹת מִשְׁמֶ֗רֶת לְעֻמַּת֙ כַּקָּטֹ֣ן כַּגָּד֔וֹל מֵבִ֖ין עִם־תַּלְמִֽיד: פ

Deitaram sortes. Todos os grupos, os sacerdotais (aarônicos), os não sacerdotais (auxiliares) e os levitas músicos foram selecionados e divididos em 24 turnos, e também foram determinados os períodos de serviço por meio do lançamento de sortes. *Seleções* tiveram de ser feitas. Havia um número muito grande de levitas para que todos servissem no templo. Portanto, foi necessário definir um método para garantir a imparcialidade. Mas devemos lembrar que a *chance* era somente o instrumento de Yahweh para cumprir um *propósito* divino, *oculto* dos homens. Já que as coisas foram entregues às mãos de Yahweh, por meio do uso das sortes, então não poderia haver queixas.

Seleção dos Turnos de Doze e seus Tempos Determinados de Serviço (25.9-31)

25.9-31

V9 וַיֵּצֵ֞א הַגּוֹרָ֧ל הָרִאשׁ֛וֹן לְאָסָ֖ף לְיוֹסֵ֑ף גְּדַלְיָ֙הוּ֙ הַשֵּׁנִ֔י ה֥וּא וְאֶחָ֖יו וּבָנָ֖יו שְׁנֵ֥ים עָשָֽׂר:

V10 הַשְּׁלִשִׁ֣י זַכּ֔וּר בָּנָ֥יו וְאֶחָ֖יו שְׁנֵ֥ים עָשָֽׂר:

V11 הָרְבִיעִי֙ לַיִּצְרִ֔י בָּנָ֥יו וְאֶחָ֖יו שְׁנֵ֥ים עָשָֽׂר:

V12 הַחֲמִישִׁי֙ נְתַנְיָ֔הוּ בָּנָ֥יו וְאֶחָ֖יו שְׁנֵ֥ים עָשָֽׂר:

V13 הַשִּׁשִּׁ֣י בֻקִּיָּ֔הוּ בָּנָ֥יו וְאֶחָ֖יו שְׁנֵ֥ים עָשָֽׂר:

V14 הַשְּׁבִעִי֙ יְשַׂרְאֵ֔לָה בָּנָ֥יו וְאֶחָ֖יו שְׁנֵ֥ים עָשָֽׂר:

V15 הַשְּׁמִינִ֣י יְשַֽׁעְיָ֔הוּ בָּנָ֥יו וְאֶחָ֖יו שְׁנֵ֥ים עָשָֽׂר:

V16 הַתְּשִׁיעִי֙ מַתַּנְיָ֔הוּ בָּנָ֥יו וְאֶחָ֖יו שְׁנֵ֥ים עָשָֽׂר:

V17 הָעֲשִׂירִ֣י שִׁמְעִ֔י בָּנָ֥יו וְאֶחָ֖יו שְׁנֵ֥ים עָשָֽׂר:

V18 עַשְׁתֵּֽי־עָשָׂ֣ר עֲזַרְאֵ֔ל בָּנָ֥יו וְאֶחָ֖יו שְׁנֵ֥ים עָשָֽׂר:

V19 הַשְּׁנֵ֤ים עָשָׂר֙ לַחֲשַׁבְיָ֔ה בָּנָ֥יו וְאֶחָ֖יו שְׁנֵ֥ים עָשָֽׂר:

V20 לִשְׁלֹשָׁ֤ה עָשָׂר֙ שֽׁוּבָאֵ֔ל בָּנָ֥יו וְאֶחָ֖יו שְׁנֵ֥ים עָשָֽׂר:

V21 לְאַרְבָּעָ֤ה עָשָׂר֙ מַתִּתְיָ֔הוּ בָּנָ֥יו וְאֶחָ֖יו שְׁנֵ֥ים עָשָֽׂר:

V22 לַחֲמִשָּׁ֤ה עָשָׂר֙ לִֽירֵמ֔וֹת בָּנָ֥יו וְאֶחָ֖יו שְׁנֵ֥ים עָשָֽׂר:

V23 לְשִׁשָּׁ֤ה עָשָׂר֙ לַחֲנַנְיָ֔הוּ בָּנָ֥יו וְאֶחָ֖יו שְׁנֵ֥ים עָשָֽׂר:

V24 לְשִׁבְעָ֤ה עָשָׂר֙ לְיָשְׁבְּקָ֔שָׁה בָּנָ֥יו וְאֶחָ֖יו שְׁנֵ֥ים עָשָֽׂר:

V25 לִשְׁמוֹנָ֤ה עָשָׂר֙ לַחֲנָ֔נִי בָּנָ֥יו וְאֶחָ֖יו שְׁנֵ֥ים עָשָֽׂר:

V26 לְתִשְׁעָ֤ה עָשָׂר֙ לְמַלּ֔וֹתִי בָּנָ֥יו וְאֶחָ֖יו שְׁנֵ֥ים עָשָֽׂר:

V27 לְעֶשְׂרִים֙ לֶֽאֱלִיָּ֔תָה בָּנָ֥יו וְאֶחָ֖יו שְׁנֵ֥ים עָשָֽׂר:

V28 לְאֶחָ֤ד וְעֶשְׂרִים֙ לְהוֹתִ֔יר בָּנָ֥יו וְאֶחָ֖יו שְׁנֵ֥ים עָשָֽׂר:

V29 לִשְׁנַ֤יִם וְעֶשְׂרִים֙ לְגִדַּ֔לְתִּי בָּנָ֥יו וְאֶחָ֖יו שְׁנֵ֥ים עָשָֽׂר:

V30 לִשְׁלֹשָׁ֤ה וְעֶשְׂרִים֙ לְמַ֣חֲזִיא֔וֹת בָּנָ֥יו וְאֶחָ֖יו שְׁנֵ֥ים עָשָֽׂר:

V31 לְאַרְבָּעָ֤ה וְעֶשְׂרִים֙ לְרוֹמַ֣מְתִּי עָ֔זֶר בָּנָ֥יו וְאֶחָ֖יו שְׁנֵ֥ים עָשָֽׂר: פ

Observações:

1. Havia 24 turnos de levitas sacerdotais cuja seleção e períodos de serviço foram determinados pelo lançamento de sortes (ver 1Cr 24.1-19). Além desses, havia 24 turnos de levitas profetas e músicos que também foram selecionados e indicados para seus períodos de serviço através do lançamento de sortes (ver o capítulo 25 de 1Crônicas).

2. Quanto ao uso de sortes, no tocante aos três tipos de ministério levítico, ver 1Cr 24.5 (levitas sacerdotais); 24.31 (levitas auxiliares, não sacerdotais; 25.8 (levitas profetas e músicos).

3. Ordem de serviço dos 24 turnos dos levitas musicais.
   a. Os filhos de Asafe constituíam quatro turnos: 1, 3, 5, 7 (correspondentes às indicações dos vss. 9, 10, 12, 14).
   b. Os filhos de Jedutum (Etã) constituíam seis turnos: 2, 4, 8, 12, 14, 10 (correspondentes aos vss. 9, 11, 15, 21, 17).
   c. Os filhos de Hemã constituíam catorze turnos: 6, 9, 11, 13, 15, 16, 18, 20, 22, 24, 17, 19, 20, 23 (correspondentes aos vss. 13, 16, 18, 20, 22, 23, 25, 27, 29, 31, 24, 36, 28, 30).

4. Nada se sabe sobre a grande maioria das pessoas nomeadas, exceto o que fica óbvio pelo próprio contexto bíblico. Ver o *Dicionário* quanto a artigos sobre cada um desses nomes, quanto ao pouco que se conhece a respeito.

CAPÍTULO VINTE E SEIS

Ellicott (*in loc.*) fornece-nos as seguintes divisões deste capítulo:
1. As classes dos porteiros (vss. 1-19).
2. Os guardadores dos tesouros do santuário (vss. 20-28).
3. Os oficiais encarregados dos negócios externos (não os do templo), principalmente escribas e juízes (vss. 29-32).

O capítulo 24 descreveu os 24 turnos dos levitas sacerdotais, cada qual servindo um tempo determinado durante o ano, isto é, uma ou duas semanas, e os 24 turnos dos levitas auxiliares (não aarônicos, não sacerdotais), que também serviam no templo, como ajudantes dos sacerdotes. O capítulo 25 descreveu os 24 turnos dos levitas profetas-músicos que também serviam por períodos determinados no templo. E agora, o capítulo 26 adiciona outro detalhe sobre o ministério do templo, levitas responsáveis por tarefas que não haviam sido mencionadas antes. E também descreve o trabalho dos levitas espalhados por todo o território de Israel, não relacionados ao templo.

Cf. um material similar, dado em 1Cr 9.17-27. Existem alguns quebra-cabeças insolúveis quando este capítulo é comparado àquela passagem.

OS PORTEIROS E OS GUARDAS LEVÍTICOS (26.1-19)

■ **26.1**

לְמַחְלְק֖וֹת לְשֹֽׁעֲרִ֑ים לַקָּרְחִ֕ים מְשֶֽׁלֶמְיָ֥הוּ בֶן־קֹרֵ֖א מִן־בְּנֵ֥י אָסָֽף׃

Caracterização Geral. Havia três divisões de porteiros. A divisão de Meselemias, com seus sete filhos, que eram coatitas (vss. 1-3); a divisão de Obede-Edom, também formada por coatitas (vss. 4,5); e a subdivisão da família de Obede-Edom, que eram igualmente coatitas (vss. 6-11). Essas três divisões totalizavam oitenta pessoas (vss. 8,9). Além disso, havia a divisão dos meraritas, através de Hosa (vss. 10 e 11), composta por treze homens. Ao todo, existiam três divisões de coatitas (vss. 2, 3, 9, 4, 5, 6-8) e uma de Merari (vss. 10, 11). Os gersonitas não se faziam representar.

Aqueles que assim serviam no templo foram selecionados dentre os quatro mil homens disponíveis para o trabalho (1Cr 23). Ao que se presume, esses homens também estavam divididos em 24 turnos, tal como ocorria com os levitas sacerdotais, auxiliares (não sacerdotais) e profetas musicais, embora o texto não nos dê essa informação. Talvez o autor pensasse que compreenderíamos isso, ou então, por descuido, tenha deixado de dar-nos essa informação.

Cf. com o capítulo 24. Ver as minhas exposições sobre os vss. 20 e 31 quanto à omissão dos gersonitas no tocante aos levitas auxiliares (não sacerdotais) que serviam no templo.

Coreítas. Ou seja, descendentes de Coré, que era filho de Izar, que, por sua vez, era filho de Coate, filho de Levi. Ver Êx 6.16,18,21 e os nomes próprios no *Dicionário*. Como é óbvio, os coreítas eram coatitas. Asafe, presumivelmente, supriu descendentes para o ministério musical e para o ofício de porteiros. Mas alguns intérpretes pensam que temos em vista aqui um homem diferente, caso em que Asafe talvez seria uma forma abreviada do nome Ebiasafe (ver 1Cr 9.19). Cf. Êx 6.24. Esse "Asafe" não era um gersonita e, sim, um coreíta. Notemos que *Meselemias* é chamado de *Selemias,* no vs. 14.

■ **26.2,3**

וְלִמְשֶֽׁלֶמְיָ֖הוּ בָּנִ֑ים זְכַרְיָ֤הוּ הַבְּכוֹר֙ יְדִֽיעֲאֵ֣ל הַשֵּׁנִ֔י זְבַדְיָ֨הוּ֙ הַשְּׁלִשִׁ֔י יַתְנִיאֵ֖ל הָרְבִיעִֽי׃

עֵילָ֤ם הַֽחֲמִישִׁי֙ יְהֽוֹחָנָ֣ן הַשִּׁשִּׁ֔י אֶלְיְהֽוֹעֵינַ֖י הַשְּׁבִיעִֽי׃

Os filhos de Meselemias. Este versículo lista os filhos de Meselemias, sete ao todo, que levavam avante a tradição de um serviço levítico especial. Cf. 1Cr 9.21 e o vs. 14, no presente capítulo. Os sete filhos vieram a representar sete guildas de porteiros que serviam no templo de Jerusalém.

■ **26.4,5**

וּלְעֹבֵ֨ד אֱדֹ֜ם בָּנִ֗ים שְׁמַֽעְיָ֤ה הַבְּכוֹר֙ יְהוֹזָבָ֣ד הַשֵּׁנִ֔י יוֹאָח֙ הַשְּׁלִשִׁ֔י וְשָׂכָ֥ר הָרְבִיעִ֖י וּנְתַנְאֵ֥ל הַֽחֲמִישִֽׁי׃

עַמִּיאֵ֤ל הַשִּׁשִּׁי֙ יִשָּׂשכָ֣ר הַשְּׁבִיעִ֔י פְּעֻלְּתַ֖י הַשְּׁמִינִ֑י כִּ֥י בֵרְכ֖וֹ אֱלֹהִֽים׃ פ

Os filhos de Obede-Edom. Obede-Edom encabeçava a segunda divisão dos porteiros. Na casa desse homem a arca da aliança foi guardada por algum tempo, e por causa disso ele recebeu bênçãos especiais da parte de Yahweh. Ver 1Cr 13.14. Ele é chamado filho de Jedutum em 1Cr 16.38, mas esse homem não era o músico-chefe merarita de 1Cr 25.1, e, sim, um coreíta. Os nomes de seus filhos refletem testemunhos de seu agradecido reconhecimento do favor divino. Ver sobre eles no *Dicionário*. Quanto a Obede-Edom, o porteiro, ver 1Cr 16.38; 26.4,8,15. Quanto a Obede-Edom, o músico, ver 1Cr 13.14; 15.21; 16.38. Talvez esteja em foco um homem que serviu (em ocasiões diferentes) em ambas as funções (ver 1Cr 15.18,24; 16.4,5).

■ **26.6-11**

וְלִשְׁמַֽעְיָ֤ה בְנוֹ֙ נוֹלַ֣ד בָּנִ֔ים הַמִּמְשָׁלִ֖ים לְבֵ֣ית V6 אֲבִיהֶ֑ם כִּֽי־גִבּ֥וֹרֵי חַ֖יִל הֵֽמָּה׃

בְּנֵ֣י שְׁמַֽעְיָ֗ה עָתְנִ֤י וּרְפָאֵל֙ וְעוֹבֵ֣ד אֶלְזָבָ֔ד אֶחָ֖יו V7 בְּנֵי־חָ֑יִל אֱלִיה֖וּ וּסְמַכְיָֽהוּ׃

כָּל־אֵ֜לֶּה מִבְּנֵ֣י ׀ עֹבֵ֣ד אֱדֹ֗ם הֵ֤מָּה וּבְנֵיהֶם֙ V8 וַֽאֲחֵיהֶ֔ם אִֽישׁ־חַ֥יִל בַּכֹּ֖חַ לַֽעֲבֹדָ֑ה שִׁשִּׁ֥ים וּשְׁנַ֖יִם לְעֹבֵ֥ד אֱדֹֽם׃

וְלִמְשֶֽׁלֶמְיָ֑הוּ בָּנִ֣ים וְאַחִ֗ים בְּנֵי־חַ֖יִל שְׁמוֹנָ֥ה V9 עָשָֽׂר׃ ס

וּלְחֹסָ֥ה מִן־בְּנֵֽי־מְרָרִ֖י בָּנִ֑ים שִׁמְרִ֤י הָרֹאשׁ֙ כִּ֣י V10 לֹא־הָיָ֣ה בְכ֔וֹר וַיְשִׂימֵ֥הוּ אָבִ֖יהוּ לְרֹֽאשׁ׃

חִלְקִיָּ֤הוּ הַשֵּׁנִי֙ טְבַלְיָ֣הוּ הַשְּׁלִשִׁ֔י זְכַרְיָ֖הוּ הָֽרְבִעִ֑י V11 כָּל־בָּנִ֧ים וְאַחִ֛ים לְחֹסָ֖ה שְׁלֹשָׁ֥ה עָשָֽׂר׃

Estes seis versículos descrevem uma subdivisão da família de Obede--Edom, que constituía a *terceira divisão* dos porteiros. seu filho, Semaías, foi o pai direto dessa divisão. Os homens dessa divisão tinham distinção militar, sendo *homens poderosos e de valor,* conforme se vê no texto. Cf. 1Cr 9.13 quanto a essa expressão. Alguns intérpretes dizem que isso se refere ao *trabalho diligente* deles no campo do culto espiritual, e não a feitos militares. Provavelmente tratavam-se de bravos homens militares que, posteriormente, dedicaram seu valor ao templo. O versículo 8 repete uma declaração similar, que também é ambígua. O original hebraico diz, literalmente, "homens de poder".

As três divisões dos coatitas (vss. 2,3; vss. 4,5 e vss. 6-8), e uma de Merari (vss. 10,11), totalizavam 93 homens. Os seus descendentes eram abundantes, de maneira que precisavam ser feitas seleções, mas as divisões por famílias, para o trabalho, continuaram a ser observadas. O ramo de Merari veio através de Hosa, de quem seu filho, Sinri, constituía a chefia. Treze homens eram os representantes originais dessa linhagem, a quarta divisão dos porteiros. Os *gersonitas* não aparecem como colaboradores para formar o grupo dos porteiros. Ver 1Cr 24.20,31 quanto à não participação deles no tocante aos levitas auxiliares (não sacerdotais) e seu ministério subordinado como ajudantes dos sacerdotes.

Dentro dessa *quarta divisão,* Sinri, embora não fosse o primogênito de Hosa, era a principal personagem. Talvez o primogênito tivesse morrido, ou por alguma razão que não nos é dita estivesse desqualificado, ou talvez fosse homem de menor habilidade e não estivesse apto a encabeçar o trabalho.

26.12-19

V12 לְאֵ֣לֶּה מַחְלְק֤וֹת הַשֹּֽׁעֲרִים֙ לְרָאשֵׁ֣י הַגְּבָרִ֔ים
מִשְׁמָר֖וֹת לְעֻמַּ֣ת אֲחֵיהֶ֑ם לְשָׁרֵ֖ת בְּבֵ֥ית יְהוָֽה׃

V13 וַיַּפִּ֨ילוּ גוֹרָל֜וֹת כַּקָּטֹ֧ן כַּגָּד֛וֹל לְבֵ֥ית אֲבוֹתָ֖ם
לְשַׁ֥עַר וָשָֽׁעַר׃ פ

V14 וַיִּפֹּ֨ל הַגּוֹרָ֤ל מִזְרָ֙חָה֙ לְשֶֽׁלֶמְיָ֔הוּ וּזְכַרְיָ֣הוּ בְנ֗וֹ
יוֹעֵץ֙ בְּשֶׂ֔כֶל הִפִּ֙ילוּ֙ גּוֹרָל֔וֹת וַיֵּצֵ֥א גוֹרָל֖וֹ צָפֽוֹנָה׃ ס

V15 לְעֹבֵ֥ד אֱדֹ֖ם נֶ֑גְבָּה וּלְבָנָ֖יו בֵּ֥ית הָאֲסֻפִּֽים׃

V16 לְשֻׁפִּ֤ים וּלְחֹסָה֙ לַֽמַּעֲרָ֔ב עִ֚ם שַׁ֣עַר שַׁלֶּ֔כֶת
בַּֽמְסִלָּ֖ה הָעוֹלָ֑ה מִשְׁמָ֖ר לְעֻמַּ֥ת מִשְׁמָֽר׃

V17 לַמִּזְרָח֙ הַלְוִיִּ֣ם שִׁשָּׁ֔ה לַצָּפ֥וֹנָה לַיּ֖וֹם אַרְבָּעָ֑ה
לַנֶּ֤גְבָּה לַיּוֹם֙ אַרְבָּעָ֔ה וְלָאֲסֻפִּ֖ים שְׁנַ֥יִם שְׁנָֽיִם׃

V18 לַפַּרְבָּ֖ר לַֽמַּעֲרָ֑ב אַרְבָּעָה֙ לַֽמְסִלָּ֔ה שְׁנַ֖יִם
לַפַּרְבָּֽר׃

V19 אֵ֣לֶּה מַחְלְק֥וֹת הַשֹּׁעֲרִ֖ים לִבְנֵ֣י הַקָּרְחִ֑י וְלִבְנֵ֥י
מְרָרִֽי׃

Observações:

1. *Vs. 12.* Quatro mil levitas pertenciam às guildas dos porteiros, mas os 93 homens mencionados eram os chefes originais e, ao longo do caminho, tinham de ser feitas seleções, visto que, como é óbvio, quatro mil homens não poderiam ser empregados nesse trabalho. Os chefes tinham a tarefa de supervisionar as vigílias, presumivelmente como cabeças dos 24 turnos dos porteiros, embora o cronista não mencione esse aspecto a respeito desses levitas.

2. *Vs. 13.* Foram empregadas sortes para selecionar os porteiros e determinar os períodos (uma ou duas semanas) em que cada grupo se mostraria ativo no templo e em seus recintos. Quanto ao uso das sortes, ver notas expositivas em 1Cr 24.5,6.

3. *Vários conjuntos* de turnos de 24 cada:
   a. Os levitas sacerdotais tinham seus 24 turnos (1Cr 24.1-19).
   b. Outro tanto se dava no caso dos levitas auxiliares (não sacerdotais), que ajudavam os sacerdotes (1Cr 24.20-31).
   c. Então vinham os 24 turnos dos levitas profetas-músicos (1Cr 25).
   d. E, presumivelmente, os porteiros também estavam divididos em 24 cursos (1Cr 26.1-19).

4. *Vss. 14-19.* Estes versículos mencionam apenas qual portão cada grupo de porteiros deveria guardar, mencionando, individualmente, todas as quatro direções da bússola: leste (vs. 14), sul (vs. 15), oeste (vs. 16) e norte (vs. 17). Havia um total de 24 porteiros (vss. 17 e 18), mas os números dizem respeito somente aos líderes. Poderia haver outros, além dos líderes designados.

   a. *Selemias* (vs. 14) é o mesmo Meselemias do primeiro versículo. O portão *oriental* foi chamado, posteriormente, de Porta de Susã, pois a cidade desse nome estava desenhada no portão (*Mis. Middot.*, cap. 1, sec. 3).
   b. O portão do *sul* veio a chamar-se *Hulda*, nome que significa *reunião*. Talvez nesse lugar fossem realizadas as reuniões públicas (*Misn. Middot*, cap. 2, sec. 3).
   c. Na muralha *ocidental* (vs. 16) havia quatro portões. Esse portão era chamado *Salequete*, que significa "jogar para baixo". Em Is 6.13 a palavra refere-se à derrubada de árvores. Mas no presente vs. 16, provavelmente refere-se ao lançamento de lixo. Alguns intérpretes veem nisso um sentido diferente. Era desse portão que saía uma subida do palácio de Salomão para o templo. Ver 1Rs 10.5 e Josefo (*Antiq.* 1.5, cap. 11, sec. 5). Essa subida era uma espécie de passadiço ladeado por carvalhos.
   d. O portão do *norte* (vs. 17) não é acompanhado por declarações embelezadoras, mas é mencionado apenas incidentalmente, quando é declarado o número de guardas que protegia cada portão.

   Casa de depósitos (vss. 15 e 17). No hebraico, esse nome, *assumpim*, significa "armazéns". Algumas traduções, como a nossa versão portuguesa, traduzem o termo, mas em outras há apenas uma transliteração. Quatro guardas foram convocados para aquele lugar, dois para uma das portas, e dois para a outra. Nos *assupim* havia dois portões na muralha ocidental, de acordo com a interpretação do dr. Lightfoot. Mas a referência é vaga.

   O vs. 17 dá-nos o número dos guardas empregados dos vários portões: *seis* são atribuídos ao portão oriental, visto ser ele o mais importante e mais movimentado.

5. *vss. 17,18.* Número total dos guardas:
   a. Seis guardas foram nomeados para vigiar a porta oriental.
   b. Quatro foram colocados no portão do norte.
   c. Quatro protegiam o portão do sul.
   d. Dois conjuntos de dois guardas ficavam nos *assupim* (casa de depósitos), dois para uma das portas e dois para a outra porta.
   e. No átrio do ocidente (vs. 18) havia um total de *seis* guardas, quatro no caminho e dois junto ao átrio propriamente dito. No hebraico temos a palavra *parbar*, que tem um significado incerto. Jamieson (*in loc.*) associa essa palavra a *parvar*, que significa "subúrbios", ver 1Rs 23.11. Nesse caso, o portão mencionado pode ter sido o que dava para uma estrada que saía para os subúrbios circundantes de Jerusalém. Josefo falou em um portão que levava aos subúrbios (*Antiq.* 1.15, cap. 11, sec. 5) e ficava no lado ocidental da cidade.

   Portanto, havia ao todo 24 guardas, que ocupavam suas funções diariamente, mas seriam substituídos por outros, conforme se revezavam os 24 turnos.

6. *Vs. 19.* O autor sagrado encerra aqui a descrição dos porteiros, e doravante tratará de outra questão, a saber, a dos levitas *tesoureiros*.

OS TESOUREIROS LEVÍTICOS (26.20-28)

Os capítulos 24 a 26 de 1Crônicas descrevem com detalhes vários grupos específicos de levitas que estavam engajados no culto divino, de diferentes maneiras:

1. Os *levitas não sacerdotais*, todos eles descendentes de Arão, os quais eram assistentes dos levitas sacerdotais (1Cr 24.20-31). Foi especificamente declarado que eles estavam divididos em 24 turnos (vs. 18).
2. Os *levitas auxiliares, não sacerdotais*, que não descendiam de Arão, mas eram ajudantes dos levitas sacerdotais (1Cr 24.20-31). Esses, presumivelmente, também estavam divididos em 24 turnos (ver o vs. 31).
3. Os *levitas profetas musicais* (ver 1Cr 25). Quanto a esses, foi dito especificamente que estavam divididos em 24 turnos (1Cr 25.31).
4. Os *levitas porteiros e guardas* (1Cr 26.1-19). Presumivelmente, também estavam divididos em 24 turnos (ver o vs. 13).
5. Os *levitas tesoureiros* (1Cr 26.20-28). Não há indício de que eles tenham sido escolhidos por meio do lançamento de sortes, ou divididos em 24 turnos, por isso não sabemos se esses levitas foram ou não divididos como os outros.
6. Os *levitas administradores* (1Cr 26.29-32). Não há indício de que eles tenham sido selecionados pelo lançamento de sortes, ou divididos em 24 turnos, de modo que não sabemos se foram tratados da mesma maneira que os outros levitas. Entretanto, esses levitas não faziam parte do pessoal do templo, razão pela qual não se revezam. O número deles era de 4.400, o que talvez indique ter havido alguma necessidade de seleção.

26.20

וְהַלְוִיִּ֖ם אֲחִיָּ֑ה עַל־אוֹצְר֖וֹת בֵּ֣ית הָאֱלֹהִ֑ים וּלְאֹצְר֖וֹת
הַקֳּדָשִֽׁים׃

O original hebraico é bastante estranho aqui: "... dos levitas, Aías..." O nome desse homem não é mencionado em nenhuma lista prévia, sendo introduzido abruptamente, sem nenhuma outra informação. A

Septuaginta corrigiu (sem dúvida mediante conjectura) para "seus irmãos que tinham o encargo dos tesouros da casa de Deus". Isso soluciona o problema, mas a maioria das traduções e intérpretes prefere ficar com o original hebraico. Os versículos que se seguem são caracterizados por certa confusão e uma "excepcional falta de confiança" (W. A. L. Elmslie, *in loc.*). Portanto, não seria admirável se o versículo primeiro tivesse dado início aos problemas. Uma fonte informativa separada pode ter sido incorporada, quebrando a harmonia dos textos anteriores.

Os *tesouros* do templo provinham de rendas de dízimos e ofertas, mas grande parte originava-se dos saques de guerra. Por certo, a imensa riqueza que Davi colocara no templo (capítulo 22) derivava-se, em sua maior parte, do saque dos oito inimigos derrotados de Israel (ver as notas expositivas em 2Sm 10.19). Além disso, havia contribuições da parte de potências estrangeiras amigáveis, como de Hirão, rei de Tiro, que provavelmente encheram mais ainda os cofres do templo. Ver os vss. 26 e 27, que adicionam detalhes ao que diz o vs. 20. Ver também Êx 30.11-14; Lv 27; Nm 18; 1Cr 29.7,8. O dinheiro era revertido no salário dos levitas, nas despesas com o sistema de sacrifícios e no culto religioso em geral.

26.21,22

בְּנֵי לַעְדָּן בְּנֵי הַגֵּרְשֻׁנִּי לְלַעְדָּן רָאשֵׁי הָאָבוֹת לְלַעְדָּן הַגֵּרְשֻׁנִּי יְחִיאֵלִי:

בְּנֵי יְחִיאֵלִי זֵתָם וְיוֹאֵל אָחִיו עַל־אֹצְרוֹת בֵּית יְהוָה:

Parte do gerenciamento dos recursos do templo ficara nas mãos dos gersonitas. Gérson era um dos filhos de Levi, através da linhagem de Ladã (ou Libni). Cf. Êx 6.17; 1Cr 6.17. Além desses havia a família de Jeieli, também envolvida, outro ramo dos gersonitas.

26.23

לַעַמְרָמִי לַיִּצְהָרִי לַחֶבְרוֹנִי לָעָזִּיאֵלִי:

As pessoas aqui mencionadas eram descendentes dos quatro filhos de *Coate*, Amrã, Izar, Hebrom e Uziel (ver Êx 6.18). Eles participavam do gerenciamento financeiro do templo.

26.24

וּשְׁבֻאֵל בֶּן־גֵּרְשׁוֹם בֶּן־מֹשֶׁה נָגִיד עַל־הָאֹצָרוֹת:

Um clã, descendente de Moisés e encabeçado por *Sebuel*, estava envolvido no trabalho do tesouro do templo. Cf. 1Cr 23.16. Jarchi e Kimchi faziam de Sebuel o *principal* dos tesoureiros. O ofício de controlador chefe dos tesouros era hereditário na casa desse anramita. Por isso ele foi chamado de governador ou príncipe.

26.25

וְאֶחָיו לֶאֱלִיעֶזֶר רְחַבְיָהוּ בְנוֹ וִישַׁעְיָהוּ בְנוֹ וְיֹרָם בְּנוֹ וְזִכְרִי בְנוֹ וּשְׁלֹמוֹת בְּנוֹ:

Também estavam envolvidos os parentes de Sebuel, que vinham através da linhagem de Eliezer, cujos nomes são dados aqui e anotados no *Dicionário*. Este versículo mostra a descendência dos homens que tinham as funções e os ofícios descritos no vs. 26.

26.26

הוּא שְׁלֹמוֹת וְאֶחָיו עַל כָּל־אֹצְרוֹת הַקֳּדָשִׁים אֲשֶׁר הִקְדִּישׁ דָּוִיד הַמֶּלֶךְ וְרָאשֵׁי הָאָבוֹת לְשָׂרֵי־הָאֲלָפִים וְהַמֵּאוֹת וְשָׂרֵי הַצָּבָא:

Os homens cujos nomes figuram neste versículo manuseavam os fundos e os tesouros que se originavam através da conquista militar, oferecidos por generosos capitães do exército de Israel (como Joabe e Abner; 2Sm 8.16; 1Cr 18.15; 27.34). Ver também Nm 31.48-50. Pode-se chegar à conclusão de que aqueles que manipulavam o dinheiro e os frutos dos despojos eram, eles mesmos, notáveis militares. Mas o principal colaborador dos despojos de guerra foi o próprio Davi, aquele que havia derrotado os *oito inimigos* de Israel e tomado uma quantidade prodigiosa de despojos. Ver 2Sm 8.11 e 10.19 quanto às vitórias universais de Davi. Os inimigos que ele não aniquilou, ele confinou.

26.27

מִן־הַמִּלְחָמוֹת וּמִן־הַשָּׁלָל הִקְדִּישׁוּ לְחַזֵּק לְבֵית יְהוָה:

Antes que o templo fosse construído, houve abundantes fundos para o projeto. E quando o templo teve de ser reparado, também houve fundos adequados. Seus imensos tesouros sob a forma de ouro, prata e bronze haviam sido conquistados mediante o saque. Israel não fazia outra coisa senão seguir um antigo costume. Os exércitos romanos dedicavam parte dos despojos que tomavam aos templos e cultos religiosos. Temos algumas linhas de autoria de *Virgílio* que ilustram esse ponto:

Irrimus ferro, et divos, ipsumque vocamus
Im partem praedamque Jovem.

Aen. iii.vs. 222

(Com armas, nós, a presa bem acolhida invadimos.
Então convidamos os deuses como convivas da festa,
E o próprio Jove, o principal convidado.)

Traduzido para o inglês por Dryden e agora traduzido para o português

Ver 2Rs 12.8 quanto à manutenção do templo, e cf. Ne 3.4,7.

26.28

וְכֹל הַהִקְדִּישׁ שְׁמוּאֵל הָרֹאֶה וְשָׁאוּל בֶּן־קִישׁ וְאַבְנֵר בֶּן־נֵר וְיוֹאָב בֶּן־צְרוּיָה כֹּל הַמַּקְדִּישׁ עַל יַד־שְׁלֹמִית וְאֶחָיו: פ

A *história* das coisas dedicadas, obtidas através da pilhagem ou de outras maneiras, é mencionada aqui, a começar por Samuel, o último juiz, que consagrou a monarquia. Devemos compreender que um considerável tesouro havia sido acumulado e esse tesouro precisava do cuidadoso gerenciamento dos levitas nomeados para a tarefa. O autor quis dizer que fazia parte da *prática geral* dos homens de guerra dedicar parte do que conquistavam ao culto sagrado, uma vez que os salários dos soldados tivessem sido pagos dos despojos. Cf. 2Sm 8.11 e 2Rs 12.18. "A lei, de fato, ordenava a dedicação de todos os metais para o santuário (Nm 1.22,23,50; Js 6.19)" (Ellicott, *in loc.*). Portanto, havia grandes riquezas acumuladas, dedicadas à construção e manutenção do templo de Jerusalém. *Selomite* era o principal guardião e manipulador desses bens (vss. 26 e 28). Está aqui em pauta um homem diferente, com o mesmo nome mencionado em 1Cr 23.18.

OS ADMINISTRADORES LEVÍTICOS (26.29-32)

Ver 1Cr 26.20-28 e suas notas expositivas quanto a um sumário sobre as várias funções dos levitas, onde listei *seis* diferentes espécies de guildas. Havia os sacerdotes, os auxiliares (não pertencentes à família de Arão), os profetas músicos, os porteiros, os tesoureiros e, agora, os administradores, que não trabalhavam diretamente no templo, mas fora dali, por todo o território de Israel, cumprindo uma variedade de deveres. Os administradores não estavam divididos em turnos, visto que não cumpriam deveres no templo que requeressem rotação. Eles eram em número de 4.400, sendo provável que alguma espécie de seleção tenha sido necessária, a menos que compreendamos que *todos eles*, de alguma maneira, foram postos em posição de autoridade (o que não é provável). Mas nessa seleção (se é que houve) não ocorreu nenhum lançamento de sortes, como se dava no caso das outras guildas. Ver 1Cr 24.5,6.

"Os *anramitas* estavam encarregados do tesouro (vss. 23-28), mas seus irmãos, os *izraitas*, ofereciam uma liderança externa; em outras palavras, estavam encarregados de deveres em áreas afastadas, longe do templo (vs. 29). Os descendentes de Hebrom também receberam tarefas a desempenhar em outros lugares do reino. Sob as ordens de Hasabias estavam 1.700 deles. Esses serviam nas tribos ocidentais (vs. 30). Outros 2.700 estavam sob o comando de Jerias e trabalhavam na Transjordânia (o lado oriental do país; vss. 31 e 32). Os seis mil oficiais e juízes referidos em 1Cr 23.4 podem ser os 1.700 e os 2.700 levitas (ver 1Cr 26.30,32), além dos levitas encarregados dos tesouros do templo (vss. 20-22)" (Eugene H. Merrill, com uma boa nota de sumário).

■ 26.29

לְיִצְהָרִ֞י כְּנַנְיָ֣הוּ וּבָנָ֗יו לַמְּלָאכָ֤ה הַחִֽיצוֹנָה֙ עַל־יִשְׂרָאֵ֔ל לְשֹׁטְרִ֖ים וּלְשֹׁפְטִֽים׃

Negócios externos. Ou seja, por todo o território de Israel, servindo fora do templo de Jerusalém. Além de posições de autoridade, como a dos juízes, havia trabalho que envolvia a agricultura, a colheita de madeira, o lavrar de pedras, tudo o que ajudava a sustentar os levitas, e algumas outras atividades que produziam contribuições para o santuário. Seis mil levitas estavam envolvidos (1Cr 23.4), mas alguma espécie de seleção, natural ou forçada, provavelmente separava os juízes das massas que trabalhavam em certa variedade de empreendimentos físicos. Além disso, havia a questão da coleta dos dízimos e das taxas, entregues nas mãos dos levitas. A grande variedade de tarefas significa que todos os seis mil levitas tinham algum trabalho para fazer.

■ 26.30

לַֽחֶבְרוֹנִ֡י חֲשַׁבְיָהוּ֩ וְאֶחָ֨יו בְּנֵי־חַ֜יִל אֶ֤לֶף וּשְׁבַע־מֵאוֹת֙ עַ֚ל פְּקֻדַּ֣ת יִשְׂרָאֵ֔ל מֵעֵ֥בֶר לַיַּרְדֵּ֖ן מַעְרָ֑בָה לְכֹל֙ מְלֶ֣אכֶת יְהוָ֔ה וְלַעֲבֹדַ֖ת הַמֶּֽלֶךְ׃

Dentre o clã dos *hebronitas,* através de Hasabias, havia 1.700 homens. Eles trabalhavam no lado ocidental do rio Jordão, nas várias tribos da região. Para chegar aos seis mil homens referidos em 1Cr 23.4, John Gill (*in loc.*) conjecturou a seguinte situação: 1.600 (vs. 29, nenhum número dado no próprio versículo); 1.700 (vs. 30); 2.700 (vs. 32) — ou seja, um total de seis mil. Ver a outra conjectura, de Eugene H. Merrill, na introdução a esta seção, anteriormente.

■ 26.31

לַֽחֶבְרוֹנִי֙ יְרִיָּ֣ה הָרֹ֔אשׁ לַֽחֶבְרוֹנִ֥י לְתֹלְדֹתָ֖יו לְאָב֑וֹת בִּשְׁנַ֨ת הָֽאַרְבָּעִ֜ים לְמַלְכ֤וּת דָּוִיד֙ נִדְרָ֔שׁוּ וַיִּמָּצֵ֥א בָהֶ֛ם גִּבּ֥וֹרֵי חַ֖יִל בְּיַעְזֵ֥יר גִּלְעָֽד׃

Quando Davi estava no último ano de seu reinado, os homens mencionados foram listados para suas tarefas. A grande área contribuinte para esse grupo (vss. 31 e 32) era a cidade de Jazer, na região de Gileade. Quanto a essa cidade, ver o *Dicionário*. E quanto ao lado ocidental do rio Jordão, cf. Js 5.1 e 22.7.

■ 26.32

וְאֶחָ֣יו בְּנֵי־חַ֗יִל אַלְפַּ֛יִם וּשְׁבַ֥ע מֵא֖וֹת רָאשֵׁ֣י הָאָב֑וֹת וַיַּפְקִידֵ֣ם דָּוִ֣יד הַמֶּ֡לֶךְ עַל־הָראוּבֵנִ֣י וְהַגָּדִי֩ וַחֲצִ֨י שֵׁ֤בֶט הַֽמְנַשִּׁי֙ לְכָל־דְּבַ֣ר הָאֱלֹהִ֔ים וּדְבַ֖ר הַמֶּֽלֶךְ׃ פ

Mais cidades contribuíram, além de Jazer, certamente. Seja como for, na Transjordânia (lado oriental do país), 2.700 levitas trabalhavam em várias funções, incluindo juízes para as questões civis e religiosas, mas também trabalho manual, conforme sugeri nas notas sobre o vs. 29. São mencionadas as três tribos de Rúben, Gade e a meia tribo de Manassés. Portanto, a porção ocidental deve apontar para o restante do território de Israel. As direções norte e sul são ignoradas nessa referência simplista à totalidade servil. Os levitas deveriam servir a seu rei e a seu Deus. Levi tornara-se uma casta servil, não mais sendo, em um sentido verdadeiro, uma tribo com sua própria herança sob a forma de terras.

Adam Clarke (*in loc.*) faz um apelo em favor da separação entre Igreja e Estado. Mas isso é anacrônico em relação ao texto presente. O Estado dependia pesadamente da religião em Israel ou, pelo menos, esse era o ideal. Em uma teocracia havia apenas um ideal orientador, o qual, presumivelmente, foi transferido para a monarquia: *Yahweh é tudo.* Nesse caso, o secular também é divino.

CAPÍTULO VINTE E SETE

ADMINISTRAÇÃO MILITAR E CIVIL (27.1-34)

Os Doze Turnos Militares (Legiões) e seus Capitães (27.1-15)

"O cronista, em uma atitude superlativa, informa-nos que, na pequena área de Judá e no território central de Canaã, o Davi ideal tinha à disposição nada menos de 288 mil guerreiros treinados, em rotação, 24 mil a cada mês" (W. A. L. Elmslie, *in loc.*).

Talvez a convocação correspondesse a padrões tribais (cf. 1Rs 4.7-19) e estivessem em vista mais do que Judá e o território central de Canaã. *A maioria* dos nomes que se seguem aparecem nas listas dos heróis de Davi (ver 2Sm 23.8-39 e 1Cr 11.10-47). Foi assim que Davi pôs aqueles homens para trabalhar em seu exército grandemente expandido, e então os dignificou com postos de liderança.

■ 27.1

וּבְנֵ֣י יִשְׂרָאֵ֣ל ׀ לְֽמִסְפָּרָ֡ם רָאשֵׁ֣י הָאָב֣וֹת וְשָׂרֵ֣י הָאֲלָפִ֣ים ׀ וְהַמֵּא֗וֹת וְשֹׁטְרֵיהֶם֙ הַמְשָׁרְתִ֣ים אֶת־הַמֶּ֔לֶךְ לְכֹ֣ל ׀ דְּבַ֣ר הַֽמַּחְלְק֗וֹת הַבָּאָ֤ה וְהַיֹּצֵאת֙ חֹ֣דֶשׁ בְּחֹ֔דֶשׁ לְכֹ֖ל חָדְשֵׁ֣י הַשָּׁנָ֑ה הַֽמַּחֲלֹ֙קֶת֙ הָֽאַחַ֔ת עֶשְׂרִ֥ים וְאַרְבָּעָ֖ה אָֽלֶף׃ ס

Caracterização Geral. "A divisão do povo era a mesma quanto a propósitos militares e civis (cf. Êx 18.21 e Nm 31.14). Pelo menos, a rotação dos 24 mil homens nomeados para servir a Davi cada mês é descrita como que indicando que eles foram arranjados segundo essa antiga e familiar divisão... As legiões de 24 mil homens eram divididas em regimentos de mil homens, e esses regimentos eram divididos em companhia de cem homens, cada qual com o seu capitão. Portanto, havia 24 capitães de mil, com 240 centuriões" (Jamieson, *in loc.*). De acordo com o método empregado, Davi sempre tinha ao seu dispor um exército permanente de 24 mil homens, que serviam sob os custos do Estado. Mas devemos pensar nesses homens como tropas de elite, e não como o total do exército permanente. Além disso, de acordo com esse método, em qualquer época de emergência, Davi podia convocar todos os 24 turnos para o serviço ativo, e assim disporia de 288 mil homens das tropas de elite ao seu comando. Quanto ao serviço mensal, presume-se que as tribos pagavam a conta, aliviando o governo central dessa despesa.

Os chefes das famílias. Devemos compreender aqui principais homens *militares* dos clãs paternos, e não anciãos civis. Cada grupo de 24 mil homens tinha um *general;* então um subgeneral sobre cada mil homens; e então um centurião sobre cada grupo de cem homens. Alguns estudiosos supõem que os "chefes das famílias" sejam os cabeças dos clãs, os quais providenciavam para que a organização dos turnos militares fosse devidamente obedecida. Nesse caso, a referência poderia ser, simplesmente, aos cabeças de clãs, mas o texto fala sobre militares, isto é, *generais.* Os nomes dados a esses chefes são, definitivamente, nomes de homens de guerra, a maioria deles colhidos dentre os heróis de Davi (ver 2Sm 23.8-39 e 1Cr 11.10-47).

■ 27.2,3

עַ֚ל הַמַּחֲלֹ֣קֶת הָרִֽאשׁוֹנָה֙ לַחֹ֣דֶשׁ הָֽרִאשׁ֔וֹן יָֽשָׁבְעָ֖ם בֶּן־זַבְדִּיאֵ֑ל וְעַל֙ מַחֲלֻקְתּ֔וֹ עֶשְׂרִ֥ים וְאַרְבָּעָ֖ה אָֽלֶף׃

מִן־בְּנֵי־פֶ֗רֶץ הָרֹ֛אשׁ לְכָל־שָׂרֵ֥י הַצְּבָא֖וֹת לַחֹ֥דֶשׁ הָרִאשֽׁוֹן׃

Jasobeão. Ele era um desses generais. Comandava o *primeiro turno* de 24 mil homens, que servia a Davi por um mês. Foi o primeiro e chefe dos valentes de Davi. Ver 1Cr 11.11 e cf. 2Sm 23.8. Provi notas expositivas nessas referências. Quanto a um sumário acerca do que sabemos sobre esse homem, ver *no Dicionário* o artigo chamado *Jasobeão.* Como em todos os outros casos, esse homem tinha servido bem a Davi em um tempo de necessidade, quando este vagueava fugindo de Saul, e assim recebeu um lugar honroso no exército de Israel, a saber, a posição de general sobre uma das grandes 24 divisões do exército. Assim opera a lei da colheita segundo a semeadura. Ver no *Dicionário* o artigo chamado *Lei Moral da Colheita segundo a Semeadura*.

Jasobeão pertencia ao clã de Judá chamado *Perez*, o mesmo ao qual Davi pertencia, de maneira que houve conexões íntimas entre eles, desde o começo. Esse turno servia no *primeiro mês* (nisã, o nosso março). Ver no *Dicionário* o verbete chamado *Calendário Judaico*.

■ 27.4

וְעַל מַחֲלֹקֶת הַחֹדֶשׁ הַשֵּׁנִי דּוֹדַי הָאֲחוֹחִי וּמַחֲלֻקְתּוֹ וּמִקְלוֹת הַנָּגִיד וְעַל מַחֲלֻקְתּוֹ עֶשְׂרִים וְאַרְבָּעָה אָלֶף: ס

Dodai, o aoíta. General do *segundo turno* de 24 mil homens militares, Dodai, o aoíta, tinha como subgeneral *Miclote*. Pai de Eleazar, Dodai foi um poderoso homem de guerra (1Cr 11.12), um dos trinta valentes de Davi. Mas o texto fala em *Eleazar*, e alguns críticos pensam que esse nome deve ser preferido aqui. O texto é incompleto e as versões dão diferentes traduções. Esse turno militar servia no *segundo mês* (ziv, abril).

■ 27.5,6

שַׂר הַצָּבָא הַשְּׁלִישִׁי לַחֹדֶשׁ הַשְּׁלִישִׁי בְּנָיָהוּ בֶן־יְהוֹיָדָע הַכֹּהֵן רֹאשׁ וְעַל מַחֲלֻקְתּוֹ עֶשְׂרִים וְאַרְבָּעָה אָלֶף:

הוּא בְנָיָהוּ גִּבּוֹר הַשְּׁלֹשִׁים וְעַל־הַשְּׁלֹשִׁים וּמַחֲלֻקְתּוֹ עַמִּיזָבָד בְּנוֹ: ס

Benaia. General do *terceiro turno* de 24 mil homens militares, tinha como subgeneral seu filho, *Amizabade*. Benaia foi um dos trinta valentes de Davi, e sua posição era de segundo homem entre os três mais valentes. Ver 1Cr 11.22-25. Ver também 2Sm 23.23. Ele e seus homens serviam no *terceiro mês* (sivã, maio).

■ 27.7

הָרְבִיעִי לַחֹדֶשׁ הָרְבִיעִי עֲשָׂה־אֵל אֲחִי יוֹאָב וּזְבַדְיָה בְנוֹ אַחֲרָיו וְעַל מַחֲלֻקְתּוֹ עֶשְׂרִים וְאַרְבָּעָה אָלֶף: ס

Asael. General do *quarto turno* de 24 mil homens militares, era irmão do feroz Joabe, e seu subgeneral era *Zebadias*, seu filho. Ele e suas tropas de elite serviam no *quarto mês* (tamuz, junho). Era sobrinho de Davi e um dos trinta homens valentes do rei (1Cr 11.26).

■ 27.8

הַחֲמִישִׁי לַחֹדֶשׁ הַחֲמִישִׁי הַשַּׂר שַׁמְהוּת הַיִּזְרָח וְעַל מַחֲלֻקְתּוֹ עֶשְׂרִים וְאַרְבָּעָה אָלֶף: ס

Samute, o izraíta. General do *quinto turno* do exército de Israel, era um dos trinta guerreiros poderosos de Davi. Ver 1Cr 11.27. seu turno servia no *quinto mês* (ab, julho). O principal subgeneral não é mencionado por nome.

■ 27.9

הַשִּׁשִּׁי לַחֹדֶשׁ הַשִּׁשִּׁי עִירָא בֶן־עִקֵּשׁ הַתְּקוֹעִי וְעַל מַחֲלֻקְתּוֹ עֶשְׂרִים וְאַרְבָּעָה אָלֶף: ס

Ira. General do *sexto turno* de 24 mil homens. Ira era um dos trinta principais guerreiros de Davi (1Cr 11.28), e seu turno servia no *sexto mês* (elul, agosto). Seu principal subgeneral também não é mencionado. Ver no *Dicionário* o verbete intitulado *Calendário Judaico*.

■ 27.10

הַשְּׁבִיעִי לַחֹדֶשׁ הַשְּׁבִיעִי חֶלֶץ הַפְּלוֹנִי מִן־בְּנֵי אֶפְרָיִם וְעַל מַחֲלֻקְתּוֹ עֶשְׂרִים וְאַרְבָּעָה אָלֶף: ס

Helez, o pelonita. General do *sétimo turno* de 24 mil homens, ele e seus homens serviam no *sétimo mês* (tisri, setembro). Ele também pertencia ao grupo dos trinta valentes de Davi (1Cr 11.27). Seu principal subgeneral não é mencionado.

■ 27.11

הַשְּׁמִינִי לַחֹדֶשׁ הַשְּׁמִינִי סִבְּכַי הַחֻשָׁתִי לַזַּרְחִי וְעַל מַחֲלֻקְתּוֹ עֶשְׂרִים וְאַרְבָּעָה אָלֶף: ס

Sibecai. General do *oitavo turno* de 24 mil homens em que o exército de Israel foi dividido, ele e seus homens serviam no *oitavo mês* (marchesvan, outubro). Ele foi um dos trinta valentes de Davi (ver 1Cr 11.29). Seu principal auxiliar (e subgeneral) não é mencionado. Como em todos os outros casos deste capítulo, detalhes sobre os nomes podem ser encontrados em artigos separados no *Dicionário*. Os artigos dão outras referências bíblicas, incluindo as paralelas, no capítulo 21 de 2Samuel.

■ 27.12

הַתְּשִׁיעִי לַחֹדֶשׁ הַתְּשִׁיעִי אֲבִיעֶזֶר הָעַנְּתֹתִי לַבֵּנְיְמִינִי וְעַל מַחֲלֻקְתּוֹ עֶשְׂרִים וְאַרְבָּעָה אָלֶף: ס

Abiezer. General do *nono turno* dos doze em que Davi dividiu o exército de Israel, ele e seus homens serviam no *nono mês* (cisleu, novembro). Abiezer foi um dos trinta valentes de Davi (ver 1Cr 11.28). Seu subgeneral não é mencionado.

■ 27.13

הָעֲשִׂירִי לַחֹדֶשׁ הָעֲשִׂירִי מַהְרַי הַנְּטוֹפָתִי לַזַּרְחִי וְעַל מַחֲלֻקְתּוֹ עֶשְׂרִים וְאַרְבָּעָה אָלֶף: ס

Maarai, o netofatita. General do *décimo turno* do exército de Israel, suas tropas, que consistiam em 24 mil homens, serviam no *décimo mês* (tebete, dezembro). Foi também um dos trinta guerreiros poderosos de Davi (ver 1Cr 11.30). Seu subgeneral não é mencionado.

■ 27.14

עַשְׁתֵּי־עָשָׂר לְעַשְׁתֵּי־עָשָׂר הַחֹדֶשׁ בְּנָיָה הַפִּרְעָתוֹנִי מִן־בְּנֵי אֶפְרָיִם וְעַל מַחֲלֻקְתּוֹ עֶשְׂרִים וְאַרְבָּעָה אָלֶף: ס

Benaia, o piratonita. General do *décimo primeiro turno* em que Davi dividiu o exército de Israel, suas tropas de 24 mil homens serviam no *décimo primeiro mês* (sebate, janeiro). Foi também um dos trinta valentes de Davi (1Cr 11.31). Não deve ser confundido com outro homem de mesmo nome, que figura no vs. 5. seu subgeneral não é mencionado.

■ 27.15

הַשְּׁנֵים עָשָׂר לִשְׁנֵים עָשָׂר הַחֹדֶשׁ חֶלְדַּי הַנְּטוֹפָתִי לְעָתְנִיאֵל וְעַל מַחֲלֻקְתּוֹ עֶשְׂרִים וְאַרְבָּעָה אָלֶף: פ

Heldai, o netofatita. General do *décimo segundo turno* dos militares de Israel, ele e suas tropas de 24 mil homens serviam no *décimo segundo mês* (adar, fevereiro). Em 1Cr 11.30 seu nome aparece sob a forma de Helede, e em 2Sm 23.29, sob a forma levemente diferente de Helebe. Ambas as passagens identificam-no como um dos trinta guerreiros da elite de Davi. seu subgeneral não é mencionado.

Os Príncipes das Tribos (27.16-24)

■ 27.16-24

וְעַל שִׁבְטֵי יִשְׂרָאֵל לָראוּבֵנִי נָגִיד אֱלִיעֶזֶר V16 בֶּן־זִכְרִי ס לַשִּׁמְעוֹנִי שְׁפַטְיָהוּ בֶן־מַעֲכָה: ס

לַלֵּוִי חֲשַׁבְיָה בֶן־קְמוּאֵל לְאַהֲרֹן צָדוֹק: ס V17

לִיהוּדָה אֱלִיהוּ מֵאֲחֵי דָוִיד לְיִשָּׂשכָר עָמְרִי V18 בֶן־מִיכָאֵל: ס

V19 לִזְבוּלֻ֕ן יִשְׁמַֽעְיָ֖הוּ בֶּן־עֹבַדְיָ֑הוּ לְנַ֨פְתָּלִ֔י יְרִימ֖וֹת בֶּן־עַזְרִיאֵֽל׃ ס

V20 לִבְנֵ֣י אֶפְרַ֔יִם הוֹשֵׁ֖עַ בֶּן־עֲזַזְיָ֑הוּ לַחֲצִי֙ שֵׁ֣בֶט מְנַשֶּׁ֔ה יוֹאֵ֖ל בֶּן־פְּדָיָֽהוּ׃ ס

V21 לַחֲצִ֤י הַֽמְנַשֶּׁה֙ גִּלְעָ֔דָה יִדּ֖וֹ בֶּן־זְכַרְיָ֑הוּ ס לְבִ֨נְיָמִ֔ן יַעֲשִׂיאֵ֖ל בֶּן־אַבְנֵֽר׃ ס

V22 לְדָ֕ן עֲזַרְאֵ֖ל בֶּן־יְרֹחָ֑ם אֵ֕לֶּה שָׂרֵ֖י שִׁבְטֵ֥י יִשְׂרָאֵֽל׃

V23 וְלֹא־נָשָׂ֤א דָוִיד֙ מִסְפָּרָ֔ם לְמִבֶּ֛ן עֶשְׂרִ֥ים שָׁנָ֖ה וּלְמָ֑טָּה כִּ֚י אָמַ֣ר יְהוָ֔ה לְהַרְבּ֥וֹת אֶת־יִשְׂרָאֵ֖ל כְּכוֹכְבֵ֥י הַשָּׁמָֽיִם׃

V24 יוֹאָ֨ב בֶּן־צְרוּיָ֜ה הֵחֵ֤ל לִמְנוֹת֙ וְלֹ֣א כִלָּ֔ה וַיְהִ֥י בָזֹ֛את קֶ֖צֶף עַל־יִשְׂרָאֵ֑ל וְלֹ֤א עָלָה֙ הַמִּסְפָּ֔ר בְּמִסְפַּ֥ר דִּבְרֵֽי־הַיָּמִ֖ים לַמֶּ֥לֶךְ דָּוִֽיד׃ ס

Presumivelmente, estão em foco as *doze tribos,* embora Gade e Aser sejam omitidas por razões desconhecidas. A tribo de Levi também tinha um príncipe (vs. 17), embora se tratasse, na realidade, de uma casta sacerdotal. Falando *eclesiasticamente,* estava sujeita ao sumo sacerdote, e não a um príncipe hereditário. Esta lista, porém, é de chefes hereditários ou governantes de tribos, homens contados dentre os anciãos. A maioria dos nomes dados é mencionada somente na presente passagem. Esses homens eram personagens quase militares, o que explica sua inclusão no presente capítulo. O *número ideal de doze* é, entretanto, mantido, a despeito da omissão de Gade e Aser. Isso foi conseguido mediante a inclusão do príncipe de Levi e dois da tribo de Manassés, um do lado oriental e outro do lado ocidental do rio Jordão, das duas tribos e meia de Manassés.

Observações:

1. A função desses homens era a liderança em geral, mas parece que eles eram militares, pelo menos em sua juventude. Devemos lembrar que, naqueles dias de selvageria, os líderes quase sempre tinham de ser bons matadores. Se não o fossem, sua gente cairia vítima dos inimigos.
2. A maior parte desses nomes é dada somente aqui na Bíblia. O pouco que se sabe sobre eles pode ser encontrado nos respectivos artigos do *Dicionário,* de modo que essa informação não é repetida aqui.
3. Levi tinha dois príncipes, um general e o outro uma figura eclesiástica, o sumo sacerdote (vs. 17). Essa circunstância, ao que tudo indica, permaneceu verdadeira, a despeito do fato de que a "tribo" de Levi deixou de existir e tornou-se uma casta sacerdotal.
4. Os vss. 23 e 24 mencionam o recenseamento de Davi, que ele levou a cabo motivado por seu estúpido orgulho, e por causa do qual sofreu uma punição realmente pesada. Ver no capítulo 21 de 1Crônicas a triste história. Davi contou os homens de idade militar, embora soubesse que Yahweh levantaria sua espada, em protesto. Joabe, comissionado a fazer o recenseamento, sentiu-se infeliz com a empreitada desde o começo, e a cumpriu com relutância. O censo permaneceu incompleto, e a ira de Yahweh logo espalhou a destruição. O cronista deixou consistentemente de lado os erros de Davi, porquanto seu propósito era exaltar a dinastia davídica. E mesmo aqui ele diminui a crítica contra Davi, ao observar que, apesar de ter pecado ao fazer o censo, o rei obedeceu aos regulamentos sacerdotais que excluíam os homens de 20 anos para baixo nessa contagem. Uma das *razões* dessa numeração foi ajudar Davi em sua organização do reino de Israel, atribuindo então tarefas a assistentes corretos. Essa *razão* coaduna-se com a linhagem do conteúdo geral do presente capítulo, de modo que o autor sacro fez uma breve menção ao recenseamento.
5. *Livro da História dos Reis de Israel.* Este livro, uma das obras informativas do cronista, é mencionado em 1Rs 14.19. Ver as notas nessa referência, para informações completas a respeito.

Supervisores sobre Vários Aspectos da Burocracia de Davi (27.25-34)

■ 27.25-31

V25 וְעַ֞ל אֹצְר֣וֹת הַמֶּ֗לֶךְ עַזְמָ֖וֶת בֶּן־עֲדִיאֵ֑ל ס וְעַ֣ל הָאֹצָר֡וֹת בַּשָּׂדֶ֞ה בֶּעָרִ֧ים וּבַכְּפָרִ֛ים וּבַמִּגְדָּל֖וֹת יְהוֹנָתָ֥ן בֶּן־עֻזִּיָּֽהוּ׃ ס

V26 וְעַ֗ל עֹשֵׂי֙ מְלֶ֣אכֶת הַשָּׂדֶ֔ה לַעֲבֹדַ֖ת הָאֲדָמָ֑ה עֶזְרִ֖י בֶּן־כְּלֽוּב׃

V27 וְעַל־הַכְּרָמִ֕ים שִׁמְעִ֖י הָרָֽמָתִ֑י וְעַ֤ל שֶׁבַּכְּרָמִים֙ לְאֹצְר֣וֹת הַיַּ֔יִן זַבְדִּ֖י הַשִּׁפְמִֽי׃ ס

V28 וְעַל־הַזֵּיתִ֤ים וְהַשִּׁקְמִים֙ אֲשֶׁ֣ר בַּשְּׁפֵלָ֔ה בַּ֥עַל חָנָ֖ן הַגְּדֵרִ֑י ס וְעַל־אֹצְר֥וֹת הַשֶּׁ֖מֶן יוֹעָֽשׁ׃ ס

V29 וְעַל־הַבָּקָ֞ר הָרֹעִ֣ים בַּשָּׁר֗וֹן שִׁטְרַי֙ הַשָּׁר֣וֹנִ֔י וְעַל־הַבָּקָר֙ בָּעֲמָקִ֔ים שָׁפָ֖ט בֶּן־עַדְלָֽי׃ ס

V30 וְעַל־הַגְּמַלִּ֗ים אוֹבִיל֙ הַיִּשְׁמְעֵלִ֔י וְעַל־הָאֲתֹנ֖וֹת יֶחְדְּיָ֥הוּ הַמֵּרֹנֹתִֽי׃ ס

V31 וְעַל־הַצֹּ֖אן יָזִ֣יז הַהַגְרִ֑י כָּל־אֵ֙לֶּה֙ שָׂרֵ֣י הָרְכ֔וּשׁ אֲשֶׁ֖ר לַמֶּ֥לֶךְ דָּוִֽיד׃

Estes versículos listam os supervisores da burocracia de Davi, de modo que temos aqui uma espécie de catálogo de oficiais e ministros do rei que serviam em todos os aspectos possíveis da vida pública.

O *crescente reino de Davi* precisava de bons homens para tomar conta das muitas operações que compunham o empreendimento. Eram necessárias pessoas que trabalhassem no templo, tomassem conta dos tesouros de Davi, supervisionassem o trabalho dos empreendimentos agrícolas, cuidassem das riquezas sob a forma de animais domésticos, cultivassem os pomares. As coisas aqui mencionadas, naturalmente, apenas representavam as muitas atividades que fazem parte de uma nação. Davi controlava a tudo e a todos. Ele era o *rei ideal,* tanto civil quanto religioso. Era propósito principal do cronista exaltar a dinastia davídica. Parte dessa exaltação foi a afirmação dos versículos da presente seção que dizem que Davi era um bom administrador e uma pessoa que sabia como delegar poder a pessoas dignas.

Doze administradores foram mencionados por nome. Eles cuidavam das propriedades e possessões de Davi. Já vimos o trabalho (espiritual) elaborado dos levitas (capítulos 23 a 26). Então, o capítulo 27 descreve os líderes do exército e, finalmente (na presente seção), os administradores das riquezas de Davi são mencionados. Note-se que o número doze continua a ser repetido. Esse era o número normal das instituições de Israel.

Observações:

1. Não fomos informados especificamente sobre como Davi adquiriu tantas riquezas, mas podemos imaginar que a maior parte veio de despojos de guerra. Parte pode ter-se derivado do confisco de civis, um ato comum entre os monarcas orientais. Além disso, Davi era um homem que trabalhava duro, acumulando, naturalmente, muitas riquezas mediante sábios investimentos e inteligente administração. Ele expandiu os territórios de Israel e transformou terras devolutas em campos férteis.
2. O *gerenciamento* das possessões particulares de Davi foi dividido nas *doze partes* tradicionais, similarmente aos negócios religiosos e públicos. As rendas totais de seus negócios privados devem ter sido muito volumosas. O autor sacro não se importa em mencionar as cifras. Mas Salomão ultrapassaria em muito a seu pai, em todas as questões de negócios.
3. Homens envolvidos:
   a. Azmavete: cabeça dos tesouros do rei (vs. 25).
   b. Jônatas: cabeça sobre os campos fora de Jerusalém (vs. 25).
   c. Ezri: cabeça sobre os lavradores (vs. 26).

d. Simei: cabeça sobre as vinhas (vs. 27).
e. Zabdi: cabeça sobre as adegas (vs. 27).
f. Baal-Hanã: cabeça sobre as oliveiras e os sicômoros (vs. 28).
g. Joás: cabeça sobre os depósitos de azeite (vs. 28).
h. Sitrai: cabeça sobre o gado que pastava em Sarom, a parte ocidental da região montanhosa ao longo do mar Mediterrâneo (vs. 29).
i. Safate: cabeça sobre o gado nos vales (vs. 29).
j. Obil: cabeça sobre os camelos (vs. 30).
k. Jedias: cabeça sobre as jumentas (vs. 30).
l. Jaziz: cabeça sobre o gado miúdo (vs. 31).

Os Conselheiros (27.32-34)

■ 27.32-34

V32 וִיהוֹנָתָן דּוֹד־דָּוִיד יוֹעֵץ אִישׁ־מֵבִין וְסוֹפֵר הוּא וִיחִיאֵל בֶּן־חַכְמוֹנִי עִם־בְּנֵי הַמֶּלֶךְ׃

V33 וַאֲחִיתֹפֶל יוֹעֵץ לַמֶּלֶךְ ס וְחוּשַׁי הָאַרְכִּי רֵעַ הַמֶּלֶךְ׃

V34 וְאַחֲרֵי אֲחִיתֹפֶל יְהוֹיָדָע בֶּן־בְּנָיָהוּ וְאֶבְיָתָר וְשַׂר־צָבָא לַמֶּלֶךְ יוֹאָב׃ פ

Além dos obreiros responsáveis pelas possessões, havia vários conselheiros e mestres, *oficiais da corte de Davi*. O que se sabe sobre esses homens aparece nos respectivos artigos no *Dicionário*.

Jônatas foi um conselheiro, escriba e mestre. *Jeiel* ensinava os filhos do rei. *Husai* foi conselheiro e amigo pessoal de Davi. *Aitofel* foi outro notável conselheiro (vss. 33, 34), mas envolveu-se na conspiração de Absalão contra o pai (2Sm 15). Após a morte de Aitofel, Joiada (filho de Benaia) o substituiu. *Abiatar* também foi um conselheiro e sumo sacerdote. Cf. 2Sm 15.36. Finalmente é mencionado o terrível e feroz general do exército, *Joabe*. Somente os guerreiros-heróis gregos poderiam ter feito frente a um homem como ele.

CAPÍTULO VINTE E OITO

DESPEDIDA DE DAVI; CONCLUSÃO DO LIVRO (28.1—29.30)

A conclusão reitera o grande tema de 1Crônicas: Davi, o rei ideal. O autor sacro exaltava a dinastia davídica. Davi mostrou ser obediente aos profetas; foi um observador estrito da lei mosaica; o homem que libertou Israel de seus inimigos e impôs a paz; o homem que proveu materiais e operários para o templo, ainda que seu filho, Salomão, tenha sido quem realmente fez o trabalho. Davi foi um hábil exortador (ver 1Cr 28.1-8) e não podia deixar o trono sem dar suas palavras de sabedoria. Finalmente, aconselhou o filho a seguir seus passos e honrar Yahweh em todas as coisas, não esquecendo as tradições de Israel, que começaram com Abraão (capítulo 29).

INSTRUÇÕES DE DAVI SOBRE O TEMPLO (28.1-10)

Davi reuniu uma grande multidão com o propósito de baixar instruções. Os oficiais referidos no primeiro versículo de forma tão laboriosa, de modo que nenhuma classe fosse deixada de fora, demonstraram a preocupação do autor de que pudéssemos entender quão completa foi a obra de Davi, e como ele era um comunicador universal, um atributo do rei ideal.

As coisas ditas aqui sem dúvida refletem a essência histórica dos fatos, mas presumimos um arranjo especial do cronista que promove o tema da majestade e da autoridade da dinastia davídica. Os críticos veem um relato mais realista no primeiro capítulo de 1Reis, onde são relatadas intrigas e violência na família de Davi. "Em conclusão, o cronista sentiu-se livre para raciocinar quais deveriam ser as últimas palavras de Davi — Davi, obediente aos profetas, um rei que havia feito tudo quanto estava em seu poder para prover, de antemão, o necessário para a construção do templo, e a correta ordenação da adoração que ali se ofereceria" (W. A. L. Elmslie, *in loc.*).

■ 28.1

וַיַּקְהֵל דָּוִיד אֶת־כָּל־שָׂרֵי יִשְׂרָאֵל שָׂרֵי הַשְּׁבָטִים וְשָׂרֵי הַמַּחְלְקוֹת הַמְשָׁרְתִים אֶת־הַמֶּלֶךְ וְשָׂרֵי הָאֲלָפִים וְשָׂרֵי הַמֵּאוֹת וְשָׂרֵי כָל־רְכוּשׁ־וּמִקְנֶה לַמֶּלֶךְ וּלְבָנָיו עִם־הַסָּרִיסִים וְהַגִּבּוֹרִים וּלְכָל־גִּבּוֹר חָיִל אֶל־יְרוּשָׁלָ͏ִם׃

Então Davi convocou para Jerusalém. Este versículo sumaria exatamente os oficiais mencionados no capítulo 27, mas algumas classes são adicionadas. Cf. 1Cr 27.1,16,25,32-34. A mensagem foi que *todos* os cabeças de tribos, *todas* as pessoas investidas de autoridade, *todos* a quem Davi tinha dado alguma parcela de autoridade, estavam agora reunidos para ouvir o discurso final de adeus do rei. Este versículo adiciona as palavras "e de seus filhos". Salomão, o filho de Davi que Deus escolhera para sentar-se no trono de Israel (vs. 5), aparece quatro versículos adiante.

A Lista:
1. Os capitães dos turnos (27.1-15).
2. Os príncipes das tribos (27.16-22).
3. Os administradores (27.25-31).
4. Os próprios filhos de Davi, os quais, naturalmente, tinham posições de autoridade, por serem membros da dinastia davídica (não mencionados no capítulo 27).
5. Os oficiais do rei (literalmente, no hebraico, os *eunucos*), embora aqui a palavra tenha um sentido geral de *oficiais do palácio*. Cf. Gn 27.36; 1Sm 8.15; 1Rs 22.9; Jr 38.7; 41.16. A designação é geral e não especificamente referida no capítulo 27.
6. Os homens mais valorosos e valentes, incluindo os trinta heróis de Davi (1Cr 11.31-47 e 12), mas provavelmente outros que não pertenciam a essa classe. A Vulgata Latina diz aqui "homens de posição e de riquezas", isto é, magnatas de diferentes tipos. Cf. Lc 1.52. Talvez qualquer pessoa que tivesse alguma reputação ou que tivesse contribuído possa estar incluída aqui.

O grande ajuntamento ocorrera em Jerusalém, e certamente todas as tribos de Israel estavam representadas. "Essa assembleia, muito mesclada, conforme aparece nos grupos convidados, era mais numerosa e inteiramente diversa daquela mencionada em 1Cr 23.2" (Jamieson, *in loc.*).

■ 28.2

וַיָּקָם דָּוִיד הַמֶּלֶךְ עַל־רַגְלָיו וַיֹּאמֶר שְׁמָעוּנִי אַחַי וְעַמִּי אֲנִי עִם־לְבָבִי לִבְנוֹת בֵּית מְנוּחָה לַאֲרוֹן בְּרִית־יְהוָה וְלַהֲדֹם רַגְלֵי אֱלֹהֵינוּ וַהֲכִינוֹתִי לִבְנוֹת׃

Pôs-se o rei Davi em pé, e disse. Este versículo sumaria o que já fora dito no capítulo 17, onde o desejo de Davi de edificar o templo foi tratado longamente.

Ouvi-me, irmãos meus, e povo meu. Esse era o estilo dos discursos apropriados a um rei constitucional (ver Dt 17.20; 1Sm 30.23 e 2Sm 5.1). O *coração* de Davi derramara-se sobre a questão, o que mostra que ele *planejara* a construção. Mas o propósito divino tinha separado o seu filho, Salomão, para essa tarefa. Davi havia trazido a paz derrotando os *oito* inimigos de Israel (ver as notas em 2Sm 10.19). Salomão, um homem de relativa paz (1Cr 22.9), seria o servo ideal para realizar esse trabalho.

Quanto às *razões* pelas quais Davi não teve permissão de construir o templo, ver a introdução ao capítulo 17.

Uma casa de repouso para a arca da aliança. Isso porque a arca tinha vagueado e fora guardada em vários lugares. Finalmente, veio a repousar em Jerusalém. Jerusalém era o centro do culto divino, o lugar da presença divina. Ver no *Dicionário* o verbete intitulado *Arca da Aliança*, em seu primeiro parágrafo, quanto às perambulações da arca.

Para o estrado dos pés do nosso Deus. O céu é o trono de Elohim, mas ele se manifestara *abaixo*, na terra, pondo seu escabelo no templo, onde manifestava sua presença de maneira especial. Ver Sl 40.5; 99.1; 132.7,8.

O preparo para a edificar. Com essas palavras, o autor relembra tudo quanto Davi fez para preparar a edificação do templo (capítulo 22). Ver também 1Cr 29.2-5.

■ **28.3,4**

וְהָאֱלֹהִים אָמַר לִי לֹא־תִבְנֶה בַיִת לִשְׁמִי כִּי אִישׁ מִלְחָמוֹת אַתָּה וְדָמִים שָׁפָכְתָּ׃

וַיִּבְחַר יְהוָה אֱלֹהֵי יִשְׂרָאֵל בִּי מִכֹּל בֵּית־אָבִי לִהְיוֹת לְמֶלֶךְ עַל־יִשְׂרָאֵל לְעוֹלָם כִּי בִיהוּדָה בָּחַר לְנָגִיד וּבְבֵית יְהוּדָה בֵּית אָבִי וּבִבְנֵי אָבִי בִּי רָצָה לְהַמְלִיךְ עַל־כָּל־יִשְׂרָאֵל׃

Não edificarás casa ao meu nome. *A Dinastia Davídica.* Um dos principais motivos da escrita dos livros de 1 e 2Crônicas (no hebraico, esses dois livros formam um único) foi a exaltação da dinastia davídica. Davi era o *rei ideal*, o exemplo a ser seguido. Ver 1Rs 15.3 quanto a notas expositivas sobre esse tema. Através de seus descendentes, a dinastia foi renovada em Israel após o cativeiro babilônico. A dinastia davídica dava legitimidade política à tribo isolada, Judá, para que continuasse a nação de *Israel*. Ver um paralelo em 1Cr 22.8, que também mostra o que impedia Davi de construir o templo: ele era homem que havia derramado muito sangue. Cf. também 2Sm 7.5. Ver 1Sm 16.11 ss. quanto à *chamada de Davi* por Yahweh, e a escolha de sua casa para tornar-se a casa real que substituiria a casa de Saul, o primeiro rei de Israel.

Tudo quanto eu nunca pude ser,
E que todos os homens ignoravam em mim,
Isso eu valia para Deus, cuja roda
O oleiro formou.

Robert Browning

■ **28.5**

וּמִכָּל־בָּנַי כִּי רַבִּים בָּנִים נָתַן לִי יְהוָה וַיִּבְחַר בִּשְׁלֹמֹה בְנִי לָשֶׁבֶת עַל־כִּסֵּא מַלְכוּת יְהוָה עַל־יִשְׂרָאֵל׃

E, de todos os meus filhos. O trecho de 1Cr 3.1-9 registra o nascimento e o nome de alguns dos muitos filhos de Davi. Os filhos são uma herança do Senhor (ver Sl 127.5). Embora Davi tivesse no mínimo dezenove filhos (registrados na Bíblia), sem contar os filhos das concubinas, havia *um filho*, um homem especial, através de quem o plano divino para Israel haveria de operar, a saber, Salomão. Cf. 1Cr 22.5 ss. quanto à escolha e à missão de Salomão. A *escolha divina* sobrepujou os pecados e as desgraças de Davi e operou, a despeito desses defeitos, através do resultado do adultério de Davi com Bate-Seba, porque Salomão era filho *dela*. Davi não merecia o que ele obteve. A *vontade divina* era maior do que Davi. Cf. 1Cr 17.2; 22.9; 2Sm 7.12-14; 12.24,25; 1Rs 1.13 quanto ao propósito divino de trabalhar através de Salomão.

No trono do reino do Senhor. Essa expressão acha-se somente aqui em todo o Antigo Testamento. Ela enfatiza o ideal da *teocracia*. Yahweh era o verdadeiro Rei de Israel. Davi e Salomão foram apenas vice-regentes. Cf. a resposta de Gideão aos que lhe ofereceram a coroa de Israel (Jz 8.23; 1Sm 8.17 e 12.12).

■ **28.6**

וַיֹּאמֶר לִי שְׁלֹמֹה בִנְךָ הוּא־יִבְנֶה בֵיתִי וַחֲצֵרוֹתָי כִּי־בָחַרְתִּי בוֹ לִי לְבֵן וַאֲנִי אֶהְיֶה־לּוֹ לְאָב׃

O Poder Divino operaria em Salomão de modo que, desde o começo de seu reinado, Salomão foi assinalado como instrumento divino na construção do templo. Nesse edifício em Jerusalém, a nova capital, o culto religioso de Israel haveria de *centralizar-se*. Cf. 2Sm 7.13,14 e Ef 1.3: "Bendito o Deus e Pai de nosso Senhor Jesus Cristo". Ver as declarações quase idênticas em 1Cr 7.13 e 22.10, cujas notas expositivas também se aplicam aqui.

■ **28.7**

וַהֲכִינוֹתִי אֶת־מַלְכוּתוֹ עַד־לְעוֹלָם אִם־יֶחֱזַק לַעֲשׂוֹת מִצְוֹתַי וּמִשְׁפָּטַי כַּיּוֹם הַזֶּה׃

Se perseverar ele em cumprir os meus mandamentos. A *condição da continuação da bênção divina* era a observância da legislação mosaica, a ortodoxia da época. Nisso residia o caráter distinto de Israel, conforme lemos em Dt 4.4-8. O rei ideal também se distinguiria desse modo (ver Dt 17.14 ss. Cf. 1Cr 22.10). Ver também 2Sm 7.13 quanto a uma declaração bíblica quase idêntica. As iniquidades seriam castigadas, e então o propósito divino continuaria. Naturalmente, Salomão logo caiu em intrigas familiares e chegou mesmo a assassinar um meio-irmão. Em seguida, sucumbiu a uma desgraçada idolatria (ver 1Rs 1—3). Contudo, o propósito divino permaneceu, e ele foi novamente confirmado na dinastia davídica, terminado o cativeiro babilônico. Mas, na grande dispersão romana de 132 d.C. e posteriormente, a casa davídica literal se perdeu. Espiritualmente, porém, continua por meio do Rei Messias, e esse fato dá as dimensões apropriadas e eternas do plano divino. Quanto ao condicionamento da promessa feita a Salomão, ver 1Rs 9.4,5. O trecho de 1Rs 3.14 já havia mostrado a promessa de uma longa vida, baseada nas mesmas condições. Quanto a como a lei, uma vez obedecida, transfere *vida*, ver Dt 4.1; 5.33; Ez 20.11.

Quando andamos com o Senhor,
Na luz de sua palavra,
Que glória ele derrama em nosso caminho.
Enquanto fizermos a sua boa vontade,
ele habitará conosco,
E com todos quantos nele confiam e a ele obedecem.

J. H. Sammis

■ **28.8**

וְעַתָּה לְעֵינֵי כָל־יִשְׂרָאֵל קְהַל־יְהוָה וּבְאָזְנֵי אֱלֹהֵינוּ שִׁמְרוּ וְדִרְשׁוּ כָּל־מִצְוֹת יְהוָה אֱלֹהֵיכֶם לְמַעַן תִּירְשׁוּ אֶת־הָאָרֶץ הַטּוֹבָה וְהִנְחַלְתֶּם לִבְנֵיכֶם אַחֲרֵיכֶם עַד־עוֹלָם׃ פ

Guardai todos os mandamentos do Senhor vosso Deus. *O Mandamento Relativo à Fidelidade.* Davi havia deixado o exemplo: era intrépido, jovem e bravo. A despeito de todas as suas falhas, ele nunca caiu na idolatria nem abandonou o caminho de Yahweh. Esperava-se que Salomão seguisse a tradição paterna. Havia grande número de testemunhas em redor de Salomão. Todos os olhos estavam postos sobre ele. Cumpriria ele as expectativas de todos que o cercavam? Salomão poderia ser um elo com as gerações futuras. Seria ele um poder fiel no futuro? Davi apelou primeiramente a seu próprio filho, Salomão, e então a toda a nação, através de representantes que ele convocou para tomar parte da assembleia (vs. 1). Seu discurso ao povo foi similar ao de Moisés. Ver Dt 4.26; 30.19. O céu e a terra eram testemunhas. Yahweh estava observando. Havia grandes expectativas entre o povo. Salomão traria a *época áurea* de Israel.

■ **28.9**

וְאַתָּה שְׁלֹמֹה־בְנִי דַּע אֶת־אֱלֹהֵי אָבִיךָ וְעָבְדֵהוּ בְּלֵב שָׁלֵם וּבְנֶפֶשׁ חֲפֵצָה כִּי כָל־לְבָבוֹת דּוֹרֵשׁ יְהוָה וְכָל־יֵצֶר מַחֲשָׁבוֹת מֵבִין אִם־תִּדְרְשֶׁנּוּ יִמָּצֵא לָךְ וְאִם־תַּעַזְבֶנּוּ יַזְנִיחֲךָ לָעַד׃

Tu, meu filho Salomão. No versículo anterior, o apelo de Davi foi dirigido a *todo o Israel* (vs. 8), mas aqui foi feito a *Salomão*, que ficaria com a carga pesada da liderança (vs. 9). A base do apelo continuaria a ser a observância da lei mosaica, aquilo que tornava Israel, ou qualquer um de seus reis, distintivo. Ver as notas expositivas sobre o vs. 7, onde encontramos a mesma mensagem. Yahweh, o doador de todas as dádivas, está sempre consciente de todos os nossos motivos e atos. Ele conhece completamente nosso coração, nossa vontade, nossas intenções e todas as nossas ideias. Deus não pode ser enganado. Se o buscarmos, haveremos de encontrá-lo. Mas se ele for rejeitado e seu culto for profanado, ele projetará seu relâmpago contra qualquer ofensor. Ele também rejeitará e abandonará os transgressores. Quando o autor sagrado escreveu este livro de 1Crônicas, tinha consciência tanto do cativeiro assírio, que pôs fim à nação do norte, como do cativeiro babilônico, que quase exterminou a nação de Judá para todo sempre. A desobediência a Yahweh foi a causa dessas calamidades. A síndrome do pecado-apostasia-julgamento operou por toda a história de Israel. Mas a maior manifestação da graça divina se deu por intermédio do Rei Messias. Cf. 1Sm 16.7; Sl 139.1-4,23; At 1.24; Hb 4.13; Gn 6.5; 8.21. Quanto à *rejeição*, cf. Os 8.3,5. Esta passagem ilustra a *Lei Moral da Colheita segundo a Semeadura* (ver no *Dicionário*).

■ 28.10

רְאֵה ׀ עַתָּה כִּי־יְהוָה בָּחַר בְּךָ לִבְנוֹת־בַּיִת לַמִּקְדָּשׁ חֲזַק וַעֲשֵׂה׃ פ

Sê forte, e faze a obra. A escolha divina envolvia a *responsabilidade divina,* e ambas as coisas caíam nos ombros do jovem Salomão.

Dá de teu melhor ao Mestre;
Dá a força da tua juventude.
Lança o ardor fresco e incandescente da tua alma
Na batalha pela verdade.

H. B. G.

Este versículo deve ser comparado a 1Cr 22.13. Salomão recebeu uma missão especial. Ele foi o homem designado para construir o templo, um elevado privilégio e responsabilidade. A história demonstrou que ele realizou sua tarefa de maneira excelente, a despeito dos fracassos em sua vida pessoal.

PLANOS DE DAVI QUANTO AO TEMPLO (28.11-21)

Caracterização Geral. "Mediante uma notável declaração, Davi compartilhou com Salomão os planos e as especificações para o templo e seus móveis, conforme o Espírito de Deus os havia demonstrado (vss. 11,12,19). A construção seria feita por mãos humanas, mas *o plano* e *a significação* do templo vinham da parte de Deus. Isso também incluiu o ministério dos levitas (vs. 13), bem como o peso (suprimento) de ouro e de prata, dos quais os móveis e utensílios do templo deveriam ser feitos (vss. 14-18). Não querendo deixar coisa alguma ao acaso, Davi anotou por escrito todos os detalhes da revelação divina (vs. 19). Então encorajou Salomão a mostrar-se forte para cumprir a tarefa (cf. 1Cr 5.10). Ele deveria ser corajoso e não tímido, porquanto Deus estava *com ele* (vs. 20) e os obreiros haveriam de ajudá-lo voluntariamente (vs. 21)" (Eugene H. Merrill, com uma boa nota de sumário).

■ 28.11

וַיִּתֵּן דָּוִיד לִשְׁלֹמֹה בְנוֹ אֶת־תַּבְנִית הָאוּלָם וְאֶת־בָּתָּיו וְגַנְזַכָּיו וַעֲלִיֹּתָיו וַחֲדָרָיו הַפְּנִימִים וּבֵית הַכַּפֹּרֶת׃

Deu Davi a Salomão, seu filho, a planta. O padrão da história, naturalmente, segue o padrão da construção do tabernáculo, para a qual instruções divinas tinham sido dadas, até os menores detalhes. O tabernáculo foi o protótipo do templo. Começou a ser fabricado no deserto. E terminou no glorioso templo de Salomão, em Jerusalém, a capital da nova nação de Israel.

Este versículo menciona os principais elementos do edifício, incluindo o Santo dos Santos, onde a arca haveria de repousar (ver o vs. 2).

Planta. No hebraico, *tabnith,* a mesma palavra usada em Êx 25.9 quanto ao plano ou desenho para a construção do tabernáculo.

Pórtico. Ver 1Rs 6.3. O siríaco diz aqui *colunata* ou *pórtico*.

As suas casas. Isto é, as várias câmaras do templo, as duas principais dependências, o Lugar Santo e o Santo dos Santos.

As suas tesourarias. O hebraico toma aqui por empréstimo uma palavra persa, *ghanj*. Ghanjak era cidade tesouro. Cf. Et 3.9; 4.7; Ed 7.20. Em vista, no texto presente, estão os depósitos do templo, provavelmente aqueles construídos ao longo de suas laterais, formando três pisos (ver 1Rs 6.5).

Cenáculos. Lugares para os sacerdotes se reunirem e descansarem.

Casa do propiciatório. Ou seja, o Santo dos Santos, onde ficava a arca da aliança e se manifestava a presença de Deus. Era o centro do templo, a razão de sua construção. Deus haveria de manifestar-se ali, trazendo revelações e espiritualidade para o seu povo. O sistema operaria através dos sacrifícios propiciatórios, o protótipo do sangue de Cristo. O tema é elaboradamente desenvolvido no Novo Testamento. Ver o nono capítulo da epístola aos Hebreus quanto a uma declaração detalhada.

■ 28.12

וְתַבְנִית כֹּל אֲשֶׁר הָיָה בָרוּחַ עִמּוֹ לְחַצְרוֹת בֵּית־יְהוָה וּלְכָל־הַלְּשָׁכוֹת סָבִיב לְאֹצְרוֹת בֵּית הָאֱלֹהִים וּלְאֹצְרוֹת הַקֳּדָשִׁים׃

Também a planta de tudo quanto tinha em mente. À *inspiração divina* foi dado o crédito pelo plano, tal como no caso do tabernáculo (ver o capítulo 25 de Êxodo). As tradições judaicas sugerem que instruções quanto ao templo começaram primeiramente nos dias de Samuel, que recebera informações da parte do Senhor. Essas informações foram transmitidas a Davi, sob forma ampliada, pois ele também era um profeta.

Átrios. Ou seja, o átrio externo do templo e o átrio dos sacerdotes, as áreas adjacentes ao templo.

As câmaras em redor. Ver 1Rs 6.5 e 1Cr 23.28. Estão em pauta os vários apartamentos dos sacerdotes.

Os tesouros das cousas consagradas. Ou seja, os depósitos onde eram guardados os bens e artigos valiosos. Ver 1Cr 26.20. Eram presentes e ofertas que tinham de ser guardados. Os dízimos do povo eram os meios que proviam salários e sustento para os levitas.

■ 28.13

וּלְמַחְלְקוֹת הַכֹּהֲנִים וְהַלְוִיִּם וּלְכָל־מְלֶאכֶת עֲבוֹדַת בֵּית־יְהוָה וּלְכָל־כְּלֵי עֲבוֹדַת בֵּית־יְהוָה׃

Os turnos dos sacerdotes. Envolvia não somente os sacerdotes, mas também quais levitas deveriam servir e quando, detalhes dados nos capítulos 24 a 26. Ver a introdução a 1Cr 26.20-28 quanto a uma lista dos oficiais e das funções dos levitas.

Os utensílios para o serviço da casa do Senhor. Incluem-se aqui todos os instrumentos do culto divino, os móveis e utensílios do templo, os utensílios que os sacerdotes usavam pessoalmente para cozinhar, limpar e manter, e os vasos do culto, como os mencionados nos vss. 14 ss.

■ 28.14

לַזָּהָב בַּמִּשְׁקָל לַזָּהָב לְכָל־כְּלֵי עֲבוֹדָה וַעֲבוֹדָה לְכֹל כְּלֵי הַכֶּסֶף בְּמִשְׁקָל לְכָל־כְּלֵי עֲבוֹדָה וַעֲבוֹדָה׃

O peso do ouro... o peso da prata. Esses eram os metais nobres que foram usados no fabrico de instrumentos do culto divino (o versículo seguinte fornece detalhes). A inspiração divina deu instruções sobre essas questões. O edifício em geral e seus instrumentos e utensílios foram incluídos no plano divino. "Davi deu a Salomão um planejamento quanto a todos os diferentes vasos de ouro e de prata que seriam requeridos para o santuário, especificando os pesos exatos de cada um. Cf. Ed 8.25 ss." (Ellicott, *in loc.*).

■ 28.15

וּמִשְׁקָל לִמְנֹרוֹת הַזָּהָב וְנֵרֹתֵיהֶם זָהָב בְּמִשְׁקַל־מְנוֹרָה וּמְנוֹרָה וְנֵרֹתֶיהָ וְלִמְנֹרוֹת הַכֶּסֶף בְּמִשְׁקָל לִמְנוֹרָה וְנֵרֹתֶיהָ כַּעֲבוֹדַת מְנוֹרָה וּמְנוֹרָה׃

Segundo o uso de cada um. Davi deu a Salomão detalhes minuciosos, incluindo descrições e pesos de cada artigo a ser usado no templo. Cf. Êx 25.31 ss. Somente aqui, em todo o Antigo Testamento, são mencionados os candelabros de prata. Mas nossa versão portuguesa deixa de fora esses artigos. Contudo, os rabinos dizem-nos que eles ficavam nas câmaras dos sacerdotes, onde iluminavam. Havia apenas um candeeiro de ouro no tabernáculo, mas dez no templo. Ver 1Rs 7.49.

"Esses candeeiros eram em número de dez, e cada um deles tinha sete lâmpadas... o peso de ouro no caso de cada candeeiro (de acordo com as tradições judaicas) era de 45 quilos" (John Gill, *in loc.*).

Devemos lembrar que não entrava no interior do templo nenhuma luz que viesse de fora. Portanto, os candeeiros forneciam toda a luz necessária ao trabalho dos sacerdotes. Temos aqui um excelente símbolo da iluminação divina. Essa iluminação vem de Deus e brilha na alma do homem. Ver no *Dicionário* o artigo chamado *Iluminação*.

■ 28.16

וְאֶת־הַזָּהָב מִשְׁקָל לְשֻׁלְחֲנוֹת הַמַּעֲרֶכֶת לְשֻׁלְחָן וְשֻׁלְחָן וְכֶסֶף לְשֻׁלְחֲנוֹת הַכָּסֶף:

Instruções minuciosas foram dadas quanto aos móveis do templo, como as mesas dos pães da proposição, que eram em número de *dez* no templo, embora houvesse apenas uma no tabernáculo (ver 2Cr 4.8). Havia também, segundo Jarchi, mesas de prata colocadas no átrio, onde os animais a serem sacrificados eram esfolados; ou então, segundo Kimchi, essas eram as mesas sobre as quais os sacerdotes matavam os animais e onde sua carne era deitada, conforme se pode deduzir de Ez 40.39.

■ 28.17

וְהַמִּזְלָגוֹת וְהַמִּזְרָקוֹת וְהַקְּשָׂוֹת זָהָב טָהוֹר וְלִכְפוֹרֵי הַזָּהָב בְּמִשְׁקָל לִכְפוֹר וּכְפוֹר וְלִכְפוֹרֵי הַכֶּסֶף בְּמִשְׁקָל לִכְפוֹר וּכְפוֹר:

Davi recebeu instruções até mesmo quanto aos menores utensílios usados no tabernáculo, incluindo o peso e os metais a serem usados no seu fabrico. Ver Êx 27.3 e 1Sm 2.13,14 quanto aos garfos e às bacias. As galhetas eram usadas para as aspersões, e as taças, para as libações (ver Êx 25.29; 37.16 e Nm 4.7). As bacias de ouro e as taças com tampas (*kephorim*) também são mencionadas em Ed 1.10. Esses vasos eram usados para receber e aspergir o sangue dos sacrifícios. Os metais nobres, a prata e o ouro, foram usados nos instrumentos empregados no culto divino.

■ 28.18

וּלְמִזְבַּח הַקְּטֹרֶת זָהָב מְזֻקָּק בַּמִּשְׁקָל וּלְתַבְנִית הַמֶּרְכָּבָה הַכְּרֻבִים זָהָב לְפֹרְשִׂים וְסֹכְכִים עַל־אֲרוֹן בְּרִית־יְהוָה:

O altar do incenso. Esse objeto era recoberto de ouro e pesava cerca de 45 quilos. Ver sobre esse objeto no *Dicionário*. O artigo suprido dá todos os detalhes e referências à peça.

O ouro para o carro dos querubins. "As asas estendidas dos *querubins* formavam o que era figuradamente chamado de *trono de Deus*; eram retratados como que em rápido movimento, e o trono ou assento de Deus era referido como se fosse *uma carruagem* (Sl 18.10; 99.1)" (Jamieson, *in loc.*). Cf. Êx 25.20 e a visão de Ezequiel, que os judeus chamavam de "a carruagem" (primeiro capítulo de Ezequiel).

■ 28.19

הַכֹּל בִּכְתָב מִיַּד יְהוָה עָלַי הִשְׂכִּיל כֹּל מַלְאֲכוֹת הַתַּבְנִית: פ

Tudo isto... me foi dado por escrito. A *reivindicação* de divina inspiração do todo está contida neste versículo. Mesmo assim, alguns intérpretes supõem que tudo quanto Davi quis dizer era que ele dependera da legislação mosaica quanto ao tabernáculo, e, naturalmente, que Moisés era considerado um homem inspirado por Deus. Cf. Êx 31.18 e 25.40 quanto ao "me foi dado por escrito por mandado do Senhor". Ver também Ne 2.18 e Ez 1.3. Os intérpretes judeus tinham essa informação dada através do profeta Samuel e mais tarde transmitida por Davi; mas isso não ficou subentendido no texto sagrado.

■ 28.20

וַיֹּאמֶר דָּוִיד לִשְׁלֹמֹה בְנוֹ חֲזַק וֶאֱמַץ וַעֲשֵׂה אַל־תִּירָא וְאַל־תֵּחָת כִּי יְהוָה אֱלֹהִים אֱלֹהַי עִמָּךְ לֹא יַרְפְּךָ וְלֹא יַעַזְבֶךָּ עַד־לִכְלוֹת כָּל־מְלֶאכֶת עֲבוֹדַת בֵּית־יְהוָה:

Disse Davi a Salomão seu filho. Deus comunicara esse plano a Davi, que, cumprindo sua parte, transmitira as instruções a Salomão. Salomão precisava de fé para *executar* o plano; necessitava de coragem para realizá-lo; tinha de dominar seus temores e dúvidas e ser um homem de forte resolução. Se ele cumprisse a parte que lhe competia, contaria com a promessa de que Yahweh não o decepcionaria. Deus providenciaria o dinheiro, os operários, as forças físicas e mentais. E também daria a Salomão a força de vontade, sem a qual nada de valor será jamais realizado. Oh, Senhor, concede-nos tal graça!

Cf. o vs. 10, que apresenta alguns dos elementos do presente versículo. O texto massorético não tem o fim deste vs. 20, e o seu final foi emprestado da Septuaginta. Ver no *Dicionário* o verbete intitulado *Massora (Massorah); Texto Massorético*, quanto a informações sobre aquele texto hebraico padronizado. Ver também ali o artigo denominado *Manuscritos Antigos do Antigo Testamento*. Este vs. 20 conclui o discurso iniciado no nono versículo deste capítulo.

■ 28.21

וְהִנֵּה מַחְלְקוֹת הַכֹּהֲנִים וְהַלְוִיִּם לְכָל־עֲבוֹדַת בֵּית הָאֱלֹהִים וְעִמְּךָ בְכָל־מְלָאכָה לְכָל־נָדִיב בַּחָכְמָה לְכָל־עֲבוֹדָה וְהַשָּׂרִים וְכָל־הָעָם לְכָל־דְּבָרֶיךָ: פ

Eis aí os turnos dos sacerdotes e dos levitas. Provavelmente, este versículo vem do revisor que nos lembra que Davi se preparara minuciosamente para o ministério do templo, pela sua nomeação dos vários turnos. Ver a introdução a 1Cr 26.20-28 quanto aos *seis* diferentes grupos (guildas) de levitas que trabalhavam no culto divino. Salomão teria toda a ajuda necessária para o trabalho no templo e para a orientação do reino. Ele contaria com trabalhadores habilitados. Os hebreus não conheciam o bastante sobre as ciências e a arquitetura para realizar grandes projetos de construção. Mas uma ajuda estrangeira, especialmente da parte de Hirão, rei de Tiro, supriria essa deficiência. Cf. 1Cr 22.14,15. Davi não se esqueceu de um detalhe sequer. Ele foi um planejador mestre. Ver no capítulo 14 de 1Crônicas como o palácio de Davi foi edificado com a ajuda de estrangeiros. Ver 1Cr 22.2,3 quanto a notas expositivas que também se aplicam aqui.

O reino inteiro, com seu intricado conjunto de autoridades e operários, estaria sob o comando e direção de Salomão; a nação toda ajudaria o jovem monarca a erguer o templo. Israel, em breve, entraria em sua *época áurea*.

CAPÍTULO VINTE E NOVE

DAVI APELA QUANTO A OFERENDAS (29.1-9)

> O dinheiro é como um sexto sentido,
> sem o qual você não pode usar devidamente os outros cinco!
> Somerset Maugham

Infelizmente, até o trabalho do Senhor custa dinheiro. Na verdade, quanto mais dinheiro tivermos, melhor poderemos trabalhar. É por essa razão que a Igreja está sempre pedindo dinheiro, e nunca parece haver o bastante. É verdade o que alguém já disse: "A falta de dinheiro é a raiz de todos os males".

Quando nos lançamos a um empreendimento, é bom que contemos com bastante dinheiro. Nunca haverá fim de gastos enquanto estivermos trabalhando.

Salomão Não Tinha Experiência. Ainda era imaturo. Foi preciso que Davi interviesse para levantar fundos. Então Salomão, o jovem, teria capacidade monetária para construir. Davi havia sacrificado muito de seu próprio dinheiro e labor para levar o projeto adiante.

Entretanto, ele e também Salomão teriam de depender muito do auxílio da nação, porquanto estavam levando a cabo enorme causa.

■ 29.1

וַיֹּאמֶר דָּוִיד הַמֶּלֶךְ לְכָל־הַקָּהָל שְׁלֹמֹה בְנִי אֶחָד בָּחַר־בּוֹ אֱלֹהִים נַעַר וָרָךְ וְהַמְּלָאכָה גְדוֹלָה כִּי לֹא לְאָדָם הַבִּירָה כִּי לַיהוָה אֱלֹהִים:

Disse mais o rei Davi a toda a congregação. "Esse foi o apelo e o adeus de Davi ao povo. A concepção e a construção desse discurso final é realmente admirável. Culminou na confiança que Davi demonstrou em todos os seus súditos, na expectativa de sua resposta magnânima e em sua bênção... Finalmente, Davi falou ao povo. Ele tinha conquistado o *direito* de assim fazer. Proibido em seu desejo de construir a casa do Senhor, ele não tinha insensatamente dilapidado suas riquezas por construir algo para si mesmo. Ele fora capacitado a contar ao povo a magnitude de sua contribuição pessoal para a construção do templo. No entanto, enfatizou que algo incomparavelmente mais precioso do que meros presentes era requerido, a saber, a contribuição voluntária de todos" (W. A. L. Elmslie, *in loc.*).

Davi já se havia comunicado com todos os líderes de Israel (capítulo 28). Já tinha juntado materiais (capítulo 22). Agora, o fim de sua vida estava iminente. Por isso solicitou a ajuda da nação inteira para o que era preciso fazer. Ele dera a sua contribuição. Agora esperava que eles fizessem a parte deles.

O único a quem Deus escolheu, é ainda moço e inexperiente. Davi estava deixando para trás a liderança, mas Deus havia providenciado um novo líder. Salomão era homem jovem e inexperiente, mas possuía a autoridade divina. O povo de Israel tinha obrigação de ajudá-lo, pois o trabalho era *grande* e exigia um esforço de equipe para a sua concretização. Cf. 1Cr 22.5.

Palácio. Neste caso, a palavra aponta para o templo de Jerusalém. Está em pauta a casa do Senhor, e não a de Davi.

■ 29.2

וּבְכָל־כֹּחִי הֲכִינוֹתִי לְבֵית־אֱלֹהַי הַזָּהָב לַזָּהָב וְהַכֶּסֶף לַכֶּסֶף וְהַנְּחֹשֶׁת לַנְּחֹשֶׁת הַבַּרְזֶל לַבַּרְזֶל וְהָעֵצִים לָעֵצִים אַבְנֵי־שֹׁהַם וּמִלּוּאִים אַבְנֵי־פוּךְ וְרִקְמָה וְכֹל אֶבֶן יְקָרָה וְאַבְנֵי־שַׁיִשׁ לָרֹב:

Eu, pois, com todas as minhas forças já preparei para a casa de meu Deus. Este versículo é um breve sumário do que foi dito longamente no capítulo 22. Ver especialmente o vs. 14 daquele capítulo. Alguns poucos novos itens foram mencionados por nome. Uma de minhas fontes informativas calculou o valor das contribuições de Davi e chegou à cifra de sessenta milhões de dólares; mas, na verdade, não há como julgar a exatidão de um cálculo como esse. Não obstante, é óbvio que a contribuição de Davi foi realmente grande. Sendo esse o caso, ele tinha o direito de esperar que o povo também respondesse *generosamente* em favor do templo e ajudasse Salomão, a nova autoridade civil.

As *adições* deste versículo (cf. o texto com 1Cr 22.14) são essencialmente tipos e cores de pedras preciosas que seriam usadas para ornamentar o edifício do templo. Também havia *mármore* em abundância para forrar as paredes e os pisos. Ver 2Cr 2.6 quanto a outras adições. O templo foi *ricamente* adornado. Cf. Et 1.6 e Ct 5.15.

Josefo (*Guerras*, v. cap. 5, s. 2) informa-nos que o templo foi construído com grandes blocos de mármore branco, belamente polido, a fim de produzir a mais esplêndida aparência. A Septuaginta e a Vulgata dizem que o templo foi construído com o "mármore mais branco". Ver no *Dicionário* o verbete chamado *Templo de Jerusalém*.

■ 29.3

וְעוֹד בִּרְצוֹתִי בְּבֵית אֱלֹהַי יֶשׁ־לִי סְגֻלָּה זָהָב וָכָסֶף נָתַתִּי לְבֵית־אֱלֹהַי לְמַעְלָה מִכָּל־הֲכִינוֹתִי לְבֵית הַקֹּדֶשׁ:

Afora tudo quanto preparei para o santuário. Davi juntou muitas riquezas, principalmente através dos despojos de guerra. Ele se tornara um homem fabulosamente rico. Mas seu coração o orientava a *investir* o dinheiro no templo de Yahweh, e foi exatamente isso o que ele fez. Ele contava com a ajuda e a contribuição dos outros, mas não se limitava a transmitir o que os outros haviam dado. Ele mesmo fora o maior contribuidor isolado do templo, e assim dera o exemplo para que outros o seguissem. Afinal, a medida espiritual de um homem é a sua *generosidade*. Ver no *Dicionário* o verbete intitulado *Liberalidade e Generosidade*.

É fácil ser generoso com a propriedade alheia.
Provérbio latino

A coisa mais importante em qualquer relacionamento pessoal não é o que você obtém, mas o que você dá.
Eleanor Roosevelt

Mais bem-aventurado é dar que receber.
Atos 20.35

Porque amo a casa de meu Deus. A generosidade de Davi repousava em seu *amor* pelo trabalho. Esse é o maior poder inspirador. Davi foi um doador inspirado.

■ 29.4

שְׁלֹשֶׁת אֲלָפִים כִּכְּרֵי זָהָב מִזְּהַב אוֹפִיר וְשִׁבְעַת אֲלָפִים כִּכַּר־כֶּסֶף מְזֻקָּק לָטוּחַ קִירוֹת הַבָּתִּים:

Davi *doou* 110 toneladas de ouro e 260 toneladas de prata. O ouro era do maior produtor desse metal, *Ofir* (ver a respeito no *Dicionário*). Cf. 1Rs 9.28; 10.11; 22.48; 2Cr 8.18; 9.10; Is 13.12. Ao que tudo indica, essas imensas quantidades de metais ultrapassavam o que já havia sido doado (1Cr 22.14). Ouro e prata eram usados para fabricar utensílios (vs. 5) para o templo de Jerusalém. Mas também sabemos que o ouro foi usado para recobrir as paredes do Santo Lugar e do Santo dos Santos. As paredes das câmaras construídas em derredor do templo foram recobertas de prata. Cf. 2Cr 3.4-9.

■ 29.5

לַזָּהָב לַזָּהָב וְלַכֶּסֶף לַכֶּסֶף וּלְכָל־מְלָאכָה בְּיַד חָרָשִׁים וּמִי מִתְנַדֵּב לְמַלֹּאות יָדוֹ הַיּוֹם לַיהוָה:

Artífices foram convocados a trabalhar em vasos de prata e de ouro para o templo. O povo doava seu tempo, e não somente seu dinheiro. O trabalho requeria a contribuição generosa do labor voluntário. Cf. 1Cr 22.15,16, onde são dados detalhes sobre essas questões.

■ 29.6-8

V6 וַיִּתְנַדְּבוּ שָׂרֵי הָאָבוֹת וְשָׂרֵי שִׁבְטֵי יִשְׂרָאֵל וְשָׂרֵי הָאֲלָפִים וְהַמֵּאוֹת וּלְשָׂרֵי מְלֶאכֶת הַמֶּלֶךְ:

V7 וַיִּתְּנוּ לַעֲבוֹדַת בֵּית־הָאֱלֹהִים זָהָב כִּכָּרִים חֲמֵשֶׁת־אֲלָפִים וַאֲדַרְכֹנִים רִבּוֹ וְכֶסֶף כִּכָּרִים עֲשֶׂרֶת אֲלָפִים וּנְחֹשֶׁת רִבּוֹ וּשְׁמוֹנַת אֲלָפִים כִּכָּרִים וּבַרְזֶל מֵאָה־אֶלֶף כִּכָּרִים:

V8 וְהַנִּמְצָא אִתּוֹ אֲבָנִים נָתְנוּ לְאוֹצַר בֵּית־יְהוָה עַל יַד־יְחִיאֵל הַגֵּרְשֻׁנִּי:

A Eficácia do Discurso de Davi. O coração dos líderes de Israel foi tocado. Este versículo pode ser comparado ao trecho de 1Cr 28.2, onde temos uma lista mais elaborada de líderes, porém as mesmas pessoas estão em pauta. Os líderes fizeram doações e então inspiraram o povo a fazer o mesmo. Houve grande recolhimento de fundos e materiais. Voluntários apresentaram-se para ajudar na construção do templo, contribuindo com seu tempo e seus talentos.

As Contribuições:
1. Cinco mil talentos de ouro, isto é, cerca de 190 toneladas.
2. Dez mil dracmas de ouro, ou seja, cerca de 185 toneladas.
3. Dez mil talentos de prata, ou seja, cerca de 375 toneladas.

4. Dezoito mil talentos de bronze, ou seja, cerca de 675 toneladas.
5. Cem mil talentos de ferro, ou seja, cerca de 3.750 toneladas.
6. Grande quantidade e variedade de pedras preciosas (vs. 8).

O homem que supervisionou o recebimento e o uso de todo esse material foi *Jeiel*. Ele e seus filhos tinham autoridade sobre o tesouro, conforme aprendemos em 1Cr 26.21,22. Ver o artigo do *Dicionário* chamado *Pesos e Medidas* quanto ao valor dos pesos mencionados nestes versículos.

■ 29.9

וַיִּשְׂמְח֣וּ הָעָם֮ עַל־הִֽתְנַדְּבָם֒ כִּ֚י בְּלֵ֣ב שָׁלֵ֔ם הִֽתְנַדְּב֖וּ לַיהוָ֑ה וְגַם֙ דָּוִ֣יד הַמֶּ֔לֶךְ שָׂמַ֖ח שִׂמְחָ֥ה גְדוֹלָֽה׃ פ

Tudo o que se fez voluntariamente. O povo era forçado, de acordo com a legislação mosaica, a doar os dízimos. Mas os recursos provenientes dessa obrigação não podiam arcar com o projeto do templo de Davi. Para tanto, seriam necessárias generosas ofertas voluntárias. E o povo contribuiu, parcialmente porque o discurso de Davi fora convincente, embora também possamos estar seguros de que isso estava no coração deles. Eles não precisaram ser *convencidos*.

> *Pois conheceis a graça de nosso Senhor Jesus Cristo que, sendo rico, se fez pobre por amor de vós, para que pela sua pobreza vos tornásseis ricos.*
>
> 2Coríntios 8.9

O poder da doação — dar garante o receber.

> *Deus pode fazer-vos abundar em toda graça, a fim de que, tendo sempre, em tudo, ampla suficiência, superabundeis em toda boa obra.*
>
> 2Coríntios 9.8

Os vss. 6 e 9 enfatizam que oferendas voluntárias foram trazidas com alegria, e não a contragosto ou em tristeza. Também destacam que essas doações foram feitas de *todo o coração*, e não somente por causa dos apelos convincentes de Davi. Por igual modo, destacam que as oferendas foram trazidas a *Yahweh*. O povo não glorificou a si mesmo com suas doações. Não houve nenhuma ostentação nessa atitude. E Davi, vendo todo esse material, bem como a reação abundante do povo, ficou eufórico, e "alegrou-se com grande júbilo". Salomão seria o construtor, mas não teria mais de apelar para nenhuma outra fonte de rendas, pois Davi tinha resolvido o problema do suprimento.

A fórmula vencedora foi:
ofertas dadas voluntariamente
dadas com alegria,
dadas do coração,
dadas com abundância,
dadas a Yahweh.

Considerações. O próprio evangelho nasceu em meio à generosidade: "Porque Deus amou ao mundo de tal maneira que deu o seu Filho unigênito, para que todo o que nele crê não pereça, mas tenha a vida eterna" (Jo 3.16). A generosidade consiste no amor em ação, e o amor é a comprovação da espiritualidade (ver 1Jo 4.7). O Espírito Santo cultiva em nós a qualidade do amor, do que resulta a generosidade (Gl 5.22,23).

Generosidade Maciça. "O ouro, a prata e o bronze que Davi e os líderes doaram (ver 1Cr 22.14; 29.4,7) pesaram um total maciço de mais de 46.610 toneladas, sem contar os outros metais, as pedras e a madeira" (Eugene H. Merrill, *in loc.*).

Davi estava idoso, e sua morte estava muito próxima. Mas em sua velhice ele recebeu a maior vitória da sua vida. Ele foi o principal instrumento para a edificação do templo. Sua vida turbulenta terminou em paz, abundância e alegria. Oh, Senhor, concede-nos tal graça!

ORAÇÃO E SACRIFÍCIOS DE DEDICAÇÃO DE DAVI; BÊNÇÃO DIVINA (22.10-22a)

"Finalmente, o agradecido rei, tendo sido terminada a obra de sua vida, naquele exaltado momento, com palavras nobres (ver os vss. 11-19 deste capítulo) pronunciou a bênção divina. Por sua vez, o povo agradeceu a Deus, oferecendo uma multidão de sacrifícios e regozijando-se juntos *na presença do Senhor*, naquele dia, com imenso júbilo. Esteticamente, foi nesse ponto que o cronista terminou seu quadro do Davi ideal" (W. A. L. Elmslie, *in loc.*).

■ 29.10

וַיְבָ֣רֶךְ דָּוִ֗יד אֶת־יְהוָ֔ה לְעֵינֵ֖י כָּל־הַקָּהָ֑ל
וַיֹּ֣אמֶר דָּוִ֗יד בָּר֤וּךְ אַתָּה֙ יְהוָ֔ה אֱלֹהֵ֖י יִשְׂרָאֵ֣ל
אָבִ֔ינוּ מֵעוֹלָ֖ם וְעַד־עוֹלָֽם׃

Davi louvou ao Senhor. Isso porque Yahweh era a *fonte* de toda a riqueza que havia sido acumulada e dedicada; outrossim, era a fonte da *inspiração* com vistas à construção do templo; e era também o *planejador*, tendo revelado seus planos a Davi.

> *... que tens tu que não tenhas recebido? e, se o recebeste, por que te vanglorias, como se o não tiveras recebido?*
>
> 1Coríntios 4.7

As palavras de Davi não foram jactanciosas. Ele reconheceu plenamente a origem de todas as suas riquezas e de todo o seu bem-estar.

Os Nomes Divinos: Yahweh-Elohim-Pai. O Poder Superior também é nosso Pai. Ele dá a seus filhos, e dá com abundância, em amor. Ver no *Dicionário* o artigo detalhado sobre *Paternidade de Deus*. Ver também sobre *Deus, Nomes Bíblicos de*. O décimo versículo deste capítulo de fato chama Israel de "Pai", mas Deus Pai foi quem tornou isso uma verdade. Ver Êx 4.22 quanto a Yahweh como Pai de Israel, seu *filho*.

De eternidade em eternidade. Note os atributos de Deus neste versículo: 1. eternidade (no nome de Yahweh); 2. poder (no nome de Elohim); 3. eternidade de bênção, uma expressão de sua natureza. O vs. 11 adiciona glória e soberania. Ver no *Dicionário* o artigo *Atributos de Deus*.

■ 29.11,12

לְךָ֣ יְהוָ֡ה הַגְּדֻלָּ֣ה וְהַגְּבוּרָה֩ וְהַתִּפְאֶ֨רֶת וְהַנֵּ֜צַח וְהַה֗וֹד
כִּי־כֹ֣ל בַּשָּׁמַ֣יִם וּבָאָ֑רֶץ לְךָ֣ יְהוָ֗ה הַמַּמְלָכָה֙ וְהַמִּתְנַשֵּׂ֔א
לְכֹ֖ל לְרֹֽאשׁ׃

וְהָעֹ֤שֶׁר וְהַכָּבוֹד֙ מִלְּפָנֶ֔יךָ וְאַתָּה֙ מוֹשֵׁ֣ל בַּכֹּ֔ל וּבְיָדְךָ֖
כֹּ֣חַ וּגְבוּרָ֑ה וּבְיָ֣דְךָ֔ לְגַדֵּ֥ל וּלְחַזֵּ֖ק לַכֹּֽל׃

A Fonte Originária. Em si mesmo, Yahweh possui toda a grandeza e poder (onipotência) e majestade, de modo que é aquele que obtém todas as vitórias, nos céus e na terra. Ele é o proprietário de todos e de tudo, no céu e na terra, não importa onde quer que se congreguem seres inteligentes. Por essa razão, ele é exaltado acima de todos. É a fonte de todas as bênçãos e benefícios. Dá *riquezas* aos homens; honra aos que merecem ser honrados. Torna alguns homens *grandes*, e reduz outros a nada. Faz a alguns homens *fortes*, e a outros fracos. Todos os destinos estão na mão dele. Israel era uma nação distinta das demais por causa de Deus (ver Dt 4.4-8), e Davi foi capacitado a fazer o que fez pelo templo de Jerusalém, por causa da ação divina. O filho de Davi, Salomão, terminaria o trabalho de construção do templo, por haver sido divinamente designado para isso, e o plano divino não poderia fracassar.

> *Toda boa dádiva e todo dom perfeito é lá do alto, descendo do Pai das luzes, em quem não pode existir variação, ou sombra de mudança.*
>
> Tiago 1.17

A *Providência de Deus* é suficientemente *flexível* e *grandiosa* para incluir todos os homens. seu plano é *flexível* o bastante para destacar o que há de mais original em cada um de nós. A *Providência de Deus* é suficientemente *vigorosa* para excluir a possibilidade de um fracasso final. O plano de Deus encerra muitos retrocessos, mas ele jamais desiste. Ver no *Dicionário* o artigo detalhado chamado *Providência de Deus*.

Davi poderia ser apresentado como um dos homens que fez a si mesmo, cujo poder e prosperidade todos gostariam de ter. Pelo contrário, porém, ele se humilhou e reconheceu a fonte divina de toda a sua vida e de todo o seu bem-estar. Ele tinha recebido o melhor e, por conseguinte, deu o melhor de si.

■ 29.13

וְעַתָּה אֱלֹהֵינוּ מוֹדִים אֲנַחְנוּ לָךְ וּמְהַלְלִים לְשֵׁם תִּפְאַרְתֶּךָ׃

Graças te damos. Uma prosperidade espiritual e material fez o idoso Davi dar graças e Deus e louvar a Yahweh.

Fui moço, e já, agora, sou velho, porém jamais vi o justo desamparado, nem a sua descendência a mendigar o pão.
Salmo 37.25

A gratidão é o sinal das almas nobres.
Esopo

A terra não pode produzir coisa
alguma pior do que um homem ingrato.
Ausônio

A gratidão é a menor das virtudes,
mas a ingratidão é o pior dos vícios.
Provérbio popular

Ver no *Dicionário* o artigo chamado *Gratidão*.

Louvamos o teu glorioso nome. "Louvar" significa magnificar, aprovar, honrar, glorificar, oferecer ações de graças, elogiar, adorar, aclamar. A maneira como uma pessoa vive pode ser uma bênção ou uma maldição para outras pessoas. Se uma bênção, então se torna um sacrifício vivo e um louvor a Deus (ver Rm 12.1 ss.). Nossas orações devem incluir o louvor (ver Fp 4.6). O louvor, em si mesmo, é um sacrifício que agrada a Deus (ver Hb 13.14). Ver no *Dicionário* o artigo chamado *Louvor*.

O teu glorioso nome. Literalmente, o original hebraico diz aqui: "o nome da tua glória", expressão encontrada somente aqui em toda a Bíblia. Cf. Is 63.14 e Sl 72.19.

■ 29.14

וְכִי מִי אֲנִי וּמִי עַמִּי כִּי־נַעְצֹר כֹּחַ לְהִתְנַדֵּב כָּזֹאת כִּי־מִמְּךָ הַכֹּל וּמִיָּדְךָ נָתַנּוּ לָךְ׃

Quem sou eu...? Davi nada seria, se Deus não tivesse feito dele alguma coisa. Portanto, ele, como nada, realmente nada tinha para oferecer a Yahweh. Contudo, foi divinamente ordenado que os homens dessem de sua substância e energias, e fossem abençoados por Deus por tais atos.

Sentimos que nada somos, pois tudo és tu e em ti;
Sentimos que algo somos, isso também vem de ti;
Sabemos que nada somos — mas tu nos ajudas a ser algo.
Bendito seja o teu nome — Aleluia!
Alfred Lord Tennyson

Para que pudéssemos dar voluntariamente estas cousas? Pode ter parecido grande coisa fazer oferendas *abundantes e gratuitamente*, como fez o povo de Israel (vs. 6, ver as notas expositivas a respeito). Mas esse foi apenas um dever e um privilégio, visto que ninguém tem coisa alguma que não seja dada por Deus, a fonte originária. Ver as notas expositivas sobre os vss. 11 e 12, onde esses sentimentos já haviam sido expressos e comentados.

Presentes de nada valem, a menos que sejam dados sem motivações ocultas e vis. O povo de Israel, ao contribuir para o templo de Jerusalém, não teve nenhum motivo vil, mas fez somente o que se poderia esperar de um povo próspero. Eles tinham recebido o melhor, e esperava-se que dessem o melhor.

"... da tua presença chegam todas as coisas boas.
Das bênçãos das tuas mãos,
damos de volta para ti."
O Talmude

■ 29.15

כִּי־גֵרִים אֲנַחְנוּ לְפָנֶיךָ וְתוֹשָׁבִים כְּכָל־אֲבֹתֵינוּ כַּצֵּל יָמֵינוּ עַל־הָאָרֶץ וְאֵין מִקְוֶה׃

Porque somos estranhos diante de ti. Estando agora no conforto na nova capital, Jerusalém, e não vagueando pelo deserto, como seus antepassados, Israel continuava a ser um estranho perambulador nesta terra. Israel fora remido do Egito, tirado da servidão. Perambulou sem rumo no deserto por quase quarenta anos. Recebeu uma possessão na terra, e parte de Israel tornou-se *urbanizada* e próspera. Mas todos continuavam como errantes no deserto deste mundo. A terra é apenas uma sombra, e aqui coisa alguma é permanente. As implicações de tais declarações são que Israel nada tinha para oferecer a Deus e, contudo, ele se satisfazia em receber coisas da parte desse povo, para seu templo.

Temos uma excelente declaração de Catão na obra de Cícero (*De Snectute*, cap. 23), que ilustra o sentimento do presente versículo: "Parto desta vida como quem parte de uma estalagem, e não de uma casa. Pois a natureza nos tem dado uma estalagem para nela nos hospedarmos, e não um lugar para ali habitarmos".

*Abraão... pela fé peregrinou na terra da
promessa como em terra alheia,
habitando em tendas com Isaque e Jacó,
herdeiros com ele da mesma promessa;
porque aguardava a cidade que tem fundamentos,
da qual Deus é o arquiteto e edificador.*
Hebreus 11.9,10

"Entretanto, por mais que desejemos estabelecer-nos e permanecer nesse estado de coisas, isso é impossível, porquanto toda forma terrena passa rapidamente. Tudo está em estado de revolução e decadência, e nada existe de permanente" (Adam Clarke, que escreveu essas palavras há quase duzentos anos!)

*Quanto ao homem, os seus dias são como a relva;
como a flor do campo, assim ele floresce;
pois, soprando nela o vento, desaparece...*
Salmo 103.15

Palavras estonteantes essas, ou assim parecem ser. O fato é que o valor humano aqui perdido logo é renovado em algum outro lugar, de modo que temos uma espécie de lei espiritual da conservação da energia. Coisa alguma se perde; tudo é tão somente transformado.

Como a sombra de um pássaro que voa pelo ar dos céus,
tais são os nossos dias à face da terra.
O Talmude

■ 29.16

יְהוָה אֱלֹהֵינוּ כֹּל הֶהָמוֹן הַזֶּה אֲשֶׁר הֲכִינֹנוּ לִבְנוֹת־לְךָ בַיִת לְשֵׁם קָדְשֶׁךָ מִיָּדְךָ הִיא וּלְךָ הַכֹּל׃

Senhor, nosso Deus. Somente Deus é permanente; contudo, o homem pode fazer uma contribuição eterna, devolvendo a Deus aquilo que lhe foi dado, servindo aos outros filhos de Deus; e mostrando-se *generoso*. Habitamos no amor; e no amor continuaremos para sempre.

Toda esta abundância. A referência aqui é às imensas riquezas que Davi, e depois o povo de Israel, doou para a edificação do templo de Jerusalém. Ver os vss. 8 e 9. Toda aquela imensa riqueza, afinal, pertencia a Deus. Ele a havia emprestado a seu povo, e eles fizeram bem ao entregá-la de volta a ele. Quando a devolveram, eles a tornaram eterna, pois se o templo perdurou somente até o cativeiro babilônico (597 a.C., aproximadamente quatrocentos anos mais tarde), contudo, a generosidade que tornou isso possível produziu um galardão eterno. *Eternizamos* as coisas mostrando-nos generosos em nossas doações. O mesquinho já recebeu seu galardão. Ver no *Dicionário* os verbetes denominados *Liberalidade e Generosidade* e *Abundância, Generosidade*.

A generosidade é um princípio *espiritual* geral que determina que os que pouco semeiam também pouco colhem, e que os que semeiam abundantemente também colhem com abundância (ver 2Co 9.6). Ver no *Dicionário* o verbete chamado *Lei Moral da Colheita segundo a Semeadura*. Cf. o vs. 14 do presente capítulo. O vs. 16 é uma espécie de declaração dos sentimentos daquele versículo.

■ **29.17**

וָיָדַעְתִּי אֱלֹהַי כִּי אַתָּה בֹּחֵן לֵבָב וּמֵישָׁרִים תִּרְצֶה
אֲנִי בְּיֹשֶׁר לְבָבִי הִתְנַדַּבְתִּי כָל־אֵלֶּה וְעַתָּה עַמְּךָ
הַנִּמְצְאוּ־פֹה רָאִיתִי בְשִׂמְחָה לְהִתְנַדֶּב־לָךְ׃

Provas os corações. Não há motivos ocultos para Yahweh. Ele sabia que Davi tinha contribuído de todo o coração; e sabia que Davi era reto e obedecia à legislação mosaica, o que o qualificava para ser um doador ao Ser divino. Davi não agia assim para glorificar-se diante do povo. Ele não tinha tempo para ostentações. Havia um trabalho espiritual por realizar. Se tirarmos toda a ostentação da Igreja cristã moderna, quanto restará?

"Tu, olhando para o meu coração, sabes que a minha oferenda foi feita sem queixas e sem hipocrisia. Meus motivos não foram os meus próprios interesses, mas a tua glória" (Ellicott, *in loc.*).

> ... manifesta se tornará a obra de cada um;
> pois o dia a demonstrará,
> porque está sendo revelada pelo fogo;
> e qual seja a obra de cada um o próprio fogo o provará.
> 1Coríntios 3.13

Algumas obras permanecerão; outras serão consumidas pelo fogo; algumas obras receberão recompensa; outras, embora espetaculares, nada receberão, pois o homem que fez suas obras de ostentação já recebeu sua recompensa ao ser louvado pelos homens.

Cf. este versículo com 1Cr 28.9, onde temos um pensamento semelhante.

■ **29.18**

יְהוָה אֱלֹהֵי אַבְרָהָם יִצְחָק וְיִשְׂרָאֵל אֲבֹתֵינוּ
שָׁמְרָה־זֹּאת לְעוֹלָם לְיֵצֶר מַחְשְׁבוֹת לְבַב עַמֶּךָ
וְהָכֵן לְבָבָם אֵלֶיךָ׃

Inclina-lhe o coração para contigo. *Tais propósitos e pensamentos*, de fazer as coisas da melhor maneira possível, de ser generoso a fim de promover a causa espiritual sem ostentação e hipocrisia, foram algo digno, algo que Davi implorava ao Deus dos antepassados, para que o povo cultivasse continuamente.

"Os ancestrais da nação judaica, com os quais Deus fizera seu pacto... Deus clamou para que preparassem seu coração... inclinando e dispondo sua mente para sempre temerem ao Senhor e obedecerem à sua vontade".

Quanto ao Deus "de Abraão, Isaque e Israel (Jacó)", cf. Êx 3.6,15 e Dt 29.13. O uso desses nomes deu autoridade às declarações de Davi e uniu a nação de Israel daqueles dias com o Israel de seus antepassados. Ver no *Dicionário* os artigos denominados *Pactos* e *Pacto Abraâmico*. Em Gn 15.18, ofereço notas completas sobre a questão. Davi, pois, apelou para o Deus dos pactos.

■ **29.19**

וְלִשְׁלֹמֹה בְנִי תֵּן לֵבָב שָׁלֵם לִשְׁמוֹר מִצְוֹתֶיךָ
עֵדְוֹתֶיךָ וְחֻקֶּיךָ וְלַעֲשׂוֹת הַכֹּל וְלִבְנוֹת הַבִּירָה
אֲשֶׁר־הֲכִינוֹתִי׃ פ

E a Salomão, meu filho. Salomão era o homem do momento, e precisava da ajuda de Yahweh acima de todas as outras pessoas. Era ele quem concretizaria o projeto da construção do templo de Jerusalém. Ele também precisava da sabedoria e da cooperação do povo e, obviamente, da ajuda *divina*.

Para fazer o que deveria ser feito, Salomão tinha de ser o que deveria ser. Para ser o que precisava ser, Salomão tinha de obedecer à legislação mosaica. Isso lhe proporcionaria um coração puro e motivos que atrairiam as bênçãos divinas. Israel distinguiu-se de outras nações mediante a obediência à lei (ver Dt 4.4-8) e mediante a participação no *Pacto Mosaico* (comentado na introdução ao capítulo 19 de Êxodo). *Obediência* era algo requerido (ver Dt 32.46). Quanto ao *rei ideal* e os seus deveres, ver Dt 17.14 ss. Quanto ao *Pacto Davídico*, ver 2Sm 7.14, e, quanto a Davi como rei ideal, cujo exemplo precisava ser seguido, ver 1Rs 15.3. Quanto ao fato de Salomão buscar e receber uma *sabedoria especial*, ver 1Rs 3.9 ss.

Os teus mandamentos, os teus testemunhos e os teus estatutos. Quanto a essa tríplice designação da lei e as sutis diferenças que há nesses três termos, ver as notas expositivas sobre Dt 6.1.

■ **29.20**

וַיֹּאמֶר דָּוִיד לְכָל־הַקָּהָל בָּרְכוּ־נָא אֶת־יְהוָה
אֱלֹהֵיכֶם וַיְבָרְכוּ כָל־הַקָּהָל לַיהוָה אֱלֹהֵי אֲבֹתֵיהֶם
וַיִּקְּדוּ וַיִּשְׁתַּחֲווּ לַיהוָה וְלַמֶּלֶךְ׃

Agora louvai ao Senhor vosso Deus. Davi convidou os seus ouvintes, os representantes de Israel, a proferir uma bênção sobre o nome de Yahweh, e a inclinar a cabeça e adorar o verdadeiro Rei de Israel. Foi assim que terminou o seu discurso, e a questão inteira foi abençoada com um momento de adoração perante a fonte de todas as bênçãos. O povo também prestou louvores ao rei, provavelmente o rei *Davi*, embora alguns estudiosos pensem em Salomão, o novo rei, que teria sido o receptor das bênçãos. "... o rei, como representante terreno de Deus. Davi recebeu os mesmos sinais de reverência e homenagem (cf. 1Rs 1.31)" (Ellicott, *in loc.*). "Eles reverenciaram a Deus como o Governante Supremo, e ao rei como seu *representante*" (Adam Clarke, *in loc.*).

■ **29.21,22a**

וַיִּזְבְּחוּ לַיהוָה זְבָחִים וַיַּעֲלוּ עֹלוֹת לַיהוָה לְמָחֳרַת
הַיּוֹם הַהוּא פָּרִים אֶלֶף אֵילִים אֶלֶף כְּבָשִׂים אֶלֶף
וְנִסְכֵּיהֶם וּזְבָחִים לָרֹב לְכָל־יִשְׂרָאֵל׃

וַיֹּאכְלוּ וַיִּשְׁתּוּ לִפְנֵי יְהוָה בַּיּוֹם הַהוּא בְּשִׂמְחָה גְדוֹלָה
וַיַּמְלִיכוּ שֵׁנִית לִשְׁלֹמֹה בֶן־דָּוִיד וַיִּמְשְׁחוּ לַיהוָה
לְנָגִיד וּלְצָדוֹק לְכֹהֵן׃

Ao outro dia. "O dia seguinte foi de orações de dedicação, confirmadas pela oferta de prodigiosa quantidade de animais sacrificados (3 mil ao todo!), cuja realização trouxe ao povo grande alegria perante o Senhor" (Eugene H. Merrill, *in loc.*).

Os Animais Sacrificados. Foram mil novilhos, mil carneiros e mil cordeiros. Ver os *cinco animais* aceitáveis como sacrifício, os *animais nobres*, anotados em Lv 1.14-16. Além dos sacrifícios, houve *libações* (ver Lv 23.13 e o artigo no *Dicionário*). Houve sacrifícios pelos pecados, atos expiatórios para corrigir a situação do povo diante de Yahweh, e houve também ações de graças. Foi um dia de alegria e triunfo, naturalmente, acompanhado e consagrado por formas de adoração comuns a Israel naquele tempo.

O vs. 22 enfatiza como os sacrifícios introduziram um grande dia de festividades e celebrações. Os sacrifícios eram ocasiões solenes, mas as *festividades* sempre estiveram associadas ao sistema de sacrifícios. Ver no *Dicionário* o verbete intitulado *Festas (Festividades) Judaicas*.

O SUCESSOR DE DAVI NO TRONO (29.22b-30)

"O último ato de Davi a ser registrado foi a aceitação da corregência de Salomão (cf. 1Rs 1.38-40; 2.1). Por quanto tempo os dois governaram juntos não se pode saber, mas certamente foi um breve período... Com a subida de Salomão ao trono, veio o reconhecimento, por parte do povo, de que agora Salomão era o rei, em lugar de Davi. A confirmação divina sobre isso se tornou evidente através das grandes bênçãos do Senhor sobre Salomão. Deus o *exaltou* e lhe deu um *esplendor real* sem precedentes (vs. 25)" (Eugene H. Merrill, *in loc.*).

■ 29.22b
Pela segunda vez. Parece que o trecho de 1Cr 23.1 foi visto pelo autor sagrado como um anúncio da *primeira vez* em que o reinado de Salomão foi reconhecido e proclamado. Talvez devamos entender que 1Cr 23.1 significa que Salomão foi feito corregente, e o presente versículo, assim sendo, diz que ele assumiu sozinho o trono. Houve a cerimônia de unção, efetuada por Zadoque, o sumo sacerdote, e com os ritos reais apropriados que o autor sacro não se incomodou em descrever.

Quanto à narrativa completa em que Salomão foi feito rei, ver 1Rs 1.32-40. Quanto à questão da *unção*, ver Jz 9.15; 2Sm 2.4 e o artigo no *Dicionário* sobre esse assunto. Visto que Zadoque, o sumo sacerdote, estava presente e atuante, sabemos que durante a monarquia foi preservado certo grau de teocracia. Ver 1Rs 1.39,40 quanto a detalhes sobre a *unção* de Salomão.

■ 29.23

וַיֵּשֶׁב שְׁלֹמֹה עַל־כִּסֵּא יְהוָה לְמֶלֶךְ תַּחַת־דָּוִיד אָבִיו וַיַּצְלַח וַיִּשְׁמְעוּ אֵלָיו כָּל־יִשְׂרָאֵל׃

Salomão assentou-se no trono do Senhor. *Salomão* (a escolha divina para o trono de Israel, o qual, embora não fosse o filho mais velho de Davi, era o primeiro na mente divina) *prosperou.* Sua *majestade* foi maior que a de qualquer outro rei de Israel, antes ou depois (vs. 25). De fato, ele trouxe a época áurea de Israel. Ver no *Dicionário* o verbete chamado *Salomão*, quanto a descrições completas.

"... o Senhor lhe deu o trono e o estabeleceu; ele foi o vice-rei de Davi durante sua vida e sucedeu-o por ocasião de sua morte. Ele assumiu pleno poder de governo e *prosperou*. seu reinado foi feliz e pacífico, e *todo o Israel lhe prestou obediência*" (John Gill, *in loc.*).

■ 29.24

וְכָל־הַשָּׂרִים וְהַגִּבֹּרִים וְגַם כָּל־בְּנֵי הַמֶּלֶךְ דָּוִיד נָתְנוּ יָד תַּחַת שְׁלֹמֹה הַמֶּלֶךְ׃

Todos... prestaram homenagens ao rei Salomão. Todas as autoridades de Israel (ver a lista em 1Cr 28.1) reconheceram que Salomão era o rei, com autoridade divina, civil e militar, e assim prestaram-lhe plena lealdade e apoio. Todo o povo de Israel uniu-se sob o seu comando, mais do que sob qualquer dos demais reis de Israel, passados ou futuros. O próprio Davi precisou lutar para obter controle sobre o país inteiro. Mas Salomão subiu ao trono com poder, contando com apoio irrestrito por parte do povo e dotado de uma autoridade inquestionável.

No original hebraico, o texto diz: "puseram suas mãos sob Salomão". Isso está de acordo com o costume oriental de pôr uma mão debaixo da mão estendida do rei e beijar o dorso dessa mão (ver 2Rs 10.15). Adam Clarke entende a questão de forma diferente: "Já vimos que pôr a mão sob a coxa (*super sectionem circumcisiones*) era a forma de fazer um juramento. Ver sobre Gn 24.9".

■ 29.25

וַיְגַדֵּל יְהוָה אֶת־שְׁלֹמֹה לְמַעְלָה לְעֵינֵי כָּל־יִשְׂרָאֵל וַיִּתֵּן עָלָיו הוֹד מַלְכוּת אֲשֶׁר לֹא־הָיָה עַל־כָּל־מֶלֶךְ לְפָנָיו עַל־יִשְׂרָאֵל׃ פ

O Senhor engrandeceu sobremaneira a Salomão. Sob Salomão, Israel atingiu sua maior extensão territorial, pois as fronteiras do norte se ampliaram até as margens do rio Eufrates. Pelo menos a sua influência chegou até lá, e, sem dúvida, ele tinha postos avançados naquelas longínquas regiões nortistas. Mas ele não estendeu a fronteira sul de Israel até o rio Nilo, no Egito, um direito que foi estabelecido no Pacto Abraâmico. Ver em Gn 15.18 as notas sobre esse pacto, as quais incluem comentários sobre as dimensões da Terra Prometida. Salomão, pois, foi um homem de riquezas, poder e sabedoria, cabeça e ombros acima de todos os demais reis, exceto pelo fato de ter caído na idolatria, o que maculou toda a sua ficha corrida. Então Roboão, seu filho, em sua arrogância e estúpida administração (completa com a repressão) terminou dividindo Israel em duas nações: a do norte (Israel) e a do sul (Judá). Seja como for, enquanto Salomão esteve no poder, Israel viveu seus dias mais gloriosos, sua época áurea. De fato, Salomão tornou-se um dos grandes monarcas orientais. Sua influência espalhou-se por todos os países adjacentes e sua sabedoria deixava boquiabertos a todos os homens.

Sumário do Reinado de Davi e de sua Morte (29.26-30)
Davi Tinha Falecido; Salomão Reinava. Mas o autor sacro não podia dispensar Davi de sua história, sem nos dar este pequeno *sumário*. Afinal de contas, um dos principais propósitos do autor sagrado foi exaltar a dinastia davídica, e o velho homem não podia sair de cena sem uma palavra final da parte do autor sagrado. Em seguida, o autor se apressaria a descrever a glória de Salomão, porquanto nele continuava a dinastia davídica. Os versículos sumariam o reinado de Davi desde sua subida ao trono, em Hebrom (2Sm 5.1-5), até o seu falecimento.

■ 29.26

וְדָוִיד בֶּן־יִשָׁי מָלַךְ עַל־כָּל־יִשְׂרָאֵל׃

Este versículo enfatiza a universalidade do reinado de Davi. Ele reinou por sete anos em Hebrom, isto é, sobre as tribos do sul (Judá), e somente então obteve autoridade sobre todo o território de Israel. Dessa maneira, ele uniu Israel sob a monarquia que substituiu o antigo sistema dos juízes, dos quais Samuel foi o último. O propósito divino estava agindo em *outra direção*: a monarquia que promoveria a dinastia davídica, continuamente exaltada pelo autor. Ele a engrandeceu porque, terminado o cativeiro babilônico, foi essa dinastia que deu a Israel continuidade como uma nação, a despeito das grandes calamidades dos dois cativeiros, o assírio e o babilônico. O poder divino terminou triunfante, ao preservar *politicamente* Israel (em Judá), através da dinastia davídica, e, *espiritualmente*, através dos levitas, que conseguiram voltar da Babilônia.

2Samuel (dentre as obras bíblicas canônicas) é o livro que registra o reinado de Davi, primeiramente em sua origem, em Hebrom, e depois estendendo-se a todo o Israel.

Ver 2Sm 5.1-5; 11.1; 12.38 quanto ao reinado antecedente de Davi somente sobre Judá e, depois, sobre toda a nação de Israel.

■ 29.27

וְהַיָּמִים אֲשֶׁר מָלַךְ עַל־יִשְׂרָאֵל אַרְבָּעִים שָׁנָה בְּחֶבְרוֹן מָלַךְ שֶׁבַע שָׁנִים וּבִירוּשָׁלִַם מָלַךְ שְׁלֹשִׁים וְשָׁלוֹשׁ׃

O tempo que reinou sobre Israel foi quarenta anos. *Cronologia.* Davi governou o sul, com capital em Hebrom, por sete anos. Em seguida, reinou por 33 anos sobre todo o Israel, totalizando assim *quarenta anos*, uma das diversas ocorrências bíblicas do número quarenta. Esse foi um período de provas para a unificação e a derrota dos oito inimigos de Israel (ver 2Sm 10.19), a fim de que a paz pudesse ser estabelecida. A paz permitiu que Salomão desse a Israel prosperidade e glória sem precedentes. Ver no *Dicionário* o artigo denominado *Quarenta*. Salomão também estava destinado a reinar por *quarenta anos*. Davi atingiu a "idade bíblica" de 70 anos (Sl 90.10) e, tendo completado sua missão turbulenta, fez a transição para o outro mundo. Então, por outros quarenta anos, Salomão faria a nação de Israel entrar em sua época áurea. Depois disso, as coisas se desintegrariam muito. Ver 1Rs 2.11 quanto a um versículo quase idêntico ao presente, onde dou ideias adicionais.

■ 29.28

וַיָּמָת בְּשֵׂיבָה טוֹבָה שְׂבַע יָמִים עֹשֶׁר וְכָבוֹד וַיִּמְלֹךְ שְׁלֹמֹה בְנוֹ תַּחְתָּיו׃

Morreu em ditosa velhice. *Davi* não tinha motivo para lamentações. Ele terminou a sua missão, e seus 70 anos de vida foram adequados para isso. Triste é quando não há anos suficientes para realizarmos a tarefa. Oh, Senhor, livra-nos de tal calamidade! Embora não tenha sido tão rico e glorioso como seu filho Salomão, Davi foi exaltado muito acima dos homens comuns, porquanto Yahweh estava com ele. Ele tinha aprendido a passar mal e a viver em abundância (ver Fp 4.12), tendo experimentado os dois lados da moeda da vida.

Nesta vida, Davi buscou e encontrou tudo de quanto tinha necessidade. Na vida futura, recebeu a vida eterna e riquezas duráveis e aquela honra e glória que não se acabam. Durante sua vida terrena, ele serviu como um grande *magneto*, unindo toda a nação de Israel e conferindo-lhe paz e centralização política e religiosa em Jerusalém, que ele transformou em sua capital. Portanto, foi apropriado que o Magneto celeste o tivesse atraído ao destino celestial.

Cheio de dias. No hebraico, a tradução literal é "satisfeito com dias". A versão siríaca diz: "ele estava satisfeito com os dias de sua vida". É grande coisa quando um homem pode dizer: "Tive tempo suficiente para fazer o que eu deveria fazer, e vejo isso sem nenhum reparo. Estou *satisfeito* com o tempo que me foi dado".

Saciá-lo-ei com longevidade, e lhe mostrarei a minha salvação.
Salmo 91.16

O Tributo a Davi. Meus amigos, prestei um *tributo* a Davi (com várias citações), em 1Rs 2.10,11. Peço que meu leitor veja as notas ali, as quais também se aplicam aqui.

> Penso continuamente naqueles que foram
> realmente grandes,
> Que, desde o ventre, relembraram a
> história da alma,
> Através dos corredores da luz,
> onde as horas são sóis,
> Intermináveis e cantantes.
> Cuja amável ambição
> Era que seus lábios, ainda que
> tocados pelo fogo,
> Falassem do espírito, revestido em cântico,
> da cabeça aos pés.
>
> Aqueles que em vida lutaram pela vida,
> Que usaram no coração o centro do fogo.
> Nascidos do sol, viajaram por um pouco
> em direção do sol,
> E deixaram o ar vívido assinado com sua honra.
>
> Stephen Spender

29.29

וְדִבְרֵי דָּוִיד הַמֶּלֶךְ הָרִאשֹׁנִים וְהָאַחֲרֹנִים הִנָּם כְּתוּבִים עַל־דִּבְרֵי שְׁמוּאֵל הָרֹאֶה וְעַל־דִּבְרֵי נָתָן הַנָּבִיא וְעַל־דִּבְרֵי גָּד הַחֹזֶה:

O leitor que quiser mais detalhes sobre o reinado de Davi poderá examinar vários livros que o cronista usou como fontes informativas. Ele já havia mencionado a *história do rei Davi* (27.24), que provavelmente é uma referência ao livro da História dos reis de Israel e de Judá. Erramos ao supor que aqueles livros foram, realmente, somente seções de livros canônicos do Antigo Testamento. Ver 1Rs 14.19 quanto a uma discussão do livro da história e de outros livros perdidos do período do Antigo Testamento. Ver no *Dicionário* os verbetes chamados *Livros Perdidos da Bíblia* e *Livro (Livros)*.

Outros livros perdidos, fontes informativas usadas pelo cronista, foram *Crônicas de Samuel*; *Crônicas do Profeta Natã* e *Crônicas de Gade, o Vidente*. Se essas personagens foram mesmo autores desses livros, ou se esses livros foram atribuídos a elas, é um quebra-cabeça que não temos como resolver. Naturalmente, parte do material foi preservado nos livros canônicos do Antigo Testamento, mas exatamente o quanto foi empregado, é impossível de determinar. O restante desses livros caiu no esquecimento, pois o cânon do Antigo Testamento deixou-os ultrapassados. John Gill (*in loc.*) certamente labora em erro ao *identificar* nossos livros canônicos de 1 e 2Samuel com esses livros. Mas Adam Clarke por certo mostrou-se correto ao afirmar: "Esses escritos perderam-se todos, exceto algumas particularidades, espalhadas nos livros de Samuel, Reis e Crônicas".

29.30

עִם כָּל־מַלְכוּתוֹ וּגְבוּרָתוֹ וְהָעִתִּים אֲשֶׁר עָבְרוּ עָלָיו וְעַל־יִשְׂרָאֵל וְעַל כָּל־מַמְלְכוֹת הָאֲרָצוֹת: פ

O cronista, usando suas obras de consulta (vs. 29) e adicionando a elas seu próprio material, deu-nos um relato do reino e do poder de Davi, mas proveu uma história relativamente abreviada, e assim convocou os leitores a consultar as obras informativas que ele mesmo havia empregado. O *impacto* de sua obra foi exaltar a dinastia davídica, porquanto foi esse poder político que permitiu a continuidade de Israel após o cativeiro babilônico (depois do qual o autor sagrado escreveu o seu livro).

Todos os acontecimentos que se deram com ele. Davi foi apanhado no fluxo de uma história divinamente dirigida, e desempenhou bem o seu papel, moldando alguns eventos a fim de adaptar-se ao propósito divino para sua própria vida e para a vida da nação de Israel. Foi assim que o poder de Deus usou o ser humano, e, em *síntese*, a vontade de Deus foi cumprida naquele período, a despeito de alguns clamorosos pecados e falhas, por parte de Davi. Apesar desses fracassos, "Davi foi crente verdadeiro, zeloso adorador de Deus, mestre de sua lei e adoração, e inspirador de seus louvores; glorioso exemplo e fonte perpétua e inexaurível de verdadeira piedade; herói consumado e inigualável; governante habilidoso e patriota constante; e, o que ainda é mais raro, inimigo generoso e magnânimo; verdadeiro penitente; músico divino, poeta sublime e profeta inspirado" (dr. Delaney, *in loc.*).

E com todos os reinos daquelas terras. Davi derrotou *oito* dos inimigos de Israel (ver as notas em 2Sm 10.1) e assim trouxe paz e consolidou a monarquia em Israel. Ele estabeleceu algumas relações amistosas com outras nações, mormente com Hirão, rei de Tiro, que trabalhou visando a vantagem de Israel. Cf. 1Cr 14.17. A reputação de Davi como guerreiro lançou o temor no coração dos povos circunvizinhos.

A *versão siríaca* adicionou ao livro esta nota de rodapé: "... Davi fez o que era bom na presença do Senhor e não se desviou de coisa alguma que lhe havia sido ordenada, por todos os dias de sua vida".

2CRÔNICAS

O livro que descreve a dinastia de Davi

> *Se o meu povo, que se chama pelo meu nome, se humilhar, orar e me buscar, e se converter dos seus maus caminhos, então eu ouvirei dos céus, perdoarei os seus pecados e sararei a sua terra.*
>
> 2Crônicas 7.14

| 36 | Capítulos |
| 822 | Versículos |

INTRODUÇÃO

Ao Leitor

Na *Introdução* à unidade literária, formada por 1 e 2Crônicas, imediatamente antes da exposição a 1Crônicas, provi informações sobre tópicos como caracterização geral, título, autoria, data, autenticidade histórica, fontes literárias, motivo e propósitos dos livros, filosofia e teologia, canonicidade, problemas especiais e conteúdo. O leitor sério não começará o estudo desses livros sem primeiro informar-se sobre esses tópicos em geral. Uma única introdução foi provida para os dois livros. 1 e 2Crônicas eram, de fato, um único livro na Bíblia hebraica. A divisão apareceu primeiramente na Septuaginta, a versão grega desses livros, a fim de facilitar a leitura, porquanto manusear um volume do tamanho de 1 e 2Crônicas não seria uma tarefa fácil. A divisão foi bem feita. Fazia a história de Davi ser a conclusão do primeiro livro, e a história de Salomão ser a introdução ao segundo. Davi trouxe paz e prosperidade mediante a derrota dos *oito* inimigos de Israel (ver as notas a respeito em 2Sm 10.19). Assim sendo, Salomão teve paz e capacidade para conduzir Israel a uma prosperidade sem precedentes em sua época áurea. Parte dessa época áurea foi a construção do templo, que visava unificar a adoração em Jerusalém.

Imediatamente antes do início de minha exposição em 1Cr, adicionei algumas informações além dos materiais da Introdução. Essas adições também se aplicam a 2Crônicas. Discuto ainda a relação entre 1 e 2Samuel, 1 e 2Reis e 1 e 2Crônicas. Mais da metade de 1 e 2Crônicas tem paralelos diretos com esses quatro livros. Além disso, há a questão da Filosofia da História, um aspecto importante da unidade, que discuto pouco antes da exposição sobre 1Crônicas. Cinco princípios orientadores foram observados nessa Filosofia da História, e eles são analisados nos comentários.

Em 2Cr 18.28 chegamos à marca da metade do Antigo Testamento. Ou seja, de Gn 1.1 a 2Cr 18.28, há 11.574 versículos, sendo essa a metade do total de 23.148 versículos no Antigo Testamento.

CAPÍTULO UM

HISTÓRIA DE SALOMÃO (1.1—9.31)

Davi havia trazido a paz a Israel, ao derrotar os *oito* adversários da nação. Ver as notas sobre isso em 2Sm 10.19. Devido aos despojos de guerra que tomou, ele obteve recursos materiais imensos, grande parte dos quais entregou a Salomão para a edificação do templo. Ver 1Cr 29.2-5. Em face das realizações e contribuições de Davi, Salomão estava devidamente posicionado para construir o templo e assim unificar o culto divino em Jerusalém. Salomão, pois, prosperou materialmente muito mais do que Davi, e assim foi capaz de dar a Israel sua época áurea.

Salomão edificou o templo de Jerusalém no estilo dos monarcas orientais. Acumulou riquezas para o templo e deu-lhe um estilo magnificente (ver 2Cr 22.5). O reinado de Salomão esteve em paz e foi forte; suas riquezas materiais foram imensas. Houve alguns aspectos tenebrosos em Salomão e seu reinado, que o cronista preferiu ignorar, tal como havia ignorado (em sua maior parte) os defeitos e pecados de Davi. O propósito do autor sacro era exaltar a dinastia davídica, e não tratar dos problemas pessoais e familiares de seus heróis. Era a dinastia davídica, um fragmento da qual retornou a Israel, terminado o cativeiro babilônico, que dava a Israel a legitimidade de continuar, a despeito de essa continuação ter ocorrido através da tribo única de Judá. A legitimidade espiritual foi provida pelos poucos levitas que retornaram do cativeiro babilônico.

Em consonância com o seu propósito, o autor omitiu os materiais dos capítulos 1 e 2 de 1Reis, onde vemos Salomão assassinar seu meio-irmão, Adonias, e eliminar Joabe. Quanto a informações detalhadas, ver no *Dicionário* os artigos intitulados *Salomão* e *Rei*. Ver também o artigo chamado *Templo de Jerusalém*.

Caracterização Geral. O paralelo do primeiro capítulo de 2Crônicas é 1Rs 3.3-15, cujas notas expositivas também se aplicam aqui.

Cerca de metade de 1 e 2Crônicas tem paralelo em 1Samuel e 1 e 2Reis. Salomão estabeleceu controle absoluto sobre o reino unido de Israel. Ele dispunha das bênçãos especiais e da ajuda de Yahweh. Para mostrar sua devoção e boas intenções e para buscar a ajuda divina, Salomão, juntamente com certos líderes de Israel, fez uma peregrinação ao tabernáculo que estava em Gibeom. Ali chegando, eles ofereceram sacrifícios sobre o grande altar de bronze que havia sido feito por Bezalel, sob a orientação de Moisés (ver Êx 31.11 e 38.1-7). A arca da aliança, entretanto, tinha sido transportada para Jerusalém, e estava abrigada no tabernáculo provisório de Davi (anotado em 2Sm 6.17). Ver 1Cr 16.39,40 e 2Cr 1.4. Quanto às vagueações da *arca da aliança,* ver no *Dicionário* o verbete com esse título. Salomão exprimiu sua devoção e sérias intenções como novo rei de Israel, ao oferecer mil holocaustos no tabernáculo de Gibeom (ver 2Cr 1.6).

■ **1.1**

וַיִּתְחַזֵּק שְׁלֹמֹה בֶן־דָּוִיד עַל־מַלְכוּתוֹ וַיהוָה אֱלֹהָיו
עִמּוֹ וַיְגַדְּלֵהוּ לְמָעְלָה׃

Salomão, filho de Davi, fortaleceu-se no seu reino. Esse fortalecimento verificou-se primeiramente através de Davi, que derrotou os inimigos de Israel. E então ultrapassou qualquer coisa que Davi tinha conseguido fazer. O autor sagrado começou a dizer que a vontade divina estava arranjando as coisas de modo que elas contribuíssem para a glória e o poder de Salomão. O cronista exaltou a dinastia davídica através da qual, em seus dias, terminado o cativeiro babilônico, Israel continuou existindo, mediante a única tribo sobrevivente, Judá. O autor sagrado não maculou a descrição da grandeza de Salomão ao dar-nos os fatos desgostosos registrados nos capítulos 1 e 2 de 1Reis. Além disso, ele ignorou a história de todas as esposas que desviaram Salomão para a maldita idolatria e apostasia. Cf. o presente versículo com 1Rs 2.46. Ver também 1Cr 29.25, um paralelo quase direto com o presente versículo.

■ **1.2**

וַיֹּאמֶר שְׁלֹמֹה לְכָל־יִשְׂרָאֵל לְשָׂרֵי הָאֲלָפִים וְהַמֵּאוֹת
וְלַשֹּׁפְטִים וּלְכֹל נָשִׂיא לְכָל־יִשְׂרָאֵל רָאשֵׁי הָאָבוֹת׃

Falou Salomão a todo o Israel. Salomão convocou os homens poderosos de Israel, os *líderes* das várias categorias sociais. Cf. 1Cr 28.1, onde temos uma lista extensa de líderes. Ver também 1Cr 29.22. Estavam incluídos os cabeças das tribos e os governantes militares e civis. A narrativa do livro de 1Reis usa apenas um versículo para referir-se aos sacrifícios, e assim omite qualquer menção aos príncipes que participaram da cerimônia (ver 1Rs 3.4). Estavam presentes os *governantes,* os cabeças de clãs que tinham autoridade sobre as diversas tribos (ver Nm 7.10; 1Rs 8.1); e também estavam presentes os *cabeças* das famílias paternas, sendo esta, provavelmente, apenas outra denominação para os governantes que tinham acabado de ser mencionados. Os juízes também não foram esquecidos e, naturalmente, o exército estava bem representado.

■ **1.3**

וַיֵּלְכוּ שְׁלֹמֹה וְכָל־הַקָּהָל עִמּוֹ לַבָּמָה אֲשֶׁר בְּגִבְעוֹן
כִּי־שָׁם הָיָה אֹהֶל מוֹעֵד הָאֱלֹהִים אֲשֶׁר עָשָׂה מֹשֶׁה
עֶבֶד־יְהוָה בַּמִּדְבָּר׃

E foi com toda a congregação ao alto. Os *representantes de Israel* (escolhidos entre os listados no versículo anterior) foram com Salomão em sua peregrinação a Gibeom, para os ritos e sacrifícios que ali seriam oferecidos. O trecho paralelo de 1Rs 3.4 deixa de mencionar os conselheiros de Salomão, que também o acompanharam. O tabernáculo erigido por Moisés ainda existia. Tinha vagueado para um lado e para outro pelo deserto, mas finalmente repousara em Gibeom. Quanto às vagueações da tenda, ver no *Dicionário* o artigo intitulado *Tabernáculo*. No tabernáculo estava o grande altar de bronze que era o lugar do sacrifício. A arca da aliança estava no tabernáculo provisório de Davi, em Jerusalém (ver as notas a respeito em 2Sm 6.17). As coisas estavam confusas. Israel passava por um processo de transição, e assim continuaria até que Salomão *unificasse as coisas* no templo de Jerusalém.

Ao alto. Ver no *Dicionário* o verbete chamado *Lugares Altos*. O texto parece dizer que a própria Gibeom era um dos lugares altos, e ali o tabernáculo tinha sido posto. Cf. 1Rs 3.4. Não é provável que Salomão tenha ido a um lugar alto separado, distinto do tabernáculo.

■ 1.4

אֲבָל אֲרוֹן הָאֱלֹהִים הֶעֱלָה דָוִיד מִקִּרְיַת יְעָרִים בַּהֵכִין לוֹ דָּוִיד כִּי נָטָה־לוֹ אֹהֶל בִּירוּשָׁלָם׃

Mas Davi fizera subir a arca de Deus. O *tabernáculo provisório* fora preparado por Davi (em Jerusalém) para abrigar a arca da aliança. Quanto a notas expositivas a respeito, ver 2Sm 6.17. Ver também sobre 1Cr 15.1 e o artigo do *Dicionário* denominado *Tabernáculo*. Quando o templo estava terminado, a arca foi levada para repousar naquele lugar. Até então, seguiu um curso de vagueações. Ver no *Dicionário* o verbete intitulado *Arca da Aliança*, quanto a completas informações.

■ 1.5

וּמִזְבַּח הַנְּחֹשֶׁת אֲשֶׁר עָשָׂה בְּצַלְאֵל בֶּן־אוּרִי בֶן־חוּר שָׂם לִפְנֵי מִשְׁכַּן יְהוָה וַיִּדְרְשֵׁהוּ שְׁלֹמֹה וְהַקָּהָל׃

Também o altar de bronze que fizera Bezael. Quanto à história que narra como Bezael preparou o grande altar de bronze (sob a direção de Moisés), ver Êx 31.11 e 38.17. Ali, naturalmente, seria o lugar dos sacrifícios que Salomão utilizaria em seus ritos. Salomão preparava-se para tornar-se rei e buscava o favor de Yahweh. A principal preocupação de Salomão era adquirir sabedoria para a tarefa à sua frente (vs. 10). Sua busca estava mesclada com o agradecimento por tudo quanto Yahweh fizera por Israel, até aquele ponto, especialmente através de seu pai, Davi (vs. 8).

■ 1.6

וַיַּעַל שְׁלֹמֹה שָׁם עַל־מִזְבַּח הַנְּחֹשֶׁת לִפְנֵי יְהוָה אֲשֶׁר לְאֹהֶל מוֹעֵד וַיַּעַל עָלָיו עֹלוֹת אָלֶף׃

Salomão ofereceu ali sacrifícios perante o Senhor. Salomão subiu ao tabernáculo que tinha sido erguido em um lugar alto, em Gibeom (vs. 3), e terminou defronte do altar de bronze, o local dos sacrifícios. Ver as notas em Êx 27.1 sobre o *Altar de Bronze*. O zelo de Salomão levou-o a oferecer o tremendo número de mil animais. Os sacrifícios, naturalmente, foram realizados por sacerdotes devidamente constituídos. Cf. o paralelo em 1Rs 3.4. Por seu *muito sacrificar*, Salomão esperava atrair a atenção e a ajuda de Yahweh. Essas ele recebeu, mas provavelmente não porque tivesse exagerado em seus sacrifícios rituais. Cf. os exageros de Salomão quanto aos muitos animais sacrificados, e as repetitivas orações dos pagãos, que, segundo Jesus declarou, eram ineficazes para os propósitos tencionados (Mt 6.7).

O SONHO/VISÃO DE SALOMÃO (1.7-12)

■ 1.7-12

בַּלַּיְלָה הַהוּא נִרְאָה אֱלֹהִים לִשְׁלֹמֹה וַיֹּאמֶר לוֹ V7 שְׁאַל מָה אֶתֶּן־לָךְ׃

וַיֹּאמֶר שְׁלֹמֹה לֵאלֹהִים אַתָּה עָשִׂיתָ עִם־דָּוִיד V8 אָבִי חֶסֶד גָּדוֹל וְהִמְלַכְתַּנִי תַּחְתָּיו׃

עַתָּה יְהוָה אֱלֹהִים יֵאָמֵן דְּבָרְךָ עִם דָּוִיד אָבִי כִּי V9 אַתָּה הִמְלַכְתַּנִי עַל־עַם רַב כַּעֲפַר הָאָרֶץ׃

עַתָּה חָכְמָה וּמַדָּע תֶּן־לִי וְאֵצְאָה לִפְנֵי הָעָם־ V10 הַזֶּה וְאָבוֹאָה כִּי־מִי יִשְׁפֹּט אֶת־עַמְּךָ הַזֶּה הַגָּדוֹל׃ ס

וַיֹּאמֶר־אֱלֹהִים לִשְׁלֹמֹה יַעַן אֲשֶׁר הָיְתָה זֹאת V11 עִם־לְבָבֶךָ וְלֹא־שָׁאַלְתָּ עֹשֶׁר נְכָסִים וְכָבוֹד וְאֵת נֶפֶשׁ שֹׂנְאֶיךָ וְגַם־יָמִים רַבִּים לֹא שָׁאָלְתָּ וַתִּשְׁאַל־לְךָ חָכְמָה וּמַדָּע אֲשֶׁר תִּשְׁפּוֹט אֶת־עַמִּי אֲשֶׁר הִמְלַכְתִּיךָ עָלָיו׃

הַחָכְמָה וְהַמַּדָּע נָתוּן לָךְ וְעֹשֶׁר וּנְכָסִים וְכָבוֹד V12 אֶתֶּן־לָךְ אֲשֶׁר לֹא־הָיָה כֵן לַמְּלָכִים אֲשֶׁר לְפָנֶיךָ וְאַחֲרֶיךָ לֹא יִהְיֶה־כֵּן׃

Esta parte da história é diretamente paralela a 1Rs 3.5-13, onde são oferecidas notas detalhadas. Adiciono aqui algumas observações:

1. O trecho paralelo chama esta experiência de *sonho*, mas o presente relato não se mostra assim tão específico. Alguns sonhos especiais são, na realidade, como visões. Ver no *Dicionário* os artigos chamados *Sonho e Visão (Visões)*. Existem sonhos espirituais que são diferentes dos sonhos ordinários. Cf. At 2.17. O vs. 7 (2Cr) é paralelo a 1Rs 3.5, com pequenas variações.

2. *Vs. 8* (2Cr). Este versículo é paralelo a 1Rs 3.6, com pequenas variações. O relato do capítulo 3 de 1Reis geralmente é mais detalhado do que a versão do presente capítulo. A bênção de Elohim sobre Davi foi tão significativa que Salomão pediu que esse *tipo* de ajuda divina continuasse em seu reinado.

3. O *vs. 9* (2Cr) é um tanto diferente do seu paralelo em 1Rs 3.8. Aqui Salomão orou pela continuação da dinastia davídica que tinha caído sobre os seus ombros. Isso estaria em acordo com a promessa feita a Davi, de continuação da dinastia davídica. Cf. 1Cr 17.23, onde são dadas notas sobre o conceito envolvido. Aqui, o grande número de pessoas é ilustrado com o *pó da terra*. No paralelo, a simples palavra *multidão* é usada sem essa metáfora.

4. O *vs. 10* (2Cr) é, essencialmente, paralelo a 1Rs 3.9. A palavra usada aqui para *conhecimento* (no hebraico, *madda'*) é uma palavra recente, ocorrendo somente neste versículo, em Dn 1.4,17 e Ec 10.20. Isso poderia indicar para os livros de Crônicas uma origem posterior à dos livros de Reis.

   Em lugar da palavra *governar* (usada no trecho paralelo), temos aqui a imagem de um *pastor*, que entra e sai para cuidar de suas ovelhas. Cf. 1Rs 3.7; Nm 27.17 e Dt 31.2.

5. O *vs. 11* (2Cr) é, essencialmente, igual ao seu paralelo, 1Reis 3.10. As palavras "bens ou honras" foram adicionadas pelo cronistas. Ver, em Ec 6.2, as palavras "riquezas, bens e honra".

6. O *vs. 12* (2Cr) é, essencialmente, igual ao seu paralelo, 1Rs 3.12,13. Além da *mente discernidora* que Yahweh (Elohim) haveria de conferir a Salomão, ele receberia também "riquezas, bens e honras", e isso em tal quantidade que Salomão faria sombra a qualquer outro rei de Israel, antes ou depois dele. Salomão, pois, deveria receber mais do que buscara, algo típico da maneira como a graça e a misericórdia divina operam. Salomão pediu o *essencial*, e obteve todos os *benefícios paralelos* de ser um rei orientado por Deus. Cf. as palavras de Jesus, em Mt 6.33: "Buscai, pois, em primeiro lugar, o seu reino e a sua justiça, e todas estas cousas vos serão acrescentadas". Portanto, pedimos e recebemos com maior abundância do que tudo quanto pedimos ou pensamos (ver Ef 3.20). O trecho paralelo, no vs. 14, adiciona graficamente a promessa de uma longa vida para Salomão. Ele teria tempo de completar a sua missão.

■ 1.13

וַיָּבֹא שְׁלֹמֹה לַבָּמָה אֲשֶׁר־בְּגִבְעוֹן יְרוּשָׁלַםִ מִלִּפְנֵי אֹהֶל מוֹעֵד וַיִּמְלֹךְ עַל־יִשְׂרָאֵל׃ פ

Voltou Salomão para Jerusalém. Ele saiu do lugar alto onde estava localizado o tabernáculo e continuou seu reinado sobre o reino unido de Israel. O texto hebraico diz que ele subiu "para o lugar alto", após ter oferecido sacrifícios; mas isso foi corrigido para "do lugar alto", pela Septuaginta e pelas versões latinas, e essa correção é seguida pela maior parte das traduções modernas. A versão portuguesa também diz "da" e não "para o".

O cronista omite a questão de outros sacrifícios feitos por Salomão em Jerusalém, quando ele chegou ali (ver 1Rs 3.15), e ele não registrou o caso do primeiro notável uso de sua sabedoria especial (ver 1Rs 3.16-28). "Que ele não depreciava o santuário no monte Sião, como lugar de sacrifício, evidencia-se através de 1Cr 21.18—22.1" (Ellicott, *in loc.*).

1.14-17

V14 וַיֶּאֱסֹף שְׁלֹמֹה רֶכֶב וּפָרָשִׁים וַיְהִי־לוֹ אֶלֶף וְאַרְבַּע־מֵאוֹת רֶכֶב וּשְׁנֵים־עָשָׂר אֶלֶף פָּרָשִׁים וַיַּנִּיחֵם בְּעָרֵי הָרֶכֶב וְעִם־הַמֶּלֶךְ בִּירוּשָׁלָ͏ִם׃

V15 וַיִּתֵּן הַמֶּלֶךְ אֶת־הַכֶּסֶף וְאֶת־הַזָּהָב בִּירוּשָׁלַ͏ִם כָּאֲבָנִים וְאֵת הָאֲרָזִים נָתַן כַּשִּׁקְמִים אֲשֶׁר־בַּשְּׁפֵלָה לָרֹב׃

V16 וּמוֹצָא הַסּוּסִים אֲשֶׁר לִשְׁלֹמֹה מִמִּצְרָיִם וּמִקְוֵא סֹחֲרֵי הַמֶּלֶךְ מִקְוֵא יִקְחוּ בִּמְחִיר׃

V17 וַיַּעֲלוּ וַיּוֹצִיאוּ מִמִּצְרַיִם מֶרְכָּבָה בְּשֵׁשׁ מֵאוֹת כֶּסֶף וְסוּס בַּחֲמִשִּׁים וּמֵאָה וְכֵן לְכָל־מַלְכֵי הַחִתִּים וּמַלְכֵי אֲרָם בְּיָדָם יוֹצִיאוּ׃

O trecho paralelo destes quatro versículos é 1Rs 10.26-29, onde são oferecidas notas expositivas detalhadas. Acrescento aqui algumas poucas observações:

1. Salomão tinha paixão por cavalos e carros de combate. Isso pôs o exército israelita em igualdade com os de outros monarcas orientais. Ordinariamente, o exército de Israel compunha-se de infantaria, e isso por ordem expressa de Yahweh. *Desse modo*, se Israel obtivesse alguma vitória, então Yahweh, e não as armas superiores ou um superior equipamento de guerra, ganharia o crédito pelo triunfo.
2. Os breves comentários do autor sagrado ilustram a força e as riquezas de Salomão. Sua força militar foi possibilitada por suas riquezas materiais grandemente multiplicadas. Embora Davi tivesse promovido paz ao derrotar oito nações inimigas de Israel, era um fato que elas sempre tinham uma maneira de voltar, para servir, uma vez mais, de praga para Israel. Mas Salomão fez-se tão forte que se tornou imune aos ataques estrangeiros por toda a sua vida.
3. Dt 17.16,17 proibira a multiplicação de cavalos, principalmente por aquilo declarado no primeiro ponto, acima. Salomão desconsiderou as regras aplicadas a reis secundários. Ele se tornou uma lei para si mesmo. Uma de minhas fontes informativas fala da "fidelidade de Deus, por trás do aumento de riquezas e da força militar de Salomão"; e isso, em princípio, diz a verdade. Mas Salomão *exagerou*.
4. Salomão, tendo violado a *lei sobre os cavalos*, em breve violaria a *lei sobre o casamento*, desposando muitas mulheres estrangeiras. Isso o desviaria para as veredas da idolatria e do paganismo. Assim sendo, aquilo que um exército não conseguira fazer contra ele e contra Israel, mediante a invasão e a destruição, Salomão fez contra si mesmo, por meio de maus casamentos. A antiga síndrome do pecado-calamidade-julgamento encontra muitas maneiras de exprimir-se. Salomão obteve carros de combate no Egito, mas também obteve como esposa uma filha de Faraó. Ela seria tão destrutiva para Salomão e para a nação de Israel quanto um exército. Ver no *Dicionário* o verbete chamado *Idolatria*, e cf. o capítulo 11 de 1Reis.

CAPÍTULO DOIS

CONSTRUÇÃO DO TEMPLO (2.1—7.22)

Davi não teve permissão para construir o templo de Jerusalém. Ver as razões para isso nas notas expositivas sobre 1Cr 17.1. Ele, entretanto, fez grandes contribuições para o projeto, o que é longamente ilustrado no capítulo 22 de 1Crônicas. Davi também recebeu instruções detalhadas sobre como o projeto deveria ser realizado. Ele comprou o local para a construção e reuniu operários e materiais (ver 1Cr 21.18—22.19; 28.29). Mas foi deixado a cargo de seu filho, Salomão, realizar o trabalho de construção. Este segundo capítulo de 2Crônicas fornece-nos descrições dos preparativos de Salomão para a tarefa de construção do templo.

Os *vss. 1-10* deste segundo capítulo parecem ser uma versão reescrita de 1Rs 5.1-6, cujas notas expositivas também se aplicam aqui.

"Salomão, tencionando edificar um templo para Deus e um palácio para si mesmo, apelou para Hirão, rei de Tiro, para fornecer-lhe materiais e operários especializados (vss. 1-10). E recebeu uma resposta favorável (vss. 11-16). Para essa tarefa, Salomão numerou todos os estrangeiros que havia em Israel (vss. 17 e 18)" (John Gill, *in loc.*).

2.1 (na Bíblia hebraica corresponde ao 1.18)

וַיֹּאמֶר שְׁלֹמֹה לִבְנוֹת בַּיִת לְשֵׁם יְהוָה וּבַיִת לְמַלְכוּתוֹ׃

Resolveu Salomão edificar a casa ao nome do Senhor. Davi tinha sido divinamente conduzido em seus preparativos. Foram-lhe dados os planos para o templo, incluindo *instruções* específicas para a edificação. Supõe-se que Salomão também tenha sido apanhado pela inspiração divina que circundava o projeto. Tudo deveria ser feito "ao nome do Senhor", pelo que também Yahweh deu-lhe instruções específicas sobre o templo divino. Em outras palavras, a construção do templo foi um empreendimento divinamente inspirado. Ver no *Dicionário* o artigo chamado *Templo de Jerusalém*.

Um *palácio real* também fazia parte do projeto de construções. Salomão foi um grande monarca oriental, e sua habitação real teria de ser equivalente à sua grandeza. Cf. o caso de Davi, em 1Cr 14 e 17.1 ss.

A residência real de Salomão é mencionada novamente no vs. 12 e também em 7.11 e 8.1; mas a construção dessa residência não foi registrada em 2Cr. Quanto a essa questão, ver 1Rs 7.1-12.

2.2 (na Bíblia hebraica corresponde ao 2.1)

וַיִּסְפֹּר שְׁלֹמֹה שִׁבְעִים אֶלֶף אִישׁ סַבָּל וּשְׁמֹנִים אֶלֶף אִישׁ חֹצֵב בָּהָר וּמְנַצְּחִים עֲלֵיהֶם שְׁלֹשֶׁת אֲלָפִים וְשֵׁשׁ מֵאוֹת׃ פ

Designou Salomão. Cf. 1Rs 5.15,16. Os números são parcialmente conflitantes. A maioria dos homens aqui mencionados, os *estrangeiros*, constituía uma equipe de labor forçado, podemos ter certeza. Isso estava em harmonia com os projetos de construção da época. Um labor barato fazia-se necessário, e os reis não hesitavam em escravizar pessoas para obter a conclusão de seus projetos. Dei detalhes na passagem acima mencionada. Ver no *Dicionário* o artigo chamado *Escravo, Escravidão*.

O TRATADO COM HIRÃO, REI DE TIRO (2.3-16)

2.3 (na Bíblia hebraica corresponde ao 2.2)

וַיִּשְׁלַח שְׁלֹמֹה אֶל־חוּרָם מֶלֶךְ־צֹר לֵאמֹר כַּאֲשֶׁר עָשִׂיתָ עִם־דָּוִיד אָבִי וַתִּשְׁלַח־לוֹ אֲרָזִים לִבְנוֹת־לוֹ בַיִת לָשֶׁבֶת בּוֹ׃

Hirão (cujo nome é grafado como Hurão em algumas versões, mas não em nossa versão portuguesa) era um antigo amigo de Israel. Davi tinha empregado a ajuda dele para construir seu próprio palácio e ajudá-lo a recolher materiais para o templo (ver 1Cr 14 e 22). Quanto a detalhes sobre esse rei, ver no *Dicionário* o artigo intitulado *Hirão* e cf. 1Rs 5.1. A passagem paralela é 1Rs 5.2-18, onde há notas expositivas mais abundantes. O trecho paralelo informa-nos que Hirão primeiramente enviou uma carta a Salomão, congratulando-o por sua subida ao trono de Israel. Portanto, houve boa vontade da parte de Hirão, de forma que Salomão tirou vantagem da situação para fomentar o seu projeto. Lembremo-nos de que Israel não tinha conhecimento suficiente sobre as ciências (incluindo a matemática) para poder efetuar um grande projeto arquitetural, assim precisava depender de operários habilitados. Como resultado, o templo de Jerusalém foi bastante similar a outros templos fenícios, embora, sem dúvida, mais rico em sua decoração interior.

2.4 (na Bíblia hebraica corresponde ao 2.3)

הִנֵּה אֲנִי בוֹנֶה־בַּיִת לְשֵׁם יְהוָה אֱלֹהָי לְהַקְדִּישׁ לוֹ
לְהַקְטִיר לְפָנָיו קְטֹרֶת־סַמִּים וּמַעֲרֶכֶת תָּמִיד וְעֹלוֹת
לַבֹּקֶר וְלָעֶרֶב לַשַּׁבָּתוֹת וְלֶחֳדָשִׁים וּלְמוֹעֲדֵי יְהוָה
אֱלֹהֵינוּ לְעוֹלָם זֹאת עַל־יִשְׂרָאֵל׃

Eis que estou para edificar a casa ao nome do Senhor. O *templo* haveria de centralizar a adoração de Israel em Jerusalém. Incorporaria os elementos essenciais do culto divino no tabernáculo, conforme ilustra este versículo. Teria também um Santo Lugar e um Santo dos Santos, e teria idênticos móveis, porém em maior número. A *ideia* do tabernáculo seria transferida para o templo. Os santuários dos lugares altos, em Betel e Gibeom, não seriam fechados, embora esse fosse, provavelmente, o ideal. A importância desses santuários, contudo, diminuiria drasticamente. Jeroboão, na época de Roboão, filho de Salomão, fortificou a adoração em Betel, a fim de fortalecer sua própria causa cismática.

O autor sacro *numerou* os processos rituais do tabernáculo, certificando-se de que compreenderíamos que esses mesmos processos seriam incorporados ao culto do templo.

Ao nome do Senhor meu Deus. A construção do templo seria um projeto divino, com vistas a promover a causa do yahwismo. Yahweh seria exaltado entre as nações. Haveria dedicação e consagração especial do local (ver Lv 27.14; 1Rs 9.3,7). Fariam parte do culto os pães da proposição e os holocaustos (ver Lv 24.5,8; Nm 28.4), bem como os sábados e as festividades solenes (1Cr 23.31). A coisa toda repousaria sobre a ordenança do Senhor (cf. Êx 12.14; 29.9 e 1Cr 23.31).

2.5 (na Bíblia hebraica corresponde ao 2.4)

וְהַבַּיִת אֲשֶׁר־אֲנִי בוֹנֶה גָּדוֹל כִּי־גָדוֹל אֱלֹהֵינוּ
מִכָּל־הָאֱלֹהִים׃

A casa que edificarei há de ser grande. O templo de Jerusalém seria uma grande casa para um grande Deus, a saber, o Deus que está acima de todos os deuses. Este versículo tenciona ensinar o *monoteísmo*, embora sua de*claração* pareça fazer-nos compreender o *henoteísmo*. Ver no *Dicionário* sobre ambos os termos.

O templo não era muito grande, a exemplo de outras grandes estruturas, mas deveria ser ricamente decorado com metais preciosos. Seria o mais *rico* templo na Palestina, se não o maior.

Hirão, homem politeísta, seria um ajudante e, de fato, o homem que supriria grande parte dos materiais de construção e dos arquitetos e operários especializados. A *ele* e a todos os outros que veriam o lugar, seria dada uma grande lição: a grandeza de Yahweh. Talvez isso tenha constituído um esforço "evangelístico" da parte de Salomão. No entanto, dentro de pouco tempo, Salomão cairia na idolatria, sob a influência de suas mulheres pagãs. Cf. o presente versículo com Êx 18.11; Dt 10.7; Sl 77.13 e 95.3.

2.6 (na Bíblia hebraica corresponde ao 2.5)

וּמִי יַעֲצָר־כֹּחַ לִבְנוֹת־לוֹ בַיִת כִּי הַשָּׁמַיִם וּשְׁמֵי
הַשָּׁמַיִם לֹא יְכַלְכְּלֻהוּ וּמִי אֲנִי אֲשֶׁר אֶבְנֶה־לּוֹ בַיִת כִּי
אִם־לְהַקְטִיר לְפָנָיו׃

O *conceito de Deus* tinha avançado a ponto de Salomão reconhecer que uma casa material não poderia contê-lo. O templo era apenas o escabelo dos pés da presença de Deus. Ninguém pode erigir um edifício comparável a Deus e sua glória (ver Is 66.1,2). Deus é transcendental e, no entanto, condescende conosco quando nos dá vestígios de sua presença entre nós. "O templo perfeito não é edificado com mãos. Pode-se nele entrar em qualquer lugar, em qualquer tempo, por aqueles que buscam honestamente a Deus. Ver Jo 4.21-23" (W. A. L. Elmslie, *in loc.*). Em Cristo, no tempo do Novo Testamento, o próprio crente torna-se templo de Deus (1Co. 3.16). A Igreja, coletivamente considerada, é o templo espiritual de Deus (ver Ef 2.20-22).

Quanto à natureza ímpar e incomparável do Deus de Israel, ver Is 40.18-26; 46.3-7. Os próprios céus não contêm Deus, portanto é claro que um edifício terrestre só pode ser um lugar de manifestação, e não de residência. A mesma ideia está contida em 1Rs 8.27 e 2Cr 6.18, onde ofereço notas expositivas mais completas.

2.7 (na Bíblia hebraica corresponde ao 2.6)

וְעַתָּה שְׁלַח־לִי אִישׁ־חָכָם לַעֲשׂוֹת בַּזָּהָב וּבַכֶּסֶף
וּבַנְּחֹשֶׁת וּבַבַּרְזֶל וּבָאַרְגְּוָן וְכַרְמִיל וּתְכֵלֶת וְיֹדֵעַ
לְפַתֵּחַ פִּתּוּחִים עִם־הַחֲכָמִים אֲשֶׁר עִמִּי בִּיהוּדָה
וּבִירוּשָׁלִַם אֲשֶׁר הֵכִין דָּוִיד אָבִי׃

Manda-me, pois, agora um homem. Ver 1Cr 22.15 quanto a um trecho paralelo. Davi tinha feito preparativos acerca daqueles operários, e Salomão deveria utilizar-se daqueles homens, fazer adições e prosseguir no trabalho. "Pedreiros e carpinteiros não foram solicitados. Aqueles que Davi havia conseguido (ver 1Cr 14.1) provavelmente continuavam em Jerusalém e tinham ensinado a outros as suas artes. Mas eles precisavam de um *mestre de obras*, uma pessoa habilidosa, como Bezalel (ver Êx 25.31). As *coisas especificadas* nas quais os operários precisavam ser habilidosos relacionavam-se não ao próprio templo, mas a seus móveis e utensílios: o *ferro*, que não podia ser obtido no deserto, mas agora, devido ao intercurso com a planície costeira, era abundante e muito usado. Os *tecidos* que seriam utilizados nas cortinas foram preparados nas cores púrpura, carmesim e azul; havia também *obras de entalhe*, nas quais muitos judeus eram habilidosos; e havia, finalmente, necessidade de operários capazes de trabalhar em *madeira*, na manufatura de vários objetos e na tintura, que tinha tornado os tírios famosos. As obras de entalhe provavelmente referem-se a figuras ornamentais, como os querubins, ou a trabalhos com agulha, bem como o entalhe, em madeira, de romãs e outros ornamentos" (Jamieson, *in loc.*).

Púrpura (Êx 25.4)... **carmesim** (que ocorre aqui e no vs. 13 e 3.14)... **azul** (Êx 25.4). Portanto, detalhes típicos do tabernáculo foram duplicados no templo. Acreditava-se que Moisés havia recebido instruções divinas quanto a todos os detalhes. Dessa forma, tais detalhes não podiam ser ignorados.

Mas Salomão precisava de um *mestre de obras* que supervisionasse os vários aspectos da decoração. Essa é a questão abordada, especificamente, neste versículo.

2.8 (na Bíblia hebraica corresponde ao 2.7)

וּשְׁלַח־לִי עֲצֵי אֲרָזִים בְּרוֹשִׁים וְאַלְגּוּמִּים מֵהַלְּבָנוֹן כִּי
אֲנִי יָדַעְתִּי אֲשֶׁר עֲבָדֶיךָ יוֹדְעִים לִכְרוֹת עֲצֵי לְבָנוֹן
וְהִנֵּה עֲבָדַי עִם־עֲבָדֶיךָ׃

Manda-me também madeira. Salomão também precisava de madeiras nobres, os cedros, os ciprestes e o sândalo do Líbano. Salomão teria de enviar seus próprios homens a Tiro para ajudar a cortá-las e transportá-las até Jerusalém. Salomão possuía muito dinheiro. Era um homem fabulosamente rico. Grande parte de suas riquezas resultara dos despojos que Davi adquirira de seus oito inimigos, aos quais ele havia derrotado (ver 2Sm 10.19 quanto às notas expositivas). Mas ao rei Salomão faltavam homens e materiais de construção. Portanto, ele pagaria por gente habilitada, e Hirão haveria de supri-los. E cada homem faria o que pudesse, visando a vantagem da obra. Todos os grandes projetos são esforços de cooperação, em que cada um contribui com a sua especialidade.

2.9 (na Bíblia hebraica corresponde ao 2.8)

וּלְהָכִין לִי עֵצִים לָרֹב כִּי הַבַּיִת אֲשֶׁר־אֲנִי בוֹנֶה
גָּדוֹל וְהַפְלֵא׃

Muita madeira... grande e maravilhosa. A palavra-chave era *abundância*. Salomão necessitava de grande quantidade de madeira, porquanto tinha ideias grandiosas. Seu templo seria uma edificação "grande e maravilhosa", e todos se maravilhariam e dariam glórias a Yahweh, de quem era o templo de Jerusalém.

"Salomão precisava de grande quantidade de madeira para esteios, tetos, paredes e assoalhos, visto que a casa que estava prestes a ser construída seria grande e maravilhosa, tanto em sua estrutura como em sua ornamentação" (John Gill, *in loc.*). A Septuaginta diz aqui "grande em glória". A versão siríaca fala em "um espanto".

■ **2.10** (na Bíblia hebraica corresponde ao **2.9**)

וְהִנֵּה לַחֹטְבִים ׀ לְכֹרְתֵי ׀ הָעֵצִים נָתַתִּי חִטִּים ׀ מַכּוֹת
לַעֲבָדֶיךָ כֹּרִים עֶשְׂרִים אֶלֶף וּשְׂעֹרִים כֹּרִים עֶשְׂרִים
אָלֶף וְיַיִן בַּתִּים עֶשְׂרִים אֶלֶף וְשֶׁמֶן בַּתִּים עֶשְׂרִים
אָלֶף׃ פ

Aos teus servos... darei. A troca de serviços por mercadorias. Salomão daria dinheiro pelos materiais de construção e pelos homens. Ele também supriria alimentos para a corte real de Tiro, como parte do pagamento pelos materiais recebidos e pelos serviços prestados.

As Medidas Envolvidas. O coro valia cerca de 189 litros; o bato era dez vezes menos, ou seja, 18,9 litros. Ver Lc 16.6,7. Ver o verbete *Pesos e Medidas,* na *Enciclopédia de Bíblia, Teologia e Filosofia,* III, pág. 259. Presumimos que esses produtos alimentícios tenham sido supridos anualmente, enquanto o templo estivesse sendo construído. As medidas, entre os hebreus, foram variando com a passagem dos anos, e só podemos tentar adivinhar quanto a seus valores relativos. O verbete citado anteriormente fornece detalhes. John Gill (*in loc.*) fala sobre a escassez do trigo em Tiro; e isso significa que o oferecimento de Salomão pareceria atrativo.

A Resposta de Hirão (2.11-15)
Esta seção deve ser comparada a 1Rs 5.7-9.

■ **2.11** (na Bíblia hebraica corresponde ao **2.10**)

וַיֹּאמֶר חוּרָם מֶלֶךְ־צֹר בִּכְתָב וַיִּשְׁלַח אֶל־שְׁלֹמֹה
בְּאַהֲבַת יְהוָה אֶת־עַמּוֹ נְתָנְךָ עֲלֵיהֶם מֶלֶךְ׃

Hirão, rei de Tiro, respondeu por uma carta. Este versículo é essencialmente paralelo a 1Rs 5.7. Mas temos aqui uma demonstração do amor de Yahweh por seu povo, enfatizado como a razão pela qual Salomão foi ungido seu rei. O trecho paralelo enfatiza a sabedoria de Salomão, que lhe havia sido conferida por Deus. Cf. também 1Rs 10.9 e 2Cr 9.8, versículos quase idênticos. Hirão reconheceu Yahweh, mas talvez apenas como mera cortesia, por causa de Salomão.

■ **2.12** (na Bíblia hebraica corresponde ao **2.11**)

וַיֹּאמֶר חוּרָם בָּרוּךְ יְהוָה אֱלֹהֵי יִשְׂרָאֵל אֲשֶׁר עָשָׂה
אֶת־הַשָּׁמַיִם וְאֶת־הָאָרֶץ אֲשֶׁר נָתַן לְדָוִיד הַמֶּלֶךְ בֵּן
חָכָם יוֹדֵעַ שֵׂכֶל וּבִינָה אֲשֶׁר יִבְנֶה־בַּיִת לַיהוָה וּבַיִת
לְמַלְכוּתוֹ׃

Bendito seja o Senhor Deus de Israel. Essa é a *típica linguagem da piedade* e pode dar a entender que Hirão tomara Yahweh em seu panteão. Ou então são palavras que o autor sagrado pôs na boca de Hirão, tendo ele *idealizado* a situação de um ponto de vista espiritual. Cf. a expressão mais simples do trecho paralelo de 1Rs 5.7. Arqueólogos encontraram uma inscrição bastante similar a este versículo, mas dirigida ao deus Ahuramazda.

■ **2.13,14** (na Bíblia hebraica corresponde ao **2.12,13**)

וְעַתָּה שָׁלַחְתִּי אִישׁ־חָכָם יוֹדֵעַ בִּינָה לְחוּרָם אָבִי׃
בֶּן־אִשָּׁה מִן־בְּנוֹת דָּן וְאָבִיו אִישׁ־צֹרִי יוֹדֵעַ לַעֲשׂוֹת
בַּזָּהָב־וּבַכֶּסֶף בַּנְּחֹשֶׁת בַּבַּרְזֶל בָּאֲבָנִים וּבָעֵצִים
בָּאַרְגָּמָן בַּתְּכֵלֶת וּבַבּוּץ וּבַכַּרְמִיל וּלְפַתֵּחַ כָּל־פִּתּוּחַ
וְלַחְשֹׁב כָּל־מַחֲשָׁבֶת אֲשֶׁר יִנָּתֶן־לוֹ עִם־חֲכָמֶיךָ
וְחַכְמֵי אֲדֹנִי דָּוִיד אָבִיךָ׃

Agora, pois, envio um homem sábio. O sétimo versículo deste capítulo mostra-nos que Salomão havia solicitado que Hirão enviasse um *mestre de obras* para encabeçar a obra da feitura de móveis e utensílios do templo de Jerusalém. O rei de Tiro atendeu, pois, ao pedido e enviou *Hirão-Abi,* um meio-israelita que tinha conexões com a tribo de Dã pelo lado materno. De fato, a mãe dele era danita, portanto Hirão-Abi representava o elemento ideal para encabeçar o trabalho. Tais relações familiares naturalmente davam ao homem um *interesse pessoal* no trabalho. 1Rs 7.14 informa-nos que sua mãe era viúva da tribo de Naftali. Talvez Dã tenha sido a tribo do nascimento dela, porém ela viveu mais tarde em Naftali, ou vice-versa.

O vs. 14 atribui a Hirão-Abi uma larga variedade de habilidades: em metais, em pedras, em madeira e em tecidos. Em outras palavras, ele podia realizar e dirigir qualquer tarefa que fosse requerida pela construção do templo e sua decoração interior. Ver a plena prestação de contas do trabalho de Hirão-Abi, em 1Rs 7.13-51, que o cronista não se incomodou em copiar. Hirão-Abi foi, realmente, um mestre artífice e realizou serviços memoráveis na construção do templo. O livro de 1Reis descreve seus feitos e suas obras admiráveis. Ele era capaz de resolver qualquer problema de construção ou decoração, inventando toda forma de objetos artísticos. As palavras nos relembram os trechos de Êx 35.32, que alguns eruditos pensam que o autor sagrado copiou para o presente texto, visto que estava tratando com um trabalho similar ao que fora feito no tabernáculo.

Em nossos dias de produção de artigos em massa, o artesão habilidoso quase desapareceu. W. A. L. Elmslie, *in loc.,* vê uma lição nessa circunstância: "Na fé religiosa há grande perda quando as crenças que afirmamos sustentar são aceitas em forma de produção em massa. Faz um mundo de diferença se aplicarmos nossa própria individualidade. Então as crenças tornam-se (por assim dizer), 'feitas à mão', o trabalho de nosso próprio espírito" (cf. Fp 2.12,13)".

■ **2.15** (na Bíblia hebraica corresponde ao **2.14**)

וְעַתָּה הַחִטִּים וְהַשְּׂעֹרִים הַשֶּׁמֶן וְהַיַּיִן אֲשֶׁר אָמַר אֲדֹנִי
יִשְׁלַח לַעֲבָדָיו׃

Agora, pois, mande o meu senhor. Hirão aceitou alegremente as condições do acordo, pedindo para Salomão enviar imediatamente aqueles cobiçados produtos agrícolas (ver o vs. 11). Ele muito se alegraria em receber suas porções anuais, enquanto o templo estivesse em construção.

Para os seus servos. O rei de Tiro falava sobre si mesmo e sobre sua corte real, que estaria recebendo os produtos alimentares. Humildemente, chamou a si mesmo de *servo* de Salomão, não porque estivesse sujeito a tributo (conforme alguns estudiosos supõem), mas meramente por demonstração de cortesia oriental e respeito.

■ **2.16** (na Bíblia hebraica corresponde ao **2.15**)

וַאֲנַחְנוּ נִכְרֹת עֵצִים מִן־הַלְּבָנוֹן כְּכָל־צָרְכֶּךָ
וּנְבִיאֵם לְךָ רַפְסֹדוֹת עַל־יָם יָפוֹ וְאַתָּה תַּעֲלֶה אֹתָם
יְרוּשָׁלִָם׃ פ

E nós cortaremos tanta madeira no Líbano. Hirão era homem de ação, já tendo baixado ordens para cortar as madeiras nobres e mandá-las por via marítima até Jope. Dali, a madeira seria transportada por via terrestre até Jerusalém. Hirão, homem do mar, cuidaria do transporte marítimo; e Salomão, homem da terra, cuidaria do transporte terrestre. Cf. 1Rs 5.9. E 1Rs 5.8 menciona especificamente as madeiras nobres a serem derrubadas: cedro e cipreste.

■ **2.17** (na Bíblia hebraica corresponde ao **2.16**)

וַיִּסְפֹּר שְׁלֹמֹה כָּל־הָאֲנָשִׁים הַגֵּירִים אֲשֶׁר בְּאֶרֶץ
יִשְׂרָאֵל אַחֲרֵי הַסְּפָר אֲשֶׁר סְפָרָם דָּוִיד אָבִיו וַיִּמָּצְאוּ
מֵאָה וַחֲמִשִּׁים אֶלֶף וּשְׁלֹשֶׁת אֲלָפִים וְשֵׁשׁ מֵאוֹת׃

Salomão levantou o censo de todos os homens estrangeiros. Salomão mandou fazer um recenseamento imediato dos *estrangeiros* que residiam em Israel, muitos dos quais, sem dúvida, eram ex-prisioneiros de guerra. Esses seriam reduzidos à posição de trabalhadores em regime de escravidão (cf. o décimo versículo deste capítulo). Alguns daqueles escravos também eram indígenas que, em vez de serem mortos, passaram a trabalhar como escravos, prática comum nas guerras antigas. Cf. Gn 23.4; Êx 22.21; Lv 17.8. Davi tinha feito um recenseamento anterior dessa mesma gente (ver 1Cr 22.2. Cf. 2Sm 20.24). "... essa população sujeitada estava no risco de ser empregada no labor forçado, sob Davi. Cf. também 1Rs 4.6; 5.14 e 12.4-18" (Ellicott, *in loc.*). O número deles, nos dias de Salomão, foi de 153.600, que é a soma das cifras de 70.000 + 80.000 + 3.600, conforme se lê no próximo versículo. 1Rs 5.13 parece indicar que até elementos israelitas foram incluídos no recenseamento, embora isso fosse contrário à legislação mosaica, que proibia a escravização de qualquer hebreu, exceto por motivo de dívida.

■ **2.18** (na Bíblia hebraica corresponde ao **2.17**)

וַיַּעַשׂ מֵהֶם שִׁבְעִים אֶלֶף סַבָּל וּשְׁמֹנִים אֶלֶף חֹצֵב בָּהָר וּשְׁלֹשֶׁת אֲלָפִים וְשֵׁשׁ מֵאוֹת מְנַצְּחִים לְהַעֲבִיד אֶת־הָעָם׃

Designou deles. *Designação de Tarefas.* Para transportar cargas foram designados 70.000, enquanto 80.000 tinham de talhar pedras nas montanhas. E 3.600 serviriam como supervisores dos outros trabalhadores. O total é o dado no versículo anterior, 153.600. O que não fica claro neste versículo é quantos homens de Tiro estavam envolvidos. Seriam somente os supervisores enviados de Tiro, enquanto os operários comuns teriam sido enviados por Salomão para fazer o trabalho duro? O vs. 17 parece identificar esse número total com homens de Israel, incluindo os supervisores. Sem dúvida, os operários especializados de Tiro eram bem pagos, mas aqueles pobres escravos recebiam somente trabalho e mais trabalho. As coisas pouco mudaram hoje em dia, nos países do terceiro mundo, onde encontramos uma escravidão oficializada, por causa de *salários baixos*.

Tipologia. John Gill (*in loc.*) encontra neste vs. 18 um tipo e uma lição espiritual. Os operários estrangeiros falam dos "*gentios* empregados na construção do templo espiritual (ver Zc 6.15)". Ver também Ef 2.20-22.

W. A. L. Elmslie, *in loc.,* vê outra lição para a Igreja no presente versículo: "Nosso perigo é errar em duas direções. Inclinamo-nos por pensar que alguma outra gente deveria fazer o trabalho necessário para a Igreja ou, então, insistimos demais em que ninguém pode fazer devidamente o trabalho, senão nós mesmos".

SIGNIFICADOS ESPIRITUAIS DO TEMPLO

O templo tinha seus *limites*, espiritualmente falando. De fato, sua própria estrutura falava de limites impostos ao acesso à presença de Deus. Somente o sumo sacerdote, uma vez por ano, tinha o direito de entrar no Santo dos Santos. O sumo sacerdote, obrigatoriamente, tinha de ser descendente de Arão. O povo comum não podia entrar no templo, tendo acesso somente à corte fora.

A presença de Yahweh estava lá, mas era mediada pela casta sacerdotal. O chefe daquela casta, o sumo sacerdote, era pecador, portanto homem severamente limitado. Ele oferecia sacrifícios por si mesmo e, depois, pelo povo.

O templo era uma sombra de coisas melhores por vir. Existiria um novo templo e um novo Sumo Sacerdote. Existiria um novo povo escolhido.

OS LIMITES ABOLIDOS

Em Cristo, todos os limites de acesso à presença de Deus foram abolidos. O próprio crente torna-se o templo de Deus (1Co 6.19; Ef 2.22). Coletivamente, a igreja é o novo templo. O Espírito Santo habita no crente e na igreja. Esta habitação divina garante acesso à presença de Deus.

Veio Cristo como sumo sacerdote dos bens já realizados, mediante o maior e mais perfeito tabernáculo, não feito por mãos... tendo obtido eterna redenção.
Hebreus 9.11,12

Acheguemo-nos, portanto, confiadamente, junto ao trono da graça, a fim de recebermos misericórdia e acharmos graça para socorro em ocasião oportuna.
Hebreus 4.16

CAPÍTULO TRÊS

A *construção do templo* é descrita em 2Cr 2.1—5.1. Os capítulos 2 e 3 falam sobre os preparativos e o começo do trabalho de construção do templo propriamente dito. Os capítulos 3 e 4 de 2Crônicas são iguais, em todos os pontos essenciais, a 1Rs 6 e 7. A exposição é oferecida nesses capítulos de 1Reis. A seguir acrescentei algum material.

■ **3.1**

וַיָּחֶל שְׁלֹמֹה לִבְנוֹת אֶת־בֵּית־יְהוָה בִּירוּשָׁלַםִ בְּהַר הַמּוֹרִיָּה אֲשֶׁר נִרְאָה לְדָוִיד אָבִיהוּ אֲשֶׁר הֵכִין בִּמְקוֹם דָּוִיד בְּגֹרֶן אָרְנָן הַיְבוּסִי׃

Começou Salomão a edificar a casa do Senhor. *A narrativa* da construção do templo, no trecho paralelo de 1Rs 6 e 7, não nos fornece esse tanto de informação, isto é, que o templo foi construído sobre o monte *Moriá* (a respeito do qual há um artigo detalhado no *Dicionário*). Não repito aqui essa informação. O local ficava imediatamente ao norte da antiga cidade jebuseia de Ofel, no local marcado pela eira de Araúna (no hebraico, *Ornã*). Davi comprou o local como um lugar de sacrifício (ver o capítulo 21 de 1Crônicas). Foi um lugar santo para Abraão e os patriarcas, como o lugar onde Abraão pretendeu oferecer Isaque (ver o capítulo 22 do livro de Gênesis). Atualmente, o local é assinalado pela muçulmana Mesquita de Omar, mas escavações recentes sugerem que o local do templo ficava ligeiramente mais ao norte que a Mesquita de Omar.

Somente no presente versículo é dito que Sião é idêntico ao monte Moriá.

Devemo-nos lembrar de que a grandiosidade do templo não consistia tanto em seu tamanho e estrutura externa, antes em sua decoração interior, com aquela imensa quantidade de metais e pedras preciosas. Além disso, vastos átrios e edifícios acompanhavam o próprio templo, adicionando maiores dimensões ao projeto todo.

■ **3.2**

וַיָּחֶל לִבְנוֹת בַּחֹדֶשׁ הַשֵּׁנִי בַּשֵּׁנִי בִּשְׁנַת אַרְבַּע לְמַלְכוּתוֹ׃

Começou a edificar. Este versículo é paralelo (porém menos detalhado) a 1Rs 6.1, onde são dadas notas expositivas completas. O ano que corria era cerca de 966 a.C. 1Reis diz-nos que isso se passou 480 anos após o êxodo do Egito, o que, portanto, poderia ser datado em cerca de 1446 a.C.

■ **3.3**

וְאֵלֶּה הוּסַד שְׁלֹמֹה לִבְנוֹת אֶת־בֵּית הָאֱלֹהִים הָאֹרֶךְ אַמּוֹת בַּמִּדָּה הָרִאשׁוֹנָה אַמּוֹת שִׁשִּׁים וְרֹחַב אַמּוֹת עֶשְׂרִים׃

Foram estas as medidas dos alicerces que Salomão lançou. Este versículo é paralelo a 1Rs 6.2, mas aqui o cronista certifica-se de que compreendemos que Salomão *fora instruído* para a tarefa, e que isso foi feito de acordo com as informações dadas por Yahweh a Davi, e também ao próprio Salomão. Tudo consistia num projeto divino, e não numa invenção humana. Ver no *Dicionário* o verbete chamado *Templo de Jerusalém,* quanto a uma ilustração sobre o plano do templo. Ver 1Cr 28.11,12 e 1Rs 6.11 quanto às instruções divinas dadas acerca da construção. O tabernáculo foi construído dessa maneira, e depois o templo, conforme demonstram minhas notas expositivas.

■ **3.4**

וְהָאוּלָם אֲשֶׁר עַל־פְּנֵי הָאֹרֶךְ עַל־פְּנֵי רֹחַב־הַבַּיִת אַמּוֹת עֶשְׂרִים וְהַגֹּבַהּ מֵאָה וְעֶשְׂרִים וַיְצַפֵּהוּ מִפְּנִימָה זָהָב טָהוֹר׃

O pórtico diante da casa media. O paralelo deste versículo é 1Rs 6.3. Com a adição do pórtico, o edifício inteiro ficou com 32 metros de comprimento por 9,15 metros de largura. A altura do templo era de 9,15 metros (ver 1Rs 6.2), mas o pórtico tinha somente 6,10 metros de altura. Ver no *Dicionário* o artigo chamado *Pesos e Medidas*.

Uma *cobertura de ouro* decorava todo o interior do pórtico. Ofereço a exposição maior no trecho paralelo, no que diz respeito a todos esses versículos.

■ 3.5

וְאֵת ׀ הַבַּיִת הַגָּדוֹל חִפָּה עֵץ בְּרוֹשִׁים וַיְחַפֵּהוּ זָהָב
טוֹב וַיַּעַל עָלָיו תִּמֹרִים וְשַׁרְשְׁרוֹת:

Também fez forrar de madeira de cipreste a casa grande. Este versículo fala sobre a "casa grande", ou seja, o Lugar Santo. Cf. 1Cr 28.11. Ver Êx 26.33. Todo o interior do Lugar Santo era forrado com madeira de cipreste (ou pinho, conforme alguns eruditos supõem), recoberta com ornamentos de ouro. Os ornamentos consistiam em desenhos gravados de palmeiras e cadeias. Talvez, simbolicamente, a continuação da vida tenha sido ali retratada, pois a figura seria semelhante à da árvore da vida (ver Gn 2.9; 3.20; Ap 2.7 e 22.2,19). Ver o paralelo em 1Rs 6.15.

■ 3.6,7

וַיְצַף אֶת־הַבַּיִת אֶבֶן יְקָרָה לְתִפְאָרֶת וְהַזָּהָב זְהַב
פַּרְוָיִם:

וַיְחַף אֶת־הַבַּיִת הַקֹּרוֹת הַסִּפִּים וְקִירוֹתָיו וְדַלְתוֹתָיו
זָהָב וּפִתַּח כְּרוּבִים עַל־הַקִּירוֹת: ס

Também adornou a casa de pedras preciosas. Pedras preciosas foram incrustadas aqui e ali, para obter um efeito decorativo. Quanto ao que se sabe e é conjecturado sobre o lugar, ver o artigo a respeito no *Dicionário*. Os artesãos forraram toda a superfície interior do templo com ouro precioso (vs. 7) e então gravaram querubins nas paredes. Aquelas criaturas celestes simbolizavam a tremenda presença de Deus, com glória e majestade acompanhantes. Elas eram chamadas "cobertores", visto que tinham as asas estendidas e retratavam a carruagem do Senhor em voo. O Senhor (Yahweh) declaradamente habitava entre os querubins (ver Nm 7.38; 2Rs 19.5; Sl 80.1 e 99.1). Ver 1Rs 6.21-23,29 quanto a mais detalhes sobre os ornamentos.

■ 3.8

וַיַּעַשׂ אֶת־בֵּית־קֹדֶשׁ הַקֳּדָשִׁים אָרְכּוֹ עַל־פְּנֵי
רֹחַב־הַבַּיִת אַמּוֹת עֶשְׂרִים וְרָחְבּוֹ אַמּוֹת עֶשְׂרִים
וַיְחַפֵּהוּ זָהָב טוֹב לְכִכָּרִים שֵׁשׁ מֵאוֹת:

Fez mais o Santo dos Santos. Ver o trecho paralelo em 1Rs 6.5,10,20. O vs. 20 é quase idêntico ao presente versículo. 1Reis diz-nos que a altura do Santo dos Santos era também de 6,10 metros, de maneira que formava um cubo. O trecho paralelo não nos dá o custo (o peso) do ouro usado para forrar o interior do santuário, a saber, seiscentos talentos, isto é, cerca de 23 toneladas. Ver no *Dicionário* o artigo chamado *Pesos e Medidas*, IV A. Os críticos veem nessa maciça quantidade de ouro uma "impossibilidade" (W. A. L. Elmslie, *in loc.*) ou uma declaração própria das hipérboles orientais. Seja como for, a *realeza divina* é simbolizada por esse metal precioso. O ouro também pode simbolizar, simplesmente, a *divindade*. A presença divina manifesta-se no Santo dos Santos e no culto do templo como um todo. O ouro que recobria o interior do Santo dos Santos tinha o formato de painéis, conforme vemos no versículo 9.

■ 3.9

וּמִשְׁקָל לְמִסְמְרוֹת לִשְׁקָלִים חֲמִשִּׁים זָהָב וְהָעֲלִיּוֹת
חִפָּה זָהָב:

O peso dos pregos era de cinquenta siclos de ouro. A versão da Septuaginta fazia o peso de *cada prego* ser de cinquenta ciclos, em lugar de indicar o peso total dos pregos, e pode estar correta. Isso significaria que cada prego pesava cerca de 570 gramas. Ver no *Dicionário* o verbete intitulado *Pesos e Medidas*, IV.C. Os pregos foram usados para prender os painéis de ouro à madeira com que as paredes eram recobertas. Isso significa que os painéis de ouro formavam a superfície mais externa do interior do templo. Assim, os painéis, e não as paredes, eram recobertos com ouro dissolvido.

Um Problema. 570 gramas parece ser um peso fantástico para cada prego. Mas talvez não houvesse muitos pregos usados para segurar os painéis de ouro. Por outra parte, fazer o peso total dos pregos ser de apenas 570 gramas também parece impossível.

■ 3.10-13

V10 וַיַּעַשׂ בְּבֵית־קֹדֶשׁ הַקֳּדָשִׁים כְּרוּבִים שְׁנַיִם
מַעֲשֵׂה צַעֲצֻעִים וַיְצַפּוּ אֹתָם זָהָב:

V11 וְכַנְפֵי הַכְּרוּבִים אָרְכָּם אַמּוֹת עֶשְׂרִים כְּנַף
הָאֶחָד לְאַמּוֹת חָמֵשׁ מַגַּעַת לְקִיר הַבַּיִת וְהַכָּנָף
הָאַחֶרֶת אַמּוֹת חָמֵשׁ מַגִּיעַ לִכְנַף הַכְּרוּב הָאַחֵר:

V12 וּכְנַף הַכְּרוּב הָאֶחָד אַמּוֹת חָמֵשׁ מַגִּיעַ לְקִיר
הַבָּיִת וְהַכָּנָף הָאַחֶרֶת אַמּוֹת חָמֵשׁ דְּבֵקָה לִכְנַף
הַכְּרוּב הָאַחֵר:

V13 כַּנְפֵי הַכְּרוּבִים הָאֵלֶּה פֹּרְשִׂים אַמּוֹת עֶשְׂרִים
וְהֵם עֹמְדִים עַל־רַגְלֵיהֶם וּפְנֵיהֶם לַבָּיִת: ס

No Santo dos Santos fez dois querubins de madeira. O paralelo deste versículo é 1Rs 6.23-28, trecho que, em essência, é igual ao presente texto. O paralelo é um pouco mais detalhado e a ordem das declarações é um pouco diferente. Ver no *Dicionário* sobre *Querubins,* na sua quinta seção, quanto a descrições completas com referências bíblicas.

■ 3.14

וַיַּעַשׂ אֶת־הַפָּרֹכֶת תְּכֵלֶת וְאַרְגָּמָן וְכַרְמִיל וּבוּץ וַיַּעַל
עָלָיו כְּרוּבִים: ס

Também fez o véu. Este versículo não tem paralelo nas narrativas do capítulo 6 de 1Reis. Provavelmente representa a inserção do cronista, com base em Êx 36.31 ss. (ver as notas expositivas). Mas 1Rs 6.21 menciona as cadeias de ouro mediante as quais o véu estava suspenso. O Lugar Santo e o Santo dos Santos estavam separados um do outro mediante esse véu ou cortina. O Lugar Santo era exatamente o dobro do tamanho do Santo dos Santos. Ver no *Dicionário* o verbete denominado *Véu (no Tabernáculo e no Templo)*, quanto a descrições completas a respeito.

■ 3.15

וַיַּעַשׂ לִפְנֵי הַבַּיִת עַמּוּדִים שְׁנַיִם אַמּוֹת שְׁלֹשִׁים וְחָמֵשׁ
אֹרֶךְ וְהַצֶּפֶת אֲשֶׁר־עַל־רֹאשׁוֹ אַמּוֹת חָמֵשׁ: ס

Fez também diante da casa duas colunas. O trecho paralelo é 1Rs 7.15. Há aqui certa confusão de números. O texto presente dá 35 côvados como a altura das colunas, mas os paralelos em 2Rs 25.17 e Jr 52.21 dão dezoito côvados, o que é provavelmente correto. A Septuaginta e a Vulgata retêm aqui os 35 côvados do texto hebraico, mas o siríaco dá dezoito, o que é uma correção. Aqueles que tentam harmonizar tudo supõem que o número trinta e cinco signifique o comprimento combinado das *duas* colunas, mas 18 + 18 = 36, e não 35. Além disso, a explicação é ridícula. Talvez o erro tenha decorrido do equívoco entre os 35 e cinco e dezoito, que no hebraico são similares. Nesse caso, o erro entrou bem cedo no texto, e assim alterou o original que certamente deve ter sido de dezoito côvados. Não é importante harmonizar tais discrepâncias, que, na verdade, ocorrem aqui e acolá, mas nada têm a ver com a fé religiosa.

■ 3.16

וַיַּעַשׂ שַׁרְשְׁרוֹת בַּדְּבִיר וַיִּתֵּן עַל־רֹאשׁ הָעַמֻּדִים וַיַּעַשׂ
רִמּוֹנִים מֵאָה וַיִּתֵּן בַּשַּׁרְשְׁרוֹת:

Também fez cadeias. O trecho paralelo é 1Rs 7.17-19, embora os detalhes sejam levemente diferentes. As cadeias foram feitas de intrincado trabalho "entretecido". Note-se que o texto de 1Reis é mais minucioso. De fato, o trabalho nos capitéis era muito mais decorativo e detalhado do que o texto presente nos dá a entender. Assim sendo, ou o autor sagrado contou com uma fonte informativa separada, para nela basear o que escreveu, ou abreviou-a grandemente.

■ 3.17

וַיָּ֙קֶם֙ אֶת־הָעַמּוּדִ֔ים עַל־פְּנֵ֖י הַהֵיכָ֑ל אֶחָ֣ד מִיָּמִ֗ין וְאֶחָד֙ מֵֽהַשְּׂמֹ֔אול וַיִּקְרָ֤א שֵׁם־הַיְמָנִי֙ יָכִ֔ין וְשֵׁ֥ם הַשְּׂמָאלִ֖י בֹּֽעַז׃ ס

Levantou as colunas diante do templo. O trecho paralelo é 1Rs 7.21, que, em todos os pontos essenciais, é igual à narrativa do cronista. Ver o paralelo quanto à exposição. A passagem de 1Rs 7.15-22 descreve os pilares e seus ornamentos com riqueza de detalhes, muitos dos quais foram ignorados aqui pelo cronista. Em certos lugares, é difícil saber exatamente o que o autor dos livros de Reis está tentando dizer. Somente se víssemos os objetos, poderíamos esclarecer o que significam todas as descrições. A narrativa mais breve do cronista pode ter-se devido exatamente a isso: ele não compreendeu o que estava sendo dito a respeito dos detalhes.

Os Nomes das Colunas. "O nome da coluna direita era Jaquim, porque o reino da casa de Davi fora estabelecido. E o nome da coluna esquerda era Boaz, do nome Boaz, o patriarca da família de Judá, de quem todos os reis da casa de Judá descendiam" (assim diz o Targum sobre a passagem à nossa frente). Quanto a outros comentários sobre os nomes das duas colunas, ver 1Rs 7.21.

CAPÍTULO QUATRO

A Construção do Templo é descrita em 2Cr 2.1—5.1. Os capítulos 2 e 3 falam sobre as preparações para o trabalho e o começo da obra de construção propriamente dita. Os capítulos 3 e 4 de 2Crônicas, em todos os pontos essenciais, são iguais a 1Reis, capítulos 6 e 7. A exposição é oferecida no trecho paralelo. Em seguida, acrescento algum material. A ordem dos versículos algumas vezes difere, quando comparamos 2Crônicas com seu paralelo, 1Reis. Algumas vezes, as diferenças são bastante radicais e sugerem que o cronista teve fontes informativas separadas para seus materiais. Mas, em geral, ele oferece um relato abreviado das mesmas fontes.

OS MÓVEIS DO TEMPLO (4.1—5.1)

O ALTAR DE BRONZE (4.1)

■ 4.1

וַיַּ֙עַשׂ֙ מִזְבַּ֣ח נְחֹ֔שֶׁת עֶשְׂרִ֤ים אַמָּה֙ אָרְכּ֔וֹ וְעֶשְׂרִ֥ים אַמָּ֖ה רָחְבּ֑וֹ וְעֶ֥שֶׂר אַמּ֖וֹת קוֹמָתֽוֹ׃ ס

Também fez um altar de bronze. "Juntamente com, ou depois da construção do templo, Salomão comissionou a manufatura dos móveis do templo e seus recintos. O primeiro artigo listado é o grande altar de bronze, que media, aproximadamente, 9,2 metros de comprimento, 9,2 metros de largura e 4,6 metros de altura. Embora não sejam mencionados aqui degraus, deve ter havido alguns que levavam ao topo do altar. O altar de bronze ficava no átrio diretamente defronte do templo (cf. Êx 40.6 e 1Rs 16.14)" (Eugene H. Merrill, *in loc.*). Ver também 2Cr 8.12.

Ver os artigos *Templo de Jerusalém*, no *Dicionário*, e *Altar de Bronze*, nas notas expositivas sobre Êx 27.1. O trecho paralelo de 1Rs 6 e 7 não menciona a construção do altar de bronze. Mas ele é incidentalmente citado em 1Rs 9.25 e fica implícito em 2Cr 8.22,64. Talvez a omissão no paralelo tenha sido puramente acidental.

O MAR DE FUNDIÇÃO (BRONZE) (4.2-6,10)

■ 4.2-6

וַיַּ֥עַשׂ אֶת־הַיָּ֖ם מוּצָ֑ק עֶ֣שֶׂר בָּאַמָּ֞ה מִשְּׂפָת֤וֹ V2
אֶל־שְׂפָתוֹ֙ עָגֹ֣ל ׀ סָבִ֔יב וְחָמֵ֥שׁ בָּאַמָּ֖ה קוֹמָת֑וֹ וְקָו֙
שְׁלֹשִׁ֣ים בָּאַמָּ֔ה יָסֹ֥ב אֹת֖וֹ סָבִֽיב׃

וּדְמ֣וּת בְּקָרִים֩ תַּ֨חַת ל֜וֹ סָבִ֤יב ׀ סָבִיב֙ סוֹבְבִ֣ים V3
אֹת֔וֹ עֶ֚שֶׂר בָּֽאַמָּ֔ה מַקִּיפִ֥ים אֶת־הַיָּ֖ם סָבִ֑יב שְׁנַ֤יִם
טוּרִים֙ הַבָּקָ֔ר יְצוּקִ֖ים בְּמֻצַקְתּֽוֹ׃

עוֹמֵ֞ד עַל־שְׁנֵ֧ים עָשָׂ֣ר בָּקָ֗ר שְׁלֹשָׁ֣ה פֹנִים֩ ׀ צָפ֨וֹנָה V4
וּשְׁלוֹשָׁ֥ה פֹנִ֣ים ׀ יָ֗מָּה וּשְׁלֹשָׁה֙ פֹּנִ֣ים נֶ֔גְבָּה וּשְׁלֹשָׁ֖ה פֹּנִ֣ים
מִזְרָ֑חָה וְהַיָּ֤ם עֲלֵיהֶם֙ מִלְמָ֔עְלָה וְכָל־אֲחֹרֵיהֶ֖ם בָּֽיְתָה׃

וְעָבְי֣וֹ טֶ֔פַח וּשְׂפָתוֹ֙ כְּמַעֲשֵׂ֣ה שְׂפַת־כּ֔וֹס פֶּ֖רַח V5
שֽׁוֹשַׁנָּ֑ה מַחֲזִ֣יק בַּתִּ֔ים שְׁלֹ֥שֶׁת אֲלָפִ֖ים יָכִֽיל׃ ס

וַיַּ֣עַשׂ כִּיּוֹרִים֮ עֲשָׂרָה֒ וַ֠יִּתֵּן חֲמִשָּׁ֨ה מִיָּמִ֜ין וַחֲמִשָּׁ֤ה V6
מִשְּׂמֹאול֙ לְרָחְצָ֣ה בָהֶ֔ם אֶת־מַעֲשֵׂ֥ה הָעוֹלָ֖ה יָדִ֣יחוּ בָ֑ם
וְהַיָּ֕ם לְרָחְצָ֥ה לַכֹּהֲנִ֖ים בּֽוֹ׃ ס

Ver no *Dicionário* o artigo chamado *Mar de Fundição (Bronze)*, quanto a detalhes completos e referências bíblicas relativas a esse objeto. O trecho paralelo é 1Rs 7.23-36, com algumas pequenas variações. Ambos os autores descrevem como o mar de fundição repousava sobre as imagens de bois, embora certos detalhes sejam diferentes. Logo abaixo da beirada do mar de fundição havia um friso constituído por duas fileiras de bois gravados (segundo o cronista), que o autor dos livros de Reis transformou em figuras de bois. A informação do sexto versículo do cronista é omitida pelo autor dos livros de Reis, embora este último descreva longamente a manufatura das dez bacias menores (1Rs 7.25 ss.).

Os dois autores descrevem capacidades diferentes para o mar de fundição. O cronista (vs. 5) diz três mil batos, enquanto o autor dos livros de Reis (7.26) diz dois mil batos. Talvez a verdadeira capacidade do objeto fosse de três mil batos, ao passo que, em geral, continha dois mil batos. Mais provavelmente ainda, porém, encontramos aqui um simples erro, pois os números (no hebraico, representados por letras) eram similares, por isso facilmente pode ter havido um erro na cópia. A maioria dos eruditos pensa que o número correto seja de dois mil batos. Ver no *Dicionário* o artigo chamado *Pesos e Medidas*, III.A.

Vs. 6. O cronista abreviou suas fontes informativas, deixando de fora as descrições dos dez lavatórios (contidos em 1Rs 7.27-29). A tendência do cronista era abreviar.

"A bacia de bronze era posta a leste do templo, ao *sul* do altar de bronze (2Cr 4.10), e servia de bacia de lavar para quando os sacerdotes terminavam suas purificações cerimoniais (vs. 6). Também havia dez bacias de lavar... cinco de cada lado do templo, onde os itens usados como ofertas queimadas eram lavados (vs. 6). Cf. 1Rs 7.38" (Eugene H. Merrill, *in loc.*).

DEZ CASTIÇAIS DE OURO (4.7)

■ 4.7

וַיַּ֗עַשׂ אֶת־מְנֹר֣וֹת הַזָּהָב֮ עֶ֣שֶׂר כְּמִשְׁפָּטָם֒ וַיִּתֵּן֙ בַּֽהֵיכָ֔ל
חָמֵ֥שׁ מִיָּמִ֖ין וְחָמֵ֥שׁ מִשְּׂמֹֽאול׃ ס

Fez também dez candeeiros de ouro. Ver no *Dicionário* o artigo intitulado *Candeeiro de Ouro*. Cf. Êx 25.31-39. O tabernáculo contava somente com um candeeiro de ouro, mas o templo de Salomão contava com dez. Entretanto, em função e simbolismos, não havia nenhuma diferença. O templo tinha, pois, dez candeeiros, cinco postos na parede sul e cinco na parede norte, na mesma localização das dez mesas (presumivelmente para os pães da proposição). Além disso, havia cem bacias de ouro espalhadas ao redor, sem lugares especificados. Em todos os casos, o paralelo contém as notas mais completas, ao passo que no caso de 2Crônicas fiz algumas poucas informações.

AS DEZ MESAS (4.8)

4.8

וַיַּעַשׂ שֻׁלְחָנוֹת עֲשָׂרָה וַיַּנַּח בַּהֵיכָל חֲמִשָּׁה מִיָּמִין וַחֲמִשָּׁה מִשְּׂמֹאול וַיַּעַשׂ מִזְרְקֵי זָהָב מֵאָה:

O tabernáculo contava somente com uma mesa para os pães da proposição, ao passo que o templo de Salomão tinha *dez* mesas. Ver no *Dicionário* o verbete intitulado *Pães da Proposição*. Ver o paralelo, em 1Rs 7.48. Note o leitor que o trecho paralelo fala em somente uma mesa, ao passo que o cronista dá *dez mesas*. Não há como explicar essa diferença. Dez é certamente o número historicamente correto. O autor dos livros de Reis sem dúvida mostrou-se descuidado nesse ponto. O templo era um lugar de adoração muito mais elaborado e servia a um número muito maior de pessoas, o que explica seu equipamento mais numeroso. A exposição principal aparece no trecho paralelo.

O ÁTRIO DOS SACERDOTES (4.9,10)

4.9,10

וַיַּעַשׂ חֲצַר הַכֹּהֲנִים וְהָעֲזָרָה הַגְּדוֹלָה וּדְלָתוֹת לָעֲזָרָה וְדַלְתוֹתֵיהֶם צִפָּה נְחֹשֶׁת:

וְאֶת־הַיָּם נָתַן מִכֶּתֶף הַיְמָנִית קֵדְמָה מִמּוּל נֶגְבָּה:

Note o leitor, em primeiro lugar, que o vs. 10 tem paralelo em 1Rs 7.39, onde são dadas as notas expositivas. O cronista pôs esse versículo fora de ordem, visto que pertence às descrições de 2Cr 4.2-6.

Os paralelos dos vss. 9 e 11a são 1Rs 6.36 e 7.12, onde ofereci a exposição. Aqui estamos tratando do átrio interno dos sacerdotes. O *pátio grande* é o mesmo *grande átrio* de 1Rs 7.12. O primeiro desses átrios era, sem dúvida, a área imediatamente ao redor do templo; o outro átrio ficava nas vizinhanças do complexo. As *portas* recobertas de bronze serviam de portões para as muralhas que rodeavam toda a área do templo.

AS CALDEIRAS, PÁS E BACIAS (4.11a)

4.11

וַיַּעַשׂ חוּרָם אֶת־הַסִּירוֹת וְאֶת־הַיָּעִים וְאֶת־הַמִּזְרָקוֹת ס וַיְכַל חִירָם לַעֲשׂוֹת אֶת־הַמְּלָאכָה אֲשֶׁר עָשָׂה לַמֶּלֶךְ שְׁלֹמֹה בְּבֵית הָאֱלֹהִים:

Hirão, conforme lemos em nossa versão portuguesa (é o mesmo *Hirão-Abi* de 2Cr 2.13), exerceu suas habilidades de diferentes maneiras, tendo atuado como um mestre de obras de escol. Ver 2Cr 3.3-11 e 4.11-16. Cf. o paralelo de 1Rs 7.40, que fala em lavatórios, mas a leitura do texto presente, as "panelas", parece ser a correta. Um simples til na palavra hebraica fez a diferença, e equívocos facilmente podiam ser cometidos. As *panelas* eram usadas para retirar as cinzas do altar. As *pás* serviam para recolher essas cinzas. Além disso, havia as *bacias* para recolher o sangue dos animais sacrificados. Ver a exposição principal em 1Rs 7.40.

SUMÁRIO DA OBRA DE HIRÃO-ABI (4.11b-18)

4.12-18

V12 עַמּוּדִים שְׁנַיִם וְהַגֻּלּוֹת וְהַכֹּתָרוֹת עַל־רֹאשׁ הָעַמּוּדִים שְׁתָּיִם וְהַשְּׂבָכוֹת שְׁתַּיִם לְכַסּוֹת אֶת־שְׁתֵּי גֻּלּוֹת הַכֹּתָרוֹת אֲשֶׁר עַל־רֹאשׁ הָעַמּוּדִים:

V13 וְאֶת־הָרִמּוֹנִים אַרְבַּע מֵאוֹת לִשְׁתֵּי הַשְּׂבָכוֹת שְׁנַיִם טוּרִים רִמּוֹנִים לַשְּׂבָכָה הָאֶחָת לְכַסּוֹת אֶת־שְׁתֵּי גֻּלּוֹת הַכֹּתָרֹת אֲשֶׁר עַל־פְּנֵי הָעַמּוּדִים:

V14 וְאֶת־הַמְּכֹנוֹת עָשָׂה וְאֶת־הַכִּיֹּרוֹת עָשָׂה עַל־הַמְּכֹנוֹת:

V15 אֶת־הַיָּם אֶחָד וְאֶת־הַבָּקָר שְׁנֵים־עָשָׂר תַּחְתָּיו:

V16 וְאֶת־הַסִּירוֹת וְאֶת־הַיָּעִים וְאֶת־הַמִּזְלָגוֹת וְאֶת־כָּל־כְּלֵיהֶם עָשָׂה חוּרָם אָבִיו לַמֶּלֶךְ שְׁלֹמֹה לְבֵית יְהוָה נְחֹשֶׁת מָרוּק:

V17 בְּכִכַּר הַיַּרְדֵּן יְצָקָם הַמֶּלֶךְ בַּעֲבִי הָאֲדָמָה בֵּין סֻכּוֹת וּבֵין צְרֵדָתָה:

V18 וַיַּעַשׂ שְׁלֹמֹה כָּל־הַכֵּלִים הָאֵלֶּה לָרֹב מְאֹד כִּי לֹא נֶחְקַר מִשְׁקַל הַנְּחֹשֶׁת: פ

O autor sagrado estava ansioso para assegurar-nos que Hirão, o *mestre de obras* enviado pelo rei de Tiro para ajudar Salomão (ver 2Cr 2.7,13,14), cumpriu todas as expectativas a respeito de suas habilidades. Ele as aplicou a uma série de empreendimentos diferentes, sempre com sucesso. O trecho paralelo é 1Rs 7.45-50, onde é oferecida uma exposição. "O trabalho de Hirão, descrito com detalhes em 2Cr 3.3—4.11a, é então sumariado em 2Cr 4.11b-16a. Como sumário, o autor sacro adicionou a informação de que os objetos de bronze (vs. 16) foram fundidos mediante o uso de moldes de barro, no vale do Jordão, entre Sucote e Zeredá (vs. 17). Explorações recentes revelaram a provável localização dessas fundições, cerca de 56 quilômetros ao norte do mar Morto, e a leste do rio Jordão, imediatamente ao norte do rio Jaboque. Tão abundante foi o bronze usado que nem ao menos foi pesado (vs. 18). Grande parte, se não mesmo a totalidade do bronze, veio da vitória de Davi sobre os arameus (ver 1Cr 18.3-8)" (Eugene H. Merrill, *in loc.*).

CATÁLOGO DE OBJETOS FEITOS DE OURO; CONCLUSÃO (4.19-22)

4.19-22

V19 וַיַּעַשׂ שְׁלֹמֹה אֵת כָּל־הַכֵּלִים אֲשֶׁר בֵּית הָאֱלֹהִים וְאֵת מִזְבַּח הַזָּהָב וְאֶת־הַשֻּׁלְחָנוֹת וַעֲלֵיהֶם לֶחֶם הַפָּנִים:

V20 וְאֶת־הַמְּנֹרוֹת וְנֵרֹתֵיהֶם לְבַעֲרָם כַּמִּשְׁפָּט לִפְנֵי הַדְּבִיר זָהָב סָגוּר:

V21 וְהַפֶּרַח וְהַנֵּרוֹת וְהַמֶּלְקַחַיִם זָהָב הוּא מִכְלוֹת זָהָב:

V22 וְהַמְזַמְּרוֹת וְהַמִּזְרָקוֹת וְהַכַּפּוֹת וְהַמַּחְתּוֹת זָהָב סָגוּר וּפֶתַח הַבַּיִת דַּלְתוֹתָיו הַפְּנִימִיּוֹת לְקֹדֶשׁ הַקֳּדָשִׁים וְדַלְתֵי הַבַּיִת לַהֵיכָל זָהָב:

Cf. o paralelo de 1Rs 7.48-50, que diz essencialmente a mesma coisa, embora contenha algumas poucas diferenças notáveis. O autor dos livros de Reis continua falando sobre uma única mesa recoberta de ouro (em lugar das dez mesas do cronista; ver 2Cr 4.19; 7.48). A ênfase de ambos os autores é que o metal precioso, o ouro, foi aplicado até em manufaturas. 1Rs 7.50 diz que os *gonzos* das portas eram feitos desses metal. As portas eram recobertas de ouro, e a espessura dos painéis de ouro que recobriam essas portas não é declarada. No vs. 20, o cronista não dá a informação de que os candeeiros estavam situados em *cinco* mesas no lado sul, e em *cinco* mesas localizadas no lado norte (1Rs 7.49). O cronista diz que o ouro era "puro", a fim de enfatizar a pureza do metal empregado, um toque que o livro de 1Reis não contém.

Tipologia. Podemos acreditar prontamente que tudo quanto havia no tabernáculo e no templo era típico e representativo de alguma excelência da dispensação do evangelho, sem que entremos nas pronunciações detalhadas de certos autores piedosos. Detalhes demais são algo realmente tolo, uma futilidade religiosa. No artigo chamado *Templo de Salomão*, no *Dicionário*, discuto essa questão de tipos. Ver também o artigo *Templo de Deus, Igreja Como*. Ver *Templo*

242 2Crônicas ■ ATI

(Átrios), sobre como eles falaram de vários níveis de acesso a Deus. Em Cristo, as barreiras caíram (ver Hb 10.19,20). Ver também o artigo denominado *Templo, Símbolo de Graus de Acesso Espiritual*.

CAPÍTULO CINCO

A CONSAGRAÇÃO DO TEMPLO (5.1—7.10)

O quinto capítulo de 2Crônicas é, essencialmente, a mesma coisa que o seu paralelo, o capítulo oitavo de 1Reis. Aquele capítulo apresenta os materiais que há nos capítulos 5 e 6 de 2Crônicas, e é ali que ofereço a exposição. Aqui adiciono apenas algumas informações extras.

"Este capítulo (o quinto) é uma duplicata quase literal do texto paralelo" (Ellicott, *in loc.*).

■ 5.1

וַתִּשְׁלַם כָּל־הַמְּלָאכָה אֲשֶׁר־עָשָׂה שְׁלֹמֹה לְבֵית יְהוָה ס וַיָּבֵא שְׁלֹמֹה אֶת־קָדְשֵׁי דָּוִיד אָבִיו וְאֶת־הַכֶּסֶף וְאֶת־הַזָּהָב וְאֶת־כָּל־הַכֵּלִים נָתַן בְּאֹצְרוֹת בֵּית הָאֱלֹהִים: פ

Este versículo atua tanto como conclusão do capítulo anterior como introdução ao capítulo 5, no qual vemos Salomão trazendo a arca da aliança do abrigo provisório no tabernáculo que Davi havia construído em Jerusalém e dedicando-a ao templo.

A consagração do templo tomou *sete anos* (ver 1Rs 6.38). Quando a construção foi terminada, Salomão ordenou que os móveis e utensílios fossem introduzidos no edifício, e as ofertas de Davi (coisas valiosas) fossem postas no tesouro do templo. Davi fizera uma imensa contribuição sob a forma de metais preciosos e outras coisas valiosas para a decoração do templo (ver 1Cr 22.14-16 e 28.14-18) que Salomão não pôde usar totalmente na construção do templo de Jerusalém. Portanto, sobraram riquezas, as quais foram guardadas e usadas posteriormente com outros propósitos. Os estudiosos calculam que Davi doou 41.250 toneladas de metais preciosos. Salomão executou a construção, mas a contribuição de Davi foi imensa. Salomão realizou a obra, mas foi Davi quem a tornou possível. Assim sendo, em todos os grandes empreendimentos, um esforço de equipe se faz necessário. Cf. este versículo com 1Cr 18.11; 22.14; 26.26-28 e 29.1-9.

O paralelo direto deste versículo é 1Rs 7.51, onde ofereço notas expositivas adicionais. Ilustrei a questão, no paralelo, com significativas citações. O dinheiro fala alto! Davi contribuiu, e Salomão construiu.

■ 5.2

אָז יַקְהֵל שְׁלֹמֹה אֶת־זִקְנֵי יִשְׂרָאֵל וְאֶת־כָּל־רָאשֵׁי הַמַּטּוֹת נְשִׂיאֵי הָאָבוֹת לִבְנֵי יִשְׂרָאֵל אֶל־יְרוּשָׁלִָם לְהַעֲלוֹת אֶת־אֲרוֹן בְּרִית־יְהוָה מֵעִיר דָּוִיד הִיא צִיּוֹן:

Congregou Salomão os anciãos de Israel. O trecho paralelo é 1Rs 8.1, virtualmente igual e onde a exposição é oferecida. O único objeto que não tinha sido posto no templo e a ele pertencia era a arca da aliança, e assim Salomão trouxe-a do tabernáculo provisório que Davi havia edificado em Jerusalém. Quanto ao tabernáculo, ver 2Sm 6.17. Ver também 1Cr 15.1.

■ 5.3

וַיִּקָּהֲלוּ אֶל־הַמֶּלֶךְ כָּל־אִישׁ יִשְׂרָאֵל בֶּחָג הוּא הַחֹדֶשׁ הַשְּׁבִעִי:

Todos os homens de Israel se congregaram junto ao rei. O trecho paralelo é 1Rs 8.2, virtualmente igual e onde a exposição é oferecida. O cronista omitiu o nome do mês, *etanim*. O ano era 959 a.C. A festa dos tabernáculos estava sendo celebrada em setembro-outubro. Ver Lv 23.33-36.

■ 5.4

וַיָּבֹאוּ כֹּל זִקְנֵי יִשְׂרָאֵל וַיִּשְׂאוּ הַלְוִיִּם אֶת־הָאָרוֹן:

Vieram todos os anciãos de Israel. Ver a exposição em 1Rs 8.3, o trecho paralelo. Os reis tinham *sacerdotes*, enquanto o cronista tinha *levitas*. Todos os sacerdotes eram levitas, mas nem todos os levitas eram sacerdotes. Era a família de Arão, com exclusividade, que supria os sacerdotes. Os aaronitas eram um ramo da família de Levi. O vs. 7 diz-nos que foram os *sacerdotes* que transportaram a arca de onde estava para seu lugar permanente, no templo de Jerusalém.

■ 5.5

וַיַּעֲלוּ אֶת־הָאָרוֹן וְאֶת־אֹהֶל מוֹעֵד וְאֶת־כָּל־כְּלֵי הַקֹּדֶשׁ אֲשֶׁר בָּאֹהֶל הֶעֱלוּ אֹתָם הַכֹּהֲנִים הַלְוִיִּם:

Os levitas sacerdotes é que os fizeram subir. Ver o trecho paralelo em 1Rs 8.4. Este versículo é essencialmente igual a seu paralelo, onde também a exposição é oferecida. Os vasos do tabernáculo em Gibeom haviam sido deixados ali, embora Davi tivesse trazido a arca da aliança para Jerusalém, para o tabernáculo provisório que ele havia erigido. Salomão, pois, recolheu os vasos sagrados que estavam em Gibeom, e a arca que estava no tabernáculo provisório em Jerusalém. O cronista parece dizer que a própria tenda foi trazida. Provavelmente, ela se tornou uma relíquia em Jerusalém; mas não tinha mais utilidade, visto que o templo a havia substituído. Uma vez que novos vasos tinham sido fabricados para o templo, os vasos antigos, que estavam no tabernáculo, também foram guardados como relíquias. Mas talvez eles tenham sido destruídos para evitar que fossem transformados em objetos da idolatria. A *arca da aliança,* de qualquer modo, foi instalada no templo e continuou a ser usada. Dou mais detalhes nas notas expositivas sobre o trecho paralelo.

■ 5.6

וְהַמֶּלֶךְ שְׁלֹמֹה וְכָל־עֲדַת יִשְׂרָאֵל הַנּוֹעָדִים עָלָיו לִפְנֵי הָאָרוֹן מְזַבְּחִים צֹאן וּבָקָר אֲשֶׁר לֹא־יִסָּפְרוּ וְלֹא יִמָּנוּ מֵרֹב:

O rei Salomão, e toda a congregação de Israel. O paralelo deste versículo é 1Rs 8.5. Efetuaram-se sacrifícios grandiosos, nos quais muitos animais foram abatidos. Foram tantos animais que o autor sagrado nem tentou saber o número total. Ver detalhes no trecho paralelo.

■ 5.7

וַיָּבִיאוּ הַכֹּהֲנִים אֶת־אֲרוֹן בְּרִית־יְהוָה אֶל־מְקוֹמוֹ אֶל־דְּבִיר הַבַּיִת אֶל־קֹדֶשׁ הַקֳּדָשִׁים אֶל־תַּחַת כַּנְפֵי הַכְּרוּבִים:

Puseram os sacerdotes a arca da aliança do Senhor. A exposição é oferecida no trecho paralelo de 1Rs 8.6. Os dois versículos são idênticos.

■ 5.8

וַיִּהְיוּ הַכְּרוּבִים פֹּרְשִׂים כְּנָפַיִם עַל־מְקוֹם הָאָרוֹן וַיְכַסּוּ הַכְּרוּבִים עַל־הָאָרוֹן וְעַל־בַּדָּיו מִלְמָעְלָה:

Pois os querubins estendiam as asas. O trecho paralelo é 1Rs 8.7, onde a exposição foi oferecida.

■ 5.9

וַיַּאֲרִיכוּ הַבַּדִּים וַיֵּרָאוּ רָאשֵׁי הַבַּדִּים מִן־הָאָרוֹן עַל־פְּנֵי הַדְּבִיר וְלֹא יֵרָאוּ הַחוּצָה וַיְהִי־שָׁם עַד הַיּוֹם הַזֶּה:

Os varais sobressaíam tanto, que suas pontas eram vistas. Ver a exposição no trecho paralelo, em 1Rs 8.8. Essa parte da unidade de 1 e 2Crônicas foi escrita antes do cativeiro babilônico, mas o todo não foi terminado senão após esse evento, conforme mostro no trecho paralelo.

5.10

אֵ֚ין בָּֽאָר֔וֹן רַ֚ק שְׁנֵ֣י הַלֻּח֔וֹת אֲשֶׁר־נָתַ֥ן מֹשֶׁ֖ה בְּחֹרֵ֑ב אֲשֶׁ֨ר כָּרַ֤ת יְהוָה֙ עִם־בְּנֵ֣י יִשְׂרָאֵ֔ל בְּצֵאתָ֖ם מִמִּצְרָֽיִם׃ פ

Aí estão até ao dia de hoje. O trecho paralelo é 1Rs 8.9, onde a exposição foi oferecida.

5.11-13

V11 וַיְהִ֗י בְּצֵ֤את הַכֹּֽהֲנִים֙ מִן־הַקֹּ֔דֶשׁ כִּ֥י כָּל־הַכֹּהֲנִ֖ים הַנִּמְצְאִ֣ים הִתְקַדָּ֑שׁוּ אֵ֖ין לִשְׁמ֥וֹר לְמַחְלְקֽוֹת׃

V12 וְהַלְוִיִּ֣ם הַמְשֹׁרֲרִ֣ים לְכֻלָּ֡ם לְאָסָ֡ף לְהֵימָ֣ן לִֽידֻתוּן֩ וְלִבְנֵיהֶ֨ם וְלַאֲחֵיהֶ֜ם מְלֻבָּשִׁ֣ים בּ֗וּץ בִּמְצִלְתַּ֨יִם֙ וּבִנְבָלִ֣ים וְכִנֹּר֔וֹת עֹמְדִ֖ים מִזְרָ֣ח לַמִּזְבֵּ֑חַ וְעִמָּהֶ֤ם כֹּֽהֲנִים֙ לְמֵאָ֣ה וְעֶשְׂרִ֔ים מַחְצְרִ֖ים בַּחֲצֹצְרֽוֹת׃

V13 וַיְהִ֣י כְ֠אֶחָד לַמַחֲצֹצרים [לַֽמְחַצְּרִ֨ים] וְלַמְשֹׁרֲרִ֜ים לְהַשְׁמִ֣יעַ קוֹל־אֶחָ֗ד לְהַלֵּ֣ל וּלְהֹדוֹת֮ לַיהוָה֒ וּכְהָרִ֣ים ק֠וֹל בַּחֲצֹצְר֨וֹת וּבִמְצִלְתַּ֜יִם וּבִכְלֵ֣י הַשִּׁ֗יר וּבְהַלֵּ֤ל לַיהוָה֙ כִּ֣י ט֔וֹב כִּ֥י לְעוֹלָ֖ם חַסְדּ֑וֹ וְהַבַּ֛יִת מָלֵ֥א עָנָ֖ן בֵּ֥ית יְהוָֽה׃

Quando saíram os sacerdotes do santuário. O cronista está seguindo de perto o trecho paralelo de 1Rs 8.10,11, embora se tenha demorado na descrição da nuvem de glória que tomou conta do templo. Em primeiro lugar, ele adicionou a participação dos músicos, que 1Reis não tem. Naquela ocasião, todos os *24 turnos* dos levitas se fizeram presentes (vs. 11). Não foi seguida a ordem normal do ministério (cf. 1Cr 24.1-19). Soaram 120 trombetas, e os címbalos e outros instrumentos foram tocados com vigor. Foi um dia de ocasião especial, que requereu uma celebração extraordinária. Eles entoaram a bondade e o amor de Yahweh (cf. 2Cr 6.14; 7.3,6 e 20.21). Ver no *Dicionário* o artigo denominado *Música, Instrumentos Musicais* quanto a uma descrição dos instrumentos mencionados nestes versículos. Ver as descrições sobre as guildas musicais, em 1Cr 15.16 ss. e 25.1-7. Quanto aos *louvores* que empregavam uma fórmula litúrgica comum, ver 1Cr 16.41,43.

5.14

וְלֹא־יָכְל֧וּ הַכֹּהֲנִ֛ים לַעֲמ֥וֹד לְשָׁרֵ֖ת מִפְּנֵ֣י הֶעָנָ֑ן כִּי־מָלֵ֥א כְבוֹד־יְהוָ֖ה אֶת־בֵּ֥ית הָאֱלֹהִֽים׃ פ

De maneira que os sacerdotes não podiam estar ali. Após a música por meio de instrumentos musicais e os cânticos, veio a nuvem de glória que encheu o templo e, sem dúvida, assustou todos os que participavam da festa de dedicação. O trecho paralelo é 1Rs 8.10,11. Os ministros não podiam ficar em pé diante da glória divina, e caíam prostrados. Dessa maneira, a celebração foi interrompida por alguns momentos. Cf. Êx 40.34,35 e Ez 10.3,4. Compare-se esse entusiasmo com a adoração apática da Igreja Cristã moderna: *"Adoradores apáticos* na Igreja são como um cobertor de nebulosidade, uma tristonha nuvem em meio à qual adoradores voluntários anelam por algo mais, por algo mais vital... A verdade bem que poderia *rir-se*, porque a verdade é alegre, desejando *brincar* com suas rivais, porquanto ela é livre de temor". "Alegrai-vos sempre no Senhor; outra vez digo, alegrai-vos" (Fp 4.4). Sabemos da história de um evangelista escocês que não gostava da maneira tristonha como sua audiência estava entoando os hinos (salmos) de Davi. E disse ele: "Se Davi vos ouvisse a cantar seus salmos dessa maneira, ele os tiraria de vocês".

CAPÍTULO SEIS

ORAÇÃO DE SALOMÃO E HINO DE DEDICAÇÃO (6.1-42)

O autor sagrado registrou longamente a bênção e a oração de Salomão, recorrendo aos mesmos materiais que foram usados pelo trecho paralelo de 1Rs 8.12-53. Ofereço a exposição no paralelo, e aqui apenas acrescentei algum material informativo. "Esta seção está em concordância verbal com seu relato paralelo, com algumas leves exceções" (Ellicott, *in loc.*). "O cronista transcreveu a oração de Salomão de 1Rs 8.22-50, mas deu-lhe uma conclusão melhor" (W. A. L. Elmslie, *in loc.*).

MÚSICA

Os levitas, que eram cantores, isto é, Asafe, Hemã, Jedutum e os filhos e irmãos deles, vestidos de linho fino, estavam de pé, para o oriente do altar, com címbalos, alaúdes e harpas, e com eles até cento e vinte sacerdotes, que tocavam as trombetas.

2Crônicas 5.12

O poder da música

Música, o maior bem que os mortais conhecem,
E de tudo quanto temos abaixo dos céus.

John Addison

A música tem encantos que aplacam o peito selvagem,
Que amolecem as rochas e dobram o carvalho nodoso.

William Congreve

Um homem com um sonho, a seu bel-prazer
Poderá sair e conquistar uma coroa;
E três, com uma nova canção,
Podem derrubar toda uma nação.

Arthur Willian O'Shaughnesse

6.1

אָ֚ז אָמַ֣ר שְׁלֹמֹ֑ה יְהוָ֥ה אָמַ֖ר לִשְׁכּ֥וֹן בָּעֲרָפֶֽל׃

Então disse Salomão. Este versículo é paralelo a 1Rs 8.12, mas não menciona que foi Yahweh quem pôs o *sol* no céu, e assim perdeu de vista o contraste entre a luz e as trevas. Entretanto, a Septuaginta, neste versículo, retém um texto quase igual ao paralelo, mas isso, muito provavelmente, representa uma *harmonia* com o trecho paralelo. Cf. Êx 40.34,35. "A aparição da glória de Deus na nuvem (2Cr 5.13,14) relembrou Salomão de que Deus tornara sua presença conhecida a Moisés da mesma maneira, embora em uma tenda ou tabernáculo muito mais modestos. Agora, entretanto, o Senhor... manifestar-se-ia em uma magnificência permanente (vss. 1 e 2)" (Eugene H. Merrill, *in loc.*). Ver minha exposição mais completa e poética no trecho paralelo, 1Rs 8.12,13.

6.2

וַאֲנִ֥י בָּנִ֛יתִי בֵית־זְבֻ֖ל לָ֑ךְ וּמָכ֥וֹן לְשִׁבְתְּךָ֖ עוֹלָמִֽים׃

Edifiquei uma casa para tua morada. Este versículo tem paralelo em 1Rs 8.12, excetuando-se o fato de que a casa (templo) que Salomão edificou é chamada de "exaltada", isto é, esplendorosa, conforme somente um monarca oriental seria capaz de fazer. O magnífico templo seria uma habitação eterna para Yahweh, e não um ponto de apoio, como tinha sido o tabernáculo no deserto. Cf. Êx 15.17 e Sl 61.5. A exposição é dada no trecho paralelo.

6.3

וַיַּסֵּ֤ב הַמֶּ֙לֶךְ֙ אֶת־פָּנָ֔יו וַיְבָ֕רֶךְ אֵ֖ת כָּל־קְהַ֣ל יִשְׂרָאֵ֑ל וְכָל־קְהַ֥ל יִשְׂרָאֵ֖ל עוֹמֵֽד׃

Voltou então o rei o seu rosto. O trecho paralelo é 1Rs 8.14, que é idêntico, palavra por palavra, e onde a exposição foi oferecida.

6.4

וַיֹּ֗אמֶר בָּר֤וּךְ יְהוָה֙ אֱלֹהֵ֣י יִשְׂרָאֵ֔ל אֲשֶׁר֙ דִּבֶּ֣ר בְּפִ֔יו אֵ֖ת דָּוִ֣יד אָבִ֑י וּבְיָדָ֖יו מִלֵּ֥א לֵאמֹֽר׃

E disse: Bendito seja o Senhor. O trecho paralelo é 1Rs 8.15, que é igual a este trecho, exceto pelo fato de que o cronista fala em *mãos* (no original hebraico), em lugar de *mão*. As notas são dadas no trecho paralelo. Ver 1Cr 11.2 e 17.4-14 quanto ao trato de Yahweh com Davi.

■ **6.5**

מִן־הַיּוֹם אֲשֶׁר הוֹצֵאתִי אֶת־עַמִּי מֵאֶרֶץ מִצְרַיִם לֹא־בָחַרְתִּי בְעִיר מִכֹּל שִׁבְטֵי יִשְׂרָאֵל לִבְנוֹת בַּיִת לִהְיוֹת שְׁמִי שָׁם וְלֹא־בָחַרְתִּי בְאִישׁ לִהְיוֹת נָגִיד עַל־עַמִּי יִשְׂרָאֵל:

Desde o dia em que eu tirei o meu povo da terra do Egito. O trecho paralelo é 1Rs 8.16, excetuando-se o fato de que o cronista usou a frase mais simples "o meu povo", em lugar de "o meu povo de Israel". Cf. 2Cr 5.10.

■ **6.6**

וָאֶבְחַר בִּירוּשָׁלַ͏ִם לִהְיוֹת שְׁמִי שָׁם וָאֶבְחַר בְּדָוִיד לִהְיוֹת עַל־עַמִּי יִשְׂרָאֵל:

Mas escolhi Jerusalém. O trecho paralelo é 1Rs 8.16, que não menciona especificamente a cidade de *Jerusalém*, escolhida para ser a capital onde o templo seria construído, embora compreendamos isso o tempo todo. Alguns manuscritos omitem este sexto versículo inteiramente.

■ **6.7**

וַיְהִי עִם־לְבַב דָּוִיד אָבִי לִבְנוֹת בַּיִת לְשֵׁם יְהוָה אֱלֹהֵי יִשְׂרָאֵל:

Também Davi, meu pai, propusera em seu coração. O trecho paralelo é 1Rs 8.17, que é igual a este trecho e onde foram oferecidas notas expositivas.

■ **6.8**

וַיֹּאמֶר יְהוָה אֶל־דָּוִיד אָבִי יַעַן אֲשֶׁר הָיָה עִם־לְבָבְךָ לִבְנוֹת בַּיִת לִשְׁמִי הֱטִיבוֹתָ כִּי הָיָה עִם־לְבָבֶךָ:

Porém o Senhor disse a Davi, meu pai. O trecho paralelo é 1Rs 8.18, que é igual ao atual versículo.

Uma casa ao meu nome. A palavra "nome" aparece por catorze vezes no presente capítulo, e outras catorze vezes no restante do livro de 2Crônicas. Isso denota a pessoa, os atributos e a presença manifesta de Deus entre os homens. Cf. 1Cr 13.6.

■ **6.9**

רַק אַתָּה לֹא תִבְנֶה הַבָּיִת כִּי בִנְךָ הַיּוֹצֵא מֵחֲלָצֶיךָ הוּא־יִבְנֶה הַבַּיִת לִשְׁמִי:

Todavia tu não edificarás a casa. O trecho paralelo é 1Rs 8.19, onde as notas expositivas foram dadas. Quanto às *razões* pelas quais Davi não teve permissão de edificar o templo de Jerusalém, ver 1Cr 17.1. Quanto às contribuições de Davi à construção do templo, ver o capítulo 22 de 1Crônicas.

■ **6.10**

וַיָּקֶם יְהוָה אֶת־דְּבָרוֹ אֲשֶׁר דִּבֵּר וָאָקוּם תַּחַת דָּוִיד אָבִי וָאֵשֵׁב עַל־כִּסֵּא יִשְׂרָאֵל כַּאֲשֶׁר דִּבֶּר יְהוָה וָאֶבְנֶה הַבַּיִת לְשֵׁם יְהוָה אֱלֹהֵי יִשְׂרָאֵל:

Assim cumpriu o Senhor a sua palavra. O trecho paralelo é 1Rs 8.20, virtualmente idêntico. Ver ali a exposição. Ver também 2Cr 6.7-11.

■ **6.11**

וָאָשִׂים שָׁם אֶת־הָאָרוֹן אֲשֶׁר שָׁם בְּרִית יְהוָה אֲשֶׁר כָּרַת עִם־בְּנֵי יִשְׂרָאֵל:

Nela pus a arca. Este versículo é igual ao seu paralelo, 1Rs 8.21, com exceção de que o autor sacro adicionou outra referência ao fato de que Yahweh tirara Israel do Egito. Quanto ao muito repetido tema de que Yahweh retirou Israel do Egito, ver as notas em Dt 24.20. O livro de Deuteronômio refere-se a esse acontecimento por mais de vinte vezes.

■ **6.12**

וַיַּעֲמֹד לִפְנֵי מִזְבַּח יְהוָה נֶגֶד כָּל־קְהַל יִשְׂרָאֵל וַיִּפְרֹשׂ כַּפָּיו:

Pôs-se Salomão diante do altar do Senhor. Este versículo é igual ao seu paralelo, 1Rs 8.22. Cf. 1Sm 17.51 com a presente declaração do vs. 3 deste capítulo.

■ **6.13**

כִּי־עָשָׂה שְׁלֹמֹה כִּיּוֹר נְחֹשֶׁת וַיִּתְּנֵהוּ בְּתוֹךְ הָעֲזָרָה חָמֵשׁ אַמּוֹת אָרְכּוֹ וְחָמֵשׁ אַמּוֹת רָחְבּוֹ וְאַמּוֹת שָׁלוֹשׁ קוֹמָתוֹ וַיַּעֲמֹד עָלָיו וַיִּבְרַךְ עַל־בִּרְכָּיו נֶגֶד כָּל־קְהַל יִשְׂרָאֵל וַיִּפְרֹשׂ כַּפָּיו הַשָּׁמָיְמָה:

Porque Salomão tinha feito uma tribuna de bronze. Este versículo é uma *adição* ao texto do capítulo 8 de 1Reis. Uma previsão das observações feitas em 2Cr 7.7 foi posta aqui. Alguns eruditos supõem que este versículo tenha seguido, em algum tempo, 1Rs 8.22, mas isso não passa de uma conjectura, sem nenhuma evidência textual. Salomão estava prestes a oferecer uma oração notável e, presumivelmente, para essa oração, que foi um incidente histórico, pensou ser necessário preparar uma plataforma especial de bronze, sobre a qual pudesse colocar-se de pé, para ser visto por todos e também para que suas palavras pudessem ser ouvidas por toda a audiência à sua frente. Ele começou a oração de pé sobre a plataforma, mas depois ajoelhou-se (vs. 16). Ver Ne 9.4 quanto a uma estrutura análoga.

Oração Dedicatória de Salomão (6.14-42)

"O cronista citou, quase palavra por palavra, 1Rs 8.22-42. Existem outras súplicas comoventes registradas no Antigo Testamento. Como exemplos, ver Êx 33.12-16 e Jr 15.15-18. Mas nenhuma outra oração assemelha-se a esta em magnitude e qualidade sustentada. A declaração inteira tem um lugar de destaque na literatura mais sublime" (W. A. L. Elmslie, *in loc.*).

"Depois de haver abençoado o povo, Salomão ofereceu uma oração de dedicação (vss. 14-42). Ajoelhado em uma plataforma de bronze, construída a propósito, no centro do átrio exterior (vss. 12 e 13), ele exaltou o Senhor pela fidelidade em guardar o seu pacto (vss. 14 e 15)" (Eugene H. Merrill, *in loc.*).

■ **6.14**

וַיֹּאמַר יְהוָה אֱלֹהֵי יִשְׂרָאֵל אֵין־כָּמוֹךָ אֱלֹהִים בַּשָּׁמַיִם וּבָאָרֶץ שֹׁמֵר הַבְּרִית וְהַחֶסֶד לַעֲבָדֶיךָ הַהֹלְכִים לְפָנֶיךָ בְּכָל־לִבָּם:

E disse: Ó Senhor Deus de Israel. O paralelo é 1Rs 8.23, que é virtualmente verbatim e onde a exposição é oferecida. Cf. Is 55.3. Ver no *Dicionário* o artigo chamado *Pactos*.

■ **6.15**

אֲשֶׁר שָׁמַרְתָּ לְעַבְדְּךָ דָּוִיד אָבִי אֵת אֲשֶׁר־דִּבַּרְתָּ לוֹ וַתְּדַבֵּר בְּפִיךָ וּבְיָדְךָ מִלֵּאתָ כַּיּוֹם הַזֶּה:

Que cumpriste para com teu servo Davi, meu pai. O trecho paralelo é 1Rs 8.24, que é virtualmente idêntico, e onde a exposição é oferecida.

■ **6.16**

וְעַתָּה יְהוָה אֱלֹהֵי יִשְׂרָאֵל שְׁמֹר לְעַבְדְּךָ דָוִיד אָבִי אֵת אֲשֶׁר דִּבַּרְתָּ לּוֹ לֵאמֹר לֹא־יִכָּרֵת

לְךָ אִישׁ מִלְּפָנַי יוֹשֵׁב עַל־כִּסֵּא יִשְׂרָאֵל רַק
אִם־יִשְׁמְרוּ בָנֶיךָ אֶת־דַּרְכָּם לָלֶכֶת בְּתוֹרָתִי
כַּאֲשֶׁר הָלַכְתָּ לְפָנָי׃

Agora, pois, ó Senhor Deus de Israel. O trecho paralelo é 1Rs 8.25, que é virtualmente idêntico e onde a exposição é oferecida.

■ 6.17

וְעַתָּה יְהוָה אֱלֹהֵי יִשְׂרָאֵל יֵאָמֵן דְּבָרְךָ אֲשֶׁר דִּבַּרְתָּ
לְעַבְדְּךָ לְדָוִיד׃

Agora, também, ó Senhor Deus de Israel. O trecho paralelo é 1Rs 8.26, onde foram dadas as notas expositivas. A versão siríaca adiciona aqui as palavras "eu oro", tanto aqui quanto em 1Rs.

■ 6.18

כִּי הַאֻמְנָם יֵשֵׁב אֱלֹהִים אֶת־הָאָדָם עַל־הָאָרֶץ הִנֵּה
שָׁמַיִם וּשְׁמֵי הַשָּׁמַיִם לֹא יְכַלְכְּלוּךָ אַף כִּי־הַבַּיִת
הַזֶּה אֲשֶׁר בָּנִיתִי׃

Mas, de fato habitaria Deus com os homens na terra? O trecho paralelo é 1Rs 8.27. Os versículos são virtualmente idênticos. "Com os homens" são palavras adicionadas pelo cronista. A versão siríaca diz "com seu povo, Israel" e a versão árabe diz "com seu povo". Cf. Ap 21.3.

■ 6.19

וּפָנִיתָ אֶל־תְּפִלַּת עַבְדְּךָ וְאֶל־תְּחִנָּתוֹ יְהוָה אֱלֹהָי
לִשְׁמֹעַ אֶל־הָרִנָּה וְאֶל־הַתְּפִלָּה אֲשֶׁר עַבְדְּךָ
מִתְפַּלֵּל לְפָנֶיךָ׃

Atenta, pois, para a oração de teu servo. O trecho paralelo é 1Rs 8.29, que é virtualmente idêntico. No livro de 1Reis temos as palavras "diante de ti", que é o que dizem também as versões da Septuaginta, a siríaca e a árabe.

■ 6.20

לִהְיוֹת עֵינֶיךָ פְתֻחוֹת אֶל־הַבַּיִת הַזֶּה יוֹמָם
וָלַיְלָה אֶל־הַמָּקוֹם אֲשֶׁר אָמַרְתָּ לָשׂוּם שִׁמְךָ
שָׁם לִשְׁמוֹעַ אֶל־הַתְּפִלָּה אֲשֶׁר יִתְפַּלֵּל עַבְדְּךָ
אֶל־הַמָּקוֹם הַזֶּה׃

Para que os teus olhos estejam abertos dia e noite. Este versículo é, em sua essência, o mesmo que 1Rs 8.29. O cronista diz também "dia e noite" (conforme se lê em Is 27.3).

■ 6.21

וְשָׁמַעְתָּ אֶל־תַּחֲנוּנֵי עַבְדְּךָ וְעַמְּךָ יִשְׂרָאֵל אֲשֶׁר
יִתְפַּלְלוּ אֶל־הַמָּקוֹם הַזֶּה וְאַתָּה תִּשְׁמַע מִמְּקוֹם
שִׁבְתְּךָ מִן־הַשָּׁמַיִם וְשָׁמַעְתָּ וְסָלָחְתָּ׃

Ouve, pois, a súplica do teu servo. O trecho paralelo é 1Rs 8.30, virtualmente idêntico e onde as notas expositivas são dadas. O livro de 2Crônicas encerra uma palavra rara no hebraico para "súplica", isto é, *tahanunim*, um vocábulo posterior e ao gosto poético. O livros de 1Reis traz um sinônimo, *tehinnah*. A palavra usada pelo cronista não aparece no livro de Reis, e figura somente aqui no livro de Crônicas.

■ 6.22

אִם־יֶחֱטָא אִישׁ לְרֵעֵהוּ וְנָשָׁא־בוֹ אָלָה לְהַאֲלֹתוֹ וּבָא
אָלָה לִפְנֵי מִזְבַּחֲךָ בַּבַּיִת הַזֶּה׃

Quando alguém pecar contra o seu próximo. O trecho paralelo é 1Rs 8.31, virtualmente igual. Cf. Êx 22.11. Quanto à questão do juramento perante o altar, ver Êx 17.13.

■ 6.23

וְאַתָּה תִּשְׁמַע מִן־הַשָּׁמַיִם וְעָשִׂיתָ וְשָׁפַטְתָּ אֶת־עֲבָדֶיךָ
לְהָשִׁיב לְרָשָׁע לָתֵת דַּרְכּוֹ בְּרֹאשׁוֹ וּלְהַצְדִּיק צַדִּיק
לָתֶת לוֹ כְּצִדְקָתוֹ׃ ס

Ouve tu dos céus, age, e julga a teus servos. Ver o trecho paralelo quase idêntico em 1Rs 8.32, onde foram dadas notas expositivas.

■ 6.24,25

וְאִם־יִנָּגֵף עַמְּךָ יִשְׂרָאֵל לִפְנֵי אוֹיֵב כִּי יֶחֶטְאוּ־לָךְ
וְשָׁבוּ וְהוֹדוּ אֶת־שְׁמֶךָ וְהִתְפַּלְלוּ וְהִתְחַנְּנוּ לְפָנֶיךָ
בַּבַּיִת הַזֶּה׃

וְאַתָּה תִּשְׁמַע מִן־הַשָּׁמַיִם וְסָלַחְתָּ לְחַטַּאת עַמְּךָ
יִשְׂרָאֵל וַהֲשֵׁיבוֹתָם אֶל־הָאֲדָמָה אֲשֶׁר־נָתַתָּה לָהֶם
וְלַאֲבֹתֵיהֶם׃ פ

Quando o teu povo Israel. Estes dois versículos têm como paralelo 1Rs 8.33,34, onde ofereço notas expositivas detalhadas.

■ 6.26,27

בְּהֵעָצֵר הַשָּׁמַיִם וְלֹא־יִהְיֶה מָטָר כִּי יֶחֶטְאוּ־לָךְ
וְהִתְפַּלְלוּ אֶל־הַמָּקוֹם הַזֶּה וְהוֹדוּ אֶת־שְׁמֶךָ מֵחַטָּאתָם
יְשׁוּבוּן כִּי תַעֲנֵם׃

וְאַתָּה תִּשְׁמַע הַשָּׁמַיִם וְסָלַחְתָּ לְחַטַּאת עֲבָדֶיךָ
וְעַמְּךָ יִשְׂרָאֵל כִּי תוֹרֵם אֶל־הַדֶּרֶךְ הַטּוֹבָה אֲשֶׁר
יֵלְכוּ־בָהּ וְנָתַתָּה מָטָר עַל־אַרְצְךָ אֲשֶׁר־נָתַתָּה
לְעַמְּךָ לְנַחֲלָה׃ ס

Quando os céus se cerrarem. Estes dois versículos têm como paralelo 1Rs 8.35,36, onde ofereci notas expositivas detalhadas. Moisés conduziu Israel para fora do Egito, sem que Israel o merecesse. Israel, por repetidas vezes, buscou o perdão e a restauração desmerecida, o contrário dos resultados provocados pela síndrome do pecado-calamidade-julgamento.

■ 6.28

רָעָב כִּי־יִהְיֶה בָאָרֶץ דֶּבֶר כִּי־יִהְיֶה שִׁדָּפוֹן וְיֵרָקוֹן
אַרְבֶּה וְחָסִיל כִּי יִהְיֶה כִּי יָצַר־לוֹ אֹיְבָיו בְּאֶרֶץ
שְׁעָרָיו כָּל־נֶגַע וְכָל־מַחֲלָה׃

Quando houver fome na terra ou peste. Ver o trecho paralelo em 1Rs 8.37, onde foram oferecidas notas expositivas.

O *Livro da Oração Comum*, a *Litania*, confere-nos algo similar a este versículo. Antes do advento da medicina moderna, que tem feito tanto para aliviar os sofrimentos humanos, os homens estavam à mercê de toda espécie de doenças que, hoje em dia, não representam mais tanta ameaça, mas, nos dias antigos, destruíam milhares de vidas. Além disso, os desastres naturais, então como atualmente, colhiam uma horrenda morte e destruição: "Dos coriscos e das tempestades; dos terremotos, dos incêndios e das inundações; da praga, da pestilência e da fome; das batalhas, dos assassinatos e da morte súbita, livra-nos".

■ 6.29,30

כָּל־תְּפִלָּה כָל־תְּחִנָּה אֲשֶׁר יִהְיֶה לְכָל־הָאָדָם וּלְכֹל
עַמְּךָ יִשְׂרָאֵל אֲשֶׁר יֵדְעוּ אִישׁ נִגְעוֹ וּמַכְאֹבוֹ וּפָרַשׂ
כַּפָּיו אֶל־הַבַּיִת הַזֶּה׃

וְאַתָּה תִּשְׁמַע מִן־הַשָּׁמַיִם מְכוֹן שִׁבְתֶּךָ וְסָלַחְתָּ וְנָתַתָּה
לָאִישׁ כְּכָל־דְּרָכָיו אֲשֶׁר תֵּדַע אֶת־לְבָבוֹ כִּי אַתָּה
לְבַדְּךָ יָדַעְתָּ אֶת־לְבַב בְּנֵי הָאָדָם׃

Toda oração e súplica. Estes versículos têm como paralelo quase idêntico 1Rs 8.38,39, onde provi completas notas expositivas e ilustrações.

■ 6.31

לְמַעַן יִרָאוּךָ לָלֶכֶת בִּדְרָכֶיךָ כָּל־הַיָּמִים אֲשֶׁר־הֵם חַיִּים עַל־פְּנֵי הָאֲדָמָה אֲשֶׁר נָתַתָּה לַאֲבֹתֵינוּ׃ ס

Para que te temam. O cronista adiciona algo ao trecho paralelo de 1Rs 8.40, quando menciona, especificamente, o *andar espiritual*, que resultaria do temor apropriado a Yahweh.

■ 6.32

וְגַם אֶל־הַנָּכְרִי אֲשֶׁר לֹא מֵעַמְּךָ יִשְׂרָאֵל הוּא וּבָא מֵאֶרֶץ רְחוֹקָה לְמַעַן שִׁמְךָ הַגָּדוֹל וְיָדְךָ הַחֲזָקָה וּזְרוֹעֲךָ הַנְּטוּיָה וּבָאוּ וְהִתְפַּלְלוּ אֶל־הַבַּיִת הַזֶּה׃

Também ao estrangeiro. Este versículo é paralelo a 1Rs 8.41,42, que, no entanto, encerra mais detalhes, falando sobre como os *estrangeiros* ouviriam falar a respeito da grandeza e das obras poderosas de Yahweh, e então iriam ao templo de Jerusalém investigar pessoalmente a questão. Devemos compreender aqui os atos de prosélitos, e não as peregrinações feitas por indivíduos curiosos.

■ 6.33

וְאַתָּה תִּשְׁמַע מִן־הַשָּׁמַיִם מִמְּכוֹן שִׁבְתֶּךָ וְעָשִׂיתָ כְּכֹל אֲשֶׁר־יִקְרָא אֵלֶיךָ הַנָּכְרִי לְמַעַן יֵדְעוּ כָל־עַמֵּי הָאָרֶץ אֶת־שְׁמֶךָ וּלְיִרְאָה אֹתְךָ כְּעַמְּךָ יִשְׂרָאֵל וְלָדַעַת כִּי־שִׁמְךָ נִקְרָא עַל־הַבַּיִת הַזֶּה אֲשֶׁר בָּנִיתִי׃

Ouve tu dos céus. Este versículo tem como paralelo 1Rs 8.43. Esta porção da oração de Salomão antecipa a *universalidade* da mensagem do evangelho, mas não como os gentios haveriam de igualar-se e depois ultrapassar Israel, formando uma nova comunidade, a Igreja. O templo tinha em sua própria estrutura *limitações* ao acesso, que o evangelho removeu. Não obstante, com o templo *começou* uma universalidade que haveria de florescer conforme os séculos rolassem um depois do outro.

■ 6.34,35

כִּי־יֵצֵא עַמְּךָ לַמִּלְחָמָה עַל־אוֹיְבָיו בַּדֶּרֶךְ אֲשֶׁר תִּשְׁלָחֵם וְהִתְפַּלְלוּ אֵלֶיךָ דֶּרֶךְ הָעִיר הַזֹּאת אֲשֶׁר בָּחַרְתָּ בָּהּ וְהַבַּיִת אֲשֶׁר־בָּנִיתִי לִשְׁמֶךָ׃

וְשָׁמַעְתָּ מִן־הַשָּׁמַיִם אֶת־תְּפִלָּתָם וְאֶת־תְּחִנָּתָם וְעָשִׂיתָ מִשְׁפָּטָם׃

Quando o teu povo sair à guerra. Estes versículos são quase idênticos ao trecho paralelo, de 1Rs 8.44,45, onde ofereço as notas expositivas.

■ 6.36,37

כִּי יֶחֶטְאוּ־לָךְ כִּי אֵין אָדָם אֲשֶׁר לֹא־יֶחֱטָא וְאָנַפְתָּ בָם וּנְתַתָּם לִפְנֵי אוֹיֵב וְשָׁבוּם שׁוֹבֵיהֶם אֶל־אֶרֶץ רְחוֹקָה אוֹ קְרוֹבָה׃

וְהֵשִׁיבוּ אֶל־לְבָבָם בָּאָרֶץ אֲשֶׁר נִשְׁבּוּ־שָׁם וְשָׁבוּ וְהִתְחַנְּנוּ אֵלֶיךָ בְּאֶרֶץ שִׁבְיָם לֵאמֹר חָטָאנוּ הֶעֱוִינוּ וְרָשָׁעְנוּ׃

Quando pecarem contra ti. Estes dois versículos são quase idênticos ao trecho paralelo de 1Rs 8.46,47, onde ofereço a exposição. Salomão antecipou o cativeiro babilônico e então a sua reversão (vss. 38 e 39), ou então a substância desses acontecimentos foi posta na boca do monarca hebreu. Seja como for, o próprio texto, quanto à sua forma final, foi editado *após* o cativeiro, por alguém que tinha conhecimento dele e também de sua reversão.

■ 6.38,39

וְשָׁבוּ אֵלֶיךָ בְּכָל־לִבָּם וּבְכָל־נַפְשָׁם בְּאֶרֶץ שִׁבְיָם אֲשֶׁר־שָׁבוּ אֹתָם וְהִתְפַּלְלוּ דֶּרֶךְ אַרְצָם אֲשֶׁר נָתַתָּה לַאֲבוֹתָם וְהָעִיר אֲשֶׁר בָּחַרְתָּ וְלַבַּיִת אֲשֶׁר־בָּנִיתִי לִשְׁמֶךָ׃

וְשָׁמַעְתָּ מִן־הַשָּׁמַיִם מִמְּכוֹן שִׁבְתְּךָ אֶת־תְּפִלָּתָם וְאֶת־תְּחִנֹּתֵיהֶם וְעָשִׂיתָ מִשְׁפָּטָם וְסָלַחְתָּ לְעַמְּךָ אֲשֶׁר חָטְאוּ־לָךְ׃

Na terra do seu cativeiro. A *reversão* do cativeiro babilônico (ver a respeito no *Dicionário*) foi um acontecimento conhecido por parte do autor-editor dessa oração preservada em 2Cr e em 1Rs. Ver o paralelo dos presentes versículos em 1Rs 8.48,49. O arrependimento seria a chave para a reversão da maré do cativeiro. Perdão e restauração seguem-se ao arrependimento, e o *crescimento espiritual* está envolvido em todo o processo. 1Rs 8.50,51 nos dá adições a essa oração de Salomão, ou então o cronista, neste ponto, abreviou aquela oração.

■ 6.40

עַתָּה אֱלֹהַי יִהְיוּ־נָא עֵינֶיךָ פְּתֻחוֹת וְאָזְנֶיךָ קַשֻּׁבוֹת לִתְפִלַּת הַמָּקוֹם הַזֶּה׃ ס

Agora, pois, ó meu Deus, estejam os teus olhos abertos. Este versículo é essencialmente igual ao seu trecho paralelo, 1Rs 8.52, onde foram dadas as notas expositivas.

■ 6.41,42

וְעַתָּה קוּמָה יְהוָה אֱלֹהִים לְנוּחֶךָ אַתָּה וַאֲרוֹן עֻזֶּךָ כֹּהֲנֶיךָ יְהוָה אֱלֹהִים יִלְבְּשׁוּ תְשׁוּעָה וַחֲסִידֶיךָ יִשְׂמְחוּ בַטּוֹב׃

יְהוָה אֱלֹהִים אַל־תָּשֵׁב פְּנֵי מְשִׁיחֶיךָ זָכְרָה לְחַסְדֵי דָּוִיד עַבְדֶּךָ׃ פ

Levanta-te, pois, Senhor Deus. Estes versículos substituem o final do trecho paralelo, isto é, 1Rs 8.53. "Esse término muito superior substitui a passagem paralela de 1Rs 8.50,51 e deve ser creditado ao cronista" (W. A. L. Elmslie, *in loc.*). Nesse caso, o cronista propositadamente substituiu 1Rs 8.50,51, que chamei de "adições" (acima, sobre os vss. 38 e 39), a fim de dar a sua própria versão sobre o encerramento da oração dedicatória de Salomão.

Yahweh-Elohim. Esta combinação dos nomes divinos ocorre por três vezes nos vss. 41 e 42. O cronista usou-a *oito vezes* em sua unidade literária de 1 e 2Crônicas, mas tal combinação nunca se encontra em 1Rs. Ver no *Dicionário* o artigo intitulado *Deus, Nomes Bíblicos de*.

Yahweh-Elohim é retratado como quem *repousava* em seu novo lugar de manifestação, no Santo dos Santos, na arca da aliança. Mas ele veio repousar ali porque Salomão o conclamou a *levantar-se* de sua habitação nos céus, condescendendo diante dos homens. Naturalmente, temos aí uma excelente expressão teísta. O Deus Altíssimo, em sua habitação celestial, condescendeu diante dos homens e os agraciou com a sua presença. Ver no *Dicionário* o artigo chamado *Teísmo*. Deus não somente criou; ele também interveio na história humana, e até visita indivíduos e grupos de pessoas. Ele julga e recompensa. Ele perdoa os pecados e ajuda as pessoas em suas lutas.

Os sacerdotes e o povo de Israel revestiam-se de salvação; o povo e os sacerdotes de Israel regozijavam-se. Yahweh-Elohim não repeliu o rei recentemente ungido, Salomão, e mostrou-se atento para com as suas orações. Houve aquele *amor constante* que tinha sido estendido para Davi de forma tão abundante, e, conforme Salomão orou, deveria continuar com ele, por amor a Israel.

"É dificílimo melhorar uma obra-prima, mas o cronista melhorou a versão do livro de 1Reis. Aqui 'o apelo soa com maior exultação, diante da ideia de que o templo era o lugar de descanso de Yahweh, a habitação de sua arca e de seus sacerdotes, relembrando Davi, ou melhor, o acordo divino firmado com ele'" (W. A. L. Elmslie, com uma citação extraída de Edward L. Curtis e Albert A. Madsen).

Ver as notas completas sobre o *Pacto Davídico,* em 2Sm 7.4. Cf. Is 45.3 e Sl 89.49. Ver também Sl 132.8-11. Ver 2Cr 5.13; 6.14; 7.3,6; 20.21 quanto ao amor de Yahweh e a bondade especial com a qual ele favoreceu a dinastia davídica. O autor dos livros de Crônicas jamais cessou de exaltar essa dinastia.

"Eis que os mais elevados céus, os céus intermediários e os céus inferiores não podem suportar a glória da tua majestade, pois tu és o Deus que sustentas todos os céus e a terra, e o abismo e tudo quanto há neles, e nem esta casa, que construí, poderá conter-te" (*Targum,* comentando sobre a passagem).

CAPÍTULO SETE

SACRIFÍCIOS DE SALOMÃO (7.1-10)

Yahweh Mostra que Aprovava a Oração de Salomão (7.1-3)

O templo foi construído e enfeitado (ver 2Cr 2.1—4.22); o templo foi dedicado (2Cr 5.2—7.10); e Salomão ofereceu sua especial e eloquente ação de graças (capítulo 6). Então houve um período de oferta dos sacrifícios apropriados (ver 2Cr 7.1-10). As bênçãos e as maldições de Deus foram proferidas no tocante à questão inteira e sua aplicação futura (ver 2Cr 7.11-22).

"Como que para dramatizar a sua resposta à oração de Salomão, de maneira *visual,* o Senhor enviou fogo do céu para consumir os sacrifícios que tinham sido preparados (cf. Lv 9.24; 1Cr 21.26), e a nuvem de sua glória (cf. 2Cr 5.1-14) encheu o templo de Jerusalém. Tão avassalado ficou o povo pela teofania, que caiu de rosto em terra e aclamou a fidelidade ao pacto (*amor;* no hebraico, *hesed,* o *amor leal* de Deus; cf. 2Cr 5.13; 6.14; 7.6; 20.21)" (Eugene H. Merrill, *in loc.*).

■ 7.1

וּכְכַלּוֹת שְׁלֹמֹה לְהִתְפַּלֵּל וְהָאֵשׁ יָרְדָה
מֵהַשָּׁמַיִם וַתֹּאכַל הָעֹלָה וְהַזְּבָחִים וּכְבוֹד יְהוָה
מָלֵא אֶת־הַבָּיִת׃

Tendo Salomão acabado de orar, desceu fogo do céu. Os vss. 1-3 são comentários do cronista, material que não se encontra no trecho paralelo de 1Rs. E, naturalmente, os críticos supõem que sejam ornamentos imaginários do autor sagrado, que se afastou de sua fonte informativa a fim de destacar o drama da narrativa. Cf. Lv 9.23,24 quanto a um relato similar a respeito dos sacrifícios oferecidos por Arão.

Orar. Aqui a referência é à oração eloquente de Salomão (2Cr 6.12-21). Salomão orou para que o templo cumprisse o propósito para o qual fora construído: ser um lugar de adoração e justiça para todos os povos. O caráter *distintivo* da nação de Israel seria provado desse modo. Ver Dt 4.4-8 sobre essa distinção. Mas Israel também seria a fonte de uma *bênção universal,* em antecipação à era do evangelho (2Cr 6.33).

"Todo ato de adoração era acompanhado por sacrifícios. A língua preternatural de fogo acendeu a massa de carne e foi um sinal da aceitação, por parte do Ser divino, da oração de Salomão (ver Lv 9.24 e 1Rs 18.38). A glória do Senhor encheu a casa com o que era símbolo da presença e da majestade de Deus (ver Êx 40.35)" (Jamieson, *in loc.*). Era a glória da *Shekinah* do Senhor, conforme explica o Targum. Cf. 1Rs 8.10,19 e ver no *Dicionário* o artigo intitulado *Shekinah.*

■ 7.2

וְלֹא יָכְלוּ הַכֹּהֲנִים לָבוֹא אֶל־בֵּית יְהוָה כִּי־מָלֵא
כְבוֹד־יְהוָה אֶת־בֵּית יְהוָה׃

Os sacerdotes não podiam entrar na casa do Senhor. A *glória de Yahweh* fechou temporariamente o acesso ao templo. Nem os próprios sacerdotes que tinham autorização para ministrar ali podiam entrar. O templo abriria uma nova avenida de acesso, mas, pelo momento, o povo deveria ficar boquiaberto diante da majestosa presença de Deus. Naturalmente, a própria estrutura do templo falava sobre a limitação do acesso. Mas quando o crente se tornou o templo do Espírito (1Co. 3.16) e a Igreja se tornou, coletivamente falando, o lugar da manifestação da presença de Deus, o seu templo (ver Ef 2.20-22), então essas limitações foram eliminadas. Ver no *Dicionário* o artigo chamado *Acesso.*

Quando passou o momento de terror, então os sacerdotes procederam com seus sacrifícios necessários, a fim de santificar a ocasião (vss. 5 ss.).

Cf. o vs. 2 com 2Cr 5.14 e 1Rs 8.11. O autor sagrado queria que reconhecêssemos a presença manifestada nas ocasiões próprias e que houve contatos com o Ser divino. Isso reflete o *teísmo* (ver a respeito no *Dicionário).* O toque místico é parte necessária de nossa espiritualidade e um agente poderoso que facilita nosso crescimento espiritual. Ver no *Dicionário* o verbete chamado *Misticismo.* Ver também *Desenvolvimento Espiritual, Meios do.*

■ 7.3

וְכֹל בְּנֵי יִשְׂרָאֵל רֹאִים בְּרֶדֶת הָאֵשׁ וּכְבוֹד יְהוָה
עַל־הַבָּיִת וַיִּכְרְעוּ אַפַּיִם אַרְצָה עַל־הָרִצְפָה וַיִּשְׁתַּחֲווּ
וְהוֹדוֹת לַיהוָה כִּי טוֹב כִּי לְעוֹלָם חַסְדּוֹ׃

Todos os filhos de Israel, vendo. *A Reação Popular.* A presença de Yahweh deu ao povo uma fé intensa e um poderoso senso de gratidão. Isso os levou a *adorar* ao Senhor. Ver no *Dicionário* o artigo chamado *Adoração.* A *prostração* (ajoelhar-se com a testa tocando no solo) era uma maneira de os orientais expressarem extrema dedicação ao Ser divino, bem como humildade diante da presença divina. Era nessa postura que eles expressavam os mais profundos sentimentos de reverência e respeito. Os israelitas foram levados a assumir de súbito, e sem premeditação, a posição prostrada.

Porque é bom, porque a sua misericórdia dura para sempre. A *bondade* e a *misericórdia* de Deus foram as qualidades divinas mais louvadas na oportunidade. Ver sobre ambos os termos no *Dicionário.* A justiça de Deus sempre será administrada com *amor,* que é seu atributo mais conspícuo, na substância do qual todos os seus outros atributos operam. Ver no *Dicionário* o artigo intitulado *Atributos de Deus.* Cf. declarações similares em 1Cr 16.34-41; 23.30; 2Cr 5.13; 20.21. Envolvido estava o seu *amor leal* (no hebraico, *hesed,* conforme também se vê em 2Cr 5.13; 6.14; 7.3; 20.21).

Os Sacrifícios e a Festividade (7.4-10)

Esta seção é essencialmente igual ao seu trecho paralelo de 1Rs 8.62-66, com exceção do seu sexto versículo.

■ 7.4,5

וְהַמֶּלֶךְ וְכָל־הָעָם זֹבְחִים זֶבַח לִפְנֵי יְהוָה׃ ס
וַיִּזְבַּח הַמֶּלֶךְ שְׁלֹמֹה אֶת־זֶבַח הַבָּקָר עֶשְׂרִים וּשְׁנַיִם
אֶלֶף וְצֹאן מֵאָה וְעֶשְׂרִים אָלֶף וַיַּחְנְכוּ אֶת־בֵּית
הָאֱלֹהִים הַמֶּלֶךְ וְכָל־הָעָם׃

Então o rei e todo o povo ofereceram sacrifícios. Estes versículos são diretamente paralelos a 1Rs 8.62,63, onde são oferecidas as principais notas expositivas. O livro de 1Reis fala especificamente das *oferendas pacíficas* envolvidas. Os sacrifícios eram uma maneira de *dedicar-se.* Todas as coisas, no mundo religioso de Israel, eram feitas através do sangue, do aplacamento, da expiação e das ações de graças, sendo esses os elementos básicos do sistema sacrificial dos hebreus. Os sacrifícios continuavam por todos os *sete dias* da festividade. Ver uma exposição detalhada a respeito dos sacrifícios e de seus propósitos no trecho paralelo.

■ 7.6

וְהַכֹּהֲנִים עַל־מִשְׁמְרוֹתָם עֹמְדִים וְהַלְוִיִּם בִּכְלֵי־
שִׁיר יְהוָה אֲשֶׁר עָשָׂה דָּוִיד הַמֶּלֶךְ לְהֹדוֹת לַיהוָה
כִּי־לְעוֹלָם חַסְדּוֹ בְּהַלֵּל דָּוִיד בְּיָדָם וְהַכֹּהֲנִים
מַחְצְרִים נֶגְדָּם וְכָל־יִשְׂרָאֵל עֹמְדִים׃ ס

Assim o rei e todo o povo consagraram a casa de Deus. O *cronista* fez uma adição a este versículo, ao destacar os aspectos coral e musical do culto divino, pelos quais ele parece ter tido um interesse todo especial. Cf. 2Cr 5.11-13, onde temos outra dessas adições. Quanto à música sacra e os instrumentos musicais envolvidos, ver 1Cr 16.42. Davi nomeou ministros para esse aspecto do ritual divino (ver 1Cr 16.4-7). Ver no *Dicionário* o verbete intitulado *Música, Instrumentos Musicais*.

E todo o Israel se mantinha em pé. "Todos se mantinham em pé, enquanto esse culto sagrado e deleitoso estava sendo efetuado; o povo levantou-se, e os sacerdotes e os levitas também se levantaram, juntando-se nos louvores ao Senhor" (John Gill, *in loc.*). "Os levitas eram os ministros de louvores de Davi" (Ellicott, *in loc.*).

■ 7.7

וַיְקַדֵּשׁ שְׁלֹמֹה אֶת־תּוֹךְ הֶחָצֵר אֲשֶׁר לִפְנֵי בֵית־יְהוָה
כִּי־עָשָׂה שָׁם הָעֹלוֹת וְאֵת חֶלְבֵי הַשְּׁלָמִים כִּי־מִזְבַּח
הַנְּחֹשֶׁת אֲשֶׁר עָשָׂה שְׁלֹמֹה לֹא יָכוֹל לְהָכִיל אֶת־
הָעֹלָה וְאֶת־הַמִּנְחָה וְאֶת־הַחֲלָבִים׃

Os vss. 7-10 são o equivalente essencial de 1Rs 8.64-66, onde ofereço as notas expositivas principais. O nono versículo menciona a dedicação do *altar*, como se fosse algo distinto da dedicação do templo propriamente dito, um detalhe que falta no trecho paralelo. Cf. Nm 7.10.

Salomão consagrou também o meio do átrio. "Tão numerosos foram os sacrifícios, que Salomão instruiu que eles fossem efetuados em uma área especialmente construída e consagrada no átrio que havia defronte do templo" (Eugene H. Merrill, *in loc.*). Ver notas expositivas completas em 1Rs 8.64.

■ 7.8

וַיַּעַשׂ שְׁלֹמֹה אֶת־הֶחָג בָּעֵת הַהִיא שִׁבְעַת יָמִים
וְכָל־יִשְׂרָאֵל עִמּוֹ קָהָל גָּדוֹל מְאֹד מִלְּבוֹא חֲמָת
עַד־נַחַל מִצְרָיִם׃

Assim celebrou Salomão a festa por sete dias. O trecho paralelo é 1Rs 8.65, essencialmente idêntico ao que o cronista disse, embora haja uma versão levemente modificada da fonte informativa, ou, se ele copiou o livro de 1Reis, então fez algumas poucas modificações.

■ 7.9,10

וַיַּעֲשׂוּ בַּיּוֹם הַשְּׁמִינִי עֲצָרֶת כִּי חֲנֻכַּת הַמִּזְבֵּחַ עָשׂוּ
שִׁבְעַת יָמִים וְהֶחָג שִׁבְעַת יָמִים׃
וּבְיוֹם עֶשְׂרִים וּשְׁלֹשָׁה לַחֹדֶשׁ הַשְּׁבִיעִי שִׁלַּח אֶת־
הָעָם לְאָהֳלֵיהֶם שְׂמֵחִים וְטוֹבֵי לֵב עַל הַטּוֹבָה
אֲשֶׁר עָשָׂה יְהוָה לְדָוִיד וְלִשְׁלֹמֹה וּלְיִשְׂרָאֵל עַמּוֹ׃

Ao oitavo dia começaram a celebrar a festa do tabernáculo. O cronista acrescentou a consagração do *altar*, como se fosse algo separado da consagração do templo propriamente dito, sendo este um pequeno detalhe que difere do trecho paralelo, de 1Rs 8.66. Cf. Nm 7.10. Ao todo, as celebrações (estando envolvida a festa dos tabernáculos) perduraram por quinze dias, tendo começado no sétimo mês (ver 2Cr 5.3), provavelmente no 15º dia (ver Lv 23.39). A festa dos tabernáculos estendeu-se até os 22 dias daquele mês.

O vigésimo terceiro dia do sétimo mês foi o *nono* dia da dedicação do templo. Mas o trecho paralelo fala no oitavo dia. É provável que o povo se tenha despedido no oitavo dia, e que alguns tenham partido. Mas outros, dentre o povo, demoraram-se até o nono dia, de maneira que a festa continuou naquela data.

CONCLUSÃO DA QUESTÃO (7.11)

■ 7.11

וַיְכַל שְׁלֹמֹה אֶת־בֵּית יְהוָה וְאֶת־בֵּית הַמֶּלֶךְ וְאֵת
כָּל־הַבָּא עַל־לֵב שְׁלֹמֹה לַעֲשׂוֹת בְּבֵית־יְהוָה וּבְבֵיתוֹ
הִצְלִיחַ׃ פ

Todos os propósitos se cumpriram; a tarefa árdua se completou; Salomão havia realizado o seu dever e o seu privilégio. Ele tinha terminado sua obra monumental visando a glória de Yahweh. Cf. Is 21.4 e 2Cr 8.6. Ver o paralelo em 1Rs 9.1, onde foi oferecida a exposição principal. Apresento ali ilustrações e citações. Ver também a introdução ao capítulo nono, que oferece outras ideias.

Ó Capitão, meu Capitão, nossa temível viagem terminou.
O navio atravessou cada escolho,
O prêmio que buscávamos foi conquistado,
O porto está próximo, já ouço os sinos,
E todo o povo exulta.

Walt Whitman

A VISÃO DE SALOMÃO (7.12-22)

"O cronista pode ter transcrito sua peça de 1Rs 9.1-19, mas a visão falava de modo que chegou a ser tal anticlímax que indagamos se isso não foi acrescentado por algum escriba tristonho que não pôde deixar de fazer o acréscimo" (W. A. L. Elmslie, *in loc.*).

Temos aqui uma demonstração da severa misericórdia de Deus. A misericórdia divina e a retribuição divina manifestam-se conjuntamente. Essas palavras podem ter sido escritas por uma testemunha ocular do cativeiro babilônico, e consequente destruição e saque de Jerusalém. Aquela antiga síndrome do pecado-calamidade-julgamento estava, de novo, em operação.

A passagem à nossa frente é essencialmente idêntica ao seu trecho paralelo, 1Rs 9.2-9, exceto pelo fato de que os vss. 13 a 15 contêm uma resposta às petições feitas por Salomão acerca da fome e da pestilência. Quando o povo se arrependesse de seus pecados, essas calamidades seriam aliviadas. Cf. 2Cr 6.26-30.

■ 7.12

וַיֵּרָא יְהוָה אֶל־שְׁלֹמֹה בַּלָּיְלָה וַיֹּאמֶר לוֹ שָׁמַעְתִּי
אֶת־תְּפִלָּתֶךָ וּבָחַרְתִּי בַּמָּקוֹם הַזֶּה לִי לְבֵית זָבַח׃

De noite apareceu o Senhor a Salomão. O cronista parece ter manuseado livremente os materiais do trecho paralelo de 1Rs 9.2,3, que é passagem mais elaborada e onde as notas expositivas principais são oferecidas. O cronista disse que a visão ocorreu "de noite"; e o trecho paralelo diz que a visão ocorreu em Gibeom, o que não é mencionado neste versículo.

■ 7.13-15

V13 הֵן אֶעֱצֹר הַשָּׁמַיִם וְלֹא־יִהְיֶה מָטָר וְהֵן־אֲצַוֶּה
עַל־חָגָב לֶאֱכוֹל הָאָרֶץ וְאִם־אֲשַׁלַּח דֶּבֶר בְּעַמִּי׃

V14 וְיִכָּנְעוּ עַמִּי אֲשֶׁר נִקְרָא־שְׁמִי עֲלֵיהֶם וְיִתְפַּלְלוּ
וִיבַקְשׁוּ פָנַי וְיָשֻׁבוּ מִדַּרְכֵיהֶם הָרָעִים וַאֲנִי אֶשְׁמַע
מִן־הַשָּׁמַיִם וְאֶסְלַח לְחַטָּאתָם וְאֶרְפָּא אֶת־אַרְצָם׃

V15 עַתָּה עֵינַי יִהְיוּ פְתֻחוֹת וְאָזְנַי קַשֻּׁבוֹת לִתְפִלַּת
הַמָּקוֹם הַזֶּה׃

Se eu cerrar os céus de modo que não haja chuva. Em seu livre manuseio da fonte informativa que havia à disposição, o cronista omitiu alguns poucos detalhes, mas também adicionou outros por sua própria vontade. Estes três versículos representam seus acréscimos à seção diante de nós. Talvez o cronista tenha inserido alguma antiga tradição. Nesse caso, não inventou estes versículos, mas simplesmente incluiu dados de alguma fonte informativa que o autor dos livros de Reis não tinha ou não quis usar.

Entre as armas que havia à disposição de Yahweh para punir um povo pecaminoso estavam as desordens da natureza. Um povo agrícola que vivia em uma terra circundada por desertos dependia, de modo absoluto, da chuva. Os tempos modernos não mudaram muito essa dependência. Até nossos extensos sistemas de irrigação dependem das precipitações, ainda que deem às águas da chuva uma distribuição mais ampla. Quanto a detalhes, ver no *Dicionário* o artigo intitulado *Chuva*. Quanto ao fato de que Yahweh "fecharia os céus", ver Dt 11.17 e 2Cr 6.26. Visto que se pensava que Yahweh controlava as condições atmosféricas, mediante intervenção direta, também se acreditava que o *pecado* poderia levar o Senhor a reter as chuvas necessárias. Por igual modo, o *arrependimento* poderia reverter esse curso. A *pestilência* era outra arma divina contra o pecado, e a antiga e familiar praga dos gafanhotos representava outra temível ameaça. Ver o detalhado artigo do *Dicionário* com o título *Praga de Gafanhotos*. Esse artigo apresenta fatos surpreendentes sobre a questão.

Vss. 14 e 15. A oração de arrependimento, feita com humildade, pode curar qualquer praga e fazer cair as chuvas. Foi Yahweh quem disse isso. Ele atenta para o *seu povo* (ver 2Cr 6.33; Am 8.12 e Jr 14.9). Mas o povo de Israel precisava pôr-se em movimento, inspirado pelo arrependimento. Eles tinham de buscar o rosto de Deus (cf. Sl 24.6; 27.8). Tinham de *abandonar* seus caminhos ímpios, o que serve de evidência de um verdadeiro arrependimento. A questão não pode ficar sob a forma de palavras e promessas. A conduta precisa ser modificada. Ver Os 6.1; Is 6.10; Jr 25.5. Os olhos de Yahweh (ver o vs. 15) estão pesando a situação. Ele está olhando em busca de evidências de modificação; e imediatamente responderá a qualquer mudança para melhor. Cf. 2Cr 6.40. E então o Senhor *curará* a terra e o povo (ver Sl 60.4). Há menção a coisas similares em 2Cr 6.21-31, onde encontramos elementos da oração de Salomão, quando ele antecipou tais retrocessos. As calamidades podem ser curadas *se* Yahweh ficar satisfeito diante do que vir e ouvir. A *conduta* é muito importante, muito mais que meras orações e promessas.

7.16

וְעַתָּה בָּחַרְתִּי וְהִקְדַּשְׁתִּי אֶת־הַבַּיִת הַזֶּה לִהְיוֹת־שְׁמִי שָׁם עַד־עוֹלָם וְהָיוּ עֵינַי וְלִבִּי שָׁם כָּל־הַיָּמִים:

O restante do capítulo segue de perto, em todos os essenciais, o trecho paralelo de 1Rs 9.3-9. Variações menores são anotadas ali. A exposição é dada no paralelo.

Porque escolhi e santifiquei esta casa. Quanto aos elementos deste versículo, ver 2Cr 6.6 e o vs. 12 do presente capítulo, bem como o trecho paralelo de 1Rs 9.3. O *nome* e os *olhos* de Yahweh estariam sempre postos sobre o templo. Além disso, *seu coração* estaria ali. Ele comungaria com os homens e faria o bem deles. Tudo, porém, estava condicionado à obediência à lei, o fator que *distinguia* a nação de Israel das demais nações da terra (ver as notas expositivas a esse respeito em Dt 4.4-8).

7.17

וְאַתָּה אִם־תֵּלֵךְ לְפָנַי כַּאֲשֶׁר הָלַךְ דָּוִיד אָבִיךָ וְלַעֲשׂוֹת כְּכֹל אֲשֶׁר צִוִּיתִיךָ וְחֻקַּי וּמִשְׁפָּטַי תִּשְׁמוֹר:

Quanto a ti, se andares diante de mim. O trecho paralelo é 1Rs 9.4, que é quase verbatim, exceto pelo fato de que o autor dos livros de Reis diz "com integridade de coração e com sinceridade". As versões siríaca e árabe adicionam aqui estas palavras, a fim de obter harmonia.

7.18

וַהֲקִימוֹתִי אֵת כִּסֵּא מַלְכוּתֶךָ כַּאֲשֶׁר כָּרַתִּי לְדָוִיד אָבִיךָ לֵאמֹר לֹא־יִכָּרֵת לְךָ אִישׁ מוֹשֵׁל בְּיִשְׂרָאֵל:

Também confirmarei o trono de teu reino. O trecho paralelo é 1Rs 9.5, que é virtualmente idêntico. A síndrome do pecado-calamidade-julgamento derrubou o trono de Davi, mas no Rei Messias esse trono prossegue, em um sentido espiritual. Não obstante, é verdade que as expectativas do autor sacro não se cumpriram. Os israelitas se olvidaram de Deus, que os cortou fora, e ao trono também" (Adam Clarke, *in loc.*).

7.19,20

וְאִם־תְּשׁוּבוּן אַתֶּם וַעֲזַבְתֶּם חֻקּוֹתַי וּמִצְוֹתַי אֲשֶׁר נָתַתִּי לִפְנֵיכֶם וַהֲלַכְתֶּם וַעֲבַדְתֶּם אֱלֹהִים אֲחֵרִים וְהִשְׁתַּחֲוִיתֶם לָהֶם:

וּנְתַשְׁתִּים מֵעַל אַדְמָתִי אֲשֶׁר נָתַתִּי לָהֶם וְאֶת־הַבַּיִת הַזֶּה אֲשֶׁר הִקְדַּשְׁתִּי לִשְׁמִי אַשְׁלִיךְ מֵעַל פָּנָי וְאֶתְּנֶנּוּ לְמָשָׁל וְלִשְׁנִינָה בְּכָל־הָעַמִּים:

Porém se vós vos desviardes. O trecho paralelo é quase idêntico, mas diz "vós e vossos filhos" (1Rs 9.6). As versões siríaca e árabe retêm essas palavras sobre os "filhos", por motivo de harmonia. E as palavras "vos arrancarei da minha terra que vos dei" (2Cr 7.20) são substituídas pela palavra "eliminarei", em 1Rs 9.6,7. Cf. Dt 29.27. Deus "desarraiga" nações e também as "implanta" (Jr 24.6). A *metáfora agrícola* seria bem compreendida em Israel, que sempre foi essencialmente uma cultura agrícola. Ver no *Dicionário* o verbete intitulado *Agricultura, Metáfora da*.

7.21

וְהַבַּיִת הַזֶּה אֲשֶׁר הָיָה עֶלְיוֹן לְכָל־עֹבֵר עָלָיו יִשֹּׁם וְאָמַר בַּמֶּה עָשָׂה יְהוָה כָּכָה לָאָרֶץ הַזֹּאת וְלַבַּיִת הַזֶּה:

Desta casa, agora tão exaltada. O trecho paralelo é 1Rs 9.8, essencialmente igual, embora exclua as palavras "agora tão exaltada" que figuram no texto presente. A casa, tão "exaltada", seria abandonada e desolada se os israelitas permitissem a invasão da idolatria. Esse nivelamento certamente ocorreu por efeito do cativeiro babilônico, conforme se compreende no texto sagrado. Talvez a palavra "exaltada" quisesse dizer "lançarei longe da minha presença", conforme se lê em 1Rs. O Targum combina ambas as ideias e diz "casa exaltada será deixada desolada". O equívoco é antigo, e a Septuaginta preservou a palavra "exaltada".

A versão siríaca tem uma tradução bastante gráfica aqui: "Todo aquele que passar parará e sacudirá a cabeça e sacudirá a mão, e dirá...".

7.22

וְאָמְרוּ עַל אֲשֶׁר עָזְבוּ אֶת־יְהוָה אֱלֹהֵי אֲבֹתֵיהֶם אֲשֶׁר הוֹצִיאָם מֵאֶרֶץ מִצְרַיִם וַיַּחֲזִיקוּ בֵּאלֹהִים אֲחֵרִים וַיִּשְׁתַּחֲווּ לָהֶם וַיַּעַבְדוּם עַל־כֵּן הֵבִיא עֲלֵיהֶם אֵת כָּל־הָרָעָה הַזֹּאת: פ

Responder-se-lhe-á. Este versículo é virtualmente idêntico a 1Rs 9.9, onde a exposição principal foi apresentada. "Não foi por valor pessoal, heroísmo genuíno ou táticas militares eminentes que os judeus puderam resistir e vencer seus adversários. Quem lhes deu essas vitórias foi somente o poder divino. Destituídos desse poder, eles eram piores do que outros homens" (Adam Clarke, *in loc.*).

CAPÍTULO OITO

SUA OBRA E SUA MORTE (8.1—9.31)

CONSTRUÇÕES E SACRIFÍCIOS DE SALOMÃO (8.1-18)

O trecho paralelo desta passagem é 1Rs 9.10-28, mas há algumas poucas e notáveis diferenças, sobretudo no vs. 2, que é diametralmente diferente. Seja como for, a maior parte das notas expositivas aparece no trecho paralelo, com algumas poucas adições aqui. Foi Salomão quem levou Israel à sua época áurea, e o capítulo à nossa frente dá-nos algumas das atividades que constituíram parte desse feito.

"Capítulo 8: Obras públicas de Salomão. Trabalho forçado. Comércio marítimo" (Ellicott, *in loc.*).

8.1

וַיְהִי מִקֵּץ עֶשְׂרִים שָׁנָה אֲשֶׁר בָּנָה שְׁלֹמֹה אֶת־בֵּית יְהוָה וְאֶת־בֵּיתוֹ:

Ao fim de vinte anos. O trecho paralelo é 1Rs 9.10. Salomão, no começo de sua glória, construiu o templo e seu próprio magnífico palácio, durante um período de vinte anos. Isso já aprendemos em 1Rs 6.38 e 7.1. O autor sagrado introduziu esses fatos a fim de podermos acompanhar a descrição de *outras glórias* de Salomão. Somos relembrados de que Hirão, rei de Tiro, ajudou na construção, conforme vimos em 1Rs 9.11. Grande parte do material de construção e dos operários especializados foi fornecida por esse homem. Portanto, Salomão teve de dar algo em troca. 2Cr 2.7 conta parte do pagamento feito por Salomão a Hirão, por sua contribuição; e esta seção também se refere às vinte cidades que ele deu a Hirão como parte dos negócios. Foi assim que Salomão pagou a sua dívida, embora o paralelo nos mostre que as cidades que ele deu a Hirão eram virtualmente inúteis, de forma que a negociação foi uma *vergonha,* que dificilmente estava à altura da barganha que foi contratada.

■ 8.2

וְהֶעָרִים אֲשֶׁר נָתַן חוּרָם לִשְׁלֹמֹה בָּנָה שְׁלֹמֹה אֹתָם וַיּוֹשֶׁב שָׁם אֶת־בְּנֵי יִשְׂרָאֵל׃

Edificou as cidades que Hirão lhe tinha dado. Este versículo é uma contradição com seu paralelo de 1Rs 9.11-14, e os intérpretes apressam-se por reconciliar as duas narrativas. Alguns, como W. A. L. Elmslie (*in loc.*), não tentam reconciliação alguma. Disse esse autor moderno: "Que audácia teve o cronista! Ele virou de cabeça para baixo o que lemos em 1Rs 9.11-14, onde é dito que Salomão vendeu ao rei fenício vinte cidades dos hebreus por 120 talentos de ouro. Talvez ele não pudesse acreditar que Salomão estaria em necessidade de dinheiro, ou pudesse meter-se em tão ignominioso negócio. Seja como for, eis aqui uma excelente instância da *liberdade* que o cronista exerceu para pintar seu quadro dos negócios, conforme eles *deveriam ter sido feitos*".

Seja como for, de acordo com as informações dadas em 1Rs, Hirão fez um mau negócio que nunca foi corrigido pelo homem mais sábio e rico da terra! Josefo, general e historiador judeu de uma geração depois da de Cristo, solucionou a contradição entre essas duas passagens, ou então cortou o nó górdio, informando-nos que Hirão não gostou das cidades, e assim as devolveu a Salomão. Em face disso, Salomão reedificou-as e fortificou-as (ver *Antiq.* viii.5, par. 3). Quanto a "cortar o nó górdio", ver no *Dicionário* o artigo chamado *Nó,* em seu último parágrafo. A maioria dos intérpretes modernos segue a explicação de Josefo, mas muitos críticos supõem que essa duas histórias sejam simplesmente contraditórias. Nada acrescenta nem detrata coisa alguma da fé religiosa tentarmos explicar "contradições" como essas, e nem importa se elas são mesmo contradições ou não.

Conquista de Nações Estrangeiras (8.3-6)

Davi tinha deixado Salomão em uma situação vantajosa. Ele havia derrotado os *oito* inimigos "internos" de Israel. Quanto a isso, ver a exposição de 2Sm 10.19. Mas Salomão, não satisfeito com a paz no território tradicional de Israel, estendeu a mão e lutou e derrotou vizinhos ainda mais distantes. Com isso, ampliou a fronteira nortista de Israel para onde o Pacto Abraâmico dizia que chegaria. Entretanto, ele não estendeu sua fronteira noroeste até o rio Nilo, que também fazia parte das promessas do pacto. Ver sobre o *Pacto Abraâmico* em Gn 15.18.

■ 8.3

וַיֵּלֶךְ שְׁלֹמֹה חֲמָת צוֹבָה וַיֶּחֱזַק עָלֶיהָ׃

Depois foi Salomão a Hamate-Zobá, e a tomou. Este versículo é o único registro de qualquer atividade guerreira da parte de Salomão. Sua conquista de Hamate-Zobá, que estivera em termos amigáveis com Davi, é registrada somente aqui em todo o Antigo Testamento. Alguns intérpretes tentam poupar Salomão de qualquer atividade de guerra e supõem uma anexação amigável de territórios do norte, mas isso dificilmente concorda com o texto à nossa frente. *Hamate-Zobá* (ver a respeito no *Dicionário*) ficava cerca de 480 quilômetros ao norte de Jerusalém. Após ter conquistado esse lugar, Salomão fortificou algumas cidades na área (vs. 4) e edificou outras (vss. 5,6). Podemos supor com razão que a conquista militar tenha estado por trás de toda essa atividade. Coele-Síria foi posta sob o controle de Davi, e podemos supor que alguma espécie de rebelião tenha seguido, que Salomão precisou abafar. "Hamate estava às margens do rio Orontes, em Coele-Síria. Seu rei, Toi, fora aliado de Davi. Mas, pela combinação de nomes, *Hamate-Zobá,* houve alguma espécie de revolução que uniu os dois pequenos reinos sírios em um único. Por quais razões foi provocado o ressentimento de Salomão contra tal união, é algo sobre o que não sabemos" (Jamieson, *in loc.*).

■ 8.4

וַיִּבֶן אֶת־תַּדְמֹר בַּמִּדְבָּר וְאֵת כָּל־עָרֵי הַמִּסְכְּנוֹת אֲשֶׁר בָּנָה בַּחֲמָת׃

Também edificou a Tadmor. *Outra Contradição?* A *Tadmor* referida neste texto pode realmente ser um erro do cronista, em lugar da *Tamar* que aparece no trecho paralelo de 1Rs 9.17. Nesse caso, está em foco não a parte norte de Israel, mas a área do sul de Judá. Outras cidades, que estariam no sul de Judá, também foram mencionadas. Ver 2Cr 8.14 e 1Rs 9.17. Aqueles que precisam ter harmonia a qualquer preço, até ao preço da honestidade, preservam ambos os textos. Com isso pretendem ensinar que Salomão conquistou Tadmor no norte, algo que fez parte da campanha militar do norte, e também construiu novas cidades no sul, incluindo a parte sul do território de Judá. Ver meu artigo detalhado sobre *Tadmor,* no *Dicionário*, onde discuti as conquistas militares de Salomão no norte de Israel. Talvez a mudança feita pelo cronista, de Tamar para Tadmor, tenha sido propositada, embora não histórica. Dessa maneira, ele teria feito a glória e as conquistas militares de Salomão se tornarem mais extravagantes do que realmente foram. Seu propósito foi o de exaltar a dinastia davídica. É desnecessário dizer que essas questões são disputadas pelos eruditos, embora sem resultados definitivos.

■ 8.5

וַיִּבֶן אֶת־בֵּית חוֹרוֹן הָעֶלְיוֹן וְאֶת־בֵּית חוֹרוֹן הַתַּחְתּוֹן עָרֵי מָצוֹר חוֹמוֹת דְּלָתַיִם וּבְרִיחַ׃

Edificou também a Bete-Horom, a de cima e a de baixo. Os lugares mencionados aqui definitivamente ficam na região sul do país. Ver o nome no *Dicionário,* quanto a detalhes. Quanto à controvérsia sobre o norte ou o sul, ver as notas expositivas sobre o versículo anterior. Bete-Horom ficava cerca de dezesseis quilômetros a noroeste de Jerusalém, na fronteira entre Judá e as tribos do norte (ver Js 18.13). Dois lugares tinham esse nome nos dias do Antigo Testamento, a "Bete-Horom de cima" e a "Bete-Horom de baixo" (Js 16.3,4; 1Cr 7.14.). Ambas ficavam no território de Efraim, separadas por uma caminhada de apenas meia hora.

■ 8.6

וְאֶת־בַּעֲלָת וְאֵת כָּל־עָרֵי הַמִּסְכְּנוֹת אֲשֶׁר הָיוּ לִשְׁלֹמֹה וְאֵת כָּל־עָרֵי הָרֶכֶב וְאֵת עָרֵי הַפָּרָשִׁים וְאֵת כָּל־חֵשֶׁק שְׁלֹמֹה אֲשֶׁר חָשַׁק לִבְנוֹת בִּירוּשָׁלִַם וּבַלְּבָנוֹן וּבְכֹל אֶרֶץ מֶמְשַׁלְתּוֹ׃

Como também a Baalate, e a todas as cidades-armazéns. Ver 1Rs 9.18,19 quanto ao trecho paralelo. Ver no *Dicionário* o artigo chamado *Baalate*. Ficava na parte sul do país e a oeste de Jerusalém, no território de Dã. Foi um fortim contra os filisteus. Ver Js 19.44. O trecho paralelo tem a exposição. Notemos que tanto aqui quanto no paralelo de 1Rs o *Líbano* é mencionado. Isso nos faz voltar ao norte e quer dizer que o autor sagrado estava descrevendo a amplitude de território do norte ao sul, cobrindo uma extensa área.

O texto presente não faz menção às fortificações de Jerusalém e às construções que tiveram lugar em Hazor, Megido e Gezer. Ver 1Rs 9.15,16 quanto a essa história. O cronista abreviou a sua narrativa, dando-nos a essência, mas não os detalhes de sua fonte informativa.

A Escravidão dos Povos Cananeus (8.7-11)

Os *vss.* 7-11 formam um paralelo direto com 1Rs 9.19-24, onde são oferecidas as notas expositivas. Os povos que tinham sobrevivido às matanças impostas por Davi foram reduzidos à condição de escravos, uma prática comum entre os povos antigos. Ver 2Sm 10.19 quanto às vitórias de Davi sobre os oito inimigos de Israel. Ele destruiu, confinou ou escravizou, e assim fez Salomão dono de toda a Palestina, com influência para o extremo norte, conforme demonstra o versículo anterior.

8.7,8

כָּל־הָעָם הַנּוֹתָר מִן־הַחִתִּי וְהָאֱמֹרִי וְהַפְּרִזִּי וְהַחִוִּי וְהַיְבוּסִי אֲשֶׁר לֹא מִיִּשְׂרָאֵל הֵמָּה׃

מִן־בְּנֵיהֶם אֲשֶׁר נוֹתְרוּ אַחֲרֵיהֶם בָּאָרֶץ אֲשֶׁר לֹא־כִלּוּם בְּנֵי יִשְׂרָאֵל וַיַּעֲלֵם שְׁלֹמֹה לְמַס עַד הַיּוֹם הַזֶּה׃

Quanto a todo o povo, que restou. Ver 1Rs 9.20,21, o trecho paralelo, que menciona exclusivamente a escravidão desses cinco povos, reduzidos que foram ao *labor forçado*. O cronista não os chama especificamente de escravos. Antes, diz que eles foram forçados a pagar tributo. Mas o nono versículo, fazendo um contraste com os hebreus, os quais *não* foram sujeitados a trabalhos forçados, diz-nos que o cronista sabia disso no tocante a esses estrangeiros, embora tenha abrandado a declaração. Ver no *Dicionário* o verbete intitulado *Escravo, Escravidão*.

8.9

וּמִן־בְּנֵי יִשְׂרָאֵל אֲשֶׁר לֹא־נָתַן שְׁלֹמֹה לַעֲבָדִים לִמְלַאכְתּוֹ כִּי־הֵמָּה אַנְשֵׁי מִלְחָמָה וְשָׂרֵי שָׁלִישָׁיו וְשָׂרֵי רִכְבּוֹ וּפָרָשָׁיו׃ פ

Porém dos filhos de Israel não fez Salomão escravo algum. Ver o paralelo de 1Rs 8.22 quanto às notas expositivas. Estão em pauta cortesãos e oficiais do exército. Um hebreu podia ser sujeitado a uma escravidão "suave", por causa de uma dívida, mas potencialmente era sempre um homem livre. Mas os hebreus não eram escravizados, conforme acontecia com os estrangeiros que estivessem em Israel. A maior parte das nações da área não escravizava seus próprios povos. Temos a declaração de Diodoro Sículo (l.56), sobre Sesostris (Ramsés II): "Nenhum nativo trabalhou aqui", ao referir-se à construção de templos egípcios. O trabalho escravo fazia as tarefas pesadas e sujas.

8.10

וְאֵלֶּה שָׂרֵי הַנִּצָּבִים אֲשֶׁר־לַמֶּלֶךְ שְׁלֹמֹה חֲמִשִּׁים וּמָאתָיִם הָרֹדִים בָּעָם׃

Duzentos e cinquenta, que presidiam sobre o povo. O trecho paralelo é 1Rs 9.23. Há uma aparente discrepância nos números que figuram nos dois textos. Os 250 referidos pelo cronista eram, ao que tudo indica, supervisores, ao passo que os 550 mencionados em 1Rs presumivelmente incluíam subcapatazes, alguns dos quais foram escolhidos dentre os cananeus para supervisionar sua própria gente. Muitos eruditos, entretanto, sentem-se insatisfeitos com esse tipo de reconciliação. "Esse número forma aqui um erro de transcrição" (Ellicott, *in loc*.), ilustrando como os números eram similares no original hebraico, e como um número podia ser facilmente substituído por outro na cópia. No trecho paralelo dou outros modos de harmonização, nenhum dos quais, contudo, satisfaz aos eruditos.

8.11

וְאֶת־בַּת־פַּרְעֹה הֶעֱלָה שְׁלֹמֹה מֵעִיר דָּוִיד לַבַּיִת אֲשֶׁר בָּנָה־לָהּ כִּי אָמַר לֹא־תֵשֵׁב אִשָּׁה לִי בְּבֵית דָּוִיד מֶלֶךְ־יִשְׂרָאֵל כִּי־קֹדֶשׁ הֵמָּה אֲשֶׁר־בָּאָה אֲלֵיהֶם אֲרוֹן יְהוָה׃ פ

Salomão fez subir a filha de Faraó. O *cronista* nos dá um relato mais completo sobre a fonte informativa, ou adicionou esta informação com base no conhecimento que tinha da situação. Ver o paralelo de 1Rs 9.24. Levo em conta ali todas as coisas, portanto não repito aqui os detalhes. 1Rs 3.1 diz-nos que Salomão trouxe a rainha egípcia à cidade de Davi, mas agora a vemos a removê-la para outro lugar. Como é óbvio, a princesa egípcia não se converteu à fé dos hebreus, mas mostrou ser boa nas relações exteriores. Além disso, sem dúvida ela era muito bonita. Não lhe era permitido tocar nas coisas sagradas da religião dos hebreus, mas ela seria excelente para barganhar com os egípcios sobre qualquer coisa que surgisse em cena.

Regulamentos sobre a Adoração no Templo (8.12-16)

Conforme uma expressão idiomática inglesa que explora o mundo do boxe, o cronista *conteve seus golpes*, ou seja, ele lançou seus murros parcialmente, com cautela, e não com entusiasmo. Aqui o cronista refere-se à devoção extraordinária de Salomão ao yahwismo, porquanto ele estava, afinal de contas, exaltando a dinastia davídica em todas as oportunidades que se lhe apresentassem. No entanto, não menciona, de forma terminante, a vergonhosa *idolatria* de Salomão, o que é registrado em 1Rs 11.1-13. Salomão desenvolveu a fé sincretista que odiava Yahweh. É verdade que, de acordo com esse sincretismo, Yahweh era honrado, mas também eram honradas inúmeras outras divindades estrangeiras. Assim sendo, o cronista contou a verdade, mas não toda a verdade, o que é um truque comum entre os *diplomatas*.

Outro propósito desta seção é informar-nos que foi *Salomão*, e não Davi, quem levantou o altar de Yahweh. Isto é, Salomão levantou outro altar para ser usado no templo. Desse modo demonstrou sua devoção singular. Ele promoveu o culto a Yahweh com seu dinheiro, esforço e tempo.

O trecho paralelo é 1Rs 9.25, um único versículo. O cronista parafraseou esse versículo (nos vss. 12 e 13) e ainda acrescentou outros detalhes (nos vss. 14 e 15).

8.12

אָז הֶעֱלָה שְׁלֹמֹה עֹלוֹת לַיהוָה עַל מִזְבַּח יְהוָה אֲשֶׁר בָּנָה לִפְנֵי הָאוּלָם׃

Então Salomão ofereceu holocaustos ao Senhor. Ver o trecho paralelo de 1Rs 9.25, que, em sua essência, é idêntico a este. Ali vemos Salomão celebrando os sacrifícios, três vezes por ano, o que o cronista não mencionou. Aqui temos o altar "diante do pórtico" que o autor dos livros de Reis tinha deixado de fora. Está em pauta o novo altar de bronze que foi levantado por Salomão. Ver as notas em Êx 27.1, quanto ao *Altar de Bronze*. Ver 2Cr 4.1 quanto ao novo altar de Salomão.

As oferendas de Salomão eram habituais e piedosas. Ele obedecia a todas as injunções da legislação mosaica, mas em outras ocasiões, estava praticando a sua idolatria, uma estupidez além de qualquer crença para um homem dotado de tão profunda sabedoria.

8.13

וּבִדְבַר־יוֹם בְּיוֹם לְהַעֲלוֹת כְּמִצְוַת מֹשֶׁה לַשַּׁבָּתוֹת וְלֶחֳדָשִׁים וְלַמּוֹעֲדוֹת שָׁלוֹשׁ פְּעָמִים בַּשָּׁנָה בְּחַג הַמַּצּוֹת וּבְחַג הַשָּׁבֻעוֹת וּבְחַג הַסֻּכּוֹת׃

E isto segundo o dever de cada dia. Este versículo lista, laboriosamente, todas as ocasiões nas quais Salomão oferecia seus sacrifícios. O cronista estava ansioso por assegurar-nos que Salomão estava presente em cada ocasião, cumprindo o seu dever como promotor do yahwismo. Ele também teve o cuidado de não mencionar a idolatria de Salomão (ver 1Rs 11.1-13).

Os Sacrifícios:
1. Diariamente, pela manhã e à noitinha (Êx 29.38,39).
2. Aos sábados e nos dias de lua nova (Nm 28.9).
3. As festas anuais solenes, que eram em número de três e requeriam cerimonial e rituais especiais (1Rs 9.25).

8.14

וַיַּעֲמֵד כְּמִשְׁפַּט דָּוִיד־אָבִיו אֶת־מַחְלְקוֹת הַכֹּהֲנִים עַל־עֲבֹדָתָם וְהַלְוִיִּם עַל־מִשְׁמְרוֹתָם לְהַלֵּל וּלְשָׁרֵת נֶגֶד הַכֹּהֲנִים לִדְבַר־יוֹם בְּיוֹמוֹ וְהַשּׁוֹעֲרִים בְּמַחְלְקוֹתָם לְשַׁעַר וָשָׁעַר כִּי כֵן מִצְוַת דָּוִיד אִישׁ־הָאֱלֹהִים׃

Também, segundo a ordem de Davi seu pai. *Salomão obedecia criteriosamente* às ordenanças e práticas de seu pai, Davi, cuidando para que os 24 turnos de sacerdotes cumprissem seus deveres nos tempos certos, em sua rotação de serviços. Os músicos também cumpriam seus deveres; os porteiros mantinham a ordem e evitavam que se roubassem objetos sagrados. O cronista está dizendo que Salomão não negligenciava coisa alguma, nem deixava por fazer algum dever ou serviço. O serviço prestado por ele era perfeito. Mas não disse que Salomão também servia cuidadosamente a outros deuses, por causa da má influência de suas muitas mulheres estrangeiras.

Quanto aos 24 turnos de sacerdotes, ver 1Cr 24; quanto ao ministério da música, ver 1Cr 25; e quanto aos porteiros, ver 1Cr 26.

8.15

וְלֹא סָרוּ מִצְוַת הַמֶּלֶךְ עַל־הַכֹּהֲנִים וְהַלְוִיִּם לְכָל־דָּבָר וְלָאֹצָרוֹת:

Não se desviaram do que ordenara o rei. O *cronista* adiciona aqui mais uma evidência da piedade de Salomão. Ele fazia tudo quanto Moisés havia determinado; e também fazia tudo quanto Davi havia ordenado. Tudo quanto os sacerdotes e levitas supostamente deveriam fazer, eles faziam, porquanto Salomão não suportava incompetência. Salomão também cuidava dos tesouros do templo. Nenhum ladrão ou vândalo se aproximava. A questão do tesouro é discutida em 1Cr 26.20-28, onde ofereço muitos detalhes que não aparecem aqui. "Os vss. 14 e 15 asseguram-nos que os arranjos feitos por Davi, conforme descrito nos capítulos 24—26 de 1Crônicas, foram fielmente observados por seu sucessor" (Ellicott, *in loc.*).

8.16

וַתִּכֹּן כָּל־מְלֶאכֶת שְׁלֹמֹה עַד־הַיּוֹם מוּסַד בֵּית־יְהוָה וְעַד־כְּלֹתוֹ שָׁלֵם בֵּית יְהוָה: ס

Assim se executou toda a obra de Salomão. *A maior evidência* da admirável piedade de Salomão foi a construção do templo. Esse foi o memorial de sua vida. Todo aquele que se avizinhasse do sistema hebreu de adoração ouviria falar do "templo de Salomão". Esse foi o seu *magnum opus,* aquilo pelo qual Salomão sempre será relembrado. Infelizmente, porém, o cronista não relata como Salomão também edificou *templos idólatras,* para agradar a todas as suas belas e estrangeiras mulheres, com as quais havia estocado o seu harém. Foi assim que Salomão demonstrou ter o maior respeito pelo yahwismo, mas, em outro sentido, ele não tinha o menor respeito pelo local sagrado. Seja como for, vamos dar crédito ao homem: "Finalmente, Salomão havia começado e havia terminado o *templo,* seu mais exaltado empreendimento religioso" (Eugene H. Merrill, *in loc.*). Ver 1Rs 6.38 quanto a detalhes e fatores cronológicos. Ver também 1Rs 9.25, trecho mais ou menos paralelo.

SUCESSO ECONÔMICO (8.17—9.31)

EMPREENDIMENTOS MARÍTIMOS (8.17,18)

Salomão foi o único rei dos hebreus que lançou mão, em grande escala, dos empreendimentos marítimos. Israel era um povo terrestre, e o mar era visto como algo estrangeiro e ameaçador. Mas Salomão, com ajuda dos fenícios (eles foram os grandes navegadores do passado), desenvolveu sua própria frota de navios e entrou no comércio marítimo com países estrangeiros. Salomão, que já era extraordinariamente rico, tornou-se mais rico ainda.

8.17

אָז הָלַךְ שְׁלֹמֹה לְעֶצְיוֹן־גֶּבֶר וְאֶל־אֵילוֹת עַל־שְׂפַת הַיָּם בְּאֶרֶץ אֱדוֹם:

Então foi Salomão a Eziom-Geber e a Elote, à praia do mar. "Estava agora Salomão com tempo suficiente para cuidar de sua marinha, para ocupar-se no comércio marítimo; e quanto a este e ao versículo seguinte (vs. 18), e à reconciliação deles com 1Rs 9.26-28, ver as notas ali (em 1Rs)" (John Gill, *in loc.*).

Este versículo é paralelo a 1Rs 9.26, onde as notas expositivas foram apresentadas.

À praia do mar. Ou seja, ao mar Vermelho. *Salomão construiu* uma frota (ver 1Rs), mas essa frota lhe foi enviada por Hirão, rei de Tiro, segundo ficamos sabendo pelo cronista. Devemos entender que os navios foram construídos pelo labor e pela tecnologia estrangeira, mas Salomão deu a ordem para supri-los.

8.18

וַיִּשְׁלַח־לוֹ חוּרָם בְּיַד־עֲבָדָיו אוֹנִיּוֹת וַעֲבָדִים יוֹדְעֵי יָם וַיָּבֹאוּ עִם־עַבְדֵי שְׁלֹמֹה אוֹפִירָה וַיִּקְחוּ מִשָּׁם אַרְבַּע־מֵאוֹת וַחֲמִשִּׁים כִּכַּר זָהָב וַיָּבִיאוּ אֶל־הַמֶּלֶךְ שְׁלֹמֹה: פ

Enviou-lhe Hirão, por intermédio de seus servos, navios. Salomão não tinha o conhecimento necessário para a construção de navios, nem mesmo para a navegação. Ele teve de depender de Hirão quanto a *ambas* as coisas. Mas Salomão sabia como negociar, e em breve enriqueceria mais ainda com seu comércio marítimo. Ver 1Rs 9.27,28 quanto a maiores detalhes oferecidos pelo cronista. Minhas notas dão toda a informação sobre a questão que sobreviveu até nós.

Quatrocentos e cinquenta talentos de ouro. 1Rs 9.28 diz 420 talentos, em lugar dos 450 que são referidos aqui. Isso, provavelmente representa um erro de transcrição, cometido ou pelo autor dos livros de Reis, ou pelo cronista. A experiência tem ensinado que, quando surgem discrepâncias como essa, usualmente os livros de Reis mostram-se mais exatos. Seja como for, porém, o fato é que Salomão alcançou lucros enormes, até mesmo em uma única viagem. Provavelmente, Elote (Elate) era seu porto de entrada em Israel.

CAPÍTULO NOVE

A VISITA DA RAINHA DE SABÁ (9.1-31)

Este capítulo inteiro foi copiado cuidadosamente de 1Rs 10.1-29, onde apresentei a exposição. Adiciono aqui somente alguns comentários. O vs. 26, em vez de concordar com qualquer material do capítulo 10 de 1Reis, é paralelo a 1Rs 4.21. Os vss. 29-31 são paralelos a 1Rs 11.31,32. O cronista adicionou algum detalhe no vs. 29.

"Outra fonte de renda veio a Salomão por parte da rainha de Sabá (provavelmente a terra dos sageus; ver Jó 1.15; Ez 23.42 e Jl 3.8), na parte sul-ocidental da Arábia" (Eugene H. Merrill, *in loc.*). Portanto, se este capítulo diz respeito à sabedoria de Salomão, também narra como ele foi ficando cada vez mais rico. Ellicott, quanto à seção geral, dá-nos o seguinte título: Sabedoria, Riqueza, Glória e Morte de Salomão, ou seja, a essência dos materiais que ele tinha para apresentar a fim de terminar a história do rei que trouxe a época áurea a Israel. No capítulo 10 de 2Crônicas começa a história de Roboão, filho e sucessor de Salomão.

9.1

וּמַלְכַּת־שְׁבָא שָׁמְעָה אֶת־שֵׁמַע שְׁלֹמֹה וַתָּבוֹא לְנַסּוֹת אֶת־שְׁלֹמֹה בְחִידוֹת בִּירוּשָׁלַםִ בְּחַיִל כָּבֵד מְאֹד וּגְמַלִּים נֹשְׂאִים בְּשָׂמִים וְזָהָב לָרֹב וְאֶבֶן יְקָרָה וַתָּבוֹא אֶל־שְׁלֹמֹה וַתְּדַבֵּר עִמּוֹ אֵת כָּל־אֲשֶׁר הָיָה עִם־לְבָבָהּ:

Tendo a rainha de Sabá ouvido a fama de Salomão. *Este versículo* é paralelo a 1Rs 10.1,2, onde a exposição foi apresentada. O ricaço Salomão estava ficando cada vez mais rico. Ver o vs. 9 deste capítulo quanto a detalhes. Sua sabedoria tinha aplicação a tudo quanto ele era e fazia, e ele a utilizava para ganhar ainda mais dinheiro. O cronista, como é óbvio, usou a questão da sabedoria, das riquezas e do esplendor de Salomão para exaltar a dinastia davídica, um de seus temas mais constantes. Ele dependeu da autoridade da dinastia davídica, *depois* do cativeiro babilônico, a fim de emprestar *legitimidade política* a Israel, embora a nação tivesse continuado mediante a única tribo do sul, Judá. Poderia Israel continuar mediante uma única tribo, e ainda assim ser a Israel do Pacto Abraâmico (anotado em Gn 15.18)? A resposta do cronista foi "Sim!" Quanto à *legitimidade espiritual,* o cronista dependeu de alguns poucos sobreviventes entre os levitas, que foram capazes de dar continuidade ao culto em harmonia com a legislação mosaica.

■ 9.2

וַיַּגֶּד־לָהּ שְׁלֹמֹה אֶת־כָּל־דְּבָרֶיהָ וְלֹא־נֶעְלַם דָּבָר
מִשְּׁלֹמֹה אֲשֶׁר לֹא הִגִּיד לָהּ׃

Salomão lhe deu resposta a todas as perguntas. O trecho paralelo, onde a exposição foi dada, fica em 1Rs 10.3.

■ 9.3,4

וַתֵּרֶא מַלְכַּת־שְׁבָא אֵת חָכְמַת שְׁלֹמֹה וְהַבַּיִת אֲשֶׁר בָּנָה׃

וּמַאֲכַל שֻׁלְחָנוֹ וּמוֹשַׁב עֲבָדָיו וּמַעֲמַד מְשָׁרְתָיו וּמַלְבּוּשֵׁיהֶם וּמַשְׁקָיו וּמַלְבּוּשֵׁיהֶם וַעֲלִיָּתוֹ אֲשֶׁר יַעֲלֶה בֵּית יְהוָה וְלֹא־הָיָה עוֹד בָּהּ רוּחַ׃

Vendo, pois, a rainha de Sabá a sabedoria de Salomão. Ver a exposição destes dois versículos em 1Rs 10.4,5. O paralelo em 1Rs menciona os sacrifícios abundantes de Salomão, a evidência de sua devoção, como coisas diante das quais a rainha de Sabá se maravilhou. As versões da Septuaginta, do siríaco e da Vulgata Latina adicionam o que no texto de 2Crônicas pode ter sido aumentado como harmonia. A versão árabe diz que a mulher se maravilhou diante do altar dos sacrifícios.

■ 9.5,6

וַתֹּאמֶר אֶל־הַמֶּלֶךְ אֱמֶת הַדָּבָר אֲשֶׁר שָׁמַעְתִּי בְּאַרְצִי עַל־דְּבָרֶיךָ וְעַל־חָכְמָתֶךָ׃

וְלֹא־הֶאֱמַנְתִּי לְדִבְרֵיהֶם עַד אֲשֶׁר־בָּאתִי וַתִּרְאֶינָה עֵינַי וְהִנֵּה לֹא הֻגַּד־לִי חֲצִי מַרְבִּית חָכְמָתֶךָ יָסַפְתָּ עַל־הַשְּׁמוּעָה אֲשֶׁר שָׁמָעְתִּי׃

E disse ao rei. Ver a exposição destes dois versículos em 1Rs 10.6,7.

Experiência Pessoal. "Alguém ouve um crente dizer coisas extraordinárias sobre Jesus. E pensa que tudo não passa de um estranho exagero; nem se preocupa. Mas se examinasse a questão por si mesmo, então diria, juntamente com a rainha de Sabá: 'Eis que não me contaram a metade da grandeza da tua sabedoria'" (E. A. L. Elmslie, *in loc.*). O cronista acrescentou aqui a palavra "grandeza". 1Reis diz tão somente: "Não me contaram a metade da tua sabedoria".

■ 9.7,8

אַשְׁרֵי אֲנָשֶׁיךָ וְאַשְׁרֵי עֲבָדֶיךָ אֵלֶּה הָעֹמְדִים לְפָנֶיךָ תָּמִיד וְשֹׁמְעִים אֶת־חָכְמָתֶךָ׃

יְהִי יְהוָה אֱלֹהֶיךָ בָּרוּךְ אֲשֶׁר חָפֵץ בְּךָ לְתִתְּךָ עַל־כִּסְאוֹ לְמֶלֶךְ לַיהוָה אֱלֹהֶיךָ בְּאַהֲבַת אֱלֹהֶיךָ אֶת־יִשְׂרָאֵל לְהַעֲמִידוֹ לְעוֹלָם וַיִּתֶּנְךָ עֲלֵיהֶם לְמֶלֶךְ לַעֲשׂוֹת מִשְׁפָּט וּצְדָקָה׃

Felizes os teus homens, felizes estes teus servos. A exposição destes dois versículos foi dada em 1Rs 10.8,9. Em lugar de "felizes os teus homens", lemos em algumas passagem de 1Reis "felizes as tuas esposas". Na Septuaginta e no siríaco houve a mudança para "felizes os teus homens", a fim de que houvesse harmonia com o que disse o cronista. Provavelmente, entretanto, "tuas esposas" era o texto original, que foi mudado para a forma que se acomoda mais facilmente de "teus homens". Talvez para o cronista estivesse fora de lugar pensar na felicidade das esposas de Salomão, que o desviaram para a idolatria. Portanto, o texto *difícil* foi mudado para um texto mais *fácil*, um ato comum entre os escribas.

Para te colocar no seu trono como rei. Ou seja, no "trono de Yahweh" (vs. 8). 1Reis diz "no trono de Israel" (vs. 9).

Era melhor ser *uma* das muitas esposas de Salomão do que ser a única esposa de algum agricultor que ganhava a vida com o trabalho duro. Além disso, as mulheres antigas não tinham nenhuma dificuldade com a poligamia, excetuando-se a competição de qual delas produziria mais filhos.

■ 9.9

וַתִּתֵּן לַמֶּלֶךְ מֵאָה וְעֶשְׂרִים כִּכַּר זָהָב וּבְשָׂמִים לָרֹב מְאֹד וְאֶבֶן יְקָרָה וְלֹא הָיָה כַּבֹּשֶׂם הַהוּא אֲשֶׁר־נָתְנָה מַלְכַּת־שְׁבָא לַמֶּלֶךְ שְׁלֹמֹה׃

Deu ela ao rei cento e vinte talentos de ouro. Ver a exposição deste versículo em 1Rs 10.10. A troca de presentes era comum quando um monarca ou outro homem importante, de qualquer classe, fazia uma visita. A rainha de Sabá era uma dama de meios independentes e podia dar-se ao luxo de oferecer abundantes presentes. Além disso, ela estava promovendo o comércio e seria bem paga por meio dos negócios que seriam concretizados. O primeiro versículo fala, de modo geral, sobre os presentes abundantes, e neste versículo temos um relato detalhado desses presentes.

■ 9.10

וְגַם־עַבְדֵי חִירָם וְעַבְדֵי שְׁלֹמֹה אֲשֶׁר־הֵבִיאוּ זָהָב מֵאוֹפִיר הֵבִיאוּ עֲצֵי אַלְגּוּמִּים וְאֶבֶן יְקָרָה׃

Os servos de Hirão e os servos de Salomão. A exposição aparece no trecho paralelo de 1Rs 10.11. Salomão deu o melhor (vs. 12) e recebeu o melhor (vs. 9). Ele não tinha dificuldade alguma em *dar*, pois era incrivelmente rico. A história é interrompida por um instante para explicar-nos algumas fontes das riquezas de Salomão, as quais eram tão grandes que até os indivíduos mais ricos, como era o caso da rainha de Sabá, ficavam estupefatos. Hirão, ao ajudar a estabelecer Salomão nos negócios marítimos, foi uma das fontes de suas riquezas.

■ 9.11

וַיַּעַשׂ הַמֶּלֶךְ אֶת־עֲצֵי הָאַלְגּוּמִּים מְסִלּוֹת לְבֵית־יְהוָה וּלְבֵית הַמֶּלֶךְ וְכִנֹּרוֹת וּנְבָלִים לַשָּׁרִים וְלֹא־נִרְאוּ כָהֵם לְפָנִים בְּאֶרֶץ יְהוּדָה׃

Desta madeira de sândalo fez o rei. Ver a exposição em 1Rs 10.12, o trecho paralelo. Salomão mostrou-se realmente generoso como sua real visitante. A Vulgata latina afirma que Salomão deu a ela "muito mais" do que ela lhe havia dado.

Balaústres. No hebraico, *m'silloth*, que pode significar caminhos ou *passagens elevadas*. Algumas versões dizem *terraços* aqui em 2Cr. A interpretação do autor sagrado sobre a palavra *mis'ad*, em 1Rs 10.12, foi traduzida pela *Revised Standard Version* como *suportes da casa*. A versão árabe diz *colunas*. Nossa versão portuguesa em 1Rs diz *balaústres*.

■ 9.12

וְהַמֶּלֶךְ שְׁלֹמֹה נָתַן לְמַלְכַּת־שְׁבָא אֶת־כָּל־חֶפְצָהּ אֲשֶׁר שָׁאָלָה מִלְּבַד אֲשֶׁר־הֵבִיאָה אֶל־הַמֶּלֶךְ וַתַּהֲפֹךְ וַתֵּלֶךְ לְאַרְצָהּ הִיא וַעֲבָדֶיהָ׃ פ

O rei Salomão deu à rainha de Sabá. Ver a exposição em 1Rs 10.13. Este versículo pode significar que Salomão deu de volta à rainha tudo quanto ela havia trazido, além de muito mais. Mas isso teria sido uma gafe quase imperdoável no costume das trocas de presentes, de modo que este versículo não pode ter esse significado, a despeito do que dizem algumas traduções. A versão portuguesa acerta no alvo (ainda que não o hebraico literal) com sua tradução de "além do equivalente ao que ela lhe trouxera, mais tudo o que ela desejou e pediu". Salomão "devolveu à rainha o que ela lhe dera", no sentido de que deu a ela "outras coisas — de igual valor". E, além disso, ele a sobrecarregou com ainda mais presentes, de forma que ela acabou recebendo muito mais do que havia presenteado. A verdade é que Salomão tinha posses materiais suficientes para fazer isso, e deixou a rainha de Sabá muito feliz, a ponto de ela cantar por todo o caminho de volta à Arábia.

As versões siríaca e árabe apresentam Salomão dando mais do que palavras sábias e conselhos, e terminam o versículo com estas palavras: "ele lhe revelou tudo quanto estava no coração dela".

As Incríveis Riquezas de Salomão (9.13-28)

■ 9.13

וַיְהִי מִשְׁקַל הַזָּהָב אֲשֶׁר־בָּא לִשְׁלֹמֹה בְּשָׁנָה אֶחָת שֵׁשׁ מֵאוֹת וְשִׁשִּׁים וָשֵׁשׁ כִּכְּרֵי זָהָב׃

O peso do ouro, que se trazia a Salomão cada ano. Ver o paralelo em 1Rs 10.14. O autor sacro exaltou a dinastia davídica. As imensas riquezas de Salomão, como é natural, eram tidas como dádivas de Yahweh por ser ele um bom rei, um rei de vida abundante. Por conseguinte, suas riquezas eram um sinal de *aprovação divina*. Minha exposição no trecho paralelo é bastante completa, portanto não acrescento detalhes aqui.

■ 9.14

לְבַד מֵאַנְשֵׁי הַתָּרִים וְהַסֹּחֲרִים מְבִיאִים וְכָל־מַלְכֵי עֲרַב וּפַחוֹת הָאָרֶץ מְבִיאִים זָהָב וָכֶסֶף לִשְׁלֹמֹה׃

Afora o que entrava dos vendedores e dos negociantes. Ver a exposição em 1Rs 10.15, o trecho paralelo. Salomão possuía toda espécie de riquezas, mesmo porque desenvolvia toda espécie de comércio. Era um homem de negócios *por excelência*. Salomão (e Israel) não sabia muito sobre a ciência e a arte da construção, assim teve de apelar para a ajuda estrangeira quanto a essa atividade, mas nenhum homem no mundo podia vencer Salomão na questão dos negócios. Ele era um mestre na multiplicação do dinheiro.

■ 9.15

וַיַּעַשׂ הַמֶּלֶךְ שְׁלֹמֹה מָאתַיִם צִנָּה זָהָב שָׁחוּט שֵׁשׁ מֵאוֹת זָהָב שָׁחוּט יַעֲלֶה עַל־הַצִּנָּה הָאֶחָת׃

Fez o rei Salomão duzentos paveses de ouro batido. Ver a exposição no trecho paralelo, em 1Rs 10.16. Salomão era tão rico que até suas tropas de elite carregavam grandes escudos de ouro, de imenso valor. Naturalmente, esses paveses eram usados como ostentação nas paradas militares, e não nas batalhas reais.

O rico estilo de vida de Salomão haveria, afinal, de macular seu tesouro. Ele precisou taxar pesadamente seu próprio povo, a fim de manter o espetáculo. Precisou oprimir seu próprio povo, especialmente na região norte. Quando seu filho, Roboão, não foi sábio o bastante para reduzir os impostos, Jeroboão, representante do norte, revoltou-se, e a nação de Israel, até ali unida, dividiu-se em duas nações: a do norte (Israel) e a do sul (Judá).

■ 9.16

וּשְׁלֹשׁ־מֵאוֹת מָגִנִּים זָהָב שָׁחוּט שְׁלֹשׁ מֵאוֹת זָהָב יַעֲלֶה עַל־הַמָּגֵן הָאֶחָת וַיִּתְּנֵם הַמֶּלֶךְ בְּבֵית יַעַר הַלְּבָנוֹן׃ פ

Fez também trezentos escudos de ouro batido. O trecho paralelo é 1Rs 10.17, onde a exposição foi oferecida.

Trezentos siclos de ouro. De acordo com o cronista, essa quantidade de ouro foi usada em cada escudo. Mas 1Reis diz "três arráteis", o que é um peso diferente. Isso vem a ser o equivalente a 1.700 gramas. Mas o cronista elevou o peso mais ou menos ao dobro. O *arrátel* era 1/60 de um talento, e o equivalente a 50 a 60 siclos. Quanto ao arrátel ou mina, ver no *Dicionário* o artigo denominado *Pesos e Medidas*, IV.B. As versões siríaca e árabe dão aqui a mesma quantidade de ouro que aparece no livro de 1Reis, com uma correção. O autor de 2Crônicas deveria ter escrito *dracma*, em lugar de *arrátel*, e então os pesos seriam os mesmos. Cem dracmas equivaliam a um arrátel ou mina. Discrepâncias como essa nada têm a ver com a validade da fé religiosa.

■ 9.17

וַיַּעַשׂ הַמֶּלֶךְ כִּסֵּא־שֵׁן גָּדוֹל וַיְצַפֵּהוּ זָהָב טָהוֹר׃

Fez mais o rei um grande trono de marfim. O trecho paralelo é 1Rs 10.18, onde foi oferecida a exposição. Os versículos são idênticos, exceto pelo fato de que a palavra traduzida aqui por "puro" é *muphas* em 1Reis, e *tahor* em 2Cr. Essas palavras hebraicas, entretanto, são sinônimos essenciais.

■ 9.18

וְשֵׁשׁ מַעֲלוֹת לַכִּסֵּא וְכֶבֶשׁ בַּזָּהָב לַכִּסֵּא מָאֳחָזִים וְיָדוֹת מִזֶּה וּמִזֶּה עַל־מְקוֹם הַשָּׁבֶת וּשְׁנַיִם אֲרָיוֹת עֹמְדִים אֵצֶל הַיָּדוֹת׃

O trono tinha seis degraus. Ver a exposição deste versículo em 1Rs 10.19. As descrições variam levemente. Os livros de Reis têm a representação de uma cabeça de novilha como parte da decoração, o que o cronista não mencionou. Em lugar de cabeça de novilha, o cronista diz "estrado de ouro". É muito difícil explicar tal diferença na descrição do trono. A versão siríaca retém aqui o texto que figura em 1Rs, e Ellicott (*in loc.*) pensa que o texto do cronista está corrompido. Temos observado que, quando há diferenças assim entre os livros de Reis e os livros de Crônicas, o autor de Reis usualmente está correto. Naturalmente, *algumas* das corrupções que aparecem no texto de Crônicas podem ser atribuídas a escribas posteriores que nos transmitiram o texto.

■ 9.19

וּשְׁנֵים עָשָׂר אֲרָיוֹת עֹמְדִים שָׁם עַל־שֵׁשׁ הַמַּעֲלוֹת מִזֶּה וּמִזֶּה לֹא־נַעֲשָׂה כֵן לְכָל־מַמְלָכָה׃

Também doze leões estavam ali. O trecho paralelo é 1Rs 10.20, onde a exposição foi oferecida.

■ 9.20

וְכֹל כְּלֵי מַשְׁקֵה הַמֶּלֶךְ שְׁלֹמֹה זָהָב וְכֹל כְּלֵי בֵית־יַעַר הַלְּבָנוֹן זָהָב סָגוּר אֵין כֶּסֶף נֶחְשָׁב בִּימֵי שְׁלֹמֹה לִמְאוּמָה׃

Todas as taças. Ver o trecho paralelo em 1Rs 10.21, onde a exposição também foi oferecida. O cronista esqueceu-se da palavra "não" na frase referente à prata, por puro acidente, e os tradutores têm suprido esse "não". A prata *não* era considerada metal de grande valor, havendo tanto ouro em Israel!

■ 9.21

כִּי־אֳנִיּוֹת לַמֶּלֶךְ הֹלְכוֹת תַּרְשִׁישׁ עִם עַבְדֵי חוּרָם אַחַת לְשָׁלוֹשׁ שָׁנִים תָּבוֹאנָה אֳנִיּוֹת תַּרְשִׁישׁ נֹשְׂאוֹת זָהָב וָכֶסֶף שֶׁנְהַבִּים וְקוֹפִים וְתוּכִּיִּים׃ פ

Porque o rei tinha navios. O trecho paralelo é 1Rs 10.22, onde a exposição foi dada. Cf. o vs. 10.

■ 9.22

וַיִּגְדַּל הַמֶּלֶךְ שְׁלֹמֹה מִכֹּל מַלְכֵי הָאָרֶץ לְעֹשֶׁר וְחָכְמָה׃

Assim o rei Salomão excedeu a todos os reis do mundo. O paralelo é 1Rs 10.23, onde a exposição foi oferecida.

■ 9.23

וְכֹל מַלְכֵי הָאָרֶץ מְבַקְשִׁים אֶת־פְּנֵי שְׁלֹמֹה לִשְׁמֹעַ אֶת־חָכְמָתוֹ אֲשֶׁר־נָתַן הָאֱלֹהִים בְּלִבּוֹ׃

Todos os reis do mundo. O trecho paralelo é 1Rs 10.24, onde a exposição foi oferecida. O livro de Reis diz aqui "todo o mundo", ao passo que o cronista escreveu "todos os reis do mundo", como se fosse uma glosa explicativa. "Todo o mundo" é uma hipérbole. Ver o vs. 26, onde a extensão do reino glorioso de Salomão *foi elucidada*. Os *vizinhos* do rei Salomão eram justamente os que se admiravam dele. Tão grande era Salomão que podia ser considerado um "fenômeno divino".

■ 9.24

וְהֵם מְבִיאִים אִישׁ מִנְחָתוֹ כְּלֵי כֶסֶף וּכְלֵי זָהָב וּשְׂלָמוֹת נֵשֶׁק וּבְשָׂמִים סוּסִים וּפְרָדִים דְּבַר־שָׁנָה בְּשָׁנָה: פ

Cada um trazia o seu presente. O trecho paralelo é 1Rs 10.25. Estão aqui em vista, principalmente, os vasos de Salomão. Além disso, o ouro continuava a fluir como o rio Amazonas. Havia outros monarcas independentes que, a exemplo da rainha de Sabá, também aumentavam as riquezas de Salomão. A maioria dos reis construía armazéns para guardar seu trigo. Salomão construía armazéns para guardar seu ouro!

■ 9.25

וַיְהִי לִשְׁלֹמֹה אַרְבַּעַת אֲלָפִים אֻרְיוֹת סוּסִים וּמַרְכָּבוֹת וּשְׁנֵים־עָשָׂר אֶלֶף פָּרָשִׁים וַיַּנִּיחֵם בְּעָרֵי הָרֶכֶב וְעִם־הַמֶּלֶךְ בִּירוּשָׁלִָם:

Tinha Salomão quatro mil cavalos em estrebarias. O trecho paralelo é 1Rs 10.26. Sem dúvida 1Rs 4.6 labora em erro com suas estrebarias para quarenta mil cavalos, o que o cronista reduziu para somente quatro mil; ou então temos aqui alguma espécie de erro de transcrição. O cronista omitiu o número dos carros de combate, que o autor dos livros de Reis diz ser 1.400.

■ 9.26

וַיְהִי מוֹשֵׁל בְּכָל־הַמְּלָכִים מִן־הַנָּהָר וְעַד־אֶרֶץ פְּלִשְׁתִּים וְעַד גְּבוּל מִצְרָיִם:

Dominava Salomão sobre todos os reis. Este versículo não tem nenhum paralelo no capítulo 10 de 1Reis. Antes, seu paralelo fica em 1Rs 4.21, onde foram oferecidas notas expositivas detalhadas. Como parte da época áurea, Salomão levou Israel a ter suas maiores possessões sob a forma de territórios. No entanto, ele não ampliou os territórios de seu reino até as margens do rio Nilo, que era uma provisão do *Pacto Abraâmico* (ver as notas a respeito em Gn 15.18).

■ 9.27

וַיִּתֵּן הַמֶּלֶךְ אֶת־הַכֶּסֶף בִּירוּשָׁלִַם כָּאֲבָנִים וְאֵת הָאֲרָזִים נָתַן כַּשִּׁקְמִים אֲשֶׁר־בַּשְּׁפֵלָה לָרֹב:

Fez o rei que em Jerusalém houvesse prata como pedras. Este versículo tem paralelo em 1Rs 10.27, onde as notas expositivas foram oferecidas.

■ 9.28

וּמוֹצִיאִים סוּסִים מִמִּצְרַיִם לִשְׁלֹמֹה וּמִכָּל־הָאֲרָצוֹת:

Importavam-se cavalos para Salomão. Este versículo sumaria 1Rs 10.28,29 e é semelhante a 2Cr 1.16,17. Ver as notas expositivas no texto paralelo. Salomão fez estacionar sua grande multidão de cavalariços em várias cidades estratégicas. Escavações revelaram que em Megido havia quatrocentos cavalos estacionados.

■ 9.29

וּשְׁאָר דִּבְרֵי שְׁלֹמֹה הָרִאשֹׁנִים וְהָאַחֲרוֹנִים הֲלֹא־הֵם כְּתוּבִים עַל־דִּבְרֵי נָתָן הַנָּבִיא וְעַל־נְבוּאַת אֲחִיָּה הַשִּׁילוֹנִי וּבַחֲזוֹת יֶעְדִּי הַחֹזֶה עַל־יָרָבְעָם בֶּן־נְבָט:

Quanto aos mais atos de Salomão. Vários livros não canônicos, atualmente perdidos, continham histórias da grandeza de Salomão e atuaram como fontes informativas do cronista. Quanto aos livros perdidos da Bíblia, do período do Antigo Testamento, alguns dos quais atuaram como fontes informativas, ver as notas expositivas em 1Rs 14.19. O cronista omitiu muito material a ele disponível, limitando-se às histórias dos reis de Judá, mas não da parte norte da nação, Israel, pois o reino se havia dividido em duas facções, norte e sul. Os livros de Reis, bem ao contrário, tentaram narrar a história de ambos os reinos, do norte (Israel) e do sul (Judá). Cerca de metade dos livros de Crônicas repete materiais que já tinham aparecido em 2Samuel e 1 e 2Reis, e isso através da cópia, do sumário e, ocasionalmente, do acréscimo de algum detalhe. E quando surgem discrepâncias entre os livros de Reis e os livros de Crônicas, Reis quase sempre se revela correto.

As Obras-fontes da Unidade de 1 e 2Crônicas:
1. *História de Natã.* Ver 1Rs 1.11-13 e o artigo do *Dicionário* intitulado *Natã*. Ver 2Cr 29.29 quanto à única outra referência ao livro em pauta. O uso desse livro como fonte informativa demonstra a importância que a tradição profética atingira no tempo dos reis de Israel e de Judá.
2. *Profecia de Aías.* Ver 1Rs 11.29-39 e 14.2-18. Este versículo é a única referência a um livro compilado por aquele profeta.
3. *Visões de Ido.* Esse vidente não é mencionado nos livros de Reis. Ver 2Cr 12.15 e 13.22 quanto a outras referências a essa obra profética.

O último desses profetas manteve-se ativo denunciando Jeroboão, o qual, juntamente com Roboão, foi agente da divisão do reino unido de Israel. *Jeroboão* promoveu um contraculto no qual combinou várias formas de idolatria, na tentativa de impedir o povo do norte de subir a Jerusalém para praticar o culto a Yahweh. Como é natural, pois, Jeroboão foi objeto de denúncia por parte dos profetas. Ele pecou e ainda ensinou outros a pecar, um crime grave.

■ 9.30

וַיִּמְלֹךְ שְׁלֹמֹה בִירוּשָׁלִַם עַל־כָּל־יִשְׂרָאֵל אַרְבָּעִים שָׁנָה:

Quarenta anos reinou Salomão em Jerusalém. *Esta observação de conclusão* escrita pelo cronista tem equivalente em 1Rs 11.42, onde apresento as notas expositivas e ilustrações que embelezam o texto.

■ 9.31

וַיִּשְׁכַּב שְׁלֹמֹה עִם־אֲבֹתָיו וַיִּקְבְּרֻהוּ בְּעִיר דָּוִיד אָבִיו וַיִּמְלֹךְ רְחַבְעָם בְּנוֹ תַּחְתָּיו: פ

Descansou com seus pais, e foi sepultado. Este versículo é paralelo a 1Rs 11.43, onde as notas expositivas foram oferecidas. 1Reis diz, de forma impessoal, "foi sepultado", ao passo que, em outras versões, embora não na nossa portuguesa, lemos em 2Cr "sepultaram-no". Em outros sentidos, os textos são idênticos. Não somos informados sobre quão idoso estaria Salomão quando morreu, e incluo especulações sobre esse detalhe em minha exposição de 1Reis.

CAPÍTULO DEZ

OS REIS DE JUDÁ (10.1—36.23)

DE ROBOÃO A ZEDEQUIAS (10.1—36.21)

ROBOÃO (10.1—12.16)

A *seção de 2Cr 10.1—11.14* muito provavelmente é uma transcrição do trecho paralelo de 1Rs 12.1-24. As diferenças que porventura aparecem são destituídas de importância, consistindo, principalmente, em modificações verbais e omissões que em nada alteram o significado das passagens. As notas expositivas a seguir são meramente suplementares, e o leitor é convidado a examinar 1Reis e comentários quanto a maiores detalhes.

A Grande Omissão. O cronista não contou a história das dez tribos do norte, chamadas Israel, depois de haver contado a história da divisão de Israel unificado em norte e sul. Seu propósito foi exaltar a dinastia davídica, de maneira que não tinha mesmo motivos para relatar a história dos reis da porção norte do antigo país, conforme o fez o autor dos livros de Reis.

Por que a Dinastia Davídica Foi Exaltada? O cronista escreveu após o *cativeiro babilônico* (ver a respeito no *Dicionário*). Ele precisava explicar como uma única tribo, Judá, pôde legitimamente representar toda a antiga nação de Israel e, de fato, *tornar-se* Israel. Quanto à autoridade política, houve a continuação da dinastia davídica. Quanto à autoridade espiritual, houve número suficiente de levitas que retornou do cativeiro, para levar avante o ministério mosaico. Era esse ministério, regulamentado pela legislação mosaica, que fazia Israel tornar-se um povo distintivo (ver as notas expositivas em Dt 4.4-8).

"O cronista prossegue a fim de traçar a história diversificada do reino davídico de Judá, até que ocorreu a sua destruição, em 586 a.C. E ele fez isso selecionando e adaptando dentre os livros de Reis somente o que fomentava sua intenção religiosa. E também acrescentou alguns poucos detalhes, com base em suas fontes informativas" (W. A. L. Elmslie, *in loc.*).

Ilustração de Lancashire. "Um operário subiu nas escalas sociais e tornou-se o proprietário do moinho. Seu filho fez grande fortuna nos negócios. Seus netos dilapidaram toda a riqueza assim acumulada. Assim sucedeu a Davi, Salomão e Roboão. O pastorzinho tornou-se rei. Seu neto jogou fora a herança" (W. A. L. Elmslie, *in loc.*).

A Opressão e seus Resultados. Salomão manteve um estilo de vida fantasticamente elevado. O cronista deu a Yahweh o crédito por isso (capítulos 8 e 9). Salomão impôs elevados impostos e oprimiu sua própria gente a fim de conservar o seu esplendor. Ele tinha a sabedoria e o poder para manter essa situação. Mas quando Roboão, seu filho, subiu ao trono, carente da sabedoria e do poder de Salomão, não demorou a cair em graves dificuldades. Jeroboão queria justiça para as tribos do norte, e quando Roboão não aliviou a pesada carga de deveres, Jeroboão liderou a revolta. A divisão que se seguiu nunca mais foi emendada. Finalmente Judá tornou-se a nação de Israel, e as tribos do norte perderam-se para a Assíria. Quanto a *detalhes,* ver os artigos do *Dicionário* denominados *Roboão* e *Reino de Judá.* Ver também o verbete intitulado *Rei, Realeza,* que fornece uma visão panorâmica dos reis de Israel e Judá.

■ 10.1

וַיֵּלֶךְ רְחַבְעָם שְׁכֶמָה כִּי שְׁכֶם בָּאוּ כָל־יִשְׂרָאֵל לְהַמְלִיךְ אֹתוֹ׃

Foi Roboão a Siquém. Este versículo tem como paralelo 1Rs 12.1, onde as notas expositivas foram dadas. A passagem de 2Cr 10.1-11.4 foi essencialmente transcrita de 1Rs 12.1-24. As poucas diferenças entre os dois livros são comentadas nas notas expositivas a seguir.

As Omissões:

1. O cronista registrou somente as histórias dos reis de Judá, visto que o seu propósito era exaltar a dinastia davídica e mostrar que ela deu continuidade a Israel, terminado o cativeiro babilônico. Ver a introdução ao presente capítulo quanto a detalhes.
2. A exaltação da dinastia davídica não permitiu ao cronistas muitos comentários negativos. Por conseguinte, neste ponto, ele ignorou a história do envolvimento de Salomão na idolatria (ver o capítulo 11 de 1Reis). Salomão teve vários adversários, também mencionados em 1Rs 11, sobre os quais o cronista nada disse. O autor de 1 e 2Crônicas usualmente revelava apenas o lado positivo da dinastia davídica.

Naturalmente, a narrativa sobre Roboão foi um incidente lamentável que não poderia ser ignorado. Mas o cronista isentou Davi e Salomão de qualquer censura.

■ 10.2

וַיְהִי כִּשְׁמֹעַ יָרָבְעָם בֶּן־נְבָט וְהוּא בְמִצְרַיִם אֲשֶׁר בָּרַח מִפְּנֵי שְׁלֹמֹה הַמֶּלֶךְ וַיָּשָׁב יָרָבְעָם מִמִּצְרָיִם׃

Tendo Jeroboão, filho de Nebate. O paralelo é 1Rs 12.2, onde foram dadas notas expositivas. O cronista nada tinha contado sobre Jeroboão, sua revolta e fuga para o Egito, que aparecem em 1Rs 11.26-40. Ele apanhou o fio no ar, meramente falando sobre sua volta do exílio para causar tribulações e provocar a divisão do reino unido em dois: o norte (Israel) e o sul (Judá).

■ 10.3

וַיִּשְׁלְחוּ וַיִּקְרְאוּ־לוֹ וַיָּבֹא יָרָבְעָם וְכָל־יִשְׂרָאֵל וַיְדַבְּרוּ אֶל־רְחַבְעָם לֵאמֹר׃

Mandaram chamá-lo. Este versículo é virtualmente idêntico ao seu paralelo, 1Rs 12.3, onde aparecem as notas expositivas. "Todo o Israel" veio. O cronista deixou de fora as palavras "com toda a congregação", que são vistas em 1Rs. O representante das tribos do norte, Jeroboão, queria justiça, o fim da opressão econômica que Salomão tinha iniciado e Roboão parecia querer aumentar. Ver a introdução ao presente capítulo sob o título *A Opressão e seus Resultados*.

■ 10.4

אָבִיךָ הִקְשָׁה אֶת־עֻלֵּנוּ וְעַתָּה הָקֵל מֵעֲבֹדַת אָבִיךָ הַקָּשָׁה וּמֵעֻלּוֹ הַכָּבֵד אֲשֶׁר־נָתַן עָלֵינוּ וְנַעַבְדֶךָּ׃

Teu pai fez pesado o nosso jugo. Este versículo tem paralelo em 1Rs 12.4, onde as notas expositivas foram dadas.

■ 10.5

וַיֹּאמֶר אֲלֵהֶם עוֹד שְׁלֹשֶׁת יָמִים וְשׁוּבוּ אֵלָי וַיֵּלֶךְ הָעָם׃ ס

Ele lhes respondeu. Este versículo é paralelo e virtualmente idêntico a 1Rs 12.5, onde são dadas as notas expositivas. Algumas mudanças verbais sem importância foram feitas pelo cronista, quando ele copiou de 1Reis.

■ 10.6

וַיִּוָּעַץ הַמֶּלֶךְ רְחַבְעָם אֶת־הַזְּקֵנִים אֲשֶׁר־הָיוּ עֹמְדִים לִפְנֵי שְׁלֹמֹה אָבִיו בִּהְיֹתוֹ חַי לֵאמֹר אֵיךְ אַתֶּם נוֹעָצִים לְהָשִׁיב לָעָם־הַזֶּה דָּבָר׃

Tomou o rei Roboão conselho com os homens idosos. O trecho paralelo deste versículo é 1Rs 12.6, onde foram dadas notas expositivas. Leves alterações verbais se evidenciam, sem nenhuma importância quanto ao significado.

■ 10.7

וַיְדַבְּרוּ אֵלָיו לֵאמֹר אִם־תִּהְיֶה לְטוֹב לְהָעָם הַזֶּה וּרְצִיתָם וְדִבַּרְתָּ אֲלֵהֶם דְּבָרִים טוֹבִים וְהָיוּ לְךָ עֲבָדִים כָּל־הַיָּמִים׃

Eles lhe disseram. O paralelo é 1Rs 12.7, onde foram dadas notas expositivas. O cronista oferece uma paráfrase, mas transmite a mesma mensagem. As palavras de 1Reis, "se hoje te tornares servo deste povo, e o servires" transformaram-se em "se te fizeres benigno para com este povo e lhes agradares", conforme vemos no presente versículo.

■ 10.8

וַיַּעֲזֹב אֶת־עֲצַת הַזְּקֵנִים אֲשֶׁר יְעָצֻהוּ וַיִּוָּעַץ אֶת־הַיְלָדִים אֲשֶׁר גָּדְלוּ אִתּוֹ הָעֹמְדִים לְפָנָיו׃

Porém ele desprezou o conselho que os anciãos lhe tinham dado. O trecho paralelo é 1Rs 12.8, virtualmente igual a este versículo.

■ 10.9

וַיֹּאמֶר אֲלֵהֶם מָה אַתֶּם נוֹעָצִים וְנָשִׁיב דָּבָר אֶת־הָעָם הַזֶּה אֲשֶׁר דִּבְּרוּ אֵלַי לֵאמֹר הָקֵל מִן־הָעֹל אֲשֶׁר־נָתַן אָבִיךָ עָלֵינוּ׃

E disse-lhes. O paralelo é 1Rs 12.9, que é idêntico. Dei as notas expositivas naquela passagem.

■ 10.10

וַיְדַבְּר֣וּ אִתּ֗וֹ הַיְלָדִים֙ אֲשֶׁ֨ר גָּדְל֣וּ אִתּוֹ֮ לֵאמֹר֒ כֹּֽה־תֹאמַ֣ר לָעָ֗ם אֲשֶׁר־דִּבְּר֤וּ אֵלֶ֙יךָ֙ לֵאמֹ֔ר אָבִ֙יךָ֙ הִכְבִּ֣יד אֶת־עֻלֵּ֔נוּ וְאַתָּ֖ה הָקֵ֣ל מֵעָלֵ֑ינוּ כֹּ֣ה תֹאמַ֣ר אֲלֵהֶ֗ם קָֽטָנִּי֙ עָבָ֔ה מִמָּתְנֵ֖י אָבִֽי׃

E os jovens que haviam crescido com ele lhe disseram. O trecho paralelo é 1Rs 12.10, onde as notas expositivas foram apresentadas.

■ 10.11

וְעַתָּ֗ה אָבִי֙ הֶעְמִ֤יס עֲלֵיכֶם֙ עֹ֣ל כָּבֵ֔ד וַאֲנִ֖י אֹסִ֣יף עַֽל־עֻלְּכֶ֑ם אָבִ֗י יִסַּ֤ר אֶתְכֶם֙ בַּשּׁוֹטִ֔ים וַאֲנִ֖י בָּעַקְרַבִּֽים׃ ס

Assim que, se meu pai vos impôs jugo pesado. Este versículo é quase idêntico ao trecho paralelo de 1Rs 12.11.

■ 10.12

וַיָּבֹ֨א יָרָבְעָ֧ם וְכָל־הָעָ֛ם אֶל־רְחַבְעָ֖ם בַּיּ֣וֹם הַשְּׁלִשִׁ֑י כַּאֲשֶׁ֨ר דִּבֶּ֤ר הַמֶּ֙לֶךְ֙ לֵאמֹ֔ר שׁ֥וּבוּ אֵלַ֖י בַּיּ֥וֹם הַשְּׁלִשִֽׁי׃

Veio, pois, Jeroboão e todo o povo. Este versículo é idêntico ao trecho paralelo de 1Rs 12.12, onde apresentei as notas expositivas.

■ 10.13

וַיַּעֲנֵ֥ם הַמֶּ֖לֶךְ קָשָׁ֑ה וַֽיַּעֲזֹב֙ הַמֶּ֣לֶךְ רְחַבְעָ֔ם אֵ֖ת עֲצַ֥ת הַזְּקֵנִֽים׃

Dura resposta lhes deu o rei. Este versículo é quase idêntico ao trecho paralelo de 1Rs 12.13. Leves alterações verbais aparecem, como "lhes" em 2Cr, em lugar de "ao povo" em 1Rs. A referência pessoal ao rei, *por nome*, é omitida em 1Rs. O cronista estava copiando do livro de Reis, mas não deu atenção à duplicação verbal.

■ 10.14

וַיְדַבֵּ֣ר אֲלֵהֶ֗ם כַּעֲצַ֤ת הַיְלָדִים֙ לֵאמֹ֔ר אַכְבִּיד֙ אֶֽת־עֻלְּכֶ֔ם וַאֲנִ֖י אֹסִ֣יף עָלָ֑יו אָבִ֗י יִסַּ֤ר אֶתְכֶם֙ בַּשּׁוֹטִ֔ים וַאֲנִ֖י בָּעַקְרַבִּֽים׃

E lhes falou segundo o conselho dos jovens. Este versículo quase duplica o seu trecho paralelo de 1Rs 12.14.

■ 10.15

וְלֹֽא־שָׁמַ֥ע הַמֶּ֖לֶךְ אֶל־הָעָ֑ם כִּֽי־הָיְתָ֤ה נְסִבָּה֙ מֵעִ֣ם הָאֱלֹהִ֔ים לְמַעַן֩ הָקִ֨ים יְהוָ֜ה אֶת־דְּבָר֗וֹ אֲשֶׁ֤ר דִּבֶּר֙ בְּיַד֙ אֲחִיָּ֣הוּ הַשִּֽׁילוֹנִ֔י אֶל־יָרָבְעָ֖ם בֶּן־נְבָֽט׃

O rei, pois, não deu ouvidos ao povo. Ver as notas expositivas no trecho paralelo de 1Rs 12.15. O cronista não havia ainda mencionado a profecia de Aías. Mas cf. 2Cr 9.29, onde esse profeta foi mencionado. Ver 1Rs 11.11,12 quanto à profecia contra Salomão e seu descendente, Roboão. *Isso* tinha de cumprir-se, e aqui está o antigo problema de como a predestinação divina interage com o livre-arbítrio humano. No trecho paralelo discuto a questão detalhadamente. Era destino de Jeroboão governar as tribos do norte (ver 1Rs 11.29-39). Esse destino, naturalmente, dependia de uma *má* decisão da parte de Roboão.

■ 10.16

וְכָל־יִשְׂרָאֵ֗ל כִּ֠י לֹא־שָׁמַ֣ע הַמֶּלֶךְ֮ לָהֶם֒ וַיָּשִׁ֣יבוּ הָעָ֣ם אֶת־הַמֶּ֣לֶךְ לֵאמֹ֗ר מַה־לָּ֨נוּ חֵ֜לֶק בְּדָוִ֗יד וְלֹֽא־נַחֲלָ֣ה

בְּבֶן־יִשַׁ֗י אִ֤ישׁ לְאֹהָלֶ֙יךָ֙ יִשְׂרָאֵ֔ל עַתָּ֕ה רְאֵ֥ה בֵיתְךָ֖ דָּוִ֑יד וַיֵּ֥לֶךְ כָּל־יִשְׂרָאֵ֖ל לְאֹהָלָֽיו׃ ס

Vendo, pois, todo o Israel, que o rei não lhe dava ouvidos. Este versículo é paralelo a 1Rs 12.16, exceto por algum leve desvio verbal que em nada lhe altera o sentido.

■ 10.17

וּבְנֵ֣י יִשְׂרָאֵ֔ל הַיֹּשְׁבִ֖ים בְּעָרֵ֣י יְהוּדָ֑ה וַיִּמְלֹ֥ךְ עֲלֵיהֶ֖ם רְחַבְעָֽם׃

Quanto aos filhos de Israel. Este versículo é essencialmente igual a 1Rs 12.17. O norte foi efetivamente alienado, e a estupidez de Roboão pôs fim à época áurea de Israel.

■ 10.18

וַיִּשְׁלַ֞ח הַמֶּ֣לֶךְ רְחַבְעָ֗ם אֶת־הֲדֹרָם֙ אֲשֶׁ֣ר עַל־הַמַּ֔ס וַיִּרְגְּמוּ־ב֧וֹ בְנֵֽי־יִשְׂרָאֵ֛ל אֶ֖בֶן וַיָּמֹ֑ת וְהַמֶּ֣לֶךְ רְחַבְעָ֗ם הִתְאַמֵּץ֙ לַעֲל֣וֹת בַּמֶּרְכָּבָ֔ה לָנ֖וּס יְרוּשָׁלָֽםִ׃ ס

Então o rei Roboão enviou a Adorão. Este versículo é quase idêntico ao seu paralelo de 1Rs 12.18.

■ 10.19

וַיִּפְשְׁע֤וּ יִשְׂרָאֵל֙ בְּבֵ֣ית דָּוִ֔יד עַ֖ד הַיּ֥וֹם הַזֶּֽה׃ ס

Assim Israel se mantém rebelado contra a casa de Davi. O trecho paralelo é 1Rs 12.19, onde as notas expositivas foram dadas. Quando este texto foi escrito, o cativeiro assírio (722 a.C.) ainda não havia posto fim ao reino do norte. Naturalmente, a compilação final do livro ocorreu depois do cativeiro babilônico (596 a.C.). Os autores dos livros de Reis e Crônicas não se importaram em alterar a expressão que não mais se aplicava a seu tempo (posterior).

CAPÍTULO ONZE

Conteúdo:
1. O *desejo de Roboão* fazer as dez tribos do norte voltar ao reino unido (tendo a ele mesmo como rei) foi proibido pelo profeta (ver 2Cr 11.1-4). Dessa maneira foi evitada a guerra civil.
2. *Roboão fortaleceu as defesas do seu reino* (vss. 5-12). Esta seção não tem paralelo em 1Rs, e é a contribuição do cronista à narrativa. Provavelmente ele se valeu de alguma fonte separada que tinha à disposição.
3. *Os sacerdotes e muitos levitas* desertaram o norte e fugiram para Judá, para manterem a legítima adoração a Yahweh (vss. 13-17). Esta seção é dada somente pelo cronista, embora existam notícias em 1Rs que lhe são similares. Ver 1Rs 12.31 e 13.33.
4. *Informações sobre a família de Roboão.* O autor dos livros de Reis não incluiu estas informações. É provável que seja a obra mencionada em 2Cr 12.15, no livro de histórias de Semaías, o profeta. Cf. 2Cr 9.29 e 1Rs 14.19 quanto aos *livros perdidos* do período do Antigo Testamento, que adicionam algo aos livros canônicos e foram usados como fontes informativas.

■ 11.1

וַיָּבֹ֣א רְחַבְעָם֮ יְרוּשָׁלִַם֒ וַיַּקְהֵל֙ אֶת־בֵּ֣ית יְהוּדָ֔ה וּבִנְיָמִ֔ן מֵאָ֨ה וּשְׁמוֹנִ֥ים אֶ֛לֶף בָּח֖וּר עֹשֵׂ֣ה מִלְחָמָ֑ה לְהִלָּחֵ֣ם עִם־יִשְׂרָאֵ֗ל לְהָשִׁ֛יב אֶת־הַמַּמְלָכָ֖ה לִרְחַבְעָֽם׃ פ

Vindo, pois, Roboão a Jerusalém, reuniu a casa de Judá e de Benjamim. Os vss. 1-4 seguem bem de perto o trecho paralelo de 1Rs 12.21-24, onde as notas expositivas foram oferecidas. Adiciono algumas poucas observações. O cronista *expandiu* a lógica da situação nos vss. 5-23, que falam da recompensa dada a Roboão por haver obedecido à palavra do profeta, não atacando as tribos do norte nem se envolvendo em uma guerra civil.

Este primeiro versículo é um paralelo direto com 1Rs 12.21, onde foram dadas notas expositivas. Corria o ano de 926 a.C. Por razões desconhecidas, o cronista omitiu 1Rs 12.20, que relata a chamada de Jeroboão ao trono de Israel. Talvez ele acreditasse que seus leitores deveriam estar bem familiarizados com a história.

■ 11.2

וַיְהִי֙ דְּבַר־יְהוָ֔ה אֶל־שְׁמַֽעְיָ֥הוּ אִישׁ־הָאֱלֹהִ֖ים לֵאמֹֽר׃

Porém veio a palavra do Senhor a Semaías, homem de Deus. Ver a exposição sobre 1Rs 12.21, virtualmente igual a este versículo. O cronista usa o nome divino *Yahweh*, ao passo que 1Rs 12.21 usa *Elohim*. Ver no *Dicionário* o verbete intitulado *Deus, Nomes Bíblicos de*.

■ 11.3,4

אֱמֹ֕ר אֶל־רְחַבְעָ֥ם בֶּן־שְׁלֹמֹ֖ה מֶ֣לֶךְ יְהוּדָ֑ה וְאֶל֙ כָּל־יִשְׂרָאֵ֔ל בִּיהוּדָ֥ה וּבִנְיָמִ֖ן לֵאמֹֽר׃

כֹּ֣ה אָמַ֣ר יְהוָ֡ה לֹא־תַעֲלוּ֩ וְלֹא־תִלָּחֲמ֨וּ עִם־אֲחֵיכֶ֜ם שׁ֣וּבוּ אִ֣ישׁ לְבֵית֗וֹ כִּ֤י מֵֽאִתִּי֙ נִהְיָ֣ה הַדָּבָ֣ר הַזֶּ֔ה וַיִּשְׁמְעוּ֙ אֶת־דִּבְרֵ֣י יְהוָ֔ה וַיָּשֻׁ֖בוּ מִלֶּ֥כֶת אֶל־יָרָבְעָֽם׃ פ

Fala a Roboão, filho de Salomão. Estes dois versículos são quase idênticos a 1Rs 12.22,23, onde as notas expositivas foram dadas. Trazer à baila Salomão, o filho de Davi, era um toque que expressava *autoridade*. Quem era aquele inovador, Jeroboão, em comparação com a casa de Davi? O autor sagrado deixou entendido que as tribos do norte estavam em situação de apostasia, e somente a intervenção divina mediante um profeta salvou-as do castigo. Por outra parte, a apostasia e os altos impostos cobrados por Salomão provocaram a divisão. E Roboão, que ameaçou dar continuidade às normas políticas de seu pai, também merecia castigo. Assim sendo, a casa de Davi estava sendo punida por sua apostasia, pelo cisma das tribos do norte. A antiga síndrome do pecado-calamidade-julgamento estava em operação tanto no norte quanto no sul, para detrimento de todos. Ver 1Rs 11.11,12,30 ss. quanto à divisão do reino unido de Israel como castigo imposto a Salomão.

■ 11.5

וַיֵּ֥שֶׁב רְחַבְעָ֖ם בִּירוּשָׁלָ֑͏ִם וַיִּ֧בֶן עָרִ֛ים לְמָצ֖וֹר בִּיהוּדָֽה׃

Não há nos livros de Reis paralelo completo ou direito dos vss. 5-23. Roboão foi *premiado* por haver obedecido à vontade do Espírito, manifestado através de um profeta verdadeiro. Algumas vezes é sinal de sabedoria aplacar a própria ira e estabelecer a paz, mesmo quando estamos genuinamente ofendidos e injuriados. Roboão foi capaz de edificar e prosperar (sua recompensa), mas não escapou do merecido castigo por sua idolatria e arrogância (ver 2Cr 12.1-8).

Em vez de atirar-se à guerra contra o norte, somente para sofrer uma perda intolerável, Roboão orientou os seus esforços para edificar parte do que eram as fortificações de Jerusalém, a capital do sul (Judá e Benjamim). Também fortaleceu o território de Benjamim (vs. 10), que até ali ainda não havia sido totalmente absorvido por Judá, embora Simeão já o tivesse sido. O fato de Roboão ter fortificado o sul impediu qualquer tentativa de "unificação" por parte de Jeroboão, levando o norte a absorver o sul e assim criar um reino unido conforme os termos das tribos do norte. Em outras palavras, Roboão cuidou do que tinha sido deixado, uma vez que ele "forçara" a divisão com o norte, por causa de sua arrogância.

■ 11.6-12

V6 וַיִּ֧בֶן אֶת־בֵּֽית־לֶ֛חֶם וְאֶת־עֵיטָ֖ם וְאֶת־תְּקֽוֹעַ׃

V7 וְאֶת־בֵּֽית־צ֥וּר וְאֶת־שׂוֹכ֖וֹ וְאֶת־עֲדֻלָּֽם׃

V8 וְאֶת־גַּ֥ת וְאֶת־מָרֵשָׁ֖ה וְאֶת־זִֽיף׃

V9 וְאֶת־אֲדוֹרַ֥יִם וְאֶת־לָכִ֖ישׁ וְאֶת־עֲזֵקָֽה׃

V10 וְאֶת־צָרְעָה֙ וְאֶת־אַיָּל֔וֹן וְאֶת־חֶבְר֖וֹן אֲשֶׁ֣ר בִּיהוּדָ֣ה וּבְבִנְיָמִ֑ן עָרֵ֖י מְצֻרֽוֹת׃

V11 וַיְחַזֵּ֖ק אֶת־הַמְּצֻר֑וֹת וַיִּתֵּ֤ן בָּהֶם֙ נְגִידִ֔ים וְאֹצְר֥וֹת מַאֲכָ֖ל וְשֶׁ֥מֶן וָיָֽיִן׃

V12 וּבְכָל־עִ֤יר וָעִיר֙ צִנּ֣וֹת וּרְמָחִ֔ים וַֽיְחַזְּקֵ֖ם לְהַרְבֵּ֣ה מְאֹ֑ד וַיְהִי־ל֖וֹ יְהוּדָ֥ה וּבִנְיָמִֽן׃ ס

Fortificou, pois. Todas as cidades mencionadas (vss. 6-12) estavam em Judá, mas a citação de Benjamim, no vs. 10, parece indicar que algumas cidades benjamitas também foram fortalecidas. Ou então o autor estava falando do sul unido, e as cidades fortificadas em Judá significavam, *ipso facto,* que a tribo de Benjamim também havia sido fortificada. *Quinze* cidades ao todo foram enumeradas.

Ver os nomes próprios, no *Dicionário,* quanto a informações que não repito aqui. Todas as cidades mencionadas foram fortificadas com muralhas e equipamento militar, a fim de que as tribos do norte, ou qualquer outro adversário de Judá, não ousassem atacá-las.

Gate. Talvez essa não fosse a principal cidade filisteia que tinha esse nome. Possivelmente era uma cidade em Judá, embora não haja menção a ela em nenhum outro lugar da Bíblia. Alguns intérpretes, entretanto, pensam que esteja em vista a Gate dos filisteus, estando implícito que o lugar era uma cidade vassala de Roboão, e que, na realidade, se tratava de uma cidade judaica, embora não estivesse no território de Judá. Cf. 1Rs 2.39 e 1Cr 18.1, o que parece indicar que Salomão sujeitou a localidade. Talvez ela fosse administrada por um governador nomeado pelo governo de Israel.

Adoraim. Esse lugar é mencionado somente aqui em todo o Antigo Testamento. Nos livros apócrifos aparece sob a forma *Adora*. Ver no *Dicionário* o artigo com esse nome.

Cidades fortificadas. O termo hebraico correspondente indica "cidades com rampas", ou "fortins", usado exclusivamente pelo cronista. Visto que várias cidades fortificadas ficavam ao sul, e não ao norte, parece que Roboão temia um ataque por parte do Egito. Essa potência poderia tirar vantagem do cisma entre Israel e Judá para terminar o sul completamente, sujeitando-o à escravidão e ao pagamento de tributos.

Assim as tornou em fortalezas. Além de ter feito as fortificações, o rei Roboão nomeou capitães dignos (governadores) para cuidar de seus interesses naqueles lugares e garantir sua eficácia e suas defesas.

Benjamim. Esta tribo estava sendo lentamente absorvida por Judá, mas no tempo de Roboão ainda mantinha certa medida de independência. Pôs-se ao lado de Judá no cisma, o que constituiu pequena consolação. Ver a história da tribo de *Benjamim,* em 1Cr 8.1-40, e o artigo com esse nome no *Dicionário*. O autor sagrado definiu aqui o território de Roboão: Judá-Benjamim. Mas confronte 2Cr 10.17, que menciona somente Judá.

O gráfico que ilustra as fortificações das quinze cidades mostra-nos um círculo malfeito no território de Judá. Talvez as cidades tenham sido escolhidas com esse propósito em mente: um *círculo* de fortificações.

■ 11.13-17

V13 וְהַכֹּהֲנִים֙ וְהַלְוִיִּ֔ם אֲשֶׁ֖ר בְּכָל־יִשְׂרָאֵ֑ל הִֽתְיַצְּב֥וּ עָלָ֖יו מִכָּל־גְּבוּלָֽם׃

V14 כִּֽי־עָזְב֣וּ הַלְוִיִּ֗ם אֶת־מִגְרְשֵׁיהֶם֙ וַאֲחֻזָּתָ֔ם וַיֵּלְכ֥וּ לִיהוּדָ֖ה וְלִירוּשָׁלָ֑͏ִם כִּֽי־הִזְנִיחָ֤ם יָֽרָבְעָם֙ וּבָנָ֔יו מִכַּהֵ֖ן לַיהוָֽה׃

V15 וַיַּֽעֲמֶד־ל֥וֹ כֹּהֲנִ֖ים לַבָּמ֑וֹת וְלַשְּׂעִירִ֕ים וְלָעֲגָלִ֖ים אֲשֶׁ֥ר עָשָֽׂה׃

V16 וְאַחֲרֵיהֶ֗ם מִכֹּל֙ שִׁבְטֵ֣י יִשְׂרָאֵ֔ל הַנֹּֽתְנִים֙ אֶת־לְבָבָ֔ם לְבַקֵּ֕שׁ אֶת־יְהוָ֖ה אֱלֹהֵ֣י יִשְׂרָאֵ֑ל בָּ֚אוּ יְר֣וּשָׁלַ֔͏ִם לִזְבּ֕וֹחַ לַיהוָ֖ה אֱלֹהֵ֥י אֲבוֹתֵיהֶֽם׃

V17 וַיְחַזְּקוּ אֶת־מַלְכוּת יְהוּדָה וַיְאַמְּצוּ אֶת־רְחַבְעָם
בֶּן־שְׁלֹמֹה לְשָׁנִים שָׁלוֹשׁ כִּי הָלְכוּ בְּדֶרֶךְ דָּוִיד
וּשְׁלֹמֹה לְשָׁנִים שָׁלוֹשׁ:

Esta seção não tem paralelo direto com 1Reis; mas note que os trechos de 1Rs 12.31 e 13.33 concordam com a essência da mensagem. O cronista, em sua usual exaltação à dinastia davídica, forneceu detalhes sobre esta questão, a fim de mostrar-nos claramente que os "verdadeiros sacerdotes" de Israel não podiam tolerar a apostasia de Jeroboão, o qual tinha estabelecido uma contracultura nas tribos do norte para competir com o yahwismo.

"O propósito destes versículos é salientar que foram somente os *leigos* entre os israelitas que se rebelaram. Os *levitas israelitas*, pelo contrário, mostraram-se tão leais que sofreram perseguição por parte de Jeroboão, razão pela qual abandonaram suas possessões mundanas e vieram a Jerusalém para servir no templo de Jerusalém... (a história) foi a maneira de o cronista salientar que os levitas de famílias israelitas recebessem plenos direitos para servirem como sacerdotes, músicos e encarregados, no *segundo templo*. Note-se o ponto em que, em Israel, eles teriam funcionado como sacerdotes (vs. 14)" (W. A. L. Elmslie, *in loc.*), supondo que a história teria um *uso polêmico*, terminado o cativeiro babilônico.

1Rs 12.25—14.16 relata com detalhes que os levitas foram removidos de seu ofício e função, sendo substituídos por sacerdotes ilegítimos, de acordo com as extravagâncias de Jeroboão. O culto de Jeroboão, pois, era fraudulento, e verdadeiros sacerdotes e levitas abandonaram o norte. Mas sem dúvida houve algumas poucas exceções que o cronista não se deu ao trabalho de mencionar.

Levitas. Ver informações completas sobre eles no *Dicionário*. A tribo de Levi transformou-se na casta sacerdotal, e o seu propósito era preservar e defender o yahwismo, as antigas tradições religiosas de Israel expressas através da legislação mosaica. Jeroboão havia apostatado, e assim os levitas, sofrendo perseguições, tiveram de abandonar seus lares e lugares de serviço.

"... a manutenção da verdadeira religião é o melhor apoio e salvaguarda de qualquer nação. Tal lealdade foi a grande origem da força e prosperidade da monarquia dos hebreus" (Jamieson, *in loc.*).

Deixaram os arredores das suas cidades. Os levitas não formavam uma tribo com terras, mas possuíam territórios adjacentes às suas cidades, ou terras de pastagem. Os levitas, confiando em Yahweh, abandonaram seu modo de sustento e foram para Jerusalém esperando o melhor. Eles tinham 48 cidades e áreas contíguas suficientes para sobreviver, mas dificilmente isso continuaria se todos eles corressem para Judá. Ver Js 21.1-41 quanto a essas 48 cidades, e ver no *Dicionário* o artigo chamado *Levitas, Cidades dos*. O desejo interior, encorajado pela perseguição de Jeroboão, inspirou a mudança. Um falso sacerdócio agora governava a nação do norte, Israel. Cf. 1Rs 12.26-31, que dá detalhes a respeito dessa questão. O culto rival criado por Jerusalém tinha dois centros principais: Betel e Dã. Temos aqui o famoso "pecado de Jeroboão", uma forma especial de idolatria que apoiava o cisma do norte contra o sul. Ver as notas expositivas em 1Rs 12.28 ss. quanto a esse pecado, e em 1Rs 15.26 e 16.2 sobre como Jeroboão fez Israel pecar.

Jeroboão constituiu os seus próprios sacerdotes. A *apostasia de Jeroboão* foi descrita brevemente pelo cronista. Jeroboão criou uma espécie de ecletismo que anulou o yahwismo. Ele dispunha de um sacerdócio falso que não descendia da tribo de Levi, algo contrário à legislação mosaica. Ver 1Rs 12.31 quanto a explicações. Ele nomeou para o sacerdócio homens indignos, leais ao seu espírito apostatado (ver 1Rs 12.31 e 13.33).

Para os altos. Isto é, os chamados "lugares altos" (ver a respeito no *Dicionário*), localidades escolhidas como centros da idolatria (ver no *Dicionário*). Ver 1Rs 12.31 ss. Esses santuários locais existiam em Dã e Betel, mas também em outros pontos. A centralização da adoração no templo de Jerusalém, nem mesmo na época de Salomão, foi capaz de eliminar os santuários locais. Esses lugares altos sempre tenderam por ser apóstatas, e Jeroboão garantiu que os lugares altos sob o seu controle seriam apostatados, em oposição ao yahwismo e ao seu santuário em Jerusalém. Cf. 2Rs 17.9.

Os sátiros. Conforme diz a *Revised Standard Version*, os "peludos", provavelmente bodes deificados. Bezerros também eram assim adorados, em imitação aos egípcios e à sua adoração ao boi. Ver no *Dicionário* o artigo chamado *Ápis*. O vocábulo hebraico envolvia, algumas vezes, o uso de ídolos (ver Lv 17.7), porém o mais provável é que tenhamos aqui divindades tipo bode (ver Lv 4.24; 16.9; Is 13.21; 34.14). Quanto à adoração ao bezerro, ver 1Rs 12.28,29. O autor sagrado, pois, estava enfatizando a natureza ridícula e *hedionda* da idolatria de Jeroboão.

Além destes também de todas as tribos de Israel. *Virtualmente a tribo inteira de Levi* abandonou as tribos nortistas, e este versículo provavelmente significa que outros (não levitas) também juntaram-se ao êxodo em massa. Muita gente simples não podia tolerar a apostasia radical de Jeroboão e suas normas políticas. Jeroboão havia arruinado as tribos do norte. "Houve migrações semelhantes dos fiéis adoradores de Yahweh, registradas nos reinados de Asa e Ezequias (2Cr 15.9; 30.11)" (Ellicott, *in loc.*). Os *sacrifícios* eram a atividade principal do yahwismo, e isso podia ser legitimamente realizado no templo de Jerusalém. Portanto, o povo deixava dinheiro e propriedades para reter uma sã fé espiritual. Além dos residentes permanentes, os peregrinos iam a Jerusalém observar as festividades anuais.

Assim fortaleceram o reino de Judá e corroboraram a Roboão. A *migração* para o sul fortaleceu a Roboão, pois a nação de Israel nada era não fora o culto nacional a Yahweh. O autor está narrando que o "verdadeiro Israel" migrou para o sul. E muitos daqueles que não migraram pelo menos observavam as festividades anuais.

Por três anos. Por esse período de tempo, o yahwismo prosperou, e assim também Roboão. Mas o capítulo 12 diz-nos que tudo acabou arruinando-se. O próprio Roboão caiu na idolatria e foi punido por uma invasão do Egito, além de ter enfrentado outras perdas e tribulações. "Durante três anos, ele prosperou, mas depois, por *catorze anos*, ele e o povo de Judá foram infiéis ao Senhor, de modo que a mão julgadora de Deus estava sobre eles" (Adam Clarke, *in loc.*).

O vs. 16 diz-nos que os piedosos das tribos do norte iam ao sul com o propósito de oferecer sacrifícios. Finalmente, Jeroboão refreou toda essa atividade. Além disso, o próprio Roboão apostatou e poluiu a adoração em Jerusalém.

Porque três anos andaram no caminho de Davi e Salomão. Davi, apesar de alguns pecados horrendos, nunca caiu na idolatria. Mas Salomão, depois de uma boa carreira inicial, terminou em um flagrante paganismo. Contudo o autor sacro não se importou em contar-nos isso, porquanto o seu propósito foi exaltar a dinastia davídica. Ver o capítulo 11 de 1Reis quanto ao fracasso de Salomão.

PARTICULARIDADES DA FAMÍLIA DE ROBOÃO (11.18-23)

Esta *breve seção* não tem paralelo nos livros de Reis. Pode ter sido derivada de uma fonte informativa mencionada em 2Cr 12.15, que também cita outros livros não canônicos que serviram como base para os livros canônicos. Ver sobre *Livros Perdidos da Bíblia*, em 1Rs 14.19; 2Cr 9.29 e 12.15. Ver também sobre *Livro (Livros)* no *Dicionário*. Até mesmo esta breve seção serviu ao desejo do cronista de exaltar a dinastia davídica, conforme comentado no vs. 18, a seguir. Ele exaltou a dinastia davídica porque a autoridade política de Israel *após* o cativeiro babilônico se deveu a ela, a despeito do fato de que somente a tribo de Judá tivesse sobrevivido. A autoridade espiritual veio através dos levitas que retornaram do cativeiro. Para ser uma nação legítima e distinta, Israel tinha de cumprir os requisitos mosaicos, e o autor sacro assegura-nos que esse era o caso: havia circunstâncias que garantiam isso.

■ 11.18

וַיִּקַּח־לוֹ רְחַבְעָם אִשָּׁה אֶת־מַחֲלַת בֶּן־יְרִימוֹת
בֶּן־דָּוִיד אֲבִיהַיִל בַּת־אֱלִיאָב בֶּן־יִשָׁי:

Roboão tomou por esposa a Maalate. Quanto aos nomes próprios e pessoais dos vss. 18-22, há artigos no *Dicionário*.

"Em consonância com o propósito do cronista de magnificar a dinastia davídica, diferenciando-se do autor de 1 e 2Reis, relatou-se que a esposa de Roboão era descendente de Davi pelos *dois lados* (vss. 18 e 19). Seu pai, *Jerimote*, é desconhecido como tal em outras fontes informativas, mas é aqui identificado como filho de Davi. Sua mãe era *Abiail*, filha do irmão de Davi, *Eliabe*. Portanto, Jerimote casou-se com sua *prima*, Abiail" (Eugene H. Merrill, *in loc.*). Ver no *Dicionário* sobre *Maalate* e outros nomes próprios que figuram nestes versículos.

O nome de Jerimote não aparece na lista dos filhos de Davi, em 1Cr 3.1-8. Provavelmente ele era filho de alguma concubina de Davi. Davi teve muitos filhos cujos nomes nunca foram dados, filhos de suas concubinas, isto é, esposas secundárias. Ver 1Cr 3.9.

■ **11.19**

וַתֵּלֶד לוֹ בָּנִים אֶת־יְעוּשׁ וְאֶת־שְׁמַרְיָה וְאֶת־זָהַם׃

A qual lhe deu filhos. Ver no *Dicionário* os nomes próprios que figuram neste versículo. Os filhos de Roboão aqui mencionados não são citados em nenhuma outra parte do Antigo Testamento. Foi o primogênito de outra esposa que sucedeu a Roboão no trono de Judá.

■ **11.20**

וְאַחֲרֶיהָ לָקַח אֶת־מַעֲכָה בַת־אַבְשָׁלוֹם וַתֵּלֶד לוֹ אֶת־אֲבִיָּה וְאֶת־עַתַּי וְאֶת־זִיזָא וְאֶת־שְׁלֹמִית׃

Depois dela tomou a Maaca, filha de Absalão. Cf. 1Rs 15.10 e 2Cr 13.2, onde encontramos o nome *Micaía*, uma forma alternativa desse nome. O Targum deixa a identificação bem clara. Maaca, provavelmente, era neta de Absalão (ver 2Sm 14.27). *Tamar* é a única filha de Absalão a ser chamada pelo nome. Josefo diz-nos que Maaca era filha de Tamar (*Antiq.* viii.10.1). *Abias* foi o sucessor de Roboão no trono de Judá. Nada sabemos sobre as outras três pessoas mencionadas aqui.

■ **11.21**

וַיֶּאֱהַב רְחַבְעָם אֶת־מַעֲכָה בַת־אַבְשָׁלוֹם מִכָּל־נָשָׁיו וּפִילַגְשָׁיו כִּי נָשִׁים שְׁמוֹנֶה־עֶשְׂרֵה נָשָׂא וּפִילַגְשִׁים שִׁשִּׁים וַיּוֹלֶד עֶשְׂרִים וּשְׁמוֹנָה בָּנִים וְשִׁשִּׁים בָּנוֹת׃

Amava Roboão mais a Maaca, filha de Absalão. *Roboão tinha muitas esposas* (ver os vss. 21 e 23) e muitos filhos (28) e filhas (sessenta). Mas havia uma esposa favorita, o que geralmente ocorria nas situações polígamas. Brigham Young tinha 32 esposas. A maioria delas era mantida em uma espécie de república de mulheres, um hotel de um andar que ainda pode ser visto em Salt Lake City, Estados Unidos. Mas havia uma esposa favorita, à qual ele amava muito. As dezoito esposas e as sessenta concubinas de Roboão eram bem mais do que as 32 esposas de Brigham Young, mas significavam praticamente nada ao lado do harém de mil esposas de Salomão! Esperava-se que os monarcas orientais tivessem haréns numerosos. Isso servia como sinal da *grandeza*. Paul Getty disse que, se um homem tem somente uma esposa, isso mostra que é um fracassado nos negócios. Se um monarca oriental tivesse apenas uma esposa, isso seria ridículo. Isso não lhe teria sido permitido. Por conseguinte, é ridículo dizer que Roboão era "culpado de poligamia". Essa declaração é anacrônica, para dizer o mínimo. O rei ideal não deveria multiplicar nem esposas nem cavalos (ver Dt 17.16,17), mas com quantas esposas e com quantos cavalos ele estaria começando a multiplicação? A lei mosaica não proibia a poligamia, mas proibia os exageros. A maioria dos reis orientais, contudo, não se preocupava com os exageros.

■ **11.22**

וַיַּעֲמֵד לָרֹאשׁ רְחַבְעָם אֶת־אֲבִיָּה בֶן־מַעֲכָה לְנָגִיד בְּאֶחָיו כִּי לְהַמְלִיכוֹ׃

Roboão designou a Abias, filho de Maaca. Havia muito tempo, *Abias* vinha sendo preparado para suceder o pai no trono de Judá, estando à frente dos irmãos quanto às habilidades naturais, devido à nomeação feita por seu pai. Estritamente falando, Abias não era o primogênito de Roboão, mas o primogênito da esposa favorita. Essas eram qualificações necessárias, mas sem dúvida Abias possuía outras. O primogênito absoluto tinha direito a dupla porção de propriedades na herança, mas nada havia nas leis que governavam a primogenitura que proibisse um primogênito de ser rei, quando seu pai era o rei e assim ordenasse. Salomão também não foi o filho primogênito de Davi. Cf. 1Rs 1.35. Ver no *Dicionário* o artigo chamado *Harém*.

■ **11.23**

וַיָּבֶן וַיִּפְרֹץ מִכָּל־בָּנָיו לְכָל־אַרְצוֹת יְהוּדָה וּבִנְיָמִן לְכֹל עָרֵי הַמְּצֻרוֹת וַיִּתֵּן לָהֶם הַמָּזוֹן לָרֹב וַיִּשְׁאַל הֲמוֹן נָשִׁים׃

Procedeu prudentemente, e distribuiu todos os seus filhos. Roboão foi um pai decente e sábio. Destacou Abias para ser o futuro rei, mas os demais filhos receberam postos políticos importantes por todo o território de Judá. Eles tinham abundância de dinheiro e muita coisa para fazer, de modo que nenhum era infeliz. "Os monarcas orientais garantiam a paz e a tranquilidade em seus reinos distribuindo ofícios governamentais a filhos e netos. Esses filhos e netos recebiam meios independentes de vida e eram mantidos separadamente, para que não se envolvessem em conspirações contra o pai... Seus ofícios conservavam-nos perto de seus respectivos lugares de governo" (Jamieson, *in loc.*). Entrementes, Roboão continuava "viciado" em mulheres, conforme Adam Clarke comentou, *in loc*. Ademais, "um harém numeroso era uma das marcas da realeza" (Ellicott, *in loc.*), e Roboão ansiava por mostrar a sua posição real. O Targum adiciona a informação de que Roboão *construía cidades*, o que significa que tinha um extenso programa de construções, a exemplo de seu pai, e precisava de seus muitos filhos para administrar tantos negócios.

CAPÍTULO DOZE

ATAQUE DO EGITO CONTRA JERUSALÉM (12.1-16)

O autor sacro continuou sua descrição do reino de Judá. Ele não nos falou sobre os reis de Israel, conforme fez o autor dos livros de Reis. Roboão não era rei por muito tempo quando foi atacado por seu adversário do sul, o Egito. O rei Sisaque governou por volta de 935-914 a.C. Ver sobre ele no *Dicionário* quanto a detalhes. Anteriormente, ele havia dado asilo a Jeroboão (1Rs 11.40) e aparentemente tornou-se um inimigo de Judá por causa de sua amizade com Jeroboão, das tribos do norte. Sisaque foi fundador da XXII[a] dinastia do Egito. Nas paredes de um templo dedicado a Amom, em Carnaque, ele gravou os nomes das cidades de Israel que havia conquistado. Quanto a maiores detalhes, ver o artigo que tem o nome dele, no *Dicionário*. O ataque desse Faraó egípcio foi uma punição, da parte de Yahweh, porque Roboão caíra na idolatria e nos excessos. Ver 1Rs 14.22-24.

O Paralelo. 2Cr 12.1-12 é o trecho paralelo de 1Rs 14.25-28, mas essa passagem é mais breve do que o presente relato. Portanto, adiciono aqui alguns detalhes.

■ **12.1**

וַיְהִי כְּהָכִין מַלְכוּת רְחַבְעָם וּכְחֶזְקָתוֹ עָזַב אֶת־תּוֹרַת יְהוָה וְכָל־יִשְׂרָאֵל עִמּוֹ׃ פ

Tendo Roboão confirmado o reino. *A Apostasia de Roboão.* Tal como no caso de seu pai, Salomão, Roboão começou bem. Mas a vida fácil, cheia de prazeres, vinho, mulheres e canções, prejudicou seu espírito resoluto. Logo ele caiu na idolatria, levando consigo toda a tribo de Judá. Cf. a experiência de Salomão, no capítulo 11 de 1Reis. Ver o relato mais longo dessa apostasia em 1Rs 14.22 ss.

Havendo-se fortalecido. Roboão tinha dinheiro, mulheres, muitos prazeres, fronteiras seguras (segundo ele pensava), tudo quanto um homem poderia querer. Assim sendo, a mente dele desviou-se para áreas proibidas. Ele foi "fortalecido", tornando-se aparentemente invencível por inimigos de dentro e de fora das fronteiras de seu país. Yahweh então preparou para Roboão uma surpresa que logo o derrubou, pois ele se tornara um homem arrogante.

A distinção de Israel dependia da observação da legislação mosaica, conforme anoto em Dt 4.4-8. Quando Roboão abandonou essa distinção, Yahweh o deixou.

E com ele todo o Israel. O autor sagrado dá a entender a nação do sul, Judá, e não todo o Israel.

■ **12.2**

וַיְהִי בַּשָּׁנָה הַחֲמִישִׁית לַמֶּלֶךְ רְחַבְעָם עָלָה שִׁישַׁק מֶלֶךְ־מִצְרַיִם עַל־יְרוּשָׁלִָם כִּי מָעֲלוּ בַּיהוָה׃

No ano quinto do rei Roboão, Sisaque. Este versículo é quase idêntico a seu paralelo, 1Rs 14.25, onde apresento as notas expositivas. As palavras entre parênteses — "porque tinham transgredido contra o Senhor" — foram acrescentadas para entendermos que a invasão, por parte dos egípcios, não se deveu ao acaso. Yahweh estava castigando Roboão e o povo de Judá por sua apostasia. Ver no *Dicionário* o verbete intitulado *Idolatria*.

■ **12.3**

בְּאֶלֶף וּמָאתַיִם רֶכֶב וּבְשִׁשִּׁים אֶלֶף פָּרָשִׁים וְאֵין מִסְפָּר לָעָם אֲשֶׁר־בָּאוּ עִמּוֹ מִמִּצְרַיִם לוּבִים סֻכִּיִּים וְכוּשִׁים׃

Com mil e duzentos carros e sessenta mil cavaleiros. A narrativa mais breve de 1Reis não se refere ao detalhe dado neste versículo. O rei do Egito tinha muitos equipamentos de guerra e vários aliados que garantiriam o seu sucesso na invasão contra Judá. "Com 1.200 carros de combate e sessenta mil cavaleiros, e com a ajuda de seus mercenários estrangeiros líbios, suquitas e etíopes, além de seus aliados cuxitas, o rei egípcio não teve dificuldades em vencer as fortalezas de Judá e estava prestes a atacar a própria cidade de Jerusalém" (Eugene H. Merrill, *in loc.*). Ver sobre os nomes próprios no *Dicionário*, e ver detalhes da questão na exposição sobre 1Rs 14.25,26. Josefo, o general e historiador judeu, informa-nos que o Egito veio com uma força de quatrocentos mil homens (*Antiq.* 1.8, cap. 10), mas isso parece um pouco de exagero. Seja como for, o poder egípcio foi suficiente para nivelar a Judá. Cf. 2Cr 13.3. Talvez o número mencionado por Josefo tenha sido tomado por empréstimo deste trecho.

■ **12.4**

וַיִּלְכֹּד אֶת־עָרֵי הַמְּצֻרוֹת אֲשֶׁר לִיהוּדָה וַיָּבֹא עַד־יְרוּשָׁלָ͏ִם׃ ס

Tomou as cidades fortificadas, que pertenciam a Judá. Essas quinze cidades fortificadas (ver 2Cr 11.6-12), nas quais Roboão tanto confiava, foram facilmente derrotadas, e as forças egípcias chegaram diante de Jerusalém, a capital, fazendo o que bem entendessem. Roboão, antes *fortalecido*, agora estava *fraco*. Ver o versículo primeiro deste capítulo. *Sisaque* respeitara Salomão, mas Roboão era lixo para ele. Josefo (*Contr. Apion*, 1.1, cap. 15) informa-nos que Judá não foi a única vítima do exército egípcio. O Egito inflamou a área inteira.

■ **12.5**

וּשְׁמַעְיָה הַנָּבִיא בָּא אֶל־רְחַבְעָם וְשָׂרֵי יְהוּדָה אֲשֶׁר־נֶאֶסְפוּ אֶל־יְרוּשָׁלַ͏ִם מִפְּנֵי שִׁישָׁק וַיֹּאמֶר לָהֶם כֹּה־אָמַר יְהוָה אַתֶּם עֲזַבְתֶּם אֹתִי וְאַף־אֲנִי עָזַבְתִּי אֶתְכֶם בְּיַד־שִׁישָׁק׃

Então veio Semaías, o profeta. *Uma Intervenção Divina Parcial.* Roboão e Judá precisavam ser castigados. Mas quando eles ouviram a mensagem do profeta Semaías (ver no *Dicionário*), Jerusalém foi saqueada, mas não destruída nem sujeitada a tributo de forma permanente. Dessa maneira, Judá ainda pôde lutar por mais um dia. Ver 2Cr 11.2 e 12.15, onde o profeta Semaías também é referido. O trecho paralelo de 1Rs 14 deixa de fora toda a intervenção do profeta. O cronista lançou mão desse incidente para fazer-nos compreender que Yahweh era a verdadeira causa por trás das dificuldades de Roboão, e também a causa que o livrou do pior. Nenhum rei de Israel ou Judá poderia abandonar a legislação mosaica e o culto de Yahweh e, ainda assim, escapar impunemente. A lei moral governava as duas nações. Ver no *Dicionário* os verbetes *Lei Moral da Colheita segundo a Semeadura* e *Providência de Deus*.

■ **12.6**

וַיִּכָּנְעוּ שָׂרֵי־יִשְׂרָאֵל וְהַמֶּלֶךְ וַיֹּאמְרוּ צַדִּיק יְהוָה׃

Então se humilharam os príncipes de Israel, e o rei. Roboão, tão orgulhoso em seu esplendor real, e aqueles *príncipes* (muitos dos quais eram filhos do rei, 2Cr 11.23), sabiam que estavam enfrentando a extinção. Isso posto, foram inspirados a humilhar-se e a seguir a injunção do profeta Semaías. A maioria dos homens negocia para alcançar a sobrevivência, e os que não o fazem são considerados insensatos.

Cf. este texto com Jn 3.4. Algumas vezes o *desespero* gera a espiritualidade, que pode ser genuína, mas, em outras, funciona apenas para o momento da crise. A humilhação referida no presente caso significou uma reversão da idolatria e a volta ao yahwismo, podemos estar certos. De outra maneira, o Egito teria liquidado a cidade de Jerusalém.

■ **12.7**

וּבִרְאוֹת יְהוָה כִּי נִכְנָעוּ הָיָה דְבַר־יְהוָה אֶל־שְׁמַעְיָה לֵאמֹר נִכְנְעוּ לֹא אַשְׁחִיתֵם וְנָתַתִּי לָהֶם כִּמְעַט לִפְלֵיטָה וְלֹא־תִתַּךְ חֲמָתִי בִּירוּשָׁלַ͏ִם בְּיַד־שִׁישָׁק׃

Vendo, pois, o Senhor que se humilharam. *Yahweh Observava a Cena.* Ele viu seu profeta entregar fielmente a mensagem. Viu o arrependimento que se seguiu por parte dos judaítas, e compreendeu que esse arrependimento era genuíno. Portanto, o Senhor concedeu um *livramento parcial*. Deus daria à acossada nação de Judá *algum socorro*. O saque seria permitido aos egípcios, muitos seriam mortos, mas Jerusalém *sobreviveria* ao ataque e continuaria. Judá precisava aprender ainda que a espiritualidade é uma proteção maior do que cidades fortificadas. Contudo Judá ainda seria derrubada. O cativeiro babilônico (de 596 a.C.) cuidaria disso. Porém não seria o Egito o agente da queda. Assim, o sucesso de Sisaque foi divinamente *limitado* para ajustar-se ao plano divino. Entretanto, quando Nabucodonosor viesse contra Jerusalém, não haveria livramento algum.

Para que o meu furor não se derrame sobre Jerusalém. Ver no *Dicionário* o verbete intitulado *Ira de Deus*. A ira divina, pois, seria restauradora, não meramente punitiva e destruidora; e é assim que a ira de Deus sempre funciona. De fato, os castigos divinos são os dedos da mão amorosa de Deus. Isso é verdade até no caso dos que se perdem para sempre. Ver no *Dicionário* o verbete chamado *Julgamento de Deus dos Homens Perdidos,* e ver o *Novo Testamento Interpretado*, em 1Pe 4.6.

■ **12.8**

כִּי יִהְיוּ־לוֹ לַעֲבָדִים וְיֵדְעוּ עֲבוֹדָתִי וַעֲבוֹדַת מַמְלְכוֹת הָאֲרָצוֹת׃ ס

Porém serão seus servos. Os judaítas pagariam tributo ao Egito por algum tempo, tornando-se assim *servos* dos estrangeiros. *Sisaque* ficaria mais feliz se pudesse enriquecer do que se destruísse Jerusalém só pelo prazer de destruir. Seu jugo seria pesado, mas não duraria para sempre. Judá, finalmente, haveria de emancipar-se do domínio egípcio. Uma contínua tirania egípcia contra Jerusalém serviria de lembrete da necessidade de os judaítas cumprirem a vontade de Yahweh, conforme exigido pela legislação mosaica. "Uma vida pecaminosa é, ao mesmo tempo, cara e dolorosa" (Adam Clarke, *in loc.*). Salomão e Roboão tinham cobrado pesados encargos do reino unido, especialmente das tribos do norte, a fim de sustentarem seus luxuosos estilos de vida e seus projetos de edificações suntuosas. Agora, cada vez que enviasse seus tributos anuais a Sisaque, Roboão sentiria a ferroada desse tipo de tratamento.

■ **12.9**

וַיַּעַל שִׁישַׁק מֶלֶךְ־מִצְרַיִם עַל־יְרוּשָׁלַ͏ִם וַיִּקַּח אֶת־אֹצְרוֹת בֵּית־יְהוָה וְאֶת־אֹצְרוֹת בֵּית הַמֶּלֶךְ אֶת־הַכֹּל לָקָח וַיִּקַּח אֶת־מָגִנֵּי הַזָּהָב אֲשֶׁר עָשָׂה שְׁלֹמֹה׃

E tomou os tesouros da casa do Senhor e os tesouros da casa do rei. *Sisaque* cobrou sua "primeira prestação" dos tributos levando para o Egito os tesouros tanto do templo quanto do próprio palácio do rei. Entre esses tesouros estavam os paveses de ouro que Salomão e Roboão tinham usado para efeito de ostentação nas paradas militares. Ver 2Cr 9.15,16 quanto a maiores informações sobre os itens de luxo.

Cf. 1Rs 14.26, o paralelo deste versículo e onde foram acrescidos detalhes às notas expositivas. A época áurea de Salomão definitivamente era coisa do passado.

QUINZE CIDADES DE JUDÁ FORTIFICADAS POR ROBOÃO

Cidades no mapa: AIJALOM, ZORÁ, BELÉM, AZECA, ETÃ, GATE, SOCÓ, ADULÃO, TECOA, MARESSA, BETE-ZUR, LAQUIS, HEBROM, ADORAIM, ZIFE. MAR MEDITERRÂNEO, MAR MORTO. Escala: 0–32 QUILÔMETROS.

O rei Davi eliminou ou confinou os inimigos de Israel e ajuntou materiais para a construção do templo.

O rei Salomão estendeu as fronteiras do país, construiu o templo e trouxe a época áurea de Israel.

O seu filho, Roboão, fortificou cidades, mas esqueceu o Espírito. Ele não tinha a sabedoria de seu pai, mas praticava os seus vícios. Abandonou a lei do Senhor (1Rs 14.22-24) e rasgou o reino de Israel em duas partes: norte (Israel) e sul (Judá). O seu rival, Jeroboão, fez Israel pecar com uma idolatria institucionalizada (1Rs 15.26; 16.2).

O cronista registra em 2Cr 11.17 e 12.1 que, após três anos, ao sentir-se firmado no trono, Roboão abandonou o Senhor. O rei e seus cortesãos aceitaram a reprimenda do profeta Semaías, mas com meio arrependimento apenas. Talvez Roboão não tivesse a força de caráter suficiente para reverter a maré de desobediência ao Senhor, além do fato de que Salomão abrira precedentes para a introdução das práticas estrangeiras pecaminosas.

"Aqueles paveses eram a marca do elegante corpo de guarda-costas. Foi em imitação a essa magnificência oriental que Alexandre constituiu seus *argyraspides* e os adornou com despojos que ele tomara de Dario. Ver *Quintus Curtius,* lib. viii. cap. 5" (Adam Clarke, *in loc.*). A referência de Clarke, *argyraspides,* combina duas palavras gregas, *arguros,* "prata", e *aspis,* "escudo". A referência é à guarda de elite que transportava escudos de prata.

■ 12.10

וַיַּעַשׂ הַמֶּלֶךְ רְחַבְעָם תַּחְתֵּיהֶם מָגִנֵּי נְחֹשֶׁת וְהִפְקִיד
עַל־יַד שָׂרֵי הָרָצִים הַשֹּׁמְרִים פֶּתַח בֵּית הַמֶּלֶךְ׃

Em lugar destes fez o rei Roboão escudos de bronze. Tendo-se humilhado espiritualmente, Roboão também precisou humilhar-se militarmente. Infelizmente, ele precisou substituir os escudos de ouro, ostentosos como eram, por escudos comuns de bronze. De fato, escudos de bronze eram melhores para a guerra, mas não tão bons para uma parada militar. O trecho paralelo de 1Rs 14.27 é virtualmente idêntico a este versículo. Ver ali as notas expositivas, quanto a detalhes. O *fluxo de ouro* tinha cessado em Judá. Ver 1Rs 10.14 quanto à sua extensão anterior. Sisaque tornou-se o novo palhaço internacional, a exibir seus escudos de ouro no Egito.

■ 12.11

וַיְהִי מִדֵּי־בוֹא הַמֶּלֶךְ בֵּית יְהוָה בָּאוּ הָרָצִים
וּנְשָׂאוּם וֶהֱשִׁבוּם אֶל־תָּא הָרָצִים׃

Toda vez que o rei entrava na casa do Senhor. Os judaítas responsáveis aplicaram aos escudos de bronze restante o mesmo cuidado que deram aos escudos de ouro. O trecho paralelo é 1Rs 14.28, e ali foram oferecidas notas expositivas. A declaração refere-se às cerimônias com escudos, cada vez que Roboão ia ao templo de Jerusalém. Os guardas conservavam esses escudos de bronze nos lugares apropriados, cuidando para que eles não fossem furtados ou postos fora de lugar.

Uma Lição Moral. "Escudos de bronze. Artigos de imitação em lugar da coisa real (cf. 2Cr 9.15)! Há um aspecto muito humano nesse incidente. Quão rapidamente a bolha do orgulho de Roboão foi espetada, e a glória do reinado de Salomão desapareceu. Lá veio o rei do Egito e, no piscar de um olho, Jerusalém perdeu o padrão do ouro... Mas teria alguma coisa, realmente, sido perdida? Qual era o uso do ouro, afinal? Não punha as rodas do comércio em movimento" (W. A. L. Elmslie, *in loc.*).

Anos Finais de Roboão (12.12-16)

Agora o cronista, com algumas poucas palavras, despede-se da história de Roboão. Ele perdera terreno. A época áurea de Salomão tinha passado. Roboão, sem a sabedoria e a força de Salomão, foi capaz tão somente de imitar os erros de Salomão, e com resultados desastrosos. Roboão sempre será lembrado como o rei que, em sua insensatez, permitiu e até provocou a divisão do reino unido de Israel, produzindo o cisma entre o norte e o sul.

■ 12.12

וּבְהִכָּנְעוֹ שָׁב מִמֶּנּוּ אַף־יְהוָה וְלֹא לְהַשְׁחִית לְכָלָה
וְגַם בִּיהוּדָה הָיָה דְּבָרִים טוֹבִים: ס

Tendo-se ele humilhado, apartou-se dele a ira do Senhor. Este versículo reitera as ideias do vs. 7, onde a exposição foi oferecida. As coisas *melhoraram* quando Roboão reconheceu os erros de sua conduta e fez algumas tentativas para corrigir seus equívocos. Assim sendo, o cronista foi capaz de dizer: "Porque em Judá ainda havia boas cousas". Por outra parte, a *grandeza* desaparecera no reino unido, e a própria nação de Judá não era mais a mesma, depois que Davi e Salomão se foram deste mundo. O cronista ansiava por comentar as *razões* morais e espirituais do fracasso, bem como do melhoramento posterior, de que o autor dos livros de Reis não trata. A invasão dirigida por Sisaque não foi um mero acontecimento político e social: foi um evento espiritual ordenado pelo próprio Yahweh. E assim, conforme pensamos, todas as vidas são conduzidas. Isso reflete o *teísmo* (ver a respeito no *Dicionário*). Deus criou e continua presente em sua criação, intervindo, recompensando e castigando. Os homens são moralmente responsáveis por seus atos. A *Providência de Deus* (ver no *Dicionário)*, contudo, preservou a dinastia davídica, a despeito dos erros clamorosos de Roboão.

Sumário do Reino de Roboão; sua Morte (12.13-16)

O cronista oferece algumas poucas declarações de conclusão divididas em quatro versículos. O autor de Reis ofereceu uma narrativa mais breve (1Rs 14.29-31).

"Nos seus últimos anos, Roboão readquiriu, pelo menos em parte, seu poder e suas riquezas. Morreu com a idade de 58 anos e foi sepultado em Jerusalém, a cidade de Davi, com seus ancestrais reais. Seu governo, caracterizado como foi por um mau coração para com o Senhor e por uma guerra incessante com Jeroboão, foi historiado, conforme disse o historiador, nos anais dos profetas Semaías e Ido" (Eugene H. Merrill, *in loc.*).

■ 12.13

וַיִּתְחַזֵּק הַמֶּלֶךְ רְחַבְעָם בִּירוּשָׁלַ͏ִם וַיִּמְלֹךְ כִּי
בֶן־אַרְבָּעִים וְאַחַת שָׁנָה רְחַבְעָם בְּמָלְכוֹ וְשֶׁבַע
עֶשְׂרֵה שָׁנָה מָלַךְ בִּירוּשָׁלַ͏ִם הָעִיר אֲשֶׁר־בָּחַר
יְהוָה לָשׂוּם אֶת־שְׁמוֹ שָׁם מִכֹּל שִׁבְטֵי יִשְׂרָאֵל וְשֵׁם
אִמּוֹ נַעֲמָה הָעַמֹּנִית:

Fortificou-se, pois, o rei Roboão em Jerusalém. Este versículo indica uma *recuperação* depois da invasão dos egípcios. Talvez Roboão tivesse retornado aonde estivera antes desse acontecimento. Nesse caso, o cronista quis que soubéssemos que seu arrependimento tivera os efeitos esperados. Ver os vss. 7 a 12 deste capítulo.

Cronologia. O reinado de Roboão começou quando ele estava com 40 anos de idade; ele reinou por dezessete anos, tendo morrido perto dos 58 anos. A capital do reino era Jerusalém, e devemos compreender que quase todo o seu governo foi somente sobre Judá, visto que ele e Jeroboão dividiram o reino unido em duas partes: norte (Israel) e sul (Judá).

O cronista relembra-nos a santidade de Jerusalém e de seu templo. Yahweh "pusera seu nome ali". Ao dizer isso, o cronista exaltou a dinastia davídica e deixou entendida a ilegitimidade do reino de Jeroboão, tão repleto de apostasia como foi. Roboão governava onde a presença de Deus resolveu manifestar-se.

O trecho paralelo é 1Rs 14.21, e é ali que oferecemos a exposição mais detalhada.

■ 12.14

וַיַּעַשׂ הָרָע כִּי לֹא הֵכִין לִבּוֹ לִדְרוֹשׁ אֶת־יְהוָה: ס

Fez ele o que era mau. *Em seu sumário*, o cronista não poderia omitir o *mal* que foi praticado por Roboão. Ele deu prosseguimento à política de impostos excessivos cobrados por seu pai, especialmente das tribos do norte, e, assim sendo, foi um dos principais contribuidores para a divisão de Israel em norte e sul. Mas o pior de tudo foi que ele se envolveu em uma estúpida idolatria que resultou na apostasia. O Faraó, rei do Egito, por ordem de Yahweh, puniu-o por causa disso. Mas no tempo de Roboão, e em parte (senão exclusivamente) devido a ele, terminou a época áurea de Israel que Salomão havia inaugurado. O breve *sumário* do trecho paralelo, 1Rs 14.29-31, não se refere ao julgamento moral do cronista neste versículo. Ver também 2Cr 14.22.

"Ele fez o que era mau. Por causa de sua mãe, uma estrangeira pagã, ele recebeu em sua juventude uma infeliz influência para a idolatria (ver sobre 1Rs 14.21-24)" (Jamieson, *in loc.*). Isso é verdade, mas Roboão conseguiu ser corrupto inteiramente à parte da influência materna.

A versão siríaca acrescenta as palavras "perante Yahweh", e com isso devemos compreender que ele profanou o sagrado e foi considerado responsável por isso. Roboão cultuava externamente a Yahweh, mas seu coração estava repleto de paganismo.

■ 12.15

וְדִבְרֵי רְחַבְעָם הָרִאשֹׁנִים וְהָאֲחַרוֹנִים הֲלֹא־הֵם
כְּתוּבִים בְּדִבְרֵי שְׁמַעְיָה הַנָּבִיא וְעִדּוֹ הַחֹזֶה לְהִתְיַחֵשׂ
וּמִלְחֲמוֹת רְחַבְעָם וְיָרָבְעָם כָּל־הַיָּמִים:

Quanto aos mais atos de Roboão. O cronista listou aqui algumas das obras informativas que, como é óbvio, também foram usadas em suas outras narrativas. Ver sobre *Livros Perdidos da Bíblia* em 1Rs 14.19; 2Cr 9.29 e 12.15. Sem dúvida, havia muitos outros livros que serviram de fonte informativa e não foram chamados por seus nomes pelos autores do Antigo Testamento. Ver no *Dicionário* o verbete chamado *Livro (Livros)* quanto a detalhes.

■ 12.16

וַיִּשְׁכַּב רְחַבְעָם עִם־אֲבֹתָיו וַיִּקָּבֵר בְּעִיר דָּוִיד
וַיִּמְלֹךְ אֲבִיָּה בְנוֹ תַּחְתָּיו: פ

Descansou Roboão com seus pais. O trecho paralelo é 1Rs 14.31, que é idêntico, exceto pelo fato de adicionar o nome da mãe de Roboão. Ver a exposição ali.

CAPÍTULO TREZE

ABIAS (13.1-22)

O cronista distancia-se ainda mais da época áurea que Salomão inaugurou quando era rei de Israel unido. Roboão, filho de Salomão, e Jeroboão, seu rival, dividiram eficazmente o reino em duas metades: a do norte (Israel) e a do sul (Judá). Em contraste com o autor de Reis (que registrou a história de ambos os reis, após o cisma), o cronista trata somente dos reis de Judá. Ele exaltou a dinastia davídica. Escreveu *após* o cativeiro babilônico e queria que soubéssemos que aquela dinastia emprestava legitimidade política à continuação de Israel através somente de Judá, a única tribo sobrevivente dos dois cativeiros. Ver no *Dicionário* os artigos *Cativeiro Assírio* e *Cativeiro Babilônico*.

Quanto a *detalhes*, ver no *Dicionário* os artigos *Abias* e *Reino de Judá,* que tem uma lista e breves descrições dos reis daquele reino. Ver também sobre *Rei, Realeza,* quanto a uma visão panorâmica dos reis tanto de Israel quanto de Judá.

"Tendo sido castigado Roboão, era tempo em que Israel deveria sofrer uma retribuição comensurável com a sua apostasia e sua adoração pagã (cf. 2Cr 11.15). Mas não era o filho de Roboão, Abias, quem deveria infligir o castigo, pois 1Rs 15.1,2 e 6,7 nada de bom dizem sobre ele. O cronista, entretanto, encontrou uma solução para a sua dificuldade quando leu, nos livros de Reis, que Deus, por causa dos méritos de Davi, permitiu que Abias firmasse Jerusalém e fosse sucedido no trono por seu filho, e que a guerra contra Israel fosse uma constante durante todo o seu governo" (W. A. L. Elmslie, *in loc.*). Abias governou somente por três anos, de 913 a 911 a.C.

O trecho paralelo do presente capítulo é 1Rs 15.1-8, a narrativa mais breve.

■ 13.1

בִּשְׁנַת שְׁמוֹנֶה עֶשְׂרֵה לַמֶּלֶךְ יָרָבְעָם וַיִּמְלֹךְ אֲבִיָּה עַל־יְהוּדָה׃

No décimo oitavo ano do rei Jeroboão. Este versículo é idêntico ao seu paralelo, 1Rs 15.1, onde dou notas expositivas. Abias foi posto no trono em 913 a.C. e governou até 911 a.C.

■ 13.2

שָׁלוֹשׁ שָׁנִים מָלַךְ בִּירוּשָׁלִַם וְשֵׁם אִמּוֹ מִיכָיָהוּ בַת־אוּרִיאֵל מִן־גִּבְעָה וּמִלְחָמָה הָיְתָה בֵּין אֲבִיָּה וּבֵין יָרָבְעָם׃

Era o nome de sua mãe Micaía. Este versículo é essencialmente idêntico ao seu trecho paralelo, 1Rs 15.2, exceto pelo fato de que o cronista deu o nome da mãe de Abias como Micaía, ao passo que o autor dos livros de Reis fala em *Maaca*. Em minha exposição, no trecho paralelo, ofereci "explicações" para a discrepância. É provável que o cronista simplesmente nos tenha transmitido um nome errado, por um equívoco na cópia, e não há solução aceita para o problema, nem é importante que a encontremos. Note-se, igualmente, que a mãe de Abias seria filha de uma mulher diferente, nas duas narrativas. Ver no *Dicionário* sobre *Abias*, 6, segundo parágrafo, quanto a tentativas de reconciliação.

■ 13.3

וַיֶּאְסֹר אֲבִיָּה אֶת־הַמִּלְחָמָה בְּחַיִל גִּבּוֹרֵי מִלְחָמָה אַרְבַּע־מֵאוֹת אֶלֶף אִישׁ בָּחוּר ס וְיָרָבְעָם עָרַךְ עִמּוֹ מִלְחָמָה בִּשְׁמֹנֶה מֵאוֹת אֶלֶף אִישׁ בָּחוּר גִּבּוֹר חָיִל׃ ס

Abias ordenou a peleja com um exército de valentes guerreiros. A guerra civil afligiu tanto Israel quanto Judá. Abias saiu à guerra contra Jeroboão à testa de quatrocentos mil homens; e seu rival tinha oitocentos mil homens, exércitos bastante numerosos para os tempos antigos, mas não incríveis. O trecho paralelo sumaria as guerras do norte e do sul no tempo de Abias, com um único versículo generalizado, a saber, 1Rs 15.6, onde ofereço alguma exposição relativa à questão. Abias triunfou nessa peleja, e o registro do incidente está de acordo com o plano do cronista de sempre exaltar a dinastia davídica. O autor dos livros de Reis, por outra parte, provavelmente sabia dessas questões, mas poupou-nos dos relatos sangrentos e detalhados. Ver também 1Rs 14.30 quanto a uma observação similar sobre as guerras civis.

Descrições da Guerra Civil (13.4-20)

O trecho paralelo do capítulo 15 de 1Reis deixa de lado as descrições sobre a presente questão. Mas o cronista, sempre disposto a exaltar a dinastia davídica como *reino autorizado por Yahweh*, registrou longamente a questão e mostrou quão superior foi a autoridade moral e espiritual resultante de uma derrota contundente para o apóstata Jeroboão. Assim sucedeu que Abias foi o agente de Yahweh para infligir castigo sobre o ímpio Jeroboão, que levou a nação de Israel ao pecado. Ver a descrição do pecado de Jeroboão em 1Rs 12.28 ss. Sobre como ele levou Israel a pecar, ver 1Rs 15.26 e 16.2. Em contraste, o autor dos livros de Reis nada têm que dizer de bom sobre Abias, muito pelo contrário. Ver 1Rs 6.7; 15.1,2.

■ 13.4

וַיָּקָם אֲבִיָּה מֵעַל לְהַר צְמָרַיִם אֲשֶׁר בְּהַר אֶפְרָיִם וַיֹּאמֶר שְׁמָעוּנִי יָרָבְעָם וְכָל־יִשְׂרָאֵל׃

Pôs-se Abias em pé, no alto do monte Zemaraim. *A Reprimenda de Abias.* Esse homem ímpio (de acordo com 1Reis) administrou uma severa repreensão contra Jeroboão por causa de *sua* apostasia (de acordo com o cronista)! Os críticos veem nisso uma invenção do cronista para explicar como Abias obteve tão grande vitória sobre Jeroboão, embora este último tivesse forças superiores, pelo menos quanto aos números.

Quanto aos nomes próprios que aparecem neste versículo, ver os artigos que figuram no *Dicionário*. *Zemaraim* situava-se na fronteira entre os dois reinos. Talvez esse monte ficasse perto de Betel, conforme sugere meu artigo.

■ 13.5

הֲלֹא לָכֶם לָדַעַת כִּי יְהוָה אֱלֹהֵי יִשְׂרָאֵל נָתַן מַמְלָכָה לְדָוִיד עַל־יִשְׂרָאֵל לְעוֹלָם לוֹ וּלְבָנָיו בְּרִית מֶלַח׃ ס

Não vos convém saber que o Senhor Deus de Israel deu para sempre a Davi a soberania de Israel...? O ímpio Abias reconheceu o direito de Judá à vitória sobre o *ímpio Jeroboão* uma vez que fora Yahweh quem escolhera a dinastia davídica como agente de exaltação, ao passo que o apóstata Jeroboão havia arrogantemente dividido o reino unido de Israel e então transformado a parte que lhe coubera (as tribos do norte) em um sistema pagão, que promovia vários tipos de idolatria.

Uma aliança de sal? Ver Nm 18.19. O sal era usado nas refeições que ratificavam os acordos, e assim assumia uma espécie de natureza sagrada por causa do Deus (ou dos deuses) que eram testemunhas e partícipes da questão. O pacto de sal era um pacto inalterável. O sal também fazia parte dos sacrifícios de animais (ver Lv 2.13 e Ez 43.24). Yahweh foi retratado como quem tinha um pacto de sal com Judá que autenticou seus poderes espirituais e políticos, enquanto o réprobo Jeroboão estava em liga com poderes pagãos sinistros.

"Assim como as águas do mar nunca ficarão doces, o domínio se afastará da casa de Davi" (o *Targum*, comentando sobre o presente versículo). Ver no *Dicionário* o verbete intitulado *Pacto de Sal*.

■ 13.6

וַיָּקָם יָרָבְעָם בֶּן־נְבָט עֶבֶד שְׁלֹמֹה בֶן־דָּוִיד וַיִּמְרֹד עַל־אֲדֹנָיו׃

Contudo se levantou Jeroboão. *Um Ato de Traição.* Os muitos pecados de Jeroboão complicaram-se diante do fato de ele *ter iniciado sua carreira* mediante uma traição. Ele tinha sido um servo (oficial respeitável) de Salomão, mas permitiu que o espírito do cisma o desviasse da vereda apropriada. Sua corrupção interior logo contaminou todo o país. Ver 1Rs 11.26 quanto à posição de Jeroboão diante de Salomão. Jeroboão, um jovem industrioso e esforçado, tornou-se o chefe das equipes de labor forçado de Salomão, ou seja, os escravos que o rei usara em seus projetos de construção. Ver 1Rs 11.28.

■ 13.7

וַיִּקָּבְצוּ עָלָיו אֲנָשִׁים רֵקִים בְּנֵי בְלִיַּעַל וַיִּתְאַמְּצוּ עַל־רְחַבְעָם בֶּן־שְׁלֹמֹה וּרְחַבְעָם הָיָה נַעַר וְרַךְ־לֵבָב וְלֹא הִתְחַזַּק לִפְנֵיהֶם׃

Ajuntou-se a ele gente vadia. O *réprobo Jeroboão* atraiu outros réprobos, para serem seus aliados e agentes do mal e do cisma. Seus *companheiros* o desqualificavam, para nada dizer sobre a sua própria perversidade.

Homens malignos. No hebraico temos a expressão "filhos de Belial", ou seja, homens perversos e inúteis, cheios de corrupção interior. A *Revised Standard Version* diz aqui "tratantes inúteis". Muitos eruditos supõem que, quando essas palavras foram escritas, Israel ainda não havia desenvolvido a doutrina de um diabo pessoal, que contou com seus muitos agentes demoníacos para operar através dos homens. Ver no *Dicionário* o artigo intitulado *Belial*, que fornece amplas explicações. A palavra hebraica significa "indignidade" ou "iniquidade". Na teologia posterior, o termo veio a tornar-se um dos nomes de Satanás, e ser um agente de Belial significou tornar-se servo do príncipe de toda maldade.

O *jovem Roboão* (na verdade, ele tinha mais de 40 anos quando começou a reinar) deixou-se influenciar por homens perversos, de modo que seus erros são aqui atribuídos, pelo cronista, a "más influências" e não tanto à sua perversidade interior. Seja como for, ele era um homem relativamente jovem e ingênuo, facilmente influenciável por maus conselheiros. Mas a narrativa do próprio cronista, no décimo capítulo, descreve-o como um jovem arrogante e temerário, influenciado por jovens dotados de idêntica natureza. Ele não era nada tímido nem possuía coração mole, embora talvez o próprio Roboão se apresentasse desta maneira.

O cronista retratou o melhor quadro possível sobre a dinastia davídica, a fim de contrastá-la com o reino depravado de Jeroboão. Uma representação mais realista teria sido do *mau* em contraste com o *realmente mau*.

■ 13.8

וְעַתָּ֣ה ׀ אַתֶּ֣ם אֹֽמְרִ֗ים לְהִתְחַזֵּק֙ לִפְנֵי֙ מַמְלֶ֣כֶת יְהוָ֔ה בְּיַ֖ד בְּנֵ֣י דָוִ֑יד וְאַתֶּם֙ הָמ֣וֹן רָ֔ב וְעִמָּכֶם֙ עֶגְלֵ֣י זָהָ֔ב אֲשֶׁ֨ר עָשָׂ֥ה לָכֶ֛ם יָרָבְעָ֖ם לֵאלֹהִֽים׃

Agora pensais que podeis resistir ao reino do Senhor. Dando prosseguimento à sua diatribe, o "justo" Abias salientou que o "ímpio" Jeroboão, até mesmo naquele momento, representava forças sinistras, tendo colocado à frente da batalha aqueles ridículos bezerros de ouro, os seus "deuses", para que o protegessem na batalha e lhe conferissem a vitória. Tal estofo contrastava com o reino de Yahweh, mantido nas mãos dos filhos de Davi, o verdadeiro *ungido* do Senhor. O ímpio Abias refletia glória da parte de Davi, com quem Yahweh estabelecera sua aliança. Ver sobre o *Pacto Davídico* em 2Sm 7.4. O cronista, pois, justificou a vitória que o ímpio Abias obteve sobre Jeroboão, fazendo com que o primeiro deles refletisse a glória de Davi, homem que era segundo o coração de Deus. Ver 1Sm 13.14 sobre isso, e ver 1Rs 15.3 quanto a Davi como *rei ideal* de Israel. Para comentários sobre um rei ideal, ver as notas em Dt 17.14 ss. A obediência à legislação mosaica formava o lado espiritual da questão. Jeroboão, em consequência, não tinha qualificações para ser rei. Era apenas um usurpador.

Visto que todos os requisitos espirituais estavam com Abias, e não com Jeroboão, Abias estava certo de que obteria a vitória sobre as forças superiores de Israel. Como é óbvio, ele esperava uma intervenção divina.

■ 13.9

הֲלֹ֤א הִדַּחְתֶּם֙ אֶת־כֹּהֲנֵ֣י יְהוָ֔ה אֶת־בְּנֵ֥י אַהֲרֹ֖ן וְהַלְוִיִּ֑ם וַתַּעֲשׂ֨וּ לָכֶ֤ם כֹּהֲנִים֙ כְּעַמֵּ֣י הָאֲרָצ֔וֹת כָּל־הַבָּ֗א לְמַלֵּ֨א יָד֜וֹ בְּפַ֤ר בֶּן־בָּקָר֙ וְאֵילִ֣ם שִׁבְעָ֔ה וְהָיָ֥ה כֹהֵ֖ן לְלֹ֥א אֱלֹהִֽים׃ ס

Não lançastes fora os sacerdotes do Senhor, os filhos de Arão, e os levitas...? *A Violação do Sacerdócio*. Entre os muitos pecados de Jeroboão que o levaram a perder a batalha prestes a começar, houve a violação do sacerdócio hebreu, que estava nas mãos dos filhos de Arão. Em sua arrogância, Jeroboão ignorou os requisitos mosaicos para os sacerdotes e também o *lugar* apropriado de adoração (Jerusalém). Ele estabeleceu seu próprio sacerdócio e seus próprios santuários (em Dã e Betel). Em outras palavras, era um *apóstata* definitivo. Yahweh cuidaria para que Jeroboão fosse punido, e Abias seria o agente dessa punição. O autor sacro "... traçou um quadro negro das ímpias inovações e da grosseira idolatria introduzida por Jeroboão" (Jamieson, *in loc.*). Jeroboão tinha instituído um não sacerdócio, para sacrificar *não sacrifícios* a *não deuses*. Ver a ordenação dos sacerdotes no capítulo 29 de Êxodo e no capítulo 8 de Levítico. Somente os descendentes diretos de Arão podiam ser sacerdotes. Jeroboão, pois, ignorou completamente o requisito mosaico. Para ele, qualquer um podia ser sacerdote e oferecer sacrifícios. Ver Êx 6.18,20 e 28.1 quanto à seleção de sacerdotes dentre os descendentes de Arão. Nem mesmo um levita comum podia ser sacerdote. Somente um levita descendente direto de Arão estava qualificado para o sacerdócio em Israel. Por isso, nem todos os levitas eram sacerdotes, mas todos os sacerdotes eram levitas (através de Arão). Ver no *Dicionário* os artigos intitulados *Levitas* e *Sacerdotes e Levitas*.

■ 13.10

וַאֲנַ֛חְנוּ יְהוָ֥ה אֱלֹהֵ֖ינוּ וְלֹ֣א עֲזַבְנֻ֑הוּ וְכֹהֲנִ֞ים מְשָׁרְתִ֤ים לַֽיהוָה֙ בְּנֵ֣י אַהֲרֹ֔ן וְהַלְוִיִּ֖ם בַּמְלָֽאכֶת׃

Porém, quanto a nós, o Senhor é nosso Deus. Fazendo *contraste* com a apostasia de Jeroboão, Abias teve a coragem de dizer que Yahweh era o Deus de Judá, e que eles não o haviam abandonado. No entanto, em 2Cr 12.14, o mesmo autor afirma a apostasia de Abias! É verdade que Judá não estabelecera altares rivais, conforme tinha feito Jeroboão, mas a idolatria fora trazida para o coração de Jerusalém. Talvez devamos compreender, pela época em que ocorreu essa guerra civil, que Abias já havia limpado as coisas, por causa da invasão egípcia que alejara a Judá e diminuíra Jerusalém. O templo de Jerusalém continuava contando com sacerdotes descendentes de Arão, e com levitas que faziam os trabalhos mais manuais. Quanto aos pecados de Abias, ver 1Rs 15.3 e 2Cr 13.21.

■ 13.11

וּמַקְטִרִ֣ים לַיהוָ֡ה עֹל֣וֹת בַּבֹּֽקֶר־בַּבֹּ֣קֶר וּבָעֶֽרֶב־בָּעֶ֡רֶב וּקְטֹֽרֶת־סַמִּים֩ וּמַעֲרֶ֨כֶת לֶ֜חֶם עַל־הַשֻּׁלְחָ֣ן הַטָּה֗וֹר וּמְנוֹרַ֨ת הַזָּהָ֤ב וְנֵרֹתֶ֙יהָ֙ לְבָעֵר֙ בָּעֶ֣רֶב בָּעֶ֔רֶב כִּֽי־שֹׁמְרִ֣ים אֲנַ֔חְנוּ אֶת־מִשְׁמֶ֖רֶת יְהוָ֣ה אֱלֹהֵ֑ינוּ וְאַתֶּ֖ם עֲזַבְתֶּ֥ם אֹתֽוֹ׃

Cada dia, de manhã e à tarde. *Todas as particularidades* do ritual de Yahweh estavam sendo observadas, de acordo com a estimativa de Abias. O presente versículo lista o ritual essencial do templo de Jerusalém. W. A. L. Elmslie chama nossa atenção para algumas indicações de que os vss. 9, 10 e 11 sugerem uma inserção feita posteriormente: "Clara instância de uma inserção tardia. Reveste-se de interesse especial a referência à queima regular do *incenso* (no hebraico, 'especiarias'), com o que cf. Êx 30.7 (atribuído à fonte informativa P)... Ez 8.11 tem uma alusão mais antiga a isso". Ver o artigo do *Dicionário* chamado *J.E.D.P.(S.)* quanto à teoria das múltiplas fontes informativas do Pentateuco.

Incenso aromático. "Ele é mencionado também em Jr 6.20. Seu uso nos ritos sagrados foi-se tornando cada vez mais importante durante o período *pós-exílico*" (em cuja época, naturalmente, o cronista escreveu).

Referências:
1. Os sacrifícios matinais e vespertinos (Êx 29.38-42).
2. O incenso (Êx 30.7).
3. Os pães da proposição (Êx 25.30).
4. As lâmpadas. A do tabernáculo foi substituída por *dez* candeeiros, no templo de Salomão (ver 2Cr 4.7,8,19 e suas anotações). Fazer tudo quanto era requerido empregando os modos de adoração oferecidos no templo, era chamado de "observar as prescrições do Senhor" (Lv 8.35). Mas negligenciar esses mesmos ritos era chamado de "nunca o deixar" (ver o vs. 10 do presente capítulo). No *Dicionário* há artigos sobre cada peça do mobiliário e sobre cada rito religioso. Ver também o verbete intitulado *Templo de Jerusalém*.

■ 13.12

וְהִנֵּה֩ עִמָּ֨נוּ בָרֹ֜אשׁ הָאֱלֹהִ֧ים ׀ וְכֹהֲנָ֛יו וַחֲצֹצְר֥וֹת הַתְּרוּעָ֖ה לְהָרִ֣יעַ עֲלֵיכֶ֑ם בְּנֵ֣י יִשְׂרָאֵ֗ל אַל־תִּלָּֽחֲמ֛וּ עִם־יְהוָ֥ה אֱלֹהֵֽי־אֲבֹתֵיכֶ֖ם כִּי־לֹ֥א תַצְלִֽיחוּ׃

Eis que Deus está conosco. Visto que Judá estava "observando as prescrições do Senhor" e não o estava "deixando", Abias tinha certeza de que *Elohim* os acompanhava e derrotaria o ímpio Jeroboão. *Elohim*, pois, se tornaria o capitão de Judá na batalha e dar-lhes-ia a vitória. Ver no *Dicionário* o artigo chamado *Deus, Nomes Bíblicos de*. Mediante o uso da palavra *Elohim*, Abias lembrou-nos do poder de

Deus (*El*), que era exatamente aquilo de que Judá necessitaria para derrotar as forças superiores (o dobro) de Israel, a parte norte da antiga nação unificada.

> Nós, por nosso lado, oramos a ele para dar-nos a vitória, porquanto cremos ter razão. Mas aqueles que estão do lado oposto também oram, pedindo-lhe a vitória, acreditando ter razão. O que ele deve estar pensando de nós?
> Abraham Lincoln, em referência à Guerra de Secessão Americana, o norte contra o sul

Tocando com as trombetas, para rebate contra vós outros. Ver Nm 10.9; 31.6. "As trombetas eram lembretes divinamente nomeados de que Deus se lembraria dos israelitas na guerra" (Ellicott, *in loc.*). Um dos *usos* das trombetas era invocar Yahweh para ajudar na guerra. Quanto a notas sobre as trombetas e seu uso, ver *Música, Instrumentos Musicais*, IV.2.e no *Dicionário*.

Abias, pleno de confiança, vislumbrou a derrota de Jeroboão com resultado indiscutível da batalha, e apelou para que ele desistisse de sua causa má. *Yahweh-Elohim* seria seu oponente, conforme diz o versículo. Mas Jeroboão não estava interessado em retórica. Planejava uma emboscada para fechar a boca de Abias.

■ **13.13**

וַיָּרְבְעָם הֵסֵב אֶת־הַמַּאְרָב לָבוֹא מֵאַחֲרֵיהֶם וַיִּהְיוּ לִפְנֵי יְהוּדָה וְהַמַּאְרָב מֵאַחֲרֵיהֶם:

Mas Jeroboão ordenou aos que estavam de emboscada. Jeroboão enviou um destacamento de tropas para ir por trás dos homens de Abias, enquanto Abias avisava Israel eloquentemente acerca do julgamento divino. Entrementes, a parte mais grossa dos homens de Jeroboão permanecia na frente de batalha, defronte de Abias. Portanto, Israel postou seu exército na frente e atrás de Judá. Era um simples estratagema de guerra, que estava destinado ao fracasso. Jeroboão esperava que Judá entrasse em pânico, mas, clamando a Yahweh, eles mantiveram sua coragem. O *pânico*, por muitas vezes, era o fator que decidia uma batalha, de tal maneira que os gregos inventaram o deus Pânico, que se mostrava ativo nos campos de batalha, assustando um ou outro exército, para causar sua derrota. Yahweh, porém, interpôs-se no caso que estava sendo descrito, e fez o deus Pânico assustar as tropas de Israel. Cf. este texto com a passagem sobre a emboscada mediante a qual Ai foi tomada por Josué (Js 8) e a outra passagem que relata a vitória sobre Gibeá (Jz 20).

■ **13.14,15**

וַיִּפְנוּ יְהוּדָה וְהִנֵּה לָהֶם הַמִּלְחָמָה פָּנִים וְאָחוֹר וַיִּצְעֲקוּ לַיהוָה וְהַכֹּהֲנִים מַחֲצֹצְרִים בַּחֲצֹצְרוֹת:

וַיָּרִיעוּ אִישׁ יְהוּדָה וַיְהִי בְּהָרִיעַ אִישׁ יְהוּדָה וְהָאֱלֹהִים נָגַף אֶת־יָרָבְעָם וְכָל־יִשְׂרָאֵל לִפְנֵי אֲבִיָּה וִיהוּדָה:

Olhou Judá e viu que a peleja estava por diante e por detrás. O pânico poderia ter ganhado aquela batalha, e os clamores dos judaítas, quando viram que estavam cercados, poderiam ter sido gritos de desespero. Mas, em lugar disso, foram clamores a Yahweh solicitando a vitória, e logo se tornaram gritos de triunfo. Os sacerdotes tocaram suas trombetas e invocaram o Senhor, pedindo ajuda, e imediatamente o espírito corajoso de Judá tornou-se invencível. Logo as fileiras de Israel foram partidas. Mas o verdadeiro vitorioso, assim o autor sagrado quis que entendêssemos, foi *Elohim* (vs. 15). Sem o poder divino no campo de batalha, as coisas teriam sido diferentes. Houve muita ameaça de parte a parte, mas os soldados de Israel foram dizimados. Cf. Jz 7.18-20. O deus Pânico, por assim dizer, esteve ali, causando a fuga de Israel, e agindo apenas como servo de Yahweh-Elohim.

■ **13.16,17**

וַיָּנוּסוּ בְנֵי־יִשְׂרָאֵל מִפְּנֵי יְהוּדָה וַיִּתְּנֵם אֱלֹהִים בְּיָדָם:

וַיַּכּוּ בָהֶם אֲבִיָּה וְעַמּוֹ מַכָּה רַבָּה וַיִּפְּלוּ חֲלָלִים מִיִּשְׂרָאֵל חֲמֵשׁ־מֵאוֹת אֶלֶף אִישׁ בָּחוּר:

Os filhos de Israel fugiram de diante de Judá. As *fileiras* de Israel foram rompidas, e sua coragem desmanchou-se. A fuga que se seguiu permitiu que houvesse grande matança. Foi um notável dia de sangue, um dos maiores que Judá já vira. Do total de oitocentos mil de Israel (vs. 3), quinhentos mil foram totalmente obliterados. *Massacre* seria a palavra certa para descrever o que aconteceu naquele dia. O cronista reafirmou a sua fé: foi *Elohim* quem obteve o extraordinária triunfo. A *vitória* foi a prova da superioridade espiritual de Judá, e a *derrota* foi um julgamento contra Jeroboão, por causa de sua apostasia (vss. 5-12). O autor diz-nos que a dinastia davídica, que havia retido o yahwismo, foi recompensada, em contraste com Israel, derrotado em sua apostasia.

O número quinhentos mil parece excessivo. Os críticos acusam o cronista, portando, de um típico "exagero evangélico", que sempre fala em números grandes demais para seus triunfos. Josefo, general e historiador judeu, também lançou dúvidas sobre esse número (ver *Antiq.* 1.8, cap. 11, sec. 3). Algumas cópias da Vulgata Latina reduziram esse número para cinquenta mil, e alguns intérpretes judeus supõem que esse seja o total correto de vítimas da parte de Israel (Bem Gorion e Abarbinel). Alguns eruditos tentam aliviar o problema desse número muito grande supondo que a batalha se tenha estendido por diversos dias, embora nos pareça, pelo texto sagrado, que está sendo descrita uma batalha de um único dia. A versão siríaca demonstra bem pequena fé, dando o número como somente cinco mil. O cronista não nos diz quantos homens Judá perdeu, mas podemos supor que o número de seus mortos tenha sido muito menor que os de Israel.

■ **13.18**

וַיִּכָּנְעוּ בְנֵי־יִשְׂרָאֵל בָּעֵת הַהִיא וַיֶּאֶמְצוּ בְּנֵי יְהוּדָה כִּי נִשְׁעֲנוּ עַל־יְהוָה אֱלֹהֵי אֲבוֹתֵיהֶם:

Assim foram humilhados os filhos de Israel. O norte foi subjugado perante Judá, e Jeroboão nunca mais obteve de novo o mesmo poder. As guerras civis, pelo menos durante algum tempo, cessaram. A razão disso não foi a superioridade militar do sul. Antes, a graça de Yahweh patrocinou a causa de Judá. O Deus dos antepassados da nação cuidou para que seus filhos obedientes fossem libertados do assédio dos apóstatas. Cf. Is 10.20. "Eles dependeram da palavra do Deus de seus pais" (o Targum, comentando sobre este versículo).

■ **13.19**

וַיִּרְדֹּף אֲבִיָּה אַחֲרֵי יָרָבְעָם וַיִּלְכֹּד מִמֶּנּוּ עָרִים אֶת־בֵּית־אֵל וְאֶת־בְּנוֹתֶיהָ וְאֶת־יְשָׁנָה וְאֶת־בְּנוֹתֶיהָ וְאֶת־עֶפְרוֹן וּבְנֹתֶיהָ:

Abias perseguiu a Jeroboão, e lhe tomou cidades. *A Campanha Militar que se Seguiu.* Abias tirou vantagem da grande derrota em Efraim (vs. 4) e perseguiu seu exército em fuga. Ato contínuo, Abias invadiu certo número de cidades das tribos do norte e consolidou sua vitória. O cronista menciona três lugares específicos que foram conquistados, Betel, Jesana e Efrom, e suas áreas circundantes. Ver no *Dicionário* os artigos sobre essas três cidades. A versão árabe adiciona Zagar como uma cidade conquistada, mas não sabemos julgar a correção história dessa informação.

■ **13.20**

וְלֹא־עָצַר כֹּחַ־יָרָבְעָם עוֹד בִּימֵי אֲבִיָּהוּ וַיִּגְּפֵהוּ יְהוָה וַיָּמֹת: פ

Jeroboão não restaurou mais o seu poder no tempo de Abias. Além não ser mais capaz de recuperar-se de suas perdas, Jeroboão morreu devido a algum "golpe divino" não definido no texto sagrado. O cronista apenas diz que Jeroboão não teve uma morte natural. Algum acidente, enfermidade ou calamidade fatal deve tê-lo surpreendido, ceifando sua vida. Isso naturalmente foi um julgamento divino, conforme deixa claro o texto bíblico. 1Rs 15.8,9 informa-nos que a morte de Jeroboão ocorreu dois anos *após* a morte de Abias, mas não especifica o *modus operandi*.

13.21

וַיִּתְחַזֵּק אֲבִיָּהוּ וַיִּשָּׂא־לוֹ נָשִׁים אַרְבַּע עֶשְׂרֵה וַיּוֹלֶד עֶשְׂרִים וּשְׁנַיִם בָּנִים וְשֵׁשׁ עֶשְׂרֵה בָּנוֹת: ס

Abias, porém, se fortificou. Livre da guerra civil, Abias foi enriquecendo e divertindo-se mais e mais. Casou-se com quatorze mulheres, algumas provavelmente de reinos circunvizinhos, para consolidar seu poder. Teve tempo para gerar 22 filhos e dezesseis filhas". Para a mente do cronista, todo esse dinheiro e todas essas esposas testificavam sua retidão espiritual. Bênçãos materiais eram consideradas bênçãos de Deus, porquanto representavam *prosperidade* de várias espécies. Seu harém era pequeno em comparação com os haréns de outros monarcas orientais, mas mesmo assim grande o bastante para mostrar que ele estava agindo bem e precisava ser respeitado. O homem que tinha apenas uma esposa era o pobre agricultor que não havia prosperado. O rei, que prosperava, tinha muitas terras, dinheiro, animais domesticados *e* esposas. Lamentar a poligamia dos antigos hebreus é cristianizar o texto e, para dizer o mínimo, é anacrônico. Ver no *Dicionário* o artigo chamado *Poligamia*.

Note o leitor o *contraste* feito pelo autor sacro. Jeroboão foi *julgado*, caiu em desgraça, perdeu sua autoridade e, então, finalmente, perdeu sua vida devido a algum golpe divino.

13.22

וְיֶתֶר דִּבְרֵי אֲבִיָּה וּדְרָכָיו וּדְבָרָיו כְּתוּבִים בְּמִדְרַשׁ הַנָּבִיא עִדּוֹ:

Quanto aos mais atos de Abias. *A notícia do obituário de Abias* foi simples e sem embelezamentos. Na verdade, parece que o autor sacro usou como fonte informativa de sua narrativa os escritos do profeta Ido. Cf. 2Cr 9.29 e 12.15, onde são mencionadas outras obras que o autor sagrado empregou e mencionou. 2Cr 14.1 adiciona a informação típica sobre como Abias, tal como outros reis de Judá, foi sepultado com seus pais em Jerusalém, capital de Judá. Quanto aos livros perdidos do Antigo Testamento, ver 1Rs 14.19; 2Cr 9.29 e 12.15. Quanto a *notícias funerais* sobre os reis, ver 1Rs 1.21; 16.5,6. Cf. o presente versículo ao trecho paralelo de 1Rs 15.8, onde acrescentei alguns detalhes.

CAPÍTULO CATORZE

ASA (14.1—16.14)

O *cronista*, neste capítulo, continuou em sua prática de exaltar a dinastia davídica. Por trás dessa exaltação, estava o propósito de mostrar como uma tribo isolada, Judá, terminado o cativeiro babilônico, pôde continuar de modo legítimo o reino de Israel. A continuação do antigo reino unido de Israel deu-se através da tribo isolada de Judá, tudo quanto sobreviveu do cativeiro assírio (de 722 a.C.) e do cativeiro babilônico (de 596 a.C.). A *autoridade política* foi preservada pela tribo de Judá, porquanto continuou a dinastia davídica, nomeada por Deus. E a *autoridade espiritual* foi preservada nos levitas remanescentes, que voltaram do cativeiro babilônico.

Em consonância com seu plano de exaltar a dinastia davídica, o cronista não narrou as histórias dos reis de Israel, as tribos do norte. Essa parte do império unido tinha-se dividido por causa da *rivalidade* de Roboão (rei de Judá) e Jeroboão (rei de Israel). Os reis do norte só são mencionados nos livros de Crônicas quando entram em relação direta com os reis do sul, como no relato anterior de Abias, que enfrentou dificuldades com *Jeroboão*. Mas o sucessor de Jeroboão nem ao menos foi mencionado, ao passo que o sucessor de Abias, *Asa*, passa agora a ser descrito longamente.

14.1 (na Bíblia hebraica corresponde ao 13.23)

וַיִּשְׁכַּב אֲבִיָּה עִם־אֲבֹתָיו וַיִּקְבְּרוּ אֹתוֹ בְּעִיר דָּוִיד וַיִּמְלֹךְ אָסָא בְנוֹ תַּחְתָּיו בְּיָמָיו שָׁקְטָה הָאָרֶץ עֶשֶׂר שָׁנִים: פ

Abias descansou com seus pais, e o sepultaram. 1Rs 14.2-7 e 15.8-15 têm materiais paralelos neste capítulo, mas a os vss. 9-15 não encontram paralelo em 1Rs.

2Cr 14.1 é um paralelo direto e verbatim de 1Rs 15.8, onde as notas expositivas foram oferecidas. Ver 2Cr 13.22 quanto à primeira porção da notícia da morte de Abias. Ver as *notícias fúnebres* sobre os reis, em 1Rs 1.21 e 16.5,6.

Asa. Ele foi filho de Abias. Ocupou o trono de Davi por *41 anos*! Seu governo foi de 911 a 870 a.C. Teve dez anos de paz antes de sofrer o ataque de Zerá, o etíope (vss. 9-15). Asa foi um reformador e atacou vigorosamente várias formas de idolatria. Ofereci um artigo detalhado sobre ele no *Dicionário*. Ver também o verbete chamado *Reino de Judá*, que contém uma lista e um estudo dos reis desse reino. Quanto a uma visão panorâmica dos reis de Israel e Judá, ver *Rei, Realeza*. Esse verbete oferece um gráfico dos reis e também de potências estrangeiras.

14.2 (na Bíblia hebraica corresponde ao 14.1)

וַיַּעַשׂ אָסָא הַטּוֹב וְהַיָּשָׁר בְּעֵינֵי יְהוָה אֱלֹהָיו:

Asa fez o que era bom e reto. A *qualidade espiritual* de um rei determinava, para o cronista, seu sucesso ou fracasso como rei. O cronista tinha interesse secundário em seu dinheiro, propriedades, sucesso político e harém, sinais de sua prosperidade. Esse julgamento nitidamente espiritual está de acordo com a distinção de Israel (ver as notas em Dt 4.4-8) e o rei ideal de Israel (anotado em Dt 17.14 ss.). O trecho paralelo de 1Rs 15.11 menciona especificamente o exemplo deixado por Davi (anotado em 1Rs 15.3), que Asa seguia. Os comentários sobre 1Rs 15.10,11 encerram detalhes que omiti aqui. Em última análise, Davi demonstrou pecados e falhas (1Rs 15.14).

14.3 (na Bíblia hebraica corresponde ao 14.2)

וַיָּסַר אֶת־מִזְבְּחוֹת הַנֵּכָר וְהַבָּמוֹת וַיְשַׁבֵּר אֶת־הַמַּצֵּבוֹת וַיְגַדַּע אֶת־הָאֲשֵׁרִים:

Aboliu os altares dos deuses estranhos. A descrição das reformas providenciadas por Asa é mais completa no trecho paralelo de 1Rs 15.12 ss. Ao que parece, este versículo está em contradição com 1Rs 15.14, onde somos informados de que Asa não destruiu o culto dos *lugares altos* (ver a respeito no *Dicionário*). Para tentar uma reconciliação, podemos supor que, no começo, ele tenha destruído os lugares altos, mas depois permitiu que fossem levantados de novo, mas essa é apenas uma tentativa de harmonização, talvez às expensas da verdade. Ver 1Rs 11.7,8 sobre como Salomão havia construído lugares altos para satisfazer às práticas idólatras de suas mulheres estrangeiras.

Cortou as colunas. Ou seja, os postes em honra a *Aserah*. Cultos de fertilidade dos cananeus faziam parte da idolatria geral. Ver sobre *Aserins*, em 1Rs 14.15, onde dou informações detalhadas.

14.4 (na Bíblia hebraica corresponde ao 14.3)

וַיֹּאמֶר לִיהוּדָה לִדְרוֹשׁ אֶת־יְהוָה אֱלֹהֵי אֲבוֹתֵיהֶם וְלַעֲשׂוֹת הַתּוֹרָה וְהַמִּצְוָה:

Ordenou a Judá que buscasse o Senhor Deus de seus pais. *A Reforma Religiosa.* Em lugar das inovações idólatras que tinham invadido Judá desde os dias de Salomão, Asa fez o povo voltar-se "de novo para a Bíblia", isto é, a legislação mosaica e o culto a Yahweh, o verdadeiro Deus de Judá. Assim sendo, Asa teve seu aspecto *negativo*: destruiu a idolatria. Mas também teve o seu aspecto *positivo*: tornou-se ativo promotor do yahwismo como a chave para o sucesso, a felicidade e a prosperidade, para nada dizer sobre a vida longa na terra (ver Dt 5.16; 22.6,7 e 25.15). Ver a sinceridade dos atos de Asa, comentados nas notas expositivas sobre 2Cr 15.12.

14.5 (na Bíblia hebraica corresponde ao 14.4)

וַיָּסַר מִכָּל־עָרֵי יְהוּדָה אֶת־הַבָּמוֹת וְאֶת־הַחַמָּנִים וַתִּשְׁקֹט הַמַּמְלָכָה לְפָנָיו:

Também aboliu de todas as cidades de Judá o culto nos altos. A *reforma* de Asa não ocorreu somente na capital do país,

Jerusalém, mas se estendeu a *todas* as cidades de Judá, seguindo sempre o mesmo padrão, de atos negativos e positivos, comentado no versículo anterior. A adoração unificada em Jerusalém nunca foi capaz de eliminar os santuários locais, como o de Betel. Mas Asa fez o que pôde para controlar a questão. 1Rs 15.14 diz-nos, especificamente, que Asa não destruiu os lugares altos, o que não adivinharíamos se tivéssemos somente a narrativa de 2Crônicas. Como parte de seu propósito constante de exaltar a dinastia davídica, o cronista fez de Asa um homem melhor do que ele realmente era.

Entrementes, graças aos sucessos militares de seu pai (capítulo 13), Asa teve *paz* e foi capaz de efetuar suas reformas sem distrações externas.

■ **14.6** (na Bíblia hebraica corresponde ao **14.5**)

וַיִּבֶן עָרֵי מְצוּרָה בִּיהוּדָה כִּי־שָׁקְטָה הָאָרֶץ וְאֵין־עִמּוֹ
מִלְחָמָה בַּשָּׁנִים הָאֵלֶּה כִּי־הֵנִיחַ יְהוָה לוֹ׃

Edificou cidades fortificadas em Judá. *Além de suas reformas religiosas,* Asa aproveitou-se do período de paz para fortalecer Judá ainda mais do que seu pai havia feito. Precisamos lembrar que aqueles dias eram tempos de desassossego constante, de matar e de ser morto, e essa prática prevalecia de tal modo que era uma espécie de esporte. Portanto, nenhum rei sábio recolhia-se ao leito, à noite, sem procurar em ambas as direções se algum inimigo estaria preparando um ataque. Toda essa matança nos deixa estonteados, e há demasiadas cenas como essas nas páginas do Antigo Testamento! Mas isso constituía os primeiros passos da vida, naqueles tempos de tremenda violência. Na verdade, o Novo Testamento vai muito mais adiante como um documento espiritual, porém nunca podemos esquecer as significativas contribuições do Antigo Testamento.

Veja o leitor como Roboão, avô de Asa, tinha fortificado o reino (ver 2Cr 11.5-12). Sisaque, Faraó do Egito, desfez muito do que havia sido feito, mas a recuperação finalmente aconteceu. Ver 2Cr 12.2-4 quanto às dificuldades provocadas por Sisaque. As circunstâncias eram estranhas: quando vinha um período de *descanso,* em vez de descansar e desfrutar dessa paz, os reis tinham de preparar-se militarmente para novos e inevitáveis tempos de tribulação. Zerá, o etíope, em breve perturbaria a paz (vss. 9 e ss.).

■ **14.7** (na Bíblia hebraica corresponde ao **14.6**)

וַיֹּאמֶר לִיהוּדָה נִבְנֶה אֶת־הֶעָרִים הָאֵלֶּה וְנָסֵב חוֹמָה
וּמִגְדָּלִים דְּלָתַיִם וּבְרִיחִים עוֹדֶנּוּ הָאָרֶץ לְפָנֵינוּ כִּי
דָרַשְׁנוּ אֶת־יְהוָה אֱלֹהֵינוּ דָּרַשְׁנוּ וַיָּנַח לָנוּ מִסָּבִיב
וַיִּבְנוּ וַיַּצְלִיחוּ׃ פ

Disse, pois, a Judá: Edifiquemos estas cidades. *Detalhes das Fortificações.* Foi um grande projeto de construções. E Asa não quis isentar ninguém de sua contribuição. Visto que Judá estava prosperando, Asa tinha de construir fortificações, antes que retornassem os inevitáveis dias maus. No entanto, não nos foi dada nenhuma lista das cidades fortalecidas. Ele fortificou Geba e Mispa, mas após a guerra contra Baasa (ver 1Rs 15.33). Roboão, seu avô, fortificou *quinze* cidades (ver 2Cr 11.6 ss.), e é provável que Asa tenha feito algo semelhante. Muralhas elevadas e portões de bronze fortalecidos com barras eram itens comuns nessas fortificações. De fato, essas coisas dificultavam para o inimigo, mas não conseguiam deter uma invasão séria. As guerras terrestres tinham vantagens e desvantagens. Não havia ataques aéreos que ajudassem as tropas terrestres. Ver no *Dicionário* o verbete chamado *Guerra,* quanto a informações que não foram incluídas aqui.

> Eu gostaria que fosse combinado que os homens que começassem uma guerra fossem forçados a terminá-la eles mesmos.
>
> Finley Peter Dunne, em *War and War Makers*

■ **14.8** (na Bíblia hebraica corresponde ao **14.7**)

וַיְהִי לְאָסָא חַיִל נֹשֵׂא צִנָּה וָרֹמַח מִיהוּדָה שְׁלֹשׁ
מֵאוֹת אֶלֶף ס וּמִבִּנְיָמִן נֹשְׂאֵי מָגֵן וְדֹרְכֵי קֶשֶׁת מָאתַיִם
וּשְׁמוֹנִים אָלֶף כָּל־אֵלֶּה גִּבּוֹרֵי חָיִל׃

Edificaram e prosperaram. *Asa,* além de suas fortificações, tinha um numeroso exército para a defesa de Judá. A tribo de Judá contribuía com trezentos mil homens, e a tribo de Benjamim (que ainda não tinha sido absorvida por Judá) contribuía com 280 mil. O autor enfatizou o fato de que o exército de Judá era bem equipado e tinha guerreiros habilidosos. O exército de Judá, ao que tudo indica, era composto essencialmente por infantaria, visto que coisa alguma é dita sobre cavalos e carros de combate. Isso pode ter sido uma omissão descuidada por parte do cronista. Que teria acontecido aos cavalos que Salomão havia reunido (2Cr 9.25)?

Os números são grandes demais para pensarmos em um *exército permanente,* sustentado pelo governo real. Antes, esses homens aptos para a guerra existiam nas duas tribos e poderiam ser imediatamente convocados para servir nas forças armadas, sempre que necessário. Embora a proporção que cabia a Benjamim pareça alta demais, devemos lembrar que essa tribo sempre foi conhecida por sua habilidade na terra e por sua ansiedade de lutar. Ver Gn 49.27 e 1Cr 7.6-11. 2Cr 13.3 mostra-nos que Abias empregara quatrocentos mil homens contra Israel.

HISTÓRIA DE ZERÁ E SUAS HORDAS (14.9-15)

■ **14.9** (na Bíblia hebraica corresponde ao **14.8**)

וַיֵּצֵא אֲלֵיהֶם זֶרַח הַכּוּשִׁי בְּחַיִל אֶלֶף אֲלָפִים
וּמַרְכָּבוֹת שְׁלֹשׁ מֵאוֹת וַיָּבֹא עַד־מָרֵשָׁה׃

Finalmente, os dias maus retornaram como uma explosão. Zerá, o etíope, batia nas portas de Judá com seu fantástico exército de um milhão de homens, equipados com trezentos carros de combate. Até mesmo os eruditos conservadores tremem quando leem sobre esse número: *um milhão.* Certos estudiosos supõem que tenha ocorrido algum erro de transcrição, e os críticos falam em termos de invenção por parte do autor sacro, para aumentar o drama. Eugene H. Merrill (*in loc.*), que usualmente se mostra ansioso por explicar dificuldades, por mais desesperadas que sejam, refere-se à margem da *New International Version* (NIV), que fala sobre um *imenso exército,* e não um exército de um milhão de homens literais. Josefo, entretanto, manteve de pé esse número, ao falar em novecentos mil infantes e cem mil cavaleiros (*Antiq.* 1.8, cap. 12). Mas Ellicott (*in loc.*) muito provavelmente está correto quando interpreta isso como *miríades,* e não insiste em um número literal. É um tanto ridículo dizer que "a grande horda se *parecia* com um milhão", sem que tenha havido uma contagem exata cabeça após cabeça.

Ver no *Dicionário* acerca do que se conhece e se calcula sobre *Zerá.*

■ **14.10** (na Bíblia hebraica corresponde ao **14.9**)

וַיֵּצֵא אָסָא לְפָנָיו וַיַּעַרְכוּ מִלְחָמָה בְּגֵיא צְפַתָה
לְמָרֵשָׁה׃

Então Asa saiu contra ele. *Asa estava militarmente fortalecido,* mas o adversário era extraordinariamente grande. Não havia escolha, porém: Asa precisou entrar na batalha e esperar o melhor, confiando na intervenção de Yahweh. A batalha teve lugar em *Maressa* (ver a respeito no *Dicionário*), que ficava apenas quarenta quilômetros a sudoeste de Jerusalém. Cf. 2Cr 11.18 e Mq 1.15. O *vale de Zefatá* é mencionado somente aqui em toda a Bíblia. A Septuaginta traduz essa palavra como "vale do norte". Está em foco um vale próximo de Maressa. Ver o verbete no *Dicionário* quanto a detalhes. Havia líbios incluídos no exército de Zerá (2Cr 16.8). O Faraó do Egito não fora bem-sucedido na invasão de Judá, mas sujeitara Jerusalém a tributo. Zerá, contudo, não repetiria esse feito. Ver 2Cr 11.21 e 12.1,2. Yahweh interveio e concedeu a Asa grande vitória, por motivo de sua espiritualidade superior (ver o vs. 2 e o restante do capítulo).

■ **14.11** (na Bíblia hebraica corresponde ao **14.10**)

וַיִּקְרָא אָסָא אֶל־יְהוָה אֱלֹהָיו וַיֹּאמַר יְהוָה
אֵין־עִמְּךָ לַעְזוֹר בֵּין רַב לְאֵין כֹּחַ עָזְרֵנוּ יְהוָה
אֱלֹהֵינוּ כִּי־עָלֶיךָ נִשְׁעַנּוּ וּבְשִׁמְךָ בָאנוּ עַל־הֶהָמוֹן
הַזֶּה יְהוָה אֱלֹהֵינוּ אַתָּה אַל־יַעְצֹר עִמְּךָ אֱנוֹשׁ׃ ס

Clamou Asa ao Senhor seu Deus, e disse. Zerá e seu imenso exército estavam bem próximos de Jerusalém, e muito pouco separava o reino de Judá do desastre total. Por conseguinte, Asa invocou Yahweh para que fizesse intervenção. Quando chegamos ao desespero, entregamos os fatos aos cuidados de Deus, em oração. Asa orou com *veemência*, conforme diz o Targum dos judeus sobre este versículo. Somente Yahweh poderia ajudar os *fracos* que estavam diante de tão *poderoso* exército, conforme disse o cronista. Asa apresentou-se como o rei temporário de Judá, mas Yahweh era o Capitão dos Exércitos do Senhor. No Senhor, e não no pequeno exército de Asa (comparado com o de Zerá), havia poder. O palco estava armado para um "maravilhoso sinal da satisfação de Deus com Asa. Ele confiava não em seu exército de meio milhão de homens, mas lançou todo o cuidado sobre o Senhor (vs. 11)" (W. A. L. Elmslie, *in loc.*). Yahweh era o Poder diante do qual nenhum homem pode prevalecer. Não é luta quando seres mortais se veem em conflito com seres imortais. Cf. as experiências de Jônatas (ver 1Sm 14.6), quando ele atacou uma guarnição dos filisteus.

■ **14.12** (na Bíblia hebraica corresponde ao **14.11**)

וַיִּגֹּף יְהוָה אֶת־הַכּוּשִׁים לִפְנֵי אָסָא וְלִפְנֵי יְהוּדָה וַיָּנֻסוּ הַכּוּשִׁים׃

O Senhor feriu os etíopes diante de Asa. *O cronista* poupou-nos de uma sangrenta descrição da batalha, e não disse quantos, dentre o milhão de homens de Zerá, foram mortos. Mas garantiu-nos que Yahweh deu a Judá uma vitória decisiva, a qual eliminou a Etiópia como uma ameaça. A descrição é similar à que diz respeito a Abias e a derrota de Jeroboão (2Cr 13.13 ss.). Ver também 2Cr 15.15,16.

■ **14.13** (na Bíblia hebraica corresponde ao **14.12**)

וַיִּרְדְּפֵם אָסָא וְהָעָם אֲשֶׁר־עִמּוֹ עַד־לִגְרָר וַיִּפֹּל מִכּוּשִׁים לְאֵין לָהֶם מִחְיָה כִּי־נִשְׁבְּרוּ לִפְנֵי־יְהוָה וְלִפְנֵי מַחֲנֵהוּ וַיִּשְׂאוּ שָׁלָל הַרְבֵּה מְאֹד׃

Asa e o povo que estava com ele os perseguiram até Gerar. A *campanha militar que se seguiu* mandou Zerá e o que restou de suas hordas fugir; eles foram destruídos ao longo do caminho, e muito despojo foi tomado por Judá. A fuga levou os exércitos combatentes até Gerar (ver a respeito no *Dicionário*), cerca de 36 quilômetros a sudoeste de Maressa. Portanto, a matança final ocorreu cerca de 72 quilômetros a sudoeste de Jerusalém. Na época, essa área muito provavelmente estava nas mãos dos egípcios, mas isso não impediu que Judá cumprisse seu propósito. Muitos despojos foram tomados, incluindo animais e outros bens materiais. E Judá nunca mais teve dificuldade com um inimigo do sul, incluindo o Egito, até que Neco se encontrou com Josias, em batalha, no ano de 609 a.C. (ver 2Cr 35.20-24). As versões siríaca e árabe dizem-nos que "o anjo do Senhor" deu a vitória e feriu as hordas do inimigo.

Sem restar nenhum sequer. Certamente há algum exagero nesta declaração. Devemos compreender uma imensa matança, com poucos sobreviventes. Yahweh "destroçou" os etíopes natural e sobrenaturalmente.

■ **14.14** (na Bíblia hebraica corresponde ao **14.13**)

וַיַּכּוּ אֵת כָּל־הֶעָרִים סְבִיבוֹת גְּרָר כִּי־הָיָה פַחַד־יְהוָה עֲלֵיהֶם וַיָּבֹזּוּ אֶת־כָּל־הֶעָרִים כִּי־בִזָּה רַבָּה הָיְתָה בָהֶם׃

Feriram todas as cidades ao redor de Gerar. *Várias cidades* foram arrasadas na campanha militar que se seguiu, a fim de que se conseguissem resultados duradouros da vitória. O "temor do Senhor" ou *pânico divino* foi um dos agentes da extraordinária vitória, dando à questão um aspecto de intervenção divina. Cf. 1Sm 11.7; 2Cr 13.14,15 e 17.10, cujas notas também se aplicam aqui. Naturalmente, as cidades assim destruídas serviram de rica fonte de despojos, como *salário dos soldados de Judá*. Não foi o Estado quem os pagou. Eles saíram e obtiveram suas próprias riquezas através da conquista, da vitória e dos despojos. É provável que várias daquelas cidades atuassem como armazéns das forças de Zerá, de modo que Judá se abasteceu dos suprimentos ali guardados, e assim houve um grande "dia de pagamento".

■ **14.15** (na Bíblia hebraica corresponde ao **14.14**)

וְגַם־אָהֳלֵי מִקְנֶה הִכּוּ וַיִּשְׁבּוּ צֹאן לָרֹב וּגְמַלִּים וַיָּשֻׁבוּ יְרוּשָׁלִָם׃ ס

Também feriram as tendas dos donos do gado. No hebraico, "tendas de gado" não faz sentido, de maneira que a *Revised Standard Version* e a nossa versão portuguesa dizem aqui "tendas dos que tinham gado". Judá não feriu os animais literalmente, como diz o hebraico, mas os que cuidavam dos animais. Tendo matado a todos eles, facilmente seria possível levar os animais como parte dos despojos. Estão em pauta populações que habitavam em tendas no deserto, nômades que viviam em lugares virtualmente desabitados. Todos os seus animais e bens materiais foram tomados pelos exércitos vencedores de Judá. Além do gado vacum e das ovelhas, também conseguiram um grande número de camelos, ou cavalos do deserto, excelentes animais de carga para a região desértica, porque dificilmente precisam beber água. Ver no *Dicionário* o verbete chamado *Camelo*. As *riquezas* do deserto eram constituídas pelos animais ali criados. Judá, pois, levou de volta para casa essas riquezas.

CAPÍTULO QUINZE

A história de Asa continua neste capítulo. Ver a introdução a essa história no início do capítulo 14. Nos livros de Reis não há paralelo de 2Cr 15.1-15.

REFORMA RELIGIOSA DE ASA (15.1-15)

Discurso do Profeta Azarias Ben Obede (15.1-7)
"No tempo devido, Azarias, filho de Obede, profeta do Senhor mencionado somente no texto presente, foi até Asa e desafiou-o a *permanecer fiel* ao Senhor, a fim de que ele lhe permitisse continuar desfrutando as bênçãos divinas. Asa foi advertido a não desviar o povo para o desregramento. As palavras 'esteve o verdadeiro Deus' significam sem contar com a presença e a bênção de Deus, e as palavras 'sem lei' significam sem o conhecimento e sem a obediência à lei. De outra sorte, a anarquia ('muitas perturbações', vs. 5, e 'os conturbou', vs. 6), como a que tinham experimentado no passado, provavelmente na época dos Juízes, já lhe teria sobrevindo" (Eugene H. Merrill, *in loc.*).

■ **15.1**

וַעֲזַרְיָהוּ בֶּן־עוֹדֵד הָיְתָה עָלָיו רוּחַ אֱלֹהִים׃

Veio o Espírito de Deus sobre Azarias. Azarias foi tomado pelo Espírito de Deus, para que pudesse transmitir uma mensagem especial, inspirada. Ver sobre *Azarias* no *Dicionário*. Azarias é mencionado somente aqui em toda a Bíblia. Ver também o artigo chamado *Inspiração*.

Fazia parte dos privilégios dos profetas ter experiências místicas que os tornavam guias do povo quanto a questões espirituais. Ver no *Dicionário* os verbetes *Misticismo* e *Espírito de Deus*. O nome Azarias significa "aquele a quem Yahweh ajuda".

Hillerus equiparou Azarias com o profeta Ido, mas isso é uma conjectura improvável. Tal tradição é repetida em Hieron. Trad. Hb em *Paralipom*. fol. 84. L e 85 A. O nome de seu pai, *Obede*, compreende as mesmas letras radicais que o nome Ido (ver 2Cr 9.29 e 12.15). Mas parece não haver razão pela qual a identidade do profeta estaria oculta se, porventura, ele fosse o mesmo homem que o profeta muito menciona.

■ **15.2**

וַיֵּצֵא לִפְנֵי אָסָא וַיֹּאמֶר לוֹ שְׁמָעוּנִי אָסָא וְכָל־יְהוּדָה וּבִנְיָמִן יְהוָה עִמָּכֶם בִּהְיוֹתְכֶם עִמּוֹ וְאִם־תִּדְרְשֻׁהוּ יִמָּצֵא לָכֶם וְאִם־תַּעַזְבֻהוּ יַעֲזֹב אֶתְכֶם׃ ס

Ouvi-me Asa, e todo o Judá e Benjamim. Temos aqui a relação recíproca de Yahweh com Judá e Benjamim:

1. Yahweh está com os que permanecem a seu lado. Ou seja, os que obedecem às suas leis e observam o seu culto.
2. Os que buscam por ele, em verdade e humildade, são por ele encontrados. Buscar a Yahweh significa praticar o yahwismo em concordância com a legislação mosaica. Cf. Lc 11.9,10 e 12.31. "Buscai, pois, em primeiro lugar, o reino de Deus". Aquele que busca acha. Para que um homem seja espiritual e espiritualmente abençoado, ele deve fazer o esforço apropriado, despender a energia certa e praticar a santidade.
3. O homem que esquece Yahweh é também esquecido por ele. O profeta tem aqui em mente a *idolatria* como a forma mais grave que Israel (ou Judá) era capaz de cometer. Os idólatras eram os israelitas que esqueciam o culto a Yahweh e negligenciavam a lei. Mas os que aderiam constantemente a Yahweh e à sua lei também aderiam permanentemente à presença e às bênçãos divinas. O Targum sobre esse versículo fala da presença auxiliadora de Deus ao homem que preenche essas condições. Esse homem nada terá que temer. Ele nunca será abandonado. Cf. Hb 13.5.

Cf. o presente versículo com 1Cr 28.9 e Jr 29.13,14. Ver também 2Cr 12.5 e 24.20.

■ **15.3**

וְיָמִים רַבִּים לְיִשְׂרָאֵל לְלֹא אֱלֹהֵי אֱמֶת וּלְלֹא כֹּהֵן
מוֹרֶה וּלְלֹא תוֹרָה׃

Israel esteve por muito tempo sem o verdadeiro Deus. Várias referências temporais têm sido dadas para explicar este versículo. Quando Israel esteve sem o verdadeiro Deus, privado de seus ensinamentos, de seus profetas, de sua lei e de suas bênçãos?

1. Alguns falam sobre o *tempo dos juízes,* quando Israel esteve em baixo nível espiritual, e cada qual fazia o que melhor lhe parecia, não havendo nenhuma autoridade central de governo, nem um lugar centralizado de adoração.
2. O Targum prefere apontar para a época em que o norte se separou do sul, um dia muito escuro para a nação do norte, Israel (embora não tão devastador para o sul).
3. Ou então a referência pode ser geral: em qualquer época de apostasia (das quais houve diversas), Israel entrava em um período obscuro. Asa, pois, foi advertido a não repetir os enganos do passado, e a dar prosseguimento às reformas, especialmente no tocante a livrar o país da idolatria e estabelecer firmemente o yahwismo.
4. Alguns fazem dessa advertência uma profecia, especialmente em uma época que antecedia o cativeiro babilônico. Por sua obediência, Asa adiaria o inevitável evento. Mas é evidente que está em foco nessas palavras algum tempo passado.

■ **15.4,5**

וַיָּשָׁב בַּצַּר־לוֹ עַל־יְהוָה אֱלֹהֵי יִשְׂרָאֵל וַיְבַקְשֻׁהוּ
וַיִּמָּצֵא לָהֶם׃

וּבָעִתִּים הָהֵם אֵין שָׁלוֹם לַיּוֹצֵא וְלַבָּא כִּי מְהוּמֹת
רַבּוֹת עַל כָּל־יוֹשְׁבֵי הָאֲרָצוֹת׃

Mas quando na sua angústia eles voltaram ao Senhor. *Asa* tinha em suas mãos o poder de evitar repetir os erros que haviam sido cometidos no passado. Eles não tinham encontrado a paz; os vexames era grandes; o país inteiro desconjuntava-se porquanto Yahweh estava distante e aquela antiga síndrome do pecado-calamidade-julgamento operava fora de controle. No entanto, a história demonstrava que, *cada vez* que Israel se voltava para Yahweh, em busca de cura, ele estava presente. Muitas apostasias eram revertidas, uma vez que havia arrependimento de pecados. Portanto, insistia o profeta, *era melhor* evitar a apostasia e a necessidade de arrepender-se, e assim *evitar a dor.*

Cf. Mt 24.6,7,9,13. Alguns estudiosos supõem que Jesus tenha tomado por empréstimo o fraseado dos presentes versículos, quando projetou um futuro negro para um mundo apostatado.

Ver Jz 3.9,15; 4.3,15; 16.6 ss. e Sl 106.44; 107.6, que falam especificamente sobre a reversão dos resultados da apostasia e sobre a normalidade restaurada.

■ **15.6**

וְכֻתְּתוּ גוֹי־בְּגוֹי וְעִיר בְּעִיר כִּי־אֱלֹהִים הֲמָמָם
בְּכָל־צָרָה׃

Porque nação contra nação, e cidade contra cidade se despedaçavam. Grandes guerras seguiam a degradação espiritual: nações destruíam nações; cidades destruíam cidades. *Elohim* estava por trás desses vexames, inspirando nações e cidades a certificar-se de que o pecado fosse devidamente castigado. Ver no *Dicionário* o verbete intitulado *Lei Moral da Colheita segundo a Semeadura*.

É provável que estivesse em pauta aqui a luta de uma das tribos de Israel contra outra, ou seja, guerras civis. Ver Jz 9.45; 12.6; 20.21,24,44-48. Mas também havia inimigos estrangeiros que sempre encontravam tempo para atacar novamente o povo de Israel. Foi uma época de matar e ser morto, um tema que enche as páginas do Antigo Testamento.

Cf. Is 9.18-21, uma passagem vívida de conflito interno dentro de uma nação. Ver também Is 19.2. Ver também Zc 14.13 quanto à *grande confusão* que Yahweh lança no meio dos pecadores.

Na guerra não há vencedores.

Neville Chamberlain

Enquanto a humanidade continuar a louvar
mais os seus destruidores do que os seus benfeitores,
a guerra permanecerá sendo o alvo principal das
mentes ambiciosas.

Edward Gibbon, em *The Decline
and Fall of the Roman Empire*

■ **15.7**

וְאַתֶּם חִזְקוּ וְאַל־יִרְפּוּ יְדֵיכֶם כִּי יֵשׁ שָׂכָר
לִפְעֻלַּתְכֶם׃ ס

Mas sede fortes, e não desfaleçam as vossas mãos. Uma obra precisava ser feita. Uma obra precisava ser recompensada. Seria necessária grande força para tanto. Seriam necessárias mãos fortes. Asa encontraria muitos adversários. Suas reformas religiosas sofreriam oposição amarga e constante. "Enche-te de coragem; enche-te de disposição; sê vigoroso; não sejas lânguido; não sejas remisso ao reformar a adoração a Deus — tua obra será recompensada; haverá paz e prosperidade interior, e haverá sucesso contra as potências inimigas" (John Gill, *in loc.*). Cf. Jr 31.16. "A conclusão. Não fiques atrás de teus antepassados. Que a tua lealdade a Yahweh seja decisiva e sincera. Teu trabalho desarraigará a idolatria" (Ellicott, *in loc.*). "Seriam requeridas grande resolução e uma invencível energia" (Jamieson, *in loc.*).

Reação de Asa à Mensagem do Profeta (15.8-15)

"Asa reagiu diante da mensagem do profeta ao intensificar a destruição dos ídolos (cf. 2Cr 14.3-5) e ao reparar o grande altar de bronze do templo do Senhor, o qual, por alguma razão não especificada, precisava urgentemente de consertos. Então ele reuniu o povo de seu reino, incluindo fugitivos de Efraim, Manassés e Simeão, no terceiro mês (maio-junho) de seu décimo quinto ano de governo (896 a.C.). Ao que tudo indica, alguns simeonitas, que não haviam sido assimilados à tribo de Judá, tinham migrado para o norte. O propósito de Asa foi renovar o *pacto* estabelecido entre o Senhor e seus antepassados, feito pela mediação de Moisés (2Cr 15.12)" (Eugene H. Merrill, *in loc.*).

■ **15.8**

וְכִשְׁמֹעַ אָסָא הַדְּבָרִים הָאֵלֶּה וְהַנְּבוּאָה עֹדֵד הַנָּבִיא
הִתְחַזַּק וַיַּעֲבֵר הַשִּׁקּוּצִים מִכָּל־אֶרֶץ יְהוּדָה וּבִנְיָמִן
וּמִן־הֶעָרִים אֲשֶׁר לָכַד מֵהַר אֶפְרָיִם וַיְחַדֵּשׁ אֶת־
מִזְבַּח יְהוָה אֲשֶׁר לִפְנֵי אוּלָם יְהוָה׃

Ouvindo, pois, Asa estas palavras e a profecia do profeta. As *reformas religiosas continuaram* com um renovado vigor. 2Cr 14.3 ss. já nos havia informado sobre extensas reformas. Asa declarou guerra contra a idolatria, e em seguida novamente declarou guerra, quando o profeta o encorajou a continuar a luta. Ele removeu a idolatria das cidades que havia conquistado da tribo de Efraim. Ver 2Cr 13.19 e 17.2. A idolatria é chamada de *abominação*, uma designação veterotestamentária comum. Ver no *Dicionário* os artigos *Idolatria* e *Abominação*, quanto a detalhes. Abias, seu pai, havia conquistado as cidades que, talvez, tivessem obtido liberdade de Judá desde aquele tempo. Ele as recapturou e as purificou de suas poluções religiosas.

E renovou o altar do Senhor. O texto não dá a entender que o altar tenha sido *destruído*, como que mediante algum culto idólatra em Judá. Antes, a ideia é que o altar precisava urgentemente de reparos. Talvez ele tenha dado ao altar uma nova camada de bronze, que já se havia perdido em vários pontos desde que começara a ser usado, nos dias de Salomão. Jamieson fala dos *reparos esplêndidos ou embelezamentos* que faziam o altar parecer novo, como quando foi dedicado no princípio. O ato mostrou seu sério intuito de promover o yahwismo nos termos da legislação mosaica. É provável que outros reparos, de menor envergadura, também tivessem sido feitos no templo. O altar, ao que tudo indica, foi *dedicado novamente*.

■ 15.9,10

וַיִּקְבֹּץ אֶת־כָּל־יְהוּדָה וּבִנְיָמִן וְהַגָּרִים עִמָּהֶם מֵאֶפְרַיִם וּמְנַשֶּׁה וּמִשִּׁמְעוֹן כִּי־נָפְלוּ עָלָיו מִיִּשְׂרָאֵל לָרֹב בִּרְאֹתָם כִּי־יְהוָה אֱלֹהָיו עִמּוֹ׃ פ

וַיִּקָּבְצוּ יְרוּשָׁלִַם בַּחֹדֶשׁ הַשְּׁלִישִׁי לִשְׁנַת חֲמֵשׁ־עֶשְׂרֵה לְמַלְכוּת אָסָא׃

Congregou todo o Judá e Benjamim. As duas tribos de Judá e Benjamim, juntamente com muitos que tinham chegado do norte, pertencentes às tribos de Efraim, Manassés e Simeão, foram reunidas formando uma nação composta e, juntas, observaram os ritos do yahwismo, em Jerusalém, tirando vantagem do templo que Salomão havia provido para uma adoração centralizada. As reformas religiosas, dirigidas por Asa, foram assinaladas e celebradas por meio de sacrifícios especiais, como se o templo estivesse sendo dedicado de novo.

O evento foi tão significativo que o autor sagrado nos fornece o tempo exato das celebrações. Foi um *evento memorável*, cuja data precisava ser relembrada. Ocorreu no terceiro mês, sivan (correspondente a nosso maio-junho). Naquele mês havia a festa de Pentecoste, a celebração da outorga da lei. Isso posto, Asa levou a lei de volta a uma posição de proeminência, por seus muitos atos de reforma. O ano foi o décimo quinto do reinado de Asa, que também pode ter sido o ano em que ele obteve tremenda vitória sobre os etíopes. Ele estava celebrando *outra* grande vitória: sobre a idolatria. Talvez a celebração tenha acontecido, coincidindo com a festa do Pentecoste. Nesse caso, esse Pentecoste particular recebeu um sentido especial naquele ano.

■ 15.11

וַיִּזְבְּחוּ לַיהוָה בַּיּוֹם הַהוּא מִן־הַשָּׁלָל הֵבִיאוּ בָּקָר שְׁבַע מֵאוֹת וְצֹאן שִׁבְעַת אֲלָפִים׃

Naquele dia ofereceram em sacrifício ao Senhor. *Sacrifícios regulares* foram realizados, os quais o autor não se importou em descrever. Além disso, todo o despojo (que Asa conseguiu adquirir de Zerá e suas hordas, e de certo número de cidades subsequentemente conquistadas por ele; ver 2Cr 14.9 ss.) foi trazido ao templo como oferta especial para aumentar os cofres e suas "reservas em forma de ouro".

O Targum diz especificamente sobre essa passagem que a *festa das semanas*, ou Pentecoste, era a festa que estava sendo celebrada, tendo recebido um novo significado pela *rededicação* do altar por parte de Asa. Os despojos incluíam muitos animais que seriam úteis para os sacrifícios, e isso fez parte das *oferendas*. Ver 2Cr 14.15. Assim, sete mil bois e sete mil ovelhas foram sacrificados durante a festa, como se o templo estivesse sendo rededicado. Ofertas queimadas e ofertas pacíficas sem dúvida foram incluídas. As ofertas pacíficas eram formas de prestar graças, portanto fizeram parte do culto. Ver no *Dicionário* o artigo intitulado *Sacrifícios e Ofertas*.

Quanto aos oferecimentos *muito maiores* de Salomão (como por ocasião da dedicação do templo), ver 1Rs 8.62 ss. O número estupendo de 22 mil bois e 120 mil ovelhas foi sacrificado! É difícil imaginar tão grande quantidade de animais sacrificados.

■ 15.12

וַיָּבֹאוּ בַבְּרִית לִדְרוֹשׁ אֶת־יְהוָה אֱלֹהֵי אֲבוֹתֵיהֶם בְּכָל־לְבָבָם וּבְכָל־נַפְשָׁם׃

Entraram em aliança de buscarem o Senhor. Outro pacto ainda. Em relação de aliança com Deus, o povo fez novo pacto a fim de relembrar e renovar a aliança estabelecida com Yahweh. Ver no *Dicionário* o artigo chamado *Pactos*. As reformas de Asa, pois, requereram uma nova aliança. Esse novo pacto era de uma renovada determinação de que buscariam a Yahweh; aprenderiam e obedeceriam à sua lei; perpetuariam o seu culto; dariam a Judá um novo começo com a eliminação de sistemas pagãos e suas abominações. Talvez a cerimônia tenha incluído a passagem pelo meio das metades de um boi dividido, prática que criou a expressão "cortar um pacto". Ver Jr 34.8. Cf. Êx 20—24 e Dt 29 quanto aos pactos anteriores e as boas intenções de observá-los. O povo comprometeu-se com os juramentos apropriados (vs. 14). Eles buscariam a Yahweh de todo o coração. Cf. Dt 4.29, que contém idêntica declaração. Ver a natureza *distintiva* de Israel como o povo da lei, em Dt 4.4-8. Judá prometeu mostrar-se distinto das nações pagãs e fez juramentos com essa finalidade. A história se repete, e as apostasias de Israel eram seguidas por períodos de arrependimento e renovação. A idolatria não poderia ser tolerada. Os que discordassem seriam executados (vs. 13).

■ 15.13

וְכֹל אֲשֶׁר לֹא־יִדְרֹשׁ לַיהוָה אֱלֹהֵי־יִשְׂרָאֵל יוּמָת לְמִן־קָטֹן וְעַד־גָּדוֹל לְמֵאִישׁ וְעַד־אִשָּׁה׃

E de que todo aquele que não buscasse ao Senhor. É provável que ninguém se tenha apresentado a dizer: "Discordo do que você está fazendo, e continuarei em minhas práticas pagãs". Mas as autoridades estariam observando. Se algum homem ou mulher se envolvesse em qualquer forma de idolatria, seria executado, provavelmente por *apedrejamento* (ver a respeito no *Dicionário*). A idolatria seria punida legalmente, em conformidade com a legislação mosaica, sem considerar sexo, idade, posição social ou dignidade pessoal. Ver Dt 17.2-6.

■ 15.14

וַיִּשָּׁבְעוּ לַיהוָה בְּקוֹל גָּדוֹל וּבִתְרוּעָה וּבַחֲצֹצְרוֹת וּבְשׁוֹפָרוֹת׃

Juraram ao Senhor, em alta voz. *Juramentos Confirmatórios*. A renovação do pacto foi feita mediante pronunciação de juramentos solenes. Muita alegria, acompanhada por gritos de júbilo, mostrava que esses juramentos tinham sido feitos voluntariamente. Tudo ocorreu na atmosfera de uma celebração. "As aclamações do povo acompanhavam os fortes sonidos da trombeta e do clarim, que, naturalmente, aumentavam a solenidade do juramento" (Ellicott, *in loc.*). Cf. 1Cr 15.28 e 23.13.

■ 15.15

וַיִּשְׂמְחוּ כָל־יְהוּדָה עַל־הַשְּׁבוּעָה כִּי בְכָל־לְבָבָם נִשְׁבָּעוּ וּבְכָל־רְצוֹנָם בִּקְשֻׁהוּ וַיִּמָּצֵא לָהֶם וַיָּנַח יְהוָה לָהֶם מִסָּבִיב׃

Todo o Judá se alegrou por motivo deste juramento. *A alegria* ou confirmação da lealdade a Yahweh, por meio de juramentos, não foi mera tentativa de escapar à síndrome do pecado-calamidade-julgamento. Antes, houve uma espécie de espiritualidade diferente, por meio da qual Judá, como nação, foi apanhada no reavivamento. O maior mandamento da lei é o amor, conforme se vê em Dt 6.5. Ver no *Dicionário* o verbete chamado *Amor*. Judá obteve, pelo menos durante certo período, o tipo de amor divino que, naturalmente, resulta na alegria e no bem-estar.

Descanso. Em vez de sofrer calamidades, a reavivada nação de Judá gozou de *descanso*. Todos os inimigos foram olvidados, pois, por algum tempo, foi esquecido o jogo da guerra. Cf. 2Cr 14.6,7. Mas em breve esse descanso seria interrompido (ver 2Cr 16).

ACERCA DA ÍMPIA MAACA (15.16-18)

■ **15.16-18**

V16 וְגַם־מַעֲכָ֞ה אֵ֣ם ׀ אָסָ֣א הַמֶּ֗לֶךְ הֱסִירָהּ֙ מִגְּבִירָ֔ה אֲשֶׁר־עָשְׂתָ֥ה לַאֲשֵׁרָ֖ה מִפְלָ֑צֶת וַיִּכְרֹ֤ת אָסָא֙ אֶת־מִפְלַצְתָּ֔הּ וַיָּ֕דֶק וַיִּשְׂרֹ֖ף בְּנַ֥חַל קִדְרֽוֹן׃

V17 וְהַ֨בָּמ֔וֹת לֹא־סָ֖רוּ מִיִּשְׂרָאֵ֑ל רַק לְבַב־אָסָ֛א הָיָ֥ה שָׁלֵ֖ם כָּל־יָמָֽיו׃

V18 וַיָּבֵ֞א אֶת־קָדְשֵׁ֥י אָבִ֛יו וְקָֽדָשָׁ֖יו בֵּ֣ית הָאֱלֹהִ֑ים כֶּ֥סֶף וְזָהָ֖ב וְכֵלִֽים׃

Estes três versículos são duplicações de 1Rs 15.13-15, onde as notas expositivas foram dadas. Há algumas poucas palavras sem importância. Note o leitor como o vs. 17 contradiz 2Cr 14.3. Ao copiar o texto de 1Reis, o cronista não se deu ao trabalho de *harmonizar* a declaração com o que já havia sido dito. Os *lugares altos* tinham permanecido. Ou seja, as reformas de Asa foram incompletas. Contudo, foi um grande movimento que fez grande bem a Judá. Os santuários locais resistiram até o fim, a despeito de oposições periódicas. Ver no *Dicionário* o verbete intitulado *Lugares Altos*.

■ **15.19**

וּמִלְחָמָ֖ה לֹ֣א הָיָ֑תָה עַ֛ד שְׁנַת־שְׁלֹשִׁ֥ים וְחָמֵ֖שׁ לְמַלְכ֥וּת אָסָֽא׃ ס

Não houve guerra até ao ano. *Houve descanso em relação à guerra até o trigésimo quinto ano do reinado de Asa.* Isso significa que o período de tranquilidade durou até cerca de 876 a.C. 2Cr 16.1 dá o trigésimo sexto ano como o tempo em que Baasa, rei de Israel, atacou Judá. Por isso o autor sacro falou em termos inexatos. Baasa tinha morrido antes dessa data. Ver 1Rs 15.33. Não há como resolver todos os problemas de números e de cronologias no Antigo Testamento, visto que, ocasionalmente, aparecem discrepâncias. "Trata-se de uma tarefa das mais difíceis resolver essas cronologias, em todos os aspectos. E a dificuldade não pertence aos *livros sagrados* tão somente. Todas as outras tabelas cronológicas das nações do mundo estão na mesma situação. No caso das tabelas cronológicas da história inglesa, tenho ficado, por várias vezes, perplexo, mesmo quando tenho acesso a todos os arquivos da nação. Provavelmente deveríamos ler aqui o vigésimo quinto ano" (Adam Clarke, *in loc.*). Quanto a outras notas sobre o problema, ver 2Cr 16.1. Sabemos, através de outras fontes informativas, que Baasa *morreu* no ano vigésimo sexto do governo de Asa, e assim seria impossível que eles tivessem guerreado dez anos mais tarde. Os críticos estão felizes por ver discrepâncias, e os eruditos ultraconservadores desmaiam e tentam de todos os modos (até os desonestos) tentar explicar casos como esse. Mas toda essa atividade nada tem a ver com a espiritualidade.

CAPÍTULO DEZESSEIS

Prossegue o reinado de Asa. Ver a introdução ao capítulo 14 de 2Crônicas.

GUERRA CIVIL

O TRATADO DE ASA COM ARÃO (16.1-14)

Paralelo. Ver os comentários em 1Rs 15.17-22 quanto ao mesmo material.

■ **16.1**

בִּשְׁנַ֨ת שְׁלֹשִׁ֤ים וָשֵׁשׁ֙ לְמַלְכ֣וּת אָסָ֔א עָלָ֞ה בַּעְשָׁ֤א מֶֽלֶךְ־יִשְׂרָאֵל֙ עַל־יְהוּדָ֔ה וַיִּ֖בֶן אֶת־הָרָמָ֑ה לְבִלְתִּ֗י תֵּ֚ת יוֹצֵ֣א וָבָ֔א לְאָסָ֖א מֶ֥לֶךְ יְהוּדָֽה׃

Cf. os vss. 1-6 com 1Rs 15.17-22.

Uma Discrepância. A declaração deste primeiro versículo tem causado um insolúvel problema cronológico. Eugene H. Merrill, que heroicamente tenta solucionar tais problemas bíblicos, ofereceu estas sugestões: "No ano 36 do governo de Asa, ele foi confrontado por Baasa, rei de Israel, que erigiu uma fortaleza na fronteira entre Israel e Judá, em Ramá, cerca de dez quilômetros ao norte de Jerusalém. O propósito de Baasa era impedir outros movimentos dos israelitas para o sul na direção de Judá. Surge aqui um problema: as datas de Baasa (909-886 a.C. — cf. 1Rs 15.33) requerem que sua *morte* tenha ocorrido dez anos *antes* do ano 36 do governo de Asa. Isso tem levado alguns eruditos a concluir que o ano 35 (2Cr 15.19) se refere ao ano 35 do reino de Judá depois de sua divisão de Israel, em 931 a.C. Isso resultaria em 896 a.C, o que é improvável, pois o trigésimo quinto ano do reino dificilmente seria chamado de 'o ano 35 do reinado de Asa'. Mais provável é que esses números estejam baseados no equívoco de algum copista, em que as cifras hebraicas referentes ao ano 35 (15.19) e 36 (16.1), podem ter sido, na realidade, os anos décimo quinto e décimo sexto. Isso empurraria a data dos eventos do capítulo 16 para 895 a.C., dentro do reinado de Baasa". O sr. Merrill, caros leitores, não pode ter suposto que o autor original, o *cronista,* fosse aquele que produziu, primeiramente, esse erro. Mas ao passarmos dos livros de Reis para os livros de Crônicas, notamos que, quando há alguma discrepância, esta é sempre do cronista, pois o autor de Reis sempre se mostrou mais exato nas notas cronológicas. Erros como esses, porém, não têm nenhuma importância para com a espiritualidade, nem para com uma teoria sã da inspiração das Escrituras. Ver meus comentários sobre 2Cr 15.19. Entretanto, W. A. L. Elmslie, *in loc.*, fala de uma inscrição gravada em uma estela, que parece apoiar a informação do cronista em contraposição à informação dada em 1Rs. Essa inscrição foi feita por Ben-Hadade, em cerca de 850 a.C. Se isso realmente está correto, então a discrepância permanece de pé; mas, nesse caso, o autor dos livros de Reis incorreu em erro.

Ver as notas expositivas sobre o trecho paralelo de 1Rs 15.17. O autor dos livros de Reis prefixou suas observações lembrando-nos da contínua guerra civil que houve entre Israel e Judá no tempo de Baasa (ver 1Rs 15.16).

■ **16.2**

וַיֹּצֵ֨א אָסָ֜א כֶּ֣סֶף וְזָהָ֗ב מֵאֹצְר֛וֹת בֵּ֥ית יְהוָ֖ה וּבֵ֣ית הַמֶּ֑לֶךְ וַיִּשְׁלַ֗ח אֶל־בֶּן־הֲדַד֙ מֶ֣לֶךְ אֲרָ֔ם הַיּוֹשֵׁ֥ב בְּדַרְמֶ֖שֶׂק לֵאמֹֽר׃

Então Asa tomou prata e ouro dos tesouros da casa do Senhor. O trecho paralelo é 1Rs 15.18, onde foram oferecidas as notas expositivas. O cronista considerou supérflua à sua história a notícia genealógica referente a *Ben-Hadade*. O livro de Reis diz que *todo* o ouro e prata foi tirado do tesouro do templo. O cronista não usou a palavra *todo*, julgando-a forte demais.

■ **16.3**

בְּרִית֙ בֵּינִ֣י וּבֵינֶ֔ךָ וּבֵ֥ין אָבִ֖י וּבֵ֣ין אָבִ֑יךָ הִנֵּ֨ה שָׁלַ֤חְתִּי לְךָ֙ כֶּ֣סֶף וְזָהָ֔ב לֵ֣ךְ הָפֵ֗ר בְּרִֽיתְךָ֙ אֶת־בַּעְשָׁא֙ מֶ֣לֶךְ יִשְׂרָאֵ֔ל וְיַעֲלֶ֖ה מֵעָלָֽי׃

Haja aliança entre mim e ti, como houve entre meu pai e teu pai. Ver o trecho paralelo de 1Rs 15.19, que é essencialmente igual, exceto por algumas diferenças verbais sem importância. Ben-Hadade (ver sobre ele no *Dicionário*) gostava tanto de guerra quanto de dinheiro e por isso aceitou suborno de Asa e atacou Baasa.

■ **16.4**

וַיִּשְׁמַ֨ע בֶּן־הֲדַ֜ד אֶל־הַמֶּ֣לֶךְ אָסָ֗א וַיִּשְׁלַ֞ח אֶת־שָׂרֵ֤י הַחֲיָלִים֙ אֲשֶׁר־ל֔וֹ אֶל־עָרֵ֖י יִשְׂרָאֵ֑ל וַיַּכּוּ֙ אֶת־עִיּ֔וֹן וְאֶת־דָּ֕ן וְאֵ֖ת אָבֵ֣ל מָ֑יִם וְאֵ֥ת כָּל־מִסְכְּנ֖וֹת עָרֵ֥י נַפְתָּלִֽי׃

Ben-Hadade deu ouvidos ao rei Asa. Ver 1Rs 15.20, o trecho paralelo, quanto à exposição. Os versículos são os mesmos, exceto pelo fato de que o cronista dá o nome de uma das cidades que Ben-Hadade atacou como Bete-Main, em vez de Abel-Bete-Maaca. Não há como explicar a diferença, a qual Ellicott supôs ser um "antigo equívoco", seja da parte do cronista, seja de algum copista subsequente. Além disso, os livros de Reis dizem *Quinerete*, que o cronista omite. Ver Js 19.35. Era uma cidade de Naftali. O mar da Galileia era chamado de mar de Quinerete (Js 12.3), devido à proximidade daquele lugar. O cronista parafraseou os livros de Reis, em vez de copiá-los precisamente.

16.5

וַיְהִי כִּשְׁמֹעַ בַּעְשָׁא וַיֶּחְדַּל מִבְּנוֹת אֶת־הָרָמָה וַיַּשְׁבֵּת אֶת־מְלַאכְתּוֹ׃ ס

Ouvindo isso Baasa deixou de edificar a Ramá. O trecho paralelo é 1Rs 15.21, exatamente igual e onde foram fornecidas as notas expositivas. O cronista não mencionou a cidade de *Tirza*, o lugar para onde Baasa foi quando interrompeu seu programa de construções em Ramá.

16.6

וְאָסָא הַמֶּלֶךְ לָקַח אֶת־כָּל־יְהוּדָה וַיִּשְׂאוּ אֶת־אַבְנֵי הָרָמָה וְאֶת־עֵצֶיהָ אֲשֶׁר בָּנָה בַּעְשָׁא וַיִּבֶן בָּהֶם אֶת־גֶּבַע וְאֶת־הַמִּצְפָּה׃ ס

Então o rei Asa tomou todo o Judá. O paralelo é 1Rs 15.22, onde são dadas as notas expositivas. Conforme era típico em seu estilo, o cronista abreviou seus escritos, omitindo a *proclamação* feita por Asa que convocava operários para carregar materiais de construção até Geba. Trabalho forçado foi utilizado nesse projeto. Diante de uma convocação do rei, todos tinham de ir.

Asa Repreendido por Hanani (16.7-10)

Esta breve seção não tem paralelo em 1Rs. No capítulo 15 do trecho paralelo, o autor concluíra a história de Asa sem tardança (vss. 23 e 24). Mas o cronista precisou incluir a história da repreensão de Hanani, porquanto viu nisso alguma significação espiritual. Embora fosse um excelente rei, em um momento de crise Asa buscou a ajuda do monarca sírio para solucionar seu problema com Baasa, rei de Israel. Ele deveria, porém, ter clamado a Yahweh, que teria provido um meio diferente de manter Baasa afastado. Conforme diz um ditado popular: "Grandes homens, grandes erros". Talvez a enfermidade nos pés, da qual ele morreu (1Rs 15.23; 1Cr 16.2), tenha sido uma punição por seu alinhamento apressado com o paganismo. Além disso, ele procurou a ajuda de médicos (um ato herege, de acordo com a antiga cultura hebreia), e não a ajuda de Yahweh: "Ele é quem perdoa todas as tuas iniquidades; quem sara todas as tuas enfermidades" (Sl 103.3). O cronista, pois, quis dizer-nos que Asa, em seus anos posteriores, sofreu alguns reveses espirituais. Daí por diante, não foi nem metade do homem que era antes.

16.7

וּבָעֵת הַהִיא בָּא חֲנָנִי הָרֹאֶה אֶל־אָסָא מֶלֶךְ־יְהוּדָה וַיֹּאמֶר אֵלָיו בְּהִשָּׁעֶנְךָ עַל־מֶלֶךְ אֲרָם וְלֹא נִשְׁעַנְתָּ עַל־יְהוָה אֱלֹהֶיךָ עַל־כֵּן נִמְלַט חֵיל מֶלֶךְ־אֲרָם מִיָּדֶךָ׃

Naquele tempo veio Hanani a Asa. Quanto ao que se sabe sobre Hanani, ver o *Dicionário*. Ele repreendeu a Asa no estilo dos antigos profetas. Cf. Is 30.7,15 ss.; 31.1,3; Jr 17.5; Os 5.13; 7.11; 8.9 e 12.1.

A Vitória Perdida. Se Asa tivesse corajosamente enfrentado Baasa e Ben-Hadade, teria alcançado estrondoso triunfo sobre aquela aliança profana. Assim sendo, se ele escapou dos assédios de Baasa, também perdeu uma vitória que lhe teria sido mais benéfica do que evitar uma guerra civil. Asa esqueceu, pelo menos momentaneamente, que Yahweh, e não os soldados, era quem concedia vitórias militares. Ele esqueceu que Yahweh, e não as alianças firmadas com reis pagãos, era quem determinava os destinos. Ele havia obtido uma vitória significativa sobre o exército avassalador de um milhão de etíopes comandados por Zerá (ver 2Cr 14.12), mas esqueceu-se disso. Asa estava ficando velho e cansado, debilitado física e espiritualmente. Seu antigo fogo se apagara. O autor de Reis omitiu os fracassos de Asa, exceto os referentes aos lugares altos, que ele não removeu (2Cr 15.14).

16.8

הֲלֹא הַכּוּשִׁים וְהַלּוּבִים הָיוּ לְחַיִל לָרֹב לְרֶכֶב וּלְפָרָשִׁים לְהַרְבֵּה מְאֹד וּבְהִשָּׁעֶנְךָ עַל־יְהוָה נְתָנָם בְּיָדֶךָ׃

Acaso não foram os etíopes e os líbios grande exército...? *Um Lembrete.* O poder de Yahweh fora suficiente para a crise passada e seria suficiente para qualquer outra ocasião.

> Cá meu "Ebenézer" ergo,
> Pois Jesus me socorreu;
> E por sua graça, espero
> Transportar-me para o céu.
>
> Robert Robinson

A *combinação* de Ben-Hadade (rei da Síria) com Baasa (rei de Israel), este último um homem violento, era temível. Mas o ataque desfechado por Zerá, o etíope, foi mais temível ainda, e, no entanto, Asa conseguiu vencê-lo. Ver 2Cr 14.9 ss. quanto à narrativa. Asa tinha obtido uma vitória *extraordinária*, mas o passado não era suficiente para fortalecê-lo. Seus anos finais de vida foram maculados por atos de fraqueza, tão comuns à experiência humana. Justamente quando, em razão da experiência, deveríamos ser mais fortes, a idade avançada vem e estraga as coisas. O homem que era um leão aos 30 anos de idade transforma-se em um cordeiro aos 65. Há algumas poucas coisas que os seres mortais conhecem que os imortais desconhecem. Uma delas é quão terrível coisa é envelhecermos e perdermos os nossos poderes.

"Os cuxitas e os líbios faziam parte das tropas do exército de Sisaque (2Cr 13.3). Como é claro, pois, Zerá se tornara senhor do Egito" (Ellicott, *in loc.*).

16.9

כִּי יְהוָה עֵינָיו מְשֹׁטְטוֹת בְּכָל־הָאָרֶץ לְהִתְחַזֵּק עִם־לְבָבָם שָׁלֵם אֵלָיו נִסְכַּלְתָּ עַל־זֹאת כִּי מֵעַתָּה יֵשׁ עִמְּךָ מִלְחָמוֹת׃

Porque, quanto ao Senhor, seus olhos passam por toda a terra. Este é um dos mais excelentes e conhecidos versículos dos livros de Crônicas. Reflete o *teísmo*, e não o *deísmo* (ver ambos no *Dicionário*). O *Criador* não abandonou a sua criação nem a deixou à mercê das leis naturais (deísmo). Antes, mostra-se ativo, intervindo na história humana, recompensando e punindo. Este versículo, portanto, oferece um *teísmo ativo*. Os olhos de Deus percorrem toda a terra. O que é bom é abençoado; o que é mau é punido. As causas dos homens são tomadas e defendidas quando coincidem com a vontade divina. Os olhos divinos veem tudo e nunca se equivocam quanto ao que percebem.

"Os olhos da onisciência divina estão em *toda parte*, e os olhos de sua misericórdia e bondade, de seu cuidado e providência, estão aqui e acolá, em todos os lugares do mundo, ao mesmo tempo. Ver Zc 4.10" (John Gill, *in loc.*).

Cf. Jó 1.7 e 2.2. Ver também Jr 5.1. "Não dormitará aquele que te guarda. É certo que não dormita nem dorme o guarda de Israel (Sl 121.3b,4)" (Ellicott, *in loc.*).

Procedeste loucamente. Asa fez o que não deveria ter feito, e perdeu o que estava destinado a ganhar. Cf. 2Sm 24.10 e 1Cr 21.8. Teve uma fraqueza nervosa justamente quando deveria mostrar-se forte, por amor a Judá. Era uma tolice confiar em Ben-Hadade, e não em Yahweh.

> Aquele que se apega ao momento exato
> É o homem certo.
>
> Goethe

> Um homem sábio faz mais oportunidades
> do que as encontra.
>
> Francis Bacon

Guerra, e Não Paz. Asa fez uma aliança profana na tentativa de obter paz. Mas nada obteve senão conflito até o fim de seus dias. Nem o autor de Reis nem o cronista descrevem esses conflitos, mas 1Rs 15.32 assegura-nos sua ocorrência.

■ 16.10

וַיִּכְעַס אָסָא אֶל־הָרֹאֶה וַיִּתְּנֵהוּ בֵּית הַמַּהְפֶּכֶת כִּי־בְזַעַף עִמּוֹ עַל־זֹאת וַיְרַצֵּץ אָסָא מִן־הָעָם בָּעֵת הַהִיא׃

Porém Asa se indignou contra o vidente. Em sua ira sem justificação (pois fora Yahweh quem o repreendera), o porta-voz da profecia e reprimenda, Hanani, foi colocado na prisão e seus pés foram amarrados a um tronco. Em seguida, outros foram maltratados, provavelmente por terem feito objeção ao tratamento que Asa concedera ao profeta, ou por terem, de alguma maneira, ofendido o rei. É provável que Asa tenha aplicado multas, prisão e desemprego. O grande homem de Deus, Asa, tornou-se um pigmeu. "Seu coração foi endurecido pelo engano do pecado" (Adam Clarke, *in loc.*). Estava agora praticando a lei do ódio, e não a lei do amor.

Conclusão do Reinado de Asa (16.11-14)

O paralelo é 1Rs 15.23,24.

■ 16.11

וְהִנֵּה דִּבְרֵי אָסָא הָרִאשׁוֹנִים וְהָאַחֲרוֹנִים הִנָּם כְּתוּבִים עַל־סֵפֶר הַמְּלָכִים לִיהוּדָה וְיִשְׂרָאֵל׃

Eis que os mais atos de Asa. Este versículo é idêntico a seu paralelo, 1Rs 15.23, exceto pelo fato de que o cronista adiciona o pequeno comentário "assim os primeiros como os últimos" para descrever o assunto concernente à vida de Asa, que estava em uma de suas fontes informativas, o *Livro dos Reis de Judá e Israel*. Ver 1Rs 14.19 quanto a esse livro. Quanto aos livros perdidos do período do Antigo Testamento, alguns dos quais foram usados como fontes informativas para vários livros canônicos, ver tanto a referência dada como os trechos de 2Cr 9.29 e 12.15.

■ 16.12

וַיֶּחֱלֶא אָסָא בִּשְׁנַת שְׁלוֹשִׁים וָתֵשַׁע לְמַלְכוּתוֹ בְּרַגְלָיו עַד־לְמַעְלָה חָלְיוֹ וְגַם־בְּחָלְיוֹ לֹא־דָרַשׁ אֶת־יְהוָה כִּי בָּרֹפְאִים׃

No trigésimo nono ano do seu reinado caiu Asa doente dos pés. O trecho paralelo é 1Rs 15.23, que diz somente que Asa adoeceu dos pés. O cronista faz uma nota cronológica. A doença atingiu Asa no trigésimo nono ano de seu governo, isto é, somente dois anos antes de sua morte. "... Sua enfermidade é geralmente pensada como a gota em seus pés, uma justa retaliação por ter posto os pés do profeta no tronco... as dores foram aumentando até se tornarem muito severas e intoleráveis, com ataques frequentes e cada vez mais agudos... Segundo um médico muito erudito (Scheuchzer, *Physic. Sacr.* vol. 4, pág. 645), a doença não era a gota, mas o que ele chamou de *aedematous*, um inchaço dos pés que chega até os intestinos e é acompanhado por maiores inconveniências, como tensão no abdome e dificuldade para respirar... " (John Gill, *in loc.*). Seja como for, Asa ficou aparentemente incapacitado, e seu filho, Josafá, foi corregente no trono. O ano de sua enfermidade foi 872 a.C.

Contudo na sua enfermidade não recorreu ao Senhor. O cronista por certo estava chocado quando escreveu essas palavras. O rei Asa tinha desintegrado a tal ponto, em sua idade avançada, após um longo reinado, que nem mesmo uma grande enfermidade o levou a buscar Yahweh. Nem ouvimos que ele tenha libertado o profeta Hanani da prisão. Em sua indignação, o cronista informa-nos que o rei buscou os *médicos*. Isso pode parecer-nos apenas natural, mas devemos lembrar que, para os antigos hebreus, era uma heresia buscar cuidados médicos, pois, afinal de contas, era Yahweh o especialista em curar enfermidades (ver Sl 103.3). Foi somente bem mais tarde no judaísmo que essa atitude mudou. E nos dias modernos tal atitude prossegue em certas denominações. Mas sabemos que todo conhecimento é dado por Deus, e a cura por meio de medicamentos é a cura de Deus, um presente seu aos homens.

Toda boa dádiva e todo dom perfeito é lá do alto, descendo do Pai das luzes, em quem não pode existir variação, ou sombra de dúvida.

Tiago 1.17

Tomei meu primeiro antibiótico aos 18 anos de idade. Eu estava com a garganta muito infeccionada, e orei muito pedindo a cura. Em seguida, fui consultar o médico, porque minhas orações não estavam sendo eficazes. Ele me deu uma única injeção de penicilina, e em um dia tive minha cura "miraculosa". Até hoje oro por mim e por outras pessoas pedindo curas, mas não hesito em usar medicamentos. Deus faz intervenção sobrenatural quando esse é seu desejo. Portanto, louvemos a Deus pelos *medicamentos* e pelos *milagres*! Ver no *Dicionário* os verbetes *Cura* e *Milagres*.

É possível que os curadores que Asa conheciam não fossem como os médicos que conhecemos hoje em dia e, sim, mágicos, exorcistas e praticantes de artes ocultas, que também trabalhavam com a medicina de ervas. As antigas práticas médicas misturavam o uso de encantamentos, amuletos, exorcismos e aplicações mágicas. Foi esse *tipo* de medicina que Asa buscou, portanto não nos admiremos que o cronista o tenha criticado. Sabemos, porém, que os antigos hebreus eram contrários a qualquer tipo de *medicina natural*, e não meramente aos atos de médicos-mágicos.

■ 16.13

וַיִּשְׁכַּב אָסָא עִם־אֲבֹתָיו וַיָּמָת בִּשְׁנַת אַרְבָּעִים וְאַחַת לְמָלְכוֹ׃

Descansou Asa com seus pais. O trecho paralelo é 1Rs 15.24, exceto pela informação do cronista de que Asa morreu no quadragésimo primeiro ano de seu reinado. Ver sobre *Notícias Fúnebres* dos reis de Israel e de Judá, em 1Rs 1.21 e 16.5,6.

■ 16.14

וַיִּקְבְּרֻהוּ בְקִבְרֹתָיו אֲשֶׁר כָּרָה־לוֹ בְּעִיר דָּוִיד וַיַּשְׁכִּיבֻהוּ בַּמִּשְׁכָּב אֲשֶׁר מִלֵּא בְּשָׂמִים וּזְנִים מְרֻקָּחִים בְּמִרְקַחַת מַעֲשֶׂה וַיִּשְׂרְפוּ־לוֹ שְׂרֵפָה גְדוֹלָה עַד־לִמְאֹד׃ פ

Sepultaram-no no seu sepulcro. O trecho paralelo é 1Rs 15.24, mas o cronista adiciona detalhes: 1. Asa tinha preparado de antemão seu próprio sepulcro, que pode ter sido um jogo de túmulos da família, em distinção a outros túmulos reais. Ver no *Dicionário* o artigo chamado *Sepulcro dos Reis*. 2. Os restos mortais de Asa foram depositados em um rico jardim de aromas suaves e vários tipos de especiarias. John Gill, *in loc.*, referiu-se a flores de doce odor e ervas de especiarias como mirra, cássia e cinamomo. Essas ervas eram espalhadas no local onde se colocava o morto, e provavelmente também por cima do corpo. 3. Houve então *grande queima,* não do corpo, pois os hebreus antigos não praticavam a cremação, mas das especiarias e dos materiais usados para sepultá-lo. Foi uma espécie de holocausto em honra ao rei morto. Pois, embora ele tivesse desintegrado no fim, considerando a totalidade de sua vida, foi um dos melhores monarcas de Judá.

Embora esses atos sejam similares aos ritos de sepultamento no Egito, com paralelos até nas práticas gregas e romanas, não há razão para supor que a Asa tenha sido dado um sepultamento tipicamente pagão. Os hebreus simplesmente esforçaram-se por honrar a um grande rei. Encontramos algo similar nos escritos de Virgílio, *Aen.* vl. 214.

O ano da morte de Asa foi 870 a.C.

CAPÍTULO DEZESSETE

JOSAFÁ E SEU REINADO PODEROSO (17.1—20.37)

Em consonância com seu propósito, o cronista continuou a contar a história dos reis de Judá, exaltando a dinastia davídica, mas ignorando completamente as histórias dos reis de Israel. Estes últimos só foram mencionados quando algum incidente os envolveu com os reis de Judá. Em contraste, os livros de Reis relataram as histórias tanto dos reis de Israel como dos reis de Judá, alternando entre eles e seguindo uma ordem cronológica aproximada.

As datas de Josafá foram 873-848 a.C. Ele foi corregente quando seu pai, Asa, por três anos, esteve incapaz devido à enfermidade que lhe atingiu os pés (ver 2Cr 16.12). O cronista, de modo geral, fala favoravelmente a respeito de Josafá. Quanto a detalhes completos, ver o artigo sobre ele no *Dicionário*. Ver também *Reino de Judá*, que dá uma lista e descrições de todos os reis desse reino. Além disso, ver o artigo chamado *Rei, Realeza*, que apresenta gráficos comparativos dos reis de Israel e Judá, juntamente com os reis de potências estrangeiras.

O autor de Reis falou bem especialmente sobre *três* reis de Judá: Josafá, Ezequias e Josias. O cronista usou os materiais, por vezes condensando-os e ocasionalmente adicionando algo de sua própria pena. Provavelmente, *novos* materiais foram incluídos de fontes que o autor de Reis não dispunha ou preferiu não usar. Ver sobre *Livros Perdidos da Bíblia*, em 1Rs 14.19; 2Cr 9.29 e 12.15. Esses eram livros não canônicos que serviram como obras de consulta quanto a certos livros canônicos do Antigo Testamento. No tocante a Josafá, além dos materiais disponíveis em Reis, o cronista adicionou duas histórias importantes: os arranjos para ensinar o povo nos caminhos de Yahweh e um novo sistema judicial.

■ 17.1

וַיִּמְלֹ֛ךְ יְהוֹשָׁפָ֥ט בְּנ֖וֹ תַּחְתָּ֑יו וַיִּתְחַזֵּ֖ק עַל־יִשְׂרָאֵֽל׃

Em lugar de Asa reinou seu filho Josafá. O trecho paralelo de 1Rs 15.32 informa-nos que Judá e Israel estiveram em guerra constante nos dias de Asa (pai de Josafá). Portanto, foi apenas lógico que o novo rei fortalecesse Judá como uma medida preventiva. Ele não podia confiar na nação do norte, Israel. A paz seria preservada mediante preparativos para a guerra, e não por belas palavras da diplomacia. "Os reinos de Israel e Judá foram *rivais* desde o começo, e às vezes um, às vezes outro prevalecia. Asa e Baasa eram rivais à altura, mas, após a morte de Baasa, Israel ficou grandemente debilitado por contenções civis, e Josafá obteve a ascendência. Ver 1Rs 16.16-23" (Adam Clarke, *in loc.*).

O capítulo 17 de 2Crônicas não tem paralelo nos livros de Reis.

■ 17.2

וַיִּתֶּן־חַ֙יִל֙ בְּכָל־עָרֵ֣י יְהוּדָ֔ה הַבְּצֻר֑וֹת וַיִּתֵּ֤ן נְצִיבִים֙ בְּאֶ֣רֶץ יְהוּדָ֔ה וּבְעָרֵ֣י אֶפְרַ֔יִם אֲשֶׁ֥ר לָכַ֖ד אָסָ֥א אָבִֽיו׃

Ele pôs tropas em todas as cidades fortificadas. Os meios de *fortificação* são listados neste versículo. Eram as fortificações usuais de cidades colocadas estrategicamente para proteger as fronteiras não marcadas de Judá e para resistir a ataques, sem importar de que direção viessem. Cf. as *quinze* cidades fortificadas por Roboão, em 2Cr 11, onde apresentei um gráfico que mostra as cidades formando um círculo irregular para proteger todas as fronteiras a norte, sul, leste e oeste. Além de fortificar cidades que pertenciam ao território de Judá, Josafá também fortaleceu as cidades que seu pai havia conquistado no território de *Efraim*. Isso dava segurança adicional à fronteira norte de Judá, onde ela se fazia mais necessária. Ver 2Cr 15.8 quanto às cidades tomadas por Asa em Efraim. Ver também 2Cr 14.6,7.

■ 17.3

וַיְהִ֥י יְהוָ֖ה עִם־יְהוֹשָׁפָ֑ט כִּ֣י הָלַ֗ךְ בְּדַרְכֵ֞י דָּוִ֤יד אָבִיו֙ הָרִ֣אשֹׁנִ֔ים וְלֹ֥א דָרַ֖שׁ לַבְּעָלִֽים׃

O Senhor foi com Josafá. Josafá andou nos caminhos de seu pai, Asa, e imitou o exemplo do rei ideal, Davi. Quanto a Davi como *rei ideal*, ver 1Rs 15.3. Embora Davi tenha cometido pecados horrendos, nunca foi idólatra, e era isso que o cronista mais apreciava. Ver como o autor falou bem de Asa, pela mesma razão (2Cr 14.2 ss.). Quanto à filosofia do *rei ideal*, ver Dt 17.14 ss. Para o cronista, a principal qualificação era a *espiritualidade*, julgada por quão bem cada rei seguia e promovia a legislação mosaica. Essa lei tornava Israel um povo distinto (ver Dt 4.4-8).

Nos primeiros caminhos de Davi. O cronista alude aqui, indiretamente, aos grandes pecados de adultério com Bate-Seba e o assassinato do marido dela, Urias (2Sm 11—24). Esses erros pertenceram aos últimos anos de vida de Davi, e dificilmente deveriam ser seguidos.

Não procurou a Baalins. Ou seja, imagens de escultura, cultos e práticas associadas a Baal (ver a respeito no *Dicionário*), que o cronista mencionou como exemplo dos tipos de idolatria que serviram de praga tanto para Israel quanto para Judá. Ver no *Dicionário* o artigo *Idolatria*.

■ 17.4

כִּ֠י לֵֽאלֹהֵ֤י אָבִיו֙ דָּרָ֔שׁ וּבְמִצְוֺתָ֖יו הָלָ֑ךְ וְלֹ֖א כְּמַעֲשֵׂ֥ה יִשְׂרָאֵֽל׃

Antes procurou ao Deus de seu pai. A *fidelidade* às questões espirituais era julgada por quão de perto um homem seguia a lei mosaica, o que ilustrei nos comentários sobre o versículo anterior. Davi foi um campeão nessa questão, se pudermos esquecer, por um momento, os seus estúpidos erros e lapsos. Em seus anos de juventude, Asa também foi um campeão de espiritualidade. Josafá seguiu a boa tradição paterna. Note-se como o cronista, em suas tendências para com Judá, contrastou tal boa conduta com o que acontecia nas tribos do norte, Israel, onde a idolatria chegou a tomar conta de tudo. Jeroboão havia estabelecido em Dã e Betel a adoração ao bezerro e outras formas de idolatria, que havia firmado como uma contrafé, em rivalidade pagã com Jerusalém e seu templo, onde o yahwismo era promovido. Quanto ao *pecado de Jeroboão*, ver 1Rs 12.28 ss. Quanto a como ele levou Israel a pecar, ver 1Rs 15.26 e 16.2. O cronista ignora aqui as coisas que a maioria dos homens considera motivos de grandeza — dinheiro, riquezas materiais, poder militar — e pôs todos os ovos na cesta da *espiritualidade*. Ver no *Dicionário* os vários artigos sobre *Lei*.

■ 17.5

וַיָּ֨כֶן יְהוָ֤ה אֶת־הַמַּמְלָכָה֙ בְּיָד֔וֹ וַיִּתְּנ֧וּ כָל־יְהוּדָ֛ה מִנְחָ֥ה לִיהוֹשָׁפָ֖ט וַֽיְהִי־ל֥וֹ עֹֽשֶׁר־וְכָב֖וֹד לָרֹֽב׃

O Senhor confirmou o reino na sua mão. Como no caso de *Salomão*, visto que Josafá dava valor supremo à espiritualidade e buscava em primeiro lugar o reino de Deus (ver Mt 6.33), todas as outras coisas lhes foram acrescentadas, ou seja, poder, fama e bem-estar material. Seu reino foi forte. Seus inimigos não ousaram atacá-lo. "A piedade é o melhor apoio do governo. O trono é mais bem sustentado pela verdade, pela justiça e pela misericórdia. Mediante essas práticas, Josafá estabeleceu-se em seu reino e ocupou um lugar no coração do povo" (John Gill, *in loc.*).

As Riquezas Materiais Multiplicaram-se. O povo trazia voluntariamente riquezas para o tesouro do templo e para os labores de Josafá, parte dos quais, sem dúvida, foram as fortificações citadas nos vss. 1-2. Em termos secundários, ele tornava-se (materialmente) um pequeno Salomão, embora o ultrapassasse em termos espirituais.

Presentes. "Essa palavra com frequência significa *tributo*, conforme se vê no vs. 11, mas aqui, como é óbvio, denota os dons voluntários de súditos leais, usuais no começo de um reinado (ver 1Sm 10.28)" (Ellicott, *in loc.*).

■ 17.6

וַיִּגְבַּ֥הּ לִבּ֖וֹ בְּדַרְכֵ֣י יְהוָ֑ה וְע֗וֹד הֵסִ֛יר אֶת־הַבָּמ֥וֹת וְאֶת־הָאֲשֵׁרִ֖ים מִיהוּדָֽה׃ פ

Tornou-se-lhe ousado o coração. O rei Josafá teve o coração encorajado por seus sucessos e pela aprovação tanto de Deus como dos homens. Fortaleceu-se de tal modo que, na verdade, foi capaz de demolir os *lugares altos*, como nem mesmo Asa teve poder de fazer (ver 1Rs 15.14). Ver sobre Lugares Altos no *Dicionário*. Naturalmente, seus triunfos foram temporários, porquanto era impossível desvencilhar-se dos santuários locais, que sempre tendiam para a idolatria ou se tornavam abertamente idólatras. Notemos como 2Cr 20.33 contradiz o presente versículo ao afirmar que os lugares altos não tinham sido tirados. Presumimos que isso se refere a um tempo posterior, quando esses lugares altos voltaram a ser uma praga em Judá. Os críticos, entretanto, pensam que temos aqui uma simples contradição, pois este versículo representaria mais anseios do que realidade. Ou talvez o versículo se refira a uma sucesso *parcial*. John Gill supunha que os lugares altos deixados foram os dedicados a Yahweh, mas essa opinião dificilmente está correta. A referência a 2Cr 20.33 certamente é negativa. Por outra parte, o templo de Jerusalém visava *centralizar* a adoração e eliminar santuários locais, bons ou maus. Talvez deixar lugares altos de boa qualidade tenha sido referido negativamente, pois anulava o esforço de centralização. Novamente, isso não me convence.

■ 17.7

וּבִשְׁנַת שָׁלוֹשׁ לְמָלְכוֹ שָׁלַח לְשָׂרָיו לְבֶן־חַיִל וּלְעֹבַדְיָה וְלִזְכַרְיָה וְלִנְתַנְאֵל וּלְמִיכָיָהוּ לְלַמֵּד בְּעָרֵי יְהוּדָה׃

No terceiro ano do seu reinado. *Ensinando a lei.* A história que o cronista contou sobre Josafá adicionou *dois* itens importantes aos citados pelo autor dos livros de Reis: 1. arranjos para ensinar o povo nos caminhos de Yahweh; 2. um novo sistema judicial.

A presente passagem dá-nos o primeiro desse itens. Os vss. 7-9 descrevem o empreendimento e como o rei o realizou. Ele não estava satisfeito com as festividades anuais em Jerusalém como meio de educar o povo de Israel. Devemos lembrar que o povo não possuía cópias da Bíblia. Os levitas tinham de aceitar essa incumbência. O ensino era oral. Poucas pessoas podiam ler e escrever.

Agentes do Ensino. O rei dependia de grandes figuras do governo para encabeçar o programa de ensino, homens de respeito que atraíssem a atenção das massas. Em primeiro lugar, havia os *príncipes*, cujos nomes são listados no vs. 7. Eram homens leigos, mas notórios. Em seguida, o rei levou os levitas, que seriam os responsáveis pelo ensino propriamente dito. Ver no *Dicionário* sobre os nomes que figuram somente aqui em todo o Antigo Testamento. A presença das autoridades civis deu poder para os levitas efetuarem seu ministério. Agentes do rei não permitiriam que houvesse nenhum desvio do propósito que o rei tinha em mente.

"Nesses versículos encontramos um notável relato de um *ministério itinerante* estabelecido por Josafá. Para o trabalho, ele empregou *três* classes de homens: 1. os príncipes; 2. os levitas; e 3. os sacerdotes" (Adam Clarke, *in loc.*).

O ministério pode ter sido amplo o bastante para incluir instruções sobre leis civis, deveres e direitos dos cidadãos. Seriam os príncipes que tomariam conta desse aspecto. O ensino espiritual foi deixado a cargo dos levitas e sacerdotes.

■ 17.8

וְעִמָּהֶם הַלְוִיִּם שְׁמַעְיָהוּ וּנְתַנְיָהוּ וּזְבַדְיָהוּ וַעֲשָׂהאֵל וּשְׁמִירָמוֹת וִיהוֹנָתָן וַאֲדֹנִיָּהוּ וְטוֹבִיָּהוּ וְטוֹב אֲדוֹנִיָּה הַלְוִיִּם וְעִמָּהֶם אֱלִישָׁמָע וִיהוֹרָם הַכֹּהֲנִים׃

E com eles os levitas... os sacerdotes. Nove levitas e dois sacerdotes encabeçavam o ministério de ensino espiritual. Ofereço o que se sabe sobre eles em artigos no *Dicionário*. Por conseguinte, "a comissão compunha-se de um misto de pessoas civis e eclesiásticas. Cf. 1Cr 13.13; 23.2 e 24.6" (Ellicott, *in loc.*). A delegação era composta de dezesseis membros (cinco civis e onze religiosos). Não há outras informações sobre essas pessoas além do que se lê no presente capítulo. Mas eram pessoas conhecidas do rei, capazes de realizar a tarefa por ele idealizada e em quem ele confiava explicitamente.

■ 17.9

וַיְלַמְּדוּ בִּיהוּדָה וְעִמָּהֶם סֵפֶר תּוֹרַת יְהוָה וַיָּסֹבּוּ בְּכָל־עָרֵי יְהוּדָה וַיְלַמְּדוּ בָּעָם׃

Tendo consigo o livro da lei do Senhor. *O Manual do Ensino.* Os eruditos conservadores veem aqui *todos* os livros do Pentateuco. Os críticos veem apenas porções dos cinco livros, além de algum material que, finalmente, entrou nos livros canônicos. É correto dizer que a *legislação mosaica* era o livro básico do ensino, e talvez já houvesse uma coleção completa do Pentateuco àquela época, cerca de 850 a.C.

A Educação Religiosa. Essa educação é ordenada no livro de Deuteronômio. Ver Dt 6.7-9; 11.18-20. O rei estava levando a sério a injunção bíblica. Veja também o leitor como a Grande Comissão, ordenada por Jesus, demandava o *ensino*, e não meramente o evangelismo (ver Mt 28.20). Ver na *Enciclopédia de Bíblia, Teologia e Filosofia* o artigo chamado *Ensino*.

Percorriam todas as cidades de Judá. Naturalmente, a menção primária é às cidades levíticas, mas também a um bom número de outras cidades. Foi uma autêntica campanha *nacional*.

"Suas leis eram as leis de Deus, e o povo sentia a *obrigação*, e sua consciência sentia-se *presa* ao dever" (Adam Clarke, *in loc.*).

■ 17.10

וַיְהִי פַּחַד יְהוָה עַל כָּל־מַמְלְכוֹת הָאֲרָצוֹת אֲשֶׁר סְבִיבוֹת יְהוּדָה וְלֹא נִלְחֲמוּ עִם־יְהוֹשָׁפָט׃

Veio o terror do Senhor sobre todos os reinos. *Além* de desfrutarem de toda a instrução espiritual que aprimorou a população de Judá, também houve a *proteção divina,* de modo que nenhum inimigo ousava invadir Judá. O temor sobreveio às "dez tribos de Israel e às nações estrangeiras ao derredor, como os moabitas, edomitas, sírios, egípcios, árabes e filisteus" (John Gill, *in loc.*). Assim, os tradicionais inimigos de Judá mantinham-se quietos, ao mesmo tempo que Josafá fortalecia e ensinava Judá. A piedade do rei mereceu de Yahweh várias recompensas, entre elas a paz. Cf. 1Cr 22.9 e Pv 16.7. Quando os caminhos de um homem agradam ao Senhor, até os seus inimigos estão em paz com ele.

■ 17.11

וּמִן־פְּלִשְׁתִּים מְבִיאִים לִיהוֹשָׁפָט מִנְחָה וְכֶסֶף מַשָּׂא גַּם הָעַרְבִיאִים מְבִיאִים לוֹ צֹאן אֵילִים שִׁבְעַת אֲלָפִים וּשְׁבַע מֵאוֹת וּתְיָשִׁים שִׁבְעַת אֲלָפִים וּשְׁבַע מֵאוֹת׃ פ

Alguns dos filisteus traziam presentes a Josafá. *Josafá* era o novo rei de Judá; e Yahweh estava com ele de maneira toda especial. Até inimigos tradicionais como os filisteus e os árabes traziam-lhe presentes para celebrar o seu ofício. E também pagavam *tributo,* o que significa que nem todos os presentes eram voluntários. Josafá exercia certa soberania sobre eles. Parte desse tributo compunha-se de animais domesticados que serviam como sacrifícios: sete mil carneiros e 7.700 bodes. Ver sobre os *cinco* animais que serviam para propósitos de sacrifício, em Lv 1.14-16. Doando *alguns* animais, aqueles povos esperavam que o rei de Judá não os atacasse nem tomasse deles todos os animais domesticados, o que representava uma elevada porcentagem de riquezas nas culturas agrícolas. Nem todas as cidades filisteias estavam sujeitas ao rei Josafá (ver 2Sm 8.1), mas talvez os habitantes de todas elas trouxessem presentes para mantê-lo feliz e com propósitos pacíficos. "Os árabes compravam a paz" (Adam Clarke, *in loc.*).

■ 17.12,13

וַיְהִי יְהוֹשָׁפָט הֹלֵךְ וְגָדֵל עַד־לְמָעְלָה וַיִּבֶן בִּיהוּדָה בִּירָנִיּוֹת וְעָרֵי מִסְכְּנוֹת׃

וּמְלָאכָה רַבָּה הָיָה לוֹ בְּעָרֵי יְהוּדָה וְאַנְשֵׁי מִלְחָמָה גִּבּוֹרֵי חַיִל בִּירוּשָׁלִָם׃

Josafá se engrandeceu em extremo, continuamente. *O Poder e a Prosperidade de Josafá.* Josafá já se achava em posição superior, mas resolveu ser ainda mais forte. E seguiu o costume de fortalecer cidades-chaves para proteger as fronteiras. Cf. o mesmo ato e atitude de *Roboão* em 2Cr 11; ver também os atos de Asa em 2Cr 15.8 e comparar 2Cr 14.6,7. Em seus dias havia abundância de colheitas, de modo que o rei precisou construir armazéns. Ele dispunha de um extenso comércio (vs. 13), o que significa que se tornou um pequeno Salomão. Além de sua força óbvia e de seu sucesso nos negócios, ele também tinha um exército numeroso que lhe garantiria longo tempo em posição vantajosa. Josafá era próspero e orgulhoso, mas em breve o vento que sopraria do deserto faria Judá ressecar-se de novo.

Não são muitos os homens que têm
boa sorte e bom senso.

Lívio

A roda gira e gira
Alguns sobem e outros descem,
Mas a roda continua girando e girando.

Josefina Pollard

A fortuna é um deus que governa
A vida dos homens.

Ésquilo

"Josafá mantinha o povo constantemente empregado; eles tinham salários como paga de seu trabalho, e, pelo labor deles, o império era tanto enriquecido quanto fortalecido" (Adam Clarke, *in loc.*).

O IMENSO EXÉRCITO DE JOSAFÁ (17.14-19)

■ 17.14-18

V14 וְאֵלֶּה פְּקֻדָּתָם לְבֵית אֲבוֹתֵיהֶם לִיהוּדָה שָׂרֵי אֲלָפִים עַדְנָה הַשָּׂר וְעִמּוֹ גִּבּוֹרֵי חַיִל שְׁלֹשׁ מֵאוֹת אָלֶף׃ ס

V15 וְעַל־יָדוֹ יְהוֹחָנָן הַשָּׂר וְעִמּוֹ מָאתַיִם וּשְׁמוֹנִים אָלֶף׃ ס

V16 וְעַל־יָדוֹ עֲמַסְיָה בֶן־זִכְרִי הַמִּתְנַדֵּב לַיהוָה וְעִמּוֹ מָאתַיִם אֶלֶף גִּבּוֹר חָיִל׃ ס

V17 וּמִן־בִּנְיָמִן גִּבּוֹר חַיִל אֶלְיָדָע וְעִמּוֹ נֹשְׁקֵי־קֶשֶׁת וּמָגֵן מָאתַיִם אָלֶף׃ ס

V18 וְעַל־יָדוֹ יְהוֹזָבָד וְעִמּוֹ מֵאָה וּשְׁמוֹנִים אֶלֶף חֲלוּצֵי צָבָא׃ ס

O rei de Judá era o *generalíssimo* de um poderoso exército, distribuído em cinco divisões, cada qual com seu próprio general, que representavam (segundo todas as aparências) as cinco divisões territoriais do reino do sul. Todos os clãs de Judá eram chamados para fornecer soldados, assim o exército representava todas as famílias de Judá. Os *totais* são os maiores números jamais atribuídos às duas tribos do sul no Antigo Testamento: Judá, 780 mil; Benjamim, 380 mil. Isso totaliza notáveis 1.160.000 soldados! Mas o exército de Asa consistira em trezentos mil homens de Judá e 280 mil homens de Benjamim. Ellicott diz que tal aumento é claramente *inexplicável*, e os críticos chamam esses números de "exageros simbólicos". Cf. 2Cr 11.1; 13.3; 14.8 e 1Cr 12.23 ss.

Explicando os Grandes Números:
1. Não sabemos dizer como, mas temos fé para acreditar que, de alguma maneira, os números fornecidos acima estão corretos, não envolvendo erros nem do autor original nem de um escriba posterior. Assim pensam alguns estudiosos ultraconservadores.
2. *Para efeito de obter um resultado espetacular,* Josafá relaxou as regras de limites de idade e aptidão física, e incluiu no exército muitos homens que nunca, na realidade, iriam à guerra. Esse exército, afinal, não era um exército permanente. Era antes como um *exército de reserva,* que poderia ser chamado ao serviço, quando necessário, mas que não era sustentado financeiramente pelo governo central. Os *despojos* eram os salários dos exércitos antigos.
3. O rei de Judá contava com um grande *exército mercenário* que foi incluído nesses cálculos. Mas o texto sagrado não deixa subentender tal coisa.
4. *Exagero.* O colossal exército de Josafá tinha um 1.160.000 soldados, não incluindo tropas de guarnição nas cidades de Judá. Quanto a *exageros* similares, ver 2Cr 11.1; 13.3; 14.8 e 1Cr 12.23 ss.
5. Talvez a palavra hebraica aqui traduzida por *mil* indique uma unidade de número não especificado. Tal unidade poderia ser de cem, o que reduziria consideravelmente o número. Talvez Judá tivesse 780 dessas *unidades,* e não 780 mil homens. Mas essa parece ser uma explicação *ad hoc*, ou seja, uma explicação sem evidência, inventada com "o propósito precípuo" de explicar a dificuldade.
6. *Comparações.* Visto que nos dias de Davi, mais de cem anos antes, havia quinhentos mil soldados judaítas (ver 2Sm 24.9), não é impossível um aumento potencial para 780 mil nos dias de Josafá.

As Divisões e seus Generais:

De Judá

1. Vs. 14: Adna, general sobre	300.000 homens
2. Vs. 15: Joanã, general sobre	280.000 homens
3. Vs. 16: Amasias, general sobre	200.000 homens

De Benjamim

4. Vs. 17: Eliada, general sobre	200.000 homens
5. Vs. 18: Jozadabe, general sobre	180.000 homens
Total:	1.160.000 homens

Quanto aos nomes próprios, ver os artigos a respeito deles no *Dicionário*.

■ 17.19

אֵלֶּה הַמְשָׁרְתִים אֶת־הַמֶּלֶךְ מִלְּבַד אֲשֶׁר־נָתַן הַמֶּלֶךְ בְּעָרֵי הַמִּבְצָר בְּכָל־יְהוּדָה׃ פ

Estavam estes no serviço do rei. Esse imenso exército estava à disposição do rei Josafá, de prontidão para qualquer emergência nacional que surgisse. Além disso, mediante *turnos*, eles proviam tropas de elite para atender o rei continuamente. Cf. 1Cr 27.1-15, quanto à mesma coisa no tocante a Davi e seu exército. Cada um dos turnos criados por Davi consistia em 24 mil homens. Além dos homens que serviam a Josafá, a cada mês, e além do grande exército *lá fora,* que poderia ser convocado a qualquer momento, o rei também dispunha de tropas estacionadas em suas cidades fortificadas. Talvez esses homens também servissem à base de rotação. O autor sacro realmente nos impressionou com o caráter *formidável* do exército do rei Josafá. Pelo menos no momento, Judá era invencível. E devemos compreender que esse era um benefício conferido por Yahweh, por causa da notável espiritualidade do rei de Judá.

CAPÍTULO DEZOITO

ALIANÇA INFORTUNADA DE JOSAFÁ COM ACABE (18.1-34)

Paralelo. Excetuando os versículos primeiro e segundo, este capítulo foi copiado quase palavra por palavra de 1Rs 22.1-35. "Até este ponto, constitui o maior conjunto de materiais extraído das histórias do reino do norte, usado pelo cronista. Provavelmente foi inserido aqui porque reflete Acabe e prepara-nos para a repreensão sofrida por Josafá, no capítulo seguinte" (*Oxford Annotated Bible,* na introdução ao capítulo 18).

Este capítulo nos surpreende, porque, tendo acabado de ler sobre a grande espiritualidade de Josafá, suas riquezas materiais e seu vasto exército, é difícil compreender como ele pôde ter alguma coisa a ver com Acabe, do reino de Israel. Além do mais, há claras indicações no relato de 1Reis de que Josafá dependia de Acabe, e até mesmo sujeitava-se a ele. Se isso é verdade, então Acabe (com o apoio de sua horrenda esposa, Jezabel) era um poder maior do que poderíamos imaginar. Naturalmente, Acabe e Josafá uniram-se mediante casamentos mistos em suas famílias. O filho de Josafá, Jeorão, casou-se com a temível Atalia, filha de Acabe e Jezabel (1Rs 21.6; 22.2). Talvez laços familiares muito tivessem que ver com a questão. "Já no fim da vida de Acabe (em 853 a.C.), ele esteve ocupado em amargas hostilidades contra os arameus, na Transjordânia (cf. 1Rs 22.1-4). Josafá foi a Samaria, capital de Israel, a fim de ver Acabe. Após ter lisonjeado o rei de Judá com um elaborado banquete, Acabe exortou-o a acompanhá-lo a Ramote-Gileade unindo-se a ele em sua guerra contra os arameus" (Eugene H. Merrill, *in loc.*).

Então Josafá, que gozava de excelente posição financeira e política, cansou-se da paz e decidiu envolver-se em algo mais excitante. Uma nova guerra foi a oportunidade.

"Somente aqui, uma narrativa *longa,* primariamente ocupada com o reino de Israel, foi incorporada aos livros de Crônicas... O cronista precisava dessa narrativa visto que esta o levou a relatar o ato subsequente — a temível corrupção da dinastia de Judá através do casamento do filho de Josafá, Jorão (1Rs 21.5,6), com Atalia, filha de Acabe e Jezabel, adoradora de Baal. O cronista, pois, narrou a história do ponto de vista judaíta. Na digna atitude de Josafá para com o profeta Micaías (vss. 6-8), diminuiu o seu pecado ao firmar aliança com o ímpio Acabe" (W. A. L. Elmslie, *in loc.*).

A Grande Omissão do Cronista. O cronista tinha por propósito exaltar a dinastia davídica, assim escreveu sobre os reis de Judá, e apenas ocasionalmente algo sobre os reis de Israel, quando algum incidente os envolvia diretamente com a tribo de Judá. Ele queria mostrar que, na tribo isolada de Judá, após o cativeiro babilônico, Israel teria continuação. Essa nova nação, agora composta por uma única tribo, precisava ter *autoridade* política, ou seja, um rei aprovado por Yahweh, que levasse avante os requisitos de uma nação distinta. Judá, pois, recebeu *autoridade política* mediante a continuação da dinastia davídica, terminado o cativeiro babilônico. E recebeu *autoridade religiosa* através do retorno de alguns levitas que chegaram da Babilônia.

■ 18.1

וַיְהִי לִיהוֹשָׁפָט עֹשֶׁר וְכָבוֹד לָרֹב וַיִּתְחַתֵּן לְאַחְאָב:

Tinha Josafá riquezas e glória em abundância. O *cronista* proveu sua própria introdução à história da aliança entre Josafá e Acabe, nos vss. 1-2. O restante do capítulo foi copiado quase palavra por palavra de 1Rs 22.1-35. Ali apresento a exposição, e faço aqui alguns poucos comentários adicionais.

Embora Josafá fosse praticamente um pequeno Salomão, em toda a sua autoridade, honra e riquezas (descritas no capítulo 17), e a despeito de sua espiritualidade superior, ele caiu na armadilha de misturar-se por casamento com a família do ímpio rei Acabe, monarca de Israel, a nação do norte. Sem dúvida, essa relação matrimonial foi um dos fatores que levaram Josafá a envolver-se em uma aliança de guerra com Acabe, resultando na infeliz campanha militar contra os arameus ou sírios. Acabe perderia a vida nessa batalha. Ver 2Rs 21.5,6 quanto ao casamento indevido do filho de Josafá com a filha do horrendo casal, Acabe e Jezabel.

■ 18.2

וַיֵּרֶד לְקֵץ שָׁנִים אֶל־אַחְאָב לְשֹׁמְרוֹן וַיִּזְבַּח־לוֹ אַחְאָב צֹאן וּבָקָר לָרֹב וְלָעָם אֲשֶׁר עִמּוֹ וַיְסִיתֵהוּ לַעֲלוֹת אֶל־רָמֹת גִּלְעָד:

Ao cabo de alguns anos foi ter com Acabe em Samaria. *Uma Festa, uma Armadilha.* Acabe atraiu a Josafá com um banquete notável. Foi essa festa a abertura para uma aliança de guerra. O banquete lisonjeou o rei do sul, e logo ele estava envolvido na guerra contra os sírios. Tanto Acabe quanto Josafá foram ao campo de batalha para supervisionar. Mas o destino de Acabe era voltar como um cadáver. "A hospitalidade real é aqui apresentada como parte de um plano deliberado para obter a cooperação de Josafá na campanha militar projetada" (Ellicott, *in loc.*).

Alguns anos. Tanto a versão siríaca com a árabe dizem *dois anos.* Depois de se passarem dois anos do casamento entre as famílias reais do norte, ou Israel, e do sul, ou Judá, Josafá fez sua visita, sem dúvida a convite de Acabe. Mas talvez essa indicação de tempo se refira à trégua entre o norte e o sul, que trouxe a paz. Algum tempo depois que a paz começou, o rei do sul fez a sua visita. Quanto à trégua, ver 1Rs 22.1.

■ 18.3-34

V3 וַיֹּאמֶר אַחְאָב מֶלֶךְ־יִשְׂרָאֵל אֶל־יְהוֹשָׁפָט מֶלֶךְ יְהוּדָה הֲתֵלֵךְ עִמִּי רָמֹת גִּלְעָד וַיֹּאמֶר לוֹ כָּמוֹנִי כָמוֹךָ וּכְעַמְּךָ עַמִּי וְעִמְּךָ בַּמִּלְחָמָה:

V4 וַיֹּאמֶר יְהוֹשָׁפָט אֶל־מֶלֶךְ יִשְׂרָאֵל דְּרָשׁ־נָא כַיּוֹם אֶת־דְּבַר יְהוָה:

V5 וַיִּקְבֹּץ מֶלֶךְ־יִשְׂרָאֵל אֶת־הַנְּבִאִים אַרְבַּע מֵאוֹת אִישׁ וַיֹּאמֶר אֲלֵהֶם הֲנֵלֵךְ אֶל־רָמֹת גִּלְעָד לַמִּלְחָמָה אִם־אֶחְדָּל וַיֹּאמְרוּ עֲלֵה וְיִתֵּן הָאֱלֹהִים בְּיַד הַמֶּלֶךְ:

V6 וַיֹּאמֶר יְהוֹשָׁפָט הַאֵין פֹּה נָבִיא לַיהוָה עוֹד וְנִדְרְשָׁה מֵאֹתוֹ:

V7 וַיֹּאמֶר מֶלֶךְ־יִשְׂרָאֵל אֶל־יְהוֹשָׁפָט עוֹד אִישׁ־אֶחָד לִדְרוֹשׁ אֶת־יְהוָה מֵאֹתוֹ וַאֲנִי שְׂנֵאתִיהוּ כִּי־אֵינֶנּוּ מִתְנַבֵּא עָלַי לְטוֹבָה כִּי כָל־יָמָיו לְרָעָה הוּא מִיכָיְהוּ בֶן־יִמְלָא וַיֹּאמֶר יְהוֹשָׁפָט אַל־יֹאמַר הַמֶּלֶךְ כֵּן:

V8 וַיִּקְרָא מֶלֶךְ יִשְׂרָאֵל אֶל־סָרִיס אֶחָד וַיֹּאמֶר מַהֵר מִיכָהוּ בֶן־יִמְלָא:

V9 וּמֶלֶךְ יִשְׂרָאֵל וִיהוֹשָׁפָט מֶלֶךְ־יְהוּדָה יוֹשְׁבִים אִישׁ עַל־כִּסְאוֹ מְלֻבָּשִׁים בְּגָדִים וְיֹשְׁבִים בְּגֹרֶן פֶּתַח שַׁעַר שֹׁמְרוֹן וְכָל־הַנְּבִיאִים מִתְנַבְּאִים לִפְנֵיהֶם:

V10 וַיַּעַשׂ לוֹ צִדְקִיָּהוּ בֶן־כְּנַעֲנָה קַרְנֵי בַרְזֶל וַיֹּאמֶר כֹּה־אָמַר יְהוָה בְּאֵלֶּה תְּנַגַּח אֶת־אֲרָם עַד־כַּלּוֹתָם:

V11 וְכָל־הַנְּבִאִים נִבְּאִים כֵּן לֵאמֹר עֲלֵה רָמֹת גִּלְעָד וְהַצְלַח וְנָתַן יְהוָה בְּיַד הַמֶּלֶךְ:

V12 וְהַמַּלְאָךְ אֲשֶׁר־הָלַךְ לִקְרֹא לְמִיכָיְהוּ דִּבֶּר אֵלָיו לֵאמֹר הִנֵּה דִּבְרֵי הַנְּבִאִים פֶּה־אֶחָד טוֹב אֶל־הַמֶּלֶךְ וִיהִי־נָא דְבָרְךָ כְּאַחַד מֵהֶם וְדִבַּרְתָּ טּוֹב:

V13 וַיֹּאמֶר מִיכָיְהוּ חַי־יְהוָה כִּי אֶת־אֲשֶׁר־יֹאמַר אֱלֹהַי אֹתוֹ אֲדַבֵּר:

V14 וַיָּבֹא אֶל־הַמֶּלֶךְ וַיֹּאמֶר הַמֶּלֶךְ אֵלָיו מִיכָה הֲנֵלֵךְ אֶל־רָמֹת גִּלְעָד לַמִּלְחָמָה אִם־אֶחְדָּל וַיֹּאמֶר עֲלוּ וְהַצְלִיחוּ וְיִנָּתְנוּ בְּיֶדְכֶם:

V15 וַיֹּאמֶר אֵלָיו הַמֶּלֶךְ עַד־כַּמֶּה פְעָמִים אֲנִי מַשְׁבִּיעֶךָ אֲשֶׁר לֹא־תְדַבֵּר אֵלַי רַק־אֱמֶת בְּשֵׁם יְהוָה:

V16 וַיֹּאמֶר רָאִיתִי אֶת־כָּל־יִשְׂרָאֵל נְפוֹצִים עַל־הֶהָרִים כַּצֹּאן אֲשֶׁר אֵין־לָהֶן רֹעֶה וַיֹּאמֶר יְהוָה לֹא־אֲדֹנִים לָאֵלֶּה יָשׁוּבוּ אִישׁ־לְבֵיתוֹ בְּשָׁלוֹם:

V17 וַיֹּאמֶר מֶלֶךְ־יִשְׂרָאֵל אֶל־יְהוֹשָׁפָט הֲלֹא אָמַרְתִּי אֵלֶיךָ לֹא־יִתְנַבֵּא עָלַי טוֹב כִּי אִם־לְרָע: ס

V18 וַיֹּאמֶר לָכֵן שִׁמְעוּ דְבַר־יְהוָה רָאִיתִי אֶת־יְהוָה יוֹשֵׁב עַל־כִּסְאוֹ וְכָל־צְבָא הַשָּׁמַיִם עֹמְדִים עַל־יְמִינוֹ וּשְׂמֹאלוֹ:

Paralelos entre 2Cr 18.3-34 e 1Rs 22.1-35:

2Crônicas	1 Reis
18.3	22.4
18.4	22.5
18.5	22.6
18.6	22.7
18.7	22.8
18.8	22.9
18.9	22.10
18.10	22.11
18.11	22.12
18.12	22.13
18.13	22.14
18.14	22.15
18.15	22.16
18.16	22.17
18.17	22.18
18.18	22.19
18.19	22.20
18.20	22.21
18.21	22.22
18.22	22.23
18.23	22.24
18.24	22.25
18.25	22.26
18.26	22.27
18.27	22.28
18.28	22.29
18.29	22.30
18.30	22.31
18.31	22.32
18.32	22.33
18.33	22.34
18.34	22.35

V19 וַיֹּאמֶר יְהוָה מִי יְפַתֶּה אֶת־אַחְאָב מֶלֶךְ־יִשְׂרָאֵל וְיַעַל וְיִפֹּל בְּרָמוֹת גִּלְעָד וַיֹּאמֶר זֶה אֹמֵר כָּכָה וְזֶה אֹמֵר כָּכָה:

V20 וַיֵּצֵא הָרוּחַ וַיַּעֲמֹד לִפְנֵי יְהוָה וַיֹּאמֶר אֲנִי אֲפַתֶּנּוּ וַיֹּאמֶר יְהוָה אֵלָיו בַּמָּה:

V21 וַיֹּאמֶר אֵצֵא וְהָיִיתִי לְרוּחַ שֶׁקֶר בְּפִי כָּל־נְבִיאָיו וַיֹּאמֶר תְּפַתֶּה וְגַם־תּוּכָל צֵא וַעֲשֵׂה־כֵן:

V22 וְעַתָּה הִנֵּה נָתַן יְהוָה רוּחַ שֶׁקֶר בְּפִי נְבִיאֶיךָ אֵלֶּה וַיהוָה דִּבֶּר עָלֶיךָ רָעָה: ס

V23 וַיִּגַּשׁ צִדְקִיָּהוּ בֶן־כְּנַעֲנָה וַיַּךְ אֶת־מִיכָיְהוּ עַל־הַלֶּחִי וַיֹּאמֶר אֵי זֶה הַדֶּרֶךְ עָבַר רוּחַ־יְהוָה מֵאִתִּי לְדַבֵּר אֹתָךְ:

V24 וַיֹּאמֶר מִיכָיְהוּ הִנְּךָ רֹאֶה בַּיּוֹם הַהוּא אֲשֶׁר תָּבוֹא חֶדֶר בְּחֶדֶר לְהֵחָבֵא:

V25 וַיֹּאמֶר מֶלֶךְ יִשְׂרָאֵל קְחוּ אֶת־מִיכָיְהוּ וַהֲשִׁיבֻהוּ אֶל־אָמוֹן שַׂר־הָעִיר וְאֶל־יוֹאָשׁ בֶּן־הַמֶּלֶךְ:

V26 וַאֲמַרְתֶּם כֹּה אָמַר הַמֶּלֶךְ שִׂימוּ זֶה בֵּית הַכֶּלֶא וְהַאֲכִלוּהוּ לֶחֶם לַחַץ וּמַיִם לַחַץ עַד שׁוּבִי בְשָׁלוֹם:

V27 וַיֹּאמֶר מִיכָיְהוּ אִם־שׁוֹב תָּשׁוּב בְּשָׁלוֹם לֹא־דִבֶּר יְהוָה בִּי וַיֹּאמֶר שִׁמְעוּ עַמִּים כֻּלָּם: פ

V28 וַיַּעַל מֶלֶךְ־יִשְׂרָאֵל וִיהוֹשָׁפָט מֶלֶךְ־יְהוּדָה אֶל־רָמֹת גִּלְעָד:

V29 וַיֹּאמֶר מֶלֶךְ יִשְׂרָאֵל אֶל־יְהוֹשָׁפָט הִתְחַפֵּשׂ וָבוֹא בַמִּלְחָמָה וְאַתָּה לְבַשׁ בְּגָדֶיךָ וַיִּתְחַפֵּשׂ מֶלֶךְ יִשְׂרָאֵל וַיָּבֹאוּ בַּמִּלְחָמָה:

V30 וּמֶלֶךְ אֲרָם צִוָּה אֶת־שָׂרֵי הָרֶכֶב אֲשֶׁר־לוֹ לֵאמֹר לֹא תִּלָּחֲמוּ אֶת־הַקָּטֹן אֶת־הַגָּדוֹל כִּי אִם־אֶת־מֶלֶךְ יִשְׂרָאֵל לְבַדּוֹ:

V31 וַיְהִי כִּרְאוֹת שָׂרֵי הָרֶכֶב אֶת־יְהוֹשָׁפָט וְהֵמָּה אָמְרוּ מֶלֶךְ יִשְׂרָאֵל הוּא וַיָּסֹבּוּ עָלָיו לְהִלָּחֵם וַיִּזְעַק יְהוֹשָׁפָט וַיהוָה עֲזָרוֹ וַיְסִיתֵם אֱלֹהִים מִמֶּנּוּ:

V32 וַיְהִי כִּרְאוֹת שָׂרֵי הָרֶכֶב כִּי לֹא־הָיָה מֶלֶךְ יִשְׂרָאֵל וַיָּשֻׁבוּ מֵאַחֲרָיו:

V33 וְאִישׁ מָשַׁךְ בַּקֶּשֶׁת לְתֻמּוֹ וַיַּךְ אֶת־מֶלֶךְ יִשְׂרָאֵל בֵּין הַדְּבָקִים וּבֵין הַשִּׁרְיָן וַיֹּאמֶר לָרַכָּב הֲפֹךְ יָדֶיךָ וְהוֹצֵאתַנִי מִן־הַמַּחֲנֶה כִּי הָחֳלֵיתִי:

V34 וַתַּעַל הַמִּלְחָמָה בַּיּוֹם הַהוּא וּמֶלֶךְ יִשְׂרָאֵל הָיָה מַעֲמִיד בַּמֶּרְכָּבָה נֹכַח אֲרָם עַד־הָעֶרֶב וַיָּמָת לְעֵת בּוֹא הַשָּׁמֶשׁ:

Acabe, rei de Israel, perguntou a Josafá. 2Cr 18.3-34 é paralelo de 1Rs 22.1-35 com algumas pequenas variações. Ofereço um gráfico de paralelos e alguns comentários adicionais sobre a *exposição* que figura no trecho paralelo.

Faço aqui alguns *comentários adicionais* à exposição geral de 1Reis.

Vss. 4-27. "*Cuidado com os falsos profetas.* Esta passagem intensamente interessante ilustra uma questão que se levanta constantemente nos círculos religiosos. Duas pessoas, dois partidos, cada qual sincero, exortam sobre pontos de vista diferentes. Como outras pessoas devem julgar qual é a opinião certa? O problema era peculiarmente difícil para os hebreus, os quais acreditavam que, quando homens falavam *como profetas,* declaravam não suas próprias ideias, mas, sim, alguma mensagem de um Ser sobrenatural, recebida em transe ou êxtase. Aqui, *quatrocentos* profetas prometem a vitória, mas isso não era suficiente para Acabe. Note o leitor o instinto inquieto do rei de que algo estava sendo negado... A religião hebraica, com o tempo, tentou encontrar um princípio mediante o qual se pudesse julgar se um profeta tinha falado erroneamente. O livro de Deuteronômio estabeleceu esta regra: se um profeta falasse em nome de Yahweh, qualquer coisa contrária aos requisitos fundamentais, religiosos e morais revelados no *Pacto Mosaico* não deveria ser crida. Ver Dt 13.1-5 e cf. Jo 4.1-3... Jeremias (mais profundamente ainda) viu que (os falsos profetas) ignoravam os vícios e as crueldades comuns na cidade, e não percebiam que seu próprio caráter estava infectado por tais males. Esses homens, segundo Jeremias, não tinham coração puro para transmitir o conselho de Deus. Ver Jr 23" (W. A. L. Elmslie, *in loc.*).

Como Testar as Experiências Místicas (incluindo visões e profecias). Ver o artigo do *Dicionário* intitulado *Misticismo, VII, Misticismo Falso e Misticismo Verdadeiro*, onde ofereço uma discussão com detalhes que não repito aqui.

Consideremos: A parte norte da nação era essencialmente apóstata. Dificilmente poder-se-ia esperar que profetas daquele lugar trouxessem uma verdadeira mensagem da parte de Yahweh. Além disso, Acabe era um grande réprobo e pervertido. *Seus profetas* dificilmente poderiam falar por Yahweh. O *teste moral* era negativo; o *teste espiritual* também era negativo. *Conclusão:* Falsos profetas tinham dito mentiras.

Vs. 7. Micaías era *odiado* por Acabe. Bastaria essa circunstância para indicar que Micaías *era* o homem que poderia trazer a verdadeira mensagem de Yahweh. "Todos os seus dias" (Reis), ele se tinha oposto conscientemente a Acabe, o que certamente era uma virtude.

Vs. 11. Os falsos profetas *profetizavam* (no hebraico, *nebuah*, palavra que indica fanfarronice e delírio). Muito barulho estava sendo feito. Foi um *espetáculo* impressionante. Cf. Jr 29.26.

Vs. 12. Os profetas de Baal tinham uma só boca, isto é, concordavam absolutamente que a batalha terminaria bem e, assim, exortaram Acabe a seguir para a morte. Isso, de maneira indireta, era obra de Yahweh, pois o fim de Acabe chegara.

Vss. 20 e 21. Yahweh, autor do engano. Nada existe que possamos dizer para suavizar as declarações do texto. Yahweh enviou um espírito que enganasse a Acabe e assim o derrubasse. A teologia dos hebreus não tinha dificuldades com tais coisas vinculadas ao conceito de Deus. O cristianismo, porém, tem um padrão diferente e recua diante dessa implicações. Ofereço uma discussão completa em 1Rs 22.22. É um anacronismo tentar corrigir este texto e fazê-lo concordar com a teologia cristã. Alguns eruditos supõem que Yahweh *tenha permitido* que se fizesse a obra que ele queria que fosse feita, e então lançam tudo sobre a vontade permissiva de Deus. Mas o texto está falando sobre um anjo do Senhor, e não sobre um demônio. A vontade de Yahweh não somente permitiu, mas foi arranjada, para que houvesse o equívoco. A fé dos hebreus mostrava-se fraca quanto a causas secundárias. Existem poderes que operam neste mundo, para além da vontade divina, e esses poderes praticam o mal. No texto presente, entretanto, nem ao menos esse fator esteve em operação. Culpar a soberania de Deus (conforme fez Eugene H. Merrill, *in loc.*) não é uma explicação muito estética.

Vs. 28. A marca do meio do caminho. 2Cr 18.28 leva-nos à marca da metade do Antigo Testamento. Essa coletânea de documentos contém 23.148 versículos, e até agora fiz comentários sobre metade deles. Faço aqui uma pausa pela vida, energias e força de vontade que me têm sido providas para levar o trabalho a este ponto. E quanto ao resto do caminho, peço do Senhor poder espiritual, mental e físico para terminar a tarefa, talvez em 1998. Hoje é 10 de outubro de 1995.

Vs. 29. O *disfarce* de Acabe a ninguém enganou, senão a ele mesmo. Ele foi enganado por pensar que poderia escapar ao destino, que haveria de cumprir-se naquele dia, por meio de uma farsa. Seus adversários não confundiram Josafá com Acabe. E aquela flecha atirada ao acaso não se deixou enganar pelo disfarce de Acabe. Atingiu o alvo certeiro, conforme tencionava a vontade de Yahweh.

Vs. 30. O cronista não mencionou o *número* dos capitães do rei da Síria, os quais aparecem como 32 em 1Rs 22.31. As versões siríaca e árabe, para efeito de harmonia, adicionam esse número ao texto de 2Crônicas.

Vs. 31. Josafá, em contraste com Acabe, ainda tinha certo número de anos para viver. Ele não haveria de morrer naquele dia, como se daria com Acabe. Portanto, quando esteve em perigo mortal, seus clamores a Yahweh mostraram-se eficazes. Quando ele gritou, seus inimigos mortais o deixaram em paz. Essa é uma excelente lição. Quando Deus está próximo, quando estamos trilhando em seu caminho, então contamos com a *sua proteção*. Oh, Senhor, concede-nos tal graça! Um importante aspecto da lição aqui é que o rei de Judá nem ao menos deveria estar ali, naquele dia. O profeta advertira-o a não ir. Mas ele foi de qualquer maneira, atendendo à aliança profana com Acabe. Porém, mesmo debaixo dessa circunstância, Josafá foi protegido. Assim sendo, a graça e o amor de Deus fluem quando dele precisamos, mesmo quando não o merecemos.

Vs. 33. A chance matou Acabe. Ou foi mesmo apenas a chance? Haverá algo a que possamos chamar de chance? Ver na *Enciclopédia de Bíblia, Teologia e Filosofia* o artigo chamado *Chance*. Ver a exposição sobre 1Rs 22.34. Ali incluí poesia ilustrativa.

Vs. 34. O cronista encerrou a sua história copiando 1Rs 22.35. Ele ignorou o resto da história: como Acabe morreu; como foi levado a Samaria e ali sepultado; como seu carro de combate maculado de sangue foi lavado perto de um poço em Samaria; como chegaram cães para lamber o sangue e cumprir assim uma profecia; observações de conclusão típicas das notícias de óbito, relativas aos reis de Israel e Judá. Ver 1Rs 22.36. Esses detalhes não interessavam ao cronista, que somente apresentou material histórico relativo a Israel, quando isso estava intimamente relacionado a alguma história sobre Judá.

CAPÍTULO DEZENOVE

SEQUELA DA BATALHA DE RAMOTE-GILEADE. JOSAFÁ É REPREENDIDO POR CAUSA DE SUA ALIANÇA COM ACABE (19.1-3)

Os *vss. 1-3* deste capítulo 19 não têm paralelo em Reis e constituem o comentário do próprio cronista quanto ao que aconteceu na batalha em que Acabe, rei de Israel, perdeu a vida (capítulo 18). Para apresentar sua avaliação, o cronista usou um oráculo (de reprimenda), proferido por Jeú, filho de Hanani. Quanto a este último homem, ver 2Cr 16.7. Alguns intérpretes, entretanto, não pensam estar em pauta o mesmo indivíduo. Ver os artigos sobre ambos os homens, no *Dicionário*, para esclarecimento e informação.

O capítulo 19 de 2Crônicas, em sua inteireza, não tem paralelo em 1Rs.

19.1

וַיָּשָׁב יְהוֹשָׁפָט מֶלֶךְ־יְהוּדָה אֶל־בֵּיתוֹ בְּשָׁלוֹם לִירוּשָׁלָֽ͏ִם׃

Josafá... voltou para sua casa em paz. *Acabe Estava Morto* (capítulo 18). Josafá, rei de Judá, escapou da morte pela misericórdia de Yahweh. Quão doce era voltar para casa, a salvo, deixando todo aquele terror para trás. O rei de Judá havia desconsiderado a mensagem do profeta (ver 2Cr 18.10 ss.), mas mesmo assim sua vida fora poupada. Contudo, não muito distante dali, vários soldados mortos jaziam no campo de batalha, muitos deles de Judá, porquanto o rei se havia aliado tolamente a Acabe, rei de Israel, em batalha contra os sírios.

Nisso temos a amarga lição de que ninguém peca sozinho. Cada qual arrasta outros para as consequências de seus atos, mesmo quando esses são inocentes quanto a qualquer malfeito: um pensamento deveras solene!

Josafá, pois, voltou em segurança e em paz, a despeito de ter sido exposto a tão grande perigo. Mas desse perigo ele foi salvo, mediante a misericórdia especial de Deus, o único que poderia salvá-lo. Mas vemos aqui, igualmente, um contraste. Aquele homem ímpio e insensato, Acabe, não gozou de idêntica proteção. Ele estava morto, e seu carro de combate, manchado de sangue, estava sendo lavado em Samaria (ver 1Rs 22.38).

19.2

וַיֵּצֵא אֶל־פָּנָיו יֵהוּא בֶן־חֲנָנִי הַחֹזֶה וַיֹּאמֶר אֶל־הַמֶּלֶךְ יְהוֹשָׁפָט הֲלָרָשָׁע לַעְזֹר וּלְשֹׂנְאֵי יְהוָה תֶּאֱהָב וּבָזֹאת עָלֶיךָ קֶצֶף מִלִּפְנֵי יְהוָה׃

O vidente Jeú, filho de Hanani, saiu ao encontro do rei Josafá e lhe disse. *A ira de Yahweh* tinha sobrevindo àquela aliança profana feita entre Josafá e Acabe. Houve grande calamidade, tal como o profeta Micaías profetizara (ver 2Cr 18.14 ss.). Jeú, filho de Hanani, foi comissionado pelo Senhor para repreender o rei de Judá por sua estupidez. Ele era culpado de haver amado aos que odiavam Yahweh. Uma vez mais, a antiga síndrome do pecado-calamidade-julgamento entrara em ação. Ver no *Dicionário* os artigos chamados *Lei Moral da Colheita segundo a Semeadura* e *Providência de Deus*. Ver a história de Hanani em 2Cr 16.7-10. Alguns intérpretes, entretanto, supõem que ele não fosse o pai de Jeú. Ver os artigos sobre esses nomes no *Dicionário*, para maiores esclarecimentos e informações.

Acabe era idólatra, matador de profetas, perturbador de Israel, perseguidor de tudo quanto é bom, e instrumento da ímpia e horrenda Jezabel, sua esposa infame, cruel e desprezível. Embora fosse um hebreu mediante a linhagem de sangue, Acabe era um verdadeiro pagão em toda a sua conduta. Por conseguinte, foi bastante ridículo que Josafá, um bom rei (em quase todos os aspectos) se tivesse misturado com ele. Naturalmente, havia laços familiares (seu filho se casara com a filha de Acabe e Jezabel; ver 2Cr 18.1). Sem dúvida, essa foi uma influência que o levou a fazer tudo quanto fez. Não obstante, agradar ao Pai celeste era mais importante que qualquer laço de família.

■ 19.3

אֲבָ֥ל דְּבָרִ֛ים טוֹבִ֖ים נִמְצְא֣וּ עִמָּ֑ךְ כִּֽי־בִעַ֤רְתָּ הָאֲשֵׁרוֹת֙ מִן־הָאָ֔רֶץ וַהֲכִינ֥וֹתָ לְבָבְךָ֖ לִדְרֹ֥שׁ הָאֱלֹהִֽים׃

Boas cousas contudo se acharam em ti. Este versículo revisa os atos bons de Josafá, listados detalhadamente em 2Cr 17.3 ss. O profeta louvou-o por ter ele removido o paganismo de Judá, mas não se importou em lembrar que as reformas de Josafá tinham sido *incompletas*, porquanto ele não tratou devidamente dos *lugares altos* (ver a esse respeito no *Dicionário*). Ver as declarações contraditórias sobre essa questão em 2Cr 17.6 e 20.33. O presente versículo enfatiza que, para o rei Josafá, essa era uma questão de seu *coração*. Ele tinha uma espiritualidade genuína que o fazia buscar *Elohim*. Ver no *Dicionário* o verbete intitulado *Deus, Nomes Bíblicos de*. Contraste o leitor o que se lê aqui com o que se diz sobre Roboão (ver 2Cr 12.14).

TRIBUNAIS LOCAIS (19.4-9)

■ 19.4

וַיֵּ֥שֶׁב יְהוֹשָׁפָ֖ט בִּירוּשָׁלָ֑͏ִם ס וַיָּ֜שָׁב וַיֵּצֵ֣א בָעָ֗ם מִבְּאֵ֥ר שֶׁ֨בַע֙ עַד־הַ֣ר אֶפְרַ֔יִם וַיְשִׁיבֵ֕ם אֶל־יְהוָ֖ה אֱלֹהֵ֥י אֲבוֹתֵיהֶֽם׃

O sistema consistia em tribunais locais de justiça estabelecidos nas cidades provinciais. Em Jerusalém, por sua vez, havia um tribunal superior de apelos. Alguns intérpretes pensam que, somente após o cativeiro babilônico, o sistema foi estabelecido. Mas não há nenhuma razão para duvidarmos de que Josafá foi capaz de estabelecer tal sistema em Judá.

Desde Berseba até à região montanhosa de Efraim. Ou seja, em toda a extensão do território, considerando-o do norte para o sul. Não nos são dadas as fronteiras a leste nem a oeste. O autor sacro queria que entendêssemos que o sistema judicial foi estabelecido em locais estratégicos, por todo o território de Judá.

O sistema, naturalmente, estava baseado sobre a legislação mosaica, de tal modo que obedecer às suas múltiplas leis era obedecer a Yahweh, um exercício espiritual. Era estranho para a mente dos hebreus separar o secular do religioso. Embora Israel fosse então uma monarquia, os conceitos da teocracia estavam sempre presentes. A *idolatria* deveria ser eliminada pelos juízes, que cuidariam das coisas e imporiam os ditames da lei mosaica. Disputas pessoais e injustiças seriam corrigidas em consonância com as injunções de Moisés. Josafá estava interessado na justiça, não meramente dentro do culto religioso e de elevados ideais impraticáveis. "Parte do programa de reformas de Josafá era viajar pessoalmente por todo o território de Judá, para encorajar o povo a voltar-se para o Senhor. Ele também nomeou juízes piedosos, por toda a terra, árbitros cuja tarefa era julgar sem parcialidade e sem subornos (ver Dt 16.18-20)" (Eugene H. Merrill, *in loc.*).

Ver 2Cr 17.7 ss. quanto ao extenso *ministério de ensino* do rei Josafá. Agora ele volta a sua atenção para a lei e a justiça. Era um verdadeiro pastor das ovelhas, em contraste com tantos outros reis renegados.

■ 19.5

וַיַּעֲמֵ֨ד שֹֽׁפְטִ֜ים בָּאָ֗רֶץ בְּכָל־עָרֵ֧י יְהוּדָ֛ה הַבְּצֻר֖וֹת לְעִ֥יר וָעִֽיר׃

Estabeleceu juízes no país, em todas as cidades fortificadas. Esses juízes foram cuidadosamente colocados nas cidades fortificadas. Eles serviriam de defesa e de justiça. Essas cidades, como é óbvio, eram as maiores e mais importantes, localizadas estrategicamente, lugares bons para atividades especiais. As vilas menores, que não dispunham de juízes locais, apelavam para as cidades maiores onde houvesse juízes, e assim a justiça seria feita. Os casos difíceis que os juízes locais não pudessem solucionar eram transferidos para a capital, Jerusalém, onde uma palavra final seria proferida. Ver o oitavo versículo deste capítulo, quanto ao tribunal superior de Jerusalém. "Esse tribunal central fora nomeado por Davi, mas havia sido negligenciado. Agora, porém, era restaurado. Ver 1Cr 26.29,32" (John Gill, *in loc.*). Ver Dt 16.18-20 quanto à mesma questão, em um tempo anterior.

"Os juízes eram levitas e, como é provável, também sacerdotes e chefes de família, como no caso de Jerusalém (versículo oitavo)" (Ellicott, *in loc.*).

■ 19.6,7

וַיֹּ֣אמֶר אֶל־הַשֹּׁפְטִ֗ים רְאוּ֙ מָֽה־אַתֶּ֣ם עֹשִׂ֔ים כִּ֣י לֹ֧א לְאָדָ֛ם תִּשְׁפְּט֖וּ כִּ֣י לַיהוָ֑ה וְעִמָּכֶ֖ם בִּדְבַ֥ר מִשְׁפָּֽט׃

וְעַתָּ֕ה יְהִ֥י פַֽחַד־יְהוָ֖ה עֲלֵיכֶ֑ם שִׁמְר֣וּ וַעֲשׂ֔וּ כִּי־אֵ֞ין עִם־יְהוָ֣ה אֱלֹהֵ֗ינוּ עַוְלָ֛ה וּמַשֹּׂ֥א פָנִ֖ים וּמִקַּח־שֹֽׁחַד׃

Disse aos juízes: Vede o que fazeis. *Justiça estrita* era a palavra de ordem. Yahweh era o Juiz Supremo que observaria os juízes delegados. Assim sendo, embora os homens fossem responsáveis diante da lei administrada pelos juízes humanos, esses juízes, por sua vez, eram responsáveis diante do divino *Legislador*. Era parte da crença dos hebreus que a lei mosaica fora dada divinamente, tornando Israel uma nação distintiva (ver Dt 4.4-8). Todos os oficiais, a começar pelo próprio rei (ver Dt 17.14 ss.), estavam sujeitos à mesma lei e ao mesmo poder divino. O verdadeiro Juiz não favoreceria uma pessoa em detrimento de outra por causa de poder, dinheiro e posição social. Como é óbvio, o supremo Juiz não aceitaria subornos. O Targum diz: "Não julgarás defronte dos homens, mas defronte da Palavra de Deus, cuja *Shekinah* habita contigo nas questões de julgamento". Ver Dt 16.19 quanto a um paralelo ao vs. 7 deste capítulo. Um juiz não podia deixar-se impressionar pela *fisionomia* de alguém. A face divina estaria observando.

Não há no Senhor... injustiça, nem parcialidade, nem aceita ele suborno. A primeira dessas três palavras, "injustiça", no original hebraico é *'avlah*, que significa falta de equidade; as outras palavras mostram que a parcialidade, encorajada pela aceitação de suborno, termina em atos distorcidos.

■ 19.8

וְגַ֣ם בִּירוּשָׁלִַ֡ם הֶעֱמִ֣יד יְהוֹשָׁפָ֡ט מִן־הַלְוִיִּ֣ם וְהַכֹּהֲנִ֡ים וּמֵרָאשֵׁי֩ הָאָב֨וֹת לְיִשְׂרָאֵ֜ל לְמִשְׁפַּ֧ט יְהוָ֛ה וְלָרִ֖יב וַיָּשֻׁ֥בוּ יְרוּשָׁלָֽ͏ִם׃

Para julgarem da parte do Senhor, e decidirem as sentenças contestadas. *O Tribunal de Apelo.* A Corte Suprema foi estabelecida na capital, e levitas, sacerdotes e cabeças de clãs seriam os juízes que julgariam os casos difíceis, não resolvidos nas cidades fortificadas. A legislação mosaica ditaria todos os termos da justiça.

"Devemos reconhecer que a lei tem seu assento no seio de Deus" (Richard Hooker, *Ecclesistical Polity,* livro 1, seção 3).

Cf. este versículo com Êx 18.21-26; Dt 1.15-17, onde vemos que as funções judiciais eram efetuadas por chefes de clãs nomeados por Moisés, uma extensão do sistema original. Conhecedores profissionais na lei, dotados de autoridade especial, poderiam resolver problemas difíceis. "Josafá reorganizou a administração da justiça por todo o país e estabeleceu um tribunal superior, ou Tribunal Superior de Apelos, na capital, conforme se vê em Dt 17.8-12" (Ellicott, *in loc.*).

Três classes constituíam a Corte Suprema, conferindo-lhe certa variedade de opiniões, conhecimentos e experiências. Casos religiosos, fiscais e criminais seriam tratados por especialistas.

19.9

וַיְצַו עֲלֵיהֶם לֵאמֹר כֹּה תַעֲשׂוּן בְּיִרְאַת יְהוָה בֶּאֱמוּנָה וּבְלֵבָב שָׁלֵם׃

Assim andai no temor do Senhor com fidelidade e inteireza de coração. Os juízes da Corte Suprema receberam instrução idêntica à dos juízes das cidades fortificadas, como já vimos nos vss. 6 e 7. A justiça, dessa maneira, prevaleceria tanto no interior do país quanto na capital. "O temor do Senhor", e não o temor ou o favor dos homens, deveria governar os atos. Ver no *Dicionário* o artigo chamado *Temor*; ver a primeira seção sobre o "temor de Deus". Quanto à *integridade* que os juízes deveriam manifestar, isso significa que eles deveriam agir com bondade e justiça (ver 2Cr 15.18 e 16.9). A espiritualidade deveria controlar os juízes, os julgados e a natureza e disposição inteira da *nação distinta*.

19.10

וְכָל־רִיב אֲשֶׁר־יָבוֹא עֲלֵיכֶם מֵאֲחֵיכֶם הַיֹּשְׁבִים בְּעָרֵיהֶם בֵּין־דָּם לְדָם בֵּין־תּוֹרָה לְמִצְוָה לְחֻקִּים וּלְמִשְׁפָּטִים וְהִזְהַרְתֶּם אֹתָם וְלֹא יֶאְשְׁמוּ לַיהוָה וְהָיָה קֶצֶף עֲלֵיכֶם וְעַל־אֲחֵיכֶם כֹּה תַעֲשׂוּן וְלֹא תֶאְשָׁמוּ׃

Toda vez que vier a vós outros sentença contestada. *Autoridade Absoluta*. A linguagem deste versículo está relacionada à legislação mosaica, com seus mandamentos, estatutos e juízos. Quanto à tríplice designação da lei e as distinções feitas entre os termos empregados, ver Dt 6.1. A autoridade por trás da lei era a sua divina inspiração. Yahweh era a verdadeira autoridade em Israel. A lei de Moisés refletia a mente de Yahweh. "Tudo quanto dizia respeito a preceitos morais, ritos, cerimônias da lei, ou o que quer que pertencesse a questões civis ou religiosas de qualquer espécie" (Adam Clarke, *in loc.*).

Entre sangue e sangue. Ver Dt 17.8. Ou seja, questões e problemas criados por homicídio, deliberado ou acidental. As aldeias, no interior, nem sempre teriam as respostas exatas para os problemas judiciais. Nesse caso, as autoridades maiores na capital, Jerusalém, resolveriam todos os problemas de justiça.

O homem que desse os julgamentos apropriados, a despeito de possíveis pressões da parte dos homens, no sentido de os casos serem pervertidos, tinha a promessa da bênção e sabedoria de Yahweh. Ele era, afinal, o verdadeiro tribunal superior de apelos. Ver o vs. 11.

19.11

וְהִנֵּה אֲמַרְיָהוּ כֹהֵן הָרֹאשׁ עֲלֵיכֶם לְכֹל דְּבַר־יְהוָה וּזְבַדְיָהוּ בֶן־יִשְׁמָעֵאל הַנָּגִיד לְבֵית־יְהוּדָה לְכֹל דְּבַר־הַמֶּלֶךְ וְשֹׁטְרִים הַלְוִיִּם לִפְנֵיכֶם חִזְקוּ וַעֲשׂוּ וִיהִי יְהוָה עִם־הַטּוֹב׃ פ

Sede fortes no cumprimento disso, e o Senhor será com os bons. Essas eram as *autoridades* nas quais os cidadãos de Judá podiam confiar. Os *representantes* de Yahweh, no tempo de Josafá, eram Amarias, o sumo sacerdote, e Zebadias, o príncipe da casa de Judá. Esse homem era o *nagid*, o príncipe da tribo nomeado pelo presidente do tribunal nos casos civis, aquele que cuidava de todos os negócios do rei. Entre eles elevava-se Yahweh, que garantiria que eles seriam honrados e abençoados quando fizessem o que era direito. Ver sobre ambos os nomes no *Dicionário*, para maiores detalhes. Todos os juízes deveriam ser incorruptos e destemidos. Cf. os vss. 6 e 7. Yahweh estaria com homens corajosos, que julgassem devidamente, mas ele julgaria os perversos.

Cf. este versículo com Ez 8.1; Ed 4.23 e 8.1-15.

CAPÍTULO VINTE

JOSAFÁ DERROTA UMA ALIANÇA ESTRANGEIRA. VITÓRIA DE JOSAFÁ SOBRE MOABE E AMOM (20.1-30)

Esta seção não tem paralelo no livro de 1Reis. O cronista preservou a narrativa histórica de grande vitória e livramento de uma fonte informativa da qual o autor dos livros de Reis não dispunha, ou de uma fonte que esse autor ignorou, por razões desconhecidas. Talvez alguns dos Salmos comemorem essa vitória. O conteúdo dos Salmos 46 a 48 parece fazer alusão ao caso. São salmos atribuídos aos "filhos de Coré". Ver o vs. 19 e ss. O Salmo 83 é uma oração contra a hostil confederação formada por Edom, Amom e Moabe, além de outros grupos étnicos, e é um salmo de *Asafe*. Talvez esse profeta, cujo nome ficou registrado somente no presente capítulo e no título de alguns salmos, tenha composto esses salmos, em coautoria com outras personagens.

"Surpreendido pela ira do Senhor (2Cr 19.2), devido à sua aliança com Acabe (2Cr 18 e 19.1,2), Josafá é declarado como quem enfrentou suas provas de maneira tão admirável que o cronista julgou apropriado adicionar algum comentário expositivo" (W. A. L. Elmslie, *in loc.*). Ao enfrentar um grande exército, o rei de Judá reagiu mediante jejum e oração, e assim buscou o auxílio de Yahweh, que faria toda a diferença na batalha. A questão resultou em alegria e ação de graças, quando veio a resposta que livrou Judá de um grande mal.

20.1

וַיְהִי אַחֲרֵיכֵן בָּאוּ בְנֵי־מוֹאָב וּבְנֵי עַמּוֹן וְעִמָּהֶם מֵהָעַמּוֹנִים עַל־יְהוֹשָׁפָט לַמִּלְחָמָה׃

Depois disto, os filhos de Moabe e os filhos de Amom. "O cronista, tendo firmado o caráter de Josafá como um rei justo, atribuiu a ele uma vitória de fé maior ainda que a de Abias (capítulo 13) e a de Asa (capítulo 14). Por muitas vezes essa narrativa tem sido chamada de parábola. Há somente um pálido paralelo em 2Rs 3.4-27" (*Oxford Annotated Bible*, introdução ao capítulo 20).

Ver os *nomes próprios* deste versículo no *Dicionário*, para detalhes e melhor compreensão.

"Pouco depois da desastrosa aventura de Ramote-Gileade (capítulo 18), os moabitas, os amonitas e os meunitas lançaram um ataque contra Josafá, tendo partido do outro lado do rio Jordão. Os meunitas (cf. 1Cr 4.41; 2Cr 26.7) eram uma tribo árabe que vivia em Edom e além, a leste e ao sul do mar Morto" (Eugene H. Merrill, *in loc.*). Josefo chamou o exército em pauta de "uma multidão de árabes" (*Antiq.* ix.1.2).

Com alguns dos amonitas. Em lugar de *meunitas*. Nossa versão portuguesa reflete o texto hebraico, o qual, sem dúvida, está corrupto. A Septuaginta corrigiu o texto e foi seguida, subsequentemente, por muitas traduções modernas para outros idiomas. A versão siríaca diz "homens de guerra", e a versão árabe diz "homens corajosos". Mas essas são apenas tentativas de adivinhar o que o texto hebraico queria dizer.

20.2

וַיָּבֹאוּ וַיַּגִּידוּ לִיהוֹשָׁפָט לֵאמֹר בָּא עָלֶיךָ הָמוֹן רָב מֵעֵבֶר לַיָּם מֵאֲרָם וְהִנָּם בְּחַצְצוֹן תָּמָר הִיא עֵין גֶּדִי׃

Grande multidão vem contra ti dalém do mar e da Síria. O exército inimigo, que avançava rapidamente, foi detectado por guardas avançados nos postos de vigilância de Judá, e um relatório foi levado imediatamente ao rei de Judá, para que ele pudesse fazer os preparativos necessários. O exército invasor vinha do monte Edom (monte Seir), conforme se vê nos vss. 10, 22 e 23, e não da Síria (no hebraico, *Arã*). As hostes adversárias já haviam chegado a *Hazazom-Tamar*, também chamada *En-Gedi*. Ver no *Dicionário* quanto aos nomes próprios. Essa localidade ficava nas praias ocidentais do mar Morto. Os territórios de Amom e Moabe jaziam a leste do mar Morto, mas o exército já os havia ultrapassado. *Maon* não ficava distante de Petra, mas um tanto mais para o sul.

E da Síria. No hebraico, temos a palavra *Arã*, conforme se dá também com a Septuaginta e a Vulgata, mas o verdadeiro texto é *Edom*, um locativo frequentemente confundido com Arã, por causa da semelhança entre os dois nomes. Assim diz o texto da *Revised Standard Version* e as versões portuguesas mais modernas. "A horda confederada compunha-se de diferentes tribos que habitavam as regiões distantes que faziam fronteira com as costas norte e oriental do mar Vermelho. O avanço da horda, ao que tudo indica, foi para o ponto do extremo sul do mar Morto, tão longe como En-Gedi, cujo nome mais antigo era Hazazom-Tamar (Gn 14.7)" (Jamieson, *in loc.*).

20.3

וַיִּרָ֕א וַיִּתֵּ֧ן יְהוֹשָׁפָ֛ט אֶת־פָּנָ֖יו לִדְר֣וֹשׁ לַיהוָ֑ה
וַיִּקְרָא־צ֖וֹם עַל־כָּל־יְהוּדָֽה׃

Então Josafá teve medo. *Buscando a Ajuda Divina.* Josafá, sendo homem espiritual, procurou primeiramente recursos e ajuda espiritual. E assim proclamou um jejum a fim de preparar Judá para o ataque, clamando pela *ajuda de Yahweh.* Cf. 1Sm 7.6. "... um ato de humilhação nacional, implicando a admissão de culpa e a intenção de invocar a misericórdia e o socorro divino. Cf. Jz 20.26; Jl 2.12-17; 1Sm 7.6; Ed 8.21" (Ellicott, *in loc.*).

20.4

וַיִּקָּבְצ֣וּ יְהוּדָ֔ה לְבַקֵּ֖שׁ מֵיְהוָ֑ה גַּ֚ם מִכָּל־עָרֵ֣י יְהוּדָ֔ה
בָּ֖אוּ לְבַקֵּ֥שׁ אֶת־יְהוָֽה׃

Judá se congregou para pedir socorro ao Senhor. Uma congregação que representava a nação reuniu-se para buscar a ajuda divina. Muitas cidades fizeram-se representar e, antes de ver seus adversários, os judaítas enviaram orações a Yahweh. É provável que a assembleia se tenha reunido no templo para buscar a presença de Deus, e que o sumo sacerdote tenha consultado o oráculo para orientação.

20.5

וַיַּעֲמֹ֣ד יְהוֹשָׁפָ֗ט בִּקְהַ֧ל יְהוּדָ֛ה וִירוּשָׁלַ֖ם בְּבֵ֣ית יְהוָ֑ה
לִפְנֵ֖י הֶחָצֵ֥ר הַחֲדָשָֽׁה׃

Pôs-se Josafá em pé, na congregação de Judá. Temos aqui a oração de Josafá (vss. 5-12). Um *grande perigo* havia inspirado a sinceridade de coração e de intenções, de modo que a oração foi pura e poderosa. Note também o equívoco do autor sagrado. Ele fala sobre o "pátio novo", que reflete sua posição *após* o cativeiro babilônico, quando já estava de pé o segundo templo. Seja como for, a reunião ocorreu no átrio do templo de Salomão, onde o rei Josafá ofereceu sua oração comovente. Alguns estudiosos supõem que o átrio tenha sido ampliado ou embelezado, e assim poderia ser chamado de "novo"; mas isso é apenas uma interpretação *ad hoc*, ou seja, inventada com o propósito de explicar o vocábulo "novo".

20.6

וַיֹּאמַ֗ר יְהוָ֞ה אֱלֹהֵ֤י אֲבֹתֵ֙ינוּ֙ הֲלֹ֨א אַתָּֽה־ה֤וּא אֱלֹהִים֙
בַּשָּׁמַ֔יִם וְאַתָּ֣ה מוֹשֵׁ֔ל בְּכֹ֖ל מַמְלְכ֣וֹת הַגּוֹיִ֑ם וּבְיָדְךָ֤ כֹּ֙חַ֙
וּגְבוּרָ֔ה וְאֵ֥ין עִמְּךָ֖ לְהִתְיַצֵּֽב׃

Ah! Senhor, Deus de nossos pais. Josafá envolveu o solene nome divino de *Yahweh-Elohim.* Ver no *Dicionário* o artigo chamado *Deus, Nomes Bíblicos de.* O que se deve entender é *Deus Eterno e Todo-poderoso* como o sentido do nome divino que foi usado.

De nossos pais. O rei relembrou ao Senhor o fato de que Israel, como nação, sempre fora dependente da ajuda vinda do alto, e aqueles que agora estavam em urgente necessidade eram descendentes dos patriarcas honrados por Deus. Israel era filho de Deus (ver Êx 3.6,15,16 e 4.5,22,23). E o Deus era o Deus de Abraão, de Isaque e de Jacó.

Yahweh-Elohim era o Senhor dos Exércitos (ver 1Rs 18.15), dando a entender os poderes celestiais. Ele também tinha poder absoluto sobre todas as nações, incluindo as que estavam lançando o seu ataque contra Judá. Portanto, tudo quanto se fazia mister era Deus exercer a sua autoridade e repreender os atacantes. Um dos atributos dos seres humanos é a *dependência.* Somente Deus é *independente.* Josafá reconheceu sua dependência e requereu que a fraqueza humana não derrotasse a ele e à nação de Judá. O *poder* de Deus, e não algum poder humano, traria salvação naquela situação crítica.

Cf. este versículo com os sentimentos expressos em Sl 21.2 e 94.16. Ver também a oração de Asa, em 2Cr 14.11.

20.7

הֲלֹ֣א ׀ אַתָּ֣ה אֱלֹהֵ֗ינוּ הוֹרַ֙שְׁתָּ֙ אֶת־יֹשְׁבֵי֙ הָאָ֣רֶץ הַזֹּ֔את
מִלִּפְנֵ֖י עַמְּךָ֣ יִשְׂרָאֵ֑ל וַֽתִּתְּנָ֗הּ לְזֶ֛רַע אַבְרָהָ֥ם אֹֽהַבְךָ֖
לְעוֹלָֽם׃

Porventura, ó nosso Deus. A *terra* foi dada a Israel por causa do Pacto Abraâmico (ver as notas a respeito em Gn 15.18). Haveria Yahweh-Elohim de permitir que os árabes anulassem esse propósito? O povo do pacto pediu ajuda ao Criador e estabelecedor do pacto. Deus fizera promessas permanentes (ver Gn 17.8), e aquele território pertenceria para sempre a Israel. Abraão era amigo de Deus, e isso significava que seus descendentes não poderiam ser *derrotados* por seus inimigos. Abraão também é chamado "amigo de Deus" em Is 41.8 e Tg 2.23, e essa terminologia passou para a teologia dos hebreus e tornou-se conceito de uso comum. Hebrom, o lugar de sepultamento dos patriarcas de Israel, é, até hoje, conhecido no mundo islâmico como *el-Khalil,* "o Amigo". O poder divino havia dado aquelas terras a um amigo, e o poder divino haveria de preservá-las para os descendentes de seu amigo, igualmente filhos e amigos de Deus.

20.8

וַיֵּשְׁבוּ־בָ֑הּ וַיִּבְנ֨וּ לְךָ֧ ׀ בָּ֛הּ מִקְדָּ֖שׁ לְשִׁמְךָ֥ לֵאמֹֽר׃

Habitaram nela e nela edificaram um santuário. O território dado ao povo de Israel vinha sendo habitado há muito tempo (desde cerca de quinhentos anos antes), e um *templo* havia sido construído por Salomão, tornando-se o lugar da presença divina. Isso dava dignidade e poder a Israel, o povo da lei mosaica, e um povo distintivo por causa dessa legislação (Dt 4.4-8). Deus havia feito *promessas* ao povo do templo (2Cr 20.9; cf. 2Cr 6.28-31). O templo tornara-se uma espécie de monumento da segurança e das bênçãos divinas. Consolidava, em um único lugar, a adoração a Yahweh, fazendo de Israel um povo distinto dos demais. Nenhuma potência estrangeira conseguiria anular tudo quanto o templo simbolizava. Cf. este versículo com 2Cr 6.5,7,8. O *nome* habitava no templo, isto é, a *presença* de Deus. O lugar tornara-se conhecido como habitação de Yahweh-Elohim.

20.9

אִם־תָּב֨וֹא עָלֵ֜ינוּ רָעָ֗ה חֶ֣רֶב שְׁפוֹט֮ וְדֶ֣בֶר וְרָעָב֒
נַעַמְדָ֞ה לִפְנֵ֨י הַבַּ֤יִת הַזֶּה֙ וּלְפָנֶ֔יךָ כִּ֥י שִׁמְךָ֖ בַּבַּ֣יִת הַזֶּ֑ה
וְנִזְעַ֥ק אֵלֶ֛יךָ מִצָּרָתֵ֖נוּ וְתִשְׁמַ֥ע וְתוֹשִֽׁיעַ׃

Se algum mal nos sobrevier. A promessa divina era que *qualquer tipo* de mal poderia ser cancelado, *caso* fosse requerido do templo. Essa é uma referência direta à informação dada em 2Cr 6.24-30. Um *grande sinal,* uma exibição celestial de poder fora dada para confirmar as promessas feitas. Ver 2Cr 7.1 ss. Ver o conteúdo do Salmo 91, o "Salmo de proteção", que concorda em espírito com este presente.

Espada por castigo, peste ou fome. A Vulgata Latina diz aqui "espada de juízo". A aliança profana de Josafá com Acabe (2Cr 18 e 19.1,2) tinha provocado o juízo divino que estava prestes a afligir Judá. A espada estava pronta a ferir, mas não aniquilaria Judá. O rei Josafá, pois, requereu que a ira de Deus se modificasse de tal modo que se harmonizasse com as promessas feitas. Cf. 1Rs 8.33,37 e 9.3, cujas notas também se aplicam aqui.

20.10

וְעַתָּ֡ה הִנֵּה֩ בְנֵֽי־עַמּ֨וֹן וּמוֹאָ֜ב וְהַר־שֵׂעִ֗יר אֲשֶׁ֨ר
לֹא־נָתַ֤תָּה לְיִשְׂרָאֵל֙ לָב֣וֹא בָהֶ֔ם בְּבֹאָ֖ם מֵאֶ֣רֶץ
מִצְרָ֑יִם כִּ֛י סָ֥רוּ מֵעֲלֵיהֶ֖ם וְלֹ֥א הִשְׁמִידֽוּם׃

Agora, pois, eis que os filhos de Amom, e de Moabe, e os do monte Seir. "A oração foi encerrada referindo-se à *necessidade imediata.* Judá estava sendo atacado pelas *mesmas nações* que tinham sido poupadas quando Israel estava na rota do Egito para Canaã. Agora, eles precisavam da ajuda do Senhor, porque não tinham forças para enfrentar tão numeroso exército. Precisavam ser livrados de seus *ingratos* atacantes (2Cr 20.10-12)" (Eugene H. Merrill, *in loc.*). A proibição para esses povos serem atacados por Israel acha-se em Dt 2.4,9,19 e Nm 20.14-21. Ver a recusa do rei de Edom em permitir que eles atravessassem o território edomita (Jz 11.15 ss.). Essas tribos eram reconhecidas como aparentadas de Israel, visto que descendiam de Esaú e de Ló.

■ 20.11

וְהִנֵּה־הֵם גֹּמְלִים עָלֵינוּ לָבוֹא לְגָרְשֵׁנוּ מִיְּרֻשָּׁתְךָ אֲשֶׁר הוֹרַשְׁתָּנוּ׃

Eis que nos dão o pago. Aqueles povos escandalosos e ingratos estavam recompensando Israel com ataques, com a intenção de deslocá-los das terras que Deus lhes havia dado. Portanto, os judaítas necessitavam que algum tipo de repreensão especial fosse administrado, através de uma intervenção divina, em favor deles.

Judá solicitou *justiça* da parte de Yahweh, embora essa nação estivesse sendo julgada por causa de um lapso de Josafá (capítulo 18). A justiça tinha de ser *maior* do que o julgamento. Devemos lembrar que não existe coisa como *justiça nua*. A justiça divina é sempre temperada com o amor e a graça, por ser a justiça de Deus, e Deus é Amor. É errôneo equiparar o julgamento com a justiça. A justiça é maior do que o julgamento. Ver no *Dicionário* o verbete intitulado *Julgamento de Deus dos Homens Perdidos*, que ilustra esse princípio.

Além disso, o oposto da injustiça não é a justiça. O oposto da injustiça é o *amor*.

Não existe justiça divina que se manifeste sem amor, que faz parte integral dessa qualidade. Por isso o rei Josafá clamou por uma justiça que ultrapassaria o julgamento da hora.

■ 20.12

אֱלֹהֵינוּ הֲלֹא תִשְׁפָּט־בָּם כִּי אֵין בָּנוּ כֹּחַ לִפְנֵי הֶהָמוֹן הָרָב הַזֶּה הַבָּא עָלֵינוּ וַאֲנַחְנוּ לֹא נֵדַע מַה־נַּעֲשֶׂה כִּי עָלֶיךָ עֵינֵינוּ׃

Ah! nosso Deus. O ponto final de um homem é a oportunidade de Deus. Judá, reduzido a nada, avassalado por uma força armada muito superior, precisou invocar a *El*, o poder celestial, ou seja, *Elohim*, cujo nome nos fala sobre *poder*. E o poder divino julgaria os opressores, porque em Judá havia inocência.

Os nossos olhos estão postos em ti. Esta é uma expressão que denota expectativa e esperança. Judá não tinha plano de resistência que prometesse defesa. Somente uma intervenção divina os salvaria. Cf. Sl 123.2; 141.8 sobre o idioma dos *olhos*.

■ 20.13

וְכָל־יְהוּדָה עֹמְדִים לִפְנֵי יְהוָה גַּם־טַפָּם נְשֵׁיהֶם וּבְנֵיהֶם׃ פ

Todo o Judá estava em pé diante do Senhor. A comunidade inteira estava presente, ouvindo a oração do rei Josafá que olhava para Yahweh-Elohim em busca de livramento. Até as crianças, tão inofensivas, foram levadas a participar da assembleia. "Esperavam que o Senhor tivesse piedade deles, tivesse compaixão deles e os salvasse" (John Gill, *in loc.*).

■ 20.14

וְיַחֲזִיאֵל בֶּן־זְכַרְיָהוּ בֶּן־בְּנָיָה בֶּן־יְעִיאֵל בֶּן־מַתַּנְיָה הַלֵּוִי מִן־בְּנֵי אָסָף הָיְתָה עָלָיו רוּחַ יְהוָה בְּתוֹךְ הַקָּהָל׃

Então veio o Espírito do Senhor no meio da congregação, sobre Jaaziel. *Um súbito sinal* de esperança foi dado. O Espírito de Deus veio sobre o levita *Jaaziel*, que recebe um artigo separado no *Dicionário*. O cronista *autenticou* o fenômeno, dando-nos uma completa genealogia do homem, para que compreendêssemos que ele realmente existiu, e que sua experiência mística era verdadeira. Jaaziel recebeu inspiração e prometeu proteção a Judá. A genealogia de Jaaziel recua cinco gerações e volta a Asafe, contemporâneo de Davi. O homem não é mais mencionado em parte alguma da Bíblia, de maneira que só o conhecemos pela ajuda dada a Judá naquela ocasião. *Triunfo* foi prometido por poderes que ultrapassavam os poderes humanos. Yahweh não permitiria que o inimigo consumisse Judá, embora um julgamento contra o rei Josafá estivesse sendo administrado por causa de seu lapso na má aliança com Acabe (ver o capítulo 18).

■ 20.15

וַיֹּאמֶר הַקְשִׁיבוּ כָל־יְהוּדָה וְיֹשְׁבֵי יְרוּשָׁלִַם וְהַמֶּלֶךְ יְהוֹשָׁפָט כֹּה־אָמַר יְהוָה לָכֶם אַתֶּם אַל־תִּירְאוּ וְאַל־תֵּחַתּוּ מִפְּנֵי הֶהָמוֹן הָרָב הַזֶּה כִּי לֹא לָכֶם הַמִּלְחָמָה כִּי לֵאלֹהִים׃

A peleja não é vossa, mas de Deus. Esta é uma lição que todos nós, crentes, precisamos aprender. Espera-se que o homem faça tudo quanto estiver ao seu alcance; mas, a menos que o Senhor edifique a casa, os homens edificarão em vão (ver Sl 127.1). Os homens conduzem suas próprias batalhas, ganhando umas e perdendo outras, e quase todas as vitórias e derrotas estão alicerçadas sobre fatores triviais, independentemente de os homens o reconhecerem ou não. Mas existem batalhas que pertencem ao Senhor, pois algo vital está em jogo. Cf. 1Sm 17.47, onde a mesma coisa foi declarada quando Davi enfrentou Golias. Note-se os dois *nomes divinos* que figuram no presente versículo, *Yahweh e Elohim*, embora esses nomes geralmente não apareçam desligados um do outro, como aqui. Ver no *Dicionário* o verbete *Deus, Nomes Bíblicos de*.

■ 20.16

מָחָר רְדוּ עֲלֵיהֶם הִנָּם עֹלִים בְּמַעֲלֵה הַצִּיץ וּמְצָאתֶם אֹתָם בְּסוֹף הַנַּחַל פְּנֵי מִדְבַּר יְרוּאֵל׃

Amanhã descereis contra eles. Quanto às localizações geográficas mencionadas neste versículo, ver os artigos a respeito no *Dicionário*. Ziz era um passo nas montanhas, em algum ponto no deserto de Judá, a sudeste de Jerusalém. Nenhuma batalha entre seres humanos precisaria ocorrer ali. Judá simplesmente teria de parar e observar um fenômeno inesperado, causado pelo poder divino, que poria fim, de modo eficaz, à horda que avançara contra Jerusalém.

Jeruel. Uma porção do deserto da Judeia localizada entre Tecoa e En-Gedi, um tanto para oeste do mar Morto. Sua localização exata é desconhecida.

■ 20.17

לֹא לָכֶם לְהִלָּחֵם בָּזֹאת הִתְיַצְּבוּ עִמְדוּ וּרְאוּ אֶת־יְשׁוּעַת יְהוָה עִמָּכֶם יְהוּדָה וִירוּשָׁלִַם אַל־תִּירְאוּ וְאַל־תֵּחַתּוּ מָחָר צְאוּ לִפְנֵיהֶם וַיהוָה עִמָּכֶם׃

Neste encontro não tereis de pelejar. Foi uma batalha na qual Judá não precisou lutar. O exército de Judá se faria presente, mas não teria de lutar. Eles apenas cantariam louvores a Deus e fariam ruídos de alegria. A presença deles seria sentida, mas suas armas de guerra não seriam usadas. Haveria uma intervenção divina no passo de Ziz, tal como houvera no mar Vermelho, embora não nos seja dito exatamente como aconteceu. O fato é que haveria *salvação* para Judá, o livramento de um adversário esmagador. Ocorreria algo *divino* que confundiria os céticos. Ocasionalmente, em nossa própria experiência, observamos, admirados, alguma intervenção divina. E então dizemos: "O Senhor fez aquilo!" Mas então deslizamos de novo para a dúvida. E, algum tempo mais tarde, vem outra intervenção divina, que novamente nos *surpreende*. Nunca temos muita fé, mas grande coisa é observar o poder de Deus em operação. Cf. este versículo com Êx 14.13.

Quando Israel saiu da servidão,
Estendia-se um mar perante eles;
Meu Senhor estendeu sua poderosa mão,
E fez o mar rolar para trás.

H. J. Zelley

Oh, Senhor, concede-nos tal graça!

■ 20.18

וַיִּקֹּד יְהוֹשָׁפָט אַפַּיִם אָרְצָה וְכָל־יְהוּדָה וְיֹשְׁבֵי יְרוּשָׁלִַם נָפְלוּ לִפְנֵי יְהוָה לְהִשְׁתַּחֲוֹת לַיהוָה׃

Então Josafá se prostrou com o rosto em terra. O rei e todo o povo de Judá tornaram-se crentes naquele momento. Eles sabiam que o que o profeta dissera exprimia a verdade. E assim, em humilde adoração, prostraram-se perante Yahweh para agradecer a vitória que sabiam estar a caminho. Este versículo contém um excelente exemplo de algo que acontece, ocasionalmente, na experiência humana. Algumas vezes nos é dado um *saber divino*, uma fé que vai além de nossa qualidade espiritual normal. E então podemos fazer qualquer coisa, não porque somos alguma coisa, mas porque fomos feitos alguma coisa.

> Sentimos que nada somos, pois tudo és tu e em ti;
> Sentimos que algo somos, isso também vem de ti.
> Sabemos que nada somos — mas tu nos ajudas a ser algo.
> Bendito seja o teu nome — Aleluia!
> Alfred Lord Tennyson, *The Human Cry*

Cf. este versículo com Lv 9.24; Js 5.14; 1Cr 21.16 e Êx 34.8.

■ 20.19

וַיָּקֻמוּ הַלְוִיִּם מִן־בְּנֵי הַקְּהָתִים וּמִן־בְּנֵי הַקָּרְחִים
לְהַלֵּל לַיהוָה אֱלֹהֵי יִשְׂרָאֵל בְּקוֹל גָּדוֹל לְמָעְלָה׃

Dispuseram-se os levitas, dos filhos dos coatitas e dos coreítas. *Os levitas* de dois clãs distintos lideraram os louvores em altas exclamações. Eles levantaram-se e, de pé, gritaram de exultação. Cada um deles, naquele dia, sabia que o profeta Jaaziel (vs. 14) tinha sido inspirado pelo Espírito de Deus. E ao menos por uma vez não houve duvidosos no acampamento dos judaítas.

> Diz ao Senhor: Meu refúgio e meu baluarte, Deus meu,
> em quem confio. Pois ele te livrará do laço do passarinheiro,
> e da peste perniciosa. Cobrir-te-á com as suas penas, sob as
> suas asas estarás seguro.
> Salmo 91.2-4

Os levitas que entoavam louvores foram mencionados, em distinção a outros, porque estavam agindo por seu turno, no serviço divino, naquele tempo particular. Ver no *Dicionário* os verbetes intitulados *Coate, Coatitas, Coré (Corá)* e *Levitas*.

■ 20.20

וַיַּשְׁכִּימוּ בַבֹּקֶר וַיֵּצְאוּ לְמִדְבַּר תְּקוֹעַ וּבְצֵאתָם עָמַד
יְהוֹשָׁפָט וַיֹּאמֶר שְׁמָעוּנִי יְהוּדָה וְיֹשְׁבֵי יְרוּשָׁלִַם
הַאֲמִינוּ בַּיהוָה אֱלֹהֵיכֶם וְתֵאָמֵנוּ הַאֲמִינוּ בִנְבִיאָיו
וְהַצְלִיחוּ׃

Pela manhã cedo se levantaram e saíram ao deserto de Tecoa. Tecoa (ver no *Dicionário*) era uma região ou porção do deserto da Judeia (ver o vs. 16), cerca de dezesseis quilômetros ao sul de Jerusalém. Domina uma visão sobre o tabuleiro de *Husasah*. Josafá, inspirado pela ocasião, conclamou o exército de Judá a continuar acreditando em Yahweh. O dia era de Yahweh, e não dos árabes.

Do ponto de vista natural, foi um dia terrível. Lá fora estava uma força humana selvagem, irresistível, que poderia arrasar Judá. Mas havia uma surpresa esperando por eles, cuja natureza exata era desconhecida. Para Judá, a surpresa traria salvação. Os profetas deveriam ser ouvidos não somente naquele dia, mas sempre, pois então a nação de Judá prosperaria. Quanto àquele dia particular, o profeta Jaaziel (vs. 14) era o homem em quem os judaítas deveriam acreditar. Cf. Is 7.9, onde vemos que a dúvida é destruidora das expectativas. Cf. a questão da prosperidade com 2Cr 18.11, na batalha, obedecendo à palavra profética.

> Oh, mundo, não escolheste a melhor parte;
> Não é sábio ser apenas sábio
> E fechar os olhos para a visão interior.
> Mas é sabedoria acreditar no coração.
> Colombo achou um mundo, e não tinha mapa,
> Salvo o da fé, decifrado nas estrelas.
> George Santayana

■ 20.21

וַיִּוָּעַץ אֶל־הָעָם וַיַּעֲמֵד מְשֹׁרֲרִים לַיהוָה וּמְהַלְלִים
לְהַדְרַת־קֹדֶשׁ בְּצֵאת לִפְנֵי הֶחָלוּץ וְאֹמְרִים הוֹדוּ
לַיהוָה כִּי לְעוֹלָם חַסְדּוֹ׃

Aconselhou-se com o povo, e ordenou cantores. *Entoar cânticos* era tudo quanto Judá deveria fazer, e os levitas musicais cuidariam da tarefa, cantando "a beleza da santidade", alguma espécie de hino ou salmo que falava sobre a santidade de Yahweh. A santidade é a essência da legislação mosaica, dada aos homens por inspiração divina. Em outras palavras, falava da natureza *distintiva* de Israel, porque esse povo era da "lei de Moisés". Ver Dt 4.4-8.

"... louvado seja Deus, o qual é glorioso em santidade e santo em todos os seus caminhos e suas obras... cânticos de louvor, a exemplo dos de Davi" (John Gill, *in loc.*).

Outra interpretação ainda é a de Ellicott, *in loc.*: "... homens louvando em santas vestes, ou seja, nas vestes dos levitas (1Cr 16.29; Sl 29.2)". A *Revised Standard Version* dá essa interpretação ao traduzir o versículo conforme nossa versão portuguesa, onde se lê: "vestidos de ornamentos sagrados".

■ 20.22,23

וּבְעֵת הֵחֵלּוּ בְרִנָּה וּתְהִלָּה נָתַן יְהוָה מְאָרְבִים עַל־
בְּנֵי עַמּוֹן מוֹאָב וְהַר־שֵׂעִיר הַבָּאִים לִיהוּדָה וַיִּנָּגֵפוּ׃

וַיַּעַמְדוּ בְּנֵי עַמּוֹן וּמוֹאָב עַל־יֹשְׁבֵי הַר־שֵׂעִיר
לְהַחֲרִים וּלְהַשְׁמִיד וּכְכַלּוֹתָם בְּיוֹשְׁבֵי שֵׂעִיר עָזְרוּ
אִישׁ־בְּרֵעֵהוּ לְמַשְׁחִית׃

Pôs o Senhor emboscadas. Yahweh causou alguma espécie de *confusão irracional* e *pânico* que levaram os soldados inimigos a voltar-se contra si mesmos, efetuando um massacre mútuo, enquanto, o tempo todo, os levitas, entoando seus cânticos de louvor, presumivelmente eram uma causa parcial do efeito. "Os amonitas e os moabitas lutaram contra os meunitas, até que estes últimos foram aniquilados; e, *depois*, os amonitas lutaram contra os moabitas" (Eugene H. Merrill, *in loc.*).

"... em sua confusão mental, eles se tomaram uns aos outros como se fossem... judeus" (John Gill, *in loc.*). "A autodestruição dos poderes aliados sem dúvida foi providencial" (Ellicott, *in loc.*). Alguns intérpretes veem a intervenção divina sob a forma de seres angelicais que irradiaram um pânico incontrolável. Uma explicação *natural* foi que a própria variedade das forças aliadas contribuiu para ataques de inveja que rebentaram sob a forma de guerra generalizada, cada qual puxando da espada contra o outro. Mas o autor sagrado sem dúvida pensou em algo divino e *sobrenatural*, como verdadeira explicação.

■ 20.24

וִיהוּדָה בָּא עַל הַמִּצְפֶּה לַמִּדְבָּר וַיִּפְנוּ אֶל־הֶהָמוֹן
וְהִנָּם פְּגָרִים נֹפְלִים אַרְצָה וְאֵין פְּלֵיטָה׃

Tendo Judá chegado ao alto que olha para o deserto. Em lugar de olhar, temeroso, para um exército que avançava, Judá olhou de cima para baixo, de seu lugar de acampamento, e nada viu senão cadáveres. O aniquilamento andou tão perto de ser total que o autor afirma que foi total. Portanto, olhando do lugar alto de Ziz, o exército de Judá quedou-se em admiração e gratidão a Deus. Ninguém queria ser morto ou ferido naquele dia, e a providência divina efetuara grande salvação.

Ao alto. "Mais provavelmente, uma colina cônica, o jebel Fereidis, ou a montanha Frank, do alto do qual eles obtiveram a primeira visão da cena da matança" (Jamieson, *in loc.*). O "lugar" de onde espiaram pode ter sido criado pelo homem, mas o cronista certamente está falando de alguma formação natural.

■ 20.25

וַיָּבֹא יְהוֹשָׁפָט וְעַמּוֹ לָבֹז אֶת־שְׁלָלָם וַיִּמְצְאוּ בָהֶם
לָרֹב וּרְכוּשׁ וּפְגָרִים וּכְלֵי חֲמֻדוֹת וַיְנַצְּלוּ לָהֶם לְאֵין
מַשָּׂא וַיִּהְיוּ יָמִים שְׁלוֹשָׁה בֹּזְזִים אֶת־הַשָּׁלָל כִּי רַב־
הוּא׃

Vieram Josafá e o seu povo para saquear os despojos. *Recolhendo os Despojos*. O "salário" dos exércitos antigos eram os despojos, visto que as forças armadas não eram sustentadas pelo governo. Antes, esse pagamento dependia do sucesso na batalha, para então "desnudar" os cadáveres de seus objetos valiosos. Além disso, o despojo das cidades era sempre um bom suprimento de "salários". Isso sempre permitia maiores matanças e o saque de que os exércitos tradicionalmente desfrutavam. Mulheres e crianças eram com frequência tomadas como parte dos despojos, e os haréns aumentavam muito para os soldados mais poderosos.

Naquela ocasião particular, houve tantos despojos que foi preciso *três dias* para Judá recolher tudo quanto tinha de ser recolhido. Portanto, houve grande alegria diante de tantos sofrimentos, como geralmente sucedia entre os antigos e selváticos povos. "... vestes, dinheiro, joias, anéis, correntes e coisas de valor usadas pelos soldados" (John Gill).

Entre os cadáveres. A Septuaginta diz aqui "gado", o que requer uma leve modificação da palavra hebraica. Cf. Jz 8.24-26, que fala dos despojos de Midiã. Talvez tantos bens, incluindo gado e outros animais domesticados, mostrem que os inimigos tencionavam estabelecer residências permanentes em Judá e, finalmente, conquistá-la por completo.

■ **20.26**

וּבַיּוֹם הָרְבִעִי נִקְהֲלוּ לְעֵמֶק בְּרָכָה כִּי־שָׁם בֵּרֲכוּ
אֶת־יְהוָה עַל־כֵּן קָרְאוּ אֶת־שֵׁם הַמָּקוֹם הַהוּא עֵמֶק
בְּרָכָה עַד־הַיּוֹם׃

Ao quarto dia se ajuntaram no Vale de Bênção. Alegremente, os judaítas recolheram os despojos. Foram necessários três dias para terminar a tarefa. Então, no quarto dia, pararam para agradecer a Deus pela maravilha da qual tinham participado. As celebrações ocorreram no vale de Bênção (no hebraico *Beraca*; ver a respeito no *Dicionário*). Até hoje o local é chamado de *wady Beraikut*. Trata-se de um vale largo e aberto, a oeste de Tecoa, perto da estrada que vai de Hebrom a Jerusalém. Essa palavra significa "bênção", sendo a razão pela qual algumas versões traduzem o nome como "vale de Bênção", como é o caso de nossa versão portuguesa.

O Targum diz aqui "vale de Bênção". Os judeus comemoraram a notável vitória, bem como a prodigiosa quantidade de despojos tomada dos adversários invasores. O cronista acrescentou que até os seus próprios dias, após o cativeiro babilônico, o vale ainda era conhecido pelo mesmo nome.

■ **20.27,28**

וַיָּשֻׁבוּ כָּל־אִישׁ יְהוּדָה וִירוּשָׁלַםִ וִיהוֹשָׁפָט בְּרֹאשָׁם
לָשׁוּב אֶל־יְרוּשָׁלַםִ בְּשִׂמְחָה כִּי־שִׂמְּחָם יְהוָה
מֵאוֹיְבֵיהֶם׃

וַיָּבֹאוּ יְרוּשָׁלַםִ בִּנְבָלִים וּבְכִנֹּרוֹת וּבַחֲצֹצְרוֹת
אֶל־בֵּית יְהוָה׃

Então voltaram todos os homens de Judá e de Jerusalém. *A Volta para Jerusalém*. Jubilosos, seguiram seu caminho, com o próprio rei à testa. A alegria era grande pois, afinal de contas, fora Yahweh quem lhes dera o triunfo e tão repentinas riquezas materiais. Cf. 2Cr 6.22 e Ne 12.43. Ver também Sl 30.2. O cortejo, sob forma representativa, conduziu a multidão até o templo (vs. 28), e ali a celebração continuou, com os sacrifícios apropriados de expiação e ação de graças, podemos estar certos, embora o texto sagrado não nos informe, especificamente, a esse respeito. Os levitas cumpriram sua arte de música sagrada, empregando vários instrumentos e entoando cânticos espirituais. Ver no *Dicionário* o artigo chamado *Música, Instrumentos Musicais*. Foi assim que o cortejo se transformou em culto religioso, um ato de ação de graças e adoração.

■ **20.29**

וַיְהִי פַּחַד אֱלֹהִים עַל כָּל־מַמְלְכוֹת הָאֲרָצוֹת
בְּשָׁמְעָם כִּי נִלְחַם יְהוָה עִם אוֹיְבֵי יִשְׂרָאֵל׃

Veio da parte de Deus o terror sobre todos os reinos daquelas terras. A *mensagem* da vitória de Israel espalhou-se por toda a parte, e reinos circunvizinhos desistiram de invadir Judá, pelo menos durante algum tempo. Ninguém se mostrou corajoso o bastante para lutar contra um povo que, ainda tão recentemente, desfrutara uma genuína intervenção divina. O *temor* sobreveio a inimigos potenciais. Assim sendo, o *julgamento* que Judá sofreu por causa da aliança imprudente de Josafá com Acabe (capítulo 18) foi temperado por um triunfo jubiloso dado pela graça de Deus, baseado sobre a espiritualidade incomum de Josafá. Yahweh não esqueceu o rei de Judá, que tinha caído em um lapso. Pelo contrário, Josafá foi elevado a grande exaltação e vitória. Essa é a graça de Deus. "A Palavra de Yahweh fez guerra contra os inimigos de Israel" (o Targum, comentando sobre este versículo). Cf. 2Cr 17.10 e Sl 48.6,7.

■ **20.30**

וַתִּשְׁקֹט מַלְכוּת יְהוֹשָׁפָט וַיָּנַח לוֹ אֱלֹהָיו מִסָּבִיב׃ פ

O reino de Josafá teve paz. Idêntica declaração foi feita no tocante ao reino de Asa. Ver 2Cr 14.5,6 e 15.15. Cf. Jz 3.30. "A Palavra de Yahweh os fez regozijar-se" (o Targum). "Tão óbvia tornou-se a mão de Deus sobre o seu povo que *todas as demais nações* o temeram. Dali por diante, Josafá desfrutou de paz" (Eugene H. Merrill, *in loc.*).

NOTÍCIAS DE CONCLUSÃO (20.31—21.1)

Cf. 1Rs 22.41-50, uma breve seção que constitui a narrativa sobre o reinado de Josafá. O cronista incluiu todos os elementos essenciais que ali existem, mas também acrescentou seu próprio material.

ÚLTIMOS DIAS DE JOSAFÁ (20.31-37)

■ **20.31**

וַיִּמְלֹךְ יְהוֹשָׁפָט עַל־יְהוּדָה בֶּן־שְׁלֹשִׁים וְחָמֵשׁ שָׁנָה
בְּמָלְכוֹ וְעֶשְׂרִים וְחָמֵשׁ שָׁנָה מָלַךְ בִּירוּשָׁלָםִ וְשֵׁם אִמּוֹ
עֲזוּבָה בַּת־שִׁלְחִי׃

Josafá reinou sobre Judá. O *cronista* concluiu a narrativa, encabeçando suas últimas declarações com um breve sumário estatístico e notícias genealógicas. O rei começou a reinar quando estava com 35 anos de idade, e governou por 25 anos; o nome de sua mãe era Azuba, filha de Sili. O parecer final sobre o rei foi positivo. Cf. 1Rs 22.42, que é trecho paralelo verbatim, ao qual adiciono alguns comentários, que não repito aqui. Josafá foi um dos melhores reis de Judá.

■ **20.32,33**

וַיֵּלֶךְ בְּדֶרֶךְ אָבִיו אָסָא וְלֹא־סָר מִמֶּנָּה לַעֲשׂוֹת
הַיָּשָׁר בְּעֵינֵי יְהוָה׃

אַךְ הַבָּמוֹת לֹא־סָרוּ וְעוֹד הָעָם לֹא־הֵכִינוּ לְבָבָם
לֵאלֹהֵי אֲבֹתֵיהֶם׃

Ele andou no caminho de Asa, seu pai. Estes *dois versículos* têm como trecho paralelo 1Rs 22.43, onde ofereci a exposição. Mas o cronista adicionou sua avaliação espiritual: o povo deixou de remover os lugares altos por causa de certa ausência de espiritualidade interior. O *coração* deles continuava defeituoso. Eles não buscavam a Yahweh conforme deveriam. Cf. 2Cr 17.6 e 20.33, onde a questão já foi abordada. Ver no *Dicionário* o verbete chamado *Lugares Altos*. A centralização de toda a adoração religiosa em Jerusalém foi um *ideal* que nunca teve cumprimento cabal. Ver Dt 12.5-7. Os santuários locais eram permanentes no coração do povo de Israel e nas colinas físicas. Os israelitas sempre tenderam para a idolatria, com frequência envolvendo uma adoração sincretista que incluía Yahweh, mas que não fazia dele o exclusivo Ser adorado. Ver no *Dicionário* o artigo chamado *Idolatria*.

■ **20.34**

וְיֶתֶר דִּבְרֵי יְהוֹשָׁפָט הָרִאשֹׁנִים וְהָאַחֲרֹנִים הִנָּם
כְּתוּבִים בְּדִבְרֵי יֵהוּא בֶן־חֲנָנִי אֲשֶׁר הֹעֲלָה עַל־סֵפֶר
מַלְכֵי יִשְׂרָאֵל׃

Quanto aos mais atos de Josafá. 1Rs 22.45 dá como uma de suas fontes informativas as *crônicas registradas por Jeú, filho de Hanani*, as quais foram inseridas na *história dos reis de Israel*. Ver 1Rs 14.19 e 2Cr 9.29; 12.15 quanto a esse e a outros livros perdidos do Antigo Testamento.

Neste versículo, o cronista adicionou a menção de um livro escrito por Jeú, filho de Hanani. Cf. 2Cr 19.2 quanto a outra menção a Jeú, e ver o artigo sobre ele no *Dicionário*. Não sabemos dizer quantos livros os autores de Reis e Crônicas usaram como fontes informativas; mas o número desses livros deve ter sido considerável. Os hebreus sempre tiveram ótimo senso da história e conservavam registros públicos e privados, juntamente com a usual obsessão pelas genealogias. O Targum faz de Jeú o historiógrafo do rei, mas não sabemos se essa informação é ou não exata. Talvez o seu livro tenha sido um monólogo profético, cujas partes foram incorporadas aos livros de Crônicas.

A Infeliz Aliança com Acazias, Rei de Israel (20.35-37)

O *cronista* omitiu a notícia dada em 1Rs 22.44, de que Josafá fez paz com Israel. Outros dois breves versículos omitidos (vss. 46 e 47) falam sobre reformas do rei de Judá que eliminaram as prostitutas cultuais que conseguiram sobreviver ao expurgo de Asa. Ambos os autores registram como os reis de Judá e de Israel juntaram-se em uma aventura marítima, imitando Salomão, mas cujo projeto fracassou miseravelmente.

■ **20.35**

וְאַחֲרֵיכֵ֣ן אֶתְחַבַּ֗ר יְהוֹשָׁפָ֤ט מֶֽלֶךְ־יְהוּדָה֙ עִ֚ם אֲחַזְיָ֣ה מֶֽלֶךְ־יִשְׂרָאֵ֔ל ה֖וּא הִרְשִׁ֥יעַ לַעֲשֽׂוֹת׃

O cronista contou sobre a iniquidade de Acazias, rei de Israel, mas o autor de Reis omitiu esse aspecto da questão. A presença da declaração aqui é um julgamento moral, sem dúvida para explicar *por que* a aventura marítima fracassou. Josafá repetiu o erro de entrar em alianças profanas. Cf. o capítulo 18, onde a aliança com Acabe é descrita, e como isso terminou em derrota na batalha que se seguiu, com a morte de Acabe. Cf. 2Cr 19.2. Ver 2Cr 9.21 quanto ao comércio marítimo bem-sucedido de Salomão no mar, executado com a ajuda de Hirão, rei de Tiro. Cf. o paralelo em 1Rs 10.22, onde ofereci a exposição. Ver também 2Cr 9.10.

"A expressão *depois disto* só pode significar após a derrubada das três nações (vss. 1-30). Quando Acazias começou a reinar no décimo sétimo ano de Josafá, depois de haver reinado por dois anos (ver 1Rs 22.51), a liga entre eles foi formada nos anos 17 e 18 do rei de Judá" (Ellicott, *in loc.*).

"Josafá, arrancando uma folha do livro de Salomão, repetiu sua transgressão juntando-se ao *filho* de Acabe, Acazias, em uma expedição marítima, cujo propósito era ir a Társis" (W. A. L. Elmslie, *in loc.*).

■ **20.36,37**

וַיְחַבְּרֵ֣הוּ עִמּ֔וֹ לַעֲשׂ֥וֹת אֳנִיּ֖וֹת לָלֶ֣כֶת תַּרְשִׁ֑ישׁ וַיַּעֲשׂ֥וּ אֳנִיּ֖וֹת בְּעֶצְי֥וֹן גָּֽבֶר׃

וַיִּתְנַבֵּ֞א אֱלִיעֶ֤זֶר בֶּן־דֹּֽדָוָ֙הוּ֙ מִמָּ֣רֵשָׁ֔ה עַל־יְהוֹשָׁפָ֖ט לֵאמֹ֑ר כְּהִֽתְחַבֶּרְךָ֣ עִם־אֲחַזְיָ֗הוּ פָּרַ֤ץ יְהוָה֙ אֶֽת־מַעֲשֶׂ֔יךָ וַיִּשָּׁבְר֣וּ אֳנִיּ֔וֹת וְלֹ֥א עָצְר֖וּ לָלֶ֥כֶת אֶל־תַּרְשִֽׁישׁ׃

Aliou-se com ele, para fazerem navios que fossem a Társis. O autor dos livros de Reis diz-nos que os navios naufragaram em Eziom-Geber, em 1Rs 22.49, informação negada pelo cronista. Ele diz que os navios foram construídos naquele lugar, mas não, especificamente, que ali naufragaram. As embarcações não atingiram seu destino, em Társis. A informação histórica correta parece ser que eles tanto foram construídos como naufragaram em Eziom-Geber, de modo que a aventura marítima fracassou desde o princípio. Presumivelmente alguma grande tempestade atingiu aquele lugar e demoliu as embarcações no porto. Seja como for, na opinião do cronista, foi *Yahweh* quem destruiu os navios, pelo que supomos que algum tipo de desastre natural súbito tenha afundado os navios recém-construídos. O autor de Reis, não obstante, nem nos diz que as embarcações foram afundadas, nem que Yahweh estava por trás desse golpe.

Eliezer, filho de Dodava. Eliezer uniu insulto à injúria, quando relembrou ao rei de Judá que ele tinha sofrido infortúnio por não ter aprendido da história: ele entrara em outra aliança profana. Josafá, tal como a grande maioria de nós, aprendia suas lições com grande dificuldade. Ver todos os nomes próprios no *Dicionário*, quanto a detalhes. A palavra de Yahweh deveria trazer cura, mas algumas vezes precisava transportar o ferrão da repreenda. 1Rs 22.49 mostra-nos que Acazias tentou de novo a sua aventura marítima, tendo convidado Josafá pela segunda vez; mas o rei de Judá declinou a oferta. Josafá já passara por um número suficiente de fracassos, por ter-se misturado com o apóstata Israel. O cronista, entretanto, não menciona um segundo convite feito a Josafá.

CAPÍTULO VINTE E UM

JEORÃO (21.1-20)

O *capítulo 21* de 2Crônicas conta a história de Jeorão, rei de Judá, filho de Josafá. Em consonância com o seu costume, o cronista ignorou as histórias dos reis de Israel. Só apresentou material do reino de Israel quando este tinha importância como paralelo de uma narrativa concernente a Judá. Seu propósito era exaltar a dinastia davídica, que continuava em Judá, o reino do sul. Ele ansiava por informar seus leitores de que, terminado o cativeiro babilônico, fora através da dinastia davídica que a tribo isolada de Judá teve *autoridade política* para dar continuidade à história da nação de Israel. E a *autoridade espiritual* continuava em Judá através dos levitas sobreviventes ao cativeiro que retornaram a Jerusalém.

Com as frequentes interpretações morais e espirituais de sua história, o cronista inventou uma *filosofia da história*. Ver sobre isso nas notas de introdução (antes da exposição de 1.1) sobre 2Crônicas.

Ver os artigos do *Dicionário* que fornecem detalhes: *Reino de Judá* e *Rei, Realeza*. Breves descrições são conferidas acerca dos reis de Israel e Judá e, no segundo desses artigos mencionados, gráficos ilustrativos são providos não somente sobre Israel e Judá, mas também sobre os reis de potências circunvizinhas.

■ **21.1**

וַיִּשְׁכַּ֤ב יְהֽוֹשָׁפָט֙ עִם־אֲבֹתָ֔יו וַיִּקָּבֵ֥ר עִם־אֲבֹתָ֖יו בְּעִ֣יר דָּוִ֑יד וַיִּמְלֹ֛ךְ יְהוֹרָ֥ם בְּנ֖וֹ תַּחְתָּֽיו׃

Descansou Josafá com seus pais. Este *versículo* deveria ser posto no final do capítulo 20, visto que termina a história concernente a Josafá. Feito isso, o cronista passou a descrever outros *três reis* de Judá, no capítulo 21.

O trecho paralelo, verbatim a este, é 1Rs 22.50, onde também ofereci a exposição.

O autor dos livros de Reis prossegue a fim de informar sobre Israel, o que não estava dentro do escopo do cronista, que só mencionava algum rei de Israel quando havia íntima ligação com histórias sobre os reis de Judá.

Variante Textual. Alguns manuscritos hebraicos e versões dizem "rei de Israel", e outros dizem "rei de Judá". Para mais informações, ver a exposição no fim dos comentários sobre o vs. 2 deste capítulo.

■ **21.2**

וְלֽוֹ־אַחִ֞ים בְּנֵ֣י יְהוֹשָׁפָ֗ט עֲזַרְיָ֧ה וִֽיחִיאֵ֛ל וּזְכַרְיָ֥הוּ וַעֲזַרְיָ֖הוּ וּמִיכָאֵ֣ל וּשְׁפַטְיָ֑הוּ כָּל־אֵ֛לֶּה בְּנֵ֥י יְהוֹשָׁפָ֖ט מֶֽלֶךְ־יִשְׂרָאֵֽל׃

Teve estes irmãos. Não há paralelo desta sanguinária história nos livros de Reis. 2Rs 8.16-24 dá-nos informações sobre Jeorão, mas omite esta história.

Josafá, um bom rei de Judá, foi sucedido no trono por seu filho mais velho, Jeorão, um monarca ruim. Este versículo lista os nomes dos sete filhos de Josafá, e há artigos no *Dicionário* que fornecem descrições sobre eles. Josafá, sendo um pai bom e justo, distribuiu as riquezas entre todos os filhos; mas Jeorão, sendo um homem ganancioso e querendo mais, especialmente mais poder, executou seus outros irmãos, para que ninguém pudesse competir com ele.

Note o leitor que Josafá é chamado de "rei de Israel", no versículo primeiro (pelo menos em certas versões) e também em 2Cr 12.1,6 e 28.19,27. Isso concorda com a posição histórica do autor sacro, que escreveu, terminado o cativeiro babilônico, quando Judá se tornou Israel, depois que a nação das tribos do norte tinha sido há muito obliterada pelo cativeiro assírio, e quase todas as tribos do sul, pelo cativeiro babilônico. Alguns manuscritos hebraicos e as versões siríaca, árabe e a Vulgata Latina dizem aqui *Judá*, e algumas traduções modernas as seguem.

■ 21.3,4

וַיִּתֵּ֨ן לָהֶ֜ם אֲבִיהֶ֗ם מַתָּנ֨וֹת רַבּ֜וֹת לְכֶ֤סֶף וּלְזָהָב֙ וּלְמִגְדָּנ֔וֹת עִם־עָרֵ֥י מְצֻר֖וֹת בִּיהוּדָ֑ה וְאֶת־הַמַּמְלָכָ֛ה נָתַ֥ן לִיהוֹרָ֖ם כִּי־ה֥וּא הַבְּכֽוֹר׃ פ

וַיָּ֨קָם יְהוֹרָ֜ם עַל־מַמְלֶ֤כֶת אָבִיו֙ וַיִּתְחַזַּ֔ק וַיַּהֲרֹ֥ג אֶת־כָּל־אֶחָ֖יו בֶּחָ֑רֶב וְגַ֖ם מִשָּׂרֵ֥י יִשְׂרָאֵֽל׃

Seu pai lhes fez muitas dádivas. *Independência Financeira.* Os seis irmãos de Jeorão receberam toda espécie de artigos valiosos que os tornaram financeiramente independentes, e também cidades fortificadas sobre as quais governavam como príncipes. Isso deveria tê-los deixado contentes pelo resto da vida, no entanto o ganancioso e violento Jeorão não estava feliz com a parte que lhe coube. Ele queria tudo, e também ser o rei de Judá. Por isso, apelou para a violência e mandou executar seus seis irmãos. Naturalmente, teve de esperar tornar-se rei para realizar as execuções, mas, uma vez rei, não demorou-se a cumprir o propósito poltrão. Como medida de segurança, ele também executou outros príncipes que apoiavam os seus irmãos ou objetavam ao mal que estava sendo feito. Isso posto, em um modelo tipicamente oriental, o ímpio Jeorão eliminou toda a competição ao trono. Mas o louco rei sofreria, pessoalmente, de fatal violência após somente oito anos de reinado (vs. 5).

"Tragédias similares têm sido tristemente frequentes nas cortes orientais, em que o herdeiro da coroa considera os irmãos seus adversários mais formidáveis e, por muitas vezes, com razão" (Jamieson, *in loc.*). "Que coisa diabólica é a concupiscência pelo poder! Destrói todas as caridades da vida" (Adam Clarke, *in loc.*).

■ 21.5

בֶּן־שְׁלֹשִׁ֥ים וּשְׁתַּ֛יִם שָׁנָ֖ה יְהוֹרָ֣ם בְּמָלְכ֑וֹ וּשְׁמוֹנֶ֤ה שָׁנִים֙ מָלַ֖ךְ בִּירוּשָׁלָֽ͏ִם׃

Era Jeorão da idade de trinta e dois anos quando começou a reinar. Ver 2Rs 8.17 quanto a um paralelo quase idêntico. O breve reinado de Jeorão por oito anos foi de 848 a 841 a.C. Tal como seu pai, ele teve laços íntimos com Onri, tendo-se casado com Atalia, filha de Acabe (vs. 6), de modo que estava destinado ao terror e ao naufrágio moral.

■ 21.6

וַיֵּ֗לֶךְ בְּדֶ֨רֶךְ֙ מַלְכֵ֣י יִשְׂרָאֵ֔ל כַּאֲשֶׁ֥ר עָשׂ֖וּ בֵּ֣ית אַחְאָ֑ב כִּ֚י בַּת־אַחְאָ֔ב הָ֥יְתָה לּ֖וֹ אִשָּׁ֑ה וַיַּ֥עַשׂ הָרַ֖ע בְּעֵינֵ֥י יְהוָֽה׃

Andou nos caminhos dos reis de Israel. *Jeorão* não precisou de ajuda para ser um pecador escandaloso, um homem vil e violento, cheio de ódio e destruição. Mas para certificar-se de que sua carreira fosse a mais temerosa possível, casou-se dentro da família de Acabe. Este versículo é cópia, palavra por palavra, do trecho paralelo de 2Rs 8.18, e ali apresento a exposição.

■ 21.7

וְלֹא־אָבָ֣ה יְהוָ֗ה לְהַשְׁחִית֙ אֶת־בֵּ֣ית דָּוִ֔ד לְמַ֣עַן הַבְּרִ֔ית אֲשֶׁ֥ר כָּרַ֖ת לְדָוִ֑יד וְכַאֲשֶׁ֣ר אָמַ֗ר לָתֵ֨ת ל֥וֹ נִ֛יר וּלְבָנָ֖יו כָּל־הַיָּמִֽים׃

Porém o Senhor não quis destruir a casa de Davi. Este versículo é cópia quase idêntica de seu trecho paralelo em 2Rs 8.19, onde apresento a exposição. Ver também 2Sm 21.17; 1Rs 11.36 e 15.4.

■ 21.8

בְּיָמָיו֙ פָּשַׁ֣ע אֱד֔וֹם מִתַּ֖חַת יַד־יְהוּדָ֑ה וַיַּמְלִ֥יכוּ עֲלֵיהֶ֖ם מֶֽלֶךְ׃

Nos dias de Jeorão se revoltaram os edomitas contra o poder de Judá. Este versículo é cópia quase verbatim do seu trecho paralelo de 2Rs 8.20, onde apresento a exposição.

■ 21.9

וַיַּעֲבֹ֤ר יְהוֹרָם֙ עִם־שָׂרָ֔יו וְכָל־הָרֶ֖כֶב עִמּ֑וֹ וַיְהִי֙ קָ֣ם לַ֔יְלָה וַיַּ֥ךְ אֶת־אֱד֛וֹם הַסּוֹבֵ֥ב אֵלָ֖יו וְאֵ֥ת שָׂרֵ֥י הָרָֽכֶב׃

Pelo que Jeorão passou adiante com todos os seus chefes. Este versículo é quase igual ao trecho paralelo de 2Rs 8.21, onde apresento a exposição. O paralelo contém o nome geográfico de *Zair*, que o cronista não citou. Isso pode ser, entretanto, uma corrupção de *Seir*. A batalha inicial foi ganha pelo rei de Judá, mas a revolta continuou, e Edom libertou-se do domínio dos judaítas. Estava operando a *Lei Moral da Colheita segundo a Semeadura* (ver a respeito no *Dicionário*). E mais ainda estava a caminho.

■ 21.10

וַיִּפְשַׁ֨ע אֱד֜וֹם מִתַּ֣חַת יַד־יְהוּדָ֗ה עַ֚ד הַיּ֣וֹם הַזֶּ֔ה אָ֣ז תִּפְשַׁ֧ע לִבְנָ֛ה בָּעֵ֥ת הַהִ֖יא מִתַּ֣חַת יָד֑וֹ כִּ֣י עָזַ֔ב אֶת־יְהוָ֖ה אֱלֹהֵ֥י אֲבֹתָֽיו׃

Assim se rebelou Edom para livrar-se do poder de Judá. *Razões Morais.* As revoltas de Edom e de Libna não ocorreram por mero acaso. Jeorão tinha de ser castigado por seus atos maus. O poder que ele havia desejado estava escorregando debaixo de seus pés, e em breve ele perderia a própria vida.

Este versículo é quase verbatim do seu trecho paralelo de 2Rs 8.22, onde apresento a exposição. A narrativa de 2Reis termina aqui e lança-se diretamente a uma notícia de óbito. Mas o cronista acrescenta alguns detalhes que não tinham sido dados no livro de Reis.

■ 21.11

גַּם־ה֥וּא עָשָֽׂה־בָמ֖וֹת בְּהָרֵ֣י יְהוּדָ֑ה וַיֶּ֙זֶן֙ אֶת־יֹשְׁבֵ֣י יְרוּשָׁלִַ֔ם וַיַּדַּ֖ח אֶת־יְהוּדָֽה׃ פ

Também fez altos nos montes de Judá, e seduziu os habitantes de Jerusalém à idolatria. Juntamente com outras atrocidades e muitos pecados, Jeorão adicionou uma flagrante *idolatria*, levantando lugares altos nas colinas de Judá, instituindo prostituição sagrada e, provavelmente, também prostituição comum. Da nação de Judá ele fez um naufrágio moral. Reconstruiu os lugares altos que Josafá, seu pai, tentara em vão eliminar. Toda a nação tornou-se culpada de prostituição espiritual, sem falar na prostituição literal. Israel (Judá) tornou-se a esposa adúltera de Yahweh, voltando-se para muitos amantes pagãos (os ídolos). Cf. Os 2.5,8,13,16,17,19 e 1Cr 5.25. A *idolatria* (ver a respeito no *Dicionário*) por muitas vezes é referida como uma forma de adultério. Infelizmente, a Igreja cristã nunca se libertou de todas as formas literais da idolatria; e cada indivíduo tem seus ídolos particulares, debilitando assim a sua espiritualidade. Meus amigos, todos somos culpados desse tipo de pecado!

■ 21.12

וַיָּבֹ֤א אֵלָיו֙ מִכְתָּ֔ב מֵֽאֵלִיָּ֥הוּ הַנָּבִ֖יא לֵאמֹ֑ר כֹּ֣ה ׀ אָמַ֣ר יְהוָ֗ה אֱלֹהֵי֙ דָּוִ֣יד אָבִ֔יךָ תַּ֗חַת אֲשֶׁ֤ר לֹֽא־הָלַ֙כְתָּ֙ בְּדַרְכֵי֙ יְהוֹשָׁפָ֣ט אָבִ֔יךָ וּבְדַרְכֵ֖י אָסָ֥א מֶֽלֶךְ־יְהוּדָֽה׃

Então lhe chegou às mãos uma carta do profeta Elias. *A Carta de Repreensão.* Embora o cronista tivesse evitado mencionar nomes das tribos do norte, de reis ou não, para que suas histórias sobre Judá não o forçassem a incluir tais nomes, aqui ele precisou citar a intervenção do profeta do norte, Elias. O autor dos livros de Reis contou essa narrativa longamente (1Rs 17 a 2Rs 2). O cronista, por sua vez, incluiu somente uma parte que se aplicava diretamente a Judá. "Em uma palavra final de condenação, o profeta Elias enviou uma carta a Jeorão, na qual acusou o rei de comportar-se como se fosse um rei das tribos de Israel, e não como seu pai piedoso (vss. 12 e 13). Agora o Senhor feriria a nação e a família de Jeorão com *pesados golpes*, e o afligiria com uma doença incurável nos intestinos (vss. 14,15)" (Eugene H. Merrill, *in loc.*).

A retribuição estava às portas e assumiria várias formas, todas elas devastadoras. *Problemas de cronologia* perturbam o texto neste ponto. Estaria Elias ainda vivo? Alguns fazem a carta aqui ser *profética* para evitar o problema, ou ter sido enviada através de Eliseu, no nome de Elias. Os críticos, como é natural, veem essa carta como se tivesse sido inventada pelo próprio cronista, no nome de Elias. 2Rs 2.11 deixa claro que Elias já havia sido transportado para o céu, no tempo de Josafá. Alguns manuscritos substituem *Elias* para evitar esse problema. Outros fazem essa carta ter vindo *do céu*, talvez dada através de algum profeta menor, mas o texto sagrado não deixa nada disso entendido. É inútil multiplicar explicações até acertar uma que seja adequada ou convincente. Simplesmente temos de aceitar a discrepância e não tentar inventar modos desonestos de reconciliação. Tais coisas nada têm a ver com a espiritualidade, nem são contra uma sã teoria de inspiração.

Eugene H. Merrill (*in loc.*) sai em socorro dos harmonistas, ao descobrir, em 2Rs 1.17, evidências de que Elias viveu até os tempos do rei Jorão, rei de Israel (852 a.C.). Talvez ele esteja com a razão.

■ 21.13

וַיֵּלֶךְ בְּדֶרֶךְ מַלְכֵי יִשְׂרָאֵל וַיַּזְנֶה אֶת־יְהוּדָה וְאֶת־יֹשְׁבֵי יְרוּשָׁלִַם כְּהַזְנוֹת בֵּית אַחְאָב וְגַם אֶת־אַחֶיךָ בֵית־אָבִיךָ הַטּוֹבִים מִמְּךָ הָרָגְתָּ׃

Mas andaste no caminho dos reis de Israel. Jeorão agiu como o ímpio rei de Israel, Acabe, o qual foi apoiado e inspirado por sua horrenda e temerosa esposa, Jezabel. Ele agiu movido pela corrupção interior e também se deixou influenciar facilmente pelo mau exemplo. Portanto, indagamos: Como pôde o filho de um homem tão piedoso como Josafá ser como Jeorão? Supomos que o exemplo paterno e a instrução possam solucionar todos os problemas com os filhos, mas descobrimos, mediante a triste experiência, que nossos filhos têm de formar sua própria espiritualidade e ganhar suas próprias batalhas. Talvez a alma seja preexistente e já traga consigo seus próprios vícios e corrupções, e seja preciso um longo tempo para corrigir algumas situações. Ver na *Enciclopédia de Bíblia, Teologia e Filosofia* o artigo intitulado *Preexistência da Alma*. A Igreja Ortodoxa Oriental tem-se apegado consistentemente a essa doutrina, de modo que pelo menos um ramo da Igreja cristã vê algum sentido nisso. Jeorão tornou-se um especialista na idolatria, dotado de um extenso sistema eclético que se revelava uma abominação. Ele adicionou o *homicídio* ao seu repertório de pecados, tornando-se um alvo perfeito para a vingança divina.

■ 21.14,15

הִנֵּה יְהוָה נֹגֵף מַגֵּפָה גְדוֹלָה בְּעַמֶּךָ וּבְבָנֶיךָ וּבְנָשֶׁיךָ וּבְכָל־רְכוּשֶׁךָ׃

וְאַתָּה בָּחֳלָיִים רַבִּים בְּמַחֲלֵה מֵעֶיךָ עַד־יֵצְאוּ מֵעֶיךָ מִן־הַחֹלִי יָמִים עַל־יָמִים׃

Eis que o Senhor castigará com grande flagelo ao teu povo. A *vingança divina* começaria por um golpe grande, aleijador e devastador contra a própria nação de Judá (vs. 14), e então o rei seria atingido com uma doença dolorosa e imunda nos intestinos. O golpe divino seria nacional e pessoal. Foi assim que a *Lei Moral da Colheita segundo a Semeadura* (ver a respeito no *Dicionário*) asseguraria que o rei de Judá obteria o merecido. Ele tinha semeado vento e colheria redemoinho. Ver no *Dicionário* o artigo chamado *Retribuição*. Os filisteus e árabes invadiriam Judá (vs. 17), e podemos supor que também haveria pragas e desastres naturais. Jeorão provocou tempos de tribulação para si mesmo e para a nação. Um homem não peca sozinho. Ele arrasta outras pessoas em sua rede de corrupção, e essas também sofrem.

■ 21.16

וַיָּעַר יְהוָה עַל־יְהוֹרָם אֵת רוּחַ הַפְּלִשְׁתִּים וְהָעַרְבִים אֲשֶׁר עַל־יַד כּוּשִׁים׃

Despertou, pois, o Senhor, contra Jeorão. *Yahweh* tornar-se-ia inimigo de Jeorão. Deus inspirou os filisteus e os árabes a atacar Judá e lhes concedeu sucesso na violência e nos saques praticados. Todas as riquezas que Jeorão tinha roubado de seus irmãos em breve estariam reduzidas a pó, e estrangeiros levariam o que restasse. O Targum diz-nos que "a Palavra do Senhor fez isso". O divino *interveio* contra o rei Jeorão, e este se tornou uma vítima impotente de suas próprias corrupções, promovidas durante *oito* anos.

Da banda dos etíopes. Isto é, árabes que viviam perto do território dos etíopes, tribos da Arábia do sul. Havia populações cuxitas de ambos os lados do mar Vermelho.

■ 21.17

וַיַּעֲלוּ בִיהוּדָה וַיִּבְקָעוּהָ וַיִּשְׁבּוּ אֵת כָּל־הָרְכוּשׁ הַנִּמְצָא לְבֵית־הַמֶּלֶךְ וְגַם־בָּנָיו וְנָשָׁיו וְלֹא נִשְׁאַר־לוֹ בֵּן כִּי אִם־יְהוֹאָחָז קְטֹן בָּנָיו׃

Estes subiram a Judá, deram contra ele e levaram todos os bens. As hordas atacantes não somente saquearam, mas também levaram as esposas e os filhos do rei. Somente Jeoacaz, o filho caçula, escapou, provavelmente escondido por alguma ama ou guardião. Mas isso foi suficiente para dar continuidade à dinastia davídica, de modo que houve a providência divina operando em tudo. Ver no *Dicionário* o artigo intitulado *Providência de Deus*. Jeoacaz é chamado de "Acazias", em 2Cr 22.1. *Jeoacaz* parece ter sido um equívoco escribal. Atalia, a mãe de Acazias, também escapou, conforme depreendemos em 2Cr 22.10. Portanto, o saque, a matança e o sequestro foram grandes e esmagadores, embora não absolutos. A vida teria prosseguimento em Judá. Este versículo assegura-nos que a profecia do vs. 14 realmente se cumpriu, e da maneira mais terrível.

■ 21.18,19

וְאַחֲרֵי כָּל־זֹאת נְגָפוֹ יְהוָה בְּמֵעָיו לָחֳלִי לְאֵין מַרְפֵּא׃

וַיְהִי לְיָמִים ׀ מִיָּמִים וּכְעֵת צֵאת הַקֵּץ לְיָמִים שְׁנַיִם יָצְאוּ מֵעָיו עִם־חָלְיוֹ וַיָּמָת בְּתַחֲלֻאִים רָעִים וְלֹא־עָשׂוּ לוֹ עַמּוֹ שְׂרֵפָה כִּשְׂרֵפַת אֲבֹתָיו׃

Depois de tudo isto o Senhor o feriu nas suas entranhas. A segunda parte da profecia (vs. 15) também teve cumprimento imediato e brutal. Alguma enfermidade dos intestinos, quem sabe qual, foi tão terrível que fez o intestino grosso sair e provavelmente passar pelo reto. O rei de Judá agonizava por ter levado toda a nação a corromper-se e finalmente agonizar em seu próprio julgamento (ver os vss. 11 e 17). Foi assim que Jeorão se tornou agente especial de sua própria miséria. Seus pecados o apanharam e o feriram, mas a nação inteira caiu juntamente com ele. Alguns intérpretes tentam, morbidamente, diagnosticar a enfermidade, mas não dispomos de informações suficientes para saber no que ela consistia. Além do mais, pode ter sido algo divino e especialmente preparado por Yahweh somente para Jeorão.

O seu povo não lhe queimou aromas. O rei Jeorão não merecia que se queimassem especiarias e ervas aromáticas como parte de seu sepultamento. A cremação, como era natural entre os judeus, não estava em vista. Nenhuma queima fúnebre foi feita em sua honra, como ocorreu no caso do rei Asa (ver 2Cr 16.14). Cf. também Jr 22.19. A versão siríaca diz aqui: "O povo não lhe prestou honras, como fez a seus pais". O Targum menciona especiarias e madeiras odoríferas no fogo das cerimônias fúnebres. Jeorão, porém, não merecia honrarias.

■ 21.20

בֶּן־שְׁלֹשִׁים וּשְׁתַּיִם הָיָה בְמָלְכוֹ וּשְׁמוֹנֶה שָׁנִים מָלַךְ בִּירוּשָׁלִָם וַיֵּלֶךְ בְּלֹא חֶמְדָּה וַיִּקְבְּרֻהוּ בְּעִיר דָּוִיד וְלֹא בְּקִבְרוֹת הַמְּלָכִים׃

E se foi sem deixar de si saudades. Ninguém lamentou a morte de Jeorão. Como se dava com a maioria dos reis de Judá, foi sepultado na capital, Jerusalém, mas não houve espaço para ele nos túmulos dos reis. Cf. 2Cr 24.25; 26.23 e 28.27.

"Esse costume, similar ao do Egito, parece ter-se propalado entre os hebreus, ou seja, dar honras fúnebres a seus reis, ou negar essas honras a eles, de acordo com o bem ou o mal que tivesse caracterizado seus respectivos governos" (Jamieson, *in loc.*). "De fato, o povo se alegrou quando ele morreu. O mundo estaria melhor sem ele" (W. A. L. Elmslie, *in loc.*).

Jeorão morreu aos 40 anos de idade, depois de haver governado por apenas oito anos. Nesse breve período foi capaz de espatifar o navio do Estado contra as rochas. O cronista, pois, consignou-o à execração da posteridade.

CAPÍTULO VINTE E DOIS

ACAZIAS (22.1-9)
Cf. 2Rs 8.25-29.

Este capítulo conta-nos as histórias de um dos reis de Judá, Acazias, e parte da história de uma rainha, Atalia. A história dela estende-se até o capítulo 23. Ver no *Dicionário* os artigos sobre essas duas personagens, e também os artigos gerais denominados *Reino de Judá* e *Rei, Realeza*, quanto a informações gerais, incluindo gráficos ilustrativos dos reis. Para notas expositivas que cabem aqui, ver a introdução ao capítulo 21: o propósito do autor sagrado ao narrar as histórias dos reis de Judá, e sua filosofia da história.

Acazias, chamado "Jeoacaz" em 2Cr 21.17, era o filho mais novo de Jeorão, o qual, juntamente com sua mãe (ver 2Cr 22.10), escapou ao massacre da família real por parte de filisteus e árabes hostis (ver 2Cr 21.16,17). Essa matança foi um golpe de Yahweh contra a família real, por causa dos pecados agravados de Jeorão e da apostasia geral, conforme deixa claro o capítulo 21. Acazias reinou por somente um ano, 841 a.C., e tinha apenas 22 anos de idade. O texto hebraico diz 42 anos, mas sem dúvida esse é um erro do autor original ou de algum escriba subsequente. 2Rs 8.26 fornece-nos o número correto. Usualmente, quando surgem discrepâncias entre os livros de Reis e Crônicas, o autor dos livros de Reis é quem está correto.

■ **22.1**

וַיַּמְלִיכוּ יוֹשְׁבֵי יְרוּשָׁלַם אֶת־אֲחַזְיָהוּ בְנוֹ הַקָּטֹן
תַּחְתָּיו כִּי כָל־הָרִאשֹׁנִים הָרַג הַגְּדוּד הַבָּא בָעַרְבִים
לַמַּחֲנֶה וַיִּמְלֹךְ אֲחַזְיָהוּ בֶן־יְהוֹרָם מֶלֶךְ יְהוּדָה׃ פ

Os moradores de Jerusalém, em lugar de Jeorão, fizeram rei a Acazias. *Caracterização Geral*. Acazias era filho de Jeorão e Atalia, a qual, por sua vez, era filha de Acabe e Jezabel. Ele era amigo do bom rei Josafá, mas em nada lhe parecia quanto à moral e à conduta. Conseguiu governar por apenas um ano, antes de ter sido assassinado por *Jeú*, o vingador enviado por Yahweh. Em vista disso, Atalia, sua mãe, assassinou toda a família real de Judá e apossou-se pessoalmente do trono. Os atos horrendos de Acabe e Jezabel, rei e rainha de Israel, serviram como exemplos para os grandes pecadores, Jeorão e Acazias. Assim o mau exemplo foi acrescentado à corrupção interior, resultando em uma confusão geral. Quanto a detalhes, ver o artigo do *Dicionário* chamado *Acazias*.

Acazias foi sobrinho de Acazias, o oitavo rei de Israel, que tinha o mesmo nome. Foi o sexto rei de Judá da linha davídica, e governou desgraçadamente.

Quanto ao *massacre* da família real, do qual Acazias e sua mãe escaparam, ver 2Cr 21.16,17 e os comentários exatamente antes da exposição ao presente versículo. Cf. 2Rs 8.25 quanto a uma nota cronológica que compara Acazias aos reis de Israel que governaram no mesmo período.

■ **22.2**

בֶּן־אַרְבָּעִים וּשְׁתַּיִם שָׁנָה אֲחַזְיָהוּ בְמָלְכוֹ וְשָׁנָה אַחַת
מָלַךְ בִּירוּשָׁלָ͏ִם וְשֵׁם אִמּוֹ עֲתַלְיָהוּ בַּת־עָמְרִי׃

O paralelo quase verbal deste versículo é 2Rs 8.26, onde a exposição é dada. Note-se que o autor dos livros de Reis atribui a Acazias a idade de 22 anos quando começou a reinar, mas o cronista lhe dá 42 anos. Sem dúvida, os livros de Reis estão corretos, uma vez mais. As tentativas de reconciliação são *fúteis*, sendo provável que o autor original tenha cometido o erro, e não algum escriba subsequente. Tentar harmonizar tais discrepâncias é o trabalho inútil dos estudiosos hiperconservadores, e tentar tirar daí alguma má conclusão é o trabalho funesto dos céticos.

Tais equívocos nada têm a ver com a espiritualidade, e em nada contribuem para uma visão hígida da inspiração das Escrituras. Como é óbvio, Acazias não poderia ter 42 anos quando começou a reinar, considerando que seu pai, Jeorão, morreu com apenas 40 anos! John Gill (*in loc.*) desperdiçou cerca de meia coluna numa tentativa de explicar a dificuldade, apelando para as opiniões de vários harmonistas a qualquer preço, antigos e modernos. As versões siríaca e árabe, e a Septuaginta, simplesmente seguem os livros de Reis e dão 22 anos. É fútil e absurdo buscar qualquer reconciliação aqui.

Além disso, os livros de Reis dizem *neta*, ao passo que o cronista fala em *filha*, contudo são os livros de Reis que estão com a razão. Atalia dificilmente poderia ter sido filha de Onri. Entretanto, isso não constitui um erro, visto que o termo *filha* ocasionalmente era usado para indicar algum descendente mais distante. Ver sobre os nomes próprios no *Dicionário*.

■ **22.3,4**

גַּם־הוּא הָלַךְ בְּדַרְכֵי בֵּית אַחְאָב כִּי אִמּוֹ הָיְתָה
יוֹעַצְתּוֹ לְהַרְשִׁיעַ׃

וַיַּעַשׂ הָרַע בְּעֵינֵי יְהוָה כְּבֵית אַחְאָב כִּי־הֵמָּה הָיוּ־לוֹ
יוֹעֲצִים אַחֲרֵי מוֹת אָבִיו לְמַשְׁחִית לוֹ׃

Sua mãe, filha de Onri, chamava-se Atalia. Acazias foi um pecador desgraçado, e sua mãe, Atalia (filha da horrenda Jezabel), assegurou-se de que ele seguiria de perto os maus caminhos da nação do norte, Israel. Portanto, esse rei de Judá alegrou-se no pecado, sentindo-se bem em seus caminhos maus, mas seria cortado por uma morte violenta no espaço de somente um ano. A lei da colheita segundo a semeadura estava com pressa no caso dele. Além de sua mãe, Acazias também tinha conselheiros da casa de Acabe (o reino do norte), para encorajá-lo a pecar pesadamente. Mas tudo isso visava à "destruição dele", conforme enfatiza o quarto versículo. Ver no *Dicionário* o artigo chamado *Lei Moral da Colheita segundo a Semeadura*.

Esse infeliz rei tinha uma herança tão má quanto um homem poderia ter, e não possuía fibra moral interior para resistir a isso. Imagine! Jezabel era sua avó, e Atalia era sua mãe! "Talvez não seja um preconceito masculino sentir que, quando uma mulher é má, ela se inclina por ser venenosamente má" (W. A. L. Elmslie, *in loc.*), com uma verdadeira mas não muito popular observação. Em contraste, deveríamos relembrar o óbvio: há muitas mulheres boas que têm ajudado a tornar seus filhos piedosos e grandes. Na Lady Chapel da Catedral de Liverpool há 21 janelas dedicadas a mulheres que foram boas e grandes na história da Inglaterra.

Cf. este versículo com 2Rs 8.27, que é mais ou menos paralelo. Ver o artigo chamado *Exemplo*, na *Enciclopédia de Bíblia, Teologia e Filosofia*.

■ **22.5**

גַּם בַּעֲצָתָם הָלַךְ וַיֵּלֶךְ אֶת־יְהוֹרָם בֶּן־אַחְאָב מֶלֶךְ
יִשְׂרָאֵל לַמִּלְחָמָה עַל־חֲזָאֵל מֶלֶךְ־אֲרָם בְּרָמוֹת
גִּלְעָד וַיַּכּוּ הָרַמִּים אֶת־יוֹרָם׃

Também andou nos conselhos e foi com Jorão, filho de Acabe. Este versículo é um paralelo direto de 2Rs 8.28, onde apresento a exposição. O cronista enfatizou como Acazias seguiu os maus conselhos dos líderes apóstatas de Israel e uniu-se a eles na aliança. Cf. Sl 1.1, que pode ser uma alusão a esse fato. O rei cometeu o erro de tornar-se sócio na política corrupta de seu aliado israelita.

22.6

וַיָּ֜שָׁב לְהִתְרַפֵּ֣א בְיִזְרְעֶ֗אל כִּ֤י הַמַּכִּים֙ אֲשֶׁ֣ר הִכֻּ֔הוּ
בָֽרָמָ֔ה בְּהִלָּ֣חֲמ֔וֹ אֶת־חֲזָהאֵ֖ל מֶ֣לֶךְ אֲרָ֑ם וַעֲזַרְיָ֨הוּ
בֶן־יְהוֹרָ֜ם מֶ֣לֶךְ יְהוּדָ֗ה יָרַ֛ד לִרְא֧וֹת אֶת־יְהוֹרָ֛ם
בֶּן־אַחְאָ֖ב בְּיִזְרְעֶ֑אל כִּי־חֹלֶ֖ה הֽוּא׃

Então voltou para Jezreel, para curar-se das feridas. Este versículo tem como paralelo direto 2Rs 8.29, onde também apresento a exposição. O nome que aparece no original hebraico e reproduzido em algumas traduções é *Azarias,* mas temos aqui um erro escribal do autor original ou de algum escriba subsequente. Naturalmente, a versão portuguesa corrige o erro apresentando a forma certa, "Acazias".

22.7

וּמֵֽאֱלֹהִ֗ים הָיְתָה֙ תְּבוּסַ֣ת אֲחַזְיָ֔הוּ לָב֖וֹא אֶל־יוֹרָ֑ם
וּבְבֹא֗וֹ יָצָ֤א עִם־יְהוֹרָם֙ אֶל־יֵה֣וּא בֶן־נִמְשִׁ֔י אֲשֶׁ֧ר
מְשָׁח֣וֹ יְהוָ֗ה לְהַכְרִ֖ית אֶת־בֵּ֥ית אַחְאָֽב׃

Foi da vontade de Deus que Acazias. *Acazias* foi ao encontro de seu destino, porquanto Yahweh havia predestinado as coisas desse modo, por causa de sua apostasia. O instrumento humano foi o temível Jeú, que havia sido nomeado pelo planejador divino para exterminar a casa de Acabe. Ver sobre ele no *Dicionário,* quanto a detalhes. O que pareceu ser mera coincidência (o rei de Judá acidentalmente estava ali, quando Jeú efetuou a matança), na verdade fazia parte de um destino mau. Yahweh nomeou Jeú como o próximo rei de Israel, conforme aprendemos em 2Rs 9.1-13, mas uma grande tarefa de limpeza precisava ser feita primeiramente. A paciência divina tinha acabado em relação à casa de Acabe. Acazias aliou forças com Jorão (cf. 2Rs 9.21), e isso seria fatal para ambos. Laços de parentesco, sem dúvida, ajudaram a fomentar a situação. Jorão era irmão de Atalia e, por conseguinte, tio de Acazias.

22.8

וַיְהִ֕י כְּהִשָּׁפֵ֥ט יֵה֖וּא עִם־בֵּ֣ית אַחְאָ֑ב וַיִּמְצָא֙ אֶת־שָׂרֵ֣י
יְהוּדָ֗ה וּבְנֵ֛י אֲחֵ֥י אֲחַזְיָ֖הוּ מְשָׁרְתִ֥ים לַאֲחַזְיָ֖הוּ וַיַּהַרְגֵֽם׃

Ao executar Jeú juízo contra a casa de Acabe. *Jeú estava ocupado* em seu programa de limpeza por meio de assassinatos, matando membros da família de Jorão e seus príncipes, quando apanhou a Acazias e alguns de seus príncipes. Imediatamente Jeú matou os príncipes. Acazias conseguiu fugir, mas não teve a sorte de escapar da ira de Jeú. A narrativa de 2Reis é mais detalhada. Ver 9.21 ss. Jorão tinha setenta irmãos, e além disso havia outros parentes, cortesãos e sacerdotes. Havia 42 príncipes de Judá, além de filhos e parentes. Jeú deu fim a todos eles, uma imensa calamidade. Ver 2Rs 10.1,7,11,14, onde os números são dados. A antiga síndrome do pecado-calamidade-julgamento estava ativa novamente.

22.9

וַיְבַקֵּשׁ֙ אֶת־אֲחַזְיָ֔הוּ וַֽיִּלְכְּדֻ֖הוּ וְה֣וּא מִתְחַבֵּ֣א
בְשֹֽׁמְר֗וֹן וַיְבִאֻ֤הוּ אֶל־יֵהוּא֙ וַיְמִתֻ֔הוּ וַֽיִּקְבְּרֻ֑הוּ כִּ֤י
אָֽמְרוּ֙ בֶּן־יְהוֹשָׁפָ֣ט ה֔וּא אֲשֶׁר־דָּרַ֥שׁ אֶת־יְהוָ֖ה
בְּכָל־לְבָב֑וֹ וְאֵין֙ לְבֵ֣ית אֲחַזְיָ֔הוּ לַעְצֹ֥ר כֹּ֖חַ
לְמַמְלָכָֽה׃

Depois mandou procurar a Acazias. "Depois que Jeú matou Jorão (ver 2Rs 9.24), ele perseguiu a Acazias, que tinha fugido para Samaria, cerca de 36 quilômetros ao sul, e trouxe-o de volta para Jezreel. O cronista parece deixar entendido que Acazias morreu em Samaria (ver 2Cr 22.9), enquanto o autor de Reis escreveu que ele morreu em Megido (ver 2Rs 9.27). Talvez as duas narrativas sejam suplementares. Acazias fugiu para Samaria e foi ali capturado pelos homens de Jeú; e trouxeram Acazias de volta a Jeú. Os homens de Jeú feriram a Acazias e este escapou para Megido, onde finalmente

morreu (ver 2Rs 9.27). Mas essa explicação, dada por Eugene H. Merrill, é mera conjectura. Conforme os textos estão, há uma contradição; e já aprendemos que, quando há discrepâncias entre os livros de Reis e Crônicas, o autor dos livros de Reis é quem, usualmente, está historicamente correto. Ver 2Rs 9.27-29 e as notas expositivas ali existentes. É provável que Ellicott (*in loc.*) esteja correto, ao explicar que as duas narrativas vieram de tradições separadas, que tinham certos detalhes contraditórios.

ATALIA (22.10—23.21)

Caracterização Geral da História. O trono de Judá foi deixado vazio pelo fato de Jeú ter matado Acazias "ao acaso". A perversa mãe de Acazias, Atalia, aproveitou-se da oportunidade para guindar-se ao trono de Judá. A maioria dos príncipes e nobres de Judá tinha sido morta juntamente com o rei. Atalia massacrou os membros restantes da família real, pelo menos tantos quantos pôde encontrar. Isso significa, naturalmente, que ela matou muitos de seus próprios parentes; mas, afinal, isso era o normal em Israel e Judá. Agora, olhem para ela! Atalia, a rainha-mãe! Mas Jeosabeate, filha do rei, conseguiu ocultar o pequeno Joás, filho de Acazias, o qual se levantaria, com o passar do tempo, para deslocar do trono à horrenda Atalia, que era filha da ainda mais horrenda Jezabel, se isso é possível. Durante seis anos, Joás, candidato a rei, permaneceu oculto e protegido. O governo de Atalia prolongou-se pelos anos de 841-835 a.C. Em 835 a.C., o sumo sacerdote Joiada providenciou a restauração da dinastia davídica. Joiada era marido de Jeosabeate. Quanto ao trecho paralelo, ver 2Rs 11.1-3.

22.10

וַעֲתַלְיָ֙הוּ֙ אֵ֣ם אֲחַזְיָ֔הוּ רָאֲתָ֖ה כִּ֣י מֵ֣ת בְּנָ֑הּ וַתָּ֗קָם
וַתְּדַבֵּ֛ר אֶת־כָּל־זֶ֥רַע הַמַּמְלָכָ֖ה לְבֵ֥ית יְהוּדָֽה׃

Vendo Atalia, mãe de Acazias, que seu filho era morto. Este versículo tem como paralelo 2Rs 11.1, que lhe é verbatim e onde as notas expositivas são oferecidas.

22.11

וַתִּקַּח֩ יְהוֹשַׁבְעַ֨ת בַּת־הַמֶּ֜לֶךְ אֶת־יוֹאָ֣שׁ
בֶּן־אֲחַזְיָ֗הוּ וַתִּגְנֹ֤ב אֹתוֹ֙ מִתּ֣וֹךְ בְּנֵֽי־הַמֶּ֔לֶךְ
הַמּ֣וּמָתִ֔ים וַתִּתֵּ֥ן אֹת֖וֹ וְאֶת־מֵינִקְתּ֖וֹ בַּחֲדַ֣ר
הַמִּטּ֑וֹת וַתַּסְתִּירֵ֜הוּ יְהוֹשַׁבְעַ֣ת בַּת־הַמֶּ֣לֶךְ
יְהוֹרָ֡ם אֵשֶׁת֩ יְהוֹיָדָ֨ע הַכֹּהֵ֜ן כִּ֣י הִ֣יא הָיְתָ֗ה
אֲח֧וֹת אֲחַזְיָ֛הוּ מִפְּנֵ֥י עֲתַלְיָ֖הוּ וְלֹ֥א הֱמִיתָֽתְהוּ׃

Mas Jeosabeate, filha do rei, tomou a Joás. Este versículo é essencialmente paralelo a 2Rs 11.2, onde a exposição é oferecida. Os livros de Reis dão o nome da dama como *Jeoseba,* uma contradição ao citado aqui. O rei também foi *Jorão* e, embora o nome específico tenha sido omitido pelo cronista, fica obviamente subentendido.

22.12

וַיְהִ֤י אִתָּם֙ בְּבֵ֣ית הָאֱלֹהִ֔ים מִתְחַבֵּ֖א שֵׁ֣שׁ שָׁנִ֑ים וַעֲתַלְיָ֖ה
מֹלֶ֥כֶת עַל־הָאָֽרֶץ׃ פ

Joás esteve com eles seis anos. Este versículo tem como trecho paralelo 2Rs 11.3, onde a exposição é oferecida.

CAPÍTULO VINTE E TRÊS

O *conteúdo* deste capítulo é, em todos os pontos essenciais, idêntico ao de 2Rs 11.4-20, onde ofereço a exposição. Seguem-se algumas poucas notas. Ver a *caracterização geral da história* de Atalia e seu reinado, na introdução a 2Cr 22.10. Ver no *Dicionário* os verbetes *Reino de Judá* e *Rei, Realeza,* quanto a um estudo dos reis de Judá, com gráficos ilustrativos.

23.1

וּבַשָּׁנָה הַשְּׁבִעִית הִתְחַזַּק יְהוֹיָדָע וַיִּקַּח אֶת־שָׂרֵי הַמֵּאוֹת לַעֲזַרְיָהוּ בֶן־יְרֹחָם וּלְיִשְׁמָעֵאל בֶּן־יְהוֹחָנָן וְלַעֲזַרְיָהוּ בֶן־עוֹבֵד וְאֶת־מַעֲשֵׂיָהוּ בֶן־עֲדָיָהוּ וְאֶת־אֱלִישָׁפָט בֶּן־זִכְרִי עִמּוֹ בַבְּרִית׃

No sétimo ano Joiada se animou. Este versículo tem como paralelo 2Rs 11.4, mas há materiais suplementares. O cronista dá os nomes dos conspiradores, mas os livros de Reis os ignoram. No entanto, os livros de Reis dizem os "capitães dos cem dos cários" (guarda pessoal), ou seja, os mensageiros reais, ao passo que o cronista não os menciona. Os dois autores, ao que tudo indica, usaram fontes informativas separadas, mas bastante semelhantes.

Ver os nomes próprios no *Dicionário*. Ver a exposição no trecho paralelo, quanto a detalhes que não são repetidos aqui.

"No ano de 835 a.C., Joiada, o sacerdote, marido de Jeosabeate (2Cr 22.11), tomou suas providências. Ansioso por restaurar a família davídica ao trono, especialmente Joás, ele arquitetou um plano com a ajuda de cinco oficiais do exército para reunir os levitas e líderes de Judá em Jerusalém, e persuadiu-os a apoiar o jovem rei em uma cerimônia formal de pacto" (Eugene H. Merrill, *in loc.*).

23.2

וַיָּסֹבּוּ בִּיהוּדָה וַיִּקְבְּצוּ אֶת־הַלְוִיִּם מִכָּל־עָרֵי יְהוּדָה וְרָאשֵׁי הָאָבוֹת לְיִשְׂרָאֵל וַיָּבֹאוּ אֶל־יְרוּשָׁלִָם׃

Estes percorreram a Judá. Os vss. 2 e 3 são adições feitas pelo cronista à história. O trecho paralelo não se refere à parte que os levitas desempenharam no plano. A presença deles emprestou *autoridade espiritual* à conspiração. Era preciso mais do que militares e homens violentos que estivessem dispostos a dar andamento ao jogo da matança. Outros colaboradores faziam-se necessários, de maneira que os cabeças dos clãs de "Israel" também foram chamados para aliar-se à conspiração.

Israel. Neste caso devemos entender *Judá,* refletindo assim a posição do autor sacro quando ele escreveu, isto é, *após* o cativeiro babilônico, quando Judá se tornou Israel, visto que era a única tribo que restava.

23.3

וַיִּכְרֹת כָּל־הַקָּהָל בְּרִית בְּבֵית הָאֱלֹהִים עִם־הַמֶּלֶךְ וַיֹּאמֶר לָהֶם הִנֵּה בֶן־הַמֶּלֶךְ יִמְלֹךְ כַּאֲשֶׁר דִּבֶּר יְהוָה עַל־בְּנֵי דָוִיד׃

Toda essa congregação... e Joiada lhes disse. O *sumo sacerdote* encontrou ouvidos atentos. De fato, é provável que os levitas e os chefes de clãs estivessem *ansiosos* por livrar-se da ímpia e desprezível Atalia. Foi assim que, visando a restauração da dinastia davídica, a assembleia firmou uma espécie de pacto que envolvia planos de revolta e matança. Cf. este versículo com 2Rs 11.4. O candidato ao trono estava presente no grupo. Era *Joás* um descendente direto de Davi e, assim sendo, qualificado para a tarefa de ser o rei.

Como falou o Senhor. Yahweh tinha prometido a continuação do trono davídico, e o que estava para ser feito concordava com essa promessa e provisão. Ver o oráculo entregue pelo profeta Natã, com essa mensagem (ver 2Sm 7.4-17).

23.4

זֶה הַדָּבָר אֲשֶׁר תַּעֲשׂוּ הַשְּׁלִשִׁית מִכֶּם בָּאֵי הַשַּׁבָּת לַכֹּהֲנִים וְלַלְוִיִּם לְשֹׁעֲרֵי הַסִּפִּים׃

Esta é a obra que haveis de fazer. Este versículo é paralelo a 2Rs 11.5, onde a exposição foi oferecida. O cronista adicionou as palavras: "uma terça parte de vós sacerdotes e levitas", mas o livro de Reis refere-se à *guarda real* como também envolvida na operação (2Rs 11.4-12), em vez dos levitas. "Dificilmente essa declaração pode harmonizar-se com o livro de Reis" (Ellicott, *in loc.*). Os dois autores obtiveram seus materiais de fontes separadas, que continham diferenças quanto aos detalhes. Ou então, conforme pensam alguns eruditos, o cronista alterou a narrativa para incluir os levitas, a fim de emprestar *autoridade espiritual* à operação. Historicamente falando, é provável que tanto as tropas de elite (guarda real) quanto os levitas estivessem envolvidos. Joás precisava de toda a ajuda que pudesse obter, e do maior número possível de classes sociais.

23.5

וְהַשְּׁלִשִׁית בְּבֵית הַמֶּלֶךְ וְהַשְּׁלִשִׁית בְּשַׁעַר הַיְסוֹד וְכָל־הָעָם בְּחַצְרוֹת בֵּית יְהוָה׃

Outra terça parte estará na casa do rei. Este versículo é essencialmente paralelo a 2Rs 11.6, mas ali o portão Sur é especificamente citado, o que o cronista deixa de mencionar aqui. Naquela narrativa, trata-se da porta do palácio. A Septuaginta diz "porta do meio", enquanto as versões siríaca e árabe dizem "porta do carniceiro". Assim sendo, as antigas tradições variavam quanto a detalhes. 2Rs 11.4 diz que Joiada trouxe os guardas para a casa do Senhor. Mas o cronista fala somente no átrio, visto que somente os sacerdotes tinham acesso ao templo propriamente dito.

23.6

וְאַל־יָבוֹא בֵית־יְהוָה כִּי אִם־הַכֹּהֲנִים וְהַמְשָׁרְתִים לַלְוִיִּם הֵמָּה יָבֹאוּ כִּי־קֹדֶשׁ הֵמָּה וְכָל־הָעָם יִשְׁמְרוּ מִשְׁמֶרֶת יְהוָה׃

Porém ninguém entre na casa do Senhor, senão os sacerdotes e os levitas. "Os líderes leigos foram estacionados nos átrios do templo, visto que somente sacerdotes e levitas que estavam trabalhando eram autorizados a entrar no templo. Outros tinham de permanecer fora para a proteção do rei" (Eugene H. Merrill, *in loc.*).

Este versículo não está presente nos livros de Reis. O cronista ansiava que compreendêssemos que as tropas de elite estavam operando, mas não entraram no templo propriamente dito, pois isso teria sido um sacrilégio imperdoável.

23.7

וְהִקִּיפוּ הַלְוִיִּם אֶת־הַמֶּלֶךְ סָבִיב אִישׁ וְכֵלָיו בְּיָדוֹ וְהַבָּא אֶל־הַבַּיִת יוּמָת וִהְיוּ אֶת־הַמֶּלֶךְ בְּבֹאוֹ וּבְצֵאתוֹ׃

Os levitas rodearão o rei. O cronista substituiu as tropas de elite (os centuriões da guarda real) pelos levitas. Ver 2Rs 11.7,8. A narrativa aqui é uma espécie de "narrativa sacerdotal", que enfatiza a parte desempenhada pelas autoridades espirituais; mas dificilmente isso pode ser reconciliado com o trecho paralelo. Historicamente falando, é provável que ambos os grupos tenham desempenhado um papel importante na operação, mas a narrativa do que aconteceu deixou algumas pequenas discrepâncias que envolvem os detalhes. Os críticos pensam que o cronista criou propositadamente as diferenças para injetar alguma *autoridade espiritual* na operação, que se fez ausente na narrativa dos livros de Reis.

23.8

וַיַּעֲשׂוּ הַלְוִיִּם וְכָל־יְהוּדָה כְּכֹל אֲשֶׁר־צִוָּה יְהוֹיָדָע הַכֹּהֵן וַיִּקְחוּ אִישׁ אֶת־אֲנָשָׁיו בָּאֵי הַשַּׁבָּת עִם יוֹצְאֵי הַשַּׁבָּת כִּי לֹא פָטַר יְהוֹיָדָע הַכֹּהֵן אֶת־הַמַּחְלְקוֹת׃

Fizeram, pois, os levitas e todo o Judá. Este versículo é essencialmente paralelo a 2Rs 11.9, mas uma vez mais temos a substituição dos *capitães de cem* pelos levitas, por razões ventiladas na exposição aos vss. 4-7. O sumo sacerdote não despediu os turnos dos sacerdotes, de modo que eles continuassem à disposição para qualquer necessidade de atividades de matança e assim Joás pudesse chegar ao trono. Os livros de Reis dizem "eles vieram a Joiada, o sacerdote", mas ali a referência é aos *capitães,* portanto persistem diferenças do começo ao fim.

■ 23.9

וַיִּתֵּן֩ יְהוֹיָדָ֨ע הַכֹּהֵ֜ן לְשָׂרֵ֣י הַמֵּא֗וֹת אֶת־הַחֲנִיתִים֙ וְאֶת־הַמָּֽגִנּוֹת֙ וְאֶת־הַשְּׁלָטִ֔ים אֲשֶׁ֖ר לַמֶּ֣לֶךְ דָּוִ֑יד אֲשֶׁ֖ר בֵּ֥ית הָאֱלֹהִֽים׃

O sacerdote Joiada entregou aos capitães de cem as lanças, os paveses e os escudos. Agora o cronista fala sobre os capitães, os centuriões, mostrando-nos que função eles desempenharam na operação. Os livros de Reis tinham falado sobre eles sem mencionar a função desempenhada pelos levitas. Ver as notas nos vss. 4-7.

Este versículo é essencialmente paralelo a 2Rs 11.10, onde ofereço a exposição. O cronista adicionou o nome "Joiada", tendo mencionado os pequenos escudos ignorados nos livros de Reis. No trecho paralelo dou detalhes que não repito aqui.

■ 23.10

וַיַּעֲמֵ֨ד אֶת־כָּל־הָעָ֜ם וְאִ֣ישׁ ׀ שִׁלְח֣וֹ בְיָד֗וֹ מִכֶּ֨תֶף הַבַּ֤יִת הַיְמָנִית֙ עַד־כֶּ֤תֶף הַבַּ֙יִת֙ הַשְּׂמָאלִ֔ית לַמִּזְבֵּ֖חַ וְלַבָּ֑יִת עַל־הַמֶּ֖לֶךְ סָבִֽיב׃

Dispôs todo o povo, cada um de armas na mão. Este versículo é essencialmente idêntico a 2Rs 11.11, mas o cronista usa a palavra "povo". Contudo, ele não deu a entender as massas populares, o povo comum. Estava falando sobre os que participaram diretamente da conspiração, os levitas, os soldados etc. "... o povo armado que deveria circundar o rei, cada homem com suas armas na mão (vs. 7)" (Ellicott, *in loc.*).

■ 23.11

וַיּוֹצִ֣יאוּ אֶת־בֶּן־הַמֶּ֗לֶךְ וַיִּתְּנ֤וּ עָלָיו֙ אֶת־הַנֵּ֣זֶר וְאֶת־הָעֵד֔וּת וַיַּמְלִ֖יכוּ אֹת֑וֹ וַיִּמְשָׁחֻ֙הוּ֙ יְהוֹיָדָ֣ע וּבָנָ֔יו וַיֹּאמְר֖וּ יְחִ֥י הַמֶּֽלֶךְ׃ ס

Então trouxeram para fora o filho do rei. Este versículo é essencialmente idêntico a 2Rs 11.12, onde a exposição é oferecida. O cronista mencionou Joiada e seus filhos como os que ungiram o rei, o que os livros de Reis omitem, usando apenas um vago "eles". O cronista ansiava que soubéssemos que a unção havia sido feita pelas autoridades apropriadas, em consonância com a legislação mosaica.

■ 23.12

וַתִּשְׁמַ֣ע עֲתַלְיָ֗הוּ אֶת־ק֤וֹל הָעָם֙ הָֽרָצִים֙ וְהַֽמְהַֽלְלִ֣ים אֶת־הַמֶּ֔לֶךְ וַתָּב֥וֹא אֶל־הָעָ֖ם בֵּ֥ית יְהוָֽה׃

Ouvindo Atalia o clamor do povo. Este versículo é idêntico ao seu trecho paralelo, 2Rs 11.13. O cronista diz aqui "povo", em lugar de "guarda" (cf. o vs. 10). Também nos diz como eles estavam "louvando" o rei, um detalhe ausente nos livros de Reis. Ver a exposição no trecho paralelo. O povo tinha-se cansado de rainhas selvagens como Jezabel e Atalia.

■ 23.13

וַתֵּ֡רֶא וְהִנֵּ֣ה הַמֶּלֶךְ֩ עוֹמֵ֨ד עַל־עַמּוּד֜וֹ בַּמָּב֗וֹא וְהַשָּׂרִ֣ים וְהַחֲצֹצְרוֹת֮ עַל־הַמֶּלֶךְ֒ וְכָל־עַ֣ם הָאָ֗רֶץ שָׂמֵ֙חַ֙ וְתוֹקֵ֣עַ בַּחֲצֹצְר֔וֹת וְהַמְשֽׁוֹרְרִים֙ בִּכְלֵ֣י הַשִּׁ֔יר וּמוֹדִיעִ֖ים לְהַלֵּ֑ל וַתִּקְרַ֤ע עֲתַלְיָ֙הוּ֙ אֶת־בְּגָדֶ֔יהָ וַתֹּ֖אמֶר קֶ֥שֶׁר קָֽשֶׁר׃ ס

Olhou, e eis que o rei estava junto à coluna. Este versículo é essencialmente idêntico ao paralelo de 2Rs 11.14, onde é oferecida a exposição. "A frase, 'de acordo com o costume', vinculada à questão do rei de pé ao lado da coluna, é um comentário dos livros de Reis, mas ignorado pelo cronista. As versões siríaca e árabe acrescentam-no ao presente versículo.

Atalia rasgou os seus vestidos. Em tristeza por causa de sua perda, Atalia rasgou as próprias vestes, que também foi algo feito segundo o costume. Ver Gn 37.29,34; Js 7.6 e Jó 1.20 e 2.12. Ver no *Dicionário* o verbete intitulado *Vestimentas, Rasgar das*.

■ 23.14

וַיּוֹצֵא֙ יְהוֹיָדָ֣ע הַכֹּהֵ֔ן אֶת־שָׂרֵ֥י הַמֵּא֖וֹת פְּקוּדֵ֣י הַחַ֑יִל וַיֹּ֣אמֶר אֲלֵהֶ֗ם הֽוֹצִיא֙וּהָ֙ אֶל־מִבֵּ֣ית הַשְּׂדֵר֔וֹת וְהַבָּ֥א אַחֲרֶ֖יהָ יוּמַ֣ת בֶּחָ֑רֶב כִּ֚י אָמַ֣ר הַכֹּהֵ֔ן לֹ֥א תְמִית֖וּהָ בֵּ֥ית יְהוָֽה׃

Porém o sacerdote Joiada trouxe para fora os capitães. Este versículo é essencialmente idêntico ao trecho paralelo de 2Rs 11.15, onde as notas expositivas são oferecidas. No livro de Crônicas, o "trouxe para fora" corresponde ao "deu ordem" que se lê nos livros de Reis. As versões siríaca e árabe concordam com o livro de Reis quanto ao presente versículo. A Septuaginta, querendo obter harmonia, preservou ambos os textos.

■ 23.15,16

וַיָּשִׂ֤ימוּ לָהּ֙ יָדַ֔יִם וַתָּב֛וֹא אֶל־מְב֥וֹא שַֽׁעַר־הַסּוּסִ֖ים בֵּ֣ית הַמֶּ֑לֶךְ וַיְמִית֖וּהָ שָֽׁם׃ פ

וַיִּכְרֹ֤ת יְהוֹיָדָע֙ בְּרִ֔ית בֵּינ֕וֹ וּבֵ֥ין כָּל־הָעָ֖ם וּבֵ֣ין הַמֶּ֑לֶךְ לִהְי֥וֹת לְעָ֖ם לַיהוָֽה׃

Lançaram mão dela. Estes dois versículos são essencialmente idênticos ao trecho paralelo de 2Rs 11.16,17, onde as notas expositivas são oferecidas. Mas nos livros de Reis aparece o pacto entre o povo e Yahweh, e não entre o rei e o povo, embora devamos compreender que a menção é a Yahweh, seja como for. Por assim dizer, o pacto davídico foi renovado, porquanto Joás estava prestes a continuar a dinastia davídica em Judá. Ver detalhes no paralelo.

A aliança também foi firmada *entre o rei e o povo*. Eles concordaram em reverter a iniquidade de Atalia e restaurar a ordem, em consonância com a legislação mosaica. O livro de Reis adiciona esse aspecto da aliança, que o cronista omitiu.

■ 23.17

וַיָּבֹ֨אוּ כָל־הָעָ֤ם בֵּית־הַבַּ֙עַל֙ וַֽיִּתְּצֻ֔הוּ וְאֶת־מִזְבְּחֹתָ֥יו וְאֶת־צְלָמָ֖יו שִׁבֵּ֑רוּ וְאֵ֗ת מַתָּן֙ כֹּהֵ֣ן הַבַּ֔עַל הָרְג֖וּ לִפְנֵ֥י הַֽמִּזְבְּחֽוֹת׃

Então todo o povo se dirigiu para a casa de Baal e a derribaram. Este versículo tem paralelo em 2Rs 11.18, onde as notas expositivas são oferecidas. A lei brutal de Dt 15.5-10 foi seguida à risca.

■ 23.18

וַיָּ֨שֶׂם יְהוֹיָדָ֜ע פְּקֻדֹּ֣ת בֵּית־יְהוָ֗ה בְּיַד֙ הַכֹּהֲנִ֣ים הַלְוִיִּ֔ם אֲשֶׁ֨ר חָלַ֤ק דָּוִיד֙ עַל־בֵּ֣ית יְהוָ֔ה לְֽהַעֲל֛וֹת עֹל֥וֹת יְהוָ֖ה כַּכָּת֣וּב בְּתוֹרַ֣ת מֹשֶׁ֑ה בְּשִׂמְחָ֥ה וּבְשִׁ֖יר עַ֥ל יְדֵ֥י דָוִֽיד׃

Entregou Joiada a superintendência da casa do Senhor. Os vss. 18 e 19 são expansões do texto do cronista que não têm paralelo no livro de Reis. Joiada restaurou as tarefas regulares dos sacerdotes e dos levitas, conforme Davi havia regulamentado. Note o leitor que o versículo equipara os levitas com os sacerdotes, que os críticos pensam ter sido a ordem original. Eles supõem que determinados levitas se tornaram sacerdotes, passando a ocupar uma posição superior, mas por certo essa não foi a ordem instituída por Moisés. Cf. 2Cr 30.27. Quanto à regulamentação de Davi concernente a levitas e sacerdotes, por meio de turnos, ver os capítulos 23 a 25 de 1Crônicas. Os cultos e funções regulares do templo foram restaurados no tempo de Joás, o que significa, naturalmente, que os antecessores apóstatas os haviam interrompido. Podemos ter certeza de que a horrenda rainha Atalia não observava nenhuma das regras da lei mosaica, nem os arranjos de Davi. Quanto ao ministério do cântico, ver o segundo capítulo de Crônicas. Cf. Nm 28.2 quanto às regulamentações de Moisés.

23.19

וַיַּעֲמֵד֙ הַשּׁוֹעֲרִ֔ים עַל־שַׁעֲרֵ֖י בֵּ֣ית יְהוָ֑ה וְלֹא־יָבֹ֥א טָמֵ֖א לְכָל־דָּבָֽר׃

Colocou porteiros às portas da casa do Senhor. 1Cr 26 trata dessa questão longamente, dando as ordens davídicas para os turnos dos porteiros. Ver também 1Cr 23.5 quanto às tarefas dos porteiros, os quais tinham, entre suas responsabilidades, o trabalho de conservar o templo livre de elementos indesejados. Eles não permitiam a entrada dos imundos, os quais não estavam em condições de adorar. Ver no *Dicionário* o verbete intitulado *Limpo e Imundo*. Além disso, eles guardavam os tesouros, para que nenhum furto diminuísse os tesouros ou os artigos valiosos do templo. Ver Lv 5.7 e Nm 5.19.

23.20

וַיִּקַּ֣ח אֶת־שָׂרֵ֣י הַמֵּא֡וֹת וְאֶת־הָאַדִּירִים֩ וְאֶת־הַמּֽוֹשְׁלִ֨ים בָּעָ֜ם וְאֵ֣ת ׀ כָּל־עַ֣ם הָאָ֗רֶץ וַיּ֤וֹרֶד אֶת־הַמֶּ֨לֶךְ֙ מִבֵּ֣ית יְהוָ֔ה וַיָּבֹ֛אוּ בְּתֽוֹךְ־שַׁ֥עַר הָעֶלְי֖וֹן בֵּ֣ית הַמֶּ֑לֶךְ וַיּוֹשִׁ֨יבוּ֙ אֶת־הַמֶּ֔לֶךְ עַ֖ל כִּסֵּ֥א הַמַּמְלָכָֽה׃

Tomou os capitães de cem, os nobres, os governadores do povo e todo o povo. Este versículo é essencialmente idêntico ao trecho paralelo, 2Rs 11.19, exceto pelo fato de que o autor dos livros de Reis fala nos *cários*, o que o cronista omitiu. Cf. o quarto versículo, onde anotei a questão. Ver também 2Rs 11.4 para detalhes.

23.21

וַיִּשְׂמְח֥וּ כָל־עַם־הָאָ֖רֶץ וְהָעִ֣יר שָׁקָ֑טָה וְאֶת־עֲתַלְיָ֖הוּ הֵמִ֥יתוּ בֶחָֽרֶב׃ ס

Alegrou-se todo o povo da terra. Este versículo é essencialmente idêntico ao trecho paralelo de 2Rs 11.20, onde as notas expositivas são oferecidas. Não houve nenhuma tentativa de contrarrevolução, e a linhagem davídica foi restaurada a Judá. Por enquanto, pelo menos, haveria paz e prosperidade. Mas a antiga síndrome do pecado-calamidade-julgamento não demoraria a retornar e perturbar novamente as coisas.

CAPÍTULO VINTE E QUATRO

JOÁS RESTAURA O CULTO E O EQUIPAMENTO DO TEMPLO (24.1-27)

Os *antecessores de Joás*, sobretudo a horrenda Atalia (vs. 7), tinham deixado o culto de Jerusalém um caos, e o templo precisava urgentemente de reparos. Embora tivesse apenas 7 anos, o novo rei, Joás, foi levantado ao trono pelo planejamento e poder de Joiada, o sumo sacerdote, provavelmente quem verdadeiramente assumiu o poder por detrás do trono, por um longo tempo. Ver como o rei-menino fora salvo pela irmã do sumo sacerdote, quando Atalia matou o que restava da família real de Judá (2Cr 22.11). Joás teria, finalmente, um fim ruim, mas antes disso o cronista relatou os anos do jovem Joás, quando ele foi um bom rei, sob a boa influência do sumo sacerdote Joiada.

No *Dicionário*, os artigos *Joás; Reino de Judá;* e *Rei, Realeza* apresentam a história dos reis de Judá e, particularmente, a história de Joás. Além disso, provi ali gráficos ilustrativos.

Foi um dos temas constantes do autor dos livros de Crônicas exaltar a dinastia davídica. Terminado o cativeiro babilônico, a tribo isolada de Judá continuou a nação de Israel e, de fato, tornou-se a nação de Israel. A *autoridade política* dependia da continuação da dinastia davídica, ao passo que a *autoridade espiritual* dependia da continuação dos *levitas* que conseguiram sobreviver ao cativeiro e retornar a Jerusalém. Portanto, esses dois tipos de autoridade legitimavam Judá como Israel.

O paralelo essencial deste capítulo é 2Rs 12.

24.1

בֶּן־שֶׁ֤בַע שָׁנִים֙ יֹאָ֣שׁ בְּמָלְכ֔וֹ וְאַרְבָּעִ֣ים שָׁנָ֔ה מָלַ֖ךְ בִּירוּשָׁלִָ֑ם וְשֵׁ֣ם אִמּ֔וֹ צִבְיָ֖ה מִבְּאֵ֥ר שָֽׁבַע׃

Tinha Joás sete anos de idade quando começou a reinar. "Joás, aparentemente o único filho sobrevivente de Acazias, continuou a reinar pelo espaço de quarenta anos (835-796 a.C.). Esteve sob a tutela de *Joiada*, o sumo sacerdote, por vários anos, e permaneceu reto diante do Senhor por todos esse período. Joiada chegou mesmo a selecionar as duas esposas de Joás" (Eugene H. Merrill, *in loc.*).

Este versículo é essencialmente idêntico ao trecho paralelo de 2Rs 12.1, onde a exposição é oferecida. O cronista deixou a notícia acerca de *Jeú*, rei de Israel, visto que não era seu propósito dar informações sobre as tribos do norte. Ele só dava atenção ao que acontecia às tribos nortistas quando isso era vital para as histórias que estivesse contando sobre a tribo do sul, Judá. Seu propósito era exaltar a dinastia davídica, e não nos dar uma completa história comparativa de Israel e Judá. Foi o autor dos livros de Reis quem nos forneceu essa espécie de narrativa.

24.2

וַיַּ֧עַשׂ יוֹאָ֛שׁ הַיָּשָׁ֖ר בְּעֵינֵ֣י יְהוָ֑ה כָּל־יְמֵ֖י יְהוֹיָדָ֥ע הַכֹּהֵֽן׃

Era o nome de sua mãe Zibia, de Berseba. Este versículo é essencialmente idêntico a 2Rs 12.2, onde as notas expositivas são oferecidas. Os livros de Reis enfatizam o fato de que o jovem rei Joás fez o que era reto porque o sumo sacerdote Joiada estava ali para instruí-lo e guiá-lo. Joiada foi o verdadeiro poder por trás do trono, e as coisas correram bem, espiritualmente falando, enquanto seu poder foi exercido.

Todos os dias do sacerdote Joiada. Esta declaração é um tanto exagerada, porquanto Joás tornou-se um rei mau, antes de seu reinado terminar. Mas pelo menos durante sua juventude, ele agiu corretamente.

24.3

וַיִּשָּׂא־ל֥וֹ יְהוֹיָדָ֖ע נָשִׁ֣ים שְׁתָּ֑יִם וַיּ֖וֹלֶד בָּנִ֥ים וּבָנֽוֹת׃

Tomou-lhe Joiada duas mulheres. O arranjo de duas esposas para o rei, por parte do sumo sacerdote Joiada, foi o tipo de informação dado somente pelo cronista. Como é óbvio, o sumo sacerdote estava selecionando o tipo próprio de companhia e influência para o rei. Ele não toleraria mais uma Atalia para arruinar as coisas. No livro de Reis, temos (em vez dessa pequena informação sobre as esposas) a notícia de que Joás não removeu os lugares altos (ver a respeito no *Dicionário*), o que sucedeu virtualmente a todos os reis das tribos do norte e do sul. Quanto a isso, ver 2Rs 12.3. O cronista tentava pintar o melhor quadro possível sobre Joás, o restaurador da linhagem davídica, e resolveu não começar com uma nota amarga, que debilitaria todo o seu propósito literário.

2Cr 25.1 diz-nos que o nome de uma das esposas de Joás era Jeoadã (ver a respeito no *Dicionário*), mas em parte alguma é dado o nome da outra esposa.

24.4

וַיְהִ֖י אַחֲרֵיכֵ֑ן הָיָה֙ עִם־לֵ֣ב יוֹאָ֔שׁ לְחַדֵּ֖שׁ אֶת־בֵּ֥ית יְהוָֽה׃

Depois disto resolveu Joás. O *cronista* segue, de modo frouxo, os mesmos materiais que foram dados no paralelo. Este versículo é uma pequena nota de introdução a respeito da restauração do templo, que muito agradou ao cronista, porquanto ele queria dizer-nos coisas boas acerca desse novo rei. Entrou "no coração" do novo rei fazer o trabalho de restauração, e podemos estar certos de que o sumo sacerdote Joiada foi a principal força influenciadora desse projeto. Mas também devemos entender que Yahweh pôs no coração de Joás esse bom projeto e, enquanto ainda era jovem, Joás mostrava-se sensível para com as orientações do Espírito Santo. Talvez tudo isso tenha ocorrido cerca de vinte anos mais tarde. Cf. 2Rs 12.6. O templo havia sido construído cerca de 150 anos antes e, naturalmente, precisava de reparos. Atalia provavelmente contribuiu para debochar e desfigurar o culto efetuado no templo.

24.5

וַיִּקְבֹּץ אֶת־הַכֹּהֲנִים וְהַלְוִיִּם וַיֹּאמֶר לָהֶם צְאוּ לְעָרֵי
יְהוּדָה וְקִבְצוּ מִכָּל־יִשְׂרָאֵל כֶּסֶף לְחַזֵּק אֶת־בֵּית
אֱלֹהֵיכֶם מִדֵּי שָׁנָה בְּשָׁנָה וְאַתֶּם תְּמַהֲרוּ לַדָּבָר וְלֹא
מִהֲרוּ הַלְוִיִּם:

Reuniu os sacerdotes e os levitas, e lhes disse. A *coleta* de fundos foi deixada ao cargo dos levitas, uma providência apenas lógica. Essa informação não é dada no relato do livro de Reis. Mas os levitas, temerosos de que o dinheiro necessário para seu sustento pudesse ser diminuído pelas ofertas especiais, não apressaram a questão. "O clero entrou em 'greve de lentidão', temendo que a coleta do rei pudesse diminuir a renda *deles*. Vergonha sobre eles!... Feias instâncias de avareza e obstrução clerical de causas boas podem ser respigadas na história. Atualmente, o fato geral é que nenhuma profissão é tão mal paga como o clero" (W. A. L. Elmslie, *in loc.*).

O relato de 2Rs 12.4 diz-nos que o rei decretou taxas para o propósito da renovação. Os *sacerdotes* deveriam controlar a questão, mas coisa alguma é dita sobre a grande campanha de coleta dos levitas.

24.6

וַיִּקְרָא הַמֶּלֶךְ לִיהוֹיָדָע הָרֹאשׁ וַיֹּאמֶר לוֹ מַדּוּעַ
לֹא־דָרַשְׁתָּ עַל־הַלְוִיִּם לְהָבִיא מִיהוּדָה וּמִירוּשָׁלַםִ
אֶת־מַשְׂאַת מֹשֶׁה עֶבֶד־יְהוָה וְהַקָּהָל לְיִשְׂרָאֵל לְאֹהֶל
הָעֵדוּת:

Mandou o rei chamar a Joiada. *Joás repreendeu o sumo sacerdote, Joiada.* Pense o leitor sobre isso. O jovem rei tinha no coração a questão da restauração do templo de Jerusalém, mais do que o próprio sumo sacerdote, o qual, sem dúvida, *permitiu*, se não mesmo instruiu, que os levitas se mostrassem lentos na questão da coleta. O sumo sacerdote "arrastava os pés", conforme costumamos dizer em um ditado popular. A legislação mosaica (ver Êx 30.12-16) tinha feito provisão para a obra do ministério. Ver também Ez 20.40. Quando surgiam ocasiões especiais, mais esforços heroicos precisavam ser feitos, conforme se deu no caso em vista.

O paralelo aproximado do presente versículo é 2Rs 12.7, onde são oferecidas notas expositivas adicionais, além das apresentadas aqui. Não estava sendo feito o bastante para aumentar os *fundos de construção*, embora os levitas e os sacerdotes estivessem agindo sem os devidos cuidados.

24.7

כִּי עֲתַלְיָהוּ הַמִּרְשַׁעַת בָּנֶיהָ פָרְצוּ אֶת־בֵּית הָאֱלֹהִים
וְגַם כָּל־קָדְשֵׁי בֵית־יְהוָה עָשׂוּ לַבְּעָלִים:

Porque a perversa Atalia e seus filhos arruinaram a casa de Deus. *Atalia e seus filhos* foram destruidores eficazes do templo. O edifício precisava urgentemente de reparos; o culto estava perturbado; o tesouro do templo estava esgotado, se não mesmo completamente dissipado. Joiada, o sumo sacerdote, era testemunha ocular do que se passava, mas não agia como deveria. Estou imaginando que sua avançada idade era uma das razões do descaso. Até mesmo homens bons se descuidam quando a idade lhes furta as energias mentais e físicas. O jovem rei (ainda na casa dos 20 e poucos anos) estava cheio de fogo divino e teve de baixar ordens especiais e fazer as ameaças devidas para que as coisas começassem a movimentar-se. Se pudéssemos combinar a sabedoria da idade avançada com o zelo da juventude, então teríamos um grande poder de avanço. Mas essas duas coisas dificilmente caminham de mãos dadas.

A Edificação em Favor de Baal. Atalia tinha zelo pelo paganismo, especialmente em favor de Baal (ver no *Dicionário* o artigo chamado *Baal (Baalismo)*, e não hesitava em usar os fundos do templo para edificar seu horrendo culto idólatra. Os livros de Reis omitem a informação sobre as obras nefastas de Atalia, e como *essa* era a razão principal para as condições caóticas do templo, nos dias de Joás.

24.8

וַיֹּאמֶר הַמֶּלֶךְ וַיַּעֲשׂוּ אֲרוֹן אֶחָד וַיִּתְּנֻהוּ בְּשַׁעַר
בֵּית־יְהוָה חוּצָה:

Deu o rei ordem e fizeram um cofre. Os *fundos de edificação* seriam ajudados por um cofre especial posto do lado de fora da porta da casa do Senhor. Além disso, porém, os levitas teriam de sair por todos os distritos de Judá fazendo coletas. E haveria as taxas que seriam cobradas pelo rei, sem falar nas ofertas voluntárias (ver 2Rs 12.4). Reunindo os vários modos de coleta, seria levantado um fundo para os reparos do templo.

Ver o trecho paralelo de 2Rs 12.9, que dá detalhes diferentes sobre esse cofre. 2Rs 12.8 adiciona alguns detalhes. Os fundos regulares para o sustento dos levitas e os fundos da reconstrução do templo precisaram ser separados para que a obra tivesse seu impulso apropriado.

24.9

וַיִּתְּנוּ־קוֹל בִּיהוּדָה וּבִירוּשָׁלַםִ לְהָבִיא לַיהוָה מַשְׂאַת
מֹשֶׁה עֶבֶד־הָאֱלֹהִים עַל־יִשְׂרָאֵל בַּמִּדְבָּר:

Publicou-se em Judá e em Jerusalém. O cofre foi transformado em questão importante. Sua existência foi propagada por toda a parte, em Judá, e a resposta popular foi surpreendente! O livro de Reis omite a questão da propaganda, mas qualquer campanha de dinheiro precisa de toda a ajuda que puder. Textos de prova bíblica foram encontrados quanto à propriedade da coleta. Tudo foi escudado na autoridade mosaica. Moisés encorajara os israelitas a serem generosos com o sustento das coisas sagradas. Cf. o vs. 6, onde essa informação já havia sido dada.

24.10

וַיִּשְׂמְחוּ כָל־הַשָּׂרִים וְכָל־הָעָם וַיָּבִיאוּ וַיַּשְׁלִיכוּ
לָאָרוֹן עַד־לְכַלֵּה:

Então todos os príncipes, e todo o povo se alegraram. Foram doações jubilosas. A maioria das pessoas dá com dor no coração. *Poucos* são os que dão com alegria. Mas algumas vezes as pessoas podem ser inspiradas a dar e, num momento de inspiração, rejubilar-se por estarem contribuindo para alguma causa digna. Mas na maior parte do tempo, as pessoas mostram-se egoístas. Joás, com sua campanha de reconstrução e muita propaganda, conseguiu inspirar o povo a doar com abundância e alegria, o que não foi uma tarefa fácil. Portanto, demos a Joás o crédito pelo que ele pôde fazer em sua juventude! Ver na *Enciclopédia de Bíblia, Teologia e Filosofia* o verbete intitulado *Liberalidade e Generosidade*.

Cada um contribua segundo tiver proposto no coração,
não com tristeza ou por necessidade;
porque Deus ama ao que dá com alegria.

2Coríntios 9.7

A coisa mais importante em qualquer relacionamento pessoal não é o que você obtém, mas aquilo com que você contribui.

Eleanor Roosevelt

Mais bem-aventurado é dar que receber.

Atos 20.35

24.11

וַיְהִי בְּעֵת יָבִיא אֶת־הָאָרוֹן אֶל־פְּקֻדַּת הַמֶּלֶךְ בְּיַד
הַלְוִיִּם וְכִרְאוֹתָם כִּי־רַב הַכֶּסֶף וּבָא סוֹפֵר הַמֶּלֶךְ
וּפְקִיד כֹּהֵן הָרֹאשׁ וִיעָרוּ אֶת־הָאָרוֹן וְיִשָּׂאֻהוּ
אֶל־מְקוֹמוֹ כֹּה עָשׂוּ לְיוֹם בְּיוֹם וַיַּאַסְפוּ־כֶסֶף לָרֹב:

Quando o cofre era levado. *Diariamente*, o cofre era cheio com coisas valiosas, e então esvaziado, e então cheio, e então esvaziado novamente. Sem dúvida isso tomou os sacerdotes inteiramente de surpresa! Havia abundância de víveres para eles, e abundância de contribuição para o programa de reparos do templo. Os pequenos milagres de Deus sempre nos apanham de surpresa. "A reação popular foi tão generosa que o cofre era cheio e tinha de ser esvaziado por vezes sem conta (vss. 10,11). O dinheiro era então usado para pagar os operários comissionados que executavam o trabalho de restauração do templo (vs. 12)" (Eugene H. Merrill, *in loc.*).

Temos o mau (ou será bom?) hábito de chamar de "pequenos milagres" as coisas grandes que acontecem com o dinheiro. Seja como for, esses pequenos milagres nunca nos fazem mal, e deles dependemos. Portanto, Senhor, continua a fazê-los ocorrer!

■ 24.12

וַיִּתְּנֵהוּ הַמֶּלֶךְ וִיהוֹיָדָע אֶל־עוֹשֵׂה מְלֶאכֶת עֲבוֹדַת בֵּית־יְהוָה וַיִּהְיוּ שֹׂכְרִים חֹצְבִים וְחָרָשִׁים לְחַדֵּשׁ בֵּית יְהוָה וְגַם לְחָרָשֵׁי בַרְזֶל וּנְחֹשֶׁת לְחַזֵּק אֶת־בֵּית יְהוָה:

O qual o rei e Joiada davam aos que dirigiam a obra. *O Uso Correto do Dinheiro.* Não basta ajuntar dinheiro. Esse dinheiro precisa ser posto em bom uso. É inútil enriquecer e embelezar-nos. O trabalho sempre tem de ocupar o lugar principal. 2Rs 12.11,12 é uma passagem paralela e adiciona detalhes a respeito do uso do dinheiro. Era necessário todo tipo de operário especializado para ajudar nos reparos do templo, e todo indivíduo merecia o seu salário. Um suprimento abundante indicava salários generosos. A narrativa do livro de Reis é mais detalhada, e ali apresento a exposição principal. O cronista contraiu suas fontes informativas.

■ 24.13

וַיַּעֲשׂוּ עֹשֵׂי הַמְּלָאכָה וַתַּעַל אֲרוּכָה לַמְּלָאכָה בְּיָדָם וַיַּעֲמִידוּ אֶת־בֵּית הָאֱלֹהִים עַל־מַתְכֻּנְתּוֹ וַיְאַמְּצֻהוּ:

Os que tinham o encargo da obra trabalhavam. Um *bom emprego.* Bons operários, que recebem bons salários, fazem um trabalho excelente. Foi um *esforço de equipe,* e todos os membros tinham consciência do que estavam fazendo. Eles deixam um bom exemplo para todos os que trabalham. Nos vss. 13 e 14, "o escritor conclui em seu próprio estilo, modificando abertamente o relato mais antigo para ajustá-lo às necessidades de seus contemporâneos. As versões siríaca e árabe omitem ambos os versículos" (Ellicott, *in loc.*).

Nenhum negócio que dependa, para sua existência, de pagar menos do que salários vivos para seus operários tem o direito de continuar neste país.

Franklin D. Roosevelt

Digno é o trabalhador do seu salário.

Lucas 10.7

■ 24.14

וּכְכַלּוֹתָם הֵבִיאוּ לִפְנֵי הַמֶּלֶךְ וִיהוֹיָדָע אֶת־שְׁאָר הַכֶּסֶף וַיַּעֲשֵׂהוּ כֵלִים לְבֵית־יְהוָה כְּלֵי שָׁרֵת וְהַעֲלוֹת וְכַפּוֹת וּכְלֵי זָהָב וָכָסֶף וַיִּהְיוּ מַעֲלִים עֹלוֹת בְּבֵית־יְהוָה תָּמִיד כֹּל יְמֵי יְהוֹיָדָע: פ

Tendo eles acabado a obra. Os reparos do templo estavam terminados. O templo fora restaurado à sua condição original, e ainda restara dinheiro para prover novos móveis e utensílios de uso na adoração. A horrenda Atalia havia furtado o templo, empregando os tesouros e utensílios na adoração pagã de Baal (vs. 7). Portanto, o erro fora corrigido pelo jovem rei Joás. Cf. 2Rs 12.13. Os utensílios de ouro e prata não foram substituídos de imediato, mas podemos supor, mediante o presente versículo, que isso tenha sido, afinal, realizado. Caso contrário, este versículo e o paralelo de 2Rs entram em óbvia contradição. Ellicott (*in loc.*) supõe que a narrativa posterior do cronista tivesse propósitos *didáticos,* o que pode ter levado o autor sagrado a alterar algumas declarações. Um bom exemplo foi estabelecido; um grande trabalho de reparos foi realizado. O cronista não queria fazer soar uma nota amarga dizendo que o trabalho teve seus defeitos.

■ 24.15

וַיִּזְקַן יְהוֹיָדָע וַיִּשְׂבַּע יָמִים וַיָּמֹת בֶּן־מֵאָה וּשְׁלֹשִׁים שָׁנָה בְּמוֹתוֹ:

Envelheceu Joiada, e morreu farto de dias. *O Começo Ainda de Outra Apostasia.* A despeito das falhas e da ausência de energia na sua idade avançada (Joiada arrastou os pés na questão da restauração do templo), o sumo sacerdote era o poder por trás dos bons atos de Joás. Portanto, a morte dele foi um dia triste para a espiritualidade em Judá, visto que, sem sua influência e poder, Judá em breve deslizaria novamente para a idolatria, e Joás não seria capaz de fazer a maré estacar. De fato, Joás foi um participante dessa maré. Joiada viveu por 130 anos, um tempo extraordinário, em uma época que os tradicionais 70 anos eram considerados uma vida longa. Ver Sl 90.10. No século XIX, a Academia Francesa de Ciências pensou que algum dia a ciência garantiria ao homem uma vida de 150 anos; mas, apesar de toda a nossa ciência, esse ideal ainda está longe de ser atingido. Conforme disse certo médico francês: "Comumente, os homens não morrem. Eles se matam". Quanto a uma longa vida, mediante a observância da lei, ver Dt 5.16 e 22.6,7. Quanto à desejabilidade de viver longamente, ver Gn 5.21. É melhor viver bem do que viver longamente, mas é melhor ainda viver bem e por muitos anos, portanto, ó Senhor, concede-nos tal graça!

Embora seja verdade que, conforme minha mãe dizia, "As pessoas idosas simplesmente se postam no caminho", isso não precisa, necessariamente, exprimir um juízo, se as pessoas idosas têm dinheiro e saúde adequada. As pessoas idosas ficam esclerosadas, briguentas e mal-humoradas. Precisamos olhar para a ciência, se quisermos solução para *esse* problema. Platão viveu até os 80 anos e estava escrevendo um novo diálogo quando, de súbito, morreu, provavelmente por causa de um derrame ou ataque de coração. Foi uma maneira estética de morrer, terminando uma longa e útil vida. Deus precisa dar-nos tanto razões quanto forças para viver por longo tempo. Seja como for, nossa vida está em suas mãos. O próprio Matusalém poderia ter vivido por mais tempo se tivesse cuidado melhor de si mesmo! Assim, talvez possamos aprender dessa lição e abandonar os maus hábitos, que fatalmente diminuem a qualidade e duração de nossa vida.

Afinal, Joiada viveu mais tempo do que qualquer homem depois de Moisés, pelo menos até onde chega o registro bíblico.

■ 24.16

וַיִּקְבְּרֻהוּ בְעִיר־דָּוִיד עִם־הַמְּלָכִים כִּי־עָשָׂה טוֹבָה בְּיִשְׂרָאֵל וְעִם הָאֱלֹהִים וּבֵיתוֹ: ס

Sepultaram-no na cidade de Davi com os reis. Ver no *Dicionário* o artigo sobre *Joiada,* no seu terceiro ponto, quanto à história inteira de Joiada, um dos melhores sumos sacerdotes de Judá. Ele se distinguiu de tal maneira que foi sepultado entre os reis, na cidade de Davi, Jerusalém. Suas boas obras foram feitas em favor de Yahweh e dos seres humanos, conforme deixa claro este versículo. Ele estava ligado à família real por laços de casamento (ver 2Cr 22.11), e isso, provavelmente, facilitou as altas honrarias que recebeu, por ocasião de sua morte. Ele foi, *de fato,* o rei nos dias da meninice e adolescência de Joás, e isso serviu para aumentar ainda mais o seu prestígio. Além disso, ele viveu por aqueles 130 anos, algo considerado um ato direto de Yahweh em seu favor, visto que guardar a lei significava, na mentalidade dos hebreus, a promessa de uma longa vida (ver Dt 4.1; 5.33 e Ez 3.17).

■ 24.17

וְאַחֲרֵי מוֹת יְהוֹיָדָע בָּאוּ שָׂרֵי יְהוּדָה וַיִּשְׁתַּחֲווּ לַמֶּלֶךְ אָז שָׁמַע הַמֶּלֶךְ אֲלֵיהֶם:

Depois da morte de Joiada vieram os príncipes de Judá. *Más Influências.* No pano de fundo estavam os idólatras príncipes de Judá que se mantiveram em segundo plano enquanto Joiada foi o sumo sacerdote. Entretanto, assim que Joiada desapareceu, eles se puseram em movimento. A reforma morreu com o sumo sacerdote, e Joás mostrou-se um fraco quando o homem idoso não estava mais presente para encorajá-lo a fazer o que era correto. Joiada, pois, tinha dado o bom exemplo; mas os príncipes de Judá deram um mau exemplo. "Joiada morreu, e, com ele, morreu o espírito da reforma" (Eugene H. Merrill, *in loc.*).

Os príncipes traiçoeiros vieram e prestaram falsas mesuras diante do rei. Fica claro, mediante o versículo seguinte, que eles solicitaram permissão para promover abertamente o seu culto idólatra. O rei, pois, mostrou-se fraco demais para opor-se. Ou então o próprio Joás tinha-se desintegrado, e não quis mais continuar uma farsa. Ver o vs. 21. Provavelmente, outras más obras faziam parte do negócio todo. A boa e breve era de santidade havia chegado ao fim. A mesma antiga síndrome do pecado-calamidade-julgamento em breve haveria de golpear de novo. O vs. 21 deixa-nos chocados ao informar que Joás ordenou o apedrejamento de um profeta que se havia mostrado contrário à corrupção.

O *ideal* era a adoração centralizada em Jerusalém, no templo. Mas os santuários locais recusavam-se a desaparecer. Provavelmente, um dos argumentos dos príncipes foi que era muito trabalhoso subir a Jerusalém três vezes por ano. Eles poderiam passar seu tempo de maneira mais sábia. Os santuários locais serviriam muito bem para sua adoração.

■ 24.18

וַיַּעַזְב֗וּ אֶת־בֵּ֤ית יְהוָה֙ אֱלֹהֵ֣י אֲבוֹתֵיהֶ֔ם וַיַּֽעַבְד֥וּ אֶת־הָאֲשֵׁרִ֖ים וְאֶת־הָֽעֲצַבִּ֑ים וַיְהִי־קֶ֗צֶף עַל־יְהוּדָה֙ וִיר֣וּשָׁלִַ֔ם בְּאַשְׁמָתָ֖ם זֹֽאת׃

Deixaram a casa do Senhor... e serviram aos postes-ídolos e aos ídolos. *A Idolatria Estava de Volta.* Joás havia permitido ou talvez até ajudado a fazer florescer os *lugares altos* (ver a respeito no *Dicionário*). Talvez Yahweh fosse *um* dos deuses adorados na massa sincretista que os príncipes de Israel cozinharam. Em breve a ira de Yahweh seria acesa, prestes a golpear. Ver no *Dicionário* o artigo intitulado *Ira de Deus*. 2Rs 12.18 não tratou da queda de Joás, mas mostrou que ele sofreu perdas, embora a razão para essas perdas não tenha sido discutida. Seja como for, quando as coisas saíam erradas, ficava entendido que alguém tinha praticado o erro, ou então que o povo inteiro estava errado. E o *julgamento* divino estava sempre nas calamidades, conforme acreditava o povo hebraico.

> Não vos enganeis; de Deus não se zomba;
> pois aquilo que o homem semear, isso também ceifará.
> Gálatas 6.7

Ver sobre a *Lei Moral da Colheita segundo a Semeadura*, no *Dicionário*. "Nesse caso, a ira divina manifestou-se em uma invasão síria" (Ellicott, *in loc.*).

Os príncipes fizeram muito bem o trabalho de sedução. Assim diz o Targum: "Após a morte de Joiada, os homens grandes de Judá vieram e adoraram o rei, e o seduziram". Note-se que a ira divina não deveria descer somente contra Judá, mas também contra *Jerusalém*, porquanto era ali que estavam os promotores da apostasia, isto é, no próprio templo.

■ 24.19

וַיִּשְׁלַ֨ח בָּהֶ֜ם נְבִאִ֗ים לַהֲשִׁיבָ֛ם אֶל־יְהוָ֖ה וַיָּעִ֣ידוּ בָ֑ם וְלֹ֥א הֶאֱזִֽינוּ׃ ס

Porém o Senhor lhes enviou profetas para os reconduzir a si. *Profetas enviados por Deus, cujos nomes não foram dados,* protestaram contra o que estava acontecendo, porém o povo não lhes deu ouvidos. Eles tentaram reavivar a antiga fé de Joás, mas o povo queria os deleites do paganismo. 2Cr 20.14,37 dá-nos os nomes de alguns profetas da época, e, sem dúvida, alguns deles participaram da reprimenda. Mas ninguém estava interessado em modificar sua conduta. Eles se divertiam nos bosques com os ritos de fertilidade dos cananeus e outras abominações associadas ao paganismo.

■ 24.20

וְר֣וּחַ אֱלֹהִ֗ים לָֽבְשָׁה֙ אֶת־זְכַרְיָה֙ בֶּן־יְהוֹיָדָ֣ע הַכֹּהֵ֔ן וַיַּעֲמֹ֖ד מֵעַ֣ל לָעָ֑ם וַיֹּ֨אמֶר לָהֶ֜ם כֹּ֣ה ׀ אָמַ֣ר הָאֱלֹהִ֗ים לָמָה֩ אַתֶּ֨ם עֹבְרִ֜ים אֶת־מִצְוֺ֤ת יְהוָה֙ וְלֹ֣א תַצְלִ֔יחוּ כִּֽי־עֲזַבְתֶּ֥ם אֶת־יְהוָ֖ה וַיַּֽעֲזֹ֥ב אֶתְכֶֽם׃

O Espírito de Deus se apoderou de Zacarias. *Zacarias,* filho de Joiada que provavelmente se tornara o sumo sacerdote, foi inspirado pelo Espírito de Deus a fazer um severo protesto e a predizer o desastre para o povo de Judá. O homem pôs-se de pé sobre uma espécie de plataforma, num nível acima do povo, e enviou grande diatribe contra a idolatria. Ele pagou seu ato com a própria vida (ver o vs. 21). O culto de Yahweh, conforme era exigido e direcionado pela legislação mosaica, havia sido descontinuado. Por isso foi dito, com toda a razão, que o povo tinha "abandonado a Yahweh" e em breve seria abandonado por ele. O partido idólatra logo seria olvidado.

Ellicott supunha que Zacarias tivesse tomado os degraus do átrio interior do templo, pondo-se defronte do povo reunido no átrio exterior. Talvez fosse uma reunião formal convocada pelo próprio sumo sacerdote. Cf. a linguagem similar, usada em 2Cr 12.5 e 15.2. Ninguém podia abandonar Yahweh e não ser abandonado. A lei da colheita segundo a semeadura garantia esse resultado.

■ 24.21

וַיִּקְשְׁר֣וּ עָלָ֔יו וַיִּרְגְּמֻ֥הוּ אֶ֖בֶן בְּמִצְוַ֣ת הַמֶּ֑לֶךְ בַּחֲצַ֖ר בֵּ֥ית יְהוָֽה׃

Conspiraram contra ele, e o apedrejaram, por mandado do rei. *Quase nem podemos acreditar no que lemos neste versículo.* Quando jovem, Joás tinha promovido o yahwismo e reparado o templo a grande dispêndio de energia. Mas agora o idoso Joás abandonou todo o esforço passado e tornou-se culpado do assassinato de um dos profetas do Senhor! Zacarias dificilmente fora diplomático. Ele não respeitou as formas religiosas das outras pessoas. Mas assassinato? Ver no *Dicionário* o artigo chamado *Apedrejamento*.

"A ousada liberdade e energia da reprimenda, bem como a sua denúncia e predição de calamidades nacionais, que certamente e em breve ocorreriam, foram coisas não apetecíveis para o rei. Portanto, ele despertou as ferozes paixões das multidões, aquele bando de incrédulos que, por instigação do rei, apedrejou o profeta até ele morrer (cf. Mt 23.35)" (Jamieson, *in loc.*).

Pense só nisso, leitor! O pai de Zacarias tinha salvado o pobre bebê Joás da morte, guindando-o posteriormente ao trono de Judá. A esposa de Joiada havia protegido o menino por três anos. Mas, sem um pingo de gratidão, e de maneira desavergonhada e brutal, o mesmo homem tira a vida do filho do sumo sacerdote Joiada. Foi um ultraje horrendo, um tratamento atroz, próprio de uma mente ingrata. "Quando um homem desvia-se de Deus, o diabo entra nele, e ele se torna capaz de todo tipo de crueldade" (Adam Clarke, *in loc.*).

O caso foi tão notório que Jesus se referiu a ele (ver Mt 23.35) em uma de suas diatribes contra os fariseus. Alguns intérpretes, entretanto, pensam que está em vista aqui outro Zacarias (que nos é desconhecido). Ver as notas expositivas sobre o problema, *in loc.*, no *Novo Testamento Interpretado*.

■ 24.22

וְלֹֽא־זָכַ֞ר יוֹאָ֣שׁ הַמֶּ֗לֶךְ הַחֶ֙סֶד֙ אֲשֶׁ֨ר עָשָׂ֜ה יְהוֹיָדָ֤ע אָבִיו֙ עִמּ֔וֹ וַֽיַּהֲרֹ֖ג אֶת־בְּנ֑וֹ וּכְמוֹת֣וֹ אָמַ֔ר יֵ֥רֶא יְהוָ֖ה וְיִדְרֹֽשׁ׃ פ

Este, ao expirar, disse: O Senhor o verá, e o retribuirá. Em meio à agonia de moribundo, Zacarias proferiu uma maldição contra o rei ímpio e ingrato, clamando para que Yahweh visse o que estava acontecendo e o "requeresse" do rei, de acordo com a lei da colheita conforme a semeadura. Em breve os sírios estariam batendo às portas de Jerusalém, "requerendo" a questão da parte de Joás, o apóstata. Ver Lc 11.51, onde temos uma linguagem similar, empregada por Jesus, que talvez estivesse falando especificamente sobre o caso relatado neste versículo. Ver no *Dicionário* o artigo chamado *Retribuição*. Contrastar isso com a declaração do primeiro mártir cristão (At 7.60), que teve a graça de orar pedindo o perdão para os seus executores. Mas a maldição de Zacarias foi, ao mesmo tempo, uma oração. Os sírios invadiriam Judá; o próprio Joás seria morto sem misericórdia, por parte de conspiradores.

24.23

וַיְהִ֣י ׀ לִתְקוּפַ֣ת הַשָּׁנָ֗ה עָלָ֣ה עָלָיו֮ חֵ֣יל אֲרָם֒ וַיָּבֹ֗אוּ אֶל־יְהוּדָה֙ וִיר֣וּשָׁלִַ֔ם וַיַּשְׁחִ֛יתוּ אֶת־כָּל־שָׂרֵ֥י הָעָ֖ם מֵעָ֑ם וְכָל־שְׁלָלָ֥ם שִׁלְּח֖וּ לְמֶ֥לֶךְ דַּרְמָֽשֶׂק׃

Antes de se findar o ano subiu contra Joás o exército dos siros. Antes que aquele mesmo ano terminasse, os sírios puseram-se diante de Jerusalém "requerendo" vingança contra o abominável rei, por causa de sua apostasia e assassinato de Zacarias, que tinha protestado contra a idolatria fomentada pelo rei e pelos príncipes de Judá. Cf. 2Rs 12.17 ss. *Hazael* equiparava-se a Joás quanto à brutalidade. Ele era um homem que fazia campanhas de guerra que incluíram *Jerusalém*. Hazael era o "rei" de Damasco, embora não seja mencionado por nome no presente versículo. Um grande saque estava ocorrendo fora de Jerusalém, em Judá, onde todos os líderes dos judeus foram mortos. A retribuição divina foi de acordo com a gravidade do crime deles. Joás seria reduzido a nada, antes de o dilúvio sírio terminar, pois ele merecia ricamente esse tratamento, por causa de sua apostasia e assassinato do inocente Zacarias. "Os príncipes apóstatas foram alcançados pela condenação profética" (Ellicott, *in loc*.). Ao que tudo indica, Hazael permaneceu em Gate, enquanto o corpo principal do exército sírio penetrou no território de Judá, espalhando terror e confusão. Ver o relato em 2Rs 12.17 ss. quanto a detalhes que o cronista omitiu em seu relato.

24.24

כִּ֤י בְמִצְעַר֙ אֲנָשִׁ֔ים בָּ֖אוּ חֵ֣יל אֲרָ֑ם וַֽיהוָה֙ נָתַ֤ן בְּיָדָם֙ חַ֣יִל לָרֹ֣ב מְאֹ֔ד כִּ֣י עָֽזְב֔וּ אֶת־יְהוָ֖ה אֱלֹהֵ֣י אֲבוֹתֵיהֶ֑ם וְאֶת־יוֹאָ֖שׁ עָשׂ֥וּ שְׁפָטִֽים׃

Ainda que o exército dos siros viera com poucos homens. O *corpo principal* do exército sírio permaneceu em campanha militar fora de Judá. Mas com a ajuda de Yahweh, foi capaz de lançar grande confusão em Judá, com um bando armado relativamente pequeno. Yahweh-Elohim estava executando julgamento contra a apostatada nação de Judá e, especificamente, contra Joás, que havia tomado decisões fatais e cometido crimes horrendos. Os soldados sírios, portanto, foram agentes nas mãos de Yahweh, conforme deixa claro este versículo. Cf. com Êx 12.12 e Ez 5.10.

24.25

וּבְלֶכְתָּ֣ם מִמֶּ֗נּוּ כִּֽי־עָזְב֣וּ אֹתוֹ֮ בְּמַחֲלוּיִ֣ם רַבִּים֒ הִתְקַשְּׁר֨וּ עָלָ֜יו עֲבָדָ֗יו בִּדְמֵי֙ בְּנֵי֙ יְהוֹיָדָ֣ע הַכֹּהֵ֔ן וַיַּֽהַרְגֻ֥הוּ עַל־מִטָּת֖וֹ וַיָּמֹ֑ת וַֽיִּקְבְּרֻ֙הוּ֙ בְּעִ֣יר דָּוִ֔יד וְלֹ֥א קְבָרֻ֖הוּ בְּקִבְר֥וֹת הַמְּלָכִֽים׃ ס

Quando os siros se retiraram dele, deixando-o gravemente enfermo. Os vss. 20 e 25-27 são, essencialmente, uma reinterpretação de 2Rs 12.19-21, onde ofereci notas expositivas adicionais. O cronista não tratou do suborno pago por Joás para livrar Jerusalém dos invasores, mas teve de sacrificar os tesouros do templo. Ver 2Rs 12.18. Presumivelmente, Judá foi sujeitado a tributo pela Síria, o que não é mencionado especificamente pelos autores dos livros de Reis e Crônicas.

Nos conflitos armados, Joás, rei de Judá, foi ferido severamente. Portanto, seus próprios servos conspiraram contra ele, para livrar-se de um agora inútil rei. Disso resultou o seu assassinato. Mataram-no em seu próprio leito. O cronista acrescenta que eles fizeram isso (pelo menos parcialmente), porque Joás havia matado o profeta Zacarias. Portanto, a vingança de Yahweh foi aplicada, e assim foi satisfeita a *Lei Moral da Colheita segundo a Semeadura*. Ver sobre essa lei no *Dicionário*. Cf. este versículo ao seu paralelo aproximado, 2Rs 12.20. Os conspiradores mataram o rei Joás em seu leito, em sua casa, em Milo. O autor sacro não diz que o ato foi cometido *conscientemente* pelos auxiliares do rei para vingar a morte de Zacarias. Isso pode ter sido verdade ou não. Mas, de fato, a vingança de Yahweh foi feita.

Um Sepultamento Inglório. O antes bom, mas agora muito ruim rei de Judá não mereceu as honrarias prestadas aos reis "bons". Ele foi, realmente, sepultado em Jerusalém, mas não entre os sepulcros dos reis. Ver no *Dicionário* o verbete denominado *Sepulcro dos Reis*. Cf. 2Cr 21.20, onde a mesma coisa é dita acerca do ímpio Jeorão. Contraste esse sepultamento inglório com o sepultamento de Joiada, o sumo sacerdote (ver 2Cr 24.16).

24.26

וְאֵ֖לֶּה הַמִּתְקַשְּׁרִ֣ים עָלָ֑יו זָבָ֗ד בֶּן־שִׁמְעָת֙ הָעַמּוֹנִ֔ית וִיהוֹזָבָ֕ד בֶּן־שִׁמְרִ֖ית הַמּוֹאָבִֽית׃

Foram estes os que conspiraram contra ele. *Os Conspiradores*. O cronista tinha um relato exato para contar. Ele sabia os nomes dos assassinos de Joás. Ver esses nomes no *Dicionário* quanto a detalhes. Talvez a triste lista de nomes tenha tido o intuito de chamar a atenção para quão "bem" eles desempenharam a parte que lhes coube, merecendo crédito por serem os instrumentos da vingança de Yahweh. Talvez tenhamos aqui apenas uma curiosidade histórica, algo que satisfaz a curiosidade acerca de *quem* executou esse trabalho. O paralelo é 2Rs 12.21, onde ofereço notas expositivas adicionais. Há alguma variação nas listas de nomes apresentados. Talvez sejam relatos suplementares, e cada qual com uma lista parcial de conspiradores. Quase certamente, diferentes fontes informativas foram seguidas pelos respectivos autores.

24.27

וּבָנָ֞יו וְרֹ֧ב הַמַּשָּׂ֣א עָלָ֗יו וִיסוֹד֙ בֵּ֣ית הָאֱלֹהִ֔ים הִנָּ֣ם כְּתוּבִ֔ים עַל־מִדְרַ֖שׁ סֵ֣פֶר הַמְּלָכִ֑ים וַיִּמְלֹ֛ךְ אֲמַצְיָ֥הוּ בְנ֖וֹ תַּחְתָּֽיו׃ פ

Quanto a seus filhos, e às numerosas sentenças proferidas contra ele. O cronista termina o seu relato com uma meia nota *post-mortem*. Joás, realmente, tinha algumas coisas a seu crédito. Ele agiu bem em sua juventude, mas houve "muitos oráculos contra ele" (*Revised Standard Version*). Ele se tornou um homem mau, e depois pior ainda. Os profetas clamaram contra a apostasia dele, e Yahweh o executou após ele ter cometido o erro fatal de matar o filho do sumo sacerdote Joiada. Sua história ficou registrada "no livro dos reis", ou "no livro da história dos reis de Judá", segundo lemos em 2Rs 12.19. Quanto a notas expositivas sobre esse livro, uma das principais fontes informativas sobre as histórias dos reis, ver 1Rs 14.19. Ver sobre outros livros que serviram como fontes informativas dos livros canônicos do Antigo Testamento, em 2Cr 9.29 e 12.12.

Seus filhos. Quantos filhos Joás teve é algo que não é dito, mas o versículo os inclui na retribuição que sobreveio ao pai. Contra os filhos de Joás também foram proferidos pesados oráculos. Eles preferiram seguir as maldades do velho Joás, e não as virtudes do jovem Joás.

Sentenças. No hebraico, *massa*, uma palavra que pode significar que aos filhos de Joás foram impostos tributos por parte da Síria e de outras potências estrangeiras. Contudo, essa palavra pode significar "sentença pesada de um oráculo condenatório". Ver 2Cr 17.11 quanto à mesma palavra usada com o sentido de *tributo*.

História. Alguns preferem traduzir este vocábulo como "comentário". Nesse caso, pode ter havido um comentário escrito sobre as Crônicas (ver 2Rs 12.19), formando um livro adicional, ou, mais provavelmente ainda, o cronista meramente usou aqui um título diferente para o mesmo livro.

Amazias. Ver sobre a história dele no capítulo 25 de 2Crônicas.

CAPÍTULO VINTE E CINCO

AMAZIAS (25.1-28)

Quanto a detalhes, ver os três artigos do *Dicionário* intitulados *Amazias; Reino de Judá;* e *Rei, Realeza*. Provi gráficos sobre os reis no terceiro desses artigos. O cronista não nos forneceu relatos paralelos sobre os reis de Israel (as tribos do norte) e de Judá (o sul), conforme fez o autor dos livros de Reis. O propósito dele era exaltar a dinastia davídica, que continuou no sul após o cisma provocado por Roboão (rei de Judá e filho de Salomão) e Jeroboão. O autor escreveu terminado o cativeiro babilônico, e precisou demonstrar como, embora fosse *uma única* tribo, Judá teve *autoridade política* de transformar-se em Israel e continuar a história dessa nação distintiva. Essa autoridade, o autor sacro achava na continuidade da dinastia davídica. Então, terminado o cativeiro babilônico, alguns levitas retornaram a Jerusalém, conferindo *autoridade espiritual* para levar adiante o novo Israel, a saber, a tribo de Judá, que se tornara Israel.

Amazias, filho de Joás, reinou por nada menos de 29 anos (796-767 a.C.) e agradou a Yahweh, embora não o tivesse feito de todo o coração. "Um de seus primeiros atos oficiais foi vingar o assassinato de seu pai (ver 2Cr 24.25,26), mas seu coração em favor de Deus é visto no fato de ele ter poupado os filhos dos assassinos, em concordância com o princípio mosaico de que os filhos não devem ser punidos pelos pecados de seus pais (ver Dt 24.16)" (Eugene H. Merrill, *in loc.*). Naturalmente, alguns versículos ensinam o contrário desse princípio. Ver meu comentário sobre esse versículo quanto aos dois lados da questão. Cf. Dt 5.9.

■ 25.1

בֶּן־עֶשְׂרִ֨ים וְחָמֵ֤שׁ שָׁנָה֙ מָלַ֣ךְ אֲמַצְיָ֔הוּ וְעֶשְׂרִ֤ים וָתֵ֙שַׁע֙ שָׁנָ֔ה מָלַ֖ךְ בִּירוּשָׁלָ֑͏ִם וְשֵׁ֣ם אִמּ֔וֹ יְהוֹעַדָּ֖ן מִירוּשָׁלָֽיִם׃

Era Amazias da idade de vinte e cinco anos. Quanto aos nomes próprios que figuram neste versículo, ver o *Dicionário*. O reinado relativamente longo de Amazias (796-767 a.C.) significou, para a mente dos hebreus, que Yahweh o abençoou por seu razoável desempenho como rei (vs. 2). Ver as notas dadas imediatamente acima. 2Rs 14.2 é um trecho paralelo direto, e ali ofereço notas expositivas adicionais, incluindo informações comparativas sobre o que acontecia no norte durante o período.

■ 25.2

וַיַּ֥עַשׂ הַיָּשָׁ֖ר בְּעֵינֵ֣י יְהוָ֑ה רַ֕ק לֹ֖א בְּלֵבָ֥ב שָׁלֵֽם׃

Fez ele o que era reto perante o Senhor. Ver a declaração mais detalhada no trecho paralelo de 2Rs 14.3. Amazias agiu bem, mas não podia comparar-se a Davi, o rei ideal, que agiu de maneira muito melhor. Ver sobre *Davi, rei ideal de Israel*, em 1Rs 15.3, e sobre *rei ideal* em Dt 17.14 ss. Amazias, tal como seu pai, Joás, começou bem, mas terminou na idolatria (vss. 14 e 15). Por conseguinte, a velha história se repetiu. Supõe-se que, conforme um homem envelhece, ele melhore, torne-se *mais sábio*. Na história dos reis de Judá, parece que a regra prevalente foi que os reis, quando jovens, eram bons, mas ao envelhecer caíam em uma série de desgraças. Amazias, pois, seguiu o exemplo, e então o contraexemplo de seu pai, mas não o modelo ideal de Davi. Joás, na verdade, deixou um exemplo bastante confuso. Três coisas um pai deve a seu filho: exemplo, exemplo, exemplo. Ver na *Enciclopédia de Bíblia, Teologia e Filosofia* o verbete intitulado *Exemplo*.

■ 25.3

וַיְהִ֕י כַּאֲשֶׁ֛ר חָזְקָ֥ה הַמַּמְלָכָ֖ה עָלָ֑יו וַֽיַּהֲרֹג֙ אֶת־עֲבָדָ֔יו הַמַּכִּ֖ים אֶת־הַמֶּ֥לֶךְ אָבִֽיו׃

Matou os seus servos que tinham assassinado o rei seu pai. *Vingança.* Levado pela honra da família, Amazias vingou a morte do pai, a despeito do fato de o abominável Joás merecer o que tinha recebido. Ver 2Rs 14.5, um paralelo direto e onde está a exposição. Note como o cronista deixou de mencionar o fato de Amazias não ter removido os lugares altos (ver 2Rs 14.4). Portanto, por esse motivo, sabemos que ele não agiu de modo tão bom quanto Davi, mas, antes, seguiu primeiramente o exemplo e depois o contraexemplo deixado por seu pai, Joás.

■ 25.4

וְאֶת־בְּנֵיהֶ֖ם לֹ֣א הֵמִ֑ית כִּ֣י כַכָּת֣וּב בַּתּוֹרָ֡ה בְּסֵ֣פֶר מֹשֶׁה֩ אֲשֶׁר־צִוָּ֨ה יְהוָ֜ה לֵאמֹ֗ר לֹא־יָמ֨וּתוּ אָב֤וֹת עַל־בָּנִים֙ וּבָנִים֙ לֹא־יָמ֣וּתוּ עַל־אָב֔וֹת כִּ֛י אִ֥ישׁ בְּחֶטְא֖וֹ יָמֽוּתוּ׃ פ

Porém os filhos deles não matou. Este versículo é paralelo direto de 2Rs 14.6, onde ofereço a exposição. Os dois versículos são quase verbatim.

■ 25.5,6

וַיִּקְבֹּ֤ץ אֲמַצְיָ֙הוּ֙ אֶת־יְהוּדָ֔ה וַיַּֽעֲמִידֵ֣ם לְבֵית־אָב֔וֹת לְשָׂרֵ֥י הָאֲלָפִ֖ים וּלְשָׂרֵ֣י הַמֵּא֑וֹת לְכָל־יְהוּדָ֖ה וּבִנְיָמִ֑ן וַֽיִּפְקְדֵ֗ם לְמִבֶּ֨ן עֶשְׂרִ֤ים שָׁנָה֙ וָמַ֔עְלָה וַיִּמְצָאֵ֗ם שְׁלֹשׁ־מֵא֤וֹת אֶ֙לֶף֙ בָּח֔וּר יוֹצֵ֣א צָבָ֔א אֹחֵ֖ז רֹ֥מַח וְצִנָּֽה׃

וַיִּשְׂכֹּ֣ר מִיִּשְׂרָאֵ֗ל מֵ֥אָה אֶ֖לֶף גִּבּ֣וֹר חָ֑יִל בְּמֵאָ֖ה כִכַּר־כָּֽסֶף׃

Amazias congregou a Judá. *A Convocação Militar.* Amazias parecia ansioso por entrar no negócio das matanças. Essa desgraça sem dúvida estava no código genético dos reis de Israel e Judá. Para matar com eficiência, o rei precisava dispor de uma boa máquina de matança. Portanto, ele reuniu um exército de trezentos mil homens, um bom número de homens armados para duas tribos, Judá e Benjamim. Ato contínuo, contratou uma força mercenária de cem mil homens de Israel, as tribos do norte (vs. 6). Isso lhe custou cem talentos de prata, ou seja, cerca de três toneladas e três quartos. Envolver assim o norte equivalia a fazer uma aliança profana, porquanto as tribos do norte viviam perpetuamente em estado de apostasia comparável ao das nações pagãs.

Comparações. O exército de Amazias era bem menor que o de Josafá (ver 2Cr 17.14-18), a metade do exército de Asa (2Cr 14.8); mas era suficiente para o propósito em mente. Amazias treinou bem a esse seu exército e em breve estaria ocupado em sua diversão principal.

Quanto ao valor do talento, ver na *Enciclopédia de Bíblia, Teologia e Filosofia* o verbete chamado *Dinheiro*, III.2, e também *Pesos e Medidas*, IV.A. Mas não há como traduzir esses valores para o equivalente ao dinheiro moderno. Podemos ter certeza, no entanto, de que o rei Amazias estava gastando grande soma para suas guerras. Seu primeiro objeto de ataque foi Edom (vs. 11). Ver 2Rs 14.7, onde somos informados de que o exército de Amazias matou dez mil edomitas. Ver também 2Cr 25.11.

■ 25.7,8

וְאִ֣ישׁ הָאֱלֹהִ֗ים בָּ֤א אֵלָיו֙ לֵאמֹ֔ר הַמֶּ֕לֶךְ אַל־יָבֹ֥א עִמְּךָ֖ צְבָ֣א יִשְׂרָאֵ֑ל כִּ֣י אֵ֤ין יְהוָה֙ עִם־יִשְׂרָאֵ֔ל כֹּ֖ל בְּנֵ֥י אֶפְרָֽיִם׃

כִּ֚י אִם־בֹּ֣א אַתָּ֔ה עֲשֵׂ֖ה חֲזַ֣ק לַמִּלְחָמָ֑ה יַכְשִֽׁילְךָ֤ הָאֱלֹהִים֙ לִפְנֵ֣י אוֹיֵ֔ב כִּ֥י יֶשׁ־כֹּ֛חַ בֵּאלֹהִ֖ים לַעְז֥וֹר וּלְהַכְשִֽׁיל׃

Porém certo homem de Deus veio a ele, dizendo. *A Repreenda.* Alugar aqueles cem mil homens das tribos do norte (Israel) era o equivalente a fazer aliança com um poder pagão estrangeiro, visto que Israel era desesperadamente apostatado. Yahweh jamais abençoaria essa união, e a derrota era certa (vs. 8). Um profeta cujo nome não nos é dado, mas homem de Deus, foi enviado para comunicar essa ameaçadora mensagem ao rei. Amazias ouviu os conselhos do homem de Deus, mas isso enfureceu os soldados das tribos do norte, de maneira que uma circunstância nova e destrutiva acabou desenrolando-se. As tradições judaicas tentam preencher esse vácuo, e assim chamam o profeta sem nome de Amós (irmão do rei) e pai de Isaías, mas nisso não parece haver fundamento. (Ver *Seder Olam Rabba*, cap. 20). A força está em Deus, e voltar-se contra o Senhor é perder a força. Ver 2Cr 20.6; 1Cr 29.12 e Sl 9.3. Yahweh é quem determinava o resultado da guerra, portanto era demonstração de sabedoria seguir as suas instruções.

■ 25.9

וַיֹּ֤אמֶר אֲמַצְיָ֙הוּ֙ לְאִ֣ישׁ הָאֱלֹהִ֔ים וּמַֽה־לַּעֲשׂוֹת֙ לִמְאַ֣ת הַכִּכָּ֔ר אֲשֶׁ֥ר נָתַ֖תִּי לִגְד֣וּד יִשְׂרָאֵ֑ל וַיֹּ֙אמֶר֙ אִ֣ישׁ הָאֱלֹהִ֔ים יֵ֚שׁ לַֽיהוָ֔ה לָ֥תֶת לְךָ֖ הַרְבֵּ֥ה מִזֶּֽה׃

Muito mais do que isso pode dar-te o Senhor. Pela descrição de que o rei permitiu aos mercenários conservar consigo o dinheiro, é evidente que Amazias os enviou de volta para o norte. Embora tivessem permanecido com o dinheiro, ainda assim ficaram ofendidos e furiosos. É provável que quisessem ir à guerra porque, afinal, lutavam somente pelo que era de direito e por diversão. Naturalmente, o *saque* era o verdadeiro salário dos soldados antigos, assim os cem talentos seriam apenas uma primeira prestação de coisas *melhores* por vir. E o homem de Deus relembrou a Amazias — que estava preocupado com o agora inútil dinheiro perdido — que Yahweh era a verdadeira fonte da sabedoria e restauraria a perda. O saque seria muito grande e, além disso, Deus tem uma maneira de dar-nos dinheiro que chega a surpreender-nos. Yahweh, pois, surpreenderia o rei Amazias, se ele fizesse corretamente suas alianças.

■ 25.10

וַיַּבְדִּילֵם אֲמַצְיָהוּ לְהַגְּדוּד אֲשֶׁר־בָּא אֵלָיו מֵאֶפְרַיִם לָלֶכֶת לִמְקוֹמָם וַיִּחַר אַפָּם מְאֹד בִּיהוּדָה וַיָּשׁוּבוּ לִמְקוֹמָם בָּחֳרִי־אָף: פ

Então separou Amazias as tropas que lhe tinham vindo de Efraim. Os *soldados* das tribos do norte sem dúvida estavam felizes por terem recebido os cem talentos de prata; mas estavam muito *infelizes* por terem sido furtados de seu lucro maior através do saque. Ademais, selvagens gostam de lutar, matar ou ser mortos, e o rei de Judá furtou àqueles homens a diversão que eles esperavam receber. O *príncipe Andrew* foi enviado com as tropas inglesas para lutar nas ilhas Malvinas contra os argentinos. Os brasileiros expressaram surpresa de que um "príncipe" tivesse sido enviado, pois assim a vida de um membro da família real estaria em perigo. Mas assegurei aos brasileiros (tendo sangue inglês eu mesmo) que estava no código genético do príncipe lutar, e que ele foi *ansiosamente*, não com relutância, para a batalha.

É provável que os soldados da tribo de Efraim também estivessem conscientes da *razão* por trás de sua despedida. Eles eram "idólatras" e "apóstatas", indignos de lutar lado a lado com soldados do "puro sul". Isso, sem dúvida, ofendeu a honra deles e inflamou ainda mais a ira que os guiava. Em breve o norte estaria lutando contra o sul, e o sul (Judá) seria derrotado redondamente, como o restante do capítulo nos informa. Dessa forma Israel obteria a sua vingança.

■ 25.11

וַאֲמַצְיָהוּ הִתְחַזַּק וַיִּנְהַג אֶת־עַמּוֹ וַיֵּלֶךְ גֵּיא הַמֶּלַח וַיַּךְ אֶת־בְּנֵי־שֵׂעִיר עֲשֶׂרֶת אֲלָפִים:

Animou-se Amazias, e, conduzindo o seu povo. O *paralelo aproximado* é 2Rs 14.7, que adiciona alguns detalhes que não foram dados pelo cronista. Ambos os trechos falam sobre a matança dos dez mil homens do monte Seir, isto é, Edom. Para realizar o seu propósito, Amazias teve de preparar as suas forças e encorajar-se, conforme exortado pelo profeta (vs. 8). O resultado previsto de tal ato (enviar os mercenários de volta a seu ponto de origem, a tribo de Efraim) teve cumprimento. Deus fez o inimigo cair, porque o rei o havia agradado.

Dos filhos de Seir. Isto é, os edomitas. Cf. Gn 36.9; 2Cr 20.2 e 22. Ver os nomes próprios no *Dicionário*, quanto a detalhes.

■ 25.12

וַעֲשֶׂרֶת אֲלָפִים חַיִּים שָׁבוּ בְּנֵי יְהוּדָה וַיְבִיאוּם לְרֹאשׁ הַסָּלַע וַיַּשְׁלִיכוּם מֵרֹאשׁ־הַסֶּלַע וְכֻלָּם נִבְקָעוּ: ס

Também os filhos de Judá prenderam vivos dez mil. Cheios de ódio e brutalidade, o exército de Judá tomou outros dez mil cativos e precipitou-os do alto de uma rocha para que morressem. Assim, o total de mortos foi de vinte mil idumeus, um ótimo resultado para um dia de trabalho. Que pode ser dito acerca de tais coisas? Quão selvagens eram e são os homens, e onde está o Espírito de Deus em tais acontecimentos? É difícil pensar em *justiça* em tais atos. "Esse selvagem massacre de prisioneiros não é mencionado nos livros de Reis, mas é perfeitamente crível em face de 1Cr 20.3; Sl 137.9; 2Rs 8.12; Am 1.11,12; 1Rs 11.15,16, que dizem que Joabe matou todo indivíduo do sexo masculino de Edom" (Ellicott, *in loc.*).

"... a rocha, provavelmente a mesma coisa que o nome da cidade de Petra, a metrópole de Edom, também chamada Sela (2Rs 14.7), que significa *rocha*. Josefo (*Antiq.* 1.9, cap. 19, sec. 1) chama-a de a *grande rocha* da Arábia, isto é, Arabia Petraea" (John Gill, *in loc.*). O ato de lançar pessoas de altos penhascos era um antigo modo de execução, empregado tanto pelos gregos quanto pelos romanos (Liv. Hist. 1.6, cap. 20). Cf. Lc 4.29. Naturalmente, também era um ato insensível de descarregar o ódio e matar. Ver Sl 137.9.

■ 25.13

וּבְנֵי הַגְּדוּד אֲשֶׁר הֵשִׁיב אֲמַצְיָהוּ מִלֶּכֶת עִמּוֹ לַמִּלְחָמָה וַיִּפְשְׁטוּ בְּעָרֵי יְהוּדָה מִשֹּׁמְרוֹן וְעַד־בֵּית חוֹרוֹן וַיַּכּוּ מֵהֶם שְׁלֹשֶׁת אֲלָפִים וַיָּבֹזּוּ בִּזָּה רַבָּה: ס

Porém os homens das tropas que Amazias despedira. *Vingança.* Enquanto Amazias matava os idumeus, os mercenários da tribo de Efraim, que o rei tinha contratado e depois despedido (vs. 10), estavam ocupados em matar judeus. Eles estavam ansiosos para saquear a Edom e, privados dessa diversão, resolveram assolar Judá. Essa vingança deve ter parecido especialmente doce para eles, e nunca pararam de jactar-se do feito. Eles mataram três mil homens (não muito, em comparação com o que Amazias fizera entre os edomitas), mas levaram muitos despojos. Dessa forma, aumentaram enormemente seus salários. Amazias, enraivecido pela estupidez do acontecimento, precipitou-se a combater os homens de Efraim, somente para sofrer grande dano. Finalmente, Amazias morreu em meio a uma conspiração contra ele, em Jerusalém.

Desde Samaria, até Bete-Horom. Provavelmente o cronista quis dizer exatamente o contrário: de Bete-Horom até Samaria. Por todo o caminho para casa, eles se ocuparam em matar e saquear. Deixaram uma trilha de sangue e destruição por cerca de oitenta quilômetros. Talvez o exército efraimita tenha ido primeiramente para seus lares, e depois desceu novamente, matando e saqueando de Samaria até Bete-Horom.

■ 25.14

וַיְהִי אַחֲרֵי בוֹא אֲמַצְיָהוּ מֵהַכּוֹת אֶת־אֲדוֹמִים וַיָּבֵא אֶת־אֱלֹהֵי בְּנֵי שֵׂעִיר וַיַּעֲמִידֵם לוֹ לֵאלֹהִים וְלִפְנֵיהֶם יִשְׁתַּחֲוֶה וְלָהֶם יְקַטֵּר:

Vindo Amazias da matança dos edomitas. *Uma Insensata Estupidez.* Amazias obtivera grande vitória no monte Seir. Portanto, o que ele fez? Trouxe de volta para Jerusalém os ídolos daquele lugar e estabeleceu-os na capital, inclinando-se diante deles em adoração! Os antigos pensavam que seus deuses os ajudavam a ganhar vitória e sempre tinham "reuniões de oração" antes das batalhas, em busca de ajuda sobrenatural. Mas vemos aqui Amazias a adorar os deuses que tinham falhado em ajudar os idumeus. Ao agir assim, ele se fez um insensato total. As inscrições assírias confirmam essa espécie de estupidez: reis conquistadores levando para suas terras os deuses de povos conquistados. O autor dos livros de Reis deixara de lado a incrível conduta de Amazias, pintando assim um quadro melhor do rei; mas não há razão em duvidarmos da avaliação mais melancólica. Amazias tinha uma espécie estranha de paixão pela idolatria em geral, pois não teria feito o que fez não fora essa paixão. Ele foi "... tolo, ignorante e altamente ofensivo contra Deus" (Jamieson, *in loc.*). "... a maior estupidez imaginável, adorar os deuses de uma nação conquistada, visto que tais deuses não tinham podido salvá-la; que ajuda poderia ele esperar da parte desses deuses?" (John Gill, *in loc.*).

■ 25.15,16

וַיִּחַר־אַף יְהוָה בַּאֲמַצְיָהוּ וַיִּשְׁלַח אֵלָיו נָבִיא וַיֹּאמֶר לוֹ לָמָּה דָרַשְׁתָּ אֶת־אֱלֹהֵי הָעָם אֲשֶׁר לֹא־הִצִּילוּ אֶת־עַמָּם מִיָּדֶךָ:

וַיְהִי בְּדַבְּרוֹ אֵלָיו וַיֹּאמֶר לוֹ הֲלְיוֹעֵץ לַמֶּלֶךְ נְתַנּוּךָ חֲדַל־לְךָ לָמָּה יַכּוּךָ וַיֶּחְדַּל הַנָּבִיא וַיֹּאמֶר יָדַעְתִּי כִּי־יָעַץ אֱלֹהִים לְהַשְׁחִיתֶךָ כִּי־עָשִׂיתָ זֹּאת וְלֹא שָׁמַעְתָּ לַעֲצָתִי: פ

A ira do Senhor se acendeu contra Amazias, e mandou-lhe um profeta. *Um profeta cujo nome não foi dado* entregou, a mando do Senhor, uma diatribe contra o rei Amazias e salientou a total estupidez de seu ato. Os deuses impotentes dos idumeus deixaram-nos desamparados, permitindo que os judeus os matassem. Portanto, poderiam eles ter algum uso possível para o rei de Judá? O profeta, pois, aproveitou a oportunidade de repreendê-lo pela sua *apostasia geral*, e não meramente por causa daquele ato ridículo. Conforme o profeta foi-se incensando, assim também foi-se enfurecendo o rei, que acabou ameaçando-o de execução, tal como Joás tinha executado a Zacarias (vs. 16; ver também 2Cr 24.21). Se o profeta não calasse a boca, poderia ser calado pela própria morte. Afinal, ele não fora feito conselheiro do rei e não tinha o direito de mostrar-se tão desrespeitoso. O profeta, então, querendo continuar vivo, parou, mas não sem antes ter lançado mais um ataque contra o rei: "Deus te destruirá. Disso eu sei. E ficarás triste por não teres dado ouvidos ao meu conselho". Para que Amazias fosse devidamente castigado por todos esses atos estúpidos, ele precisava de alguma espécie de inspiração. Alguém, cujo nome também não foi dado (vs. 17), aconselhou-o a atacar o rei Jeoás, de Israel. Mas esse ataque foi feito para queda de Amazias, a qual teria de ocorrer como seu julgamento apropriado. Devemos compreender que esse *mau conselho* veio ao rei Amazias através de um instrumento humano, mas *Yahweh* estava por trás do acontecimento todo.

■ **25.17**

וַיִּוָּעַץ אֲמַצְיָהוּ מֶלֶךְ יְהוּדָה וַיִּשְׁלַח אֶל־יוֹאָשׁ
בֶּן־יְהוֹאָחָז בֶּן־יֵהוּא מֶלֶךְ יִשְׂרָאֵל לֵאמֹר לְךָ
נִתְרָאֶה פָנִים׃

Então Amazias, rei de Judá, tomou conselho e enviou mensageiros a Jeoás. *Um Mau Conselho.* Os mercenários de Efraim que o rei Amazias tinha mandado de volta para casa ficaram furiosos e mataram e saquearam tudo, desde Bete-Horom até Samaria. Os conselheiros de Amazias, entretanto, disseram que ele deveria vingar-se desse erro. Ora, Amazias estava inchado devido à extraordinária vitória sobre os idumeus, e pensou ser capaz de qualquer coisa. Portanto, exprimiu o desejo de enfrentar Jeoás "face a face", uma expressão idiomática do hebraico que significa "vamos guerrear". Jeoás, rei de Israel, não tinha tempo para ocupar-se com batalhas triviais e zombou do rei de Judá. Isso serviu somente para adicionar combustível à fogueira, e a guerra tornou-se inevitável. Amazias estava prestes a ser punido por causa de sua apostasia. Yahweh continuava a controlar as guerras. Cf. o paralelo aproximado de 2Rs 14.8-10. O rei Amazias, tendo repelido o conselho do profeta (vs. 16), tomou mau conselho e agora sofreria redundante derrota. Mas Yahweh estava por trás dos acontecimentos.

■ **25.18**

וַיִּשְׁלַח יוֹאָשׁ מֶלֶךְ־יִשְׂרָאֵל אֶל־אֲמַצְיָהוּ מֶלֶךְ־יְהוּדָה
לֵאמֹר הַחוֹחַ אֲשֶׁר בַּלְּבָנוֹן שָׁלַח אֶל־הָאֶרֶז אֲשֶׁר
בַּלְּבָנוֹן לֵאמֹר תְּנָה־אֶת־בִּתְּךָ לִבְנִי לְאִשָּׁה וַתַּעֲבֹר
חַיַּת הַשָּׂדֶה אֲשֶׁר בַּלְּבָנוֹן וַתִּרְמֹס אֶת־הַחוֹחַ׃

Porém Jeoás, rei de Israel, respondeu a Amazias, rei de Judá. Este versículo é virtualmente cópia palavra por palavra de 2Reis 14.9, onde ofereço a exposição.

■ **25.19**

אָמַרְתָּ הִנֵּה הִכִּיתָ אֶת־אֱדוֹם וּנְשָׂאֲךָ לִבְּךָ לְהַכְבִּיד
עַתָּה שְׁבָה בְּבֵיתֶךָ לָמָּה תִתְגָּרֶה בְּרָעָה וְנָפַלְתָּ אַתָּה
וִיהוּדָה עִמָּךְ׃

Tu dizes: Eis que feri os edomitas. Este versículo é uma forma levemente alterada de 2Rs 14.10, onde ofereço as notas expositivas. "O orgulho segue antes da queda."

A soberba precede a ruína,
e a altivez do espírito, a queda.

Provérbios 16.18

■ **25.20**

וְלֹא־שָׁמַע אֲמַצְיָהוּ כִּי מֵהָאֱלֹהִים הִיא לְמַעַן תִּתָּם
בְּיָד כִּי דָרְשׁוּ אֵת אֱלֹהֵי אֱדוֹם׃

Mas Amazias não quis atendê-lo; porque isto vinha de Deus. Este versículo é quase idêntico a 2Rs 14.11. O cronista, entretanto, mostrou-se cuidadoso em informar que Yahweh estava por trás da obstinação de Amazias e de sua recusa em ouvir a voz da razão. Uma grande derrota estava sendo preparada para ele, por parte do Ser divino, de forma que ele tinha de ignorar todo bom conselho, a fim de atirar-se de olhos fechados no meio do seu castigo, com o coração endurecido como uma pedra. Jeoás seria a vara de punição nas mãos de Yahweh. O rei apostatado do sul estava prestes a aprender uma dura lição sobre a lei da colheita segundo a semeadura. Ele havia abandonado Yahweh, e Yahweh estava prestes a abandoná-lo.

Porquanto buscaram os deuses dos edomitas. Parte do orgulho estúpido de Amazias estava alicerçado sobre o fato de que ele havia capturado os deuses de Edom e orado perante aqueles ídolos ridículos. Portanto, ele estava confiando em uma fonte vã de poder. Essa parte da história foi ignorada pelo autor dos livros de Reis. Quanto a eventos de guerra e outros desastres determinados pelo Ser divino, cf. 2Cr 10.15; 24.24 e 25.16.

■ **25.21**

וַיַּעַל יוֹאָשׁ מֶלֶךְ־יִשְׂרָאֵל וַיִּתְרָאוּ פָנִים הוּא וַאֲמַצְיָהוּ
מֶלֶךְ־יְהוּדָה בְּבֵית שֶׁמֶשׁ אֲשֶׁר לִיהוּדָה׃

Subiu então Jeoás, rei de Israel, e Amazias, rei de Judá. Este versículo é cópia, quase palavra após palavra, de 2Rs 14.11, onde são oferecidas as notas expositivas. Mas o autor dos livros de Reis enfatizou como Amazias recusou-se a escutar a qualquer bom conselho. Os homens não morrem; eles se matam. "Amazias não deu ouvidos à recusa beligerante de Jeoás, porquanto Deus tinha determinado que usaria o rei de Israel como sua vara de punição, por causa da idolatria de Amazias" (Eugene H. Merrill, *in loc.*).

■ **25.22**

וַיִּנָּגֶף יְהוּדָה לִפְנֵי יִשְׂרָאֵל וַיָּנֻסוּ אִישׁ לְאֹהָלָיו׃

Judá foi derrotado por Israel. Este versículo é cópia verbatim de 2Rs 14.12, onde a exposição é oferecida.

■ **25.23**

וְאֵת אֲמַצְיָהוּ מֶלֶךְ־יְהוּדָה בֶּן־יוֹאָשׁ בֶּן־יְהוֹאָחָז תָּפַשׂ
יוֹאָשׁ מֶלֶךְ־יִשְׂרָאֵל בְּבֵית שָׁמֶשׁ וַיְבִיאֵהוּ יְרוּשָׁלַםִ
וַיִּפְרֹץ בְּחוֹמַת יְרוּשָׁלַםִ מִשַּׁעַר אֶפְרַיִם עַד־שַׁעַר
הַפּוֹנֶה אַרְבַּע מֵאוֹת אַמָּה׃

E Jeoás, rei de Israel, prendeu a Amazias, rei de Judá. Este versículo é virtualmente idêntico a 2Rs 14.13, onde a exposição é oferecida.

■ **25.24**

וְכָל־הַזָּהָב וְהַכֶּסֶף וְאֵת כָּל־הַכֵּלִים הַנִּמְצְאִים
בְּבֵית־הָאֱלֹהִים עִם־עֹבֵד אֱדוֹם וְאֶת־אֹצְרוֹת בֵּית
הַמֶּלֶךְ וְאֵת בְּנֵי הַתַּעֲרֻבוֹת וַיָּשָׁב שֹׁמְרוֹן׃ פ

Tomou todo o ouro e a prata, e todos os utensílios que se acharam na casa de Deus. Este versículo é virtualmente idêntico a 2Rs 14.14, onde as notas expositivas são oferecidas.

Com Obede-Edom. Temos aqui uma adição feita pelo cronista. A custódia dos tesouros sagrados foi entregue ao clã levítico que atendia por esse nome. Ver 1Cr 26.15 ss. Portanto, os tesouros foram tirados das mãos de seus guardadores. Ver o termo no *Dicionário*. Os *asuppim*, isto é, *coletâneas de tesouros divinos*, vinham sendo guardados por esse clã, geração após geração. O saque foi completo e devastador.

25.25

וַיְחִ֨י אֲמַצְיָ֤הוּ בֶן־יוֹאָשׁ֙ מֶ֣לֶךְ יְהוּדָ֔ה אַחֲרֵ֣י מ֔וֹת יוֹאָ֥שׁ בֶּן־יְהוֹאָחָ֖ז מֶ֣לֶךְ יִשְׂרָאֵ֑ל חֲמֵ֥שׁ עֶשְׂרֵ֖ה שָׁנָֽה׃

Amazias, filho de Joás, rei de Judá. A *vida de Amazias* foi poupada. Ele continuou a governar como rei vassalo, dirigindo um país arruinado. Conseguiu viver quinze anos depois da morte de seu arqui-inimigo, Jeoás, rei de Israel. Talvez isso lhe tenha servido de alguma consolação, embora eu duvide. Ver 2Rs 14.17, o trecho paralelo que este versículo copia quase palavra por palavra.

25.26

וְיֶ֙תֶר֙ דִּבְרֵ֣י אֲמַצְיָ֔הוּ הָרִאשֹׁנִ֖ים וְהָאַחֲרוֹנִ֑ים הֲלֹא֙ הִנָּ֣ם כְּתוּבִ֔ים עַל־סֵ֥פֶר מַלְכֵֽי־יְהוּדָ֖ה וְיִשְׂרָאֵֽל׃

Ora os mais atos de Amazias. Este versículo é virtualmente verbatim de seu trecho paralelo, 2Rs 14.18, onde ofereço a exposição. O cronista chamou o livro que lhe serviu de fonte informativa de "livro dos reis de Judá e de Israel". Mas o autor dos livros de Reis não mencionou as palavras "e de Israel", embora sempre tivesse o cuidado de registrar as histórias dos reis tanto de Israel quanto de Judá, enquanto o cronista só tocava em material relativo às tribos do norte quando isso se relacionava diretamente a histórias sobre algum rei do sul. O autor de Reis menciona o "livro da história dos reis de Israel" como fonte informativa no caso de quase todos os reis sobre os quais comentou. Ver sobre isso em 1Rs 14.19. Ver também 2Cr 9.29; 12.15 quanto a outros livros perdidos usados como fonte informativa pelos autores dos livros canônicos.

25.27

וּמֵעֵ֗ת אֲשֶׁר־סָ֤ר אֲמַצְיָ֙הוּ֙ מֵאַחֲרֵ֣י יְהוָ֔ה וַיִּקְשְׁר֨וּ עָלָ֥יו קֶ֛שֶׁר בִּירוּשָׁלַ֖͏ִם וַיָּ֣נָס לָכִ֑ישָׁה וַיִּשְׁלְח֤וּ אַחֲרָיו֙ לָכִ֔ישָׁה וַיְמִיתֻ֖הוּ שָֽׁם׃

Depois que Amazias deixou de seguir ao Senhor, conspiraram contra ele. Este versículo é quase idêntico ao trecho paralelo de 2Rs 14.19, onde são oferecidas as notas expositivas. O cronista adicionou a cláusula "depois que Amazias deixou de seguir ao Senhor", a fim de enfatizar a *razão* das calamidades que lhe sobrevieram. A melancólica profecia dada através de um profeta desconhecido (vs. 16) cumpriu-se amplamente. Assim aprendemos que a vida dos homens é governada pelo Ser divino, para o bem ou para o mal. Ver no *Dicionário* os verbetes intitulados *Providência de Deus* e *Lei Moral da Colheita segundo a Semeadura*. O cronista sempre se mostrou ansioso por explicar as *razões espirituais* para o sucesso material ou para o desastre, o que o autor dos livros de Reis fazia apenas raramente. O cronista, pois, estava promovendo a sua *filosofia da história*, que anotei imediatamente antes da exposição sobre 2Cr 1.1.

25.28

וַיִּשָּׂאֻ֖הוּ עַל־הַסּוּסִ֑ים וַיִּקְבְּר֥וּ אֹת֛וֹ עִם־אֲבֹתָ֖יו בְּעִ֥יר יְהוּדָֽה׃

Trouxeram-no sobre cavalos e o sepultaram junto a seus pais na cidade de Judá. O trecho paralelo, 2Rs 14.20, é ligeiramente mais completo. Note-se a escorregadela da pena do cronista nas palavras "na cidade de Judá", em lugar de "na cidade de Davi". As versões, porém, fazem a correção, seguindo o livro de 2Reis, e *alguns* manuscritos hebraicos o acompanham. O corpo do rei Amazias foi trazido de volta a Jerusalém em uma carroça puxada por cavalos, mas seu espírito voltou para Deus, que o deu (Ec 12.7). A *vida* do rei Amazias continuou, a despeito de seu cadáver estar decompondo-se em um túmulo. Ver no trecho paralelo as notas expositivas a respeito.

CAPÍTULO VINTE E SEIS

UZIAS (26.1-23)

O *cronista* continuou ignorando os reis das tribos do norte, registrando algo sobre eles apenas quando isso tinha importância na narrativa sobre algum dos reis do sul. Em contraste, o autor dos livros de Reis forneceu relatos paralelos dos reis tanto do norte quanto do sul, em uma ordem cronológica aproximada. Era propósito do cronista fornecer um relato ideal da história do reino do sul, Judá. Ele estava exaltando a dinastia davídica. Uma das razões para isso foi que, após o cativeiro babilônico (quando o livro de Crônicas foi escrito), Judá, uma única tribo, continuou a história de Israel. De fato, foi então que Judá se *tornou* Israel. Para mostrar que essa continuação envolvia *autoridade política*, o cronista demonstrou que a dinastia davídica continuou e garantiu uma nação de Israel autenticada, representada pela tribo de Judá. Todas as tradições religiosas e políticas eram levadas avante pelos homens dessa tribo única. E a *autoridade espiritual* foi garantida pelo retorno de alguns levitas a Jerusalém, terminado o cativeiro babilônico.

O autor dos livros de Crônicas também enfatizou sua *filosofia da história*, do começo ao fim. A história dos homens é divinamente guiada, para o bem ou para o mal. Os homens são considerados moralmente responsáveis por aquilo que fazem. Ver sobre essa filosofia (em seus diversos elementos), na introdução a este livro, imediatamente antes da exposição a 2Cr 1.1.

"Uma pequena torção nas rodas das circunstâncias internacionais produziu *quarenta anos* de prosperidade a Israel sob Jeroboão II, e a Judá, sob Uzias. O detalhe nesses versículos notáveis (2Cr 26.5-15), que não têm paralelo no livro dos Reis, parece implicar claramente o uso de algum documento antigo... O próspero reinado de Uzias correu paralelamente ao governo igualmente longo e próspero de Jeroboão II, sobre Israel. Mas nos livros de Amós, Oseias e Isaías aprendemos vividamente que, sob esses monarcas, a prosperidade era de uma *minoria*, coincidentemente com as misérias que *muitos* padeciam, devido ao crescimento de monstruosas corrupções sociais" (W. A. L. Elmslie, *in loc.*).

26.1

וַיִּקְח֞וּ כָּל־עַ֤ם יְהוּדָה֙ אֶת־עֻזִּיָּ֔הוּ וְה֕וּא בֶּן־שֵׁ֥שׁ עֶשְׂרֵ֖ה שָׁנָ֑ה וַיַּמְלִ֣יכוּ אֹת֔וֹ תַּ֖חַת אָבִ֥יו אֲמַצְיָֽהוּ׃

Todo o povo de Judá tomou a Uzias... e o constituiu rei. Diante da morte prematura de Amazias (ver 2Cr 25.27), seu filho foi feito rei. Note-se que em 2Rs 14.21 Uzias é chamado *Azarias*, uma variante na soletração. O novo rei tinha apenas 16 anos quando começou a reinar, e podemos presumir que por alguns anos ele tenha sido cercado de conselheiros que retiveram o poder real sobre a nação. Uzias reinou por um tempo extraordinariamente longo, 52 anos, de 790 a 739 a.C. Ver o vs. 3 deste capítulo. O cronista sempre usa o nome Uzias, exceto em 1Cr 3.12. Nas inscrições assírias de Tiglate Pileser II, o rei é uniformemente chamado de *Azriyahu*, isto é, *Azarias*. Esse rei ficou conhecido por ambos os nomes. Cf. 2Rs 14.21,22 e 15.1-3, onde ofereço informações adicionais.

Ver no *Dicionário* os verbetes intitulados *Uzias*; *Reino de Judá*; e *Rei, Realeza*, para mais informação, e, no último desses três artigos, gráficos comparativos dos reis do norte, dos reis do sul e potências circunvizinhas.

26.2

ה֣וּא בָּנָ֤ה אֶת־אֵילוֹת֙ וַיְשִׁיבֶ֣הָ לִֽיהוּדָ֔ה אַחֲרֵ֥י שְׁכַֽב־הַמֶּ֖לֶךְ עִם־אֲבֹתָֽיו׃ פ

Ele edificou a Elote. Este versículo é verbatim de 2Rs 14.22, onde ofereci as notas expositivas.

26.3

בֶּן־שֵׁ֨שׁ עֶשְׂרֵ֤ה שָׁנָה֙ עֻזִּיָּ֔הוּ בְּמָלְכ֕וֹ וַחֲמִשִּׁ֤ים וּשְׁתַּ֙יִם֙ שָׁנָ֔ה מָלַ֖ךְ בִּירוּשָׁלָ֑͏ִם וְשֵׁ֣ם אִמּ֔וֹ יְכָלְיָ֖ה מִן־יְרוּשָׁלָֽ͏ִם׃

Uzias tinha dezesseis anos quando começou a reinar. Este versículo é essencialmente idêntico a 2Rs 14.23, mas o autor dos livros de Reis inclui sua usual comparação com o rei do norte, que governou no mesmo período.

Uma Discrepância Cronológica? "Amazias reinou de 796 a 767 a.C. Portanto, se Uzias começou a reinar em 790 a.C., foi corregente com seu pai por 23 anos. No entanto, o cronista (bem como o autor de 2Reis) parece ter indicado que o período de reinado de Uzias se seguiu ao de Amazias, e Uzias tinha apenas 16 anos quando começou a reinar. Como, pois, sua corregência pode ter sido de 23 anos?" (Eugene H. Merrill, *in loc.*). Merrill usualmente anseia por explicar todos os problemas, até mesmo os impossíveis, mas aqui deixa a contradição para outros resolverem, visto que espaço demasiado teria de ser usado para relatar tudo quanto foi dito, a fim de reconciliar-se os diferentes elementos da narrativa. O âmago da explicação é que Uzias se tornou vice-regente (e não rei absoluto) aos 16 anos. Essa, entretanto, é uma conjectura para a qual não temos nenhuma evidência. Na verdade, não é necessário explicar todas as discrepâncias, reais ou imaginárias. Algumas delas são reais. Mas a fé religiosa não depende de tais questões. Somente os hiperfundamentalistas e os céticos preocupam-se; os primeiros para promover a causa da harmonia a qualquer preço, mesmo que seja a desonestidade; e os segundos a fim de lançar dúvidas sobre a fé religiosa. Em 2Rs 15.1 faço uma breve tentativa de reconciliação.

Um Ponto Interessante. Jeroboão II reinou sobre Israel, as tribos do norte, por mais tempo que qualquer outro rei de sua história, ou seja, 41 anos (ver 2Rs 14.23). E Uzias reinou por mais tempo em Judá do que qualquer outro rei sobre esse país, 52 anos (ver 2Cr 26.3). Esses dois reis tiveram governos paralelos.

■ **26.4**

וַיַּעַשׂ הַיָּשָׁר בְּעֵינֵי יְהוָה כְּכֹל אֲשֶׁר־עָשָׂה אֲמַצְיָהוּ אָבִיו׃

Ele fez o que era reto perante o Senhor. Este versículo tem paralelo direto em 2Rs 15.3, onde a exposição é oferecida. Quando lemos aqui que o filho fez tão bem quanto seu pai, devemos compreender que *o jovem* Amazias agiu corretamente. O cronista não repete a história de como Amazias apostatou e terminou em desastre a sua vida. Cf. 2Cr 25.2, onde vemos Amazias começando bem a sua carreira de rei, embora não em harmonia com o ideal mais elevado. 2Rs 15.4 diz-nos que Uzias (Azarias) não tirou os lugares altos (ver a respeito no *Dicionário*, e ver a exposição daquele versículo). Somente no tempo de Ezequias os lugares altos foram completamente destruídos.

■ **26.5**

וַיְהִי לִדְרֹשׁ אֱלֹהִים בִּימֵי זְכַרְיָהוּ הַמֵּבִין בִּרְאֹת הָאֱלֹהִים וּבִימֵי דָּרְשׁוֹ אֶת־יְהוָה הִצְלִיחוֹ הָאֱלֹהִים׃ ס

Propôs-se buscar a Deus nos dias de Zacarias. Os vss. 5 a 15 deste capítulo encontram-se exclusivamente em 2Cr, sem paralelo direto nos livros de Reis. Para informações, ver as notas e uma citação de W. A. L. Elmslie imediatamente antes da exposição de 2Cr 26.1.

Um Começo Espiritual. Novamente vemos um jovem rei a fazer o que era direito e a prosperar em casa e em batalha, o que, infelizmente, ocupou tanto tempo do rei. À medida que este capítulo prossegue, aprendemos que, conforme Uzias envelhecia, a exemplo dos reis de Judá antes dele, começou a desintegrar-se em fé e caráter.

Zacarias foi o professor e guia do rei em seus anos de juventude. Em vista não está Zacarias, autor do livro bíblico com esse nome, que viveu trezentos anos mais tarde. Antes, temos aqui um profeta desconhecido, que só figura no texto presente. O artigo do *Dicionário*, chamado *Zacarias*, lista trinta homens com esse nome, no Antigo Testamento. O Zacarias do presente versículo é o de número doze nessa lista. O texto hebraico diz que ele era experiente em visões dadas por Yahweh, mas as versões dão como sua força que ele agia no "temor de Deus", e algumas traduções adotam essa frase no texto. O hebraico diz, literalmente, que ele era habilidoso "em ver a Deus". Mas alguns manuscritos hebraicos, as versões e o Targum dão o temor de Deus como o significado dessas palavras. A maioria dos eruditos modernos apega-se a essa interpretação. Seja como for, ele era homem altamente qualificado para guiar o jovem rei e, enquanto o fez, as coisas correram bem para Uzias. Havia então bom exemplo e bons ensinamentos, fatores fundamentais para o crescimento espiritual. Ver na *Enciclopédia de Bíblia, Teologia e Filosofia* os verbetes chamados *Exemplo* e *Ensino*.

■ **26.6**

וַיֵּצֵא וַיִּלָּחֶם בַּפְּלִשְׁתִּים וַיִּפְרֹץ אֶת־חוֹמַת גַּת וְאֵת חוֹמַת יַבְנֵה וְאֵת חוֹמַת אַשְׁדּוֹד וַיִּבְנֶה עָרִים בְּאַשְׁדּוֹד וּבַפְּלִשְׁתִּים׃

Saiu e guerreou contra os filisteus. *Vitória sobre a Filístia.* O "santo" Uzias lançou-se à guerra e atacou primeiramente os filisteus, nas suas cidades principais. Ver os nomes próprios no *Dicionário*. Uzias não somente ganhou a guerra e obteve muitos despojos, mas até foi capaz de construir colônias "permanentes" próximas das cidades conquistadas para assegurar o futuro e, provavelmente, obter tributo. Não lemos que os filisteus tenham incomodado o rei de Judá. É provável que sua motivação tenha sido essencialmente econômica. A guerra era um bom negócio, naturalmente — às expensas de outros. A guerra fazia parte da formação e do orçamento dos reis antigos. Imagino que o povo esperava que seus reis fossem à guerra mesmo quando tempos de paz eram perfeitamente possíveis. Provavelmente, o cronista sentia-se feliz por contar as histórias das guerras vitoriosas de Judá, porque elas significavam que Yahweh estava abençoando o rei, por estar este ocupado em algum serviço divino. "Uzias parece ter reduzido os filisteus a um estado de completa vassalagem. Entretanto, eles não foram anexados a Judá" (Ellicott, *in loc.*). Em outras ocasiões, foram os filisteus que vexaram a Israel (ver 2Cr 21.16,17), de forma que quase sempre houve o fator da vingança nas guerras contra os filisteus. Ver no *Dicionário* o artigo chamado *Filisteus, Filístia*.

■ **26.7**

וַיַּעְזְרֵהוּ הָאֱלֹהִים עַל־פְּלִשְׁתִּים וְעַל־הָעַרְבִיִּים הַיֹּשְׁבִים בְּגוּר־בָּעַל וְהַמְּעוּנִים׃

Deus o ajudou contra... os arábios. *Vitória sobre os Árabes.* Encorajado em suas bem-sucedidas campanhas militares contra os filisteus, e convencido de que era correto dar a Yahweh o crédito por isso, o inquieto rei Uzias procurou outros países para conquistar. Sua primeira escolha foi a Arábia, e ali ele também obteve grande sucesso. Os cofres do templo estavam repletos, tal como o ego do próprio rei Uzias. Primeiramente ele dominou a cidade de *Gur-Baal*, talvez a mesma cidade de Gerar, originalmente pertencente aos filisteus, mas que ficara sob o domínio árabe. Em seguida, Uzias invadiu a Arábia propriamente dita e liquidou os *meunitas*. Ver os nomes próprios no *Dicionário*. Quanto aos meunitas, ver 1Cr 4.41. Ver como 2Cr 17.11 também menciona juntamente filisteus e árabes. Alguns eruditos não aceitam a identificação de Gur-Baal com Gerar, e supõem que seja localidade atualmente desconhecida no Negueb, uma cidade ou distrito. Ver o artigo com esse nome no *Dicionário*.

■ **26.8**

וַיִּתְּנוּ הָעַמּוֹנִים מִנְחָה לְעֻזִּיָּהוּ וַיֵּלֶךְ שְׁמוֹ עַד־לְבוֹא מִצְרַיִם כִּי הֶחֱזִיק עַד־לְמָעְלָה׃

Os amonitas deram presentes a Uzias. *A Sujeição dos Amonitas.* O rei de Judá estava vivendo os seus melhores dias, e passaria muito tempo, naquela região do mundo, sem que alguém lhe pudesse fazer oposição bem-sucedida. Assim sendo, os amonitas encararam a guerra como uma causa perdida e sujeitaram-se a Uzias. Foi uma rendição sem guerra. Foi mais rápido assim. Uzias, pois, tirou o dinheiro deles, em vez de tirar-lhes a vida. Para manter os filhos de Amom fracos e humildes, cobrou-se um tributo anual.

Cujo renome se espalhara até à entrada do Egito. *O Próprio Egito Tremeu.* As notícias sobre o imenso poder de Uzias espalharam-se. Os próprios egípcios temeram que algo de terrível lhes acontecesse, mas não lemos que o rei de Judá tenha invadido o Egito. Talvez a sua lepra (vs. 21) tenha cortado pelo meio as demais campanhas militares. Algo tão simples como uma enfermidade física pode deter os planos até do mais vigoroso dos homens, e isso mostra o quão débeis somos. Seja como for, o reino de Uzias estendeu-se até a fronteira com o Egito (cf. Is 15.1-5 e 2Rs 3.4), mas não ultrapassou essa fronteira.

> Não é mal. Deixe-os brincar.
> Que os canhões ladrem e os aviões de bombardeio
> Falem suas prodigiosas blasfêmias.
> ...
>
> Quem se lembraria da fisionomia de Helena,
> Sem o terrível halo de lanças?
> ....
>
> Nunca chores. Deixe-os brincar.
> A antiga violência não é antiga o bastante,
> A ponto de não ser capaz de gerar
> Novos valores.
>
> Robinson Jeffers

■ **26.9**

וַיִּבֶן עֻזִּיָּהוּ מִגְדָּלִים בִּירוּשָׁלַםִ עַל־שַׁעַר הַפִּנָּה
וְעַל־שַׁעַר הַגַּיְא וְעַל־הַמִּקְצוֹעַ וַיְחַזְּקֵם׃

Também edificou Uzias torres em Jerusalém. "Internamente, Uzias foi o mestre na construção de torres fortificadas em Jerusalém, em vários pontos das suas muralhas, talvez incluindo a porção das muralhas que Joás tinha destruído (2Cr 25.23). Quanto à *Porta da Esquina* e à *Porta do Vale*, ver 2Cr 25.23 e Ne 2.13,15; 3.13. Quanto à *Porta do Ângulo*, ver Ne 3.19,20,24,25. Uzias também se ocupou de maciços projetos agrícolas no deserto, bem como nos sopés das colinas e nas planícies (vs. 10)" (Eugene H. Merrill, *in loc.*).

Porta da Esquina. Provavelmente a porta noroeste da muralha da cidade. Josefo diz-nos que as torres construídas por Uzias tinham 75 metros de altura (*Antiq.* 1.9, cap. 10). Ele pôs guarnições de soldados em pontos estratégicos, incluindo os portões da cidade.

■ **26.10**

וַיִּבֶן מִגְדָּלִים בַּמִּדְבָּר וַיַּחְצֹב בֹּרוֹת רַבִּים כִּי
מִקְנֶה־רַּב הָיָה לוֹ וּבַשְּׁפֵלָה וּבַמִּישׁוֹר אִכָּרִים
וְכֹרְמִים בֶּהָרִים וּבַכַּרְמֶל כִּי־אֹהֵב אֲדָמָה הָיָה׃ ס

Também edificou torres no deserto. Mais torres e guarnições foram construídas no deserto, a certa distância, para proteger Judá de quaisquer ataques de surpresa. O rei Uzias também não se esqueceu da agricultura. Ele mandou cavar muitos poços. Criou rebanhos de gado em vários lugares do país, na Shephelah e nas planícies. E postou agricultores nas colinas, especialmente vinhateiros. Ele chegou a desenvolver solos férteis onde não havia, porque era amante da terra.

Nos montes. Isto é, na região montanhosa de Judá, que só podia ser fértil se lhe fosse trazida água. Esse território ficava a oeste do mar Morto e era bastante inútil, não fora o suprimento de água. As fortificações militares tinham, como parte de seus deveres, proteger o plantio naquelas regiões de qualquer assédio desfechado pelo inimigo.

O amor pelo solo e o desenvolvimento da agricultura falavam bem em favor do rei. "Da agricultura, todo Estado depende" (Adam Clarke, *in loc.*). Se a agricultura não prosperar, nenhum Estado poderá prosperar por longo tempo, a menos que seja muito rico e possa importar produtos agrícolas de potências estrangeiras. Uzias, pois, garantia pão para os pobres.

Nos campos férteis. A leste do rio Jordão, dentro do território de Rúben (ver Dt 6.43; Js 20.8). Algumas versões apresentam aqui *Carmelo*, que muitos eruditos tomam como *campo frutífero*. Ver Is 29.17 e 32.15. Ver 1Sm 25.2, quanto a um lugar com esse nome em Judá, não na parte norte, perto do mar. Ver no *Dicionário* o artigo chamado *Carmelo*, em seu terceiro ponto, quanto a uma discussão. A aldeia que tinha esse nome ficava nas regiões montanhosas de Judá. A moderna localidade de *Karmel* assinala o local antigo. A nossa versão portuguesa, entretanto, diz "campos férteis", em lugar de dar-lhe o nome próprio de Carmelo.

Poder Militar de Uzias (26.11-15)

O *rei de Judá* tinha muitos interesses e atividades, mas acima de tudo era um militar que se tornou um pequeno Salomão. O cronista, nesta breve seção, fala-nos de todas as provisões dele para a guerra. Uzias foi como Alexandre, o Grande, que chorou porque não tinha mais mundos para conquistar. E também, à semelhança de Alexandre, inventou novas e melhores armas para facilitar o jogo da matança e fazer-se invencível. Mas foi seu próprio *poder* que o deixou orgulhoso e preparou sua queda miserável.

■ **26.11**

וַיְהִי לְעֻזִּיָּהוּ חַיִל עֹשֵׂה מִלְחָמָה יוֹצְאֵי צָבָא לִגְדוּד
בְּמִסְפַּר פְּקֻדָּתָם בְּיַד יְעִיאֵל הַסּוֹפֵר וּמַעֲשֵׂיָהוּ
הַשּׁוֹטֵר עַל יַד־חֲנַנְיָהוּ מִשָּׂרֵי הַמֶּלֶךְ׃

Tinha também Uzias um exército de homens destros nas armas. Três líderes ajudaram Uzias a atingir o seu poder militar: Jeiel, Maaseias e Hananias. Ver no *Dicionário* quanto ao que se sabe acerca deles. Jeiel e Maaseias cuidavam da convocação e organização militar. Hananias, o general-em-chefe, era o supervisor que se certificava de que os outros faziam corretamente o trabalho. Ele também tinha altas responsabilidades na direção do exército nos campos de batalha.

■ **26.12**

כֹּל מִסְפַּר רָאשֵׁי הָאָבוֹת לְגִבּוֹרֵי חָיִל אַלְפַּיִם וְשֵׁשׁ מֵאוֹת׃

O número total dos cabeças das famílias. A convocação de um exército em Israel dependia da cooperação dos chefes de clãs, porque todos eles eram obrigados a contribuir. Além desses, havia os *principais oficiais* do exército propriamente dito. O número total desses cabeças de famílias era de 2.600. Os heróis entre os soldados tornavam-se seus líderes.

■ **26.13**

וְעַל־יָדָם חֵיל צָבָא שְׁלֹשׁ מֵאוֹת אֶלֶף וְשִׁבְעַת אֲלָפִים
וַחֲמֵשׁ מֵאוֹת עוֹשֵׂי מִלְחָמָה בְּכֹחַ חָיִל לַעְזֹר לַמֶּלֶךְ
עַל־הָאוֹיֵב׃

Debaixo das suas ordens havia um exército guerreiro de trezentos e sete mil e quinhentos homens. O exército de Uzias, similar em tamanho ao de Amazias (ver 2Cr 25.5), era bastante inferior ao de Josafá (2Cr 17.14-18). O exército de Asa (2Cr 14.8) era quase o dobro do tamanho do de Uzias. Portanto, podemos dizer que o exército de Uzias era apenas mediano. Mas o texto sagrado deixa claro que o exército dele era eclético, mais treinado que a maioria dos exércitos e, certamente, mais bem equipado. Além disso, havia um equipamento novo, inventado por homens especializados na questão (vs. 15), o que aumentava a força e o poder de matar, sem a necessidade de aumentar o número de homens armados.

■ **26.14**

וַיָּכֶן לָהֶם עֻזִּיָּהוּ לְכָל־הַצָּבָא מָגִנִּים וּרְמָחִים
וְכוֹבָעִים וְשִׁרְיֹנוֹת וּקְשָׁתוֹת וּלְאַבְנֵי קְלָעִים׃

Preparou-lhes Uzias, para todo o exército. Os *tipos usuais* de equipamento foram fornecidos. A nenhum soldado de Uzias faltavam armas, defensivas e ofensivas, necessárias para as campanhas militares do rei. Este versículo lista as armas comumente empregadas pelos exércitos antigos. Ver no *Dicionário* o verbete chamado *Guerra*, quanto a detalhes sobre essas questões. Ver também o artigo chamado *Armaduras, Armas*, quanto a descrições e ilustrações.

■ **26.15**

וַיַּעַשׂ בִּירוּשָׁלַםִ חִשְּׁבֹנוֹת מַחֲשֶׁבֶת חוֹשֵׁב לִהְיוֹת
עַל־הַמִּגְדָּלִים וְעַל־הַפִּנּוֹת לִירוֹא בַּחִצִּים וּבָאֲבָנִים
גְּדֹלוֹת וַיֵּצֵא שְׁמוֹ עַד־לְמֵרָחוֹק כִּי־הִפְלִיא לְהֵעָזֵר
עַד כִּי־חָזָק׃

Fabricou em Jerusalém máquinas, de invenção de homens peritos. *Além dos armamentos convencionais,* certos gênios militares conseguiram inventar novas armas que puseram o exército de Uzias à frente de qualquer outro exército da história de Judá. Entre esses novos armamentos havia *lançadores* de pedras e dardos, postos nas torres e fortificações, a fim de repelir qualquer exército que estivesse avançando. Eles podiam atingir homens armados *à distância.* Assim também, nos tempos modernos, armas terríveis e destruidoras são as que podem atingir um inimigo à distância, envolvendo o mínimo de risco para os que as manejam. Alexandre, o Grande, era conhecido por suas inovações militares, que lhe davam vantagem sobre os exércitos menos sofisticados.

"Catapultas inventadas por artífices. Esta é a primeira notícia que ocorre na história quanto ao uso de máquinas para atirar projéteis. A invenção foi atribuída ao período de reinado de *Uzias.* Plínio disse expressamente que essas catapultas se originaram na Síria" (Jamieson, *in loc.*). As citações de Plínio podem ser vistas em sua *Nat. Hist.* 1.7, cap. 56. É possível que Uzias tenha emprestado suas ideias da Síria, ou talvez os sírios tenham emprestado a ideia de Uzias. Seja como for, a catapulta começou a existir naquela parte do mundo. Os gregos e os romanos a aprimoraram (Vid. *Valtrinum de re militari Roman* 1.5, cap. 6). E assim essa arma tornou-se uma parte padronizada da guerra. Alexandre adicionou modos de destruir e escalar muralhas. Os antigos simplesmente tinham de desfechar seus ataques sem aviões, os quais, sem dúvida, teriam aumentado grandemente seu poder ofensivo. Além disso, há os mísseis que enchem de terror o coração de todos os humanos. A guerra química, as bombas atômicas e os mísseis convencionais e atômicos tornam a vida moderna muito precária, para dizermos o mínimo. Por conseguinte, o homem continua a ser um selvagem, cuja maior realização é matar. Mas algum dia o homem atingirá um patamar superior a esse, conforme crescer sua espiritualidade e novas épocas chegarem. Atualmente, porém, continuamos presos à loucura de matar e ser mortos. E, *pior ainda:* os homens continuam a dar a *Deus* o crédito por inspirá-los a tal insanidade.

■ **26.16**

וּכְחֶזְקָת֗וֹ גָּבַ֤הּ לִבּוֹ֙ עַד־לְהַשְׁחִ֔ית וַיִּמְעַ֖ל בַּיהוָ֣ה
אֱלֹהָ֑יו וַיָּבֹא֙ אֶל־הֵיכַ֣ל יְהוָ֔ה לְהַקְטִ֖יר עַל־מִזְבַּ֥ח
הַקְּטֹֽרֶת׃

Mas, havendo-se já fortificado, exaltou-se o seu coração. *Uzias,* aquele poderoso rei de Judá e cabeça de um dos mais sofisticados exércitos da terra, tinha conquistado todos os seus adversários. Então começou a agir como um insensato. Nada mais tendo que fazer, resolveu realizar as atividades dos sacerdotes. Afinal, Yahweh não tinha entregado a ele poder e domínio? Portanto, ele daria pessoalmente suas ações de graças, diretamente no templo, usurpando assim o ofício de um sacerdote.

O orgulho é o começo do pecado.

Ben Sira, *Livro da Sabedoria*

Orgulho, inveja e avareza — essas são as
fagulhas que tocam fogo no coração dos homens.

Dante, *Inferno*

A soberba precede a ruína,
e a altivez do espírito, a queda.

Provérbios 16.18

Uzias começou a depender dos homens e de armamentos, e insultou Yahweh mediante seu ato de estupidez. Esse ato não poderia deixar de ser punido.

Para queimar incenso no altar do incenso. Ver no *Dicionário* o artigo chamado *Altar do Incenso,* quanto ao ato tresloucado de Uzias. Ninguém, senão um sacerdote, podia entrar no Lugar Santo. E ninguém, senão um sacerdote, podia queimar incenso ou oferecer sacrifícios. Ver 2Rs 15.4,5 quanto à explicação da questão por parte de um autor diferente. Naquela passagem, o pecado particular de Uzias não é mencionado, mas lemos que ele foi ferido de lepra por causa de atos religiosos tolos em que ele se envolveu nos *lugares altos.* Ver a proibição do sacrilégio praticado por Uzias, em Nm 18.1-7. Ver também Êx 30.7,8.

Dupla Função. No Egito, os reis também eram sumos sacerdotes, mas esses dois ofícios sempre foram mantidos separados em Israel e Judá. Talvez Uzias quisesse imitar os egípcios, e até tivesse planos de tornar-se o sumo sacerdote. Nesse caso, então, seu orgulho o faria desviar-se para longe da vereda prescrita pela legislação mosaica. Os reis anteriores ocasionalmente ofereceram sacrifícios, como fizeram Saul e Davi e, provavelmente, Salomão; gradualmente, porém, tais funções foram reservadas somente aos sacerdotes qualificados. Ver 1Sm 13.9 e 1Rs 8.64.

■ **26.17**

וַיָּבֹ֥א אַחֲרָ֖יו עֲזַרְיָ֣הוּ הַכֹּהֵ֑ן וְעִמּ֛וֹ כֹּהֲנִ֥ים לַיהוָ֖ה
שְׁמוֹנִ֥ים בְּנֵי־חָֽיִל׃

Porém o sacerdote Azarias entrou após ele, com oitenta sacerdotes. Vendo o *terrível sacrilégio* que estava sendo realizado pelo rei, Azarias, o sumo sacerdote, na companhia de oitenta outros sacerdotes, correu para o Lugar Santo para fazer o parar. Aquilo foi um *insulto* a Yahweh e ao templo, e não podia ser tolerado. Se o rei não pusesse cobro ao seus atos, os homens *valentes* poderiam tornar-se violentos e executá-lo no local. Aqueles homens tinham coragem moral e física para opor-se ao grande Uzias, rei de vastos exércitos e de invenções militares.

■ **26.18**

וַיַּעַמְד֞וּ עַל־עֻזִּיָּ֣הוּ הַמֶּ֗לֶךְ וַיֹּ֤אמְרוּ לוֹ֙ לֹא־לְךָ֣ עֻזִּיָּ֔הוּ
לְהַקְטִ֣יר לַיהוָ֔ה כִּ֥י לַכֹּהֲנִ֛ים בְּנֵי־אַהֲרֹ֖ן הַמְקֻדָּשִׁ֣ים
לְהַקְטִ֑יר צֵ֤א מִן־הַמִּקְדָּשׁ֙ כִּ֣י מָעַ֔לְתָּ וְלֹֽא־לְךָ֥ לְכָב֖וֹד
מֵיְהוָ֥ה אֱלֹהִֽים׃

E resistiram ao rei Uzias, e lhe disseram. *Uma Dura Repreensão.* O sumo sacerdote Azarias disse ao rei tudo quanto tinha de dizer. Defendeu a legislação mosaica, que o rei Uzias conhecia muito bem mas decidira violar. Somente os filhos de Arão podiam fazer o que o rei estava fazendo (ver Nm 16.35). Josefo dá-nos o detalhe dramático, mas provavelmente inventado, de que exatamente *naquele momento* um terremoto atingiu a área (ver *Antiq.* l.9, cap. 10, sec. 4), acrescentando que o altivo Uzias ameaçou matar os sacerdotes. E isso tinha precedentes na história de Israel. Um dos pecados agravados de Saul foi que ele matou sacerdotes (ver 1Sm 22.17 ss.). Recentemente, Joás havia matado um sacerdote (ver 2Cr 24.21).

■ **26.19**

וַיִּזְעַ֤ף עֻזִּיָּ֙הוּ֙ וּבְיָד֣וֹ מִקְטֶ֣רֶת לְהַקְטִ֔יר וּבְזַעְפּ֖וֹ
עִם־הַכֹּהֲנִ֑ים וְהַצָּרַ֣עַת זָרְחָ֣ה בְמִצְח֗וֹ לִפְנֵ֤י
הַכֹּהֲנִים֙ בְּבֵ֣ית יְהוָ֔ה מֵעַ֖ל לְמִזְבַּ֥ח הַקְּטֹֽרֶת׃

Então Uzias se indignou. Em meio às *ameaças mútuas* e à ira generalizada, Yahweh subitamente interveio e feriu o rei com *lepra.* A palavra hebraica aqui empregada, *sara'at,* é um termo de amplo significado e refere-se a certa variedade de enfermidades cutâneas, incluindo míldios e fungos que aparecem nas paredes e nos tecidos. A maior parte das descrições dessa doença, dadas no Antigo Testamento, não se equipara aos sintomas da hanseníase. Dou uma completa discussão sobre essa questão, na introdução ao capítulo 13 de Levítico, e listo algumas enfermidades que podem ter surgido na testa de Uzias. Sem dúvida, a verdadeira lepra estava entre as enfermidades designadas pela palavra hebraica *sara'at.* Ver no *Dicionário,* igualmente, o verbete intitulado *Lepra, Leproso.* Tendo contraído a *sara'at,* o rei, mesmo que fosse um sacerdote autêntico, não possuía mais o direito de continuar no Lugar Santo, porque estava *imundo.* Ver no *Dicionário* o verbete intitulado *Limpo e Imundo.*

Outros Julgamentos Divinos Parecidos. Outras pessoas também feridas pela "lepra" foram Miriã (ver Nm 12.10) e Geazi (ver 2Rs 5.27). A temida *sara'at* era considerada um sinal do desprazer divino, mesmo quando fosse adquirida normalmente, sem nenhum ataque repentino.

26.20

וַיִּ֣פֶן אֵלָ֡יו עֲזַרְיָהוּ֩ כֹהֵ֨ן הָרֹ֜אשׁ וְכָל־הַכֹּהֲנִ֗ים וְהִנֵּה־ה֤וּא מְצֹרָע֙ בְּמִצְח֔וֹ וַיַּבְהִל֖וּהוּ מִשָּׁ֑ם וְגַם־הוּא֙ נִדְחַ֣ף לָצֵ֔את כִּ֥י נִגְּע֖וֹ יְהוָֽה׃

O sumo sacerdote Azarias e todos os sacerdotes voltaram-se para ele, e eis que estava leproso na testa. *A Expulsão.* O altivo rei Uzias foi subitamente humilhado. Os sacerdotes expulsaram-no do templo, e o próprio rei se afastou. Ele se apressou a sair do templo, e sua altivez de súbito terminou, porque não temera o julgamento de Yahweh. Portanto, a questão terminou tão dramaticamente como ninguém poderia ter imaginado. Ver no *Dicionário* o verbete intitulado *Lei Moral da Colheita segundo a Semeadura,* que operou mais rapidamente do que o usual. Todavia, essa lei tem uma maneira segura de realizar-se, embora pareça fazê-lo lentamente, conforme os *homens* contam o tempo. Cf. 2Rs 15.5, onde dou notas adicionais sobre a questão.

26.21

וַיְהִי֩ עֻזִּיָּ֨הוּ הַמֶּ֜לֶךְ מְצֹרָ֣ע ׀ עַד־י֣וֹם מוֹת֗וֹ וַיֵּ֜שֶׁב בֵּ֤ית הַחָפְשִׁית֙ מְצֹרָ֔ע כִּ֥י נִגְזַ֖ר מִבֵּ֣ית יְהוָ֑ה וְיוֹתָ֣ם בְּנ֗וֹ עַל־בֵּ֤ית הַמֶּ֙לֶךְ֙ שׁוֹפֵ֔ט אֶת־עַ֖ם הָאָֽרֶץ׃

Assim ficou leproso o rei Uzias até ao dia da sua morte. Este versículo tem como paralelo a passagem de 2Rs 15.5, onde também ofereço as notas expositivas. O poderoso e altivo rei Uzias caíra de súbito, de modo desgraçado e absoluto. Talvez isso tenha exercido alguma influência sobre o que fez seu filho, o novo rei, mas as coisas, definitivamente, tinham chegado ao fim para o infeliz monarca, que atravessou o palco da história e teve seu momento de glória.

26.22

וְיֶ֙תֶר֙ דִּבְרֵ֣י עֻזִּיָּ֔הוּ הָרִאשֹׁנִ֖ים וְהָאַחֲרֹנִ֑ים כָּתַ֛ב יְשַֽׁעְיָ֥הוּ בֶן־אָמ֖וֹץ הַנָּבִֽיא׃

Quanto aos mais atos de Uzias. Os *livros canônicos do Antigo Testamento* contavam com fontes informativas de livros não canônicos, a maioria dos quais se perdeu com o passar do tempo. Ver 1Rs 14.19; 2Cr 9.29; 12.15. O cronista usou os livros de Samuel e de Reis, entre outras fontes. A esta altura, os livros de Reis mencionam de novo a *história dos reis de Israel e de Judá;* mas o cronista refere-se aos escritos de Isaías. Cf. Is 1.1 e 6.1. A referência, ao que tudo indica, é a alguma crônica escrita por Isaías, e não ao seu livro profético. Esse escrito de Isaías, tal como a maioria dos livros informativos (não canônicos), também se perdeu. As referências em Is 1.1 e 6.1 mostram que Uzias e Isaías foram contemporâneos, mas não há indício, na profecia de Isaías, de que ele tenha escrito uma história, e não meramente uma profecia. Ver no *Dicionário* o artigo chamado *Cânon do Antigo Testamento.*

26.23

וַיִּשְׁכַּ֨ב עֻזִּיָּ֜הוּ עִם־אֲבֹתָ֗יו וַיִּקְבְּר֨וּ אֹת֤וֹ עִם־אֲבֹתָיו֙ בִּשְׂדֵ֤ה הַקְּבוּרָה֙ אֲשֶׁ֣ר לַמְּלָכִ֔ים כִּ֥י אָמְר֖וּ מְצוֹרָ֣ע ה֑וּא וַיִּמְלֹ֛ךְ יוֹתָ֥ם בְּנ֖וֹ תַּחְתָּֽיו׃ פ

Descansou Uzias com seus pais. *A Nota de Óbito.* Ver as notícias *fúnebres* dos reis, em 1Rs 1.21 e 16.5,6. Cf. 2Rs 15.7, que é essencialmente idêntico. O cronista, entretanto, diz-nos que o pobre rei Uzias ficou conhecido como leproso pelo resto da vida, ou seja, levou consigo o estigma de ter-se voltado contra Yahweh e ter sido punido por isso. Além do mais, a implicação é que, embora ele tenha sido sepultado no cemitério dos reis, não foi contudo sepultado perto de nenhum outro rei, por causa da praga da lepra (ver sobre *sara'at,* na introdução ao capítulo 13 de Levítico). Ver também as notas em 2Cr 26.19. Isaías teve uma visão especial no ano em que Uzias morreu, conforme Is 6.1. Talvez a morte do rei tenha tido algo que ver com a provocação daquela visão. Uzias não foi sepultado no sepulcro dos reis. Ver no *Dicionário* o artigo intitulado *Sepulcro dos Reis.*

CAPÍTULO VINTE E SETE

JOTÃO (27.1-9)

O *cronista* não deu comentários paralelos aos reis de Israel, e só apresentou notícias sobre as tribos do norte quando isso se revestia de importância em relação à história de algum rei do sul. O propósito do cronista era exaltar a *dinastia davídica,* através da qual a *autoridade política* foi dada à tribo isolada de Judá, para que continuasse a história de Israel após o cativeiro babilônico (quando Judá se tornou a nação de Israel). E quanto à *autoridade espiritual* havia os levitas que tinham voltado a Jerusalém, após o cativeiro babilônico. Devemos lembrar que o autor escreveu após o cativeiro, e a sua narrativa *aponta na direção* desse período, embora ele estivesse descrevendo eventos ocorridos séculos antes.

Além disso, o cronista também estava escrevendo uma *filosofia da história,* mostrando como a história é teisticamente guiada, e como os homens são considerados responsáveis por aquilo que fazem. Ver as anotações sobre essa questão, imediatamente antes da exposição sobre 2Cr 1.1. O mesmo autor foi evidentemente o autor-compilador dos livros de Crônicas, bem como dos livros de Esdras e Neemias, e seus temas percorrem a coletânea inteira de seus livros.

O reinado de Jotão tem como trecho paralelo a passagem de 2Rs 15.32-38, onde ofereço a exposição principal.

"Só há uma boa razão pela qual Jotão deveria ser lembrado, e isso não se deve a coisa alguma que ele fez. Durante os *seus* anos no trono de Davi, Isaías foi profeta em Jerusalém" (W. A. L. Elmslie, *in loc.,* com algum exagero).

Ver no *Dicionário* os artigos *Jotão; Reino de Judá;* e *Rei, Realeza,* que nos dão sumários dos reis, incluindo Jotão. O último desses artigos nomeados oferece gráficos comparativos dos reis de Israel e de Judá, e também das nações ao derredor.

27.1

בֶּן־עֶשְׂרִ֨ים וְחָמֵ֤שׁ שָׁנָה֙ יוֹתָ֣ם בְּמָלְכ֔וֹ וְשֵׁשׁ־עֶשְׂרֵ֣ה שָׁנָ֔ה מָלַ֖ךְ בִּירוּשָׁלִָ֑ם וְשֵׁ֣ם אִמּ֔וֹ יְרוּשָׁ֖ה בַּת־צָדֽוֹק׃

Tinha Jotão 25 anos de idade quando começou a reinar. O trecho paralelo deste versículo é 2Rs 15.33, onde é oferecida a exposição.

"O reinado de Jotão, filho de Uzias, começou em 750 a.C., de maneira que se justapôs ao reinado de Uzias por cerca de onze anos (até que Uzias morreu, em 739 a.C.). Esse fato é compreensível à luz da incapacitação de Uzias após ter contraído lepra, nos últimos anos de vida (ver 2Cr 26.21). Mas Jotão foi corregente com seu filho por quatro anos (735-731 a.C.), de modo que a referência à duração de seu reinado — dezesseis anos (2Cr 27.8) — não inclui esse período. Suas datas como principal governante foram dezesseis anos (750-735 a.C.)" (Eugene H. Merrill, *in loc.*).

Jerusa. Este foi o nome da mãe de Jotão. Ver o que se sabe a respeito dela no *Dicionário.*

27.2

וַיַּ֥עַשׂ הַיָּשָׁ֖ר בְּעֵינֵ֣י יְהוָ֑ה כְּכֹ֤ל אֲשֶׁר־עָשָׂה֙ עֻזִּיָּ֣הוּ אָבִ֔יו רַ֕ק לֹא־בָ֖א אֶל־הֵיכַ֣ל יְהוָ֑ה וְע֥וֹד הָעָ֖ם מַשְׁחִיתִֽים׃

Fez o que era reto perante o Senhor. Este versículo tem como paralelo 2Rs 15.34, exceto pelo fato de que o cronista adicionou a nota de que Jotão não repetiu o sacrílego erro do pai, que havia entrado no templo para oferecer incenso (ver 2Cr 26.16 ss.). Portanto, sua retidão pessoal foi maior que a de seu pai, e, do ponto de vista de retidão espiritual, Jotão foi mais bem-sucedido como rei.

27.3

ה֗וּא בָּנָ֛ה אֶת־שַׁ֥עַר בֵּית־יְהוָ֖ה הָעֶלְי֑וֹן וּבְחוֹמַ֥ת הָעֹ֖פֶל בָּנָ֥ה לָרֹֽב׃

Ele edificou a porta de cima da Casa do Senhor. O trecho paralelo é 2Rs 15.35, mas cada autor ofereceu seu próprio comentário. O autor dos livros de Reis ofereceu-nos o usual e desolador comentário de que Jotão não removeu os lugares altos. O cronista deixou de mencionar isso, mas disse que o "povo" agiu de forma corrupta (vs. 2), o que significa que eles se ocuparam na idolatria. Mas ambos os autores mencionaram algum programa de edificações daquele rei, especificamente o reparo da "porta de cima" do templo (ver 2Cr 23.20). Essa porta ficava na parte norte do átrio exterior. Em seguida ele também reconstruiu o muro de Ofel, que cercava a antiga cidade de Jerusalém (cf. 2Cr 33.14). Além disso, Jotão deu prosseguimento aos projetos de Uzias nas colinas e áreas florestadas (vs. 4).

O muro de Ofel. Esta palavra hebraica significa "cômoro". A referência é à ladeira da colina do templo. Sua muralha era a fortificação que ligava o monte Sião ao monte Moriá. Uzias também havia trabalhado naquelas fortificações (ver 2Cr 26.9). O objetivo dessas fortificações era proteger a cidade de Jerusalém de ataques vindos do sul e do oriente. Somente o cronista nos fornece esse detalhe particular. Ademais, os próximos três versículos também pertencem somente a ele.

■ **27.4**

וְעָרִים בָּנָה בְּהַר־יְהוּדָה וּבֶחֳרָשִׁים בָּנָה בִּירָנִיּוֹת וּמִגְדָּלִים:

Também edificou cidades na região montanhosa de Judá. Os vss. 4-6 não têm paralelo no capítulo 15 de 2Reis. Devemos entender aqui as "cidades fortificadas" em áreas estratégicas, tanto nos montes de Judá como nas áreas florestadas.

Os *profetas contemporâneos* denunciaram demasiada atenção dada a fortificações e a cidades fortificadas, pois, para eles, isso era falta de confiança em Yahweh, que era seu escudo e proteção. Ver Sl 18.1 e Is 12.2. Ver também Os 7.14 e cf. Is 2.15 e 17.3,4. Onde não podiam ser construídas cidades fortificadas, por causa das dificuldades do terreno (como nas áreas densamente florestadas), torres tinham de servir. Essas fortificações não serviam meramente para manter afastadas as forças inimigas. Também ajudavam a proteger os viajantes, pastores e agricultores que ali viviam, distantes dos principais centros populacionais.

■ **27.5**

וְהוּא נִלְחַם עִם־מֶלֶךְ בְּנֵי־עַמּוֹן וַיֶּחֱזַק עֲלֵיהֶם וַיִּתְּנוּ־לוֹ בְנֵי־עַמּוֹן בַּשָּׁנָה הַהִיא מֵאָה כִּכַּר־כֶּסֶף וַעֲשֶׂרֶת אֲלָפִים כֹּרִים חִטִּים וּשְׂעוֹרִים עֲשֶׂרֶת אֲלָפִים זֹאת הֵשִׁיבוּ לוֹ בְּנֵי עַמּוֹן וּבַשָּׁנָה הַשֵּׁנִית וְהַשְּׁלִשִׁית:

Ele também guerreou contra o rei dos filhos de Amom. *Os Humilhados Amonitas.* Os filhos de Amom eram bons para fornecer anualmente dinheiro e produtos, pelo que não foram deixados em paz para que o rei de Judá pudesse arrancar deles alguma coisa, a cada ano. Jotão repetiu as normas políticas de seu pai. Ver 2Cr 26.8. Talvez, porém, esse povo tenha tentado uma revolta ou tenha negligenciado em seus pagamentos anuais. O fato foi que Jotão estabeleceu alguma disciplina no negócio do tributo. Os filhos de Amom tiveram de contribuir com cem talentos de prata (6 toneladas e 750 quilos) por ano, além de grande quantidade de trigo e cevada. O peso, no hebraico, é aqui chamado de *cor*. Ver no *Dicionário* o artigo chamado *Pesos e Medidas*, III.A.2. O *cor* valia cerca de 220 litros e equivalia a dez *batos*, mas as autoridades nos fornecem diferentes valores. Portanto, cerca de duas mil toneladas de trigo e idêntica quantidade de cevada faziam parte do tributo anual imposto aos filhos de Amom. É evidente que esse tributo era excessivamente pesado. Mas é melhor ser pobre do que estar morto!

■ **27.6**

וַיִּתְחַזֵּק יוֹתָם כִּי הֵכִין דְּרָכָיו לִפְנֵי יְהוָה אֱלֹהָיו:

Assim Jotão se foi tornando mais poderoso. O *poder de Jotão* é atribuído aqui a Yahweh, porque o rei de Judá observava a legislação mosaica e promovia o yahwismo. Prosperidade e vida longa eram resultados esperados dessa maneira de agir (ver Dt 4.1,5; 5.33; Ez 3.17). O rei Jotão alcançou êxito na guerra; pôde realizar um grande programa de edificações para defesa e outros propósitos; possuía abundância de riquezas materiais, tudo isso sinal da bênção de Yahweh ao povo de Judá.

■ **27.7**

וְיֶתֶר דִּבְרֵי יוֹתָם וְכָל־מִלְחֲמֹתָיו וּדְרָכָיו הִנָּם כְּתוּבִים עַל־סֵפֶר מַלְכֵי־יִשְׂרָאֵל וִיהוּדָה:

Quanto aos mais atos de Jotão. O cronista concluiu o relato sobre o reinado de Jotão com sua usual referência ao livro informativo dos reis de Israel e Judá. Ver 1Rs 14.19 quanto a esse livro, e cf. também 2Cr 9.29; 12.12; 20.34; 26.22 quanto a outras obras que foram empregadas como fontes informativas para narrar as histórias dos reis. Ver o trecho paralelo em 2Rs 15.36.

■ **27.8**

בֶּן־עֶשְׂרִים וְחָמֵשׁ שָׁנָה הָיָה בְמָלְכוֹ וְשֵׁשׁ־עֶשְׂרֵה שָׁנָה מָלַךְ בִּירוּשָׁלִָם:

Reinou dezesseis anos em Jerusalém. Quanto a informações sobre o que fica implícito neste versículo, ver a exposição no primeiro versículo deste capítulo. O paralelo é 2Rs 15.33, onde ofereço algumas notas expositivas adicionais.

■ **27.9**

וַיִּשְׁכַּב יוֹתָם עִם־אֲבֹתָיו וַיִּקְבְּרוּ אֹתוֹ בְּעִיר דָּוִיד וַיִּמְלֹךְ אָחָז בְּנוֹ תַּחְתָּיו: פ

Descansou Jotão com seus pais. *Uma Notícia Fúnebre.* O autor sacro dá aqui sua usual nota de óbito, que é padronizada nos livros de Reis e de Crônicas, com pequena variação. Ver 1Rs 1.21 e 16.5,6. Presumivelmente, Jotão foi sepultado nos sepulcros dos reis (ver a respeito no *Dicionário*), embora o autor sacro não o diga especificamente. No caso dos reis de Judá, não estava garantido o direito a um sepultamento honroso. A reis especialmente maus, esse direito era negado. Cf. 2Rs 15.38, que é um paralelo direto a este versículo. Uzias não foi sepultado naqueles sepulcros por ter ficado leproso (ver 2Cr 26.23). Joás também não foi sepultado ali por causa de sua maldade (ver 2Cr 24.25).

CAPÍTULO VINTE E OITO

ACAZ (28.1-27)

Quanto a *comentários gerais* que se aplicam a todos os reis de Judá, aos propósitos do cronista, a exaltação da dinastia davídica, o fato de ele ter deixado de mencionar diretamente os reis de Israel, e sua filosofia da história, ver a introdução ao capítulo 27, cujos detalhes não reitero aqui. O cronista foi o autor-editor de 1 e 2Crônicas, Esdras e Neemias. Nesses livros ele teve propósitos distintos de ir além da própria história, e minhas notas expositivas nas referências mencionadas tratam dessas questões.

O trecho paralelo de 2Cr 28 é 2Rs 16, onde também dou detalhes que não foram incluídos nas notas expositivas a seguir.

■ **28.1**

בֶּן־עֶשְׂרִים שָׁנָה אָחָז בְּמָלְכוֹ וְשֵׁשׁ־עֶשְׂרֵה שָׁנָה מָלַךְ בִּירוּשָׁלִַם וְלֹא־עָשָׂה הַיָּשָׁר בְּעֵינֵי יְהוָה כְּדָוִיד אָבִיו:

Tinha Acaz vinte anos de idade, quando começou a reinar. "Acaz foi vice-regente com seu pai, Jotão, por quatro anos (ver 2Cr 27.1). Portanto, conforme observou o historiador, Acaz reinou (sozinho) pelo espaço de dezesseis anos (731-715 a.C.). Contrastando com Davi, seu antepassado, Acaz foi *mau*, tendo preferido caminhar segundo o padrão dos reis das tribos do norte (que foram todos maus). Fez *ídolos* representando Baal e ofereceu sacrifícios no vale de Ben Hinom (cf. 2Cr 33.6), os quais incluíam vítimas humanas (chegou a oferecer seus próprios filhos!). Também praticou cultos cananeus nos lugares altos (ver 2Cr 14.3) e nos bosques sagrados. Ver outros comentários sobre os seus pecados em 2Cr 28.19 e nos vss. 22-25" (Eugene H. Merrill, *in loc.*).

Este versículo é paralelo direto de 2Rs 16.2, onde apresento a exposição. As versões siríaca, árabe e a Septuaginta dizem 25 anos de idade, em lugar de 20. Ver 2Cr 29.1.

■ 28.2,3

וַיֵּלֶךְ בְּדַרְכֵי מַלְכֵי יִשְׂרָאֵל וְגַם מַסֵּכוֹת עָשָׂה לַבְּעָלִים׃

וְהוּא הִקְטִיר בְּגֵיא בֶן־הִנֹּם וַיַּבְעֵר אֶת־בָּנָיו בָּאֵשׁ כְּתֹעֲבוֹת הַגּוֹיִם אֲשֶׁר הֹרִישׁ יְהוָה מִפְּנֵי בְּנֵי יִשְׂרָאֵל׃

Andou nos caminhos dos reis de Israel. Estes dois versículos têm como paralelo aproximado 2Rs 16.3. O cronista adicionou a questão de ele ter fabricado ídolos para ajudar na adoração a Baal. Ambos mencionam com horror o fato de que esse rei chegou a envolver-se em sacrifícios humanos, tendo oferecido os próprios filhos. Comentei sobre isso no trecho paralelo, onde há referências a outras passagens bíblicas e a artigos do *Dicionário* que prestam informações sobre o assunto.

■ 28.4

וַיְזַבֵּחַ וַיְקַטֵּר בַּבָּמוֹת וְעַל־הַגְּבָעוֹת וְתַחַת כָּל־עֵץ רַעֲנָן׃

Também sacrificou, e queimou incenso nos altos e nos outeiros. Este versículo é idêntico a 2Rs 16.4, onde ofereci anotações completas.

■ 28.5

וַיִּתְּנֵהוּ יְהוָה אֱלֹהָיו בְּיַד מֶלֶךְ אֲרָם וַיַּכּוּ־בוֹ וַיִּשְׁבּוּ מִמֶּנּוּ שִׁבְיָה גְדוֹלָה וַיָּבִיאוּ דַּרְמָשֶׂק וְגַם בְּיַד־מֶלֶךְ יִשְׂרָאֵל נִתָּן וַיַּךְ־בּוֹ מַכָּה גְדוֹלָה׃ ס

Pelo que o Senhor, seu Deus, o entregou nas mãos do rei dos siros. O trecho paralelo deste versículo é o capítulo 16 de 2Reis, que nos dá uma narrativa completa sobre as questões referidas, de modo abreviado, neste versículo. O cronista não descreveu a questão por inteiro, mas selecionou certos eventos e condições, em harmonia com o seu propósito. Ele tinha um *motivo didático*, e não somente histórico.

Em seu breve sumário, o cronista informou-nos que *Acaz* foi derrotado tanto pela Síria como por Israel (as tribos do norte) e sofreu perdas incríveis. Ele expandiu essa questão nos vss. 6-15 deste capítulo. Finalmente, Acaz apelou para que os reis da Assíria o ajudassem a sair de suas calamidades (vs. 16). Mas depois os edomitas e os filisteus também invadiram Judá, por isso houve um caos generalizado. Yahweh estava rebaixando a Judá (vs. 19), porquanto o mau cheiro da idolatria tinha-se tornado intolerável. Mas a idolatria e a transgressão pioravam cada vez mais, e Acaz nunca aprendeu a lição. Não lhe foi reservado um lugar entre os sepulcros dos reis de Judá. Sua iniquidade foi profunda demais para receber essa honra (vs. 27).

"Por causa de seus pecados grosseiros contra Deus, Acaz caiu nas mãos dos arameus, cujo rei era Rezim (ver 2Rs 16.5). Esse homem aprisionou muitos judeus e levou-os a Damasco. Essa foi a terceira vez que os arameus lutaram contra Judá. Ver 2Cr 22.5 e 24.23. Acaz também sofreu derrotas por parte dos exércitos de Israel, sob seu rei Peca, que matou 120 mil soldados judeus em um único dia. Entre os mortos estavam vários membros da própria família e da corte de Acaz. Ademais, Israel levou duzentas mil esposas, filhos e filhas de Judá para Samaria" (Eugene H. Merrill, *in loc.*).

■ 28.6

וַיַּהֲרֹג פֶּקַח בֶּן־רְמַלְיָהוּ בִּיהוּדָה מֵאָה וְעֶשְׂרִים אֶלֶף בְּיוֹם אֶחָד הַכֹּל בְּנֵי־חָיִל בְּעָזְבָם אֶת־יְהוָה אֱלֹהֵי אֲבוֹתָם׃

Porque Peca, filho de Remalias, matou em Judá. A *grande matança*, mencionada no parágrafo anterior, aparece neste versículo.

O incrível número de 120 mil soldados judeus caiu em um único dia diante de Peca, que foi o agente da ira de Yahweh. O cronista deixou claro que o julgamento divino estava envolvido na questão. "A brutalidade do inimigo é salientada pelas palavras do profeta Odede, no nono versículo: "E vós os matastes com tamanha raiva que chegou até os céus". E Is 7.6 prova que os aliados tinham planejado quebrar a independência de Judá, abolindo a monarquia davídica e estabelecendo em Judá um rei vassalo da Síria" (Ellicott, *in loc.*).

■ 28.7

וַיַּהֲרֹג זִכְרִי גִּבּוֹר אֶפְרַיִם אֶת־מַעֲשֵׂיָהוּ בֶּן־הַמֶּלֶךְ וְאֶת־עַזְרִיקָם נְגִיד הַבָּיִת וְאֶת־אֶלְקָנָה מִשְׁנֵה הַמֶּלֶךְ׃ ס

Zicri, homem valente de Efraim, matou a Maeseias, filho do rei. *Tragédia em Casa.* A família de Acaz não foi poupada do terror. Seu filho, *Maaseias,* foi morto pelo monstro e homem forte do norte, Zicri. Ademais, o mordomo do rei, Azricão, e Elcana, o segundo homem do reino, foram mortos por aquele assassino profissional das tribos do norte. Portanto, a calamidade espalhou-se e atingiu todas as camadas da sociedade judaica.

Contraste-se tudo quanto está sendo dito no presente texto (as calamidades que se abateram sobre Judá), com o poder de Uzias, a quem nenhum homem podia desafiar (capítulo 26). A grande iniquidade de Acaz fez voltar-se contra ele a maré da história. Mas a idolatria prosseguiu. Acaz nunca aprendeu a lição. Foi um monstro de iniquidades, e teve uma punição igualmente monstruosa.

O quadro pintado em 2Rs 16 contém diferenças significativas. Ameaçado tanto pelas tribos do norte, Israel, quanto pelos sírios, Acaz apelou para a Assíria. A ajuda chegou, e o perigo dos dois inimigos de Judá foi assim removido. Essa narrativa é contada vividamente no capítulo 7 de Isaías. Os intérpretes quebram a cabeça diante da diferença, e os críticos supõem que o livro de Reis contenha a história mais acurada, tendo o cronista exagerado ao contar as calamidades de Acaz. Eugene H. Merrill observou: "... 2Rs 16.5 indica que Acaz não foi derrotado completamente, mas esteve claramente em perigo". Mas isso dificilmente reconcilia as duas narrativas.

■ 28.8

וַיִּשְׁבּוּ בְנֵי־יִשְׂרָאֵל מֵאֲחֵיהֶם מָאתַיִם אֶלֶף נָשִׁים בָּנִים וּבָנוֹת וְגַם־שָׁלָל רָב בָּזְזוּ מֵהֶם וַיָּבִיאוּ אֶת־הַשָּׁלָל לְשֹׁמְרוֹן׃ ס

Os filhos de Israel levaram presos de Judá, seu povo irmão. O livro de Reis é totalmente silente quanto à deportação de duzentos mil judeus, incluindo mulheres, crianças e parentes do rei Acaz. Além disso, nada diz sobre um grande saque efetuado em Jerusalém. O cronista, contudo, insistiu nas calamidades que foram provocadas pela desobediência a Yahweh. Quanto às diferenças nos relatos entre os livros de Reis e de Crônicas, ver o último parágrafo das anotações no versículo anterior. O livro de 2Reis, nos capítulos 18 e 19, também nada diz sobre o transporte de 200.150 cativos para a Assíria. Isso poderia fazer-nos acreditar que, na questão presente (o castigo de Acaz, por Yahweh, mediante várias calamidades), foi o cronista que nos ofereceu um relato mais exato. Usualmente, conforme temos observado, quando há discrepâncias ou diferenças significativas, é o autor dos livros de Reis que se mostra mais correto, historicamente falando. O cronista tendia por usar a história a fim de ensinar lições morais, e não para relatar a história por si mesma, e, assim sendo, caiu em omissões e algumas distorções do ponto de vista histórico.

Objeções do Profeta Odede e Volta dos Cativos (28.9-15)

O *profeta Odede* (ver sobre ele no *Dicionário*) demonstrou uma luz moral, humanitária e misericordiosa no negrume da época, quando a regra era matar e ser morto. Foi uma insensatez tratar a tribo de Judá da mesma maneira que se trataria um inimigo pagão. Foi um ultraje levar cativas mulheres e crianças de Judá (irmãos e irmãs) para Samaria. O profeta exigiu o retorno dos cativos. Homens-chaves das tribos do norte concordaram com seu argumento, e assim os devolveram a Judá, juntamente com os bens materiais.

28.9

וְשָׁם הָיָה נָבִיא לַיהוָה עֹדֵד שְׁמוֹ וַיֵּצֵא לִפְנֵי הַצָּבָא הַבָּא לְשֹׁמְרוֹן וַיֹּאמֶר לָהֶם הִנֵּה בַּחֲמַת יְהוָה אֱלֹהֵי־אֲבוֹתֵיכֶם עַל־יְהוּדָה נְתָנָם בְּיֶדְכֶם וַתַּהַרְגוּ־בָם בְּזַעַף עַד לַשָּׁמַיִם הִגִּיעַ׃

Mas estava ali um profeta do Senhor, cujo nome era Odede. *Um Ato Magnânimo!* Muito bem, profeta Odede, um profeta do Senhor que vivia em Samaria! ele exortou os vitoriosos soldados de Israel a mostrar-se magnânimos para com os cativos judeus (seus irmãos) e devolvê-los à sua terra. Tão bem ele expressou o seu apelo que teve mais que bom êxito. Suas palavras, conforme somos informados, tocaram tão profundamente o coração dos captores que, em vez de meramente enviá-los de volta... forneceram guias apropriados, provendo para eles, até chegarem com segurança em Jericó.

Yahweh era a causa de toda essa calamidade. Ele dera a vitória a Israel. Mas isso não justificou a ira dos soldados israelitas, que chegou ao céu e desagradou Yahweh. Havia sido posto em prática um grande exagero, um ato de brutalidade. *Isso* tinha de ser corrigido. Cf. Zc 1.15.

"A esse belo discurso coisa alguma pode ser adicionada pelos melhores comentários. Foi um discurso simples, humano, piedoso e avassaladoramente convincente. Não admira, pois, que tenha produzido o efeito aqui mencionado" (Adam Clarke, *in loc.*).

Que chegou até aos céus. Ver também Gn 28.12 e Is 8.8. Yahweh estava observando tudo. Aquilo que os homens fazem agrada ou desagrada ao Senhor. Ele está sempre pronto a intervir. Isso reflete a posição do *teísmo* em lugar do *deísmo* (ver sobre ambos no *Dicionário*). Deus criou todas as coisas, mas também se faz presente em sua criação, intervindo, recompensando e castigando, conforme os homens merecem.

28.10,11

וְעַתָּה בְּנֵי־יְהוּדָה וִירוּשָׁלִַם אַתֶּם אֹמְרִים לִכְבֹּשׁ לַעֲבָדִים וְלִשְׁפָחוֹת לָכֶם הֲלֹא רַק־אַתֶּם עִמָּכֶם אֲשָׁמוֹת לַיהוָה אֱלֹהֵיכֶם׃

וְעַתָּה שְׁמָעוּנִי וְהָשִׁיבוּ הַשִּׁבְיָה אֲשֶׁר שְׁבִיתֶם מֵאֲחֵיכֶם כִּי חֲרוֹן אַף־יְהוָה עֲלֵיכֶם׃ ס

Agora cuidais em sujeitar os filhos de Judá e Jerusalém. Os *judeus* seriam reduzidos à situação de escravos, o que era contrário à legislação mosaica. As mulheres judias engrossariam os haréns das tribos do norte. Muitos ultrajes seriam cometidos, como sempre ocorre com os cativos de guerra. Os pecados de Judá, entretanto, não mereciam esse tipo de tratamento. Ademais, todos os guerreiros das tribos do norte tinham seus próprios pecados e estavam ali, naquele dia, impunes, pela graça e misericórdia de Yahweh. O profeta Odede estava dizendo que, se os cativos de Judá fossem retidos, contra todo o bom senso, algum terrível julgamento cairia sobre os réprobos soldados das tribos do norte.

Ver Lv 25.39-46 quanto a leis que governavam fazer "irmãos", isto é, hebreus, tornar-se escravos. Havia grande apostasia no norte. O cativeiro assírio agora estava muito próximo. As tribos do norte (Israel) seriam deportadas para nunca mais retornar, tal como aqueles homens miseráveis haviam deportado os impotentes judeus. Eles tinham exercido uma ira tão profunda que chegara ao céu e deixar Yahweh aborrecido. Em breve Yahweh os feriria com a ferocidade de sua ira. Era muito melhor que os soldados das tribos do norte permitissem que seus irmãos e irmãs retornassem a Judá. Os homens das tribos nortistas já estavam em terreno precário, por causa de sua própria apostasia.

28.12

וַיָּקֻמוּ אֲנָשִׁים מֵרָאשֵׁי בְנֵי־אֶפְרַיִם עֲזַרְיָהוּ בֶן־יְהוֹחָנָן בֶּרֶכְיָהוּ בֶן־מְשִׁלֵּמוֹת וִיחִזְקִיָּהוּ בֶן־שַׁלֻּם וַעֲמָשָׂא בֶּן־חַדְלָי עַל־הַבָּאִים מִן־הַצָּבָא׃

Então se levantaram alguns homens dentre os cabeças dos filhos de Efraim. Os altos oficiais das tribos do norte deixaram-se convencer. Os argumentos do profeta foram eficazes. Ver no *Dicionário* os nomes próprios que aparecem neste versículo, quanto ao pouco que se sabe sobre eles.

Esses oficiais também se "levantaram contra" os guerreiros e demandaram justiça e misericórdia para com seus irmãos de raça. Ironicamente, Judá estava sendo punido por Yahweh, por causa da sua apostasia, mas os *nortistas apostatados,* em meio ao triunfo, demonstraram misericórdia. Naquele momento, foram os apostatados nortistas que deram ouvidos à palavra de Yahweh. Portanto, Israel ouviu a Deus, quando Judá não lhe tinha dado ouvidos.

Os *príncipes de Israel,* influenciados pelo que o profeta Odede dissera, impediram que os compatriotas continuassem seu ato tresloucado. Os atos foram completamente revertidos pela atitude humanitária dos descendentes de Efraim, algo raro de ser visto nas descrições sobre matar e ser morto que enche tanto as histórias dos reis de Israel como de Judá.

Filhos de Efraim. As dez tribos do norte, como uma entidade de política, eram, muito frequentemente, designadas pelo termo "Efraim". Essa foi uma designação comum usada por profetas como Oseias e Isaías. Efraim e Samaria são termos equivalentes no livro de Oseias. A cidade de Samaria situava-se no território da tribo de Manassés e tornou-se a capital do norte, mas Efraim tradicionalmente era a tribo mais poderosa. Betel estava ali e tornou-se o centro da adoração apostatada de Israel.

28.13

וַיֹּאמְרוּ לָהֶם לֹא־תָבִיאוּ אֶת־הַשִּׁבְיָה הֵנָּה כִּי לְאַשְׁמַת יְהוָה עָלֵינוּ אַתֶּם אֹמְרִים לְהֹסִיף עַל־חַטֹּאתֵינוּ וְעַל־אַשְׁמָתֵינוּ כִּי־רַבָּה אַשְׁמָה לָנוּ וַחֲרוֹן אָף עַל־יִשְׂרָאֵל׃ ס

A nossa culpa já é grande, e o brasume da ira do Senhor está sobre nós. *Adicionando Combustível à Fogueira.* Odede, profeta de Yahweh, e não de Baal, podia ver claramente um perigoso *acúmulo* de pecados entre as tribos do norte, que em breve haveria de provocar a ira de Yahweh. Havia toda aquela apostasia, toda aquela idolatria. Agora aqueles homens selvagens tinham violado todo bom senso e toda a legislação, ao trazerem cativos da tribo do sul. Ademais, eles mesmos eram homens violentos, cuja ira chegara até Yahweh, nos céus (vs. 9). Israel estava em uma situação precária. A ira divina logo haveria de golpear as tribos do norte, no cativeiro assírio. Portanto, era sábio enviar de volta os cativos de Judá, e não submeter demais Yahweh a teste. A taça da iniquidade de Israel estava quase cheia.

28.14

וַיַּעֲזֹב הֶחָלוּץ אֶת־הַשִּׁבְיָה וְאֶת־הַבִּזָּה לִפְנֵי הַשָּׂרִים וְכָל־הַקָּהָל׃

Então os homens armados deixaram os presos e o despojo. Os soldados de Israel cederam diante do bom conselho do profeta Odede e da insistência dos príncipes, e assim deixaram ir-se os prisioneiros de Judá. Também liberaram os despojos que tinham tomado, ficando de mãos vazias. Dessa forma, perderam seus "salários", visto que os exércitos antigos se sustentavam dos despojos que tomavam. O restante a fazer ficou ao encargo do portão de Samaria, o lugar da assembleia solene, para que o caso recebesse atenção posterior.

28.15

וַיָּקֻמוּ הָאֲנָשִׁים אֲשֶׁר־נִקְּבוּ בְשֵׁמוֹת וַיַּחֲזִיקוּ בַשִּׁבְיָה וְכָל־מַעֲרֻמֵּיהֶם הִלְבִּישׁוּ מִן־הַשָּׁלָל וַיַּלְבִּשׁוּם וַיַּנְעִלוּם וַיַּאֲכִלוּם וַיַּשְׁקוּם וַיְסֻכוּם וַיְנַהֲלוּם בַּחֲמֹרִים לְכָל־כּוֹשֵׁל וַיְבִיאוּם יְרֵחוֹ עִיר־הַתְּמָרִים אֵצֶל אֲחֵיהֶם וַיָּשׁוּבוּ שֹׁמְרוֹן׃ פ

Homens foram designados nominalmente. Aqueles cujos nomes foram fornecidos no vs. 12 tomaram sobre si o encargo de levar os cativos de volta a Judá, depois de terem vestido os nus, calçado os descalços e alimentado os debilitados. Obtiveram jumentos para levar os fracos; e serviram de guias ou nomearam guias para levar os ex-prisioneiros até Jericó. Sem dúvida foram enviados soldados para proteger o povo de ataques da parte de Israel ou de qualquer outro poder armado. Às mulheres, às crianças e aos idosos foram dadas montarias para a viagem de volta. Os demais, é de presumir-se, andaram a distância toda de Samaria a Jericó, cerca de oitenta quilômetros. Também foi provido o necessário para a jornada de volta. Aos cansados viajantes permitiu-se que tomassem banho e se vestissem apropriadamente. Foi um ato de amor, o que, sem dúvida, era coisa rara em tempo de guerra civil ou de qualquer outra guerra.

"O escritor sagrado demora-se com manifesto prazer sobre a bondade demonstrada pelos arrependidos inimigos do reino do norte, para com os cativos judeus. Talvez ele tenha tencionado sugerir uma lição aos samaritanos de sua própria época, cuja amarga hostilidade tinha provado ser tão daninha para os exilados restaurados (ver Ne 4.2,7,8; 6.1 ss.). De acordo com a tradição rabínica, eles conseguiram fazer Alexandre o Grande voltar-se, com preconceitos, contra a comunidade de Jerusalém (conforme diz o Talmude, Yoma, 69A)" (Ellicott, *in loc.*).

Talvez Jesus tivesse essa história em mente ao proferir a parábola do bom samaritano. Existem coincidências curiosas. Ver Lc 10.30,33,34.

Variantes Textuais. As versões siríaca e árabe põem os vss. 23-25 entre os vss. 15 e 16, mas omitem inteiramente o vs. 22. Talvez algumas cópias hebraicas antigas usassem essa disposição, mas não há como ter certeza.

■ 28.16

בָּעֵת הַהִיא שָׁלַח הַמֶּלֶךְ אָחָז עַל־מַלְכֵי אַשּׁוּר לַעְזֹר לוֹ׃

Naquele tempo mandou o rei Acaz pedir aos reis da Assíria que o ajudassem. *Aprendemos aqui* aquilo sobre o que os livros de Reis falam demoradamente: a intervenção da Assíria (2Rs 16.7 ss.). No livro de Reis, entretanto, o monarca assírio é representado a fazer voltar a maré rapidamente, deixando Judá essencialmente intocado. Quanto a essa diferença, ao confrontar a narrativa do cronista, o leitor deve ver as notas sobre o vs. 7, sob o título *O quadro pintado em 2Rs.* O cronista não fornece aqui nenhum detalhe, mas é evidente que devemos compreender que a Assíria livrou Judá, mas somente após grande perda, porque as forças unidas de Israel e da Síria tinham lançado grande confusão em Judá e Jerusalém. Mas como para certificar-nos de que as tribulações do ímpio Acaz não tinham terminado, o autor sagrado dos livros de Crônicas agora fala sobre um novo problema, dessa vez com os edomitas e os filisteus. O autor dos livros de Reis não faz nenhuma menção aos filisteus, e cita muito rapidamente os edomitas. Por conseguinte, temos aqui outra importante diferença nas narrativas dos livros de Reis e Crônicas.

2Reis identifica o rei da Assíria, Tiglate-Pileser III (745-727 a.C.). Em seu tempo, seria lançado o cativeiro assírio, de modo que isso nos mostra quão próximo estava aquele acontecimento.

O original hebraico diz aqui "reis", mas as versões da Septuaginta, da Vulgata, siríaca e árabe dizem "rei", fazendo a narrativa concordar com os livros de Reis, que especifica um único rei da Assíria.

■ 28.17

וְעוֹד אֲדוֹמִים בָּאוּ וַיַּכּוּ בִיהוּדָה וַיִּשְׁבּוּ־שֶׁבִי׃

Pois vieram de novo os edomitas e derrotaram a Judá. No trecho paralelo de 2Rs 16.6, lemos que os edomitas tomaram Elate e, até o tempo do autor sacro (após o cativeiro babilônico), Judá ainda não tinha recuperado o lugar. Somente o cronista fala acerca dos *cativos* que foram tomados. Portanto, nem bem Israel tinha liberado seus cativos, e Edom atacou de novo. Esperamos que os mesmos judeus não estivessem envolvidos!

■ 28.18

וּפְלִשְׁתִּים פָּשְׁטוּ בְּעָרֵי הַשְּׁפֵלָה וְהַנֶּגֶב לִיהוּדָה וַיִּלְכְּדוּ אֶת־בֵּית־שֶׁמֶשׁ וְאֶת־אַיָּלוֹן וְאֶת־הַגְּדֵרוֹת וְאֶת־שׂוֹכוֹ וּבְנוֹתֶיהָ וְאֶת־תִּמְנָה וּבְנוֹתֶיהָ וְאֶת־גִּמְזוֹ וְאֶת־בְּנֹתֶיהָ וַיֵּשְׁבוּ שָׁם׃

Também os filisteus deram contra as cidades da campina e do sul de Judá. Foi então a vez de os filisteus efetuarem uma extensa invasão, tendo tomado várias cidades. Ver sobre elas no *Dicionário*. A ira de Yahweh realmente não se tinha apagado; as perdas de Acaz foram enormes. A antiga síndrome do pecado-calamidade-julgamento fazia uma terrível cobrança. Foi assim que os edomitas, pelo oriente, e os filisteus, pelo ocidente (nos sopés das montanhas), cumpriam as tarefas divinamente dadas, lançando confusão em quase todo o Judá. E também estavam sendo desfechados ataques no *Neguebe*, o deserto ao sul de Judá. Além disso, os arameus eram uma ameaça constante, na verdade a maior de todas as ameaças. Os israelitas estavam novamente desassossegados, de forma que nada havia senão tribulação e consternação. Ver 2Rs 16.5-9 e Is 7.1-17.

Da campina. Isto é, a *Shephelah* (ver a respeito no *Dicionário*).
Do sul. Ou seja, no Neguebe, o deserto que há ao sul do antigo território de Judá. Ver sobre esse termo no *Dicionário*.

■ 28.19

כִּי־הִכְנִיעַ יְהוָה אֶת־יְהוּדָה בַּעֲבוּר אָחָז מֶלֶךְ־יִשְׂרָאֵל כִּי הִפְרִיעַ בִּיהוּדָה וּמָעוֹל מַעַל בַּיהוָה׃

Porque o Senhor humilhou a Judá por causa de Acaz. Acaz foi a causa da queda da nação de Judá, deixando-a exposta aos inimigos e agindo em indecente exposição, conforme indica o original hebraico. Ninguém peca sozinho. Acaz desnudou os judeus de sua religião e da adoração a Deus e, assim, da proteção divina de que dispunham. Cf. Êx 32.25. Na idolatria, a nação culpada torna-se uma adúltera espiritual.

■ 28.20,21

וַיָּבֹא עָלָיו תִּלְּגַת פִּלְנְאֶסֶר מֶלֶךְ אַשּׁוּר וַיָּצַר לוֹ וְלֹא חֲזָקוֹ׃

כִּי־חָלַק אָחָז אֶת־בֵּית יְהוָה וְאֶת־בֵּית הַמֶּלֶךְ וְהַשָּׂרִים וַיִּתֵּן לְמֶלֶךְ אַשּׁוּר וְלֹא לְעֶזְרָה לוֹ׃

Veio a ele Tiglate-Pileser, rei da Assíria. *Embora o rei da Assíria* tenha sido chamado para ajudar contra outros inimigos, o resultado final das tropas assírias foi prejuízo, e não ajuda. Isso também difere da história dos livros de Reis, em que o rei da Assíria pôs fim imediato aos ataques contra Judá. Naturalmente, o cronista escreveu *após* o cativeiro babilônico (ver a respeito no *Dicionário*), e é provável que estivesse referido-se ao que aconteceu *finalmente*. Mas foi a *Babilônia* quem desfechou a pior opressão, em toda a história de Judá, e, no entanto, foi a potência estrangeira a quem Acaz pediu ajuda! A opressão babilônica ainda estava a mais de cem anos de distância, embora o cativeiro assírio das tribos do norte, Israel, estivesse bem próximo. Antes do cativeiro, o rei da Assíria esvaziou os tesouros do templo de Jerusalém. Ele cobrou seu *pagamento* pela ajuda que havia dado. Acaz foi forçado até a retirar do templo seus antigos trabalhos em bronze (2Rs 16.17 ss.), para nada dizer sobre o ouro e a prata. Assim sendo, o amigo que *ajudou* tornou-se um saqueador implacável. Os assírios não tinham consideração pelos vassalos. A lição era clara: confiar em potências estrangeiras, como a Assíria ou a Babilônia, só poderia mesmo terminar em desastre. *Espiritualmente*, pois, as alianças firmadas com a Assíria foram altamente prejudiciais. E Acaz terminou adotando deuses e formas religiosas assírias, tornando-se, mais do que nunca, um apóstata.

■ 28.22,23

וּבְעֵת הָצֵר לוֹ וַיּוֹסֶף לִמְעוֹל בַּיהוָה הוּא הַמֶּלֶךְ אָחָז׃

וַיִּזְבַּח לֵאלֹהֵי דַרְמֶשֶׂק הַמַּכִּים בּוֹ וַיֹּאמֶר כִּי אֱלֹהֵי מַלְכֵי־אֲרָם הֵם מַעְזְרִים אוֹתָם לָהֶם אֲזַבֵּחַ וְיַעְזְרוּנִי וְהֵם הָיוּ־לוֹ לְהַכְשִׁילוֹ וּלְכָל־יִשְׂרָאֵל׃

No tempo da sua angústia cometeu ainda maiores transgressões contra o Senhor. *Angustiado,* Acaz chamou os inimigos de Yahweh para vir ajudá-lo, e sofreu por causa de sua estupidez. Ele caiu na idolatria e assim retirou a proteção divina da nação. Em sua insensatez, atribuiu a ajuda recebida aos deuses da Assíria, e isso foi um erro fatal. Assim, em atos de ações de graças, Acaz ofereceu sacrifícios às divindades assírias.

As aflições do rei Acaz (vs. 22) afetaram seu poder de raciocinar. Ele tinha perdido o contato com Yahweh e seus poderes, e se submetera a influências estranhas. Cf. 2Rs 16.10 ss. Acaz foi visitar Tiglate-Pileser e notou que ele tinha uma esplendorosa idolatria. Apaixonou-se então pelo principal altar de sacrifícios dos deuses pagãos, e até mandou fazer uma réplica e levantá-la em Jerusalém. O altar de bronze, dedicado a Yahweh, foi removido para dar lugar ao altar idólatra.

Deuses de Damasco, que o feriram. Esta expressão tem causado desnecessária consternação entre os comentadores. Foi *Yahweh* quem o feriu, mas *através* de agências estrangeiras e entidades demoníacas que estão por trás de toda a atividade idólatra. Cf. 1Co 10.20. Seja como for, a lealdade de Acaz a potências estrangeiras e formas idólatras terminaram por arruiná-lo.

A sua ruína, e a de todo o Israel. Naturalmente, com a palavra "Israel" o autor sacro quis dizer "Judá". Quando ele escreveu, Judá se tinha tornado a nação de Israel, uma vez que as dez tribos do norte se tinham perdido, devido ao cativeiro assírio. Por isso, ocasionalmente, o autor sagrado disse simplesmente *Israel,* quando, na realidade, estava referindo-se a *Judá.* Cf. 2Cr 21.2, onde escribas e versões subsequentes mudaram de Israel para Judá, o que é seguido por algumas traduções modernas.

28.24

וַיֶּאֱסֹף אָחָז אֶת־כְּלֵי בֵית־הָאֱלֹהִים וַיְקַצֵּץ אֶת־כְּלֵי בֵית־הָאֱלֹהִים וַיִּסְגֹּר אֶת־דַּלְתוֹת בֵּית־יְהוָה וַיַּעַשׂ לוֹ מִזְבְּחוֹת בְּכָל־פִּנָּה בִּירוּשָׁלִָם׃

Ajuntou Acaz os utensílios da casa de Deus. O *tributo cobrado* pelos assírios esvaziou o templo de Jerusalém de tal maneira que Acaz tomou os vasos e utensílios do templo, feitos de bronze, que tinham algum valor. O ouro e a prata, naturalmente, foram dados ao inimigo. Os vasos usados no culto foram cortados e transformados em metal, para satisfazer a concupiscência do monarca assírio. Ato contínuo, o rei apóstata de Judá simplesmente fechou o templo, fazendo cessar completamente a adoração a Yahweh, e voltou-se para a mais franca idolatria, o que era mesmo esperado pelos assírios, visto que Judá se tinha tornado uma nação vassala. Cf. 2Rs 16.17 ss. O autor dos livros de Reis, entretanto, nada diz sobre o fato de o rei Acaz ter fechado o templo de Jerusalém, de modo que alguns críticos creem que o cronista exagerou para dar a impressão de que a situação se tornara insuportável.

"Fechando as portas do templo, Acaz suspendeu todos os ritos que poderiam ser realizados no Santo Lugar e no Santo dos Santos" (Ellicott, *in loc.*). Mas 2Cr 29.3 informa-nos que o rei Ezequias *reabriu* o templo.

28.25

וּבְכָל־עִיר וָעִיר לִיהוּדָה עָשָׂה בָמוֹת לְקַטֵּר לֵאלֹהִים אֲחֵרִים וַיַּכְעֵס אֶת־יְהוָה אֱלֹהֵי אֲבֹתָיו׃

Também em cada cidade de Judá fez altos para queimar incenso a outros deuses. *Novos Lugares Altos.* Somente nos dias de Ezequias os *lugares altos* (ver a respeito no *Dicionário*) foram eliminados de vez. Acaz, porém, tinha *grande zelo* em favor do paganismo. Por isso mesmo construiu novos lugares altos, a fim de fomentar suas formas idólatras de adoração. Cf. 2Cr 28.4, onde vemos o rei Acaz fazendo de cada "árvore frondosa" um veículo apropriado para suas práticas idólatras. Aquele versículo é idêntico a 2Rs 16.4, onde as notas expositivas são oferecidas. Acaz não se contentou em fazer de Jerusalém um centro de idolatria. Ele também espalhou a idolatria por várias cidades de Judá, que se tornaram centros do paganismo.

Portanto, Acaz não perdeu apenas Judá e o templo. Também perdeu sua alma.

28.26

וְיֶתֶר דְּבָרָיו וְכָל־דְּרָכָיו הָרִאשֹׁנִים וְהָאַחֲרוֹנִים הִנָּם כְּתוּבִים עַל־סֵפֶר מַלְכֵי־יְהוּדָה וְיִשְׂרָאֵל׃

Quanto aos mais atos dele. Este versículo é idêntico a 2Rs 16.19, onde ofereci a exposição, excetuando o fato de que o cronista dá o nome mais completo da "história", chamando-a "de Israel". Esse livro, atualmente perdido, uma das fontes informativas dos livros de Reis e Crônicas, era, na verdade, a história tanto dos reis de Judá como dos reis de Israel.

28.27

וַיִּשְׁכַּב אָחָז עִם־אֲבֹתָיו וַיִּקְבְּרֻהוּ בָעִיר בִּירוּשָׁלִַם כִּי לֹא הֱבִיאֻהוּ לְקִבְרֵי מַלְכֵי יִשְׂרָאֵל וַיִּמְלֹךְ יְחִזְקִיָּהוּ בְנוֹ תַּחְתָּיו׃ פ

Descansou Acaz com seus pais. Este versículo é idêntico ao de 2Rs 16.20, onde a exposição é oferecida. O cronista, entretanto, deixou claro que ao ímpio Acaz foi negada a honra de ser sepultado nos *sepulcros dos reis* (ver a respeito no *Dicionário*). Ele foi sepultado nas proximidades, mas *não junto com eles.* Cf. 2Cr 21.20; 24.25 e 26.23, que têm alguma nota "restritiva" acerca dos reis e seus lugares de sepultamento.

CAPÍTULO VINTE E NOVE

EZEQUIAS (29.1—32.33)

Quanto a *comentários gerais* que se aplicam a todos os reis de Judá, aos propósitos do cronista, à exaltação da dinastia davídica, ao fato de ele ter deixado fora da narrativa as histórias dos reis de Israel, e à sua filosofia da história, ver a introdução ao capítulo 27. Confio que o leitor consultará sobre *esses assuntos* nos lugares mencionados.

Ezequias foi um dos maiores reis de Judá, líder e reformador capaz. Assim sendo, o cronista dedicou a ele nada menos que *quatro* capítulos de sua narrativa (2Cr 29–32). E o escritor de 2Reis dá-lhe um tributo excelente em 18.3-6. O paralelo é 2Rs 18.1—20.21, *três* capítulos inteiros. Portanto, ambos os autores sagrados reconheceram a importância de Ezequias e registraram sua história com detalhes.

Ver no *Dicionário* os seguintes artigos que dão sumários para auxiliar a exposição feita aqui: *Ezequias; Reino de Judá;* e *Rei, Realeza.* Ver os gráficos comparativos no terceiro desses artigos.

"Fora de qualquer dúvida, Ezequias foi um governante bom e iluminado. 2Rs 18.3-6 paga um tributo sem qualificações às virtudes dele: '... não houve seu semelhante entre todos os reis de Judá, nem entre os que foram antes dele'. Esse elogio superlativo parece deixar de fora o pensamento sobre Davi, e sobre o ainda futuro Josias, com suas decisivas reformas.

O reinado de Ezequias proporcionou ao cronista razões plenas para louvá-lo, pintando-o como um segundo e santificado *Davi.* Não é surpreendente, pois, encontrar na longa seção devotada a Ezequias (mais de três capítulos) novos materiais, sem paralelo nos livros de Reis" (W. A. L. Elmslie, *in loc.*).

Ezequias corrigiu os erros que tinham sido cometidos antes dele. Ele varreu para longe a influência do horrendo rei Acaz, que tanto havia influenciado Judá. Ele reabriu as portas do templo, purificou-o e renovou-o. Restaurou o yahwismo e aniquilou o paganismo. Chegou mesmo a remover os lugares altos, algo que nenhum outro monarca de Judá tinha conseguido fazer antes dele.

Ver sobre *Davi, o rei ideal,* em 1Rs 15.3, e sobre o *rei ideal* em Dt 17.14 ss.

29.1

יְחִזְקִיָּהוּ מָלַךְ בֶּן־עֶשְׂרִים וְחָמֵשׁ שָׁנָה וְתֵשַׁע וְעֶשְׂרִים שָׁנָה מָלַךְ בִּירוּשָׁלִָם וְשֵׁם אִמּוֹ אֲבִיָּה בַּת־זְכַרְיָהוּ׃

Tinha Ezequias 25 anos de idade, quando começou a reinar. Este versículo tem como paralelo 2Rs 18.1,2, onde a exposição é oferecida. O autor dos livros de Reis deu suas notas comparativas usuais concernentes ao que acontecia em Israel, as tribos do norte, ao passo que o cronista nunca fez isso. Nas anotações sobre os livros de Reis, comentei sobre problemas de cronologia causados, provavelmente, pelas corregências.

Ver a introdução no capítulo 18 de 2Reis, onde adiciono detalhes que não repito aqui, incluindo uma comparação histórica com o que acontecia, na época, às tribos do norte, Israel. O autor dos livros de Reis devotou maior espaço a Ezequias do que a qualquer outro rei de Judá, excetuando Salomão, que reinou sobre o reino unido de Israel.

Vss. 1-9. "Ezequias, cujo reino independente prolongou-se por 29 anos (715-686 a.C.) aparentemente reinou como vice-regente de seu pai, Acaz, por catorze anos (729-715 a.C.). A narrativa de sua vida, em 2Cr, cobre seu período de 29 anos depois de 715 a.C. *Israel*, a nação do norte, já havia caído diante dos assírios, em 722 a.C., e seus habitantes haviam sido deportados em grande número (cf. 2Rs 17.1-6). Ezequias foi um dos maiores reis de Judá (ver 2Rs 18.5). Logo no primeiro mês de seu reinado como monarca único, abriu as portas do templo, a fim de repará-las, restaurando a casa do Senhor, porquanto Acaz, seu ímpio pai, tinha proibido os sacerdotes e os levitas de entrar no templo (ver 2Cr 28.24). O novo rei, porém, reuniu os sacerdotes e os levitas no lado oriental do templo, e ordenou-lhes que se consagrassem para o trabalho, e que purificassem e reparassem o templo, o qual, nos anos de Acaz, tinha caído em um triste estado de deterioração" (Eugene H. Merrill, *in loc.*).

Judá tornara-se a nação de Israel.

■ 29.2

וַיַּעַשׂ הַיָּשָׁר בְּעֵינֵי יְהוָה כְּכֹל אֲשֶׁר־עָשָׂה דָּוִיד אָבִיו׃

Fez ele o que era reto perante o Senhor. Este versículo é idêntico ao seu paralelo, 2Rs 18.3, onde forneço as notas expositivas.

■ 29.3

הוּא בַשָּׁנָה הָרִאשׁוֹנָה לְמָלְכוֹ בַּחֹדֶשׁ הָרִאשׁוֹן פָּתַח אֶת־דַּלְתוֹת בֵּית־יְהוָה וַיְחַזְּקֵם׃

No ano primeiro do seu reinado, no primeiro mês. O templo foi reaberto, pois Acaz (pai de Ezequias) o havia fechado. Ver 2Cr 28.24. Mais tarde, quando suas reformas progrediam, o novo rei Ezequias foi capaz de encerrar os lugares altos e outros lugares onde se cultuava o paganismo (ver 2Cr 31.1). Isso foi algo que nenhum rei de Judá tinha conseguido fazer. Violência fora praticada contra o templo. Até o bronze dos utensílios havia sido tirado por causa do valor do metal dado à Assíria como parte do tributo. Ver 2Cr 28.20,21 e a exposição desse trecho. Uma restauração geral foi efetuada, e assim, uma vez mais, o templo tornou-se operacional. Ver 2Cr 28.23, onde conto como Acaz chegou a desfazer-se do altar de bronze, e a substituí-lo por uma réplica do templo principal dos assírios. Cf. este versículo com 2Rs 18.17, onde vemos as coisas caindo de novo na desgraça.

No primeiro mês. Sem dúvida indica o mês de nisã, o primeiro mês do ano religioso, e não o primeiro mês do reinado de Ezequias. Cf. o vs. 17 deste capítulo e 2Cr 30.23.

■ 29.4,5

וַיָּבֵא אֶת־הַכֹּהֲנִים וְאֶת־הַלְוִיִּם וַיַּאַסְפֵם לִרְחוֹב הַמִּזְרָח׃

וַיֹּאמֶר לָהֶם שְׁמָעוּנִי הַלְוִיִּם עַתָּה הִתְקַדְּשׁוּ וְקַדְּשׁוּ אֶת־בֵּית יְהוָה אֱלֹהֵי אֲבֹתֵיכֶם וְהוֹצִיאוּ אֶת־הַנִּדָּה מִן־הַקֹּדֶשׁ׃

Trouxe os sacerdotes e os levitas. *A Restauração do Ministério*. Na parte final do reinado de Acaz, os levitas e os sacerdotes estavam inativos e talvez até corressem perigo de ser executados. O país tinha sido transformado em um oásis do paganismo, pelo ímpio rei Acaz. Ezequias agora estava revertendo tudo isso. Ele reuniu os ministros religiosos, fê-los santificar-se e também consagrar o templo, e restaurou a adoração ordenada por Yahweh-Elohim, em contraste com as intrusões do paganismo assírio. O culto restaurado de Yahweh era a religião tradicional de Israel e Judá, por isso Ezequias estava promovendo um movimento "de volta à Bíblia". Foi removida a "imundícia" do templo, provavelmente uma referência às formas e à aparelhagem dos objetos idólatras. E também havia a imundícia física, visto que o templo tinha caído na deterioração e carecia de urgentes reparos. Kimchi falou sobre a idolatria que tinha invadido o próprio templo.

Na praça oriental. Cf. Ed 10.9; Ne 8.1,3,16. "O lugar de reuniões provavelmente era uma área aberta defronte do portão oriental do âmbito sagrado" (Ellicott, *in loc.*).

■ 29.6

כִּי־מָעֲלוּ אֲבֹתֵינוּ וְעָשׂוּ הָרַע בְּעֵינֵי יְהוָה אֱלֹהֵינוּ וַיַּעַזְבֻהוּ וַיַּסֵּבּוּ פְנֵיהֶם מִמִּשְׁכַּן יְהוָה וַיִּתְּנוּ־עֹרֶף׃

Porque nossos pais prevaricaram. Os *pais*, sobretudo os reis recentes, inspirados pelo mau exemplo deixado por Acabe e por outros que tinham promovido o paganismo, em suas transgressões esqueceram Yahweh. Eles também envolveram os habitantes de Judá, os quais, se tivessem sido liderados corretamente, não se envolveriam na idolatria. Os líderes da nação, pois, *abandonaram* o caminho reto e desviaram-se para o *mal*. Essa situação precisava ser remediada imediatamente, e o dever dos ministros era ajudar Ezequias a continuar com a reforma religiosa e moral da nação.

Desviaram os seus rostos do tabernáculo do Senhor. Ou seja, o templo, o lugar onde Yahweh manifestava sua presença. Eles "voltaram seus pescoços" para longe daquele lugar, como diz o hebraico literal. Cerrar o templo foi o golpe final de Acaz no desvio da habitação de Yahweh. Um grande programa de limpeza precisava ser efetuado. Cf. este versículo com Jr 2.27 e Ez 8.16, onde encontramos expressões e mensagens similares.

■ 29.7

גַּם סָגְרוּ דַּלְתוֹת הָאוּלָם וַיְכַבּוּ אֶת־הַנֵּרוֹת וּקְטֹרֶת לֹא הִקְטִירוּ וְעֹלָה לֹא־הֶעֱלוּ בַקֹּדֶשׁ לֵאלֹהֵי יִשְׂרָאֵל׃

Também fecharam as portas do pórtico. *O Fim de Funções Vitais*. Tudo quanto era vital à realização do culto de Yahweh cessou. Ninguém mais podia adentrar no templo de Jerusalém. As lâmpadas foram apagadas. Os sacerdotes não mais podiam adentrar para limpar as lâmpadas pela manhã e no começo da noite, a fim de mantê-las acesas. Nenhum sacrifício ou incenso era oferecido. Em outras palavras, toda a operação do templo foi encerrada. "O ritual sagrado foi inteiramente descontinuado" (Jamieson, *in loc.*). As lâmpadas do candeeiro de ouro do Lugar Santo foram apagadas e, juntamente com isso, a luz de Israel (ou Judá). Ver no *Dicionário* o verbete chamado *Lâmpada (Candeeiro)*. Ver também ali os artigos chamados *Incenso* e *Sacrifícios e Ofertas*.

■ 29.8

וַיְהִי קֶצֶף יְהוָה עַל־יְהוּדָה וִירוּשָׁלִָם וַיִּתְּנֵם לְזַוֲעָה לְשַׁמָּה וְלִשְׁרֵקָה כַּאֲשֶׁר אַתֶּם רֹאִים בְּעֵינֵיכֶם׃

Pelo que veio grande ira do Senhor sobre Judá e Jerusalém. A ira de Yahweh quase reduzira Judá e Jerusalém a nada, transformando-os em motivo de zombaria diante de outros povos, ou seja, um objeto de ridículo. Esses foram sofrimentos causados pelos sírios, pelos israelitas, pelos edomitas e pelos filisteus. Os judeus ficaram em estado de desespero e torpor, condição que deixava admirados até os seus inimigos, ao ver as desgraças que tinham atingido o povo de Deus. Cf. este versículo com Dt 28.25,37 e Jr 25.9,18, que têm declarações similares. Jeremias disse que os inimigos de Judá estavam "espantados" diante do que tinha acontecido aos judeus.

■ 29.9

וְהִנֵּה נָפְלוּ אֲבוֹתֵינוּ בֶּחָרֶב וּבָנֵינוּ וּבְנוֹתֵינוּ וְנָשֵׁינוּ בַּשְּׁבִי עַל־זֹאת׃

Porque eis que nossos pais caíram à espada. Os *pais* foram mortos à espada, e os *filhos* (e esposas) foram levados para o cativeiro, primeiramente pelos israelitas (2Cr 28.8) e depois pelos edomitas (2Cr 28.17). E agora, esperando entrar também no palco, estavam os babilônios, que fariam a mesma coisa, embora para isso ainda tivessem de passar mais de cem anos. As tribos do norte (Israel), contudo, já tinham entrado no cativeiro, na Assíria, para nunca mais retornarem, até hoje. As tribos do norte haviam sido liquidadas, e o sul teria a sua quota de aflição. Cf. 2Cr 28.5,6, a que o autor também faz referência.

29.10

עַתָּה עִם־לְבָבִי לִכְרוֹת בְּרִית לַיהוָה אֱלֹהֵי יִשְׂרָאֵל וְיָשֹׁב מִמֶּנּוּ חֲרוֹן אַפּוֹ׃

Agora estou resolvido a fazer aliança com o Senhor. Ezequias achou sábio e útil entrar em um pacto novo com Yahweh. Isso seria uma *renovação* do pacto davídico e do pacto mosaico. Ele nada inventaria, tão somente reafirmaria os antigos pactos e tentaria fazer o povo voltar ao yahwismo puro. A lei mosaica uma vez mais dominaria as coisas, e os levitas cuidariam para que essa legislação fosse aplicada a cada aspecto da vida. Quanto a um artigo de sumário, ver no *Dicionário* o verbete intitulado *Pactos*. Em seguida, ver, particularmente, o *Pacto Davídico*, em 2Sm 7.4, e o *Pacto Mosaico*, na introdução ao capítulo 19 do livro de Êxodo.

Yahweh não destruíra Judá por causa de sua aliança com Davi (2Cr 21.7). Joiada tinha feito um novo pacto (ver 2Cr 23.16), como também o fez o rei Asa (ver 2Cr 15.22). A *renovação* é o espírito básico de todo o princípio, e o homem espiritual sempre tem necessidade de renovar-se. Nenhum indivíduo é tão bom durante tanto tempo que não sofra lapsos nem precise voltar a seus antigos votos.

29.11

בָּנַי עַתָּה אַל־תִּשָּׁלוּ כִּי־בָכֶם בָּחַר יְהוָה לַעֲמֹד לְפָנָיו לְשָׁרְתוֹ וְלִהְיוֹת לוֹ מְשָׁרְתִים וּמַקְטִרִים׃ ס

Filhos meus, não sejais negligentes. *Encorajando os Ministros Religiosos.* Uma das bases do encorajamento dado para que os levitas cumprissem seu dever, e ajudassem na restauração do templo e do culto, foi o fato de que eles tinham escolhido Yahweh para adorar. Somente os descendentes diretos de Arão podiam ser sacerdotes, e à casta religiosa de Levi (que tinha deixado de ser uma tribo) coube ocupar-se das tarefas ministeriais secundárias. Esses homens eram ministros de *Yahweh*, e são aqui chamados "filhos" de Ezequias. Assim exaltados, deveriam estar ansiosos por cooperar na renovação. Quanto ao fato de terem sido *escolhidos*, ver 1Cr 23.13 e Dt 10.8.

29.12

וַיָּקֻמוּ הַלְוִיִּם מַחַת בֶּן־עֲמָשַׂי וְיוֹאֵל בֶּן־עֲזַרְיָהוּ מִן־בְּנֵי הַקְּהָתִי וּמִן־בְּנֵי מְרָרִי קִישׁ בֶּן־עַבְדִּי וַעֲזַרְיָהוּ בֶּן־יְהַלֶּלְאֵל וּמִן־הַגֵּרְשֻׁנִּי יוֹאָח בֶּן־זִמָּה וְעֵדֶן בֶּן־יוֹאָח׃

Então se levantaram os levitas. Quanto aos nomes próprios, ver o *Dicionário*. Eram representantes dos vários clãs levíticos que tomaram a liderança na restauração: dos *coatitas* foram dois; dos *meraritas*, dois; e dos *gersonitas*, dois. O autor lista cuidadosamente os nomes para garantir que estava narrando uma situação histórica genuína, e não algo inventado. Ver o artigo geral intitulado *Levitas* e os verbetes sobre os principais ramos da família ocupada do culto. As três divisões principais foram mencionadas. Os coatitas foram ainda subdivididos nos clãs de Elisafã (vs. 13) e Hemã (vs. 14). Dentre os catorze levitas mencionados nestes versículos, seis pertenciam a Coate e quatro a Gerson e Merari. Seja como for, eram ministros *qualificados*, segundo a legislação mosaica.

"*Catorze chefes* ocuparam-se do dever de coletar e preparar seus irmãos na importante tarefa de purificar a casa do Senhor, a começar pelos átrios externos (os da casa dos sacerdotes e o átrio geral do povo). A purificação deveria perdurar por oito dias, os levitas purificariam o interior do templo, mas os sacerdotes fariam a varredura do lixo, e então os levitas terminariam a tarefa" (Jamieson, *in loc.*).

29.13

וּמִן־בְּנֵי אֱלִיצָפָן שִׁמְרִי וִיעוּאֵל וּמִן־בְּנֵי אָסָף זְכַרְיָהוּ וּמַתַּנְיָהוּ׃ ס

Dos filhos de Elisafã... dos filhos de Asafe... Do primeiro foram dois. Do segundo, dois que faziam parte das guildas musicais. Esses foram designados para as tarefas de purificação. A nota expositiva geral é dada no versículo anterior. Ezequias foi cuidadoso em ter um amplo grupo representativo, não esquecendo nenhum dos clãs.

29.14

וּמִן־בְּנֵי הֵימָן יְחִיאֵל וְשִׁמְעִי ס וּמִן־בְּנֵי יְדוּתוּן שְׁמַעְיָה וְעֻזִּיאֵל׃

Dos filhos de Hemã... dos filhos de Jedutum... "Dois levitas de cada uma das guildas musicais restantes — os coatitas hemanitas e os meraritas ben Jedutum (Etã) — foram finalmente nomeados, completando, com os pares anteriores, um total de sete pares, ou seja, *catorze* homens principais da ordem dos levitas. Cf. 1Cr 6.18-32" (Ellicott, *in loc.*).

29.15

וַיַּאַסְפוּ אֶת־אֲחֵיהֶם וַיִּתְקַדְּשׁוּ וַיָּבֹאוּ כְמִצְוַת־הַמֶּלֶךְ בְּדִבְרֵי יְהוָה לְטַהֵר בֵּית יְהוָה׃

Congregaram a seus irmãos. *Vss. 15-19.* "Eles, com seus companheiros, começaram a retirar do templo, para o vale do Cedrom (cf. 2Cr 15.16 e 30.14), tudo quanto fosse impuro. Nesse ato, Ezequias estava seguindo a palavra do Senhor, conforme aparece em Dt 12.2-4. Por *oito dias* eles reconsagraram tudo quanto havia fora do templo e, por mais *oito dias*, tudo quanto havia no lado de dentro. Quando os levitas terminaram a purificação, notificaram a Ezequias que não somente haviam reconsagrado o templo e todo o seu conteúdo, mas também tinham substituído todos os objetos que Acaz levara dali para usar em seus cultos pagãos (2Cr 29.18,19; cf. também 2Cr 28.24)" (Eugene H. Merrill, *in loc.*).

Os *catorze levitas* representantes reuniam seus irmãos para ajudar na tarefa. As famílias de Jerusalém seriam, principalmente, aquelas aqui listadas. Tudo foi feito em consonância com a palavra de Yahweh, conforme está contido na legislação mosaica. Cf. 1Cr 25.5 e 30.12. Ver também o vs. 25 deste capítulo.

29.16

וַיָּבֹאוּ הַכֹּהֲנִים לִפְנִימָה בֵית־יְהוָה לְטַהֵר וַיּוֹצִיאוּ אֵת כָּל־הַטֻּמְאָה אֲשֶׁר מָצְאוּ בְּהֵיכַל יְהוָה לַחֲצַר בֵּית יְהוָה וַיְקַבְּלוּ הַלְוִיִּם לְהוֹצִיא לְנַחַל־קִדְרוֹן חוּצָה׃

Os sacerdotes entraram na casa do Senhor, para a purificar. Somente os *sacerdotes* (levitas da tribo de Arão) estavam autorizados a entrar no Lugar Santo e no Santo dos Santos, por isso tiveram de fazer a purificação ali. Toda a impureza naqueles lugares foi retirada e entregue a outros levitas, os quais levaram embora todo o lixo. Eles fizeram do ribeiro do Cedrom um *monturo*! Quão moderno! Esse ribeiro era o monturo comum da cidade de Jerusalém. Recebia toda a imundícia do templo, o resíduo dos sacrifícios etc. Ver 2Rs 23.12. Ver sobre esse ribeiro no *Dicionário*.

Os críticos supõem que somente em tempos posteriores, já na época do segundo templo, o ofício dos sacerdotes tenha sido tão agudamente distinguido do ofício dos levitas comuns e, assim sendo, supõem que este versículo seja um acréscimo posterior ao texto, "adicionado pelos revisores" (W. A. L. Elmslie, *in loc.*).

29.17

וַיָּחֵלּוּ בְּאֶחָד לַחֹדֶשׁ הָרִאשׁוֹן לְקַדֵּשׁ וּבְיוֹם שְׁמוֹנָה לַחֹדֶשׁ בָּאוּ לְאוּלָם יְהוָה וַיְקַדְּשׁוּ אֶת־בֵּית־יְהוָה לְיָמִים שְׁמוֹנָה וּבְיוֹם שִׁשָּׁה עָשָׂר לַחֹדֶשׁ הָרִאשׁוֹן כִּלּוּ׃ ס

Começaram, pois, a santificar no primeiro dia do primeiro mês. O trabalho *começou* no último dia do primeiro mês (nisã, igualmente chamado *ab*), e a purificação preliminar tomou oito dias. Então outros oito dias foram consumidos na purificação do Santo Lugar e do Santo dos Santos, cobrindo assim um total de dezesseis dias. Jarchi comenta que o trabalho levou tão longo tempo porque parte dele foi gasto no desmantelamento dos ídolos que Acaz havia posto no interior do templo. Toda a demonstração externa de idolatria foi desfigurada, embora ninguém tenha *chutado* as imagens! Não houve nenhuma investigação feita pelo governo quanto à contaminação, porque o poder estava agora nas mãos de Ezequias, que ordenara a purificação do templo.

■ **29.18**

וַיָּבוֹאוּ פְנִימָה אֶל־חִזְקִיָּהוּ הַמֶּלֶךְ וַיֹּאמְרוּ טִהַרְנוּ
אֶת־כָּל־בֵּית יְהוָה אֶת־מִזְבַּח הָעוֹלָה וְאֶת־כָּל־כֵּלָיו
וְאֶת־שֻׁלְחַן הַמַּעֲרֶכֶת וְאֶת־כָּל־כֵּלָיו:

Então foram ter com o rei Ezequias no palácio. Tendo os levitas e sacerdotes terminado o trabalho de purificação, um relatório completo foi apresentado a Ezequias. Os homens indicados para apresentar o relatório deram todos os detalhes necessários para que o rei estivesse certo de que coisa alguma havia sido esquecida. O templo estava agora pronto para ser usado no culto a Yahweh.

Todos os vasos usados no culto, bem como os móveis principais, e também o altar de bronze (usado para os sacrifícios), tinham sido purificados. Todos os vestígios do paganismo haviam sido removidos. Quaisquer entulhos deixados dos sacrifícios pagãos tinham sido removidos e o altar estava impecável. O altar foi restaurado a seu devido lugar, porquanto Acaz o havia substituído por outro. O altar pagão, modelado segundo o grande altar da Assíria, foi removido e destruído. Ver 2Rs 16.10 ss. quanto à história de como Acaz substituiu o altar de Yahweh por outro, de origem pagã. A mesa dos pães da proposição foi purificada, juntamente com todos os instrumentos do culto. No tabernáculo havia apenas uma mesa dos pães da proposição, mas Salomão havia preparado dez dessas mesas (ver 2Cr 4.8) para o templo de Jerusalém. Ver as notas em 1Cr 28.16.

■ **29.19**

וְאֵת כָּל־הַכֵּלִים אֲשֶׁר הִזְנִיחַ הַמֶּלֶךְ אָחָז בְּמַלְכוּתוֹ
בְּמַעֲלוֹ הֵכַנּוּ וְהִקְדָּשְׁנוּ וְהִנָּם לִפְנֵי מִזְבַּח יְהוָה: ס

Também todos os objetos que o rei Acaz no seu reinado lançou fora. Os levitas recolheram os vasos do templo que o ímpio rei Acaz havia removido, substituindo-os pelos aparelhos do culto pagão. O desprezível rei não os havia destruído por terem sido feitos de prata e ouro e, portanto, terem valor como dinheiro. Mas descartou-os. Kimchi supõe que ele os tenha transformado em instrumentos para os cultos pagãos, e, dessa maneira metafórica, descartou-se deles, mas não parece ser isso o que o texto diz. O Targum indica que os próprios sacerdotes de Yahweh tinham ocultado esses objetos, pondo outros itens no lugar, a fim de impedir que os artigos genuínos fossem usados pelo idólatra Acaz. Essa explicação tem a concordância do Targum *Bab. Avodah Zarah,* fol. 54.2, mas parece que também não é isso que o texto sagrado diz. Seja como for, os levitas *devolveram* ao templo os instrumentos do culto, para que a adoração a Yahweh pudesse recomeçar.

■ **29.20**

וַיַּשְׁכֵּם יְחִזְקִיָּהוּ הַמֶּלֶךְ וַיֶּאֱסֹף אֵת שָׂרֵי הָעִיר וַיַּעַל
בֵּית יְהוָה:

Então o rei Ezequias se levantou de madrugada. *Reconsagração.* O templo agora estava pronto para ser rededicado. E Ezequias era o homem que encabeçaria a cerimônia de rededicação e os sacrifícios. Os vss. 20-30 contam essa história. O rei "... tomou a primeira oportunidade para estar presente à adoração a Deus, e deu exemplo para o povo. Ele reuniu os governantes da cidade, os anciãos do povo, os principais magistrados de Jerusalém e subiu para a casa do Senhor, ou seja, o templo, a fim de adorar ali" (John Gill, *in loc.*). "Ezequias estava *ansioso* para entrar no culto de expiação com toda a pressa possível, agora que o templo havia sido devidamente preparado. Portanto, ele convocou todos os representantes de Israel" (Jamieson, *in loc.*).

■ **29.21**

וַיָּבִיאוּ פָרִים־שִׁבְעָה וְאֵילִים שִׁבְעָה וּכְבָשִׂים
שִׁבְעָה וּצְפִירֵי עִזִּים שִׁבְעָה לְחַטָּאת עַל־הַמַּמְלָכָה
וְעַל־הַמִּקְדָּשׁ וְעַל־יְהוּדָה וַיֹּאמֶר לִבְנֵי אַהֲרֹן
הַכֹּהֲנִים לְהַעֲלוֹת עַל־מִזְבַּח יְהוָה:

Mandou trazer sete novilhos, sete carneiros, sete cordeiros e sete bodes. Vários tipos de animais, dentre aqueles apropriados para os propósitos de sacrifício, foram trazidos para a cerimônia de expiação, em um total de 28 animais. Eles seriam uma *oferenda pelo pecado* (ver Lv 4.1-5,13). Expiação pela nação de Judá também foi feita (ver 2Cr 29.20-24), e assim as coisas seriam "corrigidas" para uma nova era, a era do bom rei Ezequias. Ver as notas expositivas sobre os *cinco* tipos de animais próprios para serem sacrificados (os animais *nobres*), em Lv 1.14-16. Quanto aos vários *tipos* de oferendas, ver Lv 7.37. Ver no *Dicionário* o verbete intitulado *Sacrifícios e Ofertas,* quanto a amplas informações.

E aos filhos de Arão, os sacerdotes. Somente os descendentes diretos de Arão podiam ser sacerdotes, e somente eles podiam oferecer sacrifícios conforme ditava a legislação mosaica. Ver o capítulo 14 de Levítico quanto a essa prática. Ver o artigo detalhado do *Dicionário* chamado *Sacerdotes e Levitas,* especialmente a segunda seção desse artigo, que faz distinção entre as classes ministeriais: o sumo sacerdote, os sacerdotes e os levitas, cada qual com seu respectivo serviço. Ver a terceira seção quanto ao ofício e ao trabalho dos *sacerdotes.* Ver os capítulos 1 a 6 do livro de Levítico. Lemos em Lv 1.5 que os filhos de Arão seriam os sacerdotes qualificados.

■ **29.22**

וַיִּשְׁחֲטוּ הַבָּקָר וַיְקַבְּלוּ הַכֹּהֲנִים אֶת־הַדָּם וַיִּזְרְקוּ
הַמִּזְבֵּחָה וַיִּשְׁחֲטוּ הָאֵלִים וַיִּזְרְקוּ הַדָּם הַמִּזְבֵּחָה
וַיִּשְׁחֲטוּ הַכְּבָשִׂים וַיִּזְרְקוּ הַדָּם הַמִּזְבֵּחָה:

Mortos os novilhos, os sacerdotes tomaram o sangue e o espargiram sobre o altar. Uma vez mortos os três tipos de animais — os novilhos, os carneiros e os cordeiros —, o sangue deles foi aspergido sobre o altar, conforme prescrevia a lei. Bacias apanharam o sangue, o qual foi lançado à base do altar. Ver Lv 1.5 quanto a esse modo de proceder. Ver também Lv 8.19,24.

■ **29.23**

וַיַּגִּישׁוּ אֶת־שְׂעִירֵי הַחַטָּאת לִפְנֵי הַמֶּלֶךְ וְהַקָּהָל
וַיִּסְמְכוּ יְדֵיהֶם עֲלֵיהֶם:

Para oferta pelo pecado trouxeram os bodes. Os *bodes* também foram sacrificados, acompanhados pela imposição de mãos dos sacerdotes, para indicar que eram sacrifícios vicários, pois os pecados do povo foram transferidos para os animais, de maneira simbólica. Ver Lv 1.4; 3.2 e 4.4 quanto ao modo de proceder e à legislação mosaica a respeito. A confissão de pecados acompanhou a imposição de mãos. Então Yahweh ouviria, ficaria satisfeito e perdoaria todas as coisas confessadas e expiadas. Ver no *Dicionário* o artigo chamado *Expiação.*

■ **29.24**

וַיִּשְׁחָטוּם הַכֹּהֲנִים וַיְחַטְּאוּ אֶת־דָּמָם הַמִּזְבֵּחָה לְכַפֵּר
עַל־כָּל־יִשְׂרָאֵל כִּי לְכָל־יִשְׂרָאֵל אָמַר הַמֶּלֶךְ הָעוֹלָה
וְהַחַטָּאת:

Para expiação de todo o Israel. *Todo o Israel (Judá,* porquanto as dez tribos tinham deixado de existir, por causa do cativeiro assírio) foi objeto da expiação. Ezequias queria uma nação *pura,* para iniciar uma nova fase na história de Judá. Judá se tornara Israel, e os ritos e o culto antigo continuariam por meio do ministério dos sacerdotes e dos levitas. A autoridade política estava garantida pelo fato de Ezequias ser da dinastia davídica, após o cativeiro babilônico, ficando assim garantida a autoridade real e espiritual, conforme o cronista nos diz em Esdras e Neemias. Foi assim que Ezequias promoveu seu movimento *de volta à Bíblia*.

Este versículo deve ser comparado a Lv 4.30 ss., quanto ao modo de proceder nos ritos e seu significado.

■ 29.25

וַיַּעֲמֵ֨ד אֶת־הַלְוִיִּ֜ם בֵּ֣ית יְהוָ֗ה בִּמְצִלְתַּ֙יִם֙ בִּנְבָלִ֣ים
וּבְכִנֹּר֔וֹת בְּמִצְוַ֥ת דָּוִ֛יד וְגָ֥ד חֹזֵֽה־הַמֶּ֖לֶךְ וְנָתָ֣ן הַנָּבִ֑יא
כִּ֧י בְיַד־יְהוָ֛ה הַמִּצְוָ֖ה בְּיַד־נְבִיאָֽיו׃ ס

Também estabeleceu os levitas na casa do Senhor com címbalos, alaúdes e harpas. *O Ministério da Música*. Os sacrifícios eram momentos solenes, mas também tempos de júbilo. A música ajudava esse aspecto do sistema sacrificial. Davi (um músico digno de nota) tinha enfatizado esse ministério; havia guildas musicais, e não meramente sacerdotes e levitas comuns que eram músicos. Naturalmente, os músicos eram todos levitas. Seus três principais instrumentos eram címbalos, alaúdes e harpas, conforme mencionado neste texto, mas a trombeta (ver vs. 26) também era importante. Quanto a maiores detalhes, ver no *Dicionário* o verbete intitulado *Música, Instrumentos Musicais*. Ver 1Cr 23.5. O capítulo 25 de 1Crônicas apresenta as guildas musicais, conforme Davi as estabeleceu, divididas em diversos turnos.

Segundo mandado de Davi e de Gade, o vidente do rei, e do profeta Natã. Este é o único lugar onde a instituição dos músicos levitas é atribuída às injunções dos profetas. Devemos lembrar que os profetas e videntes adquiriram importância cada vez maior conforme o tempo passava, e, em alguns casos, eclipsaram o ministério sumo sacerdotal. Portanto foi apenas natural que eles prescrevessem a adoração.

■ 29.26

וַיַּֽעַמְד֤וּ הַלְוִיִּם֙ בִּכְלֵ֣י דָוִ֔יד וְהַכֹּהֲנִ֖ים בַּחֲצֹצְרֽוֹת׃ ס

Estavam, pois, os levitas em pé. O arranjo aqui é curioso. Os levitas comuns (ou as guildas musicais) tocavam os três instrumentos mencionados no versículo anterior, mas os sacerdotes tocavam as trombetas. Ver Nm 10.2. As trombetas convocavam o povo a adorar, mas também serviam de acompanhamento musical durante o culto. Cf. 1Cr 23.5. Talvez, por força do hábito, os sacerdotes somente tocassem as trombetas, ou talvez somente naquela ocasião isso tenha ocorrido, sem que se tratasse de um costume fixo e inquebrantável.

Instrumentos de Davi. Isto é, os instrumentos musicais por ele inventados, a saber, os três mencionados (menos as trombetas), os instrumentos de corda. Cf. 1Cr 15.16,19; 16.4,5.

■ 29.27

וַיֹּ֙אמֶר֙ חִזְקִיָּ֔הוּ לְהַעֲל֥וֹת הָעֹלָ֖ה לְהַמִּזְבֵּ֑חַ וּבְעֵ֞ת הֵחֵ֣ל
הָֽעוֹלָ֗ה הֵחֵ֤ל שִֽׁיר־יְהוָה֙ וְהַחֲצֹ֣צְר֔וֹת וְעַ֨ל־יְדֵ֔י כְּלֵ֖י
דָּוִ֥יד מֶֽלֶךְ־יִשְׂרָאֵֽל׃

Deu ordem Ezequias que oferecessem o holocausto. Os sacrifícios foram oferecidos por ordem de Ezequias; os holocaustos foram realizados (ver no *Dicionário* o verbete chamado *Holocausto*). Ver o vs. 21, que é diretamente paralelo a este versículo. Ver Lv 7.37 quanto aos *tipos* de oferendas feitas, de acordo com a legislação mosaica.

O cântico ao Senhor. Ezequias tinha liderado alguma espécie de antífona, algum grande cântico, empregando um ou dois salmos de Davi e de Asafe (vs. 30). Foram momentos de grande júbilo para todos os envolvidos. Os instrumentos musicais acompanhavam o hino. "Isso foi feito ao tempo em que a libação era oferecida. Eles não cantavam esse hino exceto ao tempo da libação" (John Gill, *in loc.*, tecendo uma referência ao *Talmude Bab. Eracin.*, fol. 1). A versão siríaca diz que Ezequias "entoou os louvores do Senhor". "O rei e o povo prostraram-se diante de Yahweh, enquanto os salmos de Davi e de Asafe eram cantados" (Eugene H. Merrill, *in loc.*). Ver no *Dicionário* o artigo chamado *Libação, Ofertas de*.

Ver o vs. 30, que provavelmente aponta para alguns dos salmos de Davi e para outros salmos de Asafe, os quais eram empregados de uma *maneira litúrgica* no tempo de Ezequias.

■ 29.28

וְכָל־הַקָּהָ֤ל מִֽשְׁתַּחֲוִים֙ וְהַשִּׁ֣יר מְשׁוֹרֵ֔ר וְהַחֲצֹצְר֖וֹת
מַחְצְרִ֑ים הַכֹּ֕ל עַ֖ד לִכְל֥וֹת הָעֹלָֽה׃

Toda a congregação se prostrou. O holocausto foi acompanhado durante todo o tempo de sua execução com o sonido dos instrumentos de corda e o soar das trombetas. Mediante isso, a atenção de Yahweh foi atraída para a cerimônia, e os que estavam presentes entraram no espírito correto de adoração.

"... as trombetas de prata dos sacerdotes, e *todo* outro acompanhamento musical continuaram *até* que terminou o holocausto e tudo quanto a ele pertencia, incluindo as oferendas de cereais e as libações" (John Gill, *in loc.*). Ellicott *(in loc.)* supõe que as descrições oferecidas aqui tenham servido de bom quadro da adoração conforme ela existia após o cativeiro babilônico, quando o autor sacro registrou o acontecido.

■ 29.29

וּכְכַלּ֖וֹת לְהַעֲל֑וֹת כָּרְע֗וּ הַמֶּ֛לֶךְ וְכָֽל־הַנִּמְצְאִ֥ים אִתּ֖וֹ
וַיִּֽשְׁתַּחֲוֽוּ׃

Prostraram-se, e adoraram. Uma adoração reverente pôs fim à cerimônia. Agora, o ruído dos cânticos e dos instrumentos musicais tinha cessado. Os adoradores prostraram-se no solo e deram graças, fazendo muitas petições de bênçãos a Yahweh, renovando os antigos costumes no coração deles. De fato, algumas vezes precisamos voltar às nossas raízes e recomeçar nossa determinação e nossos propósitos espirituais. As chamas do zelo diminuem e, de outras vezes, apagam. A *renovação* era a palavra daquela hora e, algumas vezes, é a palavra que deve governar nossa vida. O *conhecimento* que possuímos pode cair na negligência. Saber não é o suficiente. Precisamos também sentir, fazer, tocar no fogo da presença de Deus. Ver no *Dicionário* o verbete intitulado *Desenvolvimento Espiritual, Meios do*.

Não se faz nenhuma menção aqui às mulheres e a seus tamborins e danças, que acompanhavam tempos jubilosos de adoração. Talvez essa prática, que existia no tempo de Davi, tivesse sido descontinuada. Ver 2Sm 6.14,20,22.

■ 29.30

וַ֠יֹּאמֶר יְחִזְקִיָּ֨הוּ הַמֶּ֤לֶךְ וְהַשָּׂרִים֙ לַלְוִיִּ֔ם לְהַלֵּל֙ לַֽיהוָ֔ה
בְּדִבְרֵ֥י דָוִ֖יד וְאָסָ֣ף הַחֹזֶ֑ה וַֽיְהַלְלוּ֙ עַד־לְשִׂמְחָ֔ה
וַיִּקְּד֖וּ וַיִּֽשְׁתַּחֲוֽוּ׃ פ

Então o rei Ezequias e os príncipes ordenaram aos levitas. Este versículo explica o que aconteceu *durante* os ritos sacrificiais (vs. 25), e não alguma espécie de festa de cânticos posterior, embora isso também seja possível. Os salmos de Davi e de Asafe tinham-se tornado parte do rito sacrificial, uma espécie de *liturgia* acompanhante. Os críticos supõem que isso represente condições posteriores ao término do cativeiro babilônico, mas não há nenhuma razão para duvidarmos da cronologia do cronista nesta altura de seu relato. Jarchi identificou o Salmo 105 como o mais provável salmo usado na oportunidade. Ver 1Cr 16.7. Mas não há como sabermos nada sobre isso com precisão. Talvez tudo quanto está aqui destacado seja que os cânticos foram feitos em consonância com as leis que Davi havia depositado, e que nenhum salmo foi empregado, conforme alguns comentadores explanam. Nesse caso, os cânticos podem ter sido espontâneos, e não segundo uma liturgia formal. Contudo, não há como ter certeza sobre tais questões.

■ 29.31

וַיַּ֨עַן יְחִזְקִיָּ֜הוּ וַיֹּ֗אמֶר עַתָּ֞ה מִלֵּאתֶ֤ם יֶדְכֶם֙ לַיהוָ֔ה גֹּ֣שֽׁוּ
וְהָבִ֤יאוּ זְבָחִים֙ וְתוֹד֔וֹת לְבֵ֖ית יְהוָ֑ה וַיָּבִ֤יאוּ הַקָּהָל֙
זְבָחִ֣ים וְתוֹד֔וֹת וְכָל־נְדִ֥יב לֵ֖ב עֹלֽוֹת׃

Disse ainda Ezequias. Os vss. 31-36 registram oferendas adicionais, além daquelas efetuadas por Ezequias, por meio dos sacerdotes. Essas oferendas adicionais falam da *participação pública* nas cerimônias. Indivíduos tinham a oportunidade de participar. Além das ofertas queimadas, também havia as oferendas de cereais (que expressavam ações de graças) e as libações. Ver Lv 7.37 quanto aos *tipos de oferendas* que faziam parte do culto dos hebreus. Ver também no *Dicionário* o verbete intitulado *Sacrifícios e Ofertas,* que oferece muitos detalhes.

Autoconsagração. O povo de Judá consagrou-se, renovando a aliança com Yahweh (ver o vs. 10). Note o leitor que a espiritualidade é tanto uma questão de participação nas formas religiosas com a comunidade como uma questão de participação pessoal. A participação pública dificilmente é completa sem a dedicação pessoal de cada membro. Sem a "individualização", a participação pública resume-se a mero espetáculo. O rei, através dos sacerdotes, tinha feito a parte que lhe cabia. Então a congregação precisou fazer a sua parte, e cada membro teve uma função a desempenhar. Oferendas *voluntárias* são aqui descritas.

29.32,33

וַיְהִי מִסְפַּר הָעֹלָה אֲשֶׁר הֵבִיאוּ הַקָּהָל בָּקָר שִׁבְעִים אֵילִים מֵאָה כְּבָשִׂים מָאתָיִם לְעֹלָה לַיהוָה כָּל־אֵלֶּה׃

וְהַקֳּדָשִׁים בָּקָר שֵׁשׁ מֵאוֹת וְצֹאן שְׁלֹשֶׁת אֲלָפִים׃

O número dos holocaustos. A abundância das oferendas feitas na antiguidade é sempre surpreendente. Além da matança dos 28 animais usados nos sacrifícios (ver o vs. 21), setenta novilhos, cem carneiros e duzentos cordeiros também foram oferecidos. Além disso, foram consagrados seiscentos bois e três mil ovelhas. Isso nos fornece o grande total de 3.970 sacrifícios!

Foram consagrados. Ou seja, oferendas designadas como ofertas pacíficas, em que os *proprietários* dos animais oferecidos tinham uma parte, dedicando seus animais com certo propósito, por generosidade voluntária, e não por compulsão ou para satisfazer exigências.

A Grande Festa. Naturalmente, houve grande festividade. Porções dos animais sacrificados podiam ser consumidas pelas massas. *Oito* porções cabiam aos sacerdotes, segundo anoto em Lv 6.26; 7.11-24; 7.28-38; Nm 18.8 e Dt 12.17,18. O ritual dos sacrifícios tornou-se assim uma festa comunitária de celebração. Os pecados haviam sido perdoados por Yahweh; a renovação espiritual fora efetuada. Havia agora motivo para regozijo e festa. O vinho fluía como o rio Amazonas. O povo dançava e cantava. Afinal de contas, os hebreus eram um povo de vinho, cânticos e danças.

O sangue e a gordura foram entregues a Yahweh como suas porções. Deus era o participante invisível de todas as festividades e sacrifícios. Simbolicamente, ele tinha a sua parte. Quanto às leis sobre o sangue e a gordura, ver Lv 3.17. *O sangue e a gordura* eram consumidos nas chamas do altar, e Yahweh, ao sorver o perfume suave, agradava-se e recebia as oferendas. Uma vez aplacado, ele perdoava os pecados e provia as bênçãos celestiais. Ver sobre *Aroma Agradável* em Lv 1.9 e 29.18.

Os animais referidos no vs. 32 não proviam porções para consumo das massas, mas os animais citados no vs. 33 sim. Ver 2Cr 35.13.

Poucos Comparativamente. Os sacrifícios oferecidos naquele dia foram poucos em comparação com os oferecidos por ocasião da dedicação original do templo de Salomão. Ver 1Rs 8.63. Para dizer o mínimo, 22 mil bois e 120 mil cordeiros foram um número espantoso. Alguns comentadores suspeitam que o autor original ou algum escriba subsequente tenha cometido um erro.

29.34

רַק הַכֹּהֲנִים הָיוּ לִמְעָט וְלֹא יָכְלוּ לְהַפְשִׁיט אֶת־כָּל־הָעֹלוֹת וַיְחַזְּקוּם אֲחֵיהֶם הַלְוִיִּם עַד־כְּלוֹת הַמְּלָאכָה וְעַד יִתְקַדְּשׁוּ הַכֹּהֲנִים כִּי הַלְוִיִּם יִשְׁרֵי לֵבָב לְהִתְקַדֵּשׁ מֵהַכֹּהֲנִים׃

Os sacerdotes, porém, eram mui poucos. *"Uma Embaraçosa Generosidade.* Tão abundantes foram as oferendas do corpo laico que os ministrantes normais (os sacerdotes) não aguentavam a grandiosidade da tarefa. "A generosidade pode, algumas vezes, confundir o oficialismo. Se esse espírito tivesse de arrebatar a Igreja, o único indivíduo que se sentiria incomodado com isso seria o tesoureiro!" (W. A. L. Elmslie, *in loc.*).

Os *sacerdotes* eram poucos para esfolar os animais, por isso os levitas comuns tiveram de ajudá-los. O procedimento normal era que cada *ofertante* dos animais esfolasse as carcaças. E essa ação, como é natural, teria resolvido o problema da esfoladura de tão grande número de animais. Portanto, quanto a esse aspecto, este versículo nos deixa "perplexos". Talvez as leis e os costumes variassem com o passar do tempo, e a participação dos leigos, nesse aspecto do sacrifício, tivesse sido descontinuada. De acordo com alguns intérpretes, Lv 1.6 menciona o ato de esfolar os animais como negócio que cabia aos sacerdotes. Talvez os sacerdotes tivessem negligenciado seus deveres durante o tempo de Acaz, o rei apóstata, e agora relutassem em trabalhar duramente. Por outra parte, quem poderia ter realizado tal tarefa sem uma ajuda maciça? Quanto às oferendas *particulares* (voluntárias), o próprio adorador fazia a esfoladura dos animais, conforme se lê em Lv 1.6. Conforme é fácil de ver, Lv 1.6 é aqui interpretado de maneira diferente. A palavra "ele", nesse versículo, de acordo com alguns estudiosos, refere-se ao sacerdote, mas, de acordo com outros, refere-se ao adorador, o proprietário do animal em pauta. Jamieson (*in loc.*) explica que as ofertas queimadas (os holocaustos; ver a respeito no *Dicionário*) podiam ser esfoladas somente por um sacerdote, mas uma oferta voluntária, trazida pelo proprietário do animal, tinha de ser esfolada pelo respectivo proprietário. Cf. com 2Cr 35.11, onde os *levitas* aparecem a fazer esse serviço.

29.35

וְגַם־עֹלָה לָרֹב בְּחֶלְבֵי הַשְּׁלָמִים וּבַנְּסָכִים לָעֹלָה וַתִּכּוֹן עֲבוֹדַת בֵּית־יְהוָה׃

Além dos holocaustos em abundância. *Toda espécie de oferenda* foi feita. Ver os tipos em Lv 7.37. As oferendas populares (que vieram depois das oferendas oficiais) foram abundantes e variegadas. O sangue e a gordura foram oferecidos a Yahweh; havia oito porções que cabiam aos sacerdotes (ver Lv 7.11-24); e outras porções foram oferecidas aos leigos. Todas essas considerações estão anotadas nos vss. 32 e 33.

Foi assim que o culto a Yahweh, prestado no templo, foi restabelecido e agora recebia um novo bom começo.

29.36

וַיִּשְׂמַח יְחִזְקִיָּהוּ וְכָל־הָעָם עַל הַהֵכִין הָאֱלֹהִים לָעָם כִּי בְּפִתְאֹם הָיָה הַדָּבָר׃ פ

Ezequias e todo o povo se alegraram. Houve um súbito *recomeço*. Ezequias foi o homem-chave nessa mudança. A idolatria de Acaz foi obliterada, e Ezequias estava ali, promovendo uma renovação completa do yahwismo. O povo comum regozijava-se na mudança. Os judeus estavam cansados do paganismo. Queriam agora voltar aos antigos costumes do judaísmo. O rei Ezequias ficou especialmente satisfeito diante da cooperação e do entusiasmo do povo. O cronista viu nessa questão uma intervenção divina: *Elohim* tinha preparado o povo para o que estava acontecendo. O coração das pessoas tinha sido transformado, e não apenas os costumes externos. O rei havia estabelecido o exemplo e liderado o caminho. E o povo pôs-se a segui-lo ansiosamente. "A mão de Deus foi vista na *súbita mudança* que houve entre os príncipes e o povo, da indiferença para a alacridade. Cf. 2Cr 30.12" (Ellicott, *in loc.*).

CAPÍTULO TRINTA

A PÁSCOA DE EZEQUIAS; CONVOCAÇÃO REAL A TODO O ISRAEL; A ORDEM ENVIADA DE DÃ PARA BERSEBA (30.1-27)

Tendo renovado o templo e seu culto, e tendo promovido uma nova aliança entre o povo de Judá e Yahweh (capítulo 29), o rei resolveu restabelecer a festa anual (requerida pela lei mosaica). Primeiramente, a *páscoa* foi restabelecida. A nação foi convocada a participar, incluindo as poucas pessoas que tinham permanecido no território das tribos do norte, após o cativeiro assírio.

O *cativeiro assírio* foi uma deportação do povo das tribos do norte (Israel), com a importação de uma gente de etnia não hebraica, para completar o processo de obliteração. Mas havia alguns sobreviventes de hebreus no território do norte, os quais, misturando-se com os recém-chegados, tornaram-se os samaritanos. Essa gente, pois, renovou o yahwismo. E nem todos eles eram idólatras. Portanto, houve alguns "lá fora", no território das antigas tribos do norte, que podiam participar da celebração da páscoa dirigida por Ezequias. Quanto a um remanescente de Israel, deixado após o cativeiro assírio, ver 2Cr 30.1; 34.9 e 2Rs 17.24-41. Ver também ali a origem dos *samaritanos* e o artigo sobre esse povo no *Dicionário*.

■ 30.1

וַיִּשְׁלַ֨ח יְחִזְקִיָּ֜הוּ עַל־כָּל־יִשְׂרָאֵ֣ל וִֽיהוּדָ֗ה וְגַֽם־אִגְּרוֹת֙ כָּתַב֙ עַל־אֶפְרַ֣יִם וּמְנַשֶּׁ֔ה לָב֥וֹא לְבֵית־יְהוָ֖ה בִּירוּשָׁלִָ֑ם לַעֲשׂ֣וֹת פֶּ֔סַח לַיהוָ֖ה אֱלֹהֵ֥י יִשְׂרָאֵֽל׃

Depois disto Ezequias enviou mensageiros por todo o Israel e Judá. *O Convite Universal de Ezequias.* Havia ainda um minúsculo remanescente deixado no norte, após o cativeiro assírio. Em sua generosidade e espírito de estadista, Ezequias convocou essa gente para tomar parte na páscoa por ele celebrada. Ezequias, pois, mostrou que não era um exclusivista. "Ele não podia ter previsto a esperança universal pintada em Is 56.7, e não confinou os regozijos à ordem em torno de Jerusalém, e nem mesmo aos seus súditos imediatos, os judeus. Ele queria que participassem todos quantos pudessem, *Israel inteiro*, de modo que ele enviou o convite ao remanescente do povo de Israel, bem como a Judá, embora os conquistadores assírios tivessem Israel debaixo de seu tacão. Ele pensou em como poderia traçar *meios* de atingi-los, vss. 6-10" (W. A. L. Elmslie, *in loc.*).

Ver as notas expositivas sobre essa questão no parágrafo dos comentários introdutórios ao capítulo, imediatamente antes de 2Cr 1.1.

Os vss. 10 e 11 mostram-nos que muitos dos que estavam nos territórios do norte zombaram do convite de Ezequias, mas outros alegraram-se em aproveitar da oportunidade. Assim sempre acontece quando há convites para fazer o bem.

Cartas. Em hebraico, "alfabeto", um desenvolvimento do alfabeto fenício. Ver no *Dicionário* o verbete chamado *Alfabeto*. Nosso próprio alfabeto vem de línguas semíticas, por meio do grego e do latim.

A Efraim e a Manassés. Estes dois nomes apontam para todas as tribos do norte. Cf. o vs. 10.

A páscoa ao Senhor Deus de Israel. Isto é, a Yahweh-Elohim. Os que receberam o convite deveriam saber que isso representava um movimento de "volta à Bíblia". Não haveria oferendas pagãs em Jerusalém. Somente os que quissessem renovar sua dedicação a Yahweh deveriam estar presentes. Ver no *Dicionário* os artigos chamados *Deus, Nomes Bíblicos de* e *Páscoa*.

■ 30.2

וַיִּוָּעַ֨ץ הַמֶּ֜לֶךְ וְשָׂרָ֗יו וְכָל־הַקָּהָ֛ל בִּירוּשָׁלִָ֑ם לַעֲשׂ֥וֹת הַפֶּ֖סַח בַּחֹ֥דֶשׁ הַשֵּׁנִֽי׃

Porque o rei tivera conselho com os seus príncipes e com toda a congregação. A decisão sobre a celebração da páscoa foi tomada pelo rei, em acordo com os seus conselheiros. Foi um movimento nacional. O rei não agiu sozinho. Fazia parte de seu programa geral de renovação, parte do novo pacto que ele havia estabelecido com Yahweh (ver 2Cr 29.10 ss.). Fazia parte de sua *reforma* religiosa, que era extensa e visava a obliteração da idolatria e a reintrodução do yahwismo.

No segundo mês. Ou seja, o mês de *ijar*, conforme diz o Targum, porquanto não foram capazes de observar a páscoa no primeiro mês, sua posição normal no calendário. Ver no *Dicionário* o verbete intitulado *Calendário Judaico*. Ver Nm 9.1-5 quanto à legislação mosaica referente à páscoa e ao tempo anual de sua observância. Ezequias achou melhor observar a celebração um mês atrasado do que esperar um ano inteiro.

■ 30.3

כִּ֣י לֹ֧א יָכְל֛וּ לַעֲשֹׂת֖וֹ בָּעֵ֣ת הַהִ֑יא כִּ֧י הַכֹּהֲנִ֛ים לֹֽא־הִתְקַדְּשׁ֥וּ לְמַדַּ֖י וְהָעָ֥ם לֹא־נֶאֶסְפ֖וּ לִירוּשָׁלִָֽם׃

(Porquanto não na puderam celebrar no devido tempo). *Razões para a Demora.* A purificação do templo ainda não tinha sido completada, ao chegar o tempo regular da observância da páscoa. Ver 2Cr 29.17, que confirma isso. Os sacerdotes ainda não estavam satisfeitos quanto à renovação do culto do templo. E nem fora ainda feita a convocação geral a todos os indivíduos do sexo masculino de Jerusalém. A filosofia de Ezequias foi que "era melhor tarde do que no ano seguinte". A palavra "nunca" não fazia parte do seu vocabulário, de maneira que ele não a pronunciou, em harmonia com a expressão popular "é melhor tarde do que nunca". Em casos extremos, a legislação mosaica permitia o adiamento da celebração da páscoa para o segundo mês (ver Nm 9.6-11), de modo que Ezequias tinha um precedente para o seu ato.

■ 30.4

וַיִּישַׁ֥ר הַדָּבָ֖ר בְּעֵינֵ֣י הַמֶּ֑לֶךְ וּבְעֵינֵ֖י כָּל־הַקָּהָֽל׃

Foi isto aprovado pelo rei e toda a congregação. A *decisão* de celebrar a páscoa e convidar o remanescente das tribos do norte a participar agradou a todos os oficiais envolvidos, bem como ao próprio rei, que esperaram cumprir a questão com alegria e entusiasmo. Concordaram *unanimemente* diante da ideia e revelaram-se ansiosos em sua antecipação.

■ 30.5

וַיַּעֲמִ֣ידוּ דָבָ֗ר לְהַעֲבִ֨יר ק֜וֹל בְּכָל־יִשְׂרָאֵ֗ל מִבְּאֵֽר־שֶׁ֙בַע֙ וְעַד־דָּ֔ן לָב֞וֹא לַעֲשׂ֥וֹת פֶּ֛סַח לַיהוָ֥ה אֱלֹהֵֽי־יִשְׂרָאֵ֖ל בִּירוּשָׁלִָ֑ם כִּ֣י לֹ֥א לָרֹ֛ב עָשׂ֖וּ כַּכָּתֽוּב׃

E resolveram que se fizesse pregão por todo o Israel, desde Berseba até Dã. Estas últimas quatro palavras, em sua ordem normal, são: "desde Dã até Berseba". Era uma expressão que pretendia significar "em todo o Israel", incluindo Judá. Ofereci notas expositivas a respeito em 1Sm 3.20. Os mensageiros visitariam as áreas populacionais maiores, as cidades principais, e muitas aldeias. Todos ouviriam o convite, e muitos o atenderiam, mas nem todos (vss. 10 e 11). O cronista indicou que a páscoa, como uma festividade *nacional*, não se celebrava fazia muito tempo. Provavelmente algumas poucas pessoas em Judá a tinham observado, a despeito de seus ímpios monarcas. Ver a lei referente à páscoa, em Êx 12.1-20 e Dt 16.1-8. A obrigação era universal. Mas em tempos de apostasia, quem se importava com o que Moisés havia dito? Jerusalém, com o seu templo, era o único lugar legítimo para essas celebrações, de forma que foi feito o convite para que todo o povo de Israel ali se fizesse presente. As tribos do norte, por certo, não tinham observado nenhuma das festividades nacionais do yahwismo, desde que Jeroboão dividira o norte do sul. Antes, Jeroboão estabelecera seu próprio culto e seu próprio sacerdócio em Dã e Betel. Ele não queria que peregrinos das tribos do norte fossem a Jerusalém; mesmo assim, alguns poucos sempre iam, contra a vontade do rei. Durante cerca de duzentos anos, a páscoa fora negligenciada pelas tribos do norte! E podemos supor que até mesmo nas tribos do sul a observância da páscoa não se fizera regularmente, visto que reis apostatados subiam e desciam do trono, e até mesmo bons reis terminavam na apostasia, em seus últimos anos de vida.

As *três festas anuais* que requeriam a peregrinação de todos os indivíduos do sexo masculino a Jerusalém eram a Páscoa (incluindo os pães asmos), o Pentecoste e os Tabernáculos. Ver no *Dicionário* os artigos sobre cada uma dessas festividades, e ver ali também o artigo geral, chamado *Festas (Festividades) Judaicas*. Ver Dt 16.16 quanto às três festas mencionadas.

■ 30.6

וַיֵּלְכוּ֩ הָרָצִ֨ים בָּאִגְּר֜וֹת מִיַּ֧ד הַמֶּ֣לֶךְ וְשָׂרָ֗יו בְּכָל־יִשְׂרָאֵ֣ל וִֽיהוּדָ֔ה וּכְמִצְוַ֥ת הַמֶּ֖לֶךְ לֵאמֹ֑ר בְּנֵ֣י יִשְׂרָאֵ֗ל

שׁוּבוּ אֶל־יְהוָה אֱלֹהֵי אַבְרָהָם יִצְחָק וְיִשְׂרָאֵל וְיָשֹׁב
אֶל־הַפְּלֵיטָה הַנִּשְׁאֶרֶת לָכֶם מִכַּף מַלְכֵי אַשּׁוּר׃

Partiram os correios com as cartas do rei. As cartas enviadas tinham três propósitos: 1. dar a todos, em Israel e Judá, a oportunidade de fazer-se presentes à páscoa; 2. dar aos apóstatas e desviados a oportunidade de restaurar a lealdade a Yahweh, fazendo contraste com as formas idólatras; a campanha foi completa e deve ter tomado um tempo considerável; 3. produzir a *unidade* de adoração entre o norte e o sul, até onde esta pudesse ser conseguida. A Assíria controlava o norte. O templo se tornaria, novamente, uma casa de oração para todos os povos. Tiglate-Pileser tinha capturado as tribos do norte e saqueado a muitas cidades dali (ver 2Rs 15.19,29). Portanto, Ezequias não conseguiria grande reação positiva, mas haveria um pequeno grupo representativo do antigo reino de Israel. Ver 2Cr 28.16.

Voltai-vos ao Senhor, Deus de Abraão, de Isaque e de Israel. Observe o leitor o título divino que permaneceu conhecido em Israel e Judá, devido às suas conexões com os patriarcas e as tradições antigas. Cf. Êx 3.6,15,16; 4.5; Dt 1.8; 6.10; 1Rs 18.36; 1Cr 29.18 e Mt 22.32.

30.7

וְאַל־תִּהְיוּ כַּאֲבוֹתֵיכֶם וְכַאֲחֵיכֶם אֲשֶׁר מָעֲלוּ
בַּיהוָה אֱלֹהֵי אֲבוֹתֵיהֶם וַיִּתְּנֵם לְשַׁמָּה כַּאֲשֶׁר
אַתֶּם רֹאִים׃

Não sejais como vossos pais e como vossos irmãos. *A Repreensão de Ezequias.* Ezequias era um homem generoso, mas também franco. Acusou a antiga população das tribos do norte de culpadas pela atual desolação e exortou o pequeno remanescente a deixar de transgredir as leis de Yahweh. Nisso haveria a reversão da sorte daquelas tribos. Judá foi exortado a não imitar o exemplo das tribos do norte. A Babilônia estava postada nas fronteiras de Judá, para repetir, quanto ao sul, o ato ousado dos assírios, no norte. Ezequias acreditava que a política e a economia não determinavam a sorte das nações. Pois existe aquele propósito e aquele poder superiores que intervêm nas questões humanas.

30.8

עַתָּה אַל־תַּקְשׁוּ עָרְפְּכֶם כַּאֲבוֹתֵיכֶם תְּנוּ־יָד לַיהוָה
וּבֹאוּ לְמִקְדָּשׁוֹ אֲשֶׁר הִקְדִּישׁ לְעוֹלָם וְעִבְדוּ אֶת־יְהוָה
אֱלֹהֵיכֶם וְיָשֹׁב מִכֶּם חֲרוֹן אַפּוֹ׃

Não endureçais agora a vossa cerviz. Ver sobre a "dura cerviz" em Êx 32.9. Israel e Judá eram como touros selvagens que foram domesticados, mas não toleravam o jugo, e resistiam e causavam dificuldades. Os estúpidos animais nunca aprendem, nem o estúpido povo de Israel e Judá. A antiga síndrome do pecado-calamidade-julgamento, pois, haveria de repetir-se interminavelmente. Cf. 2Rs 17.14 e Jr 7.26. Ver também Sl 95.8,9.

Para sempre. O cronista não previu o fim do culto no templo. Provavelmente, escreveu depois que o templo de Salomão tinha sido destruído. Mas agora havia o segundo templo. As edificações iam e vinham, mas a realidade do culto a Yahweh persistia. Pelo menos assim ditava a sua fé. Por conseguinte, ele convocou todo o Israel para comparecer à adoração eterna que ali continuaria funcionando, quando os ídolos pagãos se tivessem transformado em poeira. Todos os cidadãos deveriam começar a frequentar aquela páscoa, como um sinal de lealdade. Então poderiam continuar a observar as três festividades que eram requeridas anualmente. Ver Dt 16.16 e 2Cr 7.16,20.

Para que o ardor da sua ira se desvie de vós. Ou seja, a ira de Yahweh, que punira o povo de Israel por causa de sua idolatria e continuaria punindo enquanto os homens persistissem em sua estupidez e reduzissem suas formas de adoração a ídolos de madeira, pedra e metal. Ver no *Dicionário* o artigo chamado *Idolatria*. O cativeiro assírio tinha sido a última lição objetiva dessa ira, e logo seria adicionada outra lição objetiva, o cativeiro babilônico. Fazer-se presente à páscoa seria o começo da reversão de um temível curso de acontecimentos.

30.9

כִּי בְשׁוּבְכֶם עַל־יְהוָה אֲחֵיכֶם וּבְנֵיכֶם לְרַחֲמִים לִפְנֵי
שׁוֹבֵיהֶם וְלָשׁוּב לָאָרֶץ הַזֹּאת כִּי־חַנּוּן וְרַחוּם יְהוָה
אֱלֹהֵיכֶם וְלֹא־יָסִיר פָּנִים מִכֶּם אִם־תָּשׁוּבוּ אֵלָיו׃ פ

Porque, se vós vos converterdes ao Senhor. *A reversão do cativeiro assírio* foi vista como algo possível por Ezequias e, em sua estimativa, a *chave* para isso era o abandono da idolatria. Yahweh era poderoso para amolecer o coração deles e transformá-los, e os assírios estavam sujeitos ao poder de Deus. Por conseguinte, *agradar ao Senhor* era a chave para todas as questões do destino e bem-estar dos homens. A história demonstra que o cativeiro assírio não foi revertido, mas o cativeiro babilônico sim. Isso deu a Judá cerca de 550 anos adicionais na Terra Prometida. Mas então veio a grande dispersão romana, a começar por 132 d.C., e somente em nosso próprio tempo (1948) a dispersão foi revertida. A glória *Shekinah* havia desaparecido de Israel, mas poderia ser restaurada. *Icabô* estava escrito sobre o reino do norte, embora esse escrito pudesse ser removido. Ver sobre esse termo no *Dicionário*. A glória do Senhor, que se havia afastado, poderia ser restaurada pela graça e pelo amor de Deus. Mas Israel tinha de buscar a restauração através do verdadeiro arrependimento.

Vosso Deus é misericordioso e compassivo. Cf. Sl 86.15; Êx 34.6. Ver também Ne 9.17,32. Assim diz também o Alcorão: "No nome de Deus, o misericordioso e o compassivo".

30.10

וַיִּהְיוּ הָרָצִים עֹבְרִים מֵעִיר לָעִיר בְּאֶרֶץ־אֶפְרַיִם
וּמְנַשֶּׁה וְעַד־זְבֻלוּן וַיִּהְיוּ מַשְׂחִיקִים עֲלֵיהֶם
וּמַלְעִגִים בָּם׃

Porém riram-se e zombaram deles. Pessoas das tribos de Efraim, Manassés e Zebulom, as quais, devido ao tempo que tinham abandonado o yahwismo, "enfrentaram os mensageiros de Ezequias com insultos francos e má linguagem (ver Mt 22.1-14)" (Jamieson, *in loc.*).

Zombaria, Acima de Tudo. Os idólatras das ex-tribos do norte não tinham tempo para Ezequias e seus mensageiros. Sobreviventes do terror, desfrutavam agora uma situação razoavelmente segura na terra. Possuíam terras, algum dinheiro e alimento para sustentar-se. Por que se importariam em reverter o cativeiro assírio? Corações duros continuavam duros; mentes embotadas continuavam embotadas; os antigos idólatras continuavam idólatras; os rebeldes não tinham aprendido coisa alguma; e os orgulhosos continuavam orgulhosos.

Orgulho, Inveja, Avareza — essas são três fagulhas
que incendeiam o coração dos homens.

Dante, *Inferno*

O homem é o único animal que cora,
ou que precisa de corar.

Mark Twain

Continuai zombando, continuai zombando,
Voltaire e Rousseau;
Continuai zombando, continuai. Será tudo vão!
Estais lançando areia contra o vento,
E o vento sopra-a de volta, novamente.

William Blake

30.11,12

אַךְ־אֲנָשִׁים מֵאָשֵׁר וּמְנַשֶּׁה וּמִזְּבֻלוּן נִכְנְעוּ וַיָּבֹאוּ
לִירוּשָׁלָ͏ִם׃

גַּם בִּיהוּדָה הָיְתָה יַד הָאֱלֹהִים לָתֵת לָהֶם לֵב אֶחָד
לַעֲשׂוֹת מִצְוַת הַמֶּלֶךְ וְהַשָּׂרִים בִּדְבַר יְהוָה׃

Todavia alguns. "Infelizmente, a mensagem foi repelida exceto por alguns poucos descendentes de Aser, Manassés, Zebulom, Efraim e Issacar (vs. 18)" (Eugene H. Merrill, *in loc.*). Naturalmente, Judá estava unido em torno desse propósito (vs. 12). *Elohim* dera a Judá um *coração unido* e um propósito único, porquanto o povo do sul estava preparado para isso pelo arrependimento, pelas exortações e pelos ensinamentos do rei Ezequias. É verdade que o povo *teve de obedecer* a seus superiores. Dificilmente eles poderiam insurgir-se contra o edito real. Mas o cronista queria que soubéssemos que eles tinham o coração sobre a questão. Cf. Ed 8.22.

Segundo a palavra do Senhor. Ezequias não falou por meio de sua própria autoridade ou raciocínio. Foi Yahweh quem o inspirou, dando a ordem que ele passou adiante, para o povo.

> Nunca aceitei o que muita gente tem dito bondosamente, a saber, que eu inspirei a nação. Foi a nação e a raça que habita ao redor do globo que deu o coração ao leão. Tive a sorte de ser chamado para soltar o rugido.
> Winston Churchill, em um discurso feito em seu 80º aniversário, em Westminster Hall, a 30 de novembro de 1954

A Páscoa de Ezequias em Jerusalém (30.13-22)

Tendo-nos fornecido preliminares do evento, o cronista agora descreveu exatamente como a questão foi efetuada. A despeito das zombarias de muita gente do norte, uma grande assembleia atendeu ao convite feito por Ezequias e celebrou a páscoa. A *maioria* das tribos, mesmo que não todas, esteve representada, de modo que algumas tribos não compareceram. Isso emprestou um aspecto *universal* à celebração. Ver as notas no versículo primeiro, sobre o *convite universal de Ezequias*.

■ **30.13**

וַיֵּאָסְפוּ יְרוּשָׁלַ͏ִם עַם־רָב לַעֲשׂוֹת אֶת־חַג הַמַּצּוֹת בַּחֹדֶשׁ הַשֵּׁנִי קָהָל לָרֹב מְאֹד׃

Ajuntou-se em Jerusalém muito povo. Embora com um mês de atraso, uma grande multidão juntou-se para celebrar a páscoa, que incluía a festa dos pães asmos, pois as duas coisas tinham-se tornado historicamente associadas. Isso ocorreu "no segundo mês, ijar, e uma grande assembleia se reuniu, como não se tinha visto por muitos anos" (John Gill, *in loc.*). Ver no *Dicionário* os verbetes intitulados *Páscoa* e *Pães Asmos*. "... Pães asmos: essa festividade de sete dias seguia-se imediatamente à páscoa (ver Êx 12.11-20; Lv 23.4-8). A dedicação do povo demonstrou a desaprovação aos altares pagãos (vs. 14), que eles descartaram (reduzindo-os a pó) no vale do Cedrom (vs. 14 e 29.16)" (Eugene H. Merrill, *in loc.*).

■ **30.14**

וַיָּקֻמוּ וַיָּסִירוּ אֶת־הַמִּזְבְּחוֹת אֲשֶׁר בִּירוּשָׁלָ͏ִם וְאֵת כָּל־הַמְקַטְּרוֹת הֵסִירוּ וַיַּשְׁלִיכוּ לְנַחַל קִדְרוֹן׃

Dispuseram-se e tiraram os altares que havia em Jerusalém. *Uma Purificação Preliminar.* Ezequias havia limpado completamente o templo (capítulo 29). Em Jerusalém, entretanto, permaneciam os ídolos que Acaz ali pusera. E o lugar precisava ser purificado antes que a páscoa pudesse acontecer. Ezequias baixou a ordem, e seus mensageiros foram por todos os lugares, quebrando todos os ídolos, e lançaram a poeira e os escombros no ribeiro do Cedrom, que servia de monturo da cidade! Ver sobre isso em 2Cr 29.16. Caros leitores, aqueles ídolos mereciam estar no monturo da cidade! Os altares sofreram o mesmo destino que os ídolos. Alguns homens, cujo coração ainda estava cheio de pecado, sem dúvida objetaram. Mas ninguém ousou falar uma palavra contra os atos destruidores, porque Ezequias, o *reformador,* estava no controle da situação.

Ver 2Cr 28.24 quanto aos atos de Acaz que tinham poluído a cidade, transformando Jerusalém em um centro de paganismo. Cf. 2Cr 29.16. Mas agora tanto o templo quanto a cidade tinham sido purificados, e a páscoa poderia começar a ser celebrada. Ezequias não demonstrou nenhuma tolerância para com a fé sincretista. O yahwismo estava de volta ao trono.

■ **30.15**

וַיִּשְׁחֲטוּ הַפֶּסַח בְּאַרְבָּעָה עָשָׂר לַחֹדֶשׁ הַשֵּׁנִי וְהַכֹּהֲנִים וְהַלְוִיִּם נִכְלְמוּ וַיִּתְקַדְּשׁוּ וַיָּבִיאוּ עֹלוֹת בֵּית יְהוָה׃

Então imolaram o cordeiro da páscoa. *Um mês* depois do tempo regular de sua observância, a páscoa foi realizada. Os sacerdotes e levitas ficaram envergonhados da relutância original em cumprir seus deveres, sobretudo quanto viram a reação imediata e o entusiasmo do povo. Ver 2Cr 29.34, que se refere ao mesmo assunto. "Envergonhados da anterior relutância em purificar-se da contaminação contraída por sua conexão com cultos e santuários ilegais, durante o reinado do falecido rei Acaz... Na primeira passagem (2Cr 29.34), os levitas são favoravelmente contrastados com os sacerdotes. Aqui são todos tratados sob os mesmos termos" (Ellicott, *in loc.*).

■ **30.16**

וַיַּעַמְדוּ עַל־עָמְדָם כְּמִשְׁפָּטָם כְּתוֹרַת מֹשֶׁה אִישׁ־הָאֱלֹהִים הַכֹּהֲנִים זֹרְקִים אֶת־הַדָּם מִיַּד הַלְוִיִּם׃

Tomaram os seus devidos lugares, segundo a lei de Moisés. *Finalmente,* depois da hesitação inicial, tanto os sacerdotes quanto os levitas cumpriram os seus deveres, em consonância com a legislação mosaica. Os levitas mataram os cordeiros pascais, recolheram o sangue nas bacias e entregaram-no aos sacerdotes, para ser aspergido sobre o altar e em torno da base. A aspersão original era sobre as ombreiras das portas, mas isso não foi repetido, nem mesmo simbolicamente. Ver Lv 1.5. O modo de proceder original era os cabeças das famílias sacrificarem os animais e realizarem os ritos. Mas isso foi adaptado ao culto do templo, e, nessa ocasião, os levitas prestaram o serviço, pelas razões dadas no versículo seguinte.

■ **30.17**

כִּי־רַבַּת בַּקָּהָל אֲשֶׁר לֹא־הִתְקַדָּשׁוּ וְהַלְוִיִּם עַל־שְׁחִיטַת הַפְּסָחִים לְכֹל לֹא טָהוֹר לְהַקְדִּישׁ לַיהוָה׃

Porque havia muitos na congregação que não se tinham santificado. Havia tanta gente, incluindo chefes de famílias, que estavam cerimonialmente *imunda,* que os levitas tiveram de ocupar-se do serviço de matar os cordeiros e trazer o sangue aos sacerdotes para derramá-lo e aspergi-lo. Ver no *Dicionário* o verbete intitulado *Limpo e Imundo*. Os chefes de família tiveram de manter-se afastados, espiando os levitas em seu trabalho. Cf. 2Cr 35.4-6. Parece que o que aconteceu durante a "páscoa de Ezequias" se tornou o modo de proceder normal. Ver Ed 6.20. A *Idolatria* era, obviamente, o grande poluidor. E muitos chefes de família e príncipes tinham-se envolvido nisso, de modo que ao tempo dessa páscoa foram impedidos de participar. Ver Êx 12.6.

■ **30.18**

כִּי מַרְבִּית הָעָם רַבַּת מֵאֶפְרַיִם וּמְנַשֶּׁה יִשָּׂשכָר וּזְבֻלוּן לֹא הִטֶּהָרוּ כִּי־אָכְלוּ אֶת־הַפֶּסַח בְּלֹא כַכָּתוּב כִּי הִתְפַּלֵּל יְחִזְקִיָּהוּ עֲלֵיהֶם לֵאמֹר יְהוָה הַטּוֹב יְכַפֵּר בְּעַד׃

Porque uma multidão do povo. A *multidão* que chegou, assim como os chefes de famílias, estava *imunda* e despreparada para participar nos cultos santos. A idolatria havia maculado uma cultura inteira. Não havia tempo para realizar as cerimônias necessárias de purificação, então Ezequias ofereceu uma *oração de purificação* pelo perdão de cada indivíduo, a fim de que a cerimônia pudesse prosseguir. Ezequias nem pensou se as regras estavam erradas ou não, mas reconheceu que era mais importante realizar a essência da páscoa do que não realizá-la de forma alguma. Não havia tempo para seguir as complicadas regras mosaicas, acerca do que era puro e do que era impuro. Ele estava seguindo "os preceitos mais importantes da lei" (Mt 23.23). Nm 9.6 ss. deixa claro que pessoas cerimonialmente impuras não podiam participar da páscoa. Ezequias, porém, abriu uma "exceção divina" à regra, para o bem do povo. Em outra ocasião, todas as regras seriam seguidas. Esta passagem nos ensina que a letra da lei pode matar. Estamos atrás da essência da espiritualidade.

30.19

כָּל־לְבָבוֹ הֵכִין לִדְרוֹשׁ הָאֱלֹהִים ׀ יְהוָה אֱלֹהֵי אֲבוֹתָיו וְלֹא כְּטָהֳרַת הַקֹּדֶשׁ: ס

Que dispôs o coração para buscar o Senhor Deus. Se o coração deles estava buscando a Deus, então, pelo momento, as regras concernentes à purificação do corpo poderiam ser ignoradas com segurança. Não fora possível fazer tudo quanto era exigido "de acordo com a purificação do santuário". Isso exigiria que a páscoa fosse ainda mais adiada. O culto do templo tinha regulamentos acerca da impureza espiritual. Isso poderia ser ignorado se um homem buscasse a Yahweh-Elohim em lealdade. "A oração dá a entender uma *preferência* pela *sinceridade* espiritual, em lugar de uma insistência sobre prescrições literais e legais. Isso foi algo notável para o cronista, cujo alvo principal era fomentar a devida referência pelas ordenanças externas e pelos costumes tradicionais" (Ellicott, *in loc.*).

30.20

וַיִּשְׁמַע יְהוָה אֶל־יְחִזְקִיָּהוּ וַיִּרְפָּא אֶת־הָעָם: ס

Ouviu o Senhor a Ezequias. *Yahweh* concordou com a filosofia de Ezequias. As regras rígidas sobre a páscoa poderiam esperar outra ocasião. Yahweh perdoou e curou o povo de sua poluição espiritual, contraída principalmente pela participação na idolatria. As regras externas *apontam* para a realidade espiritual. As cerimônias, supostamente, *refletem* o estado da alma. Mas podem existir estados espirituais interiores, sem sinais externos. O perdão era a cura espiritual. Cf. Sl 41.4; 103.3; Ml 4.2; Is 6.5,10. Pode haver aqui um indício de enfermidade física que tinha sido causada pela poluição espiritual. Ver Lv 15.31 sobre essa ideia. Enfermidades físicas e morte podem ser julgamentos sobre o pecado. A sanidade espiritual pode restaurar o corpo, mas nem sempre funciona dessa maneira. O próprio apóstolo Paulo teve de tolerar seu problema ocular, para que se mantivesse humilde. Ver 2Co 12.8.

30.21

וַיַּעֲשׂוּ בְנֵי־יִשְׂרָאֵל הַנִּמְצְאִים בִּירוּשָׁלִַם אֶת־חַג הַמַּצּוֹת שִׁבְעַת יָמִים בְּשִׂמְחָה גְדוֹלָה וּמְהַלְלִים לַיהוָה יוֹם ׀ בְּיוֹם הַלְוִיִּם וְהַכֹּהֲנִים בִּכְלֵי־עֹז לַיהוָה: ס

Celebraram a festa dos pães asmos por sete dias. *Pães Asmos.* Ver no *Dicionário* o verbete com esse nome. É provável que a festa dos *Pães Asmos,* originalmente, tenha sido uma festa separada que acabou associada à páscoa, de tal modo que as duas coisas eram celebradas conjuntamente. O artigo no *Dicionário* dá amplos detalhes sobre a questão, que não repito aqui. Ver também no *Dicionário* o artigo *Festas (Festividades) Judaicas,* II.4.a, quanto a descrições.

Cf. este versículo com 1Cr 13.8; 15.16 ss., 28. Houve poderoso *júbilo.* Todos os sacrifícios também eram tempos de festividades. Houve muito cântico e música. Provavelmente houve danças. Os hebreus eram um povo de vinho, música e dança, conforme me disse um bom amigo judeu. Ver sobre a *Dança,* especialmente II.d. Danças acompanhavam as festividades entre os judeus (ver Jz 21.16-24).

Com instrumentos que tocaram fortemente em honra ao Senhor. Meus amigos, não posso suportar ruídos renitentes nos cultos de adoração, e não vou usar este versículo para mostrar que esse tipo de música é aceitável. Que outra pessoa use de música ruidosa nos cultos de adoração, se assim quiser fazer. Além disso, sabemos que as pessoas dançaram, mas a maioria das igrejas continua resistindo à dança nos cultos. Entretanto, existem atualmente igrejas que fazem um ruído tremendo nos cultos, e dançam. O que era bom para os hebreus, amantes do vinho, da música e da dança, não é necessariamente bom para nós, hoje em dia.

30.22

וַיְדַבֵּר יְחִזְקִיָּהוּ עַל־לֵב כָּל־הַלְוִיִּם הַמַּשְׂכִּילִים שֵׂכֶל־טוֹב לַיהוָה וַיֹּאכְלוּ אֶת־הַמּוֹעֵד שִׁבְעַת הַיָּמִים מְזַבְּחִים זִבְחֵי שְׁלָמִים וּמִתְוַדִּים לַיהוָה אֱלֹהֵי אֲבוֹתֵיהֶם: ס

Ezequias falou ao coração de todos os levitas. Cânticos, toque de instrumentos, muito ruído, talvez danças, regozijo, confissão de pecados, oferendas a Deus, *essas* eram as atividades que ocuparam os sete dias da festividade. Ezequias *falou de modo encorajador* ao povo, evidentemente dando instruções em meio a toda aquela celebração. Os destinatários das instruções foram os levitas, que se ocuparam da carga principal do trabalho para que aquela celebração fosse um sucesso.

E comeram por sete dias as ofertas da festa. As *ofertas pacíficas* foram trazidas pelo povo comum. Os adoradores tinham o direito de consumir certas partes dos sacrifícios. O sangue e a gordura dos animais sacrificados ficavam com Yahweh. *Oito* porções desses animais eram reservadas aos sacerdotes. Ver Lv 3.17 quanto às leis sobre o sangue e a gordura, e ver Lv 6.26 e 7.11-24 quanto às porções dadas aos sacerdotes. As oferendas tornaram-se festividades comunitárias. Ver no *Dicionário* o artigo chamado *Sacrifícios e Ofertas,* especialmente III.D.3, *Oferta de Comunhão,* que inclui as *Ofertas Pacíficas.* A restauração do yahwismo significava paz com Deus. As ofertas pacíficas falavam de comunhão restaurada. Yahweh era o participante invisível que se agradava com o aroma *agradável* das oferendas (ver Lv 1.9 e 29.18), das porções dos sacrifícios que estavam sendo queimados, a saber, a gordura e o sangue sobre o altar. Ver no *Dicionário* os verbetes intitulados *Antropomorfismo* e *Antropopatismo.*

30.23

וַיִּוָּעֲצוּ כָּל־הַקָּהָל לַעֲשׂוֹת שִׁבְעַת יָמִים אֲחֵרִים וַיַּעֲשׂוּ שִׁבְעַת־יָמִים שִׂמְחָה:

Concordou toda a congregação em celebrar outros sete dias. Resolveu-se *prolongar* a festa por outros *sete dias.* Todos estavam divertindo-se muito e não queriam voltar para casa. Portanto, houve "festividades" por mais sete dias. Cf. 2Cr 7.9. Parece que não havia nenhuma regra contra o prolongamento das festas, contanto que se seguisse a lei acerca do evento principal.

É provável que a *segunda semana* consistisse apenas em festejar e divertir-se. Não havia necessidade de novos sacrifícios de cordeiros e de continuar a comer os pães asmos, ou seja, as grandes características dos primeiros sete dias. Eles tão somente continuaram com os cânticos, talvez com as danças, o toque de instrumentos musicais e os festejos. Não precisaram de novos sacrifícios, já que haveria abundância de carne para ser consumida (ver o versículo seguinte). Mas quaisquer sacrifícios que fossem feitos não seriam *cordeiros pascais.*

30.24

כִּי חִזְקִיָּהוּ מֶלֶךְ־יְהוּדָה הֵרִים לַקָּהָל אֶלֶף פָּרִים וְשִׁבְעַת אֲלָפִים צֹאן ס וְהַשָּׂרִים הֵרִימוּ לַקָּהָל פָּרִים אֶלֶף וְצֹאן עֲשֶׂרֶת אֲלָפִים וַיִּתְקַדְּשׁוּ כֹהֲנִים לָרֹב:

Pois Ezequias, rei de Judá, apresentou à congregação mil novilhos e sete mil ovelhas para sacrifício. Ao todo foram apresentados mais dezenove mil animais para serem sacrificados, durante os sete dias extras. Esses animais pertenciam aos tipos aceitáveis, novilhos e ovelhas. Animais sacrificados em tão grande número nos deixam espantados. Sem dúvida deve ter sido vasta a multidão envolvida. Os animais tiveram de ser sacrificados de acordo com as provisões da lei, e transformados em oferendas a Yahweh. Em seguida, a carne era liberada para consumo: o sangue e a gordura iam para Yahweh, o participante invisível; as oito porções específicas iam para os sacerdotes; e o restante ia para o povo faminto. Ver as notas expositivas no vs. 22. Ver 2Cr 29.32 quanto aos sacrifícios da rededicação do templo. Além dos 28 animais originais que foram sacrificados (2Cr 29.21), outros 3.970 animais foram oferecidos. Mas isso foi quase nada, em comparação com os 22 mil novilhos e as 120 mil ovelhas oferecidas por Salomão em sacrifício na dedicação do templo de Jerusalém (ver 1Rs 8.63).

Por ocasião da segunda semana de celebrações, o rei Ezequias e os príncipes proveram os animais. Para mudar as coisas, os pobres comeram às expensas dos ricos! Para entrar no espírito da celebração, muitos sacerdotes santificaram-se, a fim de poderem participar, em contraste com sua anterior relutância (2Cr 29.34 e 30.15).

30.25

וַיִּשְׂמְח֣וּ ׀ כָּל־קְהַ֣ל יְהוּדָ֗ה וְהַכֹּֽהֲנִים֙ וְהַלְוִיִּ֔ם וְכָל־הַקָּהָ֖ל הַבָּאִ֣ים מִיִּשְׂרָאֵ֑ל וְהַגֵּרִ֗ים הַבָּאִים֙ מֵאֶ֣רֶץ יִשְׂרָאֵ֔ל וְהַיּוֹשְׁבִ֖ים בִּיהוּדָֽה׃

Alegraram-se, toda a congregação de Judá. A comunidade inteira que celebrava *regozijou-se*. Esse é um dos grandes temas do cronista. O culto a Yahweh foi um tempo jubiloso. O cronista gostava muito de deter-se na alegria das antigas festividades. Que os participantes sentiam-se tão felizes, sugere a sinceridade e o espírito de todo o coração da comunidade. Cf. 2Cr 30.23.

As Classes Envolvidas na Festa (Sugestão de Universalidade):
1. Todo o Judá.
2. Representantes de tribos do norte, Israel.
3. Os prosélitos, ou seja, estrangeiros que se tinham convertido ao yahwismo, os *gerim*. Estão em vista pessoas das regiões norte e sul da Terra Prometida. A *circuncisão* era uma operação cirúrgica necessária para que um indivíduo do sexo masculino se tornasse membro da comunidade dos que adoravam a Yahweh. Ver o artigo sobre esse assunto no *Dicionário*. Ver também Êx 12.48.

30.26

וַתְּהִ֥י שִׂמְחָֽה־גְדוֹלָ֖ה בִּירוּשָׁלָ֑͏ִם כִּ֠י מִימֵ֞י שְׁלֹמֹ֤ה בֶן־דָּוִיד֙ מֶ֣לֶךְ יִשְׂרָאֵ֔ל לֹ֥א כָזֹ֖את בִּירוּשָׁלָֽ͏ִם׃ ס

Houve grande alegria em Jerusalém. A alegria é novamente enfatizada pelo cronista. Ver as notas sobre o versículo anterior. A páscoa dirigida pelo rei Ezequias foi um grande sucesso. Fora tocada uma nota de *unidade* que não existia fazia vários séculos. Uma nota de *universalidade* foi desfechada, da qual o povo necessitava desesperadamente. Desde os dias de Salomão ninguém vira nada parecido com aquelas festividades de Jerusalém. Por algum tempo, pois, Ezequias tornou-se um pequeno Salomão, ultrapassando-o quanto à retidão pessoal, já que Salomão se desintegrou gravemente em seus últimos anos, tendo-se tornando um participante aberto da idolatria pagã. Ezequias tinha suas falhas, mas nunca caiu nesse *absurdo*. Nunca houve evento, por toda a história de Israel, que se comparasse à dedicação do templo de Salomão. Mas a páscoa de Ezequias veio em segundo lugar. A dedicação do templo, por parte de Salomão, tal como a presente festividade, também fora prolongada por outros sete dias. Ver 2Cr 7.9.

30.27

וַיָּקֻ֜מוּ הַכֹּהֲנִ֤ים הַלְוִיִּם֙ וַיְבָרְכ֣וּ אֶת־הָעָ֔ם וַיִּשָּׁמַ֖ע בְּקוֹלָ֑ם וַתָּב֧וֹא תְפִלָּתָ֛ם לִמְע֥וֹן קָדְשׁ֖וֹ לַשָּׁמָֽיִם׃ פ

Então os sacerdotes e os levitas se levantaram para abençoar o povo. *A Bênção*. Os sacerdotes e os levitas, entusiasmados com o que tinha acontecido, foram além das expectativas e proferiram anelantemente a bênção divina sobre o povo. Fizeram nobres discursos e ofereceram orações vigorosas, invocando a bênção de Yahweh sobre o povo. As orações foram tão intensas que penetraram nos céus de Yahweh, e seu sorriso de aprovação foi a verdadeira bênção. "Suas orações foram ouvidas e recebidas, pois a bênção assumiu uma maneira peticionária (ver Nm 6.24-26). Deus foi solicitado a abençoar o povo, e ele o fez" (John Gill, *in loc.*). As orações dos sacerdotes e dos levitas subiram diretamente ao céu. Cf. este aspecto do versículo com Sl 3.4 e 18.6.

"Como a fumaça de seus sacrifícios subiu até as nuvens, assim também subiram suas orações, suas súplicas e suas ações de graças. O Targum diz aqui: 'Suas orações subiram à moradia de sua santa *shekinah*, que está no céu'" (Adam Clarke, *in loc.*), o qual também observou quão em breve esse entusiasmo cedeu lugar a mais apostasia. Seja como for, após essa nobre nota, o povo foi despedido e cada qual foi para seu respectivo lar. Corações e almas foram erguidos, e a espiritualidade foi fomentada, por causa da *páscoa de Ezequias*.

CAPÍTULO TRINTA E UM

PROSSEGUEM AS REFORMAS (31.1-21)

O reformador Ezequias tinha purificado o templo e seus ministros, e reconstituído a Páscoa, bem como, é de presumir, as *três* festividades anuais obrigatórias: a Páscoa, o Pentecoste e os Tabernáculos. Ver os capítulo 29 e 30 quanto a esses assuntos. Foi apenas um resultado natural que o entusiasmo tivesse inspirado um esforço de purificação ainda mais amplo, do qual trata o primeiro versículo deste capítulo. Ver no *Dicionário* o verbete intitulado Festas (Festividades) Judaicas.

Parte das Reformas de Ezequias foi garantir que dinheiro apropriado fosse dado ao ministério para que este funcionasse apropriadamente. Em sua apostasia, Acaz tinha descontinuado o culto do templo. Ver 2Cr 29.3,6,7. Ezequias, porém, reabriu o templo e encorajou os ministros a começar a operar novamente. Muitos deles relutaram quanto à questão (ver 2Cr 29.34 e 30.15). Mas a páscoa de Ezequias foi um sucesso tamanho que o zelo se renovou. Os ministros voltaram a atuar. Eles precisavam receber um salário decente. Os vss. 2-21 tratam dessa questão.

Purificação de Judá-Israel (31.1)

31.1

וּכְכַלּ֣וֹת כָּל־זֹ֗את יָצְא֨וּ כָל־יִשְׂרָאֵ֥ל הַֽנִּמְצְאִים֮ לְעָרֵ֣י יְהוּדָה֒ וַיְשַׁבְּר֣וּ הַמַּצֵּב֗וֹת וַיְגַדְּע֤וּ הָאֲשֵׁרִים֙ וַיְנַתְּצ֤וּ אֶת־הַבָּמוֹת֙ וְאֶת־הַֽמִּזְבְּחֹ֔ת מִכָּל־יְהוּדָ֥ה וּבִנְיָמִ֖ן וּבְאֶפְרַ֣יִם וּמְנַשֶּׁ֑ה עַד־לְכַלֵּ֔ה וַיָּשׁ֜וּבוּ כָּל־בְּנֵ֧י יִשְׂרָאֵ֛ל אִ֥ישׁ לַאֲחֻזָּת֖וֹ לְעָרֵיהֶֽם׃ ס

Quebraram as estátuas, cortaram os postes-ídolos, derribaram os altos e altares por toda Judá e Benjamim. *Quebrando os Ídolos*. Não somente foram despedaçados os ídolos de Judá-Israel, mas até mesmo os lugares altos foram demolidos, algo que nenhum outro rei de Judá tinha conseguido fazer, desde Davi. Essa é uma *grande notícia* que o cronista nos dá. Ezequias foi o único rei de Judá, desde Davi, capaz de eliminar os santuários locais e assim centralizar a adoração no templo de Jerusalém. Ver no *Dicionário* sobre *Lugares Altos*. Naturalmente, os santuários locais voltarão, mas não nos dias de Ezequias. Outros reformadores tinham agido bem, mas jamais atacaram de maneira adequada os lugares altos. Uzias, quando jovem, agira bem, mas sem remover os lugares altos (2Rs 15.4). O mesmo pode ser dito sobre Jotão (2Rs 15.35).

Cortaram os postes-ídolos. Isto é, as colunas da idolatria. Ver 1Rs 14.15.

Derribaram... os altares. Isto é, os centros idólatras de adoração a Baal e outras divindades estrangeiras.

Universalidade. Os assírios já tinham levado a grande maioria dos habitantes de Israel, mas ainda havia lugares potencialmente devotados a Yahweh. Ezequias, entretanto, não hesitou em entrar nos antigos territórios de Israel. Os que estiveram presentes à páscoa dirigida por Ezequias foram agentes da operação de purificação em Israel. Uma vez terminada a campanha de quebra dos ídolos e outros objetos da adoração pagã, os habitantes do norte retornaram às suas casas, e é presumível que ali tivessem continuado zelando pelo yahwismo. Os samaritanos nasceram em meio a todas essas coisas. Ver 2Rs 17.24-41 e 2Cr 30.1 e 34.9.

Sustento do Ministério (31.2-21)

31.2

וַיַּעֲמֵ֣ד יְחִזְקִיָּ֡הוּ אֶת־מַחְלְק֣וֹת הַכֹּהֲנִ֣ים וְֽהַלְוִיִּ֡ם עַֽל־מַחְלְקוֹתָ֩ם אִ֨ישׁ ׀ כְּפִ֣י עֲבֹדָתוֹ֮ לַכֹּהֲנִ֣ים וְלַלְוִיִּם֒ לְעֹלָ֣ה וְלִשְׁלָמִ֗ים לְשָׁרֵת֙ וּלְהֹד֣וֹת וּלְהַלֵּ֔ל בְּשַׁעֲרֵ֖י מַחֲנ֥וֹת יְהוָֽה׃ ס

Ver as notas de introdução ao presente capítulo. Como obter dinheiro para sustentar um ministério *viável* sempre foi um problema. Esta seção diz-nos como Ezequias fez a tentativa.

A *questão* era como conseguir uma manutenção adequada para o clero — o tempo todo — um problema dificílimo. O cronista refletiu o que acontecia durante o reinado de Ezequias e, assim, sugeriu o que podia ser feito em seu próprio tempo (após o cativeiro babilônico). A questão, na época de Ezequias, era como suportar o ministério em Judá e também em Israel, onde houvesse centros que ainda promovessem o yahwismo.

Os turnos dos sacerdotes e dos levitas foram renovados. Em primeiro lugar, o rei Ezequias reorganizou os turnos, que se revezariam em dedicação ao ministério. Ver 1Cr 24 quanto a informações sobre o assunto. Ver 2Cr 8.14, "segundo a ordem de Davi". Ezequias, pois, restaurou o que Davi havia instituído no começo. Nessa referência, ofereci informações atinentes a vários tipos de ministério, que não repito aqui.

Uma vez que os turnos foram reiniciados, o problema era como abastecê-los com víveres e dinheiro.

■ 31.3

וּמְנָת הַמֶּלֶךְ מִן־רְכוּשׁוֹ לָעֹלוֹת לְעֹלוֹת הַבֹּקֶר וְהָעֶרֶב וְהָעֹלוֹת לַשַּׁבָּתוֹת וְלֶחֳדָשִׁים וְלַמֹּעֲדִים כַּכָּתוּב בְּתוֹרַת יְהוָה:

A contribuição que fazia o rei da sua própria fazenda. O rei Ezequias, provavelmente através de recursos do templo, separou provisões diárias, semanais, mensais e anuais para os sacrifícios. Ver 2Cr 3.13 ss.; Nm 28 e 29 e 1Cr 23.30,31. Essa era a sua contribuição para os sacrifícios principais e regulares. Alguns estudiosos supõem que tal contribuição tenha sido pessoal, e não retirada do tesouro do templo. Nesse caso, o rei Ezequias dava, com toda a probabilidade, mais do que um dízimo de suas rendas pessoais. Outros supõem que esses sacrifícios se tinham tornando responsabilidade do rei e Ezequias seguia o costume que tinha sido estabelecido por reis anteriores. Talvez 1Rs 9.25 possa ser interpretado dessa maneira.

■ 31.4

וַיֹּאמֶר לָעָם לְיוֹשְׁבֵי יְרוּשָׁלִַם לָתֵת מְנָת הַכֹּהֲנִים וְהַלְוִיִּם לְמַעַן יֶחֶזְקוּ בְּתוֹרַת יְהוָה:

Além disso ordenou ao povo, moradores de Jerusalém. É *possível* que, às pessoas mais abastadas, tivesse sido ordenado dar de seus bens materiais, seguindo o exemplo da contribuição pessoal do rei. Ou então "povo" aqui significa "todo" o povo. Nesse caso, Ezequias provavelmente instituiu uma espécie de taxa sobre a população geral, em favor da manutenção do ministério. Essas provisões (vss. 3 e 4) foram feitas além dos dízimos, os quais, como é evidente, não eram adequados para resolver o problema financeiro, ou então muita gente não estava pagando os seus dízimos. John Gill (*in loc.*) presumia que estão mencionados neste versículo dízimos e primícias, e não oferendas extras. Nesse caso, os dízimos teriam sido reconstituídos. Ver no *Dicionário* os artigos denominados *Dízimos* e *Primícias*. Seja como for, a população inteira foi convocada a contribuir com o projeto financeiro ministerial. Ver Êx 23.19; Lv 27.30-33; Nm 18.12,20-24; Dt 26 quanto à legislação acerca de dízimos e primícias.

■ 31.5

וְכִפְרֹץ הַדָּבָר הִרְבּוּ בְנֵי־יִשְׂרָאֵל רֵאשִׁית דָּגָן תִּירוֹשׁ וְיִצְהָר וּדְבַשׁ וְכֹל תְּבוּאַת שָׂדֶה וּמַעְשַׂר הַכֹּל לָרֹב הֵבִיאוּ:

Logo que se divulgou esta ordem, os filhos de Israel trouxeram. É provável que este versículo tencione definir mais claramente o que temos no versículo anterior. As contribuições da população deveriam ser feitas através de dízimos e primícias. Ver as referências e os artigos relacionados a esses atos no versículo anterior.

"Os cidadãos de Jerusalém e das cidades e aldeias circundantes atenderam apresentando as *primícias* (cf. Êx 23.19a; Nm 18.12) e os *dízimos* (Lv 27.30-33; Nm 18.21-24) de seus produtos do campo e de seus rebanhos, bem como de todos os outros bens (ver 2Cr 31.3-6). Durante quatro meses eles continuaram a trazer ofertas ao templo (vs. 7)" (Eugene H. Merrill, *in loc.*).

Do cereal, do vinho, do azeite, do mel, e de todo produto do campo. Estes foram os produtos do campo, e os três primeiros são especificamente mencionados em Dt 18.4. Em lugar de "mel", os escritos judeus em geral dizem *dubsa*, a "palmeira". Todos os produtos do campo eram dizimados.

■ 31.6

וּבְנֵי יִשְׂרָאֵל וִיהוּדָה הַיּוֹשְׁבִים בְּעָרֵי יְהוּדָה גַּם־הֵם מַעְשַׂר בָּקָר וָצֹאן וּמַעְשַׂר קָדָשִׁים הַמְקֻדָּשִׁים לַיהוָה אֱלֹהֵיהֶם הֵבִיאוּ וַיִּתְּנוּ עֲרֵמוֹת עֲרֵמוֹת: ס

Os filhos de Israel e de Judá. *Jerusalém* assumiu a liderança, mas também todas as cidades e aldeias de Judá fizeram a sua respectiva contribuição. O pouco que restou de Israel também contribuiu, mas o grosso da produção dizimada veio de Judá. As doações tornaram-se coisas *santas*, porquanto foram dedicadas ao serviço divino. Ver Lv 27.32 quanto ao dízimo dos bois e das ovelhas. Quanto ao remanescente de Israel deixado após o cativeiro assírio, ver 2Rs 17.24-41. Essa gente, misturada a populações importadas pelos assírios, um povo misturado racialmente e praticamente pagão, observava contudo o yahwismo. Ver também 2Cr 30.1 e 34.9.

■ 31.7

בַּחֹדֶשׁ הַשְּׁלִשִׁי הֵחֵלּוּ הָעֲרֵמוֹת לְיִסּוֹד וּבַחֹדֶשׁ הַשְּׁבִיעִי כִּלּוּ: ס

No terceiro mês. Isto é, o mês de sivã (conforme diz o Targum). O tempo era maio-junho, quando começava a colheita dos cereais. Nesse mês acontecia a segunda grande festividade anual, a saber, o *Pentecoste*, que requeria a todos os indivíduos do sexo masculino peregrinar a Jerusalém. Então vinha a festa dos *Tabernáculos*, a terceira festa nacional. Podemos ter certeza de que Ezequias tornou obrigatórias todas as três festas anuais, durante seu reinado. Isso fazia parte de seu programa de reformas.

O Pentecoste também era chamado "festa da colheita". Era então que terminava a colheita da cevada e começava a colheita do trigo. O término absoluto da colheita era o sétimo mês, tisri (conforme diz o Targum), e então havia a Festa dos Tabernáculos. Esta também era chamada *festa da colheita*, ou seja, o tempo próprio para serem trazidos os dízimos e as primícias. Como é fácil de constatar, Israel e Judá era essencialmente uma cultura agrícola, e todas as funções dependiam dessa atividade, incluindo o sustento do ministério. Ver no *Dicionário* o verbete intitulado *Calendário Judaico*.

No sétimo mês acabaram. O sétimo mês correspondia aos nossos meses de setembro-outubro, tempo do vinho e da colheita das frutas.

■ 31.8

וַיָּבֹאוּ יְחִזְקִיָּהוּ וְהַשָּׂרִים וַיִּרְאוּ אֶת־הָעֲרֵמוֹת וַיְבָרֲכוּ אֶת־יְהוָה וְאֵת עַמּוֹ יִשְׂרָאֵל: פ

Vindo, pois, Ezequias e os príncipes. Eles vieram verificar o resultado dos decretos que tinham restabelecido os dízimos. E ficaram admirados com todas aquelas pilhas de produtos agrícolas que garantiam o sustento do ministério por algum tempo. A *generosidade* é a verdadeira medida de um ser humano, e não quanto barulho ele faz sobre as doutrinas. Afinal, a generosidade é apenas outra maneira de falar sobre o *amor*, o maior de todos os princípios espirituais. Ver no *Dicionário* os artigos chamados *Amor* e *Liberalidade e Generosidade*. Nada deveria haver de tão comum, mas quando vemos evidências da generosidade, somos tomados de surpresa. No entanto, é o novo nascimento que produz o verdadeiro amor (ver 1Jo 4.7). Vendo a generosidade do povo, Ezequias e os príncipes louvaram a Yahweh por haver inspirado tão abundante reação favorável da parte do povo.

■ 31.9,10

וַיִּדְרֹשׁ יְחִזְקִיָּהוּ עַל־הַכֹּהֲנִים וְהַלְוִיִּם עַל־הָעֲרֵמוֹת:

וַיֹּאמֶר אֵלָיו עֲזַרְיָהוּ הַכֹּהֵן הָרֹאשׁ לְבֵית צָדוֹק וַיֹּאמֶר מֵהָחֵל הַתְּרוּמָה לָבִיא בֵית־יְהוָה אָכוֹל

וְשָׁב֨וֹעַ וְהוֹתֵ֤ר עַד־לָרוֹב֙ כִּ֣י יְהוָ֣ה בֵּרַ֣ךְ אֶת־עַמּ֔וֹ וְהַנּוֹתָ֕ר אֶת־הֶהָמ֥וֹן הַזֶּֽה׃ ס

Perguntou Ezequias aos sacerdotes e aos levitas. Ezequias, que tinha delegado o trabalho da colheita dos dízimos e das primícias, perguntou de Azarias, o sumo sacerdote: "Isto é suficiente para vocês, ministros?" O sumo sacerdote assegurou ao rei que eles tinham o bastante, até mesmo excesso, porque a reação popular fora realmente grande. *Yahweh* havia primeiramente abençoado o povo com abundância de víveres e isso permitiu que o povo contribuísse em abundância, o que deu a Yahweh o crédito por tudo, tanto pela prosperidade quanto pela doação subsequente. Um *grande depósito* de coisas extras foi reservado para o futuro. O programa de Ezequias foi assim bem-sucedido, e durante algum tempo Judá viveu em paz e prosperidade, e o culto a Yahweh continuou sem empecilhos, o que não aconteceria se houvesse falta de fundos.

Deus pode fazer-vos abundar em toda graça,
a fim de que, tendo sempre, em tudo, ampla suficiência,
superabundeis em toda boa obra.

2Coríntios 9.8

■ **31.11**

וַיֹּ֙אמֶר֙ יְחִזְקִיָּ֔הוּ לְהָכִ֥ין לְשָׁכ֖וֹת בְּבֵ֣ית יְהוָ֑ה וַיָּכִֽינוּ׃

Que se preparassem depósitos. Isto é, silos ou armazéns, lugares especialmente arranjados para guardar os cereais e produtos agrícolas excedentes, garantindo assim o sustento do ministério por um bom tempo no futuro. Sem dúvida alguma, antigos armazéns foram limpos para serem novamente usados, mas houve tanta produção extra que novos armazéns tiveram de ser construídos.

"*Superabundância.* As contribuições ultrapassaram até o máximo necessário para manutenção do templo e seus ministros. Se alguma coisa comparável a isso acontecesse hoje em dia, teria sido difícil encontrar uma maneira de usar a produção extra no fomento da boa causa, em nome de Cristo... Nos dias de Ezequias, a bondade dele cativou o coração do povo, e eles responderam 'em massa' ao apelo, e o tesouro foi cheio" (W. A. L. Elmslie, *in loc.*). Oh, Senhor, conceden-nos tal graça!

A gratidão é o sinal das almas nobres.

Androcles

A gratidão da maioria dos homens é apenas
um desejo secreto de receber maiores benefícios.

François de la Rochefoucauld

Você deve estar apto a dar, antes de estar apto a receber.

James Stephens

Mais bem-aventurado é dar que receber.

Atos 20.35

■ **31.12,13**

וַיָּבִ֨יאוּ אֶת־הַתְּרוּמָ֧ה וְהַֽמַּעֲשֵׂ֛ר וְהַקֳּדָשִׁ֖ים בֶּאֱמוּנָ֑ה וַעֲלֵיהֶ֤ם נָגִיד֙ כונניהו כָּֽנַנְיָ֣הוּ הַלֵּוִ֔י וְשִׁמְעִ֥י אָחִ֖יהוּ מִשְׁנֶֽה׃

וִֽיחִיאֵ֡ל וַ֠עֲזַזְיָהוּ וְנַ֨חַת וַעֲשָׂהאֵ֜ל וִירִימ֤וֹת וְיוֹזָבָד֙ וֶאֱלִיאֵ֣ל וְיִסְמַכְיָ֔הוּ וּמַ֖חַת וּבְנָיָ֑הוּ פְּקִידִ֗ים מִיַּ֤ד כונניהו כָּנַנְיָ֙הוּ֙ וְשִׁמְעִ֣י אָחִ֔יו בְּמִפְקַ֕ד יְחִזְקִיָּ֙הוּ֙ הַמֶּ֔לֶךְ וַעֲזַרְיָ֖הוּ נְגִ֥יד בֵּית־הָאֱלֹהִֽים׃

Disto era intendente Conanias, o levita. O levita *Conanias* foi nomeado supervisor geral dos armazéns. Ele seria responsável por verificar o destino dos produtos e por assegurar que não haveria furto nem erro na distribuição. Ninguém padeceria necessidades, e nenhum ministro obteria mais do que sua própria partilha. O irmão de Conanias, de nome *Simei,* foi seu braço direito, e compartilharia com ele a responsabilidade. Acima deles estaria Azarias, o sumo sacerdote, o responsável direto ao rei. Além desses, foram nomeados *dez* supervisores, que obedeceriam a Conanias e fariam o verdadeiro trabalho de distribuição através de seus auxiliares. Ver no *Dicionário* os nomes próprios referidos nos vss. 12 e 13, quanto ao pouco que se sabe sobre eles e suas funções específicas.

Foi providenciado um bom sistema de "verificações e balancetes", isto é, um sistema de controle segundo o qual seria impossível qualquer truque ou esperteza, e de acordo com o qual cada homem envolvido tinha uma função específica a desempenhar.

■ **31.14**

וְקוֹרֵ֨א בֶן־יִמְנָ֤ה הַלֵּוִי֙ הַשּׁוֹעֵ֣ר לַמִּזְרָ֔חָה עַ֖ל נִדְב֣וֹת הָאֱלֹהִ֑ים לָתֵת֙ תְּרוּמַ֣ת יְהוָ֔ה וְקָדְשֵׁ֖י הַקֳּדָשִֽׁים׃

O levita Coré, filho de Imna. Ele se tinha distinguido no serviço fiel de porteiro, cuja principal responsabilidade era a *porta oriental*. Ele foi feito supervisor das *ofertas voluntárias,* que proveriam recursos além da contribuição do rei (vs. 3) e dos dízimos e primícias (vs. 5). Cf. este versículo com 1Cr 9.18. Ver Dt 12.17 quanto às ofertas voluntárias.

Para distribuir as ofertas do Senhor. "A fim de dar a *Terumah* de Yahweh, ou seja, a porção das oferendas que, embora consagradas ao Senhor, eram transferidas por ele aos *sacerdotes* (ver Lv 7.14,32; 10.14,15)" (Ellicott, *in loc.*).

E as cousas santíssimas. Isto é, a porção das ofertas pelo pecado, das ofertas pela transgressão (Lv 6.10,22; 7.6) e das ofertas de manjares ou cereais (Lv 2.3,10) que eram comidas pelos sacerdotes, no santuário.

■ **31.15**

וְעַל־יָד֡וֹ עֵ֣דֶן וּ֠מִנְיָמִן וְיֵשׁ֨וּעַ וּֽשְׁמַעְיָ֜הוּ אֲמַרְיָ֣הוּ וּֽשְׁכַנְיָ֗הוּ בְּעָרֵי֙ הַכֹּ֣הֲנִ֔ים בֶּאֱמוּנָ֖ה לָתֵ֣ת לַאֲחֵיהֶ֑ם בְּמַחְלְק֖וֹת כַּגָּד֥וֹל כַּקָּטָֽן׃

Debaixo das suas ordens estavam. Coré tinha *seis associados* que tinham o dever de distribuir os produtos aos sacerdotes que viviam nas *treze cidades* fora de Jerusalém (2Cr 31.14,15). Ver também Js 21.13-19. Estão em vista as cidades dos levitas, onde eles tinham seus lares e suas terras produtivas adjacentes. Ver o artigo no *Dicionário* chamado *Levitas, Cidades dos.* Devemos entender que o cultivo das terras adjacentes às cidades não era suficiente para o sustento dos levitas, e algum suplemento se fazia mister para aumentar o estoque de bens materiais. *Quarenta e oito* cidades tinham sido entregues aos levitas, as quais estavam bem distribuídas entre as tribos. Js 21.19 nos dá treze cidades entregues aos sacerdotes.

■ **31.16**

מִלְּבַ֞ד הִתְיַחְשָׂ֣ם לִזְכָרִ֗ים מִבֶּ֨ן שָׁל֥וֹשׁ שָׁנִ֛ים וּלְמַ֖עְלָה לְכָל־הַבָּ֣א לְבֵית־יְהוָ֑ה לִדְבַר־י֣וֹם בְּיוֹמ֗וֹ לַעֲבוֹדָתָם֙ בְּמִשְׁמְרוֹתָ֔ם כְּמַחְלְקוֹתֵיהֶֽם׃

Exceto os que estavam registrados nas genealogias dos homens. *A Ampla Provisão.* Até mesmos os filhos dos sacerdotes, de 3 anos para cima, teriam suas porções diárias, porquanto eram sacerdotes em formação. Ver 2Cr 31.16. Os levitas, por outro lado, só receberiam porções dos 20 anos de idade para cima. Ver 1Cr 23.24. Havia um número bem maior de levitas do que de sacerdotes, o que significa que estes mereciam especial consideração. Às famílias tanto de levitas quanto de sacerdotes era dado o sustento (ver 2Cr 31.17,18). A legislação mosaica não permitia que os levitas se ocupassem de trabalho comum, *secular,* de maneira que teria de haver provisões das tribos destinadas a eles (ver Nm 18.21-24).

Genealogias. Registros genealógicos eram guardados cuidadosamente, e somente pessoas autênticas e dignas recebiam os dízimos e as ofertas. Tinham de ser levitas genuínos, e, se fossem sacerdotes, tinham de ser levitas da linhagem de Arão. "Ao que parece, às crianças era permitido acompanhar os pais ao templo, e comer, com eles, dos sacrifícios" (Ellicott, *in loc.*), mas somente se tivessem, no mínimo, 3 anos de idade. Os mais novos ficavam com as mães, em casa, para comerem. Kimchi assegura-nos que crianças mais jovens do que 3 anos não eram consideradas aptas a entrar no templo.

■ 31.17

וְאֵת הִתְיַחֵשׂ הַכֹּהֲנִים לְבֵית אֲבוֹתֵיהֶם וְהַלְוִיִּם מִבֶּן עֶשְׂרִים שָׁנָה וָלְמָעְלָה בְּמִשְׁמְרוֹתֵיהֶם בְּמַחְלְקוֹתֵיהֶם:

Quanto ao registro dos sacerdotes. As *genealogias* identificavam os sacerdotes autênticos (e seus filhos, de 3 anos de idade ou mais velhos), bem como os levitas. Mas estes últimos precisavam ter pelo menos 20 anos de idade para serem dignos recebedores dos dízimos e das ofertas. As genealogias impediam as falsas representações. A lei antiga dava *30 anos* de idade para os levitas, mas Davi tinha reduzido esse limite para 20 (ver 1Cr 23.24). Com essa idade, pois, eles começavam a servir, tornando-se então aptos a receber os produtos. Naturalmente, eles sustentavam dessa maneira suas famílias, de tal modo que, pelo menos teoricamente, ninguém sofria privações. Ver Nm 4.43 e 47 quanto à lei sobre os *30 anos de idade*.

■ 31.18

וּלְהִתְיַחֵשׂ בְּכָל־טַפָּם נְשֵׁיהֶם וּבְנֵיהֶם וּבְנוֹתֵיהֶם לְכָל־קָהָל כִּי בֶאֱמוּנָתָם יִתְקַדְּשׁוּ־קֹדֶשׁ:

Dos quais foram registrados as crianças, as mulheres, os filhos e as filhas. As *genealogias* também identificavam apropriadamente as famílias dos ministros, as esposas e os filhos, os quais, obviamente, precisavam alimentar-se, e assim o alimento lhes era fornecido. As famílias dos ministros deveriam ser dedicadas à lei de Yahweh, ou seja, exemplos para outras mulheres e crianças. Por isso mesmo eram merecedoras de consideração especial na questão do sustento dos ministros.

Se houveram santamente com as cousas sagradas. Os ministros eram totalmente dedicados ao culto divino. Eles trabalhavam por tempo integral, portanto não tinham tempo para ocupar-se no trabalho secular. Eles viviam "do evangelho" (1Co 9.6-14). Esse foi sempre o ideal, que, para muitos ministros dignos, nunca se cumpriu.

■ 31.19

וְלִבְנֵי אַהֲרֹן הַכֹּהֲנִים בִּשְׂדֵי מִגְרַשׁ עָרֵיהֶם בְּכָל־עִיר וָעִיר אֲנָשִׁים אֲשֶׁר נִקְּבוּ בְּשֵׁמוֹת לָתֵת מָנוֹת לְכָל־זָכָר בַּכֹּהֲנִים וּלְכָל־הִתְיַחֵשׂ בַּלְוִיִּם:

Dentre os sacerdotes, filhos de Arão. "Finalmente, qualquer sacerdote ou levita que não vivesse em Jerusalém nem em alguma cidade designada para os sacerdotes, não deveria ser negligenciado (vs. 19)" (Eugene H. Merrill, *in loc.*).

Temos aqui os levitas que viviam em fazendas, fora das cidades entregues aos sacerdotes. Talvez o trabalho nas fazendas fosse suficiente para seu sustento, mas talvez não. O que lhes faltasse deveria ser suprido do "fundo geral".

Arredores das suas cidades. Ver Lv 25.34 e Nm 35.4,6.

Homens que foram designados nominalmente. Ver 1Cr 12.31 e 2Cr 28.15. Os registros de nomes garantiam a justiça e impediam a fraude e a falsa representação de homens sem escrúpulos, que poderiam apresentar-se como levitas somente para ganhar dinheiro. Até hoje, homens fingidos conseguem fazer dinheiro, dizendo-se ministros. Além disso, certos homens (levitas) tinham sido designados por nome para fazer a distribuição dos alimentos. Talvez este versículo encerre ambos os significados; havia os designados para receber, e também havia os designados para distribuir. Seja como for, ambas as coisas eram verdadeiras. Cf. o vs. 13 deste capítulo.

■ 31.20,21

וַיַּעַשׂ כָּזֹאת יְחִזְקִיָּהוּ בְּכָל־יְהוּדָה וַיַּעַשׂ הַטּוֹב וְהַיָּשָׁר וְהָאֱמֶת לִפְנֵי יְהוָה אֱלֹהָיו:

וּבְכָל־מַעֲשֶׂה אֲשֶׁר־הֵחֵל בַּעֲבוֹדַת בֵּית־הָאֱלֹהִים וּבַתּוֹרָה וּבַמִּצְוָה לִדְרֹשׁ לֵאלֹהָיו בְּכָל־לְבָבוֹ עָשָׂה וְהִצְלִיחַ: פ

Assim fez Ezequias em todo o Judá. Olhando para trás, para tudo quanto acontecera, o cronista escreveu outra declaração de louvores ao rei Ezequias, o mais reto de Israel desde Davi. Ver 2Cr 29.2, que é essencialmente idêntico ao vs. 20 deste capítulo. O vs. 21 deste capítulo dá-nos uma lista das boas obras de Ezequias: ele serviu o templo, primeiramente abrindo-o depois de ter sido fechado por Acaz (ver 2Cr 29.3); ele restaurou o culto do templo, o *yahwismo*, que reis apóstatas tinham desfigurado e descartado; também observou (e levou outros a observar) a lei mosaica, dentro e fora do templo. Era isso que fazia de Israel e Judá uma nação distintiva (ver Dt 4.4-8). E é isso que fazia um *rei ideal* em Israel (ver Dt 17.14 ss.).

De todo o coração o fez. Esta expressão foi usada por *seis* vezes pelo cronista. Além do presente versículo, ver também 1Cr 29.9; 2Cr 6.14; 15.15; 19.9; 25.2. O rei obedeceu à lei e a perpetuou, por causa de sua espiritualidade, e não apenas como matéria de forma e de política. Foi por essa razão que ele foi citado junto com os mais ilustres dentre seus antecessores (ver 2Rs 18.5).

E prosperou. Nas questões religiosas; nas questões do Estado; em sua vida pessoal. Cf. Dt 6.5, o mandamento de amar a Deus de todo o nosso coração.

CAPÍTULO TRINTA E DOIS

Conteúdo Geral:

Vss. 1-8. Este capítulo conta-nos de uma invasão assíria, encabeçada por Senaqueribe. Essa força armada provavelmente pensava em repetir, em Judá, o que tinha feito no norte (Israel). Mas foi dado ao rei Ezequias tanto o poder quanto a sabedoria para não ceder diante das exigências arrogantes da Assíria.

Vss. 9-19. Senaqueribe enviou mensageiros que levaram cartas ameaçadoras a Ezequias, mas o rei de Judá não cedeu diante das demandas do monarca assírio, confiando que Yahweh interviria em favor de seu povo.

Vss. 20-23. Liderado pelo profeta Isaías, o povo de Judá buscou uma intervenção divina decisiva contra a Assíria, e essa intervenção foi dada miraculosamente. Em seguida, a Ezequias foram dados magníficos presentes que o enriqueceram e aumentam seus bens materiais, espalhando sua reputação por toda a região. Isso (e provavelmente outras coisas) encheu o coração de Ezequias de orgulho, e por isso ele morreu, como punição divina.

Vss. 24-26. A enfermidade de Ezequias, provocada pelos seus pecados de orgulho e arrogância, quase terminou com a sua vida. Mas houve a intervenção do arrependimento, que lhe concedeu mais alguns anos.

Vss. 27-31. O rei Ezequias enriqueceu como nunca antes, e ocupou-se do comércio internacional. Ele realizou várias obras públicas de nota. Mas não agiu bem com a delegação enviada pela Babilônia, porquanto Yahweh o deixou com seus próprios recursos, para ver o que ele faria.

Vss. 32 e 33. Declarações finais e notícias fúnebres. O rei Ezequias, que tinha agido bem, foi honrado por todos. Mas seu filho, o ímpio Manassés, tomou o lugar de seu pai, e as coisas degringolaram rapidamente.

A INVASÃO ASSÍRIA E A MORTE DE EZEQUIAS (32.1-33)

Agora temos trechos paralelos novamente, após uma longa seção registrada somente pelo cronista. Este capítulo tem como paralelo os trechos de 2Rs 18.13-21 e Is 36–39. O autor dos livros de Reis não relatara coisa alguma sobre a páscoa de Ezequias, as reformas do templo, a reinstituição do ministério e a provisão adequada de dízimos e primícias (2Cr 29–31).

■ 32.1

אַחֲרֵי הַדְּבָרִים וְהָאֱמֶת הָאֵלֶּה בָּא סַנְחֵרִיב מֶלֶךְ־אַשּׁוּר וַיָּבֹא בִיהוּדָה וַיִּחַן עַל־הֶעָרִים הַבְּצֻרוֹת וַיֹּאמֶר לְבִקְעָם אֵלָיו:

O paralelo aproximado é 2Rs 18.13. O autor de Reis fornece-nos uma notícia cronológica ausente em 2Cr. O livro de Reis afirma que Senaqueribe conseguiu capturar certas cidades judaicas, o que o cronista não comenta. Talvez este tenha considerado a invasão menos importante do que realmente foi, por pensar que alguém tão bom quanto Ezequias não pudesse ter sofrido tal perda. O cronista também omitiu a *peita* (o tributo) paga aos assírios, que os levou à retirada, mas atribui a Ezequias tremendo sucesso, mediante a ajuda de Yahweh. O tributo foi deveras pesado e destrutivo (ver 2Rs 18.14-16). O rei da Assíria, contudo, enviou um exército contra Judá, a despeito do tributo que tinha recebido. O cronista ignorou tudo isso, e passou a descrever um sucesso sem qualificação. De alguma maneira ele não conseguia declarar que um bom rei podia sofrer tais reveses, ou então estava mal informado, carente de certas fontes informativas vitais.

Ezequias começou a reinar de forma independente, e pouco depois quebrou o acordo firmado por seu pai Acaz com os assírios (ver 2Rs 18.17) e rebelou-se. O ano deve ter sido cerca de 722 a.C., quando Sargão II era o monarca assírio. O sucessor de Sargão decidiu punir Ezequias, o que explica a invasão assíria. Por volta de 701 a.C., os assírios cercaram Jerusalém, depois de terem tomado várias cidades de Judá. Ezequias confessou que tinha "errado" (2Rs 18.14) e queria voltar a pagar tributo, a fim de que os assírios se afastassem da capital, Jerusalém.

Conforme se pode ver, os autores dos livros de Reis e dos livros de Crônicas pintaram dois quadros diferentes das mesmas cenas. Os eruditos usualmente supõem que o autor de Reis se mostra historicamente mais exato, quando, porventura, surgem diferenças entre seus livros e os de Crônicas. O cronista sempre tentou dar uma história *didática* e *idealista*, e não um relato que fosse, em todos os detalhes, precisamente histórico.

■ 32.2

וַיַּ֣רְא יְחִזְקִיָּ֗הוּ כִּי־בָ֣א סַנְחֵרִ֑יב וּפָנָ֖יו לַמִּלְחָמָ֥ה עַל־יְרוּשָׁלָֽ͏ִם׃

Vendo, pois, Ezequias que Senaqueribe vinha. *Em lugar* do pesado tributo de que fala o autor dos livros de Reis, que verdadeiramente deixou Judá aleijado, e a quebra desse acordo por parte da Assíria (uma exército invasor foi enviado de qualquer maneira), o cronista imediatamente passa a contar como Ezequias reuniu-se com seus príncipes para tentar fazer alguma coisa quanto à situação. Talvez o cronista não pensasse que um rei bom como Ezequias pudesse ser *enganado* por um inimigo.

Fontes informativas assírias afirmam que Senaqueribe tomou *46 cidades* antes de aproximar-se de Jerusalém. Nem mesmo o autor dos livros de Reis diz que a questão tinha tamanha *seriedade*. Ver 2Rs 18.13 quanto à palavra vaga, "cidades".

Os vss. 2-8 são dados somente pelo cronista, que substituiu palavras ousadas por palavras boas. Não há razão para duvidarmos da historicidade desses versículos. Mas precisamos observar o óbvio: a pintura do cronista foi, realmente, rósea, comparando-se com a narrativa do autor de Reis. O cronista, entretanto, fez sérias omissões e adições positivas para levar-nos a saber o que deveríamos saber.

■ 32.3

וַיִּוָּעַ֗ץ עִם־שָׂרָיו֙ וְגִבֹּרָ֔יו לִסְתּוֹם֙ אֶת־מֵימֵ֣י הָעֲיָנ֔וֹת אֲשֶׁ֖ר מִח֣וּץ לָעִ֑יר וַֽיַּעְזְרֽוּהוּ׃

Tapar as fontes das águas que havia fora da cidade. *Tapando os Suprimentos de Água para Derrotar um Exército*. Aconselhando-se com seus príncipes e inspirado por Yahweh, o rei Ezequias ocultou as fontes de águas que seriam tão necessárias por um exército de qualquer tamanho. Essa medida seria suficiente para dificultar a invasão dos assírios. O autor dos livros de Reis, entretanto, nada nos diz sobre tal estratagema, e alguns críticos acusam o cronista de inventá-lo. Seja como for, o autor de Reis falou sobre uma grande intervenção do anjo do Senhor a salvar Jerusalém (ver 2Rs 19.35), e o cronista concordou com ele quanto a esse ponto crítico (ver 2Cr 32.21).

"Esperando impedir a captura de Jerusalém, Ezequias tomou medidas eficientes para ocultar os suprimentos de água da cidade (vss. 3 e 4). O riacho, provavelmente, era a fonte de Giom (vs. 30).

Tapar as fontes. É provável que o rei tenha mandado que seus homens "ocultassem" as fontes de águas por algum tipo de trabalho com tijolos. Desse modo, as águas não eram impedidas de entrar na cidade. Elas simplesmente não existiam "para os assírios". No que diz respeito aos assírios, as águas tinham sido "tapadas".

Um *acontecimento paralelo* ocorreu durante as cruzadas cristãs. Quando, em 1099 d.C., as cruzadas chegaram a Jerusalém, o povo da cidade tinha fechado as fontes de águas, de modo que o exército cristão foi reduzido à mais severa necessidade e desespero. Poluir as fontes, mudar o curso dos rios ou ocultar as águas foram estratagemas eficazes na batalha no Oriente Próximo e Médio.

■ 32.4

וַיִּקָּבְצ֣וּ עַם־רָ֗ב וַֽיִּסְתְּמוּ֙ אֶת־כָּל־הַמַּעְיָנ֔וֹת וְאֶת־הַנַּ֛חַל הַשּׁוֹטֵ֥ף בְּתוֹךְ־הָאָ֖רֶץ לֵאמֹ֑ר לָ֤מָּה יָב֙וֹאוּ֙ מַלְכֵ֣י אַשּׁ֔וּר וּמָצְא֖וּ מַ֥יִם רַבִּֽים׃

Assim muito povo se ajuntou. Uma grande força-tarefa, orientada pelo rei Ezequias, foi enviada a fazer o trabalho de ocultamento das fontes de água. Muita gente ajudou porque não havia tempo a perder. Eles perguntavam: "Por que os assírios teriam acesso a toda essa água?" E então tomaram medidas para privar o exército invasor de qualquer acesso à água.

Como também o ribeiro. Ver no *Dicionário* o verbete chamado *Giom (Fonte)*. O Giom era um importante suprimento de água de Jerusalém, uma espécie de rio artificial cujas águas Ezequias fez correr através de um túnel subterrâneo. Ver as notas no vs. 30 e cf. 2Rs 20.20. O artigo fornece detalhes abundantes sobre a questão, e as descobertas arqueológicas têm mostrado a natureza desse ribeiro.

■ 32.5

וַיִּתְחַזַּ֡ק וַיִּבֶן֩ אֶת־כָּל־הַחוֹמָ֨ה הַפְּרוּצָ֜ה וַיַּ֣עַל עַל־הַמִּגְדָּל֗וֹת וְלַח֙וּצָה֙ הַחוֹמָ֣ה אַחֶ֔רֶת וַיְחַזֵּ֥ק אֶת־הַמִּלּ֖וֹא עִ֣יר דָּוִ֑יד וַיַּ֥עַשׂ שֶׁ֛לַח לָרֹ֖ב וּמָגִנִּֽים׃

Ele cobrou ânimo, restaurou todo o muro quebrado. Uma *segunda medida* foi tomada para enfrentar a ameaça dos assírios, isto é, a renovação das fortificações da cidade. Cf. 1Rs 9.24. Quanto ao fato de que Ezequias "cobrou ânimo", ver 2Cr 15.8 e 18.1. Quanto à "restauração de todo o muro quebrado", ver Is 22.9,10. Também foram erguidas torres: desde a torre da esquina até a porta de Efraim, que tinha sido quebrada. Cf. 2Cr 26.9. Quanto ao "outro muro" que foi construído, ver Is 22.11. Josefo afirmou que Jerusalém tinha *três muralhas* construídas à sua volta (*Guerras*, 1.5, cap. 4, sec. 3), mas não soube dizer se isso se aplicava aos tempos de Ezequias ou não. Ver sobre *Milo*, a rampa, em 1Cr 11.8.

E fez armas e escudos em abundância. O exército de Judá que esperava os invasores estava bem equipado.

■ 32.6

וַיִּתֵּ֛ן שָׂרֵ֥י מִלְחָמ֖וֹת עַל־הָעָ֑ם וַיִּקְבְּצֵ֣ם אֵלָ֗יו אֶל־רְחוֹב֙ שַׁ֣עַר הָעִ֔יר וַיְדַבֵּ֥ר עַל־לְבָבָ֖ם לֵאמֹֽר׃

Pôs oficiais de guerra sobre o povo. O terceiro passo nos preparativos para enfrentar os assírios foi a nomeação de generais e capitães habilitados para liderar a defesa. O quarto passo foram as palavras de encorajamento do próprio rei Ezequias, assegurando aos defensores que Yahweh estava com eles e daria a Judá sucesso no empreendimento. Foi convocada uma assembleia, que provavelmente envolveu mais gente do que o pessoal das forças armadas. Os príncipes de nomeada estavam presentes. Todos os que tinham alguma autoridade participaram. Isso aconteceu no portão onde eram efetuadas as assembleias e os julgamentos. Cf. Ne 1.16. O portão oriental está em pauta.

■ 32.7,8

חִזְק֣וּ וְאִמְצ֔וּ אַל־תִּֽירְא֣וּ וְאַל־תֵּחַ֗תּוּ מִפְּנֵי֙ מֶ֣לֶךְ אַשּׁ֔וּר וּמִלִּפְנֵ֖י כָּל־הֶהָמ֣וֹן אֲשֶׁר־עִמּ֑וֹ כִּֽי־עִמָּ֥נוּ רַ֖ב מֵעִמּֽוֹ׃

עִמּוֹ֙ זְר֣וֹעַ בָּשָׂ֔ר וְעִמָּ֜נוּ יְהוָ֤ה אֱלֹהֵ֙ינוּ֙ לְעָזְרֵ֔נוּ וּלְהִלָּחֵ֖ם מִלְחֲמֹתֵ֑נוּ וַיִּסָּמְכ֣וּ הָעָ֔ם עַל־דִּבְרֵ֖י יְחִזְקִיָּ֥הוּ מֶֽלֶךְ־יְהוּדָֽה׃ פ

Sede fortes e corajosos. Os *assírios* eram um inimigo formidável que já tinha tomado o norte em cativeiro. No entanto, Ezequias percebeu que Yahweh faria algo de especial para proteger a parte sul da antiga nação de Israel. Portanto, ele viu que estava com *a maioria*, uma vez que as hostes celestes estavam à sua disposição. Fisicamente falando, a batalha estava perdida, e somente um *ato divino* poderia garantir a sobrevivência de Judá. *Yahweh-Elohim* (vs. 8) teria de vir em socorro deles, e foi isso, exatamente, o que Ezequias esperava. O cronista não nos diz quão desesperada era a situação. Ezequias já tinha tentado um suborno e estava pagando um pesado tributo. Mas o rei da Assíria era traiçoeiro; recebera o suborno, mas mesmo assim enviara seu exército. Esses detalhes aparecem em 2Rs 18.13 ss.

Compare o leitor o fraseado do vs. 7 com 2Rs 6.16. O "braço da carne" (vs. 8), isto é, as forças e os recursos humanos, algumas vezes são inúteis, quando o braço de outrem é mais forte. Cf. Jr 17.5 quanto a essa expressão. Em Is 31.3 temos algo similar. Era como se Ezequias dissesse: "O poder dos assírios é apenas um poder humano. Mas o nosso poder é o divino". Os assírios tinham um braço de carne: Judá contava com o braço de Deus. O poder, na realidade, estava ao lado de Judá, o que seria demonstrado em breve.

■ **32.9**

אַחַר זֶה שָׁלַח סַנְחֵרִיב מֶלֶךְ־אַשּׁוּר עֲבָדָיו יְרוּשָׁלַיְמָה וְהוּא עַל־לָכִישׁ וְכָל־מֶמְשַׁלְתּוֹ עִמּוֹ עַל־יְחִזְקִיָּהוּ מֶלֶךְ יְהוּדָה וְעַל־כָּל־יְהוּדָה אֲשֶׁר בִּירוּשָׁלַם לֵאמֹר׃

Depois disto, enquanto Senaqueribe, rei da Assíria. *O ataque contra Jerusalém* fazia parte de uma campanha assíria maior. O rei assírio (Senaqueribe, ver a respeito dele no *Dicionário*) estava em Laquis, causando todo o dano que lhe era possível. Ele enviou um exército para ameaçar Jerusalém, esperando que houvesse rendição incondicional da parte dos judeus. Isso lhe pouparia tempo e dinheiro. Laquis ficava cerca de 48 quilômetros a sudoeste de Jerusalém, assim, a qualquer momento, o próprio rei da Assíria poderia aparecer com outra divisão de seu exército e liquidar com Jerusalém. Mas ele estava sendo "bondoso", oferecendo aos judaítas a oportunidade de continuar vivos. Naturalmente, ele poderia tornar vassalos Jerusalém e todo o Judá, cobrando então um pesadíssimo tributo. Mulheres e crianças seriam feitas escravas, o abc das guerras antigas. Ver no *Dicionário* o verbete chamado *Guerra*.

Os vss. 9-21 oferecem um breve sumário do que é relatado em 2Rs 18.7—19.1. Cf. este versículo com 2Rs 18.17.

■ **32.10**

כֹּה אָמַר סַנְחֵרִיב מֶלֶךְ אַשּׁוּר עַל־מָה אַתֶּם בֹּטְחִים וְיֹשְׁבִים בְּמָצוֹר בִּירוּשָׁלָם׃

Assim diz Senaqueribe, rei da Assíria. Este versículo é essencialmente paralelo a 2Rs 18.19, embora esteja ausente ali o porta-voz particular que o rei assírio enviou para transmitir sua *diatribe* contra Jerusalém, exigindo rendição. Ver as notas expositivas no trecho paralelo. Cf. Jr 10.17 e Dt 28.53, que têm declarações similares.

Os vss. 10-15 reproduzem, de modo breve, as principais ideias de 2Rs 18.19-25,28-35. A evidência é que o cronista, como lhe era peculiar, reduziu o relato paralelo às dimensões e aos detalhes que o agradaram, em lugar de simplesmente copiar a totalidade. Cerca de metade do volume de 1 e 2Crônicas foi copiado, essencialmente, de 2Samuel e dos livros de Reis. Mas as adições do autor, incluindo a sua *filosofia da história* (os negócios dos homens guiados teisticamente), fizeram de seu livro uma contribuição distintiva. Quanto a essas questões, ver as notas de introdução imediatamente antes da exposição sobre 2Cr 1.1. O cronista produziu uma história idealista e didática, algumas vezes não tão *correta historicamente* como os relatos dos livros de Reis.

■ **32.11**

הֲלֹא יְחִזְקִיָּהוּ מַסִּית אֶתְכֶם לָתֵת אֶתְכֶם לָמוּת בְּרָעָב וּבְצָמָא לֵאמֹר יְהוָה אֱלֹהֵינוּ יַצִּילֵנוּ מִכַּף מֶלֶךְ אַשּׁוּר׃

Acaso não vos incita Ezequias, para morrerdes à fome e à sede. *O Fator Divino*. O porta-voz do rei da Assíria estava bem informado e tinha consciência de que Ezequias tentaria convencer o povo de que *Yahweh-Elohim* os livraria dos assírios. Como é óbvio, entretanto, somente uma intervenção divina poderia salvar Judá. No entanto, o apelo a deuses não havia ajudado os outros povos sujeitados pelos assírios. A mensagem clara era: "O *fator divino* (se é que ele existe) não ajudará os judeus". Pelo contrário, "vocês morrerão de fome e sede, porquanto cortarei todos os suprimentos da cidade". O rei da Assíria não tinha mais respeito por Yahweh-Elohim do que por todos os "outros deuses" que haviam fracassado em defender seus respectivos povos.

O paralelo aproximado deste versículo é 2Rs 18.22. O cronista não mencionou o apelo que Ezequias poderia fazer a aliados, em busca de ajuda, que o porta-voz (de acordo com o relato dos livros de Reis) também pensava ser inútil. A Assíria já tinha posto o tacão sobre todos. Não havia nenhuma ajuda "lá fora".

■ **32.12**

הֲלֹא־הוּא יְחִזְקִיָּהוּ הֵסִיר אֶת־בָּמֹתָיו וְאֶת־מִזְבְּחֹתָיו וַיֹּאמֶר לִיהוּדָה וְלִירוּשָׁלִַם לֵאמֹר לִפְנֵי מִזְבֵּחַ אֶחָד תִּשְׁתַּחֲווּ וְעָלָיו תַּקְטִירוּ׃

Não é Ezequias o mesmo que tirou os seus altos e os seus altares...? Ver 2Rs 18.22 quanto a algumas ideias paralelas. Uma vez que subira ao trono, Ezequias demolira os altares dos *deuses* de Israel e Judá, e exigira adoração exclusiva a *Yahweh-Elohim*, e isso somente em Jerusalém. Ele havia centralizado o culto divino. E é provável que o porta-voz do rei da Assíria pensasse que a destruição de todos aqueles deuses tinha enfraquecido a Ezequias, em lugar de fortalecê-lo. Sem dúvida, ele não compreendia as vantagens do monoteísmo. A filosofia dele declarava: "Quanto mais deuses, melhor". Talvez o enviado de Senaqueribe pensasse que Ezequias tinha destruído os altares de Yahweh fora de Jerusalém, ou, pelo menos, que Yahweh tinha uma parte naqueles santuários locais. Nesse caso, não havia que duvidar, Ezequias havia enfraquecido os poderes de Yahweh, o qual, dessa maneira, se tornaria um aliado "divino" fraco de Jerusalém. Ver 2Cr 31.1 quanto à destruição, ordenada por Ezequias, dos *lugares altos* e de outros aparatos pagãos em Judá. Cf. Is 36.17-20.

■ **32.13**

הֲלֹא תֵדְעוּ מֶה עָשִׂיתִי אֲנִי וַאֲבוֹתַי לְכֹל עַמֵּי הָאֲרָצוֹת הֲיָכוֹל יָכְלוּ אֱלֹהֵי גּוֹיֵ הָאֲרָצוֹת לְהַצִּיל אֶת־אַרְצָם מִיָּדִי׃

Não sabeis vós o que eu e meus pais fizemos a todos os povos das terras? Era questão de *registro* histórico recente que a Assíria tinha obtido sucesso absoluto em suas campanhas militares. O exemplo mais conspícuo fora o cativeiro e a deportação de Israel (a parte norte da nação), que fizeram extinguir as dez tribos. Por onde quer que fosse o exército assírio, mulheres clamavam e invocavam os seus deuses, pedindo-lhes ajuda. Em nenhum caso essas orações fizeram algum bem. Portanto, como era óbvio, seria inútil conclamar a Yahweh, como se ele fosse diferente de outros deuses. Ver no *Dicionário* o artigo chamado *Cativeiro Assírio*.

■ **32.14**

מִי בְּכָל־אֱלֹהֵי הַגּוֹיִם הָאֵלֶּה אֲשֶׁר הֶחֱרִימוּ אֲבוֹתַי אֲשֶׁר יָכוֹל לְהַצִּיל אֶת־עַמּוֹ מִיָּדִי כִּי יוּכַל אֱלֹהֵיכֶם לְהַצִּיל אֶתְכֶם מִיָּדִי׃

Qual é, de todos os deuses daquelas nações...? Este versículo reitera a mensagem essencial do versículo anterior. O porta-voz do rei da Assíria enfatizou novamente que o *fator divino* não havia ajudado um único inimigo dos assírios, e que esperar que acontecesse algo diferente em Jerusalém seria uma idiotice. Além disso, a Assíria já havia capturado *46 cidades* de Judá (ver 2Cr 32.2 e 2Rs 18.13). Jerusalém se sairia melhor do que as outras cidades? Cf. 2Rs 18.35, um paralelo direto onde adiciono detalhes.

32.15

וְעַתָּ֡ה אַל־יַשִּׁיא֩ אֶתְכֶ֨ם חִזְקִיָּ֜הוּ וְאַל־יַסִּ֨ית אֶתְכֶ֣ם כָּזֹאת֮ וְאַל־תַּאֲמִ֣ינוּ לוֹ֒ כִּי־לֹ֣א יוּכַ֗ל כָּל־אֱל֙וֹהַ֙ כָּל־גּ֣וֹי וּמַמְלָכָ֔ה לְהַצִּ֥יל עַמּ֛וֹ מִיָּדִ֖י וּמִיַּ֣ד אֲבוֹתָ֑י אַ֚ף כִּ֣י אֱלֹֽהֵיכֶ֔ם לֹא־יַצִּ֥ילוּ אֶתְכֶ֖ם מִיָּדִֽי׃

Agora, pois, não vos engane Ezequias. O cronista insistiu em demorar-se sobre o *fator divino* e destacou ainda outro argumento do porta-voz do monarca assírio. A declaração é enfática: nenhuma outra cidade-estado conseguira oferecer resistência aos assírios, a despeito de suas muitas divindades. Ezequias, pois, era um *enganador*. Ele continuava dizendo como Yahweh-Elohim faria intervenção. Mas, ao agir assim, estava entregando sua gente à morte, à escravidão e aos abusos. A rendição incondicional seria muito melhor. Cf. Is 37.10,11, o trecho diretamente paralelo a este. Deuses fracos e deuses fortes já tinham sido vencidos pelos assírios. Afinal, os assírios possuíam os *deuses mais fortes*. Nações fortes tinham deuses fortes. Nações fracas, como Judá, tinham deuses fracos. Assim sendo, se os deuses estavam em conflito uns contra os outros, os deuses fortes venceriam. A Assíria sentia-se triunfante, até mesmo invencível.

32.16

וְע֥וֹד דִּבְּר֖וּ עֲבָדָ֑יו עַל־יְהוָ֥ה הָאֱלֹהִ֖ים וְעַ֥ל יְחִזְקִיָּ֖הוּ עַבְדּֽוֹ׃

Os seus servos falaram ainda mais. O cronista não se cansou de dar um relatório completo de todas as coisas terríveis que disse o enviado especial do rei da Assíria. E deu a entender que tinha abreviado sua fonte informativa, que foi o capítulo 18 de 2Reis. O enviado do rei da Assíria trouxera muitos argumentos. O cronista deu-nos apenas um breve sumário. Ver 2Rs 19.9-14 e Is 36.17-20 quanto aos detalhes da diatribe de Senaqueribe. A passagem de 2Reis registra ainda outro discurso, além daquele de 18.19 ss.

Note o Leitor a Ênfase. Aquilo que o ímpio enviado da parte de Senaqueribe disse, ele disse principalmente contra Yahweh, e então contra Judá. Ele tinha blasfemado. E teria de pagar por isso. Justiça tinha de ser feita. Ver Is 37.23, que fala sobre o mesmo ponto.

32.17

וּסְפָרִ֣ים כָּתַ֔ב לְחָרֵ֕ף לַיהוָ֖ה אֱלֹהֵ֣י יִשְׂרָאֵ֑ל וְלֵֽאמֹ֨ר עָלָ֜יו לֵאמֹ֗ר כֵּֽאלֹהֵ֞י גּוֹיֵ֤ הָאֲרָצוֹת֙ אֲשֶׁ֣ר לֹא־הִצִּ֣ילוּ עַמָּ֣ם מִיָּדִ֔י כֵּ֣ן לֹֽא־יַצִּ֞יל אֱלֹהֵ֧י יְחִזְקִיָּ֛הוּ עַמּ֖וֹ מִיָּדִֽי׃

Senaqueribe escreveu também cartas, para blasfemar do Senhor. *Além da diatribe oral,* havia *cartas* que faziam os mesmos tipos de ameaças. O rei da Assíria continuava tentando poupar tempo e dinheiro forçando os habitantes de Jerusalém a render-se incondicionalmente. Esse tempo e dinheiro poderiam ser gastos em outros empreendimentos militares. As cartas, pois, enfatizavam as mesmas coisas que os discursos orais; confiar no *fator divino* seria uma estupidez. Cf. Is 37.33, um trecho paralelo. Ver também 2Rs 19.8-14. A primeira missão (2Rs 18) tinha fracassado. Portanto, foi necessária outra missão de negociações (2Rs 19). A narrativa de 2Crônicas não dá nenhuma indicação clara de que houve duas missões distintas. O *cronista* estava condensando suas fontes informativas e fazendo alterações em consonância com o seu propósito de apresentar um relato mais simples dos acontecimentos. O capítulo 19 de 2Reis mostra-nos que Ezequias tinha sido encorajado pelo profeta Isaías a rejeitar as exigências da Assíria. Ezequias seguiu os conselhos de Isaías. Então chegaram as cartas e a nova tentativa de forçar uma rendição incondicional de Jerusalém. Ver 2Rs 19.10-12, que é trecho paralelo ao presente versículo.

32.18,19

וַיִּקְרְא֨וּ בְקוֹל־גָּד֜וֹל יְהוּדִ֗ית עַל־עַ֤ם יְרוּשָׁלִַ֙ם֙ אֲשֶׁ֣ר עַל־הַחוֹמָ֔ה לְיָֽרְאָ֖ם וּֽלְבַהֲלָ֑ם לְמַ֖עַן יִלְכְּד֥וּ אֶת־הָעִֽיר׃

וַיְדַבְּר֕וּ אֶל־אֱלֹהֵ֖י יְרוּשָׁלִָ֑ם כְּעַ֗ל אֱלֹהֵ֛י עַמֵּ֥י הָאָ֖רֶץ מַעֲשֵׂ֥ה יְדֵ֥י הָאָדָֽם׃ ס

Clamaram os servos em alta voz em judaico contra o povo de Jerusalém. A fim de certificar-se de que o povo ao redor ouviria a mensagem e compreenderia a ira dos assírios, o enviado especial alçou a voz, falando em hebraico. O povo de Jerusalém estava sentado nas muralhas observando a conferência dos líderes assírios e judeus. O que os assírios gritaram (vs. 19) enfatizou de novo a futilidade de os judeus confiarem no fator divino como ajuda. Os deuses dos povos pagãos foram desprezados; Yahweh foi desprezado; e os deuses dos assírios, os *deuses fortes,* foram exaltados. O cronista adicionou que os deuses pagãos eram apenas produtos das mãos humanos, ou seja, inúteis para ajudar em alguma emergência. Não é provável que o porta-voz assírio tenha dito alguma coisa parecida com isso. Cf. essa declaração com 2Rs 19.18; Is 26.11,19,20 e 37.10-13.

O cronista condensou o trecho paralelo de 2Rs 18.26 ss., que é muito mais longo e também se refere ao uso que o porta-voz assírio fizera do hebraico. No trecho paralelo os líderes judeus pediram que os assírios falassem em aramaico, e não em hebraico, a fim de que o povo de Jerusalém não se aterrorizasse com as ameaças. Mas o porta-voz assírio continuava gritando em hebraico. Portanto, os habitantes de Jerusalém, que a tudo ouviam, compreenderam e permaneceram ali em silêncio, estupefatos pelas ameaças assírias. Ezequias exortou-os a não responder aos argumentos. Por conseguinte, prevaleceu um silêncio tumular. O cronista, entretanto, omitiu todos esses detalhes. O autor dos livros de Reis também nos diz como Isaías, novamente, encorajou o rei Ezequias a ignorar as ameaças e a confiar em Yahweh. Dessa forma, tanto as palavras orais como as cartas foram ignoradas, e Ezequias orou longa e arduamente pedindo livramento (ver 2Rs 19.15 ss.). Todos esses detalhes não foram mencionados pelo cronista.

32.20

וַיִּתְפַּלֵּ֞ל יְחִזְקִיָּ֣הוּ הַמֶּ֗לֶךְ וִֽישַֽׁעְיָ֧הוּ בֶן־אָמ֛וֹץ הַנָּבִ֖יא עַל־זֹ֑את וַֽיִּזְעֲק֖וּ הַשָּׁמָֽיִם׃ פ

Porém o rei Ezequias e Isaías, o profeta. Neste *ponto,* o cronista trouxe Isaías diretamente à questão e fê-lo orar com o rei, em favor do livramento de Jerusalém. O paralelo, 2Rs 18 e 19, diz que Isaías encorajou o rei e predisse uma intervenção, mas não que orou com o rei, embora isso, provavelmente, tenha sido uma verdade histórica. 2Rs 19.20 fez Isaías assegurar ao rei que sua oração foi *eficaz*. Yahweh tinha prometido intervir na questão. Cf. Is 37.23. Ver a oração de Ezequias em 2Rs 19.15-19 e Is 37.15-20. O cronista, em sua maneira condensada, não se importou em registrar a oração. A oração enfatizava como Yahweh tinha de ser vingado, porque o seu nome havia sido *blasfemado*. A Assíria não podia sair limpa depois dessa blasfêmia. Senaqueribe tinha *zombado* do Deus Todo-poderoso (ver 2Rs 19.16), o Deus único e *vivo*. É verdade que ele havia obtido sucesso absoluto nas guerras anteriores, mas isso não continuaria em Judá havia poder para fazer isso parar. Ezequias "clamou ao céu". Cf. 2Cr 30.27 e 1Sm 5.12. Esses clamores foram ouvidos e a salvação estava a caminho. O Criador dos céus e da terra (ver 2Rs 19.15) não teria a menor dificuldade em perturbar o exército assírio.

32.21

וַיִּשְׁלַ֤ח יְהוָה֙ מַלְאָ֔ךְ וַיַּכְחֵ֞ד כָּל־גִּבּ֥וֹר חַ֙יִל֙ וְנָגִ֣יד וְשָׂ֔ר בְּמַחֲנֵ֖ה מֶ֣לֶךְ אַשּׁ֑וּר וַיָּשָׁב֩ בְּבֹ֨שֶׁת פָּנִ֜ים לְאַרְצ֗וֹ וַיָּבֹא֙ בֵּ֣ית אֱלֹהָ֔יו וּמִיצִיאֵ֣י מֵעָ֔יו שָׁ֖ם הִפִּילֻ֥הוּ בֶחָֽרֶב׃

Então o Senhor enviou um anjo que destruiu a todos os homens valentes. *Uma Divina Intervenção.* O anjo de Yahweh interveio e aniquilou miraculosamente o exército assírio. Se algum evento natural esteve em foco, então o cronista, sem dúvida, pensou nesse acontecimento como "divinamente causado". Para a mente dos hebreus havia somente uma causa. A teologia dos hebreus era fraca quanto a causas secundárias. 2Rs 19.35 informa-nos que 185 mil soldados assírios morreram devido ao poder do anjo de Yahweh, mas não nos fornece nenhum detalhe sobre o *modus operandi* da questão.

Quanto a detalhes, ver minhas notas ali, as quais não repito nesta passagem. Nos registros assírios não consta nenhuma derrota assim; mas os povos têm uma maneira de esquecer grandes derrotas e reveses.

Com o rosto coberto de vergonha. Visto que a batalha parecia ser tão fácil, e porque Yahweh tinha arrancado a arrogância, mediante uma reversão estonteante, que não fora antecipada por ninguém. Toda essa empáfia se reduzira a nada. Cf. Sl 44.15: "A minha ignomínia está sempre diante de mim; cobre-se de vergonha o meu rosto". Cf. Is 37.37.

A soberba precede a ruína,
e a altivez do espírito, a queda.

Provérbios 16.18

Os seus próprios filhos o mataram à espada. Cf. Is 37.38 e 2Rs 19.37. Novamente, o cronista fornece um breve relato, omitindo detalhes dos trechos paralelos, onde dou a exposição. Os trechos paralelos mostram que alguns anos provavelmente passaram. Senaqueribe não foi morto assim que voltou à sua terra. Morreu em um templo pagão, durante ritos que ali se realizavam. Presumimos que *uma das razões* pelas quais ele morreu foi a derrota vergonhosa sofrida em Jerusalém, mas sem dúvida havia um jogo de poder em andamento, que ultrapassou a esse incidente. Infelizmente, o deus que o rei Senaqueribe adorava não foi capaz de protegê-lo, nem mesmo no interior de seu templo!

"De acordo com os anais históricos assírios, esse assassinato ocorreu em 681 a.C., vinte anos após a campanha abortada contra Jerusalém, que ocorreu em 701 a.C." (Eugene H. Merrill, *in loc.*). Podemos supor com segurança que tudo quanto aconteceu fez parte da operação da *Lei Moral da Colheita segundo a Semeadura* (ver a esse respeito no *Dicionário*).

Orgulho, Inveja, Avareza — essas são três fagulhas
que incendeiam o coração dos homens.

Dante, *Inferno*

■ 32.22

וַיּוֹשַׁע יְהוָה אֶת־יְחִזְקִיָּהוּ וְאֵת יֹשְׁבֵי יְרוּשָׁלַםִ מִיַּד
סַנְחֵרִיב מֶלֶךְ־אַשּׁוּר וּמִיַּד־כֹּל וַיְנַהֲלֵם מִסָּבִיב׃

Assim livrou o Senhor a Ezequias e aos moradores de Jerusalém. Embora o cronista não tenha dito ou não tenha sabido exatamente como o livramento foi efetuado, compreendeu que fora completo. O exército assírio foi entravado às portas da cidade de Jerusalém, e os poucos sobreviventes da matança voltaram para sua terra envergonhados. O grande Pastor havia protegido suas ovelhas do ataque do lobo. O hebraico diz aqui, literalmente, "guiou-os a cada lado", o que alguns eruditos emendam, mediante uma leve correção, para "ele lhes deu descanso por todos os lados", conforme diz a *Revised Standard Version* e algumas traduções portuguesas. Cf. 2Cr 14.6; 15.15; 20.30 e 1Cr 22.18. A Septuaginta e a Vulgata dizem assim. É possível que assim tenha dito o original, talvez modificado por algum escriba subsequente.

■ 32.23

וְרַבִּים מְבִיאִים מִנְחָה לַיהוָה לִירוּשָׁלַםִ וּמִגְדָּנוֹת
לִיחִזְקִיָּהוּ מֶלֶךְ יְהוּדָה וַיִּנַּשֵּׂא לְעֵינֵי כָל־הַגּוֹיִם
מֵאַחֲרֵי־כֵן׃ ס

Muitos traziam presentes a Jerusalém ao Senhor. Outras potências estrangeiras mandavam presentes espontâneos de "congratulações", inspirados pelo temor, a fim de que Ezequias e seu Deus, Yahweh, os deixassem em paz. Podem estar em vista *tributos*, referidos como se fossem dados "voluntariamente". 2Rs 10.12 dá-nos mais informações, nomeando alguns dos contribuidores. Os babilônios estavam envolvidos, e talvez também os filisteus se alegrassem por estar livres da *ameaça assíria*.

O homem de Deus foi exaltado por Yahweh, e povos circunvizinhos observaram os feitos dele, ajudado como foi pelo poder divino. Ele se tornou seu amigo e protetor dos assírios, que se dispuseram a pagar pelo serviço.

A Enfermidade de Ezequias; Seu Orgulho nas Riquezas; A Embaixada Vinda da Babilônia; Conclusão (32.24-33)

■ 32.24

בַּיָּמִים הָהֵם חָלָה יְחִזְקִיָּהוּ עַד־לָמוּת וַיִּתְפַּלֵּל
אֶל־יְהוָה וַיֹּאמֶר לוֹ וּמוֹפֵת נָתַן לוֹ׃

Naqueles dias adoeceu Ezequias mortalmente. Este versículo é o epítome de 2Rs 20.1-11, de maneira que o cronista continuou a sumariar rapidamente sua fonte informativa, que provavelmente foi a passagem de 2Reis. Cf. também Is 38. Em vez de enfatizar a enfermidade e a recuperação do rei, que 2Reis narra lindamente, o cronista demora-se no orgulho e nas riquezas de Ezequias. Seja como for, o cronista deu crédito a Yahweh pela recuperação do rei. Ele mencionou o *sinal* que foi dado no caso (uma referência direta a 2Rs 20.11): o recuo da sombra no relógio de sol, por dez graus ou degraus. Isso serviu de sinal de que a recuperação da saúde de Ezequias já estava a caminho, como resultado da intervenção do profeta Isaías. Ver esse versículo quanto a amplas explicações. Ver também Is 38 quanto à narrativa apresentada por esse profeta. O "efeito Ezequias", pois, é uma vida mais longa do que seria de esperar mediante o código genético e o meio ambiente e as condições físicas de alguém. Oh, Senhor, concede-nos tal graça!

■ 32.25

וְלֹא־כִגְמֻל עָלָיו הֵשִׁיב יְחִזְקִיָּהוּ כִּי גָבַהּ לִבּוֹ וַיְהִי
עָלָיו קֶצֶף וְעַל־יְהוּדָה וִירוּשָׁלָםִ׃

Mas não correspondeu Ezequias aos benefícios que lhe foram feitos. O cronista acusou Ezequias de *ingratidão* pela cura miraculosa. Em vez de mostrar-se grato e viver humildemente, Ezequias deixou o orgulho tomar conta de seu coração e acabou pecando. Ele usou *alguns* de seus preciosos anos extras na arrogância. Portanto, o grande homem de Deus tinha seus defeitos. Grandes homens, grandes vícios! Essa nota negativa é referida em 2Rs 20.12 ss., que fornece amplos detalhes. O rei foi culpado de ostentar diante do rei da Babilônia todas as suas riquezas e todo o seu poder. O cronista conta a história de seu pecado de orgulho em 2Cr 32.25,26. Cf. Is 38.1-8. As *razões* de seu orgulho, as suas muitas *realizações*, são listadas nos vss. 27-31.

Houve ira contra ele. Provavelmente temos aqui uma alusão ao cativeiro babilônico. Foi uma estupidez o rei Ezequias exibir suas riquezas aos diplomatas babilônicos. Isso só poderia provocar-lhes a ganância. O cativeiro ainda estava à distância de mais de cem anos no futuro, mas os preliminares já tinham entrado em ação. Esses mesmos tesouros reais, dos quais o rei tanto se orgulhava, embora com todo o resto das riquezas de Jerusalém e de Judá, seriam transportados para a Babilônia. Além disso, o culto divino seria desmantelado. Ver Is 39.5-7. Judá e Jerusalém compartilharam do orgulho culpado do rei Ezequias, de modo que não escapariam da ira divina. Cf. 1Cr 27.24 e 2Cr 19.10.

O orgulho é o princípio do pecado.

Ben Sira, *Livro da Sabedoria*

■ 32.26

וַיִּכָּנַע יְחִזְקִיָּהוּ בְּגֹבַהּ לִבּוֹ הוּא וְיֹשְׁבֵי יְרוּשָׁלָםִ
וְלֹא־בָא עֲלֵיהֶם קֶצֶף יְהוָה בִּימֵי יְחִזְקִיָּהוּ׃

Ezequias, porém, se humilhou. Uma *humilhação oportuna*, tanto de Ezequias como de seu reino, não permitiu que o cativeiro babilônico ocorresse em *seus* dias. Assim, a antiga síndrome do pecado-calamidade-julgamento foi efetivamente adiada, embora de maneira alguma refreada. Manassés, filho do rei Ezequias, seria um réprobo, e Judá cairia na idolatria, pelo que a espada de Yahweh, já postada em seu devido lugar, em breve sobreviria. Ver no *Dicionário* o artigo chamado *Cativeiro Babilônico*.

Não somos informados sobre como o rei Ezequias humilhou-se. Uma repreenda do profeta Isaías corrigiu a postura do rei, lançando o temor do inimigo em seu coração, a Babilônia, que durante algum tempo fingiria ser amiga de Judá. A ira divina viria nos dias de

Manassés. Ver Is 29.7,8. Cf. 2Rs 20.19, que fala de *paz* durante os dias de Ezequias. Assim sendo, ele retornou à antiga piedade. Portanto, sempre, e de todas as maneiras, estava em operação a *Lei Moral da Colheita segundo a Semeadura* (ver a respeito no *Dicionário*).

Descrição das Riquezas e das Honras de Ezequias (32.27-29)

■ **32.27**

וַיְהִ֧י לִֽיחִזְקִיָּ֛הוּ עֹ֥שֶׁר וְכָב֖וֹד הַרְבֵּ֣ה מְאֹ֑ד וְאֹצָר֣וֹת
עָֽשָׂה־ל֠וֹ לְכֶ֨סֶף וּלְזָהָ֤ב וּלְאֶ֨בֶן֙ יְקָרָ֔ה וְלִבְשָׂמִ֖ים
וּלְמָ֣גִנִּ֔ים וּלְכֹ֖ל כְּלֵ֥י חֶמְדָּֽה׃

Teve Ezequias riquezas e glória em grande abundância. O cronista fornece-nos uma lista das principais riquezas de Ezequias. Ele tinha abundância de coisas necessárias; abundância de coisas supérfluas; abundância no equipamento de seu exército; abundância no culto divino e na manutenção do ministério que atuava no templo (ver o capítulo 31). Ezequias foi o mais rico monarca de Israel desde os tempos de Salomão, a quem nenhum homem poderia comparar-se em riquezas. Mas ele foi o *segundo* depois de Salomão e ainda estava à frente de todos os outros. Ao que tudo indica, Ezequias não contava com navios, como aconteceu a Salomão, mas podemos ter certeza de que ele negociava no mar através dos fenícios.

Riquezas e Glória de Ezequias. Cf. 1Cr 29.28; 2Cr 1.12; 17.5; 18.1 quanto a descrições similares de outros reis, como Salomão e Josafá.

"Vendo aumentadas as suas riquezas mediante os despojos do acampamento assírio e dos presentes (tributos) que lhe enviavam as nações circunvizinhas (vss. 21 e 23). E ele era *honrado* tanto pelos seus súditos como pelas nações em derredor... e tesouros... Suas casas estavam cheias de coisas ricas e curiosas; e seu exército era bem equipado" (John Gill, *in loc.*).

■ **32.28**

וּמִסְכְּנ֗וֹת לִתְבוּאַ֨ת דָּגָ֤ן וְתִיר֙וֹשׁ֙ וְיִצְהָ֔ר וְאֻֽרָו֖וֹת
לְכָל־בְּהֵמָ֣ה וּבְהֵמָ֑ה וַעֲדָרִ֖ים לָאֲוֵרֽוֹת׃

Armazéns... estrebarias. Os armazéns de Ezequias andavam cheios com toda espécie de produtos agrícolas, o básico e o essencial, o supérfluo e os regalos. Suas estrebarias andavam apinhadas de animais domésticos, para serem usados na paz e na guerra. Devemos lembrar que, se Ezequias andou errado, devido ao orgulho que dominara seu coração, ainda assim, de acordo com a mentalidade dos hebreus, todas aquelas riquezas eram sinal da bênção de Yahweh sobre ele, por causa de sua piedade. Ezequias era muito piedoso, por conseguinte tinha todas aquelas riquezas. Algumas pessoas religiosas continuam a apoiar essa teoria. Seja como for, é melhor ser rico do que ser pobre, contanto que isso não seja um estorvo para a espiritualidade do crente. Ademais, precisamos de muito dinheiro para realizarmos um bom trabalho.

Deus pode fazer-vos abundar em toda graça,
a fim de que, tendo sempre, em tudo,
ampla suficiência, superabundeis em toda boa obra.
2Coríntios 9.8

Ezequias contava com "o produto de seus campos, vinhedos e olivais, tal como Davi os tinha, cuidados por pessoas encarregadas. Cf. 1Cr 27.25-28. E também havia estrebarias com toda espécie de animais, como bois, cavalos, camelos e jumentos (ver 2Cr 9.25)" (John Gill, *in loc.*).

■ **32.29**

וְעָרִ֤ים עָ֙שָׂה ל֔וֹ וּמִקְנֵה־צֹ֥אן וּבָקָ֖ר לָרֹ֑ב כִּ֤י נָֽתַן־לוֹ֙
אֱלֹהִ֔ים רְכ֖וּשׁ רַ֥ב מְאֹֽד׃

Edificou também cidades. As *cidades* mencionadas neste versículo muito provavelmente são as *cidades fortificadas*, dotadas de muralhas, torres, equipamento militar e tropas armadas. Ver Is 1.8; 2Rs 17.9 e 2Cr 26.10. O rei Ezequias contava com muitas riquezas e também com grande contingente militar para conservar os lobos estrangeiros afastados do reino. Fora de Jerusalém, através de Judá, também havia abundantes riquezas, incluindo as derivadas da agricultura e da criação do gado. Em outras palavras, o todo o reino, no tempo de Ezequias, prosperava de maneira admirável.

■ **32.30**

וְה֣וּא יְחִזְקִיָּ֗הוּ סָתַם֙ אֶת־מוֹצָ֞א מֵימֵ֤י גִיחוֹן֙ הָֽעֶלְי֔וֹן
וַֽיַּיְשְׁרֵ֥ם לְמַֽטָּה־מַּעְרָ֖בָה לְעִ֣יר דָּוִ֑יד וַיַּצְלַ֥ח יְחִזְקִיָּ֖הוּ
בְּכָֽל־מַעֲשֵֽׂהוּ׃

Também o mesmo Ezequias tapou o manancial. *O Túnel de Ezequias*. Para solucionar o problema do abastecimento de água em Jerusalém, que ficava à beira do deserto da Judeia, o rei Ezequias desviou e canalizou as águas do ribeiro de Giom diretamente para Jerusalém. 2Rs 32.4 mostra-nos que ele ocultou o sistema de suprimento de águas para que não fosse detectado e destruído pelo lado de fora da capital. Ver no *Dicionário* o artigo chamado *Giom (Fonte)*, quanto a amplas descrições desse "projeto de suprimento de água". O projeto de Ezequias tem sido abundantemente ilustrado pelas descobertas arqueológicas. "O túnel de Ezequias foi escavado na rocha sólida, da fonte de Giom até o poço de Siloé, a uma distância de 54,2 metros, que operários escavaram a partir de cada extremidade, encontrando-se os dois grupos no meio" (Eugene H. Merrill, *in loc.*).

Uma *prosperidade geral* assinalou assim os tempos de governo de Ezequias, o que demonstra que Yahweh estava com ele, sendo o poder que governava por trás do trono.

■ **32.31**

וְכֵ֞ן בִּמְלִיצֵ֣י ׀ שָׂרֵ֣י בָּבֶ֗ל הַֽמְשַׁלְּחִ֤ים עָלָיו֙ לִדְרֹ֗שׁ
הַמּוֹפֵת֙ אֲשֶׁ֣ר הָיָ֣ה בָאָ֔רֶץ עֲזָב֖וֹ הָאֱלֹהִ֑ים לְנַ֨סּוֹת֔וֹ
לָדַ֖עַת כָּל־בִּלְבָבֽוֹ׃

Deus o desamparou, para prová-lo. Ezequias foi privado da sabedoria divina ao aceitar os príncipes babilônicos. Yahweh estava submetendo-o à prova, para ver o que ele faria por si mesmo. Infelizmente, Ezequias fracassou! Ele mostrou as riquezas do reino, e isso acendeu a ganância no coração dos príncipes babilônicos. É conforme diz um hino evangélico: "Estarei perdido, se tirares a mão de mim". Assim, por pouco tempo, Ezequias esteve desorientado. Ele cometeu um grave erro, que só pôde reparar parcialmente. Cf. 2Rs 20.12-19 e Is 39, quanto à tola ostentação de Ezequias. Haveria más consequências do orgulho, e Yahweh daria uma lição ao rei de Judá. Ver Jr 17.9. Os *registros babilônicos* mostram que os antigos se deleitavam em viajar para contemplar as maravilhas dos países estrangeiros, provavelmente para aprender lições, e não meramente para satisfazer a própria curiosidade. Os antigos eram um povo inquisitivo. Afinal, a curiosidade é um sinal de inteligência superior.

■ **32.32**

וְיֶ֛תֶר דִּבְרֵ֥י יְחִזְקִיָּ֖הוּ וַחֲסָדָ֑יו הִנָּ֣ם כְּתוּבִ֗ים בַּחֲז֞וֹן
יְשַֽׁעְיָ֤הוּ בֶן־אָמוֹץ֙ הַנָּבִ֔יא עַל־סֵ֥פֶר מַלְכֵֽי־יְהוּדָ֖ה
וְיִשְׂרָאֵֽל׃

Quanto aos mais atos de Ezequias. O cronista encerrou com sua conclusão costumeira, mencionando os livros que lhe haviam servido de fontes informativas. Além da história dos reis de Israel e de Judá, ele também contou com o livro do profeta Isaías para elaborar seu relato.

Ver o paralelo aproximado deste versículo em 2Rs 20.20. Ver sobre a "história" e sobre outros livros perdidos que serviram de material informativo para os livros canônicos do Antigo Testamento, em 1Rs 14.19; 2Cr 9.29; 12.15; 20.34 e 26.22. Ver também, no *Dicionário*, o verbete chamado *Livro (Livros)* quanto a informações adicionais.

■ **32.33**

וַיִּשְׁכַּ֨ב יְחִזְקִיָּ֜הוּ עִם־אֲבֹתָ֗יו וַֽיִּקְבְּרֻ֘הוּ֮ בְּמַֽעֲלֵה֒ קִבְרֵ֣י
בְנֵי־דָוִ֔יד וְכָבוֹד֙ עָֽשׂוּ־ל֣וֹ בְמוֹת֔וֹ כָּל־יְהוּדָ֖ה וְיֹשְׁבֵ֣י
יְרוּשָׁלִָ֑ם וַיִּמְלֹ֛ךְ מְנַשֶּׁ֥ה בְנ֖וֹ תַּחְתָּֽיו׃ פ

Descansou Ezequias com seus pais. O paralelo aproximado é 2Rs 20.21. O cronista adicionou algum detalhe nesta *notícia fúnebre*. Ver as *notícias fúnebres* em 1Rs 1.21 e 16.5,6.

Honras Especiais. Não somente o rei Ezequias foi sepultado nos sepulcros dos reis (o que era negado a reis maus), mas também no principal sepulcro, o mais conspícuo e luxuoso. Portanto, se isso lhe fez algum bem, seus restos mortais jazeram no luxo! Todo o reino, a capital e o interior do país, prestou-lhe honras especiais. Ele foi o melhor rei de Judá desde Davi, e também o mais rico, depois de Salomão. Infelizmente, seu filho, Manassés, tomou o seu lugar. O quadro brilhante haveria de tornar-se verdadeiramente *escuro*.

"Provavelmente houve grande queima de especiarias em sua honra, tal como no caso de Asa. Ver 2Cr 16.14 e 21.19" (Ellicott, *in loc.*).

CAPÍTULO TRINTA E TRÊS

MANASSÉS (33.1-20)

Em *um único e terrível capítulo,* o cronista contou que o réprobo *Manassés* desfez todo o bem que seu pai havia praticado. Sua final humilhação e arrependimento não reconstruíram o que ele havia destruído. Portanto, esse foi um caso em que um *bom exemplo* não fez sua obra mágica. Ezequias cometeu seus erros, mas de modo geral, deu ao filho um *bom exemplo*. Um pai deve a seu filho três coisas: exemplo, exemplo, exemplo. Os estudos mostram que os pais que agem corretamente devem receber *menor crédito* quando os filhos agem corretamente; e, quando os filhos agem incorretamente, os pais que agiram bem não devem culpar-se tanto. De fato, nossos filhos são indivíduos e, segundo suponho (acreditando na preexistência da alma, conforme crê a Igreja Cristã Oriental, de modo geral), eles trazem *consigo* grande bagagem espiritual. Podemos influenciá-los para o bem e para o mal, mas em um sentido bem real, eles são o que são e prosseguem sendo isso. Algumas vezes eles são maus e continuam sendo maus a despeito da boa influência de seus pais. De outras vezes, os pais são maus, mas os filhos bons, conforme aconteceu a Ezequias, um bom rei, embora tenha nascido de *Acaz*, seu réprobo pai.

Assim também aconteceu que Manassés foi um rei mau, fazendo contraste completo com seu pai. Além disso, ele reinou por um notável período de 55 anos e teve muito tempo para semear a confusão e o caos. Quanto a detalhes, ver no *Dicionário* os artigos chamados *Manassés; Reino de Judá;* e *Rei, Realeza*.

Paralelos. Os vss. 1-20 são paralelos próximos de 2Rs 21.1-10. Os vss. 1, 2 e 5 são verbatim, portanto solicito que o leitor examine a exposição ali, onde há apenas alguns itens adicionais.

■ 33.1

בֶּן־שְׁתֵּים עֶשְׂרֵה שָׁנָה מְנַשֶּׁה בְמָלְכוֹ וַחֲמִשִּׁים וְחָמֵשׁ שָׁנָה מָלַךְ בִּירוּשָׁלָםִ:

Tinha Manassés doze anos de idade, quando começou a reinar. Este versículo é cópia palavra por palavra de 2Rs 21.1, exceto pelo fato de que o cronista deixa de mencionar o nome da mãe de Manassés. Ver a exposição no trecho paralelo. Ver também a introdução ao capítulo 21 de 2Reis, onde ofereço notas expositivas de grande interesse. Depois de Salomão, o autor-compilador de 1 e 2Reis devotou o maior espaço a Ezequias. Seu filho ímpio, Manassés, foi um rei da eclipse e do pôr do sol de Judá. Ele levaria Judá bem perto do cativeiro babilônico, tendo reinado de 696 a 641 a.C. O cativeiro babilônico ocorreu em 596 a.C. Minha introdução ao capítulo 21 de 2Reis dá a situação política e as marchas de exércitos que culminaram no soerguimento da Babilônia e na queda de Judá. Ver no *Dicionário* os artigos chamados *Manassés; Reino de Judá;* e *Rei, Realeza*.

■ 33.2

וַיַּעַשׂ הָרַע בְּעֵינֵי יְהוָה כְּתוֹעֲבוֹת הַגּוֹיִם אֲשֶׁר הוֹרִישׁ יְהוָה מִפְּנֵי בְּנֵי יִשְׂרָאֵל:

Fez o que era mau perante o Senhor. Este versículo é virtualmente igual ao trecho paralelo de 2Rs 21.2, onde é oferecida a exposição.

■ 33.3

וַיָּשָׁב וַיִּבֶן אֶת־הַבָּמוֹת אֲשֶׁר נִתַּץ יְחִזְקִיָּהוּ אָבִיו וַיָּקֶם מִזְבְּחוֹת לַבְּעָלִים וַיַּעַשׂ אֲשֵׁרוֹת וַיִּשְׁתַּחוּ לְכָל־צְבָא הַשָּׁמַיִם וַיַּעֲבֹד אֹתָם:

Pois tornou a edificar os altos que Ezequias, seu pai, havia derribado. Este versículo é virtualmente verbatim a seu paralelo, 2Rs 21.3. O cronista deixou de mencionar Acabe, rei de Israel, aquele homem horrendo que promoveu tanto a idolatria, especialmente o culto a Baal. Reis subsequentes de Israel seguiram seu mau exemplo, como também o fizeram vários reis de Judá. Além desses, havia a maligna esposa de Acabe, Jezabel, cuja infâmia prossegue até hoje. Ela teve sua parcela de contribuição na corrupção de Israel e Judá. Manassés trouxe novas idolatrias (derivadas da Assíria), além de ter restaurado as aquelas já fomentadas por Acabe.

■ 33.4

וּבָנָה מִזְבְּחוֹת בְּבֵית יְהוָה אֲשֶׁר אָמַר יְהוָה בִּירוּשָׁלַםִ יִהְיֶה־שְּׁמִי לְעוֹלָם:

Edificou altares na casa do Senhor. Este versículo é virtualmente idêntico a 2Rs 21.4, onde apresento a exposição. "Manassés foi um tirano, um politeísta e um renovador de ritos revoltantes... Os compiladores dos livros de Reis consideravam a *queda final* de Jerusalém como uma retribuição produzida pelos pecados de Manassés. Ver 2Rs 21.11-16; 23.26,27" (W. A. L. Elmslie, *in loc.*).

■ 33.5

וַיִּבֶן מִזְבְּחוֹת לְכָל־צְבָא הַשָּׁמָיִם בִּשְׁתֵּי חַצְרוֹת בֵּית־יְהוָה:

Também edificou altares a todo o exército dos céus. Este versículo é verbatim com 2Rs 21.5, onde apresento a exposição. Além das antigas formas de idolatria, o rei Manassés introduziu ultrajes próprios da Assíria. As divindades astrais tornaram-se populares, e suas imagens foram trazidas para o interior do próprio templo de Jerusalém. Dt 4.19 foi preceito abertamente violado.

■ 33.6

וְהוּא הֶעֱבִיר אֶת־בָּנָיו בָּאֵשׁ בְּגֵי בֶן־הִנֹּם וְעוֹנֵן וְנִחֵשׁ וְכִשֵּׁף וְעָשָׂה אוֹב וְיִדְּעוֹנִי הִרְבָּה לַעֲשׂוֹת הָרַע בְּעֵינֵי יְהוָה לְהַכְעִיסוֹ:

E queimou a seus filhos como oferta, no vale do filho de Hinom. *Total corrupção e desintegração* assinalaram as instituições idólatras dos reis de Israel e Judá. Este versículo é quase idêntico ao trecho paralelo de 2Rs 21.6, onde é dada a exposição. O cronista adicionou a localização dos sacrifícios humanos, o vale de Hinom. Ver no *Dicionário* o artigo chamado *Hinom, Vale de*. A impressão que obtemos é que o rei Manassés não poderia ter feito pior, mesmo que tentasse. Ele foi totalmente abandonado a seus crimes vis. A *ira de Yahweh* sobreviria por causa desses pecados. Ver o versículo 4 deste capítulo. O cativeiro babilônico foi, em grande parte, devido aos ultrajes de Manassés.

■ 33.7

וַיָּשֶׂם אֶת־פֶּסֶל הַסֶּמֶל אֲשֶׁר עָשָׂה בְּבֵית הָאֱלֹהִים אֲשֶׁר אָמַר אֱלֹהִים אֶל־דָּוִיד וְאֶל־שְׁלֹמֹה בְנוֹ בַּבַּיִת הַזֶּה וּבִירוּשָׁלַםִ אֲשֶׁר בָּחַרְתִּי מִכֹּל שִׁבְטֵי יִשְׂרָאֵל אָשִׂים אֶת־שְׁמִי לְעֵילוֹם:

Também pôs a imagem de escultura do ídolo que tinha feito. Este versículo é virtualmente idêntico ao seu paralelo, 2Rs 21.7, onde ofereço a exposição. O cronista substituiu a palavra "poste-ídolo" do livro de Reis pelo termo mais vago, "ídolo". A violação direta do próprio templo de Jerusalém foi fatal para Judá. Cf. Dt 4.16. O Targum diz que a imagem era do próprio Manassés, como se ele atribuísse a si mesmo alguma forma de divindade, mas esse comentário não concorda com o paralelo e sem dúvida labora em erro. Mas os Faraós do Egito clamavam para si próprios a divindade, de maneira que essa ideia não é impossível. O rei Manassés teria imitado aqueles monarcas pagãos, até mesmo nisso, além de em muitas outras coisas.

■ 33.8

וְלֹא אוֹסִיף לְהָסִיר אֶת־רֶגֶל יִשְׂרָאֵל מֵעַל הָאֲדָמָה אֲשֶׁר הֶעֱמַדְתִּי לַאֲבֹתֵיכֶם רַק אִם־יִשְׁמְרוּ לַעֲשׂוֹת אֵת כָּל־אֲשֶׁר צִוִּיתִים לְכָל־הַתּוֹרָה וְהַחֻקִּים וְהַמִּשְׁפָּטִים בְּיַד־מֹשֶׁה:

Nem removerei mais o pé de Israel. Este versículo é virtualmente verbatim com seu paralelo, 2Rs 21.8, onde ofereço a exposição. No livro de Reis lemos "andem errantes"; mas o cronista trocou essas palavras pelo mais específico "removerei", onde faz alusão ao cativeiro assírio. Eles não andaram errantes. Eles foram removidos pelo poder divino. O cativeiro babilônico não teria ocorrido *se* o sul, Judá, não tivesse imitado os pecados do norte, Israel. Assim como o norte foi *removido*, outro tanto sucederia ao sul. E assim Judá foi removido da terra, a Terra Prometida, que Yahweh lhe havia dado.

■ 33.9

וַיֶּתַע מְנַשֶּׁה אֶת־יְהוּדָה וְיֹשְׁבֵי יְרוּשָׁלִָם לַעֲשׂוֹת רָע מִן־הַגּוֹיִם אֲשֶׁר הִשְׁמִיד יְהוָה מִפְּנֵי בְּנֵי יִשְׂרָאֵל: פ

Manassés fez errar a Judá e os moradores de Jerusalém. Este versículo é quase idêntico ao trecho paralelo de 2Rs 21.9, onde é oferecida a exposição. Manassés tinha condições de ser um rei singularmente bom, tendo herdado um belo e próspero reino da parte de seu pai. Mas falhou na oportunidade e tornou-se não uma *vítima do mal*, mas alguém que levava outras pessoas ao mal.

■ 33.10

וַיְדַבֵּר יְהוָה אֶל־מְנַשֶּׁה וְאֶל־עַמּוֹ וְלֹא הִקְשִׁיבוּ:

Falou o Senhor a Manassés e ao seu povo. Este versículo saiu da pena do cronista. Introduz o *cativeiro temporário* de Manassés (vss. 11-13), acerca do qual o autor dos livros de Reis nada disse. Yahweh advertiu a Manassés que sua conduta só poderia terminar em desastre, mas o rei não tinha tempo para ouvir predições melancólicas. Ele se divertia muito e navegava na crista de suas corrupções. E nunca passou na sua mente a ideia de que ele, tão repentinamente, poderia ser reduzido a quase nada.

O trecho de 2Rs 21.10 ss. diz que os profetas de Yahweh advertiram sobre o desastre por vir, dando a entender o cativeiro babilônico, mas nada revela sobre o cativeiro temporário de Manassés.

Cativeiro Temporário e Arrependimento de Manassés (33.11-13)

O paralelo é 2Rs 21, que nada diz sobre o cativeiro temporário de Manassés, nem sobre o seu arrependimento; e alguns críticos duvidam da exatidão histórica desses três versículos. Esses críticos supõem que o autor se tenha mostrado *didático*, mas não muito bem fundamentado historicamente. "O livro de Reis silencia quanto ao período de Manassés no cativeiro e seu arrependimento. De que se arrependeu não há ali o menor vestígio, porquanto Josias teve de expurgar Jerusalém do paganismo. Que ele foi removido para a Babilônia, e mais tarde foi solto, pode ser um fato — *caso* ele tenha sido suspeito da revolta generalizada contra a Assíria, em 648 a.C." (W. A. L. Elmslie, *in loc.*). Seja como for, note o leitor que o cativeiro de Manassés foi um cativeiro assírio, e não um ato preliminar da Babilônia contra Judá. Nesse tempo, a Assíria ainda não tinha sido derrubada pela Babilônia.

■ 33.11

וַיָּבֵא יְהוָה עֲלֵיהֶם אֶת־שָׂרֵי הַצָּבָא אֲשֶׁר לְמֶלֶךְ אַשּׁוּר וַיִּלְכְּדוּ אֶת־מְנַשֶּׁה בַּחֹחִים וַיַּאַסְרֻהוּ בַּנְחֻשְׁתַּיִם וַיּוֹלִיכֻהוּ בָּבֶלָה:

Pelo que o Senhor trouxe sobre ele os príncipes do rei da Assíria. Manassés foi amarrado da maneira mais desgraçada e levado à Babilônia, a qual, na época, estava sujeita ao poder da Assíria. Foi tratado vergonhosamente, conforme merecia. Violentamente puseram uma argola em seu nariz, como se ele fora um animal selvagem. Talvez essa seja uma expressão figurada para indicar um tratamento completamente desgraçado. Ele se tinha ocultado em um espinheiro, mas foi descoberto e tratado como criminoso, pois não era mesmo outra coisa. Cf. o tratamento posterior dado a Zedequias (ver 2Rs 25.7). Provavelmente o rei da Assíria pensava que Manassés estava envolvido na revolta dos príncipes da Fenícia-Palestina, em 648 a.C., pelo que o tratou como um inimigo perigoso do império assírio. Ver no *Dicionário* o artigo chamado *Assíria*, quanto à identificação dos governantes de acordo com seus tempos de reinado. Nos dias de Manassés, a Babilônia era uma província do sul da Assíria.

■ 33.12,13

וּכְהָצֵר לוֹ חִלָּה אֶת־פְּנֵי יְהוָה אֱלֹהָיו וַיִּכָּנַע מְאֹד מִלִּפְנֵי אֱלֹהֵי אֲבֹתָיו:

וַיִּתְפַּלֵּל אֵלָיו וַיֵּעָתֶר לוֹ וַיִּשְׁמַע תְּחִנָּתוֹ וַיְשִׁיבֵהוּ יְרוּשָׁלִַם לְמַלְכוּתוֹ וַיֵּדַע מְנַשֶּׁה כִּי יְהוָה הוּא הָאֱלֹהִים:

Ele, angustiado, suplicou deveras ao Senhor seu Deus. Em sua aflição, Manassés humilhou-se; e, ao ser humilhado, arrependeu-se. Quando se arrependeu, orou; e ao orar, Yahweh o ouviu e o libertou. Notem-se os nomes divinos. Manassés dirigiu-se diretamente a Yahweh-Elohim, o Deus Todo-poderoso, o Deus de seus antepassados e de seu pai, Ezequias. Ver no *Dicionário* o artigo chamado *Deus, Nomes Bíblicos de*. O cronista omitiu de seu relato todos os detalhes, e simplesmente reivindicou que o rei Manassés foi devolvido a Jerusalém, onde, como é óbvio, tornou-se um rei vassalo, se é que já não o era.

Angustiado. O Targum tem aqui uma explicação horrível. Presume-se que os assírios tenham feito um instrumento de bronze (ora-zenmule), com buracos. Eles puseram Manassés dentro desse *globo de bronze*, e acenderam fogo ao seu redor. O fogo aquecia o globo de bronze não o bastante para matá-lo, mas para fazê-lo desejar estar morto. "No fogo", pois, ele se arrependeu e abandonou a idolatria que lhe causara tanta angústia.

Uma Lição Moral e Espiritual. Até o pior dos pecadores pode ser perdoado por Deus, se o busca sob as condições certas e em arrependimento. Mas, tal como no caso de Manassés, vemos que o *dano* causado por uma vida dissoluta permanece.

■ 33.14

וְאַחֲרֵי־כֵן בָּנָה חוֹמָה חִיצוֹנָה לְעִיר־דָּוִיד מַעְרָבָה לְגִיחוֹן בַּנַּחַל וְלָבוֹא בְשַׁעַר הַדָּגִים וְסָבַב לָעֹפֶל וַיַּגְבִּיהֶהָ מְאֹד וַיָּשֶׂם שָׂרֵי־חַיִל בְּכָל־הֶעָרִים הַבְּצֻרוֹת בִּיהוּדָה:

Depois disto edificou o muro de fora da cidade de Davi. Se os vss. 11-13 são historicamente corretos, então é difícil entender os vss. 14-17. O certo é que, depois de ter voltado para casa, Manassés fortificou Jerusalém para proteger-se de outro assalto dos assírios. Mas permanece inexplicável *por que* lhe foi permitido fazer isso. Os vss. 14-17, que também faltam no livro de Reis, levam os críticos a pensar que a passagem inteira, os vss. 11-17, é uma *história didática*, quer dizer, um relato criado para ensinar lições morais e espirituais, ao passo que o texto do livro de Reis reflete a *história genuína*. No livro de Reis não encontramos nenhum indício do arrependimento de Manassés, mas lemos sobre Josias (2Rs 22 e 23) tendo de efetuar uma reforma geral, com a remoção da idolatria, o que o cronista também relatou. Ver 2Rs 22 quanto às reformas instituídas por Josias.

Seja como for, de acordo com o cronista, uma muralha muito alta foi construída fora da Cidade de Davi, no lado oeste da fonte de Giom, que circulava Ofel, a antiga cidade original. Manassés também fortificou cidades por todo o Judá e ali estacionou guarnições militares. Ver no *Dicionário* o verbete chamado *Ofel*. Tais fortificações fazem sentido histórico, *se* o rei não tivesse sido levado para a Babilônia, humilhado e reduzido a um rei vassalo. Por outra parte, detalhes omitidos poderiam resolver nossos problemas com os relatos bíblicos. Talvez o cronista não estivesse interessado em satisfazer à nossa curiosidade sobre todas as coisas, ou não antecipou que encontraríamos problemas com suas narrativas.

■ 33.15

וַיָּסַר אֶת־אֱלֹהֵי הַנֵּכָר וְאֶת־הַסֶּמֶל מִבֵּית יְהוָה וְכָל־הַמִּזְבְּחוֹת אֲשֶׁר בָּנָה בְּהַר בֵּית־יְהוָה וּבִירוּשָׁלָ͏ִם וַיַּשְׁלֵךְ חוּצָה לָעִיר׃

Tirou da casa do Senhor os deuses estranhos e o ídolo. *As Reformas de Manassés*. Após as humilhações que sofreu, e tendo-se arrependido de sua idolatria (visto que nenhum ídolo o ajudou em seu período de crise), o rei limpou Jerusalém e Judá, conforme seu pai, Ezequias, tinha feito. No livro de Reis, entretanto, não há nenhuma menção a reformas. O templo de Jerusalém foi livrado de seus ídolos, bem como toda a cidade de Jerusalém. O material foi partido, lançado fora da cidade e, presumivelmente, *incendiado*. O rei queria livrar-se de seus opressores e resolveu que o pecado alimentava a opressão. Em outras palavras, o problema de Manassés era mais espiritual do que militar. Assim, pois, Manassés fortificou-se de duas maneiras: militarmente (vs. 14) e espiritualmente (vss. 15 e 16). Manassés mostrou a *sinceridade* de seu arrependimento, *restituindo* e corrigindo antigos erros, e isso é parte obrigatória do *arrependimento* (ver a respeito no *Dicionário*). Ver também no *Dicionário* o verbete intitulado *Restituição*.

■ 33.16

וַיִּכֶן אֶת־מִזְבַּח יְהוָה וַיִּזְבַּח עָלָיו זִבְחֵי שְׁלָמִים וְתוֹדָה וַיֹּאמֶר לִיהוּדָה לַעֲבוֹד אֶת־יְהוָה אֱלֹהֵי יִשְׂרָאֵל׃

Restaurou o altar do Senhor. O templo havia sido contaminado. Seus vasos e instrumentos, se é que foram usados, tinham sido postos a serviço do paganismo. O altar precisava urgentemente de reparos, sendo até possível que tivesse sido substituído por um altar pagão. O culto fora interrompido. Parte das reformas de Manassés consistiram em restaurar o templo, seus materiais e o culto. Isso foi essencial para a restauração do yahwismo, que tinha, como centro, o culto do templo de Jerusalém. Ewald (*in loc.*) conclui, alicerçado no vs. 16, que o rei tinha removido o altar dos holocaustos e, alicerçado em Jr 3.16, que ele havia destruído a arca da aliança. É difícil dizer quão exata é essa avaliação. Ver a exposição sobre aquele versículo. Este versículo deixa claro que a reforma ampliou-se por todo o território de *Judá*.

Seja como for, é claro que os pecados de Manassés tinham sido realmente malignos; ele fora um destruidor, e não um mero corruptor, e coisa alguma que ele fizesse (depois de seu arrependimento) poderia reparar o dano causado. Não nos admiremos, pois, que o Antigo Testamento considerasse a queda final de Judá, no cativeiro babilônico, como algo devido, pelo menos em parte, aos pecados malignos de Manassés (ver 1Rs 21.11-16 e 23.26,27).

■ 33.17

אֲבָל עוֹד הָעָם זֹבְחִים בַּבָּמוֹת רַק לַיהוָה אֱלֹהֵיהֶם׃

Contudo o povo ainda sacrificava nos altos. Os *lugares altos*, entretanto, permaneceram. Manassés não foi capaz de acabar com os santuários locais que tinham voltado a funcionar após as reformas de Ezequias. Ver 2Cr 31.1 quanto ao feito de Ezequias, que removeu os lugares altos. Para maiores detalhes, ver sobre os *lugares altos* no *Dicionário*. Ezequias, depois de Davi, foi o único monarca de Israel e Judá que obteve sucesso em combater a idolatria e a descentralização do culto, o qual deveria ser efetuado somente em Jerusalém.

Um Grande Feito. Não tendo podido remover os lugares altos, Manassés pelo menos fez tais lugares servirem somente a *Yahweh*, ou, pelo menos, o cronista pensou que ele conseguira fazer isso. Algumas vezes, a adoração nos lugares altos era sincretista; ou seja, ali eram adorados tanto Yahweh quanto várias outras divindades. Mas algumas vezes somente Yahweh era reverenciado. A tendência, contudo, era promover a idolatria. Mas mesmo quando "somente Yahweh" era adorado, o próprio fato de existirem lugares altos testemunhava contra o ideal deuteronômico de centralização da adoração no templo de Jerusalém.

Conclusão (33.18-20)

Estes três versículos registram *outras atividades* de Manassés, depois que ele retornou do cativeiro.

■ 33.18

וְיֶתֶר דִּבְרֵי מְנַשֶּׁה וּתְפִלָּתוֹ אֶל־אֱלֹהָיו וְדִבְרֵי הַחֹזִים הַמְדַבְּרִים אֵלָיו בְּשֵׁם יְהוָה אֱלֹהֵי יִשְׂרָאֵל הִנָּם עַל־דִּבְרֵי מַלְכֵי יִשְׂרָאֵל׃

Quanto... à sua oração ao seu Deus. O livro posterior e apócrifo chamado *Oração de Manassés* não está aqui em vista. O autor do livro apócrifo retirou o título de seu livro do presente versículo, mas compôs a oração que atribuiu a Manassés quando este se arrependeu, do que resultou sua restauração ao trono de Judá. A Septuaginta contém a *Oração de Manassés*.

Às palavras dos videntes que lhe falaram em o nome do Senhor. Muitos profetas tiveram de repreender o réprobo rei Manassés. Esse monarca de Judá recebeu diversas instruções, com algum sucesso, se seguirmos o texto do livro de Crônicas, mas não do livro de Reis, que falou sobre Manassés somente em tons condenatórios.

Livros dos Reis de Israel e Judá. Aqui o livro aparece com um título mais simples "Livro dos Reis". Essa foi uma das principais fontes informativas do autor sacro. Ver sobre esse livro e sobre outros que se perderam e foram fontes informativas usadas nos relatos canônicos, em 1Rs 14.19. Ver também 2Cr 9.29; 12.15; 20.34 e 26.22.

■ 33.19

וּתְפִלָּתוֹ וְהֵעָתֶר־לוֹ וְכָל־חַטָּאתוֹ וּמַעֲלוֹ וְהַמְּקֹמוֹת אֲשֶׁר בָּנָה בָהֶם בָּמוֹת וְהֶעֱמִיד הָאֲשֵׁרִים וְהַפְּסִלִים לִפְנֵי הִכָּנְעוֹ הִנָּם כְּתוּבִים עַל דִּבְרֵי חוֹזָי׃

A sua oração. Os *videntes* tinham muita coisa para contar sobre o ímpio Manassés, porquanto, na verdade, ele foi um campeão da iniquidade. O cronista tomou por empréstimo algumas declarações desses videntes para a sua história. Manassés teve uma vida cheia de pecados e contravenções contra a lei mosaica; edificou novos santuários e embelezou antigos sítios idolátricos; mas foi humilhado, arrependeu-se e promoveu restauração até onde isso lhe foi possível.

Ver o paralelo em 2Rs 21.20-22. Ali não há indícios de Manassés ter-se afastado da multidão de seus pecados. Antes, ele desceu ao sepulcro com o halo muito merecido de "O principal dos pecadores".

Os expositores modernos inclinam-se por pensar que, se Manassés chegou a arrepender-se, fê-lo somente para alcançar vantagens pessoais e porque isso lhe pareceu expediente; pois Manassés nunca teria sido sincero, exceto em seus pecados. Daí encontrarmos estas linhas de Rabelais, *Obras*, livro IV, capítulo xxiv:

> O diabo adoeceu, e tornou-se monge.
> O diabo melhorou, e o monge tornou-se diabo.

■ 33.20

וַיִּשְׁכַּב מְנַשֶּׁה עִם־אֲבֹתָיו וַיִּקְבְּרֻהוּ בֵּיתוֹ וַיִּמְלֹךְ אָמוֹן בְּנוֹ תַּחְתָּיו׃ פ

Assim Manassés descansou com seus pais. O livro de Reis registrou devidamente a *notícia fúnebre* sobre Manassés. Ver o paralelo em 2Rs 21.18. O autor de Reis também teve o cuidado de listar os muitos pecados desse rei. O cronista seguiu essa orientação, fornecendo uma lista similar. Ambos os autores — de Reis e de Crônicas — dão uma horrenda nota fúnebre desse rei. Por causa de sua iniquidade geral, ele foi sepultado em seu sepulcro particular, à parte do resto dos reis. Foi sepultado no jardim de sua própria casa (2Rs

21.18). Quanto a maiores detalhes, ver esse versículo. *Reis iníquos não recebiam a honra de ser sepultados com os reis bons.* Ver sobre o *Sepulcro dos Reis*, no *Dicionário*.

AMOM (33.21-25)

Esse pobre rei, Amom, filho de Manassés, começou seu reinado de maneira muito ruim, tendo subido ao trono após a morte de um pai extremamente maligno, cujos passos iniciais ele seguiu. Amom reinou apenas por dois anos, 642-640 a.C., antes de ser assassinado. Amom copiou o exemplo horroroso e maligno do pai. Mas, se Manassés se arrependeu, Amom conseguiu não fazê-lo, mas prosseguiu em seu caminho maligno até o fim. Para a mente depravada, é mais fácil e mais proveitoso seguir o mal, e não o bem.

O trecho paralelo é 2Rs 21.19-26, que é virtualmente idêntico, de modo que a exposição aparece no livro de 2Reis. Algumas poucas ideias adicionais são providas aqui.

■ 33.21

בֶּן־עֶשְׂרִים וּשְׁתַּיִם שָׁנָה אָמוֹן בְּמָלְכוֹ וּשְׁתַּיִם שָׁנִים
מָלַךְ בִּירוּשָׁלָ͏ִם׃

Tinha Amom vinte e dois anos de idade quando começou a reinar. Este versículo é paralelo a 2Rs 21.19, exceto pelo fato de que o cronista omitiu o nome da mãe do rei Amom. Ver a exposição em 2Rs.

■ 33.22

וַיַּעַשׂ הָרַע בְּעֵינֵי יְהוָה כַּאֲשֶׁר עָשָׂה מְנַשֶּׁה אָבִיו
וּלְכָל־הַפְּסִילִים אֲשֶׁר עָשָׂה מְנַשֶּׁה אָבִיו זִבַּח אָמוֹן
וַיַּעַבְדֵם׃

Fez o que era mau perante o Senhor. Este versículo é quase cópia de 2Rs 21.20,21. No livro de Reis, os ídolos servidos por Manassés foram os mesmos servidos por Amom. No livro de Crônicas, entretanto, temos a informação de que Manassés esculpiu pessoalmente ou mandou esculpir os ídolos, e os serviu. Faltando-lhe melhor imaginação, Amom simplesmente levou adiante a estúpida idolatria exemplificada por seu pai. O cronista também adicionou a nota de que Amom "multiplicou" seus delitos. É difícil supor que ele tenha sido capaz de multiplicar os pecados do abominável pai, pelo que o texto ensina-nos que Amom pecou e continuou a multiplicar seus pecados (vs. 23). Admiramo-nos com o fato de que, *se* Manassés se arrependeu (conforme disse o cronista) e limpou Jerusalém e Judá, como os seus ídolos sobreviveram ao expurgo e tornaram-se os ídolos seguidos por seu filho, Amom. Ver as notas expositivas em 2Cr 33.11 e 14, quanto às dúvidas dos críticos sobre a historicidade do arrependimento e das reformas de Manassés. Talvez tenha havido detalhes que explicassem tais problemas, mas o cronista não pensou que precisássemos sabê-los. Reformas e lapsos, seja como for, continuavam revezando-se, interminavelmente, tornando difícil distinguir seus começos e fins.

■ 33.23

וְלֹא נִכְנַע מִלִּפְנֵי יְהוָה כְּהִכָּנַע מְנַשֶּׁה אָבִיו כִּי הוּא
אָמוֹן הִרְבָּה אַשְׁמָה׃

Mas não se humilhou perante o Senhor, como Manassés. Este versículo, é desnecessário dizer, não se encontra no livro de Reis, o qual não deixou o registro do arrependimento de Manassés. Em certo sentido, Amom, filho de Manassés, ultrapassou a pecaminosidade de seu pai — *ele nunca se arrependeu*. Mas tão somente continuou pecando e pecando, e multiplicando pecados. Talvez se tivesse vivido por mais tempo, Amom chegasse ao arrependimento. Mas conforme as coisas aconteceram, ele teve apenas dois anos de governo, e seus atos foram os *piores* possíveis, uma grande demonstração de perversidade! Ter pouco tempo e usá-lo propositadamente de modo mau demonstra total ausência de espiritualidade.

■ 33.24

וַיִּקְשְׁרוּ עָלָיו עֲבָדָיו וַיְמִיתֻהוּ בְּבֵיתוֹ׃

Conspiraram contra ele os seus servos e o mataram. Amom viveu como se fosse um *suicida* e assim terminou seus dias assassinado. Ele procurou a morte por sua perversidade, sem nunca ter crido que um homem colhe aquilo que semeia. Ver no *Dicionário* o artigo denominado *Lei Moral da Colheita segundo a Semeadura*. Este versículo é diretamente paralelo de 2Rs 21.23, onde dou a exposição. Amom foi morto quando tinha apenas 24 anos de idade!

■ 33.25

וַיַּכּוּ עַם־הָאָרֶץ אֵת כָּל־הַקֹּשְׁרִים עַל־הַמֶּלֶךְ אָמוֹן
וַיַּמְלִיכוּ עַם־הָאָרֶץ אֶת־יֹאשִׁיָּהוּ בְנוֹ תַּחְתָּיו׃ פ

Porém o povo da terra feriu a todos que conspiraram contra o rei Amom. Este versículo é quase verbatim com o seu paralelo, 2Rs 21.24, onde a exposição é dada. O cronista, talvez por motivo de descuido, não fez a usual nota fúnebre. Quanto a essa nota, ver 2Rs 21.25,26.

CAPÍTULO TRINTA E QUATRO

JOSIAS (34.1—35.27)

Com Josias, o pêndulo pendeu novamente para a bondade. Esse homem, filho do ímpio Amom e neto do abominável Manassés, decidiu seguir o bom exemplo de seu bisavô, Ezequias. Imitou as boas medidas de reforma e assim restaurou o yahwismo em Jerusalém e Judá. Porém, a despeito de sua bondade, teve um fim violento. Governou Judá pelo espaço de 31 anos (640-609 a.C.). Em seu décimo segundo ano como rei (quando estava com 20 anos de idade), Josias iniciou uma campanha para libertar Judá de todos os vestígios da religião cananeia, bem como de toda outra forma de idolatria. Quanto a maiores detalhes, ver no *Dicionário* os artigos *Josias; Reino de Judá;* e *Rei, Realeza.* Nesses artigos há informações históricas de interesse que nos ajudam a situar Josias dentro de seu contexto histórico. Agora o cativeiro babilônico estava *muito próximo*. Judá haveria de cair, tal como Israel havia caído em 722 a.C., embora houvesse de recuperar-se parcialmente, em contraste com o caráter final do cativeiro assírio que sofreu Israel.

Dados Históricos. Quando Josias subiu ao trono de Judá, o império assírio estava passando por graves dificuldades. Por um longo tempo, a Assíria fora o galo que estruturava o palco por todo o Oriente Médio. Em breve, seria substituída por outro galo arrogante, a Babilônia. O império assírio foi eliminado em 612 a.C. Seus territórios passaram essencialmente para o império babilônico. Não seria um consolo que a Babilônia acabou tomando o lugar da Assíria. Bem pelo contrário, Judá logo seria deportado, no *Cativeiro Babilônico* (ver a respeito no *Dicionário*).

Entrementes, Josias fez o que pôde para reformar Judá e unir em torno do yahwismo o que porventura restava do norte com o sul. Josias foi um reformar enérgico, um tanto parecido com Ezequias. Uma cópia dos escritos de Moisés foi encontrada no templo, e isso ajudou no programa das reformas. Houve outra *páscoa de unidade,* como a que Ezequias havia realizado décadas antes.

"A história de Judá, conforme relatada aqui (capítulos 34 e 35), está em acordo essencial com o trecho paralelo de 2Rs 22 e 23. A *principal diferença* jaz no fato de o cronista atribuir as várias reformas desse rei aos anos oitavo, décimo segundo e decimo oitavo de seu reinado, ao passo que o compilador do livro de Reis *agrupou-os* juntos em conexão com os reparos do templo e a descoberta do livro da lei, no décimo oitavo ano de seu reinado. Nossa narrativa, além disso, descreve brevemente a supressão da idolatria e demora-se sobre a celebração da páscoa. No livro de Reis, foi o contrário que aconteceu" (Ellicott, *in loc.*).

■ 34.1

בֶּן־שְׁמוֹנֶה שָׁנִים יֹאשִׁיָּהוּ בְמָלְכוֹ וּשְׁלֹשִׁים וְאַחַת שָׁנָה
מָלַךְ בִּירוּשָׁלָ͏ִם׃

Tinha Josias oito anos de idade quando começou a reinar. Este versículo é idêntico ao trecho paralelo de 2Rs 22.1, exceto pelo fato de que ali o nome da mãe desse rei foi adicionado. Ver a exposição no paralelo.

Josias (filho de Amom, um rei réprobo, assassinado somente dois anos depois de ter começado a reinar) tinha somente 8 anos de idade quando começou a reinar sobre Judá. E governou durante 31 anos (640-609 a.C.), levando Judá a apenas doze anos do cativeiro babilônico. Ele seguiu o exemplo de seu bisavô, Ezequias, e foi um bom rei que fez o que pôde para reverter o dilúvio da história contra Judá. Em seu décimo segundo ano de governo, efetuou reformas extensivas, eliminando, da melhor maneira ao seu alcance, todos os vestígios da idolatria na terra. Na época, ele estava com 20 de idade. Se houve um expurgo na época de Manassés (algo de que os críticos duvidam), então, *uma vez mais*, Josias limpou o lugar. Ver 2Cr 33.15 quanto à alegada reforma feita pelo abominável rei Manassés.

■ 34.2

וַיַּעַשׂ הַיָּשָׁר בְּעֵינֵי יְהוָה וַיֵּלֶךְ בְּדַרְכֵי דָּוִיד אָבִיו
וְלֹא־סָר יָמִין וּשְׂמֹאול׃

Fez o que era reto perante o Senhor. Este versículo é idêntico ao seu paralelo, 2Rs 22.2, onde é oferecida a exposição. Cf. Dt 5.32; 17.20; 28.14. A observância da lei, por parte de Josias, foi imaculada.

■ 34.3

וּבִשְׁמוֹנֶה שָׁנִים לְמָלְכוֹ וְהוּא עוֹדֶנּוּ נַעַר הֵחֵל לִדְרוֹשׁ
לֵאלֹהֵי דָּוִיד אָבִיו וּבִשְׁתֵּים עֶשְׂרֵה שָׁנָה הֵחֵל לְטַהֵר
אֶת־יְהוּדָה וִירוּשָׁלִַם מִן־הַבָּמוֹת וְהָאֲשֵׁרִים וְהַפְּסִלִים
וְהַמַּסֵּכוֹת׃

Porque no oitavo ano de seu reinado, sendo ainda moço. A *especificação* de tempo, neste versículo, foi dada somente pelo cronista. O autor dos livros de Reis generalizou as reformas de Josias, agrupando-as com o reparo do templo e o descobrimento dos escritos de Moisés. Ver as notas imediatamente antes da exposição de 2Cr 34.1, que fornecem detalhes sobre a questão. Ver 2Rs 22.24.

As reformas de Josias, como as de Ezequias, conseguiram eliminar os lugares altos, como somente esses dois monarcas de Judá tinham conseguido fazer desde os tempos de Davi. Cf. 2Cr 31.1. Ver na *Enciclopédia* os verbetes chamados *Lugares Altos* e *Idolatria*. Quando o rei Josias tinha 26 de idade, deu início às suas reformas, pelo que foi um "jovem de mente decente", conforme disse W. A. L. Elmslie (*in loc.*).

O expurgo não foi feito todo ao mesmo tempo. Ver o vs. 33. Foram necessárias várias etapas para efetuar esse trabalho.

Postes-ídolos. Algumas traduções dizem aqui "aserins", ao passo que outras usam "bosques". Ver sobre "postes-ídolos" em 1Rs 14.15.

A versão siríaca é curiosa aqui: "ele começou a desarraigar os altares e os ídolos, e leopardos, e capelas e sinos, e todas as árvores que eles tinham transformado em ídolos".

■ 34.4

וַיְנַתְּצוּ לְפָנָיו אֵת מִזְבְּחוֹת הַבְּעָלִים וְהַחַמָּנִים
אֲשֶׁר־לְמַעְלָה מֵעֲלֵיהֶם גִּדֵּעַ וְהָאֲשֵׁרִים וְהַפְּסִלִים
וְהַמַּסֵּכוֹת שִׁבַּר וְהֵדַק וַיִּזְרֹק עַל־פְּנֵי הַקְּבָרִים
הַזֹּבְחִים לָהֶם׃

Na presença dele. *Josias, Rei por Excelência.* O cronista insistiu que Josias foi "o maior de todos os reis". Por outra parte, se fosse indagado acerca de Ezequias, provavelmente diria: "Oh, ele estava no mesmo nível de Josias, em sua bondade e reformas". Davi, como é natural, foi o *rei ideal*, aquele com quem se deveriam comparar todos os outros monarcas. Ver 1Rs 15.3 quanto a esse título. Ver também sobre os padrões do rei ideal em 1Rs 15.3. Ver 2Rs 23.25 quanto aos altos louvores prestados a Josias pelo autor sagrado.

Josias foi o campeão *iconoclasta, o destruidor de imagens.* Aquilo que ele despedaçou, transformou em pó e espalhou o pó e os escombros para pôr fim à questão. A destruição de Baal foi a principal vitória de Josias. Ver no *Dicionário* o artigo chamado *Baal (Baalismo).* Cf. 2Rs 23.5,6, onde encontramos a mesma informação dadas nos vss. 3 e 4 deste capítulo. Os sacerdotes idólatras foram depostos,

de acordo com o livro de Reis. As reformas estenderam-se por todo o território de Judá, e não meramente em Jerusalém.

■ 34.5

וְעַצְמוֹת כֹּהֲנִים שָׂרַף עַל־מִזְבְּחוֹתָים וַיְטַהֵר
אֶת־יְהוּדָה וְאֶת־יְרוּשָׁלִָם׃

Os ossos dos sacerdotes queimou. Este versículo não deixa claro se Josias mandou executar os sacerdotes e espalhou suas cinzas sobre os altares e lugares sagrados para o paganismo, contaminando-os para sempre, ou se ele desenterrou os ossos e tirou os esqueletos dos túmulos e então queimou-os e espalhou as cinzas. Talvez ambas as coisas tenham sido feitas. Seja como for, ele realizou a contaminação final. Ninguém restabeleceria culto em um lugar onde ossos humanos tinham sido queimados. 2Rs 23.26 é o trecho paralelo, e indica que os antigos ossos de ex-sacerdotes foram tirados de seus túmulos. Mas a questão bem pode ter ido mais longe do que isso. Ver a exposição no paralelo, quanto a detalhes.

■ 34.6

וּבְעָרֵי מְנַשֶּׁה וְאֶפְרַיִם וְשִׁמְעוֹן וְעַד־נַפְתָּלִי בְּהַר
בָּתֵּיהֶם סָבִיב׃

O mesmo fez nas cidades de Manassés, de Efraim e de Simeão, até Naftali. A reforma instituída por Josias espalhou-se por todo o território de Judá (ver 2Rs 23.5) e depois entrou nos territórios do antigo reino do norte, ou Israel. Ali, alguns poucos sobreviventes do cativeiro assírio misturaram-se por casamento com os pagãos que tinham sido transferidos para Israel, do que resultaram os *samaritanos*. Essa gente teve uma contínua história de yahwismo, e foi isso que possibilitou o ato de Josias referido neste versículo. Ele encontrou no norte alguma cooperação para suas reformas. Ver 2Rs 17.24-41 quanto à origem dos samaritanos. Ver sobre eles no *Dicionário*, e cf. 2Cr 30.1 e 34.9. Cf. também 2Reis 23.15-19, de acordo com o qual Josias destruiu o oráculo em Betel e até os lugares altos de Samaria (o norte, pois *Samaria* era a capital daquele lugar, e algumas vezes todo o território das tribos do norte era chamado "Samaria"). Simeão é mencionado porque nesse território havia um famoso santuário que se tornou ponto de peregrinação para as tribos do norte.

■ 34.7

וַיְנַתֵּץ אֶת־הַמִּזְבְּחוֹת וְאֶת־הָאֲשֵׁרִים וְהַפְּסִלִים כִּתַּת
לְהֵדַק וְכָל־הַחַמָּנִים גִּדַּע בְּכָל־אֶרֶץ יִשְׂרָאֵל וַיָּשָׁב
לִירוּשָׁלִָם׃ ס

Tendo derribado os altares. Tendo realizado o seu expurgo e tendo dirigido a tudo pessoalmente, Josias voltou a Jerusalém. O trabalho era importante demais para ser entregue nas mãos de um supervisor. 2Rs 23.4-20 pôs a reforma *após* os reparos do templo, depois que se encontrou o livro da lei. Sem dúvida, as reformas dirigidas por Josias se realizaram em etapas, tanto antes como depois da questão que envolveu o templo e o livro da lei. Os escritores da Bíblia em geral, tanto do Antigo como do Novo Testamento, não se preocupavam muito com uma harmonia cronológica estrita, conforme fazem os modernos harmonizadores. Portanto, ocasionalmente, encontramos discrepâncias quanto a essas questões. Nenhuma sã teoria de inspiração das Escrituras é perturbada por coisas tão triviais quanto dados cronológicos.

O REPARO E A REFORMA DO TEMPLO (34.8-13)

■ 34.8

וּבִשְׁנַת שְׁמוֹנֶה עֶשְׂרֵה לְמָלְכוֹ לְטַהֵר הָאָרֶץ וְהַבָּיִת
שָׁלַח אֶת־שָׁפָן בֶּן־אֲצַלְיָהוּ וְאֶת־מַעֲשֵׂיָהוּ שַׂר־הָעִיר
וְאֵת יוֹאָח בֶּן־יוֹאָחָז הַמַּזְכִּיר לְחַזֵּק אֶת־בֵּית יְהוָה
אֱלֹהָיו׃

No ano décimo oitavo do seu reinado. "Em seu décimo oitavo ano de governo, o rei Josias (agora com 26 anos de idade) comissionou a Safã, Maaseias e Joá para reparar e mobiliar de novo o templo. Essa foi uma das vezes em que os reis de Judá restauraram o templo de Jerusalém. Eles tomaram o dinheiro que havia sido coletado com esse propósito, de todo o Israel e Judá, e deram-no a Hilquias, o sumo sacerdote, para que contratasse operários e comprasse material para a tarefa. Os supervisores foram os levitas, dois do ramo de Merari e dois do ramo de Coate. Esses quatro homens também eram músicos habilidosos, uma declaração que, muito provavelmente, destaca o senso artístico e a sensibilidade deles quanto a todas as coisas pertinentes ao templo e à adoração. A tarefa deles era dirigir os operários quanto a tudo que tivesse de ser feito. Levitas com outras habilidades foram nomeados para liderar o trabalho como capatazes" (Eugene H. Merrill, *in loc.*).

O Paralelo. Ver 2Rs 22.3-7. Cf. 2Cr 24.11-13, onde temos uma narrativa muito semelhante, que envolveu Joás. O paralelo do presente versículo é 2Rs 22.3 que lhe é idêntico, exceto pelo fato de omitir os nomes de alguns dos supervisores. Ver o *Dicionário* quanto aos nomes próprios e ao que se sabe acerca deles.

■ 34.9

וַיָּבֹאוּ אֶל־חִלְקִיָּהוּ הַכֹּהֵן הַגָּדוֹל וַיִּתְּנוּ אֶת־הַכֶּסֶף הַמּוּבָא בֵית־אֱלֹהִים אֲשֶׁר אָסְפוּ־הַלְוִיִּם שֹׁמְרֵי הַסַּף מִיַּד מְנַשֶּׁה וְאֶפְרַיִם וּמִכֹּל שְׁאֵרִית יִשְׂרָאֵל וּמִכָּל־יְהוּדָה וּבִנְיָמִן וְיֹשְׁבֵי יְרוּשָׁלָ͏ִם׃

Foram a Hilquias, sumo sacerdote. *Todos os territórios* interessados nas reformas, tanto do norte quanto do sul, contribuíram com fundos para a tarefa de reparar e reformar o templo. Foi uma tarefa universal que requereu uma contribuição geral. O *yahwismo* seria fortalecido no norte e no sul, e o templo era indispensável nessa tarefa. O livro de 2Reis não inclui o detalhe do cronista e apenas menciona que fundos foram entregues ao sumo sacerdote, sem listar os contribuintes. Ver 2Rs 22.4. O livro de Reis diz simplesmente "do povo".

■ 34.10

וַיִּתְּנוּ עַל־יַד עֹשֵׂה הַמְּלָאכָה הַמֻּפְקָדִים בְּבֵית יְהוָה וַיִּתְּנוּ אֹתוֹ עוֹשֵׂי הַמְּלָאכָה אֲשֶׁר עֹשִׂים בְּבֵית יְהוָה לִבְדּוֹק וּלְחַזֵּק הַבָּיִת׃

Eles o entregaram aos que dirigiam a obra. Os *supervisores* receberam o dinheiro. A tarefa deles, entre outras coisas, era assegurar que os operários fossem devidamente pagos. Este versículo é essencialmente paralelo a 2Rs 22.5, onde a exposição é oferecida. Cf. 2Cr 24.12, onde temos algo quase equivalente. Os nomes dos supervisores aparecem no vs. 12 deste capítulo.

■ 34.11

וַיִּתְּנוּ לֶחָרָשִׁים וְלַבֹּנִים לִקְנוֹת אַבְנֵי מַחְצֵב וְעֵצִים לַמְחַבְּרוֹת וּלְקָרוֹת אֶת־הַבָּתִּים אֲשֶׁר הִשְׁחִיתוּ מַלְכֵי יְהוּדָה׃

Deram-nos aos carpinteiros e aos edificadores. Os *materiais* de construção deveriam ser comprados pelos respectivos operários, cada qual tomando conta de suas próprias necessidades. 2Rs 22.6 é quase idêntico, e ali apresento a exposição.

■ 34.12

וְהָאֲנָשִׁים עֹשִׂים בֶּאֱמוּנָה בַּמְּלָאכָה וַעֲלֵיהֶם מֻפְקָדִים יַחַת וְעֹבַדְיָהוּ הַלְוִיִּם מִן־בְּנֵי מְרָרִי וּזְכַרְיָה וּמְשֻׁלָּם מִן־בְּנֵי הַקְּהָתִים לְנַצֵּחַ וְהַלְוִיִּם כָּל־מֵבִין בִּכְלֵי־שִׁיר׃

Os homens procederam fielmente na obra. O cronista achou próprio dar os nomes dos supervisores. Eles mereciam crédito por terem encabeçado bem o trabalho. Ver os nomes comentados em artigos que figuram no *Dicionário*. Esses homens eram músicos habilidosos, e alguns supõem que tocassem instrumentos para aliviar o trabalho árduo. O valor da música para acompanhar o labor tem sido demonstrado. A música diminui as conversações banais durante o trabalho, além de estimular o espírito. O paralelo de 2Rs 22 não cita os nomes dos homens, nem faz alusão à música. Uma lenda terrível é aplicada por alguns a este texto. Porventura a música tinha poderes miraculosos e mágicos, fazendo o material pesado ser levantado do solo e ser colocado em seus respectivos lugares? Algo parecido com isso foi dito acerca dos efeitos da música do excelente *Orfeu*. Cf. este versículo com 1Cr 15.16 e 25.7.

■ 34.13

וְעַל הַסַּבָּלִים וּמְנַצְּחִים לְכֹל עֹשֵׂה מְלָאכָה לַעֲבוֹדָה וַעֲבוֹדָה וּמֵהַלְוִיִּם סוֹפְרִים וְשֹׁטְרִים וְשׁוֹעֲרִים׃

Todos os levitas entendidos em instrumentos músicos. Os levitas eram os escribas, os oficiais, os porteiros, os músicos e os ajudantes dos sacerdotes. Portanto, eles se ocupavam de grande variedade de funções, e os reparos efetuados no templo, como é natural, tornaram necessário convocar alguns deles. Outros supervisores teriam profanado o lugar. Cf. este versículo com 1Cr 23.4,5. Ver sobre os levitas como escribas, em 1Cr 2.55. Quanto às várias guildas e aos deveres dos levitas, ver 1Cr 23.1—26.32. Ver no *Dicionário* o verbete chamado *Levitas*.

A DESCOBERTA DO LIVRO DA LEI (34.14-33)

Esta narrativa é essencialmente paralela à de 2Rs 22.8-20. Em alguns poucos versículos, entretanto, há diferenças. A exposição aparece no trecho paralelo. Adicionei alguns comentários aqui. O vs. 14 não aparece no trecho paralelo, de forma que faço os comentários desse versículo a seguir.

■ 34.14

וּבְהוֹצִיאָם אֶת־הַכֶּסֶף הַמּוּבָא בֵּית יְהוָה מָצָא חִלְקִיָּהוּ הַכֹּהֵן אֶת־סֵפֶר תּוֹרַת־יְהוָה בְּיַד־מֹשֶׁה׃

Quando se tirava o dinheiro que se havia trazido à casa do Senhor. Este versículo é um tanto diferente de 2Rs 22.8. A passagem não menciona a informação de que Hilquias descobriu o livro da lei "quando estavam tirando o dinheiro que se tinha trazido à casa do Senhor", certo colorido local trazido a lume pelo cronista. "Josefo fez Hilquias encontrar o livro da lei na *câmara do tesouro* do templo, onde ele havia entrado para obter o ouro e a prata para fabricar alguns vasos sagrados. De acordo com as tradições rabínicas, o livro da lei estava escondido sob um monte de pedras, onde tinha sido posto para não ser queimado pelo rei Acaz" (Ellicott, *in loc.*). Quanto ao resto da exposição, ver o paralelo em 2Rs 22.8.

■ 34.15

וַיַּעַן חִלְקִיָּהוּ וַיֹּאמֶר אֶל־שָׁפָן הַסּוֹפֵר סֵפֶר הַתּוֹרָה מָצָאתִי בְּבֵית יְהוָה וַיִּתֵּן חִלְקִיָּהוּ אֶת־הַסֵּפֶר אֶל־שָׁפָן׃

Então disse Hilquias ao escrivão Safã. Este versículo é diretamente paralelo a 2Rs 22.8, exceto pelo fato de que nos conta que Safã leu o livro, o que o cronista não mencionou. Mas o vs. 18 diz que Safã leu o livro "diante do rei".

■ 34.16,17

וַיָּבֵא שָׁפָן אֶת־הַסֵּפֶר אֶל־הַמֶּלֶךְ וַיָּשֶׁב עוֹד אֶת־הַמֶּלֶךְ דָּבָר לֵאמֹר כֹּל אֲשֶׁר־נִתַּן בְּיַד־עֲבָדֶיךָ הֵם עֹשִׂים׃

וַיַּתִּיכוּ אֶת־הַכֶּסֶף הַנִּמְצָא בְבֵית־יְהוָה וַיִּתְּנוּהוּ עַל־יַד הַמֻּפְקָדִים וְעַל־יַד עוֹשֵׂי הַמְּלָאכָה׃

Hilquias entregou o livro a Safã. Esses dois versículos ampliam levemente o trecho paralelo de 2Rs 22.9, onde a exposição é dada. No livro de Reis, os que *fizeram* o trabalho são identificados com os supervisores.

■ **34.18**

וַיַּגֵּד֩ שָׁפָ֨ן הַסּוֹפֵ֤ר לַמֶּ֙לֶךְ֙ לֵאמֹ֔ר סֵ֚פֶר נָ֣תַן
לִ֔י חִלְקִיָּ֖הוּ הַכֹּהֵ֑ן וַיִּקְרָא־ב֥וֹ שָׁפָ֖ן לִפְנֵ֥י
הַמֶּֽלֶךְ׃

Relatou mais o escrivão ao rei. Este versículo é cópia quase exata de 2Rs 22.10, onde a exposição é oferecida.

■ **34.19**

וַיְהִי֙ כִּשְׁמֹ֣עַ הַמֶּ֔לֶךְ אֵ֖ת דִּבְרֵ֣י הַתּוֹרָ֑ה וַיִּקְרַ֖ע
אֶת־בְּגָדָֽיו׃

Tendo o rei ouvido as palavras da lei. Este versículo é quase inteiramente verbatim com 2Rs 22.11, onde a exposição é oferecida.

■ **34.20**

וַיְצַ֣ו הַמֶּ֡לֶךְ אֶת־חִלְקִיָּ֣הוּ וְאֶת־אֲחִיקָ֣ם בֶּן־שָׁ֠פָן
וְאֶת־עַבְדּ֨וֹן בֶּן־מִיכָ֜ה וְאֵ֣ת ׀ שָׁפָ֣ן הַסּוֹפֵ֗ר וְאֵ֛ת עֲשָׂיָ֥ה
עֶֽבֶד־הַמֶּ֖לֶךְ לֵאמֹֽר׃

Ordenou o rei a Hilquias. Este versículo é cópia exata de 2Rs 22.12, onde a exposição é dada.

■ **34.21**

לְכוּ֩ דִרְשׁ֨וּ אֶת־יְהוָ֜ה בַּעֲדִ֗י וּבְעַד֙ הַנִּשְׁאָ֣ר
בְּיִשְׂרָאֵ֣ל וּבִֽיהוּדָ֔ה עַל־דִּבְרֵ֥י הַסֵּ֖פֶר אֲשֶׁ֣ר נִמְצָ֑א
כִּֽי־גְדוֹלָ֤ה חֲמַת־יְהוָה֙ אֲשֶׁ֣ר נִתְּכָ֣ה בָ֔נוּ עַ֚ל אֲשֶׁ֣ר
לֹא־שָׁמְר֣וּ אֲבוֹתֵ֗ינוּ אֶת־דְּבַ֤ר יְהוָה֙ לַעֲשׂ֔וֹת
כְּכָל־הַכָּת֖וּב עַל־הַסֵּ֥פֶר הַזֶּֽה׃ פ

Ide, e consultai o Senhor por mim. Este versículo é quase verbatim com 2Rs 22.13, exceto pelo fato de que o cronista mencionou *Israel* entre os que deveriam conhecer a mensagem do livro da lei, o que o autor do livro de Reis ignorou. O cronista expandiu levemente a cópia disponível. Ver a exposição no trecho paralelo.

■ **34.22**

וַיֵּ֨לֶךְ חִלְקִיָּ֜הוּ וַאֲשֶׁ֣ר הַמֶּ֗לֶךְ אֶל־חֻלְדָּ֣ה הַנְּבִיאָ֡ה
אֵ֣שֶׁת ׀ שַׁלֻּ֣ם בֶּן־תָּקְהַ֣ת בֶּן־חַסְרָה֮ שׁוֹמֵ֣ר הַבְּגָדִים֒
וְהִ֛יא יוֹשֶׁ֥בֶת בִּירוּשָׁלַ֖ם בַּמִּשְׁנֶ֑ה וַיְדַבְּר֥וּ אֵלֶ֖יהָ
כָּזֹֽאת׃ ס

Então Hilquias e os enviados pelo rei. Este versículo trabalha de leve o trecho paralelo de 2Rs 22.14. O cronista não se importou em listar novamente todos os nomes próprios do vs. 20, o que o autor do livro de Reis fez laboriosamente.

■ **34.23**

וַתֹּ֣אמֶר לָהֶ֔ם כֹּה־אָמַ֥ר יְהוָ֖ה אֱלֹהֵ֣י יִשְׂרָאֵ֑ל אִמְר֣וּ
לָאִ֔ישׁ אֲשֶׁר־שָׁלַ֥ח אֶתְכֶ֖ם אֵלָֽי׃ ס

Ela lhes disse: Assim diz o Senhor. Este versículo é paralelo de 2Rs 22.15, onde as notas expositivas são oferecidas.

■ **34.24**

כֹּ֚ה אָמַ֣ר יְהוָ֔ה הִנְנִ֨י מֵבִ֥יא רָעָ֛ה עַל־
הַמָּק֥וֹם הַזֶּ֖ה וְעַל־יוֹשְׁבָ֑יו אֵ֤ת כָּל־הָאָלוֹת֙
הַכְּתוּב֣וֹת עַל־הַסֵּ֔פֶר אֲשֶׁ֣ר קָרְא֔וּ לִפְנֵ֖י
מֶ֥לֶךְ יְהוּדָֽה׃

Assim diz o Senhor. Este versículo é essencialmente paralelo a 2Rs 22.16, onde apresento os comentários.

■ **34.25**

תַּ֗חַת אֲשֶׁ֤ר עֲזָב֙וּנִי֙ וַיְקַטְּר֣וּ לֵֽאלֹהִ֣ים אֲחֵרִ֔ים לְמַ֙עַן֙
הַכְעִיסֵ֔נִי בְּכֹ֖ל מַעֲשֵׂ֣י יְדֵיהֶ֑ם וְתִתַּ֧ךְ חֲמָתִ֛י בַּמָּק֥וֹם
הַזֶּ֖ה וְלֹ֥א תִכְבֶּֽה׃

Visto que me deixaram. Este versículo é essencialmente paralelo a 2Rs 22.17, onde ofereço as notas expositivas. As palavras "está derramado" no livro de Crônicas aparecem como "acendeu" no livro de Reis, que concorda melhor com a ideia de o fogo não ser apagado.

■ **34.26,27**

וְאֶל־מֶ֣לֶךְ יְהוּדָ֗ה הַשֹּׁלֵ֤חַ אֶתְכֶם֙ לִדְר֣וֹשׁ בַּֽיהוָ֔ה
כֹּ֥ה תֹאמְר֖וּ אֵלָ֑יו ס כֹּֽה־אָמַ֤ר יְהוָה֙ אֱלֹהֵ֣י יִשְׂרָאֵ֔ל
הַדְּבָרִ֖ים אֲשֶׁ֥ר שָׁמָֽעְתָּ׃

יַ֨עַן רַךְ־לְבָבְךָ֜ וַתִּכָּנַ֣ע ׀ מִלִּפְנֵ֣י אֱלֹהִ֗ים בְּשָׁמְעֲךָ֤
אֶת־דְּבָרָיו֙ עַל־הַמָּק֤וֹם הַזֶּה֙ וְעַל־יֹ֣שְׁבָ֔יו וַתִּכָּנַ֣ע
לְפָנַ֔י וַתִּקְרַ֥ע אֶת־בְּגָדֶ֖יךָ וַתֵּ֣בְךְּ לְפָנָ֑י וְגַם־אֲנִ֥י
שָׁמַ֖עְתִּי נְאֻם־יְהוָֽה׃

Porém ao rei de Judá, que vos enviou a consultar o Senhor. Estes dois versículos são paralelos a 2Rs 22.17,18, onde as notas expositivas foram dadas. O livro de Reis adiciona o comentário de que os habitantes se tornariam uma *desolação e uma maldição*, o que o cronista omitiu (o vs. 19 é paralelo de 2Cr 34.27).

■ **34.28**

הִנְנִ֨י אֹֽסִפְךָ֜ אֶל־אֲבֹתֶ֗יךָ וְנֶאֱסַפְתָּ֣ אֶל־קִבְרֹתֶיךָ֮
בְּשָׁלוֹם֒ וְלֹא־תִרְאֶ֣ינָה עֵינֶ֔יךָ בְּכֹל֙ הָֽרָעָ֔ה אֲשֶׁ֨ר אֲנִ֥י
מֵבִ֛יא עַל־הַמָּק֥וֹם הַזֶּ֖ה וְעַל־יֹשְׁבָ֑יו וַיָּשִׁ֥יבוּ אֶת־הַמֶּ֖לֶךְ
דָּבָֽר׃ פ

Pelo que, eis que eu te reunirei a teus pais. Este versículo é paralelo a 2Rs 22.20, onde as notas expositivas são oferecidas.

■ **34.29**

וַיִּשְׁלַ֖ח הַמֶּ֑לֶךְ וַיֶּאֱסֹ֕ף אֶת־כָּל־זִקְנֵ֥י יְהוּדָ֖ה וִירוּשָׁלָֽם׃

Então deu ordem o rei. Este versículo é paralelo direto de 2Rs 23.1, onde as notas expositivas são oferecidas.

■ **34.30**

וַיַּ֣עַל הַמֶּ֣לֶךְ בֵּית־יְ֠הוָה וְכָל־אִ֨ישׁ יְהוּדָ֜ה וְיֹשְׁבֵ֣י
יְרוּשָׁלַ֗ם וְהַכֹּֽהֲנִים֙ וְהַלְוִיִּ֔ם וְכָל־הָעָ֖ם מִגָּד֣וֹל
וְעַד־קָטָ֑ן וַיִּקְרָ֣א בְאָזְנֵיהֶ֗ם אֶת־כָּל־דִּבְרֵי֙ סֵ֣פֶר
הַבְּרִ֔ית הַנִּמְצָ֖א בֵּ֥ית יְהוָֽה׃

O rei subiu à casa do Senhor. Este versículo é essencialmente paralelo a 2Rs 23.2, onde as notas expositivas são oferecidas. O cronista substituiu "profetas" por "levitas".

■ **34.31**

וַיַּעֲמֹ֨ד הַמֶּ֜לֶךְ עַל־עָמְד֗וֹ וַיִּכְרֹ֣ת אֶֽת־הַבְּרִית֮ לִפְנֵ֣י
יְהוָה֒ לָלֶ֜כֶת אַחֲרֵ֣י יְהוָ֗ה וְלִשְׁמ֤וֹר אֶת־מִצְוֹתָיו֙
וְעֵדְוֹתָ֣יו וְחֻקָּ֔יו בְּכָל־לְבָב֖וֹ וּבְכָל־נַפְשׁ֑וֹ לַעֲשׂוֹת֙
אֶת־דִּבְרֵ֣י הַבְּרִ֔ית הַכְּתוּבִ֖ים עַל־הַסֵּ֥פֶר הַזֶּֽה׃

O rei se pôs no seu lugar. Este versículo é essencialmente paralelo a 2Rs 23.3, onde a exposição é oferecida.

■ **34.32**

וַיַּעֲמֵ֕ד אֵ֛ת כָּל־הַנִּמְצָ֥א בִירוּשָׁלַ֖ם וּבִנְיָמִ֑ן וַיַּֽעֲשׂוּ֙ יֹשְׁבֵ֣י
יְרוּשָׁלַ֔ם כִּבְרִ֥ית אֱלֹהִ֖ים אֱלֹהֵ֥י אֲבוֹתֵיהֶֽם׃

Todos os que se acharam em Jerusalém e em Benjamim. O cronista fornece uma espécie de repetição das ideias do versículo anterior, que é mais breve no paralelo de 2Rs 23.4. Este versículo mostra-nos que Josias insistiu em um *novo pacto* nacional, e não permitiu que houvesse quem dele discordasse.

Fizeram segundo. "É possível que ele tenha feito todos se *levantarem* quando leu os termos da aliança, e assim todos *testificaram* sua aprovação à própria aliança, bem como sua *decisão* de observá-la fielmente e de forma perseverante" (Adam Clarke, *in loc.*). A versão siríaca diz que a congregação se levantou para afirmar a aprovação ao pacto.

■ 34.33

וַיָּסַר יֹאשִׁיָּהוּ אֶת־כָּל־הַתּוֹעֵבוֹת מִכָּל־הָאֲרָצוֹת
אֲשֶׁר לִבְנֵי יִשְׂרָאֵל וַיַּעֲבֵד אֵת כָּל־הַנִּמְצָא בְּיִשְׂרָאֵל
לַעֲבוֹד אֶת־יְהוָה אֱלֹהֵיהֶם כָּל־יָמָיו לֹא סָרוּ מֵאַחֲרֵי
יְהוָה אֱלֹהֵי אֲבוֹתֵיהֶם׃ פ

Josias tirou todas as abominações. O *cronista* condensou e refez sua fonte informativa, o trecho paralelo de 2Rs 23.4-20, uma passagem muito longa concernente às extensas reformas de Josias. O cronista deu uma simples declaração a respeito de uma narrativa bastante detalhada.

A declaração deste versículo refere-se ao vs. 6 deste capítulo, que alude à universalidade das reformas. Essas reformas ocorreram em Israel, e não somente em Judá. O cronista assegura-nos que as reformas permaneceram válidas enquanto Josias foi rei. Pelo menos ele obteve uma lealdade externa às reformas e ao pacto por ele firmados. O povo aceitou as medidas, mas provavelmente não foi transformado. "... houve grandes declínios e corrupções entre eles, conforme mostram as profecias de Jeremias e Sofonias" (John Gill, *in loc.*).

Cronologia. Note o leitor que o autor do livro de Reis sumariou todo o movimento de reforma depois da leitura do recém-descoberto livro da lei, *como se isso* fosse tudo quanto acontecera naquela ocasião. Mas o cronista já havia falado como se aspectos desse movimento tivessem ocorrido antes da restauração do templo e da leitura do livro da lei. Coisas assim de pouca monta, mesmo quando contêm discrepâncias, nada depõem contra alguma teoria sã da inspiração da Bíblia ou da exatidão bíblica.

A *queda na idolatria* ocorreu imediatamente depois da morte de Josias. Isso significa que o mal da idolatria era incurável em Judá. Judá haveria de sofrer em breve o cativeiro babilônico, e assim teriam cumprimento as tremendas profecias de Hulda. Cf. Jr 11; 13.27; 16.20 e 17.1,2.

CAPÍTULO TRINTA E CINCO

A PÁSCOA DE JOSIAS (35.1-19)

PREPARATIVOS PARA A PÁSCOA (35.1-9)

Este evento deve ser comparado com a páscoa similar de Ezequias (narrada no capítulo 30 deste mesmo livro). Ambos os reis tentaram enfatizar a unidade nacional em torno do yahwismo. Participaram até os remanescentes do povo das antigas tribos do norte, os *samaritanos* (os poucos sobreviventes do cativeiro assírio, misturados com pagãos). Ver o vs. 17. Quanto à origem dos samaritanos (que periodicamente punham em prática o yahwismo), ver 2Rs 17.24-41. Cf. 2Cr 30.1 e 34.9.

A *páscoa de Josias* foi celebrada em seu décimo oitavo ano de governo (vs. 19), quando ele tinha 26 anos de idade. Ver também 2Rs 23.23. Ele encarregou os ministros de cumprir todos os deveres e instruiu que a arca da aliança fosse deixada no templo, e não levada no cortejo, como se dava quando Israel ainda vagueava pelo deserto. Mas quanto a outros aspectos, as cerimônias foram todas efetuadas aos moldes mosaicos.

Havia *três festividades* que tinham de ser observadas em Jerusalém, e às quais todos os varões tinham de peregrinar: a Páscoa, o Pentecoste e os Tabernáculos. Ver no *Dicionário*, em separado, cada uma dessas festas, e ver também o artigo chamado *Festas (Festividades) Judaicas*. Ver Dt 16.16 quanto à menção das três festas. Mas em tempos de apostasia, tais obrigações foram ignoradas. Ezequias e Josias tentaram restabelecer a ordem mosaica original e, enquanto foram reis, essas festas ocorreram. Mas Judá adquirira uma idolatria incurável, de maneira que nenhuma reforma durava longo tempo.

Ver o trecho paralelo em 2Rs 23.21-23. Essa passagem tão somente nos diz que Josias encabeçou a *maior páscoa* até os seus tempos, mas não oferece detalhes a respeito. Por conseguinte, 2Cr 35.2-17 não tem paralelo no livro de Reis. Alguns críticos pensam que a páscoa de Josias não passa de uma ficção, em que se refletiu a páscoa dirigida por Ezequias, visto que Josias, o grande reformador, dificilmente poderia ter ignorado uma festividade nacional e anual. Outros críticos acreditam que a páscoa de Josias foi um acontecimento histórico, mas não o dirigido por Ezequias, e o qual foi inventado com base na páscoa de Josias. Todavia, não há base nenhuma para duvidar da autenticidade de ambos os eventos, registrados tanto pelo autor de Reis como pelo autor de Crônicas. Seja como for, o cronista sabia que a páscoa de Josias havia excedido em glória à páscoa de Ezequias. Os relatos de Reis e de Crônicas dão-nos uma representação mais completa da páscoa do que o faz o Pentateuco. Portanto, nesses dois livros encontramos um pouco mais de informações históricas sobre como a festividade foi efetuada na época posterior dos reis.

■ 35.1

וַיַּעַשׂ יֹאשִׁיָּהוּ בִירוּשָׁלַםִ פֶּסַח לַיהוָה וַיִּשְׁחֲטוּ הַפֶּסַח
בְּאַרְבָּעָה עָשָׂר לַחֹדֶשׁ הָרִאשׁוֹן׃

Josias celebrou a páscoa ao Senhor em Jerusalém. Este versículo é um paralelo aproximado de 2Rs 23.21, onde forneço as notas expositivas. Dou anotações preparatórias e detalhadas sobre o que está implícito na páscoa de Josias, na introdução ao presente capítulo e a 2Rs 23.21. O paralelo, em 2Rs 23.23, fornece-nos uma nota cronológica, provida no vs. 19 do presente capítulo. Note que ambos os autores asseguram-nos que a páscoa foi celebrada no tempo certo, no primeiro mês, ao décimo quarto dia, como aconteceu com a páscoa original. A páscoa de Ezequias foi celebrada com um mês de atraso, porque antes disso ainda não se tinha completado a purificação do templo. Ver 2Cr 30.2,3. O autor do livro de Reis diz-nos que essa foi a mais impressionante páscoa observada desde os tempos dos Juízes, seguindo bem de perto a legislação mosaica. Sendo isso verdade, a festa teria de ser observada no dia certo, embora o autor de Reis não tenha mencionado isso especificamente. Ver Êx 12.6.

A páscoa foi celebrada como parte da renovação do pacto, mencionado em 2Cr 34.30,31. Cf. essa declaração com 2Rs 23.21.

■ 35.2

וַיַּעֲמֵד הַכֹּהֲנִים עַל־מִשְׁמְרוֹתָם וַיְחַזְּקֵם לַעֲבוֹדַת
בֵּית יְהוָה׃

Estabeleceu os sacerdotes nos seus cargos. Os vss. 2-17, que descrevem a páscoa de Josias, não têm paralelo no livro de 2Reis. O autor contentou-se em dizer-nos que foi a mais impressionante páscoa desde os dias dos Juízes (ver 2Rs 23.22). Talvez tenha sido a mais impressionante páscoa em toda a história de Israel e Judá.

Na reforma de Josias, os sacerdotes e levitas reassumiram seus deveres, em concordância com a legislação mosaica. Os levitas reiniciaram seu trabalho por turnos, conforme Davi tinha determinado (ver 1Cr 23-26). Está especialmente em vista a realização da páscoa. O rei encorajou-se mediante exortações e instruções. Ver 1Cr 19.5 ss. quanto a algo similar.

■ 35.3

וַיֹּאמֶר לַלְוִיִּם הַמְּבִינִים לְכָל־יִשְׂרָאֵל הַקְּדוֹשִׁים
לַיהוָה תְּנוּ אֶת־אֲרוֹן־הַקֹּדֶשׁ בַּבַּיִת אֲשֶׁר בָּנָה שְׁלֹמֹה
בֶן־דָּוִיד מֶלֶךְ יִשְׂרָאֵל אֵין־לָכֶם מַשָּׂא בַּכָּתֵף עַתָּה
עִבְדוּ אֶת־יְהוָה אֱלֹהֵיכֶם וְאֵת עַמּוֹ יִשְׂרָאֵל׃

Disse aos levitas que ensinavam a todo o Israel. Os *levitas* tinham a responsabilidade de transportar a arca da aliança, quando o povo de Israel perambulava pelo deserto. Isso fazia parte da legislação mosaica. Mas agora que o templo estava de pé, não havia mais razão para transportar a arca em redor. Portanto, ela foi deixada em seu lugar apropriado, no Santo dos Santos. Essa foi uma modificação necessária das leis concernentes à arca, visto que novas condições requeriam uma mudança de conduta. Ver Nm 4.15; 7.9; 1Cr 15.2 e 23.26. É patente que a arca tinha estado fora de lugar, uma ação provável do profano e abominável rei Manassés, que contaminou o templo ao colocar ali ídolos pagãos. Agora, porém, a arca fora restaurada a seu lugar original, onde devia mesmo estar. Ou talvez os reparos feitos por Josias no templo tenham requerido uma remoção temporária da arca.

Ensinos. Os levitas precisam ensinar o povo acerca da páscoa e de outros ritos e tradições antigas, visto que, nos tempos de apostasia, o povo havia sido criado na ignorância dessas coisas. Cf. Ne 8.7 e 2Cr 17.8,9. Os levitas eram santos e separados para Yahweh e seu serviço, portanto estavam qualificados para realizar os deveres espirituais que lhes eram atribuídos. Cf. Êx 28.36.

Ver 1Rs 8 quanto à colocação, por parte de Salomão, da arca no Santo dos Santos, para ali ficar. Suas perambulações estavam terminadas. Ver no *Dicionário* o artigo chamado *Arca da Aliança,* quanto a detalhes completos. Ver na *Enciclopédia de Bíblia, Teologia e Filosofia* o artigo chamado *Ensino.*

■ 35.4

וְהָכוֹנוּ לְבֵית־אֲבוֹתֵיכֶם כְּמַחְלְקוֹתֵיכֶם בִּכְתָב דָּוִיד מֶלֶךְ יִשְׂרָאֵל וּבְמִכְתַּב שְׁלֹמֹה בְנוֹ:

Preparai-vos segundo as vossas famílias. Tendo cuidado da questão da arca, eles agora estavam livres para atender a outros serviços sagrados. Eles deveriam dividir-se segundo seus turnos, conforme *Davi* tinha ordenado (ver 1Cr 24), e conforme *Salomão* havia confirmado (2Cr 8.14). Deveriam ministrar ao povo de acordo com os seus clãs. Ver 1Cr 23—26 quanto a detalhes sobre os ofícios e as funções dos levitas, e quanto aos clãs de onde se originavam. Cf. este versículo com 1Cr 28.19. Os levitas garantiram a observância apropriada dos ritos da páscoa, certificando-se da compreensão do povo a respeito da festividade, e da participação de todos segundo os moldes estipulados por Moisés.

■ 35.5,6

וְעִמְדוּ בַקֹּדֶשׁ לִפְלֻגּוֹת בֵּית הָאָבוֹת לַאֲחֵיכֶם בְּנֵי הָעָם וַחֲלֻקַּת בֵּית־אָב לַלְוִיִּם:

וְשַׁחֲטוּ הַפָּסַח וְהִתְקַדְּשׁוּ וְהָכִינוּ לַאֲחֵיכֶם לַעֲשׂוֹת כִּדְבַר־יְהוָה בְּיַד־מֹשֶׁה: פ

Ministrai no santuário. Somente o sumo sacerdote podia entrar no Santo dos Santos, e mesmo assim somente uma vez por ano. Os sacerdotes ofereciam os sacrifícios. Os levitas tinham diversos deveres no Lugar Santo e nos átrios, assistindo os sacerdotes em seu serviço e atuando como guias e guardiães no complexo do templo.

Quanto à páscoa propriamente dita, era dever dos levitas abater os cordeiros pascais (vs. 6), preparando-os para o consumo do povo. Ver 2Cr 30.16,17.

"Os levitas deveriam esfolar os cordeiros e entregar o sangue aos sacerdotes, e então distribuir a parte da carne assada que pertencia ao povo (vss. 11 e 12)" (Ellicott, *in loc.*). Quanto a esses rituais e deveres, os levitas precisavam *santificar-se,* provavelmente lavando as mãos antes de manusear o sangue, além de alguma outra purificação ritual, não com propósitos higiênicos, mas por motivo de pureza cerimonial. Ver no *Dicionário* os verbetes chamados *Limpo e Imundo* e *Páscoa,* no tocante às leis que governavam o evento, e no tocante à sua história e significação.

No santuário. Ou seja, no átrio dos sacerdotes, onde os animais eram sacrificados. Ao povo era permitido entrar para sacrificar e festejar, de acordo com suas tribos, em grupos ou companhias de várias famílias ao mesmo tempo. Dessa maneira, grandes massas populares podiam fazer-se presentes, grupo após grupo, e os levitas tinham de controlar todo o movimento.

■ 35.7

וַיָּרֶם יֹאשִׁיָּהוּ לִבְנֵי הָעָם צֹאן כְּבָשִׂים וּבְנֵי־עִזִּים הַכֹּל לַפְּסָחִים לְכָל־הַנִּמְצָא לְמִסְפַּר שְׁלֹשִׁים אֶלֶף וּבָקָר שְׁלֹשֶׁת אֲלָפִים אֵלֶּה מֵרְכוּשׁ הַמֶּלֶךְ: ס

Ofereceu Josias, a todo o povo. *A Contribuição do Rei.* Dos rebanhos reais, Josias fez uma contribuição pessoal de trinta mil cordeiros. Além disso, doou três mil bois para serem sacrificados e servirem de banquete, tirados de seus próprios rebanhos de gado vacum. Esses animais eram para a *chagigah,* a festa. A páscoa era uma festividade popular, uma época de alegria e festejos que comemoravam a liberdade de Israel da escravidão no Egito. A gordura e o sangue eram outorgados a Yahweh, o participante invisível da festa (ver Lv 3.17). Os sacerdotes dispunham de oito porções para seu uso (Lv 6.26; 7.11-24; Nm 18.8; Dt 12.17,18). Então os adoradores também tinham uma partilha dos animais que haviam trazido para o sacrifício. Nessa ocasião particular, entretanto, o rei cuidou que houvesse grande abundância de animais, para que a festa fosse realmente grande. Ver 2Cr 30.24; 31.3 e 32.29 quanto às contribuições de Ezequias para os sacrifícios, retiradas de seus próprios recursos. Note-se que a contribuição de Josias para a páscoa foi maior que a de Ezequias. Foi também uma páscoa mais significativa, a maior celebração desde os tempos dos juízes e, talvez, de todos os tempos (ver 2Rs 23.22).

■ 35.8

וְשָׂרָיו לִנְדָבָה לָעָם לַכֹּהֲנִים וְלַלְוִיִּם הֵרִימוּ חִלְקִיָּה וּזְכַרְיָהוּ וִיחִיאֵל נְגִידֵי בֵּית הָאֱלֹהִים לַכֹּהֲנִים נָתְנוּ לַפְּסָחִים אַלְפַּיִם וְשֵׁשׁ מֵאוֹת וּבָקָר שְׁלֹשׁ מֵאוֹת:

Também fizeram os seus príncipes ofertas voluntárias. *As Contribuições dos Príncipes.* Os principais líderes de Judá seguiram o bom exemplo de Josias e fizeram contribuições maciças para a ocasião da celebração. Os principais líderes que contribuíram tiveram os nomes listados, e há artigos sobre eles no *Dicionário.* Eles doaram 2.600 cabritos e cordeiros e trezentos bois de seus recursos pessoais. Devemos lembrar que a festa (incluindo os pães asmos) perdurou por sete dias. Portanto, eram necessárias grandes provisões. Os pobres, que não possuíam animais domesticados, seriam assim cuidados, pois para eles o sacrifício de animais seria uma tremenda despesa.

Conforme somos informados em 2Cr 30.24, os príncipes de Ezequias também fizeram contribuições para a observância da páscoa. A páscoa também foi um evento muito significativo, mas, quanto à grandeza, coisa alguma se compara com o que Josias produziu.

Hilquias era o sumo sacerdote (2Cr 34.9); *Zacarias* era o principal deputado (2Rs 25.18); e é possível que *Jeiel,* fosse sido o cabeça da linhagem de Itamar, que continuou existindo depois do cativeiro babilônico (ver Ed 8.2).

■ 35.9

וְכָנַנְיָהוּ וּשְׁמַעְיָהוּ וּנְתַנְאֵל אֶחָיו וַחֲשַׁבְיָהוּ וִיעִיאֵל וְיוֹזָבָד שָׂרֵי הַלְוִיִּם הֵרִימוּ לַלְוִיִּם לַפְּסָחִים חֲמֵשֶׁת אֲלָפִים וּבָקָר חֲמֵשׁ מֵאוֹת:

Conanias, Semaías e Natanael. Além disso, outros *levitas* de nomeada contribuíram com seus irmãos mais pobres, isto é, outros levitas. Ver 2Cr 31.12 quanto uma lista anterior dos nomes dados aqui. Esses levitas proveram cinco mil cordeiros e cabritos e quinhentas cabeças de gado, isto é, animais nobres, próprios para serem sacrificados e consumidos na ocasião. Ver os *cinco animais* que podiam ser sacrificados, em Lv 1.14-16.

Os Nomes. Os mesmos nomes são dados como nomes de levitas líderes no tempo de Ezequias, cerca de cem anos antes. Portanto, os intérpretes supõem que devam estar em vista os nomes de casas líderes, e não os mesmos indivíduos. Caso contrário, então o cronista cometeu um erro realmente crasso! Alguns críticos supõem que tenhamos aqui uma informação *dupla,* pois teria havido uma só páscoa, ou a de Ezequias ou a de Josias, e uma teria sido inventada usando informações baseadas na outra. Ver a introdução a este capítulo, onde a questão é discutida. Ver o trecho paralelo.

35.10

וַתִּכּוֹן הָעֲבוֹדָה וַיַּעַמְדוּ הַכֹּהֲנִים עַל־עָמְדָם וְהַלְוִיִּם
עַל־מַחְלְקוֹתָם כְּמִצְוַת הַמֶּלֶךְ׃

Assim se preparou o serviço. Sacerdotes e levitas, cada qual assumiu seu devido lugar, a fim de realizar serviços específicos, em consonância com a legislação mosaica, a qual é amplamente ilustrada em 1Cr 23—26. Foi assim que a páscoa começou e foi conduzida devidamente. Ver o vs. 4 deste capítulo. As ordens do rei foram obedecidas de modo perfeito. Ver também o vs. 16 deste capítulo.

35.11

וַיִּשְׁחֲטוּ הַפָּסַח וַיִּזְרְקוּ הַכֹּהֲנִים מִיָּדָם וְהַלְוִיִּם
מַפְשִׁיטִים׃

Então imolaram o cordeiro da páscoa. Os levitas mataram os animais e os esfolaram. Em seguida, entregaram o sangue dos cordeiros aos sacerdotes para o rito no altar dos holocaustos, e estes aspergiram o sangue sobre a sua base. O sentido dessa cerimônia era a *expiação*, bem como a comemoração do livramento do povo de Israel da escravidão no Egito. Naquele dia da primeira celebração da páscoa, o anjo da morte passou por cima das casas de israelitas que estavam protegidas pelo sangue do cordeiro, e ali não morreu nenhum filho primogênito. Mas os filhos primogênitos dos egípcios tornaram-se sacrifícios terríveis para aplacar a ira de Yahweh. Originalmente, os próprios adoradores matavam e esfolavam os animais; posteriormente, porém, a tarefa foi entregue aos levitas. Cf. 2Cr 30.17. A exceção acabou tornando-se a regra. Ver as notas sobre 2Cr 30.17 quanto a explicações.

Mudanças? Veja o leitor como os animais de maior porte (os bois) também se tornaram aceitos para a páscoa. A alternativa é que os bois foram limitados à festa que se seguiu. Cf. Dt 16.2. O fato de que a carne foi *cozida* concorda com Deuteronômio, mas não com outras leis (ver Dt 16.7 comparado com Êx 12.9). As práticas variavam de época para época, e leis originais eram relaxadas. Os críticos acusam o cronista de ter inventado coisas, porém o mais provável é que o passar do tempo alterou os procedimentos.

35.12

וַיָּסִירוּ הָעֹלָה לְתִתָּם לְמִפְלַגּוֹת לְבֵית־אָבוֹת לִבְנֵי
הָעָם לְהַקְרִיב לַיהוָה כַּכָּתוּב בְּסֵפֶר מֹשֶׁה וְכֵן
לַבָּקָר׃

Puseram de parte o que era para os holocaustos. Talvez os animais de maior porte, os bois, ficassem limitados à festividade dos sete dias, e os cordeiros fossem usados no próprio ritual da páscoa. É possível que, originalmente, a *páscoa* e os *pães asmos* fossem festas separadas, que vieram a ser celebradas juntas, como uma e idêntica comemoração. Para a páscoa eram sacrificados cordeiros; para a festa dos pães asmos eram sacrificados bois. Então os holocaustos tornaram-se uma parte do todo, efetuados como outras ofertas, com vistas a fazer expiação. Além dessas, havia as misteriosas *ofertas sagradas* (vss. 12 e 13), que deixam os intérpretes perplexos. Só podemos supor que alguma espécie de desenvolvimento tenha ocorrido, alterando o caráter das festividades originais. Cf. Lv 3.3-5.

"Todas as subdivisões das diferentes casas dos pais chegaram, uma depois da outra, ao altar, em cortejo solene, para trazer aos sacerdotes as porções que tinham sido cortadas, e os sacerdotes punham esses pedaços no fogo do altar das ofertas queimadas" (Jamieson, *in loc.*).

35.13

וַיְבַשְּׁלוּ הַפֶּסַח בָּאֵשׁ כַּמִּשְׁפָּט וְהַקֳּדָשִׁים בִּשְּׁלוּ
בַּסִּירוֹת וּבַדְּוָדִים וּבַצֵּלָחוֹת וַיָּרִיצוּ לְכָל־בְּנֵי הָעָם׃

Assaram o cordeiro da páscoa no fogo. A *páscoa* propriamente dita foi efetuada da maneira prescrita, com o uso dos cordeiros para o sacrifício. Ver Êx 12.7-9 e Dt 16.7. Então os levitas prepararam os holocaustos para o consumo dos sacerdotes, visto que eles estavam ocupados com as cerimônias da páscoa. O gado vacum era usado para as ofertas de ação de graças ou de comunhão, mas não na celebração da páscoa. O texto presente, contudo, parece colocar as duas coisas simultaneamente, e não uma depois da outra, nos ritos dos pães asmos. Teriam as duas celebrações sido efetuadas simultaneamente? W. A. L. Elmslie, *in loc.*, pensa que temos aqui uma confusão provocada pelos revisores das narrativas, a qual obscureceu a questão. Além disso, ele chamou as coisas santas que foram oferecidas de *misteriosas*. Mas é possível que as coisas se tenham desenvolvido de tal modo que, no tempo dos últimos reis de Judá, as cerimônias fossem bastante diferentes dos ritos originais.

As ofertas sagradas. As coisas consagradas eram cozidas em panelas e caldeirões. As coisas consagradas eram os bois (ver 2Cr 29.33). "A carne deles era cozida ou frita, e então distribuída pelos levitas aos leigos. O autor sacro diz aqui o que foi feito na noite do décimo quarto dia do mês, o dia da celebração da páscoa. Mas também revela o que ocorreu durante os sete dias seguintes, a festa dos *Mazzoth*, isto é, a festa dos *Pães Asmos*. Na noitinha da páscoa, somente os cordeiros pascais e acompanhamentos eram comidos. Os bois eram mortos como ofertas pacíficas, durante as festas subsequentes (ver Dt 16.1-8), quando então eram fornecidos materiais para as refeições sacrificiais" (Ellicott, *in loc.*). Dessa maneira, o comentarista resolveu os problemas do texto, mas admitindo-os, algo que o cronista não fez, pois deixou a questão um tanto confusa. Talvez o cronista pensasse que seus leitores entenderiam tudo sobre a questão, e não teve o cuidado de esclarecer as coisas. Cf. Lv 3.1-5.

35.14

וְאַחַר הֵכִינוּ לָהֶם וְלַכֹּהֲנִים כִּי הַכֹּהֲנִים בְּנֵי אַהֲרֹן
בְּהַעֲלוֹת הָעוֹלָה וְהַחֲלָבִים עַד־לָיְלָה וְהַלְוִיִּם הֵכִינוּ
לָהֶם וְלַכֹּהֲנִים בְּנֵי אַהֲרֹן׃

Depois as prepararam para si e para os sacerdotes. Os levitas e os sacerdotes comiam sua porção depois do povo. A gordura e o sangue tinham sido oferecidos a Yahweh (ver Lv 3.17). Portanto, quando tudo isso estava terminado, eles cuidavam de si mesmos. Serviam aos outros primeiro, principalmente a Yahweh, e então serviam a si mesmos, o que nos prové uma lição moral e espiritual. O maior é o que serve, uma lição ensinada pelo Senhor Jesus no capítulo 13 do Evangelho de João. "Ocupados o dia inteiro a servir aos outros, os levitas não tinham lazer para prover refrigério para si mesmos" (Jamieson, *in loc.*).

35.15

וְהַמְשֹׁרְרִים בְּנֵי־אָסָף עַל־מַעֲמָדָם כְּמִצְוַת דָּוִיד
וְאָסָף וְהֵימָן וִידֻתוּן חוֹזֵה הַמֶּלֶךְ וְהַשֹּׁעֲרִים לְשַׁעַר
וָשָׁעַר אֵין לָהֶם לָסוּר מֵעַל עֲבֹדָתָם כִּי־אֲחֵיהֶם
הַלְוִיִּם הֵכִינוּ לָהֶם׃

Os cantores, filhos de Asafe. Cada indivíduo desempenhava a sua função. Os cantores acompanhavam a festa com seus cânticos espirituais; os videntes estavam em evidência, dando aos demais o exemplo apropriado; os porteiros estavam em seus postos. E os levitas serviam a todos eles. Talvez fossem entoados os Salmos 113 e 118. Os cantores não podiam deixar seus lugares, nem os porteiros podiam largar seus postos. Portanto, esses dois grupos, os cantores e os porteiros, tinham de ser servidos *in situ*. Ver os nomes próprios no *Dicionário*.

Os nomes dados falam dos turnos, pelo menos em alguns casos, e não de indivíduos, e devemos entender as palavras "filhos de", que acompanham os indivíduos nomeados, como seus *descendentes*.

35.16

וַתִּכּוֹן כָּל־עֲבוֹדַת יְהוָה בַּיּוֹם הַהוּא לַעֲשׂוֹת הַפָּסַח
וְהַעֲלוֹת עֹלוֹת עַל מִזְבַּח יְהוָה כְּמִצְוַת הַמֶּלֶךְ
יֹאשִׁיָּהוּ׃

Assim se estabeleceu todo o serviço do Senhor. *Um Sumário.* Tudo foi feito com precisão, cada indivíduo desempenhando a parte que lhe cabia, de modo que todo o "serviço prestado a Yahweh" foi realizado em consonância com as regras. Dessa maneira, a páscoa de Josias foi efetuada com decência e ordem. A páscoa foi realizada devidamente, e assim também os sacrifícios relativos aos pães asmos, bem como as festividades acompanhantes que envolveram toda a comunidade.

Josias foi o poder por trás das celebrações, as quais haviam sido negligenciadas em tempos de apostasia. Ele tentava cumprir o propósito de obter a *unidade nacional* por via da realização de uma festa nacional. Isso fazia parte de sua restauração do yahwismo.

■ 35.17

וַיַּעֲשׂוּ בְנֵי־יִשְׂרָאֵל הַנִּמְצְאִים אֶת־הַפֶּסַח בָּעֵת הַהִיא וְאֶת־חַג הַמַּצּוֹת שִׁבְעַת יָמִים׃

Os filhos de Israel que se acharam presentes. Tanto Israel quanto Judá participaram das festividades, conforme demonstram este e o versículo seguinte.

Naquele tempo. "A páscoa foi observada na noite do décimo quarto dia do mês de nisã, e os *mazzoth* (pães asmos), do dia quinze ao dia vinte e um do mesmo mês" (Ellicott, *in loc.*). Assim foram satisfeitos antigos preceitos da lei. Cf. este versículo com Mt 26.2; Mc 14.1; Lc 2.41-43; 22.1; Jo 2.13; At 12.4. Ver também Êx 12.8,15,17,18,20,39; 13.6,7 e 23.15. Ver Êx 12 e 13 quanto às festividades originais.

■ 35.18

וְלֹא־נַעֲשָׂה פֶסַח כָּמֹהוּ בְּיִשְׂרָאֵל מִימֵי שְׁמוּאֵל הַנָּבִיא וְכָל־מַלְכֵי יִשְׂרָאֵל לֹא־עָשׂוּ כַּפֶּסַח אֲשֶׁר־עָשָׂה יֹאשִׁיָּהוּ וְהַכֹּהֲנִים וְהַלְוִיִּם וְכָל־יְהוּדָה וְיִשְׂרָאֵל הַנִּמְצָא וְיוֹשְׁבֵי יְרוּשָׁלִָם׃ ס

Nunca, pois, se celebrou tal páscoa em Israel. *A Maior das Páscoas.* A páscoa de Josias foi esplendorosa, maior ainda que a de Ezequias (capítulo 30 deste livro). A liberalidade de Josias, para torná-la um sucesso, fez dela uma grande páscoa. O livro de Reis concorda e diz que foi a maior das páscoas desde os tempos dos juízes (ver 2Rs 23.22). O cronista diz que não houve maior desde os dias de Samuel, o que é a mesma coisa, visto que Samuel foi o último dos juízes de Israel. Ver as notas em 2Rs quanto a detalhes que não reitero aqui. Houve certa grandiosidade na páscoa de Josias que a fez ultrapassar todas as outras. Além disso, concentrou-se uma grande congregação nessa páscoa, maior do que em todas as anteriores ou posteriores. Representantes de Israel também estavam presentes, embora o reino do norte tenha ficado quase vazio de hebreus devido ao cativeiro assírio, ocorrido em 722 a.C. Quanto a essa *universalidade*, cf. a páscoa de Ezequias (2Cr 30.5,6,18). Era esperança de Josias restaurar o *yahwismo* tanto no norte como no sul da antiga nação de Israel, talvez para evitar o predito cativeiro babilônico, que estava tão próximo. Mas essa esperança fracassou, e as palavras de Hulda, a profetisa (ver 2Cr 34.24 ss.), tiveram cumprimento. Seja como for, o rei Josias, por causa de sua sinceridade, não teve de sofrer sob o cativeiro babilônico. Enquanto viveu, o cativeiro babilônico não ocorreu. 2Cr 36 registra o temível acontecimento.

■ 35.19

בִּשְׁמוֹנֶה עֶשְׂרֵה שָׁנָה לְמַלְכוּת יֹאשִׁיָּהוּ נַעֲשָׂה הַפֶּסַח הַזֶּה׃

No décimo oitavo ano do reinado de Josias. *Uma Nota Cronológica.* A grande páscoa foi celebrada no décimo oitavo ano do governo de Josias, quando ele estava com 26 anos de idade. O trecho paralelo é 2Rs 23.23, onde ofereço as notas expositivas. O livro de Reis adiciona "a Yahweh". Josias fez tudo em honra à Fonte de toda bondade e bênção, e não para sua própria glorificação.

"A reforma religiosa *culminou,* muito apropriadamente, em uma esplêndida celebração da páscoa" (Ellicott, *in loc.*).

ENCONTRO FATAL DE JOSIAS COM NECO, DO EGITO (35.20-27)

Ver o paralelo desta seção em 2Rs 23.28-30.

■ 35.20

אַחֲרֵי כָל־זֹאת אֲשֶׁר הֵכִין יֹאשִׁיָּהוּ אֶת־הַבַּיִת עָלָה נְכוֹ מֶלֶךְ־מִצְרַיִם לְהִלָּחֵם בְּכַרְכְּמִישׁ עַל־פְּרָת וַיֵּצֵא לִקְרָאתוֹ יֹאשִׁיָּהוּ׃

A Assíria vinha sendo gradualmente enfraquecida por seus inimigos e, pelos fins de 609 a.C., os assírios haviam perdido a maior parte de seu anterior vasto império. Nínive havia caído em 612 a.C. diante dos babilônios. Portanto, os assírios tinham concentrado suas forças em redor de Harã e Carquêmis, no alto rio Eufrates. O Egito, temendo mais a Babilônia do que a Assíria, resolveu ajudar a esta última, e entrou em favor dos assírios na batalha de Carquêmis. Josias de Judá, por outra parte, favorecia a Babilônia e assim, estupidamente, envolveu-se na batalha. Josias tentou *interceptar* as forças egípcias que avançavam através da Palestina. O Faraó Neco, rei do Egito, era o comandante, e tentou convencer Josias a sair do caminho e não se envolver na guerra. Mas o rei de Judá recusou-se a atendê-lo e logo no começo da batalha foi morto.

O *vs.* 20 é um paralelo aproximado de 2Rs 23.29, onde são dadas notas expositivas adicionais. O cronista mencionou o local da batalha de Carquêmis, que os livros de Reis não apresentam. Mas ambos os autores dizem que Josias foi morto em *Megido.* Ver sobre ambos os lugares comentados no *Dicionário.*

■ 35.21

וַיִּשְׁלַח אֵלָיו מַלְאָכִים לֵאמֹר מַה־לִּי וָלָךְ מֶלֶךְ יְהוּדָה לֹא־עָלֶיךָ אַתָּה הַיּוֹם כִּי אֶל־בֵּית מִלְחַמְתִּי וֵאלֹהִים אָמַר לְבַהֲלֵנִי חֲדַל־לְךָ מֵאֱלֹהִים אֲשֶׁר־עִמִּי וְאַל־יַשְׁחִיתֶךָ׃

Então Neco lhe mandou mensageiros, dizendo. O *cronista* fala sobre os esforços de Neco para impedir que Josias entrasse na batalha, o que o autor dos livros de Reis omitiu. Conforme diz um ditado popular, o rei do Egito "não tinha tempo para amolar seu machado" no caso de Josias. Seu *deus* (provavelmente não uma referência a Yahweh), tinha ordenado que ele avançasse contra a Babilônia, para ajudar a Assíria. Evidências arqueológicas, literárias e outras confirmam o fato de que a maioria dos exércitos antigos, e certamente os de Israel e Judá, do Egito, da Assíria e da Babilônia sempre iam à guerra com a "aprovação" de seus deuses. A chamada pedra Moabita fala de Quemos, um deus que ordenava os exércitos a marchar.

Mas contra a casa que me faz guerra. Supostamente está aqui em foco a "casa da Babilônia", embora a referência seja um tanto obscura. O livro apócrifo de III Esdras diz: "contra o Eufrates é a minha guerra", o que foi conseguido mediante a troca de uma única palavra hebraica por outra. Josefo dá seu apoio a essa versão. A versão siríaca e a Septuaginta simplesmente omitem a frase, e a Vulgata Latina tem a frase explicativa de "contra aliam" (contra outrem).

O Targum faz do *deus* que aparece neste texto um *ídolo.* Mas não é impossível que o cronista se tivesse referido a Yahweh como quem dirigia ordens ao Faraó Neco.

■ 35.22

וְלֹא־הֵסֵב יֹאשִׁיָּהוּ פָנָיו מִמֶּנּוּ כִּי לְהִלָּחֵם־בּוֹ הִתְחַפֵּשׂ וְלֹא שָׁמַע אֶל־דִּבְרֵי נְכוֹ מִפִּי אֱלֹהִים וַיָּבֹא לְהִלָּחֵם בְּבִקְעַת מְגִדּוֹ׃

Porém Josias não tornou atrás. *Josias,* de mente fixa em seu louco propósito, disfarçou-se conforme sucedera com Acabe (2Cr 18.29) e deu prosseguimento à sua intervenção. O local da batalha foi Megido, aquele antigo lugar de matar e ser morto, tão frequente na história belicosa de Israel e Judá. "Durante séculos, as planícies de Megido têm sido a cena de muitas batalhas. Armagedom (literalmente, *a colina de Megido*) será a cena da batalha de Cristo, por ocasião de sua segunda vinda (ver Ap 16.6 e capítulo 19)" (Eugene H. Merrill, *in loc.*). Ver o detalhado artigo sobre esse lugar no *Dicionário.*

35.23

וַיֹּרוּ הַיֹּרִים לַמֶּלֶךְ יֹאשִׁיָּהוּ וַיֹּאמֶר הַמֶּלֶךְ לַעֲבָדָיו הַעֲבִירוּנִי כִּי הָחֳלֵיתִי מְאֹד:

Os flecheiros atiraram contra o rei Josias. Um *grupo de arqueiros* viu o impotente rei Josias, e um ou mais deles aplicaram sua habilidade de matar, e Josias foi atravessado por uma ou mais flechas. O cronista não nos diz (se é que ele o sabia) se os arqueiros egípcios sabiam a quem tinham alvejado. Eles já haviam matado a tantos naquele dia, e o que era um a mais? Além disso, o rei Josias estava disfarçado. Provavelmente ele caiu atravessado pela flecha diante dos arqueiros egípcios, apenas outro soldado não identificado de Judá. Cf. o caso de Acabe, em 1Rs 22.34, que tem muitos detalhes semelhantes.

35.24

וַיַּעֲבִירֻהוּ עֲבָדָיו מִן־הַמֶּרְכָּבָה וַיַּרְכִּיבֻהוּ עַל רֶכֶב הַמִּשְׁנֶה אֲשֶׁר־לוֹ וַיּוֹלִיכֻהוּ יְרוּשָׁלַםִ וַיָּמָת וַיִּקָּבֵר בְּקִבְרוֹת אֲבֹתָיו וְכָל־יְהוּדָה וִירוּשָׁלַםִ מִתְאַבְּלִים עַל־יֹאשִׁיָּהוּ: פ

Seus servos o tiraram do carro. Os oficiais militares de Josias cuidadosamente retiraram o rei de seu carro de combate, colocaram-no em outro e correram com ele para Jerusalém. Mas os esforços foram muito tardios e vãos. Ele morreu uma morte miserável em sua capital. Foi assim que um tão bom rei morreu de uma morte estúpida e desnecessária, intervindo em uma batalha que não tinha nenhum significado para ele nem para Judá. Ademais, ele favorecia a Babilônia, o próprio poder que tomaria Judá e imporia o cativeiro babilônico. Neco mostrou-se mais sábio que Josias quanto ao poder mais perigoso, a Assíria ou a Babilônia. Talvez se Neco e Josias tivessem unido forças com as da Assíria, o cativeiro babilônico teria sido adiado por mais algum tempo. Por outro lado, Yahweh estava punindo Judá pela sua apostasia, e o soerguimento da Babilônia como uma grande potência mundial estava predestinado.

O trecho paralelo de 2Rs 23.30 diz-nos que Josias já estava *morto* em seu carro de combate, antes de chegar a Jerusalém. Ninguém sabia, com certeza, em qual momento o rei morreu.

A morte de Josias foi agudamente sentida tanto em Judá como entre os poucos sobreviventes do cativeiro assírio, no norte, que lamentaram com sinceridade a perda. Algumas mortes parecem um desperdício. Perguntamos por que Deus tem tanta pressa. Mas em algum lugar, há respostas para as nossas perplexidades. Ver no *Dicionário* sobre *Problema do Mal*, quanto a um exame de *por que* os homens sofrem e por que sofrem *de determinada maneira*.

35.25

וַיְקוֹנֵן יִרְמְיָהוּ עַל־יֹאשִׁיָּהוּ וַיֹּאמְרוּ כָל־הַשָּׁרִים וְהַשָּׁרוֹת בְּקִינוֹתֵיהֶם עַל־יֹאשִׁיָּהוּ עַד־הַיּוֹם וַיִּתְּנוּם לְחֹק עַל־יִשְׂרָאֵל וְהִנָּם כְּתוּבִים עַל־הַקִּינוֹת:

Jeremias compôs uma lamentação sobre Josias. Os *intérpretes identificam variegadamente* o material que aparece aqui, as lamentações sobre Josias, algumas das quais, pelo menos, foram compostas pelo profeta Jeremias. Seguiram-se canções populares, e até os dias do cronista tanto homens quanto mulheres continuavam entoando canções acerca do rei que morrera tão inutilmente em batalha. As *lamentações*, muito provavelmente, não devem ser identificadas com o livro bíblico canônico que tem esse nome, embora alguns estudiosos pensem assim. O livro canônico desse nome não tem uma lamentação específica sobre Josias. Provavelmente, esteve em vista uma canção fúnebre que o profeta compôs para a oportunidade. O Targum refere-se à *grande lamentação* citada pelo profeta, e então a faz referir-se ao livro do Antigo Testamento com esse nome. John Gill diz: "uma coletânea de lamentações, atualmente perdidas", o que, provavelmente, reflete a verdade sobre o caso.

Os cantores e cantoras. Ou seja, cantores profissionais, alguns dos quais podem ter pertencido às guildas levíticas. A Septuaginta diz "governantes", em lugar de cantoras, mas provavelmente essa é uma glosa infeliz do texto original.

As deram por prática. As canções tristes que lamentavam a morte do rei Josias tornaram-se tão frequentes e persistentes que a questão se transformou em um costume virtual em Judá, uma espécie de *ordenança* popular, uma obrigação. O paralelo de 2Rs ignora a informação dada neste versículo.

35.26

וְיֶתֶר דִּבְרֵי יֹאשִׁיָּהוּ וַחֲסָדָיו כַּכָּתוּב בְּתוֹרַת יְהוָה:

Quanto aos atos de Josias. O cronista adicionou aqui sua especial *nota de obituário*, que não tem paralelo no livro de 2Reis. Josias distinguiu-se como um obediente seguidor da lei de Moisés. Suas reformas provaram a sua sinceridade. Ele era um homem de *bondade*, um dos melhores reis de Judá, que seguiu o exemplo do rei ideal, Davi, o qual, embora culpado de vários crimes, jamais se voltou para a idolatria. Ver 1Rs 15.3 quanto ao rei ideal de Israel. Ver sobre o *rei ideal*, em Dt 17.14 ss.

35.27

וּדְבָרָיו הָרִאשֹׁנִים וְהָאַחֲרֹנִים הִנָּם כְּתוּבִים עַל־סֵפֶר מַלְכֵי־יִשְׂרָאֵל וִיהוּדָה:

E aos mais atos, assim os primeiros como os últimos. Este versículo é essencialmente paralelo a 2Rs 23.28, excetuando que o cronista disse "assim os primeiros como os últimos", como se fosse uma glosa explanatória. Ver a exposição em 2Rs. Quanto à "história" dos reis de Israel e de Judá, uma fonte (não canônica) constante dos livros de Reis e de Crônicas, ver 1Rs 14.19. Quanto a outros livros perdidos, ver 2Cr 9.29; 12.15; 20.34; 26.22 e 32.25. Além de sua oposição à idolatria e das tentativas de restaurar o yahwismo tanto em Judá quanto em Israel, Josias também foi um homem *bom*, que realizou muitos *atos piedosos*.

CAPÍTULO TRINTA E SEIS

JEOACAZ (36.1-4)

Ver no *Dicionário* três artigos informativos: *Jeoacaz; Reino de Judá;* e *Rei, Realeza*.

O *rei Josias* teve pelo menos quatro filhos (ver 1Cr 3.15), e três deles tornaram-se reis. Os últimos *cinco* monarcas de Judá foram Josias, Jeoacaz, Joaquim, Joaquim e Zedequias, entre 640 a.C. e 587 a.C. Ver o gráfico existente no artigo *Rei, Realeza*. O primeiro filho de Josias a reinar foi Jeoacaz, embora não fosse o filho mais velho. Ele ocupou o trono de Judá por apenas *três meses,* no ano de 609 a.C.

O Paralelo. 2Cr 36.1-11 reduz a passagem de 2Rs 23.26—24.6 com alguma liberdade. Os vss. 12-20 são a própria acusação do cronista contra Zedequias, o último rei de Judá. Ele não quis obedecer a Jeremias, e o povo de Judá mostrou-se infenso ao ensino. As coisas tinham-se desintegrado muito desde os tempos de Josias. O povo zombava dos profetas e, assim sendo, não havia remédio. O *cativeiro babilônico* (ver a respeito no *Dicionário*) tornou-se uma espantosa realidade.

36.1

וַיִּקְחוּ עַם־הָאָרֶץ אֶת־יְהוֹאָחָז בֶּן־יֹאשִׁיָּהוּ וַיַּמְלִיכֻהוּ תַחַת־אָבִיו בִּירוּשָׁלָםִ:

O povo da terra tomou a Jeoacaz. Os judeus escolheram a Jeoacaz, filho de Josias (embora ele não fosse o mais velho dos filhos), para ser sucessor de seu amado rei, o último bom rei de Judá. O paralelo é a segunda metade de 2Rs 23.30, onde a exposição foi oferecida. Ver 1Cr 3.15 quanto ao fato de que esse novo rei não era o filho primogênito de Josias.

36.2

בֶּן־שָׁלוֹשׁ וְעֶשְׂרִים שָׁנָה יוֹאָחָז בְּמָלְכוֹ וּשְׁלֹשָׁה חֳדָשִׁים מָלַךְ בִּירוּשָׁלָםִ:

Tinha Jeoacaz vinte e três anos de idade quando começou a reinar. O trecho paralelo é 2Rs 23.31, onde apresento a exposição. O cronista não citou o nome da mãe do novo do rei, sendo essa a única diferença com o trecho paralelo. Ver a exposição de 2Cr 23.30 e 31, que é plena de detalhes. Judá retornou com grande facilidade à apostasia, uma vez que as reformas desceram ao túmulo juntamente com Josias. O filho dele, Jeoacaz, trouxe mediocridade e mal ao trono, o qual ocupou por miseráveis três meses. A passagem de Jr 22.10 ss. mostra-nos que o novo rei não merecia a confiança nele depositada quando foi guindado ao trono de Judá.

36.3

וַיְסִירֵהוּ מֶלֶךְ־מִצְרַיִם בִּירוּשָׁלִַם וַיַּעֲנֹשׁ אֶת־הָאָרֶץ מֵאָה כִכַּר־כֶּסֶף וְכִכַּר זָהָב׃

Porque o rei do Egito o depôs em Jerusalém. O paralelo é 2Rs 23.33, que dá mais detalhes que o cronista. A ordem das declarações é levemente diferente, mas as informações dadas são essencialmente as mesmas.

36.4

וַיַּמְלֵךְ מֶלֶךְ־מִצְרַיִם אֶת־אֶלְיָקִים אָחִיו עַל־יְהוּדָה וִירוּשָׁלִַם וַיַּסֵּב אֶת־שְׁמוֹ יְהוֹיָקִים וְאֶת־יוֹאָחָז אָחִיו לָקַח נְכוֹ וַיְבִיאֵהוּ מִצְרָיְמָה׃ פ

O rei do Egito constituiu a Eliaquim, irmão de Jeoacaz. O trecho paralelo é 2Rs 23.34, onde a exposição foi oferecida. Note-se que o aprisionamento do rei Jeoacaz, mencionado neste versículo, é descrito em 2Rs 23. 33, pois a ordem das declarações foi modificada pelo cronista.

JEOAQUIM (36.5-8)

As versões portuguesas também grafam seu nome com a forma de "Jeoiaquim". O verdadeiro nome desse homem era *Eliaquim*. Foi o Faraó Neco quem lhe mudou o nome para Jeoaquim. As datas de seu reinado são 609-605 a.C. Neco substituiu Jeoacaz por Eliaquim, seu irmão. O paralelo é 2Rs 23.36—24.7, onde apresento a exposição. Algumas poucas ideias foram adicionadas, conforme se vê nos comentários a seguir.

Ver no *Dicionário* os artigos *Jeoaquim; Reino de Judá;* e *Rei, Realeza,* que apresentam sumários que nos ajudam a obter uma compreensão geral dos reis e eventos daquela época de Judá.

36.5

בֶּן־עֶשְׂרִים וְחָמֵשׁ שָׁנָה יְהוֹיָקִים בְּמָלְכוֹ וְאַחַת עֶשְׂרֵה שָׁנָה מָלַךְ בִּירוּשָׁלִָם וַיַּעַשׂ הָרַע בְּעֵינֵי יְהוָה אֱלֹהָיו׃

Tinha Jeoaquim a idade de vinte e cinco anos. Este versículo é paralelo a 2Rs 23.36,37, que o cronista reduziu um pouco. Ele omitiu o nome da mãe de Jeoaquim. Note-se que o cronista também alterou a ordem das declarações que aparecem em 2Rs. Além disso, o autor de Reis mencionou que o rei teve de pagar *tributo* a Neco, Faraó do Egito, algo que o cronista omitiu. Ver 2Rs 23.35. Em geral, neste capítulo 36, o cronista reduziu sua fonte informativa, não mencionando vários detalhes que, na realidade, revestem-se de interesse para os historiadores. Portanto, o leitor deve examinar as notas expositivas no trecho paralelo e o artigo no *Dicionário,* para obter completo entendimento da época histórica.

36.6

עָלָיו עָלָה נְבוּכַדְנֶאצַּר מֶלֶךְ בָּבֶל וַיַּאַסְרֵהוּ בַּנְחֻשְׁתַּיִם לְהֹלִיכוֹ בָּבֶלָה׃

Subiu, pois, contra ele Nabucodonosor, rei de Babilônia. Novamente, o trecho paralelo é mais completo. Ver 2Rs 24.1-7 quanto ao relato histórico detalhado. O cronista escreveu uma versão breve, omitindo importantes detalhes históricos. Os pecados de Manassés são mencionados no paralelo como uma das principais causas para o avanço da Babilônia e o cativeiro final de Judá. E agora nos é dado compreender que Jeoaquim participou desses pecados condenadores. Assim ele foi deportado em cadeias para a Babilônia (vs. 6). Além disso, Nabucodonosor pilhou o templo e levou seus vasos e suas riquezas (vs. 7). O cronista ignorou completamente os vários aliados que a Babilônia enviou contra Judá para assediar e enfraquecer esse reino (ver 2Rs 24.2). *Yahweh,* o verdadeiro autor do livro de Reis, foi o poder por trás de todas as tribulações de Judá, visto que o *julgamento final* do cativeiro estava começando a ser preparado, e vários toques divinos preliminares da *ira divina* começaram a atingir o reino de Judá.

O rei de Judá foi levado escravo para a Babilônia? Os eruditos demonstram que os registros, além do presente versículo, não confirmam tal suposição. Talvez esse tenha sido o *intuito* de Nabucodonosor, que acabou não se cumprindo. Jr 46.2 mostra-nos que a Babilônia derrotou Neco, do Egito, em Carquêmis, no quarto ano do reinado de Jeoaquim. Esse homem permaneceu então como rei vassalo em Judá. A versão siríaca não anota o cativeiro do rei na Babilônia, embora outras versões e fontes informativas o façam, seguindo o original hebraico do presente versículo. Aprendemos que, usualmente, quando há discrepâncias entre os livros de Reis e de Crônicas, os primeiros mostram-se historicamente corretos. Algumas vezes, o cronista apresentou uma história didática, ignorando certos detalhes históricos ou alterando-os para adaptar-se a seu propósito.

36.7

וּמִכְּלֵי בֵּית יְהוָה הֵבִיא נְבוּכַדְנֶאצַּר לְבָבֶל וַיִּתְּנֵם בְּהֵיכָלוֹ בְּבָבֶל׃

Também alguns dos utensílios da casa do Senhor. O trecho paralelo em 2Rs não menciona esta pilhagem, mas Dn 1.2 concorda com o cronista. Não há nenhuma razão para supormos que os babilônios, aquecendo-se para o cativeiro final dos judeus, não tenham saqueado primeiramente a cidade de Jerusalém, pelo menos por uma vez.

Alguns utensílios da casa do Senhor levou Nabucodonosor para a Babilônia, onde os pôs no seu templo. Esse templo era de Marduque ou Merodaque, principal divindade dos babilônios, mencionada com frequência nas inscrições babilônicas. O grande templo de Belus (Bel Merodaque) que Nabucodonosor construiu era uma das sete maravilhas do mundo antigo, conforme nos diz Heródoto (*Hist.* 1.181 ss.). Ver no *Dicionário* o artigo detalhado intitulado *Deuses Falsos.* Em III.24 dou informações sobre *Merodaque.*

É possível que nessa época a *arca da aliança* se tenha perdido e sido levada para a Babilônia. Seja como for, nunca mais ouvimos falar sobre ela novamente. Ver o vs. 10.

36.8

וְיֶתֶר דִּבְרֵי יְהוֹיָקִים וְתֹעֲבֹתָיו אֲשֶׁר־עָשָׂה וְהַנִּמְצָא עָלָיו הִנָּם כְּתוּבִים עַל־סֵפֶר מַלְכֵי יִשְׂרָאֵל וִיהוּדָה וַיִּמְלֹךְ יְהוֹיָכִין בְּנוֹ תַּחְתָּיו׃ פ

Quanto aos mais atos de Jeoaquim. *A Nota Fúnebre.* Jeoaquim só teve uma característica. Foi um rei ímpio. Esteve envolvido em *abominações* de toda espécie, a idolatria pagã e seus maléficos acompanhamentos. 2Crônicas contou sua história abominável. Ver 1Rs 14.19, e sobre outros livros perdidos, que serviram como fontes informativas das histórias do Antigo Testamento, ver 2Cr 9.29; 12.15; 20.34; 26.22 e 32.25. Cf. o paralelo aproximado de 2Rs 24.5,6, e ver as *notícias fúnebres* sobre os reis, em 1Rs 1.21 e 16.5,6.

JOAQUIM (36.9,10)

Ver no *Dicionário* os artigos *Joaquim; Reino de Judá;* e *Rei, Realeza.* Joaquim era filho do rei Jeoaquim. Ele tinha 18 anos quando sucedeu a seu pai, mas a maioria dos manuscritos hebraicos dá-lhe apenas *8 anos* de idade, o que parece impossível, entretanto. Joaquim tinha várias mulheres (ver 2Rs 24.15). Esse infeliz rei governou por apenas três meses e dez dias (598-597 a.C.). Ele e seus familiares foram levados para o cativeiro na Babilônia, como uma das etapas daquele evento, que culminou no caso de Zedequias. Tanto o cativeiro assírio como o cativeiro babilônico sucederam por meio de ondas, e não de uma vez só. O trecho paralelo é 2Rs 24.8,9.

36.9

בֶּן־שְׁמוֹנֶה שָׁנִים יְהוֹיָכִין בְּמָלְכוֹ וּשְׁלֹשָׁה חֳדָשִׁים וַעֲשֶׂרֶת יָמִים מָלַךְ בִּירוּשָׁלִָם וַיַּעַשׂ הָרַע בְּעֵינֵי יְהוָה׃

Tinha Joaquim dezoito anos quando começou a reinar. O trecho paralelo é 2Rs 24.8,9. No original hebraico, esse trecho dá a idade do rei Joaquim como 18 anos, em lugar dos 8 anos que lhe atribui o livro de 2Crônicas (no original hebraico). Provavelmente isso é correto, embora alguns intérpretes façam toda espécie de esforço (e distorções) para reconciliar os dois textos. O homem em questão tinha esposas (ver 2Rs 24.15), e nenhum menino de 8 anos conseguiria ter esposas! Neste caso, não podemos apelar para a explicação usual da corregência, porque não havia espaço para isso nos governos dos reis anteriores. Portanto, pelo menos aqui, devemos admitir um equívoco da parte do cronista ou o erro de algum escriba subsequente. Seja como for, tais discrepâncias, mesmo quando são reais, nada dizem contra a sã teoria da inspiração das Escrituras.

Fez ele o que era mau. Quanto a essa parte do versículo, ver o paralelo direto em 2Rs 24.9. O autor do livro de Reis menciona também o mau exemplo do pai de Joaquim, que fez o que era *mau*, inclusive envolvendo-se em *idolatria*. A exposição aparece no trecho paralelo. Os comentários dados aqui são apenas suplementares.

■ 36.10

וּלִתְשׁוּבַת הַשָּׁנָה שָׁלַח הַמֶּלֶךְ נְבוּכַדְנֶאצַּר
וַיְבִאֵהוּ בָבֶלָה עִם־כְּלֵי חֶמְדַּת בֵּית־יְהוָה וַיַּמְלֵךְ
אֶת־צִדְקִיָּהוּ אָחִיו עַל־יְהוּדָה וִירוּשָׁלִָם: פ

Na primavera do ano mandou o rei Nabucodonosor levá-lo a Babilônia. *Uma das ondas* do cativeiro babilônico foi levar para Babilônia Joaquim, o rei de Judá, sua família e muitos outros. Então o templo sofreu um segundo saque. Ver o vs. 6. Por esse tempo, todos os vasos sagrados do templo já tinham sido levados, incluindo a arca da aliança, a menos que algum sacerdote a tenha escondido. Seja como for, a arca desapareceu, e nunca mais se ouviu falar nela. 2Rs 24.13,14 informa-nos que, juntamente com Joaquim e seus familiares, dez mil judeus foram feitos cativos e deportados para a Babilônia. Cf. Jr 27.18-22.

Estabeleceu a Zedequias, seu irmão, rei sobre Judá. O irmão carnal do rei Joaquim foi feito rei títere em Jerusalém. Ele foi o último rei de Judá, antes do cativeiro babilônico.

ZEDEQUIAS (36.11-16)

■ 36.11

בֶּן־עֶשְׂרִים וְאַחַת שָׁנָה צִדְקִיָּהוּ בְמָלְכוֹ וְאַחַת עֶשְׂרֵה
שָׁנָה מָלַךְ בִּירוּשָׁלִָם:

Tinha Zedequias a idade de vinte e um anos, quando começou a reinar. Este versículo é diretamente paralelo a 2Rs 24.18, excetuando-se que o cronista não mencionou o nome da mãe do rei Zedequias. Ver a exposição no trecho paralelo. Note o leitor que 2Reis dá um relato mais detalhado sobre a questão da onda preliminar do cativeiro babilônico (ver 2Rs 24.11-17). Todo o *poder* que havia em Jerusalém, a saber, todos os governantes de qualquer nota, foi deportado, restando um país capenga, governado por um rei títere.

■ 36.12

וַיַּעַשׂ הָרַע בְּעֵינֵי יְהוָה אֱלֹהָיו לֹא נִכְנַע מִלִּפְנֵי
יִרְמְיָהוּ הַנָּבִיא מִפִּי יְהוָה:

Fez o que era mau perante o Senhor seu Deus. O trecho paralelo é 2Rs 24.19, mas o cronista refez sua fonte informativa, assegurando-nos que Jeremias dirigiu as palavras de Deus ao homem; o rei era arrogante e não deu atenção ao profeta, a despeito das calamidades que tinham sobrevindo a Judá. O livro de Reis diz que ele seguiu o exemplo ímpio de seu pai iníquo. Não havia remédio em Judá. A antiga síndrome do pecado-calamidade-julgamento em breve poria fim a toda aquela massa confusa e triste.

2Rs 25.27-30 dá-nos a informação adicional de que Joaquim foi libertado de sua prisão na Babilônia, no trigésimo sétimo ano de seu cativeiro, a saber, em 560 a.C. Foi-lhe então dada uma pensão real na Babilônia, pelo resto da vida. Textos neobabilônios confirmam essa informação. Isso aconteceu dois anos depois da morte de Nabucodonosor e pode ter ocorrido por influência de Daniel. O homem foi exaltado ao lugar em que tinha comunhão regular com os oficiais babilônicos, comendo à mesa do rei, ou seja, sustentado pelo governo babilônico.

■ 36.13

וְגַם בַּמֶּלֶךְ נְבוּכַדְנֶאצַּר מָרָד אֲשֶׁר הִשְׁבִּיעוֹ בֵּאלֹהִים
וַיֶּקֶשׁ אֶת־עָרְפּוֹ וַיְאַמֵּץ אֶת־לְבָבוֹ מִשּׁוּב אֶל־יְהוָה
אֱלֹהֵי יִשְׂרָאֵל:

Rebelou-se também contra o rei Nabucodonosor. A rebeldia de Zedequias contra Nabucodonosor está registrada no trecho paralelo de 2Rs 24.20. Tolamente, Zedequias tentou quebrar o jugo babilônico; de que forma, não foi dito, mas provavelmente através de alguma ação militar. Ou então ele deixou de pagar o tributo à Babilônia, para ver o que aconteceria, e foi derrubado por causa de sua insensatez.

Ele teve de jurar lealdade ao rei da Babilônia. E havia jurado por *Elohim*, o Deus de Israel e Judá. Cf. Ez 17.11-21, especialmente o vs. 17, que menciona o *juramento* não citado pelo livro de Reis. A revolta de Zedequias ocorreu em 588 a.C.

Como se fosse um touro selvagem, Zedequias *endureceu a cerviz*, ou seja, rebelou-se, tentando quebrar o seu jugo. Cf. Dt 2.30; 2Rs 17.14 e Jr 19.5. Ver sobre o verbete chamado *Dura Cerviz*, em Êx 32.9.

"Zedequias não era totalmente desfavorável ao profeta Jeremias. De fato, consultou-o por mais de uma vez. Mas era fraco e temeroso demais para agir segundo a palavra profética. Antes, aceitava a opinião de seus conselheiros, os príncipes, que intrigavam com o Egito" (Ellicott, *in loc.*). Ver Jr 37—38 e o trecho paralelo, quanto a anotações completas.

■ 36.14

גַּם כָּל־שָׂרֵי הַכֹּהֲנִים וְהָעָם הִרְבּוּ לִמְעָול־מַעַל כְּכֹל
תֹּעֲבוֹת הַגּוֹיִם וַיְטַמְּאוּ אֶת־בֵּית־יְהוָה אֲשֶׁר הִקְדִּישׁ
בִּירוּשָׁלִָם:

Também todos os chefes dos sacerdotes e o povo aumentavam mais e mais as transgressões. *A idolatria florescia* mesmo em meio à calamidade! Toda a população de Judá estava envolvida, e não meramente o rei e seus associados. O rei fazia o que era *mau* (ver 2Rs 24.19), e isso é sempre essencialmente definido como envolvimento no culto pagão. Ver Jr 21.3-7 e 32.1-5 quanto a uma documentação sobre o mal praticado. A ameaça babilônica já tinha reduzido Jerusalém a um mero títere, mas o povo que foi ali deixado nada havia aprendido, nem da história nem de suas experiências pessoais. Ver Ez 8.5-18 quanto às abominações do rei e de seu povo. Ver Ez 8.16. O sumo sacerdote, 25 homens principais e os cabeças dos 24 turnos de sacerdotes, de costas voltadas para o templo, olhavam para o sol e o adoravam! Cf. Jr 32.32 ss. A Terra Prometida, pois, estava cheia de *abominações* e *violência*, segundo Ez 8.17.

■ 36.15

וַיִּשְׁלַח יְהוָה אֱלֹהֵי אֲבוֹתֵיהֶם עֲלֵיהֶם בְּיַד מַלְאָכָיו
הַשְׁכֵּם וְשָׁלוֹחַ כִּי־חָמַל עַל־עַמּוֹ וְעַל־מְעוֹנוֹ:

O Senhor, Deus de seus pais. A *compaixão* de Yahweh-Elohim continuou tentando convencer aquele povo teimoso e estúpido, enviando-lhes profetas, como Jeremias, Sofonias e Ezequiel. Então houve um período de severas punições, mas coisa alguma funcionou. O câncer da idolatria e do paganismo era permanente e terminal. Cf. Jr 25.3,4 e também 26.5; 29.19 e 35.14,15 quanto ao ministério dos profetas cujas mensagens foram ignoradas pelos judeus.

Porque se compadecera do seu povo e da sua própria morada. Yahweh tentou proteger os que lhe pertenciam, seu próprio povo e sua própria terra, porquanto sua presença se manifestava no templo de Jerusalém. Mas o amor e o cuidado do Pai não produziram efeito algum naqueles filhos rebeldes e de dura cerviz. O amor foi desprezado. O amor foi desgastado. O amor foi transformado em castigo do mais severo tipo. Cf. essa parte do versículo com Sl 26.8; Jr 25.6 e 2Cr 30.27. Ver também Jr 11.7 ss., que é o trecho paralelo da mensagem geral deste versículo.

36.16

וַיִּהְיוּ מַלְעִבִים בְּמַלְאֲכֵי הָאֱלֹהִים וּבוֹזִים דְּבָרָיו
וּמִתַּעְתְּעִים בִּנְבִאָיו עַד עֲלוֹת חֲמַת־יְהוָה בְּעַמּוֹ
עַד־לְאֵין מַרְפֵּא:

Eles, porém, zombavam dos mensageiros. *Não Havia Remédio*. Os judeus não somente repeliam as palavras dos profetas, mas também zombavam deles! Coisa alguma restava no seu coração que a mensagem de Yahweh pudesse despertar. Eram pagãos de coração morto, caminhando ao longo da vereda da idolatria, ignorando até as mais severas calamidades que eram atiradas contra eles. Portanto, a ira divina despertou e derrubou por terra aqueles miseráveis homens (vs. 17). Quanto ao fato de que *não havia remédio*, comparar Jr 5.10-13; 7.12-15, que dá detalhes sobre a situação e seus terríveis resultados. Ver também Sl 18.8 e 2Sm 11.20.

"... não havia como instruí-los ou recuperá-los; não havia como trazê-los de volta ao arrependimento; não havia perdão à disposição deles" (John Gill, *in loc.*).

A CONQUISTA BABILÔNICA; O CATIVEIRO DE JUDÁ (36.17-21)

O cativeiro babilônico ocorreu em etapas. Cf. os vss. 6 e 10 quanto à deportação prévia de dois reis, seus príncipes e dez mil habitantes de Judá. Ver no *Dicionário* o artigo chamado *Cativeiro Babilônico*, quanto a uma sumário da questão inteira. O golpe final caiu sobre Zedequias e o que restava de Jerusalém. Pela *terceira vez*, vasos foram levados do templo. Cf. os vss. 7 e 10. Talvez os vasos anteriores tivessem sido substituídos por outros, de modo que sempre havia alguns vasos, nas sucessivas ondas de ataque. Em um dos três saques do templo, a arca da aliança perdeu-se para sempre. Talvez algum sacerdote a tenha ocultado. Seja como for, nunca mais se ouviu falar dela.

Compaixão. Devido à sua *compaixão*, Yahweh por longo tempo se restringira (vs. 15). Mas quando a Babilônia desfechou o assalto final contra Jerusalém, não havia mais compaixão, nem da parte de Yahweh nem do coração duro dos saqueadores. O templo de Jerusalém foi incendiado e as muralhas foram derrubadas. As casas excelentes dos príncipes foram incendiadas e demolidas. A palavra predita por Jeremias tinha sido realmente dura, e duro, realmente, foi o seu cumprimento. Ver o paralelo mais detalhado sobre esse *ataque final*, em 2Rs 25.8-21.

36.17

וַיַּעַל עֲלֵיהֶם אֶת־מֶלֶךְ כַּשְׂדִּיִּים וַיַּהֲרֹג בַּחוּרֵיהֶם
בַּחֶרֶב בְּבֵית מִקְדָּשָׁם וְלֹא חָמַל עַל־בָּחוּר וּבְתוּלָה
זָקֵן וְיָשֵׁשׁ הַכֹּל נָתַן בְּיָדוֹ:

A matança dos judeus atingiu homens, mulheres, crianças e pessoas idosas. Os que se tinham ocultado no templo não foram poupados. Os babilônios chegaram a matar mulheres jovens escolhidas, virgens, em lugar de levá-las para a Babilônia e engrossar os haréns. Naturalmente, entre os deportados, haveria alguns sobreviventes que serviriam na Babilônia. Portanto, os que não morreram foram reduzidos a uma abjeta escravidão e pobreza.

Todos foram entregues nas *mãos* dos conquistadores babilônicos. Ver Jr 32.3,4 e 37.6. O cronista poupou-nos a ampla descrição, que o autor de 2Reis proveu, tal como a execução dos filhos do rei, perante os olhos dele (ver 2Rs 25.7). Os olhos do rei Zedequias foram vazados, e em total cegueira ele foi levado à Babilônia. O rebelde Zedequias foi assim humilhado da maneira mais horrenda e cruel. Grande foi o preço que teve de pagar finalmente, por causa de suas abominações! A desumanidade dos homens contra os homens nos assusta.

36.18

וְכֹל כְּלֵי בֵּית הָאֱלֹהִים הַגְּדֹלִים וְהַקְּטַנִּים וְאֹצְרוֹת
בֵּית יְהוָה וְאֹצְרוֹת הַמֶּלֶךְ וְשָׂרָיו הַכֹּל הֵבִיא בָבֶל:

Todos os utensílios da casa de Deus. *Uma vez mais*, os vasos do templo foram levados para a Babilônia. Cf. as duas vezes anteriores em que isso havia sido feito (vss. 7 e 10), nas ondas preliminares do cativeiro babilônico e dos saques. Só podemos supor que os vasos anteriores tivessem sido substituídos por novos. É difícil dizer em qual das três vezes a arca da aliança foi carregada para a Babilônia. A arca era o coração da adoração a Yahweh. Ela se perdeu para sempre. Seja como for, os judeus há muito tempo tinham abandonado a arca, de maneira que agora ela os abandonara. Era a arca que apresentava aos israelitas a presença divina, sem a qual eles eram como nada. 2Rs 25.13-17 dá-nos um inventário dos itens que foram levados para a Babilônia. Coisa alguma é dita ali sobre a arca da aliança. Aquela passagem dá a impressão de que os itens eram peças *originais* do templo de Salomão. Nesse caso, não há como reconciliar essa notícia com as outras duas. John Gill (*in loc.*) comentou: "Tudo quando restava tinha sido levado em ambos os reinados anteriores". Além dos itens do templo, houve saque total dos tesouros do templo, ouro, prata e outros artigos de valor, que os sacerdotes guardavam. Os palácios dos príncipes também foram saqueados. Em outras palavras, toda a cidade foi reduzida a escombros, e qualquer coisa valiosa foi levada dali. Foi o golpe mortífero da mão de Yahweh.

36.19

וַיִּשְׂרְפוּ אֶת־בֵּית הָאֱלֹהִים וַיְנַתְּצוּ אֵת חוֹמַת יְרוּשָׁלִָם
וְכָל־אַרְמְנוֹתֶיהָ שָׂרְפוּ בָאֵשׁ וְכָל־כְּלֵי מַחֲמַדֶּיהָ
לְהַשְׁחִית: ס

Queimaram a casa de Deus, e derrubaram os muros de Jerusalém. *O Belo Templo de Salomão Foi Incendiado!* O que resistiu às chamas foi transformado em escombros. Os palácios dos príncipes foram queimados e demolidos. Os bons itens, coisas de valor, que não foram levados embora, foram simplesmente destruídos. As casas dos ricos, com sua cara decoração importada, foram destruídas e transformadas em cinzas. O ano era 588 a.C. Ver 2Rs 25.1 quanto a uma nota cronológica. Cf. Jr 52.13,14 quanto a informações adicionais.

36.20

וַיֶּגֶל הַשְּׁאֵרִית מִן־הַחֶרֶב אֶל־בָּבֶל וַיִּהְיוּ־לוֹ וּלְבָנָיו
לַעֲבָדִים עַד־מְלֹךְ מַלְכוּת פָּרָס:

Os que escaparam da espada a esses levou ele para Babilônia. *Os sobreviventes* (que julgamos terem sido pouquíssimos) foram levados à Babilônia e reduzidos à mais abjeta escravidão. Essa condição persistiu até a queda da Babilônia diante da Pérsia, em 539 a.C. Os que escaparam da morte foram sujeitados a uma *morte em vida*. Suas abominações tinham sido grandes; seu castigo foi terrível. Eles tinham adorado aos deuses dos pagãos, e assim os pagãos os reduziram à miséria. Sua vida espiritual, assim como a vida física, tornou-se miserável.

Alguns pobretões que não representavam ameaça para a Babilônia foram deixados na Terra Prometida. Os ricos e poderosos ou foram mortos ou foram levados para o exílio na Babilônia. Ver Jr 52.15,16.

E de seus filhos. Os filhos do rei da Babilônia, Evil-Merodaque e Belsazar, continuaram as normas políticas brutais de Nabucodonosor. Ver Jr 27.7. O cativeiro babilônico deveria perdurar por setenta anos, de acordo com a profecia de Jr 25.11,12, e foi exatamente o que aconteceu. *Todas as nações* (daquela parte do mundo) sofreram a mesma sorte. Jr 27.,7. Ver também 2Rs 20.18.

Ezequiel e *Daniel*, os profetas do período pós-cativeiro, foram contemporâneos de Ciro, rei da Pérsia. Os livros históricos que se seguem foram escritos após esse evento. Como é óbvio, embora descrevam condições anteriores ao cativeiro babilônico (os governos dos reis de Judá), os livros de Crônicas também foram escritos após o cativeiro, o que se torna óbvio através dos três versículos finais deste livro.

Ver a palavra profética concernente ao cativeiro babilônico em 2Rs 20.17,18. Ver também Is 44.28; 45.1-19 e Jr 29.10. Ver, finalmente, o primeiro capítulo do livro de Daniel.

36.21

לְמַלֹּאות דְּבַר־יְהוָה בְּפִי יִרְמְיָהוּ עַד־רָצְתָה הָאָרֶץ
אֶת־שַׁבְּתוֹתֶיהָ כָּל־יְמֵי הָשַּׁמָּה שָׁבָתָה לְמַלֹּאות
שִׁבְעִים שָׁנָה: פ

Para que se cumprisse a palavra do Senhor por boca de Jeremias. *Um Pouco de Ironia.* Judá havia negligenciado as leis sobre o sábado, incluindo a que exigia que a terra descansasse um ano em cada sete, para renovação da fertilidade. Mas os agricultores israelitas, gananciosos como eram, ignoraram a regra mosaica. Ver Lv 25.4. Portanto, o cativeiro babilônico durou *setenta anos,* para compensar os sábados de descanso da terra que haviam sido negligenciados. A terra descansou assim por setenta anos, de uma vez, em lugar de um ano em cada sete, durante 430 anos. Nesse espaço houve 69 anos sabáticos negligenciados. Maimônides (*Talmude ab. Bava Bathra,* col. 15.1) diz-nos que foi no fim de um ano sabático que a cidade e o templo foram destruídos, perfazendo assim o total de setenta. Por conseguinte, houve um sábado forçado de setenta anos. Não havia ali agricultores para plantar e colher. A lei do ano sabático, neste versículo, representa toda a lei de Yahweh que havia sido violada, provocando o cativeiro. Ver a muito significativa passagem de Lv 26.31-35. A lei ameaçava que, se Israel se rebelasse, a terra seria deixada desolada e gozaria de descanso (mas não o povo). Israel seria espalhado "entre as nações", sem dúvida uma antiquíssima previsão tanto do cativeiro assírio quanto do cativeiro babilônico. Essa *ameaça* se cumpriu porque o povo de Israel insistia sobre a tragédia, e não em obedecer ao Senhor.

O povo judeu e o sacerdócio se tinham contaminado. Em 538 a.C., sacerdotes leais e não contaminados retornaram a Jerusalém, e a história começou de novo. Israel foi renovado com o fragmento de uma única tribo, Judá. Yahweh nunca desistiu. Cf. Jr 25.9,12; 26.6,7 e 29.12.

Os *setenta anos* foram contados a partir do quarto ano do rei Jeoaquim, quando a profecia foi dita pela primeira vez (ver Jr 25.1,12), até o primeiro ano do rei da Pérsia, Ciro, sob Zorobabel, quando um remanescente de Judá retornou a Jerusalém, em 536 a.C.

O DECRETO DE CIRO, O EXÍLIO E O RETORNO (36.22,23)

Ver comentários adicionais sobre esse decreto, em Ed 1.1-3. *Surgira um raio de esperança.*

> Oh Mestre, deixa-me andar contigo
> Em veredas humildes de serviço gratuito.
> Diz-me o teu segredo, ajuda-me a suportar
> A tensão da labuta, o cansaço da preocupação.
> ...
>
> Em esperança que envie um raio brilhante
> Até bem longe pela caminho do futuro,
> que se alarga.
>
> Washington Gladden

Yahweh nunca desistiu.

O pagão Ciro, rei da Pérsia, era agora o novo instrumento da graça divina. O cronista encerrou sua mensagem fazendo brilhar um raio de luz na escuridão do cativeiro babilônico. O povo sob juízo estava ali para ser purificado, e não para ser esmagado. É assim que todos os juízos de Deus operam: eles são retributivos, mas também restauradores. Até o julgamento dos perdidos tem esse caráter. Ver 1Pe 4.6 e o artigo do *Dicionário* chamado *Julgamento de Deus dos Homens Perdidos.*

Um povo castigado e arrependido seria enviado de volta a Jerusalém para reiniciar as coisas. Israel sobreviveria mediante um fragmento da tribo de Judá. Zorobabel, descendente de Davi, daria *autoridade política* ao remanescente, porquanto nele a dinastia davídica continuaria. Além disso, alguns levitas e sacerdotes retornariam, dando ao minúsculo Israel e Judá *autoridade espiritual* para dar continuidade ao yahwismo, em consonância com os ditames da legislação mosaica.

Em *Ciro* (rei da Pérsia, 559-530 a.C.), a Pérsia substituiu a Babilônia como a nova potência mundial. Em seu primeiro ano de governo sobre a Babilônia (538 a.C.), ele expediu um decreto que libertou os cativos. Foi assim que os cativos judeus retornaram e reedificaram o templo e levantaram de novo as muralhas de Jerusalém. Assim sendo, veio à existência o segundo templo, humilde, para dizer a verdade (pois quem poderia comparar-se a Salomão?), mas um lugar genuíno de adoração a Yahweh. Esse decreto é confirmado na história secular e em uma inscrição babilônica. O cronista assegura que Yahweh-Elohim foi o verdadeiro poder por trás do decreto de Ciro, e que Ciro foi seu instrumento. Ver no *Dicionário* quanto a detalhes sobre esse nome. O homem em questão foi Ciro II. Conto a história inteira no artigo referido, portanto não repito o material aqui. As descobertas arqueológicas têm confirmado os textos bíblicos. Ver também o artigo do *Dicionário* intitulado *Pérsia.*

CATIVEIRO BABILÔNICO

Este título refere-se ao período da história dos judeus que começou no ano de 597 a.C., quando foi deportado o primeiro grande grupo de judeus, juntamente com seu rei, Jeoaquim, para Babilônia, por determinação de Nabucodonosor. Esse período terminou em 538 a.C., quando Ciro, vencedor persa da Babilônia, baixou um decreto concedendo aos judeus o direito de retornar a Jerusalém para construir um novo templo. No período entre essas duas datas, ocorreram diversas outras deportações. Ver detalhes no artigo do *Dicionário* chamado *Cativeiro Babilônico.*

As deportações e suas datas:

1. Primeira deportação: 598-597 a.C., 3.023 judeus.
2. Segunda deportação: 587-586 a.C., 832 jerusalenitas.
3. Terceira deportação: 582-581 a.C., 745 judeus

Total: 4.600 deportados.

O PODER DEVASTADOR DA LEI DA COLHEITA SEGUNDO A SEMEADURA

O Cativeiro Babilônico

Como jaz solitária a cidade, outrora populosa! Tornou-se como viúva, a que foi grande entre as nações, princesa entre as províncias, ficou sujeita a trabalhos forçados
Lamentações de Jeremias 1.1

Não vos enganeis: de Deus não se zomba; pois aquilo que o homem semear, isso também ceifará.
Gálatas 6.7

■ 36.22

וּבִשְׁנַת אַחַת לְכוֹרֶשׁ מֶלֶךְ פָּרַס לִכְלוֹת דְּבַר־יְהוָה
בְּפִי יִרְמְיָהוּ הֵעִיר יְהוָה אֶת־רוּחַ כֹּרֶשׁ מֶלֶךְ־פָּרַס
וַיַּעֲבֶר־קוֹל בְּכָל־מַלְכוּתוֹ וְגַם־בְּמִכְתָּב לֵאמֹר׃ ס

Despertou o Senhor o espírito de Ciro, rei da Pérsia. Ironicamente, Deus despertou o espírito de um rei pagão para tornar possíveis os acontecimentos históricos que, com a passagem do tempo, levaram à vinda de Jesus, o Cristo, enquanto a maioria dos reis de Israel e de Judá deixou de atender à sua voz ou obedecer a seus mandamentos. Judá precisava ser restaurado. Jesus estava esperando pelo seu tempo. Em certo sentido, a Igreja cristã dependia do decreto libertador de Ciro. De outra sorte, Judá, a nação do sul, ter-se-ia perdido para sempre, tal como aconteceu a Israel, a nação do norte, que se perdeu por causa do cativeiro assírio.

Este versículo deve ser comparado a 1Cr 5.26 e 2Cr 21.16, quanto ao *poder despertador* de Yahweh. O decreto recebeu forma escrita, para que assim tivesse autoridade especial. Alguns poderiam ter questionado uma *palavra dita* da parte do rei, como *alegadamente* dada. O decreto foi enviado *por todo o império persa,* porquanto a permissão para que Judá voltasse para sua terra teria implicações internacionais.

■ 36.23

כֹּה־אָמַר כֹּרֶשׁ מֶלֶךְ פָּרַס כָּל־מַמְלְכוֹת הָאָרֶץ נָתַן
לִי יְהוָה אֱלֹהֵי הַשָּׁמַיִם וְהוּא־פָקַד עָלַי לִבְנוֹת־לוֹ

בַּ֣יִת בִּירוּשָׁלִַ֔ם אֲשֶׁ֖ר בִּֽיהוּדָ֑ה מִֽי־בָכֶ֣ם מִכָּל־עַמֹּ֗ו יְהוָ֧ה אֱלֹהָ֛יו עִמֹּ֖ו וְיָֽעַל׃

Assim diz Ciro, rei da Pérsia. *As condições do decreto:*

1. *Revestia-se de autoridade.* Ciro não possuía inimigos que questionassem a sua palavra. Ele era, naqueles dias, o rei de reis. Por conseguinte, sua palavra era lei.
2. *Yahweh-Elohim* é quem o havia inspirado a baixar o decreto de libertação, embora não saibamos de que forma se deu essa inspiração. Sem dúvida, homens importantes de Judá, que estavam no cativeiro, incluindo profetas, exortaram o rei Ciro a fazer o que ele, finalmente, fez. Talvez isso tenha sido suficiente. Por outro lado, ele pode ter recebido instruções celestiais por meio de visões ou sonhos.
3. O decreto dizia respeito diretamente à *edificação de um novo templo em Jerusalém,* o segundo templo, e todos quantos quisessem ajudar no projeto de construção estavam livres para deixar a Babilônia. Provavelmente a maioria dos judeus (embora não todos) assim fez. Alguns permaneceram na Babilônia porque ali tinham prosperado e se divertiam.
4. *O decreto* invocava *a bênção de Yahweh-Elohim* sobre todos quantos quisessem construir o novo templo de Jerusalém. Não sabemos dizer a qual decreto o rei da Pérsia incorporou Yahweh, em seu sistema politeísta, mas este versículo nos permite entender que Ciro tinha grande respeito pelo Deus de Israel. O "Deus do céu" era o título de *Ormazd* ou *Ahuramazda,* o deus supremo da Pérsia. A religião persa era o *zoroastrismo,* que aparece como um verbete na *Enciclopédia de Bíblia, Teologia e Filosofia.* Ao chamar Yahweh de "Deus dos céus", Ciro pode tê-lo identificado ou, pelo menos, *associado* a seu próprio deus supremo. Seja como for, um alto respeito estava envolvido, podemos estar certos, pois do contrário Ciro jamais teria baixado esse decreto.

Foi assim que Ciro foi *divinamente comissionado,* conforme lemos em Is 44.28; 45.1-5,13. Jeremias havia prometido a volta do remanescente judeu à Terra Prometida (ver Jr 25.12; 29.10), e isso precisava acontecer. Ver Ed 1.1 quanto a isso, e Ed 1.1-4 quanto a uma reiteração do decreto de Ciro, com alguns detalhes adicionais.

ESDRAS

O LIVRO QUE DESCREVE OS ERROS DO POVO QUE VOLTOU DO CATIVEIRO BABILÔNICO

O SEGUNDO TEMPLO CONSTRUÍDO

> *Muitos dos sacerdotes e levitas e cabeças de famílias já idosos, que viram a primeira casa, choraram em alta voz quando a sua vista foram lançados os alicerces desta casa, muitos, no entanto, levantaram as vozes com gritos de alegria.*
>
> ESDRAS 3.12

| 10 | Capítulos |
| 280 | Versículos |

INTRODUÇÃO

ESBOÇO:

I. Pano de Fundo Histórico
II. Esdras, o Homem e a sua História
III. Relações e Características Literárias
IV. Autoria e Data
V. Cânon
VI. Alguns Problemas
VII. Esboço do Conteúdo
VIII. Bibliografia

I. PANO DE FUNDO HISTÓRICO

O ataque dos exércitos assírios resultara na queda de Samaria, capital do reino do norte, em 722 a.C. Disso proveio o *cativeiro assírio* (ver a respeito no *Dicionário*). A dominação assíria de Judá começou em 721 a.C., quando caiu o reino do norte; mas Judá nunca se tornou realmente uma província assíria. Todavia, Judá teve de pagar tributo aos monarcas assírios. Com o surgimento da Caldeia, sob Nabucodonosor (605-562 a.C.), a situação de Judá deteriorou-se rapidamente. Em 592 a.C., Nabucodonosor invadiu Judá e levou para o cativeiro o seu rei, Jeoaquim, e os principais líderes da nação. O trecho de 2Rs 24.15 mostra-nos que Ezequiel estava entre os cativos. Presumivelmente, uma deportação anterior já ocorrera. Então veio a deportação na qual Ezequiel esteve envolvido. Na Babilônia, ele predisse a destruição de Jerusalém e de seu templo, o que seria seguido ainda por uma terceira deportação. Em 586 a.C., Nabucodonosor, segundo Ezequiel havia predito, deixou Judá em ruínas, abafando a revolta nacionalista que havia arrebentado ali. Isso completou a destruição de Judá, e mais habitantes de Jerusalém foram levados para a Babilônia. Ver a narrativa completa no artigo sobre o *Cativeiro Babilônico*.

Após relatar a história da monarquia e do templo, até o exílio, o autor do livro de Esdras passa por cima do período em que o templo ficou arruinado, quando os principais homens de Judá encontravam-se na Babilônia, e registrou o retorno predito, o que, finalmente, levaria à reconstrução do templo, sob as ordens de Zorobabel (da linhagem de Davi) e de Josué (da linhagem de Arão). Em seguida, o autor sagrado descreveu o estabelecimento da nova comunidade judaica, durante o período de 538-433 a.C.

A sorte mudou, e os judeus, no cativeiro, caíram sob o domínio da Pérsia, quando Ciro conquistou a Babilônia, em 539 a.C. O livro de Esdras alista certo número de reis persas. Se considerarmos os livros de Esdras e Neemias como uma unidade, então acharemos ali os nomes de Ciro (539-530 a.C.), que permitiu que alguns cativos judeus retornassem à Palestina; Cambises (530-522 a.C.); Gaumata (pseudo Esmerdis, 522 a.C.), que foi um usurpador; Dario I (522-486 a.C.), citado nos capítulos quinto e sexto do livro de Esdras; Xerxes I (486-465 a.C.), referido em Ed 4.6; Assuero, da rainha Ester; Dario e Xerxes, que invadiram a Grécia, mas sem sucesso (a história narrada por Heródoto); Artaxerxes I (464-424 a.C.), aludido em Ed 4.7-23 e 7.1—10.44. O ministério inteiro de Neemias cabe dentro deste último período. Mas alguns estudiosos situam Esdras na época de Artaxerxes II, o que transferiria as suas atividades para cinquenta anos mais tarde.

II. ESDRAS, O HOMEM E A SUA HISTÓRIA

Este tópico é manuseado em um artigo separado. Ver no *Dicionário* sobre *Esdras (Pessoa)*, terceiro ponto. Esse artigo, além de mostrar ao leitor o que se sabe acerca de Esdras, também presta informações sobre o passado histórico do livro, suplementando a primeira seção do presente artigo.

III. RELAÇÕES E CARACTERÍSTICAS LITERÁRIAS

O livro de Esdras fazia parte original de uma obra literária mais extensa, que incluía os dois livros de Crônicas e o livro de Neemias. Por isso, os eruditos falam sobre o *cronista* como o autor ou compilador de todo esse material. Ver sobre *Autoria*. É evidente que a unidade Esdras-Neemias tem o intuito de dar prosseguimento à narrativa iniciada nos livros de Crônicas. Comparar os versículos finais de 2Crônicas com os versículos iniciais do livro de Esdras. Esdras-Neemias foi preparado para suplementar os livros de Crônicas, com base em documentos aramaicos e hebraicos então existentes. Esses documentos continham as memórias de Neemias e as de Esdras. Os livros de Crônicas terminam com a destruição de Jerusalém e a consequente deportação dos judeus para a Babilônia. Esdras dá prosseguimento a esse propósito, narrando como um remanescente retornou, a fim de restabelecer a nação judaica em torno de Jerusalém. O cronista, pois, via aqueles pioneiros como um remanescente piedoso, dotado de uma missão espiritual. E a história tem confirmado essa avaliação.

Os intérpretes veem algumas deslocações cronológicas na unidade Esdras-Neemias, pelo que a leitura contínua desses dois livros não fornece a devida sequência dos acontecimentos. O livro apócrifo de 1Esdras com frequência preserva melhor a ordem histórica dos eventos. Se alguém ler as porções seguintes, na ordem aqui apresentada, obterá melhor sequência cronológica: Ed 1.1—2.70; Ne 7.7-73a; Ed 3.1—4.6; 4.24—6.22; 4.7-23; Ne 1.1—7.5; Ne 11—13; 9.38—10.39; Ed 7—10; Ne 8.1—9.37. Certo editor, ao tentar evitar essa confusão cronológica, procurou melhorar a situação mediante várias inserções, como aquela em que colocava o nome de Neemias em Ne 8.9, e o de Esdras em Ne 12.26 e 36.

O livro de Esdras é complexo, constituído por uma porção em aramaico (Ed 4.7—6.18; 7.12-26) e uma porção em hebraico (7.1-10; 7.27—10.44). Alguns eruditos supõem que as duas porções antes existissem separadas, mas um editor qualquer as reuniu; ou então a porção hebraica foi unida à porção aramaica, a fim de compor uma única narrativa. O decreto real (Ed 7.12-26) provavelmente consistia em um documento separado, que foi anexado à história. A própria narrativa é complexa, porquanto parte dela consiste em autobiografia (Ed 7.27—9.15), ao passo que a outra parte é biográfica (7.1-26; cap. 10). Além disso, parte do material pertencente a Esdras foi transplantado para o livro de Neemias, como porções do capítulo sétimo, até o nono capítulo.

Nos tempos antigos, vários livros circularam sob o nome de Esdras. Ver os artigos separados sobre 1 e 2Esdras, que são livros apócrifos.

O livro canônico de Esdras faz parte da terceira divisão do cânon hebraico, chamada *Escritos ou Hagiógrafos* (ver a respeito no *Dicionário*). No hebraico, aparecia originalmente combinado com Neemias, formando uma unidade. A tradição judaica atribui o livro de Esdras a Esdras. Pelo menos, suas memórias estão incluídas no livro.

IV. AUTORIA E DATA

Questões como estilo, abordagem, propósito comum e repetição de usos verbais apontam para um compilador que trabalhou sobre os livros de Crônicas, Esdras e Neemias, como se formassem uma só unidade. Várias fontes informativas podem ser percebidas; portanto, se Esdras foi o autor, então ele atuou quase sempre como mero compilador de materiais já existentes. Precisamos reunir em um único bloco os seguintes materiais:

1. *As memórias de Esdras* (Ed 7.27—9.15). O emprego da primeira pessoa do singular nessa seção não significa, necessariamente, que Esdras, e somente ele, tenha escrito a unidade inteira, conforme alguns pensadores têm dito. 2. *As memórias de Neemias* (Ne 1.1—7.5; 11.27-43; 13.4-30). 3. *Os documentos em aramaico* (sendo esse o idioma diplomático da época, Ed 4.8-24), que, evidentemente, pertencem, em ordem cronológica, a um período um pouco anterior ao primeiro capítulo do livro de Neemias. Cf. Ed 4.21 com Ne 1.3. No aramaico, temos a carta a Dario I e sua resposta (Ed 5.1—6.18). Além disso, nesse idioma, temos a autorização de Artaxerxes para que os judeus retornassem do cativeiro à sua terra (Ed 7.12-26). 4. Em seguida, várias listas de nomes foram inseridas com certa variedade de propósitos: a. os exilados que retornaram (Ed 2; comparar com Ne 7); b. aqueles que se tinham casado com mulheres gentias e tiveram de divorciar-se delas quando da reforma religiosa

de Esdras (Ed 10.18-43); c. os construtores das muralhas de Jerusalém e os trechos onde eles trabalharam (Ne 3); d. os líderes que apuseram seu selo ao pacto estabelecido em torno da restauração de Israel e seus novos começos (Ne 10.1-27); e. a alocação do povo, em Jerusalém e nas circunvizinhanças (Ne 11); f. as listas de sacerdotes e levitas, até Jadua (Ne 12.1-26). Talvez esse tenha sido o Jadua que foi sumo sacerdote durante o reinado de Dario II (338-331 a.C.). Supomos que listas como essas estivessem guardadas nos arquivos do templo. Um autor qualquer dificilmente poderia tê-las arranjado sozinho. 5. Depois disso, temos a porção *narrativa* do próprio autor-compilador, procurando reunir todo esse material e unificar as diversas inserções feitas. A tradição judaica piedosa atribui a obra inteira a Esdras, mas a maioria dos eruditos modernos pensa que algum compilador desconhecido se mostrou ativo. O próprio livro é anônimo, pelo que não há como chegar a conclusões indubitáveis sobre a questão da autoria.

Data. As várias datas atribuídas ao livro dependem da identidade do rei Artaxerxes, referido no livro, isto é, se foi Artaxerxes I ou Artaxerxes II. Isso cria uma diferença de cinquenta anos, de 458 a.C. para 397 a.C. Alguns estudiosos supõem que a escrita real pudesse ter ocorrido cem anos ou mais após eventos descritos. Se o Jadua de Ne 12.11,22 fosse identificado com o sumo sacerdote desse nome, do reinado de Dario III (338-331 a.C.), então o livro de Esdras, em sua forma final, poderia datar dessa época. Uma cópia atualizada, entretanto, pode ter sido feita com base nessa adição, e o restante pode ter sido preparado algum tempo antes.

V. CÂNON
A canonicidade de Esdras-Neemias nunca foi posta seriamente em dúvida. Esdras, uma espécie de segundo Moisés, foi o fundador da segunda república judaica, por assim dizer, pelo que também tinha enorme prestígio dentro das tradições judaicas. Ver no *Dicionário* o artigo geral sobre o *Cânon do Antigo Testamento*. A unidade Esdras-Neemias aparece no terceiro grupo do *cânon* hebraico, intitulado *Escritos ou Hagiógrafos* (ver a respeito também no *Dicionário*). Ilogicamente, antecede os livros de Crônicas, naquela coletânea hebraica; mas, provavelmente, isso se deve ao fato de que os livros de Crônicas são paralelos aos livros históricos de Samuel e Reis, pelo que poderiam ser lidos como um suplemento, e não como uma continuação histórica desses escritos.

VI. ALGUNS PROBLEMAS
Os informes históricos existentes no livro de Esdras nem sempre concordam com aquilo que se sabe, através da história secular. Além disso, alguns estudiosos veem certas discrepâncias internas entre as várias fontes informativas incorporadas pelo livro. Consideremos os três pontos seguintes:
1. Ciro, em Ed 1, reconheceu o Deus dos judeus, Yahweh. Mas um monarca pagão faria tal coisa? Qualquer político teria o cuidado de tratar respeitosamente as crenças religiosas de um povo. Os registros contemporâneos que envolvem Ciro ilustram precisamente isso, por parte dos decretos reais.
2. Em Ed 3.8 lemos que Zorobabel lançou os alicerces do templo de Jerusalém, mas em Ed 5.16 isso é atribuído a Sesbazar, referido ali como alguém que já havia falecido. Alguns estudiosos pensam que a construção se processou em dois estágios: um iniciado por Sesbazar, e outro por Zorobabel. Ou então Sesbazar foi o líder oficial, ao passo que Zorobabel foi um entusiasta ativo, tanto em 536 a.C. como posteriormente, em 520 a.C.
3. Com base em Ag 2.18, aprende-se que os alicerces do templo foram lançados em 520 a.C.; mas Ed 3.10 parece indicar que isso aconteceu em 536 a.C. Alguns supõem que ambos os informes digam a verdade, e que o intervalo de dezesseis anos, entre a primeira e a segunda arrancadas, seja considerado um começo. É possível que isso tenha acontecido, e que mais de uma pedra oficial de fundação tenha sido lançada, cada qual assinalando um esforço específico de reconstrução.

Explicações como essas são apenas conjecturas, embora não se revelem questões importantes para a fé, mesmo que sejam encontradas algumas discrepâncias. Os próprios livros sagrados não reivindicam perfeição. Essa é a reivindicação de teólogos, que injetam nas Escrituras ideias que elas mesmas não exprimem. Já vimos que a compilação da unidade Esdras-Neemias foi feita com algum defeito de arranjo cronológico. As deslocações cronológicas também formam um problema nos Evangelhos; mas isso não envolve questões de fé, exceto para os harmonizadores que querem obter perfeição a qualquer preço.

VII. ESBOÇO DO CONTEÚDO
O livro de Esdras divide-se em duas partes principais, a saber:

I. *O Retorno dos Exilados sob Zorobabel* (1.1—6.22)
  1. Retorno dos primeiros cativos (1.1—2.70)
      a. Ciro favorece os judeus com seu decreto (1.1-11)
      b. A lista dos exilados (2.1-70)
  2. A adoração judaica é restaurada (3.1—6.22)
      a. O templo é reconstruído (3.1—6.15)
      b. A dedicação do templo (6.16-22)
II. *Reformas de Esdras — O Reinício de Israel* (7.1—10.44)
  1. A segunda leva de exilados (7.1—8.36)
  2. Divórcio forçado das esposas estrangeiras: a purificação (9.1—10.44)

VIII. BIBLIOGRAFIA
AM E I IB ID JBL (xl, 1921, "The Date and Personality of the Chronicle") TOR WBC WES YO Z.

Ao Leitor
O *leitor sério*, ao examinar o livro de Esdras, preparará o caminho para seu estudo lendo a *Introdução* ao livro. A introdução aborda as seguintes questões: pano de fundo histórico; Ed, o homem e sua história; relações e características literárias; autoria e data; cânon; alguns problemas; esboço do conteúdo.

Características Gerais. "Esdras, o primeiro dos livros dos tempos do pós-cativeiro (Ed, Neemias, Ester, Ageu, Zacarias e Malaquias), registra o retorno à Palestina, sob Zorobabel, por decreto de Ciro, de um remanescente judeu que lançou os alicerces do templo em cerca de 536 a.C. Mais tarde ainda (458 a.C.), Esdras também voltou à Terra Prometida e restaurou a lei e o ritual. Mas a grande maioria da nação, bem como a maioria dos príncipes, permaneceu, por preferência pessoal, na Babilônia e na Assíria, onde estava prosperando. Os livros do pós-cativeiro tratam do débil remanescente que tinha o coração voltado para Deus" (*Scofield Reference Bible*).

Cronologia:
1. O retorno do primeiro destacamento de judeus foi feito sob a liderança de Zorobabel e Josué (Ed 1—6; 536 a.C.). Os livros de Zacarias e Ageu foram escritos durante esse período.
2. A expedição de Esdras (458 a.C.), setenta e oito anos mais tarde (Ed 7—10).
3. A comissão de Neemias (444 a.C.), catorze anos após a expedição de Esdras (Ne 2.1-5).

A Unidade: Esdras e Neemias, na Bíblia hebraica, formam um único volume. A separação em dois livros ocorreu primeiro na tradução da Septuaginta, e esse arranjo foi seguido por traduções posteriores em outras línguas.

A Literatura de Esdras: Esdras e Neemias são, vez por outra, intitulados 1 e 2Esdras. Além desses, há entre os não canônicos e apócrifos o livro chamado 1Esdras, também conhecido como 3Esdras; e então há 2Esdras, também denominado 4Esdras. Ver na *Enciclopédia de Bíblia, Teologia e Filosofia* os verbetes chamados *1 e 2Esdras*. O livro de 2Esdras, além de receber o nome de 4Esdras, também é citado como *Apocalipse de Esdras*. Como é claro, Esdras não escreveu nenhum desses livros, mas os materiais históricos genuínos saídos da pena de Esdras sem dúvida estão contidos no livro original de Esdras-Neemias.

A Coletânea Canônica. Os livros de 1 e 2Crônicas, Esdras e Neemias podem ter sido escritos por um mesmo autor-compilador, que os eruditos chamam de *o cronista*. As tentativas de fazer de Esdras o autor dos livros de Esdras e Neemias não têm sido bem acolhidas, mas isso não significa que ele não tenha contribuído com materiais (entre outros) que o autor-compilador empregou em seus livros. Note que o trecho de 2Cr 36.22,23 é essencialmente reproduzido em Ed 1.1-3. Para a maioria dos eruditos, isso indica um autor comum. Entretanto, questões como estilo, abordagem, propósito comum e repetição de usos verbais apontam para um único compilador, que trabalhou nos livros de Crônicas, Esdras e Neemias, como se formassem uma só *unidade literária*.

Fontes de Material. Cerca de metade do volume de 1 e 2Crônicas baseou-se em 1 e 2Samuel e em 1 e 2Reis. Quanto ao restante do material, o autor sagrado contou com várias fontes informativas que identifico com as seguintes referências: 1Rs 14.19; 2Cr 9.29; 12.15; 20.34; 26.22 e 32.25.

Uma Filosofia da História. A *unidade literária* formada por 1 e 2Crônicas e Esdras-Neemias foi, em certo sentido, uma história idealista e didática, e não meramente uma história de eventos. O cronista tinha uma filosofia da história toda especial. Ele acreditava que a história é guiada teisticamente: Yahweh estaria por trás de tudo, recompensando os bons e punindo os maus, e guiando as nações a seus destinos, sobretudo a nação escolhida, Israel e Judá. Ver no *Dicionário* o verbete denominado *Teísmo* quanto ao significado desse conceito, o âmago da filosofia da história do cronista. Quanto a notas adicionais sobre essa questão, ver os comentários de introdução a 1Crônicas, após a introdução principal, imediatamente antes dos comentários de 1Cr 1.1. Ver os cinco princípios normativos usados na história narrada pelo cronista.

Como Israel e Judá Foi Preservado pelo Minúsculo Fragmento de Judá que Retornou do Cativeiro Babilônico. Embora minúsculo em números, um fragmento de Judá foi capaz de continuar a história de Israel. O autor sacro começou a chamar esse fragmento de *Israel*, desprezando o fato de que houvera antes Israel (as tribos do norte) e Judá (as tribos do sul). Em 722 a.C., as dez tribos do norte perderam-se para sempre no cativeiro assírio. Outro tanto poderia ter acontecido ao sul, Judá, por ocasião do cativeiro babilônico (597 a.C. e posteriormente). Ver sobre ambos os assuntos no *Dicionário*. O minúsculo fragmento de Judá que voltou tinha *autoridade política* porquanto *Zorobabel* (ver a respeito no *Dicionário*) pertencia à linhagem de Davi, de maneira que a dinastia davídica foi preservada. E a *autoridade espiritual* foi garantida no minúsculo novo Israel no retorno de levitas e sacerdotes (da família de Arão) qualificados. Embora Zorobabel não fosse rei, era o governador oficialmente nomeado pelo governo babilônico, pelo que tinha uma espécie de autoridade real sobre o remanescente judeu que retornou.

Livros Separados? A Bíblia hebraica, bem como Josefo (*Contra Apion* 1.8) e Jerônimo, além do Talmude, consideravam os livros de Esdras e Neemias um único volume. As listas similares, embora levemente diferentes, apresentadas no segundo capítulo de Esdras e no sétimo capítulo de Neemias, poderiam significar que esses livros foram originalmente volumes separados. Mas é difícil entender por que um mesmo autor-compilador teria apresentado ambas as listas. Por outra parte, um autor-compilador pode ter incluído ambos os trechos de fontes informativas separadas, não querendo sacrificar o material, a despeito de isso ter criado possíveis problemas de harmonização.

O Texto. Quase uma quarta parte do livro de Esdras foi escrita em aramaico, o idioma semita irmão do hebraico. As seções escritas em aramaico constituem 27 dentre 280 versículos. Essas seções são Esdras 4.8—6.18 e 7.12-26. O material desses versículos foi copiado principalmente da correspondência oficial, em que o aramaico era a linguagem padrão (língua franca) da época. Naturalmente, o povo hebreu acabou adotando esse idioma como sua própria língua, que talvez fosse tão próxima do hebraico quanto o espanhol é parecido com o português.

Escopo Histórico. A unidade de Esdras-Neemias cobre o período de 538 a.C. até cerca de 430 a.C.

Quanto ao restante dos materiais introdutórios, o leitor deveria consultar a *Introdução* geral, anteriormente.

EXPOSIÇÃO

CAPÍTULO UM

RETORNO DOS EXILADOS SOB ZOROBABEL (1.1—6.22)

RETORNO DOS PRIMEIROS CATIVOS (1.1—2.70)

CIRO FAVORECE OS JUDEUS COM SEU DECRETO (1.1-11)

Ed 1.1-3a reproduz o trecho de 2Cr 36.22,23, mas adiciona alguns detalhes quanto ao decreto do rei Ciro. Um decreto ainda mais extenso é dado em 1Esdras (também chamado 3Esdras; Ed e Neemias são chamados de 1 e 2Esdras) 1.1-58, embora não saibamos dizer quão autêntico é esse material. Ver na *Enciclopédia de Bíblia, Teologia e Filosofia* o verbete chamado *1Esdras*.

■ **1.1-3**

V1 וּבִשְׁנַת אַחַת לְכוֹרֶשׁ מֶלֶךְ פָּרַס לִכְלוֹת דְּבַר־
יְהוָה מִפִּי יִרְמְיָה הֵעִיר יְהוָה אֶת־רוּחַ כֹּרֶשׁ מֶלֶךְ־
פָּרַס וַיַּעֲבֶר־קוֹל בְּכָל־מַלְכוּתוֹ וְגַם־בְּמִכְתָּב לֵאמֹר׃

V2 כֹּה אָמַר כֹּרֶשׁ מֶלֶךְ פָּרַס כֹּל מַמְלְכוֹת הָאָרֶץ
נָתַן לִי יְהוָה אֱלֹהֵי הַשָּׁמָיִם וְהוּא־פָקַד עָלַי לִבְנוֹת־
לוֹ בַיִת בִּירוּשָׁלִַם אֲשֶׁר בִּיהוּדָה׃

V3 מִי־בָכֶם מִכָּל־עַמּוֹ יְהִי אֱלֹהָיו עִמּוֹ וְיַעַל
לִירוּשָׁלִַם אֲשֶׁר בִּיהוּדָה וְיִבֶן אֶת־בֵּית יְהוָה אֱלֹהֵי
יִשְׂרָאֵל הוּא הָאֱלֹהִים אֲשֶׁר בִּירוּשָׁלִָם׃

No primeiro ano de Ciro, rei da Pérsia. Quanto à *exposição essencial* desses versículos, comparar com o trecho quase idêntico de 2Cr 36.22,23. O cronista adiciona aqui algumas informações e refaz um pouco o fraseado. Ofereço notas detalhadas sobre essa questão, incluindo a introdução aos vss. 22 e 23, de modo que não repito o material aqui. Ver no *Dicionário* os artigos chamados *Ciro* e *Pérsia*. No livro de Esdras, o cronista presta-nos a informação, da qual não necessitamos (mas de que talvez outros leitores precisem), de que o templo a ser construído estaria em Jerusalém, capital de Judá. Ademais, o templo foi chamado de casa de Yahweh-Elohim, o Deus de Israel, a quem Ciro tanto respeitava, conforme anotei no trecho paralelo.

Para a maioria dos eruditos, o fato de Ed 1.1-3 reproduzir o paralelo de 2Cr 66.22,23 indica uma autoria comum. Isso, entretanto, é negado por certos estudiosos, mas outras questões parecem dar apoio a essa reivindicação. Ver anteriormente, sob o título *Coletânea Canônica*, uma discussão a respeito.

No primeiro ano. A nota cronológica (vs. 1) refere-se não ao primeiro ano de Ciro como rei da Pérsia (isso aconteceu em 559 a.C.), mas ao seu primeiro ano como governador da Babilônia, a saber, 538 a.C. Esse foi o ano em que os judeus tiveram seu primeiro contato com Ciro (ver Ed 5.13).

Rei da Pérsia. Alguns eruditos pensavam anteriormente que essa expressão seria uma observação anacrônica do cronista, mas evidências têm demonstrado que o título era mais antigo do que antes se pensara. Está contido nas *Crônicas de Nabonido*, col. 2,1,15, que a arqueologia trouxe ao nosso conhecimento.

O edito de Ciro aparece tanto no hebraico (ver Ed 1.2-4) como em aramaico (ver Ed 6.3-5). Talvez a primeira menção a esse decreto seja uma forma oral, ao passo que a segunda seja a versão escrita. De qualquer modo, nenhum relato sobre esse decreto ficou preservado *verbatim*. Mas a *essência* está ali, em ambas as versões.

Deus dos céus. Um título comum para indicar Yahweh, que aparece no livro de Esdras por nove vezes: 1.2; 5.11,12; 6.9,10; 7.12; 7.21,23 (duas vezes). O mesmo título aparece outras dez vezes em outros livros exílicos e pós-exílicos: 2Cr 36.23; Ne 1.4,5; 2.4,20; Dn

2.18,19,28,37,44. Em outros lugares do Antigo Testamento, aparece somente por mais quatro vezes: Gn 24.3,7; Sl 136.26 e Jn 1.9. Esse título enfatiza a soberania de Deus. Ver minhas notas sobre esse título em 2Cr 36.23. Ver também no *Dicionário* o verbete intitulado *Deus, Nomes Bíblicos de*.

■ 1.4

וְכָל־הַנִּשְׁאָר מִכָּל־הַמְּקֹמוֹת אֲשֶׁר הוּא גָר־שָׁם
יְנַשְּׂאוּהוּ אַנְשֵׁי מְקֹמוֹ בְּכֶסֶף וּבְזָהָב וּבִרְכוּשׁ וּבִבְהֵמָה
עִם־הַנְּדָבָה לְבֵית הָאֱלֹהִים אֲשֶׁר בִּירוּשָׁלָם:

Todo aquele que restar em alguns lugares em que habita. As *adições* ao edito, conforme este aparece em 2Cr 36.22,23, evidenciam-se mais neste versículo. É provável que em nenhuma de suas versões haja uma transcrição palavra por palavra, segundo a maneira como o decreto foi falado ou escrito; mas temos a sua essência em vários lugares em 2Cr-Esdras e 1Esdras. Ciro tinha o coração fixo no projeto do templo, em Jerusalém, e até proveu fundos e transporte para facilitar o trabalho. Os sobreviventes (aqueles que tinham escapado à matança em Jerusalém; ver 2Cr 36.20) receberam um convite especial, por parte do rei da Pérsia, para participar do retorno do cativeiro babilônico e ocupar-se da construção do segundo templo de Jerusalém. Mas os judeus que tinham criado fortes raízes na Babilônia (ver Jr 29.4-10) não se interessaram em retornar àquela terra violenta, onde somente a tristeza tinha reinado por tanto tempo.

Um *novo êxodo* estava sendo efetuado, e aqueles que quisessem voltar para Jerusalém teriam dinheiro suficiente, animais domesticados e a ajuda de que porventura precisassem para um novo começo. O rei cuidaria desse aspecto da questão, e também haveria oferendas voluntárias para a construção do templo, e, presumivelmente, sobraria algo para os construtores sob a forma de salários.

Cronologia (todas as datas são a.C.):
1. *558-529*: Ciro tornou-se rei dos medos e dos persas, depois de ter derrotado a Astíages.
2. *541*: Belsazar, vice-rei da Babilônia (Dn 7).
3. *538*: O império babilônico chega ao fim. O império medo-persa foi estabelecido por Ciro. Dario, o medo, foi feito rei da Babilônia.
4. *536*: Primeiro ano de Ciro como rei da Babilônia. Seu decreto liberava os cativos judeus para retornarem a Jerusalém. Volta de judeus sob o comando de Zorobabel.
5. *535*: Fundação do segundo templo de Jerusalém (Ed 3.8).
6. *529*: Oposição dos samaritanos (Ed 4.6).
7. *522*: A construção do templo cessa temporariamente (Ed 4.7).
8. *521-486*: Dario I, filho de Histaspes, rei da Pérsia (Ed 4.5-24; 5.5; 6.1). Ageu e Zacarias começam a profetizar.
9. *515*: Termina a construção do segundo templo (Ed 6.15).
10. *486-465*: Xerxes (o Assuero de Ester) sobe ao trono da Pérsia.
11. *465-425*: Artaxerxes Longimano (Ed 7; Ne 2.1).
12. *445*: Neemias vai a Jerusalém (Ne 2.1; 5.14). Construção das muralhas de Jerusalém.
13. *433*: Neemias retorna a Jerusalém (Ne 13.6).
14. *401-399*: Últimas predições de Malaquias. (Morte de Ciro, o Jovem.) Tempo de Tucídides e Sócrates na Grécia.

■ 1.5

וַיָּקוּמוּ רָאשֵׁי הָאָבוֹת לִיהוּדָה וּבִנְיָמִן וְהַכֹּהֲנִים
וְהַלְוִיִּם לְכֹל הֵעִיר הָאֱלֹהִים אֶת־רוּחוֹ לַעֲלוֹת
לִבְנוֹת אֶת־בֵּית יְהוָה אֲשֶׁר בִּירוּשָׁלָם:

Então se levantaram os cabeças de famílias de Judá e de Benjamim. *A Liderança Desperta*. Tirando vantagem da generosidade de Ciro, e sentindo o despertar do nacionalismo e o impulso interior de Yahweh, os principais líderes ergueram-se para conduzir o povo de Judá de volta à Terra Prometida. Entre os líderes, havia sobreviventes proeminentes de Judá e de Benjamim, além de certo número de sacerdotes e levitas. Notemos que foi um remanescente do sul (Judá-Benjamim) que reiniciou a *nação* de Israel, em sua Terra Prometida. Esse remanescente tinha a autoridade política de Zorobabel (2.2), descendente de Davi, bem como a autoridade espiritual de sacerdotes e levitas qualificados, ou seja, eles contavam com todos os requisitos da legislação mosaica. O minúsculo fragmento de Judá tornou-se assim o novo Israel, e as coisas recomeçaram. E agora, mesmo depois da grande dispersão romana ocorrida em 132 a.C., na era atual, as coisas continuam. Naturalmente, a dinastia davídica (que o cronista nunca se cansou de exaltar) perdeu-se, exceto pelo fato de que continua na pessoa de Jesus, o Cristo, o Filho de Davi, o Rei dos reis.

Com todos aqueles. Ou seja, o povo comum. Um total de 49.897 pessoas retornaram à Terra Prometida (ver Ed 2.64,65).

Jerusalém e Judá Jaziam Desolados. Nada havia que acolhesse os recém-chegados à Terra Prometida. Eles se estabeleceram em clãs e grupos familiares. Ciro os ajudou, como fizeram seus vizinhos babilônicos (vs. 6). Com grande coragem, iniciaram uma nova vida.

Por muitas vezes, a prova da coragem
não é morrer, mas viver.
Vittorio Alfieri

A mais forte, mais generosa e mais orgulhosa
de todas as virtudes é a verdadeira coragem.
Michel de Montaigne

Coragem, pois! O que não pode ser evitado
é a fraqueza das crianças, que se lamentam ou temem.
Shakespeare

■ 1.6

וְכָל־סְבִיבֹתֵיהֶם חִזְּקוּ בִידֵיהֶם בִּכְלֵי־כֶסֶף בַּזָּהָב
בָּרְכוּשׁ וּבַבְּהֵמָה וּבַמִּגְדָּנוֹת לְבַד עַל־כָּל־הִתְנַדֵּב: ס

Todos os que habitavam nos arredores. Os vizinhos saíram em socorro dos judeus recém-chegados, suprindo-lhes dinheiro e materiais necessários, além dos animais que proveriam transporte. Houve grandes ofertas *voluntárias*. Os doadores não foram identificados, porém o mais provável é que tanto os judeus que não planejavam voltar à Terra Prometida quanto pagãos tenham contribuído. E talvez alguns dos judeus que ficaram tenham contribuído, somente para irem para a Terra Prometida mais tarde. Mas a maioria dos judeus contentou-se em permanecer na Babilônia, onde se tinha adaptado à nova vida. 1Esdras diz graficamente que os judeus que voltaram foram ajudados "em todas as coisas". Nada lhes faltou para a viagem.

Cousas preciosas. Temos no original hebraico uma palavra rara, que usualmente refere-se a metais preciosos. Houve certa *riqueza* nas doações recebidas, para que, tendo toda a abundância em todas as coisas, fossem capazes de abundar em toda boa obra (ver 2Co 9.8).

A coisa mais importante em qualquer relacionamento
pessoal não é o que se recebe, mas o que se dá.
Eleanor Roosevelt

Mais bem-aventurado é dar que receber.
Atos 20.35

Ciro Devolve os Vasos do Templo (Ed 1.7-11)

■ 1.7

וְהַמֶּלֶךְ כּוֹרֶשׁ הוֹצִיא אֶת־כְּלֵי בֵית־יְהוָה אֲשֶׁר הוֹצִיא
נְבוּכַדְנֶצַּר מִירוּשָׁלַם וַיִּתְּנֵם בְּבֵית אֱלֹהָיו:

Também o rei Ciro tirou os utensílios da casa do Senhor. *A Contribuição Real*. Ciro deu o exemplo de liberalidade e doação. Além de ter oferecido provisões sob a forma de animais e dinheiro para o retorno dos exilados a Jerusalém, também devolveu os vasos do templo, que haviam feito parte do saque de Nabucodonosor. O trecho de 2Rs 24.13 diz-nos que esses vasos foram cortados em pedaços, de maneira que devemos presumir que alguns, mas não todos, tenham sido despedaçados. Parte desses vasos foi reduzido a seu valor em metal, por meio da dissolvência.

Por assim dizer, Ciro roubou o templo de Belus, na Babilônia (ver 2Cr 36.7; Dn 1.2), e devolveu os vasos a Yahweh, pois eram coisas que, realmente, lhe tinham sido furtadas.

Tinha Posto na Casa de seus Deuses. O principal desses deuses era Marduque ou Merodaque, a quem ele chamava de seu "senhor" (Dn 1.2). O trecho de 2Rs 25.13-17 indica que grande parte tinha sido tirada do templo de Jerusalém, e que Ciro não foi capaz de localizar. Coisa alguma é dita acerca das grandes peças do mobiliário, os principais itens do templo, incluindo a arca da aliança. Não tendo sido mencionados, presumimos que esses itens não tenham sido devolvidos. O que aconteceu a esses itens, não sabemos dizê-lo. Assim sendo, de certo modo, o *crime* de Nabucodonosor, por ter pilhado o templo e a cidade de Jerusalém (586 a.C.), foi revertido por Ciro, em 536 a.C., ou seja, cinquenta anos mais tarde.

■ 1.8

וַיּוֹצִיאֵם כּוֹרֶשׁ מֶלֶךְ פָּרַס עַל־יַד מִתְרְדָת הַגִּזְבָּר וַיִּסְפְּרֵם לְשֵׁשְׁבַּצַּר הַנָּשִׂיא לִיהוּדָה׃

Tirou-os Ciro, rei da Pérsia. Isso Ciro fez através de seu tesoureiro, *Midredate* (*Mitredate*), o qual entregou os vasos nas mãos de *Sesbazar*, príncipe de Judá. Ver no *Dicionário* os verbetes sobre esses nomes próprios. Note-se que o delegado de Ciro tinha um nome que incorporava o título do deus Mitra, um deus comum entre os persas. Ele tinha um nome religioso e foi posto a trabalhar em uma causa piedosa. Mitra era o deus-sol dos persas. Alguns creem que *Sesbazar* seja o mesmo Daniel (conforme pensava Jarchi), mas isso não passa de uma invenção. Não há nenhuma evidência de que Daniel tenha ido a Jerusalém nesse período. Outros estudiosos supõem que *Sesbazar* tenha sido o nome persa de Zorobabel. Ele era o herdeiro legal de Jeoaquim, sendo filho de Pedaías (ver 1Cr 3.19) e sucessor natural ao trono de Judá. Mas, na realidade, ele se tornou *governador* do Estado títere de Judá, e não tinha autoridade própria, exceto a que lhe fora dada pelos poderes superiores da Babilônia. Mais provavelmente, o homem era o tio de Zorobabel, que o sucedeu. 1Esdras 6.18 distingue Sesbazar e Zorobabel. Quanto a informações sobre *1Esdras*, ver a *Enciclopédia de Bíblia, Teologia e Filosofia*.

Enumeração dos Vasos Sagrados (1.9-11)

■ 1.9-11

9 וְאֵלֶּה מִסְפָּרָם אֲגַרְטְלֵי זָהָב שְׁלֹשִׁים אֲגַרְטְלֵי־כֶסֶף אָלֶף מַחֲלָפִים תִּשְׁעָה וְעֶשְׂרִים׃ ס

10 כְּפוֹרֵי זָהָב שְׁלֹשִׁים כְּפוֹרֵי כֶסֶף מִשְׁנִים אַרְבַּע מֵאוֹת וַעֲשָׂרָה כֵּלִים אֲחֵרִים אָלֶף׃ ס

11 כָּל־כֵּלִים לַזָּהָב וְלַכֶּסֶף חֲמֵשֶׁת אֲלָפִים וְאַרְבַּע מֵאוֹת הַכֹּל הֶעֱלָה שֵׁשְׁבַּצַּר עִם הֵעָלוֹת הַגּוֹלָה מִבָּבֶל לִירוּשָׁלָ͏ִם׃ פ

Conspícuas por sua ausência são as peças nobres do mobiliário que tinham feito parte dos itens guardados no templo de Salomão. Nada ouvimos falar sobre o altar do incenso, sobre a arca da aliança ou sobre as mesas (dez delas) dos pães da proposição. Por conseguinte, o que temos nestes versículos são vasos relativamente menores e itens de valor, como bacias e vasos de ouro e de prata. O número *total* desses vasos, de acordo com a presente seção, era de 5.400. Contudo, quando adicionamos os itens listados, com seus números, obtemos somente 2.499 itens:

Bacias de ouro	30
Bacias de prata	1.000
Facas	29
Taças de ouro	30
Taças de prata	410
Outros vasos	1.000
Total	2.499

Os *harmonizadores* mostram-se frenéticos aqui, na tentativa de encontrar uma resposta para a discrepância. Seria a matemática do cronista tão ruim assim? Adam Clarke simplesmente apresentou o argumento de que houve alguma corrupção no texto sagrado, quanto aos números oferecidos. Ellicott, por sua vez, supõe que tenha havido alguma falta de informação, e não uma contradição. Mais vasos, em outra ocasião qualquer, teriam sido enviados a Jerusalém, dando o grande total de 5.400. Outra explicação é que esses 2.499 itens do texto de Esdras seriam os vasos mais importantes, e houve outros vasos de valor menor. Adicionando os vasos aqui enumerados com essa "lista fantasma", obteríamos os 5.400 vasos. Essa é a explicação essencial de Eugene H. Merrill. Os críticos, por sua vez, sugerem que o cronista não estava interessado na exatidão matemática, e tomou o total de 5.400 de uma fonte informativa, e os 2.499 de outra, envolvendo tudo isso em seu relato e deixando-nos uma discrepância. Somente se pudéssemos perguntar ao cronista: "Que aconteceu?", seria possível explicar essa discrepância. Mas não se reveste de importância explicá-la. Erros matemáticos, reais ou alegados, nada têm a ver com a fé religiosa, nem com qualquer sã teoria da inspiração das Escrituras. Somente os céticos e os ultraconservadores preocupam-se com tais questões.

A lista em 1Esdras é como segue:

Taças de ouro	1.000
Taças de prata	1.000
Incensários de prata	29
Frascos de ouro	30
Frascos de prata	2.410
Outros vasos	1.000
Total	5.469

Portanto, esse total difere em apenas 69 unidades do total dado pelo cronista, de forma que um total entre cinco mil e seis mil vasos está essencialmente correto. Não precisamos rebuscar mais do que isso.

Tentar solucionar o problema numérico serve apenas para obscurecer o ensino do texto sagrado: Yahweh inspirou a generosidade do povo em geral e do monarca persa, para que o cativeiro babilônico fosse revertido e Israel começasse de novo no minúsculo remanescente de Judá. Isso concorda com a filosofia da história do autor sagrado. De acordo com essa filosofia, a história da humanidade é teisticamente orientada. Ver no *Dicionário* o artigo chamado *Teísmo*. Ver também o título *Filosofia da História*, nas notas imediatamente anteriores à exposição sobre Ed 1.1.

Sesbazar (vs. 11) cumpriu a sua missão e trouxe os vasos devolvidos para Jerusalém. E o povo (talvez tantos quantos cinquenta mil; Ed 2.64,65) o acompanhou. Com esse remanescente de cativos, o novo Israel teve seu começo. Yahweh recebeu de volta as coisas que lhe pertenciam, e Israel recebeu de volta a Terra Prometida.

CAPÍTULO DOIS

LISTA DOS EXILADOS (2.1-70)

Caracterização Geral. Este capítulo lista laboriosamente aqueles que retornaram da Babilônia para Jerusalém, a fim de formar o novo Israel e iniciar o trabalho de construção do segundo templo:

1. Os líderes, principais homens, príncipes e sacerdotes (vss. 1,2).
2. O povo em geral, listado por famílias, aldeias e cidades (vss. 3-35).
3. Os sacerdotes, levitas e servidores do templo (vss. 36-58).
4. O povo que não podia provar sua descendência genealogicamente, povo comum e sacerdotes (vss. 59-63).
5. O grande total (vs. 64).
6. Homens e mulheres escravos, cantores e animais domesticados (vss. 65-67).

É dado o grande total dos seres humanos; em seguida, o grande total dos animais. Grande total das pessoas: 49.897. Animais: 8.136.

A *jornada* de Babilônia a Jerusalém foi de cerca de 1.450 quilômetros e exigiu quatro meses para processar-se (cf. Ed 7.8,9). Esdras não fala na quilometragem gasta, mas supomos que o número dado aqui seja regularmente exato. Sucedeu, pois, que *Israel estava de volta*.

As Cinco Classes de Listas. "Um recenseamento do primeiro grupo é dado em Ne 7.6-73. Cinco grupos são ali cobertos: líderes, leigos, oficiais do templo, aqueles de genealogia duvidosa, escravos e animais" (*Oxford Annotated Bible, in loc.*).

As comparações com os números fornecidos no livro de Neemias revelam várias discrepâncias que não têm importância alguma para a realidade histórica do evento descrito.

Propósitos da Lista:
1. *Judá se tornaria o novo Israel.* A *autoridade política* foi dada ao remanescente de Judá na pessoa de Zorobabel, descendente de Davi (ver Ed 2.2). Assim sendo, em certo sentido, a dinastia davídica foi restaurada. E a *autoridade espiritual* foi dada ao remanescente no retorno de sacerdotes e levitas autenticados, que podiam reiniciar o culto a Yahweh em concordância com os requisitos da legislação mosaica. Portanto, doravante, em vez de ouvirmos falar no norte (Israel) e no sul (Judá), simplesmente ouviremos acerca de Israel. Naturalmente, havia entre o remanescente um pequeno número de pessoas provenientes das tribos do norte, mas muito poucas para serem mencionadas. Os judeus de hoje são descendentes daquele remanescente da tribo de Judá. O restante perdeu-se.
2. *O exemplo de coragem.* Um minúsculo remanescente fez um grande movimento e realizou uma grande missão.
3. *O fator teísta.* Yahweh cuidou para que um remanescente representativo de Judá retornasse, incluindo sacerdotes e levitas (pertencentes a Levi). Deus também proveu a liderança apropriada. A história humana estava sendo guiada teisticamente.
4. *Jesus Cristo*, descendente de Davi, dependia fisicamente daquele retorno, e outro tanto sucedeu à Igreja cristã.
5. "Embora tal lista de nomes e de localizações pareça algo desnecessário para alguns leitores modernos, teria sido de *grande encorajamento* para os leitores originais, que viam evidências de que suas próprias famílias e cidades estavam representadas" (Eugene H. Merrill, *in loc.*).

Assim também hoje em dia, em Salt Lake City, Estado de Utah, nos Estados Unidos, ainda existe uma organização chamada "Filhas dos Pioneiros de Utah", que se reúne regularmente e promove funções cívicas e religiosas. Elas se orgulham de ser descendentes diretas das cerca de vinte mil pessoas que Brigham Young levou para o oeste, até o vale do Grande Lago Salgado, para colonizar a área e edificar o seu reino. É interessante observar que uma das primeiras atividades daqueles pioneiros foi construir um templo de rocha granítica das Montanhas Rochosas próximas, um edifício realmente magnífico, que continua sendo usado até hoje.

Cf. a lista paralela de Ne 7.6-72, que não é exatamente igual. 1Esdras 5.7-46 é outro trecho paralelo, contendo uma lista similar, também com variações.

Ver o gráfico de comparação, que é provido no capítulo 7 de Neemias.

■ 2.1

וְאֵ֗לֶּה בְּנֵ֤י הַמְּדִינָה֙ הָֽעֹלִ֔ים מִשְּׁבִ֣י הַגּוֹלָ֔ה אֲשֶׁ֥ר הֶגְלָ֖ה נְבוּכַדְנֶצַּ֣ר מֶֽלֶךְ־בָּבֶ֑ל לְבָבֶ֔ל וַיָּשׁ֥וּבוּ לִירוּשָׁלַ֖͏ִם וִיהוּדָ֖ה אִ֥ישׁ לְעִירֽוֹ׃

São estes os filhos da província. Cf. Ed 2.1,2 com Ne 7.7 e 1Esdras 5.8.

Província. Está em foco Judá, que se tornara uma subdivisão da quinta satrapia persa. O ponto de vista é do período pós-exílico. É um ponto de vista palestínico e pós-exílico. Judá, como *reino*, não mais existia. Essa província, entretanto, se tornaria o novo Israel, revivido pelo simples remanescente da tribo isolada de Judá. Cf. Ed 5.8, onde encontramos, especificamente, a expressão "província de Judá". Judá fora, uma vez, um poderoso e florescente reino. A que estado miserável o cativeiro havia reduzido aquele lugar! A ira de Yahweh provocara isso, por causa das abominações na idolatria pagã, em multidão. Ver 2Cr 36.14 ss.

O *Cativeiro Babilônico* (ver no *Dicionário*) tinha resultado na principal deportação dos judeus de Judá. Ao chegarem ao reino da Babilônia, as pessoas deportadas receberam cidades para habitar, ou, conforme poderíamos supor, fazendas onde trabalhar. Quando os exilados retornaram à Judeia, a situação foi revertida. Jerusalém, arruinada como estava, não podia receber as quase cinquenta mil pessoas, de modo que a maioria teve de ser enviada a outras cidades, provavelmente aquelas das quais tinham originalmente saído, sempre que isso fosse possível. Cf. Ne 11.1 ss.

■ 2.2

אֲשֶׁר־בָּ֣אוּ עִם־זְרֻבָּבֶ֗ל יֵשׁ֡וּעַ נְחֶמְיָ֡ה שְׂרָיָ֡ה רְֽעֵלָיָ֡ה מָרְדֳּכַ֣י בִּלְשָׁ֗ן מִסְפָּ֛ר בִּגְוַ֥י רְח֖וּם בַּעֲנָ֑ה מִסְפַּ֕ר אַנְשֵׁ֖י עַ֥ם יִשְׂרָאֵֽל׃ ס

Os quais vieram com Zorobabel. Este versículo nos fornece uma lista dos mais importantes líderes que voltaram com o povo. Eles seriam os estadistas do novo Israel. Zorobabel seria o governador nomeado. Talvez, estritamente falando, ele tenha sido o segundo governador, e seu tio, Sesbazar (se é que, realmente, ele era seu tio), o primeiro governador. Seja como for, havia uma liderança política e uma liderança religiosa. Apresentei artigos separados no *Dicionário* sobre esses líderes, descrevendo o pouco que se sabe sobre cada uma dessas personagens. Dez desses homens eram os principais conselheiros de Zorobabel. Tendo dado os nomes dos líderes principais, o cronista prossegue para listar o povo, de acordo com as suas famílias (vss. 3 ss.).

Josué era o sumo sacerdote (Ag 1.1). Alguns estudiosos identificam-no com Neemias, mas essa identificação é duvidosa para dizermos o mínimo. Sesbazar não foi incluído na lista, provavelmente por causa de sua identificação com Zorobabel. Cf. Ne 7.7.

Neemias. Este homem, naturalmente, não foi o mesmo homem do livro que tem esse nome. Esse Neemias retornou a Jerusalém cerca de noventa anos mais tarde (444 a.C.) e dificilmente poderia ter estado com o grupo de pioneiros originais.

Mordecai. Esse homem, naturalmente, não foi o primo de Ester (Et 2.5-7). Ele viveu em Susa, cerca de sessenta anos mais tarde.

Comparação com Neemias. Ne 7.7 registra doze nomes em lugar de onze (Ed 2.2). Três desses nomes eram soletrados de forma diferente (ou foram pessoas diferentes). Naamani é deixado de fora por Esdras. É inútil tentar buscar uma harmonia absoluta. Talvez diferentes tradições (que variavam quanto a alguns detalhes) tenham sido empregadas na formação dessas listas. Provavelmente os *doze nomes* que aparecem no livro de Neemias representem as *doze tribos* de Israel, embora simbolicamente, posto que não biologicamente.

Há muitas dificuldades quando comparamos as três listas: Ed 2.2-63; Ne 7.6-69 e 1Esdras 5.7-43. Nenhuma tentativa manipulação tem conseguido chegar a uma harmonia perfeita, nem é importante alcançar harmonia em tais coisas. O fato é que várias fontes informativas foram usadas nessas compilações, e as próprias fontes informativas variavam. Aqueles que copiaram essas fontes não estavam interessados em paralelismos perfeitos, nem tentaram harmonizar as listas.

Alguns Problemas nas Listas (2.3-35)

■ 2.3

בְּנֵ֣י פַרְעֹ֔שׁ אַלְפַּ֕יִם מֵאָ֖ה שִׁבְעִ֥ים וּשְׁנָֽיִם׃ ס

Os filhos de Parós. A partir deste versículo, o cronista lista os que retornaram. Nos versículos 3 a 20 estão envolvidas dezoito famílias ou clãs. Em seguida, o cronista deu os nomes de 21 cidades e aldeias onde eles (ou outros) deveriam viver (vss. 21-35). Mas não fica claro por que os vss. 3 a 20 dão nomes de *clãs*, e em seguida aparecem os vss. 21 a 35, que oferecem nomes de *cidades*. Talvez vivessem naquelas cidades pessoas diferentes do que aquelas mencionadas nos versículos anteriores. Keil supunha que a primeira lista fosse dos novos cidadãos de Jerusalém, e então aparecesse a lista de cidadãos de outras cidades. Ou então os vss. 3 a 20 dão os nomes de famílias com terras, e a outra lista é das massas pobres, destituídas de terras, que não tinham em boa ordem seus registros genealógicos. Não temos respostas para esses problemas.

■ 2.4-35

V4 ס ׃ וּשְׁנָיִם שִׁבְעִים מֵאוֹת שְׁלֹשׁ שְׁפַטְיָה בְּנֵי

V5 ס ׃ וְשִׁבְעִים חֲמִשָּׁה מֵאוֹת שְׁבַע אָרַח בְּנֵי

V6 בְּנֵי־פַחַת מוֹאָב לִבְנֵי יֵשׁוּעַ יוֹאָב אַלְפַּיִם שְׁמֹנֶה מֵאוֹת וּשְׁנֵים עָשָׂר ׃ ס

V7 ס ׃ וְאַרְבָּעָה חֲמִשִּׁים מָאתַיִם אֶלֶף עֵילָם בְּנֵי

V8 ס ׃ וַחֲמִשָּׁה וְאַרְבָּעִים מֵאוֹת תְּשַׁע זַתּוּא בְּנֵי

V9 ס ׃ וְשִׁשִּׁים מֵאוֹת שְׁבַע זַכָּי בְּנֵי

V10 ס ׃ וּשְׁנָיִם אַרְבָּעִים מֵאוֹת שֵׁשׁ בָנִי בְּנֵי

V11 ס ׃ וּשְׁלֹשָׁה עֶשְׂרִים מֵאוֹת שֵׁשׁ בֵבָי בְּנֵי

V12 ס ׃ וּשְׁנָיִם עֶשְׂרִים מָאתַיִם אֶלֶף עַזְגָּד בְּנֵי

V13 ס ׃ וְשִׁשָּׁה שִׁשִּׁים מֵאוֹת שֵׁשׁ אֲדֹנִיקָם בְּנֵי

V14 ס ׃ וַחֲמִשָּׁה חֲמִשִּׁים אַלְפַּיִם בִגְוָי בְּנֵי

V15 ס ׃ וְאַרְבָּעָה חֲמִשִּׁים מֵאוֹת אַרְבַּע עָדִין בְּנֵי

V16 ס ׃ וּשְׁמֹנָה תִּשְׁעִים לִיחִזְקִיָּה אָטֵר־בְּנֵי

V17 ס ׃ וּשְׁלֹשָׁה עֶשְׂרִים מֵאוֹת שְׁלֹשׁ בֵּצָי בְּנֵי

V18 ס ׃ עָשָׂר וּשְׁנֵים מֵאָה יוֹרָה בְּנֵי

V19 ס ׃ וּשְׁלֹשָׁה עֶשְׂרִים מָאתַיִם חָשֻׁם בְּנֵי

V20 ס ׃ וַחֲמִשָּׁה תִּשְׁעִים גִּבָּר בְּנֵי

V21 ס ׃ וּשְׁלֹשָׁה עֶשְׂרִים מֵאָה לָחֶם־בֵּית בְּנֵי

V22 ׃ וַחֲמִשָּׁה חֲמִשִּׁים נְטֹפָה אַנְשֵׁי

V23 ס ׃ וּשְׁמֹנָה עֶשְׂרִים מֵאָה עֲנָתוֹת אַנְשֵׁי

V24 ס ׃ וּשְׁנָיִם אַרְבָּעִים עַזְמָוֶת בְּנֵי

V25 בְּנֵי קִרְיַת עָרִים כְּפִירָה וּבְאֵרוֹת שְׁבַע מֵאוֹת וְאַרְבָּעִים וּשְׁלֹשָׁה ׃ ס

V26 ס ׃ וְאֶחָד עֶשְׂרִים מֵאוֹת שֵׁשׁ וְגָבַע הָרָמָה בְּנֵי

V27 ס ׃ וּשְׁנָיִם עֶשְׂרִים מֵאָה מִכְמָס אַנְשֵׁי

V28 ס ׃ עֶשְׂרִים מָאתַיִם וְהָעַי אֵל־בֵּית אַנְשֵׁי

V29 ס ׃ וּשְׁנָיִם חֲמִשִּׁים נְבוֹ בְּנֵי

V30 ס ׃ וְשִׁשָּׁה חֲמִשִּׁים מֵאָה מַגְבִּישׁ בְּנֵי

V31 ס ׃ וְאַרְבָּעָה חֲמִשִּׁים מָאתַיִם אֶלֶף אַחֵר עֵילָם בְּנֵי

V32 ס ׃ וְעֶשְׂרִים מֵאוֹת שְׁלֹשׁ חָרִם בְּנֵי

V33 וַחֲמִשָּׁה ׃ ס בְּנֵי־לֹד חָדִיד וְאוֹנוֹ שְׁבַע מֵאוֹת וְעֶשְׂרִים

V34 בְּנֵי יְרֵחוֹ שְׁלֹשׁ מֵאוֹת אַרְבָּעִים וַחֲמִשָּׁה ׃ ס

V35 בְּנֵי סְנָאָה שְׁלֹשֶׁת אֲלָפִים וְשֵׁשׁ מֵאוֹת וּשְׁלֹשִׁים ׃ ס

"Nas instâncias seguintes notamos quando duas ou três autoridades concordam. *No vs. 6*, Esdras é confirmado por 1Esdras, mas não por Neemias, que fala em 2.818 pessoas. No *vs. 8*, há uma discrepância com as 945 pessoas. No *vs. 11*, há uma discrepância com as 628 pessoas. No *vs. 15*, há uma discrepância com as 655 pessoas. No *vs. 17*, há uma discrepância com as 324 pessoas. No *vs. 33*, há uma discrepância com as 721 pessoas. No *vs. 10*, os filhos de Bani ou Binui são 642, mas 1Esdras concorda com Neemias, quanto ao número de 648 pessoas. No *vs. 14*, as duas últimas obras corrigem 666 pessoas para 667. No *vs. 20*, cabeças de famílias tornam-se lugares. Neemias substituiu Gibeom por Gibar. O *vs. 30* não tem representantes em Ne. No *vs. 31*, o "outro Elão" tem o mesmo número que o Elão referido no versículo sétimo. O Nebo do *vs. 29* é chamado, em Ne, de "o outro Nebo", a despeito do fato que o primeiro Nebo não é mencionado" (Ellicott, *in loc.*).

Esses exemplos são suficientes para ilustrar como as três listas diferem, e como devem ter tido fontes informativas diferentes, que já haviam emprestado variações quanto a algumas questões.

Os Nomes Próprios. A vasta maioria das pessoas mencionadas nesses versículos nos é desconhecida, exceto pelo fato de que são mencionadas nas listas. Ver os artigos no *Dicionário* quanto ao pouco que pode ser dito a respeito delas.

Sacerdotes que Retornaram (2.36-39)

■ 2.36-39

V36 הַכֹּהֲנִים בְּנֵי יְדַעְיָה לְבֵית יֵשׁוּעַ תְּשַׁע מֵאוֹת שִׁבְעִים וּשְׁלֹשָׁה ׃ ס

V37 ס ׃ וּשְׁנָיִם חֲמִשִּׁים אֶלֶף אִמֵּר בְּנֵי

V38 ס ׃ וְשִׁבְעָה אַרְבָּעִים מָאתַיִם אֶלֶף פַּשְׁחוּר בְּנֵי

V39 ס ׃ עָשָׂר וְשִׁבְעָה אֶלֶף חָרִם בְּנֵי

Temos aqui a lista dos *sacerdotes*. A volta à Palestina de alguns dos descendentes de Arão garantiu que o segundo templo seria administrado corretamente, de acordo com a legislação mosaica. Isso emprestava autoridade espiritual ao minúsculo fragmento de Judá que se tornou o novo Israel. As antigas tradições podiam ser efetuadas sem dúvida quanto à autoridade dos ministros e à propriedade de seu serviço. Os sacerdotes aparecem aqui segundo seus nomes de família. Estão representados apenas três turnos sacerdotais de Davi (ver 1Cr 24.7,8,14). Além desses temos *Pasur* (vs. 38) um nome mencionado algures como parte da classe sacerdotal, não estando entre os 24 turnos que figuram no livro de Crônicas. Ver 1Cr 23-26.

"Somente quatro clãs de sacerdotes são listados no segundo capítulo do livro de Esdras, mas o número dos indivíduos é, proporcionalmente, muito grande (4.289), aproximadamente a décima parte dos israelitas que voltaram. Durante o exílio, os sacerdotes, mais do que os demais de Israel, devem ter esperado ansiosamente pela oportunidade de retornar e reconstruir o templo, e participar do culto" (W. A. L. Elmslie, *in loc.*).

Um Problema. Jedaías (vs. 36) é identificado com a casa de Jesua, presumivelmente o sumo sacerdote (vs. 2). Mas tal identificação da casa de Jesua, como se fosse do clã de Jedaías, deve ter sido uma inserção posterior, feita após o retorno de Jesua e de seu estabelecimento como sumo sacerdote. E visto que *Jesua*, e não Jedaías, ocorre em Ed 10.18 ss., parece que o cronista equiparou os nomes.

Imer (vs. 37) pertencia ao décimo sexto turno de sacerdotes do templo de Davi (1Cr 24.14).

Harim (vs. 39) era um sacerdote pertencente ao terceiro turno (1Cr 24.8).

Pasur. Sobre ele já discutimos anteriormente. Um sacerdote com esse nome é mencionado em Ne 11.12 (cf. 1Cr 9.12). É possível que ele pertencesse ao clã de Malquias. Seu distinguido e remoto antepassado, Malquias, era membro do quinto curso de sacerdotes, dentro do sistema de Davi (ver 1Cr 24.9). O cronista escreveu o que escreveu, sem estar interessado em satisfazer nossa curiosidade sobre todas as coisas, mesmo que soubesse como fazê-lo. Sem dúvida, ele ignorava alguns detalhes.

Levitas que Retornaram (2.40-42)

■ 2.40-42

40 הַלְוִיִּם בְּנֵי־יֵשׁוּעַ וְקַדְמִיאֵל לִבְנֵי הוֹדַוְיָה שִׁבְעִים וְאַרְבָּעָה׃ ס

41 הַמְשֹׁרְרִים בְּנֵי אָסָף מֵאָה עֶשְׂרִים וּשְׁמֹנָה׃ פ

42 בְּנֵי הַשֹּׁעֲרִים בְּנֵי־שַׁלּוּם בְּנֵי־אָטֵר בְּנֵי־טַלְמוֹן בְּנֵי־עַקּוּב בְּנֵי חֲטִיטָא בְּנֵי שֹׁבָי הַכֹּל מֵאָה שְׁלֹשִׁים וְתִשְׁעָה׃ פ

A execução apropriada do ministério requeria a colaboração dos levitas, que eram os ajudantes dos sacerdotes, dentro e fora do templo de Jerusalém. A *autoridade espiritual* do novo Israel dependia deles quando o remanescente de Judá voltou.

Conforme alguns críticos supõem, talvez originalmente não houvesse distinção entre os sacerdotes e os levitas (ver Dt 18.6-8), mas com o tempo eles foram separados em duas classes distintas, e os levitas (que não pertenciam à família de Arão) tornaram-se servos daquela família.

Dentre os levitas que foram levados para o cativeiro, duas famílias (na pessoa de seus representantes) tornaram-se auxiliares dos sacerdotes; também havia seis famílias de porteiros, mas somente uma família de cantores. Porém isso foi o suficiente para que o segundo templo pudesse funcionar. Ver os nomes próprios quanto a identificação e referências em outras porções do Antigo Testamento. Note-se que maior foi o número de sacerdotes do que o número dos levitas que voltaram. As três fontes informativas de Esdras, 1Esdras e Neemias oferecem números diferentes sobre eles. Ver no versículo terceiro os problemas numéricos das listas.

Os Servos do Templo (2.43-54)

■ 2.43-54

43 הַנְּתִינִים בְּנֵי־צִיחָא בְנֵי־חֲשׂוּפָא בְּנֵי טַבָּעוֹת׃

44 בְּנֵי־קֵרֹס בְּנֵי־סִיעֲהָא בְּנֵי פָדוֹן׃

45 בְּנֵי־לְבָנָה בְנֵי־חֲגָבָה בְּנֵי עַקּוּב׃

46 בְּנֵי־חָגָב בְּנֵי־שַׁמְלַי בְּנֵי חָנָן׃

47 בְּנֵי־גִדֵּל בְּנֵי־גַחַר בְּנֵי רְאָיָה׃

48 בְּנֵי־רְצִין בְּנֵי־נְקוֹדָא בְּנֵי גַזָּם׃

49 בְּנֵי־עֻזָּא בְנֵי־פָסֵחַ בְּנֵי בֵסָי׃

50 בְּנֵי־אַסְנָה בְנֵי־מְעוּנִים בְּנֵי נְפִיסִים׃

51 בְּנֵי־בַקְבּוּק בְּנֵי־חֲקוּפָא בְּנֵי חַרְחוּר׃

52 בְּנֵי־בַצְלוּת בְּנֵי־מְחִידָא בְּנֵי חַרְשָׁא׃

53 בְּנֵי־בַרְקוֹס בְּנֵי־סִיסְרָא בְּנֵי־תָמַח׃

54 בְּנֵי נְצִיחַ בְּנֵי חֲטִיפָא׃

Quanto a detalhes sobre essa classe, ver no *Dicionário* o artigo chamado *Netinim*. O termo significa "dados" ou "dedicados", isto é, consagrados ao serviço do templo. Várias traduções traduzem essa palavra por "servos", para evitar a brutal palavra "escravos", mas essa classe estava sujeita a trabalhos forçados, fazendo todo trabalho sujo e recebendo ordens dos sacerdotes e dos levitas. Ver no *Dicionário* o artigo chamado *Escravo (Escravidão)*.

A maioria dos *escravos do templo*, ou *netinim*, vinha dos gibeonitas escravizados, um povo estrangeiro que preferiu a escravidão ao extermínio. A classe era formada, essencialmente, por pessoas nascidas como estrangeiros. Naturalmente, eles se tornaram hebreus. Mas ter acesso ao templo (sendo estrangeiros) era uma exceção à regra, porquanto somente levitas e sacerdotes possuíam tal privilégio. É provável, contudo, que pelo menos alguns deles fossem hebreus (1Sm 1.11,24-28). Eles eram lenhadores, carregadores de água, transportadores de pesos e faxineiros. Ver Js 9.27 quanto à caracterização geral. Os nomes deles são estrangeiros em sua maior parte. Também é provável que alguns deles tenham mudado seus nomes para nomes tipicamente hebraicos.

Josefo (*Antiq.* 11.5,1) dispensou eufemismos e simplesmente chamava os netinins de "escravos". Na cultura hebraica, bem como em toda aquela região antiga do mundo, a escravidão era parte comum e constante da vida. Muitos prisioneiros de guerra eram transformados em "labor barato", ao serem reduzidos à escravidão. É errado cristianizarmos condições antigas, supondo que poderiam ser uma parte da respeitada e antiga fé dos hebreus. O total desses escravos do templo, que sobreviveram ao cativeiro babilônico e retornaram a Jerusalém, foi o pequeno número de 392. Mas a origem deles conservou-os como escravos. Portanto, embora tenham sido livrados da Babilônia, foram escravizados em Jerusalém. Quiçá, conforme disse John Gill (*in loc.*), eles estivessem felizes por servir no templo, valorizando a si mesmos naquela posição. Talvez sim, talvez não.

Eles eram os *hieroduli* (usando um termo grego), ou escravos do templo, conhecidos como *netinim* nos livros finais do Antigo Testamento (1Cr 9.2). Faziam parte da classe mais inferior do ministério sagrado, aqueles que tinham os deveres mais laboriosos. Ver sua nomeação original por Moisés (Nm 31.47). Quanto a completos detalhes acerca deles, ver o artigo do *Dicionário* chamado *Netinim (Servos do Templo)*.

O cronista teve o cuidado de informar-nos que todas as classes do ministério estavam qualificadas para suas respectivas tarefas. Todos eles, até os humildes netinim, tinham genealogias que provavam seu direito de trabalhar no novo Israel, embora este fosse constituído somente por um minúsculo fragmento da tribo de Judá.

Resumindo, as cinco classes das listas e das genealogias eram: os líderes (governantes); os leigos notórios; os oficiais do templo; aqueles que não puderam traçar seus verdadeiros registros genealógicos; os servos (escravos do templo) e os animais.

Descendentes dos Escravos do Templo de Salomão (2.55-58)

■ 2.55-58

55 בְּנֵי עַבְדֵי שְׁלֹמֹה בְּנֵי־סֹטַי בְּנֵי־הַסֹּפֶרֶת בְּנֵי פְרוּדָא׃

56 בְּנֵי־יַעְלָה בְנֵי־דַרְקוֹן בְּנֵי גִדֵּל׃

57 בְּנֵי שְׁפַטְיָה בְנֵי־חַטִּיל בְּנֵי פֹּכֶרֶת הַצְּבָיִים בְּנֵי אָמִי׃

58 כָּל־הַנְּתִינִים וּבְנֵי עַבְדֵי שְׁלֹמֹה שְׁלֹשׁ מֵאוֹת תִּשְׁעִים וּשְׁנָיִם׃ ס

Essa gente era uma espécie de subdivisão dos escravos do templo, descendentes diretos daqueles que, conforme se sabe, trabalhavam no templo de Salomão; tinham certo prestígio exatamente por esse motivo. Eles eram descendentes dos *escravos reais* e faziam parte dos 392 (vs. 58). Ver Ne 10.28. Não sabemos dizer qual era a história deles, nem de quem descendiam, racialmente falando. Alguns eruditos supõem que, originalmente, fossem cananeus prisioneiros de guerra, e, talvez, descendentes dos gibeonitas (ver Js 9.27; 1Rs 9.20,21 e 1Cr 8.7-9). Eram "escravos do Estado", cheios de prestígio. Seus nomes, na maior parte, têm derivação popular, e não sagrada. Por exemplo, *Soferete* (vs. 55) quer dizer "professor"; *Darcom* significa "bruto" (vs. 56); *Hatil* (vs. 57) significa "falador"; *Poquerete-Hazebaim* (vs. 58) significa "caçador de gazelas". Dez famílias são mencionadas dentre essa gente, mas somente alguns poucos membros de cada família sobreviveram. O número médio de sobreviventes dos *netinim*, por família, era cerca de oito. O restante dessas famílias tinha sido morto ou preferiu continuar na Babilônia.

Classes sem Confirmação Genealógica (2.59-63)

■ 2.59-63

V59 וְאֵ֗לֶּה הָֽעֹלִים֙ מִתֵּ֣ל מֶ֔לַח תֵּ֥ל חַרְשָׁ֖א כְּר֣וּב
אַדָּ֣ן אִמֵּ֑ר וְלֹ֣א יָֽכְל֗וּ לְהַגִּ֧יד בֵּית־אֲבוֹתָ֛ם וְזַרְעָ֖ם אִ֥ם
מִיִּשְׂרָאֵ֖ל הֵֽם׃

V60 בְּנֵֽי־דְלָיָ֥ה בְנֵי־טוֹבִיָּ֖ה בְּנֵ֣י נְקוֹדָ֑א שֵׁ֥שׁ מֵא֖וֹת
חֲמִשִּׁ֥ים וּשְׁנָֽיִם׃ ס

V61 וּמִבְּנֵי֙ הַכֹּ֣הֲנִ֔ים בְּנֵ֥י חֳבַיָּ֖ה בְּנֵ֣י הַקּ֑וֹץ בְּנֵ֣י בַרְזִלַּ֗י
אֲשֶׁ֣ר לָ֠קַח מִבְּנ֞וֹת בַּרְזִלַּ֤י הַגִּלְעָדִי֙ אִשָּׁ֔ה וַיִּקָּרֵ֖א עַל־
שְׁמָֽם׃

V62 אֵ֗לֶּה בִּקְשׁ֧וּ כְתָבָ֛ם הַמִּתְיַחְשִׂ֖ים וְלֹ֣א נִמְצָ֑אוּ
וַיְגֹֽאֲל֖וּ מִן־הַכְּהֻנָּֽה׃

V63 וַיֹּ֤אמֶר הַתִּרְשָׁ֙תָא֙ לָהֶ֔ם אֲשֶׁ֥ר לֹא־יֹאכְל֖וּ מִקֹּ֣דֶשׁ
הַקֳּדָשִׁ֑ים עַ֛ד עֲמֹ֥ד כֹּהֵ֖ן לְאוּרִ֥ים וּלְתֻמִּֽים׃

Em sua maior parte, os hebreus mostravam-se muito cuidadosos com seus registros genealógicos. Mas na tempestade do cativeiro babilônico, algumas famílias perderam os seus registros. Talvez alguns poucos judeus descuidados nunca os tivessem mantido em ordem. Isso só poderia resultar em registros maus na cultura dos hebreus. "Os judeus de sangue puro eram chamados de 'manjares finos', mas os outros eram chamados de 'massa misturada'... Usualmente supõe-se que essa consciência racial e essa busca pela *pureza* não tenha existido senão a partir das reformas de Esdras (9.1—10.44) e de Neemias (13.23-31). As grandes listas de nomes dos livros de Esdras, Neemias e 1Esdras subentendem a estrita observância de registros genealógicos durante o exílio. Essa preocupação deve ter sido mantida ao mínimo na Palestina, mas era evidente que tal interesse era forte fora da Palestina, especialmente entre gente conservadora como aqueles que retornaram a Jerusalém" (W. A. L. Elmslie, *in loc.*). Aqueles a quem faltavam confirmações genealógicas formavam uma classe mista, com muitos casamentos com os pagãos. Portanto, eles formavam uma classe de prestígio secundário. O texto à nossa frente, pois, está falando sobre gente da *massa misturada*, também chamada de *mischehen*, os *ilegítimos*, aqueles cujos pais ou cujas mães eram pagãos, embora tivessem parte da descendência hebreia.

Seis clãs, três de leigos e três sacerdotais, compunham o grupo dos duvidosos, e essa gente pobre meramente foi acrescentada à lista anterior. Muitos deles provavelmente descendiam de prosélitos, não sendo hebreus de nascimento, nem pelo lado paterno nem pelo lado materno. Provinham de cinco cidades babilônias que não foram designadas. Os leigos duvidosos tiveram permissão de viver em comunidades hebreias de Judá, mas os sacerdotes duvidosos apresentavam outro problema. De fato, eles não podiam participar das funções sacerdotais, por receio de contaminar ou poluir o culto sagrado (vs. 62). Ver no *Dicionário* o verbete intitulado *Limpo e Imundo*, quanto ao número interminável de coisas que poluíam ou tornavam alguém imundo.

Houve um total de 652 pessoas que voltaram à Palestina, às quais faltava a autenticação genealógica.

A exclusão de um sacerdote não autorizado poderia ser revertida pelo uso do *Urim* e do *Tumim* (vs. 63; ver no *Dicionário*), uma forma de adivinhação efetuada pelo sumo sacerdote, que poderia dizer: "Este homem, embora sem a genealogia apropriada, é um sacerdote puro e verdadeiro, e pode participar dos cultos sagrados". Talvez isso não acontecesse com grande frequência, mas era um modo de permitir que alguns poucos sacerdotes não autorizados tivessem o direito de exercer seus ofícios.

Os sacerdotes duvidosos não tinham o direito de participar dos sacrifícios, o principal sustento alimentar da casta sacerdotal (vs. 63). Ver sobre as oito porções dos sacrifícios dadas aos sacerdotes, em Lv 6.26; 7.11-24,28-38; Nm 18.8; Dt 12.17,18. Portanto, ter sido excluído do sacerdócio não era degradante apenas social e espiritualmente, mas também envolvia um *prejuízo financeiro*. O pobre sacerdote teria de sair do ministério e conseguir um emprego secular para sustentar a sua família.

Uma Interpretação Radical. Rabinos posteriores não apreciavam a ideia de que o uso do Urim e do Tumim pudesse autorizar a função de um sacerdote sem confirmação genealógica. Portanto, eles interpretavam que o uso desse modo teria de *esperar até que um "sacerdote"* (a saber, alguma autoridade futura) estivesse em cena para dar permissão. Isso posto, eles interpretavam a menção ao Urim e ao Tumim como se significasse "até que os mortos ressuscitem" ou "até a vinda de Elias" (assim dizem *Tosepheta Sota* XIII.1; *Sota*, 48b; *Ketuboth*, 24b; *Shebuoth*, 16a; Jerusalém *Kiddushim*, IV.1 e *Tosaphoth Yoma*, 21b). As tradições rabínicas listam o uso das sortes sagradas (Urim e Tumim) como uma das coisas que estavam *faltando* no templo pós-exílico (*Tosepheta Sota* XIII.2; *Yalkut*, II.150.568; *Yoma*, 21b). Mesmo assim, não existe razão para duvidarmos da exceção possível, apresentada no vs. 63. Devemos lembrar-nos de que até coisas que estivessem faltando poderiam ser supridas, em certas ocasiões, pelo sumo sacerdote, se ele assim desejasse fazê-lo. Talvez os sumos sacerdotes nunca tivessem desejado fazê-lo. Nesse caso, a interpretação rabínica está sendo fiel aos fatos históricos. Ver Êx 28.30 quanto às sortes sagradas.

Quanto aos vss. 59-63, ver também Ne 7.61-65 e 1Esdras 5.36-40.

Sumários (2.64-67)

(O paralelo é Ne 7.66-69; 1Esdras 5.41-43).

■ 2.64-67

V64 כָּל־הַקָּהָ֖ל כְּאֶחָ֑ד אַרְבַּ֣ע רִבּ֔וֹא אַלְפַּ֖יִם שְׁלֹשׁ־
מֵא֥וֹת שִׁשִּֽׁים׃

V65 מִ֠לְּבַד עַבְדֵיהֶ֤ם וְאַמְהֹֽתֵיהֶם֙ אֵ֔לֶּה שִׁבְעַ֣ת
אֲלָפִ֔ים שְׁלֹ֥שׁ מֵא֖וֹת שְׁלֹשִׁ֣ים וְשִׁבְעָ֑ה וְלָהֶ֛ם מְשֹׁרְרִ֥ים
וּֽמְשֹׁרְר֖וֹת מָאתָֽיִם׃

V66 סוּסֵיהֶ֕ם שְׁבַ֥ע מֵא֖וֹת שְׁלֹשִׁ֣ים וְשִׁשָּׁ֑ה פִּרְדֵיהֶ֕ם
מָאתַ֖יִם אַרְבָּעִ֥ים וַחֲמִשָּֽׁה׃

V67 גְּמַ֨לֵּיהֶ֔ם אַרְבַּ֥ע מֵא֖וֹת שְׁלֹשִׁ֣ים וַחֲמִשָּׁ֑ה חֲמֹרִ֕ים
שֵׁ֣שֶׁת אֲלָפִ֔ים שְׁבַ֥ע מֵא֖וֹת וְעֶשְׂרִֽים׃ פ

Devemos *observar* que os totais das várias listas não concordam entre si. Ver sobre o versículo terceiro quanto às espécies típicas de discrepâncias dos números, e quanto a notas sobre a falta de importância desse fato. "Tal como em Ed 1.9-11, o total não concorda em todas as versões, e há certa discrepância entre o *grande total* e aquele obtido por meio da adição. Através de uma emenda (vss. 12,16,31), Bower (*Der Text des Buches Ezra*, pág. 33) deriva uma soma de 32.360, ou seja, dez mil a menos do que o total que se vê no vs. 64. Rudolph supõe que essa diferença se deva à inclusão de mulheres no *total* dado no vs. 65. Adicionando aqueles "de doze anos para cima", 1Esdras 5.41 exclui as crianças, visto que o indivíduo adulto era considerado a partir daquela idade (cf. Lc 2.42)" (W. A. L. Elmslie, *in loc.*).

Por conseguinte, afirmo que, se o próprio cronista foi bastante descuidado com as questões matemáticas, não buscando obter exatidão e harmonia absoluta, por que os intérpretes cristãos modernos insistem nessa exatidão? Tais questões por certo nada têm a ver com a espiritualidade, nem qualquer sã teoria da inspiração das Escrituras requer tal exatidão. Ver meu artigo do *Dicionário* chamado *Inspiração*. E ver também o verbete intitulado *Revelação (Inspiração)*.

"Quando adicionamos os números dos vss. 2-42,58 e 60, que listam os números dos que voltaram do exílio, encontramos um total de 29.829 (incluindo os onze homens proeminentes do segundo versículo). Entretanto, o total dado pelos vss. 64 e 65, a 'congregação junta', é de 49.897. O número maior pode ter incluído as mulheres e as crianças. Também pode ter incluído judeus das dez tribos do norte, que se juntaram ao remanescente das duas tribos do sul, Judá e Benjamim (ver o vs. 15). Também pode ter incluído os sacerdotes que não encontravam suas genealogias (ver Ed 2.61,62). O grande total de Esdras — 49.897 — está bem próximo do total de Neemias — 49.942 (ver Ne 7.66,67). O número extra de 45 pessoas são os cantores (Ed fala em duzentos, mas Neemias referiu-se a 245). Isso pode ter sido um erro escribal, um erro que não figurava nos manuscritos originais, mas nas numerosas cópias do texto, em sua transmissão" (Eugene H. Merrill, *in loc.*, sempre ansioso por harmonizar tudo, por causa de sua rígida teoria da inspiração das Escrituras). Mas o repetido uso da palavra *talvez* dificilmente pode remover as discrepâncias, nem é importante que elas sejam removidas. Também faz parte dos maus hábitos dos harmonistas supor que qualquer erro *deva ter sido feito* por escribas subsequentes, e não conste do original. Mas isso é "argumentar de modo capenga". Pois como podemos julgar o que o original dizia, exceto pelas cópias que possuímos dizem? O argumento baseado no silêncio é sempre um mau argumento. Nesses casos, é melhor não argumentar de forma alguma.

Vss. 66,67. Os próprios animais foram contados. Eles representavam riquezas e sustento alimentar. Formavam o balanço bancário de um povo agrícola. Havia 8.136 animais, porém a maioria compunha-se de jumentos, bons para o trabalho, mas inúteis com propósitos sacrificiais. Ver sobre os cinco tipos de animais que serviam para serem sacrificados, em Lv 1.14-16.

"Os animais (vss. 66 e 67) eram necessários para as caravanas. As mulas, algumas vezes, eram usadas para transportar cargas (2Rs 5.17; Judite 2.17 e 15.8), mas geralmente eram mais usadas para viagens (ver 2Sm 13.29 e 18.9), enquanto os jumentos eram usados como animais de carga (ver 2Sm 16.1). O trecho de 1Esdras 5.43 chama-os de 'animais de carga'" (Raymond A. Bowman).

Doações para o Templo (2.68-70)

(O paralelo é Ne 7.70-73; 1Esdras 5.44-46.)

Alguns críticos afirmam que esses versículos foram deslocados de seu verdadeiro lugar, e deveriam seguir 1.11 ou 8.36. Seja como for, muito dinheiro era necessário para construir o segundo templo e para reiniciar o ministério do yahwismo. As pessoas estavam sensíveis ao problema. Por conseguinte, os chefes de clãs estabeleceram o exemplo, doando liberalmente. Ver no *Dicionário* o artigo chamado *Liberalidade e Generosidade*.

■ **2.68**

וּמֵרָאשֵׁי הָאָבוֹת בְּבוֹאָם לְבֵית יְהוָה אֲשֶׁר בִּירוּשָׁלָ͏ִם הִתְנַדְּבוּ לְבֵית הָאֱלֹהִים לְהַעֲמִידוֹ עַל־מְכוֹנוֹ׃

Alguns dos cabeças de famílias. É provável que os cabeças de clãs tivessem recolhido as oferendas dentre as famílias que retornaram do cativeiro para Jerusalém, e essas oferendas foram entregues às autoridades constituídas para serem usadas na construção do segundo templo de Jerusalém.

■ **2.69**

כְּכֹחָם נָתְנוּ לְאוֹצַר הַמְּלָאכָה זָהָב דַּרְכְּמוֹנִים שֵׁשׁ־רִבֹּאות וָאָלֶף ס וְכֶסֶף מָנִים חֲמֵשֶׁת אֲלָפִים וְכָתְנֹת כֹּהֲנִים מֵאָה׃ ס

Segundo os seus recursos deram para o tesouro da obra. Novamente, o relato do livro de Esdras (por razões que nos são desconhecidas) difere do paralelo em Ne 7.70-73. A lista dos metais preciosos doados para o projeto de construção do segundo templo diz que o povo deu 61 mil dracmas de ouro (em Ed), ao passo que Neemias fala em 41 mil dracmas de ouro. Além disso, Esdras tem cinco mil arráteis de prata, ao passo que Neemias fala em 4.200s arráteis. Esdras fala em cem vestes sacerdotais, mas Neemias fala em 597 vestes sacerdotais. John A. Martin (*in loc.*) tenta obter harmonia entre esses dados, e culpa copistas subsequentes das diferenças, supondo que os manuscritos originais de Esdras e Neemias estivessem em perfeita harmonia. Uma vez mais afirmo: existem discrepâncias, mas e daí? A fé religiosa não depende de tais coisas, e não nos devemos ocupar em harmonizações a qualquer preço, que com frequência chegam a ser o preço da honestidade. Somente os céticos e os ultraconservadores veem alguma importância nisso, mas nenhuma sã teoria da inspiração das Escrituras precisa preocupar-se com tais discrepâncias.

A *dracma* era uma moeda de ouro da Pérsia; e o *arrátel* era um peso mesopotâmico para metais preciosos. As autoridades não concordam quanto aos valores, os quais, além disso, modificaram-se com a passagem do tempo. É inútil tentar calcular os valores em termos modernos. A única coisa que podemos dizer é que a generosidade estava no controle de toda essa questão das doações. Ver as notas em Ed 8.27 quanto à dracma.

> Você deve estar preparado a dar, antes de receber.
> James Stephens

> Deus nunca fecha uma porta sem abrir outra.
> Provérbio irlandês

Assim, pois, aconteceu que uma nova porta foi aberta. O cativeiro babilônico tinha fechado uma porta. Mas a nação de Israel continuou sob a forma do minúsculo remanescente da tribo de Judá. E os judeus mostraram-se generosos com seus bens materiais, para que o projeto de construção do templo se tornasse um sucesso.

■ **2.70**

וַיֵּשְׁבוּ הַכֹּהֲנִים וְהַלְוִיִּם וּמִן־הָעָם וְהַמְשֹׁרְרִים וְהַשּׁוֹעֲרִים וְהַנְּתִינִים בְּעָרֵיהֶם וְכָל־יִשְׂרָאֵל בְּעָרֵיהֶם׃ ס

Os sacerdotes, os levitas e alguns do povo. O cativeiro babilônico foi revertido com amplo sucesso. Um remanescente de Judá tinha voltado. Jerusalém e várias cidades judaicas foram reocupadas. Casas foram construídas. Cada homem era um proprietário, conforme a lei mosaica sempre tinha garantido. Aqueles que haviam voltado em breve reverteriam a perda do templo de Salomão com o segundo templo. Esse segundo templo era mais humilde que o primeiro, a bem da verdade, mas era *funcional*. Tanto quanto possível, os que voltaram receberam lugares nas cidades de seus ancestrais e foram capazes de reivindicar terras interioranas de suas famílias. Assim houve, em termos menores, uma *restauração nacional*. Israel haveria de crescer novamente e tornar-se um poder a ser levado em conta.

Quando Israel entrou na Terra Prometida, sob a liderança de Josué, a população de Israel era de cerca de seis milhões, incluindo homens e mulheres. Agora, voltando do cativeiro babilônico, para reiniciar tudo, havia somente cerca de 50 mil pessoas, ou seja, apenas 1,2%. Entretanto, ainda que extremamente humilde, um novo dia tinha raiado.

CAPÍTULO TRÊS

Israel estava destinado a ter *três templos*: o de Salomão; o da volta depois do cativeiro babilônico; e o de Herodes, já nos dias de Jesus. E alguns intérpretes pensam que haverá ainda outro, o quarto templo, como parte das preparações para o *milênio*. Ver os artigos no *Dicionário*: *Templos*; *Templo de Jerusalém*; *Templo de Zorobabel* (o templo do livro presente, seção VI de *Templo de Jerusalém*). Ver também *Templo Espiritual*, sob o título *Templo de Deus, a Igreja como*, na *Enciclopédia de Bíblia, Teologia e Filosofia*.

A ADORAÇÃO JUDAICA É RESTAURADA (3.1—6.22)

O TEMPLO É RECONSTRUÍDO (3.1—6.15)

Construção do Altar (3.1-3) Cf. 1Esdras 5.47-50. A comunidade do novo Israel, embora apequenada e aflita, não perdeu tempo para restabelecer o aparelho e o *modus operandi* de sua fé. Em cada coração havia o feroz desejo de *reverter* o indescritível mal que os babilônios haviam perpetrado contra Judá e sua fé. Sem dúvida alguma, essa foi a motivação que levou um povo fraco a tornar-se forte o bastante para fazer avançar a obra da construção do templo em um tempo relativamente tão curto. O templo era uma necessidade absoluta para a continuação do fragmento de Judá como o novo Israel. Não poderia haver Israel sem o templo. É verdade que Davi tivera um altar em Jerusalém, antes do templo de Jerusalém, e também tivera seu *tabernáculo provisório* em Jerusalém, que o templo veio substituir. Ver 2Sm 6.17. Mas esse tipo de instituição não mais podia satisfazer o culto de Yahweh, uma vez que Israel estabelecera o seu templo. *Note o primeiro versículo*: Por poucas vezes, na história de Israel e Judá, o povo esteve tão unido em torno de um propósito.

■ 3.1

וַיִּגַּע֙ הַחֹ֣דֶשׁ הַשְּׁבִיעִ֔י וּבְנֵ֥י יִשְׂרָאֵ֖ל בֶּעָרִ֑ים ס וַיֵּאָסְפ֥וּ הָעָ֛ם כְּאִ֥ישׁ אֶחָ֖ד אֶל־יְרוּשָׁלָֽ͏ִם׃ ס

Em chegando o sétimo mês. Cf. este versículo com 1Esdras 5.47 e Ne 7.73. A reconstrução havia sido iniciada sob *Sesbazar* (ver Ed 5.14-16), mas tinha cessado. Zorobabel reiniciou a construção, o líder do *segundo templo retornou*, ou, pelo menos, isso é o que alguns intérpretes pensam. O sétimo mês foi um tempo de começo (ou de reinício). Corria o mês de tisri (nosso setembro-outubro). O ano foi 520 a.C., o segundo ano do governo de Dario I (Ag 2.1-4). Mas aqueles que identificam *Sesbazar* com *Zorobabel* pensam em termos de um só começo, sem interrupções, ou dois começos liderados por um mesmo indivíduo. Ver sobre os dois nomes no *Dicionário* quanto a maiores esclarecimentos. Ver no *Dicionário* o artigo chamado *Dario*.

Se tivéssemos somente os escritos do cronista, seríamos levados a acreditar que Dario I era o rei quando a construção começou. Examinando os paralelos, também vemos Dario no poder. "É óbvio que o cronista identificava Sesbazar com Zorobabel e pensava que os dias de Dario I estavam em vista, conforme se vê em 1Esdras 5.2,6" (Raymond A. Bowman, *in loc.*). Ver Ag 2.1, que nos diz isso, especificamente.

O *sétimo mês* era sagrado por causa dos feriados religiosos. Três festividades religiosas aconteciam nesse sétimo mês: a festa das trombetas (no primeiro dia do mês; ver Lv 23.23-25); o dia da expiação (no décimo dia do mês; ver Lv 23.26-32); e a festa dos tabernáculos (nos dias 15 a 21 desse mês; ver Lv 23.33-36,39-43; (Ed 3.4). Ver sobre essas festas no artigo geral intitulado *Festas (Festividades) Judaicas*, no *Dicionário*.

Como um só homem. A comunidade inteira do novo Israel tinha uma só mente, e essa mente estava determinada a reverter o dano causado pelo cativeiro babilônico. Por poucas vezes na história de Israel e Judá, houve consentimento tão unânime em torno de um propósito.

Nota ao Leitor. Pode revestir-se de interesse aos leitores saber que um dos autores citados no versículo primeiro deste capítulo, *Raymond A. Bowman*, foi um de meus professores na universidade de Chicago, em 1960-1961, quando fiz trabalho de pós-graduação ali, especializando-me no Novo Testamento. Ele foi meu professor de hebraico, e um dos melhores eruditos naquele idioma nos Estados Unidos. Era homem de grande erudição, e, apesar disso, de fácil acesso aos seus estudantes. Lembro-me de minha associação com ele, como se fosse ontem. Como o tempo passa!

■ 3.2

וַיָּ֣קָם יֵשׁ֣וּעַ בֶּן־יֽוֹצָדָ֡ק וְאֶחָיו֩ הַכֹּהֲנִ֨ים וּזְרֻבָּבֶ֤ל בֶּן־שְׁאַלְתִּיאֵל֙ וְאֶחָ֔יו וַיִּבְנ֕וּ אֶת־מִזְבַּ֖ח אֱלֹהֵ֣י יִשְׂרָאֵ֑ל לְהַעֲל֤וֹת עָלָיו֙ עֹל֔וֹת כַּכָּת֕וּב בְּתוֹרַ֖ת מֹשֶׁ֥ה אִישׁ־הָאֱלֹהִֽים׃

Levantou-se Jesua. Seu nome também é grafado com a forma de Jesué. Ver a respeito dele no *Dicionário*. Como sumo sacerdote e líder dos sacerdotes e levitas, naturalmente assumiu a liderança da construção do segundo templo de Jerusalém. Era a *autoridade espiritual* que autenticava o novo Israel em formação. E também havia Zorobabel, o *poder político*, que, como descendente direto de Davi, era, em certo sentido, o continuador da dinastia davídica após o cativeiro. Ver detalhes completos sobre ele no *Dicionário*. Sob a liderança desses dois homens, primeiramente foi construído o *altar* como a entidade central do segundo templo. Mas não ouvimos mais falar sobre a arca da aliança, a qual, aparentemente, se perdera na Babilônia. Portanto, essa era uma das peças dos móveis que faltavam no segundo templo, a qual fora o item central no templo de Salomão. O tempo foi o de Dario I, e não o de Ciro, uma informação que nos é dada especificamente em Ag 2.1-4. O título de Jesua, *sumo sacerdote*, está ausente em Ne 12.10 ss. e Ag 1.1,4 e 2.2. O versículo 6 diz-nos que o altar foi apressadamente construído em menos de um dia. Pedras do campo foram empregadas, o modo original de construir altares (Ver Êx 20.25; Dt 27.6). Hecataeus de Abdera descreveu a construção desse altar, o qual perdurou até os tempos dos Macabeus e então foi substituído (Josefo, *Contra Apion*, I.22).

Moisés, homem de Deus. Essa adjetivação foi aplicada a alguns poucos indivíduos seletos, como Moisés (Dt 33.1; Js 14.6; 1Cr 23.14). Foi também aplicada a Samuel (1Sm 9.6); Elias (1Rs 17.18); Eliseu (2Rs 4.7); Davi (Ne 12.24) e citada em 2Tm 3.17.

■ 3.3

וַיָּכִ֤ינוּ הַמִּזְבֵּ֙חַ֙ עַל־מְכ֣וֹנֹתָ֔יו כִּ֚י בְּאֵימָ֣ה עֲלֵיהֶ֔ם מֵעַמֵּ֖י הָאֲרָצ֑וֹת וַיַּעֲל֨וּ עָלָ֤יו עֹלוֹת֙ לַֽיהוָ֔ה עֹל֖וֹת לַבֹּ֥קֶר וְלָעָֽרֶב׃

Firmaram o altar sobre as suas bases. Assim foi renovado o *sistema de sacrifícios*, incluindo os sacrifícios regulares matinais e vespertinos. O Pacto Mosaico foi reiniciado. Ver sobre isso na introdução ao capítulo 19 de Êxodo. Ver no *Dicionário* o artigo geral chamado *Pactos*. Com a renovação das tradições antigas, o novo Israel começou com o pé direito, com as bênçãos de Yahweh. Ver no *Dicionário* o verbete intitulado *Sacrifícios e Ofertas*.

O altar tinha uma espécie de alicerce, visto que era erigido sobre uma plataforma ou pavimento (ver Ez 43.13,14,17). Josefo (*Antiq.* XI.4.1) diz-nos que esse altar foi erigido no mesmo lugar em que estava o altar do templo de Salomão. Mas não sabemos informar se essa declaração do general e historiador judeu é ou não exata.

Sob o terror dos povos de outras terras. O povo judeu apressou-se a construir o altar em primeiro lugar, reiniciando o sistema de sacrifícios, por temer que a ira de Yahweh trouxesse contra eles alguma espécie de calamidade. Foi assim que eles tentaram aplacar a Yahweh, que lhes aplicara tal castigo como foi o cativeiro babilônico. Nenhum sacrifício tinha sido oferecido em Jerusalém pelo espaço de cerca de cinquenta anos, e as coisas não podiam continuar desse modo. O povo de Israel temia também os povos das terras circunvizinhas. A nova e pequena comunidade poderia ser atacada. Eles também temiam a corrupção interior dos povos que habitavam entre eles, devido a todos aqueles casamentos mistos com pagãos, que poderiam provocar a ira de Yahweh. Portanto, parecia-lhes que era necessário oferecer sacrifícios pelos seus pecados, para estarem isentos de retaliação por parte do poder divino.

■ 3.4

וַיַּעֲשׂ֛וּ אֶת־חַ֥ג הַסֻּכּ֖וֹת כַּכָּת֑וּב וְעֹלַ֨ת י֤וֹם בְּיוֹם֙ בְּמִסְפָּ֔ר כְּמִשְׁפַּ֖ט דְּבַר־י֥וֹם בְּיוֹמֽוֹ׃

Celebraram a festa dos tabernáculos como está escrito. A *renovação* também incluía o reinício da celebração das antigas festas e festividades, que faziam de Israel um povo distintivo. A *festa dos tabernáculos* era uma dessas três festas principais que requeriam peregrinações à capital. As outras duas eram a *páscoa* e o *pentecoste*. A festa dos tabernáculos ocorria no sétimo mês do calendário judaico, cinco dias após o dia da *expiação*, e prosseguia por sete dias (ver Êx 23.16,17; 34.22). Ver no *Dicionário*, quanto a detalhes, o verbete intitulado *Festas (Festividades) Judaicas*. Ver também Levítico 23.33-36,39-43; Nm 29.12,13. Ver ainda *Calendário Judaico*. "Durante todos os oito dias da festa, houve certo número de sacrifícios. Eles os realizaram em consonância com a lei. Ver Nm 19.12-22" (John Gill, *in loc.*).

3.5

וְאַחֲרֵיכֵ֞ן עֹלַ֤ת תָּמִיד֙ וְלֶחֳדָשִׁ֔ים וּלְכָל־מוֹעֲדֵ֥י יְהוָ֖ה הַמְקֻדָּשִׁ֑ים וּלְכֹ֛ל מִתְנַדֵּ֥ב נְדָבָ֖ה לַיהוָֽה׃

E depois disto o holocausto contínuo. A *declaração geral* deste versículo faz-nos entender que "todas as outras oferendas e sacrifícios" também foram observados de acordo com a legislação mosaica, tal como acontecera na festa dos tabernáculos. Houve os holocaustos, todos os dias e em ocasiões especiais; houve as *luas novas*, as celebrações e os sacrifícios periódicos; todas as espécies de ordenanças foram seguidas à risca. "Os sacrifícios demonstravam que o povo queria mostrar-se responsivo para com a lei de Deus" (John A. Martin, *in loc.*).

Contínuo. Ou seja, os sacrifícios regulares a cada manhã e a cada tarde, a expressão *diária* das leis sobre os sacrifícios.

"Nas oferendas anteriores ao exílio, havia um holocausto a cada manhã e uma oferta de cereais a cada tarde (ver 1Rs 18.29,30; 2Rs 16.15). Porém, mais tarde, a legislação sacerdotal requereu *dois holocaustos*, cada qual acompanhado por sua oferta de cereais subordinada (ver Nm 28.3-8). Este último *modus operandi* prevalecia nos dias do cronista (cf. 1Cr 16.40; 2Cr 13.11 e 31.3)" (Raymond A. Bowman, *in loc.*).

Ver no *Dicionário* o verbete chamado *Lua Nova*. Essas ocasiões eram chamadas de "sábados".

3.6

מִיּ֤וֹם אֶחָד֙ לַחֹ֣דֶשׁ הַשְּׁבִיעִ֔י הֵחֵ֕לּוּ לְהַעֲל֥וֹת עֹל֖וֹת לַיהוָ֑ה וְהֵיכַ֥ל יְהוָ֖ה לֹ֥א יֻסָּֽד׃

Desde o primeiro dia do sétimo mês. Esse dia era não somente uma lua nova, mas também uma grande festividade, a saber, a festa das trombetas (ver Lv 23.24,25). Não há que duvidar de que eles também observavam o décimo dia daquele mês, com todos os ritos a ele pertencentes, que era o dia da expiação (ver Lv 23.27-32). Meu artigo no *Dicionário*, intitulado *Festas (Festividades) Judaicas,* anota todas essas festas na segunda seção, de modo que não repito aqui essas informações.

A renovação *começava* primeiramente com os sacrifícios e as festividades antes de os alicerces do templo terem sido construídos. O altar, no entanto, já estava em uso, conforme vimos nos primeiros versículos deste capítulo.

3.7

וַיִּתְּנוּ־כֶ֔סֶף לַחֹצְבִ֖ים וְלֶחָרָשִׁ֑ים וּמַאֲכָ֨ל וּמִשְׁתֶּ֜ה וָשֶׁ֗מֶן לַצִּֽדֹנִים֙ וְלַצֹּרִ֔ים לְהָבִיא֩ עֲצֵ֨י אֲרָזִ֤ים מִן־הַלְּבָנוֹן֙ אֶל־יָ֣ם יָפ֔וֹא כְּרִשְׁי֛וֹן כּ֥וֹרֶשׁ מֶֽלֶךְ־פָּרַ֖ס עֲלֵיהֶֽם׃ פ

Deram, pois, o dinheiro aos pedreiros e aos carpinteiros. *Provisões.* Aos operários foram pagos salários justos, e começou a importação de materiais, conforme sucedera no caso da construção do templo de Jerusalém. "Houve um período de preparação para o levantamento dos alicerces do templo, pois o trabalho não começou senão já no segundo mês do segundo ano após sua chegada (maio-junho de 536 a.C., exatamente setenta anos após a primeira deportação, ocorrida em 605 a.C.). Por que essa demora de sete meses? Porque eles precisavam estar organizados, tendo em segurança os materiais de construção. A madeira (o cedro) vinha do Líbano, sendo despachada pela costa do Mediterrâneo abaixo até Jope, e dali por terra até Jerusalém. O Líbano era bem conhecido por suas florestas de cedro e por seus excelentes madeireiros. Para o primeiro templo, 430 anos antes (em 966 a.C.), Salomão havia recebido grande parte do material de construção (madeiras de cedro, pinheiro e cipreste) e muitos operários especializados do Líbano (ver 1Rs 5.1-10,18; 2Cr 2.1-16). Salomão também começou o seu projeto no segundo mês (maio-junho; 1Rs 6.1). Visto que Tiro e Sidom, no Líbano, faziam agora parte do império persa, Ciro tivera de autorizar a transação (cf. Ed 6.3,4), segundo a qual a madeira, tal como nos dias de Salomão, era paga a dinheiro, alimentos e bebidas e azeite" (John A. Martin, *in loc.*). Note-se o equívoco cometido pelo cronista. Ele disse que Ciro dera a ordem, mas na verdade estava no trono da Pérsia Dario I. Ver Ag 2.1-4. Josefo cortou o nó górdio ao explicar que Ciro baixara a ordem, mas fora Dario que a executara, chegado o tempo apropriado (*Antiq.* XI.411). O edito de Ciro não menciona nenhuma informação como esta, mas ele pode ter baixado outra ordem, suplementar. Ver Ed 1.2-4 e 6.3-5 quanto a esse decreto.

3.8

וּבַשָּׁנָ֣ה הַשֵּׁנִ֗ית לְבוֹאָ֞ם אֶל־בֵּ֤ית הָאֱלֹהִים֙ לִיר֣וּשָׁלִַ֔ם בַּחֹ֖דֶשׁ הַשֵּׁנִ֑י הֵחֵ֡לּוּ זְרֻבָּבֶ֣ל בֶּן־שְׁאַלְתִּיאֵ֡ל וְיֵשׁ֣וּעַ בֶּן־יֽוֹצָדָ֡ק וּשְׁאָ֣ר אֲחֵיהֶם֩ הַכֹּהֲנִ֨ים וְהַלְוִיִּ֜ם וְכָל־הַבָּאִ֣ים מֵהַשְּׁבִ֣י יְרֽוּשָׁלִַ֗ם וַיַּעֲמִ֣ידוּ אֶת־הַלְוִיִּ֞ם מִבֶּ֨ן עֶשְׂרִ֤ים שָׁנָה֙ וָמַ֔עְלָה לְנַצֵּ֖חַ עַל־מְלֶ֥אכֶת בֵּית־יְהוָֽה׃ פ

No segundo ano da sua vinda à casa de Deus. O *começo* do levantamento dos alicerces do segundo templo de Jerusalém ocorreu sete meses depois da chegada dos judeus deportados em Jerusalém. Sobre esse elemento tempo já comentei no versículo anterior, e não preciso reiterar aqui a questão. Os principais líderes espirituais e políticos (repetição com base no versículo 2, ver as notas expositivas ali) estiveram ativos no projeto, obtendo ainda a ajuda de subordinados, chefes, subchefes e operários. Afinal de contas, o templo era o local do culto sagrado, e os levitas eram os profissionais que cuidavam desse culto. Portanto, a edificação não foi supervisionada por chefes seculares, o que poderia ser visto como uma profanação do templo, desde os alicerces para cima. O trecho de Ag 1.12,14 deixa de mencionar os levitas, mas esses líderes ativos eram necessários para o trabalho. Os remanescentes eram aqueles que tinham retornado do cativeiro babilônico, mas no livro de Ageu eles podem ser compreendidos como os que tinham sido deixados na terra e não haviam sido deportados.

Da idade de vinte anos para cima. A lei original estipulava dos 25 anos para cima (Nm 8.24). Talvez a escassez de levitas tenha feito baixar o limite de idade, ou então, conforme é ainda mais provável, a idade mais jovem simplesmente tornara-se a prática de um tempo posterior (ver 1Cr 23.24-27; 2Cr 3.17). Condições sociais e econômicas em transformação tinham compelido o rebaixamento da idade. É provável que os levitas fossem os supervisores, e outros, de classes inferiores, fossem empregados no trabalho árduo.

3.9

וַיַּעֲמֹ֣ד יֵשׁ֡וּעַ בָּנָ֣יו וְאֶחָיו֩ קַדְמִיאֵ֨ל וּבָנָ֤יו בְּנֵֽי־יְהוּדָה֙ כְּאֶחָ֔ד לְנַצֵּ֛חַ עַל־עֹשֵׂ֥ה הַמְּלָאכָ֖ה בְּבֵ֣ית הָאֱלֹהִ֑ים ס בְּנֵי֙ חֵֽנָדָ֔ד בְּנֵיהֶ֥ם וַאֲחֵיהֶ֖ם הַלְוִיִּֽם׃

Então se apresentaram Jesua com seus filhos e seus irmãos. Os principais supervisores são enumerados neste versículo. Os nomes próprios que figuram aqui recebem artigos separados no *Dicionário*. Três clãs levíticos estão envolvidos na lista. Jesua e seus filhos; Cadmiel e seus filhos; e Henadade e seus filhos. Os levitas eram representados por esses homens. Nenhuma família foi favorecida acima das demais.

Para juntamente vigiarem os que faziam a obra. "Para juntamente vigiarem", isto é, eles eram mutuamente responsáveis, pois nenhum dos homens dominava seus irmãos. O livro de 1Esdras contém a expressão "serviam como capatazes". É provável que alguns dos levitas estivessem envolvidos no trabalho árduo, especialmente aqueles que não eram líderes, mas o trabalho deles era, essencialmente, o de supervisão.

Henadade não é mencionado em Ed 2.40 como um dos clãs levíticos, mas é citado em Ne 3.18,24 e 10.9, de maneira que as listas são suplementares, e não foi feita nenhuma tentativa que visasse a exatidão ou informações completas.

3.10

וְיִסְּד֥וּ הַבֹּנִ֖ים אֶת־הֵיכַ֣ל יְהוָ֑ה וַיַּעֲמִידוּ֩ הַכֹּהֲנִ֨ים מְלֻבָּשִׁ֜ים בַּחֲצֹֽצְר֗וֹת וְהַלְוִיִּ֤ם בְּנֵֽי־אָסָף֙ בַּֽמְצִלְתַּ֔יִם לְהַלֵּל֙ אֶת־יְהוָ֔ה עַל־יְדֵ֖י דָּוִ֥יד מֶֽלֶךְ־יִשְׂרָאֵֽל׃

OS JUDEUS QUE VOLTARAM DO CATIVEIRO BABILÔNICO

Comparações das Listas de Esdras 2 e Neemias 7

Famílias/Clãs	Esdras 2.3-60	Neemias 7.8-62	Diferenças
Parós	2.172	2.172	—
Sefatias	372	372	—
Ara	775	652	- 123
Paate-Moabe	2.812	2.818	+ 6
Elão	1.254	1.254	—
Zatu	945	845	- 100
Zacai	760	760	—
Bani (Binuí)	642	648	+ 6
Bebai	623	628	+ 5
Azgade	1.222	2.322	+ 1.100
Adonicão	666	667	+ 1
Bigvai	2.056	2.067	+ 11
Adim	454	655	+ 201
Ater	98	98	—
Bezai	323	324	+ 1
Jora (Harife)	112	112	—
Hasum	223	328	+ 105
Gibar (Gibeom)	95	95	—
Habitantes de Cidades			
Belém e Netofa	179	188	+ 9
Anatote	128	128	—
Azmavete (Bete-Azmavete)	42	42	—
Quiriate-Arim, Querifa e Beerote	743	743	—
Ramá e Geba	621	621	—
Micmás	122	122	—
Betel e Ai	223	123	- 100
Nebo	52	52	—
Magbis	156	omitido	- 156
Elão (outra cidade)	1.254	1.254	—
Harim	320	320	—
Lode, Hadide e Ono	725	721	- 4
Jericó	345	345	—
Senaá	3.630	3.930	+ 300
Sacerdotes, Filhos ou Casa de:			
Jedaías	973	973	—
Imer	1.052	1.052	—
Pasur	1.247	1.247	—
Harim	1.017	1.017	—
Levitas			
Cantores de Asafe	74	74	—
Porteiros	128	148	+ 20
Servidores do Templo	139	138	- 1
Descendentes de Delaias	392	392	—
Tobias e Necoda	652	642	- 10
TOTAIS	**29.818**	**31.089**	**+ 1.271**

Observações:

Somente trinta mil pessoas voltaram do cativeiro babilônico. A nação judaica foi praticamente extinta. É inútil tentar harmonizar os números. Essa harmonização não tem a mínima importância. Os nomes próprios em parênteses representam as variantes de Neemias.

Quando os edificadores lançaram os alicerces do templo. O trabalho teve um acompanhamento musical e religioso. Essa parte do esforço ficou, como é natural, ao encargo dos levitas. Foi uma ocasião de júbilo. O povo de Judá, que fora deportado pelos babilônios, havia retornado como um pequeno remanescente. Estava agora revertendo o desastre provocado pelo cativeiro babilônico. O labor deles na construção do novo templo (o segundo) foi um culto sagrado, sendo celebrado enquanto o trabalho prosseguia, como se fora um sacrifício oferecido a Yahweh. Tudo foi feito conforme Davi tinha ordenado quando entregou o trabalho no templo para ser realizado pelos 24 turnos de sacerdotes e levitas. Ver 1Cr 23—26. Naturalmente, está em vista um culto de dedicação a respeito do lançamento dos alicerces. A primeira vitória estava obtida. Muitas outras seriam conseguidas. Quando Davi trouxe a arca para Jerusalém, algo similar acontecera, e, naturalmente, o mesmo ocorreu por ocasião da construção do templo de Salomão. Quanto a Asafe e seus címbalos e trombetas, ver 1Cr 16.5,6. Cf. 2Cr 5.12,13. Asafe (seus descendentes) e outros tocaram os instrumentos padrões de cordas e os címbalos, enquanto os *sacerdotes* sopraram as trombetas. Além disso, houve os cânticos, talvez de certos salmos de Davi, de acordo com alguma liturgia fixa.

"A celebração ocorreu antes que o templo estivesse terminado (ver Ed 4.1-3), mas não há nenhuma referência aos alicerces, neste versículo (Ed 3.10). Cf. o vs. 6" (Raymond A. Bowman, *in loc.*). Observar, contudo, o vs. 11.

A ocasião demandava que o clero se *vestisse devidamente*. O trecho de 1Esdras diz "vestidos em vestimentas", isto é, as vestes típicas dos levitas e sacerdotes. Josefo explicou como segue: "Adornados com suas vestes costumeiras". Ver o artigo *Sacerdotes e Levitas*, em sua IV seção. Ver no *Dicionário* o verbete intitulado *Vestes Sacerdotais*. Não sabemos dizer por que essa celebração não esperou até depois de o templo ter sido completado. Talvez seja uma boa adivinhação afirmar que uma ou mais celebrações ocorreram antes do término do templo, e ainda outra celebração quando este foi terminado, mas nossos textos não nos dão essa informação.

A celebração referida no presente versículo muito provavelmente está relacionada ao lançamento dos alicerces, a primeira coisa necessária em qualquer construção. Ver o vs. 11.

■ 3.11

וַיַּעֲנוּ בְּהַלֵּל וּבְהוֹדֹת לַיהוָה כִּי טוֹב כִּי־לְעוֹלָם חַסְדּוֹ עַל־יִשְׂרָאֵל וְכָל־הָעָם הֵרִיעוּ תְרוּעָה גְדוֹלָה בְהַלֵּל לַיהוָה עַל הוּסַד בֵּית־יְהוָה: ס

Cantavam alternadamente, louvando e rendendo graças ao Senhor. O alicerce estava posto. Essa foi a primeira vitória, celebrada de modo elaborado e ruidoso. Mas a construção ainda teria de avançar muito, porém os operários sabiam que um bom começo fora alcançado, significando boa continuação, e, finalmente, um presságio de bom final. Houve muitos gritos, cânticos e toque de instrumentos, e, como é provável, danças, que eram um modo de exprimir alegria entre os hebreus.

Cantavam alternadamente. Isto é, ao modo de uma antífona.

Ele é bom, porque a sua misericórdia dura para sempre sobre Israel. Cf. o Sl 136, onde essas palavras são repetidas por diversas vezes. Sua presença aqui sugere que os cânticos incorporaram alguns dos salmos de Davi, ou, pelo menos, algumas porções do livro dos Salmos. Isso pode ter-se tornado parte de alguma liturgia formal. Ver 2Cr 29.25-29 quanto às orientações de Davi acerca do ministério musical. Josefo e 1Esdras 5.61 indicam que foram entoados hinos. A *música* era meramente o ruído espontâneo de músicos, que improvisavam para o momento.

O templo era de Yahweh; os alicerces eram de Yahweh. O culto a Yahweh estava sendo restabelecido, revertendo a vergonha que o cativeiro babilônico havia causado, a saber, as muitas abominações da idolatria nas quais Judá se tinha envolvido sem remédio.

■ 3.12

וְרַבִּים מֵהַכֹּהֲנִים וְהַלְוִיִּם וְרָאשֵׁי הָאָבוֹת הַזְּקֵנִים אֲשֶׁר רָאוּ אֶת־הַבַּיִת הָרִאשׁוֹן בְּיָסְדוֹ זֶה הַבַּיִת בְּעֵינֵיהֶם בֹּכִים בְּקוֹל גָּדוֹל וְרַבִּים בִּתְרוּעָה בְשִׂמְחָה לְהָרִים קוֹל:

Muitos dos sacerdotes e levitas e cabeças de famílias já idosos. *Emoções* mistas. Só de olhar os alicerces, os sacerdotes e levitas mais idosos, que tinham conhecido o templo de Salomão, ficaram desapontados. O coração deles afundou quando eles viram quão humilde seria a construção, se é que *aqueles* alicerces serviram para o novo templo de Jerusalém. É possível que este versículo reflita a reação de muitos sacerdotes, levitas e povo comum, uma vez que o templo todo estava pronto, a qual cronista antecipou no presente versículo. Por outra parte, os alicerces humildes eram melhor do que nada, e muito melhor do que continuarem exilados na Babilônia, pelo que muitos se recusaram a ficar tristes. Eles estavam cantando e exaltando em altas vozes os louvores a Yahweh, dançando e mostrando-se barulhentos. Os instrumentos musicais tocavam, as trombetas soavam, e o júbilo geral anulava a triste reação de alguns. Ver o livro de Ageu quanto às mesmas reações quando o segundo templo foi completado (Ag 2.1-9), cerca de dezesseis anos mais tarde. As fisionomias entristecidas eram uma minúscula porção do todo, sem dúvida, visto que poucas pessoas continuavam vivas, entre aquelas que tinham sido deportadas para a Babilônia. A maioria das pessoas que havia retornado era formada por filhos e filhas dos deportados originais. O primeiro templo havia sido destruído sessenta anos antes. Josefo (*Antiq.* XI.4.2) informa-nos que "o povo em geral" estava satisfeito com o que via. Eles não se torturaram com comparações históricas. Seja como for, as pessoas de mais idade tendem a atormentar-se, sempre lembrando o passado, *como* se ele fosse melhor do que o presente, furtando a si mesmos da alegria do momento.

■ 3.13

וְאֵין הָעָם מַכִּירִים קוֹל תְּרוּעַת הַשִּׂמְחָה לְקוֹל בְּכִי הָעָם כִּי הָעָם מְרִיעִים תְּרוּעָה גְדוֹלָה וְהַקּוֹל נִשְׁמַע עַד־לְמֵרָחוֹק: פ

De maneira que não se podiam discernir as vozes de alegria das vozes do choro do povo. *Choro e Regozijo*. Ambos os grupos eram vocíferos. Alguns choravam, outros soltavam exclamações de alegria e vitória. Os dois sons se misturavam, as lamentações e as expressões de regozijo, de modo que qualquer um que parasse de ser ruidoso por um momento não seria capaz de discernir as vozes de choro das vozes de regozijo. Alguns intérpretes ocupam-se aqui na estranha atividade de tentar determinar qual dos dois tipos de vozes era o mais alto, o choro ou os gritos de alegria, as vozes dos idosos ou as vozes dos jovens. Onde todos concordam, é que foi uma ocasião muito ruidosa, realmente! Fosse como fosse, a ocasião merecia aquela gritaria toda.

CAPÍTULO QUATRO

A OPOSIÇÃO DOS SAMARITANOS (4.1—6.12)

O cativeiro assírio não chegou a esvaziar de modo absoluto o norte (as dez tribos) de seus habitantes. Os assírios, em concordância com um costume antigo, importaram gente para o lugar, e assim o poluíram com muitas raças pagãs. Os hebreus que tinham sido deixados na terra misturaram-se por casamento com a variedade de pagãos para ali enviados, e o resultado foram os samaritanos. Esses novos habitantes, a *massa misturada*, conforme os rabinos passaram a chamar, ocasionalmente preservaram o yahwismo, e até cooperavam com o sul quanto aos festivais religiosos. Em outras ocasiões, os samaritanos mostravam-se simplesmente pagãos. Muitos eram hostis para com o sul, e muitos permaneceram hostis contra os que retornaram do cativeiro babilônico. Ver 2Cr 30.1; 34.9 e 2Rs 17.24-41 quanto aos sobreviventes do norte e à origem dos samaritanos. Ver no *Dicionário* o artigo chamado *Samaritanos*, quanto a detalhes.

O cronista não registrou todos os eventos dos 21 anos que se tinham passado desde o retorno (536 a.C.) até o ano de 515 a.C., quando o templo de Jerusalém foi terminado. Mas ele não pôde ocultar os movimentos de oposição. Yahweh venceu todos os obstáculos, dando aos judeus sucesso no empreendimento de construção, porquanto isso era profética e historicamente necessário dentro do plano divino. O cronista, ocasionalmente, projetou no texto sua própria filosofia da história, isto é, Deus guia a história da humanidade. A história é teisticamente orientada. Ver no *Dicionário* o verbete chamado *Teísmo*. Ver os cinco princípios que norteiam essa filosofia da história nas observações introdutórias justamente antes de 1Cr 1.1, a saber, os parágrafos quarto a sétimo.

Naturalmente, lemos aqui a lição óbvia de que os projetos dignos (e os projetos dignos já completados) atrairão a oposição de pessoas perversas e invejosas.

O *templo* era a base da comunhão com Deus por parte da comunidade judaica pós-exílica. Somente com o templo construído o povo judeu podia viver em consonância com as alianças, em harmonia com a legislação mosaica. O primeiro capítulo do livro de Ageu revela-nos os defeitos e os pecados do povo judeu que tinha retornado da Babilônia. Aqueles que dali retornaram eram pecadores! Mas o propósito divino estava operando neles. Essa é outra importante lição a ser observada.

O capítulo 4 de Esdras oferece-nos algumas razões de por que o templo, iniciado na época de Ciro (539-530 a.C.), não foi terminado senão nos dias de Dario I (521-486 a.C.). Houve razões econômicas (Ag 1.9) e houve também relutância em completar o trabalho (Ag 1.2), mas a perseguição e a oposição também adiaram o término da tarefa. Os inimigos dos judeus tentaram (com até algum sucesso temporário) interromper o trabalho de construção (Ed 4.6-24).

4.1

וַיִּשְׁמְעוּ צָרֵי יְהוּדָה וּבִנְיָמִן כִּי־בְנֵי הַגּוֹלָה בּוֹנִים הֵיכָל לַיהוָה אֱלֹהֵי יִשְׂרָאֵל:

Ouvindo os adversários de Judá e Benjamim. Esses adversários são identificados mais especificamente nos vss. 2, 9 e 10. Eles eram "os povos da terra", aquela massa misturada, parte hebreia e parte pagã — os humildes samaritanos que se tinham estabelecido em certas áreas de Judá e queriam participar da construção do templo de Jerusalém. Mas Zorobabel não desejava a ajuda daquele tipo de gente. Isso levaria pagãos essenciais ao local da construção, o que a poluiria, tornando-a imunda. Ver no *Dicionário* o verbete chamado *Limpo e Imundo*. Josefo adianta que essa gente ouviu o som das trombetas triunfais e soube o que significava aquele júbilo (*Antiq.* 1.11. cap. 4, sec. 3). Cf. Ne 4.11.

4.2

וַיִּגְּשׁוּ אֶל־זְרֻבָּבֶל וְאֶל־רָאשֵׁי הָאָבוֹת וַיֹּאמְרוּ לָהֶם נִבְנֶה עִמָּכֶם כִּי כָכֶם נִדְרוֹשׁ לֵאלֹהֵיכֶם וְלֹא אֲנַחְנוּ זֹבְחִים מִימֵי אֵסַר חַדֹּן מֶלֶךְ אַשּׁוּר הַמַּעֲלֶה אֹתָנוּ פֹּה:

Chegaram-se a Zorobabel e aos cabeças de famílias. A massa mista, aqueles samaritanos, apelaram a Zorobabel e a outros líderes dos judeus, que lhes fosse permitido ajudar na construção do segundo templo. A base do apelo era que eles também estavam engajados no culto a Yahweh, e desde há muito tempo. Provavelmente eles disseram a verdade, mas isso não tiraria deles o elemento pagão, um elemento que os líderes dos judeus não podiam permitir no local da construção. É provável que os samaritanos tivessem uma adoração sincretista, incorporando Yahweh em um espectro mais amplo de deuses. Cf. 2Rs 17.29,32-34,41. Nesse caso, eles não eram adoradores autênticos de Yahweh. Mas, mesmo que não fosse assim, sua derivação racial e suas conexões não teriam permitido a participação deles no projeto. Notemos que o cronista havia demonstrado cuidadosamente, no segundo capítulo de Esdras, que os judeus que retornaram da Babilônia tinham suas genealogias para provar sua pureza racial. Somente os levitas podiam encabeçar o trabalho, e somente judeus puros podiam trabalhar na construção do templo. Esse tipo de *exclusivismo racial* foi comum no judaísmo até que Jesus, o Cristo, anulou as distinções de raça, sexo e posição na fé cristã (ver Gl 3.28). O apóstolo Pedro precisou receber uma visão especial para entender que tal evento poderia ocorrer e, de fato, realmente aconteceu (ver At 10). O cristianismo primitivo, essencialmente judaico em sua natureza, nunca aprendeu a lição, de maneira que a Igreja se moveu para o ocidente, para dentro de territórios gentílicos, e assim a Noiva de Cristo foi formada por uma maioria gentílica! Esse é um fato que, se fosse sabido pelo cronista e pelos líderes dos que voltaram do cativeiro babilônico, os teria deixado perplexos.

Desde os dias de Esar-Hadom, rei da Assíria. Ver sobre ele no *Dicionário* quanto a detalhes. Era norma política da Assíria deportar e importar povos, e assim poluir raças para eliminar a oposição. O cativeiro assírio veio em ondas, e aqueles aqui mencionados como deportados apareceram mais tarde, visto que o reinado de Esar-Hadom foi de 680 a 669 a.C., distante da data de 722 a.C. do cativeiro. Não é claro, pelo texto, se os que vieram falar com Zorobabel tinham vindo do norte, ou se já estavam em alguma área de Judá, ou mesmo se tinham vindo juntamente com Judá. Seja como for, eles estavam *ali*, próximos do local da construção. Por cerca de 150 anos, aquela gente tivera uma tradição do yahwismo, ou, pelo menos, Yahweh fizera parte do culto deles. Assim sendo, conforme pensavam, eles também tinham raízes em Moisés e deveriam ter permissão de participar da construção.

Note-se que o versículo 17 deste capítulo faz de *Samaria* o local da origem da oposição, o que talvez indique que foi daquele lugar que a gente em questão procedeu, a fim de consultar Zorobabel.

4.3

וַיֹּאמֶר לָהֶם זְרֻבָּבֶל וְיֵשׁוּעַ וּשְׁאָר רָאשֵׁי הָאָבוֹת לְיִשְׂרָאֵל לֹא־לָכֶם וָלָנוּ לִבְנוֹת בַּיִת לֵאלֹהֵינוּ כִּי אֲנַחְנוּ יַחַד נִבְנֶה לַיהוָה אֱלֹהֵי יִשְׂרָאֵל כַּאֲשֶׁר צִוָּנוּ הַמֶּלֶךְ כּוֹרֶשׁ מֶלֶךְ־פָּרָס:

Porém Zorobabel, Jesua e os outros cabeças de famílias lhes responderam. Os *samaritanos* foram absolutamente rejeitados, e com palavras duras. Zorobabel nem ao menos queria discutir o caso. A regra de "judeus somente" foi posta em inexorável efeito. Foi assim que judeus e samaritanos se tornaram inimigos, e isso nunca deixou de ser um fato, enquanto existiram as duas raças. Na verdade, os samaritanos estabeleceram uma adoração rival e tiveram o seu próprio Pentateuco. Além de outros argumentos que Zorobabel provavelmente apresentou, ele lembrou aos samaritanos que a autoridade legal, da parte de Ciro, foi dada aos judeus; e ele não cria que incluir outros arbitrariamente no projeto fosse algo que os oficiais persas aceitariam. Ver o capítulo 17 de 2Reis, que fornece razões para essa atitude intolerante.

4.4

וַיְהִי עַם־הָאָרֶץ מְרַפִּים יְדֵי עַם־יְהוּדָה וּמְבַלֲהִים אוֹתָם לִבְנוֹת:

Então as gentes da terra desanimaram o povo de Judá. O texto sagrado não nos diz como isso foi feito, mas podemos presumir que houve ameaças, assédios, desencorajamento dos operários, calúnias lançadas contra os líderes dos judeus. "Desencorajaram-se e se opuseram a eles por todos os meios possíveis" (Adam Clarke, *in loc.*). Esses eram modos não oficiais e pessoais de desencorajamento. Ato contínuo, os samaritanos tentaram o método de escrever cartas aos oficiais persas. O hebraico diz, literalmente, "afrouxar as mãos", como modo de trabalhar dos samaritanos, contra os judeus. Essa palavra foi encontrada em um óstraco hebraico para indicar os atos de um profeta que queria *desmoralizar* o povo ao qual ele ministrava.

4.5

וְסֹכְרִים עֲלֵיהֶם יוֹעֲצִים לְהָפֵר עֲצָתָם כָּל־יְמֵי כּוֹרֶשׁ מֶלֶךְ פָּרַס וְעַד־מַלְכוּת דָּרְיָוֶשׁ מֶלֶךְ־פָּרָס:

Alugaram contra eles conselheiros. Provavelmente estão em pauta *traidores* judeus, que foram subornados para tentar impedir a continuação da obra pelo "lado de dentro", isto é, entre os trabalhadores queixosos e aqueles que davam maus conselhos, que permitiam dias de trabalho abreviados e encorajavam uma obra malfeita.

É provável que esses maus obreiros também adiassem a entrega dos materiais e colocassem pessoas desqualificadas para trabalhar, que eram lentas e incompetentes. Esses assaltos começaram nos tempos de Ciro e estenderam-se até os tempos de Dario I. Quanto a esses reis da Pérsia, ver os artigos separados sobre eles, e ainda o artigo chamado *Pérsia*.

SEÇÃO PARENTÉTICA: CARTAS ENVIADAS E RECEBIDAS (4.6-22)

■ 4.6

וּבְמַלְכוּת אֲחַשְׁוֵרוֹשׁ בִּתְחִלַּת מַלְכוּתוֹ כָּתְבוּ שִׂטְנָה
עַל־יֹשְׁבֵי יְהוּדָה וִירוּשָׁלָֽם׃ ס

No princípio do reinado de Assuero. A oposição prosseguiu até aos tempos de *Xerxes* (ver a respeito no *Dicionário*), também conhecido como Assuero. Essa acusação dos samaritanos contra os judeus assumiu uma forma de libelo calunioso e cartas que continham mentiras, cujo intuito era retirar do projeto a aura de legalidade que lhe fora conferida pelo decreto de Ciro. Os críticos salientam que *Assuero* (cf. Et 10.1 e Dn 9.1) é uma forma corrupta de um nome persa, provavelmente Ciaxares. Esse nome tem sido confundido com o nome Xerxes. Mas Ciaxares foi um rei medo fictício, reputado como filho de Dario, o medo (ver Dn 5.31). É provável que o cronista não tivesse consciência dessa confusão e, inocentemente, referiu-se a Xerxes pelo nome errado. Isso não prejudicou a historicidade de sua narrativa. Xerxes começou a reinar a 6 de abril de 485 a.C., de acordo com a informação contida em um papiro encontrado por arqueólogos. As tradições judaicas faziam desse homem, Assuero, não o marido de Ester, mas Cambises, filho e sucessor de Ciro, isto é, Cambises II, que veio antes de Dario I. Dei extensas descrições sobre esses diversos nomes no artigo, do *Dicionário*, intitulado *Pérsia*.

As cartas endereçadas a Assuero estavam repletas de mentiras, ódio e calúnia. Não somos informados sobre o efeito que tiveram essas cartas preliminares, mas é provável que tenha sido um tanto maléfico. Contudo, outras cartas se seguiriam (vs. 7 ss.).

■ 4.7

וּבִימֵי אַרְתַּחְשַׁשְׂתָּא כָּתַב בִּשְׁלָם מִתְרְדָת טָֽבְאֵל
וּשְׁאָר כְּנָוֺתָו עַל־אַרְתַּחְשַׁשְׂתְּא מֶלֶךְ פָּרָס וּכְתָב
הַנִּשְׁתְּוָן כָּתוּב אֲרָמִית וּמְתֻרְגָּם אֲרָמִֽית׃ פ

E nos dias de Artaxerxes. A perseguição tornou-se mais violenta e obteve maior sucesso ainda nos tempos de Artaxerxes, que alguns estudiosos identificam equivocadamente com o Xerxes ou Assuero do versículo anterior. Artaxerxes governou de 464 a 423 a.C.

O cronista enfocou sua atenção sobre duas cartas nesta passagem, mas 1Esdras tem apenas duas cartas endereçadas a Artaxerxes. Esse texto também lista os enviadores, os perturbadores. Josefo (*Antiq.* XI. 2.1), mais conhecedor da história da Pérsia, corrige a cronologia tanto do texto hebraico como do texto massorético de 1Esdras, fazendo Cambises (530 — 522 a.C.) ser o destinatário da carta. Ele também nos diz que nos tempos de Ciro, os sátrapas foram subornados para se opor ao projeto de construção em Jerusalém, sem o conhecimento de Ciro. Ver no *Dicionário* o artigo chamado *Massora (Massorah); Texto Massorético*. Esse texto hebraico padronizado do Antigo Testamento é o texto massorético abreviado.

Nomes Próprios. Ver no *Dicionário* os nomes próprios dos perturbadores, dados neste versículo, quanto ao pouco que se sabe sobre eles: *oficiais persas* que tomaram o lado dos samaritanos e representaram sua causa perante o rei, através de cartas. Talvez também tenham sido subornados para fazer isso.

A língua aramaica era usada nas comunicações, sendo a *língua franca* da época, usualmente empregada na correspondência internacional. Vemos evidências de um original aramaico na grafia dos nomes e no uso de palavras tomadas por empréstimo, nos versículos 9, 17 e 23 deste capítulo, como também em Ed 5.3,6 e 6.6,13. Ver a introdução ao livro de Esdras, seção III, terceiro parágrafo, quanto às porções do livro, no original, que foram redigidas em aramaico. Alguns estudiosos pensam que os perturbadores eram samaritanos, e não oficiais persas, mas os nomes são contra essa suposição, excetuando Tabeel. Talvez *Bislão* não deva ser entendido como um nome próprio, mas como *em paz* (eles escreveram *em paz*, ou seja, desejaram paz para o rei), que é o sentido da palavra em aramaico.

■ 4.8,9

רְחוּם בְּעֵל־טְעֵם וְשִׁמְשַׁי סָֽפְרָא כְּתַבוּ אִגְּרָה חֲדָה
עַל־יְרוּשְׁלֶם לְאַרְתַּחְשַׁשְׂתְּא מַלְכָּא כְּנֵֽמָא׃

אֱדַיִן רְחוּם בְּעֵל־טְעֵם וְשִׁמְשַׁי סָֽפְרָא וּשְׁאָר כְּנָוָתְהוֹן
דִּינָיֵא וַאֲפַרְסַתְכָיֵא טַרְפְּלָיֵא אֲפָרְסָיֵא אַרְכְּוָיֵא בָבְלָיֵא
שׁוּשַׁנְכָיֵא דֶּהָיֵא עֵלְמָיֵֽא׃

Reum, o comandante, e Sinsai, o escrivão. *Mais Cartas Ainda*. Outros oficiais entraram no negócio sujo da escrita de cartas, incluindo *Reum* (ver sobre ele no *Dicionário*), que pode ter sido alguma espécie de repórter (ver 1Esdras 2.17,25), ou *registrador*. Assim pensava Josefo (*Antiq.* XI.2.1), que deixou escrito: "o *registrador* de todas as coisas que acontecessem", uma espécie de registrador dos acontecimentos. Havia também investigadores reais, cujo negócio era dar notícias ao rei do que estivesse acontecendo. Ver Xenofonte, *Cyropaedia* VIII.6.16 quanto a esse fato. *Reum* (talvez subornado pelos samaritanos) apresentou um relatório contrário aos judeus. Dando apoio a esse relatório esteve o escriba Sinsai, que fora nomeado *secretário* de Reum (ou assim parece ter sido). Talvez ele tenha redigido a carta, anotando ali o que Reum lhe ordenara. Seja como for, ele falou de coisas suspeitas que estariam acontecendo em Jerusalém, exortando o rei a interromper o projeto da edificação do templo.

Muitos queixosos, de várias raças e reinos, deram apoio às calúnias. Afinal, Judá sempre fora um país belicoso, e sempre houvera aquele espírito de matar e ser morto entre os judeus. Os vizinhos de Judá não queriam que o reino voltasse a funcionar, para começarem as perturbações de novo. Juízes e oficiais de várias partes do império persa preferiam que Judá cessasse de vez.

Dinaítas, isto é, "juízes"; *afarsaquitas*, ou seja, "governadores"; e *tarpelitas*, ou seja, outros "oficiais", de funções diversas, eram representantes do governo persa que adicionaram seu peso às queixas contra a construção do templo e o levantamento das muralhas de Jerusalém. Também havia os *afarsitas*, isto é, os "persas", e os *arquevitas*, isto é, os arianos. Os babilônios concordavam com a censura, assim como os *elamitas*. Havendo tantas autoridades por trás das queixas, o rei da Pérsia não podia mesmo ignorar a questão. Sem dúvida, Judá sairia prejudicado.

■ 4.10

וּשְׁאָר אֻמַּיָּא דִּי הַגְלִי אָסְנַפַּר רַבָּא וְיַקִּירָא וְהוֹתֵב
הִמּוֹ בְּקִרְיָה דִּי שָׁמְרָיִן וּשְׁאָר עֲבַֽר־נַהֲרָה וּכְעֶֽנֶת׃

E outros povos. Além dos povos especificados anteriormente, havia muitos outros, em todas as partes do império persa, que olhavam de soslaio para o que estava acontecendo em Jerusalém. As cartas enviadas ao rei da Pérsia, pois, eram "mortíferas", esmagadoras, malignas e convincentes.

Asnapar. "Certamente uma corrupção de Assurbanipal, o último rei assírio (669-633 a.C.), pois somente ele capturou Susa, de onde os cativos (vs. 9) foram trazidos" (Raymond A. Bowman, *in loc.*). Ver meu artigo, no *Dicionário*, sobre *Asnapar* e sobre *Assurbanipal*. Note-se que Asnapar também é nome grafado como Osnapar nas versões portuguesas. Os comentadores mais antigos identificaram o indivíduo em questão de outra maneira, mas desde 1875 as evidências têm-se mostrado esmagadoras, identificando Asnapar com Assurbanipal.

Notemos também que a deportação era seguida pela importação de outros povos, para eliminar a identidade racial e assim parar para sempre a rebeldia de qualquer povo. Da mistura dos poucos sobreviventes do norte (Israel) com as várias raças de povos trazidos para a terra, resultaram os samaritanos. Quanto a isso Ver 2Rs 17.24-41 (as origens dos samaritanos). Todos os colonos eram contra o projeto de construção em Jerusalém. Assurbanipal deu prosseguimento às normas de deportação e importação de povos que seu pai, Esar-Hadom (Ed 4.2) tinha empregado, e essa era a prática assíria comum para tratar com povos rebeldes e inimigos.

4.11

דְּנָה֙ פַּרְשֶׁ֣גֶן אִגַּרְתָּ֔א דִּ֚י שְׁלַ֣חוּ עֲל֔וֹהִי עַל־אַרְתַּחְשַׁ֖שְׂתְּא מַלְכָּ֑א עַבְדָ֛יךְ אֱנָ֥שׁ עֲבַֽר־נַהֲרָ֖ה וּכְעֶֽנֶת׃ פ

Eis o teor da carta. A carta que foi enviada ao rei Artaxerxes.

4.12

יְדִ֙יעַ֙ לֶהֱוֵ֣א לְמַלְכָּ֔א דִּ֣י יְהוּדָיֵ֗א דִּ֤י סְלִ֙קוּ֙ מִן־לְוָתָ֔ךְ עֲלֶ֥ינָא אֲת֖וֹ לִירוּשְׁלֶ֑ם קִרְיְתָ֨א מָֽרָדְתָּ֤א וּבִֽאישְׁתָּא֙ בָּנַ֔יִן וְשׁוּרַיָּ֥א אשׁכללו וְאֻשַּׁיָּ֖א יַחִֽיטוּ׃

Daquém do Eufrates. Essa expressão, empregada também no versículo 10, fala sobre aqueles da parte sul e oeste do rio Eufrates, os delegados do rei do império persa. "Daquém do rio denota a região siro-palestina, a oeste do rio Eufrates" (*Oxford Annotated Bible*, sobre o vs. 10).

Os servos do rei guardaram uma cópia da carta e enviaram o original ao rei, na esperança de causar o maior dano possível aos judeus.

Cowley (*in loc.*) comentou como o que foi escrito se assemelha ao que a arqueologia tem descoberto sobre a natureza geral das comunicações nos papiros aramaicos, quando o endereçado é algum superior. Essa carta está registrada nos vss. 12 a 16 deste capítulo.

"Virulência e espertezia, bem como exageros, estão estampados em cada sentença da carta" (Ellicott, *in loc.*). Os fanáticos usualmente fazem muito barulho em favor de causas erradas.

Vieram a nós. Ou seja, os deportados que tinham retornado da Babilônia e entrado na Palestina, passando pelo antigo território das tribos do norte, então marchando para o sul, e estacionando finalmente em Jerusalém. Assim sendo, em certo sentido, eles chegaram àqueles que já estavam habitando partes do antigo território de Israel.

Elementos da Carta:

1. Jerusalém tinha a reputação de ser uma cidade má e rebelde. Se o trabalho de reconstrução da cidade tivesse permissão de prosseguir, então rebentariam dificuldades, e os judeus mostrariam que mereciam a má reputação que tinham. Note o leitor a cronologia inerente nessa declaração. A declaração refere-se à construção das muralhas, que Neemias também registrou. O templo tinha sido completado em 515 a.C. Mas o cronista não nos preparou para a passagem do tempo, nem para o término da construção do templo. Os críticos do projeto de construção falavam do ponto de vista dos conquistadores que tinham enviado expedições para esmagar rebeldes nas províncias ocidentais. Ver 2Rs 18.7-11,13-20; 24.1,2; 25.1-6,25,26. Ver o versículo 15, onde essa primeira acusação está registrada com um apelo "para examinar os registros que verás a prova".

4.13

כְּעַ֗ן יְדִ֙יעַ֙ לֶהֱוֵ֣א לְמַלְכָּ֔א דִּ֠י הֵ֣ן קִרְיְתָ֥א דָךְ֙ תִּתְבְּנֵ֔א וְשׁוּרַיָּ֖ה יִֽשְׁתַּכְלְל֑וּן מִנְדָּֽה־בְל֤וֹ וַהֲלָךְ֙ לָ֣א יִנְתְּנ֔וּן וְאַפְּתֹ֥ם מַלְכִ֖ים תְּהַנְזִֽק׃

Saiba ainda o rei que, se aquela cidade se reedificar. Têm continuação os elementos da carta:

2. Esse rebelde povo judeu não se constituiria em vassalos leais. Eles não pagariam o *tributo* cobrado pelo rei da Pérsia. Os judeus representam um mau risco econômico. Eles iram reedificar o templo, armar-se de novo e cortar as rendas pertencentes ao rei. Naturalmente isso sempre foi uma verdade: nações derrotadas pagavam tributo, mas quando se tornavam fortes o bastante não somente paravam de pagar, mas também submetiam outras nações a tributo! Por quantas vezes isso tinha acontecido a Judá. Basta ler nos registros históricos. Judá não hesitava em escravizar outros povos.
3. Outras importâncias também não seriam pagas, como os *impostos*. As mercadorias eram taxadas. O rei obtinha rendas do comércio. Os judeus se ocupariam do comércio, mas não pagariam os impostos. Conforme alguns diriam, eles não pagariam suas *taxas*.

4. Os judeus também não pagariam *pedágios*. Por trás dessa palavra há um obscuro termo persa que significa, literalmente, "no fim". Está em pauta algum tipo de taxa difícil de determinar. A *Oxford Annotated Bible* (*in loc.*) arrisca a interpretação de "taxas para a conservação de estradas", e, assim sendo, a palavra usada em nossa versão portuguesa, "pedágio", concorda com isso.

O resultado final seria que o tesouro real sofreria danos. A Pérsia não teria os fundos necessários para suas campanhas militares e seus projetos de construção. O alto estilo de vida da corte real poderia baixar um pouco. Os oficiais teriam seus salários diminuídos. Os feriados reais precisariam ser limitados, mostrar-se menos ostensivos ou até (pelo menos alguns deles) ser cancelados. Os oficiais que estivessem de viagem teriam de pagar suas próprias despesas. O povo não seria capaz de estender dias extras aos feriados. A vida fácil acabaria.

4.14

כְּעַ֗ן כָּל־קֳבֵל֙ דִּֽי־מְלַ֣ח הֵיכְלָ֗א מְלַ֙חְנָא֙ וְעַרְוַ֣ת מַלְכָּ֔א לָ֥א אֲֽרִֽיךְ־לַ֖נָא לְמֶחֱזֵ֑א עַל־דְּנָ֕ה שְׁלַ֖חְנָא וְהוֹדַ֥עְנָא לְמַלְכָּֽא׃

Agora, pois, como somos assalariados do rei. Continuação dos elementos da carta:

5. O rei *seria* desonrado pelos rebeldes, pessoal e economicamente. Outros ririam e diriam: "Vejam só o que aqueles judeus foram capazes de fazer contra o rei! Que idiota fracalhão é ele!"
6. A *preocupação dos missivistas*. A versão portuguesa, juntamente com muitas outras, faz os escritores da carta lembrar ao rei que era do rei que eles obtinham o *salário*, e, portanto, tinham obrigação de proteger os interesses dele. A tradução literal é "temos salgado", que foi interpretado por Eberhard Nestle como palavras que significam: "Nosso sal é o sal do palácio". Ao que tudo indica, a referência é a um *pacto de sal*, e não a salários apenas. Os escritores da carta eram partes contratadas com quem um acordo formal fora assinado. Os traidores, por sua vez, eram "desleais para com o sal", isto é, para com os acordos que tinham sido firmados. Mas os missivistas estavam ansiosos por manter-se fiéis ao rei. Quanto a pactos de sal, cf. Lv 2.13; Nm 18.19; 2Cr 13.5. Parte de tais acordos era a ajuda mútua em tempos de perigo, em que um defendia o outro. Naturalmente, o acordo sem dúvida incluía a provisão que os oficiais recebiam da parte do rei, porém mais do que isso está envolvido na declaração da carta enviada.

4.15,16

דִּ֣י יְבַקַּ֗ר בִּֽסְפַר־דָּכְרָנַיָּא֙ דִּ֣י אֲבָהָתָ֔ךְ וּתְהַשְׁכַּ֗ח בִּסְפַ֣ר דָּכְרָנַיָּא֮ וְתִנְדַּע֒ דִּי֩ קִרְיְתָ֨א דָ֜ךְ קִרְיָ֣א מָֽרָדָ֗א וּֽמְהַנְזְקַ֤ת מַלְכִין֙ וּמְדִנָ֔ן וְאֶשְׁתַּדּ֥וּר עָבְדִ֖ין בְּגַוַּ֑הּ מִן־יוֹמָ֣ת עָלְמָ֔א עַל־דְּנָ֕ה קִרְיְתָ֥א דָ֖ךְ הָֽחָרְבַֽת׃

מְהוֹדְעִ֤ין אֲנַ֙חְנָה֙ לְמַלְכָּ֔א דִּ֠י הֵ֣ן קִרְיְתָ֥א דָךְ֙ תִּתְבְּנֵ֔א וְשׁוּרַיָּ֖ה יִֽשְׁתַּכְלְל֑וּן לָקֳבֵ֣ל דְּנָ֗ה חֲלָק֙ בַּעֲבַ֣ר נַהֲרָ֔א לָ֥א אִיתַ֖י לָֽךְ׃ פ

Prosseguem os elementos da carta:

7. *Prova a ser adquirida.* Os missivistas sabiam que os registros reais dos persas, a história das nações, provariam sua contenção acerca da natureza rebelde do povo judeu. De fato, a história do Reino de Judá nos tempos do Antigo Testamento servia de prova disso! Tanto os estrangeiros como os domésticos podiam provar ao rei da Pérsia que ele estava tratando com elementos perigosos. Seria melhor cortá-los mais cedo do que tarde. Ver tais registros mencionados em Et 2.23; 6.1 e Ml 3.16.
8. *Nabucodonosor* mostrou ser um rei sábio quando pôs fim a todas as perturbações causadas pelos judeus, destruiu Jerusalém e deportou seu povo rebelde. O rei da Pérsia faria bem em dar atenção a esse exemplo histórico, puxando as rédeas da política liberal para com Jerusalém.
9. *Perda de parte* do império persa (vs. 16). Os reis da Pérsia tinham sacrificado muitas vidas e gasto muito dinheiro conquistando as

terras de seus inimigos e formando o seu império. Mas, se Judá tivesse permissão de continuar a existir, crescer e tornar-se forte novamente, a Pérsia certamente perderia grande porção de terras para o sul e para oeste. De fato, Judá ficaria tão forte a ponto de conquistar todas as terras a oeste e ao sul do império persa (*para além do rio*; ver os vss. 10 e 11. Ver os comentários no começo do vs. 11).

Carta de Artaxerxes a Reum e Sinsai (4.17-22)

Esta seção deve ser comparada com seu paralelo em 1Esdras 2.25-29.

Embora *naturalmente mau* (conforme Josefo disse acerca de Cambises, a quem ele pôs no lugar de Artaxerxes), o rei escreveu, em resposta, uma carta bastante moderada. Apesar de concordar que o trabalho de construção das muralhas de Jerusalém deveria ser interrompido, e de ter descoberto, após pesquisas feitas, que ele estava realmente tratando com um povo rebelde e violento, o rei deixou espaço, em seu decreto, para o reinício da obra, caso, mais tarde, ele viesse a decidir por modificar a situação. Foi exatamente o que aconteceu na época de Neemias, o que quer dizer que a providência divina estava em operação. Ver no *Dicionário* o verbete intitulado *Providência de Deus*.

■ 4.17

פִּתְגָמָא שְׁלַח מַלְכָּא עַל־רְחוּם בְּעֵל־טְעֵם וְשִׁמְשַׁי סָפְרָא וּשְׁאָר כְּנָוָתְהוֹן דִּי יָתְבִין בְּשָׁמְרָיִן וּשְׁאָר עֲבַר־נַהֲרָה שְׁלָם וּכְעֶת׃ ס

Então respondeu o rei. A *carta do* rei foi endereçada, primeiramente, aos que a tinham escrito (Reum e Sinsai, vs. 8), mas sua intenção era que o seu teor fosse conhecido por todos quantos estavam interessados no assunto. A *palavra do rei* tinha de tornar-se conhecida, ou nada seria feito acerca da situação. Aqueles que estavam em Samaria, inimigos dos judeus, veriam a carta, ou uma cópia, ou seriam oralmente informados quanto ao que o rei havia escrito; além disso, todos os que residissem a oeste e ao sul do rio Eufrates (ver sobre "aquém do Eufrates", nos versículos 10, 12 e 16) e estivessem interessados no caso, especialmente os oficiais do rei, deveriam ser devidamente informados. A todos esses o rei escreveu "Paz" ou "Saudações", tal como eles lhe haviam escrito (vs. 9). *Paz* sugere a ideia de bem-estar, tal como sucede à saudação dos gregos, *chairen* (At 15.23; 23.26; Tg 1.1). Os antigos papiros persas trazem esse tipo de saudação. A ideia é o desejo de bem-estar por parte dos endereçados da carta.

■ 4.18

נִשְׁתְּוָנָא דִּי שְׁלַחְתּוּן עֲלֶינָא מְפָרַשׁ קֱרִי קָדָמָי׃

A carta que nos enviastes. O rei *persa* recebera a carta que lhe fora enviada, com seus nove elementos (vss. 12-16), e um assistente da corte (escriba) a *traduziu* do aramaico para o idioma persa. Foi assim que o rei persa ficou inteiramente familiarizado com seu conteúdo. Um escriba traduziu a carta escrita em aramaico passando-a para o idioma persa. E assim a palavra "lida" (que aparece em algumas traduções, como na nossa versão portuguesa) seria mais bem compreendida como "traduzida".

■ 4.19

וּמִנִּי שִׂים טְעֵם וּבַקַּרוּ וְהַשְׁכַּחוּ דִּי קִרְיְתָא דָךְ מִן־יוֹמָת עָלְמָא עַל־מַלְכִין מִתְנַשְּׂאָה וּמְרַד וְאֶשְׁתַּדּוּר מִתְעֲבֶד־בַּהּ׃

Ordenando-o eu, buscaram e acharam. Depois de ter ouvido a tradução da carta (vs. 18), o rei ordenou que alguém entendido em livros e registros históricos averiguasse a história dos reis de Judá. Certíssimo! Os registros demonstravam exatamente o que os missivistas tinham escrito: aqueles homens eram realmente violentos, inclinados para a guerra e a insurreição. Eram também culpados de sedição e de levantes. A principal fonte informativa provavelmente eram os registros babilônicos. Os babilônios, tais como os assírios, eram historiadores cuidadosos, embora, algumas vezes, deixassem de mencionar suas derrotas militares. Mesmo estando sob tributo à Babilônia, tanto Jeoaquim quanto Zedequias se tinham revoltado, e isso ainda não fazia cem anos. Ver 2Rs 18.7 e o capítulo 24 do mesmo livro quanto às versões judaicas dessas revoltas.

■ 4.20

וּמַלְכִין תַּקִּיפִין הֲווֹ עַל־יְרוּשְׁלֶם וְשַׁלִּיטִין בְּכֹל עֲבַר נַהֲרָה וּמִדָּה בְלוֹ וַהֲלָךְ מִתְיְהֵב לְהוֹן׃

Também houve reis poderosos sobre Jerusalém. Além das revoltas, do derramamento de sangue e de matar e ser morto, atividades comuns entre os reis judeus, estes também se mostravam "culpados" de colocar outros países sob tributo! De fato, todos aqueles territórios "para aquém do rio" (ver os vss. 10, 12, 16 e 17) tinham, em uma época ou outra, pago tributo àqueles horrendos judeus. Eles tinham tratado aos outros tal e qual estavam agora sendo tratados. Cf. os tributos, impostos e pedágios com os mesmos termos econômicos usados no vs. 13. Naturalmente, Judá nunca fora *tão forte* como a carta dos seus acusadores agora dizia. Isso era um exagero histórico. Judá nunca governara por toda a Palestina e a Síria. Talvez este versículo se derive do orgulho nacionalista do cronista judeu, que ultrapassou o que o rei da Pérsia havia descoberto em seus registros históricos. Seja como for, quando um Judá *forte* foi um terror para seus vizinhos, os registros do Antigo Testamento o confirmam. Por outra parte, seus vizinhos, quando eram *fortes*, sempre foram um terror para Judá. Os povos circunvizinhos raramente estavam interessados na paz, mesmo quando os tempos eram favoráveis à paz. Afinal, eles só combatiam pelo que era direito ou por diversão. Cf. 2Sm 8 e 1Rs 10.

■ 4.21

כְּעַן שִׂימוּ טְּעֵם לְבַטָּלָא גֻּבְרַיָּא אִלֵּךְ וְקִרְיְתָא דָךְ לָא תִתְבְּנֵא עַד־מִנִּי טַעְמָא יִתְּשָׂם׃

Agora, pois, dai ordem. *O Decreto para Interromper a Obra de Reconstrução das Muralhas de Jerusalém.* Os réprobos *samaritanos* e outros conseguiram seu intuito. O rei deixou-se convencer pelos argumentos, e acabou seguindo o conselho deles. Ele interrompeu o projeto de construções em Jerusalém. No entanto, esse mesmo rei, nos tempos de Neemias, igualmente por decreto, permitiu que o trabalho de reconstrução de Jerusalém fosse reiniciado (corria o ano de 444 a.C.; ver Ne 2.1-9). Vemos assim a veracidade daquela declaração que diz: "É sempre cedo demais para desistir!" O projeto foi interrompido, mas os judeus não desistiram. Eles contavam com o poder e a inspiração de Yahweh. Também contavam com a tradição profética para inspirá-los, bem como com a *necessidade* histórica. Israel precisava ser restaurado. Jesus, o Cristo, viria de Judá. Em certo sentido, a Igreja cristã também dependia de que os judeus não desistissem. Mas o resultado imediato do decreto real foi amargo e desencorajador.

A não ser com autorização minha. Essas palavras faltam ao trecho paralelo de 1Esdras, e podem ter sido uma glosa do cronista, o qual sabia que, afinal, este decreto seria revertido por outro posterior. Foi assim que se anulou o decreto do rei Ciro (Ed 1.1 ss.). Mas a providência divina garantiria outro bom acontecimento, também mediante um decreto do rei da Pérsia.

■ 4.22

וּזְהִירִין הֱווֹ שָׁלוּ לְמֶעְבַּד עַל־דְּנָה לְמָה יִשְׂגֵּא חֲבָלָא לְהַנְזָקַת מַלְכִין׃ ס

Guardai-vos, não sejais remissos. *Reforçando o Decreto Real.* Visto que os missivistas estavam tão ansiosos para interromper o trabalho de reconstrução de Jerusalém, dependia deles implementar o decreto do rei com todo o seu poder. O rei da Pérsia não queria ver uma revolta no sul de seu império. Ele estava ansioso com toda aquela possível perda de dinheiro e todas as terras que ele e seus antecessores tinham conquistado. Não queria que os judeus perturbassem o seu programa. Ele já tinha feito planos para gastar o dinheiro do tributo. Seus planos precisavam seguir avante.

O TRABALHO DE RECONSTRUÇÃO É INTERROMPIDO (4.23)

■ 4.23

אֱדַ֗יִן מִן־דִּ֞י פַּרְשֶׁ֤גֶן נִשְׁתְּוָנָא֙ דִּ֚י ארתחששתא מַלְכָּ֔א
קֱרִ֧י קֳדָם־רְח֛וּם וְשִׁמְשַׁ֥י סָפְרָ֖א וּכְנָוָתְה֑וֹן אֲזַ֨לוּ
בִבְהִיל֤וּ לִירֽוּשְׁלֶם֙ עַל־יְה֣וּדָיֵ֔א וּבַטִּ֥לוּ הִמּ֖וֹ בְּאֶדְרָ֥ע
וְחָֽיִל׃ ס

O paralelo deste versículo é 1Esdras 2.30.

Com *pressa e alegria feroz*, uma cópia do decreto foi levada a Jerusalém e lida diante dos espantados judeus! Aquilo que eles mais temiam lhes sobreviera. Seu amado projeto fora interrompido. Pela força e pelo poder eles foram obrigados a parar, o que subentende que os escritores da carta foram acompanhados por uma força militar. O original diz aqui, literalmente, "pelo braço e pela força". A palavra "braço" é usada como um símbolo de força (ver Ez 31.17; Pv 31.17; Dn 11.15,31). Nos escritos persas, a palavra "poder" muitas vezes significa *exército*, conforme se vê, com frequência, nos papiros. 1Esdras nos dá uma interpretação: "com cavaleiros e uma multidão preparada para a batalha". Josefo nos fornece uma informação similar. A implicação é que o que tinha sido edificado foi destruído (referindo-se às muralhas da cidade, mas não ao templo); e isso provocou em Ne uma profunda tristeza (Ne 1.3 e 4). O cronista queria que compreendêssemos que a edificação do templo (vs. 24) também foi interrompida, a despeito de sua menção anacrônica da construção das muralhas, o que só aconteceu mais tarde. Ver minhas observações no vs. 12. Ver o vs. 24 quanto a um comentário sobre o problema cronológico.

RESULTADO DA OPOSIÇÃO (4.24)

■ 4.24

בֵּאדַ֗יִן בְּטֵלַת֙ עֲבִידַ֣ת בֵּית־אֱלָהָ֔א דִּ֖י בִּירוּשְׁלֶ֑ם
וַהֲוָת֙ בָּֽטְלָ֔א עַ֚ד שְׁנַ֣ת תַּרְתֵּ֔ין לְמַלְכ֖וּת דָּרְיָ֥וֶשׁ
מֶֽלֶךְ־פָּרָֽס׃ פ

Cessou, pois, a obra da casa de Deus. Este versículo está logicamente vinculado ao quinto versículo. Os vss. 6-23 formam um parêntese concernente à carta enviada e à resposta por parte do rei da Pérsia. Tal parêntese, cronologicamente falando, está fora de lugar, projetando questões acerca da construção das muralhas de Jerusalém, que é o assunto do livro de Neemias. Antes que a construção das muralhas da cidade fosse interrompida, ou talvez *juntamente com* esse evento, cessou também a obra de construção no templo. As evidências que colhemos do trecho paralelo (Ne 1.3) é que a parte que tinha sido levantada das muralhas de Jerusalém foi derrubada. Não há evidências, entretanto, de que o templo (já construído, ou construído em parte) tenha sofrido idêntica sorte. Seja como for, o cronista agrupou os dois eventos, mas reverteu a ordem cronológica. O autor-compilador, em várias ocasiões, obteve seu material fora da devida ordem cronológica. Ver as notas introdutórias imediatamente antes da exposição a Ed 1.1, intituladas *Perturbações Cronológicas*. Forneço uma lista de acontecimentos na ordem provável de sua ocorrência, combinando os livros de Esdras e Neemias. O leitor perceberá que esse material não segue a *ordem de escrita* dos dois livros.

A *obra de construção do templo* foi suspensa até o segundo ano de Dario I (520 a.C.), cerca de dezoito anos depois que o povo de Judá tinha retornado à Terra Prometida com o propósito de construir o segundo templo, a "casa de Elohim". Ver no *Dicionário* o artigo chamado *Deus, Nomes Bíblicos de*. Ver também sobre o Templo de Zorobabel no artigo chamado *Templo de Jerusalém*, seção VI. "A suspensão do empreendimento geral, chamado 'a obra da casa de Deus', perdurou por quase dois anos" (Ellicott, *in loc.*). Os profetas Ageu e Zacarias encorajaram a construção (Ag 1.1-4; Zc 4.9 e 6.15). Outros dizem que a obra parou por cerca de quinze anos. Ver Ed 5.1.

CAPÍTULO CINCO

O REINADO DE DARIO (5.1—6.22)

REINÍCIO DA CONSTRUÇÃO DO SEGUNDO TEMPLO (5.1,2)

O paralelo é 1Esdras 6.1,2.

O cronista nos apresenta um documento aramaico de cartas enviadas a Artaxerxes e uma resposta enviada de volta aos missivistas. Isso foi posto fora de sua ordem cronológica. Ver os comentários sobre Ed 4.24. O trecho parentético, escrito em aramaico, é a passagem de Ed 4.6-23. Agora o autor-compilador reinicia a história concernente à construção do templo, que também precisou ser interrompida. Portanto, Ed 4.5 continua em Ed 5.1-6.18.

"Após uma breve referência ao reinício do trabalho no templo, sob o estímulo dos profetas Ageu e Zacarias (Ed 5.1,2), o escritor descreve uma investigação oficial das atividades dos judeus em Jerusalém (ver Ed 5.3-5) e incorpora, *verbatim*, os relatórios oficiais enviados ao rei da Pérsia (Ed 5.6-17), os quais explicaram a situação encontrada pelos oficiais (Ed 5.8) e deu uma declaração em defesa dos judeus (Ed 5.11-16). Os oficiais reivindicaram uma verificação nos reclamos dos judeus e requereram maiores instruções (Ed 5.17)" (Raymond A. Bowman, *in loc.*).

■ 5.1

וְהִתְנַבִּ֞י חַגַּ֣י נְבִיאָ֗ה וּזְכַרְיָ֧ה בַר־עִדּ֛וֹא נְבִיאַיָּ֖א עַל־
יְהוּדָיֵ֔א דִּ֥י בִיה֖וּד וּבִירֽוּשְׁלֶ֑ם בְּשֻׁ֛ם אֱלָ֥הּ יִשְׂרָאֵ֖ל
עֲלֵיה֥וֹן׃ ס

Ora, os profetas Ageu e Zacarias. Deus estava com Judá. A providência divina estava em operação. Este é um mundo teísta. Ver no *Dicionário* o verbete intitulado *Teísmo*. O cronista estava fornecendo evidências de sua filosofia da história, ou seja, Deus guia o curso das atividades humanas. Ver os parágrafos 4-7 dos comentários de introdução a 1Crônicas, justamente antes da exposição sobre 1Cr 1.1, quanto aos cinco princípios normativos dessa filosofia. Os livros do cronista (1 e 2Crônicas, Esdras e Neemias) formam, distintamente, uma coletânea literária. Esses livros apresentam uma *história idealista*, e não uma história meramente informativa. Embora a oposição tivesse conseguido interromper os esforços de construção, Judá recebeu o poder e a autoridade política para reiniciar seus labores. O templo e as muralhas de Jerusalém precisavam ser reconstruídos. Esse era o plano divino. Judá precisava ser restaurado. O plano divino continuava em operação.

"O trabalho no templo tinha sido interrompido (Ed 4.1-5,24) de 535 a 520 a.C. Agora, porém, sob a influência de dois profetas importantes, Ageu e Zacarias, as atividades de construção foram reiniciadas. A prédica desses dois profetas está registrada nos livros bíblicos de Ageu e Zacarias. Ageu profetizou de agosto a dezembro de 520 a.C. Zacarias profetizou por dois anos, começando em outubro/novembro de 520 a.C. Eles ajudaram exortando e encorajando (cf. Ed 6.14 e ver Ag 1.1 e 2.4 e Zc 4.7-9)" (John A. Martin, *in loc.*). Quanto a detalhes, ver meus artigos sobre esses dois homens no *Dicionário*.

O Deus de Israel. Elohim, Deus de Israel e de Judá, e, após o cisma, das duas nações, a do norte e a do sul, era também o *Poder* (El) por trás do *novo Israel*, que foi formado pelo minúsculo fragmento da tribo de Judá que retornou a Jerusalém, após o fim do cativeiro babilônico. Esse título, Deus de Israel, é encontrado várias outras vezes no livro de Esdras, sobretudo nas seções redigidas em aramaico (ver Ed 6.14; 7.15; 1Cr 5.26). O título divino favorito do cronista, entretanto, era Yahweh-Elohim (ver 1Cr 15.12,14; 16.4,36).

"Agora ocorria a *intervenção* dos dois profetas, Ageu e Zacarias, cujos escritos e predições deveriam ser lidos neste ponto. Eles revelam um estado de apatia que Esdras não mencionou de forma alguma. As coisas tinham chegado a um ponto em que o desígnio da providência poderia ter sido distorcido. Portanto, houve um retorno abrupto do espírito da profecia, para despertar as coisas de novo" (Ellicott, *in loc.*).

"Durante quinze anos, a obra de construção foi totalmente suspensa. Aqueles dois profetas censuraram o povo com severas reprimendas por sua preguiça, negligência e egoísmo mundano (Ag 1.4), e ameaçaram-no com severos julgamentos se eles continuassem negligentes, mas prometeram que eles seriam abençoados com grande prosperidade nacional se reiniciassem e completassem a obra com alacridade e vigor" (Jamieson, *in loc.*).

■ 5.2

בֵּאדַ֡יִן קָ֡מוּ זְרֻבָּבֶ֣ל בַּר־שְׁ֠אַלְתִּיאֵל וְיֵשׁ֨וּעַ בַּר־יֽוֹצָדָ֜ק וְשָׁרִ֣יו לְמִבְנֵ֗א בֵּ֤ית אֱלָהָא֙ דִּ֣י בִירֽוּשְׁלֶ֔ם וְעִמְּה֛וֹן נְבִיַּאיָּ֥א דִֽי־אֱלָהָ֖א מְסָעֲדִ֥ין לְהֽוֹן׃ פ

Então se dispuseram Zorobabel... e Jesua. Devemos entender aqui que as palavras "começaram a edificar" significam *reiniciar* o trabalho que havia sido interrompido por quinze anos. Ou então devemos entender que aquilo que tinha sido edificado, a saber, os alicerces, havia sido destruído, e assim, em um sentido absoluto, Zorobabel começou a trabalhar de novo. Os profetas (discutidos nas notas sobre o primeiro versículo) deram seu apoio moral, inspirando os esforços com as ameaças e promessas de Yahweh colhidas dos livros de Ageu e Zacarias, que o cronista não mencionou aqui nominalmente. Naquela ocasião, Jesua, o sumo sacerdote, era o principal supervisor da obra, e os levitas eram subcapatazes. Cf. Ed 2.2 e 3.2 quanto aos trabalhadores principais (os supervisores) do projeto.

"Eles tinham lançado os alicerces, e talvez os tivessem levado avante até certo grau, antes de serem forçados a parar o trabalho (Ed 2.10)" (John Gill, *in loc.*).

■ 5.3

בֵּהּ־זִמְנָ֡א אֲתָ֣א עֲלֵיה֩וֹן תַּתְּנַ֨י פַּחַ֧ת עֲבַֽר־נַהֲרָ֛ה וּשְׁתַ֥ר בּוֹזְנַ֖י וּכְנָוָתְה֑וֹן וְכֵן֙ אָמְרִ֣ין לְהֹ֔ם מַן־שָׂ֥ם לְכֹ֖ם טְעֵ֑ם בַּיְתָ֤א דְנָה֙ לִבְּנֵ֔א וְאֻשַּׁרְנָ֥א דְנָ֖ה לְשַׁכְלָלָֽה׃ ס

Nesse tempo, veio a eles Tatenai... e Setar-Bozenai. *Oposição Novamente.* A autoridade do projeto foi questionada, e essa autoridade tinha de provir do rei da Pérsia, que era o senhor daquela parte do mundo, na época. Ver no *Dicionário* acerca de *Tatenai.* Ele era o sátrapa (governador da província) da época, ou era o delegado do sátrapa. A palavra persa é *Pechah.* O outro homem, *Setar-Bozenai* (ver sobre ele no *Dicionário*), parece ter sido secretário de Tatenai, tal como Sinsai era secretário de Reum (ver Ed 4.17). Judá era meramente parte da satrapia da Babilônia-Transeufrates, e tinha delegados nomeados para governá-lo. O que encontramos aqui fazia parte de uma campanha geral para pôr fim às construções em Judá. Pelo menos isso é o que Josefo disse (Ant. XI.4.4), e esse mesmo general e historiador judeu também afirmou que os samaritanos estavam por trás de todo o movimento de entrave, influenciando por meio de subornos.

Governador. Esse era um termo elástico, algumas vezes referindo-se ao sátrapa de uma província inteira, de outras vezes referindo-se ao seu delegado. É provável que Tatenai fosse um subgovernador, um delegado do sátrapa geral. Seu nome foi encontrado em tabletes escritos em escrita cuneiforme.

Daquém do Eufrates. Algumas versões portuguesas tomam a liberdade de traduzir oeste em lugar de "daquém". De fato, estamos tratando aqui com áreas a oeste e ao sul da Babilônia. Quanto à expressão, ver também em Ed 4.10 e 11.

Ver Ed 4.1-5 quanto a esforços anteriores para parar a obra. "Os líderes de Israel entraram em conflito direto com as autoridades locais devidamente estabelecidas, que eram responsáveis diante da coroa persa. Em um registro babilônico datado de 502 a.C., foi achado o nome Tatenai e seu ofício como governador da região transeufrateana" (John A. Martin, *in loc.*). As autoridades locais temiam que o projeto do templo pudesse transformar-se em uma revolta popular.

■ 5.4

אֱדַ֥יִן כְּנֵ֖מָא אֲמַ֣רְנָא לְּהֹ֑ם מַן־אִנּוּן֙ שְׁמָהָ֣ת גֻּבְרַיָּ֔א דִּֽי־דְנָ֥ה בִנְיָנָ֖א בָּנַֽיִן׃

Perguntaram-lhes mais. A narrativa torna-se mais compreensível se considerarmos aqui a *terceira pessoa*, concordando com o terceiro versículo, visto que eram os oficiais persas que estavam falando, e não os "judeus". O livro de 1Esdras diz-nos que os judeus foram compelidos a fornecer uma lista dos supervisores, e que essa informação seria noticiada ao rei. A Septuaginta tem aqui a terceira pessoa, como uma correção do hebraico desajeitado. Cf. o vs. 11. A versão siríaca, entretanto, preserva o desajeitado "nós". A versão portuguesa acompanha aqui a Septuaginta.

■ 5.5

וְעֵ֣ין אֱלָהֲהֹ֗ם הֲוָת֙ עַל־שָׂבֵ֣י יְהוּדָיֵ֔א וְלָא־בַטִּ֖לוּ הִמּ֑וֹ עַד־טַעְמָ֞א לְדָרְיָ֤וֶשׁ יְהָךְ֙ וֶאֱדַ֣יִן יְתִיב֔וּן נִשְׁתְּוָנָ֖א עַל־דְּנָֽה׃ פ

Porém os olhos de Deus estavam sobre os anciãos dos judeus. *Uma vigilância providencial* era o trunfo dos judeus para que eles continuassem edificando, a despeito do assédio de seus inimigos, até que um novo decreto decidisse se a construção continuaria legalmente. Cf. Sl 33.18,19; 34.15,16. A questão seria submetida ao julgamento de Dario. Os oficiais em Jerusalém não poderiam parar a obra até que o rei desse uma resposta oficial ao relatório que eles estavam preparando. Ver os vss. 6 ss. quanto ao relatório e à inquirição enviada ao rei. A *resposta* de Dario é dada em Ed 6.6-12.

Ver no *Dicionário* o artigo chamado *Providência de Deus.* Cf. a afirmação similar "a boa mão do Senhor, seu Deus, que estava sobre ele" (Ed 7.6,9,28; 8.18,22,31; Ne 2.8,18). O trabalho de construção era de Deus. Ele proveria todas as condições, o dinheiro e as forças para seu cumprimento apropriado. Oh, Senhor! Concede-nos tal graça! Cf. 2Cr 16.9 e Zc 2.9 e 4.10.

O que for escuro em mim, ilumina,
O que for vil, eleva e sustenta
...

Para que eu me possa valer da Providência Eterna.

John Milton

■ 5.6

פַּרְשֶׁ֣גֶן אִגַּרְתָּ֗א דִּֽי־שְׁלַ֞ח תַּתְּנַ֣י׀ פַּחַ֣ת עֲבַֽר־נַהֲרָ֗ה וּשְׁתַ֤ר בּוֹזְנַי֙ וּכְנָ֣וָתֵ֔הּ אֲפַרְסְכָיֵ֔א דִּ֖י בַּעֲבַ֣ר נַהֲרָ֑ה עַל־דָּרְיָ֖וֶשׁ מַלְכָּֽא׃

Eis a cópia da carta que Tatenai. *Uma carta oficial* foi enviada por Tatenai, provavelmente escrita (reduzida) por seu secretário Setar-Bozenai, com a aprovação e o conhecimento de todos os afarsaquitas, isto é, governadores ou subgovernadores enviados pelo rei. A questão foi levada à atenção de todos os homens importantes de toda a província "além do rio", isto é, da parte oeste e sul do rio Eufrates. Cf. Ed 4.10,11 e 5.3, sendo comum o cronista referir-se assim à província da qual Judá fazia parte. Talvez os afarsaquitas não fossem governadores, e, sim, investigadores, conforme pensam alguns eruditos. Nesse caso, deveriam ser identificados com os *frasaka* persas (fiscais, investigadores). A versão etíope diz aqui *nawatir*, "observadores", que tem um sentido semelhante. Cf. Ed 4.9, onde algo similar é dito e onde foram dadas notas adicionais. Note-se, porém, que ali temos a palavra *arquevitas*, e não *afarsaquitas*.

■ 5.7

פִּתְגָמָ֥א שְׁלַ֖חוּ עֲל֑וֹהִי וְכִדְנָה֙ כְּתִ֣יב בְּגַוֵּ֔הּ לְדָרְיָ֥וֶשׁ מַלְכָּ֖א שְׁלָמָ֥א כֹֽלָּא׃ ס

Na qual lhe deram uma relação escrita. A introdução à carta é semelhante à que fora enviada previamente. Cf. Ed 4.17. Cf. também 1Esdras 6.8, que é idêntico, mas adiciona as palavras "em todas as coisas". A paz deveria governar todas as coisas. A força dessas palavras assemelha-se a "saudações de todo o coração" ou "efusivas saudações", o que é comum nas cartas escritas em grego, quando se emprega a palavra *xairein*. Muitas saudações em aramaico incluíam *deuses*, mencionados por nome ou genericamente, com o intuito de atrair as bênçãos divinas sobre o remetente ou sobre o destinatário da carta.

5.8

יְדִיעַ לֶהֱוֵא לְמַלְכָּא דִּי־אֲזַלְנָא לִיהוּד מְדִינְתָּא
לְבֵית אֱלָהָא רַבָּא וְהוּא מִתְבְּנֵא אֶבֶן גְּלָל וְאָע מִתְּשָׂם
בְּכֻתְלַיָּא וַעֲבִידְתָּא דָךְ אָסְפַּרְנָא מִתְעַבְדָא וּמַצְלַח
בְּיֶדְהֹם: ס

Seja notório ao rei que nós fomos à província de Judá. O trabalho havia progredido bastante, conforme aprendemos neste versículo. Muito mais do que os alicerces tinham sido levantados. As paredes já estavam em boa altura e os operários eram inspirados e diligentes. *Em breve* o templo estaria terminado, se houvesse permissão de continuar. Isso poderia ser o começo de uma revolta popular, de maneira que o rei precisava saber o que estava acontecendo, para que pudesse interromper o trabalho de construção imediatamente, se assim lhe aprouvesse. Cf. Ed 6.4 e 1Rs 6.36.

Província de Judá. Essa província era uma subdivisão da satrapia da Babilônia e da Transeufrates. Provavelmente era uma subdivisão administrativa, com oficiais permanentes e residentes para olharem as coisas. Mas Tatenai estava estacionado em Damasco.

Casa do grande Deus. Uma referência óbvia a Yahweh-Elohim. Talvez esse título fosse demais para ser esperado de um oficial persa, e pode representar um colorido do cronista. Alguns intérpretes, entretanto, veem nessas palavras um tributo solene (mas pagão) a Yahweh. No Oriente Próximo e Médio, havia uma forte crença em "divindades locais, e cada qual era respeitada em seu local, embora não necessariamente em outros. Os persas, mui provavelmente, pagavam tributo a Yahweh nesse sentido, não em um sentido universal. O trecho paralelo, de 1Esdras 6.9, relaciona o adjetivo "grande" com *casa*, e não com *Deus*.

5.9

אֱדַיִן שְׁאֵלְנָא לְשָׂבַיָּא אִלֵּךְ כְּנֵמָא אֲמַרְנָא לְהֹם
מַן־שָׂם לְכֹם טְעֵם בַּיְתָא דְנָה לְמִבְנְיָה וְאֻשַּׁרְנָא
דְנָה לְשַׁכְלָלָה:

Quem vos deu ordem para reedificardes esta casa e restaurardes este muro? "Com qual autoridade estais construindo este templo?", perguntou o oficial persa. Coisa alguma como aquela poderia ser feita sem a permissão do rei. A resposta foi (vs. 13) que Ciro se tinha pronunciado em favor das construções. Se não fosse por isso, os oficiais persas provavelmente teriam feito parar a obra, sem ao menos consultar o "quartel-general". Naturalmente, a verdadeira autoridade dos judeus era Elohim (vs. 11), que também tinha ordenado a construção do templo anterior, o de Salomão (o grande rei). Mas isso não teria sido razão suficiente para permitir que a edificação continuasse.

Cf. o versículo terceiro, incidente esse que Tatenai relatou em sua carta.

5.10

וְאַף שְׁמָהָתְהֹם שְׁאֵלְנָא לְהֹם לְהוֹדָעוּתָךְ דִּי נִכְתֻּב
שֻׁם־גֻּבְרַיָּא דִּי בְרָאשֵׁיהֹם: ס

Demais disto, lhes perguntamos também pelos seus nomes. Este versículo reflete o quarto versículo deste capítulo. Uma *lista dos nomes* dos líderes judeus foi requerida. O rei investigaria cada nome, se assim preferisse fazer, para ver se eram do tipo rebelado. Se nada encontrasse contra eles, isso ajudaria a causa dos judeus. Além disso, se alguma coisa de ruim resultasse das investigações sobre a construção (do ponto de vista persa), então o rei saberia a quem responsabilizar.

5.11

וּכְנֵמָא פִתְגָמָא הֲתִיבוּנָא לְמֵמַר אֲנַחְנָא הִמּוֹ עַבְדוֹהִי
דִּי־אֱלָהּ שְׁמַיָּא וְאַרְעָא וּבָנַיִן בַּיְתָא דִּי־הֲוָא בְנֵה
מִקַּדְמַת דְּנָה שְׁנִין שַׂגִּיאָן וּמֶלֶךְ לְיִשְׂרָאֵל רַב בְּנָהִי
וְשַׁכְלְלֵהּ:

Resposta dos Judeus Elementos:
1. Os *edificadores* eram servos do Deus Altíssimo, de fato, o Deus dos céus e da terra, a autoridade final. Ele tinha ordenado a edificação do templo anterior, que os líderes acreditavam estar sendo construído de novo por eles. Note o leitor como o templo de Salomão é concebido não como se estivesse sendo substituído, mas novamente construído, através do segundo templo. O segundo templo, pois, foi visto como o templo de Salomão que estava sendo restaurado, e não substituído. Essa atitude procedeu da noção de judeus piedosos de que algo tão grandioso como o templo de Deus não podia, realmente, ser destruído. Havia apenas a necessidade de reparos, um pouco de autoengano piedoso.
2. Daí originou-se um argumento. O grande projeto de ontem estava sendo continuado agora, e pela ordem do mesmo Deus dos céus e da terra. Naturalmente, o templo de Herodes, nos dias de Jesus, também foi pensado como um *refazer* do segundo templo, ou seja, na realidade, o templo de Salomão em evolução. A mente religiosa pode usar de fantasia para alterar os fatos. Seja como for, o propósito dos três templos era o mesmo, embora eles fossem, de fato, edifícios distintos.

"Uma revisão histórica a longo prazo foi um artifício favorito dos escritores judeus (Cf. Ne 9.6-37)" (Raymond A. Bowman, *in loc.*).

Um grande rei de Israel. Ou seja, Salomão, cujo templo estava sendo "reconstruído". Uma de minhas fontes informativas usa constantemente o termo "reconstruído", embora "substituição" fosse o fato real.

5.12

לָהֵן מִן־דִּי הַרְגִּזוּ אֲבָהָתַנָא לֶאֱלָהּ שְׁמַיָּא יְהַב הִמּוֹ
בְּיַד נְבוּכַדְנֶצַּר מֶלֶךְ־בָּבֶל כַּסְדָּיָא וּבַיְתָה דְנָה
סַתְרֵהּ וְעַמָּה הַגְלִי לְבָבֶל: ס

3. O julgamento do Deus de Israel sobre seu povo desviado havia causado a destruição do templo e a deportação para a Babilônia, por intermédio do rei Nabucodonosor. E tinha havido uma deportação, a saber, o cativeiro babilônico. Mas a obediência renovada anulara esse castigo, e os construtores eram os homens *bons* da renovação. Eles estavam cooperando com o plano divino, o qual precisava ser respeitado. Estavam refazendo o que originalmente era bom, e agora era bom novamente. O curso da história, divinamente guiado, era um argumento em favor da continuação da obra. Cf. Jr 7.17-20; 11.1-12.
4. Fazia parte da teologia judaica a ideia de que Yahweh usava *potências estrangeiras* para castigar seu povo (ver Ed 1.2; Jz 2.13-15; 4.1,2; 6.1). Portanto, o que estava sendo feito tinha origem divina, mas também era uma restauração. Os judeus agora eram instrumentos de Deus, restaurando o que havia sido destruído, e isso precisava ser respeitado. A causa deles era *divina* e, por conseguinte, *justa*. Cf. a promessa ameaçadora contida em Dt 28. Ver como Nabucodonosor fora chamado de "meu servo" por Yahweh (Jr 25.9; 27.6 e 43.10). Yahweh não fora derrotado no cativeiro babilônico. Ele estava apenas cumprindo um plano. E a reconstrução fazia parte desse plano.

5.13

בְּרַם בִּשְׁנַת חֲדָה לְכוֹרֶשׁ מַלְכָּא דִּי
בָבֶל כּוֹרֶשׁ מַלְכָּא שָׂם טְעֵם בֵּית־
אֱלָהָא דְנָה לִבְּנֵא:

5. O *decreto de Ciro* foi o único argumento que provavelmente impressionou os persas. Ver Ed 1.1 ss. Os delegados do rei persa tiveram de lidar cuidadosamente com isso, para que não se tornassem culpados de alguma espécie de negligência, ou mesmo de traição.

Rei de Babilônia. Não que Ciro fosse um babilônio, mas porque ele tinha tomado a Babilônia. Daí a alteração ocorrida na versão siríaca (*peshitta*) para "rei da Pérsia" foi algo desnecessário.

5.14

וְאַף מָאנַיָּא דִי־בֵית־אֱלָהָא דִּי דַהֲבָה וְכַסְפָּא דִּי
נְבוּכַדְנֶצַּר הַנְפֵּק מִן־הֵיכְלָא דִּי בִירוּשְׁלֶם וְהֵיבֵל
הִמּוֹ לְהֵיכְלָא דִּי בָבֶל הַנְפֵּק הִמּוֹ כּוֹרֶשׁ מַלְכָּא
מִן־הֵיכְלָא דִּי בָבֶל וִיהִיבוּ לְשֵׁשְׁבַּצַּר שְׁמֵהּ דִּי
פֶחָה שָׂמֵהּ:

6. *Ciro* estivera tão ativamente interessado na restauração do templo de Jerusalém que chegou a devolver os vasos do templo de Salomão que os babilônios haviam tomado. Assim sendo, ele quis ajudar a preservar o caráter histórico do edifício. Este versículo repete informações que tinham sido outorgadas elaboradamente pelo cronista em Ed 1.7-11. Se o rei estivera tão empenhado na construção do novo templo, seus delegados não podiam contradizer isso, a menos que obtivessem uma nova ordem da parte do novo rei.

5.15

וַאֲמַר־לֵהּ אֵלֶּה מָאנַיָּא שֵׂא אֵזֶל־אֲחֵת הִמּוֹ בְּהֵיכְלָא
דִּי בִירוּשְׁלֶם וּבֵית אֱלָהָא יִתְבְּנֵא עַל־אַתְרֵהּ: ס

7. Ciro baixara *ordens específicas* para que o templo fosse construído. Ninguém podia contradizer essa ordem, a menos que o novo rei desse ordens específicas para que o trabalho de construção fosse interrompido. O cronista havia descrito elaboradamente as ordens de Ciro, no trecho de Ed 1.2-4.

Note o leitor a expressão desajeitada. A primeira parte do versículo fala *como se* o templo já estivesse de pé, esperando pela devolução dos vasos. A outra metade do versículo permite a construção do edifício, porquanto nenhum estava de pé. Mas as palavras, na primeira metade, são *antecipatórias*. Alguns intérpretes relacionam a primeira metade ao *palácio*, e não ao templo, mas isso é uma medida desnecessária e um refinamento não histórico.

5.16

אֱדַיִן שֵׁשְׁבַּצַּר דֵּךְ אֲתָא יְהַב אֻשַּׁיָּא דִּי־בֵית אֱלָהָא דִּי
בִירוּשְׁלֶם וּמִן־אֱדַיִן וְעַד־כְּעַן מִתְבְּנֵא וְלָא שְׁלִם:

8. Em obediência à vontade de Yahweh e em cumprimento ao decreto de Ciro, *Sesbazar* foi a Jerusalém e lançou os alicerces do segundo templo. Sem dúvida alguma, o cronista pretendeu identificar Sesbazar com Zorobabel, mas alguns eruditos insistem em que ele foi um construtor anterior, e que o edifício levantado por Zorobabel foi uma segunda tentativa. Ver no *Dicionário* o que se sabe sobre *Sesbazar*, e ver também as notas expositivas em Ed 3.8-10. "A memória persistente de uma tentativa anterior de construção do templo embaraçava as gerações posteriores, que não podiam explicar o fracasso em tão santa missão, e também confundiu historiadores posteriores, que tentaram registrar a história do templo. Os atos de Sesbazar foram considerados como de pouca monta, e houve a tentativa para identificar o homem com Zorobabel" (Raymond A. Bowman, *in loc.*). Esse autor supõe que o segundo templo tenha sido reiniciado dezoito anos mais tarde, quando vestígios do esforço original não eram mais discerníveis. Ele também criticou aqueles eruditos que insistiam em continuar o erro histórico de identificar Sesbazar com Zorobabel, e seu desejo de esquecer a tentativa original, que foi crua e abortiva.

5.17

וּכְעַן הֵן עַל־מַלְכָּא טָב יִתְבַּקַּר בְּבֵית גִּנְזַיָּא דִּי־
מַלְכָּא תַמָּה דִּי בְּבָבֶל הֵן אִיתַי דִּי־מִן־כּוֹרֶשׁ מַלְכָּא
שִׂים טְעֵם לְמִבְנֵא בֵּית־אֱלָהָא דֵךְ בִּירוּשְׁלֶם וּרְעוּת
מַלְכָּא עַל־דְּנָה יִשְׁלַח עֲלֶינָא: ס

Agora, pois, se parece bem ao rei, que se busque nos arquivos. Este versículo registra *comentários adicionais* postos na carta escrita por Tatenai. Ele tinha recomendado uma investigação quanto às reivindicações dos judeus. O homem não sabia se tinha havido ou não tal decreto da parte de Ciro, mas confiava que evidências poderiam ser encontradas na Babilônia, se, porventura, ele tivesse mesmo sido expedido. A arqueologia não descobriu ainda os *arquivos reais* na Babilônia, mas todas as descobertas são apenas parciais. Tais arquivos foram encontrados em Persépolis. Ali foram achados documentos depositados em várias salas. Cerca de oitocentos tabletes de argila foram desenterrados em uma sala, e muitos papiros e velinos queimados em outra. Naturalmente, tal material compunha parte do *tesouro* do país, de maneira que se explica o termo aqui usado, *casa do tesouro*, em algumas traduções, que aparece como "arquivos reais" em outras traduções, como é o caso de nossa versão portuguesa. A palavra persa aqui usada é *gunji*, "tesouro". A expressão literal usada neste versículo é "casa de tesouros".

CAPÍTULO SEIS

A RESPOSTA DE DARIO (6.1-12)

O paralelo é o trecho de 1Esdras 6.23,24.

Foi feita a investigação apropriada. Na Babilônia nada se descobriu, mas eis que em Ecbátana (Acneta) foi encontrado um rolo que continha o decreto de Ciro. A substância desse decreto acha-se registrada nos vss. 3-5 deste capítulo. Portanto, o pedido de Tatenai para que se fizesse uma investigação (Ed 5.17) foi frutífero, salvando o dia para os judeus. Ver Ed 5.6-16 quanto à carta enviada a Dario, para ver se as construções em Jerusalém poderiam continuar. Teria sido o projeto devidamente autorizado, conforme os judeus afirmavam?

6.1

בֵּאדַיִן דָּרְיָוֶשׁ מַלְכָּא שָׂם טְעֵם וּבַקַּרוּ בְּבֵית סִפְרַיָּא
דִּי גִנְזַיָּא מְהַחֲתִין תַּמָּה בְּבָבֶל:

Então o rei Dario deu ordem, e uma busca se fez. O decreto de Ciro mereceu outra busca por parte de Dario, para certificar-se de que a pesquisa rendera informações corretas. O nome de Ciro não podia ser desprezado ou desonrado de maneira alguma. Um novo decreto podia anular um antigo decreto, mas fazer isso seria algo muito sério. Portanto, Dario tinha de saber o que estava fazendo, e com o que estava tratando. A busca começou na Babilônia, que Ciro havia conquistado e onde subsequentemente reinara. Esperava-se encontrar na *câmara do tesouro* (que incluiria obras literárias, registros oficiais etc.) da Babilônia o documento desejado, se realmente tal documento existisse. Ver no *Dicionário* o verbete denominado *Bibliotecas*. Esta é a primeira vez nas Escrituras em que é mencionada uma biblioteca.

6.2

וְהִשְׁתְּכַח בְּאַחְמְתָא בְּבִירְתָא דִּי בְּמָדַי מְדִינְתָּה
מְגִלָּה חֲדָה וְכֵן־כְּתִיב בְּגַוַּהּ דִּכְרוֹנָה: פ

Em Acmeta, na fortaleza que está na província de Média. Coisa alguma foi encontrada na Babilônia, mas um rolo de papiro foi achado em Acmeta ou Ecbátana (ver a respeito no *Dicionário*), que era o objeto da busca: o decreto de Ciro atinente à reedificação do templo de Jerusalém. Ecbatana é a moderna Hamadan, a antiga capital da Média. Tinha um clima moderado e uma atmosfera adequada, usada como retiro de verão para os reis persas. Xenofonte (*Cyropaedia* VIII.6.22) e Estrabão (*Geografia* XI.13.1) dizem-nos que Ciro costumava passar dois meses por ano naquele lugar. O resto do ano, ele passava na Babilônia. Devemos entender aqui um "rolo" (conforme lemos em nossa versão portuguesa), e não um pergaminho. Era um monólogo, um documento simples, e não um pergaminho elaborado. "... o registro, provavelmente, era uma folha única de pergaminho ou de papiro" (Raymond A. Bowman, *in loc.*).

"É provável que o rolo original tenha sido destruído na Babilônia por Esmerdia, mas foi encontrada uma cópia em Ecbatana, provavelmente escrita em caldaico" (Ellicott, *in loc.*).

Na província de Média. Quanto a completas informações sobre essa província, ver no *Dicionário* o verbete intitulado *Média (Medos)*.

ATI ■ Esdras

■ 6.3

בִּשְׁנַ֨ת חֲדָ֜ה לְכ֣וֹרֶשׁ מַלְכָּ֗א כּ֣וֹרֶשׁ מַלְכָּא֮ שָׂ֣ם טְעֵם֒ בֵּית־אֱלָהָ֣א בִֽירוּשְׁלֶ֗ם בַּיְתָ֤א יִתְבְּנֵא֙ אֲתַר֙ דִּֽי־דָבְחִ֣ין דִּבְחִ֔ין וְאֻשּׁ֖וֹהִי מְסֽוֹבְלִ֑ין רוּמֵהּ֙ אַמִּ֣ין שִׁתִּ֔ין פְּתָיֵ֖הּ אַמִּ֥ין שִׁתִּֽין׃

O rei Ciro, no seu primeiro ano, baixou o seguinte decreto. O trecho de Ed 6.3-5 é paralelo ao trecho de Ed 1.1 ss. e 5.13-15. Ver também 1Esdras 2.3-7 e 2Cr 36.22,23. As várias versões do decreto são suplementares, e talvez o próprio decreto tenha circulado sob várias formas, mais longas ou mais curtas. A versão que aparece em Ed 1.2-4 está escrita em hebraico, mas a versão de Ed 6.3-5 foi redigida em aramaico. Os eruditos usualmente favorecem a forma aramaica como a que representa melhor o que Ciro realmente escreveu. Seja como for, não há nenhuma diferença fundamental entre essas versões do decreto. Também é provável que o decreto tenha circulado sob formas orais e escritas, e isso teria contribuído para as diferenças. A versão aqui não somente decretava a edificação do segundo templo, mas também especificava suas dimensões básicas. As cifras dadas são vagas, porquanto se aquilo que foi dito é literal, então teríamos uma edificação distorcida, tão alta quanto longa (o comprimento maior de um retângulo). Alguns eruditos desperdiçam o seu tempo tentando recaptar "o que essas palavras quereriam dizer". O segundo templo de Salomão tinha vinte côvados de largura, mas trinta côvados de altura; portanto, como poderiam corresponder às dimensões de sessenta côvados por sessenta côvados? Bowman (*in loc.*) dá-nos uma explicação provável. Os sessenta côvados de altura realmente seriam o comprimento maior de um retângulo. Então os sessenta côvados anteriores teriam de ser vinte côvados, a largura de um retângulo. Nesse caso, *nenhuma altura* teria sido dada, conforme essa versão corrigida. Alguns eruditos conservadores que não podem permitir (mediante um bloqueio mental) que nenhum versículo das Escrituras contenha um erro, insistem em que o edifício teria 90 pés de altura! (27,45 m). Mas isso é um absurdo óbvio. Contudo, cf. 1Rs 6.2 e 2Cr 3.3. A versão etíope ou *peshitta* corrige o texto.

Três carreiras de grandes pedras. A palavra acádica para "carreiras" é *nadback*, conforme tem sido confirmado pelas descobertas arqueológicas. Um tablete do tempo de Nabucodonosor retrata um trabalho de tijolos deitados formando uma carreira. Essas três carreiras de pedras eram de mármore, conforme Jarchi afirma. Então uma carreira de madeira de cedro estava deitada sobre as carreiras de pedra. Cf. 1Rs 6.36.

Uma de madeira nova. Parece melhor interpretar isso como uma carreira de madeira, conforme é citado em dois manuscritos hebraicos e em dois manuscritos da Septuaginta. Ver 1Rs 7.12. As especificações, ao que tudo indica, diziam respeito às paredes do átrio do templo, e não do templo propriamente dito, que não tinha *ligaduras de madeira* (cf. Ed 5.8).

Ciro havia ordenado que se cortasse madeira no Líbano, que essa madeira fosse transportada até Jope, e que nele pagaria as despesas. Vários outros grupos contribuiriam com outros materiais, incluindo os próprios judeus.

■ 6.4

נִדְבָּכִ֞ין דִּֽי־אֶ֤בֶן גְּלָל֙ תְּלָתָ֔א וְנִדְבָּ֖ךְ דִּי־אָ֣ע חֲדַ֑ת וְנִ֨פְקְתָ֔א מִן־בֵּ֥ית מַלְכָּ֖א תִּתְיְהִֽב׃

A despesa se fará da casa do rei. O empenho de Ciro quanto à construção da casa de Deus, em Jerusalém, era tanto que ele se comprometeu em pagar os custos. Isso obrigava Dario a fazer agora esforços similares, conforme se vê no resto do seu decreto (especialmente vss. 8 e 9).

■ 6.5

וְ֠אַף מָאנֵ֣י בֵית־אֱלָהָא֮ דִּ֣י דַהֲבָ֣ה וְכַסְפָּא֒ דִּ֣י נְבֽוּכַדְנֶצַּ֗ר הַנְפֵּ֛ק מִן־הֵיכְלָ֥א דִֽי־בִירוּשְׁלֶ֖ם וְהֵיבֵ֣ל לְבָבֶ֑ל יַהֲתִיב֗וּן וִ֠יהָךְ לְהֵיכְלָ֤א דִי־בִירֽוּשְׁלֶם֙ לְאַתְרֵ֔הּ וְתַחֵ֖ת בְּבֵ֥ית אֱלָהָֽא׃ ס

Demais disto, os utensílios de ouro, e de prata, da casa de Deus. Cf. este versículo com Ed 1.7-11, onde são dadas amplas anotações. Ver também Ed 5.14,15. "A contaminação desses vasos, por Belsazar (ver Dn 5.2,3), foi assim expiada. Cada palavra, incluindo a 'casa de Deus', duplamente repetida, é enfática" (Ellicott, *in loc.*). Jeremias havia previsto essa restauração (Jr 27.21,22).

■ 6.6

כְּעַ֡ן תַּ֠תְּנַי פַּחַ֨ת עֲבַֽר־נַהֲרָ֜ה שְׁתַ֤ר בּוֹזְנַי֙ וּכְנָוָ֣תְה֔וֹן אֲפַרְסְכָיֵ֔א דִּ֖י בַּעֲבַ֣ר נַהֲרָ֑ה רַחִיקִ֥ין הֲו֖וֹ מִן־תַּמָּֽה׃

Agora, pois, Tatenai... retirai-vos para longe dali. Os vários oficiais persas "dalém do rio" (isto é, da província persa da qual Judá fazia parte) teriam de manter-se cuidadosamente distância, longe de impedir as construções em Jerusalém, em vista do documento de autorização que fora encontrado; e era o rei Dario que dava ordens. Quanto a completas explicações sobre a expressão "além do rio", ver Ed 4.12,16,17. O texto muda abruptamente e, de súbito, nos dá o decreto de Dario, sem nenhuma declaração introdutória. Talvez o cronista tenha simplificado a questão, deixando de lado a introdução, que deve ter sido similar à de Ed 1.2, que apresenta o decreto de Ciro.

Quanto aos *oficiais* listados, ver as notas expositivas em Ed 5.6.

Retirai-vos. Isto é, não façais mais oposição à obra de construção; bem pelo contrário, ajudai no que for possível (vs. 8 deste capítulo).

■ 6.7

שְׁבֻ֕קוּ לַעֲבִידַ֖ת בֵּית־אֱלָהָ֣א דֵ֑ךְ פַּחַ֤ת יְהוּדָיֵא֙ וּלְשָׂבֵ֣י יְהוּדָיֵ֔א בֵּית־אֱלָהָ֥א דֵ֖ךְ יִבְנ֥וֹן עַל־אַתְרֵֽהּ׃

Não interrompais a obra desta casa de Deus. *Novamente a ordem foi repetida*, mediante palavras diferentes, para que a obra de construção em Jerusalém não fosse interrompida, e para que o governador (Zorobabel) tivesse livre curso para fazer o que deveria ser feito. Foi assim que a *Providência de Deus* (ver a respeito no *Dicionário*) estava em operação, provendo ao cronista a sua filosofia da história, isto é, as coisas são controladas teisticamente no mundo. Ver os parágrafos quarto a sétimo da introdução a 2Crônicas, imediatamente antes da exposição de 1.1, quanto aos *cinco princípios* das operações teístas.

Casa de Deus. No original hebraico, "casa de Elohim". Yahweh-Adonai-Elohim era o Deus dos judeus. Os antigos, naquela região do mundo, acreditavam em um poder real e legítimo dos "deuses locais", assim Yahweh-Elohim era respeitado por eles, e talvez até houvesse sido recebido em seu panteão geral. Seja como for, o projeto de construções em Jerusalém foi reconhecido como divinamente inspirado, mesmo que não tenha sido o principal deus dos persas que tenha ordenado a questão. 1Esdras 6.27 expande a simples menção ao governador de Judá para "Zorobabel, o servo de Yahweh".

■ 6.8

וּמִנִּי֮ שִׂ֣ים טְעֵם֒ לְמָ֣א דִֽי־תַֽעַבְד֗וּן עִם־שָׂבֵ֤י יְהוּדָיֵא֙ אִלֵּ֔ךְ לְמִבְנֵ֖א בֵּית־אֱלָהָ֣א דֵ֑ךְ וּמִנִּכְסֵ֣י מַלְכָּ֗א דִּ֚י מִדַּ֣ת עֲבַ֣ר נַהֲרָ֔ה אָסְפַּ֗רְנָא נִפְקְתָ֛א תֶּהֱוֵ֧א מִתְיַהֲבָ֛א לְגֻבְרַיָּ֥א אִלֵּ֖ךְ דִּי־לָ֥א לְבַטָּלָֽא׃

Também por mim se decreta o que haveis de fazer a estes anciãos dos judeus. O fato de que Dario daria dinheiro do tesouro real da Pérsia para ajudar no projeto dos judeus foi realmente uma maravilha, outra prova da ativa *Providência de Deus* na questão. Naturalmente, o total a ser gasto era minúsculo em comparação com os vastos recursos do império persa, mas *o pouco de Dario era muito para Zorobabel*. 1Esdras 6.27,28 diz "trabalhai juntamente com os anciãos dos judeus". Certamente, excetuando o dinheiro, isso não teria sido permitido pelos judeus. Nenhum pagão podia realmente trabalhar no projeto, porque isso o tornaria *imundo* (ver Ed 4.2,3). Ver no *Dicionário* o verbete intitulado *Limpo e Imundo*.

O *dinheiro específico* a ser usado no projeto era dinheiro de tributo cobrado naquela parte do império, "além do rio" (ver o vs. 6 e as referências dadas ali). Ag 2.3 e Zc 4.7-10 não mencionam esse dinheiro, e alguns críticos, por isso mesmo, pensam que esta parte do suposto decreto de Dario não é autêntica. Mas esses dois profetas não escreveram tudo quanto sabiam. Como é claro, o dinheiro necessário para o projeto de construção seria apenas uma pequena parte do tributo total da área. "O decreto garantiu aos judeus o privilégio de extrair dinheiro do tesouro provincial de Dario na Síria, na quantia que eles quisessem para fomento da obra" (Jamieson, *in loc.*).

■ 6.9

וּמָה חַשְׁחָן וּבְנֵי תוֹרִין וְדִכְרִין וְאִמְּרִין לַעֲלָוָן
לֶאֱלָהּ שְׁמַיָּא חִנְטִין מְלַח חֲמַר וּמְשַׁח כְּמֵאמַר
כָּהֲנַיָּא דִי־בִירוּשְׁלֶם לֶהֱוֵא מִתְיְהֵב לְהֹם יוֹם בְּיוֹם
דִּי־לָא שָׁלוּ:

Também se lhes dê, dia após dia. *Provisões para os Sacrifícios.* Dario estava bem consciente de que o elaborado sistema sacrificial (que requeria o abate de animais pela manhã e à tarde, diariamente) era caro de manter. Ele estava ansioso por agradar ao Deus deles, o Deus dos céus. Portanto, Dario também ordenou que do tesouro real, alimentado pelos tributos, se pagassem os animais necessários, mencionados no versículo anterior. O império persa tinha chegado onde estava (senhor daquela parte do mundo) mediante a "ajuda divina", um padrão de crença dos povos antigos. Ter a ajuda de Yahweh-Elohim era algo desejável. Portanto, a norma política era "agradar ao maior número possível de deuses". Essa filosofia, provavelmente, estava por trás da generosidade de Dario acerca das provisões para os sacrifícios. Yahweh ficaria satisfeito com o que visse e se mostraria favorável para com a Pérsia. Quanto aos sacrifícios aqui mencionados, ver Êx 29.38-41.

Deus dos céus. Cf. o "Senhor Deus dos céus" de Ed 1.2 (do decreto de Ciro, e ver as notas expositivas ali, sobre como um pagão podia usar tais termos para indicar o Deus de Israel. Dou as notas principais em 2Cr 36.23.

Ver sobre os holocaustos em Lv 4.14, sobre as ofertas de manjares ou de cereais em Lv 2.1-16; sobre as libações em Lv 23.13. Sobre as oferendas de aroma agradável, ver Êx 29.18-25; Lv 1.9,13,17. Quanto ao sal e ao azeite, ver Lv 2.1,2,7,13.

■ 6.10

דִּי־לֶהֱוֹן מְהַקְרְבִין נִיחוֹחִין לֶאֱלָהּ שְׁמַיָּא וּמְצַלַּיִן
לְחַיֵּי מַלְכָּא וּבְנוֹהִי:

Para que ofereçam sacrifícios de aroma agradável. *Dario esperava um retorno de seu investimento.* Elohim (o Deus dos céus, ver o vs. 9) haveria de favorecer ao rei e aos seus filhos, por causa de sua generosidade para com os judeus. Os servos de Yahweh "orariam" pela segurança do rei, pelo seu sucesso e pela sua *longa vida*. Por uma quantia relativamente pequena, o rei da Pérsia colheria grandes benefícios, materiais e espirituais. O rei sabia sobre a anterior glória de Judá, e sabia que Yahweh estava por trás dos acontecimentos. Ele também queria ter essa forma de proteção divina.

Dario tinha grande veneração pelo "clero", homens de ordens sagradas, conforme sabemos pela história acerca de seu tratamento conferido aos magos persas, os ministros das coisas sagradas (Diodoro Sículo, 1.1, par. 85). Portanto, ele esperava que o clero judaico também lhe fosse de ajuda prestimosa.

■ 6.11

וּמִנִּי שִׂים טְעֵם דִּי כָל־אֱנָשׁ דִּי יְהַשְׁנֵא פִּתְגָמָא דְנָה
יִתְנְסַח אָע מִן־בַּיְתֵהּ וּזְקִיף יִתְמְחֵא עֲלֹהִי וּבַיְתֵהּ נְוָלוּ
יִתְעֲבֵד עַל־דְּנָה:

Também por mim se decreta que. Um severo e *sui generis* castigo foi ameaçado contra qualquer um que violasse ou ignorasse esses decretos do rei. Alguma grande trave seria tirada de sua casa, e o pobre indivíduo seria nela empalado. Então sua casa seria reduzida a escombros e os escombros seriam lançados em um monturo! "A punição pela interferência seria a empalação, acerca da qual ver Et 2.23 e 9.14" (*Oxford Annotated Bible*, comentando quanto a este versículo). Ver também Heródoto (*História* III.159). Fazer uma casa ser transformada em monturo era a desgraça e a vergonha final. Ver 2Rs 10.27 e Dn 2.5. Os assírios usavam a pena da empalação somente contra os crimes mais hediondos. A madeira afiada penetrava o corpo justamente por baixo das costelas, ou entre as pernas! Meus amigos, ninguém desobedeceria à ordem de Dario. Estremecemos ante a desumanidade dos homens contra os homens, a desumanidade dos criminosos contra suas vítimas inocentes, e a dos oficiais contra os criminosos. Onde terminará tudo isso? Os persas continuaram essa forma de punição. Alguns intérpretes pensam que aqui está em pauta a execução por enforcamento, e outros falam em alguma forma de crucificação, mas a história favorece a empalação.

■ 6.12

וֵאלָהָא דִּי שַׁכִּן שְׁמֵהּ תַּמָּה יְמַגַּר כָּל־מֶלֶךְ וְעַם דִּי
יִשְׁלַח יְדֵהּ לְהַשְׁנָיָה לְחַבָּלָה בֵּית־אֱלָהָא דֵךְ דִּי
בִירוּשְׁלֶם אֲנָה דָרְיָוֶשׁ שָׂמֶת טְעֵם אָסְפַּרְנָא יִתְעֲבִד: פ

O Deus, pois, que fez habitar ali o seu nome. Temos nessas palavras uma típica expressão hebraica, o que pode ter sido devido ao colorido dado pelo cronista. (ver Dt 12.11; 14.23; 16.2,6,11 e 26.2.) Talvez alguns judeus tenham sido consultados sobre como formular certas porções do decreto. Nesse caso, teriam adicionado algo como se encontra aqui. Cf. Ed 5.6-10 e as notas expositivas que aparecem ali.

Dario assinou oficialmente e selou o decreto. Dessa forma, os esforços de Tatenai foram um tiro pela culatra. Em lugar de enfraquecer os judeus, eles terminaram fortalecidos. Isso deve ter sido consternador, realmente, para os inimigos dos judeus! Dario, que temporariamente havia interrompido o trabalho de construção, por instância de oponentes (Ed 4.23), mudou seu parecer e o curso de seus atos, uma vez que encontrou o decreto de Ciro. A providência divina continuava operando. Judá seria reintegrado à sua Terra Prometida. Muito da história futura dependia disso, incluindo o ministério terreno de Jesus, o Cristo, e a carreira da Igreja cristã.

A Maldição de Elohim. Além de ameaçar infligir seu próprio horrendo castigo, Dario também invocou Elohim, o Deus dos judeus, para que julgasse severamente os ofensores, seus amigos e familiares. A maldição foi proferida contra qualquer pessoa, qualquer rei e qualquer oficial que ousasse agir contra o decreto. Provavelmente esse decreto também falava contra qualquer "futuro rei ou povo" que tentasse reverter o que estava sendo feito em Jerusalém, através do projeto de construções de Zorobabel.

■ 6.13

אֱדַיִן תַּתְּנַי פַּחַת עֲבַר־נַהֲרָה שְׁתַר בּוֹזְנַי וּכְנָוָתְהוֹן
לָקֳבֵל דִּי־שְׁלַח דָּרְיָוֶשׁ מַלְכָּא כְּנֵמָא אָסְפַּרְנָא עֲבַדוּ:

Então Tatenai... Setar-Bozenai, e os seus companheiros. O grupo inteiro de delegados do rei, Tatenai, seu secretário e seus inspetores (ver Ed 5.6 e 6.6) cumpriram a ordem do rei prontamente. Ninguém estava ansioso por sofrer a empalação. Josefo fala aqui sobre a consternação dos oficiais subornados e sua relutância em agir, mas podemos estar certos de que eles não hesitaram por muito tempo. Quanto a Tatenai, ele cumpriu as ordens reais prontamente e com diligência. Cf. Ed 5.8; 6.12 e 7.21,23. Vamos dar a esse o homem o devido crédito!

■ 6.14

וְשָׂבֵי יְהוּדָיֵא בָּנַיִן וּמַצְלְחִין בִּנְבוּאַת חַגַּי נְבִיאָה
וּזְכַרְיָה בַּר־עִדּוֹא וּבְנוֹ וְשַׁכְלִלוּ מִן־טַעַם אֱלָהּ
יִשְׂרָאֵל וּמִטְּעֵם כּוֹרֶשׁ וְדָרְיָוֶשׁ וְאַרְתַּחְשַׁשְׂתְּא מֶלֶךְ
פָּרָס:

Os anciãos dos judeus iam edificando e prosperando. Os *anciãos* dos judeus (principais líderes, Zorobabel, o sumo sacerdote e os cabeças de clãs) tomaram vantagem da situação revertida e passaram a trabalhar com diligência, encorajados pelas exortações de Ageu e Zacarias. Eles tinham dois decretos reais ao lado deles: o decreto de

Ciro (Ed 1.1 ss.) e o de Dario (Ed 6.6 ss.). O presente versículo reflete o trecho de Ed 5.1,2. As mesmas palavras aramaicas foram usadas para indicar o mandamento de Deus e o decreto do rei. O templo foi terminado durante o governo de Dario I (vs. 15). *Artaxerxes* nada teve a ver com a construção do templo. Talvez seu nome devesse participar da narrativa, entretanto, visto que ele decretou a construção das muralhas de Jerusalém (ver Ne 2.1) e também ajudou a prover para os sacrifícios no templo (ver Ed 7.12-17). Portanto, Artaxerxes teve uma participação nos acontecimentos, mas não, especificamente, na construção do templo de Jerusalém. Conforme alguns intérpretes sugerem, persistiu uma antiga tradição de que esse rei teve alguma participação no templo construído em seu tempo. Mas isso não passa de uma conjectura. Alguns eruditos culpam um escriba subsequente por haver adicionado o nome de Artaxerxes ao texto sagrado, mas não há nenhuma evidência textual dessa adição.

■ 6.15

וְשֵׁיצִיא בַּיְתָה דְנָה עַד יוֹם תְּלָתָה לִירַח אֲדָר
דִּי־הִיא שְׁנַת־שֵׁת לְמַלְכוּת דָּרְיָוֶשׁ מַלְכָּא: פ

Acabou-se esta casa no dia terceiro do mês de adar. Portanto, passaram-se cerca de quatro anos e meio entre o início (21 de setembro de 520 a.C.; cf. Ag 1.14,15) e o término do templo. O mês foi adar (fevereiro-março), o último dos meses babilônicos. O terceiro dia foi 12 de março de 515 a.C. Mas 1Esdras 7.5 diz *vigésimo terceiro dia*, o que é menos provável. O *terceiro dia* foi um sábado, de modo que nenhum trabalho podia ser feito no templo. O dia 23 foi uma sexta-feira. Portanto, o povo descansou, de conformidade com a lei (vs. 16), e, ademais, houve um grande dia feriado e base para uma notável celebração.

"O templo foi completado no mês de adar (fevereiro-março) de 515 a.C., 21 anos depois que a obra tinha começado (536 a.C.), e quatro anos e meio depois que Ageu começou a profetizar. Isso aconteceu setenta e meio depois que o templo de Jerusalém foi destruído, a 12 de agosto de 586 a.C." (John A. Martin, *in loc.*, em uma iluminadora nota expositiva).

A data do término do templo foi assim registrada com grande cuidado. O segundo templo tomou o lugar do templo de Salomão, e os devastadores eventos do cativeiro babilônico foram revertidos, até onde as circunstâncias assim o permitiram. O novo Israel tinha agora o seu novo templo.

A DEDICAÇÃO DO TEMPLO (6.16-21)

■ 6.16,17

וַעֲבַדוּ בְנֵי־יִשְׂרָאֵל כָּהֲנַיָּא וְלֵוָיֵא וּשְׁאָר בְּנֵי־גָלוּתָא
חֲנֻכַּת בֵּית־אֱלָהָא דְנָה בְּחֶדְוָה:

וְהַקְרִבוּ לַחֲנֻכַּת בֵּית־אֱלָהָא דְנָה תּוֹרִין מְאָה דִּכְרִין
מָאתַיִן אִמְּרִין אַרְבַּע מְאָה וּצְפִירֵי עִזִּין לְחַטָּיָא עַל־
כָּל־יִשְׂרָאֵל תְּרֵי־עֲשַׂר לְמִנְיָן שִׁבְטֵי יִשְׂרָאֵל:

Os filhos de Israel. *A Dedicação.* Típicos das dedicações entre os hebreus eram o grande número de sacrifícios e o farto banquete com as porções permitidas ao povo e aos sacerdotes. O sangue e a gordura eram oferecidos a Yahweh como suas porções. Ele era o convidado invisível da festa. Ver sobre as leis a respeito do sangue e da gordura em Lv 3.17. Quanto às *oito* porções que cabiam aos sacerdotes, ver Lv 6.25; 7.11-24; Nm 18.8; Dt 12.17,18. Quanto à dedicação do primeiro templo, o templo de Salomão, cf. o capítulo oitavo de 1Reis. Os celebrantes foram as três seções de Israel (o povo em geral, os sacerdotes e os levitas). O mestre de cerimônias foi Yahweh, embora invisível. A dedicação foi do templo, mas a pessoa honrada foi o Eterno (Yahweh), o Poder (Elohim). Embora Judá fosse a única tribo remanescente (Benjamim havia sido essencialmente incorporada nessa tribo), foi um novo Israel legítimo que celebrou a inauguração do novo templo.

O Número dos Animais. Cem novilhos, duzentos carneiros, quatrocentos cordeiros e doze bodes, representando as doze tribos, embora nunca mais essas tribos fossem vistas, e naquele momento só existissem *in memoriam*. Naturalmente, havia um pouco de cada tribo, e os samaritanos eram o resultado de casamentos mistos dos poucos habitantes das tribos do norte com os pagãos importados. Mas essa circunstância dificilmente faria as tribos do norte tornar-se reais. O cativeiro assírio terminara eficazmente o norte (as dez tribos).

Uma comparação com os maciços sacrifícios no tempo da dedicação do primeiro templo mostra a humildade da segunda dedicação. A primeira dedicação fora composta de 22 mil novilhos e 120 mil carneiros e bodes (ver 1Rs 8.63). Contudo, não devemos desprezar o dia dos humildes começos.

"Os bodes como *ofertas pelo pecado* mostram que a comunidade de depois do exílio continuava *contemplando* um Israel unificado" (John A. Martin, *in loc.*). Na pessoa dos sacerdotes e dos levitas, o culto sagrado foi restaurado, pelo que a nova comunidade tinha tanto sua autoridade política quanto sua autoridade espiritual.

"No dia da expiação, nas luas novas e em todas as grandes festividades, um bode era a oferta pelo pecado, oferecido em lugar do povo. Mas somente aqui vemos um bode ser oferecido por cada tribo" (Ellicott, *in loc.*).

Todos os sacrifícios eram ocasiões de festejos, e os animais sacrificados proviam o material para esses festejos. O *jubileu nacional* foi a nota-chave da festa da dedicação. O cativeiro babilônico fora revertido.

■ 6.18

וַהֲקִימוּ כָהֲנַיָּא בִּפְלֻגָּתְהוֹן וְלֵוָיֵא בְּמַחְלְקָתְהוֹן עַל־
עֲבִידַת אֱלָהָא דִּי בִירוּשְׁלֶם כִּכְתָב סְפַר מֹשֶׁה: פ

Segundo está escrito no livro de Moisés. O *novo Israel* tinha de agir em concordância com a legislação mosaica, mediada por Davi, o Rei Ideal. O pessoal do templo foi assim renovado. O trecho de 1Esdras 7.9 adiciona que agora havia porteiros estacionados em cada porta (cf. 1Esdras 1.16). A organização do clero em *divisões e turnos* pode ser traçada até Moisés (ver Ed 3.2), mas, estritamente falando, as leis do Pentateuco não contêm essas provisões. Talvez esteja em mira a dedicação dos sacerdotes (ver Êx 29.1-46; Lv 8.1-36; Nm 3.5-10 e 8.5-14). Foi Davi quem organizou elaboradamente o clero com seus turnos e suas sofisticadas funções (ver 1Cr 23-26). Um dos motivos do cronista foi exaltar os líderes pós-exílicos, apresentando-os como homens espirituais, que seguiam as instituições autorizadas de Israel, o que contrastava com a apostasia anterior, que levou aos dois cativeiros.

"Os arranjos gerais foram dados no Pentateuco. Os *turnos* pertenceram aos dias de Davi. A restauração dos turnos foi imperfeita, porque não mais existiam representantes dos 24 turnos dos sacerdotes e dos levitas" (Ellicott, *in loc.*).

■ 6.19

וַיַּעֲשׂוּ בְנֵי־הַגּוֹלָה אֶת־הַפָּסַח בְּאַרְבָּעָה עָשָׂר לַחֹדֶשׁ
הָרִאשׁוֹן:

Os que vieram do cativeiro celebraram a páscoa. Aqueles que tinham voltado do cativeiro babilônico foram assim capacitados a guardar a páscoa (ver a respeito no *Dicionário*), o que foi uma promessa de que seriam observadas as festas nacionais. Três festividades anuais exigiam a presença de todos os varões de Israel: a páscoa (que incluía os *Pães Asmos*); o Pentecoste; e os tabernáculos. O artigo geral no *Dicionário*, intitulado *Festas (Festividades) Judaicas*, fornece os detalhes a respeito. O cronista fez questão de informar-nos que a legislação mosaica fora o guia de toda a vida pessoal e nacional.

O *décimo quarto dia* do primeiro mês (nisã, ver Êx 12.2,3,6) era o dia apropriado para a celebração da páscoa. Esse era o *ano novo* religioso dos hebreus, visto que, em um sentido real, Israel começou quando a primeira páscoa foi celebrada, diante da anulação da escravidão no Egito, quando Israel saiu livre.

A *páscoa de Zorobabel* foi efetuada a 21 de abril de 515 a.C. O "novo rei" (Zorobabel) estava presente para dirigir a celebração, e os sacerdotes e levitas emprestaram-lhe sua legitimidade espiritual. O templo tinha sido terminado no mês anterior de adar (vs. 15). Ver no *Dicionário* o verbete intitulado *Calendário Judaico*.

Neste versículo 19, o *hebraico* torna-se novamente a língua do original. A seção de Ed 4.8—6.18 foi escrita em aramaico.

6.20

כִּי הִטַּהֲרוּ הַכֹּהֲנִים וְהַלְוִיִּם כְּאֶחָד כֻּלָּם טְהוֹרִים וַיִּשְׁחֲטוּ הַפֶּסַח לְכָל־בְּנֵי הַגּוֹלָה וְלַאֲחֵיהֶם הַכֹּהֲנִים וְלָהֶם:

Porque os sacerdotes e levitas se tinham purificado. Nenhuma *impureza cerimonial* foi permitida. Os ministros (sacerdotes e levitas) fizeram as lavagens cerimoniais apropriadas. Ezequias tinha permitido certos lapsos no tocante à páscoa celebrada em seus dias, pois, se ele tivesse insistido quanto a uma propriedade exata, a páscoa de seus dias não seria celebrada. Ver 2Cr 29.34 e 30.3. Mas não havia razão alguma para "evitar dificuldades" para a páscoa celebrada após a dedicação do segundo templo de Jerusalém. Ver no *Dicionário* o verbete intitulado *Limpo e Imundo*.

Os *levitas* abateram os animais para serem consumidos na páscoa, um tema do cronista. (Ver 2Cr 35.3-6.) Mas a ordem, originalmente, era que os cabeças das famílias fariam esse serviço (ver Êx 12.6). Então os sacerdotes efetuaram os sacrifícios reais.

Quanto à purificação anterior aos sacrifícios, ver Êx 29.4 e Nm 8.7. Essa purificação era feita com o uso de água. Os sacerdotes babilônios lavavam-se em um rio antes de entrar em seus santuários.

Devido ao tumulto do cativeiro babilônico, em setenta anos, essa foi a primeira vez em que tal celebração ocorrera.

6.21

וַיֹּאכְלוּ בְנֵי־יִשְׂרָאֵל הַשָּׁבִים מֵהַגּוֹלָה וְכֹל הַנִּבְדָּל מִטֻּמְאַת גּוֹיֵ־הָאָרֶץ אֲלֵהֶם לִדְרֹשׁ לַיהוָה אֱלֹהֵי יִשְׂרָאֵל:

Assim comeram a páscoa os filhos de Israel. Além da comunidade regular de Israel, houve aqueles que "se juntaram a eles" e também participaram da páscoa. Provavelmente, eram prosélitos dos gentios, ou meio-judeus, a "massa misturada", e não a "farinha fina" (Israel puro), conforme diziam os rabinos. Menos provavelmente, eram os judeus contaminados, aqueles que tinham permanecido na Babilônia, mas que agora tinham resolvido aliar-se a seus irmãos em Jerusalém. Esses, tendo passado pelas cerimônias de purificação, prepararam-se para participar da festa. "De acordo com a legislação judaica, todos os judeus *limpos* deveriam participar da páscoa sob a pena do ostracismo (ver Nm 9.13); os estrangeiros circuncidados também participavam da páscoa, na mesma base que o faziam os judeus (ver Nm 9.14). Mas todos os incircuncisos estavam proibidos de participar (Êx 12.43-45,48,49)" (Raymond A. Bowman, *in loc.*).

Imundícia. Isto é, qualquer impureza, de acordo com as leis do limpo e do imundo. Em 1Esdras 7.13, temos *abominações* (formas de idolatria, ou coisas associadas ao paganismo), mas isso é estreito demais. Cf. Lc 16.15; Ne 13.23,24,26. O próprio cativeiro babilônico ocorreu por motivo de contaminações estrangeiras (Ed 9.13,14). Por conseguinte, isso foi necessariamente incluso na questão. Nenhum homem podia aproximar-se da páscoa se trouxesse consigo restos de paganismo.

6.22

וַיַּעֲשׂוּ חַג־מַצּוֹת שִׁבְעַת יָמִים בְּשִׂמְחָה כִּי שִׂמְּחָם יְהוָה וְהֵסֵב לֵב מֶלֶךְ־אַשּׁוּר עֲלֵיהֶם לְחַזֵּק יְדֵיהֶם בִּמְלֶאכֶת בֵּית־הָאֱלֹהִים אֱלֹהֵי יִשְׂרָאֵל: פ

Celebraram a festa dos pães asmos. *Após a páscoa* vinham os sete dias da festa dos pães asmos, a qual, com toda a probabilidade, era anteriormente uma festa distinta, mas que veio a ser associada com a páscoa, de modo que as duas festas tornaram-se, por assim dizer, uma única festa. O mês de nisã, dias 15 a 21, era ocupado com a celebração, quando então havia festividade contínua, regozijo e, provavelmente, danças, um modo de expressar a alegria. Assim como o Israel original celebrou a liberdade da servidão no Egito, através dessa festa, assim pela mesma festa também o novo Israel celebrou sua libertação do cativeiro babilônico. Essa segunda celebração ocorreu novecentos anos após a primeira. O paganismo, uma vez mais, foi deixado para trás.

Ver sobre *Páscoa* e *Pães Asmos*, no *Dicionário*, quanto a plenos detalhes sobre essas festas que vieram a tornar-se uma só. A *mazzoth*, a semana em que se consumia pão sem fermento, tornou-se o símbolo da completa separação do mal, do serviço prestado a Yahweh, da alegria na liberdade resultante, que livrara de qualquer escravidão física ou espiritual.

Mudando o coração do rei da Assíria. Artaxerxes (ver Ed 7.1) ter sido chamado assim, foi um deslize inconsequente da pena, um anacronismo. É verdade, os reis da Pérsia tinham conquistado a Assíria, e assim, nesse sentido, tinham-se tornado reis da Assíria. Josefo (*Antiq.* XI.4.8) corrigiu isso para rei da *Pérsia*. O decreto desfavorável de Artaxerxes (4.21,22) foi revertido (Ed 7.1-28), e até mesmo os pagãos louvaram a Yahweh através de suas obras.

CAPÍTULO SETE

REFORMAS DE ESDRAS — O REINÍCIO DE ISRAEL (7.1—10.44)

A SEGUNDA LEVA DE EXILADOS (7.1—8.36)

INTRODUÇÃO A ESDRAS (7.1-10)

Ver o paralelo, em 1Esdras 8.1-8.

Os *capítulos 7 a 10* de Esdras descrevem um segundo retorno de exilados da Babilônia. O líder desse segundo retorno foi Esdras, e a data foi 458 a.C. (Ed 7.7). A ênfase, nos capítulos sétimo e oitavo, recai sobre o caráter de Esdras, o que prepara o palco para os capítulos nono e décimo, onde os muitos pecados da comunidade são expostos e o arrependimento é requerido. Esdras, um homem da lei, aplicava a lei de modo *implacável*.

"*A história de Esdras*. Esta seção pertence, cronologicamente, ao tempo de depois da história de Neemias, capítulos primeiro a sétimo, e continua na narrativa dos capítulos oitavo a décimo de Neemias. Quase 120 anos se tinham passado quando, sob Artaxerxes (404-358 a.C.), Esdras, com autoridade real, levou a Jerusalém outro grupo de judeus, composto das mesmas classes que o grupo anterior. O interesse primário de Esdras era o código da lei (vss. 6,10,14)" (*Oxford Annotated Bible*, na introdução ao sétimo capítulo).

Quanto aos problemas cronológicos do texto, e a reconstituição sugerida, ver sob o título *Perturbações Cronológicas* alguns poucos parágrafos antes da exposição a Ed 1.1. A maioria dos eruditos concorda que a cronologia foi distorcida, e agora há necessidade de uma reconstituição dos eventos em sua verdadeira ordem cronológica. Mas os métodos para conseguir isso variam. Para exemplificar, alguns colocam os capítulos sétimo a décimo de Esdras depois do trecho de Ne 9.38—10.39.

"Pelo menos encontramos aqui o herói cujo nome o livro inteiro estampa. Mas, a princípio, é provida somente uma introdução vazada na terceira pessoa, evidentemente escrita muito tempo depois por algum escriba subsequente, cujos interesses, afinal de contas, eram idênticos aos do cronista. Sua ênfase continua recaindo, tal como nos capítulos quinto a sexto, sobre a aprovação política e o sustento financeiro dado por diferentes reis persas, para a reconstrução do templo de Jerusalém. Mas agora ele enfatiza as qualificações especiais de Esdras para ensinar e reforçar a lei de Moisés" (Charles W. Wilkey, *in loc.*).

A Genealogia de Esdras (7.1-5)

7.1-5

וְאַחַר הַדְּבָרִים הָאֵלֶּה בְּמַלְכוּת אַרְתַּחְשַׁסְתְּא 1 מֶלֶךְ־פָּרָס עֶזְרָא בֶּן־שְׂרָיָה בֶּן־עֲזַרְיָה בֶּן־חִלְקִיָּה:

בֶּן־שַׁלּוּם בֶּן־צָדוֹק בֶּן־אֲחִיטוּב: 2

בֶּן־אֲמַרְיָה בֶּן־עֲזַרְיָה בֶּן־מְרָיוֹת: 3

בֶּן־זְרַחְיָה בֶן־עֻזִּי בֶּן־בֻּקִּי: 4

בֶּן־אֲבִישׁוּעַ בֶּן־פִּינְחָס בֶּן־אֶלְעָזָר בֶּן־אַהֲרֹן הַכֹּהֵן 5 הָרֹאשׁ:

No reinado de Artaxerxes. Ver o artigo com o nome desse rei, no *Dicionário*, quanto a informações completas. Vários reis foram assim chamados. Em Ed 7.1, está em foco Artaxerxes I. As palavras iniciais deste versículo, "passadas estas cousas", falam de um considerável período de tempo depois dos eventos descritos acima (cf. 2Cr 32.1; Et 2.1 e 3.1.). Um intervalo de cerca de 117 anos se tinha passado entre o término do templo (Ed 6.15) e a viagem de Esdras a Judá (Ed 7.7).

Esdras. Dei detalhadas informações sobre esse homem antes do artigo sobre o livro com esse nome, de modo que não reitero aqui os detalhes. Ver a respeito dele no *Dicionário*.

A genealogia de Esdras ocupa cinco versículos. O que se sabe sobre a linhagem de Esdras é dado nos artigos no *Dicionário*. O propósito do cronista foi assegurar que Esdras tinha a autoridade devida para fazer seu trabalho, sendo ele um sacerdote qualificado, com uma linhagem conhecida e respectiva de um dos clãs dos levitas, mas passando, especificamente, por *Arão*. Sem isso, ele não poderia ter sido um sacerdote.

Ver o gráfico que acompanha a *Linhagem de Esdras*. A linhagem dada é representativa, e não tenciona mencionar todas as gerações envolvidas. O cronista não estava interessado na exatidão da descendência, mas na autoridade que essa linhagem provia. A linhagem está essencialmente baseada sobre informes dados em 1Cr 6.3-15,50-53. Cf. Ne 11.11. Se supusermos que três gerações tinham coberto um século, a lista dos vss. 1-5 só poderia recuar até cerca de 567 a.C., e não até Arão, cerca de 1150 a.C., ou seja, atingiria a época de Saul, e não a de Arão. Portanto, devemos supor grandes lapsos e considerar a lista apenas como um arrolamento representativo. Os críticos, naturalmente, pensam nesta genealogia como algo inventado para emprestar autoridade a Esdras. Mas nessa opinião não há nenhuma razão sólida. A lista tem seus problemas, mas devemos lembrar que os judeus eram fanáticos por descendência genealógica, e pelo menos as famílias mais educadas tinham o cuidado de conservar registros genealógicos. Esdras tinha de ser um sacerdote (descendente de Arão) para cumprir a espécie de missão que lhe foi dada. Sem isso, o livro perde a sua significação.

"Neste lugar, há apenas *dezesseis* gerações consideradas entre Esdras e Arão, mas a passagem de 1Cr 6.3 ss. nos dá nada menos de 22 gerações. Portanto, devemos suprir as gerações deficientes à base do lugar anteriormente mencionado, entre Amarias (1Cr 6.7) e Azarias (vs. 10). Há também outras discrepâncias relativas às genealogias, nesses livros históricos, que seria inútil investigar" (Adam Clarke, *in loc.*).

■ 7.6

הוּא עֶזְרָא עָלָה מִבָּבֶל וְהוּא־סֹפֵר מָהִיר בְּתוֹרַת מֹשֶׁה אֲשֶׁר־נָתַן יְהוָה אֱלֹהֵי יִשְׂרָאֵל וַיִּתֶּן־לוֹ הַמֶּלֶךְ כְּיַד־יְהוָה אֱלֹהָיו עָלָיו כֹּל בַּקָּשָׁתוֹ: פ

Ele era escriba versado na lei de Moisés. Esdras era um escriba profissional, mas envolveu-se em uma missão que ultrapassava sua idade e experiência. Ver no *Dicionário* o verbete intitulado *Escriba*. O homem era um mestre bem versado na lei de Moisés, e haveria de endireitar muita coisa em Jerusalém, aplicando, de maneira implacável, a lei, contra os muitos pecados do povo, especialmente no tocante a seus casamentos mistos com os pagãos, o que estava poluindo o campo de Israel. Quanto a seus antecessores, Esdras tinha a autoridade do governo persa para fazer a sua viagem a Jerusalém. Ele fortaleceria as mãos daqueles que já estavam ali, para onde tinham ido fazia mais de cem anos, na companhia de Zorobabel. Da mesma forma que Zorobabel representava a *autoridade política* do novo Israel (sendo ele um descendente de Davi), assim também Esdras, de modo todo especial, representava a *autoridade espiritual* do novo Israel. Um autêntico descendente de Arão estava encarregado de cuidar das questões espirituais.

Alguns estudiosos dão a tradução de "mestre" para a palavra hebraica *soper* (escriba). Em um sentido lato, esse vocábulo pode referir-se a um registrador, secretário, escriba ou escritor. Ver 2Sm 8.17; Ed 3.12; 8.9; Sl 45.1. Esdras foi chamado de "mestre" por quatro vezes pelo cronista (Ed 7.6,11,12,21; cf. o vs. 25). E foi chamado "escriba" em Ne 8.1,4,9,13; 12.26,36. Ele era um homem *qualificado*, um *mahir*, isto é, habilidoso (conforme vemos no Sl 45.1).

Esdras tinha sido autorizado pelas autoridades persas, e através do pacto, por Yahweh, o qual estava por trás dos acontecimentos em Jerusalém, onde o novo Israel estava em formação e já estava funcionando.

Por *oito* vezes lemos que a mão de Deus estava sobre Esdras (ver Ed 7.6,9,28; 8.18,22,31; Ne 2.8,18). Portanto, ele era o homem do momento para a realização do plano divino. O autor enfatiza aqui a sua *filosofia da história*: os negócios humanos são dirigidos por Deus, ou seja, são teisticamente controlados. Quanto a essa filosofia da história e *seus* cinco princípios normativos, ver os parágrafos quarto a sétimo da introdução imediatamente anterior à exposição sobre 1Cr 1.1.

O Favor do Rei. Este versículo antecipa o que foi dito mais especificamente nos vss. 11 ss. Outro decreto do governo persa garantia o crescimento do novo Israel. Esdras levava consigo uma cópia escrita do decreto real para fechar a boca de qualquer opositor que encontrasse em Jerusalém. O templo de Jerusalém e o povo da Judeia haveriam de prosperar.

■ 7.7

וַיַּעֲלוּ מִבְּנֵי־יִשְׂרָאֵל וּמִן־הַכֹּהֲנִים וְהַלְוִיִּם וְהַמְשֹׁרְרִים וְהַשֹּׁעֲרִים וְהַנְּתִינִים אֶל־יְרוּשָׁלִָם בִּשְׁנַת־שֶׁבַע לְאַרְתַּחְשַׁסְתְּא הַמֶּלֶךְ:

Também subiram a Jerusalém alguns dos filhos de Israel. As *classes do povo de Israel* que participaram na "segunda viagem" são aquelas encontradas na passagem de Ed 2.1-70. Os cantores e os porteiros recebem aqui um tratamento distintivo, como se fossem classes diferentes dos levitas. Naturalmente, sabemos que eles tinham de ser levitas, porquanto os servos do templo (os *netinim*, ver a respeito no *Dicionário*) não pertenciam a essa descendência. Os cantores e os porteiros não aparecem entre os judeus que retornaram à Terra Prometida, em Ed 8.15 ss., mas aparecem tanto em Lv 8.18,19 e nas listas posteriores dos judeus que retornaram à Palestina. Não é dita muita coisa sobre a viagem de 1.450 quilômetros da Babilônia a Jerusalém, a qual deve ter sido essencialmente isenta de acidentes dignos de ser mencionados. O restante do capítulo sétimo e o capítulo oitavo nos fornecem alguns detalhes. A viagem levou quatro meses, conforme deduzimos mediante a comparação entre os versículos sétimo e oitavo.

Datando a Viagem. Esse aspecto da questão tem dado trabalho aos intérpretes, de tal modo que nenhuma informação segura foi obtida desses esforços. Tradicionalmente, o Artaxerxes do texto à nossa frente é identificado com Artaxerxes I (464-424 a.C.). Seu sétimo ano foi o ano de 485 a.C. Mas, visto que Esdras seguiu a Neemias em viagem para a Palestina, e não era seu contemporâneo, deve estar em foco Artaxerxes II. Seu sétimo ano foi 398 a.C. Talvez Esdras tenha feito uma viagem durante o reinado de Artaxerxes I, após o fim da primeira administração de Neemias, em 432 a.C. (ver Ne 5.14), mas qualquer data para esse período é apenas conjectural. Alguns eruditos têm determinado arbitrariamente a data da viagem de Esdras no trigésimo segundo ano de Artaxerxes I (433-432 a.C.), quando Neemias deixou a cidade de Jerusalém. Para tanto, os intérpretes supõem que o texto sagrado deve ser emendado, alterando levemente as letras hebraicas que representam números. Embora essa data não possa ser determinada de forma satisfatória, deve ter ocorrido *depois* da primeira administração de Neemias.

■ 7.8,9

וַיָּבֹא יְרוּשָׁלִַם בַּחֹדֶשׁ הַחֲמִישִׁי הִיא שְׁנַת הַשְּׁבִיעִית לַמֶּלֶךְ:

כִּי בְּאֶחָד לַחֹדֶשׁ הָרִאשׁוֹן הוּא יְסֻד הַמַּעֲלָה מִבָּבֶל וּבְאֶחָד לַחֹדֶשׁ הַחֲמִישִׁי בָּא אֶל־יְרוּשָׁלִַם כְּיַד־אֱלֹהָיו הַטּוֹבָה עָלָיו:

Esdras chegou a Jerusalém. A viagem de quatro meses foi do primeiro mês, nisã, ao quinto mês, (Abibe), correspondentes aos nossos meses de março-abril a julho-agosto, ambos dentro dos confins do sétimo ano de governo do rei persa. O versículo nono fornece-nos uma designação precisa: a jornada começou no primeiro dia de nisã e terminou no quinto dia do mês de *ab*, e a viagem foi realizada sob a boa mão de Elohim, que era o companheiro e o guia de Israel. Por conseguinte, Esdras teve uma determinação interior e uma ajuda externa, os fatores humano e divino combinados para obter bons resultados. Cf. 2Cr 19.3 e 30.19. A legislação mosaica estava no coração de Esdras e ele era um mestre da lei. Ele haveria de corrigir certas coisas em Jerusalém. Quanto à questão de que a mão divina estava sobre ele (repetida por oito vezes nos livros de Esdras e Neemias), ver as notas em Ed 7.6, onde provi referências. Esdras gozou de "misericórdias para a viagem", conforme as pessoas religiosas dizem atualmente, e pelo que elas oram cada vez que viajam. A passagem de Esdras 8.31 dá um dia diferente para a partida, mas Ed 8.15-30 mostra-nos que houve algum adiamento. Se seguirmos Ed 8.31, a data da partida é 16 de abril de 398 a.C., enquanto o texto presente, que fala no primeiro dia, faria isso ser 5 de abril de 398 a.C., uma diferença de onze a doze dias. De acordo com o presente versículo, eles partiram no Dia do Ano Novo judaico, ou seja, no primeiro dia do calendário religioso. Ver no *Dicionário* o verbete intitulado *Calendário Judaico*.

7.10

כִּי עֶזְרָא הֵכִין לְבָבוֹ לִדְרוֹשׁ אֶת־תּוֹרַת יְהוָה וְלַעֲשֹׂת וּלְלַמֵּד בְּיִשְׂרָאֵל חֹק וּמִשְׁפָּט׃ ס

Porque Esdras tinha disposto o coração. *Qualidades espirituais de Esdras*. Ele estava viajando para Jerusalém a fim de deixar as coisas em boa ordem espiritual. O povo judeu estava cercado de pecados e fraquezas. A lei mosaica estava sendo negligenciada, a despeito dos esforços de Zorobabel e do sucesso da primeira expedição a Jerusalém. Esdras era, pois, um missionário preparado para efetuar uma missão espiritual especial.

A Tríplice Tarefa de Esdras. Conhecer a lei; procurar obedecer à lei; tentar promover a lei entre outras pessoas. Esdras tinha a mente fixa sobre essas coisas, uma determinação incomum. Estudos estavam envolvidos, o que era a atividade que produzia, finalmente, o "estudo bíblico", como a lei oral e o Talmude, as tradições orais e escritas. Como é óbvio, o conhecimento não era suficiente: o "conhecimento aplicado" era a chave, e, no judaísmo, isso era mais importante do que a "fé". O *legalismo escribal* tinha de tornar-se *legalismo popular*, e foi assim, finalmente, que o judaísmo ultrapassou as religiões de todos os outros povos. Mas a letra pode matar, e o cristianismo trouxe o Espírito para dentro da questão.

Estatutos... juízos... Cf. Êx 15.25; Js 24.25; 1Sm 30.25, e, especialmente, Dt 4.1,5,8,14; 5.1; 11.32; 12.1 e 26.16. Ver minhas notas em Dt 6.1 quanto à tríplice designação da lei. Os "estatutos" apontavam para as obrigações legais, as coisas "inscritas", conforme a palavra significa. Os "juízos" são as decisões legais, um código inscrito de conduta, incluindo ritos e cerimônias, o lado prático da fé religiosa.

A COMISSÃO DE ESDRAS (7.11-26)

O paralelo é 1Esdras 8.8-24.

Autoridade Real. Não era suficiente Esdras ser um homem preparado para uma missão especial. Ele também precisava dispor de um documento das autoridades seculares, especialmente do rei da Pérsia, para que não fosse impedido de prosseguir. O vs. 11 provavelmente é editorial, com a finalidade de introduzir um *longo documento*, contido nos vss. 12-26. Esse documento, tal como toda a correspondência oficial da época (naquela parte do mundo), foi escrito em aramaico, a língua franca do período. Esse documento era um *decreto real* que permitia a continuação do Estado judaico, o que era um negócio potencialmente arriscado, tendo em vista todas as guerras em que aquele minúsculo reino já se tinha envolvido. O decreto exibe uma íntima familiaridade com a terminologia judaica (vss. 12, 13, 15, 17 e 24), que deve ter-se devido, pelo menos em parte, ao colorido emprestado pelo cronista. Também demonstra um conhecimento das distinções e das práticas do culto dos judeus do segundo templo (vs. 24). Esse colorido *judaico* tem levado alguns críticos a considerar o documento como *forjado*, mas não há razão para supormos que o rei estivesse desinformado sobre as áreas debaixo de seu controle. Além disso, Esdras pode ter sido um oficial na corte persa, um conselheiro do rei, e assim facilmente teria sido o responsável pelo aspecto *judaico* desse documento.

7.11

וְזֶה פַּרְשֶׁגֶן הַנִּשְׁתְּוָן אֲשֶׁר נָתַן הַמֶּלֶךְ אַרְתַּחְשַׁסְתְּא לְעֶזְרָא הַכֹּהֵן הַסֹּפֵר סֹפֵר דִּבְרֵי מִצְוֹת־יְהוָה וְחֻקָּיו עַל־יִשְׂרָאֵל׃ פ

Esta é a cópia. O documento original ficaria com o rei, depositado em seus arquivos reais. Esdras levou consigo uma cópia autorizada, que ninguém seria capaz de pôr em dúvida.

O rei Artaxerxes. Ver as notas expositivas no vs. 7, que incluem o problema de cronologia. Josefo, cônscio dos problemas, acreditando que Esdras tinha precedido a Neemias, substituiu Artaxerxes por Xerxes (485-465 a.C.), o antecessor de Artaxerxes I.

Quanto ao restante do versículo, ver o vs. 10. O cronista coloriu esse versículo introdutório com as ideias do versículo anterior.

A carta começa com as credenciais e a comissão de Esdras. Ele precisava da autorização secular.

7.12

אַרְתַּחְשַׁסְתְּא מֶלֶךְ מַלְכַיָּא לְעֶזְרָא כָהֲנָא סָפַר דָּתָא דִּי־אֱלָהּ שְׁמַיָּא גְּמִיר וּכְעֶנֶת׃

Artaxerxes, rei dos reis. Temos nessa frase uma terminologia babilônica que foi emprestada pelos persas para descrever os reis que haviam conquistado aquela parte do Oriente Médio.

Ao sacerdote Esdras. *A Carta Estava Endereçada a Esdras*. Ela declarava a ideia do rei quanto a todas as questões de sua viagem a Jerusalém e ao trabalho que ali seria desenvolvido. Ademais, o apoio do rei da Pérsia à questão é perfeitamente evidente. Houve, portanto, um decreto que funcionava como *carta de apresentação*. As qualificações de Esdras para ser ministro entre os judeus são então declaradas. Ele era o homem para aquela tarefa: um mestre, um escriba de renome, um especialista na lei mosaica, um servo do "Deus dos céus" (ver Ed 5.11 e 6.9). Talvez Esdras tivesse sido secretário dos negócios judaicos durante o governo de Artaxerxes, e assim, naturalmente, suas qualificações para o ofício precisavam ser declaradas. Portanto, o *colorido judaico* da carta, longe de ter sido uma adição feita pelo cronista, era parte necessária do documento.

Paz perfeita! Assim diz nossa versão portuguesa como tradução de uma expressão hebraica difícil, a qual significa, literalmente, "perfeito, e assim por diante". A *Revised Standard Version* diz apenas "e agora", uma introdução à carta que se segue. Algumas traduções dizem aqui a "paz" comum, mas isso não se acha no texto. Outras dizem "em tal tempo", referindo-se à data da carta. Ou talvez *et cetera*, que é a força das palavras, conforme conjecturou John Gill, *in loc*. A versão etíope ou *peshitta* e 1Esdras dizem aqui *paz*, o que corta o nó górdio, mediante uma emenda do texto. Ver na *Enciclopédia de Bíblia, Teologia e Filosofia* o verbete chamado *Nó*.

7.13

מִנִּי שִׂים טְעֵם דִּי כָל־מִתְנַדַּב בְּמַלְכוּתִי מִן־עַמָּה יִשְׂרָאֵל וְכָהֲנוֹהִי וְלֵוָיֵא לִמְהָךְ לִירוּשְׁלֶם עִמָּךְ יְהָךְ׃

Que quiser ir contigo a Jerusalém, vá. Esdras seria acompanhado pelos interessados, tal e qual acontecera a Zorobabel na primeira expedição. Agora, como naquela ocasião, todo o que quisesse ir com Esdras, que fosse. Ninguém seria forçado a ir, mas também nenhum homem seria impedido. O *livre-arbítrio* era a chave da questão. Cf. Ed 1.3. Muitos judeus tinham ficado na Babilônia, adaptados à nova vida que estavam levando ali. A geração antiga havia morrido. Talvez a nova geração estivesse preparada para uma mudança de cena, uma aventura. Alguns judeus eram patriotas que queriam "voltar para casa". Note-se a tríplice designação do povo: o povo em geral, os levitas e os sacerdotes. Isso era uma maneira de falar típica dos judeus, mas uma forma de expressão perfeitamente possível ao rei, que conhecia os costumes e as coisas judaicas. Ademais, Esdras poderia ter sido seu ministro para negócios judaicos e sugerido a terminologia da carta. Ver o vs. 11 quanto ao problema do *caráter judaico* da carta e do decreto.

"Aquele que ama a seu Deus haverá de aproveitar-se dessa oportunidade favorável" (Adam Clarke, *in loc.*). O decreto de Artaxerxes, adicionado ao decreto de Ciro (Ed 1.1 ss.), dava ampla oportunidade.

■ 7.14

כָּל־קֳבֵל דִּי מִן־קֳדָם מַלְכָּא וְשִׁבְעַת יָעֲטֹהִי שְׁלִיחַ
לְבַקָּרָא עַל־יְהוּד וְלִירוּשְׁלֶם בְּדָת אֱלָהָךְ דִּי בִידָךְ:

Porquanto és mandado da parte do rei. Sete conselheiros foram convocados para aconselharem sobre a questão da missão de Esdras. Essa missão deveria ser autorizada pelo tribunal superior, que foi assim autorizado pelo próprio rei. Eles ajudariam Esdras a investigar as circunstâncias em Jerusalém, e a pôr as coisas em ordem ali. O *padrão da ação* era a lei de Moisés, o documento por trás das reformas finais de Esdras. Os conselheiros deveriam ser conhecedores das "questões judaicas" e saber escrever relatórios que seriam enviados ao rei da Pérsia. Caberia a Esdras tomar decisões e fazer alterações. Ou então, a investigação seria feita exclusivamente por Esdras, e os conselheiros eram apenas oficiais persas chamados para ajudar o rei a lidar com as questões da missão de Esdras. Nesse caso, seria difícil identificar a função exata dos conselheiros (quanto a essa questão), embora o rei devesse tomar suas decisões em consonância com o parecer dos conselheiros. Cf. Et 1.14. Os conselheiros eram "sete príncipes da Pérsia e da Média", que viam o rosto do rei e tinham a mais alta autoridade na terra, depois do rei.

Heródoto (*História* III.31; VII.8; VIII.67) chamou esses homens de "os mais nobres persas", e eles eram os mais altos conselheiros do rei.

■ 7.15,16

וּלְהֵיבָלָה כְּסַף וּדְהַב דִּי־מַלְכָּא וְיָעֲטוֹהִי הִתְנַדַּבוּ
לֶאֱלָהּ יִשְׂרָאֵל דִּי בִירוּשְׁלֶם מִשְׁכְּנֵהּ:

וְכֹל כְּסַף וּדְהַב דִּי תְהַשְׁכַּח בְּכֹל מְדִינַת בָּבֶל עִם
הִתְנַדָּבוּת עַמָּא וְכָהֲנַיָּא מִתְנַדְּבִין לְבֵית אֱלָהֲהֹם דִּי
בִירוּשְׁלֶם:

E para levares a prata e o ouro. *Ricas Provisões*. Artaxerxes, tal como Ciro antes dele (ver Ed 1.4 ss.), certificou-se de que recursos abundantes seriam providos para a viagem e para os gastos subsequentes. *Duas espécies de doadores* são mencionadas no presente texto: a) o rei persa, que tinha doado dinheiro do tesouro real, e os príncipes persas; b) os conselheiros que garantiriam que essas doações chegariam às mãos de Esdras. Além disso, houve doações feitas pelos próprios judeus (vs. 16), conforme também acontecera no caso da primeira expedição. A província inteira da Babilônia estaria envolvida na questão. Ver Ed 1.4 e também a história contada em Êx 10.25 e 12.35,36. Talvez Esdras tenha recebido a autoridade de cobrar uma taxa, de alguma espécie, sobre as propriedades dos judeus na Babilônia, de modo que os "irmãos que tinham ficado" pelo menos tiveram de ajudar os "irmãos que foram", mediante dinheiro e outros valores. Os "príncipes" (persas) que contribuíram são mencionados em Ed 8.25, e a entrega das doações foi registrada em Ed 8.24-26,33,34. Ver o vs. 20 quanto às doações do rei, retiradas do tesouro real.

■ 7.17

כָּל־קֳבֵל דְּנָה אָסְפַּרְנָא תִקְנֵא בְּכַסְפָּא דְנָה תּוֹרִין
דִּכְרִין אִמְּרִין וּמִנְחָתְהוֹן וְנִסְכֵּיהוֹן וּתְקָרֵב הִמּוֹ
עַל־מַדְבְּחָה דִּי בֵּית אֱלָהֲכֹם דִּי בִירוּשְׁלֶם:

Portanto diligentemente comprarás com este dinheiro novilhos, carneiros, cordeiros... *Sacrifícios Apropriados*. O rei persa sabia o quanto os judeus apreciavam os sacrifícios de animais. Os persas também eram pessoas muito religiosas. As provisões, pois, tiveram de incluir materiais (vários tipos de animais) para serem oferecidos em sacrifício. O judaísmo era nada sem seu culto sacrificial. Isso proveu Esdras com animais "nobres" para os sacrifícios. Ver os *cinco* tipos de animais que serviam para serem sacrificados, em Lv 1.14-16. E também haveria as ofertas de cereal (ofertas pacíficas) e as libações que tinham de acompanhar os sacrifícios de animais (ver Nm 15.1-10). Novamente vemos um marcante caráter *judaico* no decreto do rei da Pérsia, o que já comentei nas notas sobre o versículo 11 deste capítulo. Ver no *Dicionário* o verbete chamado *Sacrifícios e Ofertas*.

Ver as referências seguintes:
- holocaustos: Lv 1.3-17; 6.9-13;
- ofertas de cereais: Lv 2.1-16; 6.14-18;
- ofertas pelo pecado: Lv 4.1-35; 6.25,30;
- ofertas pela culpa: Lv 5.1-13; 6.1-7; 7.1-7;
- consagrações: Lv 6.19-23;
- ofertas pacíficas: Lv 3.1-17; 7.11-33.

■ 7.18

וּמָה דִּי עֲלָיךְ וְעַל־אֶחָיךְ יֵיטַב בִּשְׁאָר כַּסְפָּא וְדַהֲבָה
לְמֶעְבַּד כִּרְעוּת אֱלָהֲכֹם תַּעַבְדוּן:

Também o que a ti e a teus irmãos bem parecer fazerdes. O que sobrasse do dinheiro, depois que os bens essenciais tivessem sido adquiridos, seria usado como Esdras ditasse. O rei confiou que Esdras faria a coisa certa. Ele não se preocupava com um uso impróprio dos fundos, ou que Esdras poria o dinheiro em sua própria conta bancária na Babilônia.

A teus irmãos. Ou seja, os outros sacerdotes, companheiros de Esdras, aos quais também fora dada autoridade para gastar o dinheiro e tomar algumas das decisões a respeito.

■ 7.19

וּמָאנַיָּא דִּי־מִתְיַהֲבִין לָךְ לְפָלְחָן בֵּית אֱלָהָךְ הַשְׁלֵם
קֳדָם אֱלָהּ יְרוּשְׁלֶם:

E os utensílios que te foram dados. *Ao que tudo indica*, nem todos os vasos pertencentes ao templo de Salomão, que tinham sido saqueados pelos babilônios (por ocasião do cativeiro babilônico), foram entregues aos judeus na primeira expedição (Ed 1.7-11). O restante desses vasos foi agora devolvido aos judeus. Mas alguns intérpretes supõem que vasos adicionais tenham sido doados, de maneira que não estão aqui em foco os mesmos utensílios que Nabucodonosor havia levado para a Babilônia. Todavia, o trecho paralelo de 1Esdras 8.17 interpreta esses vasos como aqueles que foram saqueados pelos babilônios. O trecho de Ed 8.25 pode significar que vasos adicionais estão em pauta aqui, e não os vasos saqueados.

■ 7.20

וּשְׁאָר חַשְׁחוּת בֵּית אֱלָהָךְ דִּי יִפֶּל־לָךְ לְמִנְתַּן תִּנְתֵּן
מִן־בֵּית גִּנְזֵי מַלְכָּא:

Dá-lo-ás da casa dos tesouros do rei. *Um Cheque em Branco*. O rei da Pérsia entregou a Esdras um cheque em branco. Ele poderia retirar qualquer quantia que quisesse, segundo as necessidades dos judeus, e o tesouro do rei honraria tal cheque. Isso naturalmente foi um ato da providência divina. Ver no *Dicionário* o verbete chamado *Providência de Deus*. *Yahweh* estava por trás dessa generosidade. Cf. Ed 5.17 e 6.1. O rei contava com muito dinheiro, derivado de seu sistema de tributos, taxas e impostos, de forma que nenhuma quantia que Esdras escrevesse naquele cheque chegaria a quebrar o banco persa. É melhor sermos ricos do que pobres! O decreto dava a Esdras poderes muito extensos. Ele não foi a Jerusalém cercado de pobreza. Ele tinha poder para fazer o que precisava fazer. Oh, Senhor! Concede-nos tal graça!

■ 7.21

וּמִנִּי אֲנָה אַרְתַּחְשַׁסְתְּא מַלְכָּא שִׂים טְעֵם לְכֹל
גִּזַּבְרַיָּא דִּי בַּעֲבַר נַהֲרָה דִּי כָל־דִּי יִשְׁאֲלֶנְכוֹן עֶזְרָא
כָהֲנָה סָפַר דָּתָא דִּי־אֱלָהּ שְׁמַיָּא אָסְפַּרְנָא יִתְעֲבִד:

A LINHAGEM DE ESDRAS

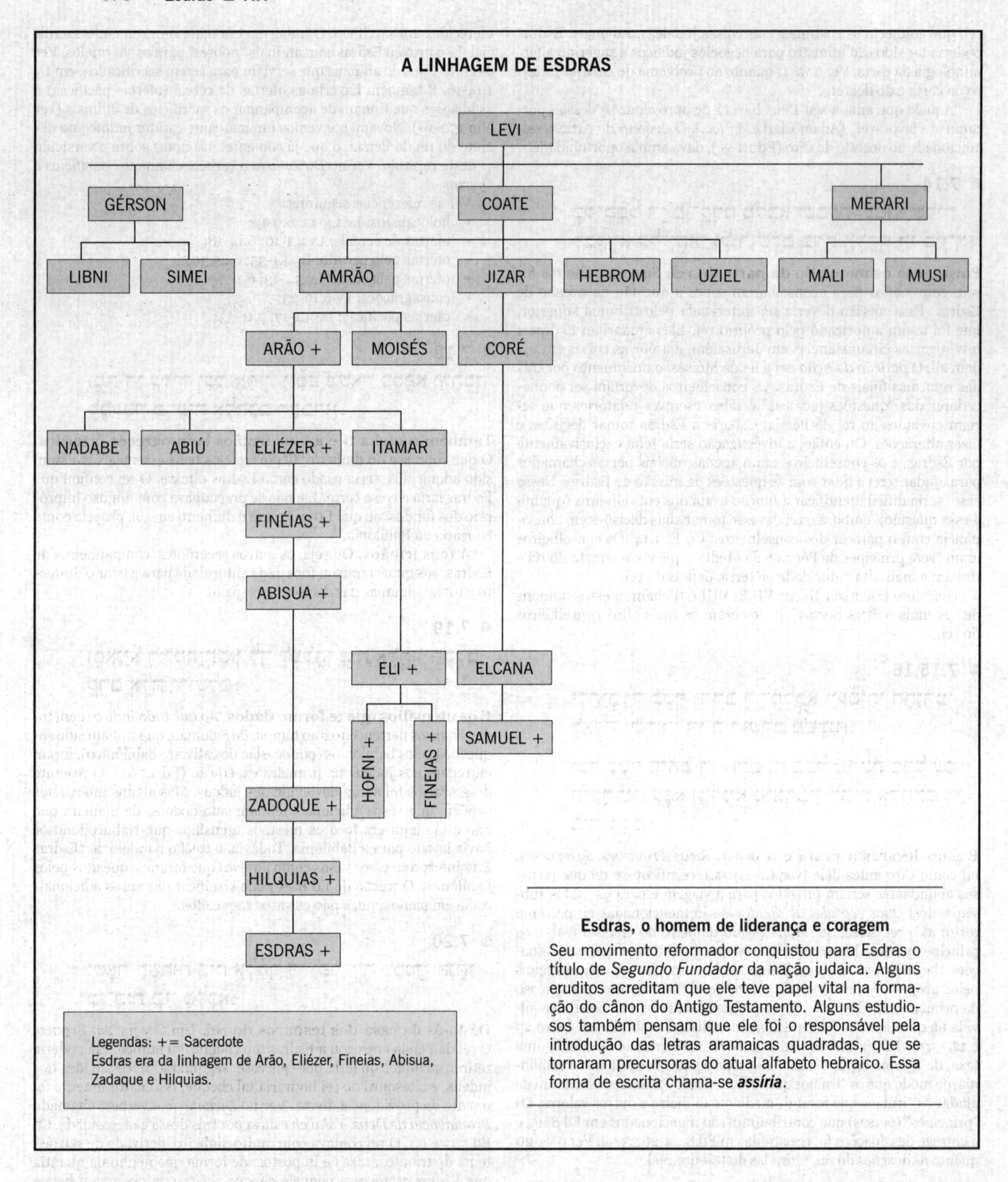

```
                            LEVI
          ┌──────────────────┼──────────────────┐
        GÉRSON              COATE             MERARI
        ┌──┴──┐    ┌────┬────┼────┬────┐      ┌──┴──┐
      LIBNI SIMEI AMRÃO JIZAR HEBROM UZIEL  MALI  MUSI
              ┌────┼────┐    │
            ARÃO+ MOISÉS   CORÉ
         ┌────┬───┴┬──────┐
       NADABE ABIÚ ELIÉZER+ ITAMAR
                   │
                FINÉIAS+
                   │
                ABISUA+
                   │
              ┌────┴────┐
             ELI+     ELCANA
             ┌─┴─┐      │
         HOFNI+ FINEIAS+ SAMUEL+
                   │
                ZADOQUE+
                   │
                HILQUIAS+
                   │
                 ESDRAS+
```

Legendas: + = Sacerdote
Esdras era da linhagem de Arão, Eliézer, Fineias, Abisua, Zadaque e Hilquias.

Esdras, o homem de liderança e coragem

Seu movimento reformador conquistou para Esdras o título de *Segundo Fundador* da nação judaica. Alguns eruditos acreditam que ele teve papel vital na formação do cânon do Antigo Testamento. Alguns estudiosos também pensam que ele foi o responsável pela introdução das letras aramaicas quadradas, que se tornaram precursoras do atual alfabeto hebraico. Essa forma de escrita chama-se ***assíria***.

Eu mesmo, o rei Artaxerxes, decreto a todos os tesoureiros. Os *tesouros particulares* dos quais Esdras poderia valer-se eram os que estavam "dalém do Eufrates", isto é, as terras a oeste e ao sul da Babilônia, a província da qual Judá fazia parte. Ver sobre a expressão "além do rio" em Ed 4.17,20; 6.6,8 e 7.21,25. Esdras podia retirar tanto dinheiro quanto fosse necessário, e os oficiais locais (delegados do rei) deveriam agir prontamente, não permitindo que entraves burocráticos impedissem o trabalho dele.

Deus dos céus. Esdras servia ao Deus Altíssimo. Pagãos daquela região do mundo respeitavam os "deuses locais" e supunham que essas divindades tivessem poder em suas respectivas áreas.

Yahweh-Adonai-Elohim era o Deus reconhecido dos judeus, e seu poder e inspiração estavam por trás de Esdras. Por conseguinte, sua causa era justa e digna do apoio do império persa. Cf. o título divino que aparece aqui com Ed 1.2; 5.11,12; 6.9,10; 7.12,21,23.

■ 7.22

עַד־כְּסַף כַּכְּרִין מְאָה וְעַד־חִנְטִין כֹּרִין מְאָה וְעַד־חֲמַר בַּתִּין מְאָה וְעַד־בַּתִּין מְשַׁח מְאָה וּמְלַח דִּי־לָא כְתָב׃

Até cem talentos de prata. *A Grande Oferenda:*
- Cem talentos de prata, ou seja, cerca de 750 quilogramas;
- Cem coros de trigo, ou seja, 18.900 litros
- Cem batos de vinho e a mesma quantidade em azeite, ou seja, 18.900 litros.

Ver no *Dicionário* o verbete chamado *Pesos e Medidas*. Além disso, o sal foi dado sem medida. Os sacrifícios eram salgados e grande quantidade desse mineral se faria necessária. Ver Lv 2.1-13 e sobre *Sal* no *Dicionário* quanto aos sentidos e símbolos dessa substância.

■ 7.23

כָּל־דִּי מִן־טַעַם אֱלָהּ שְׁמַיָּא יִתְעֲבֵד אַדְרַזְדָּא לְבֵית אֱלָהּ שְׁמַיָּא דִּי־לְמָה לֶהֱוֵא קְצַף עַל־מַלְכוּת מַלְכָּא וּבְנוֹהִי:

Tudo quanto se ordenar, segundo o mandado do Deus do céu. *A Palavra-chave Era "Prontidão".* Prontidão porque Yahweh-Elohim, o "Deus do céu", não toleraria a lentidão humana, e ele poderia fazer sobrevir a sua ira sobre os preguiçosos. O rei não queria ter nenhum contato com a ira de Yahweh. Note-se novamente a expressão "Deus do céu". Ver sobre isso no vs. 21. Além de temer algum julgamento divino (levantes dos súditos, incêndios, inundações, pragas, enfermidades), o rei tinha o seu coração na questão. Nada disso teria acontecido se Yahweh não tivesse inspirado tal atitude. Portanto, uma vez mais, o cronista estava descrevendo a *Providência de Deus* (ver a esse respeito no *Dicionário*). Ele dava prosseguimento à sua *filosofia da história*, ou seja, as atividades humanas são controladas pela mente divina, teisticamente. Ver no *Dicionário* o artigo chamado *Teísmo*, bem como os parágrafos quarto a sétimo das notas de introdução a 1Cr 1.1, quanto aos *cinco princípios normativos da história*.

O rei da Pérsia estava interessado em uma Palestina amistosa, para ajudá-lo em suas guerras contra os fracos reis egípcios das dinastias XXVIII e XXIX (525-332 a.C.). Artaxerxes II esperava emular seus antecessores como conquistadores do Egito.

■ 7.24

וּלְכֹם מְהוֹדְעִין דִּי כָל־כָּהֲנַיָּא וְלֵוָיֵא זַמָּרַיָּא תָרָעַיָּא נְתִינַיָּא וּפָלְחֵי בֵּית אֱלָהָא דְנָה מִנְדָּה בְלוֹ וַהֲלָךְ לָא שַׁלִּיט לְמִרְמֵא עֲלֵיהֹם:

Não será lícito impor-lhes nem direitos, nem impostos, nem pedágios. *Isentos de Cobranças Governamentais.* Os oficiais do império persa não poderiam fazer cobranças de Judá. Na verdade, Judá receberia porções dos impostos cobrados de outros povos (vs. 21). Os vários turnos de sacerdotes, de levitas, os cantores, os porteiros e os servos do templo (*netinim*), todos precisavam ser sustentados. Eram necessários amplos fundos para isso. O clero tinha de comer e sustentar suas famílias. Ver 1Cr 23-26 quanto aos vários turnos de levitas que compunham o ministério do templo. Quanto a listas dos que trabalhavam no templo, cf. Ed 2.36,40-43. Ver também o versículo 7 do presente capítulo. Ao clero, em Judá, foram concedidos privilégios econômicos especiais. Não lhes era cobrado nenhum imposto de renda. "Era usual os pagãos isentarem os eclesiásticos de taxas, tributos e impostos, tal como sucedia no Egito e entre os druidas da Bretanha" (John Gill, *in loc.*). Mas não é assim o costume nos tempos modernos.

■ 7.25

וְאַנְתְּ עֶזְרָא כְּחָכְמַת אֱלָהָךְ דִּי־בִידָךְ מֶנִּי שָׁפְטִין וְדַיָּנִין דִּי־לֶהֱוֹן דָּאֲנִין לְכָל־עַמָּה דִּי בַּעֲבַר נַהֲרָה לְכָל־יָדְעֵי דָּתֵי אֱלָהָךְ וְדִי לָא יָדַע תְּהוֹדְעוּן:

Tu, Esdras, segundo a sabedoria do teu Deus. Em *retorno* pela sua generosidade, o rei da Pérsia esperava que Esdras governasse bem, fizesse justiça, conservasse as coisas sob o seu controle, não permitisse nenhum levante contra o império persa, nomeasse delegados qualificados (Jz, governadores) em todas as províncias onde ele exercesse seu poder (além do rio; ver no vs. 21 deste capítulo). O rei da Pérsia queria uma Palestina tranquila enquanto ele fazia suas conquistas em outros lugares, incluindo o Egito, conforme demonstra a história contemporânea.

Note o leitor que a sabedoria e a lei foram equiparadas, outro elemento do caráter *judaico* do decreto real. Ver sobre isso no vs. 11. Cf. Eclesiástico 15.1; 19.20; 21.11; 24.23-29 e 34.8.

A todo o povo que está dalém do Eufrates. Particularmente os judeus, mas talvez o rei persa tivesse pensado que Esdras instruiria também os pagãos, os gentios da Síria e da Palestina. Uma boa *educação religiosa* só poderia fazer o bem ali, onde o rei não podia estar pessoalmente para manter as coisas sob o seu controle.

A Esdras também caberia estabelecer e administrar um *sistema judicial*, o qual regularia a conduta dos homens e manteria as coisas em paz e boa ordem. O decreto fazia de Esdras supremo sobre todos os judeus na província "além do rio", e dotado de grande influência entre os povos daquela área. A religião estaria misturada com os negócios seculares a ponto de a lei de Moisés ser o tribunal superior de apelo sobre qualquer questão. A sabedoria seria aquela expressa no livro da lei, controlando todos os aspectos da vida humana, quando um bom sacerdote controlava as coisas. O governo do clero seria a lei suprema por algum tempo. Não haveria separação entre a Igreja e o Estado, que algumas vezes é tão necessária e valorizada na *vida moderna*, onde o *pluralismo* é a regra e o ideal. Onde o pluralismo não é honrado, não há tolerância. Para ser tolerado, é preciso tolerar os outros.

■ 7.26

וְכָל־דִּי־לָא לֶהֱוֵא עָבֵד דָּתָא דִי־אֱלָהָךְ וְדָתָא דִּי מַלְכָּא אָסְפַּרְנָא דִּינָה לֶהֱוֵא מִתְעֲבֵד מִנֵּהּ הֵן לְמוֹת הֵן לִשְׁרֹשׁוּ הֵן־לַעֲנָשׁ נִכְסִין וְלֶאֱסוּרִין: פ

Todo aquele que não observar a lei do teu Deus e a lei do rei. *Ameaças de punição* dos tipos mais severos pairavam sobre a cabeça dos ofensores que não se conformassem com a ordem que Esdras estabeleceria em Jerusalém. As leis antigas eram muito mais severas que as leis modernas. A *punição capital* era decretada para "crimes" sobre os quais nunca pensaríamos merecer tão drástica medida. Ver no *Dicionário* o artigo chamado *Crimes e Castigos*. O confisco era uma forma comum de punição sob a lei. Ver no *Dicionário* o artigo chamado *Reparação (Restituição)*, especialmente em seu último parágrafo. Mas o banimento não estava de acordo com a mentalidade dos judeus. Contudo, o rei da Pérsia deu a Esdras o poder de castigar da maneira que ele achasse melhor. O aprisionamento era um dos métodos mais comuns de castigo, e até alguns profetas do Senhor terminaram na prisão por causa de ofensas. Ver no *Dicionário* o verbete intitulado *Prisão, Prisioneiros*. Esdras, se considerasse necessário fazê-lo, teria um reino de terror, a fim de pôr em vigor a legislação mosaica. Os espancamentos eram uma forma de punição comum na Pérsia, mas esse tipo de castigo ficou de fora.

POEMA DE LOUVOR DE ESDRAS (7.27,28)

O *decreto escrito em aramaico* foi seguido por uma doxologia escrita em hebraico. Com esses dois versículos começa o chamado *Documento de Esdras*, narrado na primeira pessoa e presumivelmente originário diretamente de Esdras. A passagem de Ed 8.1-34 deve ser incluída nesse documento, e talvez todo o trecho ou parte de Ed 9.1-15. Mas exames linguísticos, entretanto, não revelam nenhuma grande diferença nessas seções quando comparadas com as narrativas escritas na terceira pessoa no resto do livro. Mas por que o cronista teria passado tão de repente para o "eu" ou para o "nós", em lugar do "ele" e do "eles", se aquelas passagens não são autobiográficas? O trecho de 1Esdras 8.25 faz Esdras proferir essas palavras, mas isso pode ser uma adição posterior.

■ 7.27

בָּרוּךְ יְהוָה אֱלֹהֵי אֲבוֹתֵינוּ אֲשֶׁר נָתַן כָּזֹאת בְּלֵב הַמֶּלֶךְ לְפָאֵר אֶת־בֵּית יְהוָה אֲשֶׁר בִּירוּשָׁלָ͏ִם:

Bendito seja o Senhor Deus de nossos pais. A *resposta de Esdras* ao decreto do rei da Pérsia serve de demonstração do seu caráter. Ele agradecia a Yahweh-Elohim, o Deus dos patriarcas judaicos, por tudo quanto tinha sido feito através do rei persa, acreditando ele que somente a influência divina poderia produzir o que havia acontecido. No minúsculo novo Israel (um mero fragmento da tribo de Judá) continuavam as tradições dos antigos patriarcas de Israel. Cf. Êx 6.6; Nm 32.11; Dt 1.8; 6.10; 9.5,27, onde os patriarcas são chamados por seus nomes e especialmente favorecidos por Deus, como cabeças da nação escolhida. O rei da Pérsia mostrara-se generoso e estava interessado em embelezar o templo, restaurando os seus vasos, estabelecendo o seu ritual e pondo as coisas em ordem em Jerusalém, de acordo com os ditames da legislação mosaica. Os privilégios concedidos visavam a glória de Deus, e não a glória de Esdras. Ele mesmo contribuiu, pessoalmente, com fundos, objetivando esse propósito (Ed 7.20,21).

LIDERANÇA

Garanto para você que prefiro vencer os outros em conhecimentos do que é excelente a estender o meu poder e domínio.

Alexandre, o Grande

O raciocínio e o juízo calmo são qualidades que pertencem especialmente ao líder verdadeiro.

Tácito

A prova final de um líder é se ele deixa ou não aos outros suas convicções para que continuem seu trabalho.

Walter Lippmann

CORAGEM

Frequentemente o teste de coragem não é morrer, mas viver.

Vittorio Alfieri

Coragem é a virtude que efetua a justiça.

Cícero

■ **7.28**

וְעָלַי הִטָּה־חֶסֶד לִפְנֵי הַמֶּלֶךְ וְיוֹעֲצָיו וּלְכָל־שָׂרֵי הַמֶּלֶךְ הַגִּבֹּרִים וַאֲנִי הִתְחַזַּקְתִּי כְּיַד־יְהוָה אֱלֹהַי עָלַי וָאֶקְבְּצָה מִיִּשְׂרָאֵל רָאשִׁים לַעֲלוֹת עִמִּי׃ פ

E que estendeu para mim a sua misericórdia perante o rei. *"Misericórdia"*, neste caso, é *amor constante* (Revised Standard Version), no hebraico, *hesedh*, uma expressão favorita do cronista. Ver Ed 3.11 e Sl 136. Está em vista o "amor do pacto" que permeava o trato de Yahweh com seu povo, tornando-o distintivo. Ver quanto ao caráter distintivo de Israel, em Dt 4.4-8.

Esdras foi *fortalecido* em seu espírito e externamente por circunstâncias favoráveis, divinamente arranjadas, que lhe facilitaram a missão.

Sentimos que nada somos, pois tudo és tu e em ti;
Sentimos que algo somos, isso também vem de ti;
Sabemos que nada somos — mas tu nos ajudas a ser algo.
Bendito seja o teu nome — Aleluia!

Alfred Lord Tennyson

"Não somente as *memórias de Esdras*, mas uma nota autêntica de fé religiosa *em primeira mão* aparece nesse hino de louvor. Foi o Pai dos primeiros pais que tinha movido o coração do rei persa e fortalecido a mão de Esdras para o grande empreendimento!... Leonard Bacon, em 1833, olhou de volta para a fundação da cidade de New Haven, que ocorrera duzentos anos antes, por ocasião do desembarque dos Peregrinos em Plymouth (posteriormente Estados Unidos da América), em 1620, e disse:

Oh, Deus, debaixo de tua mão orientadora
Nossos pais exilados cruzaram o mar.

"Naquele hino americano, tal como na doxologia dos judeus, o patriotismo e a religião misturaram-se em uma peã de louvor e ação de graças" (Charles W. Gilkey, *in loc.*).

"Essa ação de graças devota faz uníssono com o caráter inteiro de Esdras, que discernia a mão de Deus em todos os acontecimentos" (Jamieson, *in loc.*).

CAPÍTULO OITO

As Memórias de Esdras. A seção de Ed 7.27-9.15 tem a primeira pessoa do singular, "eu", indicando uma testemunha ocular do próprio Esdras. Também encontramos as memórias de Neemias em Ne 1.1-7.5; 11.27-43; 13.4-30. Portanto, o cronista tinha algum relato de testemunha ocular quanto a seu livro de Esdras-Neemias, que formava um único livro na Bíblia hebraica.

A Lista dos que Voltaram. O paralelo é 1Esdras 8.28-40. Essa lista apresenta-nos a informação essencial sobre quem eram aqueles que fizeram a *segunda* viagem de volta a Jerusalém, em companhia de Esdras. Ver o segundo capítulo quanto aos nomes das famílias representadas no primeiro grupo dos que voltaram.

O *edito real* (capítulo 7) tornou possível essa segunda viagem. Josefo (*Antiq.* XI.5.2) diz-nos que uma cópia da correspondência real foi enviada por Esdras a seus parentes na Média (cf. 2Rs 17.6), com o resultado de que muitos deles também decidiram acompanhar o segundo grupo dos que voltaram a Jerusalém. Mas o comentarista também nos informa que a maioria dos judeus preferiu ficar na Babilônia. Eles se tinham adaptado à boa vida que levavam ali e não queriam mais saber de arrancar raízes.

Alguns críticos lançam dúvidas sobre a lista, supondo que se trate de um trabalho forjado, baseado no trecho de Ed 2.1-70, uma vez refeito; mas outros estudiosos defendem vigorosamente a sua autenticidade. Diferentemente das genealogias do segundo capítulo, esta cita os *sacerdotes primeiro*, talvez em honra a Esdras, o sacerdote e mestre que conduziu a expedição. Cf. Ed 7.11,12. "Em Ne 10.6, *Daniel* (não o do livro de Daniel; ver Ed 8.2) aparece entre os sacerdotes que selaram o pacto. Visto que Esdras mais tarde selecionou uma dúzia de sacerdotes que o acompanharam a Jerusalém (vs. 24), os dois nomes mencionados neste contexto, Itamar e Daniel, devem ter sido cabeças de famílias" (Raymond A. Bowman, *in loc.*). Ver Êx 6.23.

A maioria das famílias mencionadas estava relacionada por parentesco aos primeiros judeus que retornaram (537 a.C.), e que tinham chegado cerca de 79 anos antes (capítulo 2). Muitas das famílias listadas em Ed 8.3-14 também foram mencionadas em Ed 2.3-15. O número total dos varões que voltou foi de 1.514, que incluía dezoito cabeças de famílias, além de outros 1.496 homens. Além desses, havia 258 levitas que foram recolhidos mais tarde (ver Ed 8.15-20), portanto o número dos judeus que retornaram atingiu a casa dos 1.772. Contando mulheres e crianças, o número total deve ter atingido cerca de quatro mil a cinco mil pessoas. Esse segundo número foi muito inferior ao primeiro, o qual totalizou quase cinquenta mil pessoas (ver Ed 2.64,65). 1Esdras dá um total de 1.690 homens para o segundo grupo.

■ **8.1**

וְאֵלֶּה רָאשֵׁי אֲבֹתֵיהֶם וְהִתְיַחְשָׂם הָעֹלִים עִמִּי בְּמַלְכוּת אַרְתַּחְשַׁסְתְּא הַמֶּלֶךְ מִבָּבֶל׃ ס

São estes os cabeças de famílias. A *caracterização geral* do segundo grupo dos judeus que voltaram a Jerusalém aparece anteriormente. A essas notas adiciono algumas de interesse.

Em honra a Esdras, o sacerdote *por excelência*, os clãs dos sacerdotes foram listados em primeiro lugar. Os clãs, sacerdotais e outros, são listados até o vs. 14. Menos de cinco mil homens retornaram na segunda vez, em comparação com os quase cinquenta mil que voltaram sob Zorobabel.

8.2

מִבְּנֵי פִינְחָס גֵּרְשֹׁם ס מִבְּנֵי אִיתָמָר דָּנִיֵּאל ס מִבְּנֵי דָוִיד חַטּוּשׁ: ס

Dos filhos de Fineias, Gérson. Temos aqui a família sacerdotal que descendia de *Fineias* (ver a respeito no *Dicionário*, quanto à pouca informação que possuímos a respeito da maioria dos nomes dados). *Daniel*, neste passo bíblico, naturalmente, é um sacerdote, cabeça de um clã sacerdotal, e não o famoso profeta Daniel, autor do livro que tem esse nome. O profeta Daniel pertencia à tribo de Judá. Mas este Daniel era levita, descendente de *Itamar*. Hatus e Daniel não aparecem como quem tinha família, porém o mais provável é que isso tenha sido uma informação omitida pelo cronista. Itamar foi o quarto filho de Arão (Êx 6.23), e Gérson, um descendente de Fineias, seu terceiro filho. *Hatus* aparece na linhagem de Davi em 1Cr 3.22, e como ele poderia ter sido um sacerdote, é uma questão difícil de responder. Alguns tentam solucionar esse problema alterando a pontuação, para que o texto não diga ser ele descendente de Davi. Desse modo, ele aparece como descendente de *Secanias*, e não de Davi; mas essa maneira de explicar está sujeita a dúvidas sérias. Talvez por um deslize de organização de nomes, um não levita entrou neste versículo. Ver o paralelo em 1Esdras 8.29, que associa o homem com Secanias, e não com Davi. Outra solução que tem sido proposta para o problema é que o trecho de 1Cr 3.22 é defeituoso.

8.3-14

V3 מִבְּנֵי שְׁכַנְיָה ס מִבְּנֵי פַרְעֹשׁ זְכַרְיָה וְעִמּוֹ הִתְיַחֵשׂ לִזְכָרִים מֵאָה וַחֲמִשִּׁים: ס

V4 מִבְּנֵי פַּחַת מוֹאָב אֶלְיְהוֹעֵינַי בֶּן־זְרַחְיָה וְעִמּוֹ מָאתַיִם הַזְּכָרִים: ס

V5 מִבְּנֵי שְׁכַנְיָה בֶּן־יַחֲזִיאֵל וְעִמּוֹ שְׁלֹשׁ מֵאוֹת הַזְּכָרִים: ס

V6 וּמִבְּנֵי עָדִין עֶבֶד בֶּן־יוֹנָתָן וְעִמּוֹ חֲמִשִּׁים הַזְּכָרִים: ס

V7 וּמִבְּנֵי עֵילָם יְשַׁעְיָה בֶּן־עֲתַלְיָה וְעִמּוֹ שִׁבְעִים הַזְּכָרִים: ס

V8 וּמִבְּנֵי שְׁפַטְיָה זְבַדְיָה בֶּן־מִיכָאֵל וְעִמּוֹ שְׁמֹנִים הַזְּכָרִים: ס

V9 מִבְּנֵי יוֹאָב עֹבַדְיָה בֶּן־יְחִיאֵל וְעִמּוֹ מָאתַיִם וּשְׁמֹנָה עָשָׂר הַזְּכָרִים: ס

V10 וּמִבְּנֵי שְׁלוֹמִית בֶּן־יוֹסִפְיָה וְעִמּוֹ מֵאָה וְשִׁשִּׁים הַזְּכָרִים: ס

V11 וּמִבְּנֵי בֵבַי זְכַרְיָה בֶּן־בֵּבָי וְעִמּוֹ עֶשְׂרִים וּשְׁמֹנָה הַזְּכָרִים: ס

V12 וּמִבְּנֵי עַזְגָּד יוֹחָנָן בֶּן־הַקָּטָן וְעִמּוֹ מֵאָה וַעֲשָׂרָה הַזְּכָרִים: ס

V13 וּמִבְּנֵי אֲדֹנִיקָם אַחֲרֹנִים וְאֵלֶּה שְׁמוֹתָם אֱלִיפֶלֶט יְעִיאֵל וּשְׁמַעְיָה וְעִמָּהֶם שִׁשִּׁים הַזְּכָרִים: ס

V14 וּמִבְּנֵי בִגְוַי עוּתַי וְזַבּוּד וְעִמּוֹ שִׁבְעִים הַזְּכָרִים: פ

Dos filhos de... Os nomes dos versículos 3 a 14 são, principalmente, de *famílias leigas*. Muitos dos nomes dados aqui são encontrados também em Ed 2.3 ss. (uma passagem paralela a Ne 7.8 ss.), embora com alguma diferença na ordem de apresentação. Na discussão sobre o segundo capítulo de Esdras, demonstrei que as *três* listas, a de Esdras, a de Neemias e a de 1Esdras, contêm algumas discrepâncias, e não nos deve surpreender que esta lista (Ed 8) também tenha seus problemas. O cronista não estava interessado em exatidão absoluta, sendo provável que nem tivesse meios para produzir exatidão. Além disso, esse tipo de erros nada tem a ver com a fé religiosa, nem afeta qualquer sã teoria da inspiração das Escrituras. Ver no *Dicionário* o verbete chamado *Inspiração*. Ver também o artigo chamado *Escrituras*, seção II, quanto a ideias adicionais. Visto que várias décadas se tinham passado, temos de supor que a presente genealogia seja dos descendentes de alguns daqueles mencionados no capítulo segundo, e que os nomes não devem ser entendidos como, necessariamente, das mesmas pessoas. "A maioria das pessoas aqui listadas estava *relacionada* às famílias que tinham retornado previamente na companhia de Zorobabel (537 a.C.), 79 anos antes (capítulo segundo de Esdras). Muitos dos nomes de famílias que figuram em Ed 8.3-14 são mencionados em Ed 2.3-15" (John A. Martin, *in loc.*).

Do começo ao fim da lista, somente homens são listados, de modo que um total de 1.772 homens retornaram, mas é provável que o número de pessoas que retornaram tenha sido entre quatro mil e cinco mil, se contarmos mulheres e crianças.

"Todos os nomes encontrados nos vss. 3-14 aparecem entre os treze primeiros nomes do segundo capítulo de Esdras, mas somente doze famílias são achadas aqui no capítulo oitavo. *Ará* e *Zacai*, surpreendentemente, estão ausentes. O número *doze*, presumivelmente, representaria as doze tribos dos hebreus. Quanto aos simbolismos que aparecem algures no livro de Esdras, ver os vss. 24 e 25" (Raymond A. Bowman, *in loc.*). Portanto, o *novo Israel*, embora não descendesse realmente das doze tribos de Israel, representava aquelas tribos. Um fragmento da tribo de Judá deu a Israel um novo começo. Havia *autoridade política* baseada em Zorobabel, descendente de Davi, o qual restaurou assim a dinastia davídica, embora fosse apenas um governador, e não um rei. E a *autoridade espiritual* foi restaurada na pessoa dos sacerdotes e levitas que retornaram do cativeiro, especialmente Esdras, o sacerdote-mestre.

O leitor que quiser entender os significados e os intuitos das genealogias dos capítulos segundo e oitavo do livro de Esdras deve ler a introdução ao segundo capítulo, e, de fato, os comentários das genealogias que dizem respeito ao capítulo oitavo. Ver sobre alguns problemas nas listas comentadas em Ed 2.3. Quanto aos sacerdotes que retornaram da Babilônia, ver Ed 2.36-39. Quanto aos levitas, ver Ed 2.40-42. Quanto a outras informações, ver os artigos no *Dicionário*, sobre os nomes individuais.

8.15

וָאֶקְבְּצֵם אֶל־הַנָּהָר הַבָּא אֶל־אַהֲוָא וַנַּחֲנֶה שָׁם יָמִים שְׁלֹשָׁה וָאָבִינָה בָעָם וּבַכֹּהֲנִים וּמִבְּנֵי לֵוִי לֹא־מָצָאתִי שָׁם:

Ajuntei-os perto do rio que corre para Aava. *A Ausência dos Levitas.* O primeiro grupo de judeus que retornaram tinha um bom número de levitas. Ver 2.40-42, mas Esdras ficou chocado ao verificar que não havia nenhum levita dessa classe ministerial entre os judeus que retornaram no segundo grupo. Naturalmente, havia os sacerdotes (vss. 2 e 3), e eles eram levitas, mas não havia nenhum dos ministros-servos, os levitas que não pertenciam à família de Arão. Para compensar a ausência dos levitas, Esdras enviou nove líderes e dois homens eruditos para obterem alguns levitas e servos do templo, da parte de Ido. Além disso, estando subordinados aos sacerdotes no culto divino, eles também tinham um importante ministério de ensino, e eram muito necessários para ajudar a Esdras a cumprir sua missão em Jerusalém. Ele estava ali a fim de "aplicar a lei". Esdras foi um legalista estrito, e queria transformar a totalidade do pequeno país em seguidores da legislação mosaica. Para tanto, ele precisava da ajuda dos *levitas*. Ver sobre eles no *Dicionário* quanto a informações detalhadas. E ver também o verbete denominado *Ensino*.

Rio. Talvez esse rio (canal) também fosse chamado Aava. Cf. Ed 8.21 e 31. Temos ali o "rio Aava". A localização desse rio ou canal, que pode ter sido um tributário do rio Eufrates, é atualmente desconhecida. Ver no *Dicionário* o verbete chamado *Aava*. Seja como for, antes de iniciar a viagem de 1.450 quilômetros de volta a Jerusalém, os judeus reuniram-se naquele lugar. Foi ali que Esdras detectou a ausência dos levitas e precisou fazer alguma coisa sobre a questão, o que os versículos seguintes descrevem.

Note aqui a primeira pessoa do singular, "eu". A seção de Ed 7.27—9.15 tem sido chamada de *memórias de Esdras*. O cronista incorporou esse material em seu livro. E também temos as *memórias de Neemias*, em Ne 1.1—7.5. Portanto, algo da composição de Esdras-Neemias (um único livro na Bíblia em hebraico) estava baseado em relatos de uma testemunha ocular, os próprios Esdras e Neemias.

■ 8.16

וָאֶשְׁלְחָה לֶאֱלִיעֶזֶר לַאֲרִיאֵל לִשְׁמַעְיָה וּלְאֶלְנָתָן
וּלְיָרִיב וּלְאֶלְנָתָן וּלְנָתָן וְלִזְכַרְיָה וְלִמְשֻׁלָּם רָאשִׁים
וּלְיוֹיָרִיב וּלְאֶלְנָתָן מְבִינִים׃

Enviei. Esdras selecionou nove líderes, além de dois homens de especial erudição (um total de onze homens), para garantirem levitas e servos do templo, que eram muito necessários para facilitar as coisas em Jerusalém. Ver artigos separados do *Dicionário* quanto ao pouco que se sabe sobre essas pessoas. Esdras disse aos mensageiros o que dizer, e foi *Ido* quem recebeu as instruções (vs. 17).

Que eram entendidos. Eles eram sacerdotes distinguidos, ou, pelo menos, homens importantes que vieram na segunda leva dos judeus que retornaram a Jerusalém, em quem Ed confiava que cumpririam suas incumbências, juntamente com os outros nove elementos. Nenhum desses homens é encontrado nas genealogias dadas nos versículos 3 a 14 (líderes, chefes de famílias). O texto massorético (hebraico), a Septuaginta e a Vulgata dão *onze* como o número total. Mas alguns manuscritos de 1Esdras dizem *dez*, e outros falam de apenas *sete* nomes. Ver no *Dicionário* o verbete chamado *Massora (Massorah); Texto Massorético*.

■ 8.17

וָאֲצַוֶּה אוֹתָם עַל־אִדּוֹ הָרֹאשׁ בְּכָסִפְיָא הַמָּקוֹם
וָאָשִׂימָה בְּפִיהֶם דְּבָרִים לְדַבֵּר אֶל־אִדּוֹ אָחִיו
הַנְּתִינִים בְּכָסִפְיָא הַמָּקוֹם לְהָבִיא־לָנוּ מְשָׁרְתִים
לְבֵית אֱלֹהֵינוּ׃

Enviei-os a Ido, chefe em Casifia. Ido foi o receptor da mensagem, pois era homem de confiança de Esdras, garantindo-lhe os levitas e os servos do templo para completar o grupo dos judeus que retornavam a Jerusalém. Ido provavelmente era um levita, e não um dos servos do templo (ou *netinim*). O original hebraico é aqui um tanto confuso, e poderia levar-nos a identificar Ido com os escravos de seus irmãos ou associados.

Irmãos. Essa palavra significa aqui aqueles com *interesses* mútuos, e não aqueles que tinham a mesma descendência racial. A maior parte (se não mesmo todos) dos servos do templo era composta de povos não hebreus. Quanto a detalhes sobre eles, ver o artigo no *Dicionário*. 1Esdras tem um texto que remove a confusão, separando Ido dos servos do templo. É altamente improvável que Esdras tivesse apelado para que um servo (um não hebreu) o ajudasse. Ver no *Dicionário* sobre *Ido*, ponto sexto, quanto a ideias adicionais. Provavelmente, ele era o chefe dos levitas de *Casifia*. Alguns creem que esse nome se refere a uma escola dos levitas, e não a uma cidade. O mais provável, porém, é que esteja em vista uma aldeia que tinha uma grande população judaica, onde haveria levitas em relativa abundância. Ver no *Dicionário* o verbete chamado *Casifia* quanto ao que se sabe e se tem conjecturado sobre esse lugar. Casifia, que não tem sido identificada com certeza, provavelmente não ficava muito longe de *Aava*, localidade essa também de posição incerta.

Os levitas ajudavam os sacerdotes nos sacrifícios, agiam como cantores e porteiros, e os servos do templo faziam o trabalho sujo, assistindo os levitas em suas tarefas. Ver 1Cr 23—26 quanto às famílias e às classificações existentes entre os levitas.

■ 8.18

וַיָּבִיאוּ לָנוּ כְּיַד־אֱלֹהֵינוּ הַטּוֹבָה עָלֵינוּ אִישׁ שֶׂכֶל
מִבְּנֵי מַחְלִי בֶּן־לֵוִי בֶּן־יִשְׂרָאֵל וְשֵׁרֵבְיָה וּבָנָיו וְאֶחָיו
שְׁמֹנָה עָשָׂר׃

Trouxeram-nos, segundo a boa mão de Deus sobre nós. *A Missão Foi Bem-sucedida.* Alguns levitas de renome foram descobertos e dispuseram-se a acompanhar a *segunda expedição*. A *Providência de Deus*, a *mão de Deus*, garantiu esse sucesso. Por *oito vezes*, em Edras-Neemias, temos a expressão "a mão de Deus"; Ed 7.6,9,28; 8.18,22,31; Ne 2.8,18. Aqui a mão de Deus é declarada "boa". Esdras realmente precisava dos levitas e servos do templo. Ele deu crédito à *Providência de Deus* (ver a respeito no *Dicionário*) quanto à presença deles. Todos os levitas mencionados eram da linhagem de *Merari*, filho de Levi (cf. 1Cr 6.47). Ver também Nm 4.29-33,42-45. Somente trinta e oito levitas foram arranjados, mas houve um bom número de *servos do templo* (cf. Ed 2.43, a saber, 220).

Ver os nomes próprios no *Dicionário* quanto ao que se sabe sobre os levitas que foram mencionados.

■ 8.19

וְאֶת־חֲשַׁבְיָה וְאִתּוֹ יְשַׁעְיָה מִבְּנֵי מְרָרִי אֶחָיו וּבְנֵיהֶם
עֶשְׂרִים׃ ס

E a Hasabias, e com ele Jesaías. *Duas famílias*, descendentes de Merari, foram providas para os viajantes: de *Serebias* (vs. 18) e de *Jesaías* (vs. 19). O número deles (vinte) foi desapontador, mas seria adequado. Serebias foi um levita mencionado também em Ne 8.7. Ele desempenhou um papel importante na história de Esdras (Ed 8.18,24; Ne 8.7; 9.4,5; 10.12 e 12.8,24). Jesaías era um dos filhos de Merari (1Cr 6.44,45). A linhagem secundária era de *Mali*, filho de Merari (vs. 18).

■ 8.20

וּמִן־הַנְּתִינִים שֶׁנָּתַן דָּוִיד וְהַשָּׂרִים לַעֲבֹדַת הַלְוִיִּם
נְתִינִים מָאתַיִם וְעֶשְׂרִים כֻּלָּם נִקְּבוּ בְשֵׁמוֹת׃

E dos servidores do templo... duzentos e vinte. Se não houve muitos levitas na segunda expedição, houve um bom número de servos do templo (*netinim*), a saber, 220. Esses fariam todo o trabalho árduo e sujo que os sacerdotes e levitas não fariam, para não diminuir a dignidade de suas funções. O profeta Baha-Ullah revelou algo importante quando disse: "Não obrigues outra pessoa a fazer um trabalho que tu mesmo não farias". Regras como essa são geralmente ignoradas em nossa sociedade. Por outra parte, "se *pagares* bem a outra pessoa para que faça um trabalho que não queres fazer, e essa outra pessoa regozijar-se diante do *dinheiro*, então estarás desculpado da regra e terás realizado um bom serviço. Mas se forçares um homem a fazer algo que não queres fazer, e lhe pagares *inadequadamente*, então te terás transformado em um mestre de escravos. E isso é claramente mau".

Todos eles mencionados nominalmente. Uma lista completa dos nomes dos servos do templo estava disponível, mas o cronista não se deu ao trabalho de mencioná-la. Nomes demais estavam envolvidos. Eles eram *conhecidos* e honrados por causa de seu trabalho. Sem dúvida, Ido tinha fornecido a lista para Esdras.

■ 8.21

וָאֶקְרָא שָׁם צוֹם עַל־הַנָּהָר אַהֲוָא לְהִתְעַנּוֹת לִפְנֵי
אֱלֹהֵינוּ לְבַקֵּשׁ מִמֶּנּוּ דֶּרֶךְ יְשָׁרָה לָנוּ וּלְטַפֵּנוּ
וּלְכָל־רְכוּשֵׁנוּ׃

Apregoei ali um jejum. Ver sobre esta última palavra no *Dicionário*. Esdras tinha resolvido fazer uma longa e perigosa viagem. A proteção divina era necessária. Assim, as orações eram reforçadas pelo *jejum* que falava em humildade e na necessidade de ajuda extra-humana. Dores e privações autoinfligidas tinham em mira influenciar o poder divino, por meio da piedade e da misericórdia, levando-O a atender o solicitador. Cf. 2Sm 12.16 ss. e Is 58.3.

Para lhe pedirmos jornada feliz. A principal petição era uma viagem segura, livre do ataque de poderes hostis, fossem esses soldados ou ladrões, ou seja, homens ímpios e desarrazoados de qualquer tipo (ver 2Ts 3.2). Além disso, haveria perigos durante a jornada, como acidentes e enfermidades que poderiam prejudicar a todos, mas especialmente às crianças. Alguns estudiosos pensam que a palavra "jornada", aqui usada, é metafórica, a "jornada da vida", tornando a oração de Esdras generalizada. O caminho do novo Israel seria abençoado por Deus, se tivesse de ser bem-sucedido, mas a outra ideia provavelmente é o que está em destaque aqui.

Para nossos filhos. O que mostra que famílias inteiras estavam de partida para Jerusalém, mulheres e crianças, perfazendo um grande grupo de quatro mil a cinco mil peregrinos. As crianças necessitariam de cuidados divinos especiais, como é sempre o caso.

Para tudo o que era nosso. Os judeus estavam viajando com muita bagagem, o que os ajudaria a estabelecer residência em Jerusalém. Também haveria os tesouros do templo quanto ao culto divino. Haveria grande perigo de saque.

É provável que eles tenham levado consigo animais domésticos, alguns para serem abatidos nos sacrifícios e outros para servirem de alimento e no trabalho. Isso representava "riquezas" que tinham que ser protegidas. O pequeno bando, mui provavelmente, também seguia armado, mas não seria capaz de resistir muito a um ataque. O livro de 1Esdras menciona *animais de porte*.

■ 8.22

כִּי בֹשְׁתִּי לִשְׁאוֹל מִן־הַמֶּלֶךְ חַיִל וּפָרָשִׁים לְעָזְרֵנוּ
מֵאוֹיֵב בַּדָּרֶךְ כִּי־אָמַרְנוּ לַמֶּלֶךְ לֵאמֹר יַד־אֱלֹהֵינוּ
עַל־כָּל־מְבַקְשָׁיו לְטוֹבָה וְעֻזּוֹ וְאַפּוֹ עַל כָּל־עֹזְבָיו׃

Porque tive vergonha de pedir ao rei, exército e cavaleiros para nos defenderem. *Esdras* tinha-se jactado tanto de que ele e seu povo contavam com a "proteção divina" que se envergonhou de pedir ao rei uma escolta militar, o que teria sido sábio, e, sem dúvida, concedido gratuitamente. Meus amigos, as pessoas que sempre dizem "o Senhor", "o Senhor", com frequência deixam entrever uma espiritualidade superficial. Os judeus tinham razão ao usarem raramente os nomes divinos, por motivo de respeito. Muitas pessoas fazem de Deus seu *bichinho de estimação*, ao qual apelam sempre que isso lhes apetece, para que atenda às suas menores necessidades. Algumas pessoas "usam sua fé religiosa na manga da camisa", conforme alguém já disse. Em outras palavras, vivem ansiosos por exibi-la. O próprio Esdras parece ter exagerado em sua fala *piedosa*. Em contraste com Esdras, Neemias aceitou prontamente uma escolta militar quando chegou a vez de voltar a Jerusalém (ver Ne 2.9).

Um Paralelo Histórico. Quando os primeiros peregrinos ingleses se dirigiram às terras que atualmente são os Estados Unidos da América, buscando liberdade da perseguição religiosa e uma nova maneira de viver, a jornada foi preparada tal como no texto à nossa frente, pela oração e pelo jejum, e a presente passagem foi lida — dando-lhes um paralelo histórico. Corria o ano de 1620. Eles estavam seguindo para uma "costa dura e cheia de pedras" (Felicia Dorothea Hemans, "The Landing of Pilgrim Fathers"), que eu e minha família visitamos alguns anos atrás. De fato, ainda tenho um pequeno seixo que juntei no próprio lugar onde eles desembarcaram, a saber, o porto de Plymouth Rock. Metade do grupo que viajou no veleiro Mayflower pereceu devido ao severo inverno que tiveram de enfrentar, porquanto, infelizmente, chegaram na época errada do ano. Assim nasceram os Estados Unidos da América. A viagem foi bem-sucedida. Assim também nasceu o novo Israel. A viagem de Esdras e de seus companheiros foi bem-sucedida.

■ 8.23

וַנָּצוּמָה וַנְּבַקְשָׁה מֵאֱלֹהֵינוּ עַל־זֹאת וַיֵּעָתֵר לָנוּ׃

Nós, pois, jejuamos, e pedimos isto. A essência do versículo anterior é repetida aqui, para efeito de ênfase. O cronista nos fala sobre a sinceridade do jejum e das orações. Algumas vezes, precisamos de ajuda que ultrapassa nossa sabedoria e experiência. A petição deles foi aceita por Yahweh, assim também tiveram uma viagem segura. O propósito deles foi honrado, e foram capacitados a cumpri-lo.

■ 8.24

וָאַבְדִּילָה מִשָּׂרֵי הַכֹּהֲנִים שְׁנֵים עָשָׂר לְשֵׁרֵבְיָה
חֲשַׁבְיָה וְעִמָּהֶם מֵאֲחֵיהֶם עֲשָׂרָה׃

Então separei doze dos principais. *Os Doze Representantes.* Cf. o vs. 2. Esses homens, que mereciam toda a confiança, receberam os principais valores que levaram na viagem. A tarefa deles era cuidar para que cada peça do *tesouro* chegasse a Jerusalém. Aqueles homens foram *separados* para sua tarefa especial. *Doze*, muito provavelmente, representavam as doze tribos de Israel, embora, de fato, essas tribos não existissem mais. Não obstante, o novo Israel estava substituindo o antigo Israel, e era, simbolicamente (embora não como uma realidade), o país das doze tribos. Ver no *Dicionário* o verbete denominado *Número (Numeral, Numerologia)*, quanto à importância e aos simbolismos dos números na Bíblia e em outros lugares.

Serebias, Hasabias. Estes dois judeus não eram sacerdotes, conforme aprendemos nos vss. 18 e 19, mas líderes dos levitas recém-adquiridos por Esdras (vss. 18 e 19). Josefo (*Antiq*. XI.5.2) identificou-os como "tesoureiros que eram de descendência sacerdotal".

Seus irmãos. Isto é, companheiros levitas. Devemos distinguir Serebias e Hasabias dos *sacerdotes* previamente mencionados. "Os sacerdotes e..." que é como lemos em 1Esdras.

Os Números. Havia *doze* sacerdotes (não mencionados por seus nomes), e também *Serebias* e *Hasabias*, e mais dez levitas. Isso compunha um número total de 24 homens, que foram encarregados de tomar conta dos tesouros. Doze homens eram sacerdotes; doze homens eram levitas (não descendentes de Arão).

■ 8.25

וָאֶשְׁקֳלָה לָהֶם אֶת־הַכֶּסֶף וְאֶת־הַזָּהָב וְאֶת־הַכֵּלִים
תְּרוּמַת בֵּית־אֱלֹהֵינוּ הַהֵרִימוּ הַמֶּלֶךְ וְיֹעֲצָיו וְשָׂרָיו
וְכָל־יִשְׂרָאֵל הַנִּמְצָאִים׃

Pesei-lhes a prata e o ouro e os utensílios que eram a contribuição. *Houve Vários Contribuintes.* O rei da Pérsia e seus conselheiros, seus príncipes e todo o Israel haviam contribuído generosamente para tornar possível a viagem, e para que o culto divino em Jerusalém tivesse livre curso. Ver Ed 7.15,16. Os persas tinham dado livremente, porque o coração deles também estava envolvido na questão. A palavra "príncipes" é aqui adicionada, a qual 1Esdras e Josefo deixaram de fora. Parte do tesouro era composta de metais preciosos não transformados em objetos, provavelmente sob a forma de barras e lingotes, e seus pesos foram determinados (vs. 26). Além disso, havia os vasos, objetos que tinham sido manufaturados com metais preciosos. Alguns desses vasos deveriam ser usados no culto do templo, mas outros eram apenas objetos valiosos que aumentavam o poder monetário do templo e dos judeus. Os versículos ensinam-nos a *necessidade de dinheiro* no caso de qualquer projeto digno, bem como a necessidade de presentes voluntários. Isso supõe que os doadores têm um *coração inclinado* a dar.

> *Deus pode fazer-vos abundar em toda graça, a fim de que, tendo sempre, em tudo, ampla suficiência, superabundeis em toda boa obra.*
>
> 2Coríntios 9.8

Ver no *Dicionário* o verbete intitulado *Liberalidade e Generosidade*.

■ 8.26

וָאֶשְׁקֲלָה עַל־יָדָם כֶּסֶף כִּכָּרִים שֵׁשׁ־מֵאוֹת וַחֲמִשִּׁים
וּכְלֵי־כֶסֶף מֵאָה לְכִכָּרִים זָהָב מֵאָה כִכָּר׃

Entreguei-lhes nas mãos seiscentos e cinquenta talentos de prata. *Os Pesos Envolvidos.* Havia 650 talentos de prata, ou seja, cerca de 19.500 quilogramas. Esse peso era de metal não trabalhado. Também havia objetos de prata, no peso de cem talentos, ou seja, cerca de três toneladas. Naturalmente, o *talento* variava de peso de cultura para cultura e de tempos em tempos. O talento babilônico parece ter pesado cerca de trinta quilogramas. Ver no *Dicionário* o verbete intitulado *Pesos e Medidas*, sobretudo IV.a.

Em *ouro*, havia cem talentos, cerca de três toneladas. Os críticos supõem que esses valores tenham sido *ideais* (e não literais), pois ilustrariam a generosidade dos doadores. Por outra parte, os persas eram ricos e poderosos, e não sentiriam falta dessa quantia de dinheiro.

Qual dentre vós é o homem que, se seu filho lhe pedir pão, lhe dará uma pedra?

Mateus 7.9

Esdras era um homem de oração e pediria que Yahweh abençoasse o seu projeto. Portanto, sendo ele um *filho de Deus*, obteve o que tinha pedido. Tudo quanto temos de fazer é pedir.

■ 8.27

וְכִפֹרֵי זָהָב עֶשְׂרִים לַאֲדַרְכֹנִים אֶלֶף וּכְלֵי נְחֹשֶׁת מֻצְהָב טוֹבָה שְׁנַיִם חֲמוּדֹת כַּזָּהָב׃

Vinte taças de ouro de mil dracmas. Além dos pesos maciços descritos no versículo anterior, havia *vinte* valiosas taças de ouro, no valor de mil dracmas, e dois vasos de bronze trabalhado de forma excelente, *lustroso e fino*, tão valioso como o ouro. Não sabemos como calcular, nos tempos modernos, a *dracma*, e qualquer conjectura é inútil. A dracma era uma moeda. Aquelas que se acham atualmente no Museu Britânico pesam 128,4 grãos, e alguns estudiosos calculam seu valor em cerca de US$5. Ver no *Dicionário* o artigo chamado *Dinheiro*. A *dracma* derivava seu nome de *Dario*, o imperador persa. Essa moeda pesava cerca de 130 gramas. Ver a seção II do artigo mencionado.

■ 8.28

וָאֹמְרָה אֲלֵהֶם אַתֶּם קֹדֶשׁ לַיהוָה וְהַכֵּלִים קֹדֶשׁ וְהַכֶּסֶף וְהַזָּהָב נְדָבָה לַיהוָה אֱלֹהֵי אֲבֹתֵיכֶם׃

Disse-lhes: Vós sois santos ao Senhor, e santos são estes objetos. Tanto os valores como os recebedores dos presentes (os seus guardadores) eram *santos*, isto é, separados e dedicados a Yahweh e a seu culto. Aqueles homens tinham uma incumbência sagrada. Eles estariam conscientes sobre a questão.

"Um versículo extraordinário em todos os aspectos. Os tesouros eram consagrados, e foram entregues a mãos consagradas. Uma boa custódia deveria ser dada a eles, até serem entregues aos tesoureiros do templo" (Ellicott, *in loc.*).

■ 8.29

שִׁקְדוּ וְשִׁמְרוּ עַד־תִּשְׁקְלוּ לִפְנֵי שָׂרֵי הַכֹּהֲנִים וְהַלְוִיִּם וְשָׂרֵי־הָאָבוֹת לְיִשְׂרָאֵל בִּירוּשָׁלִָם הַלְּשָׁכוֹת בֵּית יְהוָה׃

Vigiai-os e guardai-os até que os peseis na presença dos principais sacerdotes. Os guardiães dos objetos sagrados teriam de *prestar contas* deles. Nenhum homem ousaria ocultar um vaso de prata entre a sua bagagem! Os oficiais judeus, em Jerusalém, verificariam a questão toda. E os tesouros seriam seguramente depositados na tesouraria do templo.

A Lição Espiritual. A própria vida é um *depósito sagrado*, e somos responsáveis pela maneira como usamos os nossos talentos. Ver a parábola dos talentos, em Mt 25.14 ss. Algum dia teremos de comparecer diante das autoridades espirituais apropriadas para prestar contas sobre como usamos nossos dons, até que ponto cumprimos a nossa missão, e até que ponto fomos negligentes e falhamos. Pensamento solene! Ver na *Enciclopédia de Bíblia, Teologia e Filosofia* o verbete intitulado *Galardão*. Ver também, no *Dicionário*, o artigo chamado *Julgamento do Crente por Deus*.

> Devo partir de mãos vazias,
> Para encontrar assim meu Redentor?
> Sem dar-lhe um dia sequer de serviço,
> Sem depositar um só troféu a seus pés?

C. C. Luther

"Não é um tolo aquele que dá aquilo que não pode reter, a fim de ganhar aquilo que não pode perder" (James Elliott, missionário evangélico martirizado por índios do Equador).

"Somente pessoas santas deveriam manusear coisas santas" (*Oxford Annotated Bible*, comentando sobre o vs. 28).

■ 8.30

וְקִבְּלוּ הַכֹּהֲנִים וְהַלְוִיִּם מִשְׁקַל הַכֶּסֶף וְהַזָּהָב וְהַכֵּלִים לְהָבִיא לִירוּשָׁלִַם לְבֵית אֱלֹהֵינוּ׃ פ

Então receberam os sacerdotes e os levitas. Os *24 homens* (vs. 24), doze sacerdotes e doze levitas, tendo recebido os objetos, deram finalmente conta de sua missão sagrada. O templo, a casa de Elohim, era o alvo deles, e ali ouviram o "muito bem, servos fiéis" (ver Mt 25.21 e 23). O templo celestial é o alvo de todos. O "muito bem" é a recompensa potencial de todos os crentes.

PARTIDA E CHEGADA DO SEGUNDO GRUPO DE JUDEUS (8.31-36)

O trecho paralelo é 1Esdras 8.61-64.

■ 8.31

וַנִּסְעָה מִנְּהַר אַהֲוָא בִּשְׁנֵים עָשָׂר לַחֹדֶשׁ הָרִאשׁוֹן לָלֶכֶת יְרוּשָׁלִָם וְיַד־אֱלֹהֵינוּ הָיְתָה עָלֵינוּ וַיַּצִּילֵנוּ מִכַּף אוֹיֵב וְאוֹרֵב עַל־הַדָּרֶךְ׃

Partimos do rio Aava, no dia doze do primeiro mês. "O primeiro estágio da viagem para Jerusalém começou no primeiro dia do primeiro mês (Ed 7.9), no sétimo ano do governo de Artaxerxes (Ed 7.7,8). Mas Josefo, tendo baseado sua narrativa em 1Esdras 8.6 (= Esdras 7.8), erroneamente iniciou a viagem durante o sétimo ano de Xerxes (479 a.C.), o que é cedo demais. A demora em Aava (Ed 8.15 ss.) tomou algum tempo, mas, depois que foram conseguidos os servos do templo e que a caravana foi organizada, a partida ocorreu no décimo segundo dia do primeiro mês (16 de abril de 398 a.C.)" (Raymond A. Bowman, *in loc.*).

A viagem levou quatro meses, culminando em Jerusalém no primeiro dia do quinto mês (Ed 7.9), a saber, a 31 de julho de 398 a.C. Isso incluiu demoras na Síria, para depois os viajantes rumarem para o sul, em direção a Jerusalém. Estrabão, em sua obra *Geografia* XVI.1.8,26,27, ofereceu-nos uma descrição da mesma rota que os hebreus usaram nessa jornada. Ele diz que essa viagem tomava 25 dias, desde os vaus do rio Eufrates (localizados em Antemusia), até Scenae (= Aava), se um homem viajasse de camelo. Esdras, com toda a bagagem, mulheres, crianças e animais domesticados, naturalmente precisou de algum tempo mais do que esses 25 dias. As caravanas de mercadores, com seus camelos, viajavam de primeira classe. Esdras viajou, definitivamente, na classe econômica.

Esdras e seus companheiros de viagem oraram e jejuaram, pedindo segurança (vss. 22 e 23 deste capítulo), e Elohim concedeu-lhes o que tinham pedido. A mão de Deus estivera sobre eles, ou seja, sua proteção e orientação. Essa expressão é usada por oito vezes na unidade literária de Esdras-Neemias. Ver Ed 7.6,9,28; 8.18,22,31; Ne 2.8,18.

A distância total era de cerca de 1.450 quilômetros. O acampamento deles, em Aava (Ed 8.15), onde permaneceram por três dias, ficava a talvez 160-210 quilômetros de Babilônia, ou seja, nove dias de viagem daquela cidade. Praticamente nada foi relatado sobre a viagem, parcialmente porque nada de especial interesse aconteceu então. Os saqueadores não tornaram a vida deles miserável. Ninguém adoeceu; ninguém morreu; ninguém voltou para a Babilônia. Eles gozaram de "misericórdias divinas na viagem", conforme as pessoas costumam dizer de uma viagem sem incidentes. A mão de Elohim estava sobre eles.

■ 8.32,33

וַנָּבוֹא יְרוּשָׁלִָם וַנֵּשֶׁב שָׁם יָמִים שְׁלֹשָׁה׃
וּבַיּוֹם הָרְבִיעִי נִשְׁקַל הַכֶּסֶף וְהַזָּהָב וְהַכֵּלִים בְּבֵית אֱלֹהֵינוּ עַל יַד־מְרֵמוֹת בֶּן־אוּרִיָּה הַכֹּהֵן וְעִמּוֹ אֶלְעָזָר בֶּן־פִּינְחָס וְעִמָּהֶם יוֹזָבָד בֶּן־יֵשׁוּעַ וְנוֹעַדְיָה בֶן־בִּנּוּי הַלְוִיִּם׃

Chegamos a Jerusalém. *Tendo chegado na capital da província de Judá*, os viajantes descansaram por *três dias*, pondo as coisas em ordem, arranjando lugares onde permanecer, se isso fosse possível. No *quarto dia* (vs. 33), a bagagem preciosa (vss. 25-27) foi seguramente entregue às autoridades constituídas de Jerusalém. Essa missão aconteceu honesta e seguramente.

O filho de Urias, um sacerdote, chamado Meremote (ver no *Dicionário*), recebeu a incumbência de pesar todas as coisas preciosas que tinham sido trazidas. Eleazar, descendente de Fineias, ajudou-o na tarefa. Meremote é mencionado como quem viera da Babilônia em uma ocasião anterior (Ed 2.61). Ele pertencia à família de Cós, mas não fora capaz de autenticar seus direitos como sacerdote (Ed 2.61,62). Em Ne 3.4,21, ele é mencionado sem um título sacerdotal, mas no presente versículo aparece como filho de Urias, um sacerdote. Presumivelmente conseguiu provar seu ofício mediante alguma espécie de investigação, que ele ou outros fizeram (ver Ed 2.63).

Talvez *Eleazar* deva ser identificado com o homem do mesmo nome (ver Ed 10.18) que se havia casado com uma esposa estrangeira. Houve testemunhas da contagem dos tesouros, a saber, Jozabade e Noadias, de forma que toda a verificação dos valores foi feita com o máximo cuidado. Ver Ne 3.4,21,24 quanto a uma repetição dos nomes dos oficiais do templo.

■ 8.34

בְּמִסְפָּר בְּמִשְׁקָל לַכֹּל וַיִּכָּתֵב כָּל־הַמִּשְׁקָל בָּעֵת הַהִיא: פ

Tudo foi contado e pesado. Um *documento escrito* foi providenciado na ocasião, dando todos os detalhes dos tesouros enviados. Portanto, seria fácil averiguar cada item, determinar seu peso e demonstrar, de modo absoluto, que aqueles que tinham recebido a incumbência de trazer os artigos preciosos para Jerusalém haviam sido honestos em seu trabalho. Não houve falta de nenhuma peça. Tudo chegou conforme era esperado, pois "a mão de Elohim estava sobre eles" (ver o vs. 31). Esse documento foi então guardado para referências futuras, caso houvesse alguma dúvida sobre a questão. Presumivelmente, antes de esse documento ser preparado, já havia outro, trazido pelos viajantes, a fim de que fosse feita a verificação de cada item. Então um *documento oficial*, preparado por algum oficial do templo, foi guardado para referência futura.

■ 8.35

הַבָּאִים מֵהַשְּׁבִי בְנֵי־הַגּוֹלָה הִקְרִיבוּ עֹלוֹת לֵאלֹהֵי יִשְׂרָאֵל פָּרִים שְׁנֵים־עָשָׂר עַל־כָּל־יִשְׂרָאֵל אֵילִים תִּשְׁעִים וְשִׁשָּׁה כְּבָשִׂים שִׁבְעִים וְשִׁבְעָה צְפִירֵי חַטָּאת שְׁנֵים עָשָׂר הַכֹּל עוֹלָה לַיהוָה: פ

Os exilados que vieram do cativeiro. *A comemoração pelas vitórias* exigiu sacrifícios que foram: um sacrifício como expiação pelo pecado, que constou de doze novilhos, 96 carneiros, 77 cordeiros e doze bodes. Eram tempos de regozijo e ação de graças. Cf. este versículo com Ed 7.17, onde listei os tipos de sacrifícios que foram realizados. O rei persa tinha antecipado a forma pela qual os judeus celebrariam com sacrifícios e oferendas, provendo material suficiente para essa atividade. A primeira coisa que fizeram os primeiros judeus a retornar a Jerusalém (aqueles que tinham vindo com Zorobabel) foi levantar um altar e realizar sacrifícios, tanto como celebração pelo retorno quanto como um prelúdio do restabelecimento do culto de Yahweh no segundo templo. Quanto a essa questão, ver Ed 3.3 ss. De fato, os *sacrifícios* faziam parte do âmago do judaísmo, e isso foi substituído no cristianismo pelo sacrifício de Cristo na cruz do Calvário (Hb 10). A morte de Cristo proveu um acesso superior, que os sacrifícios levíticos apenas simbolizavam. Cf. também Ed 6.17, que fala da dedicação do segundo templo. Os mesmos *quatro* tipos de sacrifícios foram feitos: novilhos (ao que tudo indica, cada qual representando uma das doze tribos de Israel); carneiros; cordeiros e bodes. Esse episódio de sacrifícios, entretanto, envolveu menos animais do que por ocasião da dedicação. Ver as notas naquele lugar, que também se aplicam aqui. Os números foram: cem novilhos, duzentos carneiros, quatrocentos cordeiros e doze bodes. Aqui os números são doze, 96, 77, e doze, respectivamente. Mas coisa alguma pode ser comparada aos sacrifícios oferecidos por Salomão na dedicação do primeiro templo: 22 mil novilhos; 120 mil carneiros; vinte mil ovelhas! Ver 1Rs 8.63. Nas referências dadas, ofereci detalhes sobre os sacrifícios, sobre os participantes e sobre os significados, o que não reitero aqui.

■ 8.36

וַיִּתְּנוּ אֶת־דָּתֵי הַמֶּלֶךְ לַאֲחַשְׁדַּרְפְּנֵי הַמֶּלֶךְ וּפַחֲווֹת עֵבֶר הַנָּהָר וְנִשְּׂאוּ אֶת־הָעָם וְאֶת־בֵּית־הָאֱלֹהִים: ס

Então deram as ordens do rei. Esdras teve o cuidado de entregar a todos os delegados do rei, na província à qual Judá pertencia, a carta-decreto que havia sido formulada (ver Ed 7.1 ss.). Esses delegados (príncipes, governadores, sátrapas e inspetores) ficaram tão entusiasmados com o que leram e viam acontecendo em Jerusalém, que toda a oposição contra os judeus desapareceu como por encanto, e eles deram generosos presentes ao templo e ao Novo Estado de Israel.

Deste lado do Eufrates. Ou seja, ao sul e a oeste do rio Eufrates, o modo comum de identificar a província da qual Judá fazia parte. Cf. Ed 4.10,11; 5.3,6; 6.13; 8.36; Ne 3.7; 4.18. Está em pauta a região siro-palestina, ou seja, a satrapia da Babilônia-Traneufrateana.

Estes ajudaram o povo. Os oficiais persas ajudaram o novo Israel. "Ajudaram" é tradução de um verbo que significa "levantar", "carregar". Eles lhes deram o *apoio* necessário em todos os seus empreendimentos. Josefo (*Antiq*. XI.5.2) comentou favoravelmente a respeito dessa ajuda, mas supõe que os ajudadores tenham sido compelidos pelas ordens de Artaxerxes. O cronista, entretanto, não fez sequer uma única nota azeda sobre a questão. Seja como for, o fato é que tanto o templo como os habitantes de Jerusalém receberam ajuda.

O *cronista* estava convencido de que Israel e Judá tinha sido restaurado em seu minúsculo fragmento de uma única tribo, Judá. Os cativeiros assírio e babilônico (ver a respeito no *Dicionário*) quase puseram fim nos israelitas judeus. Note como o vs. 35 tem os *doze* novilhos que foram sacrificados, provavelmente tipificando as doze tribos de Israel, agora representadas pelo minúsculo fragmento de Judá. A *autoridade política* dependia de Zorobabel, descendente de Davi, que se tornou governador do minúsculo Estado judeu. E a *autoridade espiritual* era exercida pelos sacerdotes e levitas. Nada mais era necessário, embora muito mais fosse desejável.

Uma Curiosa Anotação. O comentário de Adam Clarke, algumas vezes, assemelha-se a uma antiga loja de curiosidades, com itens estranhos, alguns dos quais precisaram de muita pesquisa para serem escritos, aparecendo aqui e acolá entre bons comentários, devo acrescentar. No versículo 36 ele informa aos seus leitores que ele fora capaz de preparar um tratado sobre as etimologias dos vocábulos persas empregados no livro, mas resolveu não apresentá-lo porque "...provavelmente, depois de minha labuta, poucos de meus leitores agradeceriam por meus esforços". Depois de meus trabalhos por quase trinta anos, tenho recebido muita crítica e muito louvor: crítica por crenças que diferem da corrente principal; louvor porque muita informação tem sido conferida a meus leitores. "Lamentações? — tenho apenas algumas, mas na verdade, poucas demais para serem mencionadas".

CAPÍTULO NOVE

DIVÓRCIO FORÇADO DAS ESPOSAS ESTRANGEIRAS: A PURIFICAÇÃO (9.1—10.44)

O *separatismo* na sociedade israelita judaica corria segundo linhas tanto doutrinárias quanto raciais. Israel deveria ser um povo distintivo, e isso por meio da legislação mosaica (ver Dt 4.4-8). Salomão provocou sua queda no pecado devido aos seus muitos casamentos com mulheres pagãs (ver 1Rs 11). Naturalmente, havia aquela provisão mediante a qual uma esposa estrangeira (não descendente de Abraão através de Jacó) poderia converter-se à fé dos hebreus, e isso a tornaria uma mulher hebreia. Devemos lembrar, além disso, que Israel matava constantemente homens em suas expedições militares, e levava as mulheres estrangeiras para aumentar seus haréns.

Presumivelmente, essas mulheres também eram forçadas a tornar-se hebreias, mediante a fé. Mas Esdras era um sacerdote *purista*, um separatista *radical*. Ele não ordenou aos judeus que se tinham casado com mulheres estrangeiras que as encorajassem a tornar-se hebreias por meio da fé (o que seria aceitável diante da legislação mosaica). Ele simplesmente ordenou maciços divórcios. Ele queria estar livre da influência pagã e de laços raciais. Ele queria que Israel tivesse um *novo* e *puro* começo. Naturalmente, muitos, se não mesmo a maioria dos judeus, vinham de pais racialmente misturados. Poucas famílias não se tinham misturado por casamento com estrangeiros. Assim também, hoje em dia, haverá algum judeu que não se tenha misturado com outras culturas e grupos étnicos? Uma única fé continua unindo os *judeus*, mas que eles são racialmente misturados, isso são. Esdras, entretanto, não queria ter nada a ver com esse tipo de judaísmo. Pelo menos, queria reduzir esse risco a um mínimo.

O exílio babilônico tornou a *contaminação* um caso de grande envergadura. Esdras estava à procura de uma *raça santa*, judeus que o fossem tanto por questão de *raça* como por questão de fé hebraica. O primeiro versículo deste capítulo alerta-nos para o fato de que os próprios levitas estavam corrompendo-se com as *abominações* (idolatria, especificamente) dos pagãos. No paganismo havia grande variedade, pois cada cultura contribuía com seu conjunto próprio de corrupções, incorporando as corrupções de outros povos. O cronista, isso posto, listou os "ofensores estrangeiros" no primeiro versículo do capítulo. Zorobabel tinha rejeitado a ajuda dos samaritanos, na construção do templo, por causa de sua contaminação espiritual. Ver Ed 4.3. Esdras, entretanto, levou a questão um passo adiante. Ele forçaria os judeus a divorciar-se de suas mulheres estrangeiras, a fim de que Judá fosse limpo pelo lado de dentro.

O sexto versículo deste capítulo mostra a extensão em que os judeus se tinham poluído. Imundícia e abominações abundavam na Terra Prometida, e Esdras estava envergonhado diante da situação. E os casamentos mistos não constituíam o único problema. Assim sendo, em lugar de tentar *reparar a massa*, fazendo as mulheres converter-se à fé dos hebreus, Esdras aplicou uma operação radical para livrar-se do câncer social, e forçou divórcios. Como é natural, isso deixou muitos lares desmanchados. Ed 10.44 foi vazado em um hebraico obscuro, e não nos diz, com certeza, o que aconteceu às crianças. Mas os trechos paralelos de 1Esdras e Neemias deixam claro que os filhos foram mandados embora com suas mães. Ver as notas em Ed 10.44 quanto aos detalhes.

Casamentos Mistos. Ver no *Dicionário* o artigo chamado *Matrimônio*, em sua seção IX. Quanto ao tratamento que Paulo deu à questão (crentes casando-se com não crentes), ver a *Enciclopédia de Bíblia, Teologia e Filosofia* em seu artigo chamado *Casamento Misto*.

■ 9.1

וּכְכַלּוֹת אֵלֶּה נִגְּשׁוּ אֵלַי הַשָּׂרִים לֵאמֹר לֹא־נִבְדְּלוּ
הָעָם יִשְׂרָאֵל וְהַכֹּהֲנִים וְהַלְוִיִּם מֵעַמֵּי הָאֲרָצוֹת
כְּתוֹעֲבֹתֵיהֶם לַכְּנַעֲנִי הַחִתִּי הַפְּרִזִּי הַיְבוּסִי הָעַמֹּנִי
הַמֹּאָבִי הַמִּצְרִי וְהָאֱמֹרִי׃

Acabadas, pois, estas cousas. Ou seja, os eventos do oitavo capítulo de Esdras — a chegada, em segurança, do segundo grupo de judeus que retornava do cativeiro babilônico (cf. Ed 7.8,9). Mas Josefo fala em "algum tempo depois", ou seja, cinco meses (14 de dezembro de 398 a.C.). Se essa é a cronologia correta, então devemos inserir aqui, entre os capítulos 8 e 9 de Esdras, os eventos narrados em Ne 7.70-8.18. E, nesse caso, "estas coisas" fariam referência à aceitação da lei pelo povo e à celebração da festa dos tabernáculos (ver Ne 8.1-18). Quanto a notas expositivas sobre as perturbações cronológicas na unidade Esdras-Neemias, e uma sugerida reconstituição de eventos, ver as notas de introdução antes da exposição de Ed 1.1, em seu oitavo parágrafo.

O Mau Relatório. Tudo estava correndo tão bem; mas então a cabeça feia da idolatria e do paganismo surgiu de novo. O relatório que Esdras recebeu dizia que até sacerdotes e levitas estavam envolvidos, e não somente o povo comum. O cronista alistou várias nações pagãs que sempre exerceram má influência sobre Israel. Isso não quer dizer que todos aqueles povos, naquela época, estavam envolvidos no assédio espiritual contra o povo de Israel. Antes, esses eram os inimigos espirituais padronizados. Ver os artigos sobre cada um deles no *Dicionário*. Ver também o verbete chamado *Idolatria*. A idolatria era a fonte principal de corrupção, porquanto trazia consigo as atitudes e os atos básicos dos povos pagãos. Em lugar dos amorreus, 1Esdras lista os *edomitas*. É provável que essa lista de povos tenha sido tomada por empréstimo, pelo cronista, do capítulo 7 do livro de Deuteronômio (especialmente os vss. 1 e 3,4), o que foi uma advertência a Israel contra o que estava acontecendo nos tempos de Esdras. Sete povos estavam envolvidos na lista do livro de Deuteronômio, a qual foi levemente expandida pelo cronista.

■ 9.2

כִּי־נָשְׂאוּ מִבְּנֹתֵיהֶם לָהֶם וְלִבְנֵיהֶם וְהִתְעָרְבוּ זֶרַע
הַקֹּדֶשׁ בְּעַמֵּי הָאֲרָצוֹת וְיַד הַשָּׂרִים וְהַסְּגָנִים הָיְתָה
בַּמַּעַל הַזֶּה רִאשׁוֹנָה׃ ס

Pois tomaram das suas filhas para si e para seus filhos. Os *casamentos mistos* com os povos que habitavam a Terra Prometida eram a *principal causa* das dificuldades. Esposas pagãs corrompiam a *raça santa* e levavam o povo a toda espécie de *práticas detestáveis* (ver Ed 9.11,14). Cf. o caso mais notório de todos, pertencente a esse tipo de coisas, o caso de Salomão (ver 1Rs 10). Ver sobre *casamentos mistos* no artigo intitulado *Matrimônio*, em sua seção IX. O próprio Moisés teve uma esposa egípcia, Zípora, e mulheres pagãs chegaram a entrar na linhagem do Messias, especificamente Raabe e Rute. Uma mulher estrangeira que se convertesse à fé dos hebreus tornava-se uma hebreia, de maneira que, se a lei mosaica proibia casamentos mistos, havia sempre essa válvula de escape. Mas Esdras não estava interessado em converter uma massa de mulheres pagãs; ele meramente queria extirpar o câncer, e uma operação radical exigia divórcios em massa. E foi isso, precisamente, o que aconteceu. Ver a introdução a este nono capítulo quanto a detalhes e discussões sobre o problema.

A linhagem santa. Cf. Êx 19.6 e Is 6.13. Ver o caráter *distintivo* do povo de Israel, em Dt 4.4-8. A legislação mosaica era a base dessa distinção, e essa lei requeria que os casamentos se fizessem entre hebreus e hebreus. Ver Dt 7.1,3. Cf. Ml 2.13-15.

Foram os primeiros nesta transgressão. A Septuaginta diz aqui "quebra do pacto", pois o pacto mosaico (anotado na introdução ao capítulo 19 do livro de Êxodo) fora desobedecido por meio desse e de outros pecados. Cf. 1Cr 9.1; 10.13; 2Cr 28.19; 29.19; 33.19 e 36.14.

■ 9.3

וּכְשָׁמְעִי אֶת־הַדָּבָר הַזֶּה קָרַעְתִּי אֶת־בִּגְדִי וּמְעִילִי
וָאֶמְרְטָה מִשְּׂעַר רֹאשִׁי וּזְקָנִי וָאֵשְׁבָה מְשׁוֹמֵם׃

Rasguei as minhas vestes e o meu manto. Um ato que expressava profunda consternação, e que anotei detalhadamente no artigo do *Dicionário* intitulado *Vestimentas, Rasgar das*. Mas Esdras chegou ao extremo de arrancar alguns de seus cabelos, tanto da cabeça como da barba! Então, com sua cabeça e seu rosto doendo, e sua túnica e seu manto rasgados, ele se sentou, *perplexo* diante do que estava acontecendo. Foi assim que o cronista retratou um vívido quadro de profundo desgosto e espanto, que abalara o piedoso sacerdote, Esdras, o qual não podia compreender esses lapsos de espiritualidade. Cf. Is 15.2.

Virgílio tem um episódio similar (*Aeneid*. 12), que fala em arrancar os cabelos por motivo de consternação. Rapar os cabelos da cabeça também era um sinal de consternação, mas a lei de Moisés não permitia tal coisa (ver Lv 19.27). Quanto ao arrancar dos cabelos, ver também Am 8.10; Jr 16.6; Ez 7.18 e Jó. 1.20. Isso era feito em lugar de rapar os fios de cabelos, pois, conforme já dissemos, a lei mosaica não permitia esse ato aos judeus. O ato servia de sinal comum de lamentação e tristeza, em tempos de aflição. Josefo (*Antiq*. XI.5.3) supunha que esse aspecto da tristeza de Esdras se deveu à sua antecipação de que Judá não ouviria os apelos tendentes à reforma, fazendo-o permanecer em seu deplorável estado social. Em outras palavras, ele estava preocupado com o dia de amanhã, e não apenas com o dia de hoje.

9.4

וְאֵלַ֣י יֵאָסְפ֗וּ כֹּ֤ל חָרֵד֙ בְּדִבְרֵ֣י אֱלֹהֵֽי־יִשְׂרָאֵ֔ל עַ֖ל מַ֣עַל הַגּוֹלָ֑ה וַאֲנִי֙ יֹשֵׁ֣ב מְשׁוֹמֵ֔ם עַ֖ד לְמִנְחַ֥ת הָעָֽרֶב׃

Então se ajuntaram a mim todos os que tremiam das palavras do Deus de Israel. *Outros israelitas*, que também se espantaram diante do que estava acontecendo, reuniram-se em torno de Esdras, em uma espécie de reunião informal. Esdras e, presume-se, aqueles que se juntaram em redor dele ficaram ali sentados, em sua *perplexidade* até o tempo do sacrifício vespertino. Planos radicais estavam precipitando-se na mente de Esdras. Ele não permitiria jamais que aquela situação prosseguisse. Esdras estava "esfumaçando", conforme diz uma expressão moderna. Ele conhecia tudo sobre aquela síndrome do pecado-calamidade-julgamento que havia assinalado quase a história inteira de Israel e de Judá. O cativeiro babilônico era um vívido incidente disso. Portanto, ali estava Judá, de volta a seus antigos pecados, e Yahweh já olhava de soslaio para eles, levantando sua espada uma vez mais. Ver Is 66.2.

"A cena terrível de Esdras, jazendo rasgado e amarrotado na rua, diante do templo (ver Ed 10.1), atordoado diante do choque da terrível notícia, naturalmente atrairia uma multidão de judeus piedosos" (Raymond A. Bowman, *in loc.*).

A ORAÇÃO DE ESDRAS (9.5-15)
Ver o paralelo em 1Esdras 8.74-90.

9.5

וּבְמִנְחַ֣ת הָעֶ֗רֶב קַ֚מְתִּי מִתַּעֲנִיתִ֔י וּבְקָרְעִ֥י בִגְדִ֖י וּמְעִילִ֑י וָאֶכְרְעָה֙ עַל־בִּרְכַּ֔י וָאֶפְרְשָׂ֥ה כַפַּ֖י אֶל־יְהוָ֥ה אֱלֹהָֽי׃

Esdras, cansado de estar ali sentado, vencido pela tristeza, tendo participado do sacrifício vespertino (ver no *Dicionário* o verbete chamado *Sacrifício Vespertino*), levantou-se para orar. Havia rasgado as suas vestes e o seu manto, e formava uma cena patética. Ele buscou uma solução para o seu problema em *oração* (ver a respeito no *Dicionário*).

> Mais coisas são obtidas mediante a
> oração do que se sonha.
>
> Tennyson

> Pedi, e dar-se-vos-á; buscai, e achareis;
> batei, e abrir-se-vos-á.
>
> Mateus 7.7

Provavelmente, esta oração foi retirada das memórias de Esdras. A seção das memórias é Ed 7.27—9.15. A oração foi psicológica e historicamente apropriada, e muito relevante para a ocasião. Portanto, não a atribuímos ao cronista como sua invenção.

Estendi as mãos para o Senhor meu Deus. Esdras estava ajoelhado, mas suas mãos estavam erguidas, em súplica a Yahweh-Elohim. Ver no *Dicionário* o verbete intitulado *Deus, Nomes Bíblicos de*. Esdras estava na "... postura e gesto de um humilde suplicante" (John Gill, *in loc.*).

9.6

וָאֹמְרָ֗ה אֱלֹהַי֙ בֹּ֣שְׁתִּי וְנִכְלַ֔מְתִּי לְהָרִ֧ים אֱלֹהַ֛י פָּנַ֖י אֵלֶ֑יךָ כִּ֣י עֲוֺנֹתֵ֤ינוּ רָבוּ֙ לְמַ֣עְלָה רֹּ֔אשׁ וְאַשְׁמָתֵ֥נוּ גָדְלָ֖ה עַ֥ד לַשָּׁמָֽיִם׃

E disse: Meu Deus! *Confissão de Pecados*. Note a primeira pessoa do plural, "nossas (iniquidades), nossa (cabeça)". Esdras, o líder do povo, incluiu a si mesmo na comunidade, por estar intimamente associado a ela, embora não participasse pessoalmente dos pecados da comunidade. Ele estava *envergonhado* da triste condição do novo Israel. Essa triste condição fora criada por um grande dilúvio de iniquidades e transgressões. O povo de Israel não era inocente. Eles sabiam o que a lei dizia, mas mesmo assim ignoravam os mandamentos da lei. Esdras, por sua vez, era inocente, mas estava envergonhado por causa de sua íntima associação com aqueles pecadores. Comparar o caso de Esdras com o caso de Moisés, que chegou a querer ser riscado do livro da vida de Deus, se o povo culpado fosse cortado (Ver Êx 32.32,33). A confissão de pecados, quando é sincera, traz atrás de si o perdão divino (ver 1Jo 1.9). Com frequência, tem de sobrevir alguma espécie de julgamento, que não toca na alma, em concordância com a *Lei Moral da Colheita segundo a Semeadura* (ver no *Dicionário*). Esdras, pois, procurava evitar isso.

> Os deuses são justos, e fazem nossos vícios,
> a nós agradáveis, instrumentos que nos perseguem.
> ...
>
> Quando me pedires uma bênção, eu me ajoelharei
> E te pedirei perdão. Portanto, viveremos
> E oraremos e cantaremos, diremos contos antigos
> e nos riremos.
>
> Shakespeare

9.7

מִימֵ֣י אֲבֹתֵ֗ינוּ אֲנַ֙חְנוּ֙ בְּאַשְׁמָ֣ה גְדֹלָ֔ה עַ֖ד הַיּ֣וֹם הַזֶּ֑ה וּבַעֲוֺנֹתֵ֡ינוּ נִתַּ֡נּוּ אֲנַחְנוּ֩ מְלָכֵ֨ינוּ כֹהֲנֵ֜ינוּ בְּיַ֣ד ׀ מַלְכֵ֣י הָאֲרָצ֗וֹת בַּחֶ֜רֶב בַּשְּׁבִ֧י וּבַבִּזָּ֛ה וּבְבֹ֥שֶׁת פָּנִ֖ים כְּהַיּ֥וֹם הַזֶּֽה׃

Desde os dias de nossos pais até hoje. *O Passado Pecaminoso*. A mente de Esdras varreu a história passada de Israel e Judá e viu ali cenas de pecado, terror e violência. A antiga síndrome do pecado-calamidade-julgamento tinha operado por muitas vezes. Yahweh nunca deixou de ferir os pecadores.

> Meio crentes superficiais, em nossos credos casuais,
> Que nunca sentiram profundamente,
> nem claramente quiseram
> Cujo discernimento nunca produziu fruto sob a
> forma de ações,
> Cujas vagas resoluções nunca se cumpriram.
>
> Matthew Arnold

Por isso mesmo houve *espada* (2Rs 25.6,7,20,21); *cativeiro* (2Rs 17.5,6); *saque* (2Rs 24.13); *confusão de rosto*, ou seja, *vergonha* (Jr 7.19; Sl 44;15; Lm 2.15,16). Todas essas expressões simbolizavam julgamentos da parte de Yahweh.

Os Cativeiros. A revisão da história de Israel e Judá com certeza fala especificamente do *cativeiro assírio* de Israel (o norte, as dez tribos; 722 a.C.); e do *cativeiro babilônico* de Judá (o sul, as duas tribos; 586 a.C.). Ver sobre ambos os eventos no *Dicionário*. Esses cativeiros foram "julgamentos culminantes" contra povos pecaminosos.

Reis Estrangeiros. Sargão II foi o rei da Assíria que se atirou contra as tribos do norte e as levou em cativeiro; e Nabucodonosor foi o rei da Babilônia que levou as tribos do sul para o exílio. Eles foram os instrumentos de terror de Yahweh.

Como hoje se vê. As antigas iniquidades, que tinham produzido todo aquele mal, estavam voltando. Judá nada tinha aprendido, apesar de todos os seus sofrimentos. O pecado estava presente, e a punição teria, inevitavelmente, de acontecer.

9.8

וְעַתָּ֡ה כִּמְעַט־רֶגַע֩ הָיְתָ֨ה תְחִנָּ֜ה מֵאֵ֣ת ׀ יְהוָ֣ה אֱלֹהֵ֗ינוּ לְהַשְׁאִ֥יר לָ֙נוּ֙ פְּלֵיטָ֔ה וְלָתֶת־לָ֥נוּ יָתֵ֖ד בִּמְק֣וֹם קָדְשׁ֑וֹ לְהָאִ֤יר עֵינֵ֙ינוּ֙ אֱלֹהֵ֔ינוּ וּלְתִתֵּ֛נוּ מִֽחְיָ֥ה מְעַ֖ט בְּעַבְדֻתֵֽנוּ׃

Agora por breve momento se nos manifestou a graça da parte do Senhor. Um breve momento de *favor divino* tinha restaurado o minúsculo remanescente de Judá a Jerusalém, possibilitando que o novo Israel se reerguesse das cinzas. Yahweh-Elohim era o autor desse breve momento. Muito ainda tinha de ser feito para criar *boas raízes* ao novo Israel na Terra Prometida. O povo continuava escravizado a um poder estrangeiro, a Pérsia; e assim Esdras orou para que seus olhos entristecidos e úmidos de lágrimas recebessem algo da Luz Divina para iluminar a carga que eles carregavam. O templo havia sido reconstruído. O Santo dos Santos estava ali novamente. Foi necessário muito poder e esforço para que esse trabalho se realizasse. E seria necessário mais poder divino e graça para terminar a tarefa que era agora, essencialmente, fortalecer aquele povo teimoso.

Estabilidade. O original hebraico diz aqui, literalmente, *preso pelos pinos*. O povo nômade de Judá, tão inclinado às perambulações literais e espirituais, tinha posto um único pino de tenda em Jerusalém, quando o templo foi construído, e as coisas estavam sendo novamente normalizadas naquele lugar. Mas os judeus tinham um domínio precário sobre o seu território.

■ 9.9

כִּי־עֲבָדִים אֲנַחְנוּ וּבְעַבְדֻתֵנוּ לֹא עֲזָבָנוּ אֱלֹהֵינוּ
וַיַּט־עָלֵינוּ חֶסֶד לִפְנֵי מַלְכֵי פָרַס לָתֶת־לָנוּ מִחְיָה
לְרוֹמֵם אֶת־בֵּית אֱלֹהֵינוּ וּלְהַעֲמִיד אֶת־חָרְבֹתָיו
וְלָתֶת־לָנוּ גָדֵר בִּיהוּדָה וּבִירוּשָׁלָיִם: ס

Porque somos servos. *Judá* estava na escravidão, no seu cativeiro na Babilônia. E continuavam escravos da Pérsia, uma potência estrangeira, embora tivessem recebido permissão de voltar a Jerusalém. Esdras falava aqui do estado humilde e precário de Judá. É verdade que os persas os estavam favorecendo. Eles estavam de volta à sua terra por meio dos graciosos decretos de Ciro (Ed 1) e de Artaxerxes (Ed 7). O templo fora edificado e a construção das muralhas de Jerusalém tinha começado. Mas Judá, de volta a seus antigos pecados, estava à beira de destruir tudo quanto tinha sido feito, revertendo assim a boa maré dos acontecimentos.

Um muro de segurança. A palavra hebraica pode significar um "muro baixo" ou uma cerca em torno de vinhedos. Trata-se de uma palavra posterior e rara que tem deixado os intérpretes perplexos. Ver outros usos em Is 5.5 e Sl 80.12. Em Nm 22.24, o termo indica uma estrada marginal. Em Mq 7.11, pode apontar para a muralha de uma cidade, mas isso é controverso. A solução simples pode ser que a cidade fora, pelo menos em parte, restaurada. Isso em nada contrariaria as lamentações posteriores de Neemias sobre as muralhas arruinadas de Jerusalém (Ed 4.23). Tentativas anteriores de restaurar as muralhas de Jerusalém naturalmente incluíram rampas e muralhas. As muralhas de Judá e de Jerusalém podem ser uma simples tautologia. Pois aquilo que estivesse em Jerusalém estaria igualmente em Judá. Talvez algumas fortificações também tivessem sido construídas em outros lugares, no território de Judá.

■ 9.10

וְעַתָּה מַה־נֹּאמַר אֱלֹהֵינוּ אַחֲרֵי־זֹאת כִּי עָזַבְנוּ
מִצְוֹתֶיךָ:

Agora... que diremos depois disto? O pequeno progresso que fora feito poderia ser facilmente anulado pelo estado pecaminoso e lamentável do povo. Esdras perguntou a Yahweh o que poderia ser feito sobre a questão. Ele estava cansado de calamidades. Os versículos 11 e 12 apresentam uma base espiritual para as reformas radicais que Esdras estava perto de baixar. Yahweh tinha favorecido o remanescente, o que eles não mereciam. Não tinha havido a devida reação positiva dos judeus diante desse fato. Yahweh havia feito a sua parte; Judá fora pesado na balança e encontrado em falta.

■ 9.11

אֲשֶׁר צִוִּיתָ בְּיַד עֲבָדֶיךָ הַנְּבִיאִים לֵאמֹר הָאָרֶץ
אֲשֶׁר אַתֶּם בָּאִים לְרִשְׁתָּהּ אֶרֶץ נִדָּה הִיא בְּנִדַּת עַמֵּי
הָאֲרָצוֹת בְּתוֹעֲבֹתֵיהֶם אֲשֶׁר מִלְאוּהָ מִפֶּה אֶל־פֶּה
בְּטֻמְאָתָם:

Que ordenaste por intermédio dos teus servos, os profetas, dizendo. *Poluindo e Sendo Poluído.* A terra na qual Israel tinha entrado, sob o comando de Josué, era imunda. Estava cheia das abominações de povos pagãos. Havia formas intermináveis de idolatria, violência constante, pecados de toda sorte e até sacrifícios humanos. E, coroando tudo isso, havia aquela mania de matar e ser morto, em guerras sem-fins. O risco de o povo de Israel *contaminar-se* com tudo isso era muito alto, de modo que Yahweh dera avisos e exortara à *separação*. Havia uma *guerra santa* para eliminar as sete nações que ocupavam a Palestina, e talvez essa norma de terra arrasada mantivesse Israel como um povo limpo e distintivo. Ver sobre *Guerra Santa* em Dt 7.1-5; 20.10-18. Tudo isso era um *bom ideal*, que, porém, nunca funcionou na prática. *Sincretismo* era a palavra-chave que descrevia Israel, e não *separação*. Israel tinha incorporado os pagãos, e estes tinham incorporado Israel.

Os profetas. A oração de Esdras não citou nenhuma passagem particular, mas dá-nos uma espécie de mistura de ideias que podem ser encontradas nas Escrituras. Cf. Dt 7.1,3,12 e 23.6 quanto a exemplos. Ver também Lv 18.24-30. O cronista, embora versado nas Escrituras (e outro tanto sem dúvida poderia ser dito a respeito de Esdras), não estava interessado em citações diretas e verbais. Ele escreveu livremente, e nos deu o centro geral de certas passagens do Antigo Testamento. Chamar esse centro geral de "descuidado e irresponsável", conforme faz uma de minhas fontes informativas, é naturalmente ridículo. "O mesmo estilo é observável no Novo Testamento" (Ellicott, *in loc.*).

■ 9.12

וְעַתָּה בְּנוֹתֵיכֶם אַל־תִּתְּנוּ לִבְנֵיהֶם וּבְנֹתֵיהֶם
אַל־תִּשְׂאוּ לִבְנֵיכֶם וְלֹא־תִדְרְשׁוּ שְׁלֹמָם וְטוֹבָתָם
עַד־עוֹלָם לְמַעַן תֶּחֶזְקוּ וַאֲכַלְתֶּם אֶת־טוּב הָאָרֶץ
וְהוֹרַשְׁתֶּם לִבְנֵיכֶם עַד־עוֹלָם:

Por isso não dareis as vossas filhas a seus filhos, e suas filhas não tomareis para os vossos filhos. Os vss. 11 e 12 dão a base espiritual para as reformas que Esdras estava prestes a ordenar e pôr em execução. Além de todas aquelas abominações aludidas no versículo 11, uma delas foi especificamente nomeada, e então estabelecida acima das outras: os casamentos mistos com os pagãos eram uma fonte interminável de contaminação da boa conduta. Essa separação tinha sido ordenada por Moisés (ver Dt 7.3), e Esdras estava prestes a *pôr dentes* nesse aspecto da legislação mosaica. A separação era algo *necessário* para a boa ordenação das famílias da terra, com suas leis inerentes. A terra passaria de pai para filho, e seria preservada para clãs e famílias (dentro das tribos). Como isso poderia ser feito se houvesse casamentos mistos produzidos pelos pagãos nas famílias de Israel? Além disso, havia o culto a Yahweh. Como esse culto seria preservado no nojento sincretismo criado pelos casamentos mistos?

Os judeus que se separassem para Deus teriam uma vida longa, resultado direto da obediência a Yahweh (ver Dt 4.1; 5.33; Ez 20.11). Essa longa vida seria plena de bênção e prosperidade. *Bem-estar* seria a palavra-chave para os obedientes. Quanto à paz e à *prosperidade*, cf. Jr 33.9 e Lm 3.17. Israel não deveria buscar a paz com seus inimigos (ver Dt 23.6), mas fazer guerra santa contra eles, para limpar a terra. Eles seriam fortes em sua paz e prosperidade (Dt 11.8). Comeriam o produto da boa terra (reflexões de Gn 45.18,20 e Is 1.19). Esses comentários ilustram como as Escrituras foram livremente manuseadas na oração de Esdras. Ver também Lv 18.24-30.

■ 9.13,14

וְאַחֲרֵי כָּל־הַבָּא עָלֵינוּ בְּמַעֲשֵׂינוּ הָרָעִים וּבְאַשְׁמָתֵנוּ
הַגְּדֹלָה כִּי אַתָּה אֱלֹהֵינוּ חָשַׂכְתָּ לְמַטָּה מֵעֲוֹנֵנוּ
וְנָתַתָּה לָנוּ פְּלֵיטָה כָּזֹאת:

הֲנָשׁוּב לְהָפֵר מִצְוֹתֶיךָ וּלְהִתְחַתֵּן בְּעַמֵּי הַתֹּעֵבוֹת
הָאֵלֶּה הֲלוֹא תֶאֱנַף־בָּנוּ עַד־כַּלֵּה לְאֵין שְׁאֵרִית
וּפְלֵיטָה: פ

Depois de tudo o que nos tem sucedido. Estes dois versículos formam uma sentença interrompida abruptamente por um comentário parentético (vs. 13b). Essa expressão incompleta é característica do estilo do cronista" (Raymond A. Bowman, *in loc.*).

A *graça divina* esteve sempre presente. Yahweh-Elohim sempre dera a Israel mais do que esse povo merecia. Por outra parte, finalmente vinha o julgamento divino, o qual, algumas vezes, era de fato devastador. *Grandes transgressões* exigiam *grandes aflições*. A lei da semeadura e da colheita nunca tinha sido anulada, nem poderia sê-lo. Ver Gl 6.7,8, no *Novo Testamento Interpretado*, quanto a ilustrações abundantes.

Este restante que escapou. Esdras referia-se ao retorno dos exilados judeus da Babilônia, e à restauração que estava ocorrendo em Jerusalém. Um remanescente tinha escapado (vs. 8). Josefo comentou sobre este versículo: "Pois embora tivessem feito coisas que mereciam a morte, estava em consonância com a bondade de Deus isentar tão grandes pecadores da punição" (*Antiq.* XI.5.3).

Mas outra transgressão contra a lei, depois de tanta misericórdia haver sido demonstrada (vs. 15), pôs Judá bem debaixo do desfavor de Yahweh. Havia a *ira divina*, com a qual os judeus que tinham retornado da Babilônia precisavam tratar, conforme nos lembra o versículo 15. Ver no *Dicionário* o verbete chamado *Ira de Deus*. A ira divina poderia pôr um final no novo Israel. Quão perto esteve de ser encerrado o livro da história de Israel e Judá! Deus podia fechar esse livro, de uma vez para sempre. Mas, afinal, havia o *Pacto Abraâmico* (comentado em Gn 15.18), que não permitia que Deus fechasse o livro. Portanto, a história prosseguiu, com seus ciclos de pecado-calamidade-julgamento-restauração. E a história do povo de Israel continua atualmente, após a terrível dispersão romana ter terminado somente em nossos próprios tempos (1948, ano da formação do moderno Estado de Israel). Essa história tem um grande *poder de permanência*, porquanto a graça e o poder de Deus estão residentes nela. Josué entrou na Terra Prometida com cerca de seis milhões de pessoas. Zorobabel retornou com cerca de cinquenta mil, e Esdras adicionou outros cinco mil. Veja o leitor como Israel e Judá foi humilhado. Adriano limpou a Terra Prometida dos judeus no ano de 132 d.C. Em nosso próprio tempo outro pequeno remanescente retornou, e a paz nunca foi obtida. Estamos esperando pelo cumprimento de profecias gloriosas, que reverterão o estado humilhado e perturbado do moderno Estado de Israel.

Pitorescamente, *Aben Ezra* pintou Yahweh não como quem registrou todos os pecados de Israel, mas a lançá-los no fundo dos oceanos. Se isso não tivesse sido feito, coisa alguma teria sobrevivido de Israel. Jarchi retratou Yahweh a cobrar menos do que a lei da semeadura e da colheita teria requerido. Se Deus não tivesse feito isso, nenhum judeu teria sobrevivido até hoje. "Esdras estava descrevendo a posição da humanidade inteira diante de Deus" (John A. Martin, *in loc.*).

"As misericórdias do Senhor são a causa de não sermos consumidos porque as suas misericórdias não têm fim" *(Lm 3.22).*

9.15

יְהוָ֞ה אֱלֹהֵ֤י יִשְׂרָאֵל֙ צַדִּ֣יק אַ֔תָּה כִּֽי־נִשְׁאַ֥רְנוּ פְלֵיטָ֖ה כְּהַיּ֣וֹם הַזֶּ֑ה הִנְנ֤וּ לְפָנֶ֙יךָ֙ בְּאַשְׁמָתֵ֔ינוּ כִּ֣י אֵ֥ין לַעֲמ֖וֹד לְפָנֶ֥יךָ עַל־זֹֽאת׃ פ

Ah! Senhor Deus de Israel, justo és. Em humilhação, Esdras conduziu a si mesmo e ao minúsculo remanescente da tribo de Judá (que se tornara o novo Israel) perante o tribunal de justiça divina. Ele não apresentou nenhuma defesa. Lançou-se aos cuidados misericordiosos que vinha operando, até aquele ponto, o propósito divino. Deus é *justo*, e o seu povo, formando um violento contraste, era *injusto*. Mas não existe tal coisa como justiça *nua*, isto é, uma justiça sem o tempero da misericórdia e do amor divino. A justiça, quando é autêntica, é *eficaz*. E os juízos divinos sempre têm uma força *restauradora*, e não apenas retributiva. Isso é verdadeiro, mesmo no caso do julgamento dos homens perdidos. Ver no *Dicionário* o artigo denominado *Julgamento de Deus dos Homens Perdidos* quanto a uma ilustração desse princípio. Portanto, um homem que busca justiça também busca automaticamente misericórdia e graça, que podem fazer a justiça tornar-se *eficaz*. Sem isso, seria sempre ineficaz. Erramos quando separamos os atributos de Deus uns dos outros. Podemos dizer: "Agora Deus está sendo justo"; ou então: "Agora Deus é amor". Mas devemos lembrar que até o juízo divino é um dedo da mão amorosa de Deus, porquanto sua finalidade é fazer o bem, uma vez que tenha sido aplicado o devido castigo. Ver 1Pe 4.6, que ensina esse princípio. A cruz foi um julgamento, mas sua finalidade era conseguir a redenção para os pecadores arrependidos.

Se o remanescente não podia permanecer de pé diante da justiça de Deus, contudo poderia e ficaria de pé, por causa de sua graça.

Tal como sou, sem nenhum apelo,
A não ser que teu sangue foi derramado por mim;
E que me ordenaste vir a ti,
Oh, Cordeiro de Deus, eu venho! Eu venho!
...

Tal como sou, tua vontade acolho,
Receber tua recepção, perdão, purificação, alívio,
Porque creio na tua promessa,
Oh, Cordeiro de Deus, eu venho! Eu venho!

Charlotte Elliott

CAPÍTULO DEZ

Os capítulos 9 e 10 do livro de Esdras formam uma só unidade literária, portanto a introdução que ofereci no início do nono capítulo aplica-se também aqui.

O resultado natural da oração de Esdras (no nono capítulo deste livro) foi a confissão dos pecados cometidos pelo povo, bem como o divórcio das esposas estrangeiras, o principal problema que fazia o novo Israel pecar. Aproximando-se perigosamente do paganismo, Israel tinha-se contaminado uma vez mais. Seu caráter *distintivo* (comentado em Dt 4.4-8) havia sido violado, e esse erro tinha de ser corrigido. A confissão de pecados produz o perdão (ver 1Jo 1.9), e o perdão produz a restauração. Isso era o que Esdras estava buscando.

"A narrativa do capítulo nono continua, sem interrupção, pelo capítulo 10, mas com uma mudança, após a oração (Ed 9.6-15), da primeira pessoa (Ed 7.27-9.15) para a terceira (cf. Ed 7.1-26). Essa mudança tem sido explicada pela hipótese de que o cronista usou aqui uma edição revisada e ampliada de Esdras, tornando-se assim responsável pela *reformulação*. Mas a existência de tal documento, chamado 'tanto de ilusório como de imaginário', não pode ser demonstrada de outra maneira" (Raymond A. Bowman, *in loc.*).

As *memórias de Esdras* aparecem na seção de Ed 7.27—9.15, onde é empregada a primeira pessoa do plural e onde encontramos uma testemunha ocular. Esse material foi incorporado pelo cronista em sua unidade geral de Esdras-Neemias. Ver sobre as *memórias de Neemias*, em Ne 1.1—7.5; 12.27—43 e 13.4-31.

O POVO RECONHECE SEUS PECADOS (10.1-4)

O trecho paralelo é 1Esdras 8.91—9.2.

Os *líderes* demonstraram ser os primeiros na sensibilidade quanto aos pecados (ver Ed 9.1,2). Eles fizeram o povo de Judá sentir esses pecados, e esse foi o começo das mudanças que se faziam necessárias. Os israelitas interessados nas mudanças juntaram-se à tristeza de Esdras sobre a questão. Cf. Ed 9.5 ss.

Porque a tristeza segundo Deus produz arrependimento para a salvação que ninguém traz pesar; mas a tristeza do mundo produz morte.

2Co 7.10

10.1

וּכְהִתְפַּלֵּ֤ל עֶזְרָא֙ וּכְ֨הִתְוַדֹּת֔וֹ בֹּכֶה֙ וּמִתְנַפֵּ֔ל לִפְנֵ֖י בֵּ֣ית הָאֱלֹהִ֑ים נִקְבְּצוּ֩ אֵלָ֨יו מִיִּשְׂרָאֵ֜ל קָהָ֣ל רַב־מְאֹ֗ד אֲנָשִׁ֤ים וְנָשִׁים֙ וִֽילָדִ֔ים כִּֽי־בָכ֥וּ הָעָ֖ם הַרְבֵּה־בֶֽכֶה׃ ס

Enquanto Esdras orava, e fazia confissão. Esdras, dominado pela tristeza, atraiu para o templo uma multidão com seus altos gemidos. Em pouco tempo a multidão soube a *razão* da tristeza, e o Espírito de Deus também a insuflou no coração do povo. Assim estavam todos lamentando, chorando e confessando seus pecados. Um *reavivamento* tinha começado. Este é um excelente versículo, porquanto mostra-nos que até mesmo corações duros e pecaminosos algumas vezes conseguem vitória espiritual, quando são abrandados e movidos pelo Espírito. Esdras, demonstrando sua profunda tristeza, lançou-se por terra, prostrado (tal como acontecera em sua oração; ver Ne 8.6), ou ter-se-ia ajoelhado (conforme se vê em Ed 9.5). Ele orou defronte da casa de Deus, o templo (ver Ed 4.24; Ez 18.1-9). Esse era um lugar favorito de oração (ver Is 56.7; Lc 18.10; Atos 3.1). *Confissão* era a palavra do dia. A culpa foi admitida (ver Ed 9.7,13,15). Houve a demonstração da *responsabilidade* do grupo. Cf. Js 7.24 ss. A multidão (1Esdras) de súbito tinha um só coração, um só espírito, um só propósito. Yahweh olhou do céu e sorriu sobre eles. A cura não estava distante.

De mulheres e de crianças. Infelizmente, muitos deles faziam parte daqueles casamentos mistos, e logo famílias seriam desmanchadas. A maior parte daquelas crianças, dos casamentos mistos, foram com suas mães, mas talvez algumas tenham ficado com seus pais. *Esse* foi o fator mais agonizante de toda a triste questão. Deve ter havido muitas famílias em agonia. Provavelmente muitas daquelas mulheres alegremente se tornariam hebreias pela fé; mas Esdras estava extirpando o câncer sem misericórdia. Ele não permitiria que se continuasse a brincar com a contaminação.

■ **10.2**

וַיַּ֤עַן שְׁכַנְיָה֙ בֶן־יְחִיאֵ֔ל מִבְּנֵ֖י עֵילָ֑ם וַיֹּ֣אמֶר לְעֶזְרָ֗א אֲנַ֙חְנוּ֙ מָעַ֣לְנוּ בֵאלֹהֵ֔ינוּ וַנֹּ֛שֶׁב נָשִׁ֥ים נָכְרִיּ֖וֹת מֵעַמֵּ֣י הָאָ֑רֶץ וְעַתָּ֛ה יֵשׁ־מִקְוֶ֥ה לְיִשְׂרָאֵ֖ל עַל־זֹֽאת׃

Então Secanias, filho de Jeiel. Um homem, de nome *Secanias* (ver Ed 8.3,5) tomou a frente dos outros e tornou-se o porta-voz da multidão. E ele disse: "Sim, pecamos. Eu errei. E muitos outros erraram. Tomamos esposas estrangeiras e transgredimos a lei de Moisés". Naturalmente, devemos entender que esse *ato* resultara em todas as espécies de abominação moral, a maioria das quais derivada da idolatria. Ver Ed 9.6. O próprio Secanias não era um ofensor, mas filho de um transgressor (vs. 26 deste capítulo). Josefo chamou-o de *cabeça do povo*, mas não há evidência de que ele ocupasse algum posto oficial, e certamente ele não era o governador, que tomara o lugar quando da morte de Zorobabel. *Secanias* (ver a respeito no *Dicionário*) via *esperança* na situação, que ele percebeu que só seria resolvida mediante divórcios em massa. Na verdade, em alguns casos, o divórcio é a melhor solução. Algumas situações desintegram-se de tal modo que nenhuma outra medida pode ser eficaz para endireitar uma condição confusa. Ver no *Dicionário* o verbete chamado *Divórcio*.

■ **10.3**

וְעַתָּ֛ה נִכְרָת־בְּרִ֥ית לֵאלֹהֵ֖ינוּ לְהוֹצִ֣יא כָל־נָשִׁ֗ים וְהַנּוֹלָ֤ד מֵהֶם֙ בַּעֲצַ֣ת אֲדֹנָ֔י וְהַחֲרֵדִ֖ים בְּמִצְוַ֣ת אֱלֹהֵ֑ינוּ וְכַתּוֹרָ֖ה יֵעָשֶֽׂה׃

Agora, pois, façamos aliança com o nosso Deus. Essa aliança teria a provisão de despedir as esposas e seus *filhos*, os quais seriam considerados *imundos*; mas estou conjecturando que muitos pais não sacrificaram seus filhos à Babilônia e ao paganismo que ali imperava. O filho de um hebreu era, tradicionalmente, um hebreu, sem importar qual mulher estivesse envolvida. Pelo menos essa prática tem sido típica do judaísmo nos séculos que se seguiram.

O *pacto de divórcio* foi uma reafirmação do *pacto mosaico* (ver a respeito na introdução ao capítulo 19 de Êxodo). Era esse pacto mosaico que fizera Israel tornar-se distinto entre as nações (ver as notas expositivas em Dt 4.4-8). Seja como for, o remédio era *intragável*, para dizer o mínimo, mas era o medicamento necessário para curar a enfermidade do povo de Israel. Uma de minhas fontes informativas queixa-se aqui da baixa posição que ocupavam as mulheres e crianças, pouco mais do que objetos que eram repelidos à vontade, desconsiderando-se os seus desejos e ignorando-se os seus direitos humanos e sua dor. Acho que devemos anotar esse pensamento. O Novo Testamento trouxe novas luzes e um novo amor. Creio que o apóstolo Paulo teria encontrado uma maneira melhor que a de Esdras, mas esta última estava em consonância com a luz da época. Ver meus comentários no versículo 44 deste capítulo. Os hebreus tinham certa atitude dura para com os estrangeiros, conforme vemos em trechos bíblicos como Josué 9.24-27; 11.20,22,23; 1Samuel 27.9,11;

2Sm 8.1 e 11.1. Mas a luz do evangelho mudou tudo isso, e a Igreja de Cristo é uma noiva gentílica, pelo menos quanto à sua maioria, embora, idealmente, seja composta de judeus e gentios convertidos (Rm 11.30-32). Portanto, as coisas mudaram para melhor, conforme o evangelho espalhou-se por todo o mundo antigo.

Seja como for, em Cristo não existem distinções raciais: "Dessarte não pode haver judeu nem grego; nem escravo nem liberto; nem homem nem mulher; porque todos vós sois um em Cristo Jesus" (Gl 3.28).

Como é óbvio, Paulo estava falando sobre aqueles que estão *em Cristo*, e não sobre idólatras que contaminariam a Igreja. Não obstante, no evangelho há um amor que ultrapassa o amor do antigo judaísmo, e que, provavelmente, teria provido uma solução melhor para o caso em foco do que aquela recomendada por Esdras. Cf. Ml 2.16, onde Yahweh-Elohim declara: "Odeio o divórcio". Naturalmente, os casamentos mistos, de acordo com a mentalidade dos hebreus (em contraste com o que acontece entre os cristãos), nem eram casamentos propriamente ditos.

■ **10.4**

ק֛וּם כִּֽי־עָלֶ֥יךָ הַדָּבָ֖ר וַאֲנַ֣חְנוּ עִמָּ֑ךְ חֲזַ֖ק וַעֲשֵֽׂה׃ פ

Levanta-te, pois esta cousa é de tua incumbência. *Secanias* exortou *Esdras a* levantar-se, pois este estava de rosto prostrado no chão, e para ter a coragem de fazer o que precisava ser feito, porquanto tinha o apoio do povo judeu. De fato, algumas vezes agir é melhor do que lamentar e orar. É conforme alguém já disse: "Temos de dar pernas às nossas orações por meio de nossos atos". Uma vida de ações corretas de um homem pode ser a sua oração. O decreto de Artaxerxes tinha dado a Esdras um virtual *cheque em branco*. Ele podia escrever ali a quantia que quisesse. Podia fazer conforme lhe parecesse melhor, contanto que não pusesse em dúvida a autoridade do império persa. Portanto, Esdras contava com apoio legal e com apoio moral. Algumas vezes, um homem tem de agir sozinho, enquanto outras pessoas a ele se opõem ou o ignoram; mas nesse caso Esdras tinha muita companhia para ajudá-lo a fazer o que lhe cumpria fazer.

■ **10.5**

וַיָּ֣קָם עֶזְרָ֡א וַיַּשְׁבַּע֩ אֶת־שָׂרֵ֨י הַכֹּהֲנִ֜ים הַלְוִיִּ֗ם וְכָל־יִשְׂרָאֵ֔ל לַעֲשׂ֖וֹת כַּדָּבָ֣ר הַזֶּ֑ה וַיִּשָּׁבֵֽעוּ׃

Então Esdras se levantou. *Obedecendo à exortação de Secanias*, porquanto esse homem assumira *autoridade* momentaneamente, Esdras levantou-se de sua prostração e deu a ordem de divórcios em massa. Naturalmente, o cronista supôs que Yahweh havia falado ao coração de Secanias para dar a Esdras a instrução correta para aquele momento.

Visto que Esdras contava com o apoio do povo, ele pôs seus líderes (os sacerdotes e os levitas), *bem como todo o povo*, sob juramento, de que cumpririam tudo quanto fosse decretado. Eles tinham de provar que estavam ao seu lado. O juramento trouxe Yahweh à questão. Deus requereria o cumprimento do juramento. O julgamento divino poderia ferir a qualquer ofensor do juramento. Entre os hebreus, um *juramento* era uma *promessa* solene feita diante de Deus (ver Jz 11.10), julgada como obrigatória por parte de todas as pessoas envolvidas. Nenhum judeu jurava superficialmente, porque o Ser divino era considerado envolvido. Alguns juramentos, feitos em boa-fé, são desastrosos, e Jesus advertiu-nos contra os juramentos em geral (ver Mt 5.34). Um homem deveria ter uma integridade tal que se ele dissesse um "sim", então seria "sim"; e se ele dissesse um "não", então seria "não". Sua palavra deveria ser considerada um juramento. Ele não precisaria jurar por coisa alguma. Naturalmente, poucos homens têm essa integridade. Por outro lado, os juramentos não aumentam a integridade. Ver no *Dicionário* sobre os *Juramentos*.

■ **10.6**

וַיָּ֣קָם עֶזְרָ֗א מִלִּפְנֵי֙ בֵּ֣ית הָאֱלֹהִ֔ים וַיֵּ֕לֶךְ אֶל־לִשְׁכַּ֖ת יְהוֹחָנָ֣ן בֶּן־אֶלְיָשִׁ֑יב וַיֵּ֣לֶךְ שָׁ֔ם לֶ֚חֶם לֹא־אָכַ֔ל וּמַ֖יִם לֹא־שָׁתָ֑ה כִּ֥י מִתְאַבֵּ֖ל עַל־מַ֥עַל הַגּוֹלָֽה׃ ס

Esdras se retirou de diante da casa de Deus. *Jejum e Lamentação.* Esdras estava prestes a baixar um decreto muito sério e socialmente perturbador. Ele se preparou para o fato mediante jejum e oração. Além disso, retornou à sua lamentação e tristeza. As transgressões dos judeus pesavam sobre ele. Esdras estava considerando a maneira de renovação sugerida por Secanias. Deveria ele ou não ordenar o divórcio em massa?

Esdras entrou na câmara de Joanã a fim de jejuar, orar e lamentar, buscando a vontade e a ajuda de Yahweh. Joanã era o neto de Eliasibe, o sumo sacerdote, e, finalmente, tornou-se o sumo sacerdote. Parece que esse homem permitiu que Esdras usasse sua câmara particular, no templo. Ver Ne 3.1. Joanã tornou-se sumo sacerdote no tempo de Dario II, em cerca de 408 a.C. Ver sobre Joanã em Ne 12.23.

■ **10.7**

וַיַּעֲבִ֨ירוּ ק֜וֹל בִּיהוּדָ֣ה וִירוּשָׁלַ֗͏ִם לְכֹ֛ל בְּנֵ֥י הַגּוֹלָ֖ה
לְהִקָּבֵ֥ץ יְרוּשָׁלָֽ͏ִם׃

Fez-se passar pregão por Judá e Jerusalém. Em primeiro lugar, foi necessário um *decreto preliminar*, requerendo a presença de todo o remanescente de Judá. Todo o território de Judá e Jerusalém recebeu a ordem. Esdras estava pronto para baixar seu decreto solene e socialmente perturbador. A multidão reunir-se-ia na praça aberta (*Revised Standard Version*), diante do templo. Seria uma assembleia geral. Nenhum varão seria dispensado (vs. 8).

■ **10.8**

וְכֹל֩ אֲשֶׁ֨ר לֹֽא־יָב֜וֹא לִשְׁלֹ֣שֶׁת הַיָּמִ֗ים כַּעֲצַ֤ת הַשָּׂרִים֙
וְהַזְּקֵנִ֔ים יָחֳרַ֖ם כָּל־רְכוּשׁ֑וֹ וְה֥וּא יִבָּדֵ֖ל מִקְּהַ֥ל
הַגּוֹלָֽה׃ ס

E que se alguém em três dias não viesse. Aqueles que ignorassem o decreto acerca da assembleia, e não aparecessem dentro de *três dias*, seriam excluídos do novo Israel, o que foi um ato drástico, realmente. Ver no *Dicionário* o artigo chamado *Excomunhão-Expulsão*. É de presumir que aqueles que fossem excomungados seriam forçados a voltar à Babilônia. Em outras palavras, seriam banidos ou exilados. Note o leitor que Esdras contava com o apoio dos líderes de Israel, os príncipes e os anciãos. Esdras não agiu por conta própria. Ele precisava de toda a autoridade de que pudesse cercar-se, para aquilo que estava prestes a fazer. Esdras tinha a autoridade de fazer o que quisesse (Ed 7.26), mas também tinha poderes delegados como administrador (Ed 8.24-29; Ne 8.4,7,8). Ele estava sob o controle dos persas e sujeito à observação deles (Ed 4.11 ss.; 5.6-17), mas não é provável que a questão do divórcio criasse problema algum com os oficiais persas.

Qualquer possessão que o homem excomungado perdesse, seria revertida ao tesouro do templo. Assim, sem um único centavo, ele seria enviado de volta para a Babilônia.

■ **10.9**

וַיִּקָּבְצ֣וּ כָל־אַנְשֵֽׁי־יְהוּדָה֩ וּבִנְיָמִ֨ן ׀ יְרוּשָׁלַ֜͏ִם לִשְׁלֹ֣שֶׁת
הַיָּמִ֗ים ה֛וּא חֹ֥דֶשׁ הַתְּשִׁיעִ֖י בְּעֶשְׂרִ֣ים בַּחֹ֑דֶשׁ וַיֵּשְׁב֣וּ
כָל־הָעָ֗ם בִּרְחוֹב֙ בֵּ֣ית הָאֱלֹהִ֔ים מַרְעִידִ֥ים עַל־הַדָּבָ֖ר
וּמֵהַגְּשָׁמִֽים׃ פ

Então todos os homens de Judá e Benjamim. *Com todas aquelas ameaças*, podemos estar certos de que todos os varões hebreus reuniram-se em Jerusalém, na praça que ficava defronte do templo. A multidão se aglomerou ali na praça, esperando pela palavra de condenação. Para piorar as coisas, caiu uma pesada chuva, fazendo todos sentir-se miseráveis. Por assim dizer, os céus choravam, diante de tal visão. O povo "tremia", pois antecipava más notícias e porque sentia frio debaixo da chuva. O evento foi tão significativo que o cronista registrou o dia exato em que aconteceu. Era o nono mês do ano, no vigésimo dia do mês, ou seja, o mês de quisleu, nosso novembro-dezembro, cerca de cinco meses depois que Esdras retornou com o segundo grupo de judeus para Jerusalém. Quão rapidamente o machado caiu sobre eles! O ano era 457 a.C. Dezembro era a estação chuvosa, de forma que a chuva não foi nenhuma surpresa, mas também não foi nada agradável. Era inverno e estava chovendo, um dia miserável, e Yahweh mostrou o seu desprezer diante de todos, enviando aquela chuva. A Septuaginta diz que eles tremiam "porque era inverno". Dezembro era o mês mais frio e mais chuvoso do ano em Israel.

■ **10.10**

וַיָּ֨קָם עֶזְרָ֤א הַכֹּהֵן֙ וַיֹּ֣אמֶר אֲלֵהֶ֔ם אַתֶּ֣ם מְעַלְתֶּ֔ם
וַתֹּשִׁ֖יבוּ נָשִׁ֣ים נָכְרִיּ֑וֹת לְהוֹסִ֖יף עַל־אַשְׁמַ֥ת יִשְׂרָאֵֽל׃

Então se levantou Esdras, o sacerdote. *Esdras Não Desperdiçou Tempo Lendo a Lista de Pecados.* Havia na lista toda espécie de infração contra a lei, mas a mais grave delas era a questão dos casamentos mistos. Esdras nem teve uma introdução para a diatribe contra os judeus. Foi direto ao âmago da questão. A multidão, ansiosa, confusa e tremendo, ouviu as palavras dele como se fossem marteladas sobre seus ouvidos e coração. A chuva deixara-os *desconfortáveis*, mas o discurso de Esdras deixou-os realmente *miseráveis*. Israel vivia adicionando iniquidades às suas iniquidades. Estava sempre acumulando iniquidades. Esdras disse que esse estado de coisas teria de acabar, em algum tempo, em algum lugar; e disse-lhes quando e onde: "Aqui mesmo e agora mesmo". Esdras era um homem severo, que se escudava na autoridade. Ninguém haveria de afrontar seu poder.

"Esdras ergueu-se não como quem estava comissionado por Artaxerxes, mas como o escriba, como o mestre, como o representante de Deus" (Ellicott, *in loc.*).

■ **10.11**

וְעַתָּ֗ה תְּנ֥וּ תוֹדָ֛ה לַיהוָ֥ה אֱלֹהֵֽי־אֲבֹתֵיכֶ֖ם וַעֲשׂ֣וּ רְצוֹנ֑וֹ
וְהִבָּֽדְלוּ֙ מֵעַמֵּ֣י הָאָ֔רֶץ וּמִן־הַנָּשִׁ֖ים הַנָּכְרִיּֽוֹת׃

Agora, pois, fazei confissão ao Senhor Deus de vossos pais. *Confissão.* Os pecados dos judeus precisavam ser confessados. Eles precisavam ter contrição no coração; eles precisavam mudar seu curso de ação; eles tinham de desvencilhar-se de todas aquelas mulheres estrangeiras. Yahweh-Elohim estava esperando que eles mudassem de coração. Ele ouviria a confissão; observaria o arrependimento; perdoaria e curaria a terra. *Yahweh* era o Deus dos pais deles. Assim agindo, eles voltariam ao rebanho aprovado de Israel, como descendência de Abraão, Isaque e Jacó. Cf. Ed 7.27 quanto ao Deus dos pais, onde provi outras referências sobre esse assunto. *Separação* era a palavra do dia, e por diversos dias a seguir, quando os divórcios em massa seriam efetuados. Quem haveria de enxugar as lágrimas das mulheres e das crianças, quando elas fossem separadas de seus maridos e de seus pais? Sem dúvida, haveria uma maneira melhor de resolver a questão. Esdras teve a responsabilidade de tudo. Que Deus resolvesse a questão.

■ **10.12**

וַיַּעֲנ֧וּ כָֽל־הַקָּהָ֛ל וַיֹּאמְר֖וּ ק֣וֹל גָּד֑וֹל כֵּ֥ן כִּדְבָרֶ֖יךָ
עָלֵ֥ינוּ לַעֲשֽׂוֹת׃

Respondeu toda a congregação. *A congregação inteira* concordou com o decreto. Ninguém haveria de resistir. Ninguém se rebelaria. Que as mulheres e as crianças retornassem à Babilônia. Talvez alguns poucos pais tenham-se agarrado a seus filhos e não os tenham deixado ir-se. Talvez Esdras fosse liberal o bastante para permitir esse tanto. Adam Clarke espera aqui que às mulheres e às crianças os judeus tenham dado amplo suprimento, para que não fossem despedidas destituídas das coisas. Mas algumas vezes o dinheiro não é suficiente. Diversos anos mais tarde, lemos de mais casamentos mistos (ver Ne 13.23), o que significa que o problema não fora absolutamente resolvido nos dias de Esdras, e talvez alguns homens, por métodos duvidosos, tenham conseguido conservar em sua companhia suas esposas e seus filhos. Mas podemos estar certos de que houve um grande programa de limpeza social posto em ação.

10.13

אֲבָ֣ל הָעָ֣ם רָ֔ב וְהָעֵ֖ת גְּשָׁמִ֑ים וְאֵ֨ין כֹּ֤חַ לַעֲמוֹד֙ בַּח֔וּץ וְהַמְּלָאכָ֗ה לֹֽא־לְי֤וֹם אֶחָד֙ וְלֹ֣א לִשְׁנַ֔יִם כִּֽי־הִרְבִּ֥ינוּ לִפְשֹׁ֖עַ בַּדָּבָ֥ר הַזֶּֽה׃

Porém o povo é muito. Muitos judeus tinham transgredido, contraindo casamentos com mulheres estrangeiras; era a estação chuvosa, e isso dificultava muito as coisas. Mulheres e crianças teriam de viajar. Haveria bagagens a serem carregadas. O período de transição tomaria algum tempo, pelo que os líderes do povo requereram *paciência*. Conforme as coisas aconteceram, foram necessários *três meses* para cumprir o plano de divórcios em massa (vss. 16 e 17). Alguns estudiosos falam em até quatro meses.

10.14

יַֽעֲמְדוּ־נָ֣א שָׂרֵ֣ינוּ לְֽכָל־הַקָּהָ֗ל וְכֹ֣ל אֲשֶׁ֣ר בֶּעָרֵ֡ינוּ הַהֹשִׁ֣יב נָשִׁ֣ים נָכְרִיּוֹת֩ יָבֹ֨א לְעִתִּ֜ים מְזֻמָּנִ֗ים וְעִמָּהֶ֛ם זִקְנֵי־עִ֥יר וָעִ֖יר וְשֹׁפְטֶ֑יהָ עַ֠ד לְהָשִׁ֞יב חֲר֤וֹן אַף־אֱלֹהֵ֙ינוּ֙ מִמֶּ֔נּוּ עַ֖ד לַדָּבָ֥ר הַזֶּֽה׃ פ

Ora que os nossos príncipes decidam por toda a congregação. *Cada caso* de casamento misto seria examinado individualmente, nas cidades das pessoas envolvidas, a fim de que os tribunais de Jerusalém não ficassem sobrecarregados. Talvez, como uma de minhas fontes informativas indica, *algumas mulheres*, notórias por sua piedade na adoração a Yahweh, embora estrangeiras, fossem aprovadas para permanecer. *Isso salvaria algumas famílias* da separação. Dessa maneira, a ira de Yahweh seria abafada, porque o povo de Israel estava no *processo* da purificação.

10.15

אַ֣ךְ יוֹנָתָ֧ן בֶּן־עֲשָׂהאֵ֛ל וְיַחְזְיָ֥ה בֶן־תִּקְוָ֖ה עָמְד֣וּ עַל־זֹ֑את וּמְשֻׁלָּ֛ם וְשַׁבְּתַ֥י הַלֵּוִ֖י עֲזָרֻֽם׃

No entanto, Jônatas, filho de Asael, e Jaseías, filho de Ticvá. Alguns judeus da linha dura opuseram-se ao procedimento da demora. Não somos informados por que eles se opuseram ao plano *gradual*, e nem se tinham alguma sugestão alternativa. Houve quatro pessoas contrárias ao plano. Dou artigos sobre eles no *Dicionário*. Alguns eruditos supõem que a oposição era contra o divórcio em massa propriamente dito, e não contra o adiamento da solução. Outros argumentam que este versículo diz que aqueles quatro homens foram nomeados para supervisionar o plano lento. Pelo menos um dos quatro, de nome *Mesulão*, estava envolvido em um casamento misto (vs. 29), e isso poderia mostrar que a verdadeira interpretação é que eles simplesmente se opunham ao plano do divórcio em massa, como muito brutal.

10.16,17

וַיַּֽעֲשׂוּ־כֵן֮ בְּנֵ֣י הַגּוֹלָה֒ וַיִּבָּדְלוּ֩ עֶזְרָ֨א הַכֹּהֵ֧ן אֲנָשִׁ֛ים רָאשֵׁ֥י הָאָב֖וֹת לְבֵ֣ית אֲבֹתָ֑ם וְכֻלָּ֣ם בְּשֵׁמ֔וֹת וַיֵּשְׁב֗וּ בְּי֤וֹם אֶחָד֙ לַחֹ֣דֶשׁ הָעֲשִׂירִ֔י לְדַרְי֖וֹשׁ הַדָּבָֽר׃

וַיְכַלּ֣וּ בַכֹּ֔ל אֲנָשִׁ֕ים הַהֹשִׁ֥יבוּ נָשִׁ֖ים נָכְרִיּ֑וֹת עַ֛ד י֥וֹם אֶחָ֖ד לַחֹ֥דֶשׁ הָרִאשֽׁוֹן׃ פ

Assim o fizeram os que voltaram do exílio. A grande maioria dos judeus favorecia o plano lento, isto é, o exame dos casos, um por um (vs. 14). "O trabalho começou no mês de tebet (o décimo mês do ano; dezembro-janeiro) e foi completado no mês de nisã (o primeiro mês; março-abril)" (*Oxford Annotated Bible*, comentando sobre o versículo 16 deste capítulo). As datas exatas foram as seguintes: começo do processo: 26 de dezembro de 398 a.C. Fim do processo: 23 de abril de 397 a.C., cerca de quatro meses depois. O cálculo dos *quatro meses* supõe a *intercalação*, ou seja, a inserção de um mês extra na Palestina, como no calendário babilônico, em 397 a.C. Isso estendeu o processo um mês. Essa inserção serviu para dar ao calendário maior exatidão. O calendário era lunar e, para pô-lo em maior harmonia com o ano solar, um mês era acrescentado ao ano a cada três anos. Quanto a explicações mais completas sobre essa questão, ver o artigo do *Dicionário* chamado *Calendários Babilônio, Assírio e Caldeu*.

E o concluíram. Não a punição dos culpados, mas o término do exame do processo de todos os casos.

LISTA DOS TRANSGRESSORES (10.18-44)

Cf. 1Esdras 9.21-36.

Caracterização Geral. Os pecadores provinham de todos os níveis da sociedade judaica. Muitos homens de elevada posição, até mesmo sacerdotes e levitas, estavam envolvidos: dezessete sacerdotes (vss. 18-22) e dez levitas (vss. 23,24). Além desses, havia 84 outros, que representavam a nação inteira (vss. 25-43). É verdade, conforme foi dito em Ed 9.1, que alguns líderes estavam envolvidos. Os sacrifícios apropriados foram oferecidos como expiação pelo pecado (ver Lv 5.14,15). Note o leitor que os nomes das famílias, nesta passagem (vss. 25-43), correspondem de perto aos nomes das listas de Ed 2.3-20. Havia filhos através dos casamentos mistos. A maioria deles, se não mesmo todos, seriam mandados embora com suas mães. Muitos lares seriam assim desfeitos. Houve grande ruptura social (vs. 44). Depois de toda essa dor, o povo judeu escorregou para a mesma transgressão (ver Ne 13.23-28). Então a narrativa termina abruptamente. Os que tinham voltado do exílio babilônico, o novo Israel, deveriam ter a devida adoração no templo (capítulos primeiro a sexto) e viver segundo a legislação mosaica (capítulos sétimo a décimo), pois, do contrário, nada haveria de distintivo quanto a eles, nem haveria bênção especial e orientação da parte de Yahweh.

Quanto ao pouco que se sabe a respeito das pessoas mencionadas, ver os artigos correspondentes no *Dicionário*. Acrescento algumas poucas explicações nos pontos especiais.

10.18-23

V18 וַיִּמָּצֵא֙ מִבְּנֵ֣י הַכֹּהֲנִ֔ים אֲשֶׁ֥ר הֹשִׁ֖יבוּ נָשִׁ֣ים נָכְרִיּ֑וֹת מִבְּנֵ֨י יֵשׁ֤וּעַ בֶּן־יֽוֹצָדָק֙ וְאֶחָ֔יו מַֽעֲשֵׂיָה֙ וֶֽאֱלִיעֶ֔זֶר וְיָרִ֖יב וּגְדַלְיָֽה׃

V19 וַיִּתְּנ֥וּ יָדָ֖ם לְהוֹצִ֣יא נְשֵׁיהֶ֑ם וַאֲשֵׁמִ֥ים אֵֽיל־צֹ֖אן עַל־אַשְׁמָתָֽם׃ ס

20 וּמִבְּנֵ֣י אִמֵּ֔ר חֲנָ֖נִי וּזְבַדְיָֽה׃ ס

V21 וּמִבְּנֵ֖י חָרִ֑ם מַעֲשֵׂיָ֤ה וְאֵֽלִיָּה֙ וּֽשְׁמַֽעְיָ֔ה וִיחִיאֵ֖ל וְעֻזִיָּֽה׃

V22 וּמִבְּנֵ֖י פַּשְׁח֑וּר אֶלְיוֹעֵינַ֤י מַֽעֲשֵׂיָה֙ יִשְׁמָעֵ֣אל נְתַנְאֵ֔ל יוֹזָבָ֖ד וְאֶלְעָשָֽׂה׃ ס

V23 וּמִֽן־הַלְוִיִּ֑ם יוֹזָבָ֣ד וְשִׁמְעִ֗י וְקֵֽלָיָ֛ה ה֥וּא קְלִיטָ֖א פְּתַֽחְיָ֥ה יְהוּדָ֖ה וֶאֱלִיעֶֽזֶר׃ ס

Acharam-se dos filhos dos sacerdotes que casaram com mulheres estrangeiras. Os vss. 18 a 23 destacam os membros culpados da família sumo sacerdotal (vs. 18). Quatro famílias sacerdotais estavam representadas na lista dos culpados (cf. Ed 2.36-39). Os irmãos de Jesua estavam envolvidos (cf. Ed 3.2). Curiosamente, não há referência ao envolvimento por parte dos *netinim*, ou servos do templo. Eles eram pobres demais para multiplicarem esposas e estabelecerem famílias no exílio. Eram convertidos ao yahwismo, embora fossem estrangeiros, e poderiam ser mencionados, caso estivessem em transgressão. Por outro lado, talvez fossem uma classe social baixa demais para ser citada. Ver a caracterização geral, anteriormente, quanto a algumas explicações detalhadas sobre as classes envolvidas na transgressão dos casamentos mistos.

Com um aperto de mão. No hebraico temos a expressão literal "deram suas mãos", que é o hebraico correspondente a "comprometeram-se a" (*Revised Standard Version*) despedir suas esposas estrangeiras e renovar a aliança com Yahweh, a saber, o *Pacto Mosaico* (anotado na introdução ao capítulo 19 do livro de Êxodo). Isso foi assim porque, sem a separação do *paganismo*, nenhum sacerdócio

OS TRÊS ESTÁGIOS DA VOLTA DE JUDÁ DO CATIVEIRO BABILÔNICO

O Cativeiro Babilônico
70 ANOS — 597-538 a.C.

Três Voltas

Pessoas Envolvidas	Datas	Profetas	Realizações Principais
Zorobabel	538-515	Ageu (520) Zacarias (520-518)	O Templo Reconstruído
Esdras	458-456		A Volta de um Grupo de Exilados
Neemias	444-432	Malaquias (450-430)	O Muro de Jerusalém Reconstruído
	430		Uma Segunda Volta de Neemias para Fortalecer o Povo

Tempos Posteriores

- Israel continuava como nação na tribo de Judá e assim evitou a sua total destruição.
- O período de intervalo entre o Antigo e o Novo Testamento: quatrocentos anos.
- A produção dos livros apócrifos e pseudepígrafos.

O cativeiro babilônico se realizou em estágios e houve diversas voltas de pequenos grupos de sobreviventes para Jerusalém.

O novo Israel era mera sombra da velha nação e a glória nunca foi recuperada. Mesmo assim, o propósito de Deus continuava operando.

A Teologia do Messias crescia na face da melancolia, gerando nova esperança.

Os livros apócrifos e pseudepígrafos enriqueceram a teologia hebraica acabando por favorecer o desenvolvimento do Novo Testamento.

poderia operar. "... um solene compromisso usualmente era ratificado prometendo com a mão direita erguida (Pv 6.1; Ez 17.18)" (Jamieson, *in loc.*).

Um carneiro do rebanho por sua culpa. Ver Lv 5.14,15. A oferta pela *culpa* expiaria seus pecados. O erro precisava ser corrigido, como era usual em Israel, mediante os sacrifícios prescritos pela lei mosaica. Ver o artigo de sumário no *Dicionário*, intitulado *Sacrifícios e Ofertas*.

Dos filhos de Pasur. Seus filhos estavam envolvidos na transgressão. "Comparando com Ed 2.36-39, descobrimos que *todas* as famílias sacerdotais que voltaram com Zorobabel estavam implicadas na ofensa nacional" (Ellicott, *in loc.*). Ver no *Dicionário* o artigo detalhado chamado *Pasur*.

■ **10.24**

וּמִן־הַמְשֹׁרְרִים אֶלְיָשִׁיב וּמִן־הַשֹּׁעֲרִים שַׁלֻּם וָטֶלֶם
וְאוּרִי: ס

Dez levitas eram culpados (vss. 23 e 24), e representavam os vários turnos e tipos de levitas, como cantores, porteiros etc. O ministério, pois, tinha sido completamente poluído e estava imundo para as suas funções. Ver no *Dicionário* o artigo chamado *Limpo e Imundo*.

■ **10.25-33**

V25 וּמִיִּשְׂרָאֵל מִבְּנֵי פַרְעֹשׁ רַמְיָה וְיִזִּיָּה וּמַלְכִּיָּה
וּמִיָּמִן וְאֶלְעָזָר וּמַלְכִּיָּה וּבְנָיָה: ס

V26 וּמִבְּנֵי עֵילָם מַתַּנְיָה זְכַרְיָה וִיחִיאֵל וְעַבְדִּי
וִירֵמוֹת וְאֵלִיָּה: ס

V27 וּמִבְּנֵי זַתּוּא אֶלְיוֹעֵנַי אֶלְיָשִׁיב מַתַּנְיָה וִירֵמוֹת
וְזָבָד וַעֲזִיזָא: ס

V28 וּמִבְּנֵי בֵּבָי יְהוֹחָנָן חֲנַנְיָה זַבַּי עַתְלָי: ס

V29 וּמִבְּנֵי בָּנִי מְשֻׁלָּם מַלּוּךְ וַעֲדָיָה יָשׁוּב וּשְׁאָל יְרֵמוֹת

V30 וּמִבְּנֵי פַּחַת מוֹאָב עַדְנָא וּכְלָל בְּנָיָה מַעֲשֵׂיָה
מַתַּנְיָה בְצַלְאֵל וּבִנּוּי וּמְנַשֶּׁה: ס

V31 וּבְנֵי חָרִם אֱלִיעֶזֶר יִשִּׁיָּה מַלְכִּיָּה שְׁמַעְיָה שִׁמְעוֹן:

V32 בְּנְיָמִן מַלּוּךְ שְׁמַרְיָה: ס

V33 מִבְּנֵי חָשֻׁם מַתְּנַי מַתַּתָּה זָבָד אֱלִיפֶלֶט יְרֵמַי
מְנַשֶּׁה שִׁמְעִי: ס

Os *netinim* ou servos do templo (ver Ed 2.43-57) foram deixados de fora, ou porque não estavam envolvidos na transgressão, ou porque o envolvimento deles não era digno de ser mencionado. Mas 84 pessoas, que não pertenciam ao clero, representando todos os aspectos e classes da nação, haviam transgredido. Comparando a lista das famílias dada em Ed 2.3-20, vemos que muitas famílias estavam representadas na infração. Em outras palavras, a transgressão dos casamentos mistos era *nacional*.

E de Israel. Isto é, o novo Israel, o fragmento de Judá, que tinha dado a essa nação um novo começo, após o cativeiro babilônico. O fragmento de Judá tomou o lugar das *doze tribos*, mas a massa maior do povo pertencia à tribo de Judá.

Variações nas versões e na passagem paralela, 1Esdras 9.21-36, alertam-nos para o fato de que as listas eram um tanto defeituosas, e alguns erros ocorreram ali. Temos encontrado esse reparo como veraz, comparando todas as listas do livro de Esdras com Neemias e 1Esdras. Raymond A. Bowman (*in loc.*) tem o trabalho de demonstrar isso quando compara este trecho de Ed com Ne 10—12 e com o capítulo 9 de 1Esdras, mas não repito aqui essa informação dele. Discrepâncias como essas não têm nenhum efeito sobre alguma sã teoria da inspiração das Escrituras. Ver no *Dicionário* o verbete chamado *Inspiração*.

Mesulão. Foi um dos quatro homens que se opuseram ao divórcio forçado propriamente dito, ou ao método que foi empregado para pô-lo em prática. Ver o vs. 15. O fato de ele estar envolvido na infração parece indicar que se opunha à ideia inteira dos divórcios em massa. Provavelmente ele queria reter sua esposa e seus filhos, e parecia-lhe um terror ver sua família destruída.

■ 10.34-44

מִבְּנֵי בָנִי מַעֲדַי עַמְרָם וְאוּאֵל׃ ס V34

בְּנָיָה בֵדְיָה כְּלֻהִי V35

וַנְיָה מְרֵמוֹת אֶלְיָשִׁיב׃ V36

מַתַּנְיָה מַתְּנַי וְיַעֲשׂוֹ V37

וּבָנִי וּבִנּוּי שִׁמְעִי׃ V38

וְשֶׁלֶמְיָה וְנָתָן וַעֲדָיָה׃ V39

מַכְנַדְבַי שָׁשַׁי שָׁרָי V40

עֲזַרְאֵל וְשֶׁלֶמְיָהוּ שְׁמַרְיָה׃ V41

שַׁלּוּם אֲמַרְיָה יוֹסֵף׃ ס V42

מִבְּנֵי נְבוֹ יְעִיאֵל מַתִּתְיָה זָבָד זְבִינָא יַדּוּ וְיוֹאֵל V43 בְּנָיָה׃

כָּל־אֵלֶּה נָשְׂאוּ נָשִׁים נָכְרִיּוֹת וְיֵשׁ מֵהֶם נָשִׁים V44 וַיָּשִׂימוּ בָּנִים׃ פ

Estes onze versículos apresentam o maior número de problemas quando comparados às passagens paralelas, e Raymond A. Bowman, *in loc.*, dá-se ao trabalho de apontar um bom número deles. *Atribuem-se 27 nomes* à família de Bani (vss. 34-42), o que parece um exagero, visto que a segunda maior família tinha apenas oito homens envolvidos na transgressão (vss. 30 e 31). Por outro lado, talvez a família de Bani fosse exagerada nesse particular.

O Versículo Patético. O hebraico em que foi vazada a segunda metade do *vs.* 44 é obscuro, e não significa, necessariamente, que os *filhos* das esposas estrangeiras foram enviados com suas mães. Mas o paralelo em 1Esdras é claro. Os filhos foram mandados embora. Assim, grande levante social foi o resultado: muitos lares desfeitos; muitas lágrimas.

Houve um *expurgo* que alcançou sucesso, mas o seu custo foi alto. "A sequela imediata, em Ne 9.1 ss., assevera novamente que os homens de Judá não se separaram completamente de suas esposas estrangeiras e de seus filhos (ver Ed 10.29-31), nem de todos os *outros* estrangeiros (Ed 9.2; cf. especialmente com Ed 9.1 e 10.11)" (Torrey em seu livro *Ezra Studies*, págs. 278 e 279).

"A narrativa de Esdras continua em Ne 9.1-5, que descreve a confissão requerida por Esdras (vs. 11), e relata a verdadeira separação das famílias mistas" (Raymond A. Bowman, *in loc.*).

"Nem mesmo esse fato patético (acerca dos filhos) impediu que a excisão fosse completa. Mas o livro de Neemias (13.23 ss.) mostra que isso foi completo somente por algum tempo" (Ellicott, *in loc.*).

NEEMIAS

O livro que descreve a construção dos muros de Jerusalém depois do cativeiro cabilônico

> *Vinde, pois, reedifiquemos os muros de Jerusalém e deixemos de ser opróbio.*
>
> Neemias 2.17

13	Capítulos
406	Versículos

INTRODUÇÃO

ESBOÇO:

I. Neemias, o Autor
II. Data e Autoria
III. Pano de Fundo Histórico
IV. Propósito do Livro
V. Problemas Especiais do Livro
VI. Esboço do Conteúdo
VII. Bibliografia

I. NEEMIAS, O AUTOR

Tudo quanto sabemos acerca de Neemias, cujo nome, em hebraico, significa "Yahweh consola", pode ser derivado do livro que tem o seu nome, bem como de algumas tradições que circundam a sua carreira. Não é dada a sua genealogia, mas é dito que ele era filho de Hacalias (Ne 1.1) e tinha um irmão de nome Hanani (Ne 7.2). Também ficamos sabendo que, durante o cativeiro babilônico, ele ocupava a honrosa incumbência de ser o copeiro do rei Artaxerxes Longímano, em Susã (ver Ne 2.1). Isso ocorria por volta de 446 a.C. Tendo ouvido falar sobre as deploráveis condições de vida que prevaleciam na Judeia, ele foi a Jerusalém procurar melhorar tais condições. Para tanto, teve de apresentar uma petição ao monarca a fim de que lhe fosse dada permissão de ir a Jerusalém para reconstruí-la. Esse pedido lhe foi concedido e do rei ele recebeu o título persa de *tirshatha*, "governador", que era sua carta branca para agir. Neemias foi enviado com uma escolta de cavalaria e munido de cartas, da parte do rei, endereçadas a diversos sátrapas das províncias pelas quais ele teria de passar. Uma dessas missivas era para Asafe, que cuidava das florestas do rei, e que recebeu ordens para suprir a madeira necessária para Neemias, em sua tarefa de reconstrução. Neemias prometeu ao rei que voltaria, terminada a sua tarefa (ver Ne 2.1-10).

Chegando a Jerusalém, Neemias realizou a notável tarefa de restaurar as muralhas de Jerusalém no breve espaço de 52 dias (Ne 6.15). Naturalmente, Neemias encontrou quem lhe fizesse oposição, aqueles que não queriam que Judá se reerguesse. Os principais adversários foram Sambalate e Tobias. Esses dois chegaram a planejar apelar para a violência, se necessário fosse, para impedir a reconstrução, e assim os que reconstruíam a cidade tiveram de fazê-lo armados, a fim de afastar a ameaça (ver Ne 4).

Além das reedificações, Neemias tomou medidas que visavam a reforma, tendo introduzido a lei e a boa ordem, e restaurado a adoração a Yahweh, em consonância com as antigas tradições judaicas (ver Ne 7 e 8). Mas seus adversários, ao insinuarem que Neemias queria tornar-se um monarca independente em Judá, conseguiram impedir temporariamente o trabalho de reconstrução e de reformas (ver Ed 4.2). Todavia, contornada essa dificuldade, o trabalho teve prosseguimento, contando com a cooperação de Esdras, o sacerdote, que havia chegado antes dele em Jerusalém e se tornara importante figura política e religiosa em Jerusalém (ver Ne 8.1,9,13 e 12.36).

Após doze anos de trabalho profícuo em Jerusalém, Neemias retornou à corte de Artaxerxes (Ne 5.14; 13.6), em cerca de 434 a.C. Não nos é informado por quanto tempo ele permaneceu ali; mas, após algum tempo, ele voltou a Jerusalém. Isso posto, podemos apresentar a seguinte cronologia:

Neemias foi nomeado governador em 445 a.C. (Ne 2.1). Voltou à corte de Artaxerxes em 433 a.C. (Ne 5.14). Então voltou a Jerusalém, "ao cabo de certo tempo" (Ne 13.6). Seu retorno a Jerusalém foi assinalado por novas reformas, incluindo a questão da rejeição às mulheres estrangeiras com quem os judeus se tinham casado, durante o tempo do cativeiro babilônico. Além disso, o amonita Tobias foi expulso do templo, onde estava residindo, foi restaurada a observância do sábado, e, de modo geral, as coisas foram postas em ordem (ver Ne 13).

É provável que Neemias tenha permanecido em Jerusalém até cerca de 405 a.C., que teria sido o fim do reinado de Dario Noto (Ne 12.22). Contudo, não temos nenhuma informação certa sobre o tempo e a maneira da morte de Neemias.

O livro de Neemias, de acordo com os estudiosos conservadores, foi escrito pessoalmente por ele, embora muitos suponham que suas tradições tenham sido incorporadas ao livro por algum autor posterior. O trecho de Ne 1.1 afirma que o livro é de autoria de Neemias; mas isso poderia significar que os pontos essenciais de sua história foram ali incorporados. O que é seguro é que a autobiografia de Neemias foi a principal fonte informativa do livro, mesmo que ele não o tenha composto pessoalmente. Alguns dentre os especialistas que pensam que o autor que compilou a obra viveu após o tempo de Neemias, creem que o autor do livro também escreveu 1 e 2Crônicas e Esdras, e viveu ou no século IV ou no século III a.C. Seja como for, a autobiografia de Neemias acha-se principalmente nos seguintes trechos: Ne 1—7; 12.27-43; 13.4-31. E, se essa teoria de outra autoria está com a razão, então outras porções do livro foram compiladas com base em diversas fontes informativas.

Na Bíblia hebraica, os livros de Neemias e Esdras compõem um único volume. E o livro de Esdras também não envolve reivindicação de autoria. É provável que um único autor-editor tenha escrito a unidade inteira, e, na porção que alude a Neemias, aquele autor-editor tenha vinculado esse nome, porque, na realidade, estava ali incorporando a autobiografia de Neemias. No entanto, apesar de Esdras ter sido a personagem principal daquilo que, atualmente, se chama de livro de *Esdras*, este não deixou a sua autobiografia, pelo que o seu nome não aparece vinculado à unidade. Mas, de fato, Esdras e Neemias compõem um único livro, que foi preparado como suplemento de 1 e 2Crônicas. E assim, a ideia de um autor-editor haver trabalhado com essa coletânea, como um todo, não é destituída de razão. Na Septuaginta, os livros de Esdras-Neemias ainda aparecem unidos; mas, nas modernas Bíblias hebraicas, os dois livros são separados, a partir da edição chamada de Bomberg, de 1525 d.C. Essa edição seguiu o arranjo alemão, no qual os dois livros apareciam separados. Eusébio de Cesareia tinha conhecimento de apenas um livro, "Esdras-Neemias", chamado de *livro de Esdras*, que, sem dúvida incluía a porção que hoje foi separada como o livro de Neemias. No entanto, nos dias de Orígenes, pelo menos em algumas coletâneas dos livros sagrados, esses dois livros apareciam distintos um do outro. A unidade Esdras-Neemias pertence à terceira divisão da Bíblia hebraica, a divisão chamada *Escritos ou Hagiógrafos* (ver a respeito no *Dicionário*).

II. DATA E AUTORIA

Se aceitarmos a ideia de que Neemias escreveu pessoalmente o livro inteiro de Neemias, ou, pelo menos, uma porção essencial, então teremos de pensar em uma data posterior a 433 a.C. Mas, se algum autor-editor (cronista) esteve envolvido, então essa data poderia ser esticada até cerca de cem anos depois disso. Alguns eruditos do hebraico afirmam que o tipo de hebraico envolvido na obra é posterior, pertencendo a talvez cem anos após a época de Neemias, período durante o qual houve algumas significativas mudanças de linguagem. Um dos argumentos em favor de uma data posterior é a suposta confusão que teria ocorrido com a incorporação de material do livro de Esdras, na parte da unidade que veio a ser conhecida, mais tarde, como livro de Neemias. A ordem dos eventos parece ter sido perturbada nesse material. Fica pressuposto que uma pessoa que tivesse vivido mais perto dos acontecimentos, que tivesse tido a vantagem de poder consultar testemunhas oculares, não teria feito tais deslocamentos de material. Ver a quinta seção, *Problemas Especiais do Livro*, para uma discussão a respeito.

A despeito do problema de autoria (ou de editoração), o livro de Neemias sempre desfrutou do caráter de canonicidade entre os judeus palestinos e alexandrinos. Alguns críticos pensam que, pelo menos quanto a certas porções da narrativa, o editor dependeu de informes fictícios, os quais passaram a ser reputados como autênticos. E quanto ao material canônico, o autor teria dependido de 1 e 2Crônicas, embora alguns também digam que ele deixou correr solta a imaginação. Todas as investigações nesse campo deixam a questão no ar, visto que os argumentos que têm sido apresentados, contra e a favor, não são conclusivos. A grande verdade é que a unidade literária de Esdras-Neemias é praticamente a única fonte informativa autorizada de que dispomos quanto ao período histórico que envolve a restauração de Judá à cidade de Jerusalém. Isto posto, é impossível averiguar exatidão histórica dessa narrativa, exceto por meio da arqueologia, que ainda não apresentou coisa alguma obviamente contrária a ela. E, apesar de talvez ser verdade que certas porções desse material pareçam estar deslocadas do lugar certo, isso não milita contra a exatidão geral do relato bíblico. Sabemos que os hebreus sempre foram historiadores cuidadosos; e, apesar do adjetivo "cuidadoso" não ser idêntico a "perfeito", isso não envolve nenhuma inexatidão essencial. Outrossim, o período histórico ali coberto reveste-se de importância especial. Aquela foi a ressurreição histórica da nação hebreia, em sua cultura e em sua fé. É difícil acreditar que algum judeu piedoso tivesse manuseado desonestamente essa ressurreição histórica, e outros judeus, da Palestina ou de qualquer outro lugar, tivessem aceito sem protestar as supostas distorções históricas.

III. PANO DE FUNDO HISTÓRICO
Quanto a isso, ver no *Dicionário* o artigo *Cativeiro Babilônico;* bem como a introdução ao livro de Esdras, e a primeira seção desta *Introdução*, que trata especialmente sobre Neemias, no tocante a essas questões.

IV. PROPÓSITO DO LIVRO
A teologia ensina-nos que Deus está interessado no destino dos indivíduos e das nações. Os cativeiros assírio e babilônico, como é óbvio, tiveram motivações meramente humanas, com base na ganância e na violência dos homens, ou na desumanidade dos homens contra os homens. No entanto, ambos os cativeiros também foram castigos bem merecidos que receberam as nações de Israel (do norte) e de Judá (do sul), em face de seus pecados e apostasias, "que formavam multidão". Os juízos divinos sempre são também remediadores e restauradores, e não meramente vindicativos. O propósito de Deus, pois, operou através de nações como a Assíria, a Babilônia e a Pérsia. Mas também operou por meio dos restauradores da nação de Israel, como Esdras, Neemias, Zorobabel, Josué, Ageu e Zacarias, além de outros profetas que haviam advertido e instruído as nações de Israel e de Judá em tempos críticos, como Jeremias, Isaías e os profetas menores, como uma classe. Ora, a unidade literária Esdras-Neemias faz parte desse quadro maior, relatando-nos os anos críticos durante os quais Judá teve um novo início histórico em Jerusalém, tendo sido assim preservados a identidade e o destino do povo hebreu. As catástrofes posteriores, como as do tempo dos macabeus, da dominação romana e da grande dispersão mundial, não foram capazes de anular os propósitos de Deus. As profecias bíblicas falam de significativos eventos futuros que porão Israel à testa das nações da terra. Neemias faz parte da caudal do grandioso propósito divino, que tem prosseguimento apesar dos obstáculos que ocasionalmente parecem diminuir o ímpeto ou mesmo desviar a direção do seu fluxo.

V. PROBLEMAS ESPECIAIS DO LIVRO
1. *Autoria*. Essa questão já foi discutida, na segunda seção, acima.
2. *A Presença de Esdras no Livro. Problemas Cronológicos*. Esdras chegou a Jerusalém no sétimo ano do governo de Artaxerxes II (ver Ed 7.7), e Neemias ali chegou no vigésimo ano do governo do mesmo rei (ver Ne 2.1), isto é, em cerca de 445 a.C. Portanto, tanto Esdras quanto Neemias estiveram envolvidos nos acontecimentos do período. O problema que envolve Esdras — no livro de Neemias — é o da ordem dos acontecimentos que as inserções daquele material parecem criar. O ponto nevrálgico do argumento dos críticos é que Esdras deve ter chegado a Jerusalém *após* Neemias, e não antes, ou seja, no vigésimo sétimo ano de Artaxerxes, e não no seu sétimo ano, ou seja, 428 a.C., e não 408 a.C. Três passagens bíblicas estão envolvidas nessa questão:
   a. Ed 10.1. Temos aqui a afirmação de que houve grande ajuntamento em Jerusalém; mas, na época de Neemias (7.4), presumivelmente a cidade estava esparsamente habitada. Contra isso, afirma-se que a multidão que se reuniu a Esdras proveio de fora da cidade, de outras partes do território de Judá, pelo que a própria cidade de Jerusalém teria poucos habitantes, ao passo que no território de Judá, em geral, já haveria bastante gente.
   b. Ed 9.9. Este trecho apresenta-nos Esdras a agradecer pelos muros reconstruídos de Jerusalém. No entanto, esses muros só teriam sido reerguidos mais tarde, nos dias de Neemias. Em resposta a essa crítica, alguns aceitam a palavra "muro" de forma metafórica, traduzindo-a por "segurança" e removendo assim a dificuldade. Nossa versão portuguesa encontra um ponto de compromisso, traduzindo por "muro de segurança". No entanto, a verdade é que Ed 4.12 mostra que a reconstrução das *muralhas* de Jerusalém havia começado antes mesmo da chegada de Neemias, pelo que uma interpretação metafórica da palavra "muro" torna-se desnecessária.
   c. Ed 10.6. Este versículo menciona Joanã como contemporâneo de Esdras, chamando-o de "filho de Eliasibe". Mas Eliasibe foi sumo sacerdote nos dias de Neemias (ver Ne 3.1). Contudo, o trecho de Ne 12.10,11 faz de Eliasibe avô de Jônatas, e os papiros de Elefantina mostram que esse neto de Eliasibe foi sumo sacerdote em 408 a.C. Para que Esdras tivesse conhecido esse homem como sumo sacerdote, precisaria ter chegado a Jerusalém em data bem posterior. Em resposta a isso, tem sido mostrado que Joanã não foi a mesma pessoa que Jônatas, apesar da semelhança de nomes, sem contar o fato de que Eliasibe pode ter tido um filho que nunca se tornou sumo sacerdote, embora tivesse tido um neto que chegou a sê-lo, e que nomes comuns podem ter estado em jogo. Um reforço a esse argumento é que esse sumo sacerdote, Jônatas, foi culpado de ter assassinado o próprio irmão, no templo de Jerusalém (ver Josefo, *Anti*. 11.7,1), sendo improvável que Esdras tivesse querido associar-se a um assassino.
3. *O Problema dos Casamentos Mistos*. Tanto Esdras quanto Neemias (em diferentes períodos de tempo) tentaram solucionar o problema dos casamentos mistos, forçando os judeus a se divorciarem de suas mulheres estrangeiras, com quem eles se tinham casado durante o cativeiro babilônico? Isso significaria que houve duas reformas, e não uma só. Ou, de fato, a questão só sucedeu uma vez, mas foi mencionada por duas vezes, uma em relação a Esdras e outra em relação a Neemias? Ver Ed 9.1,2 e 10.2 em comparação com Ne 13.23 ss. Quanto a esse terceiro problema, não há como solucioná-lo, a menos que se diga que tanto Esdras quanto Neemias tiveram de enfrentar o problema, que não ficou resolvido na tentativa feita por Esdras. Ou então temos de confessar que houve deslocamento de material, por parte de um editor. Contudo, mesmo em face dessa última possibilidade, o problema não é de natureza gravemente insuperável, não atingindo a exatidão histórica geral.
4. *Quando a Lei Foi Lida Diante do Povo?* Esdras tinha a incumbência de ensinar a lei ao povo (ver Ed 7.14,25,26), o que requeria que ela fosse lida aos ouvidos do povo. No entanto, o oitavo capítulo do livro de Neemias mostra que essa leitura foi feita treze anos depois da presumível leitura feita por Esdras. É significativo que o livro não canônico de 1Esdras vincule esse relato à leitura da lei, diante do povo, no fim do livro de Esdras, ou seja, tenha feito retroceder o acontecimento a um tempo anterior. Os críticos, pois, acreditam que essa é a verdadeira ordem cronológica do relato, e que o oitavo capítulo do livro de Neemias constitui um deslocamento de material, que fez a leitura da lei ter ocorrido mais de um decênio depois. Apesar disso, alguns eruditos pensam que o livro de Neemias é que está certo. Na verdade, não há como solucionar esse quarto problema, porque todas as soluções propostas são influenciadas por preferências subjetivas. E nem a questão se reveste de maior significação, a não ser para aqueles que dão valor a questões assim, tendo em vista satisfazer seu gosto pela controvérsia.

VI. ESBOÇO DO CONTEÚDO
1. Notícias sobre condições adversas em Jerusalém impelem Neemias a voltar a Jerusalém, para prestar ajuda (1.1-11)
2. A permissão para tanto lhe é dada pelo rei, isso incluiu o direito de reconstruir a cidade de Jerusalém (2.1-12)
3. Lista dos construtores e de suas áreas de trabalho (3.1-32)
4. Adversários tentam fazer parar a obra, mediante o ridículo e a violência (4.1-23)

5. Problemas entre ricos e pobres, que ameaçavam a estabilidade dos restaurados (5.1-19)
6. Neemias é acusado de querer tornar-se rei, em mais uma tentativa de impedir o trabalho de reconstrução (6.1-14)
7. As muralhas da cidade são terminadas em 52 dias (6.15—7.4)
8. Registro dos exilados que retornaram (7.5-73)
9. A lei de Moisés é lida diante do povo (8.1-18)
10. Arrependimento nacional e estabelecimento de um novo pacto (9.1—10.39)
11. Registro dos habitantes de Jerusalém e das circunvizinhanças (11.1-36)
12. São relacionados os sacerdotes e os levitas, incorporando o tempo desde o retorno da Babilônia a Jerusalém até o fim do império persa (12.1-26)
13. Dedicação das muralhas de Jerusalém e regras acerca da adoração pública (12.27—13.3)
14. Outras reformas, incluindo a questão dos casamentos mistos (13.4-31)

VII. BIBLIOGRAFIA
Ver a Bibliografia sobre *Esdras*.

Ao Leitor
O leitor sério, ao examinar o livro de Neemias, preparará o caminho para seus estudos lendo a *Introdução* ao livro. Esta introdução trata das seguintes questões: Neemias, o autor; data e autoria; pano de fundo histórico; propósito do livro; problemas especiais do livro; esboço do conteúdo.

Na Bíblia hebraica, Esdras-Neemias formavam um único livro, de modo que a introdução a Esdras e notas expositivas adicionais, dadas imediatamente antes da exposição em Ed 1.1, também se aplicam ao livro de Neemias. A separação da unidade literária em dois livros ocorreu, pela primeira vez, na versão grega do Antigo Testamento, a Septuaginta, e esse arranjo foi seguido por traduções posteriores para outros idiomas.

Provavelmente, 1 e 2Crônicas, Esdras e Neemias foram compilados pelo mesmo autor-compilador, a quem os eruditos chamam de "o cronista". As tentativas de fazer de Esdras o autor do livro de Esdras, e de Neemias o autor do livro de Neemias, não têm sido bem aceitas pelos estudiosos modernos. Pelo menos temos as memórias de Esdras (Ed 7.27—9.15) e as de Neemias (Ne 1.1—7.5; 11.27-43; 13.4-30), e essas seções provavelmente representam narrativas de testemunhas oculares que o cronista incorporou em sua compilação-composição. Ne 1.1, que fala sobre as "palavras de Neemias", não apresenta Neemias como o autor do livro inteiro, mas somente a fonte informativa das partes incorporadas pelo cronista. Fazer de Neemias o autor do conjunto todo equivaleria a torná-lo autor da coletânea inteira: 1 e 2Crônicas, Esdras e Neemias, pois é perfeitamente evidente que o mesmo autor-compilador foi o responsável pelo grupo inteiro dos livros. A coletânea é uma unidade distinta no Antigo Testamento, porque não é mera história. É, antes, uma espécie de filosofia da história sobre a qual comento nos parágrafos quarto a sétimo das notas introdutórias a 1Crônicas, imediatamente antes da exposição em 1Cr 1.1. O cronista diz-nos que essa história é teisticamente controlada. Ver no *Dicionário* sobre *Teísmo*, quanto a explicações completas. Deus guia as atividades humanas; intervém na história da humanidade; recompensa os bons e pune os maus. O homem é moralmente responsável diante do Poder Supremo.

Perturbações Cronológicas. Os materiais de Esdras e Neemias se interpõem, e a ordem dos eventos, de acordo com o cronista, nem sempre representa a verdadeira cronologia histórica. Quanto a uma tentativa de pôr os materiais na ordem cronológica histórica, ver as anotações introdutórias a Esdras, imediatamente antes da exposição a Ed 1.1, o quinto parágrafo a contar do fim.

"*Catorze anos* após o retorno de Esdras a Jerusalém, Neemias liderou um grupo de judeus que retornou a Judá (444 a.C.) e restaurou as muralhas de Jerusalém e a autoridade civil. Este livro é o registro desses acontecimentos. O estado moral da época é desvendado pelo profeta Malaquias. Este livro fornece muitas instâncias de fé individual, agindo sobre a palavra escrita: como exemplos, ver Ne 1.8,9 e 13.1. Esse é o princípio que domina o capítulo 2 da segunda epístola a Timóteo. Os eventos do livro, de acordo com Usher, cobrem um período de onze anos" (*Scofield Reference Bible*, introdução ao livro de Neemias).

"Em 444 a.C., catorze anos depois do retorno de Esdras a Jerusalém, Neemias também retornou, e Deus o usou para guiar Judá na reconstrução das muralhas da cidade de Jerusalém e no registro da vida social e econômica do povo. O que ele realizou em um breve período de tempo foi um feito incrível. Como ele conseguiu esse alvo, é uma das grandes ênfases do livro que traz o seu nome" (Gene A. Getz, introdução ao livro).

Neemias havia sido guindado a uma posição de responsabilidade em seu meio ambiente pagão. Ele era o copeiro pessoal do rei Artaxerxes (Ne 1.11; cf. Ne 2.1). Essa posição na Babilônia deu-lhe a oportunidade de exercer influência sobre o rei e de favorecer seu povo de maneira eficaz. A posição dele na Babilônia revelou suas qualidades intelectuais e pessoais. Mas ele também tinha uma boa posição espiritual, e foi isso que o inspirou a fazer o que fez.

EXPOSIÇÃO

CAPÍTULO UM

A RECONSTRUÇÃO DAS MURALHAS (1.1—6.19)

NOTÍCIAS SOBRE CONDIÇÕES ADVERSAS EM JERUSALÉM IMPELEM NEEMIAS A VOLTAR PARA A CIDADE, A FIM DE PRESTAR AJUDA (1.1-11)

O título do livro, Neemias, provavelmente foi introduzido pelo cronista ou por um editor posterior, o qual incorporou o texto de Neemias no atual complexo literário de Esdras-Neemias. A Septuaginta, manuscrito *L*, não tem esse título, e talvez isso represente o original hebraico. As "palavras de Neemias" significam "os atos de Neemias". Os termos "palavras de" são comuns para introduzir obras proféticas, e o cronista reteve essas palavras sem levar em consideração que ele não estava contando um relato cuja personagem principal era um profeta. Os livros de 1 e 2Crônicas, que eram um único livro no hebraico, também têm o título de "palavras".

Neemias. Ver a forma abreviada do nome, Neum (Na), em Ne 7.7, bem como o livro desse nome, vs. 1. Quanto ao que se sabe sobre esse homem, ver a primeira seção da introdução ao livro. Esse material também cobre a situação histórica na qual ele vivia. A seção III dá detalhes adicionais sobre o pano de fundo histórico.

Caracterização Geral. Enquanto servia no palácio persa de inverno, em Susã (cf. Et 1.2; Dn 8.1), Neemias recebeu um relatório da horrenda situação de Jerusalém, da parte de vários homens que tinham acabado de chegar daquele lugar. Um deles era seu irmão, Hanani. (Posteriormente, Neemias nomeou-o para uma alta posição em Jerusalém; Ne 7.2). Neemias recebeu esse relatório no mês de quisleu (novembro-dezembro). O ano era 444 a.C., pois sabemos que o episódio ocorreu no vigésimo ano de governo do rei Artaxerxes. Neemias ficou muito aflito diante do relatório e resolveu fazer alguma coisa a respeito, com a ajuda de Yahweh. O novo Israel, embora já tivesse levantado o templo, estava em situação de desgraça e pobreza, ameaçado por forças hostis, a muralha derrubada e os portões queimados devido aos atos hostis que conduziram ao cativeiro babilônico (Ne 3.1,3,6,13-15). Tinha havido alguma atividade de construção das muralhas (ver Ed 4.12), mas o projeto não fora muito adiante. Neemias, tomando vantagem de sua elevada posição perante o rei, foi inspirado a levar avante o projeto de reconstrução das muralhas de Jerusalém.

■ 1.1

דִּבְרֵי נְחֶמְיָה בֶּן־חֲכַלְיָה וַיְהִי בְחֹדֶשׁ־כִּסְלֵו שְׁנַת
עֶשְׂרִים וַאֲנִי הָיִיתִי בְּשׁוּשַׁן הַבִּירָה׃

As palavras de Neemias. Uma expressão que imita as introduções aos livros proféticos. Um título ou introdução melhor para o livro teria sido Atos de Neemias.

Neemias. Quanto ao que se sabe sobre ele, ver a primeira seção da Introdução ao livro, anteriormente. Seu nome significa "Yahweh é consolo", e nele haveria consolação para o novo Israel.

No mês de quisleu. Isto é, correspondente a nosso novembro-dezembro. Ver no *Dicionário* o verbete intitulado *Calendário Judaico*. A data dada foi em algum ponto entre 5 de dezembro e 3 de janeiro.

No ano vigésimo. Ou seja, no vigésimo ano do governo do rei Artaxerxes (Ne 2.1), o qual, presumivelmente, foi Artaxerxes I, Longânimo. Ele reinou entre 464 e 423 a.C. A data citada neste versículo está fora de ordem, cronologicamente falando. Ver Ne 2.1, que põe ali os eventos, antes de Ne 1.1. Os eruditos supõem que Ne 1.1 devesse ter uma data anterior, ou então as indicações de tempo foram interpoladas aqui, o que causou um problema com a nota sobre o tempo em Ne 2.1.

Na cidadela de Susã. Ver Ed 4.9 e o *Dicionário*. Susã era capital do Elão, uma residência de inverno dos reis persas (Xenofonte, *Cyropaedia* VIII.6.22). O local era uma fortaleza, ou "cidadela", conforme Esdras também informa (Ed 6.2). Depois da captura do lugar (foi tomado dos babilônios), Dario Histaspis a reconstruiu e levantou um magnificente palácio ali. Ver Dn 8.2 e Et 1.3.

■ 1.2

וַיָּבֹא חֲנָנִי אֶחָד מֵאַחַי הוּא וַאֲנָשִׁים מִיהוּדָה וָאֶשְׁאָלֵם עַל־הַיְּהוּדִים הַפְּלֵיטָה אֲשֶׁר־נִשְׁאֲרוּ מִן־הַשֶּׁבִי וְעַל־יְרוּשָׁלִָם:

Veio Hanani, um de meus irmãos. Hanani é a forma abreviada de Hananias (Ne 3.8,30). Talvez ele fosse um irmão de sangue de Neemias, ou o termo poderia ser elástico o bastante para significar, simplesmente, colega judeu. Ver Êx 2.11 e Dt 15.12 quanto ao uso amplo do termo. Seja como for, o homem aparentemente era um amigo íntimo, mesmo que não fosse um irmão de sangue (ver 2Sm 1.26; 1Rs 9.13; 20.32,33). Ne 7.2 parece indicar que Hanani era um verdadeiro irmão de sangue de Neemias. Josefo (Antiq. XI.5.6) não mencionou o homem em sua versão da história. Talvez *Hanani* (ver no *Dicionário* a respeito) e aqueles que o acompanhavam formassem uma delegação oficial de Jerusalém, enviada para buscar a ajuda de Neemias. Alguns poucos judeus tinham sobrevivido ao ataque dos babilônios e foram deixados no cativeiro, na Babilônia. Então, setenta anos mais tarde, houve dois movimentos de retorno a Jerusalém, o primeiro liderado por Zorobabel, e o segundo por Esdras. Progresso tinha sido feito no estabelecimento do novo Israel, principalmente na edificação do templo de Jerusalém e na restauração do culto a Yahweh. A autoridade política tinha sido investida no novo Israel, embora fosse apenas um minúsculo fragmento daquela tribo isolada, Judá. Zorobabel era descendente direto de Davi, e assim, em certo sentido, restaurava a dinastia davídica, embora fosse apenas um governador sob a hegemonia da Pérsia. Além disso, os sacerdotes e os levitas que tinham retornado conferiam ao novo Estado de Israel autoridade espiritual. Portanto, de acordo com a legislação mosaica, havia agora um novo Israel, que levava avante as antigas tradições. Neemias em breve receberia a missão especial de fomentar a causa sagrada. Judá tornou-se uma província siro-palestina do império persa, mas o tempo modificaria até essa situação.

■ 1.3

וַיֹּאמְרוּ לִי הַנִּשְׁאָרִים אֲשֶׁר־נִשְׁאֲרוּ מִן־הַשְּׁבִי שָׁם בַּמְּדִינָה בְּרָעָה גְדֹלָה וּבְחֶרְפָּה וְחוֹמַת יְרוּשָׁלִַם מְפֹרָצֶת וּשְׁעָרֶיהָ נִצְּתוּ בָאֵשׁ:

Disseram-me. *A Triste Sorte de Judá.* O relatório de Esdras sobre as condições em Judá e em Jerusalém parece ter sido róseo demais. Os que residiam em Jerusalém falavam de uma realidade mais dura. O povo era pobre e miserável; vivia em estado de aflição; as muralhas da cidade tinham sido derrubadas, tornando-os vítimas fáceis de qualquer inimigo. Em breve veremos, no presente livro, que havia conflitos internos e oposição. A despeito dos decretos de Ciro (Ed 1.1 ss.) e Artaxerxes (Ed 7), havia muitos que não queriam ver Jerusalém e Judá restaurados, e faziam o que podiam para opor-se aos esforços dos judeus, embora o governo persa lhes fosse favorável.

"As condições em Jerusalém anunciadas pelos amigos de Hanani (vs. 3)... pareciam requerer uma calamidade recente de algum tipo...

Neemias poderia ter ignorado ou esquecido esses relatórios, mas ele tinha uma imaginação suficientemente boa para perceber o que eles queriam dizer, e também tinha um senso de lealdade e de responsabilidade a fim de considerar esses relatórios com preocupação. A despeito de sua própria alta e afluente posição, ele sentia 'a grande tribulação e a vergonha' de seus compatriotas" (Charles W. Gilkey, *in loc.*).

Nossa história do período não é muito completa, de modo que não sabemos dizer que grande aflição tinha sobrevindo a Jerusalém. Mas uma série de eventos muito graves parece ter acontecido.

Adam Clarke, talvez corretamente, observou que as muralhas derribadas provavelmente significavam que uma parte tinha sido reconstruída sob a liderança de Esdras. Nesse caso, a referência primária não era ao que os babilônios tinham feito contra a cidade, em 587 a.C.

■ 1.4

וַיְהִי כְּשָׁמְעִי אֶת־הַדְּבָרִים הָאֵלֶּה יָשַׁבְתִּי וָאֶבְכֶּה וָאֶתְאַבְּלָה יָמִים וָאֱהִי צָם וּמִתְפַּלֵּל לִפְנֵי אֱלֹהֵי הַשָּׁמָיִם:

Tendo eu ouvido estas palavras, assentei-me e chorei. Cf. a aflição, as lamentações e o jejum de Neemias às mesmas reações de Esdras, antes dele (ver Ed 9.3 ss.). Grandes emoções correspondem a uma grande preocupação pelo bem-estar do povo. Cf. Jó 2.8,12,13. Adam Clarke faz o tempo de lamentações ir do mês de quisleu (dezembro) até o mês de nisã (abril), cerca de quatro meses. Cf. Ne 1.1 a 2.1.

Seja como for, Neemias, pensando constantemente no desastre que havia atingido Jerusalém, passou longo tempo profundamente preocupado. Isso tinha de transformar-se, finalmente, em ação. "Nem toda boa obra é efetuada às pressas. A oração e a vigilância são necessárias para que haja algo completo. Muitas boas obras têm sido arruinadas por atos apressados" (Adam Clarke, *in loc.*).

Em contraste com este versículo, comparado a Ne 2.1, Josefo diz-nos que Neemias compareceu diante do rei persa imediatamente, ou seja, agiu de imediato.

Perante o Deus dos céus. Ver Ed 1.2 quanto a notas completas sobre essa expressão, com referências a outras ocorrências nos livros de Esdras e Neemias.

A Oração de Neemias (1.5-11)

Josefo dá-nos uma versão dramática dessa questão, afirmando que Neemias "prorrompeu em lágrimas, por dó do infortúnio de seus compatriotas, e olhando para o céu disse: 'Até quando, Senhor, olharás para outro lado, enquanto a nossa nação sofre essas coisas, tendo-se tornado a presa e o despojo de todos?'" (Antiq. XI.5,6). Alguns críticos atribuem essa oração à invenção do cronista, mas não há razão alguma para duvidarmos de seu conteúdo essencial. As memórias de Neemias sem dúvida a contiveram. Suas memórias ficaram registradas em Ne 1.1—7.5; 11.27-43; 13.4-30. Neemias estava enfrentando uma situação que não era capaz de remediar, sem a ajuda divina. Por isso, ele lançou seu apelo ao céu. Um Deus assombroso foi endereçado em oração, porquanto Neemias queria alguma resposta assombrosa. A soberania divina era capaz de reverter as misérias terrenas. O cronista, por sua vez, promoveu sua filosofia da história mediante o uso da oração. Os negócios humanos são controlados teisticamente. Ver no *Dicionário* o verbete intitulado *Teísmo*. Ver, nos parágrafos quarto a sétimo das notas de introdução a 1Cr 1.1, os cinco princípios segundo os quais se desenrola a história humana, divinamente controlada como é.

■ 1.5

וָאֹמַר אָנָּא יְהוָה אֱלֹהֵי הַשָּׁמַיִם הָאֵל הַגָּדוֹל וְהַנּוֹרָא שֹׁמֵר הַבְּרִית וָחֶסֶד לְאֹהֲבָיו וּלְשֹׁמְרֵי מִצְוֹתָיו:

E disse: Ah! Senhor, Deus dos céus, Deus grande e temível!

Princípios da Oração:
1. O povo de Deus estava em grande aflição, requerendo alguma espécie de intervenção divina. A necessidade era grande e óbvia.
2. Yahweh-Elohim era o Deus de Israel, o endereço certo das orações. Israel era filho de Deus (Êx 4.22). Ver no *Dicionário* o artigo

denominado *Deus, Nomes Bíblicos de*. Yahweh-Elohim significa o Deus Eterno e Todo-poderoso.
3. Yahweh-Elohim é grande e terrível, falando de seu tremendo poder que pode ser aplicado como alívio do terror para alguns, mas como terror para outros, dependendo do que cada qual mereça. O texto fala do atributo divino da onipotência. Ver no *Dicionário* o verbete chamado *Atributos de Deus*. Cf. Ne 4.14 e 9.32.
4. A oração baseia-se sobre a noção do *teísmo* (ver a respeito no *Dicionário*). Deus não fez somente criar. Ele também está presente em sua criação, para recompensar os bons e punir os maus e, de modo geral, para intervir nas atividades humanas. Contrastar isso com o *deísmo*, também no *Dicionário*.
5. O pacto estabelecido com Moisés (anotado na introdução a Êx 19) e com outros patriarcas, incluindo Davi (anotado em 2Sm 7.4), obrigava Yahweh a cuidar de seu povo. Havia entre Deus e Israel uma relação de pacto que não podia ser rompida.
6. Yahweh é um Deus misericordioso e amoroso. Ele age baseado em sua piedade e amor. Ele é tocado pelas emoções e necessidades humanas. Deus dá mais do que os homens merecem, porquanto parte da verdadeira justiça é a misericórdia e o amor.
7. O homem tem diante de Deus a responsabilidade de cumprir a sua parte, obedecendo à legislação mosaica. Israel se tornara uma nação distinta graças a esse fator (ver Dt 4.4-8) e, cada vez que Israel falhava nessa obrigação, sobrevinha o desastre, produzindo toda a espécie de desgraça e destruição. O cativeiro babilônico foi um exemplo conspícuo disso.

■ **1.6**

תְּהִי נָא אָזְנְךָ קַשֶּׁבֶת וְעֵינֶיךָ פְתֻחוֹת לִשְׁמֹעַ אֶל־תְּפִלַּת עַבְדְּךָ אֲשֶׁר אָנֹכִי מִתְפַּלֵּל לְפָנֶיךָ הַיּוֹם יוֹמָם וָלַיְלָה עַל־בְּנֵי יִשְׂרָאֵל עֲבָדֶיךָ וּמִתְוַדֶּה עַל־חַטֹּאות בְּנֵי־יִשְׂרָאֵל אֲשֶׁר חָטָאנוּ לָךְ וַאֲנִי וּבֵית־אָבִי חָטָאנוּ:

Estejam, pois, atentos os teus ouvidos.

Continuação dos Princípios da Oração:
8. Os ouvidos de Deus estão atentos; seus olhos estão abertos diante das necessidades de seus filhos. Neste texto, esses filhos aparecem como servos de Deus. Novamente, o teísmo é apresentado sob termos antropomórficos. Ver no *Dicionário* o artigo chamado *Antropomorfismo*. A Septuaginta, a Vulgata Latina, o etíope peshitta e o português têm a forma plural, *ouvidos*, tal como se vê em 2Cr 6.40 e Sl 130.2. Mas Is 37.17 tem a forma singular, *ouvido*, tanto no original hebraico quanto na versão portuguesa. Esperava-se que Deus respondesse tanto aos apelos da visão quanto aos apelos da audição.
9. Confissão de pecados. Sempre ocorriam calamidades sobre Israel por causa de seus pecados. A síndrome antiga do pecado-calamidade-julgamento nunca deixou de funcionar. Naturalmente, Neemias pensava que as terríveis condições em que se achava Jerusalém significavam que o povo estava brincando e facilitando com a lei mosaica, o padrão divino do certo e errado.
10. Neemias se associou tão intimamente a seus irmãos, em Jerusalém, que ele também se incluiu nos pecados deles. Portanto, sua confissão foi feita por si mesmo e por eles. Com a confissão vem o arrependimento, e com o arrependimento, a restauração (ver 1Jo 1.9). Neemias tornou-se servo de Yahweh, em sua abordagem humilde de um Ser Superior, conforme se vê também em Gn 18.3 e 1Sm 20.7,8. Encontramos esse mesmo tipo de abordagem nas cartas assírias. Os israelitas eram igualmente servos de Yahweh e também faziam essa abordagem humilde.

■ **1.7**

חֲבֹל חָבַלְנוּ לָךְ וְלֹא־שָׁמַרְנוּ אֶת־הַמִּצְוֹת וְאֶת־הַחֻקִּים וְאֶת־הַמִּשְׁפָּטִים אֲשֶׁר צִוִּיתָ אֶת־מֹשֶׁה עַבְדֶּךָ:

Temos procedido de todo corruptamente contra ti.

Continuação dos Princípios da Oração:
11. O problema do pecado é reiterado aqui. Yahweh estava ofendido pelos muitos e constantes lapsos de Israel. O pecado de Israel estaria sendo julgado pelos mandamentos, estatutos e juízos divinos, a tríplice maneira de referir-se à lei de Moisés. Quanto às distinções desses três termos, ver as notas expositivas em Dt 6.1. A legislação mosaica era o padrão de toda bondade e de toda maldade.
12. Moisés fora o maior patriarca, por meio de quem a revelação divina foi dada na forma da lei. Seu nome sempre requeria atenção e respeito. Nenhum judeu autêntico negligenciaria o que Moisés tinha dito. Os Dez Mandamentos formavam o âmago da lei. Ver no *Dicionário* o artigo denominado *Dez Mandamentos* e também o Êx 20. Ver Êx 19 quanto à impressionante cena da outorga da lei. Moisés era o homem que falava com Deus e o conhecia face a face (ver Dt 34.10).

■ **1.8,9**

זְכָר־נָא אֶת־הַדָּבָר אֲשֶׁר צִוִּיתָ אֶת־מֹשֶׁה עַבְדֶּךָ לֵאמֹר אַתֶּם תִּמְעָלוּ אֲנִי אָפִיץ אֶתְכֶם בָּעַמִּים:

וְשַׁבְתֶּם אֵלַי וּשְׁמַרְתֶּם מִצְוֹתַי וַעֲשִׂיתֶם אֹתָם אִם־יִהְיֶה נִדַּחֲכֶם בִּקְצֵה הַשָּׁמַיִם מִשָּׁם אֲקַבְּצֵם וַהֲבִיאוֹתִים אֶל־הַמָּקוֹם אֲשֶׁר בָּחַרְתִּי לְשַׁכֵּן אֶת־שְׁמִי שָׁם:

Lembra-te da palavra que ordenaste a Moisés teu servo.

Continuação dos Princípios da Oração:
13. Moisés tinha recebido a advertência de que o povo de Israel podia ser "disperso". A transgressão produziria a dispersão e a deportação da Terra Prometida. Ver Lv 26.27,28,33 e Dt 28.64 quanto aos textos aludidos. De fato, exatamente o que tinha sido ameaçado ocorrera no norte (entre as dez tribos de Israel), pelo cativeiro assírio (722 a.C.), e também, pouco mais de cem anos depois, no sul (as duas tribos de Judá e Benjamim), pelo cativeiro babilônico (596 a.C.). Ambos os cativeiros ocorreram como ondas, e não como um acontecimento único e isolado. Ver sobre *cativeiros* no *Dicionário*. Por conseguinte, Yahweh foi fiel ao que havia dito, mas a própria fidelidade no julgamento dava esperança de recompensa na fidelidade, quando o povo de Deus se arrependesse.
14. Yahweh, fiel para julgar, era também fiel para perdoar e restaurar (vs. 9), quando seus julgamentos produziam resultados. Portanto, Neemias estava dependendo da reação do povo de Deus para que Jerusalém recebesse cura espiritual. Ver Dt 30.1-5 quanto a esse princípio. O arrependimento precisava ser escudado na obediência à lei. Se essa condição fosse satisfeita, não importa até onde Israel tivesse sido disperso, o poder divino traria de volta. Foi assim que a grande dispersão romana, que começou em 132 a.C., no governo do imperador Adriano, passou a ser revertida em nossa própria época (1948), e Israel começou a ser recolhido de todas as partes do mundo.
15. Há um lugar escolhido, a Palestina, o antigo território da nação de Israel, Jerusalém. Para ali o poder de Deus trará Israel, sempre que este for restaurado. A Terra Prometida pertence a Israel. Essa é uma parte padrão do Pacto Abraâmico (ver as notas expositivas a respeito em Gn 15.18). Quanto ao lugar escolhido, ver Dt 12.5,11,14 e 16.6,11.
16. No lugar escolhido, Yahweh pôs o seu nome e a sua presença, sobretudo no templo de Jerusalém, onde se manifestava a glória *shekinah*. Ver no *Dicionário* o verbete intitulado *Shekinah*. Cf. Ed 6.12; 8.16,44,48; 11.13,32 quanto ao fato de o nome de Deus ter sido posto em certo lugar preparado.

■ **1.10**

וְהֵם עֲבָדֶיךָ וְעַמֶּךָ אֲשֶׁר פָּדִיתָ בְּכֹחֲךָ הַגָּדוֹל וּבְיָדְךָ הַחֲזָקָה:

Estes ainda são teus servos e o teu povo.

Continuação dos Princípios da Oração:
17. Neemias, à guisa de sumário, lembrou a Yahweh que sua oração estava sendo oferecida em favor de seus servos e de seu povo. Era neles que os interesses de Yahweh se centralizavam. Portanto, Neemias pediu que a centralização fosse eficaz quanto à restauração

e à ajuda, naquele momento crítico. Aquele era o povo que tinha sido remido do Egito (ver Dt 4.20). Esse princípio é mencionado por mais de vinte vezes no livro de Deuteronômio. Esse mesmo povo havia sido remido do cativeiro em outra terra estrangeira, a Babilônia. Foi preciso um grande poder para efetuar essas restaurações; foi necessária uma mão forte para conseguir tal feito. Este versículo parece parafrasear Dt 9.29. Ver outras ideias na exposição que se faz ali. Quanto à *mão forte de Yahweh*, ver Dt 3.24; 4.34 e 5.15. Quanto ao conceito de *redenção*, ver Dt 7.8; 9.26; 13.5; 15.15; 21.8 e 24.18. Esses termos são teístas e antropomórficos.

■ 1.11

אָנָּא אֲדֹנָי תְּהִי נָא אָזְנְךָ־קַשֶּׁבֶת אֶל־תְּפִלַּת עַבְדְּךָ
וְאֶל־תְּפִלַּת עֲבָדֶיךָ הַחֲפֵצִים לְיִרְאָה אֶת־שְׁמֶךָ
וְהַצְלִיחָה־נָּא לְעַבְדְּךָ הַיּוֹם וּתְנֵהוּ לְרַחֲמִים לִפְנֵי
הָאִישׁ הַזֶּה וַאֲנִי הָיִיתִי מַשְׁקֶה לַמֶּלֶךְ׃ פ

Ah! Senhor, estejam, pois, atentos os teus ouvidos.

Continuação dos Princípios da Oração:

18. O final da oração foi uma intensa repetição do pedido para que Yahweh desse atenção à oração de Neemias e agisse, porquanto certamente a ajuda divina se fazia necessária. No temor do Nome Divino haveria prosperidade. Ver no *Dicionário* o verbete chamado *Temor*, quanto a notas expositivas completas.
19. O final, além de geral, era também específico. Havia ali o elemento humano. Neemias e Jerusalém estavam sujeitos àquele homem, o rei do império persa, a saber, Artaxerxes. Ver Ne 2.1,4,5. Neemias teve de encontrar solução para o problema do poder humano, investido no rei da Pérsia. Ele precisava convencer o rei a ajudar. Dinheiro, materiais, trabalhadores e poder eram necessários para reparar as tristes condições que prevaleciam em Jerusalém. Somente o rei da Pérsia tinha os recursos para isso.

A providência divina tinha posto Neemias em uma boa posição para influenciar o rei. Ele era o copeiro do rei e provavelmente estava na presença dele todos os dias, ou quase todos os dias. Alguns copeiros operavam assim; eles supriam seus superiores com bebidas e atendiam a seus pedidos mais triviais. Provavam as bebidas para checar a possibilidade de elas terem sido envenenadas. Entretanto, alguns copeiros tornavam-se confidentes dos reis e elevavam-se à posição de conselheiros. Ver no *Dicionário* o artigo chamado *Copeiro*. Os persas consideravam esse um ofício de honra (Heródoto, *Thalia* 1.3, cap. 34; Xenofonte, *Cyropaedia*, 1.5, cap. 36). A mitologia dos gregos e dos romanos pintava os próprios deuses como se tivessem copeiros que se tornavam confidentes.

CAPÍTULO DOIS

PETIÇÃO DE NEEMIAS DIANTE DO REI (2.1-8)
A permissão para construir as muralhas de Jerusalém foi concedida pelo rei da Pérsia. Foram admitidos direitos legais, provados por meio de cartas.

Artaxerxes, neste caso, é Artaxerxes I, chamado Longânimo, que reinou de 464 a 423 a.C. Mas alguns estudiosos lutam em favor de Artaxerxes II (chamado Menemon, que reinou de 404 a 358 a.C., embora isso pareça tarde demais). O vigésimo ano provavelmente foi 445 a.C., mas alguns calculam 444 a.C. O primeiro mês foi nisã (entre 13 de abril e 11 de maio), ou seja, quando terminava a estação chuvosa, e uma expedição a Jerusalém seria conveniente. Por três a quatro meses, Neemias vinha pensando nas péssimas condições de Jerusalém e planejava abordar o rei da Pérsia e dirigir petições ao Rei dos céus para que interviesse na questão. Presume-se que, durante esse tempo, o rei estivesse afastado, em sua residência de inverno, na Babilônia. Tendo retornado dali para Susã, o rei estava à disposição na tentativa de aproximação de Neemias.

O Problema da Cronologia. A sequência natural dos acontecimentos foi como o cronista a apresentou: capítulo 1, Neemias ouve falar das tristes condições de Jerusalém; capítulo 2, ele tenta fazer algo a respeito, em um sentido oficial. Mas as notícias dadas em Ne 1.1 e 2.1 poriam o segundo desses fatos antes do primeiro. Talvez a nota cronológica em Ne 1.1 seja uma interpolação, conforme supõem alguns eruditos, ou então o cronista se equivocou e cometeu um pequeno erro. É óbvio que nisã, o primeiro mês, vem antes do mês de quisleu, o nono mês, e note-se que ambos são postos dentro do vigésimo ano do governo de Artaxerxes. Talvez em Ne 2.1 se deva ler vigésimo primeiro ano, ou seja, 445 a.C. Seja como for, problemas como esses não afetam a sã visão da inspiração das Escrituras. Ver no *Dicionário* o verbete chamado *Inspiração*.

■ 2.1

וַיְהִי בְּחֹדֶשׁ נִיסָן שְׁנַת עֶשְׂרִים לְאַרְתַּחְשַׁסְתְּא הַמֶּלֶךְ
יַיִן לְפָנָיו וָאֶשָּׂא אֶת־הַיַּיִן וָאֶתְּנָה לַמֶּלֶךְ וְלֹא־הָיִיתִי
רַע לְפָנָיו׃

No mês de nisã, no ano vigésimo do rei Artaxerxes. Apresento as notas expositivas essenciais sobre este versículo na introdução à seção, incluindo o problema de cronologia. Também ficamos sabendo que Neemias era o copeiro do rei Artaxerxes, conforme anotado em Ne 1.11. Essa circunstância foi providencial, dando a Neemias a oportunidade de aproximar-se do rei para fazer algo significativo em favor de Jerusalém. Neemias compareceu perante o monarca com a fisionomia entristecida, o que alertou o rei para o problema. O hebraico diz, literalmente, que ele tinha uma face ruim, pois refletia tensão e tristeza. Josefo (Antiq. XVI.8) informou-nos que uma das qualificações de um copeiro era a sua boa aparência, de maneira que Neemias deve ter sido um jovem de bela aparência. Naquele dia, entretanto, ele parecia ruim e triste. Talvez ele não se tivesse barbeado, e talvez nem se tivesse banhado e se mantivesse desalinhado em suas vestes.

Note a Primeira Pessoa. Neemias estava contando a própria história. As memórias de Neemias foram incorporadas ao livro pelo cronista. Essas memórias aparecem em Ne 1.1—7.5; 11.27-43 e 13.4-30.

■ 2.2

וַיֹּאמֶר לִי הַמֶּלֶךְ מַדּוּעַ פָּנֶיךָ רָעִים וְאַתָּה אֵינְךָ
חוֹלֶה אֵין זֶה כִּי־אִם רֹעַ לֵב וָאִירָא הַרְבֵּה מְאֹד׃

O rei me disse: Por que está triste o teu rosto...? O rei sabia que Neemias não estava doente, mas certamente parecia. Portanto, por que sua fisionomia estampava tristeza? O rei, homem sensível, sabia que Neemias estava "triste no coração", e que era aquilo que lhe dava uma aparência ruim. Tinha havido uma longa e íntima relação entre os dois homens, pelo que o rei sabia interpretar a fisionomia de Neemias.

Tristeza do coração. Ou seja, uma tristeza profunda, que atingia o âmago do ser. Coração significa mente (ver Ed 6.22 e 7.10). Os gregos diziam "dor da mente" para más condições psicológicas.

Então temi sobremaneira. Talvez por temer ser despedido ou punido; talvez por temer que o pedido que ele estava prestes a fazer não lhe fosse concedido. Um servo que mostrasse mau humor perante o rei poderia ser considerado um conspirador, ou um "mau empregado". "Uma fisionomia triste nunca era tolerada na presença real" (Ellicott, *in loc.*). Cf. Et 4.2.

■ 2.3

וָאֹמַר לַמֶּלֶךְ הַמֶּלֶךְ לְעוֹלָם יִחְיֶה מַדּוּעַ לֹא־יֵרְעוּ
פָנַי אֲשֶׁר הָעִיר בֵּית־קִבְרוֹת אֲבֹתַי חֲרֵבָה וּשְׁעָרֶיהָ
אֻכְּלוּ בָאֵשׁ׃ ס

Viva o rei para sempre! Esta expressão comum introduziu o pedido feito por Neemias. Ele foi direto ao cerne da questão, falando sobre Jerusalém, sua amada cidade natal, onde seus pais tinham sido sepultados. A cidade era só escombros; as muralhas estavam derrubadas; os portões estavam queimados; os habitantes viviam em pobreza e miséria; e havia muitos inimigos rondando do lado de fora, esperando alguma oportunidade de tornar as coisas piores ainda. "Visto que todos os orientais se preocupavam com os túmulos de seus antepassados, e o rei estava preparando seu próprio sepulcro entre os túmulos reais da Pérsia, em Naqsh-I-Rustam, Neemias pode ter ganho a simpatia por meio de sua escolha de palavras. Ele mencionou de passagem os portões arruinados da cidade (cf. Ne 1.3), mas fez silêncio quanto às muralhas, acerca das quais tinha havido controvérsias (Ed 4.21,22)" (Raymond A. Bowman, *in loc.*).

"Quando chegou o momento azado, Neemias estava preparado para apresentar seu caso vividamente na presença do rei, de modo tácito e breve. Ele tinha pensado tanto e tão claramente sobre a situação particular, que agora (tal como Lincoln em Gettysburg) pôde condensá-la... e assim apresentou um notável sumário que foi tocado por suas emoções pessoais e contagiosas" (Charles W. Gilkey, *in loc.*).

■ 2.4

וַיֹּאמֶר לִי הַמֶּלֶךְ עַל־מַה־זֶּה אַתָּה מְבַקֵּשׁ וָאֶתְפַּלֵּל
אֶל־אֱלֹהֵי הַשָּׁמָיִם:

Disse-me o rei: Que me pedes agora? O rei também desceu ao âmago da questão. Ele sabia que Neemias estava "atrás de algo", e que o seu discurso terminaria formulando um pedido, de modo que Artaxerxes disse: "Vai direto ao assunto. O que queres?" Isso deu a Neemias a oportunidade que ele estava buscando, mas enviou ao Deus dos céus uma rápida oração. O cronista não nos mostra que oração foi essa, mas não é preciso muita imaginação para sabermos que oração foi. Talvez Ne 1.5-11 nos dê a essência do que foi pedido.

Deus dos céus. Quanto a esta expressão, ver Ed 1.2, que lista os lugares da unidade literária de Esdras-Neemias que a empregam. O Supremo Rei, o Deus dos céus, guiaria a mente e o coração do rei secundário, o rei da Pérsia. Neemias tinha-se preparado cuidadosamente para aquele momento, e agora pedia a Yahweh que preparasse de súbito o coração do rei, para que fosse favorável ao seu pedido. A oração, que faz muito mais do que tudo quanto este mundo sonha, foi capaz de cuidar da situação. Ver no *Dicionário* o verbete intitulado *Oração*.

■ 2.5

וָאֹמַר לַמֶּלֶךְ אִם־עַל־הַמֶּלֶךְ טוֹב וְאִם־יִיטַב עַבְדְּךָ
לְפָנֶיךָ אֲשֶׁר תִּשְׁלָחֵנִי אֶל־יְהוּדָה אֶל־עִיר קִבְרוֹת
אֲבֹתַי וְאֶבְנֶנָּה:

E disse ao rei: Se é do agrado do rei. "Preciso ir a Jerusalém", Neemias fez o rei saber, falando com toda a humildade e graça, e fazendo tudo depender do bom favor do rei, pois ele era o senhor, e Neemias, o servo. Além disso, por um longo tempo, Neemias tinha servido bem e deveria ganhar algum crédito por isso, pelo que deixou a questão fazer parte do quadro, porque era um forte argumento em seu favor.

E se o teu servo acha mercê em tua presença. Temos aqui uma antiga fórmula hebraica para introduzir uma petição qualquer a poderes divinos ou humanos. Cf. Gn 34.18; 41.37; 45.16 e cf. Ed 5.14. Neemias queria ir a Judá e, especificamente, a Jerusalém, mas evitou qualquer referência àquele lugar arruinado e quase despovoado (ver Ne 11.1,2), provavelmente porque simplesmente falar sobre a questão lhe causava dor. É conforme Homero disse com tanta frequência em seus épicos: "terrível só de dizê-lo" (quanto mais na realidade). O vs. 5 repete a essência do vs. 3, cujas notas expositivas também se aplicam aqui.

■ 2.6

וַיֹּאמֶר לִי הַמֶּלֶךְ וְהַשֵּׁגַל יוֹשֶׁבֶת אֶצְלוֹ עַד־מָתַי יִהְיֶה
מַהֲלָכֲךָ וּמָתַי תָּשׁוּב וַיִּיטַב לִפְנֵי־הַמֶּלֶךְ וַיִּשְׁלָחֵנִי
וָאֶתְּנָה לוֹ זְמָן:

Então o rei, estando a rainha assentada, junto dele, me disse. O rei (com a bela rainha sentada ao seu lado, ouvindo a conversa) ficou feliz em permitir a ida de Neemias a Jerusalém, concedendo-lhe cartas de autoridade. Ele só condicionou a ida de Neemias ao elemento tempo. Não queria que o copeiro se ausentasse por muito tempo. Um acordo foi estabelecido sobre por quanto tempo Neemias se ausentaria, mas o versículo não nos revela exatamente que prazo foi esse. Conforme as coisas aconteceram, o período de ausência foi de cerca de doze anos (Ne 5.14)! Neemias, como é óbvio, não requereu originalmente tanto tempo, e sem dúvida precisou renovar sua ausência periodicamente.

Rainha. A Septuaginta dá aqui *concubina* (*pallake*), provavelmente por causa da circunstância de que as principais esposas dos haréns não apareciam em público. Portanto, os tradutores daquela versão imaginaram que alguma esposa secundária estivesse presente. Escritos rabínicos posteriores passaram a usar a palavra do texto para as "esposas" secundárias, ou mesmo para subentender promiscuidade. Mas o uso bíblico da palavra favorece mesmo a ideia de esposa. Ver Sl 45.9. O Talmude utilizou-se dessa palavra para indicar uma esposa. Se a principal esposa está em vista no texto, então a pessoa envolvida era Damaspia (Ctesias, *Persian Fragments*). Sabemos pela história da Pérsia que as intrigas de harém eram comuns no tempo de Artaxerxes, e talvez a mulher estivesse ali cuidando de seus interesses. Os manuscritos da Septuaginta, ABL e a Vulgata Latina adicionam algum material aqui, informando-nos como a rainha tomou o caso de Neemias e ajudou a convencer o rei a agir favoravelmente, mas tal material é puramente imaginário (embora nem por isso deixe de ser verdadeiro).

■ 2.7

וָאוֹמַר לַמֶּלֶךְ אִם־עַל־הַמֶּלֶךְ טוֹב אִגְּרוֹת
יִתְּנוּ־לִי עַל־פַּחֲווֹת עֵבֶר הַנָּהָר אֲשֶׁר יַעֲבִירוּנִי
עַד אֲשֶׁר־אָבוֹא אֶל־יְהוּדָה:

E ainda disse ao rei: Se ao rei parece bem. Neemias sabia que encontraria oposição e precisaria de autorização real para sua missão. Sabia que necessitaria de autoridade real para fazer o que pretendia fazer. Para esse propósito, cartas da parte do rei serviriam muito bem. Também haveria uma escolta (Ne 2.9), a qual não é mencionada aqui. Finalmente, Neemias seria nomeado governador da Judeia (ver Ne 5.14), o que demonstra quanto o rei Artaxerxes confiava nele. Esdras também recebeu cartas da parte de outro rei persa (Ed 7.21 e 8.36), e o cronista, naquele caso, teve o cuidado de informar-nos o conteúdo delas, embora não o fizesse aqui.

Dalém do Eufrates. Esta expressão refere-se aos territórios a oeste e sul da Babilônia, a saber, a província siro-palestina da qual Judá fazia parte. Quanto a notas expositivas completas sobre a expressão, ver Ed 8.36, que fornece referências mostrando onde as palavras podem ser encontradas. Sem cartas, a passagem através de vários lugares, cidades e territórios poderia ser recusada pelos oficiais locais. Mas nenhum homem ousaria mostrar-se contrário às ordens de uma carta escrita pelo próprio rei.

Para que me permitam passar. Não somente essas cartas forneciam salvo-conduto, mas também ordenavam que se desse a Neemias provisões diversas e uma escolta armada.

■ 2.8

וְאִגֶּרֶת אֶל־אָסָף שֹׁמֵר הַפַּרְדֵּס אֲשֶׁר לַמֶּלֶךְ אֲשֶׁר
יִתֶּן־לִי עֵצִים לְקָרוֹת אֶת־שַׁעֲרֵי הַבִּירָה אֲשֶׁר־לַבַּיִת
וּלְחוֹמַת הָעִיר וְלַבַּיִת אֲשֶׁר־אָבוֹא אֵלָיו וַיִּתֶּן־לִי
הַמֶּלֶךְ כְּיַד־אֱלֹהַי הַטּוֹבָה עָלָי:

Asafe, guarda das matas do rei. Asafe seria um dos primeiros a receber as cartas do rei. Talvez houvesse uma reserva real de sicômoros na Sefelá (ver 1Cr 27.28). Mas o mais provável é que houvesse algum oficial sírio que supria o rei com madeiras provenientes do sul. Neemias precisaria de madeira para seu projeto de construção, e Asafe lhe faria provisão. Os portões e fortificações do templo requereriam madeiras nobres. Não é provável que a referência seja a alguma espécie de parque artificial (paraíso, no persa, *pardes*), próximo de Jerusalém, que seria plantado com muitas árvores e pudesse atuar como fonte de material de construção para Neemias. A referência parece ser mais ampla do que isso. John Gill disse: "A floresta ou montanhas do Líbano, as quais, por causa de suas árvores odoríferas e frutíferas, mais parecia um pomar ou paraíso, conforme a palavra significa e é traduzida em Ec 2.5 e Ct 4.13".

Cidadela do templo. Uma fortaleza (cf. Ed 6.2). Está em pauta a fortaleza do templo, uma estrutura que defendia a abordagem norte do templo e que incluía tanto a torre de Hananeel (Ne 3.1) quanto também, possivelmente, a torre dos Cem (Ne 3.1 e 12.39). Cf. Ne 7.1, 1Macabeus 13.52 e At 21.37.

A boa mão do meu Deus era comigo. Se a missão de Neemias tivesse de ser bem-sucedida, a Yahweh deveria dar-se todo o crédito, embora o nome divino aqui empregado, no hebraico, seja Elohim, o Poder. Quanto a essa expressão, ver também Ed 7.6; 8.18,22. Deus tem sua mão sobre as atividades humanas, guiando, recompensando o bom, punindo o mau, intervindo. Isso reflete o *teísmo* (ver a respeito no *Dicionário*), em consonância com a filosofia da história do cronista.

■ 2.9

וָאָב֗וֹא אֶֽל־פַּחֲווֹת֙ עֵ֣בֶר הַנָּהָ֔ר וָאֶתְּנָ֣ה לָהֶ֔ם אֶת־אִגְּר֖וֹת הַמֶּ֑לֶךְ וַיִּשְׁלַ֤ח עִמִּי֙ הַמֶּ֔לֶךְ שָׂ֥רֵי חַ֖יִל וּפָרָשִֽׁים׃ פ

Fui aos governadores dalém do Eufrates. Isto é, os deputados da satrapia da Transeufratia (Síria-Palestina), a província da qual Judá fazia parte. Ver Ed 5.3,5. Josefo diz-nos que Neemias recolheu um pequeno número de emigrados para a Babilônia. Ver Antiq. X.1.4.

O rei tinha enviado comigo oficiais do exército e cavaleiros. Neemias foi escoltado por homens armados. Ele atravessaria terras potencialmente perigosas. Os opositores já teriam conhecimento de sua missão. Ladrões poderiam querer saquear a ele e a seu grupo. Portanto, a segurança foi garantida por uma guarda armada. Os recebedores das cartas talvez tivessem olhado de soslaio para Neemias, mas nenhum homem se mostrou louco o bastante a ponto de insurgir-se contra as cartas do rei.

Se Neemias tomou a rota mais curta (a viagem era de cerca de 1.450 km), então provavelmente a jornada lhe ocupou dois meses, pois ele viajava desimpedido. Ver Ne 6.5 e as notas expositivas ali. Esdras (catorze anos antes) precisou de cinco meses para cobrir a mesma distância, mas ele tinha consigo um grande grupo (entre quatro mil e cinco mil, inclusive mulheres, crianças e animais domésticos) e, naturalmente, a viagem demorou mais. Ver Ed 7.8,9.

■ 2.10

וַיִּשְׁמַ֞ע סַנְבַלַּ֣ט הַחֹרֹנִ֗י וְטֽוֹבִיָּה֙ הָעֶ֣בֶד הָֽעַמֹּנִ֔י וַיֵּ֥רַע לָהֶ֖ם רָעָ֣ה גְדֹלָ֑ה אֲשֶׁר־בָּ֣א אָדָ֔ם לְבַקֵּ֥שׁ טוֹבָ֖ה לִבְנֵ֥י יִשְׂרָאֵֽל׃

Disto ficaram sabendo Sambalá, o horonita, e Tobias, o servo amonita. Há um detalhado artigo sobre esse homem no *Dicionário*, pelo que resisto à tentação de falar sobre ele aqui. Esse governador da Samaria tinha uma fisionomia contrária, que Neemias precisou encarar. De fato, ele era a maçã mais azeda do pomar e estava destinado a dar a Neemias muita tribulação. Quase tão azedo quanto ele foi Tobias (que também recebe um artigo especial no *Dicionário*). Ele tentou espantar Neemias para que este parasse suas operações (Ne 6.17-19). Mas Neemias não se deixava intimidar facilmente. Além disso, ele contava com o favor do rei Artaxerxes, de modo que não se importaria com outras carrancas. Ademais, Yahweh estava sorrindo para ele, pelo que nenhuma oposição teria sucesso. Talvez Sambalá e Tobias estivessem tentando obter controle sobre Judá, ou talvez apenas temessem uma forte nação de Judá, que poderia abalar toda a região. Os papiros Elefantinos chamam Sambalá de "governador de Samaria", o que significa que ele era um inimigo natural do sul (Judá). Alguns estudiosos opinam que Tobias foi um dos principais conselheiros de Sambalá, mas ele parece ser antes governador de *Amom* (ver a respeito no *Dicionário*).

■ 2.11

וָאָב֖וֹא אֶל־יְרוּשָׁלָ֑͏ִם וָאֱהִי־שָׁ֖ם יָמִ֥ים שְׁלֹשָֽׁה׃

Cheguei a Jerusalém. Neemias fez uma viagem segura até Jerusalém, e então apenas descansou e olhou a situação por três dias. Após uma viagem de 1.450 quilômetros, sob as condições do mundo antigo, quem não teria descansado por três dias? "Antes de tratar de qualquer negócio, ele descansou da fadiga da viagem e recebeu a visita de amigos, conforme também fizera Esdras antes dele (Ed 8.32)" (John Gill, *in loc.*).

MEDIDAS PRELIMINARES CAUTELOSAS DE NEEMIAS (2.12-18)

■ 2.12

וָאָק֣וּם ׀ לַ֗יְלָה אֲנִי֮ וַאֲנָשִׁ֣ים ׀ מְעַט֮ עִמִּי֒ וְלֹא־הִגַּ֣דְתִּי לְאָדָ֔ם מָ֗ה אֱלֹהַי֙ נֹתֵ֣ן אֶל־לִבִּ֔י לַעֲשׂ֖וֹת לִירוּשָׁלָ֑͏ִם וּבְהֵמָה֙ אֵ֣ין עִמִּ֔י כִּ֚י אִם־הַבְּהֵמָ֔ה אֲשֶׁ֥ר אֲנִ֖י רֹכֵ֥ב בָּֽהּ׃

Tendo descansado por três dias, lançou-se secretamente à tarefa de calcular o dano causado à cidade e às suas muralhas. Ele tinha de acostumar-se com a magnitude da tarefa à sua frente. O texto não declara, mas sugere que a destruição que ele encontrou não tinha sido causada pelo cativeiro babilônico. Antes, algum evento tinha desfeito a maior parte do labor realizado por Esdras, com exceção do templo propriamente dito. As muralhas da cidade tinham sido parcialmente reconstruídas, mas pouco desse labor permanecera intacto. Ver Ed 4.12,13,16; 5.8,9. Neemias saiu em seu passeio de inspeção acompanhado de alguns poucos homens, montado em sua mula ou cavalo, mas mostrando-se o menos conspícuo possível. Em seu coração estava o trabalho de Elohim, mas ele não o revelou a ninguém, por enquanto. Ele precisava ter um bom plano e recursos abundantes para fazer o trabalho. Então anunciaria isso às autoridades apropriadas e verificaria que tipo de força-tarefa poderia reunir. Seus servos o acompanharam a pé. Um grupo montado poderia atrair atenção demais.

Por isso é que os vss. 12-18 deste capítulo registram as "cautelosas" medidas preliminares de Neemias, conforme disse Ellicott, *in loc.*

■ 2.13

וָאֵצְאָ֨ה בְשַֽׁעַר־הַגַּ֜יא לַ֗יְלָה וְאֶל־פְּנֵי֙ עֵ֣ין הַתַּנִּ֔ין וְאֶל־שַׁ֖עַר הָאַשְׁפֹּ֑ת וָאֱהִ֣י שֹׂבֵ֞ר בְּחוֹמֹ֤ת יְרוּשָׁלַ֙͏ִם֙ אֲשֶׁר־הֵ֣ם פְּרוּצִ֔ים וּשְׁעָרֶ֖יהָ אֻכְּל֥וּ בָאֵֽשׁ׃

De noite saí pela Porta do Vale. Os mensageiros tinham dito a verdade para Neemias. O lugar era só escombros (ver Ne 1.3). A situação era pior do que ele havia esperado encontrar. Algum desastre tinha reduzido o lugar a ruínas.

Porta do Vale. Isto é, uma importante parte das fortificações de Jerusalém (ver 2Cr 26.9). Não há certeza quanto ao lado da cidade onde essa porta ficava localizada. Mas "vale" pode ser uma referência ao vale de Hinom (wadi Rabâbeh), ao sul da cidade. Portanto, parece que a Porta do Vale ficava na muralha sul, dando saída para o vale de Hinom. Ver no *Dicionário* o verbete chamado *Vale, Porta do,* quanto a detalhes completos.

Fonte do Dragão. Ver sobre este título no *Dicionário*.

Porta do Monturo. Era o portão que dava acesso ao lado sudeste da cidade. Talvez seja a mesma coisa que a Porta do Oleiro (Jr 19.2). Dali era lançado lixo no vale do Hinom. O vale do Cedrom funcionava como um esgoto.

Neemias, montado em sua mula, acompanhou as muralhas e olhou, incrédulo, a triste confusão. Os portões da cidade tinham sido queimados; as muralhas se desintegraram, com exceção de pequenos trechos, aqui e ali. O pouco que fora deixado das muralhas deveria ser demolido a fim de preparar o caminho para um substituto decente. A tarefa era avassaladora em suas dimensões.

> Por muitas vezes, a prova da coragem não consiste em morrer, mas em viver.
>
> Vittorio Alfieri

> Nada é algo demais para os mortais corajosos.
>
> Horácio

> Quando uma porta se fecha, outra se abre.
>
> Cervantes

> Os céus nunca ajudam o homem que não age.
>
> Sófocles

> *Tende ânimo. Sou eu. Não temais.*
>
> Mateus 14.27

2.14

וָאֶעֱבֹר֙ אֶל־שַׁ֣עַר הָעַ֔יִן וְאֶל־בְּרֵכַ֖ת הַמֶּ֑לֶךְ וְאֵין־מָק֥וֹם לַבְּהֵמָ֖ה לַעֲבֹ֥ר תַּחְתָּֽי׃

Passei à Porta da Fonte. Ver no *Dicionário* o verbete chamado *Fonte, Porta da*, quanto a detalhes completos. Essa porta levava a uma fonte que ficava próxima à cidade. Poderia ser a mesma fonte de Geiom ou En-Rogel, ambas comentadas no *Dicionário*. A fonte de En-Rogel deve ser identificada com as escadas da cidade de Davi (Ne 3.15), que foram desenterradas na esquina sudeste de Jerusalém.

Açude do rei. Talvez se trate do poço de Siloé, que ficava perto do jardim do Rei (ver Ne 3.15), ou então, seria um açude diferente, ao sul de Siloé. "Uma bacia escavada na rocha, defronte do poço de Giom (a fonte da Escada, 'Ain Umm ed-Deraj, a fonte da Virgem), corresponderia às exigências do texto" (Raymond A. Bowman, *in loc.*).

Neemias teria ido mais longe, não fora um montão de lixo que bloqueava o seu caminho. "... havia água no poço e muito lixo por ali, para permitir a passagem do animal" (Jamieson, *in loc.*). O aspecto da coisa inteira era depressivo. O que os babilônios não tinham estragado, outros inimigos de Judá tinham completado. Veja o leitor o que aconteceu à gloriosa Jerusalém de Salomão! O cronista não tinha dúvida de que aquilo era sinal do julgamento de Yahweh contra Judá, especialmente contra as múltiplas formas de idolatria e as corrupções espirituais que isso trouxera.

2.15

וָאֱהִ֨י עֹלֶ֤ה בַנַּ֙חַל֙ לַ֔יְלָה וָאֱהִ֥י שֹׂבֵ֖ר בַּחוֹמָ֑ה וָאָשׁ֗וּב וָאָב֛וֹא בְּשַׁ֥עַר הַגַּ֖יְא וָאָשֽׁוּב׃

Pelo ribeiro. Provavelmente está em pauta o Cedrom. O vale do Cedrom, uma profunda ravina a leste da cidade (1Macabeus 12.37), era onde ficava esse ribeiro. O riacho dava ao vale o seu nome. Ver os nomes próprios no *Dicionário* quanto aos detalhes. "Ou ele completou o círculo em torno das muralhas, ou, mais provavelmente, recuou em seus passos a partir das muralhas orientais. E voltou a entrar na cidade no ponto por onde tinha saído, a porta do Vale" (Gene A. Getz, *in loc.*). A viagem de inspeção foi feita à noite, pois Neemias ainda ocultava suas ações. Ele tinha visto o bastante. Foi uma jornada miserável, na verdade, mas a esperança continuava a estufar em seu peito. Seria preciso muito trabalho para que aquelas elevadas esperanças se tornassem realidade, e doze anos da vida de Neemias seriam consumidos naquele esforço.

> A própria esperança é uma espécie de felicidade,
> e, talvez, seja a principal felicidade que este
> mundo nos concede.
>
> Samuel Johnson

> A verdadeira esperança é rápida.
> Ela voa com as asas de andorinha.
> Transforma reis em deuses e homens comuns em reis.
>
> Shakespeare

2.16

וְהַסְּגָנִ֗ים לֹ֤א יָדְעוּ֙ אָ֣נָה הָלַ֔כְתִּי וּמָ֖ה אֲנִ֣י עֹשֶׂ֑ה וְלַיְּהוּדִ֨ים וְלַכֹּהֲנִ֜ים וְלַחֹרִ֣ים וְלַסְּגָנִ֗ים וּלְיֶ֙תֶר֙ עֹשֵׂ֣ה הַמְּלָאכָ֔ה עַד־כֵּ֖ן לֹ֥א הִגַּֽדְתִּי׃

Não sabiam os magistrados aonde eu fora. Os "magistrados" eram os oficiais locais, deputados do governo persa, e não cidadãos judeus. Neemias tinha autorização do próprio rei para fazer o que estava fazendo, mas ainda não lhes comunicara o que estava fazendo em Jerusalém.

Judeus. Nem o povo comum nem seus líderes (civis ou não) tinham sido informados sobre as intenções de Neemias. Provavelmente estão especificamente em vista aqui líderes civis.

Sacerdotes... nobres... magistrados... aos mais. Em outras palavras, pense o leitor em qualquer pessoa de autoridade, civil ou religiosa, e também em qualquer pessoa comum em Jerusalém: Neemias simplesmente nada disse sobre a sua missão.

Aos mais. Isto é, aqueles que, finalmente, terminaram fazendo a obra. Nem mesmo os operários potenciais sabiam, por enquanto, o que Neemias fazia em Jerusalém.

Neemias Anuncia o seu Propósito (2.17,18)

A narrativa de Josefo difere da narrativa do cronista. Ele adianta a informação de que Neemias não tardou a passar a todos, em uma assembleia pública, "no meio do átrio do templo". E nada diz sobre a inspeção preliminar das muralhas da cidade (vss. 12-15). Mas o relato bíblico fala do anúncio de seus propósitos somente depois da "excursão noturna" secreta. Josefo também diz-nos que as aflições de Jerusalém eram devidas à má vontade de seus vizinhos, o que a narrativa bíblica não menciona.

2.17

וָאוֹמַ֣ר אֲלֵהֶ֗ם אַתֶּ֤ם רֹאִים֙ הָרָעָה֙ אֲשֶׁ֣ר אֲנַ֣חְנוּ בָ֔הּ אֲשֶׁ֤ר יְרוּשָׁלִַ֙ם֙ חֲרֵבָ֔ה וּשְׁעָרֶ֖יהָ נִצְּת֣וּ בָאֵ֑שׁ לְכ֗וּ וְנִבְנֶה֙ אֶת־חוֹמַ֣ת יְרוּשָׁלִַ֔ם וְלֹא־נִהְיֶ֥ה ע֖וֹד חֶרְפָּֽה׃

Então lhes disse. Uma expressão vaga, presumivelmente querendo dizer, em essência, que Neemias nada tinha informado após a sua inspeção, especialmente aos anciãos e líderes religiosos e civis, tanto judeus quanto persas, conforme indica o vs. 19. Neemias repetiu finalmente, diante deles, uma descrição do triste estado de Jerusalém (o que eles já sabiam com detalhes) e então exortou-os a fazer alguma coisa a respeito: "Vinde, pois, e edifiquemos a muralha de Jerusalém, para que não estejamos mais em opróbrio". Os inimigos dos judeus estavam zombando deles. O país tinha sido reduzido a ruínas, e a capital fora deixada sem muros, impotente diante de qualquer inimigo que lhes quisesse administrar outra derrota. Ver Ne 1.3; 2.3,13 quanto ao estado lamentável da cidade, que Neemias ansiava por reverter. "Neemias fez um apelo intenso ao patriotismo deles" (Ellicott, *in loc.*).

2.18

וָאַגִּ֨יד לָהֶ֜ם אֶת־יַ֣ד אֱלֹהַ֗י אֲשֶׁר־הִיא֙ טוֹבָ֣ה עָלַ֔י וְאַף־דִּבְרֵ֥י הַמֶּ֖לֶךְ אֲשֶׁ֣ר אָֽמַר־לִ֑י וַיֹּֽאמְרוּ֙ נָק֣וּם וּבָנִ֔ינוּ וַיְחַזְּק֥וּ יְדֵיהֶ֖ם לַטּוֹבָֽה׃ פ

E lhes declarei como a boa mão do meu Deus estivera comigo. Deus e o rei da Pérsia estavam com Neemias. Quem poderia estar contra ele? Deus tinha a sua mão sobre a questão, pronto para dar forças e realização. Ver o vs. 8 deste capítulo e 1.10 quanto à expressão sobre a "mão". No vs. 8 dou outras referências a mesma expressão, atribuídas a Esdras. Então, o rei da Pérsia estava cooperando plenamente com o projeto, tendo demonstrado seu compromisso de que seria sincero, ao escrever e assinar cartas de autorização. Tendo ouvido isso, o povo judeu ficou convencido e reverberou o grito de guerra de Neemias: "Levantemo-nos e edifiquemos!" Isso foi acompanhado por esforços preliminares para dar início ao trabalho de reconstrução das muralhas, o que é expresso pelo cronista como o "fortalecimento de suas mãos". Isso posto, com as mãos de Deus e com as mãos populares ativas, algo de grande teria de acontecer. Quanto ao fortalecimento das mãos deles, cf. Ne 6.9 e Ed 4.4. Há uma expressão idiomática paralela no acádico que diz: "apressar as mãos", expressão essa que tem a força de "preparar-se para alguma coisa". Cf. Ed 6.22. A versão peshitta diz "fazer o bem" (em resultado das preparações deles); e Josefo conclui: "... e os judeus prepararam-se para a obra".

2.19

וַיִּשְׁמַ֣ע סַנְבַלַּ֣ט הַחֹרֹנִ֡י וְטֹֽבִיָּ֣ה ׀ הָעֶ֣בֶד הָֽעַמֹּנִי֩ וְגֶ֨שֶׁם הָעַרְבִ֜י וַיַּלְעִ֣גוּ לָ֗נוּ וַיִּבְז֣וּ עָלֵינוּ֮ וַיֹּאמְרוּ֒ מָֽה־הַדָּבָ֤ר הַזֶּה֙ אֲשֶׁ֣ר אַתֶּ֣ם עֹשִׂ֔ים הַעַ֥ל הַמֶּ֖לֶךְ אַתֶּ֥ם מֹרְדִֽים׃

Sambalá, porém. O cronista já nos havia preparado para a informação de que havia oposição ao projeto de reparação das muralhas de Jerusalém (vs. 10). Ele mencionara duas maçãs especialmente azedas e agora adiciona uma terceira, Gesém, o árabe. Quanto a Sambalá e

Tobias, ver a exposição no vs. 8. Além desses dois havia também Gesém, o arábio. Quão moderno! Ele era o mais elevado oficial persa na porção árabe da província siro-palestina, isto é, transeufrateana, "além do rio", a região a oeste e sul da Babilônia, banhada pelo rio Eufrates.

O termo "árabe", porém, deve ser administrativo, e não étnico. Por outro lado, talvez tenha parecido sábio ao rei da Pérsia pôr um nativo na direção da Arábia. A Arábia, durante o período persa, incorporava as terras antes chamadas Edom, ao sul de Judá. Durante o exílio, Edom fora um vizinho agressivo: Ml 1.2-5; Ob 1.21; Lm 4.1-22 e 1Esdras 4.48-65. Ver no *Dicionário* a respeito de *Gesém*, quanto a detalhes de seus atos contrários a Neemias e informações gerais que não incluo aqui.

Esses três adversários evidentemente ainda não tinham visto as cartas que Neemias trouxera da parte do rei da Pérsia, e já o chamavam de traidor do império. Além disso, eles tomaram sobre si mesmos a tarefa de ridicularizar Neemias e seus planos. De maneira geral, eles ventilavam o seu ódio contra Neemias e seus compatriotas judeus.

2.20

וְאָשִׁיב אוֹתָם דָּבָר וָאוֹמַר לָהֶם אֱלֹהֵי הַשָּׁמַיִם הוּא יַצְלִיחַ לָנוּ וַאֲנַחְנוּ עֲבָדָיו נָקוּם וּבָנִינוּ וְלָכֶם אֵין־חֵלֶק וּצְדָקָה וְזִכָּרוֹן בִּירוּשָׁלָם׃

Então lhes respondi: O Deus dos céus. Uma vez mais, o cronista usou a expressão "Deus dos céus", que anoto em Ed 1.2, onde faço referência às suas ocorrências. O apelo de Neemias era para um Tribunal Superior. O que poderiam fazer aqueles delegados persas contra ele? Prosperidade era a palavra do dia, dirigida da parte de Yahweh-Elohim. A prosperidade de Neemias significa que ele executaria a missão que viera cumprir em Jerusalém, provendo proteção para os judeus e revertendo o estado de desintegração que tomara conta da cidade. Afinal, os judeus eram os servos, delegados de Elohim, o Poder. Em contraste, os oponentes não tinham parte nem herança em Jerusalém; eram como turistas ali.

O senso de missão de Neemias estava por trás tanto da vontade divina como do decreto do rei da Pérsia. Ver os vss. 8 e 18. Ele e seus associados eram obreiros de Deus.

> *Porque de Deus somos cooperadores;*
> *Lavoura de Deus, edifício de Deus sois vós.*
>
> 1Coríntios 3.9

Se Neemias seria lembrado pelo seu labor (até hoje nos lembramos dele), "não haveria de restar, mesmo na memória dos homens, uma fagulha sequer de evidência de que os oponentes tiveram alguma conexão com o território de Judá" (Raymond A. Bowman, *in loc.*). Cf. a resposta de Esdras aos samaritanos, em Ed 4.3.

CAPÍTULO TRÊS

EDIFICANDO AS MURALHAS DE JERUSALÉM
(3.1—4.23)

A LISTA DOS CONSTRUTORES E SUAS ÁREAS DE TRABALHO (3.1-32)

Este capítulo parece ser uma espécie de interpolação que quebra a sequência natural da narrativa, pois o capítulo 4 liga-se naturalmente ao capítulo 2. O cronista achou por bem introduzir a lista dos trabalhadores neste ponto, tão bom como qualquer outro ponto. É possível que o cronista não tenha sido o autor da lista, mas se trate apenas de um fragmento de material, da parte de outro autor, tomado por empréstimo e incorporado. Este capítulo preserva alguns informes topográficos importantes, incluindo marcos antigos de terra de Jerusalém dos dias de Neemias. Também menciona algumas pessoas importantes da época, que, de outro modo, poderiam ter-se perdido no esquecimento dos tempos. A despeito dessa informação, não contamos com informes suficientes para determinar a localização exata das muralhas, dos portões e de outros acidentes topográficos da cidade. E nem sempre podemos determinar se os portões mencionados pertenciam às muralhas da cidade, ou a algum outro lugar, no interior da cidade. Ver sobre esse problema nos vss. 28-30.

O texto supre um completo circuito das muralhas da cidade na direção anti-horária, partindo da porta das Ovelhas e especificando vários lugares ao longo do caminho. Temos dois pontos de referência: o primeiro lista os operários escolhidos para o trabalho de reparos, com suas tarefas específicas; e o segundo descreve tarefas nas muralhas, referindo-se a marcos próximos no terreno. Não sabemos o porquê desse modo de apresentação. Ele pode refletir duas fontes que foram combinadas em uma só. Ou o cronista simplesmente alterou seu modo de referência para aliviar o enfado de um número demasiado de expressões repetidas. Parece haver evidências de que as seções norte e ocidental da cidade eram essencialmente residenciais, ao passo que as outras (especialmente a antiga parte oriental) eram lugares de construções públicas como as plantas de água, o complexo de edificações reais e a área do templo. Seja como for, são mencionados vários marcos familiares e significativos. Ver o mapa da reconstituição de Jerusalém no tempo de Neemias. Esse mapa ilustra as dez portas e as quatro torres mencionadas neste capítulo. Seis das dez portas foram reparadas. Ver os vss. 1,3,6,13-15.

Operários que Trabalhavam na Muralha Norte (3.1-5)

3.1

וַיָּקָם אֶלְיָשִׁיב הַכֹּהֵן הַגָּדוֹל וְאֶחָיו הַכֹּהֲנִים וַיִּבְנוּ אֶת־שַׁעַר הַצֹּאן הֵמָּה קִדְּשׁוּהוּ וַיַּעֲמִידוּ דַּלְתֹתָיו וְעַד־מִגְדַּל הַמֵּאָה קִדְּשׁוּהוּ עַד מִגְדַּל חֲנַנְאֵל׃ ס

Então se dispôs Eliasibe, o sumo sacerdote. Ver o artigo sobre esse homem no *Dicionário* quanto a detalhes completos. Cf. Ne 13.4. Ele era neto de Jesua (Ne 12.10), que foi o sumo sacerdote no tempo de Zorobabel (Ed 3.2). Ele e outros sacerdotes (ver Ne 3.22) repararam e dedicaram a Porta das Ovelhas, sobre a qual apresento detalhado artigo no *Dicionário*. Essa porta foi o começo e o fim do circuito feito na direção anti-horária, em redor das muralhas, que o autor sacro empregou para contar a história do reparo das muralhas. O circuito começa no vs. 1 e termina no vs. 32. Essa porta ficava perto da esquina nordeste da cidade. Os sacerdotes provavelmente foram escolhidos para a tarefa porque a porta ficava perto de seu bairro residencial, no complexo do templo. Os sacerdotes santificaram o trabalho, uma primeira prestação da dedicação subsequente da muralha inteira. Essa era a entrada comum para a área do templo, e foi a primeira construção a ser terminada. Foram, por assim dizer, as primícias do trabalho dedicado a Yahweh, e também a fermentação da massa inteira, empregando ainda outra metáfora. As ovelhas eram levadas por essa porta até o templo, a fim de serem sacrificadas.

Até à Torre dos Cem e à Torre de Hananeel. A localização exata dessas torres é desconhecida atualmente. Sabe-se, porém, que elas ficavam em algum lugar entre a Porta das Ovelhas e a Porta do Peixe. Ver o artigo geral denominado *Torre*, bem como o artigo específico chamado *Torre dos Cem (Meá)*, no *Dicionário*. O segundo desses artigos menciona a outra torre deste versículo. Ver sobre *Torre de Hananeel* quanto a informações adicionais. A Torre de Antônia finalmente substituiu essa torre. Quanto à mesma torre, ver também Ne 12.39; Jr 31.38; Zc 14.10.

Dos Cem. Talvez uma referência às suas dimensões em côvados, ou pode tratar-se de um quartel do centurião que comandava seus cem homens (cf. 2Sm 18.1; 2Rs 11.4).

3.2

וְעַל־יָדוֹ בָנוּ אַנְשֵׁי יְרֵחוֹ ס וְעַל־יָדוֹ בָנָה זַכּוּר בֶּן־אִמְרִי׃ ס

Junto a ele edificaram os homens de Jericó. Movendo-nos na direção anti-horária, chegamos agora a outro grupo de edificações. A palavra "edificaram" (vss. 2,13-15) implica consideráveis construções. Somente as muralhas do norte e os portões aparecem como edificados. Era também ali que tinha ocorrido a maior destruição das muralhas. Note o leitor a frase "Junto a ele" (vss. 4,5,7,9,10), usada para introduzir sucessivos pontos de descrição do trabalho feito. As palavras "junto a", no original hebraico, são, literalmente, "à mão", tal como o acádico "à mão", que significa "ao lado de" (cf. Nm 13.29; Êx 2.5). Ver também Nm 34.3; Jz 11.26; Jó 1.14; 2Cr 17.15,16. "Junto a ele" refere-se a Eliasibe (vs. 2). A Septuaginta usa o plural "eles", referindo-se aos sacerdotes. Os próximos operários a serem mencionados foram os de Jericó. Junto a eles esteve Zacur, filho de Inri.

Devemos entender que a muralha estava dividida em porções ou seções, e que homens receberam a incumbência de reparar essas porções. É como se Neemias tivesse dito: "Aqui é o teu lugar de atividades". Cada uma das famílias ou clãs distintivos era representante das várias seções. Foi tudo uma atividade comunal. Talvez Zacur fosse o chefe dos homens de Jericó, de modo que foi mencionado por nome.

■ 3.3

וְאֵת שַׁעַר הַדָּגִים בָּנוּ בְּנֵי הַסְּנָאָה הֵמָּה קֵרוּהוּ
וַֽיַּעֲמִידוּ דַּלְתֹתָיו מַנְעוּלָיו וּבְרִיחָֽיו: ס

Os filhos de Hassenaá edificaram a Porta do Peixe. Ver a respeito no *Dicionário*. Essa porta havia sido virtualmente destruída e teve de ser reconstruída, isto é, totalmente refeita. Os filhos de *Hassenaá* (ver a respeito deles no *Dicionário*) ficaram encarregados dessa seção da muralha. O autor continua seguindo a direção anti-horária, tendo começado na Porta das Ovelhas e terminado ali (ver os vss. 1-32 quanto ao princípio e ao fim do circuito).

Hassenaá é conforme lemos na Vulgata, na Peshitta e na maioria dos manuscritos da Septuaginta (cf. Ed 2.35). Ele era um ancestral remoto dos trabalhadores, como é usual na lista, de maneira que se leia "descendentes de", que é mais claro para os ouvidos modernos do que "filhos de". A Porta do Peixe (Ne 12.39; Sf 1.10) era a porta de entrada do peixe que vinha da orla marítima. Sua localização exata é desconhecida. Talvez ficasse na colina sudeste e fosse a Porta da Esquina (ver Jr 31.38). Naquele ponto, a muralha dobrava para o sul, na muralha ocidental. Ver o mapa. Alguns, entretanto, identificam-na no lugar da moderna Porta de Damasco (Bab el-'Amud), na muralha norte, onde o vale central entra na cidade. Seja como for, essa parte das muralhas exigia consideráveis reparos. Os portais eram feitos de grandes colunas de madeira. Então eram fixadas nessas vigas as portas (cf. Ne 6.1). Os ferrolhos eram tiras de metal fixadas nos portões, onde eram postas as trancas (1Rs 4.13; Is 45.2). O artigo oferece mais detalhes.

■ 3.4

וְעַל־יָדָם הֶחֱזִיק מְרֵמוֹת בֶּן־אוּרִיָּה בֶּן־הַקּוֹץ ס
וְעַל־יָדָם הֶחֱזִיק מְשֻׁלָּם בֶּן־בֶּרֶכְיָה בֶּן־מְשֵׁיזַבְאֵל ס
וְעַל־יָדָם הֶחֱזִיק צָדוֹק בֶּן־בַּעֲנָֽא: ס

Ao seu lado reparou Meremote, filho de Urias, filho de Coz. Continuando na direção anti-horária, chegamos agora à seção das muralhas atribuída a Meremote, filho de Urias. E próximo a ele, Mesulão, e depois deste, Zadoque. Meremote havia perdido sua posição de sacerdote, mas é evidente que depois lhe foi restaurado o sacerdócio (ver Ed 2.59-61). Ver também Ed 8.33 quanto a indicações de sua restauração. Alguns estudiosos supõem que sua dupla tarefa no programa de construção (vs. 21) tenha conferido a ele essa restauração, mas os eruditos em geral duvidam de que essa devolução do sacerdócio poderia ter sido tão facilmente obtida.

Mesulão (ver o vs. 30 e Ed 8.16). Talvez ele fosse um dos oponentes do divórcio em massa, ou o homem do mesmo nome que também tinha essa distinção. Era o sogro do réprobo Tobias, o amonita (ver Ne 2.10 e 6.18). A despeito de seus problemas, ele cumpriu a parte que lhe cabia. Em seguida vieram Berequias e Zadoque, cujos ancestrais remotos foram mencionados. Ver no *Dicionário* os artigos referentes aos nomes próprios. Praticamente nada se sabe sobre a maioria dessas pessoas, mas o cronista os honrou listando seus nomes.

Note o leitor que a palavra aqui usada é "reparou", em lugar de "edificou" (vss. 2,13-15), o que provavelmente indica que a seção na qual esses homens trabalharam não estava tão severamente danificada como outros trechos das muralhas. O termo literal hebraico para "reparou" significa "fortaleceu".

■ 3.5

וְעַל־יָדָם הֶחֱזִיקוּ הַתְּקוֹעִים וְאַדִּירֵיהֶם לֹא־הֵבִיאוּ
צַוָּרָם בַּעֲבֹדַת אֲדֹנֵיהֶֽם: ס

Ao lado destes repararam os tecoítas. Enquanto nos movemos na direção anti-horária (começando e terminando na Porta das Ovelhas, vss. 1 e 32), chegamos em seguida ao trecho reparado pelos homens de *Tecoa* (ver a respeito no *Dicionário*), a cidade onde nasceu o profeta Amós (Am 1.1). Ficava cerca de dezenove quilômetros ao sul de Jerusalém. Os nobres daquele lugar eram preguiçosos e indiferentes, mas os homens comuns se interessaram pelo projeto e contribuíram com sua parte. O vs. 27 mostra-nos que os homens de Tecoa tinham outra seção a construir. Homens daquela cidade não estavam listados entre os que retornaram a Jerusalém com Zorobabel, mas a lista pode ter sido defeituosa.

Obreiros da Muralha Ocidental (3.6-12)

■ 3.6

וְאֵת שַׁעַר הַיְשָׁנָה הֶחֱזִיקוּ יֽוֹיָדָע בֶּן־פָּסֵחַ וּמְשֻׁלָּם
בֶּן־בְּסֽוֹדְיָה הֵמָּה קֵרוּהוּ וַֽיַּעֲמִידוּ דַּלְתֹתָיו וּמַנְעֻלָיו
וּבְרִיחָֽיו: ס

Joiada, filho de Paseia, e Mesulão, filho de Besodias. Aqueles que repararam a Porta Velha foram mencionados por nome, e assim sendo, foram honrados pelo cronista, embora nada saibamos sobre eles. O que pode ser dito aparece nos artigos que figuram no *Dicionário*.

Porta Velha. No *Dicionário* há um verbete que dá o que se sabe sobre essa porta, mas a referência é obscura. Talvez esse fosse um portão da cidade antiga, ou da antiga muralha. Seja como for, parece que essa entrada da cidade ficava na esquina noroeste ou próximo a ela. O hebraico literal diz aqui "porta da antiga", ao que os eruditos se sentem tentados a adicionar "cidade" ou "muralha". A Vulgata Latina, a Peshitta e a Septuaginta fazem dessa designação um nome próprio, e a maioria das traduções nas línguas modernas segue essa sugestão. Alguns a identificam com Jesana (ver 2Cr 13.19), a Isana de Josefo (Antiq. VIII.11.3; XIV.15.12). Em outras palavras, esse portão abria na direção dessa localidade. Assim também a estrada de Damasco e a porta de Efraim (ver Ne 8.16; 12.39 e 2Rs 14.13) eram assim chamadas porque apontavam nessas direções. Alguns eruditos têm identificado a Porta Velha com a Porta de Efraim, mas isso por certo labora em erro.

■ 3.7

וְעַל־יָדָם הֶחֱזִיק מְלַטְיָה הַגִּבְעֹנִי וְיָדוֹן
הַמֵּרֹנֹתִי אַנְשֵׁי גִבְעוֹן וְהַמִּצְפָּה לְכִסֵּא פַּחַת
עֵבֶר הַנָּהָֽר: ס

Junto deles trabalharam Melatias, gibeonita, e Jadom, meronotita, homens de Gibeom, e de Mispa. Continuando a mover-se na direção anti-horária ao longo das muralhas, em seguida encontramos a seção reconstruída (ou reparada) por Melatias, o gibeonita, e por Jadom, o meronotita, homens de Gibeom e Mispa. Essas áreas também pertenciam à província da qual Judá fazia parte, a saber, "além do rio", territórios ao sul e a oeste da Babilônia. Está em foco a província siro-palestina, o território transeufrateano governado por uma satrapia persa. Havia deputados em vários lugares, para manter as coisas sob controle. Quanto à expressão "além do Eufrates", ver Ed 8.36, onde dou referências. Gibeom e Mispa ficavam poucos quilômetros a noroeste de Jerusalém. Estavam localizadas no território de Benjamim (ver Js 18.25,26).

Domínio. Ou melhor ainda, "trono" ou "tribunal" do oficial persa, paralelo ao pretório romano do procurador. Esse termo corresponde a Mispa e provavelmente significa que o oficial persa tinha armado um lugar de julgamento ali, e talvez até seu palácio. Era dali que ele se movia e efetuava sua governança. A referência tem deixado perplexos a intérpretes e tradutores.

3.8

עַל־יָדוֹ הֶחֱזִיק עֻזִּיאֵל בֶּן־חַרְהֲיָה צוֹרְפִים ס
וְעַל־יָדוֹ הֶחֱזִיק חֲנַנְיָה בֶּן־הָרַקָּחִים וַיַּעַזְבוּ
יְרוּשָׁלַםִ עַד הַחוֹמָה הָרְחָבָה: ס

Ao seu lado reparou Uziel, filho de Haraías. Chegamos agora à parte reparada por Uziel e por Hananias. Eles eram habilidosos, respectivamente, no fabrico de artigos de ouro e produtos químicos, incluindo perfumes. Ver no *Dicionário* os artigos chamados *Ourives* e *Perfumista*. Esses homens deixaram de lado suas respectivas profissões para serem pedreiros por algum tempo, no interesse da obra de Yahweh. "Desde o período mais remoto da história dos judeus, eles contavam com artistas em todos os negócios elegantes e ornamentais; e é evidente que ourives, apotecários e comerciantes se organizavam em companhias ou guildas, no tempo de Neemias" (Adam Clarke, *in loc.*). O cronista, pois, enfatizou que homens de todas as profissões participaram da construção das muralhas de Jerusalém. Não havia nenhuma "classe dos pedreiros" que pudesse tomar conta de tão grande projeto em tão curto tempo. Cada homem tornou-se um pedreiro por algum tempo.

Muro Largo. É difícil localizar essa seção das muralhas de Jerusalém. Tem sido identificada com uma parte larga das muralhas, na beirada oriental do poço de Ezequias (embora alguns estudiosos pensem que isso é impossível). Outros eruditos, porém, fazem do Muro Largo um fragmento das antigas muralhas adjacentes às muralhas ocidentais, que foram fortificadas e a elas adicionadas. A Vulgata e alguns manuscritos da Septuaginta interpretam isso como "Muralha da Praça". Cf. Ed 10.9. Isso requer uma leve emenda da palavra hebraica traduzida por "largo". Talvez a Muralha da Praça fosse uma seção ocidental da muralha norte, localizada entre a Porta de Efraim, na muralha oriental da Mishneh, e a Porta da Esquina. Alguns eruditos simplesmente a identificam com a porta de Efraim (ver Ne 12.39). "... uma muralha que formava a margem sul da praça do lado de fora da porta de Efraim" (Raymond A. Bowman, *in loc.*). Ver o mapa que acompanha o texto para esclarecimento da descrição.

"Muralha larga, que ia desde a porta de Efraim até a Porta da Esquina, que foi quebrada por Joás, rei de Israel, mas reconstruída por Uzias, rei de Judá. Foram aqueles homens que repararam essa parte das muralhas de Jerusalém. Cf. 2Cr 25.23; 26.9" (John Gill, *in loc.*). Jamieson diz-nos que era uma muralha dupla, com cerca de duzentos metros de comprimento.

3.9

וְעַל־יָדָם הֶחֱזִיק רְפָיָה בֶן־חוּר שַׂר חֲצִי פֶּלֶךְ
יְרוּשָׁלָםִ: ס

Junto a estes trabalhou Refaías, filho de Hur. Em seguida, houve uma seção das muralhas reparadas por Refaías. Algumas traduções dizem que ele era "maioral" da metade de Jerusalém. E esse, de fato, pode ser o significado do texto hebraico envolvido. Mas alguns eruditos questionam se Jerusalém, uma cidade relativamente pequena e essencialmente despovoada, teria sido dividida em duas partes e precisava de dois "governadores". Portanto, alguns estudiosos preferem a tradução *capataz*, em lugar de *maioral*. Isso significaria que Refaías era capataz de metade dos que trabalhavam nas paredes, uma espécie de grande chefe do trabalho de reconstrução. O termo hebraico *pelekh* significa um distrito, que ocupava metade da cidade, mas provavelmente isso significa a parte da cidade sobre a qual o homem mencionado exercia jurisdição no trabalho das muralhas. O cognato assírio, *pilku*, pode significar "porção atribuída" de um trabalho, ou lugar de trabalho, e isso parece ser o que a palavra hebraica significa aqui.

3.10

וְעַל־יָדָם הֶחֱזִיק יְדָיָה בֶן־חֲרוּמַף וְנֶגֶד בֵּיתוֹ ס
וְעַל־יָדוֹ הֶחֱזִיק חַטּוּשׁ בֶּן־חֲשַׁבְנְיָה:

Ao seu lado reparou Jedaías, filho de Harumafe. Jedaías conseguiu uma pequena porção das muralhas defronte de sua própria casa, o que era conveniente para ele e para seus filhos trabalharem. Eles não tinham problema de "transporte" para o local de trabalho. Perto dele, Hatus, filho de Hasabneias, trabalhou, evidentemente dando a entender outra pequena seção das muralhas. Nenhum marco no terreno foi dado, porque nas proximidades não havia nada que chamasse a atenção.

3.11

מִדָּה שֵׁנִית הֶחֱזִיק מַלְכִּיָּה בֶן־חָרִם וְחַשּׁוּב בֶּן־פַּחַת
מוֹאָב וְאֵת מִגְדַּל הַתַּנּוּרִים: ס

A outra parte reparou Malquias, filho de Harim. Outro trecho das muralhas foi entregue a Malquias e a Hassube, e a seus filhos. Havia nesse trecho um marco de nota, a Torre dos Fornos. Estão em foco os fornos dos padeiros, e não fornos de fabricar tijolos ou esmaltar objetos. Parece que essa parte das muralhas ficava localizada na esquina noroeste da cidade, parte da fortificação da Porta da Esquina (ver Jr 31.38 e 2Rs 14.13). É provável que essa torre ficasse perto dos fornos, na rua dos padeiros (ver Jr 37.21). É até possível que esses homens fossem realmente padeiros e estivessem interessados em trabalhar perto do local de suas atividades profissionais. Sem dúvida, esses homens tinham seu lugar de fabrico de pães perto de suas residências. Portanto, há evidências de que as tarefas foram dadas próximas das residências dos trabalhadores, o que era lógico e conveniente para todos.

3.12

וְעַל־יָדוֹ הֶחֱזִיק שַׁלּוּם בֶּן־הַלּוֹחֵשׁ שַׂר חֲצִי פֶּלֶךְ
יְרוּשָׁלָםִ הוּא וּבְנוֹתָיו: ס

Ao lado dele reparou Salum, filho de Halões. Salum foi outro capataz. Ver o vs. 9 quanto a notas expositivas. Novamente, "governador" sobre metade de Jerusalém poderia estar em pauta, mas a outra ideia parece melhor. O que nos surpreende neste versículo é que as filhas dele foram mencionadas entre os operários! Os eruditos são incapazes de acreditar que devem emendar o texto para dizer "filhas da cidade", ou seja, filhas de Jerusalém, uma referência a Jerusalém e suas vilas dependentes (cf. Ne 11.25-31; Nm 21.25; 34.42 e Js 15.45). Nesse caso, Salum beneficiou Jerusalém e suas filhas por meio desse labor, mas a emenda não é favorecida por nenhum manuscrito hebraico ou versão. Portanto, temos de aceitar que operárias trabalharam naquela parte das muralhas de Jerusalém. John Gill conjecturou que as filhas eram viúvas ricas ou pessoas abastadas que "contrataram" homens para fazer o trabalho, visto que Salum não tinha filhos que pudessem ajudá-lo. Essa conjectura parece cumprir todas as demandas da lógica, embora permaneça apenas como conjectura. Algumas vezes, ter dinheiro é melhor que trabalhar pessoalmente. O dinheiro pode contratar pessoas mais qualificadas do que nós mesmos.

3.13

אֵת שַׁעַר הַגַּיְא הֶחֱזִיק חָנוּן וְיֹשְׁבֵי זָנוֹחַ הֵמָּה בָנוּהוּ
וַיַּעֲמִידוּ דַּלְתֹתָיו מַנְעֻלָיו וּבְרִיחָיו וְאֶלֶף אַמָּה
בַּחוֹמָה עַד שַׁעַר הָשֲׁפוֹת:

A Porta do Vale reparou-a Hanum e os moradores de Zanoa. Uma grande e difícil seção foi atribuída a Hanum e aos moradores de Zanoa. A parte que coube a eles incluía a Porta do Vale (ver a respeito no *Dicionário*; e ver o mapa que acompanha esse artigo quanto à sua proposta localização). Cf. 2Cr 26.9 e Ne 2.13,15. Azarias (Uzias) originalmente edificou torres nos Portões do Vale e da Esquina. A seção que coube a eles estendia-se até a Porta do Monturo. O mapa mostra que se tratava de um trecho bastante extenso, que deve ter requerido muitos operários. A seção comparativamente grande provavelmente havia sofrido menos dano que outras, de modo que eles a "repararam", e não a "edificaram" (ver sobre o vs. 2). A Porta do Monturo era por onde o lixo era jogado no Vale de Hinom. O ribeiro do Cedrom que por ali fluía agia como uma espécie de esgoto aberto. Cf. Ne 2.13. Quanto ao reparo de portões, seus ferrolhos etc., comparar o vs. 3, que diz essencialmente a mesma coisa sobre a questão.

Mil côvados. Ou seja, cerca de quinhentos metros.

Zanoa. Ver a respeito no *Dicionário*. A moderna população de Khirbet Zanu assinala o local antigo. Ficava no sopé da região montanhosa de Judá, cerca de dezenove quilômetros a oeste de Belém.

■ **3.14**

וְאֵת שַׁעַר הָאַשְׁפּוֹת הֶחֱזִיק מַלְכִּיָּה בֶן־רֵכָב שַׂר
פֶּלֶךְ בֵּית־הַכָּרֶם הוּא יִבְנֶנּוּ וְיַעֲמִיד דַּלְתֹתָיו מַנְעֻלָיו
וּבְרִיחָיו׃ ס

A Porta do Monturo reparou-a Malquias, filho de Recabe. Os reparos na Porta do Monturo (comentada no versículo anterior) foram efetuados por Malquias, que era o governador (ou capataz) do distrito de Bete-Haquerém. Esse termo significa "Casa dos Vinhedos", um lugar fértil que tinha nas proximidades um pico altaneiro de onde sinais de fogo podiam ser enviados (ver Jr 6.1). Provavelmente está em vista o lugar marcado como 'Ain Karim (Fonte dos Vinhedos). Ficava cerca de 6,5 quilômetros a oeste de Jerusalém, ao pé da colina chamada Jebel 'Ail. Um cômoro feito de pedras memoriais tinha sido empilhado ali (Rujm et Tarud), tornando-se uma espécie de marco de terreno. Malquias foi o capataz daquela parte das construções. Ver o vs. 9 deste capítulo. A seção que Malquias e seus homens repararam ficava adjacente à Casa dos Vinhedos. Ver *Bete-Haquerém* no *Dicionário*. Alguns estudiosos fazem de Malquias o prefeito da vila, e não o capataz da parte das muralhas que jaziam adjacentes. Além de reparar as muralhas, os obreiros dessa seção também tinham o portão, incluindo suas portas, ferrolhos e trancas, conforme se vê nos vss. 3-13, onde ofereço notas expositivas sobre a questão. Bete-Haquerém ficava entre Tecoa e Jerusalém. Ver Jr 6.1.

Tendo-nos movido na direção anti-horária, partindo da Porta das Ovelhas, chegamos à parte mais baixa das muralhas, a ponta sul, e agora começamos a subir pela muralha oriental, até a Porta das Ovelhas, de onde partimos. Ver o mapa como ilustração.

■ **3.15**

וְאֵת שַׁעַר הָעַיִן הֶחֱזִיק שַׁלּוּן בֶּן־כָּל־חֹזֶה שַׂר
פֶּלֶךְ הַמִּצְפָּה הוּא יִבְנֶנּוּ וִיטַלְלֶנּוּ וְיַעֲמִיד
דַּלְתֹתָיו מַנְעֻלָיו וּבְרִיחָיו וְאֵת חוֹמַת בְּרֵכַת
הַשֶּׁלַח לְגַן־הַמֶּלֶךְ וְעַד־הַמַּעֲלוֹת הַיּוֹרְדוֹת
מֵעִיר דָּוִיד׃ ס

A Porta da Fonte reparou-a Salum, filho de Cl-Hozé. Nosso primeiro ponto de parada na subida de volta para a Porta das Ovelhas é a Porta da Fonte. A seção das muralhas que incluía essa parte foi entregue a Salum. Ele reparou a porta, mas o texto também diz que houve ali um trabalho considerável, porque ele teve de "reconstruí-la" juntamente com todo o aparelho que perfazia o portão, conforme vemos nos vss. 3 e 13. Ver Ne 2.14 quanto a notas expositivas sobre a porta em foco, e ver detalhes no artigo do *Dicionário* chamado *Fonte, Porta da*.

Hasselá. Esse era o nome de um poço em Jerusalém, perto do jardim do rei, comumente chamado Siloé e, nos dias modernos, Silwan (ver Is 8.6). Não está em foco o poço de Siloá (que é a identificação da Vulgata latina e de muitos eruditos modernos). Selá era o poço em nível inferior.

Salum foi o capataz de metade da tarefa dada a Mispa. É altamente improvável que o lugar tivesse dois prefeitos. Pessoas de Mispa receberam duas incumbências, e Salum encabeçava uma delas. Ver os vss. 7 e 19. Ver as notas expositivas sobre o vs. 9 quanto ao sentido da palavra hebraica que tem sido traduzida por "governador", "prefeito" e "capataz" no presente capítulo.

■ **3.16**

אַחֲרָיו הֶחֱזִיק נְחֶמְיָה בֶן־עַזְבּוּק שַׂר חֲצִי פֶּלֶךְ
בֵּית־צוּר עַד־נֶגֶד קִבְרֵי דָוִיד וְעַד־הַבְּרֵכָה
הָעֲשׂוּיָה וְעַד בֵּית הַגִּבֹּרִים׃

Depois dele reparou Neemias, filho de Azbuque, maioral da metade do distrito de Bete-Zur. Neemias (não a personagem principal do livro) era filho de Azbuque, nome pagão que significa "Buque, o poderoso". Talvez ele fosse o dirigente de Bete-Zur, porém mais provavelmente ainda era um dos capatazes (ver o vs. 9) sobre um grupo de homens do lugar, o qual recebera como incumbência reparar uma seção da muralha. A palavra "metade" implica outra metade dirigida por outro capataz. Três marcos identificavam a seção onde Neemias trabalhava: os sepulcros de Davi; a piscina artificial e a casa dos homens poderosos. Quanto aos sepulcros de Davi, ver 2Cr 32.33. Dou no *Dicionário* um artigo detalhado com o título *Sepulcro dos Reis; Sepulcro de Davi*. Aos turistas que visitam Jerusalém é mostrada a alegada localização desses túmulos, mas os túmulos autênticos continuam ocultos em algum lugar próximo de Jerusalém. A piscina artificial também é de localização duvidosa. Talvez ela ficasse do lado de fora das muralhas de Jerusalém. Alguns a identificam com o reservatório construído por Ezequias, para garantir suprimento de água caso fosse cercado pelas tropas de Senaqueribe. Ver 2Cr 32.4. Em algum lugar nas proximidades, mas que ainda não foi identificado com certeza, estava a casa dos homens poderosos, ou seja, a casa dos "heróis", o que poderia ser uma referência aos poderosos guerreiros de Davi (ver 2Sm 10.7; 16.6 e 23.8). Ou talvez fossem apenas as barracas da guarda real. O que era claro para o cronista permanece incerto para nós.

■ **3.17,18**

אַחֲרָיו הֶחֱזִיקוּ הַלְוִיִּם רְחוּם בֶּן־בָּנִי עַל־יָדוֹ הֶחֱזִיק
חֲשַׁבְיָה שַׂר־חֲצִי־פֶלֶךְ קְעִילָה לְפִלְכּוֹ׃ ס

אַחֲרָיו הֶחֱזִיקוּ אֲחֵיהֶם בַּוַּי בֶּן־חֵנָדָד שַׂר חֲצִי פֶּלֶךְ
קְעִילָה׃ ס

Depois dele repararam os levitas, Reum... Hasabias. Em seguida vinha a seção reparada por alguns levitas, Reum (e seus filhos) e, ao lado dele, Hasabias. Esse homem era um capataz (ver o vs. 9) de metade da tarefa dada aos habitantes da cidade chamada *Queila* (ver a respeito no *Dicionário*). Queila ficava cerca de treze quilômetros a noroeste de Hebrom, já perto da fronteira com a Filístia. Parece que durante o período persa foi colonizada por levitas. A outra incumbência dada aos homens de Queila foi entregue a Bavai (vs. 18). Ele era o capataz da segunda metade. Não havia marcos de terreno nem características especiais a serem mencionados sobre as seções que eles repararam. Eles apenas estavam "ali", trabalhando nas muralhas, talvez na parte adjacente àquela em que moravam os homens de Queila. É altamente improvável que Queila tivesse dois prefeitos, pelo que a tradução *capataz* é melhor, como por todo este terceiro capítulo.

■ **3.19**

וַיְחַזֵּק עַל־יָדוֹ עֵזֶר בֶּן־יֵשׁוּעַ שַׂר הַמִּצְפָּה מִדָּה שֵׁנִית
מִנֶּגֶד עֲלֹת הַנֶּשֶׁק הַמִּקְצֹעַ׃ ס

Ao seu lado reparou Ezer, filho de Jesua, maioral de Mispa. Continuando na direção anti-horária, chegamos agora à seção reparada por Ezer, filho de Jesua; provavelmente um levita (ver Ed 2.40).

Mispa tinha duas incumbências, portanto, como Salum (vs. 15), Ezer era capataz de uma das partes. Ver os vss. 7,15 e 19 quanto às duas incumbências de Mispa. O que se deve entender por "subida para a casa das armas", não temos certeza. Talvez *direção norte* é que se deva entender, porquanto o cronista nos estava levando para o norte, na direção de seu destino, a Porta das Ovelhas, onde ele começara. Ver os vss. 1 e 32. Ou talvez a casa das armas estivesse em algum terreno elevado, claro para o cronista, mas não tão claro para nós. O arsenal da cidade era um depósito de implementos de guerra. O povo poderia ser armado de repente, se necessário fosse, embora seja óbvio que Judá não tinha exército durante o período persa.

No ângulo do muro. Tratava-se de alguma curva na muralha, também conhecida pelo cronista, mas que para nós é um detalhe perdido. Nada sabemos sobre essa curva na direção das muralhas senão já nas proximidades da Porta dos Cavalos (vs. 28). Ver o mapa acompanhante quanto a essa pequena curva. Talvez outra muralha fizesse esquina com a muralha principal naquele ponto, isto é, perto da casa das armas, conforme pode dizer a Septuaginta e a Vulgata Latina. Ver os vss. 24 e 25 quanto a outro ângulo.

3.20

אַחֲרָיו הֶחֱרָה הֶחֱזִיק בָּרוּךְ בֶּן־זַכַּי מִדָּה שֵׁנִית
מִן־הַמִּקְצוֹעַ עַד־פֶּתַח בֵּית אֶלְיָשִׁיב הַכֹּהֵן
הַגָּדוֹל: ס

Depois dele reparou com grande ardor Baruque, filho de Zabai. O industrioso Baruque reparou a seção seguinte (quando nos movemos para cima, para o norte). Nessa seção, as muralhas faziam uma curva perto da casa particular de Eliasibe, o sumo sacerdote. Várias residências particulares serviam de pontos de referência. Cf. os vss. 1,23,24,28-31. Baruque era um homem ardoroso, ou no hebraico, literalmente, "ele queimava". Contudo, essa palavra está ausente em alguns manuscritos hebraicos, bem como nos manuscritos *AB* e *Aleph* da Septuaginta e nas versões etíope e árabe. A *Revised Standard Version* a omite, tal como o fazem algumas versões portuguesas.

3.21

אַחֲרָיו הֶחֱזִיק מְרֵמוֹת בֶּן־אוּרִיָּה בֶּן־הַקּוֹץ מִדָּה
שֵׁנִית מִפֶּתַח בֵּית אֶלְיָשִׁיב וְעַד־תַּכְלִית בֵּית
אֶלְיָשִׁיב: ס

Depois dele reparou Meremote, filho de Urias. A seção seguinte (movendo-nos para o norte, em um movimento circular na direção anti-horária) foi entregue a Meremote. Sua parte começava adjacente à residência do sumo sacerdote, Eliasibe, e estendia-se até o fim de sua propriedade, por uma distância não especificada. Ele tinha outra porção daquela parte das muralhas, talvez como Baruque tivesse sua parte (vs. 20), a seção anterior.

3.22

וְאַחֲרָיו הֶחֱזִיקוּ הַכֹּהֲנִים אַנְשֵׁי הַכִּכָּר:

Depois dele repararam os sacerdotes. Então vinha a seção trabalhada pelos sacerdotes, "que habitavam na campina". A Vulgata Latina diz aqui "homens das planícies do Jordão". Mas os sacerdotes habitavam nos subúrbios de Jerusalém (Jr 1.1; Lc 1.39 ss.). O termo, portanto, pode significar "os homens das vizinhanças" (do templo); no entanto, o texto hebraico não fornece toda essa informação. Talvez esse versículo consista em uma interpolação posterior que não tinha certeza do que tentava expressar. Ellicott simplesmente supõe que alguns sacerdotes não residissem no vale do Jordão, algo que não podemos nem provar nem rejeitar. John Gill informa-nos que, em tempos posteriores, alguns sacerdotes realmente habitavam na planície de Jericó. Ali havia "uma estação de sacerdotes, ou na planície de Jerusalém". A referência permanece obscura para nós, se é que não era obscura até para o cronista.

3.23

אַחֲרָיו הֶחֱזִיק בִּנְיָמִן וְחַשּׁוּב נֶגֶד בֵּיתָם ס אַחֲרָיו
הֶחֱזִיק עֲזַרְיָה בֶן־מַעֲשֵׂיָה בֶּן־עֲנָנְיָה אֵצֶל בֵּיתוֹ: ס

Depois repararam Benjamim e Hassube, defronte da sua casa. Avançando sempre para o norte, chegamos aos trabalhadores Benjamim e Hassube, que trabalhavam adjacente à casa deles. Podemos supor que eles vivessem juntos, na mesma casa. Trabalhando para eles, um pouco mais ao norte, estava Azarias, que provavelmente trabalhava com seus filhos. Esses também trabalhavam nas proximidades de onde residiam. Nenhum marco de terreno ou parte importante da muralha havia nas seções deles. Binui reparou desde o fim da propriedade de Azarias até uma curva das muralhas, na qual havia um ângulo. A *Revised Standard Version* diz aqui *ângulo*, que podia ser menos uma mudança radical de direção do que uma esquina. Mas está em foco alguma mudança brusca de direção. Cf. os vss. 31 e 32; Jó 1.19 e 1Rs 7.34.

3.24

אַחֲרָיו הֶחֱזִיק בִּנּוּי בֶּן־חֵנָדָד מִדָּה שֵׁנִית מִבֵּית
עֲזַרְיָה עַד־הַמִּקְצוֹעַ וְעַד־הַפִּנָּה:

Depois dele reparou Binui, filho de Henadade. Ellicott (*in loc.*) presumia que o ângulo "norte-oriental da cidade de Davi" estava em vista. O versículo seguinte talvez favoreça essa suposição.

3.25

פָּלָל בֶּן־אוּזַי מִנֶּגֶד הַמִּקְצוֹעַ וְהַמִּגְדָּל הַיּוֹצֵא מִבֵּית
הַמֶּלֶךְ הָעֶלְיוֹן אֲשֶׁר לַחֲצַר הַמַּטָּרָה אַחֲרָיו פְּדָיָה
בֶן־פַּרְעֹשׁ: ס

Palal, filho de Uzai, reparou defronte do ângulo e da torre que sai da casa real superior. Adjacente à curva da muralha (vs. 24) havia uma torre que se projetava da casa superior do rei no átrio da guarda. Esse lugar era chamado de "casa real superior", distinguindo-a da casa mais antiga de Davi, que ficava na colina sul. Alguns intérpretes negam que houvesse dois palácios reais e traduzem a palavra "outra" por "superior". A *Revised Standard Version* fica com a tradução "casa superior" para distingui-la da "casa inferior". Assim a nossa versão portuguesa diz "superior" com o mesmo sentido. O palácio do vs. 25 é, presumivelmente, aquele que Salomão construíra, depois que o palácio de Davi já havia sido construído. Ver 1Rs 7.1-8. Mas os babilônios deixaram algum desses palácios de pé, ou o cronista simplesmente se refere aos lugares onde havia esses dois palácios (mas que agora não existiam mais ali)?

Seja como for, adjacentes a esses marcos do terreno (ainda ali ou que tinham estado ali), Palal trabalhou em sua seção das muralhas de Jerusalém.

Junto ao pátio do cárcere. Perto do palácio (ou de onde o palácio estivera) havia a casa da guarda, que foi um ambiente fechado na casa do rei, onde Jeremias foi encerrado (ver Jr 32.2). Cf 1Rs 7.9-12. John Gill diz que essa casa da guarda, usada como prisão temporária, ficava "perto" ou "dentro" do palácio do rei. Ellicott informa-nos que os antigos palácios dos monarcas usualmente tinham suas casas da guarda ou prisões, onde pessoas perigosas podiam ser temporariamente trancafiadas.

Depois dessa seção veio a parte entregue a Pedaías, filho de Parós.

3.26,27

וְהַנְּתִינִים הָיוּ יֹשְׁבִים בָּעֹפֶל עַד נֶגֶד שַׁעַר הַמַּיִם
לַמִּזְרָח וְהַמִּגְדָּל הַיּוֹצֵא: ס

אַחֲרָיו הֶחֱזִיקוּ הַתְּקֹעִים מִדָּה שֵׁנִית מִנֶּגֶד הַמִּגְדָּל
הַגָּדוֹל הַיּוֹצֵא וְעַד חוֹמַת הָעֹפֶל:

E os servos do templo que habitavam em Ofel. O vs. 26 é uma pequena adição feita ao versículo anterior, uma espécie de parênteses, informando-nos que os servos do templo (*netinim*; ver a respeito deles no *Dicionário*) trabalharam juntamente com Pedaías, como colaboradores. Era apenas natural que essa classe fosse posta a trabalhar nas muralhas, e talvez eles tenham ajudado em outras partes também. A menção ao "muro de Ofel" (vs. 27) tem sido interpretada por alguns estudiosos como significando que os servos do templo realmente estavam ajudando aos homens de Tecoa (vs. 27), e não a Pedaías. Ou talvez a glosa se refira ao vs. 27. Ou outra possibilidade ainda é que os servos do templo (ou *netinim*) trabalhavam tanto com Pedaías quanto com os habitantes de Tecoa.

Ofel (no hebraico, inchaço) refere-se a uma eminência ou projeção (cômoro) que foi fortificada (ver 1Rs 5.24). Esse lugar é mencionado na pedra Moabita. Posteriormente, o termo foi aplicado à colina sul de Jerusalém (2Cr 33.14), mas seu uso mais antigo se confinava ao lado do Cedrom da mesma colina, perto do ângulo da presente Harã. Ver notas expositivas completas no *Dicionário*.

Os homens de Tecoa ganharam duas incumbências, conforme se deduz da referência prévia a outra incumbência, no vs. 5.

Na seção reparada pelos tecoítas havia uma torre (ver no *Dicionário*) que serviu de marco do terreno por parte deles. O mapa ilustrativo mostra a localização dessa torre, quase a meio caminho como quem vai para o norte, voltando para a Porta das Ovelhas, de onde o cronista começou sua viagem em redor da muralha, seguindo a direção anti-horária.

JERUSALÉM DO TEMPO DE NEEMIAS

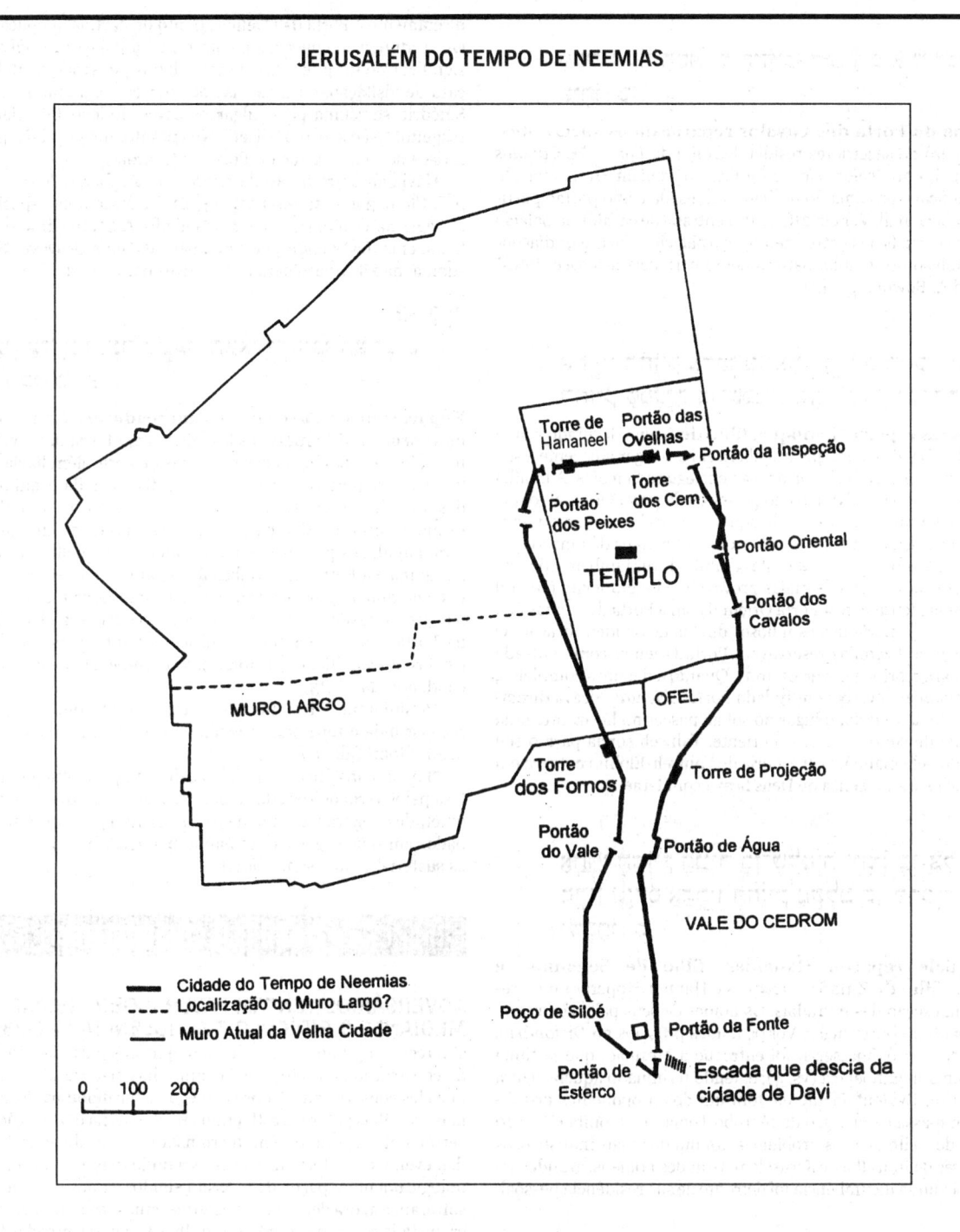

Torre de Hananeel
Portão das Ovelhas
Portão da Inspeção
Torre dos Cem
Portão dos Peixes
Portão Oriental
TEMPLO
Portão dos Cavalos
MURO LARGO
OFEL
Torre dos Fornos
Torre de Projeção
Portão do Vale
Portão de Água
VALE DO CEDROM
Poço de Siloé
Portão da Fonte
Portão de Esterco
Escada que descia da cidade de Davi

— Cidade do Tempo de Neemias
--- Localização do Muro Largo?
— Muro Atual da Velha Cidade

0   100   200

O SEGUNDO TEMPLO

Em comparação com o templo de Salomão, era uma miséria e, com o de Herodes, lastimável. Mas no tempo de Esdras e Neemias foi um fator unificador do povo restaurado do cativeiro babilônico. Em comparação com os outros templos, temos poucas informações. Ed 6.3 dá as dimensões gerais.

O rei Ciro, no seu primeiro ano, baixou o seguinte decreto: com respeito à casa de Deus em Jerusalém, deve ela edificar-se para lugar em que se ofereçam sacrifícios; seus fundamentos serão firmes, a sua altura de sessenta côvados, e a sua largura de sessenta côvados, com três carreiras de grandes pedras e uma de madeira nova.

O Talmude nos informa que este templo não tinha *cinco coisas*: a arca da aliança; o fogo sagrado; o *Shekinah*; o Espírito Santo; o Urim e Tumim. O Santo dos Santos estava vazio. No Lugar Santo existiam somente um candeeiro e uma mesa do pão de exposição.

3.28

מֵעַל שַׁעַר הַסּוּסִים הֶחֱזִיקוּ הַכֹּהֲנִים אִישׁ לְנֶגֶד
בֵּיתוֹ: ס

Para cima da Porta dos Cavalos repararam os sacerdotes. Certo número de sacerdotes residia defronte da *Porta dos Cavalos* (ver a respeito no *Dicionário*), e foi-lhes conveniente trabalhar ali. Essa porta ficava próxima do palácio e era usada como portão particular do palácio real. Ver em 2Rs 11.16 a entrada de cavalos no palácio do rei. Essa porta ficava entre o templo e o palácio. "Tal área, adjacente ao complexo do templo, naturalmente pertencia aos sacerdotes" (Raymond A. Bowman, *in loc.*).

3.29

אַחֲרָיו הֶחֱזִיק צָדוֹק בֶּן־אִמֵּר נֶגֶד בֵּיתוֹ ס וְאַחֲרָיו
הֶחֱזִיק שְׁמַעְיָה בֶן־שְׁכַנְיָה שֹׁמֵר שַׁעַר הַמִּזְרָח: ס

Depois deles reparou Zadoque, filho de Imer. Seguindo a área da Porta dos Cavalos, Zadoque trabalhou em um lugar adjacente à sua própria casa. Em seguida vinha a seção entregue a Semaías. A família deste tinha estado envolvida como porteiros da porta Oriental, o que lhes dava especial prestígio, sendo aquele o portal principal do templo. Sua localização exata é desconhecida, mas o mapa dá uma ideia.

Ver sobre Zadoque no vs. 4 deste capítulo. E ver também Ed 2.37. Zadoque era sacerdote, e Semaías provavelmente era levita (ver Ed 2.40). Alguns identificam a Porta Oriental com a Porta das Águas (vs. 26), mas a maior parte dos estudiosos duvida dessa identificação. O templo ideal de Ezequias reservava a Porta Oriental como entrada exclusiva para o príncipe (ver Ez 46.1). Quanto a detalhes completos, ver no *Dicionário* o verbete intitulado *Porta Oriental*. Ficava diretamente a leste do templo, o lugar do sol ao nascer no horizonte, uma figura plena de simbolismos. Do oriente, Yahweh sorria para o seu templo cedo pela manhã. Dali a glória de Yahweh-Elohim entrava em sua habitação, e a presença de Deus ficava com Israel.

3.30

אַחֲרֵי הֶחֱזִיק חֲנַנְיָה בֶן־שֶׁלֶמְיָה וְחָנוּן בֶּן־צָלָף הַשִּׁשִּׁי
מִדָּה שֵׁנִי ס אַחֲרָיו הֶחֱזִיק מְשֻׁלָּם בֶּן־בֶּרֶכְיָה נֶגֶד
נִשְׁכָּתוֹ: ס

Depois dele reparou Hananias, filho de Selemias, e Hanum... filho de Zalafe. Hananias e Hanum cooperaram no reparo de uma seção das muralhas. Os nomes de seus pais não aparecem em nenhum outro lugar. Ver os nomes próprios no *Dicionário*. Em seguida, a próxima seção foi entregue a Mesulão, que já tinha recebido uma incumbência (vs. 4), e, tendo terminado aquela, agora recebia outra. Evidentemente ele fora um dos proponentes dos divórcios em massa e era sogro do réprobo Tobias, o amonita (Ne 2.10 e 6.18). A despeito de seus problemas, foi um dos mais industriosos construtores da muralha de Jerusalém. Grandes homens, grandes vícios. Sua segunda incumbência foi defronte de sua residência pessoal.

3.31

אַחֲרֵי הֶחֱזִיק מַלְכִּיָּה בֶּן־הַצֹּרְפִי עַד־בֵּית הַנְּתִינִים
וְהָרֹכְלִים נֶגֶד שַׁעַר הַמִּפְקָד וְעַד עֲלִיַּת הַפִּנָּה:

Depois dele reparou Malquias, filho dum ourives. A seção de Malquias veio em seguida. Sua profissão era trabalhar em objetos de ouro. Ver no *Dicionário* o artigo chamado *Ourives*. Três homens com o nome de Malquias são mencionados na lista dos construtores da muralha de Jerusalém (vss. 11,14,31). Seus reparos na muralha estenderam-se do sul até a casa dos servos do templo (*netinim*; ver a respeito no *Dicionário*). Os comerciantes também residiam naquela área. A *Porta da Guarda* (ver a respeito no *Dicionário*) foi um marco de terreno para essa seção. O termo hebraico usado é *Miphkad*, que significa recenseamento. Mas o que seria esse recenseamento? A palavra pode significar (possivelmente) revista de tropas, inspeção, visita, nomeação. Talvez se trate da mesma Porta de Benjamim (ver Jr 37.12,13). Ficava na esquina nordeste das muralhas da cidade, e o mapa acompanhante ilustra sua posição. Dali uma pessoa iria diretamente à Porta da Ovelhas, ponto de partida, a pouca distância. Os eruditos não concordam com o que a palavra *Miphkad* poderia significar no tocante a essa porta. Alguns pensam que ali havia uma casa de visitação, ou uma casa de correção. Ou então era ali que o Sinédrio se reunia para julgar os casos. Ellicott fala claramente a respeito: "Não sabemos dizer". No entanto, nossa versão portuguesa arrisca-se com a tradução "Porta da Guarda".

Havia ali outro ponto de referência, a saber, o "eirado da esquina". Cf. Jz 3.23-25; 1Rs 17.19,23. Talvez fosse uma espécie de torre de vigia na esquina nordeste da cidade. A Septuaginta e a Peshitta falam em uma "subida", mas isso parece menos provável. Se era uma subida, não fica claro para onde, talvez para a Porta da Guarda.

3.32

וּבֵין עֲלִיַּת הַפִּנָּה לְשַׁעַר הַצֹּאן הֶחֱזִיקוּ הַצֹּרְפִים
וְהָרֹכְלִים: פ

Repararam os ourives e os mercadores. Finalmente, nosso movimento anti-horário nos leva de volta à Porta das Ovelhas, onde nossa jornada em torno das muralhas de Jerusalém havia começado (vs. 1). Esse portão ficava a pequena distância da esquina nordeste das muralhas, referida no vs. 31. Ne 13.1 diz que os sacerdotes repararam a Porta das Ovelhas, e este versículo talvez indique que eles foram ajudados por ourives e mercadores. Ou melhor, a seção entre a esquina e a Porta das Ovelhas foi reparada por ourives e mercadores, que tinham seus negócios naquela área (e, sem dúvida, residiam nas proximidades). Sabemos que esse negócio era efetuado na área da Porta das Ovelhas porque ali havia muito comércio de animais usados nos sacrifícios. Cf. Jo 2.14. Ver também o comércio que Jesus condenou (Mc 11.15).

"Assim a muralha, em todo o seu circuito, com seus portões, foi reconstruída e reparada, trabalho esse que foi feito em 52 dias (Ne 6.15)" (John Gill, *in loc.*).

"Foi uma instância de religião e de coragem, uma provisão de defesa pelos verdadeiros adoradores de Deus, para que o servissem em quietude e segurança e, no meio de seus inimigos, continuassem ocupados em seus negócios, confiando piamente no poder de Deus que os susteria" (Jamieson, *in loc.*).

CAPÍTULO QUATRO

ADVERSÁRIOS TENTAM FAZER A OBRA PARAR, MEDIANTE O RIDÍCULO E A VIOLÊNCIA (4.1-23)

O terceiro capítulo é parentético, dando-nos uma lista dos operários da construção ou do reparo das muralhas de Jerusalém, e as seções que eles consertaram. A obra começou e terminou na Porta das Ovelhas. Famílias paternas estiveram envolvidas na construção, até o encerramento. Agora, porém, o cronista nos leva de volta à sequência dos eventos que terminaram no segundo capítulo e prossegue cronologicamente a partir dali. Assim sendo, a oposição que os judeus sofreram é agora descrita, e nos esquecemos, pelo momento, de que o cronista já registrou como as muralhas foram terminadas (Ne 3.32).

"Os problemas e as atitudes com que se confrontou o sionismo primitivo na Palestina, 24 séculos atrás, têm emergido de novo em nosso próprio tempo. Mas agora um conflito mais violento ainda irrompe entre os judeus, que têm retornado à sua antiga terra natal para restabelecer ali Israel, e os habitantes árabes de longo tempo naquela mesma terra. Assim sendo, a história se repete, séculos mais tarde, e em uma escala maior e com problemas e resultados ainda mais complexos" (Charles W. Gilkey, *in loc.*).

4.1 (na Bíblia hebraica corresponde ao 3.33)

וַיְהִי כַּאֲשֶׁר שָׁמַע סַנְבַלַּט כִּי־אֲנַחְנוּ בוֹנִים אֶת־
הַחוֹמָה וַיִּחַר לוֹ וַיִּכְעַס הַרְבֵּה וַיַּלְעֵג עַל־הַיְּהוּדִים:

Tendo Sambalá ouvido que edificávamos o muro. Cf. Ne 2.10 quanto à sua reação inicial e suas zombarias. Quando ele ouviu que o trabalho das muralhas estava realmente começando, enfureceu-se. Ele continuou zombando, mas agora não limitava mais sua oposição a meras palavras. Ver o artigo sobre *Sambalá* no *Dicionário* quanto a detalhes completos que não repito aqui.

Edificávamos. Note aqui o uso da primeira pessoa do plural. O cronista incorporou em sua composição as memórias de Neemias. Essas memórias consistem nas seções de Ne 1.1—7.5; 11.27-43 e 13.4-30. Pelo menos esse trecho do livro está baseado em relatórios de uma testemunha ocular. Sambalá teria seus aliados, que também ficaram indignados porque o trabalho de construção das muralhas da cidade estava começando (ver o vs. 7). Portanto, a missão de Neemias se complicou. Ele tinha todo aquele trabalho a ser feito e, ainda por cima, inimigos que tentavam entravar seu progresso.

E escarneceu dos judeus. "O que vocês estão fazendo é ridículo e inútil. Vocês nunca terminarão esse trabalho. Vocês são traidores do governo persa. Seus inimigos darão cabo de vocês, assim que sentirem vontade de fazê-lo. Suas tentativas de reverter o que os babilônios fizeram fracassarão. Vocês são débeis e seu trabalho é insuficiente. Até uma raposa que subisse pela vossa muralha a faria cair" (ver os versículos que se seguem).

■ **4.2** (na Bíblia hebraica corresponde ao **3.34**)

וַיֹּאמֶר לִפְנֵי אֶחָיו וְחֵיל שֹׁמְרוֹן וַיֹּאמֶר מָה
הַיְּהוּדִים הָאֲמֵלָלִים עֹשִׂים הֲיַעַזְבוּ לָהֶם הֲיִזְבָּחוּ
הַיְכַלּוּ בַיּוֹם הַיְחַיּוּ אֶת־הָאֲבָנִים מֵעֲרֵמוֹת הֶעָפָר
וְהֵמָּה שְׂרוּפוֹת:

Então falou na presença de seus irmãos e do exército de Samaria. Há várias traduções deste versículo, na tentativa de ocultar o fato de que o texto está corrupto e é quase impossível de reconstruir. Este versículo tem deixado perplexos intérpretes antigos e modernos. Nenhum texto convincente foi reconstituído. Seja como for, podemos estar seguros de que os elementos do versículo estão relacionados às zombarias do réprobo Sambalá.

Sambalá, com ódio ardendo em seu coração, dirigiu a palavra a seu exército e a seus irmãos, os homens de Samaria. Muitos planos contrários foram imaginados. O homem esperava apelar para a violência, a despeito das cartas do rei da Pérsia que Neemias trouxera consigo (ver Ne 2.7 ss.). Assim, em certo sentido, era o norte contra o sul, uma vez mais. Os nortistas nada ganhariam por um sul ressuscitado, embora eles não fossem hebreus. Contudo, algum sangue hebreu estava misturado à raça dos samaritanos. Ver 2Rs 17.24-41 quanto à origem dos samaritanos. Ver o artigo sobre eles no *Dicionário*.

Os judeus eram débeis, mas não desprovidos de poder. O plano diabólico deles, na opinião de Sambalá, tinha de ser interrompido antes que crescesse e se transformasse em ameaça real. Provavelmente o conselho se reuniu em Samaria e algum tipo de movimento foi organizado com vistas a "deter o trabalho de construção das muralhas". Se o rei da Pérsia não tivesse dado seu apoio a Neemias, não haveria a menor esperança de que o trabalho de construção terminaria.

Os babilônios tinham feito um trabalho completo ao destruir Jerusalém e suas muralhas. Poderiam aqueles débeis judeus reverter a destruição, por assim dizer, "em um dia"? Foram necessários somente 52 dias para fazer o trabalho de conserto das muralhas da cidade, tão entusiasmados estavam os operários judeus! Ver Ne 6.15. As palavras "num só dia" derivam da Vulgata Latina, pois o original hebraico é confuso neste ponto.

Sacrificarão? O culto a Yahweh era o objeto de tudo quanto se fizesse em Jerusalém. Poderiam aqueles débeis judeus devolver a Judá o yahwismo? O original hebraico aqui é confuso e poderia significar "restaurarão eles?" Os sacrifícios poderiam significar a "proteção do poder divino, solicitado por meios ritualísticos". Tais sacrifícios realmente fariam algum bem àqueles débeis judeus? Talvez eles sacrificassem para aplacar a ira de Yahweh, que trouxera destruição a Jerusalém, por causa dos pecados dos judeus. Porventura Yahweh agora daria a eles alguma atenção?

Que dizer sobre o material de construção? De que adiantariam aqueles tijolos quebrados e madeiras queimadas, deixados pelos babilônios e provavelmente por outros atacantes que se seguiram, após terem demolido parte das muralhas que Esdras havia construído (ver Ed 9.9)? Mas haveria um suprimento do rei da Pérsia (Ne 2.8), e isso tornaria possível o trabalho de construção.

■ **4.3** (na Bíblia hebraica corresponde ao **3.35**)

וְטוֹבִיָּה הָעַמֹּנִי אֶצְלוֹ וַיֹּאמֶר גַּם אֲשֶׁר־הֵם בּוֹנִים
אִם־יַעֲלֶה שׁוּעָל וּפָרַץ חוֹמַת אַבְנֵיהֶם: פ

Estava com ele Tobias, o amonita. Tobias, o réprobo e ímpio amonita, estava ao lado do infame Sambalá, adicionando seus insultos e comentários. Ver Ne 2.10 e detalhes no artigo sobre esse homem, no *Dicionário*. Tobias acrescentou uma pequena símile: aqueles débeis judeus construíram uma muralha tão fraca que até uma raposa que corresse por cima do muro o derrubaria. Em vez de raposa, algumas versões preferem chacal, também uma tradução possível. O verbo "derrubar" provavelmente significa "escavará para o outro lado". A palavra é usada algures para indicar uma fenda produzida em uma muralha qualquer. Ver 2Rs 14.13. "... os materiais eram tão ruins e o trabalho fora feito tão sem técnica que até o peso de uma raposa derrubaria a muralha" (John Gill, *in loc.*). As raposas e os chacais infestavam os locais desolados, inclusive os arredores de Jerusalém (Lm 5.18).

■ **4.4** (na Bíblia hebraica corresponde ao **3.36**)

שְׁמַע אֱלֹהֵינוּ כִּי־הָיִינוּ בוּזָה וְהָשֵׁב חֶרְפָּתָם
אֶל־רֹאשָׁם וּתְנֵם לְבִזָּה בְּאֶרֶץ שִׁבְיָה:

Ouve, ó nosso Deus, pois estamos sendo desprezados. Neemias apelou a Yahweh, pedindo ajuda. Cf. Ne 1.4 e 2.4. Ver no *Dicionário* o verbete chamado *Oração*, que provê detalhes e poesia ilustrativa. Neemias estava precisando de coragem e iluminação.

> A mais forte, mais generosa e mais orgulhosa
> de todas as virtudes é a verdadeira coragem.
>
> Michel de Montaigne

> Coragem, pois! O que não pode ser evitado seria
> uma fraqueza infantil lamentar ou temer.
>
> Shakespeare

A reversão das maldições foi a essência da oração de Neemias. Que os que zombavam fossem alvo de zombarias. Que os que faziam os judeus de presa se tornassem presa de seus inimigos. Cf. Sl 54.1,2; 64.1; Dn 9.17. Note o leitor que Neemias desejou até que seus inimigos fossem levados em cativeiro, tal como os judeus haviam sofrido. "Jesus, nosso grande Mestre, recomendou: 'Amai os vossos inimigos; fazei o bem àqueles que vos odeiam; orai por aqueles que vos perseguem'. Tais declarações, como as que aparecem no presente versículo, só são desculpáveis na boca de um judeu, severamente irritado" (Adam Clarke, *in loc.*).

■ **4.5** (na Bíblia hebraica corresponde ao **3.37**)

וְאַל־תְּכַס עַל־עֲוֹנָם וְחַטָּאתָם מִלְּפָנֶיךָ אַל־תִּמָּחֶה
כִּי הִכְעִיסוּ לְנֶגֶד הַבּוֹנִים:

Não lhes encubras a iniquidade. Os pecadores tinham de ser severamente castigados pela ira divina. Yahweh jamais ignoraria o que estava sendo feito ali pelo terrível Sambalá e pelo ridicularizador Tobias. Por certo Deus não encobriria seus pecados nem os perdoaria. Antes, sua espada já estava erguida para acabar com aqueles homens miseráveis. De fato, eles tinham provocado Yahweh, porquanto Deus é que tinha enviado tanto Esdras quanto Neemias de volta ao lugar de sua habitação, a cidade de Jerusalém, onde ele manifestava sua presença. Portanto, blasfêmias lançadas contra os judeus eram blasfêmias contra Yahweh e sua honra. Sambalá, Tobias e seus aliados queriam desfazer o plano divino. Essas linhas, ao que tudo indica, foram tomadas por empréstimo de Jr 18.23.

John A. Martin (*in loc.*) preocupava-se com o que os cristãos pensariam de tal oração, à luz de Mt 5.44 e Rm 12.14,20. Caros leitores, há uma grande diferença entre a luz que era projetada pelo Antigo Testamento e a luz lançada pelo Novo Testamento. As coisas mudaram; as coisas melhoraram; a espiritualidade atingiu um plano superior nos ensinos de Jesus e de Paulo. Não é necessário reconciliar o Antigo com o Novo Testamento. Mas isso não significa que os pecadores estão livres dos efeitos de suas blasfêmias. Eles não estão livres, mas isso já é parte dos direitos de Deus, e não dos nossos. Aqueles que amaldiçoassem a Abraão e seus descendentes seriam amaldiçoados (ver Gn 12.3). A vingança vem de Deus (ver Dt 32.25 e Rm 12.19).

E não se risque diante de ti o seu pecado. Ver Sl 51.1,9 e At 3.19 quanto a essa metáfora. Os pecados dos homens são registrados no livro de Deus como uma lembrança. Eles podem ser apagados. Há perdão à disposição dos pecadores.

■ **4.6** (na Bíblia hebraica corresponde ao 3.38)

וַנִּבְנֶה֙ אֶת־הַ֣חוֹמָ֔ה וַתִּקָּשֵׁ֥ר כָּל־הַחוֹמָ֖ה עַד־חֶצְיָ֑הּ
וַיְהִ֧י לֵ֦ב לָעָ֖ם לַעֲשֽׂוֹת׃ פ

Assim edificamos o muro. O trabalho de construção progrediu bem, a despeito de toda a oposição; e, pelo esforço diligente, cerca de metade da altura das muralhas foi atingida. Todos os grupos escolhidos para a construção (capítulo 3) trabalhavam ao mesmo tempo, pelo que a muralha subia em sua altura e em todo o comprimento. Mas alguns eruditos pensam em termos de comprimento do trabalho, e supõem que metade da extensão das muralhas estivesse pronta. Nesse caso, as muralhas estariam completas em metade de seu comprimento, mas isso parece estranho. A Septuaginta omite esse versículo, e talvez ele tenha sido uma adição ao original hebraico, feita por algum escriba posterior. Talvez "se fechou até a metade" do muro seja uma nota temporal, isto é, 26 dos 52 dias que o projeto tomou (ver Ne 6.15) já se tivessem escoado. Mas isso parece altamente improvável.

O povo tinha ânimo para trabalhar. No hebraico temos a palavra "mente", em lugar de "ânimo". Os judeus tornaram-se obcecados pela construção das muralhas de Jerusalém, uma postura necessária para completar qualquer grande projeto.

■ **4.7** (na Bíblia hebraica corresponde ao 4.1)

וַיְהִ֣י כַאֲשֶׁ֣ר שָׁמַ֣ע סַנְבַלַּ֡ט וְ֠טוֹבִיָּה וְהָעַרְבִ֨ים
וְהָעַמֹּנִ֜ים וְהָאַשְׁדּוֹדִ֗ים כִּֽי־עָלְתָ֤ה אֲרוּכָה֙ לְחֹמ֣וֹת
יְרוּשָׁלִַ֔ם כִּי־הֵחֵ֥לּוּ הַפְּרֻצִ֖ים לְהִסָּתֵ֑ם וַיִּ֥חַר לָהֶ֖ם
מְאֹֽד׃

Mas ouvindo Sambalá e Tobias, os arábios, os amonitas e os asdoditas. Chegaram notícias no norte, a Sambalá (em Samaria), de que as muralhas, espantosamente, já tinham alcançado metade de sua altura, e isso o deixou lamentando e irado. Tobias também ouviu as notícias e rilhou os dentes, e de suas narinas saiu fumaça. Os árabes também aceitaram muito a contragosto a notícia, como o fizeram os amonitas e os asdoditas. O que eles tinham dito que não podia ser feito já estava pela metade! Suas profecias de condenação ao trabalho de construção das muralhas de Jerusalém eram profecias da própria condenação deles! Quando o sucesso no fortalecimento de Jerusalém se tornava óbvio, todos os vizinhos de Judá ficaram consternados. Quem poderia suportar a volta de um Judá forte?

Os asdoditas habitavam uma das cinco principais cidades da Filístia (Js 11.22). Asdode ficava a meio caminho entre Jope e Gaza, e se tinha tornado uma das principais cidades da província assíria da Palestina. A última coisa que os filisteus queriam era uma nação de Judá forte. A versão árabe e Josefo omitem a menção aos asdoditas, sendo até possível que essa palavra tenha sido uma adição tardia ao texto. Asdode foi finalmente saqueada durante o período helenista (ver 1Macabeus 5.68 e 10.84). Ver detalhes sobre isso no *Dicionário*.

Sambalá tinha relações amistosas com aquela gente, e talvez eles estivessem sob as suas ordens como um delegado do rei da Pérsia. Os inimigos de Judá foram "levados à fúria" pelo progresso que as muralhas de Jerusalém estavam tomando, conforme observou Jamieson (*in loc.*).

■ **4.8** (na Bíblia hebraica corresponde ao 4.2)

וַיִּקְשְׁר֤וּ כֻלָּם֙ יַחְדָּ֔ו לָב֖וֹא לְהִלָּחֵ֣ם בִּירוּשָׁלִָ֑ם
וְלַעֲשׂ֥וֹת ל֖וֹ תּוֹעָֽה׃

Ajuntaram-se todos de comum acordo. Houve uma conspiração geral contra Judá, pelos inimigos mencionados no vs. 7. Eles "lutariam contra Jerusalém", fazendo cessar à força o absurdo projeto.

O assassinato seria uma das soluções (vs. 11). Provavelmente eles não ousariam tocar na própria muralha, porquanto o rei da Pérsia não permitiria que ela fosse derrubada. Mas, se um número suficiente de assassinatos fosse cometido, o restante ficaria aterrorizado, e o trabalho cessaria por falta de trabalhadores. Outra solução seria um ataque geral por parte de um exército. A resposta a essas ameaças foi que os judeus se armaram, e metade estava pronta para lutar e metade continuou edificando (vs. 16). Dessa maneira, embora o ritmo da construção tenha diminuído, o trabalho não cessou de todo. Por conseguinte, uma pequena guerra estava em andamento. O ataque geral, por parte de um exército, nunca se cumpriu, mas outras formas de assédio foram aplicadas.

■ **4.9** (na Bíblia hebraica corresponde ao 4.3)

וַנִּתְפַּלֵּ֖ל אֶל־אֱלֹהֵ֑ינוּ וַנַּעֲמִ֨יד מִשְׁמָ֧ר עֲלֵיהֶ֛ם יוֹמָ֥ם
וָלַ֖יְלָה מִפְּנֵיהֶֽם׃

Porém nós oramos ao nosso Deus. Confiando na oração e nas armas de guerra, os judeus não se deixaram intimidar; eles trabalhavam e vigiavam. A Vulgata também diz que eles puseram um vigia para espiar o inimigo que poderia estar-se aproximando, dando tempo aos judeus para se armarem para uma possível batalha. A versão Peshitta diz que o vigia era "sobre nós" (os judeus). O hebraico diz literalmente "do rosto deles" (cf. Gn 7.7; Jr 35.11), expressão idiomática que significa "contra eles".

■ **4.10** (na Bíblia hebraica corresponde ao 4.4)

וַיֹּ֣אמֶר יְהוּדָ֗ה כָּשַׁל֙ כֹּ֣חַ הַסַּבָּ֔ל וְהֶעָפָ֖ר הַרְבֵּ֑ה
וַאֲנַ֙חְנוּ֙ לֹ֣א נוּכַ֔ל לִבְנ֖וֹת בַּחוֹמָֽה׃

Já desfaleceram as forças dos carregadores. Havia muitos escombros para serem retirados, de tal modo que os que tinham o trabalho de carregá-los para fora estavam completamente exaustos, e isso era uma ameaça para o trabalho. A tensão na narrativa aumenta pela realista revelação de fraqueza no acampamento dos judeus. Este versículo é reconhecido como o fragmento de uma lamentação, composta sob forma métrica. Portanto, as palavras "então disse Judá", que parecem tão estranhas neste versículo, provavelmente faziam parte de um poema que foi incorporado ao texto sagrado. Judá refere-se a toda a comunidade judaica pós-exílica. As forças dos trabalhadores "cambaleava", conforme significa a palavra hebraica correspondente. Essa palavra tem sido encontrada indicando a fraqueza e o cambaleio causado por muito jejum. Cf. Sl 31.10. A Septuaginta a traduz com o dramático termo "abalados". "Os construtores estavam enfrentando novos problemas: estavam física e psicologicamente exaustos, e o trabalho parecia interminável. E também enfrentavam a ameaça de algum ataque em segredo (vs. 11), que Neemias reconhecia não ser conversa fiada" (John A. Martin, *in loc.*).

Uma Lição Moral. Um projeto difícil e demorado nos deixa exauridos. Mas não há glória no lazer.

O ócio é o refúgio das mentes fracas
e o feriado dos insensatos.

Lord Chesterfield

Na civilização não há lugar para o ocioso.
Nenhum de nós tem o direito ao lazer.

Henry Ford

■ **4.11** (na Bíblia hebraica corresponde ao 4.5)

וַיֹּאמְר֣וּ צָרֵ֗ינוּ לֹ֤א יֵדְעוּ֙ וְלֹ֣א יִרְא֔וּ עַ֛ד אֲשֶׁר־נָב֥וֹא
אֶל־תּוֹכָ֖ם וַהֲרַגְנ֑וּם וְהִשְׁבַּ֖תְנוּ אֶת־הַמְּלָאכָֽה׃

Nada saberão disto. Uma campanha de assassinatos em massa, em segredo. Um ataque frontal e aberto teria sido eficaz. Não havia como Judá resistir contra os muitos inimigos que circundavam seu minúsculo território. Mas o rei da Pérsia não toleraria uma "guerra" interna nos territórios do império. Mas ataques secretos com assassinatos, o equivalente aos confrontos de guerrilhas, seriam eficazes. Conforme as mortes se fossem multiplicando, os trabalhadores fugiriam das muralhas.

■ **4.12** (na Bíblia hebraica corresponde ao **4.6**)

וַיְהִי כַּאֲשֶׁר־בָּאוּ הַיְּהוּדִים הַיֹּשְׁבִים אֶצְלָם וַיֹּאמְרוּ
לָנוּ עֶשֶׂר פְּעָמִים מִכָּל־הַמְּקֹמוֹת אֲשֶׁר־תָּשׁוּבוּ
עָלֵינוּ׃

Quando os judeus que habitavam na vizinhança deles. O texto hebraico deste versículo está incompleto e tão corrupto que não faz sentido; assim sendo, os tradutores imaginam a tradução que lhes parece melhor. As versões também diferem largamente, pelo que não podemos obter muita ajuda da parte delas. Isso sugere que o próprio cronista foi responsável pela confusão. Aparentemente, o que a passagem quer dizer é que os "judeus" que viviam perto dos inimigos que atacariam, vieram e deram esse relatório ameaçador aos que se ocupavam do trabalho nos muros. Planos diabólicos estavam sendo efetuados e os inimigos se jactavam, repetindo por vezes sem conta as devastações que eles trariam contra os trabalhadores que atuavam nas muralhas da cidade. Além disso, um ataque geral foi prometido. Esse ataque viria de todas as partes. "Os que moravam perto de Samaria, na Arábia e em Asdode tinham conhecimento dos desígnios deles" (John Gill, *in loc.*), e isso significa que os judeus que conheciam essas ameaças continuavam dando relatórios aos líderes em Jerusalém sobre o que poderia acontecer a qualquer momento.

■ **4.13** (na Bíblia hebraica corresponde ao **4.7**)

וָאַעֲמִיד מִתַּחְתִּיּוֹת לַמָּקוֹם מֵאַחֲרֵי לַחוֹמָה בַּצְּחִחִיִּים
וָאַעֲמִיד אֶת־הָעָם לְמִשְׁפָּחוֹת עִם־חַרְבֹתֵיהֶם
רָמְחֵיהֶם וְקַשְּׁתֹתֵיהֶם׃

Então pus o povo... com as suas espadas e as suas lanças e os seus arcos. *A Preparação de Neemias.* Tendo recebido repetidos avisos, Neemias tomou as precauções apropriadas. Nos lugares onde as pedras estavam sendo preparadas ("lugares baixos e abertos"), foram postados guardas de vigilância. Aqueles que preparavam as pedras, portanto, estariam protegidos por homens armados. Então os que estivessem nos "lugares altos", onde ficavam as muralhas, subindo desde as regiões mais baixas, também teriam seus guardas. A Septuaginta diz aqui "lugares abertos", tal como diz a nossa versão portuguesa. Uma de minhas fontes informativas tenta adivinhar dizendo "por trás do muro", o que a nossa versão portuguesa também inclui. Guardas foram fornecidos de acordo com grupos de famílias, pelo que havia ampla participação no programa de defesa. John A. Martin (*in loc.*) opina que até mulheres e crianças participaram desse programa, o que se tornou uma questão familiar, mas isso parece conter algum exagero.

Algumas versões falam aqui em "lugares altos", e isso poderia ser uma referência a torres, onde guardas estariam vigiando.

■ **4.14** (na Bíblia hebraica corresponde ao **4.8**)

וָאֵרֶא וָאָקוּם וָאֹמַר אֶל־הַחֹרִים וְאֶל־הַסְּגָנִים
וְאֶל־יֶתֶר הָעָם אַל־תִּירְאוּ מִפְּנֵיהֶם אֶת־אֲדֹנָי
הַגָּדוֹל וְהַנּוֹרָא זְכֹרוּ וְהִלָּחֲמוּ עַל־אֲחֵיכֶם בְּנֵיכֶם
וּבְנֹתֵיכֶם נְשֵׁיכֶם וּבָתֵּיכֶם׃ פ

Não os temais; lembrai-vos do Senhor, grande e temível. *O Encorajamento Dado por Neemias.* Tendo feito o que era possível para defender as muralhas e os que nelas trabalhavam, Neemias apelou para o encorajamento verbal. Nesse encorajamento ele como que disse: "A batalha é de Yahweh, e ele vos dará a vitória". Yahweh é grande e terrível, um renomado derrotador de adversários. Ele não falharia. Além disso, havia o apelo humano. Além de defender as muralhas, um homem estaria defendendo sua família e seus irmãos. Era um projeto comunitário e uma defesa comunitária. Neemias deve ter sido inspirado a dar seu discurso de encorajamento quando "olhou" e percebeu o temor estampado na fisionomia dos judeus. Josefo comentou (Antiq. XI.5.8): "Os judeus estavam tão alarmados que quase desistiram da construção".

Ésquilo, Pers. vs. 402, fez um discurso similar:

Filhos dos gregos, avançai!
Livrai agora vosso país e vossos filhos.
Defendei vossas esposas, os templos de vossos pais.
...
Agora golpeai por todos!

Quanto às palavras "grande" e "terrível", em relação a Yahweh, cf. Ne 1.5; 7.21 e 10.17.

■ **4.15** (na Bíblia hebraica corresponde ao **4.9**)

וַיְהִי כַאֲשֶׁר־שָׁמְעוּ אוֹיְבֵינוּ כִּי־נוֹדַע לָנוּ וַיָּפֶר
הָאֱלֹהִים אֶת־עֲצָתָם וַנָּשָׁב כֻּלָּנוּ אֶל־הַחוֹמָה אִישׁ
אֶל־מְלַאכְתּוֹ׃

E sucedeu que, ouvindo os nossos inimigos que já o sabíamos. Os adversários dos judeus ficaram consternados pela notícia de que seus planos tinham sido descobertos, e supuseram que Elohim (o Poder) tivesse colaborado com os judeus. E também ouviram, desanimados, a terrível notícia de que os judeus tinham voltado ao trabalho. Essa declaração subentende que os judeus haviam suspendido o trabalho por algum tempo, quando a ameaça era nova. No relato do cronista não temos nenhuma palavra de violência sofrida pelos judeus, mas Josefo assegura-nos que muitos judeus foram mortos por ataques secretos (s. 11). É provável que isso tenha feito o trabalho de construção das muralhas cessar durante algum tempo.

■ **4.16** (na Bíblia hebraica corresponde ao **4.10**)

וַיְהִי מִן־הַיּוֹם הַהוּא חֲצִי נְעָרַי עֹשִׂים בַּמְּלָאכָה
וְחֶצְיָם מַחֲזִיקִים וְהָרְמָחִים הַמָּגִנִּים וְהַקְּשָׁתוֹת
וְהַשִּׁרְיֹנִים וְהַשָּׂרִים אַחֲרֵי כָּל־בֵּית יְהוּדָה׃

Daquele dia em diante. Mais tarde as coisas melhoraram, o trabalho de construção continuou, mas as precauções referidas no vs. 13 foram mantidas: metade ficava com armas na mão e metade trabalhava. E também havia vigias (vs. 9). Os guardas tinham os implementos usuais das guerras antigas, comuns a todas as infantarias. Ver no *Dicionário* os verbetes intitulados *Guerra* e *Armadura, Armas*. Ver aqueles pugnazes judeus armados de novo deve ter sido especialmente repelente para os inimigos de Jerusalém.

Meus moços. Esta é a tradução correta, melhor do que "meus servos", que figura em algumas versões. Aqueles jovens soldados-operários eram homens de Neemias que podiam ser destacados para trabalhar nas muralhas (Ne 5.16) ou para fazer o trabalho de guarda (Ne 13.19). Não eram escravos, pois tinham fundos próprios (Ne 5.10). Eram homens militares treinados. Cf. Gn 14.24; 1Sm 25.5 ss.; 2Sm 2.14 ss.; 1Rs 20.14 ss. Provavelmente faziam parte do corpo de guarda-costas treinados de Neemias. Estavam armados com lanças curtas, escudos de vime, arcos compridos e couraças de ferro escamada, igual às dos soldados persas. Mas não são mencionadas espadas, talvez por simples omissão descuidada. E eles também tinham cotas de malha, provavelmente para cobrir o pescoço e o peito. Ver Heródoto (*Hist.* IX.22) e Pausano (*Descrição da Grécia*, I.27.1). Ambos os autores mencionavam cotas de malha com escamas douradas, usadas pelos soldados persas de elite. Fragmentos de couraças de ferro e bronze escamadas têm sido encontrados pela arqueologia em Persépolis, bem como algumas couraças de ouro (ver Schmidt, *Tesouro de Persépolis*, págs. 44-46).

■ **4.17** (na Bíblia hebraica corresponde ao **4.11**)

הַבּוֹנִים בַּחוֹמָה וְהַנֹּשְׂאִים בַּסֶּבֶל עֹמְשִׂים בְּאַחַת יָדוֹ
עֹשֶׂה בַמְּלָאכָה וְאַחַת מַחֲזֶקֶת הַשָּׁלַח׃

Os carregadores, que por si mesmos tomavam as cargas. *As Três Classes.* Havia os construtores em geral; havia os que transportavam os escombros; e havia os que tinham armas, os defensores. O cronista, entretanto, deixou de fora os que preparavam as pedras nas regiões baixas (vs. 13). Cada homem tinha sua própria tarefa, que desempenhava a contento. Tudo era bem organizado, o que é sempre importante em qualquer grande projeto.

COMO NEEMIAS ENFRENTOU SEUS PROBLEMAS

OS PROBLEMAS	AS REAÇÕES
Os muros de Jerusalém foram quebrados e os portões foram queimados (1.2,3)	Angústia de espírito; oração (1.4); motivação do povo para reconstruir (2.17,18)
Acusações falsas contra os trabalhadores (2.19)	Deus daria êxito contra adversidades (2.20)
Escárnio contra os trabalhadores (4.1-3)	Oração e ação diligentes (4.4-6)
Ataques ameaçadores (4.7,8)	Oração e guardas posicionados (4.9)
Cansaço físico e ameaças de assassinato (4.10-12)	Armas dadas aos trabalhadores e aos membros de suas famílias (4.13, 16-18)
Crise econômica e ganância (5.1-5)	Ira; repreensão; disciplina contra os gananciosos (5.6-11)
Planos para assassinar Neemias (6.1,2)	Coragem para continuar trabalhando (6.1,2)
Calúnias contra Neemias (6.5-7)	Negação e oração (6.8,9)
Planos para desacreditar Neemias (6.13)	Coragem para continuar trabalhando no meio de calúnias; oração (6.11-14)
Tobias ocupou uma sala de armazenagem do templo (13.4-7)	Os móveis dele foram jogados fora (13.8)
Os dízimos e ofertas do templo negligenciados (13.10)	Repreensão; exigências; levitas acionados (13.11,14)
Violação do sábado por comerciantes (13.15,16)	Repreensão; guardas acionados; oração (13.11-14)
Casamentos mistos contra a lei mosaica (13.23,24)	Repreensão; remoção de um sacerdote; oração (13.25-29)

Neemias, o homem de liderança e coragem

Durante o cativeiro babilônico, Neemias ocupava a honrosa incumbência de ser o copeiro do rei Artaxerxes Longimano, em Susã (Ne 2.1). Chegando a Jerusalém, ele realizou a notável tarefa de restaurar as muralhas daquela cidade. Tudo foi feito no breve espaço de 52 dias (Ne 6.15).

Liderança

Além das reedificações feitas, Neemias tomou medidas que visavam a reforma, tendo introduzido a lei e a boa ordem e restaurado a adoração a Yahweh, em consonância com as antigas tradições judaicas (Ne 7 e 8). Tudo foi realizado a despeito das resistências mais persistentes e violentas.

Coragem

É melhor morrer de pé do que viver de joelhos.
La Pasionaria

Coragem consiste em ser igual aos problemas enfrentados.
Ralph Waldo Emerson

A verdadeira coragem é de fazer, sem a observação de outros, o que a pessoa é capaz de fazer.
François de La Rochefoucauld

O cumprimento do dever espiritual em nossa vida diária é vital à nossa sobrevivência.
Winston Churchill

Cumpre o teu dever e deixa o resto com o céu.
Pierre Corneille

Alguns judeus edificavam com suas armas sempre à mão, e assim combinavam as duas funções; mas outros apenas vigiavam, embora de vez em quando também construíssem, participando das duas tarefas. O trabalho foi assim dividido e complicado, e tomava mais tempo do que o normal, mas o plano bem-sucedido de Neemias esquecia o trabalho já feito, concentrando-se no que estava por ser feito.

■ **4.18** (na Bíblia hebraica corresponde ao **4.12**)

וְהַבּוֹנִים אִישׁ חַרְבּוֹ אֲסוּרִים עַל־מָתְנָיו וּבוֹנִים
וְהַתּוֹקֵעַ בַּשּׁוֹפָר אֶצְלִי׃

Os edificadores cada um trazia a sua espada à cinta. Este versículo repete o que já vimos no versículo anterior: os operários também brandiam armas e estavam sempre preparados para deixar de assentar tijolos e começar a matar os invasores. Ademais, havia sempre um homem junto com Neemias, que tocava a trombeta. Ele fazia soar o clamor de batalha, caso algum inimigo se aproximasse.

■ **4.19,20** (na Bíblia hebraica corresponde ao **4.13,14**)

וָאֹמַר אֶל־הַחֹרִים וְאֶל־הַסְּגָנִים וְאֶל־יֶתֶר הָעָם
הַמְּלָאכָה הַרְבֵּה וּרְחָבָה וַאֲנַחְנוּ נִפְרָדִים עַל־הַחוֹמָה
רְחוֹקִים אִישׁ מֵאָחִיו׃

בִּמְקוֹם אֲשֶׁר תִּשְׁמְעוּ אֶת־קוֹל הַשּׁוֹפָר שָׁמָּה תִּקָּבְצוּ
אֵלֵינוּ אֱלֹהֵינוּ יִלָּחֶם לָנוּ׃

No lugar em que ouvirdes o som da trombeta para ali acorrei. *Mais Encorajamento.* Cf. o vs. 14. Contemplando o trabalho progredir às mil maravilhas, e estando ele mesmo encorajado, Neemias proferia palavras de fogo aos líderes do povo. Ademais, o "resto" do povo recebia bem seus discursos poderosos. Os soldados-operários estavam espalhados ao longo das muralhas. Isso era uma desvantagem definida contra algum ataque súbito do inimigo. Os pequenos grupos de judeus, que estavam aqui e acolá, não tinham muita chance contra algum ataque organizado. Por isso mesmo, Neemias adicionou às suas defesas instruções para que os judeus "se reunissem em um só lugar", onde quer que ouvissem o sonido da trombeta. O trombeteiro soaria a trombeta e os judeus se reuniriam para enfrentar o inimigo como uma única força armada (vs. 20).

A trombeta era feita do chifre torto de uma vaca ou de um carneiro. Era um instrumento primitivo, mas soava alto o bastante para ser útil em campo aberto. O cronista menciona apenas um trombeteiro, mas Josefo diz que havia vários, estacionados a intervalos ao longo das muralhas. Reunir os judeus em qualquer local que estivesse sendo atacado era a melhor solução humana que Neemias podia pensar. Mas também havia sempre o fator divino: Elohim, de quem se esperava que sempre ajudaria os defensores da cidade. Afinal, era para

Elohim que todos os judeus trabalhavam. A fortificação de Jerusalém era a causa que eles defendiam.

■ **4.21** (na Bíblia hebraica corresponde ao **4.15**)

וַאֲנַחְנוּ עֹשִׂים בַּמְּלָאכָה וְחֶצְיָם מַחֲזִיקִים בָּרְמָחִים
מֵעֲלוֹת הַשַּׁחַר עַד צֵאת הַכּוֹכָבִים׃

Assim trabalhávamos na obra. Novamente se repete aqui a essência dos vss. 16-18 deste capítulo. Os operários judeus continuavam ocupados em sua dupla tarefa, trabalhando e guardando, sendo pedreiros e soldados, e continuavam a operar no programa diariamente até que as trevas sobrevinham e as estrelas se tornavam visíveis. Assim sendo, o trabalho diário ia desde que o sol se elevava acima do horizonte até que as estrelas aparecessem, ou seja, durante todo o tempo em que os céus lhes davam luz. Diligência era a palavra do momento.

> É sinal de um homem superior que ele não ficará
> em um ócio prejudicial.
>
> Confúcio

> Não há riquezas verdadeiras senão
> o labor de um homem.
>
> Percy B. Shelley

■ **4.22** (na Bíblia hebraica corresponde ao **4.16**)

גַּם בָּעֵת הַהִיא אָמַרְתִּי לָעָם אִישׁ וְנַעֲרוֹ יָלִינוּ בְּתוֹךְ
יְרוּשָׁלִָם וְהָיוּ־לָנוּ הַלַּיְלָה מִשְׁמָר וְהַיּוֹם מְלָאכָה׃

Também nesse mesmo tempo disse eu ao povo. "O dom de liderança executiva de Neemias sabia como conseguir a cooperação tanto dos operários quanto dos soldados na frente da tarefa comum... Essa previdência e eficiência de organização fazia cada homem tomar a peito a pesada responsabilidade e a constância" (Charles W. Gilkey, *in loc.*).

As noites eram passadas em Jerusalém, e todo homem (excetuando os guardas) deveria permanecer em casa. Ninguém deveria ficar perambulando no escuro. "Aventurar-se em torno de Jerusalém à noite seria um risco perigoso. A cada noite alguns operários montavam guarda, sabendo que a cidade estava vulnerável a ataques mesmo assim. Eles nem ao menos tiravam as roupas para lavar depois de terem trabalhado! Mantinham vigilância diligente a todo o tempo" (John A. Martin, *in loc.*).

"A maioria dos judeus morava nas aldeias fora de Jerusalém (cf. Ne 3.3,5,7,14-17), o que deixava relativamente poucas pessoas na cidade (Ne 7.4; 11.1-3). A nova segurança da cidade tornou aconselhável que os que residissem nas circunvizinhanças viessem para dentro das muralhas terminadas em tempos de perigo. Talvez a ordem tenha sido dirigida aos operários de Jerusalém, mas pode ter sido também uma ordem geral" (Raymond A. Bowman, *in loc.*).

■ **4.23** (na Bíblia hebraica corresponde ao **4.17**)

וְאֵין אֲנִי וְאַחַי וּנְעָרַי וְאַנְשֵׁי הַמִּשְׁמָר אֲשֶׁר אַחֲרַי
אֵין־אֲנַחְנוּ פֹשְׁטִים בְּגָדֵינוּ אִישׁ שִׁלְחוֹ הַמָּיִם׃ ס

Nem eu, nem meus irmãos. Os principais líderes, os capatazes, os "moços" de Neemias (vs. 16), eram homens muito atarefados. Seus irmãos estavam com ele, provavelmente indicando aqui seus parentes próximos, e não a comunidade judaica em geral. Todos aqueles homens estavam tão envolvidos em suas tarefas que nem ao menos tinham tempo para trocar de roupa à noite! Havia uma única exceção a essa prática horrível: um homem, quando precisava lavar suas roupas, descia até a água, carregando consigo suas armas, por precaução. O hebraico que nos transmite essa ideia tem causado dificuldades para os tradutores, pois diz literalmente: "cada sua arma a água". O sentido é evidente: "Cada homem levava sua arma até a água, quando tinha de lavar suas roupas". A Vulgata Latina afasta-se muito do alvo ao fazer esse versículo referir-se às lavagens ritualísticas, como se as armas do homem fossem a lavagem que agradasse Yahweh. Além disso, a referência não parece ser ao fato de que, quando um homem tinha de descer até a água (para qualquer propósito), ele carregava consigo armas. Isso, sem dúvida, expressa a verdade, mas não parece ser o significado do presente versículo.

CAPÍTULO CINCO

PROBLEMAS ENTRE RICOS E POBRES AMEAÇAM A ESTABILIDADE DOS RESTAURADOS (5.1-19)

Alguns estudiosos pensam que a narrativa está aqui fora de sua verdadeira ordem cronológica. Ver o vs. 14. O capítulo diante de nós (tal como o terceiro capítulo) parece ser uma inserção de materiais que não segue os eventos do capítulo 4. O vs. 16 sugere que o trabalho nas muralhas da cidade continuava, mas isso não serve necessariamente de nota cronológica. Os judeus tinham seus problemas socioeconômicos inteiramente separados do projeto de construção, e o cronista diz-nos exatamente isso aqui, inserindo o material neste ponto, que é tão bom quanto qualquer outro ponto. Provavelmente a inspiração de inserir esse material aqui se deveu ao fato de que tais problemas eram outras espécies de obstáculos ao trabalho de construção. Havia inimigos internos, e não somente externos. E algumas vezes nossos inimigos internos podem ser mais devastadores que os externos. A prolongada e incomum falta de água era o principal fator dos problemas econômicos (ver o vs. 3).

"A substância e o tom deste capítulo sugerem as circunstâncias retratadas no capítulo 13, e a data que aparece no vs. 14 do presente capítulo indica que a narrativa foi escrita já no fim da administração de Neemias, muito depois das muralhas de Jerusalém terem terminado" (Raymond A. Bowman, *in loc.*).

Algumas famílias judaicas foram forçadas a cair em uma escravidão virtual (vss. 1-5) por causa das condições que se tinham desenvolvido, e porque as pessoas mais abastadas tomavam vantagem das mais pobres. Os ricos emprestavam dinheiro a juros ridiculamente altos e confiscavam terras.

■ **5.1**

וַתְּהִי צַעֲקַת הָעָם וּנְשֵׁיהֶם גְּדוֹלָה אֶל־אֲחֵיהֶם
הַיְּהוּדִים׃

Foi grande, porém, o clamor do povo. Os pobres sempre se queixam no tocante à sua sorte, e os ricos sempre exploram os pobres. Essa era uma condição crônica no antigo Oriente Próximo e Médio. E a despeito de todo o nosso avanço no conhecimento e na tecnologia, as mesmas condições prevalecem até hoje, com os mesmos tipos de exploração econômica.

"A narrativa de Neemias sobre os problemas com os inimigos de seu povo de súbito muda de tom, para enfocar uma aguda dificuldade entre o próprio povo, uma dificuldade que tem um som curiosamente contemporâneo. Então, como até hoje, grandes empreendimentos têm sido ameaçados e com frequência traídos dentro do próprio campo, por fraquezas familiares à própria natureza humana" (Charles W. Gilkey, *in loc.*).

Os problemas centralizavam-se em dificuldades internas, não sobre Sambalá, Tobias e Gesém, inimigos estrangeiros e réprobos dos judeus. Os alimentos eram escassos. O dinheiro tinha desaparecido; propriedades estavam sendo perdidas. A miséria geral tinha-se estabelecido, mas como sempre havia aqueles poucos homens ricos que tiravam vantagem da miséria alheia. Foi dessa maneira que um "grande clamor" levantou-se em Judá, e um clamor de irmão contra irmão. Os abusos tinham-se avolumado mais que o povo podia suportar. A opressão interna era pior do que a externa.

"Este capítulo é uma queixa dos pobres contra os ricos que os oprimiam (vss. 1-5). E Neemias, indignando-se diante disso, reprovou os ricos e fê-los prometer, sob juramento, que eles restituiriam as riquezas mal adquiridas (vss. 6-13). E deu exemplo, nada cobrando deles durante seus doze anos de governo, sustentando a si mesmo e aos seus familiares de seu próprio bolso e trabalho (vss. 14-19)" (John Gill, *in loc.*).

■ **5.2**

וְיֵשׁ אֲשֶׁר אֹמְרִים בָּנֵינוּ וּבְנֹתֵינוּ אֲנַחְנוּ רַבִּים וְנִקְחָה
דָגָן וְנֹאכְלָה וְנִחְיֶה׃

Porque havia os que diziam. A vida tinha sido reduzida à simples sobrevivência, em que as pessoas tinham apenas o suficiente para comer, e até isso com alguma dificuldade. Alguns estudiosos pensam que a construção das muralhas servira de empecilho às atividades normais da vida, mas, se essas condições realmente existiam depois de terminadas as muralhas, então provavelmente a causa teria sido a seca e a fome, tão devastadoras que são (vs. 3). Embora parte do problema possa ter decorrido do aumento da população mais rapidamente do que o crescimento do suprimento alimentar, e as famílias geralmente eram numerosas demais para serem adequadamente cuidadas, na verdade a perda gradual de propriedades e bens materiais é que deveria levar a culpa pela situação. Os pobres tiveram de apelar para a ajuda do governador. Terminados os reparos nas muralhas da cidade, os judeus perderam o espírito de ajuda mútua. Quando os alimentos se tornaram escassos, seus preços subiram. E o povo não tinha dinheiro para comprar alimentos, pelo que houve grande clamor popular (vs. 1).

■ 5.3

וְיֵשׁ אֲשֶׁר אֹמְרִים שָׂדֹתֵינוּ וּכְרָמֵינוּ וּבָתֵּינוּ אֲנַחְנוּ עֹרְבִים וְנִקְחָה דָגָן בָּרָעָב:

Também houve os que diziam. Algumas famílias foram obrigadas a vender suas casas e suas terras aos ricos, e ficaram sem meios de sobreviver. Alguns, sem dúvida, venderam a si mesmos como escravos para os ricos.

Nesta fome. Os judeus sempre encontravam razões divinas por trás de causas naturais. "Pelo tempo de Zorobabel, Deus tinha enviado uma seca judicial sobre a Terra Prometida, conforme aprendemos em Ag 1.9, porquanto os judeus estavam mais inclinados a edificar residências do que a reconstruir a casa do Senhor" (Adam Clarke, *in loc.*). Talvez essa seca tivesse continuado, ou então outra seca tenha atacado, algum tempo depois. Mas Ellicott pensava que a condição sobreviera devido à redução gradual à pobreza, e não por causa da seca.

"Fomes frequentes eram encontradas nas regiões montanhosas, relativamente inférteis, visto que elas dependiam fortemente da chuva (cf. Gn 42.5; 1Rs 18.1,2; 2Rs 6.25 ss.)" (Raymond A. Bowman, *in loc.*).

■ 5.4

וְיֵשׁ אֲשֶׁר אֹמְרִים לָוִינוּ כֶסֶף לְמִדַּת הַמֶּלֶךְ שָׂדֹתֵינוּ וּכְרָמֵינוּ:

Houve ainda os que diziam. Outro queixume era que os impostos cobrados pelo rei eram uma dificuldade especial, sobretudo diante de tantos outros fatores negativos. Essa taxa do governo imperial era especial, separada da outra referida no vs. 15. Era cobrada para pagar certas necessidades do reino da Pérsia. A quinta satrapia, que incluía a ilha de Chipre, a Síria e a Palestina, tinha de contribuir com 350 talentos (Heródoto, *Hist.* III.91). Isso orçava em cerca de 10.500 quilogramas de ouro (ou prata, ou ambas as coisas). Essa drenagem em metais nobres na verdade nada trazia de vantajoso para as províncias, mas financiava o elevado estilo de vida do rei e suas aventuras militares. Os proprietários de terra ou aqueles que as haviam hipotecado tinham agora de emprestar dinheiro dos agiotas, os quais eram encontrados por toda a parte do império persa. Terras e casas serviam de garantia para os empréstimos, e o povo pobre nunca conseguia libertar-se do círculo vicioso em que tinha caído.

O presente versículo mostra-nos que o povo tinha que tomar dinheiro emprestado até para pagar as taxas reais. Os agiotas judeus não demonstravam misericórdia, cobrando juros ridiculamente altos, e quem se importava se as crianças estavam passando fome? Era contra a lei mosaica um hebreu cobrar juros de um empréstimo feito a outro hebreu (ver Êx 22.25; Lv 25.36,37; Dt 23.19,20). De fato, os israelitas não deveriam tornar-se agiotas (Sl 15.5). Mas quem cuidava em obedecer à lei quando era fácil ganhar dinheiro de famílias desesperadas? Ver no *Dicionário* o artigo detalhado chamado *Juros*.

■ 5.5

וְעַתָּה כִּבְשַׂר אַחֵינוּ בְּשָׂרֵנוּ כִּבְנֵיהֶם בָּנֵינוּ וְהִנֵּה אֲנַחְנוּ כֹבְשִׁים אֶת־בָּנֵינוּ וְאֶת־בְּנֹתֵינוּ לַעֲבָדִים וְיֵשׁ מִבְּנֹתֵינוּ נִכְבָּשׁוֹת וְאֵין לְאֵל יָדֵנוּ וּשְׂדֹתֵינוּ וּכְרָמֵינוּ לַאֲחֵרִים:

Eis que sujeitamos nossos filhos e nossas filhas para serem escravos. *Escravidão*. Embora todos fossem compatriotas judeus, alguns tiveram de ir ao extremo de vender a si mesmos e/ou seus filhos como escravos. Ver no *Dicionário* o artigo chamado *Escravidão*. A servidão "temporária" de um hebreu a outro era permitida por lei, quando então se exigia tratamento humano (ver Êx 21.7). A unidade racial não impedia o programa de "escravidão doméstica". O dinheiro era mais importante que a raça e a bondade para com o próximo. Considerações humanitárias proviam que os escravos hebreus deveriam ser liberados a cada sétimo ano e no ano do jubileu. Ver Êx 21.2,3; Dt 15.12. Propriedades sob a forma de terras também eram devolvidas (ver Lv 25.10,13,23,28 e 31 e Nm 36.4). Mas, mesmo quando os ricos obedeciam a essa legislação, os escravos eram, com frequência, imediatamente reescravizados, visto que continuavam destituídos de recursos. A interpretação rabínica posterior, como a de Hillel, encontrou meios de contornar as normas de liberação. A legislação idealista, por conseguinte, com frequência tinha pouco a ver com aquilo que realmente acontecia.

Assim, não tiranos estrangeiros (como os que se tinham oposto à construção do templo e das muralhas de Jerusalém), mas irmãos de raça eram responsáveis pela maior parte da opressão que ocorria em Judá. Ademais, os queixosos não tinham poder de mudar a situação. Somente um apelo diretamente dirigido ao governador, Neemias, acenava com alguma esperança.

Assim também no Brasil, quase metade da população vive subnutrida, e cerca do mesmo número trabalha em troca de salários próprios de escravos. Ser um escravo do salário é uma forma real de escravidão, a respeito da qual nenhum tipo de legislação tem-se mostrado eficaz. De fato, a legislação decretada tem mantido propositadamente a situação de escravidão do salário.

■ 5.6

וַיִּחַר לִי מְאֹד כַּאֲשֶׁר שָׁמַעְתִּי אֶת־זַעֲקָתָם וְאֵת הַדְּבָרִים הָאֵלֶּה:

O seu clamor. Ou seja, o grito de desespero do povo (vss. 2-5). O clamor foi como um aguilhão que lançou Neemias à ação. A versão Peshitta refere-se ao aborrecimento de Neemias ao ouvir essas palavras. Neemias faria "cabeças rolarem", conforme diz uma moderna expressão idiomática. Mas, mediante um segundo pensamento mais sóbrio (que é sempre melhor), ele esfriou a cabeça e tomou uma ação sã, em vez de agir inspirado pela paixão (vss. 7 ss.).

Muito me aborreci. Ao que parece, Neemias, tal como muitos governadores, saiu de "contato" com o homem comum. Veio como uma surpresa para ele ouvir quão erradas andavam as coisas em Judá. Foi assim também que certa rainha da França reagiu, quando lhe disseram: "O povo não tem pão!" Ela então respondeu: "Nesse caso, que comam bolos!" Essa desgraçada declaração tem sido atribuída a Maria Antonieta, rainha da França entre 1755 e 1793. Mas declarações similares retrocedem até o século XIII d.C. Talvez a querida rainha tenha tomado a expressão por empréstimo à situação de seu país, não sendo uma expressão original dela.

■ 5.7

וַיִּמָּלֵךְ לִבִּי עָלַי וָאָרִיבָה אֶת־הַחֹרִים וְאֶת־הַסְּגָנִים וָאֹמְרָה לָהֶם מַשָּׁא אִישׁ־בְּאָחִיו אַתֶּם נֹשִׁאִים וָאֶתֵּן עֲלֵיהֶם קְהִלָּה גְדוֹלָה:

Depois de ter considerado comigo mesmo. *O Segundo Pensamento Mais Sóbrio de Neemias*. Ele consultou seu coração e sua razão. Empregou então algum tempo refletindo e planejando. E não se pareceu com algum adolescente precipitado que faria algo de radical. A Septuaginta traduz aqui por "meu coração tomou conselho dentro de mim". "Coração", naturalmente, para os hebreus, significava "mente". Neemias seria racional e não se deixaria arrastar por alguma explosão de ira. Por isso diz aqui a *American Translation*: "depois de ter pensado a respeito". O termo cognato acádico significa "aconselhar" (ver Dn 4.27). O original hebraico diz aqui, literalmente, "meu coração foi rei em mim". A versão Peshitta diz: "Meu coração partiu-se dentro de mim".

> Segundos pensamentos são mais sóbrios,
> de alguma maneira.
>
> Provérbio grego

> Apesar de empregar a mente, Neemias não
> se mostraria indeciso.
> Há tristeza na indecisão.
>
> Cícero

> Por uma vez, para cada homem e nação,
> chega o momento de decidir.
>
> James Russell Lowell

Neemias convocou os nobres e os dirigentes, que eram aqueles que estavam oprimindo os pobres irmãos. E repreendeu-os por estarem cobrando juros nos empréstimos, o que era estritamente proibido pela lei mosaica (ver as notas no vs. 4). Neemias convocou uma assembleia geral para cuidar da questão. Ele não permitiu que a questão fosse discutida somente pela elite. A nação inteira armou-se acerca dos abusos.

O fato de que Neemias teve de convocar uma assembleia geral subentende que ele não obteve nenhuma decisão satisfatória ao discutir sobre a questão com os nobres e dirigentes. Estes não desistiriam do dinheiro fácil que estavam ganhando. Muitos indivíduos de cabeça quente vociferavam acusações contra os agiotas. Algo tinha de ser feito, e prontamente.

■ 5.8

וָאֹמְרָה לָהֶם אֲנַחְנוּ קָנִינוּ אֶת־אַחֵינוּ הַיְּהוּדִים
הַנִּמְכָּרִים לַגּוֹיִם כְּדֵי בָנוּ וְגַם־אַתֶּם תִּמְכְּרוּ אֶת־
אֲחֵיכֶם וְנִמְכְּרוּ־לָנוּ וַיַּחֲרִישׁוּ וְלֹא מָצְאוּ דָּבָר׃ ס

Disse-lhes: Nós resgatamos os judeus, nossos irmãos. De um cativeiro para outro; de uma escravidão para outra. Os babilônios tinham submetido os judeus a um cativeiro. Isso fora uma espécie de escravidão. Os decretos de Ciro e Artaxerxes os haviam livrado. Com alegria, os judeus retornaram a Jerusalém. Tanto Zorobabel quanto Esdras tinham sido líderes capazes. Os judeus retornaram a Israel em várias ondas de "imigração". Eles reedificaram o templo, e depois as muralhas de Jerusalém. Mas vieram tempos mais difíceis, e judeus ricos puseram os judeus pobres de volta no cativeiro, um cativeiro econômico, outra forma de escravidão! Foi esse incrível acontecimento que inspirou a diatribe de Neemias contra os nobres e os principais homens da nação, conforme vemos nos vss. 8-11.

> A causa da liberdade é a causa de Deus.
>
> William Lisle Bowles

> Nenhum homem é livre se não
> é senhor de si mesmo.
>
> Epicteto

> A liberdade do temor, da injustiça e da opressão só
> será nossa na medida em que os homens que
> valorizam tal liberdade estiverem prontos para
> sustentar sua possessão — defendendo-a contra
> todo ataque vindo de fora e de dentro.
>
> Dwight D. Eisenhower

Os judeus escravizados por judeus supostamente seriam liberados no ano do jubileu (ver Lv 25.10,13,39-41). Mas os que fossem escravizados por pagãos tinham de ser remidos. Neemias, pois, indicou que os judeus ricos estavam agindo como pagãos, e requereu que os judeus mais pobres fossem redimidos de suas dívidas. Ver Lv 25.47-49. Mas quem poderia pagar o preço? A melancólica alternativa era simplesmente continuar sendo escravo.

■ 5.9

וַיֹּאמֶר לֹא־טוֹב הַדָּבָר אֲשֶׁר־אַתֶּם עֹשִׂים הֲלוֹא
בְּיִרְאַת אֱלֹהֵינוּ תֵּלֵכוּ מֵחֶרְפַּת הַגּוֹיִם אוֹיְבֵינוּ׃

Então se calaram, e não acharam que responder. Os pagãos, observando os atos abomináveis dos judeus, olhariam com maus olhos para o yahwismo que supostamente deveria inspirar altos ideais. Os nobres e dirigentes da nação estavam atrás de dinheiro, e não de honrar a Yahweh. No coração deles não havia o temor de Deus. Ver no *Dicionário* o verbete intitulado *Temor*, para detalhes sobre o conceito. Os pagãos zombavam de Israel e de seu Deus. Nada havia de nobre para exaltar no judaísmo.

Os nobres eram importantes, mas os pobres eram pequeninos. É fácil oprimir os humildes. Mas Yahweh era grande, e os nobres judeus eram pequenos. Eles podiam estar certos de que seriam oprimidos, se não mudassem seus caminhos. Deus deve ser temido (ver Sl 119.120); ele é terrível (ver Ne 4.14). Deus ama, mas também castiga (ver Pv 3.11,12). O temor de Deus é um termo sinônimo à retidão (cf. Jó 1.1,8). A santidade não podia ser separada do temor piedoso (ver Sl 111.10; Pv 1.7). O fracasso em temer significava, finalmente, a punição divina, a punição pessoal e nacional, de acordo com a *Lei Moral da Colheita segundo a Semeadura* (ver no *Dicionário*).

"A reputação de Deus estava em jogo. Esse comportamento imoral e antiético estava trazendo reprimenda contra aquele que tinha libertado seu país da servidão no Egito e, depois, do cativeiro babilônico" (John A. Martin, *in loc.*).

■ 5.10

וְגַם־אֲנִי אַחַי וּנְעָרַי נֹשִׁים בָּהֶם כֶּסֶף וְדָגָן נַעַזְבָה־נָּא
אֶת־הַמַּשָּׁא הַזֶּה׃

Também eu, meus irmãos e meus moços. Neemias estava ajudando os pobres e dando bom exemplo. Estava emprestando dinheiro e alimentos aos pobres, mas sem cobrar juros. A palavra "irmãos", usada neste versículo, pode indicar seus parentes de sangue, ou seus irmãos no yahwismo. Neemias parece aqui infeliz consigo mesmo, por estar "emprestando" coisas a seus irmãos, quando, na realidade, deveria estar dando. Por conseguinte, ele se incluiu no pecado que estava sendo cometido, embora ele não pudesse ser culpado de cobrar juros. Em tempos de tensão e necessidade, os bons dão, e não emprestam. Nenhum homem bom emprestaria algo a seu irmão, para em seguida demandar de volta tanto o capital como o lucro. O homem generoso não emprestaria esperando paga. Antes, daria. Ver no *Dicionário* o verbete chamado *Liberalidade e Generosidade*. A medida de um homem é sua generosidade, outro nome que se dá ao amor.

> Em qualquer relacionamento pessoal a coisa mais
> importante não é o que se obtém, mas o que se dá.
>
> Eleanor Roosevelt

> *Qual dentre vós é o homem que, se seu filho lhe pedir pão,
> lhe dará uma pedra?*
>
> Mateus 7.9

A Vulgata Latina diz aqui: "Perdoemos a dívida que nos é devida", o que fica implícito, embora não seja declarado no texto hebraico. O vs. 11, porém, diz isso diretamente.

■ 5.11

הָשִׁיבוּ נָא לָהֶם כְּהַיּוֹם שְׂדֹתֵיהֶם כַּרְמֵיהֶם זֵיתֵיהֶם
וּבָתֵּיהֶם וּמְאַת הַכֶּסֶף וְהַדָּגָן הַתִּירוֹשׁ וְהַיִּצְהָר אֲשֶׁר
אַתֶּם נֹשִׁים בָּהֶם׃

Restituí-lhes hoje, vos peço, as suas terras... *Restauração.* Isto posto, longe de cobrar juros, os homens espirituais restaurariam tudo quanto haviam tomado de outros, todos os objetos valiosos, terras e dinheiro, vinhedos, olivais e todos os modos de sustento. Todas as casas confiscadas por práticas gananciosas também deveriam ser devolvidas.

Cf. o vs. 3 deste capítulo. Os pomares de oliveiras deveriam ser restaurados tanto quanto o vinho e o azeite, principais produtos do comércio que um negociante acumularia para serem vendidos no futuro. Tais produtos também deveriam ser devolvidos. Cf. Dt 6.11.

Além disso, havia dinheiro envolvido nos negócios. E, com o dinheiro, produtos valiosos como o vinho, o trigo e o azeite, coisas que os pobres vendiam para viver. Este versículo parece dar a entender que a centésima parte das coisas que tinham sido confiscadas deveria ser devolvida. Mas o que deve estar entendido (embora não seja dito claramente) é que tais coisas deveriam ser devolvidas, mais 1%, dando assim aos pobres mais do que lhes fora tirado. Mas alguns intérpretes sugerem que 1% ao mês estava sendo cobrado, ou seja, 12% ao ano. Isso aumentava demais as dívidas contraídas por empréstimo. Mas estudos sobre as questões persas demonstram que até 12% ao ano era uma baixa cobrança de juros no império persa. Era mais comum uma taxa de 20% ao ano e, algumas vezes, até mais do que isso. Estariam os ricos cobrando taxas de juros inferiores ao que era comum no império persa? Não é muito provável.

■ 5.12,13

וַיֹּאמְר֣וּ נָשִׁ֔יב וּמֵהֶ֖ם לֹ֣א נְבַקֵּ֑שׁ כֵּ֣ן נַעֲשֶׂ֔ה כַּאֲשֶׁ֖ר אַתָּ֣ה אוֹמֵ֑ר וָאֶקְרָא֙ אֶת־הַכֹּ֣הֲנִ֔ים וָאַשְׁבִּיעֵ֕ם לַעֲשׂ֖וֹת כַּדָּבָ֥ר הַזֶּֽה׃

גַּם־חָצְנִ֣י נָעַ֗רְתִּי וָֽאֹמְרָ֡ה כָּ֣כָה יְנַעֵ֪ר הָֽאֱלֹהִ֟ים אֶת־כָּל־הָאִישׁ֩ אֲשֶׁ֨ר לֹֽא־יָקִ֜ים אֶת־הַדָּבָ֣ר הַזֶּ֗ה מִבֵּיתוֹ֙ וּמִ֣יגִיע֔וֹ וְכָ֛כָה יִהְיֶ֥ה נָע֖וּר וָרֵ֑ק וַיֹּאמְר֨וּ כָֽל־הַקָּהָ֜ל אָמֵ֗ן וַֽיְהַלְלוּ֙ אֶת־יְהוָ֔ה וַיַּ֥עַשׂ הָעָ֖ם כַּדָּבָ֥ר הַזֶּֽה׃

Então responderam: Restituir-lhes-emos, e nada lhes pediremos. Os dirigentes e os nobres concordaram em fazer devolução e cessar em seus atos de ganância. Neemias requereu deles um juramento de confirmação, e assim chamou os sacerdotes para colocarem a autoridade de Yahweh por trás da promessa feita. Ver no *Dicionário* o artigo chamado *Juramentos*. Assim sendo, pelo menos "no papel" foi conseguido um bom acordo. Como as coisas realmente aconteceram na prática, já é outra coisa. Não é fácil curar um coração ganancioso.

Seja como for, a promessa e o juramento foram proferidos na grande assembleia, pelo que ali havia muitas testemunhas. Isso faria o acordo tomar ares de grande seriedade. Cf. Nm 5.21 ss. Os juramentos, na antiguidade, eram usualmente acompanhados por uma declaração das penas que haveria para aqueles que quebrassem o juramento. O perjúrio era considerado um crime grave contra Deus, cujo nome teria sido assim usado em vão (Sl 15.4; Ez 17.13,16,18,19). Os que perjurassem seriam privados de suas residências e de seu meio de vida (cf. Ed 7.26; 10.8). Visto que a maioria dos nobres não se compunha de "trabalhadores" e, portanto, não podiam ser privada de seus empregos (como uma possível penalidade), provavelmente a pena atingiria suas propriedades. Ver Ag 1.11 e Sl 109.11. O vs. 13 deste capítulo, assim sendo, mostra que Neemias dramatizava perante o povo as penas que seriam impostas. As testemunhas estariam presentes para registrar as queixas, se o acordo não fosse observado.

Amém! "Assim seja!" foi o eco de toda a congregação. Neemias tinha falado bem; todos tinham concordado; a congregação inteira selou a questão com um solene amém. Naquele dia, pelo menos, Judá mostrou-se unido contra a ganância e a exploração.

"Sabendo que falar é barato e que é fácil dizer coisas na pressão do momento, sob pressão pública, Neemias fez os líderes culpados (nobres e oficiais, vs. 7) tomar em um juramento de confirmação" (John A. Martin, *in loc.*).

Há os que pensam muito pouco e falam muito.

John Dryden

■ 5.14

גַּ֞ם מִיּ֣וֹם ׀ אֲשֶׁר־צִוָּ֣ה אֹתִ֗י לִהְי֣וֹת פֶּחָם֮ בְּאֶ֣רֶץ יְהוּדָה֒ מִשְּׁנַ֣ת עֶשְׂרִ֗ים וְ֠עַד שְׁנַ֨ת שְׁלֹשִׁ֤ים וּשְׁתַּ֙יִם֙ לְאַרְתַּחְשַׁ֣סְתְּא הַמֶּ֔לֶךְ שָׁנִ֖ים שְׁתֵּ֣ים עֶשְׂרֵ֑ה אֲנִ֣י וְאַחַ֔י לֶ֥חֶם הַפֶּ֖חָה לֹ֥א אָכַֽלְתִּי׃

Também desde o dia em que fui nomeado seu governador. Neemias já era governador fazia doze anos. Isso certamente significa que as muralhas estavam reconstruídas e as circunstâncias refletidas neste capítulo estão cronologicamente deslocadas. Toda a questão da ganância dos judeus ricos aconteceu depois de as muralhas estarem completas, quando o povo estava tranquilo. Ver a introdução a este capítulo. Os incidentes descritos aqui ocorreram já perto do fim do período de autoridade de Neemias.

Neemias serviu como governador de Judá por doze anos, a saber, do vigésimo ano do reinado de Artaxerxes (444 a.C.) ao seu trigésimo segundo ano (432 a.C.). A palavra hebraica aqui traduzida por "governador" é *peah*, derivada do vocábulo acádico *pahatu*. Uma palavra persa diferente é usada para indicar "governador" em Ne 7.65,70; 8.9 e 10.1.

Neemias, embora fosse o governador, não era sustentado pelo império persa. Ele não estava recebendo um salário do rei. Antes, trabalhava para viver e era generoso com o que obtinha, ajudando outros (vs. 10). Os governantes do império persa (de acordo com a prática seguida por esse império) beneficiavam-se com uma pensão alimentícia, que era uma grande ajuda, quando não a solução de todos os problemas financeiros. Mas Neemias nem ao menos se aproveitara desse seu "direito". Cf. Ml 1.7,8. Por todo o tempo de sua governança, Neemias dava o exemplo correto. Ele era generoso, e não ganancioso (como os príncipes e os nobres). Dessa maneira, ele ajudava o povo, sem impor-lhes nenhum empecilho.

■ 5.15

וְהַפַּחוֹת֩ הָרִאשֹׁנִ֨ים אֲשֶׁר־לְפָנַ֜י הִכְבִּ֣ידוּ עַל־הָעָ֗ם וַיִּקְח֤וּ מֵהֶם֙ בְּלֶ֣חֶם וָיַ֔יִן אַחַ֕ר כֶּֽסֶף־שְׁקָלִ֖ים אַרְבָּעִ֑ים גַּ֤ם נַעֲרֵיהֶם֙ שָׁלְט֣וּ עַל־הָעָ֔ם וַאֲנִי֙ לֹא־עָשִׂ֣יתִי כֵ֔ן מִפְּנֵ֖י יִרְאַ֥ת אֱלֹהִֽים׃

Mas os primeiros governadores. Os primeiros governantes da cidade, em contraste com Neemias, obtinham alegremente todos os benefícios marginais de seus cargos. Aproveitavam-se da pensão alimentícia e também do dinheiro, a saber, quarenta siclos de prata, equivalentes a quase meio quilo. Se esse peso em prata por mês não solucionava todos os problemas de um homem, servia de boa ajuda. Ver no *Dicionário* o artigo *Dinheiro,* II, na parte chamada *Siclo*, e também *Pesos e Medidas*, IVc. Ver também Êx 30.13 e Lv 27.25.

Alguns estudiosos do hebraico salientam que a palavra "além", usada neste versículo, não é uma boa tradução. Antes, os quarenta siclos serviam para custear a pensão alimentícia. Ou seja, a pensão alimentícia valia quarenta siclos. A *American Translation* aparentemente está correta ao traduzir a palavra como "para alimentos", e não como "além". A Vulgata fala que essa importância era dada todos os dias, e isso é provavelmente correto. Muita gente comia na mesa do governador.

Até os subordinados do governador, os subchefes, dominavam o povo praticando várias formas de opressão e obtendo lucro desses atos. Neemias, em contraste, devido ao seu temor a Deus (ver o vs. 9), não seguiu o mau exemplo e não permitia que seus subordinados prejudicassem o povo. "Os jovens subordinados dos governadores anteriores... mostravam-se insolentes e altivos para com os judeus. Neemias afirmou aqui sua inocência de qualquer exploração desse tipo. Cf. o caso de Paulo em 1Co 9.12 e 2Co 11.9. Ele não usou todo o seu pleno poder porque era um homem temente a Deus" (Raymond A. Bowman, *in loc.*).

"Note-se que a usura e o tratamento rigoroso foram proibidos por lei em Lv 25.36,43, com a condição expressa de temor a Deus" (Ellicott, *in loc.*). "O temor de Deus estava em seu coração e perante os seus olhos e, por isso mesmo, ele não podia oprimir os pobres" (John Gill, *in loc.*).

■ 5.16

וְ֠גַם בִּמְלֶ֜אכֶת הַחוֹמָ֤ה הַזֹּאת֙ הֶחֱזַ֔קְתִּי וְשָׂדֶ֖ה לֹ֣א קָנִ֑ינוּ וְכָל־נְעָרַ֖י קְבוּצִ֥ים שָׁ֖ם עַל־הַמְּלָאכָֽה׃

Antes também na obra deste muro fiz reparação. Além de não viver à custa do império persa, Neemias estava envolvido em um labor fatigante que requeria enorme sacrifício pessoal. Pois ele não se importou em comprar terras e viver no luxo. Ademais, reuniu outros que tinham mentalidade igual à dele, e todos se sacrificaram no projeto. Raro é o grande projeto que não requer o sacrifício de muitos!

Luxo e avareza — essas pestes têm sido a ruína
de todos os estados.

Catão

As pessoas têm reclamado contra o luxo por dois mil anos,
em verso e prosa, mas as pessoas sempre
se deleitaram nele.

Voltaire

Neemias tinha tido o cuidado de não abusar de outras pessoas com a sua autoridade, e nem de usar seu poder para fazer coisas que outras pessoas geralmente cobiçam. Sua energia derramava-se sobre o seu trabalho. Ele não hesitava em sujar as mãos. Não era um governador ornamental.

Neemias também não comprou terras baratas, a saber, a dos oprimidos que precisavam, desesperadamente, de dinheiro. Suas riquezas eram as suas realizações, e não as coisas em que outras pessoas estavam interessadas.

■ 5.17

וְהַיְּהוּדִים וְהַסְּגָנִים מֵאָה וַחֲמִשִּׁים אִישׁ וְהַבָּאִים אֵלֵינוּ
מִן־הַגּוֹיִם אֲשֶׁר־סְבִיבֹתֵינוּ עַל־שֻׁלְחָנִי:

Também cento e cinquenta homens dos judeus e dos magistrados. A mesa de Neemias servia diariamente a 150 judeus e nobres, e então, com frequência, havia visitantes que aumentavam esse número, a maioria deles persas ou pessoas que serviam o império persa. O versículo nos diz que Neemias cuidava de todas as despesas alimentares de toda essa gente todos os dias, mas não nos é dito como ele fazia isso. Cf. Salomão e sua imensa mesa, 1Rs 4.22,23. Talvez fosse costume dos persas que os administradores alimentassem o seu próprio pessoal, e essa era uma das razões para a ajuda de custo de quarenta siclos (vs. 15). Neemias, entretanto, recusava-se a tirar proveito até dessa ajuda de custo, embora não sejamos informados sobre como ele pagava tantas despesas.

O versículo seguinte lista as despesas diárias, os alimentos que eram requeridos em um único dia. Adam Clarke (*in loc.*), sugeriu que o trabalho de Neemias como copeiro do imperador persa era um trabalho muito bem pago, e que ele sustentava sua mesa por meio de poupança. Talvez Neemias viesse de uma família rica e estivesse usando recursos da família. Talvez ele tivesse projetos de agricultura que tinha delegado a subordinados, e isso provia os fundos necessários. Podemos multiplicar suposições sobre essa questão, mas continuaremos não sabendo como ele custeava todas as suas imensas despesas, pois ou o cronista também não sabia como ele o fazia, ou não se incomodou em incluir essa informação no relato. Neemias deu a Elohim (o Poder) o crédito por todo o seu sucesso, de qualquer tipo que fosse, e o poder financeiro, adequado para o trabalho, foi um dos benefícios divinos. Oh, Senhor, concede-nos tal graça!

■ 5.18

וַאֲשֶׁר הָיָה נַעֲשֶׂה לְיוֹם אֶחָד שׁוֹר אֶחָד צֹאן
שֵׁשׁ־בְּרֻרוֹת וְצִפֳּרִים נַעֲשׂוּ־לִי וּבֵין עֲשֶׂרֶת יָמִים
בְּכָל־יַיִן לְהַרְבֵּה וְעִם־זֶה לֶחֶם הַפֶּחָה לֹא
בִקַּשְׁתִּי כִּי־כָבְדָה הָעֲבֹדָה עַל־הָעָם הַזֶּה:

O que se preparava para cada dia era um boi e seis ovelhas escolhidas. Todos os dias, a fim de alimentar toda aquela gente, um boi, seis ovelhas escolhidas e vários tipos de aves supriam a carne a ser consumida. Também havia vários tipos de vinho para beber e, sem dúvida, outros itens que o cronista não se importou em listar. Eles tinham uma pesada dieta de carnes, que provavelmente era suplementada por pães, frutas, cereais etc. O cronista menciona somente os alimentos principais. Eles bebiam vinho, e não água; e assim diminuíam a taxa de colesterol que toda aquela carne estava acumulando em suas veias!

Uma das mais surpreendentes descobertas científicas de nossos dias é que o vinho ajuda a diminuir a taxa de colesterol no sangue. Portanto, faça sua escolha: boas veias ou um bom cérebro. Ver no *Dicionário* os artigos chamados *Vinho* e *Bebida Forte*. E ver na *Enciclopédia de Bíblia, Teologia e Filosofia* o verbete intitulado *Alcoolismo e Bebida*.

De dez em dez dias. Isto não significa que eles bebiam vinho somente a cada dez dias, mas que o estoque de vinho era renovado de acordo com essa frequência.

■ 5.19

זָכְרָה־לִּי אֱלֹהַי לְטוֹבָה כֹּל אֲשֶׁר־עָשִׂיתִי עַל־הָעָם
הַזֶּה: פ

Lembra-te de mim para meu bem, ó meu Deus. Este é um dos melhores versículos do livro de Neemias. Neemias, ao pensar em todas as suas cargas e responsabilidades, e assegurando-nos de que estava fazendo o melhor que podia, com um espírito de generosidade, de súbito enviou uma oração a Elohim (o Poder), pedindo-lhe que o fizesse ver tudo quanto tinha feito ou estava tentando fazer, e que isso redundasse em "seu bem". Ele clamou para que Elohim o recompensasse por seu labor e generosidade. Ver no *Dicionário* o verbete denominado *Lei Moral da Colheita segundo a Semeadura*.

"A declaração de Neemias de retidão e virtude não é uma jactância de justiça própria (cf. Lc 18.11-14), mas uma expressão em harmonia com um antigo provérbios egípcio: "As virtudes de um homem são o seu monumento. O homem de má reputação acaba esquecido". Aqui, como também em outros lugares do livro, Neemias, olhando para o futuro, pleiteia que ele fosse relembrado por seus atos virtuosos, tal como fez o egípcio Uzahor, que disse: "A vós, deuses de Sais! Pensai em todo o bem que o médico-chefe Uzahor-empiris tem feito!" (Raymond A. Bowman, *in loc.*, com uma excelente anotação).

Por sete vezes neste livro, temos registradas orações de Neemias que pediam que Deus se lembrasse dele: 5.19; 6.14 (duas vezes) e 13.14,22,29 e 31. No fim do livro, ele clamou de novo para que Elohim se lembrasse dele "para o seu bem" (ver Ne 13.31). "Neemias não esperava nenhuma recompensa da parte do povo. Ele a esperava da parte do Senhor, e não por méritos próprios, mas pela graça divina e pela sua boa vontade, apelando para que Deus não se esquecesse dele e o recompensasse pelo que estava fazendo em seu nome (ver Hb 6.10)" (John Gill, *in loc.*).

*Porque Deus não é injusto para ficar esquecido do
vosso trabalho e do amor que evidenciastes para
com o seu nome, pois servistes e ainda servis aos santos.*

Hebreus 6.10

Ensina-me a sentir outro ai,
A esconder a falha que vejo.
Ensina-me a ser misericordioso para com os outros,
Para que usem de misericórdia para comigo.

Alexander Pope

"Nada estava mais distante de seus pensamentos do que a fama de seus belos feitos" (Ellicott, *in loc.*). Ver as exposições em Ne 13.14 e 31.

CAPÍTULO SEIS

CONTINUAÇÃO NO TRABALHO DAS MURALHAS (6.1-19)

Caracterização Geral do Capítulo 6. "Sambalá e seus aliados, ouvindo que as muralhas de Jerusalém iam de construção avançada, enviaram alguém a Neemias convidando-o para uma reunião, em certo lugar, que Neemias rejeitou: vss. 1 e 2. Então lhe enviaram uma carta aterrorizante, sugerindo que ele e os judeus com ele seriam tratados como rebeldes, visto que a intenção deles, segundo se dizia, era fazê-lo rei, carta essa que Neemias ignorou: vss. 3-9. Então empregaram os serviços dos que se diziam profetas para aconselhá-lo a fugir para o templo, para ter segurança, o que ele também se recusou a fazer: vss. 10-14. Foi assim que o trabalho nas muralhas prosseguiu e terminou, embora houvesse uma correspondência secreta levada a efeito entre seus inimigos e falsos irmãos judeus: vss. 15-19" (John Gill, *in loc.*).

O capítulo 5 é uma interpolação, colocada fora de ordem cronológica, que nos dava informações sobre as condições socioeconômicas em Judá, após o término da construção das muralhas de Jerusalém.

O capítulo 6 reinicia a narrativa que tinha sido cortada no fim do capítulo 4.

■ 6.1

וַיְהִי כַאֲשֶׁר נִשְׁמַע לְסַנְבַלַּט וְטוֹבִיָּה וּלְגֶשֶׁם הָעַרְבִי
וּלְיֶתֶר אֹיְבֵינוּ כִּי בָנִיתִי אֶת־הַחוֹמָה וְלֹא־נוֹתַר
בָּהּ פָּרֶץ גַּם עַד־הָעֵת הַהִיא דְּלָתוֹת לֹא־הֶעֱמַדְתִּי
בַשְּׁעָרִים׃

Tendo ouvido Sambalá, Tobias, Gesém, o arábio, e o resto dos nossos inimigos. Os mesmos inimigos de Neemias e do projeto de construção das muralhas de Jerusalém são novamente mencionados. Ver Ne 2.19. Eles nunca desistiram, como também Neemias nunca desistiu. Por uma boa causa, a pessoa nunca deve desistir. Sempre é cedo demais para desistir. A narrativa reinicia-se do capítulo 4, pois o capítulo 5 é uma interpolação colocada fora de ordem cronológica. Ver as notas de introdução ao presente capítulo.

O Conserto das Muralhas Estava Chegando ao Fim. Não havia mais brechas para preencher, mas algumas das portas ainda precisavam ser instaladas. O fato de que as muralhas tinham sido levantadas tão depressa e tão bem, a despeito das predições dos adversários gratuitos dos judeus, de que o projeto fracassaria (ver Ne 4.2 ss.), deixou enraivecidos os inimigos dos judeus. Eles tinham de renovar seus esforços para pôr fim a Neemias e a todo o seu projeto de construção.

"Aqueles oponentes das muralhas novamente tentaram impedir a continuação do trabalho de construção das muralhas. Dessa vez foram mais sutis. O ataque concentrou-se no próprio Neemias. Removendo-o da cena, eles esperavam destruir a credibilidade do projeto. Cada um dos três ataques foi diferente, mas todas as tentativas tinham por desígnio tirar-lhe a vida ou lançar no descrédito sua eficácia como líder" (John A. Martin, *in loc.*).

Primeiro Teste: Um Conluio de Assassinato (6.2-4)

■ 6.2

וַיִּשְׁלַח סַנְבַלַּט וְגֶשֶׁם אֵלַי לֵאמֹר לְכָה וְנִוָּעֲדָה
יַחְדָּו בַּכְּפִירִים בְּבִקְעַת אוֹנוֹ וְהֵמָּה חֹשְׁבִים לַעֲשׂוֹת
לִי רָעָה׃

Sambalá e Gesém mandaram dizer-me. *O Plano de Assassinato.* Eles mandaram dizer a Neemias: "Vem falar conosco sobre tal questão", como quem procurava uma conciliação. Mas Neemias sabia (por intuição natural ou por alguma iluminação da parte de Yahweh) que eles estavam planejando matá-lo. Eles queriam encontrar-se com ele em uma aldeia no vale de Ono (ver a respeito no *Dicionário*, quanto a detalhes). Ono localizava-se em uma ravina conhecida como Vale dos Artífices (Ne 11.35). Perto da aldeia havia uma planície que tinha o mesmo nome. O local moderno chama-se Keft 'Ana, onze quilômetros a sudeste de Jope. Os registros egípcios do templo de Tutmés III (1490 a.C.) trazem o nome dessa localidade como Unu. Seu nome hebraico significa *forte*. Nos dias de Josué era uma cidade murada e fortificada, um dos muitos obstáculos que os israelitas tiveram de enfrentar ao invadir a Palestina. Cf. Ed 2.33. Talvez Uno tenha sido selecionado como local do convidado encontro porquanto a área por muito tempo tinha sido um distrito neutro governado diretamente pela Pérsia, não fazendo parte das províncias da Filístia, da Judeia ou da Samaria. Tais "reuniões inocentes" eram um ardil comum para o assassinato de um inimigo. Cf. Jr 41.1-3; 1Macabeus 12.39-53 e 16.11-24.

Aquilo que no capítulo 4 não passava de zombarias e ameaças agora se transformara em uma guerra de nervos, com perigos fatais ocultos. Neemias venceu devido à sua coragem, paciência e fé. Ele estava sob uma provação pessoal.

■ 6.3

וָאֶשְׁלְחָה עֲלֵיהֶם מַלְאָכִים לֵאמֹר מְלָאכָה גְדוֹלָה
אֲנִי עֹשֶׂה וְלֹא אוּכַל לָרֶדֶת לָמָּה תִשְׁבַּת הַמְּלָאכָה
כַּאֲשֶׁר אַרְפֶּהָ וְיָרַדְתִּי אֲלֵיכֶם׃

Enviei-lhes mensageiros a dizer. Neemias teve a cortesia de dar resposta aos seus traiçoeiros convidadores. Ele enviou mensageiros desculpando-se de que não tinha tempo para tal reunião, porquanto não podia deixar a grande obra que estava fazendo meramente para ter uma conversa com eles. Se ele atendesse ao convite, o trabalho cessaria, e isso seria intolerável para Neemias. Foi dessa forma que Neemias tratou sutilmente com seus inimigos, conforme tinha (presumivelmente) sido sutilmente tratado por eles. Ele não expressou seus temores de um conluio de assassinato. Simplesmente "não tinha tempo" para deixar o trabalho. A Septuaginta deixa a porta aberta para a reunião, em contraste com o original hebraico, que fecha a porta em termos nada duvidosos. A Septuaginta diz: "Assim que eu terminar o trabalho, irei até vós". Algumas vezes, a Septuaginta preserva um texto mais antigo do que o dos manuscritos hebraicos existentes, conforme fica demonstrado pelos *Manuscritos (Rolos) do Mar Morto*. Ver no *Dicionário* o artigo chamado *Mar Morto, Manuscritos (Rolos) do*, e também o artigo geral chamado *Manuscritos do Antigo Testamento*. Neemias não questionou abertamente os motivos deles. Se eles queriam provar boas intenções, ele nem quis saber.

Um Homem de Propósitos. Em primeiro lugar, a mente de Neemias voltava-se para o trabalho. Nessa disposição, ele entrou em uma causa maior do que ele mesmo, e atirou-se ao trabalho. E não deixou o trabalho por fazer enquanto este não se completou. Ele poderia ter permanecido na vida fácil da Babilônia, recebendo seu gordo salário como copeiro do rei e tendo muitos dias feriados nos quais se devotar aos prazeres. Neemias, porém, não era esse tipo de homem. Nenhum homem que faz muito com a sua vida é esse tipo de homem.

Todas as ambições são legítimas exceto as que
sobem escudadas nas misérias ou na
credulidade da humanidade.

Joseph Conrad

É a ambição de ser louvado que leva um homem
a ser melhor do que seus vizinhos.

Benjamim Franklin

Satanás encontra alguma coisa má para as
mãos ociosas fazerem.

Isaque Watts

■ 6.4

וַיִּשְׁלְחוּ אֵלַי כַּדָּבָר הַזֶּה אַרְבַּע פְּעָמִים וָאָשִׁיב אוֹתָם
כַּדָּבָר הַזֶּה׃ ס

Quatro vezes me enviaram o mesmo pedido. Persistindo em sua primeira tentativa, aqueles patifes enviaram a mesma mensagem a Neemias por quatro vezes. Mas de cada vez, Neemias lhes dava a mesma resposta do versículo anterior. O grande homem estava engajado em algum grandioso progresso. Ele não tinha tempo para reuniões tolas que apenas desperdiçam o tempo de um homem.

"Quão lentamente, e através de quantos erros... aprendemos a dizer a todos os inimigos de nossas principais responsabilidades: 'Estou fazendo uma grande obra e não posso ir'" (Charles W. Gilkey, *in loc.*).

O Segundo Teste (6.5-9)

■ 6.5

וַיִּשְׁלַח אֵלַי סַנְבַלַּט כַּדָּבָר הַזֶּה פַּעַם חֲמִישִׁית
אֶת־נַעֲרוֹ וְאִגֶּרֶת פְּתוּחָה בְּיָדוֹ׃

Então Sambalá me enviou pela quinta vez o seu moço. Palavras bondosas e fingidas não surtiram efeito, pelo que os inimigos dos judeus e de seu líder, Neemias, apelaram para uma abordagem mais drástica. Sambalá enviou seu servo para entregar em mãos uma carta a Neemias, acusando-o de sedição. Para o império persa, Neemias era um "rebelde", um "traidor". Ademais, era claro que Neemias tinha intenções de tornar-se rei, uma acusação manifestamente absurda. Como poderia Neemias e seu pequeno grupo de judeus estar planejando contra o império persa? A grande obra de Neemias seria apenas a medida preliminar de uma "obra maior" de rebelião, diziam na carta os seus inimigos. Talvez tudo quanto os adversários de Neemias quisessem dizer é que ele queria ser um reizinho de Judá. Isso ainda faria dele um traidor.

"A carta aberta era um insulto a uma pessoa com as qualidades de Neemias. Os governadores dos países do Oriente sempre tinham muito cuidado ao enviar cartas, dobradas e postas em sacolas de seda de elevado preço, e cuidadosamente seladas. As circunstâncias da carta aberta mostravam o desprezo que Sambalate tinha por Neemias" (Adam Clarke, *in loc.*).

A carta "poderia ter sido uma folha de papiros sem selo; mais provavelmente ainda, era um óstraco, uma carta escrita em um fragmento de cerâmica... como aqueles conhecidos desde os tempos de Jeremias" (Raymond A. Bowman, *in loc.*). As cartas de Laquis fornecem exemplos disso. Ver no *Dicionário* o artigo chamado *Laquis*, seção IV.4.

■ 6.6

כָּתוּב בָּהּ בַּגּוֹיִם נִשְׁמָע וְגַשְׁמוּ אֹמֵר אַתָּה וְהַיְּהוּדִים חֹשְׁבִים לִמְרוֹד עַל־כֵּן אַתָּה בוֹנֶה הַחוֹמָה וְאַתָּה הֹוֶה לָהֶם לְמֶלֶךְ כַּדְּבָרִים הָאֵלֶּה׃

Do teor seguinte. *Evidências Colaboradoras*. O réprobo Gesém (o arábio, Ne 2.19; ou governador da Arábia, nomeado pela Pérsia) estava (alegadamente) espalhando o rumor de que o verdadeiro objetivo de Neemias em Jerusalém era tornar-se rei daquela cidade. Ele reavivaria o reino de Judá e se tornaria uma ameaça ao império persa, caso não fosse eliminado prontamente. Os persas tratavam brutalmente com os usurpadores e, por isso, se essas fossem realmente as intenções de Neemias, ele faria bem, de fato, em salvar a própria vida, dando ouvidos aos seus adversários e saindo do negócio de sedição. Se todos esses rumores fossem verdadeiros, então o projeto da muralha era somente o primeiro passo de um plano mais ambicioso de restabelecer Judá como nação separada, livre do controle persa.

■ 6.7

וְגַם־נְבִיאִים הֶעֱמַדְתָּ לִקְרֹא עָלֶיךָ בִירוּשָׁלַ͏ִם לֵאמֹר מֶלֶךְ בִּיהוּדָה וְעַתָּה יִשָּׁמַע לַמֶּלֶךְ כַּדְּבָרִים הָאֵלֶּה וְעַתָּה לְכָה וְנִוָּעֲצָה יַחְדָּו׃ ס

Puseste profetas para falarem a teu respeito em Jerusalém. *A Acusação Elaborada*. Neemias, diziam seus inimigos, tinha profetas em Jerusalém, cuja tarefa era glorificar o líder judeu e conseguir apoio popular. O plano crescia, e em breve Neemias estaria sujeito à ira do rei. Mas seus bondosos amigos, o abominável Sambalá e seus diabólicos aliados, esperavam salvar Neemias de uma condenação miserável tendo uma conversinha com ele, a fim de endireitar seus atos. Assim sendo, com aquela carta ridícula, eles esperavam "deslocar" Neemias de Jerusalém, a fim de matá-lo. Essa seria a solução definitiva para o problema.

Naturalmente, é possível que houvesse apoiadores entusiasmados de Neemias que, contra a sua vontade, pensavam em torná-lo rei de Judá. Mas não é provável que tão cedo assim, antes de as muralhas de Jerusalém terem sido completadas, alguém estivesse realmente ocupado nesse tipo de atividade. E Neemias, como é claro, negava que tal coisa estivesse acontecendo (vs. 8).

Profetas, que sempre acompanhavam a monarquia em Israel e Judá, com frequência punham ou depunham os líderes. Ver os casos de Jeroboão (1Rs 11.29-31), e de Jeú (1Rs 9.1 ss.). Cf. Jr 28.1-4,11 quanto aos supostos atos desse profeta despertando uma rebelião contra o rei de Judá no momento. E, naturalmente, os judeus tinham uma história de reconhecida violência e rebelião (Ed 4.12,15). Ageu, notável profeta, e Zacarias favoreceram altamente a Zorobabel, e isso poderia ser interpretado como parte do plano para tornar Neemias rei de Judá (ver Ag 2.21-23 e Zc 3.8; 4.6-10 e 6.10-15).

■ 6.8

וָאֶשְׁלְחָה אֵלָיו לֵאמֹר לֹא נִהְיָה כַּדְּבָרִים הָאֵלֶּה אֲשֶׁר אַתָּה אוֹמֵר כִּי מִלִּבְּךָ אַתָּה בוֹדָאם׃

Mandei dizer-lhe. Novamente, Neemias teve a cortesia de responder e, naturalmente, negou todas aquelas acusações ousadas. Tudo não passava de invenção de seus inimigos, a fim de parar os judeus em Jerusalém. A Septuaginta tem a declaração mais forte: "Estás falsificando os relatórios". Foi assim que Neemias seca e diretamente negou os rumores que seus miseráveis inimigos estavam propagando. Como é natural, Neemias não faria cessar o trabalho nas muralhas, embora a carta tenha conseguido causar nos judeus muita ansiedade e temor (vs. 9).

"Sabes muito bem que aquilo que estás dizendo é falso. Portanto, não me deixarei perturbar com falsos rumores" (Adam Clarke, *in loc.*).

■ 6.9

כִּי כֻלָּם מְיָרְאִים אוֹתָנוּ לֵאמֹר יִרְפּוּ יְדֵיהֶם מִן־הַמְּלָאכָה וְלֹא תֵעָשֶׂה וְעַתָּה חַזֵּק אֶת־יָדָי׃

Porque todos eles procuravam atemorizar-nos. Toda a comunidade judaica ficou tremendo de medo, e o efeito da campanha do terror era justamente esse, fazer os judeus abandonar o projeto de construção, temendo perder a vida. No meio desse temor todo, Neemias, uma vez mais, atirou-se à oração a Yahweh. Ele expôs diante do Senhor, que era o inspirador do projeto de construção, o que estava acontecendo, e pediu forças naquela hora crítica. Neemias precisava da intervenção divina contra aquela maré contrária.

> Quando outros ajudadores falham e o consolo foge,
> Ajudador dos desvalidos, oh, fica comigo!
> ...
> Mantém tua palavra perante meus olhos;
> Brilha em meio às trevas melancólicas!
> Mostra-me o firmamento.
> A manhã do céu irrompe
> E fogem as vãs sombras da terra.
> Na vida, e também na morte,
> Oh, Senhor, fica comigo.
>
> H. F. Lyth

O Terceiro Teste: Traição nas Fileiras Internas (6.10-14)

■ 6.10

וַאֲנִי־בָאתִי בֵּית שְׁמַעְיָה בֶן־דְּלָיָה בֶּן־מְהֵיטַבְאֵל וְהוּא עָצוּר וַיֹּאמֶר נִוָּעֵד אֶל־בֵּית הָאֱלֹהִים אֶל־תּוֹךְ הַהֵיכָל וְנִסְגְּרָה דַּלְתוֹת הַהֵיכָל כִּי בָּאִים לְהָרְגֶךָ וְלַיְלָה בָּאִים לְהָרְגֶךָ׃

Tendo eu ido à casa de Semaías. Os horrendos inimigos de Neemias, não tendo obtido sucesso em conseguir afastá-lo de Jerusalém, a fim de matá-lo, resolveram assassiná-lo na própria cidade, e no templo! Eles contrataram um traidor judeu, de nome *Semaías* (ver sobre ele no *Dicionário*), para atrair Neemias ao templo. Presumivelmente esse homem estava "encerrado" por causa de alguma contaminação ritualista que ele limparia no templo, mediante os rituais e sacrifícios apropriados. Neemias visitou a casa do homem (provavelmente foi chamado até ali) e recebeu o convite de conversar sobre as coisas no templo. O homem sem dúvida era da confiança de Neemias, visto que seria ilógico para ele expor-se a qualquer perigo em um lugar fechado com um "fator desconhecido". O réprobo Semaías afirmou que estava agindo no interesse de Neemias, ocultando-o no templo e salvando-o de tentativas de assassinato "durante a noite".

Que estava encerrado. Esta expressão tem deixado perplexos os intérpretes, os quais não conseguem dar uma explicação certa a respeito. Temos a considerar três possibilidades: 1. Conforme foi sugerido anteriormente, está em vista alguma imundícia cerimonial que precisava ser purificada no templo. Mas se esse fosse o caso, Neemias não teria ido à casa de Semaías, para não se contaminar também. 2. Ou então Semaías presumivelmente estaria em transe extático, pois, como profeta, estaria "encerrado em Yahweh". 3. Ou então, à semelhança de Neemias, ele era um homem caçado e se fechara em casa por motivo de segurança. Seja como for, estava confinado em sua casa, embora não saibamos dizer por quais razões.

6.11

וָאֹמְרָה הַאִישׁ כָּמוֹנִי יִבְרָח וּמִי כָמוֹנִי אֲשֶׁר־יָבוֹא אֶל־הַהֵיכָל וָחָי לֹא אָבוֹא:

Porém eu disse: Homem, como eu fugiria? Neemias, embora assustado, não fugiria nem se esconderia. Ele era homem grande demais para isso. Além disso, era o líder do trabalho nas muralhas da cidade, e não podia ausentar-se da obra. Ele não se asilaria no templo. Ficaria em seu posto e permitiria que Yahweh tomasse conta dele ali mesmo, e não no interior do templo. Para Yahweh, isso não seria uma tarefa mais difícil. Se Neemias tentasse evadir-se, o povo, tendo de enfrentar o perigo sozinho, chamaria Neemias de covarde, e isso impediria o término do trabalho nas muralhas. Ademais, sendo um leigo, Neemias (de acordo com a legislação mosaica) não teria direito de estar homiziado no templo, e, sem dúvida, esse foi outro fator em sua decisão de repelir o convite de Semaías. Além disso, sendo eunuco (conforme os copeiros usualmente eram), ele não tinha o direito de estar ali. Os intrusos (não sacerdotes) seriam executados (ver Nm 18.7). Quanto à proibição da presença de eunucos no templo, ver Lv 21.17-20,23 e Dt 23.1.

Quem há, como eu...? 1. Um eunuco. 2. Um não sacerdote. 3. Um líder do trabalho de construção. 4. Não um covarde. Por essas quatro razões, ele não podia esconder-se no templo.

6.12

וָאַכִּירָה וְהִנֵּה לֹא־אֱלֹהִים שְׁלָחוֹ כִּי הַנְּבוּאָה דִּבֶּר עָלַי וְטוֹבִיָּה וְסַנְבַלַּט שְׂכָרוֹ:

Então percebi que não era Deus quem o enviara. Novamente (cf. o vs. 2), Neemias, mediante intuição interior, ou por alguma iluminação dada por Yahweh, compreendeu que Semaías era um mentiroso. Elohim não o tinha enviado. Ele era um profeta falso. Os profetas falsos eram com frequência alugados com propósitos escandalosos (ver Zc 13.2-6). Tendo recebido esse tanto de informação extrassensorial, Neemias não se exporia a ser assassinado no templo, nem se arriscaria à má fama que a ele se apegaria: "Neemias, aquele hipócrita, embora não seja um sacerdote, escondeu-se no templo! Nós estamos enfrentando perigos, mas ele, como um covarde, foi esconder-se".

Presumimos que, em tempos posteriores, Neemias descobriu que Semaías havia sido contratado por Tobias e Sambalá para realizar esse ato de traição. Isso pode ter sido um aspecto de sua iluminação, mas provavelmente o texto fala de algum modo natural de obtenção de conhecimento.

Note-se que as palavras ditas por Semaías foram apresentadas como uma profecia; mas tudo não passava de uma invenção mentirosa e traiçoeira. Elohim não estava naquilo.

6.13

לְמַעַן שָׂכוּר הוּא לְמַעַן־אִירָא וְאֶעֱשֶׂה־כֵּן וְחָטָאתִי וְהָיָה לָהֶם לְשֵׁם רָע לְמַעַן יְחָרְפוּנִי: פ

Para isto o subornaram, para me atemorizar. Semaías foi contratado para adicionar temor ao temor e derrotar Neemias. No seu temor, Neemias teria cometido um pecado: entrar no templo como uma pessoa não autorizada; abandonar seu posto; fazer papel de covarde; deixar um mau exemplo para outros que estavam envolvidos na obra e enfrentavam perigos. Um mau relatório teria sido publicado pelos inimigos de Neemias, a fim de lançá-lo no descrédito. Ver os comentários sobre o versículo anterior, quanto a suposições sobre o que diria a mensagem. A versão Peshitta diz "para matar-me", e podemos supor com segurança que esse foi o intuito, e o mau relatório era uma questão secundária, se a primeira questão falhasse. Entrar no templo como intruso constituía pecado grave (ver 2Cr 26.16,18), e Neemias poderia ser legalmente executado como consequência de seu ato. Esse pode ter sido o propósito de toda a sugestão de Semaías. O estado judeu o executaria, e Sambalá e Tobias não teriam sujado as mãos com o sangue dele. O vs. 14 mostra-nos que houve outros falsos profetas que de alguma maneira (não mencionada) haviam assediado Neemias. Portanto, houve forte oposição interior, e não meramente da parte dos delegados da Pérsia.

6.14

זָכְרָה אֱלֹהַי לְטוֹבִיָּה וּלְסַנְבַלַּט כְּמַעֲשָׂיו אֵלֶּה וְגַם לְנוֹעַדְיָה הַנְּבִיאָה וּלְיֶתֶר הַנְּבִיאִים אֲשֶׁר הָיוּ מְיָרְאִים אוֹתִי:

Lembra-te, meu Deus, de Tobias e de Sambalá. Da mesma forma que Yahweh-Elohim deveria "lembrar-se" de Neemias para o bem, por causa de tudo o que ele tinha feito pelo povo judeu (ver Ne 5.19), assim também deveria "lembrar-se" dos inimigos dos judeus, os abomináveis Tobias e Sambalá, além de Noadia e daqueles outros "profetas" que foram contratados ou influenciados por homens maus para prejudicar Neemias. Pensando em inimigos de fora e de dentro, Yahweh aplicaria o castigo apropriado. Ademais, ele levaria a absolutamente nada os seus maus pensamentos e obras, enquanto Neemias desfrutaria sucesso absoluto em meio à segurança. Quanto a *Noadia*, ver o *Dicionário* e cf. Ed 8.33. Aqui ela aparece como uma profetisa, embora a Septuaginta apresente Noadia como profeta. Houve algumas profetisas que atuaram em Judá (ver 2Rs 22.14), embora o fenômeno fosse raro. Coisa alguma é dita sobre exatamente que maldade fez aquela mulher ímpia, mas o Deus que a tudo conhece sabia e a castigaria de acordo com o pecado dela.

Término das Muralhas (6.15,16)

6.15

וַתִּשְׁלַם הַחוֹמָה בְּעֶשְׂרִים וַחֲמִשָּׁה לֶאֱלוּל לַחֲמִשִּׁים וּשְׁנַיִם יוֹם: פ

Acabou-se, pois o muro. *O Dado Cronológico.* As muralhas de Jerusalém foram terminadas 52 dias depois de sua construção ter sido iniciada. A data do início foi 11 de agosto de 445 a.C., e a data do término foi 2 de outubro do mesmo ano, seis meses antes de terminar o prazo de Neemias ficar ausente. Josefo (Antiq. XI.5.6) põe a obra no reinado de Xerxes (478-477 a.C.) e apresenta uma cronologia diferente. Ele afirmou que foram necessários dois anos e quatro meses para levantar as muralhas de Jerusalém, e alguns estudiosos acusam o cronista de glorificar a obra, dando-lhe tão rápida execução. Bowman (*in loc.*) inclinava-se por acreditar na cronologia do livro de Neemias, e não na de Josefo, supondo que o trabalho foi feito em prazo tão curto porque grande parte das muralhas já estava de pé e grande parte do trabalho foi de reparos, e não de edificação. Além disso, Neemias tinha um programa para ser efetuado em pouco tempo, sem falarmos no fato de que projetos assim inspirados podem ser efetuados em um tempo surpreendentemente breve. Temos um paralelo na história, da construção das muralhas de Atenas, sob as ordens de Temístocles (Heródoto, *Hist.* VIII.71), no qual outro "projeto breve" foi efetuado.

Elul. Este mês corresponde ao nosso setembro-outubro, pelo que o mês de agosto também esteve envolvido, e Neemias conseguiu terminar o projeto dentro de "um mesmo ano". Tinha sido apenas no novembro-dezembro (quisleu) anterior que Neemias ouvira acerca da necessidade. Portanto, Neemias deixou-nos o exemplo de ser um trabalhador prodigioso.

> Labor omnia vicit,
> Improbus et duris urgens in rebus egestas.
> (que significa "O labor persistente venceu todas as coisas, bem como a tensão da precisão em uma vida difícil").
>
> Virgílio, *Georgicas*

> Não temerei o que os homens disserem;
> Trabalharei noite e dia
> Para ser um peregrino.
>
> João Bunyan

6.16

וַיְהִי כַּאֲשֶׁר שָׁמְעוּ כָּל־אוֹיְבֵינוּ וַיִּרְאוּ כָּל־הַגּוֹיִם אֲשֶׁר סְבִיבֹתֵינוּ וַיִּפְּלוּ מְאֹד בְּעֵינֵיהֶם וַיֵּדְעוּ כִּי מֵאֵת אֱלֹהֵינוּ נֶעֶשְׂתָה הַמְּלָאכָה הַזֹּאת:

Sucedeu que, ouvindo-o todos os nossos inimigos temeram. Neemias e os judeus se regozijaram, mas os inimigos dos judeus ficaram arrasados, com a auto-estima destruída, e somente então reconheceram que "Deus estava envolvido na construção daquelas muralhas". Foi uma realização divina. Essa era a única maneira de explicar o que aconteceu em tão pouco tempo e diante de tão ferrenha oposição.

"A maravilha ocorreu, não somente devido ao esforço humano, mas por causa da ajuda de Deus. Este versículo serve de apropriada e feliz conclusão da história da edificação dos muros de Jerusalém. Comentou Josefo sobre a questão: 'Neemias era um homem de natureza bondosa e justa, e ansioso por servir a seus compatriotas, e deixou as muralhas de Jerusalém como seu monumento eterno'" (Raymond A. Bowman, *in loc.*).

> Foi o Senhor que fez isto, e é maravilhoso
> aos nossos olhos.
>
> Salmo 118.23

Oh, Senhor, concede-nos tal graça! Ver sobre *Providência de Deus* no *Dicionário*.

> Deus se move de forma misteriosa
> Para realizar as suas maravilhas.
> Implanta seus passos no mar,
> E cavalga por cima do tufão.
>
> No profundo, em minas insondáveis
> De habilidades que nunca falham,
> ele entesoura seus grandes desígnios,
> E põe em obras sua vontade soberana.
>
> William Cowper

Correspondência Judaica com Tobias (6.17-19)

A questão da dedicação das muralhas de Jerusalém é adiada até Ne 12.27 ss. Antes de escrever sobre outros triunfos, o cronista achou por bem contar-nos a respeito das relações de Tobias com aqueles propagandistas judeus que serviram como seus simplórios espiões. Devemos entender mais ainda quão grande triunfo foi o término do conserto das muralhas, considerando-se toda a intrincada oposição que houve contra o projeto. Portanto, este material não serve realmente de anticlímax, conforme pensam alguns estudiosos. O abominável Tobias contava com muita gente que dava apoio à sua causa nefanda e rejeitava a Neemias. Devemos lembrar a oposição que o apóstolo Paulo sofreu bem dentro das fileiras da igreja, que os livros de 1 e 2Coríntios deixam claro. Uma das pragas que atacaram o apóstolo dos gentios eram os falsos irmãos (2Co 11.26). Houve até falsos apóstolos que tentaram lançar o seu ofício apostólico no descrédito (2Co 11.13). Já vimos como Neemias teve de enfrentar falsos profetas (Ne 6.14).

■ **6.17**

גַּם ׀ בַּיָּמִים הָהֵם מַרְבִּים חֹרֵי יְהוּדָה אִגְּרֹתֵיהֶם הוֹלְכוֹת עַל־טוֹבִיָּה וַאֲשֶׁר לְטוֹבִיָּה בָּאוֹת אֲלֵיהֶם׃

Também naqueles dias alguns nobres de Judá escreveram muitas cartas. O esforço de tentar deter Neemias e seu projeto envolveu intensa correspondência entre seus adversários. Eles estavam sempre pensando em alguma nova forma de atacar, exemplos que vimos em Ne 6.2 ss., onde três esquemas específicos tentaram assassiná-lo, para afastá-lo definitivamente do negócio. Ele venceu somente porque foi capaz de resistir a uma severa prova e enfrentou cada novo desafio com decisão e coragem.

■ **6.18**

כִּי־רַבִּים בִּיהוּדָה בַּעֲלֵי שְׁבוּעָה לוֹ כִּי־חָתָן הוּא לִשְׁכַנְיָה בֶן־אָרַח וִיהוֹחָנָן בְּנוֹ לָקַח אֶת־בַּת־מְשֻׁלָּם בֶּן בֶּרֶכְיָה׃

Pois muitos em Judá lhe eram ajuramentados. Laços de família existentes entre o horrendo Tobias e oficiais e operários em Jerusalém davam-lhe um prestígio, que, de outra sorte, ele não teria desfrutado. Tobias, entretanto, tinha-se casado com a filha de Secanias (ver Ne 3.29), um nobre da família de Ara (cf. Ed 2.5). Ele também conseguiu, com sucesso, fazer seu filho Joanã casar-se com a filha de Mesulão, o qual reparou duas seções das muralhas da cidade (Ne 3.4 e 30). Por meio desses contatos, o homem foi capaz de manipular a outros em proveito próprio, e somente um homem forte como Neemias poderia ter desfeito a influência de Tobias. Este versículo demonstra que muitas pessoas em Jerusalém estavam ligadas a Tobias por juramentos de lealdade. Ele as tinha, portanto, em "sua mão", conforme diz uma moderna expressão idiomática.

■ **6.19**

גַּם טוֹבֹתָיו הָיוּ אֹמְרִים לְפָנַי וּדְבָרַי הָיוּ מוֹצִיאִים לוֹ אִגְּרוֹת שָׁלַח טוֹבִיָּה לְיָרְאֵנִי׃

Também das suas boas ações falavam na minha presença. Aqueles indivíduos leais a Tobias, mas traidores da causa de Jerusalém, tiveram a audácia de contar a Neemias coisas boas acerca de Tobias, mas por trás de tudo estava o desejo de livrar-se de Neemias e de seu projeto de construção das muralhas da cidade. Eles trabalhavam nas costas de Neemias, enviando a Tobias relatórios sobre como Neemias estava agindo, para que pudessem opor-se a ele com maior eficácia. Os nobres judeus, pois, mostraram-se informantes nefandos contra o projeto de construção. Ademais, Tobias continuava enviando aquelas sórdidas cartas com vistas a atemorizar Neemias e derrubá-lo psicologicamente. Mas coisa alguma funcionou dessa maneira. As muralhas da cidade se completaram. Neemias triunfou, afinal, porque a sua causa era divina e justa.

> O temor sempre se origina na ignorância.
>
> Ralph Waldo Emerson

> Nunca negociemos baseados no temor.
> Mas nunca temamos negociar.
>
> John F. Kennedy

> A única coisa que temos a temer é o próprio medo.
>
> Franklin Delano Roosevelt

CAPÍTULO SETE

A REORGANIZAÇÃO DE JERUSALÉM. A RESTAURAÇÃO DO POVO (7.1-73)

Nomeação e Instruções aos Vigias (7.1-3)

Deslocamento Cronológico. Os eventos de Ne 7.1-3 ocorreram pouco depois de as muralhas de Jerusalém terem sido terminadas e, cronologicamente falando, ficaram mais bem colocados depois de Neemias 6.16. O cronista, por razões suas, apresentou vários blocos de materiais desconsiderando a sequência cronológica. Seja como for, depois que as muralhas estavam prontas, então portões e portas tiveram de ser completados e porteiros tiveram de ser nomeados. Neemias voltou-se para a nomeação dos turnos dos levitas para tomarem conta das coisas em Jerusalém, em suas várias categorias.

■ **7.1**

וַיְהִי כַּאֲשֶׁר נִבְנְתָה הַחוֹמָה וָאַעֲמִיד הַדְּלָתוֹת וַיִּפָּקְדוּ הַשּׁוֹעֲרִים וְהַמְשֹׁרְרִים וְהַלְוִיִּם׃

Estabelecidos os porteiros, os cantores e os levitas. Porteiros foram nomeados uma vez que as muralhas e as portas estavam absolutamente terminadas. Eles seriam os vigias tanto nas portas do templo como nos portões da cidade. Também foram mencionados cantores, porquanto eles formavam uma das ordens dos levitas que tinha deveres no templo, no ministério da música. 1Cr 23.1—26.32 lista laboriosamente os vários turnos e deveres dos levitas. Neemias fez o que pôde para seguir o modo de organização de Davi, mas ele não contava com grande número de sacerdotes e levitas para fazer um trabalho de boa imitação. Todavia, fez o que estava ao seu alcance para pôr em ordem a casa de Jerusalém e restaurar funções que tradicionalmente existiam.

■ 7.2

וָאֲצַוֶּה אֶת־חֲנָנִי אָחִי וְאֶת־חֲנַנְיָה שַׂר הַבִּירָה עַל־
יְרוּשָׁלִָם כִּי־הוּא כְּאִישׁ אֱמֶת וְיָרֵא אֶת־הָאֱלֹהִים
מֵרַבִּים׃

Eu nomeei a Hanani, meu irmão, e a Hananias. Neemias nomeou a seu irmão de sangue, Hanani, e a Hananias, como seus principais deputados em Jerusalém. Os nobres, príncipes e anciãos seriam responsáveis diante deles. Fora esse irmão de Neemias quem, no começo, à Babilônia, descreveu-lhe as miseráveis condições de Jerusalém, o que serviu de inspiração para o projeto de levantamento das muralhas da cidade. Ver Ne 1.2. O outro homem, *Hananias* (ver sobre ele no *Dicionário*), era também um homem íntegro, dotado de sabedoria e profundas convicções espirituais. Ambos eram tementes a Deus. Ver no *Dicionário* o verbete chamado *Temor*. Note o leitor como a espiritualidade era uma das qualificações dos políticos de Neemias, algo ignorado hoje em dia em nossa política corrupta. Por conseguinte, continuam os escândalos dia após dia. Hananias havia feito um bom trabalho como mordomo do palácio do governador, pelo que foi elevado à posição de prefeito juntamente com Hanani, enquanto Neemias continuava a ser governador de Judá.

Alguns estudiosos pensam que Hananias está em aposição a Hanani, uma única pessoa, sendo o primeiro nome uma forma abreviada do último. Nesse caso, Hanani seria o prefeito único, e fora mordomo do palácio do governador. Assim Neemias, o governador, nomeou seu irmão como prefeito. É provável que Neemias em breve voltasse a ser copeiro do rei da Pérsia, reiniciando ali seus deveres, após completar a sua missão. Pesada responsabilidade cairia assim sobre Hanani.

■ 7.3

וָאֹמַר לָהֶם לֹא יִפָּתְחוּ שַׁעֲרֵי יְרוּשָׁלִַם עַד־חֹם
הַשֶּׁמֶשׁ וְעַד הֵם עֹמְדִים יָגִיפוּ הַדְּלָתוֹת וֶאֱחֹזוּ
וְהַעֲמֵיד מִשְׁמְרוֹת יֹשְׁבֵי יְרוּשָׁלִָם אִישׁ בְּמִשְׁמָרוֹ וְאִישׁ
נֶגֶד בֵּיתוֹ׃

E lhes disse: Não se abram as portas de Jerusalém até que o sol aqueça. Os inimigos continuavam à espreita. Eles não desistiriam de tentar perturbar a boa ordem, principalmente porque agora as portas estavam terminadas. Portanto, Neemias teve de limitar o acesso a Jerusalém. Os portões da cidade só deveriam ser abertos durante o dia, apenas quando o sol se aquecesse. Neemias não queria "assaltos cedo pela manhã". E então as portas seriam fechadas ao pôr do sol (provavelmente nenhum horário específico foi determinado). Os porteiros tinham a incumbência de cuidar dos portões, os quais provavelmente eram fechados à tranca. Portanto, nenhum descuido seria tolerado. Então vigias noturnos montariam guarda na cidade a noite inteira. Haveria vigias a intervalos, cada qual guardando a porção das muralhas que ficava defronte de sua própria casa, para efeito de maior conveniência. Cf. essa declaração com Ne 3.10,23,28,29. A edificação das muralhas se processara sob a mesma conveniência, isto é, os operários trabalhavam cada qual diante de suas próprias residências. Foi assim que muitos reparadores das muralhas se tornaram também guardas das muralhas. No Oriente, o costume era abrir os portões de uma cidade ao nascer do sol e fechá-los ao pôr do sol. Ninguém era admitido na cidade antes ou depois dessas horas. Neemias, para efeito de maior segurança, diminuiu o tempo do dia em que os portões da cidade estariam abertos.

■ 7.4

וְהָעִיר רַחֲבַת יָדַיִם וּגְדוֹלָה וְהָעָם מְעַט בְּתוֹכָהּ וְאֵין
בָּתִּים בְּנוּיִם׃

Este versículo mostra-nos que Jerusalém era uma cidade bastante grande quanto ao território, mas estava arruinada pelo cativeiro babilônico e por outros ataques posteriores de outros inimigos, e foi deixada relativamente desabitada. Com as suas fortificações renovadas, Neemias, à semelhança de Alexandre e seus sucessores, que estabeleceram cidades, teve o problema de repovoar o lugar. A cidade era grande (no sentido do comprimento) e espaçosa quanto à área total. O hebraico literal confunde aqui os tradutores, porquanto envolve uma expressão idiomática que não é facilmente traduzida para outros idiomas: "larga de mãos e grande". Essa expressão refere-se ao gesto de estender os braços (mãos) para transmitir a ideia de amplidão, "estender-se largamente para a direita e para a esquerda" (Raymond A. Bowman, *in loc.*).

Havia casas ali (vs. 3), mas nenhuma nova habitação foi erguida; ou então, se alguma casa foi construída, elas não eram adequadas a uma cidade populosa. Mas casas, no sentido de unidades familiares, eram escassas. O povo tinha sido espalhado, e muitos haviam perdido suas conexões familiares. Josefo (Antiq. XI.5.8) diz-nos que Neemias construiu muitas casas pagando-as do próprio bolso, tal como tinha cuidado de 150 pessoas à sua mesa, todos os dias (Ne 5.17,18). Mas em parte alguma é dito como Neemias tinha tanto dinheiro para fazer tais coisas. Ofereço algumas sugestões em Ne 5.7.

Registro dos Exilados que Retornaram (7.5-73)

■ 7.5

וַיִּתֵּן אֱלֹהַי אֶל־לִבִּי וָאֶקְבְּצָה אֶת־הַחֹרִים וְאֶת־
הַסְּגָנִים וְאֶת־הָעָם לְהִתְיַחֵשׂ וָאֶמְצָא סֵפֶר הַיַּחַשׂ
הָעוֹלִים בָּרִאשׁוֹנָה וָאֶמְצָא כָּתוּב בּוֹ׃ פ

Então o meu Deus me pôs no coração que ajuntasse os nobres. Por inspiração divina, Neemias tomou medidas para repovoar Jerusalém, e um princípio normativo foi o mesmo seguido por Esdras: judeus puros tinham de ser postos ali. Neemias não queria elementos estrangeiros para atrapalhar a restauração de Jerusalém e Judá. Cf. Ne 11.1-24. Para registrar a população da época, ele começou a fazer o registro dos que tinham retornado em companhia de Zorobabel (vss. 5-7). A lista que se segue é paralela à de Ed 2.2-67, e do começo ao fim temos um paralelo também em 1Esdras 5.7-46. Agora, pois, adicionamos a essas duas listas uma terceira, a de Neemias, e a reconciliação entre as três listas está longe de alcançar harmonia absoluta. É evidente que foi usada pelo cronista mais de uma fonte informativa, e ele não era como os harmonistas modernos, que precisam de uma compilação livre de quaisquer discrepâncias. Existem discrepâncias, mas elas não afetam, de modo algum, a espiritualidade, nem são contraditórias a qualquer teoria da inspiração das Escrituras. Ver no *Dicionário* o verbete intitulado *Inspiração*.

Convido o leitor a examinar a Introdução ao segundo capítulo do livro de Esdras. Dou ali a caracterização geral da lista, em seus elementos principais. Arrolo cinco classes aparentes na lista. Também dou os propósitos da lista. A autoridade política foi estabelecida na pessoa de Zorobabel, um descendente de Davi, o qual, em certo sentido, restaurou a dinastia davídica, embora fosse apenas um governador, sob o poder da Pérsia. Houve também uma autoridade espiritual personificada no retorno de um número adequado de sacerdotes e levitas. Assim aconteceu que o minúsculo remanescente de Judá podia levar avante, espiritual e legalmente, o antigo Israel e, de fato, tornar-se Israel, estando sujeito à legislação mosaica. O processo inteiro estava sendo orientado teisticamente, de acordo com a filosofia da história do cronista. Quanto a essa filosofia, ver os cinco princípios, nos parágrafos quarto a sétimo da introdução a 1Crônicas.

Na exposição sobre o segundo capítulo do livro de Esdras, saliento as diferenças entre essas três listas. Ver alguns problemas explicados em Ed 2.3. São problemas comparativos, que aparecem quando justapomos Esdras e Neemias. A lista de problemas não é, de modo algum, exaustiva, mas é suficiente para salientar os tipos de coisas que causam dores de cabeça aos harmonistas.

Os totais que aparecem nos livros de Esdras, Neemias e 1Esdras não concordam uns com os outros, embora cheguem bem perto disso. O total de Esdras é 49.897, e o de Neemias é 49.942. Em meus comentários sobre Ed 2.64-67 dou exemplos das contorções que os harmonistas fazem na tentativa de harmonizar o texto, mas tais labores, apesar de curiosos, são dificilmente necessários de um ponto de vista espiritual.

Podemos dizer, de qualquer maneira, que, apesar de haver algumas diferenças, os vss. 6-73 do sétimo capítulo do livro de Neemias são, em todos os pontos essenciais, os mesmos que a lista de Ed 2.1-67, e isso deveria satisfazer a nossa mente.

■ 7.6-65

V6 אֵ֣לֶּה ׀ בְּנֵ֣י הַמְּדִינָ֗ה הָעֹלִים֙ מִשְּׁבִ֣י הַגּוֹלָ֔ה אֲשֶׁ֣ר הֶגְלָ֔ה נְבוּכַדְנֶצַּ֖ר מֶ֣לֶךְ בָּבֶ֑ל וַיָּשׁ֧וּבוּ לִירוּשָׁלִַ֛ם וְלִיהוּדָ֖ה אִ֥ישׁ לְעִירֽוֹ׃

V7 הַבָּאִ֣ים עִם־זְרֻבָּבֶ֗ל יֵשׁ֡וּעַ נְחֶמְיָ֡ה עֲזַרְיָ֡ה רַֽעַמְיָ֡ה נַחֲמָ֡נִי מָרְדֳּכַ֡י בִּלְשָׁ֡ן מִסְפֶּ֡רֶת בִּגְוַ֡י נְח֣וּם בַּעֲנָ֑ה מִסְפַּ֕ר אַנְשֵׁ֖י עַ֥ם יִשְׂרָאֵֽל׃ ס

V8 בְּנֵ֣י פַרְעֹ֔שׁ אַלְפַּ֕יִם מֵאָ֖ה וְשִׁבְעִ֥ים וּשְׁנָֽיִם׃ ס

V9 בְּנֵ֣י שְׁפַטְיָ֔ה שְׁלֹ֥שׁ מֵא֖וֹת שִׁבְעִ֥ים וּשְׁנָֽיִם׃ ס

V10 בְּנֵ֣י אָרַ֔ח שֵׁ֥שׁ מֵא֖וֹת חֲמִשִּׁ֥ים וּשְׁנָֽיִם׃ ס

V11 בְּנֵֽי־פַחַ֥ת מוֹאָ֛ב לִבְנֵ֥י יֵשׁ֖וּעַ וְיוֹאָ֑ב אַלְפַּ֕יִם וּשְׁמֹנֶ֥ה מֵא֖וֹת שְׁמֹנָ֥ה עָשָֽׂר׃ ס

V12 בְּנֵ֣י עֵילָ֔ם אֶ֕לֶף מָאתַ֖יִם חֲמִשִּׁ֥ים וְאַרְבָּעָֽה׃ ס

V13 בְּנֵ֣י זַתּ֔וּא שְׁמֹנֶ֥ה מֵא֖וֹת אַרְבָּעִ֥ים וַחֲמִשָּֽׁה׃ ס

V14 בְּנֵ֣י זַכָּ֔י שְׁבַ֥ע מֵא֖וֹת וְשִׁשִּֽׁים׃ ס

V15 בְּנֵ֣י בִנּ֔וּי שֵׁ֥שׁ מֵא֖וֹת אַרְבָּעִ֥ים וּשְׁמֹנָֽה׃ ס

V16 בְּנֵ֣י בֵבָ֔י שֵׁ֥שׁ מֵא֖וֹת עֶשְׂרִ֥ים וּשְׁמֹנָֽה׃ ס

V17 בְּנֵ֣י עַזְגָּ֔ד אַלְפַּ֕יִם שְׁלֹ֥שׁ מֵא֖וֹת עֶשְׂרִ֥ים וּשְׁנָֽיִם׃ ס

V18 בְּנֵי֙ אֲדֹ֣נִיקָ֔ם שֵׁ֥שׁ מֵא֖וֹת שִׁשִּׁ֥ים וְשִׁבְעָֽה׃ ס

V19 בְּנֵ֣י בִגְוָ֔י אַלְפַּ֖יִם שִׁשִּׁ֥ים וְשִׁבְעָֽה׃ ס

V20 בְּנֵ֣י עָדִ֔ין שֵׁ֥שׁ מֵא֖וֹת חֲמִשִּׁ֥ים וַחֲמִשָּֽׁה׃ ס

V21 בְּנֵֽי־אָטֵ֥ר לְחִזְקִיָּ֖ה תִּשְׁעִ֥ים וּשְׁמֹנָֽה׃ ס

V22 בְּנֵ֣י חָשֻׁ֔ם שְׁלֹ֥שׁ מֵא֖וֹת עֶשְׂרִ֥ים וּשְׁמֹנָֽה׃ ס

V23 בְּנֵ֣י בֵצָ֔י שְׁלֹ֥שׁ מֵא֖וֹת עֶשְׂרִ֥ים וְאַרְבָּעָֽה׃ ס

V24 בְּנֵ֣י חָרִ֔יף מֵאָ֖ה שְׁנֵ֥ים עָשָֽׂר׃ ס

V25 בְּנֵ֥י גִבְע֖וֹן תִּשְׁעִ֥ים וַחֲמִשָּֽׁה׃ ס

V26 אַנְשֵׁ֤י בֵֽית־לֶ֙חֶם֙ וּנְטֹפָ֔ה מֵאָ֖ה שְׁמֹנִ֥ים וּשְׁמֹנָֽה׃ ס

V27 אַנְשֵׁ֣י עֲנָת֔וֹת מֵאָ֖ה עֶשְׂרִ֥ים וּשְׁמֹנָֽה׃ ס

V28 אַנְשֵׁ֥י בֵית־עַזְמָ֖וֶת אַרְבָּעִ֥ים וּשְׁנָֽיִם׃ ס

V29 אַנְשֵׁ֨י קִרְיַ֤ת יְעָרִים֙ כְּפִירָ֣ה וּבְאֵר֔וֹת שְׁבַ֥ע מֵא֖וֹת אַרְבָּעִ֥ים וּשְׁלֹשָֽׁה׃ ס

V30 אַנְשֵׁ֤י הָֽרָמָה֙ וָגָ֔בַע שֵׁ֥שׁ מֵא֖וֹת עֶשְׂרִ֥ים וְאֶחָֽד׃ ס

V31 אַנְשֵׁ֣י מִכְמָ֔ס מֵאָ֖ה וְעֶשְׂרִ֥ים וּשְׁנָֽיִם׃ ס

V32 אַנְשֵׁ֤י בֵֽית־אֵל֙ וְהָעָ֔י מֵאָ֖ה עֶשְׂרִ֥ים וּשְׁלֹשָֽׁה׃ ס

V33 אַנְשֵׁ֥י נְב֛וֹ אַחֵ֖ר חֲמִשִּׁ֥ים וּשְׁנָֽיִם׃ ס

V34 בְּנֵי֙ עֵילָ֣ם אַחֵ֔ר אֶ֕לֶף מָאתַ֖יִם חֲמִשִּׁ֥ים וְאַרְבָּעָֽה׃ ס

V35 בְּנֵ֣י חָרִ֔ם שְׁלֹ֥שׁ מֵא֖וֹת וְעֶשְׂרִֽים׃ ס

V36 בְּנֵ֣י יְרֵח֔וֹ שְׁלֹ֥שׁ מֵא֖וֹת אַרְבָּעִ֥ים וַחֲמִשָּֽׁה׃ ס

V37 בְּנֵי־לֹד֙ חָדִ֣יד וְאוֹנ֔וֹ שְׁבַ֥ע מֵא֖וֹת וְעֶשְׂרִ֥ים וְאֶחָֽד׃ ס

V38 בְּנֵ֣י סְנָאָ֔ה שְׁלֹ֥שֶׁת אֲלָפִ֖ים תְּשַׁ֥ע מֵא֖וֹת וּשְׁלֹשִֽׁים׃ פ

V39 הַֽכֹּהֲנִ֑ים בְּנֵ֤י יְדַֽעְיָה֙ לְבֵ֣ית יֵשׁ֔וּעַ תְּשַׁ֥ע מֵא֖וֹת שִׁבְעִ֥ים וּשְׁלֹשָֽׁה׃ ס

V40 בְּנֵ֣י אִמֵּ֔ר אֶ֖לֶף חֲמִשִּׁ֥ים וּשְׁנָֽיִם׃ ס

V41 בְּנֵ֣י פַשְׁח֔וּר אֶ֕לֶף מָאתַ֖יִם אַרְבָּעִ֥ים וְשִׁבְעָֽה׃ ס

V42 בְּנֵ֣י חָרִ֔ם אֶ֖לֶף שִׁבְעָ֥ה עָשָֽׂר׃ פ

V43 הַלְוִיִּ֑ם בְּנֵֽי־יֵשׁ֧וּעַ לְקַדְמִיאֵ֛ל לִבְנֵ֥י לְהוֹדְוָ֖ה שִׁבְעִ֥ים וְאַרְבָּעָֽה׃ ס

V44 הַֽמְשֹׁרְרִ֑ים בְּנֵ֣י אָסָ֔ף מֵאָ֖ה אַרְבָּעִ֥ים וּשְׁמֹנָֽה׃ ס

V45 הַשֹּֽׁעֲרִ֗ים בְּנֵֽי־שַׁלּ֤וּם בְּנֵֽי־אָטֵר֙ בְּנֵֽי־טַלְמֹ֣ן בְּנֵֽי־עַקּ֔וּב בְּנֵ֥י חֲטִיטָ֖א בְּנֵ֣י שֹׁבָ֑י מֵאָ֖ה שְׁלֹשִׁ֥ים וּשְׁמֹנָֽה׃ ס

V46 הַנְּתִינִ֑ים בְּנֵי־צִחָ֥א בְנֵי־חֲשֻׂפָ֖א בְּנֵ֥י טַבָּעֽוֹת׃

V47 בְּנֵי־קֵירֹ֥ס בְּנֵי־סִיעָ֖א בְּנֵ֥י פָדֽוֹן׃

V48 בְּנֵי־לְבָנָ֥ה בְנֵי־חֲגָבָ֖ה בְּנֵ֥י שַׁלְמָֽי׃

V49 בְּנֵי־חָנָ֥ן בְּנֵי־גִדֵּ֖ל בְּנֵי־גָֽחַר׃

V50 בְּנֵי־רְאָיָ֥ה בְנֵי־רְצִ֖ין בְּנֵ֥י נְקוֹדָֽא׃

V51 בְּנֵי־גַזָּ֥ם בְּנֵי־עֻזָּ֖א בְּנֵ֥י פָסֵֽחַ׃

V52 בְּנֵי־בֵסַ֥י בְּנֵי־מְעוּנִ֖ים בְּנֵ֥י נְפִֽושְׁסִֽים׃

V53 בְּנֵי־בַקְבּ֥וּק בְּנֵי־חֲקוּפָ֖א בְּנֵ֥י חַרְחֽוּר׃

V54 בְּנֵי־בַצְלִ֥ית בְּנֵי־מְחִידָ֖א בְּנֵ֥י חַרְשָֽׁא׃

V55 בְּנֵי־בַרְק֥וֹס בְּנֵי־סִֽיסְרָ֖א בְּנֵי־תָֽמַח׃

V56 בְּנֵ֥י נְצִ֖יחַ בְּנֵ֥י חֲטִיפָֽא׃

V57 בְּנֵ֖י עַבְדֵ֣י שְׁלֹמֹ֑ה בְּנֵי־סוֹטַ֥י בְּנֵי־סוֹפֶ֖רֶת בְּנֵ֥י פְרִידָֽא׃

V58 בְּנֵי־יַעְלָ֥א בְנֵי־דַרְק֖וֹן בְּנֵ֥י גִדֵּֽל׃

V59 בְּנֵ֧י שְׁפַטְיָ֣ה בְנֵֽי־חַטִּ֗יל בְּנֵ֛י פֹּכֶ֥רֶת הַצְּבָיִ֖ים בְּנֵ֥י אָמֽוֹן׃

V60 כָּל־הַ֨נְּתִינִ֔ים וּבְנֵ֖י עַבְדֵ֣י שְׁלֹמֹ֑ה שְׁלֹ֥שׁ מֵא֖וֹת תִּשְׁעִ֥ים וּשְׁנָֽיִם׃ פ

V61 וְאֵ֗לֶּה הָעוֹלִים֙ מִתֵּ֥ל מֶ֙לַח֙ תֵּ֣ל חַרְשָׁ֔א כְּר֥וּב אַדּ֖וֹן וְאִמֵּ֑ר וְלֹ֣א יָכְל֗וּ לְהַגִּ֤יד בֵּית־אֲבוֹתָם֙ וְזַרְעָ֔ם אִ֥ם מִיִּשְׂרָאֵ֖ל הֵֽם׃

בְּנֵי־דְלָיָה בְנֵי־טוֹבִיָּה בְּנֵי נְקוֹדָא שֵׁשׁ מֵאוֹת V62
וְאַרְבָּעִים וּשְׁנָיִם: ס

וּמִן־הַכֹּהֲנִים בְּנֵי חֲבַיָּה בְּנֵי הַקּוֹץ בְּנֵי בַרְזִלַּי V63
אֲשֶׁר לָקַח מִבְּנוֹת בַּרְזִלַּי הַגִּלְעָדִי אִשָּׁה וַיִּקָּרֵא
עַל־שְׁמָם:

אֵלֶּה בִּקְשׁוּ כְתָבָם הַמִּתְיַחְשִׂים וְלֹא נִמְצָא V64
וַיְגֹאֲלוּ מִן־הַכְּהֻנָּה:

וַיֹּאמֶר הַתִּרְשָׁתָא לָהֶם אֲשֶׁר לֹא־יֹאכְלוּ V65
מִקֹּדֶשׁ הַקֳּדָשִׁים עַד עֲמֹד הַכֹּהֵן לְאוּרִים
וְתוּמִּים:

Esta seção deve ser comparada com Ed 2.1-63, onde ofereço a exposição e saliento diferenças existentes nas listas, referindo-me também a 1Esdras 5.7-46. Ver sobre os nomes próprios no *Dicionário* quanto à pouca informação disponível sobre cada uma daquelas pessoas. Há muita dificuldade quando confrontamos as três listas: Ed 2.2-63; Ne 7.6-69 e 1Esdras 75.7-43. Nenhuma manipulação tem obtido harmonia perfeita, nem é necessário que a alcancemos. O fato é que foram usadas na compilação desses livros várias fontes informativas, e as próprias fontes informativas, sem dúvida, estampavam discrepâncias. Aqueles que as copiaram não estavam interessados em paralelismos e harmonias perfeitas, e faríamos bem em compartilhar dessa atitude. A harmonia a qualquer preço usualmente é conseguida à custa da honestidade.

Para satisfazer a curiosidade do leitor, dou, acompanhando este texto, um gráfico que compara Esdras e Neemias e salienta as diferenças nos números que figuram nas duas listas.

■ 7.66-69

כָּל־הַקָּהָל כְּאֶחָד אַרְבַּע רִבּוֹא אַלְפַּיִם שְׁלֹשׁ־ V66
מֵאוֹת וְשִׁשִּׁים:

מִלְּבַד עַבְדֵיהֶם וְאַמְהֹתֵיהֶם אֵלֶּה שִׁבְעַת V67
אֲלָפִים שְׁלֹשׁ מֵאוֹת שְׁלֹשִׁים וְשִׁבְעָה וְלָהֶם מְשֹׁרֲרִים
וּמְשֹׁרֲרוֹת מָאתַיִם וְאַרְבָּעִים וַחֲמִשָּׁה: ס

גְּמַלִּים אַרְבַּע מֵאוֹת שְׁלֹשִׁים וַחֲמִשָּׁה ס חֲמֹרִים V68
שֵׁשֶׁת אֲלָפִים שְׁבַע מֵאוֹת וְעֶשְׂרִים:

Grandes Totais. Neemias: 49.942; Ed: 48.897 (Ed 2.64,65). Os grupos enumerados em Ne 7.8-62 foram 31.089, número bastante diferente do total apresentado. Os grupos enumerados em Ed 2.3-60 somam 29.818, também bastante diferente do total apresentado. As diferenças ocorrem em dezenove dos 41 itens enumerados, e quanto a esses itens Esdras e Neemias diferem em 1.281. Os eruditos ultraconservadores culpam os copistas subsequentes pelos "erros", supondo que o cronista deveria ter uma matemática perfeita, através da inspiração divina. Mas errados estão os eruditos, em uma questão manifestamente absurda. Para explicar a vasta diferença entre as 31.089 pessoas enumeradas e o grande total, que é de 49.897, os intérpretes supõem que mulheres e crianças não foram contadas nos grupos enumerados, mas constavam do grande total. Talvez, sim; talvez, não. Os intérpretes é que dizem isso, e não o cronista. Outra conjectura é que as pessoas do norte explicam a diferença. Presume-se que elas não participaram nas enumerações específicas. Os intérpretes jogam dessa maneira quando não têm nada melhor para fazer.

Visto que o cronista estava disposto a fazer contagens, ele chegou a contar os próprios animais: cavalos, 736; mulas, 245; camelos, 435; asnos, 6.720. Grande total: 8.136, onde os asnos eram os animais mais abundantes (um asno para cada sete pessoas). Pense só no trabalho que aqueles animais teriam de fazer. Ver Ed 2.66,67, trecho diretamente paralelo que dá os mesmos números. Dou outras ideias na passagem paralela, que achei por bem não repetir aqui.

Ofertas Voluntárias para a Obra e a Ocupação da Terra (7.70-72)

■ 7.70-72

וּמִקְצָת רָאשֵׁי הָאָבוֹת נָתְנוּ לַמְּלָאכָה הַתִּרְשָׁתָא V69
נָתַן לָאוֹצָר זָהָב דַּרְכְּמֹנִים אֶלֶף מִזְרָקוֹת חֲמִשִּׁים
כָּתְנוֹת כֹּהֲנִים שְׁלֹשִׁים וַחֲמֵשׁ מֵאוֹת:

וּמֵרָאשֵׁי הָאָבוֹת נָתְנוּ לְאוֹצַר הַמְּלָאכָה V70
זָהָב דַּרְכְּמוֹנִים שְׁתֵּי רִבּוֹת וְכֶסֶף מָנִים אַלְפַּיִם
וּמָאתָיִם:

וַאֲשֶׁר נָתְנוּ שְׁאֵרִית הָעָם זָהָב דַּרְכְּמוֹנִים שְׁתֵּי V71
רִבּוֹא וְכֶסֶף מָנִים אַלְפַּיִם וְכָתְנֹת כֹּהֲנִים שִׁשִּׁים
וְשִׁבְעָה׃ פ

O Paralelo. O trecho de Ed 2.68,69 é bastante diferente e deve ter sido aproveitado de uma fonte informativa diferente. Ver as notas expositivas em Ed 2.69. A dracma (Ed) era uma moeda de ouro da Pérsia; a mina (Ne) era um peso mesopotâmico para metais preciosos. Ver o trecho paralelo quanto a explicações. Os eruditos ultraconservadores continuam a falar em "erros escribais" para explicar as discrepâncias, mas isso é infantil. Não há razão para harmonizar dados relativamente triviais das contas.

■ 7.73

וַיֵּשְׁבוּ הַכֹּהֲנִים וְהַלְוִיִּם וְהַשּׁוֹעֲרִים וְהַמְשֹׁרְרִים 72
וּמִן־הָעָם וְהַנְּתִינִים וְכָל־יִשְׂרָאֵל בְּעָרֵיהֶם וַיִּגַּע
הַחֹדֶשׁ הַשְּׁבִיעִי וּבְנֵי יִשְׂרָאֵל בְּעָרֵיהֶם:

Os sacerdotes. Este versículo é paralelo a Ed 2.70, mas os críticos pensam que a declaração de Esdras está mais correta, textualmente falando. A última parte do versículo baseia-se em Ed 3.1. Note o leitor como a narrativa de Neemias tem a declaração desajeitada de "alguns do povo" e "todo o Israel", na mesma sentença. Provavelmente o cronista estava combinando duas declarações finais levemente diferentes, reduzindo-as a uma só, o que produziu um resultado confuso. Dificuldades secundárias não nos deveriam cegar para a coisa momentosa que aconteceu. O minúsculo fragmento da tribo de Judá se tinha tornado Israel, e a história da nação, embora tão rudemente interrompida pelos babilônios, continuou.

CAPÍTULO OITO

A LEI DE MOISÉS É LIDA DIANTE DO POVO (8.1-18)

O cronista produziu uma obra em um único volume que veio a ser dividido em dois: Esdras e Neemias. Ele tinha empregado certo número de fontes informativas e fez o melhor que pôde para reunir todas as informações em um relato congruente. Mas aqui e acolá encontramos uma cronologia perturbada; porém, ao que tudo indica, isso para o cronista não era algo que causasse preocupação, conforme acontece aos harmonistas modernos. Nas notas de introdução a Ed 1.1 (após a introdução geral), ofereço ao leitor uma tentativa de reconstituição de Esdras-Neemias na sequência cronológica. Ali pus o capítulo 8 de Neemias depois dos capítulos 7-10 de Esdras. Seja como for, o capítulo 8 de Neemias definidamente pertence ao tempo de Esdras, e não ao tempo de Neemias. O cronista, aparentemente ansioso por aliviar a confusão cronológica, introduziu Esdras no livro de Neemias (tal como se dá com o capítulo que ora comentamos e também com Ne 12.26,33,36), e os nomes de Neemias e Esdras aparecem juntos, como se eles fossem contemporâneos e tivessem trabalhado juntos (Ne 8.9).

Considerem-se Estas Datas:
- O edito de Ciro, que deu a Zorobabel permissão para retornar a Jerusalém (538 a.C.).

- O segundo grupo de judeus é levado a Jerusalém por Esdras (458 a.C.).
- O terceiro grupo foi com Neemias para construir as muralhas de Jerusalém (444 a.C.).

Apesar de ser perfeitamente possível que Esdras, agora um homem relativamente idoso, tenha voltado a Jerusalém para continuar seu ministério de ensino, é mais provável que o que é dito aqui se relacione ao tempo em que ele era o líder espiritual do povo, por ocasião da edificação do templo.

Alguns estudiosos questionam a historicidade da passagem à nossa frente, mas parece melhor simplesmente admitir um deslocamento cronológico. Provavelmente deveríamos vincular o capítulo 8 de Neemias com Ed 7.10,14,25,26. Não somos informados se Esdras continuou em Jerusalém ou se voltou para a Babilônia depois de o templo haver sido levantado.

■ 8.1

וַיֵּאָסְפ֤וּ כָל־הָעָם֙ כְּאִ֣ישׁ אֶחָ֔ד אֶל־הָ֣רְח֔וֹב אֲשֶׁ֖ר לִפְנֵ֣י שַֽׁעַר־הַמָּ֑יִם וַיֹּֽאמְרוּ֙ לְעֶזְרָ֣א הַסֹּפֵ֔ר לְהָבִ֗יא אֶת־סֵ֙פֶר֙ תּוֹרַ֣ת מֹשֶׁ֔ה אֲשֶׁר־צִוָּ֥ה יְהוָ֖ה אֶת־יִשְׂרָאֵֽל׃

Em chegando o sétimo mês. As dificuldades cronológicas da passagem não deveriam cegar-nos para a importância espiritual do material. Esdras era um mestre poderoso. Ele não foi somente um pioneiro que ajudou a arranjar pessoas que quisessem voltar para Jerusalém. Talvez ele tivesse tido uma continuação do ministério do ensino, nos dias de Neemias, e, por algum tempo, os dois se tenham mostrados ativos em Jerusalém. Isso é o que o cronista parece indicar, mas pode ter sido apenas uma conveniência literária e idealista, que se deu por meio de deslocamento de um pouco de material que realmente (historicamente) pertencia a um tempo anterior. Ver acima a introdução a esta seção.

Todo o povo se ajuntou como um só homem, na praça. Aquela foi uma ocasião importante, e tanto homens quanto mulheres foram à grande conferência de ensino. O livro da lei de Moisés era a fonte do material que estava sendo exposto. Alguma porção não especificada foi usada, como parte do livro de Deuteronômio, talvez, sem dúvida algo que se tornou parte do cânon das Escrituras hebraicas. Ver no *Dicionário* o verbete denominado *Cânon do Antigo Testamento*.

Esdras queria fazer da minúscula nação do novo Israel uma nação distintiva, digna de levar avante as antigas tradições. O poder para isso consistia em ter e obedecer à lei de Moisés. Quanto ao caráter distintivo de Israel, ver Dt 4.4-8.

"Esdras aparece neste livro, pela primeira vez, tendo provavelmente estado na corte da Babilônia por doze anos" (Ellicott, *in loc.*).

Quanto ao "livro da lei" usado por Esdras, cf. Ed 7.6,10,14. Ed 7.10 dá a comum tríplice designação da lei, anotada em Dt 6.1. Os versículos referidos dão notas expositivas sobre o ofício de Esdras e sua habilidade como mestre da lei. Ver no *Dicionário* o verbete chamado *Ensino*.

"A ocasião foi a celebração da festa do sétimo mês (Ne 7.73). O começo de cada mês era celebrado como uma festa sagrada, mas essa festividade, no início do sétimo mês (tisri), tinha sido anteriormente guardada com distinguidas honras como a Festa das Trombetas, que se prolongavam por dois dias" (Jamieson, *in loc.*). Ver sobre essa festa no artigo *Festa (Festividades Judaicas)*, II.4.f. O segundo versículo confirma a notícia concernente a quando esse ensino teve lugar.

Na praça, diante da Porta das Águas. Ver no *Dicionário* sobre a *Porta das Águas*, quanto ao que se sabe e se conjectura sobre essa área do complexo do templo.

■ 8.2

וַיָּבִ֣יא עֶזְרָ֣א הַ֠כֹּהֵן אֶֽת־הַתּוֹרָ֞ה לִפְנֵ֤י הַקָּהָל֙ מֵאִ֣ישׁ וְעַד־אִשָּׁ֔ה וְכֹ֖ל מֵבִ֣ין לִשְׁמֹ֑עַ בְּי֥וֹם אֶחָ֖ד לַחֹ֥דֶשׁ הַשְּׁבִיעִֽי׃

Esdras, o sacerdote, trouxe a lei perante a congregação. Os que não podiam compreender foram isentados como "os infantes, os idiotas e as crianças", conforme disse, pitorescamente, Adam Clarke (*in loc.*). Parece que Esdras contava com uma "audiência cativa", obrigada a estar presente. Por outra parte, a maioria das pessoas que assim se juntou deve ter-se alegrado de participar da oportunidade.

Era o primeiro dia do sétimo mês. Em outras palavras, era a ocasião da Festa dos Tabernáculos, conforme declarado também em Ne 7.53 e sobre o que comentei no vs. 1 deste capítulo. Era o primeiro dia do ano civil, ou seja, o Dia do Ano Novo. Ver no *Dicionário* o verbete chamado *Calendário Judaico*. Ver Lv 23.24. Tisri, o sétimo mês, corresponde ao nosso setembro-outubro. Foi apropriado que a festa de ensino tivesse começado no Ano Novo, em contraste com a glutonaria e a bebedeira que caracterizavam a ocasião para tanta gente. Há certos dias que não devem ser profanados, e o Dia de Ano Novo é um deles. Nesse dia o altar foi primeiramente estabelecido, após o retorno do minúsculo remanescente de Judá do cativeiro babilônico. Ver Ed 3.6.

■ 8.3

וַיִּקְרָא־ב֡וֹ לִפְנֵי֩ הָרְח֨וֹב אֲשֶׁ֣ר לִפְנֵ֣י שַֽׁעַר־הַמַּ֗יִם מִן־הָאוֹר֙ עַד־מַחֲצִ֣ית הַיּ֔וֹם נֶ֛גֶד הָאֲנָשִׁ֥ים וְהַנָּשִׁ֖ים וְהַמְּבִינִ֑ים וְאָזְנֵ֥י כָל־הָעָ֖ם אֶל־סֵ֥פֶר הַתּוֹרָֽה׃

E leu no livro, diante da praça. *Uma Longa Reunião.* Esdras continuou a ler e a comentar, durante todas as horas da manhã e até o meio-dia! É notável é que a grande multidão (de talvez trinta mil pessoas) estava inteiramente atenta. As crianças pequenas não estavam presentes, pelo que não perturbavam a reunião. Aqui temos Esdras a ler, mas no vs. 8 "eles" é que leram. Provavelmente outros sacerdotes ajudavam. Quem poderia ler de pé por tantas horas? 1Esdras diz-nos que a leitura da lei começou com o nascimento do sol no horizonte, ou, então, a Septuaginta diz: "desde a hora em que o sol deu luz". É fatigante apenas ler este versículo. Somente os pentecostais podem resistir a reuniões de seis horas!

■ 8.4

וַֽיַּעֲמֹ֣ד עֶזְרָ֣א הַסֹּפֵ֗ר עַֽל־מִגְדַּל־עֵץ֮ אֲשֶׁ֣ר עָשׂ֣וּ לַדָּבָר֒ וַיַּעֲמֹ֣ד אֶצְל֡וֹ מַתִּתְיָ֡ה וְשֶׁ֡מַע וַ֠עֲנָיָה וְאוּרִיָּ֧ה וְחִלְקִיָּ֛ה וּמַעֲשֵׂיָ֖ה עַל־יְמִינ֑וֹ וּמִשְּׂמֹאל֗וֹ פְּדָיָ֤ה וּמִֽישָׁאֵל֙ וּמַלְכִּיָּ֔ה וְחָשֻׁ֥ם וְחַשְׁבַּדָּ֖נָה זְכַרְיָ֥ה מְשֻׁלָּֽם׃ פ

Esdras, o escriba, estava num púlpito de madeira. Esdras, ali elevado na plataforma de madeira, era a atração-professor-leitor. À sua esquerda e à sua direita havia outros, que o cronista tomou o tempo de mencionar separadamente. Talvez um ou mais deles tenham ajudado na leitura (ver o vs. 8). Quanto ao púlpito de madeira, cf. 2Cr 6.13. Não houve nenhuma tentativa, por parte do cronista, de identificar esses auxiliares como ministros de Esdras, e nem todos eles parecem ter sido sacerdotes ou levitas. Eram apenas homens importantes na comunidade, que estavam honrando a ocasião com sua presença. Há alguma confusão na lista, nas versões e em 1Esdras. Sem dúvida havia o mesmo número de homens à esquerda e à direita de Esdras, mas seis ou sete aparecem nas várias fontes informativas. O número seis de cada lado seria apropriado, pois então teríamos um total simbolizando as doze tribos de Israel, que o novo Israel (embora composto somente por pessoas da tribo de Judá) representava. O texto massorético fala em seis homens à direita de Esdras, mas o número à esquerda permanece confuso, devido a dificuldades, visto que Mesulão é omitido na segunda narrativa, em 1Esdras 9.44. Com seu nome, o texto massorético menciona sete à esquerda, e não é provável que seis estivessem à direita de Esdras, e sete à sua esquerda. Quanto ao texto massorético, ver no *Dicionário* o verbete *Massora (Massorah): Texto Massorético*. Ou 1Esdras está correto quanto a esse particular, ou o cronista não preservou uma simetria que esperaríamos que ele fizesse. Talvez houvesse treze homens na plataforma, juntamente com Esdras, e não doze, o que destruiria o simbolismo dos doze.

■ 8.5

וַיִּפְתַּ֨ח עֶזְרָ֤א הַסֵּ֙פֶר֙ לְעֵינֵ֣י כָל־הָעָ֔ם כִּֽי־מֵעַ֥ל כָּל־הָעָ֖ם הָיָ֑ה וּכְפִתְח֖וֹ עָֽמְד֥וּ כָל־הָעָֽם׃

Esdras abriu o livro à vista de todo o povo. Lemos aqui que Esdras "abriu o livro", o que esperaríamos que tivesse sido dito no vs. 3. Parece que o povo ficou de pé pelas seis horas inteiras. Talvez assentar-se enquanto a lei estivesse sendo lida fosse considerado sacrilégio. O livro não tinha a forma de códex, mas, antes, era um rolo. O processo de "abrir", por conseguinte, na realidade significava enrolar uma das extremidades e desenrolar a outra. Ficar de pé era costumeiro na leitura das Escrituras, mas podemos esperar que, embora fosse um gesto esperado, era reverente. Cf. Jó 29.8; Ez 2.1; Dn 10.11; 12.13; Et 8.4. É em imitação a esse ato que, na maioria das igrejas evangélicas de hoje em dia, o povo levanta-se para ouvir a leitura das Escrituras. O Talmude Bab. Megillah, fol. 21.1, informa que, desde os dias de Moisés até ao rabino Gamaliel, o povo não somente se levantava para ouvir a leitura da lei de Moisés, mas também para receber lições. Após a sua morte, a "doença" se abateu sobre o mundo (disse aquele homem), e assim as pessoas começaram a sentar-se durante aqueles tempos sagrados. A palavra de Schulchan Aruch diz a mesma coisa.

8.6

וַיְבָרֶךְ עֶזְרָא אֶת־יְהוָה הָאֱלֹהִים הַגָּדוֹל וַיַּעֲנוּ
כָל־הָעָם אָמֵן ׀ אָמֵן בְּמֹעַל יְדֵיהֶם וַיִּקְּדוּ וַיִּשְׁתַּחֲוֻ
לַיהוָה אַפַּיִם אָרְצָה:

Esdras bendisse o Senhor, o grande Deus. A reunião transformou-se em uma reunião de bênçãos, louvor e adoração. Esdras, provavelmente em uma oração especial, bendisse a Yahweh, pronunciando louvores e ações de graças por tudo quanto tinha sido feito em Jerusalém, com respeito à sua restauração. O povo correspondia com gritos altos de "Amém", "Amém". Teria sido interessante ouvir os judeus gritando aquela palavra, tipicamente hebraica, mas que tem sido tomada por empréstimo por tantos idiomas. A palavra "amém" significa "assim seja" e era repetida para efeito de ênfase, como uma expressão de concordância e confirmação de algo que estivesse sendo dito ou lido. Quanto a detalhes, ver sobre a palavra *Amém* no *Dicionário*. "Amém" tornou-se um dos títulos de Cristo (Ap 3.14). Comento a respeito dela na *Enciclopédia de Bíblia, Teologia e Filosofia*.

"A oração pública terminou com um amém no tempo do cronista (cf. 1Cr 16.36). Paulo esperava o amém na hora em que se dessem graças (1Co 14.16). Esse amém popular era acompanhado pelo soerguimento das mãos, conforme Esdras tinha feito durante a oração (Ed 9.5). Então, quando Esdras se prostrou (ver Ed 10.1), as pessoas 'inclinaram-se e adoraram ao Senhor com o rosto em terra'. Inclinar-se, que sempre precede o verbo *adorar* (1Cr 29.20; 2Cr 29.30) significa o primeiro estágio do ato de prostração. 'Inclinar a cabeça' é menos exato do que inclinar-se. A versão Peshitta diz "eles se ajoelharam ", que sugere a postura humilde de Esdras em Ed 9.5. O estágio final da prostração, 'com o rosto no chão' (cf. Ed 10.1), como é óbvio, não seria gesto mantido durante a reunião inteira, a despeito de não haver menção específica de eles se terem levantado de novo" (Raymond A. Bowman, *in loc.*).

Adam Clarke dá-nos um comentário histórico que se reveste de interesse. Quando começava uma reunião nas igrejas da Inglaterra, em seus dias, o povo exclamava: "Glórias sejam a Deus pelo evangelho!", e então um alto amém era pronunciado por todos.

8.7

וְיֵשׁוּעַ וּבָנִי וְשֵׁרֵבְיָה ׀ יָמִין עַקּוּב שַׁבְּתַי ׀ הוֹדִיָּה מַעֲשֵׂיָה
קְלִיטָא עֲזַרְיָה יוֹזָבָד חָנָן פְּלָאיָה וְהַלְוִיִּם מְבִינִים
אֶת־הָעָם לַתּוֹרָה וְהָעָם עַל־עָמְדָם:

E Jesua. Aos sacerdotes foi ordenado que "ensinassem a lei" (Lv 10.11), e lemos no vs. 9 deste capítulo que os levitas "ensinavam a todo o povo". Portanto, a ocasião foi assinalada pelo ensino ministrado a outras pessoas. Foi um grande dia para os ministros que estavam ocupados em sua tarefa principal. Ao que parece, as pessoas nomeadas neste vs. 7 espalharam-se entre o povo, explicando coisas que estivessem sendo lidas. O cronista não descreve as *modus operandi* das funções deles. As versões não incluem no vs. 7 a ideia de ensino. A Vulgata dá aqui aos levitas a função de manter o povo quieto, enquanto a lei era lida por Esdras. Mas alguns intérpretes veem os levitas ensinando o povo em grupos, em "classes privadas", por assim dizer, e, nesse caso, isso deve ter acontecido também nas classes normais de leitura da lei. Nenhum dos treze homens nomeados neste versículo foi listado entre os leigos que ajudavam a Esdras no púlpito de madeira (vs. 4). A maioria deles já foi mencionada como levitas em outras passagens bíblicas. Ver sete deles no capítulo 10, e quatro em Ne 9.4,5. Ver também Ne 11.16 e Ed 8.33 e 10.23. Visto que maioria deles pode ser identificada como levitas, sem dúvida todos eles eram levitas.

8.8

וַיִּקְרְאוּ בַסֵּפֶר בְּתוֹרַת הָאֱלֹהִים מְפֹרָשׁ וְשׂוֹם שֶׂכֶל
וַיָּבִינוּ בַּמִּקְרָא: ס

Leram no Livro, na lei de Deus. Estas palavras provavelmente indicam que alguns dos sacerdotes ajudaram Esdras na maratona de leitura. Certos estudiosos, entretanto, pensam que alguns dos leitores eram os auxiliares de Esdras mencionados no vs. 4. Talvez alguns poucos dentre eles fossem levitas ou sacerdotes, pelo que estavam apenas cumprindo essa função. O Talmude Babilônico assevera que, embora a lei tenha sido originalmente dada em hebraico, era transmitida ao povo na língua assíria, a língua franca nos dias de Esdras, no Oriente. *Assírio*, nesse caso, provavelmente significa o aramaico, a língua que se falava na Babilônia.

Os rabinos apegavam-se ao presente versículo como se aí tivéssemos o princípio dos Targuns, isto é, os comentários. Talvez eles estejam certos ao afirmar que os comentários bíblicos começaram naquela época. As Escrituras explicadas são os Targuns. Seja como for, é historicamente correto dizer que Esdras lia e os levitas iam entre o povo comentando sobre o que Esdras lia, naquele dia memorável. Naturalmente, os comentários verbais terminaram assumindo a forma escrita, pelo que formaram as sementes plantadas que desabrocharam nos comentários bíblicos. Quanto a *Comentários sobre a Bíblia*, ver a *Enciclopédia de Bíblia, Teologia e Filosofia*. Ver também ali *Dicionários* e *Enciclopédias*, um artigo separado.

Dando o sentido do que estava sendo lido, os levitas faziam o povo compreender, e esse é o propósito dos comentários bíblicos. O eunuco etíope queixou-se de que não poderia entender as Escrituras a menos que alguém as explicasse (ver At 8.31). Se as pessoas comuns podem ler e compreender várias coisas nas Escrituras, há muitos trechos em que até pessoas eruditas precisam receber explicações por parte dos que estudaram o assunto. É um erro degradar o intelectualismo, pois o intelecto é um dom que Deus deu ao homem e faz parte integral de seu ser. O misticismo nos traz a verdade (ver no *Dicionário* o verbete intitulado *Misticismo*), mas outro tanto faz o estudo de livros. As duas coisas não estão em competição. Fazem parte da mesma equipe. Ver na *Enciclopédia de Bíblia, Teologia e Filosofia* o verbete chamado *Anti-intelectualismo*.

Talvez as Escrituras estivessem sendo lidas em hebraico, tendo sido necessário que os levitas traduzissem o que era lido para o aramaico, de modo que o povo judeu entendesse. Eles tinham adotado a linguagem do lugar onde permaneceram cativos por tantos anos, e o hebraico falado não era mais a língua do povo judeu. Foi assim que o aramaico se tornou o idioma do novo Israel e permaneceu sendo a língua do povo até os dias de Jesus. Jesus e seus apóstolos (bem como o povo judaico em geral) falavam o aramaico, língua irmã do hebraico, provavelmente próxima do hebraico, mas não tão próxima como é o espanhol do português. Ver no *Dicionário* o artigo chamado *Aramaico*, quanto a detalhes. Certas porções do Antigo Testamento foram escritas em aramaico: Dn 2.4—7.28; Ed 4.8—6.18; 7.12-26 e Jr 10.11.

8.9

וַיֹּאמֶר נְחֶמְיָה הוּא הַתִּרְשָׁתָא וְעֶזְרָא הַכֹּהֵן ׀ הַסֹּפֵר
וְהַלְוִיִּם הַמְּבִינִים אֶת־הָעָם לְכָל־הָעָם הַיּוֹם קָדֹשׁ־
הוּא לַיהוָה אֱלֹהֵיכֶם אַל־תִּתְאַבְּלוּ וְאַל־תִּבְכּוּ כִּי
בוֹכִים כָּל־הָעָם כְּשָׁמְעָם אֶת־דִּבְרֵי הַתּוֹרָה:

Neemias, que era o governador, e Esdras, sacerdote e escriba. Este versículo une Neemias e Esdras no mesmo ministério de ensino, o que os críticos duvidam ter sido historicamente verdadeiro. Se isso não é historicamente correto, então este versículo serve como uma espécie de unificação idealista da obra de Esdras-Neemias, dois volumes que eram um único volume no hebraico original. Este oitavo capítulo de Neemias parece ajustar-se melhor, cronologicamente falando, ao capítulo 7 de Esdras. Discuto essa questão na introdução ao presente capítulo. E se este versículo não é artificial, um truque literário, mas antes reflete uma comunidade em operação, então os dois grandes líderes, Esdras e Neemias, reuniram-se com um único propósito, o de ensinar. Dessa maneira, foi ajudada a obra de soerguer novamente a Israel, após o cativeiro babilônico.

O termo hebraico *tirshatha*, que fica sem ter sido traduzido por algumas versões, significa governador, e é aplicado a Neemias. O trecho paralelo de 1Esdras 9.49 deixa Neemias de fora, e isso favorece os comentários dos críticos quanto ao presente versículo. O nome pode ter sido a glosa de um escriba posterior, no texto massorético do presente versículo. Quanto a esse texto, ver o *Dicionário* no verbete chamado *Massora (Massorah); Texto Massorético*. Seja como for, o fato é que Neemias se tornou o governador de Judá, tal como Zorobabel o tinha sido (ver Ed 2.63).

O povo de Judá ficou emocionado com o que ouvia, e começou a chorar, gemer e lamentar-se. Isso ameaçou o espírito alegre da ocasião e quase transformou o dia em um dia de lamentação. Foi assim que os levitas tiveram de recomendar ao povo que cortasse as lágrimas e se regozijasse. O dia era santificado a Yahweh, como um feriado religioso, uma ocasião festiva, e não um dia de lamentações. As trombetas soavam de alegria. Era a festa das Trombetas. Era o dia do Ano Novo, tempo de regozijo e não de choro. O dia da expiação daria ao povo ampla oportunidade para chorar e lamentar por seus pecados. O novo Israel estava de volta do cativeiro. A desolação tinha sido revertida. Havia muitas razões para os judeus gritarem de alegria. Ver Nm 10.11.

8.10

וַיֹּאמֶר לָהֶם לְכוּ אִכְלוּ מַשְׁמַנִּים וּשְׁתוּ מַמְתַקִּים
וְשִׁלְחוּ מָנוֹת לְאֵין נָכוֹן לוֹ כִּי־קָדוֹשׁ הַיּוֹם לַאֲדֹנֵינוּ
וְאַל־תֵּעָצֵבוּ כִּי־חֶדְוַת יְהוָה הִיא מָעֻזְּכֶם׃

Disse-lhes mais: Ide, comei carnes gordas, tomai bebidas doces. Esdras recomendou aos levitas que orientassem o povo a parar de chorar e começar a regozijar-se. Ele disse: "Comei as gorduras e bebei as doçuras", isto é, tende um tempo de festejos em casa, comendo, bebendo e gritando de alegria (e, provavelmente, dançando, como os hebreus se inclinavam por fazer). Os povos orientais apreciavam muito as carnes gordas, isto é, alimentos ricos, em contraste com as refeições ordinárias. Vinhos doces provavelmente é o que se deve entender por "bebidas doces". É isso que a Septuaginta diz para a palavra hebraica, em Am 9.13. A Vulgata diz: "vinho doce, temperado com mel". O povo judeu também deveria mostrar-se generoso enviando presentes de alimentos finos para os que nada tivessem preparado para si mesmos (as "porções" do texto português). O dia era "consagrado a Yahweh" como um dia de festa e regozijo, pelo que, quanto mais uma pessoa comesse, bebesse e gritasse de alegria, mais estaria honrando a Yahweh.

"... não era uma refeição comum, mas um banquete, que consistia nas mais ricas provisões, o melhor de alimentos e licores" (John Gill, *in loc.*). Eles tinham recebido o melhor e supostamente deveriam dar o melhor aos outros, aos pobres, aos desabrigados, aos órfãos e às viúvas. Toda a comunidade deveria ter um suprimento abundante para regozijar-se naquele dia. Yahweh era a força deles e, pelo seu poder, possibilitara aquela ocasião festiva. Eles tinham sido libertados da escravidão e do cativeiro. Estavam de volta a Jerusalém!

8.11

וְהַלְוִיִּם מַחְשִׁים לְכָל־הָעָם לֵאמֹר הַסּוּ כִּי הַיּוֹם
קָדֹשׁ וְאַל־תֵּעָצֵבוּ׃

Os levitas fizeram calar a todo o povo, dizendo. Novamente, o cronista enfatizou o trabalho dos levitas, para que o choro cessasse. Que o choro fosse reservado para outro dia, não para o dia do Ano Novo. Os levitas estavam acalmando a multidão, conservando-os em boa ordem e passando-lhes as instruções de Esdras. Parte do trabalho consistiu em fazer parar toda aquela lamentação. Havia muita emoção irresponsável que estava arruinando o espírito alegre da ocasião.

8.12

וַיֵּלְכוּ כָל־הָעָם לֶאֱכֹל וְלִשְׁתּוֹת וּלְשַׁלַּח מָנוֹת
וְלַעֲשׂוֹת שִׂמְחָה גְדוֹלָה כִּי הֵבִינוּ בַּדְּבָרִים אֲשֶׁר
הוֹדִיעוּ לָהֶם׃ ס

Então todo o povo se foi a comer, a beber. O povo correspondeu às instruções dadas pelos levitas e em breve estava a caminho de casa para fazer exatamente o que havia sido sugerido: eles comeram, beberam, regozijaram-se e enviaram porções a outras pessoas. O cronista repetiu aqui todos os elementos do vs. 10, assegurando que o povo "entrou no espírito da coisa". Mediante tal regozijo, Esdras fez aquele dia tornar-se um sucesso tremendo. Ele associou a leitura da Bíblia com a alegria, pois, afinal de contas, os melhores prazeres são os espirituais, e não os carnais. O êxtase é uma das experiências místicas padrões.

Espiritualizando o Texto. "Quanto maior razão há de alegria e regozijo quando o evangelho e suas doutrinas são claramente conhecidos e compreendidos? Cf. Sl 89.15" (John Gill, *in loc.*). "Santidade e alegria andam juntas" (um pensamento de John A. Martin, *in loc.*).

*Bem-aventurado o povo que conhece o som festivo,
que anda, ó Senhor, na luz da tua face.*

Salmo 89.15

8.13

וּבַיּוֹם הַשֵּׁנִי נֶאֶסְפוּ רָאשֵׁי הָאָבוֹת לְכָל־הָעָם הַכֹּהֲנִים
וְהַלְוִיִּם אֶל־עֶזְרָא הַסֹּפֵר וּלְהַשְׂכִּיל אֶל־דִּבְרֵי
הַתּוֹרָה׃

No dia seguinte ajuntaram-se a Esdras... os cabeças das famílias de todo o povo. Uma busca espontânea de aprender mais assinalou o segundo dia da maratona de leitura das Escrituras por parte de Esdras. Isso serviu de prova do sucesso de seus esforços e do interesse que ele era capaz de gerar. Os interessados eram um grupo menor de líderes seculares e eclesiásticos que precisavam conhecer melhor a lei a fim de pô-la em vigor entre os judeus. Um judeu desconhecedor da lei?! As circunstâncias também nos mostram que eles não tinham cópias da lei e não podiam lê-la por si mesmos. Naturalmente, a grande massa do povo não podia ler, de qualquer modo. Isso pode ser confrontado com nossos dias, quando as Escrituras são abundantes por toda parte, mas até os chamados cristãos as ignoram essencialmente.

A Festa dos Tabernáculos (8.14-18)

Examinando as Escrituras, os líderes judeus descobriram que havia uma grande festa para celebrar, a qual eles não podiam ignorar. Tradicionalmente, três festas eram obrigatórias por parte de todo indivíduo judeu do sexo masculino, e eles deveriam subir a Jerusalém a fim de celebrá-las. Essas festas eram a Páscoa, o Pentecostes e os Tabernáculos. Ver no *Dicionário* o artigo intitulado *Festas (Festividades) Judaicas*, II.4.a.b.c., quanto a uma breve descrição dessas festas. A *Festa dos Tabernáculos* (ver o artigo separado sobre essa festa) era celebrada do décimo quinto ao vigésimo segundo dia do sétimo mês, poucos dias depois de haver terminado a maratona de ensino de Esdras.

8.14

וַיִּמְצְאוּ כָּתוּב בַּתּוֹרָה אֲשֶׁר צִוָּה יְהוָה
בְּיַד־מֹשֶׁה אֲשֶׁר יֵשְׁבוּ בְנֵי־יִשְׂרָאֵל בַּסֻּכּוֹת
בֶּחָג בַּחֹדֶשׁ הַשְּׁבִיעִי׃

Acharam escrito na lei que o Senhor ordenara. Os dois artigos acima mencionados dão detalhes abundantes sobre os tabernáculos, que não repito aqui. Ver Lv 23.39-43 e Dt 16.13. A festa fazia os judeus relembrar a jornada de seus pais, depois de deixarem o Egito e a natureza precária do seu modo de peregrinos. Da escravidão eles passaram a viver como peregrinos andantes. Descanso e estabilidade esperavam por eles na Terra Prometida. Tendo sido livrados da Babilônia, outro cativeiro e outra forma de escravidão, era apropriado que celebrassem o livramento observando a mesma festa religiosa.

8.15

וַאֲשֶׁ֣ר יַשְׁמִ֗יעוּ וְיַעֲבִ֨ירוּ ק֜וֹל בְּכָל־עָרֵיהֶם֮ וּבִירוּשָׁלִַ֣ם֒
לֵאמֹ֔ר צְא֣וּ הָהָ֗ר וְהָבִ֨יאוּ֙ עֲלֵי־זַ֨יִת֙ וַעֲלֵי־עֵ֣ץ שֶׁ֔מֶן
וַעֲלֵ֤י הֲדַס֙ וַעֲלֵ֣י תְמָרִ֔ים וַעֲלֵ֖י עֵ֣ץ עָבֹ֑ת לַעֲשֹׂ֥ת סֻכֹּ֖ת
כַּכָּתֽוּב׃ פ

Que publicassem e fizessem passar pregão. O povo publicou a festa para garantir uma boa celebração por parte de uma grande multidão. A lei não demandava que se passasse pregão, mas isso fazia parte do costume, e era especialmente necessário para os judeus, que tinham retornado da Babilônia extremamente ignorantes acerca da própria cultura e herança religiosa. Eles tinham de recolher ramos e fazer as suas tendas, onde habitariam por uma semana, "como peregrinos", sem uma casa estabelecida. Portanto, foram a alguma colina que tinha a madeira e os ramos necessários para a construção das tendas ou tabernáculos. O versículo lista os vários tipos de árvores que supririam os materiais. As tendas seriam construídas em vários lugares (uma grande multidão espalhada), conforme diz o vs. 16. Cf. Lv 23.40. Eram usados nas tendas vários tipos de árvores que não são especificados em Lv, e parece não haver nenhum preceito quanto às espécies a serem usadas. Qualquer ramo serviria, contanto que tivesse muitas folhas e uma folhagem espessa de qualquer tipo.

Monte. Provavelmente está em pauta o monte das Oliveiras, mas a *Revised Standard Version* diz colinas (que circundavam Jerusalém). "O escritor pode ter tido em mente a área florestada a oeste de Jerusalém, nas montanhas de 'Ain Karim" (Raymond A. Bowman, *in loc.*).

8.16

וַיֵּצְא֣וּ הָעָם֮ וַיָּבִיאוּ֒ וַיַּעֲשׂוּ֩ לָהֶ֨ם סֻכּ֜וֹת אִ֤ישׁ עַל־גַּגּוֹ֙
וּבְחַצְרֹ֣תֵיהֶ֔ם וּבְחַצְר֖וֹת בֵּ֣ית הָאֱלֹהִ֑ים וּבִרְחוֹב֙ שַׁ֣עַר
הַמַּ֔יִם וּבִרְח֖וֹב שַׁ֥עַר אֶפְרָֽיִם׃

Trouxeram os ramos e fizeram para si cabanas. As cabanas foram dispersas por toda a parte. Se trinta mil pessoas participaram da Festa dos Tabernáculos, então muito espaço estaria ocupado por todas aquelas cabanas. O povo judeu armou cabanas nos telhados planos e nos pátios das casas, nos átrios do templo, na praça que dava frente para a porta da água e para a porta de Efraim. Quanto a notas completas sobre esses lugares, ver no *Dicionário* os verbetes chamados *Porta das Águas* e *Efraim, Porta de*. Foi assim que os judeus dos dias de Neemias relembraram as vagueações dos hebreus pelo deserto, depois de terem deixado o Egito (ver Lv 23.43) e seu próprio estado de peregrinos, tendo escapado ainda tão recentemente da escravidão na Babilônia. Portanto, Yahweh continuou livrando o seu povo! Note que nenhuma cabana foi levantada fora das muralhas de Jerusalém. Os inimigos poderiam ter prejudicado os judeus se eles tivessem levantado cabanas fora das muralhas da cidade.

8.17

וַיַּעֲשׂ֣וּ כָֽל־הַ֠קָּהָל הַשָּׁבִ֨ים מִן־הַשְּׁבִ֥י ׀ סֻכּוֹת֮ וַיֵּשְׁב֣וּ
בַסֻּכּוֹת֒ כִּ֣י לֹֽא־עָשׂ֡וּ מִימֵי֩ יֵשׁ֨וּעַ בִּן־נ֥וּן כֵּן֙ בְּנֵ֣י יִשְׂרָאֵ֔ל
עַ֖ד הַיּ֣וֹם הַה֑וּא וַתְּהִ֥י שִׂמְחָ֖ה גְּדוֹלָ֥ה מְאֹֽד׃

Toda a congregação dos que tinham voltado do cativeiro fizeram cabanas. Foi realizada uma grande celebração, tão grande que coisa alguma parecida tinha sido vista desde os dias de Josué. O cronista não estava dizendo que a festa não havia sido celebrada desde os dias de Josué. Ver 1Rs 8.2,65,66 e Ed 3.4. O autor sagrado poderia ter querido dizer que Josué era contemporâneo de Esdras, mas, nesse caso, errou ao dar o nome de seu pai como Num. A celebração nos dias de Jesua ocorreu em 536 a.C., quando o altar estava levantado. Nesse caso, o tempo de inatividade por parte da Festa dos Tabernáculos era de apenas cerca de cem anos. Mas é melhor ficar com Josué, o contemporâneo de Moisés: "Nenhuma Festa dos Tabernáculos, desde os tempos de Josué, fora celebrada com tal empenho de coração e com tal piedade" (Adam Clarke, *in loc.*).

"Nunca fora observada com uma ocupação tão universal de cabanas" (Ellicott, *in loc.*). "... não com tal exatidão, com tal zelo e afeto, com tal consideração pela lei de Deus" (John Gill, *in loc.*).

Grande alegria acompanhou a celebração da Festa dos Tabernáculos, porque não se tratava de uma lamentação, mas da celebração de uma vitória nacional.

8.18

וַ֠יִּקְרָא בְּסֵ֨פֶר תּוֹרַ֤ת הָאֱלֹהִים֙ י֣וֹם ׀ בְּי֔וֹם מִן־הַיּוֹם֙
הָרִ֣אשׁ֔וֹן עַ֖ד הַיּ֣וֹם הָאַחֲר֑וֹן וַיַּֽעֲשׂוּ־חָ֣ג שִׁבְעַ֣ת יָמִ֗ים
וּבַיּ֧וֹם הַשְּׁמִינִ֛י עֲצֶ֖רֶת כַּמִּשְׁפָּֽט׃ פ

Dia após dia leu Esdras no livro da lei de Deus. Durante todos os sete dias da festa, Esdras continuou lendo suas seleções da lei de Deus, prosseguiu com seu ministério de ensino, que é descrito nos vss. 2 ss. Moisés havia indicado que isso deveria ser feito a cada sete anos (ver Dt 31.10-13). Cf. Lv 23.36 e 39. Essa leitura foi feita por Esdras todos os dias, durante a festa, "ao passo que somente o primeiro e o último dia eram as santas convocações durante as quais deveria ter havido leituras" (John Gill, *in loc.*).

O oitavo dia era um dia de santa convocação. Todos os judeus ajuntaram-se, como se fossem um homem só, para o final da festa. "Em tempos posteriores, outras cerimônias, que aumentavam o regozijo, foram adicionadas (ver Jo 7.37)" (Jamieson, *in loc.*).

"Com o término bem-sucedido de sua missão, fica concluída a história de Esdras. Josefo (*Antiq.* XI.5.5) observou: 'E foi sua sorte, depois de ter sido honrado pelo povo, morrer como homem idoso e ser sepultado com grande magnificência, em Jerusalém" (Raymond A. Bowman, *in loc.*). As tradições concernentes à sua vida, no judaísmo posterior, enfatizam sua devoção à lei, o ensino da lei e o fato de ele ter fundado muitas sinagogas etc.

Ó Capitão, meu Capitão, nossa temível viagem terminou,
O navio atravessou cada escolho,
O prêmio que buscávamos foi conquistado,
O porto está próximo, já ouço os sinos,
E todo o povo exulta.

Walt Whitman

CAPÍTULO NOVE

ARREPENDIMENTO NACIONAL E ESTABELECIMENTO DE UM NOVO PACTO (9.1—10.39)

REFORMA DOS CASAMENTOS MISTOS (9.1-5)

Os judeus confessaram e abandonaram seus pecados. "A Palavra de Deus exerceu tremendo impacto sobre a comunidade restaurada. Ela destacou diante do povo os pecados deles (Ne 8.9), levou-os à adoração (Ne 8.12,14) e deu-lhes grande alegria (Ne 8.17)" (J. Carl Laney, Esdras-Neemias).

Uma reforma desse tipo é descrita numa ocasião anterior, a saber, quando Esdras enfrentou certo problema e demandou divórcios em massa. Ver o capítulo 10 de Esdras. Parece que muitos judeus desconsideraram o que havia acontecido e, misturando-se por casamento com os pagãos, criaram de novo o problema. Naturalmente, os casamentos mistos provocavam problemas com a idolatria e todas as suas corrupções, pelo que a confissão de pecados foi geral, tocando em todas as áreas da atividade humana na qual os homens geralmente fracassam. Ver no *Dicionário* o verbete intitulado *Arrependimento*.

9.1

וּבְיוֹם֩ עֶשְׂרִ֨ים וְאַרְבָּעָ֜ה לַחֹ֣דֶשׁ הַזֶּ֗ה נֶאֶסְפ֧וּ בְנֵֽי־
יִשְׂרָאֵ֛ל בְּצ֥וֹם וּבְשַׂקִּ֖ים וַאֲדָמָ֥ה עֲלֵיהֶֽם׃

No dia vinte e quatro deste mês se ajuntaram os filhos de Israel. "A Festa dos Tabernáculos terminou no vigésimo segundo dia do mês (ver Ne 8.14). Após o intervalo de um dia, o dia 23, o povo reuniu-se de novo no dia 24. Eles separaram os estrangeiros (cf. Ne 10.28). Então confessaram seus pecados, evidenciando isso mediante jejum (ver Ne 1.4), vestindo-se de cilício (cf. Gn 37.24; Et 4.1-4; Sl 30.11; 35.13; 69.11; Is 22.12; 32.11; Lm 2.10; Dn 9.3), o uso de roupas escuras, feitas com pelos de cabra, e o lançar de poeira sobre a cabeça (Jó 7.6; 1Sm 4.12; 2Sm 1.2; 15.32; Jó 2.12; Lm 2.10; Ez 27.30). Esses foram sinais de lamentação" (John A. Martin, *in loc.*).

A leitura da lei (capítulo 8) tornara o povo sensível para com o pecado. Portanto, os judeus começaram a identificar pontos de corrupção; os casamentos mistos e a idolatria figuraram como pecados mais destacados.

Deste mês. Corria o sétimo mês, tisri (setembro), o mês da Festa dos Tabernáculos, que tinha acabado de terminar.

... se ajuntaram. A espiritualidade havia unido os judeus para formar uma comunidade forte, com alvos e sentimentos comuns. A comunidade agia como se fosse um homem que tivesse uma única atitude mental, pelo menos por algum tempo, concentrada na legislação mosaica. Portanto, por algum tempo houve um povo distintivo, conforme se esperava que eles fossem (ver Dt 4.4-8).

■ 9.2

וַיִּבָּדְלוּ זֶרַע יִשְׂרָאֵל מִכֹּל בְּנֵי נֵכָר וַיַּעַמְדוּ וַיִּתְוַדּוּ עַל־חַטֹּאתֵיהֶם וַעֲוֺנוֹת אֲבֹתֵיהֶם:

Os da linhagem de Israel se apartaram de todos os estranhos. O espírito de comunidade dos filhos de Israel levou-os a ver como eles e seus pais tinham estado unidos no pecado. Por conseguinte, eles fizeram uma confissão nacional e universal no lugar da raça inteira, por assim dizer. Os casamentos mistos eram o principal erro do momento, entre os judeus. Cf. o capítulo 10 do livro de Esdras, e como Esdras enfrentou esse problema, que agora se repetia, em grau menor, sem dúvida, mas mesmo assim suficiente para contaminar a nação. Ver o capítulo 11 de 1Reis, onde Salomão se casa com muitas mulheres estrangeiras. Os pais da nação tinham deixado um mau exemplo que os hebreus e os judaítas seguiram estupidamente. Erros estúpidos, e a repetição desses erros, por gerações subsequentes, sempre trouxeram de volta a síndrome do pecado-calamidade-julgamento, que periodicamente se mostrava tão devastadora na história de Israel. Apenas recentemente, os judeus tinham passado pelo cativeiro babilônico, que quase pôs fim à nação de Judá. O remanescente que voltou do exílio babilônico renovou as coisas, o que é a mensagem de Esdras-Neemias. Portanto, era mister cuidar da questão do pecado, para manter as coisas renovadas.

■ 9.3

וַיָּקוּמוּ עַל־עָמְדָם וַיִּקְרְאוּ בְּסֵפֶר תּוֹרַת יְהוָה אֱלֹהֵיהֶם רְבִעִית הַיּוֹם וּרְבִעִית מִתְוַדִּים וּמִשְׁתַּחֲוִים לַיהוָה אֱלֹהֵיהֶם: פ

Levantando-se no seu lugar, leram no livro da lei. Outra reunião de maratona de leitura da Bíblia. Cf. Ne 8.3, onde vemos Esdras lendo as Escrituras por seis horas! A quarta parte de um dia provavelmente indica três horas. Isso posto, o cronista disse-nos que leitores não identificados leram por três horas, e então a congregação fez suas confissões durante outras três horas. A adoração (com ações de graças, oferecimento de louvores e talvez cânticos) também fez parte daqueles momentos. O texto massorético diz "inclinaram-se", como um ato que acompanhou a confissão de pecados, enquanto a leitura das Escrituras foi feita estando todos de pé, o que era requerido por ocasião da leitura da lei, por respeito. Cf. Ne 8.5. Ver o texto massorético no artigo do *Dicionário* chamado *Massora (Massorah); Texto Massorético*. É provável que esse "culto de adoração" se tenha demorado das seis da manhã até o meio-dia.

■ 9.4

וַיָּקָם עַל־מַעֲלֵה הַלְוִיִּם יֵשׁוּעַ וּבָנִי קַדְמִיאֵל שְׁבַנְיָה בֻּנִּי שֵׁרֵבְיָה בָּנִי כְנָנִי וַיִּזְעֲקוּ בְּקוֹל גָּדוֹל אֶל־יְהוָה אֱלֹהֵיהֶם:

Jesua, Bani, Cadmiel, Sebanias, Buni, Serebias, Bani e Quenani. Novamente vemos os levitas dirigindo a adoração, agindo como guardas e guardiães, enquanto a adoração progredia. Cf. Ne 8.7,11. Cada lista nos vss. 4 e 5 tem oito levitas, mas os totais diferem nas versões e o texto é marcado por dificuldades textuais no original hebraico. Talvez o número original fosse o sete divino (cf. Ne 8.7). Ou então havia dois seis, perfazendo o doze simbólico para representar as doze tribos de Israel. Note o leitor as duplicações nas listas dos vss. 4 e 5, que deixam em dúvida o número exato dos participantes, considerando-se quão corrupto é o texto hebraico neste ponto. Alguns estudiosos pensam que o total original seja onze (seis no vs. 4 e cinco no vs. 5), os quais, somados a Esdras, totalizavam doze. Mas a história de Esdras já havia terminado no capítulo 8. Mas ver Ne 9.6.

No estrado dos levitas. Havia uma elevada plataforma com degraus. No original hebraico temos a palavra *subida*. Essa subida levava ao estrado ou a alguma parte do complexo do templo. Ver sobre plataforma, em Ne 8.4. Talvez a mesma estrutura esteja em vista aqui. Os homens envolvidos liam a lei e dirigiam geralmente a cerimônia religiosa.

■ 9.5

וַיֹּאמְרוּ הַלְוִיִּם יֵשׁוּעַ וְקַדְמִיאֵל בָּנִי חֲשַׁבְנְיָה שֵׁרֵבְיָה הוֹדִיָּה שְׁבַנְיָה פְתַחְיָה קוּמוּ בָּרְכוּ אֶת־יְהוָה אֱלֹהֵיכֶם מִן־הָעוֹלָם עַד־הָעוֹלָם וִיבָרְכוּ שֵׁם כְּבוֹדֶךָ וּמְרוֹמַם עַל־כָּל־בְּרָכָה וּתְהִלָּה:

Os levitas... disseram. Este versículo apresenta a parte do culto que consistia em adoração e louvor. Lamentações e prostração transformaram-se em ficar de pé e dar louvores em altas vozes. Os levitas dirigiam a função. Yahweh-Elohim foi abençoado e louvado, porquanto seu nome era glorioso e ele tinha feito coisas gloriosas em favor de seu povo. Ele era digno de ser exaltado pelos homens e suas palavras, pelos ritos religiosos e pela vida diária. Caro leitor, se você estivesse presente ali, naquele dia, teria pensado estar no meio de um culto pentecostal! "Os levitas, responsáveis por trabalhar com grupos fora das portas, cultivavam vozes altas, fortes, que chegavam longe" (Raymond A. Bowman, *in loc.*). Quanto ao glorioso nome de Deus que estava sendo louvado, cf. Sl 72.19.

■ 9.6

אַתָּה־הוּא יְהוָה לְבַדֶּךָ אַתָּ עָשִׂיתָ אֶת־הַשָּׁמַיִם שְׁמֵי הַשָּׁמַיִם וְכָל־צְבָאָם הָאָרֶץ וְכָל־אֲשֶׁר עָלֶיהָ הַיַּמִּים וְכָל־אֲשֶׁר בָּהֶם וְאַתָּה מְחַיֶּה אֶת־כֻּלָּם וּצְבָא הַשָּׁמַיִם לְךָ מִשְׁתַּחֲוִים:

Só tu és Senhor. Típico das orações e dos louvores dos hebreus é o lembrete de que Yahweh foi quem criou os céus e a terra, e também o "céu dos céus", ou seja, os mais elevados céus, onde ele habita. Então a terra e tudo quanto nela existe, o mar, a terra e sua vasta extensão, tudo foi obra desse Deus. Ademais, o mesmo poder de Deus preserva agora a criação inteira. Portanto, temos aí um poder criativo e preservador. As hostes do céu adoram esse poder, e assim fazem os homens. Yahweh é o Criador único e o preservador. O *monoteísmo* dos hebreus (ver a respeito no *Dicionário*) não permitia que outrem compartilhasse desse programa. Quanto ao caráter ímpar de Yahweh-Elohim, ver Dt 6.4. Cf. Dt 10.14, que combina os céus e a terra. O céu dos céus fala de uma pluralidade dos céus, que no judaísmo posterior foi transformado em um sete conveniente. Cf. Dt 10.14; 1Rs 8.27; Sl 68.33; 2Enoque 8.1—9.1; 10.1-6. E no Novo Testamento, ver Ef 4.10 e 2Co 12.2-4. As hostes do céu se põem de pé e louvam. Algumas vezes, essa palavra refere-se ao sol, à luz e às estrelas, personificados (Dt 4.19 e Is 40.26). Assim é que os seres angelicais e a natureza inanimada louvam a Deus, todos de pé, em uma grande proclamação, porque quem poderia sentar-se diante da presença de Deus? Quanto à preservação, cf. 1Sm 2.6; Dt 32.29; Ez 1.18,19, e, no Novo Testamento, Cl 1.17 e Hb 1.3. Atualmente, como é claro, sabemos que a criação é um processo contínuo e, se os judeus tivessem conhecido isso, eles teriam feito de Deus o Criador contínuo.

■ 9.7

אַתָּה־הוּא יְהוָה הָאֱלֹהִים אֲשֶׁר בָּחַרְתָּ בְּאַבְרָם וְהוֹצֵאתוֹ מֵאוּר כַּשְׂדִּים וְשַׂמְתָּ שְּׁמוֹ אַבְרָהָם:

Tu és Senhor, o Deus. Israel, como nação, começou com Abraão, o pai da raça. Foi Yahweh-Elohim, em outro aspecto de suas atividades, quem separou aquele homem da massa da humanidade, transformando-o em um indivíduo especial. Naturalmente, sua linhagem levaria a Israel, e Israel levaria ao Messias, pelo que propósitos especiais estavam envolvidos em sua escolha. Ver sobre o Pacto Abraâmico, em Gn 15.18, onde há notas expositivas detalhadas. Assim como Deus criou os céus e a terra (ver Gn 1.1), ele também criou uma nação distintiva para levar adiante sua mensagem espiritual e promover sua causa espiritual em toda a terra.

"Com o vs. 7 começa um exame retrospectivo da história de Israel, tal como a sua característica de escritos judaicos posteriores, fortemente influenciada pela filosofia deuteronômica da história (cf. Sl 78, 105 e 106)" (Raymond A. Bowman, *in loc.*). Na introdução a 1Crônicas, nas notas imediatamente antes da exposição a 1Cr 1.1, parágrafos quarto a sétimo, demonstro que o cronista (o autor-compilador da coletânea de 1 e 2Crônicas, Esdras e Neemias) tinha sua filosofia especial da história. Listei cinco princípios normativos daquela filosofia. O homem tinha uma visão teísta da história da humanidade. Ver no *Dicionário* o artigo intitulado *Teísmo*.

Quanto à seleção de Abraão, ver Gn 11.28,31 e 12.1. Quanto a explicações sobre o nome *Abraão*, ver Gn 17.5. Ver o artigo detalhado sobre ele no *Dicionário*. E ver também ali o verbete chamado *Ur*. Cf. Gn 11.31.

■ **9.8**

וּמָצָאתָ אֶת־לְבָבוֹ נֶאֱמָן לְפָנֶיךָ וְכָרוֹת עִמּוֹ הַבְּרִית לָתֵת אֶת־אֶרֶץ הַכְּנַעֲנִי הַחִתִּי הָאֱמֹרִי וְהַפְּרִזִּי וְהַיְבוּסִי וְהַגִּרְגָּשִׁי לָתֵת לְזַרְעוֹ וַתָּקֶם אֶת־דְּבָרֶיךָ כִּי צַדִּיק אָתָּה:

Achaste o seu coração fiel perante ti. Yahweh descobriu em Abraão um homem de coração honesto e sincero, que correspondeu ativamente ao chamado e à vontade divina. Ele foi um homem fiel, e Deus podia confiar no cumprimento da missão que lhe fosse entregue. Foi assim que com tal homem Deus estabeleceu aliança (anotada em Gn 15.18), que dava a terra da Palestina a Israel. As sete nações que então ocupavam a Terra Prometida teriam de ser expulsas, para que a promessa divina pudesse operar. Quanto àquelas sete nações, ver Êx 33.2 e Dt 7.1. O cálice da iniquidade dessas sete nações finalmente ficou cheio, e assim elas foram expulsas, porque isso era o que mereciam (ver Gn 15.16). O cronista, talvez por um deslize da pena, deixou de fora os heveus, pelo que a lista conta com somente sete pequenas nações. A lista de povos, no vs. 8, forma um acordo superficial com Gn 15.18-21. A Septuaginta e a Peshitta adicionam os heveus, para que a lista concorde com as listas mais longas do Antigo Testamento.

■ **9.9**

וַתֵּרֶא אֶת־עֳנִי אֲבֹתֵינוּ בְּמִצְרָיִם וְאֶת־זַעֲקָתָם שָׁמַעְתָּ עַל־יַם־סוּף:

Viste a aflição de nossos pais no Egito. Abraão tornou-se um andarilho na Terra Prometida. Ele tinha quartéis-generais ali e caminhava ao redor como um nômade. Então veio um tremendo surto de fome que enviou a família patriarcal (Jacó e seus filhos) ao Egito. Por algum tempo, pois, eles gozaram de favor, mas então subiu ao trono do Egito um Faraó que não conheceu a José. Como resultado, Israel foi escravizado no Egito e passou vários séculos nessa condição de aperto. Mas surgiu em cena Moisés, o qual livrou do Egito o povo de Israel, que então era composto de cerca de seis milhões de pessoas. Israel esteve sujeito à servidão e ao labor forçado, fazendo todos os trabalhos que os egípcios não queriam fazer. Yahweh viu a angústia deles e escolheu Moisés para reverter esse curso.

Este versículo é paráfrase de Êx 3.7, mas faz as palavras se referirem à perseguição movida pelos egípcios (ver Êx 1.8-16). Os israelitas clamaram (Êx 3.7 refere-se à reação deles diante de seus capatazes brutais). Aqui esse clamor é posto no mar Vermelho (mar de Sargaços), que corresponde a Êx 14.10. Portanto, podemos ver que o cronista fez uso livre das passagens de Êxodo, sem considerar exatamente como as palavras que ele usou se adaptavam à sequência cronológica dos eventos.

■ **9.10**

וַתִּתֵּן אֹתֹת וּמֹפְתִים בְּפַרְעֹה וּבְכָל־עֲבָדָיו וּבְכָל־עַם אַרְצוֹ כִּי יָדַעְתָּ כִּי הֵזִידוּ עֲלֵיהֶם וַתַּעַשׂ־לְךָ שֵׁם כְּהַיּוֹם הַזֶּה:

Fizeste sinais e milagres contra Faraó e seus servos. O poder de Yahweh, o Criador (vs. 6), evidenciou-se na maneira como ele criou confusão no Egito, a fim de obrigar o abominável Faraó a permitir a saída do povo de Israel. Deus realizou toda espécie de maravilhas para amolecer o Faraó. Ver no *Dicionário* o detalhado artigo denominado *Pragas do Egito*, onde também ofereço um gráfico ilustrativo. Os egípcios agiram com insolência contra Israel, e isso atraiu contra eles a ira de Yahweh. Ao derrotar o Egito e seu altivo povo, incluindo o Faraó, indivíduo persistentemente maligno, Yahweh obteve um nome para si mesmo, isto é, tornou-se conhecido em todo o Egito, em Israel e nos países circunvizinhos, que ouviram a história dos milagres e do livramento final dos filhos de Israel. E o cronista ajuntou a isso que esse grande Nome persistia até seus próprios dias, quando outras maravilhas ilustravam o mesmo poder divino. Quanto à reputação de Deus (seu nome exaltado), ver Êx 9.16 e Is 63.12,14. Quanto à associação do nome de Deus com sinais e maravilhas, cf. Jr 32.20.

■ **9.11**

וְהַיָּם בָּקַעְתָּ לִפְנֵיהֶם וַיַּעַבְרוּ בְתוֹךְ־הַיָּם בַּיַּבָּשָׁה וְאֶת־רֹדְפֵיהֶם הִשְׁלַכְתָּ בִמְצוֹלֹת כְּמוֹ־אֶבֶן בְּמַיִם עַזִּים:

Dividiste o mar perante eles. O cronista fala da travessia do mar Vermelho (mar de Sargaços), conforme registrada em Êx 14.21,22, seguindo a história com uma paráfrase bem próxima. Ele incluiu algumas memórias do Cântico de Moisés (ver Êx 15.5,10). Em vez do "desceram" de Êx 15.5,10, o cronista diz "lançaste", influenciado por Êx 14.27. Quanto a "águas impetuosas", ver Êx 15.10, mas um adjetivo diferente foi usado, influenciado por Is 43.16. Algumas traduções dizem aqui "perseguidores", influenciadas pela Vulgata, mas o texto massorético diz "seguidores" (conforme a *Revised Standard Version* e algumas versões portuguesas). Por texto massorético, entendo o texto hebraico padronizado. Ver no *Dicionário* o verbete chamado *Massora (Massorah): Texto Massorético*.

Esse relato foi dado para ilustrar o poder de Yahweh, e como esse poder foi usado em favor do povo de Deus. Portanto, o mesmo poder divino livrara Israel da Babilônia, onde Israel ultimamente estivera em servidão. Portanto, louvado seja Yahweh e que vidas santas sejam vividas em gratidão!

AS VAGUEAÇÕES PELO DESERTO (9.12-21)

■ **9.12**

וּבְעַמּוּד עָנָן הִנְחִיתָם יוֹמָם וּבְעַמּוּד אֵשׁ לַיְלָה לְהָאִיר לָהֶם אֶת־הַדֶּרֶךְ אֲשֶׁר יֵלְכוּ־בָהּ:

Guiaste-os, de dia por uma coluna de nuvem. Em favor de Israel, depois de aberto milagre de livramento do Egito (ver "para fora do Egito", em Dt 4.20), houve a miraculosa preservação do povo de Israel no deserto. Ver Êx 13.21,22. Ver no *Dicionário* o artigo chamado *Colunas de Fogo e de Nuvem*, quanto às mais conspícuas provisões no deserto, que só o poder divino é capaz de explicar.

■ **9.13**

וְעַל הַר־סִינַי יָרַדְתָּ וְדַבֵּר עִמָּהֶם מִשָּׁמָיִם וַתִּתֵּן לָהֶם מִשְׁפָּטִים יְשָׁרִים וְתוֹרוֹת אֱמֶת חֻקִּים וּמִצְוֹת טוֹבִים:

Desceste sobre o monte Sinai. A presença divina manifestou-se no Sinai através de fogo e fumaça, e a lei mosaica foi dada, tornando Israel uma nação distintiva (ver as notas expositivas em Dt 4.4-8). Ver sobre *Pacto Mosaico* nas notas expositivas introdutórias a Êx 19. Ver Êx 19.18,20; 20.22; Dt 4.36. Quanto à *tríplice designação da lei*, ver Dt 6.1. O cronista, neste ponto, variou a fórmula usual adicionando adjetivos a cada qualidade mencionada: juízos retos, leis verdadeiras (extra, não na tríplice descrição), estatutos e mandamentos bons. Ver no *Dicionário* sobre *Dez Mandamentos*, o âmago mesmo da lei mosaica. Tanto leis judiciais quanto cerimoniais foram dadas aos filhos de Israel, as quais serviram de excelente uso para eles na prática civil e eclesiástica. Esses preceitos foram dados a Israel por Yahweh, no monte, e Moisés foi o intermediário entre Deus e os filhos de Israel. Não foram estes que inventaram essas leis. Elas lhes foram concedidas "do céu".

■ 9.14

וְאֶת־שַׁבַּת קָדְשְׁךָ הוֹדַעְתָּ לָהֶם וּמִצְוֹת וְחֻקִּים וְתוֹרָה צִוִּיתָ לָהֶם בְּיַד מֹשֶׁה עַבְדֶּךָ׃

O teu santo sábado lhes fizeste conhecer. O sábado era o sinal do pacto mosaico, tal como a circuncisão foi o sinal do pacto abraâmico. A guarda do sábado era um dos Dez Mandamentos, um princípio central, um *sine qua non* da fé dos hebreus, mas não da fé cristã. Ver o detalhado artigo sobre o *Sábado* no *Dicionário*. Ver Êx 20.8. Ver também Ne 10.31 quanto à lei sabática posta em ação. Na presente passagem, dá-se atenção especial somente à lei do sábado. Houve alguma preocupação quanto a essa questão, antes que este versículo fosse escrito (ver Am 8.5), mas ela se tornou uma das grandes preocupações do período pós-exílico (ver Ne 13.15-21; Jr 17.19-27; Mc 2.23-28 e Lc 13.10-17).

■ 9.15

וְלֶחֶם מִשָּׁמַיִם נָתַתָּה לָהֶם לִרְעָבָם וּמַיִם מִסֶּלַע הוֹצֵאתָ לָהֶם לִצְמָאָם וַתֹּאמֶר לָהֶם לָבוֹא לָרֶשֶׁת אֶת־הָאָרֶץ אֲשֶׁר־נָשָׂאתָ אֶת־יָדְךָ לָתֵת לָהֶם׃

Pão dos céus lhes deste. Três atos de Yahweh aparecem neste versículo: 1. o *maná* (ver a respeito no *Dicionário*); 2. a dádiva miraculosa de água, logo depois que saíram do Egito, como novamente, pouco antes de sua entrada na Terra Prometida (ver Êx 17.6; Nm 20.8,11); 3. a promessa especial da doação de terras. O autor sagrado enfatizava que somente a provisão, a intervenção e a providência divina podiam ter conduzido Israel, com sucesso, através do deserto, fazendo-o entrar na Terra Prometida. Ver no *Dicionário* o verbete chamado *Providência de Deus*. Essa mesma provisão trabalhava em favor do novo Israel, aquele minúsculo fragmento de Judá que deu a Israel vida nova e continuação, terminado o cativeiro babilônico. Isso era causa de gratidão, a qual seria demonstrada pela observância da legislação mosaica. A *Providência de Deus* tinha conferido a Israel toda a vida e a felicidade de que eles precisavam: pão, água e terras. Contra grandes possibilidades, o novo Israel veio a possuir a Terra Prometida de novo. E depois da grande dispersão romana, que começou em 132 d.C. e perdurou até nossos próprios dias (foi formado o moderno Estado de Israel em 1948), a Terra Prometida foi dada novamente a Israel. Além disso, há o pão do céu, o Senhor Jesus Cristo (Jo 6), que dá vida a todos os homens, e não meramente a Israel, bem como a promessa da Terra Prometida celestial. Ver o artigo da *Enciclopédia de Bíblia, Teologia e Filosofia* denominado *Pão da Vida, Jesus como*.

Com mão levantada. Deus agiu assim no tocante a todas as suas promessas, ou seja, Deus fez juramento. Cf. Êx 6.8; Ez 20.28,42; 47.14; Sl 106.26. Deus jurou que daria a terra de Canaã a Israel (Gn 26.3; Êx 33.1; Nm 14.23). Isso fazia parte central do *Pacto Abraâmico* (ver notas expositivas a respeito em Gn 15.18).

Apostasia e Rebelião de Israel (9.16-18)

■ 9.16

וְהֵם וַאֲבֹתֵינוּ הֵזִידוּ וַיַּקְשׁוּ אֶת־עָרְפָּם וְלֹא שָׁמְעוּ אֶל־מִצְוֹתֶיךָ׃

A despeito da longa história de contínua provisão especial, intervenção e providência divina, Israel rebelou-se e caiu em apostasia. Isso, como é claro, significa que eles tinham praticado a *idolatria* (ver a respeito no *Dicionário*), imitando os pagãos cujas terras conquistaram. Em certo sentido, a própria história de Israel pode ser (espiritualmente) sumariada mediante estas quatro palavras: revelação; apostasia; julgamento; restauração. Essa antiga síndrome do pecado-calamidade-julgamento sempre esteve em operação. Ver no *Dicionário* o artigo chamado *Lei Moral da Colheita segundo a Semeadura*. Esse princípio sempre precisou ser aplicado ao povo de Israel, e usualmente em sentido negativo.

Eles, nossos pais. Ou seja, os contemporâneos de Moisés, os pais remotos da nação de Israel.

Nossos pais. Ou seja, os ancestrais imediatos do remanescente que retornou do cativeiro babilônico. Portanto, quer se esteja falando da história verdadeiramente remota de Israel ou da história recente, acha-se a mesma coisa em Israel: a apostasia e a rebelião, que sempre provocavam a ira de Yahweh. A apostasia deles resultava da negligência, da desobediência propositada à legislação mosaica, o que é elaboradamente descrito no vs. 13 deste capítulo.

... se houveram soberbamente. Israel tratou Yahweh e suas leis da mesma maneira que os egípcios trataram de Israel, quando estes eram seus escravos (vs. 10). A mesma palavra é usada em Êx 18.11 e Dt 1.43.

Endureceram a sua cerviz. Como um touro rebelde que enrijece o pescoço, por não aceitar o jugo, mas vira a cabeça de um lado para o outro, tentando livrar-se da canga. Ver no *Dicionário* o verbete chamado *Dura Cerviz*, quanto à metáfora e referências.

■ 9.17

וַיְמָאֲנוּ לִשְׁמֹעַ וְלֹא־זָכְרוּ נִפְלְאֹתֶיךָ אֲשֶׁר עָשִׂיתָ עִמָּהֶם וַיַּקְשׁוּ אֶת־עָרְפָּם וַיִּתְּנוּ־רֹאשׁ לָשׁוּב לְעַבְדֻתָם בְּמִרְיָם וְאַתָּה אֱלוֹהַּ סְלִיחוֹת חַנּוּן וְרַחוּם אֶרֶךְ־אַפַּיִם וְרַב־חֶסֶד וְלֹא עֲזַבְתָּם׃

Recusaram ouvir-te. A extensão da rebelião deles (falando sobre os contemporâneos de Moisés) ficou demonstrada por cinco fatos: 1. constante recusa de obedecer aos mandamentos que lhes foram conferidos; 2. ignorância quanto às muitas maravilhas que deveriam tê-los tornado sensíveis às operações divinas que ocorriam entre eles; 3. o endurecimento do pescoço (vs. 16), isto é, a rebelião ignorante segundo a qual agiam como se fossem animais mudos; 4. sua rebelião geral, de toda forma imaginável; 5. Seu desejo de nomear um líder (ver Nm 14.4) que os fizesse voltar ao Egito, para ali entregarem-se novamente à servidão, como algo preferível às durezas no deserto. Apesar dessa variedade de pecados, Yahweh permaneceu paciente e misericordioso, dispensando seu amor e seu perdão, e jamais esquecendo seu povo. O conceito de que Deus estava sempre disposto a perdoar acha-se por toda a parte. Ver Êx 34.6,7; Am 7.2; Sl 130.4. Ver também Dn 9.9. Assim aprendemos a lição do amor todo-poderoso de Deus. Ver no *Dicionário* o verbete intitulado *Amar*, quanto a comentários e ilustrações.

Deus é amor.

1João 4.8

O amor de Deus é muito maior
Que língua ou pena poderão contar;
Sobe acima da mais alta estrela
E desce ao mais profundo inferno.

F. M. Lehman

Pois o amor de Deus é mais lato
Que a medida da mente humana;
E o coração do Deus eterno
É admiravelmente gentil.

Frederick W. Faber

■ 9.18

אַף כִּי־עָשׂוּ לָהֶם עֵגֶל מַסֵּכָה וַיֹּאמְרוּ זֶה אֱלֹהֶיךָ אֲשֶׁר הֶעֶלְךָ מִמִּצְרָיִם וַיַּעֲשׂוּ נֶאָצוֹת גְּדֹלוֹת׃

Ainda mesmo quando fizeram para si um bezerro de fundição. A pior das provocações, entre as muitas excentricidades do povo, foi quando fundiram o bezerro de ouro, enquanto Moisés estava no monte Sinai, recebendo a lei. Quanto à história, ver Êx 32.1-8.

A provocação foi tão absurda quanto ridícula. Eles fizeram uma imitação do boi (*Ápis* ver a respeito no *Dicionário*), o boi adorado pelos opressores egípcios.

■ 9.19

וְאַתָּה֙ בְּרַחֲמֶ֣יךָ הָֽרַבִּ֔ים לֹ֥א עֲזַבְתָּ֖ם בַּמִּדְבָּ֑ר אֶת־עַמּ֣וּד הֶ֠עָנָן לֹא־סָ֨ר מֵעֲלֵיהֶ֤ם בְּיוֹמָם֙ לְהַנְחֹתָ֣ם בְּהַדֶּ֔רֶךְ וְאֶת־עַמּ֨וּד הָאֵ֤שׁ בְּלַ֙יְלָה֙ לְהָאִ֣יר לָהֶ֔ם וְאֶת־הַדֶּ֖רֶךְ אֲשֶׁ֥ר יֵֽלְכוּ־בָֽהּ׃

Todavia, tu, pela multidão das tuas misericórdias. Uma vez mais, as multiformes misericórdias de Deus salvaram da destruição o rebelde povo de Israel. As punições foram descarregadas contra eles como uma medida remediadora, e não com o propósito de aniquilar. Esse é sempre o princípio do julgamento divino. Ver 1Pe 4.6 no *Novo Testamento Interpretado*. As duas colunas (vs. 12) não se afastaram deles, pois eram sinais especiais do cuidado divino, representantes da bondade divina que acompanhava os israelitas. Foi-lhes mostrado o caminho pelo amor de Deus. Oh, Senhor, concede-nos tal graça!

> Meu amor é de origem tão rara
> Que contempla objetos estranhos e altos;
> Foi gerado pelo desespero,
> Na impossibilidade.
> Só o magnânimo desespero
> Pode mostrar-me tão divina coisa,
> Onde a débil esperança jamais voaria,
> Mas vãmente batia suas asas finas.
>
> Andrew Marvell

Deus tinha um propósito a cumprir em Abraão e em sua aliança com ele, a tal ponto que era impossível abandonar a Israel, a despeito das provocações (cf. Ed 9.9).

■ 9.20

וְרוּחֲךָ֣ הַטּוֹבָ֔ה נָתַ֖תָּ לְהַשְׂכִּילָ֑ם וּמַנְךָ֙ לֹא־מָנַ֣עְתָּ מִפִּיהֶ֔ם וּמַ֛יִם נָתַ֥תָּה לָהֶ֖ם לִצְמָאָֽם׃

E lhes concedeste o teu bom Espírito. O Espírito de Deus era o Mestre deles, embora aqueles réprobos nada merecessem. Eles tiveram satisfeitas todas as suas necessidades físicas, mediante a provisão divina, como o maná miraculoso e as águas que fluíram livremente (ver o vs. 15, que o autor sagrado repetiu indiretamente). Note o leitor o jogo de palavras, no original hebraico. O hebraico diz "não lhes negastes" (*mana'*), que está relacionado ao "maná" (vs. 15) da provisão divina. Mas nem todos os dons dados por Yahweh eram de natureza material. Também eram espirituais da mais elevada ordem. A divina presença os ajudava e os instruía. O Antigo Testamento não discute, diretamente, o dom do Espírito Santo, mas a ideia está em harmonia com o conceito e a condição posterior. Ver Is 63.11 e Sl 143.10. Ver no *Dicionário* o artigo intitulado *Espírito Santo*. Talvez o autor se refira a Nm 11.17,25. O Espírito Santo talvez tenha uma função de ensino que antecipa sua plena concretização no Novo Testamento. O Espírito estava por trás da nomeação dos anciãos e trabalhava através deles, visando o bem de Israel, razão pela qual Aben Ezra falou sobre o Espírito como quem inspirou aqueles anciãos.

> *Quando vier o Espírito da verdade,*
> *ele vos guiará a toda a verdade.*
>
> João 16.13

■ 9.21

וְאַרְבָּעִ֥ים שָׁנָ֛ה כִּלְכַּלְתָּ֥ם בַּמִּדְבָּ֖ר לֹ֣א חָסֵ֑רוּ שַׂלְמֹֽתֵיהֶם֙ לֹ֣א בָל֔וּ וְרַגְלֵיהֶ֖ם לֹ֥א בָצֵֽקוּ׃

Desse modo os sustentaste quarenta anos no deserto. Uma longa, contínua e completa provisão foi dada a Israel durante suas perambulações pelo deserto. Se as leis naturais tivessem funcionado normalmente, eles teriam perecido ali. Eram necessárias provisão e intervenção divinas em favor daquela grande massa de gente, de mais de três milhões de pessoas, para que sobrevivessem em suas vagueações pelo deserto. Foi por isso que o cronista disse que "o divino estava em tudo aquilo". E ele já havia ilustrado isso, de diversas maneiras, nos versículos anteriores, mencionando os vários milagres que foram ocorrendo conforme eles avançavam. Este versículo é uma citação livre de Dt 8.4,9. A Vulgata Latina diz aqui: "Tu os alimentaste...", visto que o original hebraico significa, literalmente, "eu vos suprirei com bens" (ver Gn 50.21). O cronista também estava preocupado com a questão das vestes e assegurou que o poder miraculoso se ampliou a esse ponto. As vestes dos israelitas não se desgastaram, a despeito do uso e abuso. Comentadores judeus posteriores, pensando sobre como as crianças crescem tão depressa, perguntaram como Yahweh proveu a preservação de vestes para elas. Por isso eles inventaram a fabulosa história de que as vestes cresceram juntamente com as crianças, "como a carapaça de um caracol" (assim disse Rashi ao comentar sobre Dt 8.4). Justino Mártir mencionou a lenda em sua obra *Trypho* 131). Algumas vezes, a fé consiste em "crer demais". Por outro lado, sempre é melhor acreditar de mais do que acreditar de menos.

Também havia o problema dos pés machucados. A graça de Deus cuidou igualmente desse aspecto, conferindo a toda a comunidade de Israel pés bons, fortes, saudáveis e resistentes. Os pés deles não incharam, apesar das andanças naquelas terras secas e poeirentas. A Vulgata Latina, assimilando as palavras sobre a questão das vestes, disse: "seus pés não se desgastaram", algo que nós, pessoas de mais idade, que convivemos com a artrite, muito apreciamos. A Peshitta e a Septuaginta dizem: "seus pés não se abriram".

■ 9.22

וַתִּתֵּ֨ן לָהֶ֤ם מַמְלָכוֹת֙ וַעֲמָמִ֔ים וַֽתַּחְלְקֵ֖ם לְפֵאָ֑ה וַיִּֽירְשׁ֞וּ אֶת־אֶ֣רֶץ סִיח֗וֹן וְאֶת־אֶ֙רֶץ֙ מֶ֣לֶךְ חֶשְׁבּ֔וֹן וְאֶת־אֶ֖רֶץ ע֥וֹג מֶֽלֶךְ־הַבָּשָֽׁן׃

Também lhes deste reinos e povos. Além de suas provisões e dos confortos relativos de que gozaram no deserto, eles se tornaram militarmente poderosos, a ponto de derrotar, um por um, os habitantes da Terra Prometida que porventura resistiam à invasão deles. Os reinos de Seom e Basã foram ambos derrotados (ver Nm 21 e sobre esses nomes no *Dicionário*). Aquelas terras ficavam na Transjordânia e foram derrotadas no começo da invasão. A derrota desses dois reinos foi a garantia de que os outros reinos cananeus também cairiam diante dos invasores israelitas.

Que lhes repartiste em porções. O original hebraico diz aqui, literalmente, "lhes dividiste em cantos", que a *King James Version* preserva literalmente. A *Revised Standard Version* melhora isso para "alocate para eles cada canto". Essa expressão tem deixado perplexos os intérpretes, tanto os antigos quanto os modernos, e sem dúvida representa uma expressão idiomática não ensinada nos livros didáticos. Alguns dizem aqui "segundo a extensão maior (das terras)". Outros compreendem "de acordo com fronteiras designadas", visto que a palavra hebraica tem sido descoberta como uma alusão aos pontos cardeais da bússola. Seja como for, "toda a terra, em toda a sua extensão" foi entregue a Israel, o invasor. O vs. 24 deste capítulo menciona os cananeus, nome genérico das sete nações que habitavam antes a Terra Prometida.

■ 9.23

וּבְנֵיהֶ֣ם הִרְבִּ֔יתָ כְּכֹכְבֵ֖י הַשָּׁמָ֑יִם וַתְּבִיאֵם֙ אֶל־הָאָ֔רֶץ אֲשֶׁר־אָמַ֥רְתָּ לַאֲבֹתֵיהֶ֖ם לָב֥וֹא לָרָֽשֶׁת׃

Multiplicaste os seus filhos como as estrelas do céu. A despeito de condições adversas, da luta contra as enfermidades, dos inimigos, das guerras e dos animais selvagens que abundavam na Terra Prometida, Israel conseguiu grande reprodução, de tal modo que as crianças se tornaram numerosas como as "estrelas do céu". Isso estava em harmonia com as promessas do *pacto abraâmico* (ver Gn 15.18). Ver também Gn 15.5; 22.17; 26.4 e Dt 1.10 quanto à promessa de extraordinária reprodução, que emprega as "estrelas" e a "areia da beira-mar" como metáforas. Foi assim que Israel parece ter entrado na Terra Prometida com cerca de seis milhões de pessoas. Talvez três milhões de israelitas tenham saído do Egito, o que julgamos pelos cálculos dados em Êx 12.37; Nm 11.21 e

26.51. Somente os homens foram enumerados, e talvez essa cifra possa referir-se a homens capazes de trabalhar na terra, e não à população masculina total. Havia seiscentos mil homens, além de mulheres e crianças (ver Êx 12.38), e da população mista, isto é, outros indivíduos que seguiram os israelitas, a fim de escaparem do Egito, embora não fossem hebreus. Os recenseamentos usualmente referem-se aos "homens capazes de guerrear", e quantos havia além desses, não sabemos dizer.

De que tinhas dito a seus pais. Isto é, a Abraão, e então a outros antigos patriarcas, como Isaque, Jacó e seus filhos, que foram as origens das doze tribos. O pacto abraâmico está aqui especificamente em foco, o qual foi renovado para as gerações sucessivas.

■ 9.24

וַיָּבֹאוּ הַבָּנִים֙ וַיִּֽירְשׁ֣וּ אֶת־הָאָ֔רֶץ וַתַּכְנַ֨ע לִפְנֵיהֶ֜ם אֶת־יֹשְׁבֵ֤י הָאָ֙רֶץ֙ הַכְּנַ֣עֲנִ֔ים וַֽתִּתְּנֵ֖ם בְּיָדָ֑ם וְאֶת־מַלְכֵיהֶם֙ וְאֶת־עַֽמְמֵ֣י הָאָ֔רֶץ לַעֲשׂ֥וֹת בָּהֶ֖ם כִּרְצוֹנָֽם׃

Entraram os filhos, e tomaram posse da terra. A invasão só obteve sucesso devido à derrota das sete nações que ocupavam a Terra Prometida. Ver essas nações listadas e discutidas em Êx 33.2 e Dt 7.1. Coletivamente falando, essas sete nações eram chamadas de cananeus, referindo-se ao antigo nome da Palestina, terra de Canaã. Ver no *Dicionário* o artigo chamado *Canaã, Cananeus*, quanto a detalhes. O cronista teve o cuidado de ajuntar que o poder para conquistar a Terra Prometida não deve ser atribuído a Israel e às suas forças naturais. Antes, o "Ser divino esteva metido na questão", pois, de outro modo, nada teria acontecido. Os cananeus foram quase inteiramente exterminados, e não meramente subjugados. Ver os capítulos 1-10 do livro de Josué. Ver em Dt 7.1-5 e 20.10-18 a porção chamada *Guerra Santa*. Essas nações foram oferecidas como *Holocausto* (ver a respeito no *Dicionário*) a Yahweh, isto é, uma oferta queimada completa, sem sobreviventes, nem mesmo mulheres e crianças, e sem nenhum saque. Até os animais dos cananeus foram mortos. Naturalmente, desobedecendo à lei da guerra santa, algumas vezes Israel caía, tomando prisioneiros e saqueando bens materiais dos cananeus, incluindo animais domesticados. Josué listou nada menos de 31 reis vassalos derrotados, os quais eram os chefes de pequenas cidades-estados. Ver Js 12.9-24.

■ 9.25

וַֽיִּלְכְּד֞וּ עָרִ֣ים בְּצֻרוֹת֮ וַאֲדָמָ֣ה שְׁמֵנָה֒ וַיִּֽירְשׁ֡וּ בָּתִּ֣ים מְלֵֽאִים־כָּל־ט֠וּב בֹּר֨וֹת חֲצוּבִ֜ים כְּרָמִ֧ים וְזֵיתִ֛ים וְעֵ֥ץ מַאֲכָ֖ל לָרֹ֑ב וַיֹּאכְל֤וּ וַֽיִּשְׂבְּעוּ֙ וַיַּשְׁמִ֔ינוּ וַיִּֽתְעַדְּנ֖וּ בְּטוּבְךָ֥ הַגָּדֽוֹל׃

Tomaram cidades fortificadas e terra fértil. Muitos dos inimigos de Israel eram fortes e habitavam cidades fortificadas, além de serem muito superiores em equipamento de guerra, incluindo carros de combate de ferro. Israel tinha tradicionalmente (até os tempos de Salomão) um exército que consistia em mera infantaria. A despeito disso, Israel sempre ganhou todas as guerras e tornou-se proprietário de todas as espécies de riquezas, casas repletas de coisas boas, vinhas, poços já escavados, olivais e pomares. Em outras palavras, a invasão deixou nas mãos deles uma "terra preparada", a qual, posteriormente, eles aprimoraram. Mas o luxo em breve levou à corrupção dos bons costumes.

"Em meio a grande abundância, os israelitas, desde há muito meio famintos, comeram e ficaram satisfeitos, e o poeta louvou a profunda bondade de Deus ao dar-lhes tal plenitude. O verbo hebraico aqui traduzido por 'viveram em delícias' figura exclusivamente neste trecho do Antigo Testamento e parece estar relacionado ao luxo (ver 2Sm 1.24; Jr 51.34). O siríaco tem o sentido de fartar-se ou de viver licenciosamente, e isso nos leva a pensar que veio a ser associada à prosperidade. A expressão "engordaram" tem a mesma força no siríaco, quanto ao livro de Deuteronômio, e tem um significado degenerado associado à apostasia (ver Dt 32.15)" (Raymond A. Bowman, *in loc.*).

"... Eles deram licença de cair no luxo e na intemperança..." (John Gill, *in loc.*).

■ 9.26

וַיַּמְר֨וּ וַֽיִּמְרְד֜וּ בָּ֗ךְ וַיַּשְׁלִ֤כוּ אֶת־תּוֹרָֽתְךָ֙ אַחֲרֵ֣י גַוָּ֔ם וְאֶת־נְבִיאֶ֣יךָ הָרָ֗גוּ אֲשֶׁר־הֵעִ֥ידוּ בָ֖ם לַהֲשִׁיבָ֣ם אֵלֶ֑יךָ וַֽיַּעֲשׂ֔וּ נֶאָצ֖וֹת גְּדוֹלֹֽת׃

Ainda assim foram desobedientes, e se revoltaram contra ti. A completa apostasia não precisou esperar por muito tempo. Estando ricos e abastados em bens materiais, a espiritualidade deles se desvaneceu. Em seguida, voltaram-se para os deuses vãos da terra e caíram na mais franca *idolatria* (ver a respeito no *Dicionário*). Ato contínuo, repeliram a lei de Moisés, que os tornava uma nação distintiva (ver Dt 4.4-8), como se não mais precisassem de Yahweh. Em sua própria estimativa, eles se tinham tornado "independentes". Não eram apenas indiferentes diante do yahwismo. Tornaram-se abertamente agressivos contra a fé dos hebreus e mataram os profetas. Cometeram igualmente grandes blasfêmias e tornaram-se culpados de crimes de sangue, tendo até sacrificado os próprios filhos diante de divindades estrangeiras. Ver no *Dicionário* o artigo denominado *Moleque, Moloque* quanto aos extremos da apostasia de Israel.

A morte dos profetas naturalmente refere-se ao período do reino da história de Israel. Ver histórias de assassinatos em 1Rs 18.4,13; 19.10,14; Jr 2.30,34; 26.20 ss. Esses foram crimes gravíssimos, porquanto os profetas eram canais de informações prestadas pelo Espírito de Deus (Ne 9.30; Jr 26.15). Os profetas testificaram contra a apostasia dos filhos de Israel e foram mortos como recompensa por sua fidelidade a Yahweh. Este versículo deve ser confrontado com Mt 23.37 e At 7.52.

■ 9.27

וַֽתִּתְּנֵם֙ בְּיַ֣ד צָֽרֵיהֶ֔ם וַיָּצֵ֖רוּ לָהֶ֑ם וּבְעֵ֤ת צָֽרָתָם֙ יִצְעֲק֣וּ אֵלֶ֔יךָ וְאַתָּה֙ מִשָּׁמַ֣יִם תִּשְׁמָ֔ע וּֽכְרַחֲמֶ֖יךָ הָֽרַבִּ֑ים תִּתֵּ֤ן לָהֶם֙ מֽוֹשִׁיעִ֔ים וְיוֹשִׁיע֖וּם מִיַּ֥ד צָרֵיהֶֽם׃

Pelo que os entregaste nas mãos dos seus opressores. A antiga síndrome do pecado-calamidade-julgamento sempre esteve em operação entre os israelitas, e os períodos de apostasia estavam relacionados a desastres nacionais subsequentes. Mas esses desastres eram instrumentos de restauração, pelo que à síndrome era sempre adicionada a renovação. Os salvadores eram os juízes. É significativo que os autores do Antigo Testamento consistentemente deixem de fora outras causas e fatores das derrotas sofridas por Israel, como as causas econômicas e militares. Toda a culpa é posta sobre um baixo nível espiritual e moral. Fica entendido que, se a espiritualidade deles continuasse em ordem, Yahweh teria tomado conta da economia da nação e de seu exército.

"Todo o livro dos Juízes é uma história das misericórdias de Deus e das rebeliões de Israel" (Adam Clarke, *in loc.*). "O livro de Juízes é cuidadosamente relembrado na oração" (Ellicott, *in loc.*).

■ 9.28

וּכְנ֣וֹחַ לָהֶ֔ם יָשׁ֕וּבוּ לַעֲשׂ֥וֹת רַ֖ע לְפָנֶ֑יךָ וַתַּֽעַזְבֵ֞ם בְּיַ֤ד אֹֽיְבֵיהֶם֙ וַיִּרְדּ֣וּ בָהֶ֔ם וַיָּשׁ֙וּבוּ֙ וַיִּזְעָק֔וּךָ וְאַתָּ֤ה מִשָּׁמַ֙יִם֙ תִּשְׁמַ֔ע וְתַצִּילֵ֛ם כְּֽרַחֲמֶ֖יךָ רַבּ֥וֹת עִתִּֽים׃

Porém, quando se viam em descanso. O descanso (que vinha por meio da restauração) era sempre temporário. Então os atos de maldade e a síndrome do pecado-calamidade-julgamento recomeçavam. Em várias oportunidades, Israel foi reduzido à servidão, em suas próprias terras. Naturalmente, precisamos relembrar que os juízes eram chefes locais. Somente Samuel teve algo parecido com uma influência universal em Israel. Essa influência universal começou, realmente, com os reis, quando as tribos foram reunidas em uma unidade federal. Assim sendo, nas situações locais, porções de Israel eram postas em escravidão por algum tempo, e então algum juiz surgia em cena para livrá-las. Ver Jz 2.19 quanto a períodos de rebelião.

As palavras finais do versículo, "muitas vezes", falam da estonteante frequência dos ciclos de apostasia e restauração. Em certa oportunidade, os filisteus escravizaram o povo de Israel pelo período de quarenta anos (Jz 13.1). Tais opressões finalmente resultavam em arrependimento, e o arrependimento resultava em restauração. "Eles pecavam e caíam nas mãos de seus inimigos. Então se arrependiam e clamavam a Deus por ajuda. Ele tinha compaixão deles e os salvava" (John Gill, *in loc.*).

■ 9.29

וַתָּעַד בָּהֶם לַהֲשִׁיבָם אֶל־תּוֹרָתֶךָ וְהֵמָּה הֵזִידוּ וְלֹא־שָׁמְעוּ לְמִצְוֺתֶיךָ וּבְמִשְׁפָּטֶיךָ חָטְאוּ־בָם אֲשֶׁר־יַעֲשֶׂה אָדָם וְחָיָה בָּהֶם וַיִּתְּנוּ כָתֵף סוֹרֶרֶת וְעָרְפָּם הִקְשׁוּ וְלֹא שָׁמֵעוּ׃

Testemunhaste contra eles, para que voltassem à tua lei. Os profetas mostravam-se ativos ao testificar contra os israelitas rebeldes e apostatados. Isso tinha o propósito de fazer o povo de Israel voltar à obediência à lei. Os profetas ocupavam-se em "movimentos de volta à Bíblia". Usualmente, tais movimentos eram ineficazes. Israel tratava com Yahweh de maneira altiva, desrespeitava os seus profetas, e algumas vezes chegava a assassiná-los (vs. 26 deste capítulo). Os israelitas, porém, continuavam a pecar e tornavam-se cada vez piores. Eles esqueciam que "a vida vinha mediante a obediência à lei" (ver Dt 4.1; 5.33; Ez 20.11). A lei foi dada a Israel visando seu benefício, vida e prosperidade, mas os rebeldes israelitas corrompiam a mente e o espírito, preferindo a morte do pecado. O autor sacro parece depender aqui do trecho de Lv 18.5. Ver também Ez 20.11.

Israel foi comparado a um boi teimoso e estúpido (cf. o vs. 16, onde a figura é empregada). Ver Zc 7.11 e Os 4.16. O boi teimoso rejeita o jugo. Rejeita a canga. Endurece o pescoço, torcendo a cabeça para um lado e para outro para evitar a madeira em seu pescoço. A exposição sobre o vs. 16 deste capítulo fornece detalhes.

"Como bois que corcoveiam e lutam, e retrocedem, e não querem admitir a canga sobre eles" (John Gill, *in loc.*).

Não deram ouvidos. Em outras palavras, Israel não escutava nem obedecia às instruções dadas pelo profeta e, assim, reduzia-se à condição de animais mudos.

■ 9.30

וַתִּמְשֹׁךְ עֲלֵיהֶם שָׁנִים רַבּוֹת וַתָּעַד בָּם בְּרוּחֲךָ בְּיַד־נְבִיאֶיךָ וְלֹא הֶאֱזִינוּ וַתִּתְּנֵם בְּיַד עַמֵּי הָאֲרָצֹת׃

No entanto os aturaste por muitos anos. Durante muitos séculos, o jogo continuou: rebelião, punição, restauração — somente para repetir-se outra vez. Yahweh continuava dando instruções por meio de seu Espírito (cf. o vs. 20) e de seus profetas (cf. o vs. 26). Mas os israelitas permaneciam na estupidez espiritual, recusando-se a ouvir e a obedecer (cf. o vs. 29). Então aconteceu algo verdadeiramente diferente. A punição que eles experimentaram foi gigantesca. Em 722 a.C., os assírios desceram na direção sudoeste e levaram as dez tribos do norte (Israel) para o exílio. As dez tribos nunca retornaram, embora alguns poucos hebreus tivessem partido da terra porque se casaram com outros povos, para ali transportados pelos assírios, e seus descendentes se tornaram os samaritanos (ver 2Cr 20.1; 34.9 e 2Rs 17.24-41). Ver no *Dicionário* o artigo denominado *Cativeiro Assírio* quanto a abundantes detalhes. Em seguida foi a vez do sul, Judá (as duas tribos de Judá e Benjamim) Em 596 a.C., chegaram os babilônios, da direção nordeste, e tomaram as duas tribos para o cativeiro babilônico. Passados setenta anos (por meio da permissão do império persa), um minúsculo remanescente de Judá voltou à Terra Prometida para tornar-se o novo Israel, a unidade da qual falam os livros de Esdras e Neemias. Ver no *Dicionário* o verbete intitulado *Cativeiro Babilônico*.

Séculos depois, já dentro da era cristã, novamente Israel rebelou-se, em 132 d.C., e houve a grande dispersão romana, tendo como resultado Israel espalhado entre as nações do império romano. Somente em nossos próprios tempos essa condição foi revertida, pelo que agora temos um novo Israel na Palestina, em meio a conflitos e matanças com seus antigos inimigos. Quando isso parará? Ver no *Dicionário* o verbete chamado *Diáspora (Dispersão de Israel)*.

■ 9.31

וּבְרַחֲמֶיךָ הָרַבִּים לֹא־עֲשִׂיתָם כָּלָה וְלֹא עֲזַבְתָּם כִּי אֵל־חַנּוּן וְרַחוּם אָתָּה׃

Mas pela tua grande misericórdia não acabaste com eles. Israel continuou a existir por meio do novo Israel, o minúsculo remanescente de Judá, que recomeçou a história da nação. Esse fato, entretanto, foi atribuído pelo cronista à graça, à misericórdia e ao amor de Yahweh. Deus "não os condenou ao fim". Israel continuou a existir, embora sob uma forma tremendamente reduzida. Embora Josué tenha feito entrar seis milhões de judeus na Terra Prometida, Zorobabel trouxe consigo apenas cerca de 55 mil ao todo. Cf. este versículo com Jr 5.18 e 30.11.

■ 9.32

וְעַתָּה אֱלֹהֵינוּ הָאֵל הַגָּדוֹל הַגִּבּוֹר וְהַנּוֹרָא שׁוֹמֵר הַבְּרִית וְהַחֶסֶד אַל־יִמְעַט לְפָנֶיךָ אֵת כָּל־הַתְּלָאָה אֲשֶׁר־מְצָאַתְנוּ לִמְלָכֵינוּ לְשָׂרֵינוּ וּלְכֹהֲנֵינוּ וְלִנְבִיאֵנוּ וְלַאֲבֹתֵינוּ וּלְכָל־עַמֶּךָ מִימֵי מַלְכֵי אַשּׁוּר עַד הַיּוֹם הַזֶּה׃

Agora, pois, ó Deus nosso. Aflito, o povo de Israel estabeleceria uma nova aliança (vs. 38), que seria, de fato, uma renovação do pacto mosaico. O grande e terrível Deus, que poderia fazer Israel desaparecer em um instante, e que trouxera a calamidade dos dois cativeiros (ver o vs. 30), poderia ferir novamente, a qualquer tempo em que não gostasse do que visse acontecendo em Israel. E ele mostraria novamente quão terrível ele era. Portanto, a oração que estava sendo oferecida apelava para o Deus que é o estabelecedor do pacto, para que ele tivesse misericórdia dos participantes de sua aliança, e também para que não pensasse que toda a tribulação pela qual Israel tinha passado seria algo pequeno. Pelo contrário, a tribulação tinha sido devastadora e esmagadora. Portanto, o sacerdote solicitou que houvesse paz e liberdade de punição, o que poderia ser prolongado devido à aliança que estava prestes a ser firmada.

Note o leitor o *Antropomorfismo* e o *Antropopatismo*. Ver sobre esses vocábulos no *Dicionário*. Cf. Ne 1.5, que usa os mesmos termos que descrevem Deus no presente versículo.

■ 9.33

וְאַתָּה צַדִּיק עַל כָּל־הַבָּא עָלֵינוּ כִּי־אֱמֶת עָשִׂיתָ וַאֲנַחְנוּ הִרְשָׁעְנוּ׃

Porque tu és justo em tudo quanto tem vindo sobre nós. Os julgamentos divinos que censuravam a apostasia eram bem merecidos. Yahweh se mostrara justo, embora severo. A severidade foi bem medida para adaptar-se à seriedade de cada caso. Ver no *Dicionário* o verbete intitulado *Justiça*. Ver também ali sobre a *Lei Moral da Colheita segundo a Semeadura*, que este versículo ilustra.

> Não vos enganeis: de Deus não se zomba;
> pois aquilo que o homem semear isso também ceifará.
> Gálatas 6.7

> Semeai um hábito, e colhereis um caráter.
> Semeai um caráter, e colhereis um destino.
> Semeai um destino, e colhereis... Deus.
> Professor Huston Smith

"Estes versículos (33-35) têm sido considerados a 'contrapartida expandida' de Ed 9.9,13,15, porquanto as duas passagens se preocupam com uma situação similar e ambas são influenciadas por raciocínios deuteronômicos... Quanto à justiça de Deus, cf. o vs. 8; Ed 9.15 e Dt 32.4" (Raymond A. Bowman, *in loc.*).

■ 9.34

וְאֶת־מְלָכֵינוּ שָׂרֵינוּ כֹּהֲנֵינוּ וַאֲבֹתֵינוּ לֹא עָשׂוּ תּוֹרָתֶךָ וְלֹא הִקְשִׁיבוּ אֶל־מִצְוֺתֶיךָ וּלְעֵדְוֺתֶיךָ אֲשֶׁר הַעִידֹתָ בָּהֶם׃

Os nossos reis... não guardaram a tua lei. A lei foi miseravelmente abusada, negligenciada e desobedecida continuamente pelos líderes da nação: reis, príncipes (governantes civis), sacerdotes (líderes religiosos) e pais (antepassados) em geral. Naturalmente, com tantos maus exemplos, o povo comum de Israel não andou melhor. Ver na *Enciclopédia de Bíblia, Teologia e Filosofia* o detalhado artigo chamado *Exemplo*.

> Os homens leem o evangelho de Cristo
> E o admiram,
> Com seu amor tão infalível e autêntico.
> Mas o que dizem e o que pensam eles
> Do 'evangelho' segundo nós?
>
> Anônimo

O autor sagrado falou sobre "anteriores gerações ímpias", mas não teve nada melhor para falar sobre seus contemporâneos. O testemunho de Deus era contra todos os que abusavam da lei. Ver o vs. 30 quanto a essa expressão. Esse testemunho foi dado através das mensagens dos profetas, os quais foram perseguidos e mortos porquanto diziam a verdade e faziam reverter grande corrupção (vs. 26).

Quanto à natureza tríplice da lei mosaica e os termos usados para expressar isso, ver Dt 6.1. Mandamentos e testemunhos são, com frequência, apresentados formando um par. Ver Dt 6.17 e 2Rs 23.3. Mas testemunhos ou avisos são termos favorecidos em vários lugares do livro de Deuteronômio (ver 4.45 e 6.17,20).

Na enumeração dos líderes de Israel, os profetas são omitidos porque, em sua maior parte, eram fiéis à lei de Moisés, e não mereciam censura, como os outros líderes mereciam.

■ 9.35,36

וְהֵם בְּמַלְכוּתָם וּבְטוּבְךָ הָרָב אֲשֶׁר־נָתַתָּ לָהֶם וּבְאֶרֶץ הָרְחָבָה וְהַשְּׁמֵנָה אֲשֶׁר־נָתַתָּ לִפְנֵיהֶם לֹא עֲבָדוּךָ וְלֹא־שָׁבוּ מִמַּעַלְלֵיהֶם הָרָעִים׃

הִנֵּה אֲנַחְנוּ הַיּוֹם עֲבָדִים וְהָאָרֶץ אֲשֶׁר־נָתַתָּה לַאֲבֹתֵינוּ לֶאֱכֹל אֶת־פִּרְיָהּ וְאֶת־טוּבָהּ הִנֵּה אֲנַחְנוּ עֲבָדִים עָלֶיהָ׃

Pois eles no seu reino, na muita abundância de bens que lhes deste. Graciosamente, Deus lhes deu a Terra Prometida e juntamente muitas coisas boas. Isso estava em consonância com as promessas do *pacto abraâmico* (ver as notas expositivas a respeito, em Gn 15.18). A generosidade divina, entretanto, não suavizou seus corações duros e insensíveis. Em meio à abundância e à vitória sobre os inimigos, eles continuavam imaginando e pondo em efeito toda espécie de corrupção. Note o leitor o contraste entre o "eles" do vs. 35 e o "nós" (oculto) do vs. 36. O "eles" refere-se aos antepassados dos hebreus, que se inclinavam tanto por cair. Em contraste, "nós" são os servos de Yahweh, os quais, pelo menos no momento, estão agindo melhor do que aqueles, depois de terem recebido de volta a Terra Prometida. Neemias e seus contemporâneos estavam em correta posição diante de Yahweh, em contraste com os ancestrais, mas isso naturalmente não haveria de durar por muito tempo.

Os antepassados tinham o seu reino, ou seja, a Terra Prometida, sob o domínio das sete nações cananeias. Está aqui em vista a monarquia de Israel, independente e pré-exílica. Ter conseguido isso não foi um feito pequeno: de fato, foi obra de Deus. Não obstante, os israelitas não se mostravam gratos, nem manteriam esse caráter distintivo como nação por longo tempo. Os cativeiros arrebataram deles a sua nação, porquanto tinham poluído a Terra Prometida e a si mesmos. Mas o retorno sob a liderança de Zorobabel, Esdras e Neemias lhes tinha dado de volta a Terra Prometida. Grande bondade divina (vs. 35) estivera em operação antes e depois dos cativeiros. Isso importa em grandes bênçãos materiais (ver Jr 31.12,14), mas não meramente nisso. O sacerdote que estava fazendo a oração também reconhecia as riquezas do espírito que os pecadores perderam.

Hoje somos servos. Sem dúvida estas palavras significam que os judeus eram servos dos persas. Embora estivessem de volta à Terra Prometida, servindo a Yahweh, continuavam sob o poder de estrangeiros, o que também era resultado do pecado. O versículo seguinte define como essa servidão operava. Taxas e tributos dilapidavam seus bens materiais. Assim sendo, além de terem liberdade e poder limitados, e também um "governador" que os governava, o verdadeiro rei estava na Babilônia, dando-lhes ordens e tirando-lhes dinheiro.

■ 9.37

וּתְבוּאָתָהּ מַרְבָּה לַמְּלָכִים אֲשֶׁר־נָתַתָּה עָלֵינוּ בְּחַטֹּאותֵינוּ וְעַל גְּוִיֹּתֵינוּ מֹשְׁלִים וּבִבְהֶמְתֵּנוּ כִּרְצוֹנָם וּבְצָרָה גְדוֹלָה אֲנָחְנוּ׃ פ

Seus abundantes produtos são para os reis. A condição do novo Israel era a de escravidão absoluta. Pois, apesar de estarem de volta a seu país, esse país, de fato, pertencia à Pérsia, pelo que nem ao menos seu corpo pertencia a eles mesmos. Eles tinham um governador, mas este era um títere do rei que estava na Babilônia. Seu gado, suas possessões e tudo quanto produziam estavam sujeitos a pesados impostos e tributos. O resultado é que eles sofriam profunda aflição.

Dominam sobre os nossos corpos. Estas palavras apontam para o labor forçado ou então para o serviço militar obrigatório a um poder estrangeiro. Seu gado era abatido para servir de alimento, e seus animais de carga eram levados para trabalhar em favor do rei da Pérsia. Portanto, eles apelavam para a misericórdia de Yahweh para ajudá-los em sua aflição. Parte dessa aflição resultava da percepção de que suas condições adversas provinham de suas apostasias, pelo que, apesar de terem voltado da Babilônia, essa era apenas uma cura parcial para a calamidade nacional.

■ 9.38 (na Bíblia hebraica corresponde ao 10.1)

וּבְכָל־זֹאת אֲנַחְנוּ כֹּרְתִים אֲמָנָה וְכֹתְבִים וְעַל הֶחָתוּם שָׂרֵינוּ לְוִיֵּנוּ כֹּהֲנֵינוּ׃

Por causa de tudo isso estabelecemos aliança fiel. *O Novo e Firme Pacto*. Para reverter as aflições e impedir mais algum julgamento divino, era chegada a hora de eles renovarem seu comprometimento e lealdade ao yahwismo. Isso importava em uma renovação do *Pacto Mosaico*, anotado na introdução a Êx 19. O capítulo 10 registra os nomes dos que, em Jerusalém e em Judá, assinaram a aliança, cujas condições se comprometeram a observar.

Nas versões da Septuaginta, Peshitta e Vulgata Latina, o vs. 38 é a conclusão do material antes apresentado. No texto massorético (o texto hebraico padronizado), porém, esse versículo dá início à nova seção, que começa no capítulo 10 do livro de Neemias. De fato, esse versículo serve bem a ambos os propósitos, e é possível que, originalmente, tenha sido uma inserção editorial para servir como elo de conexão entre os dois blocos de materiais.

Os pactos eram chamados de "cortar um acordo", porquanto os participantes sacrificavam um animal, cortavam-no em duas bandas, e andavam entre elas como sinal de seu acordo com as condições estabelecidas. Mas temos aqui uma palavra hebraica diferente. A palavra aqui usada é relacionada à ideia de firmar, de estabelecer um acordo digno de confiança. Não nos são fornecidas as palavras mesmas do pacto, mas versículos como Ne 10.29 dão a sua essência: "... Seus nobres convieram numa imprecação e num juramento, de que andariam na lei de Deus, que foi dada por intermédio de Moisés, servo de Deus; de que guardariam e cumpririam todos os mandamentos do Senhor, nosso Deus, e os seus juízos e os seus estatutos". Assim a tríplice descrição da lei é dada (ver as notas expositivas em Dt 6.1), e é óbvio que o pacto era apenas uma repetição do pacto mosaico.

Ao longo do caminho apanhamos outros elementos, como a observância do sábado (ver Ne 10.31), que era o sinal do pacto mosaico. Então havia as oferendas, os impostos, as cerimônias e os particulares do yahwismo, que o pacto mosaico naturalmente trouxera. Em outras palavras, eles se puseram sob a legislação mosaica, esperando que isso agradaria a Yahweh e que lhes daria paz, prosperidade e vida longa (ver Dt 4.1; 5.33; Ez 20.11). Além disso, como é natural, eles prometeram não corromper o puro sangue judeu com casamentos mistos com pagãos, o que traria a idolatria e todos os tipos de práticas esquisitas para a comunidade do novo Israel. Pelo contrário, eles se manteriam um povo separado e distinto (anotado em Dt 4.4-8). Ver os vss. 28 e 30 do décimo capítulo.

CAPÍTULO DEZ

A passagem de Ne 9.38, no texto hebraico padronizado (o texto massorético; ver no *Dicionário* o verbete chamado *Massora (Massorah): Texto Massorético*), liga os capítulos 9 e 10 de Neemias. Ali temos o pacto que foi feito, uma renovação do *pacto mosaico* (anotado na introdução a Êx 19). Ver a exposição sobre esse versículo quanto a maiores informações. O capítulo 10 segue-se, com uma lista dos assinantes do acordo e também dá, ao longo do caminho, elementos do pacto que não foram listados no fim do capítulo 9. Os que assinaram o pacto, como é óbvio, representavam todas as classes e todas as profissões da vida: os líderes, religiosos e civis, começando por Neemias, o governador; as classes e os clãs dos levitas; e os leigos. A ordem de apresentação é como segue:

1. As autoridades civis (Ne 10.1)
2. Os sacerdotes (10.2-8)
3. Os levitas (10.9-13)
4. Os leigos (10.14-27)

Talvez os vss. 1-27 sejam uma interpolação, conforme pensam alguns eruditos. Seja como for, nos vss. 28-30 temos elementos do pacto, a sua essência. O vs. 31 fornece o seu sinal, a observância da lei do sábado, que era, obviamente, o sinal do pacto mosaico. Em seguida, temos questões secundárias que compunham a legislação mosaica, o imposto do templo (vss. 32 e 33); as oferendas (vs. 34); as leis concernentes às primícias (vss. 35 e 36); as contribuições voluntárias e os dízimos (vss. 37-39). Assim, os vss. 28-39 fornecem as estipulações da lei que governavam o pacto mosaico.

■ **10.1** (na Bíblia hebraica corresponde ao **10.2**)

וְעַל הַחֲתוּמִים נְחֶמְיָה הַתִּרְשָׁתָא בֶּן־חֲכַלְיָה וְצִדְקִיָּה:

Os que selaram foram. A maioria dos nomes próprios arrolados nos vss. 1-27 recebe artigos separados no *Dicionário*, mas conhecemos muito pouco ou mesmo nada sobre a maioria das pessoas envolvidas. Por conseguinte, limito os comentários a observações gerais a respeito de cada grupo representado. Ver as quatro classes de assinantes do pacto, dadas na introdução ao presente capítulo.

1. *As Autoridades Civis*. Esta lista é encabeçada com o nome do governador, Neemias, vs. 1. Quanto ao que se sabe sobre esse homem, ver a introdução ao livro, primeira seção.

O grande total de pessoas nomeadas, de todas as classes, é de 84. A maioria dos nomes tivemos oportunidade de ver antes, em outras listas dos que retornaram da Babilônia. Cf. Ne 7.8-25. Além disso, muitos dos 24 nomes que figuram em Ne 10.1-8 também se acham em Ne 12.12-21.

O primeiro versículo lista duas outras autoridades civis: Hacalias e Zedequias. Cf. Ne 7.7 e Ed 2.2. Conjectura-se que Zedequias fosse um secretário oficial e talvez possa ser identificado com o Zadoque de Ne 13.13, sendo essa a forma abreviada do nome mencionado no presente versículo. Alguns eruditos supõem que foi ele quem compilou o documento assinado e as condições do pacto. Ou então, ele poderia ser um chefe ancião, talvez chefe de um concílio de anciãos, em contraste com Neemias, que era o vice-rei, o primeiro no comando da cidade.

■ **10.2-8** (na Bíblia hebraica corresponde ao **10.3-9**)

שְׂרָיָה עֲזַרְיָה יִרְמְיָה: V3

פַּשְׁחוּר אֲמַרְיָה מַלְכִּיָּה: V4

חַטּוּשׁ שְׁבַנְיָה מַלּוּךְ: V5

חָרִם מְרֵמוֹת עֹבַדְיָה: V6

דָּנִיֵּאל גִּנְּתוֹן בָּרוּךְ: V7

מְשֻׁלָּם אֲבִיָּה מִיָּמִן: V8

מַעַזְיָה בִלְגַּי שְׁמַעְיָה אֵלֶּה הַכֹּהֲנִים: ס V9

2. *Os Sacerdotes*. Curiosamente, nada é dito a respeito de Esdras, o qual pode ter retornado à Babilônia, ou pode ter morrido antes da assinatura do pacto. Ele era descendente de Seraías (mencionado no vs. 2).

A lista de sacerdotes está intimamente vinculada à lista dada em Ne 12.1-6, que vem dos tempos de Zorobabel. E também há elementos comuns com a lista citada em Ne 12.10-21, do tempo do sumo sacerdote Eliasibe. A comparação entre as listas mostra que virtualmente todas as mesmas pessoas foram mencionadas, se alguém observar que nomes similares indicam as mesmas pessoas. Supostos nomes ímpares usualmente são apenas abreviações ou erros escribais.

"Os nomes não são de indivíduos contemporâneos de Neemias, mas de ancestrais epônimos (cf. Ne 12.12-18), e, aparentemente, devem ser entendidos como indicativos de indivíduos de uma época posterior, os assinantes reais, que estavam representados pelas famílias mais antigas. Com base nessa lista, tem sido concluído que 'as famílias sacerdotais na Palestina tinham sido novamente arranjadas e agora estava havendo um esforço real para atingir a ordem do capítulo 24 de 1Crônicas, ao passo que todos são ligados a Arão e seus filhos'" (Raymond A. Bowman, *in loc.*).

São nomeados 21 sacerdotes (vss. 2-8).

■ **10.9-13** (na Bíblia hebraica corresponde ao **10.10-14**)

וְהַלְוִיִּם וְיֵשׁוּעַ בֶּן־אֲזַנְיָה בִּנּוּי מִבְּנֵי חֵנָדָד קַדְמִיאֵל: V10

וַאֲחֵיהֶם שְׁבַנְיָה הוֹדִיָּה קְלִיטָא פְּלָאיָה חָנָן: V11

מִיכָא רְחוֹב חֲשַׁבְיָה: V12

זַכּוּר שֵׁרֵבְיָה שְׁבַנְיָה: V13

הוֹדִיָּה בָנִי בְּנִינוּ: ס V14

3. *Os Levitas*. Em primeiro lugar, temos os nomes de três levitas proeminentes, seguidos por um grupo maior de seus irmãos, que são para nós indivíduos desconhecidos, exceto pelos seus nomes. A maioria dos nomes aparece em outros lugares. Ver Ne 8.7; 9.4,5 e Ed 8.18,19,33. Há algumas duplicações de nomes que lançam a confusão na lista. Sebanias e Hodias (vs. 10) são repetidos nos vss. 12 e 13. Talvez tenhamos uma lista dupla, combinada a partir de outras duas, sem o cuidado absoluto de evitar repetições. Ou talvez estivessem envolvidas pessoas com os mesmos nomes. Talvez Binui (nome esse que não aparece em nenhum outro lugar) seja o mesmo de Ne 12.8 e Ed 8.33. Mica (uma abreviação de Miguel, "quem é como Deus?") talvez seja o nome de um levita, citado em Ne 11.17. Reobe (vs. 11) não se acha em nenhuma das listas paralelas.

Dezessete levitas são enumerados nos vss. 9-13.

■ **10.14-27** (na Bíblia hebraica corresponde ao **10.15-28**)

רָאשֵׁי הָעָם פַּרְעֹשׁ פַּחַת מוֹאָב עֵילָם זַתּוּא בָּנִי: V15

בְּנִי עַזְגָּד בֵּבָי: V16

אֲדֹנִיָּה בִגְוַי עָדִין: V17

אָטֵר חִזְקִיָּה עַזּוּר: V18

הוֹדִיָּה חָשֻׁם בֵּצָי: V19

חָרִיף עֲנָתוֹת נוֹבָי: V20

מַגְפִּיעָשׁ מְשֻׁלָּם חֵזִיר: V21

מְשֵׁיזַבְאֵל צָדוֹק יַדּוּעַ: V22

V23: פְּלַטְיָה חָנָן עֲנָיָה

V24: הוֹשֵׁעַ חֲנַנְיָה חַשּׁוּב

V25: הַלּוֹחֵשׁ פִּלְחָא שׁוֹבֵק

V26: רְחוּם חֲשַׁבְנָה מַעֲשֵׂיָה

V27: וַאֲחִיָּה חָנָן עָנָן

V28: מַלּוּךְ חָרִם בַּעֲנָה

4. *Os Leigos, Chefes do Povo.* A expressão que se encontra aqui, "chefes do povo", substitui a expressão mais familiar "chefes dos pais", que encontramos na obra de Esdras-Neemias (Ed 1.5; 4.2,3; 8.1; 10.16; Ne 7.70; 8.13; 12.12,22,23. Parte da lista (vss. 14-19) tem relação com as grandes listas do segundo capítulo de Esdras e com o sétimo capítulo de Neemias, embora não haja dependência direta. Alguns eruditos sugerem que os nomes que se seguem derivam-se de algum protótipo das grandes listas. Há algumas grandes omissões de nomes dados em outros lugares. O capítulo 10 não menciona as famílias de Sefatias, de Ara ou de Zacai (Ed 2.4,5,9, respectivamente). É altamente improvável que representantes dessas famílias se tenham recusado a assinar o pacto, pelo que não sabemos dizer por que esses nomes foram omitidos. Podemos supor tão somente que todas as listas dadas em Ed-Neemias fossem listas parciais e representativas, e que nunca foi feito um esforço concentrado para compilar listas definitivas. Seja como for, o número total dos assinantes sem dúvida foi maior que os 84 nomes listados no presente capítulo.

A maioria dos nomes locativos de Ne 7.25 ss. e Ed 2.20 ss. foi omitida. Começando com Mesulão (vs. 20), a grande lista padronizada é suplementada por uma série de nomes próprios (vss. 20-27), que provavelmente eram de líderes políticos dos lugares mencionados na grande lista (Ed 2.20 ss.). Não obstante, esses nomes podem estar relacionados aos construtores das muralhas de Jerusalém, no terceiro capítulo do livro de Neemias. Algumas poucas famílias aumentaram as grandes listas padronizadas. Alguns podem ter sido nomes derivados de nomes de famílias.

Foram enumerados 44 nomes de leigos (líderes do povo). Eram cabeças de famílias ou clãs e tinham alguma autoridade em Israel sob o poder de Neemias, o governador.

Grandes Totais:
1. Autoridades civis: 2
2. Sacerdotes   21
3. Levitas   17
4. Leigos   44
                        84

Conforme já explicamos, essas listas são representativas, e não definitivas, e também não inclui Hacalias (o pai de Neemias; vs. 1), entre os que assinaram o pacto.

ELEMENTOS E CONDIÇÕES DO PACTO (10.28-39)

Ao ser mencionado o pacto (ver Ne 9.38), nenhuma informação foi dada quanto ao conteúdo. Mas agora o autor sacro fornece alguns detalhes. Os críticos supõem que a lista dos vss. 1-27 (84 pessoas são mencionadas) consiste em uma interpolação, e que o vs. 28 dê prosseguimento à narrativa abandonada em Ne 9.38. Talvez essa sequência representasse o documento original, e algum editor posterior adicionou a lista de nomes. Seja como for, as palavras "o resto do povo" (vs. 28) referem-se aos que não assinaram o pacto. Contudo, embora suas assinaturas não apareçam entre os 84 nomes, eles concordaram verbalmente, com um juramento, de que guardariam as condições da aliança. Isso posto, foram participantes reais do pacto, embora não tivessem assinado formalmente o documento escrito. É provável que a maioria deles não soubesse ler nem escrever, e essa pode ter sido uma das razões pelas quais o número de assinaturas foi limitado. "Tal como em Ne 8.2,3, mulheres e crianças não estiveram envolvidas no compromisso. Crianças menores estão excluídas pela frase "os que eram capazes de entender o que ouviam" (cf. Ne 8.2)" (Raymond A. Bowman, *in loc.*).

Em Ed 2.41 ss. (parte da grande lista), temos os levitas e suas classes, porteiros, cantores e então os servos do templo (os *netinim*), todos listados separadamente. Mas aqui o cronista inclui todos eles como se formassem uma única classe, "o resto", que não assinou o pacto. Cf. 1Cr 15.22,23; 23.3 ss. Mediante um pouco de expressão descuidada, poderíamos concluir que todo o conjunto mencionado como "o resto" fosse constituído de levitas, mas os servos do templo por certo não eram levitas. Cf. também Ne 7.44-60.

Seja como for, "o resto do povo não após seus selos ao documento escrito, mas comprometeu-se a seguir a lei de Deus... O compromisso deles, embora não indicado por selos, foi evidenciado por uma maldição que atraía calamidade caso deixassem de cumprir seu acordo, e também um juramento. A maldição pode referir-se às maldições que Deus ligou ao pacto deuteronômico (Dt 28.15-68)" (John A. Martin, *in loc.*).

Os representantes daqueles que não assinaram o pacto, mas que haviam assinado o acordo, autenticaram sua participação.

■ **10.28** (na Bíblia hebraica corresponde ao **10.29**)

וּשְׁאָר הָעָם הַכֹּהֲנִים הַלְוִיִּם הַשּׁוֹעֲרִים הַמְשֹׁרְרִים
הַנְּתִינִים וְכָל־הַנִּבְדָּל מֵעַמֵּי הָאֲרָצוֹת אֶל־תּוֹרַת
הָאֱלֹהִים נְשֵׁיהֶם בְּנֵיהֶם וּבְנֹתֵיהֶם כֹּל יוֹדֵעַ מֵבִין:

Todos os que se tinham separado dos povos de outras terras. Todos os participantes se haviam separado dos pagãos e suas idolatrias, mas estão particularmente em vista os servos do templo (ou *netinim*), que se tinham tornado prosélitos da fé dos hebreus (o yahwismo); eles eram racialmente estrangeiros, mas se tinham tornado judeus espirituais. Também estão em vista aqueles que tinham despedido suas esposas estrangeiras, que o cronista está prestes a mencionar (vs. 30). Esse novo começo foi tomado quando os judeus se separaram dos pagãos e de sua má influência. Cf. Ne 9.2, onde o mesmo assunto está em pauta.

■ **10.29** (na Bíblia hebraica corresponde ao **10.30**)

מַחֲזִיקִים עַל־אֲחֵיהֶם אַדִּירֵיהֶם וּבָאִים בְּאָלָה
וּבִשְׁבוּעָה לָלֶכֶת בְּתוֹרַת הָאֱלֹהִים אֲשֶׁר נִתְּנָה בְּיַד
מֹשֶׁה עֶבֶד־הָאֱלֹהִים וְלִשְׁמוֹר וְלַעֲשׂוֹת אֶת־כָּל־מִצְוֹת
יְהוָה אֲדֹנֵינוּ וּמִשְׁפָּטָיו וְחֻקָּיו:

Firmemente aderiram a seus irmãos. Toda a comunidade de Israel uniu-se em torno do juramento e da maldição. Houve um propósito nacional em toda a questão. Competia-lhes caminhar unidos. Ver no *Dicionário* o artigo chamado *Andar, Metáfora do*, quanto a detalhes e ilustrações. A vida seria caracterizada pela obediência à lei de Moisés, o livro de texto da vida, da moral e das ideias. Então temos a tríplice designação da lei, comentada em Dt 6.1. Isso significa que a legislação mosaica como um todo seria observada, incluindo todos os seus conceitos morais e cerimoniais, em todas as suas crenças fundamentais. Cf. Dt 28.15 e Ne 8.14. Moisés, o servo de Yahweh, foi o veículo dessa legislação. Ver no *Dicionário* o artigo chamado *Sinai, Monte*.

Sobre *antes* da maldição, cf. Ez 17.13; sobre o *juramento*, ver Lv 5.4 e esse vocábulo no *Dicionário*. Ver também Dt 29.12.

Este versículo prova que o novo pacto foi realmente a renovação do pacto mosaico, anotado na introdução a Êx 19. Cf. Ne 9.38.

Andai na luz!
Assim conhecereis aquela comunhão de amor,
Que somente seu Espírito pode dar,
E que reina na luz superior.

Andai na luz!
E nem mesmo o sepulcro terá sombra temível;
A glória espantará a sua tristeza,
Pois Cristo conquistou também ali.

Bernard Barton

■ **10.30** (na Bíblia hebraica corresponde ao **10.31**)

וַאֲשֶׁר לֹא־נִתֵּן בְּנֹתֵינוּ לְעַמֵּי הָאָרֶץ וְאֶת־בְּנֹתֵיהֶם לֹא נִקַּח לְבָנֵינוּ:

De que não daríamos as nossas filhas aos povos da terra. Casamentos entre judeus e estrangeiros estavam proibidos no novo pacto. Cf. Ne 13.23-27, e essa condição do pacto confirmou a decisão tomada por Esdras em um tempo anterior. Ver Ed 9.1—10.44. Os casamentos mistos violavam a legislação hebreia anterior (ver Êx 34.16; Dt 7.3). Os povos da terra não deveriam ser procurados (nem aceitos) em tipo algum de contrato de casamento, que usualmente era trabalho de pais que concordavam com pais. Ver Ed 9.2,11. Podemos estar certos de que nisso havia preconceito racial, e não meramente o temor de que a idolatria se instalaria como resultado de tais uniões. Seria impensável que a linhagem de Abraão-Isaque-Jacó viesse a perder seu prestígio e fosse iludida em Israel. Naturalmente, na prática, tudo isso foi ignorado, e até hoje aqueles que descendem dos judeus (da tribo de Judá) são mais europeus quanto à aparência física do que semitas, por causa da longa peregrinação dos judeus na Europa, decorrente da prolongada diáspora romana. As referências do Antigo Testamento aos cabelos quase sempre usam os adjetivo negros (típico dos semitas), mas poucos judeus hoje em dia têm cabelos negros. Ver no *Dicionário* o artigo chamado *Casamento Misto*.

O SINAL DO PACTO (10.31)

■ **10.31** (na Bíblia hebraica corresponde ao **10.32**)

וְעַמֵּי הָאָרֶץ הַמְבִיאִים אֶת־הַמַּקָּחוֹת וְכָל־שֶׁבֶר בְּיוֹם הַשַּׁבָּת לִמְכּוֹר לֹא־נִקַּח מֵהֶם בַּשַּׁבָּת וּבְיוֹם קֹדֶשׁ וְנִטֹּשׁ אֶת־הַשָּׁנָה הַשְּׁבִיעִית וּמַשָּׁא כָל־יָד:

O sinal do Pacto Mosaico era a guarda do sábado como dia especial de adoração e descanso. A questão também entrou nos *Dez Mandamentos* (ver a respeito no *Dicionário*); ver notas sobre Êx 20.10. Há notas expositivas detalhadas sobre o Pacto Mosaico nas notas de introdução a Êx 19. Comento sobre os quatro elementos principais e faço seis observações sobre o Pacto Mosaico, e a de número sexto versa sobre a guarda do sábado. Ver Êx 31.13 ss. Em seguida, forneço um artigo detalhado no *Dicionário* chamado *Sábado*. O sinal do Pacto Abraâmico era a circuncisão (Gn 17.9 ss.).

Meus amigos, a guarda do sábado era um sinal do Pacto Mosaico. Não é o sinal do novo pacto, nem isso é subentendido nas páginas do Novo Testamento.

O sábado semanal era a legislação principal, mas havia outros sábados que tinham seu lugar dentro da legislação. Algumas vezes dias de jejum são chamados de sábado, no Antigo Testamento. Ver Êx 12.16; Nm 28.18; 29.1,7,12,35), tal como o eram as festas de lua nova. Essas festas de lua nova eram usualmente vinculadas aos sábados (ver Am 8.5; 2Rs 4.23). Ademais, o terreno supostamente deveria ficar sem cultivo a cada sete anos, para efeito de maior fertilidade do solo, e também como reflexo do sábado semanal. Ver Êx 23.11; Lv 25.2-7. Além disso, não deveria haver cobrança de dívidas durante o ano sabático (ver Ne 5.1; Dt 15.1-4).

"Com frequência, a escassez de grãos era noticiada como um reflexo da observância da lei do ano sabático (ver 1Macabeus 6.49,53; Josefo, *Antiq.* XIII.8.1; XIV.16.2), e a declaração de Tácito (*História* V.4) e a remissão de tributos por parte dos judeus, por César, durante os anos sabáticos, confirmam ambos a observação dessa lei, o que é evidente em Josefo, *Antiq.* XIV.10.6" (Raymond A. Bowman, *in loc.*). Conforme pode ser visto, havia uma série de leis ligadas ao conceito do sábado, as quais eram importantes para o povo de Israel e começaram a ser observadas novamente por causa do pacto de Neemias.

Mostrando Boa-fé. Os judeus demonstravam boa-fé sobre suas intenções de guardar o sábado semanal recusando-se a negociar naquele dia. A palavra "cereal" da versão portuguesa está correta. O termo hebraico *shebher* refere-se a grãos esmigalhados, e não a produtos alimentares preparados. Naturalmente, os judeus faziam qualquer espécie de comércio com produtos dessa espécie.

■ **10.32** (na Bíblia hebraica corresponde ao **10.33**)

וְהֶעֱמַדְנוּ עָלֵינוּ מִצְוֹת לָתֵת עָלֵינוּ שְׁלִשִׁית הַשֶּׁקֶל בַּשָּׁנָה לַעֲבֹדַת בֵּית אֱלֹהֵינוּ:

Também sobre nós pusemos preceitos. Todos odeiam pagar impostos, e podem pensar que é uma virtude, e não um crime, evitar pagar impostos aos que usam e abusam do dinheiro pago pelo povo. Mas sob o pacto de Neemias, o povo começou a pagar novamente as taxas do templo, para financiar o culto a Yahweh, um suplemento aos dízimos. Neemias mostrava-se insistente quanto à necessidade de sustentar o templo e seu culto. Ver Ne 13.10-14. "Nos tempos pós-exílicos, sem o apoio financeiro da monarquia, o templo dependia diretamente da comunidade. Isso não contradiz os trechos de Ed 6.4 e 7.20 ss., que apontam para a ajuda persa. Esse apoio real, sob a forma de quantias limitadas, era para comprar materiais que, finalmente, tinham de ser pagos" (Raymond A. Bowman, *in loc.*). Ezequiel, no tocante a seu templo ideal, pensava em termos de obrigações pagáveis a um príncipe, o qual, por sua vez, cuidaria das despesas do templo (ver Ez 45.13 ss.). O imposto individual determinado por Neemias era de 1/3 de siclo, e não 1/2 siclo de Êx 30.11,12, a quantia originalmente cobrada. É provável que essa taxa variasse em tempos diferentes e sob condições diversas. Um siclo era um peso, e l/3 pesava cerca da oitava parte de uma onça. Talvez a taxa determinada por Neemias estivesse baseada em uma moeda fenícia, e não nos antigos pesos dos hebreus. O padrão fenício de meio siclo pesava o equivalente aproximado de 1/3 do siclo, a saber, 11,2 grãos de peso. Quanto ao *siclo*, ver *Dinheiro II* e *Pesos e Medidas* IV.c, no *Dicionário*. Originalmente, a taxa do templo era voluntária, mas a taxa determinada por Neemias era obrigatória. Cf. o presente versículo com Mt 17.24,27. O cronista supunha que a quantia tinha sido fixada por Moisés (ver 2Cr 24.6,9). Cf. Êx 30.11 ss. e 38.25 ss.

■ **10.33** (na Bíblia hebraica corresponde ao **10.34**)

לְלֶחֶם הַמַּעֲרֶכֶת וּמִנְחַת הַתָּמִיד וּלְעוֹלַת הַתָּמִיד הַשַּׁבָּתוֹת הֶחֳדָשִׁים לַמּוֹעֲדִים וְלַקֳּדָשִׁים וְלַחַטָּאוֹת לְכַפֵּר עַל־יִשְׂרָאֵל וְכֹל מְלֶאכֶת בֵּית־אֱלֹהֵינוּ: ס

Para os pães da proposição, e para a contínua oferta de manjares. O culto regular a Yahweh, celebrado no templo e fora dele, foi restaurado pelo pacto de Neemias, em consonância com as instruções existentes na legislação mosaica. Este versículo atua como uma espécie de lista acrescentada de boas intenções. Ver o *Dicionário* quanto aos *Pães Asmos*. Quanto aos vários tipos de ofertas, ver a lista com referências em Lv 7.37. Ver também ali os detalhados artigos sobre *Festas (Festividades) Judaicas* e *Sacrifícios e Ofertas*. Ver as ofertas contínuas em Ed 3.2-5 e, quanto às oferendas apresentadas no sábado, ver Nm 28.9,10. Quanto às luas novas e suas festas, ver Ed 3.5. Quanto às coisas santas, ver 2Cr 29.33; 35.13. Quanto às ofertas pelo pecado, ver Ed 8.35. Quanto à expiação, ver Ne 8.18 e 1Cr 6.49; 2Cr 29.24; Lv 4.13-21 e 16.21-28.

E para toda a obra da casa do nosso Deus. Tanto o trabalho do culto como a aparelhagem para o templo, bem como seu reparo e manutenção (ver 2Rs 12.5 ss.; 22.3 ss.).

■ **10.34** (na Bíblia hebraica corresponde ao **10.35**)

וְהַגּוֹרָלוֹת הִפַּלְנוּ עַל־קֻרְבַּן הָעֵצִים הַכֹּהֲנִים הַלְוִיִּם וְהָעָם לְהָבִיא לְבֵית אֱלֹהֵינוּ לְבֵית־אֲבֹתֵינוּ לְעִתִּים מְזֻמָּנִים שָׁנָה בְשָׁנָה לְבַעֵר עַל־מִזְבַּח יְהוָה אֱלֹהֵינוּ כַּכָּתוּב בַּתּוֹרָה:

Nós os sacerdotes, levitas e o povo deitamos sortes. Neemias também se preocupou com a oferta em lenha (ver Ne 13.31). Uma chama deveria queimar perpetuamente no grande altar (ver Lv 6.12; Josefo, *Guerras* II.17.6). Assim sendo, seria necessário um suprimento adequado de lenha (Js 9.21,22; 1Rs 17.10; Jr 7.18), e alguém tinha de fazer esse trabalho. Sortes foram lançadas para determinar quem seriam os trabalhadores, e algum tipo de sistema de rotação foi inventado, a fim de que o trabalho fosse dividido. Ver no *Dicionário* o verbete intitulado *Sortes*. Alguns eruditos sugerem que foram usados o Urim e o Tumim, mas não parece ser a intenção da passagem dizer-nos isso. A Mishnah diz-nos que o suprimento de lenha era renovado nove vezes a cada ano. Josefo menciona uma festividade comunitária de carregamento de lenha (*Guerras*, II.17.6).

Segundo as nossas famílias. O trabalho foi dividido entre os clãs, para garantir uma justa distribuição desse labor.

Originalmente, os servos do templo (os *netinim*) tomavam conta desse trabalho, mas após o cativeiro babilônico não havia número suficiente deles para fazerem o trabalho sozinhos, o que explica a necessidade de ajuda da comunidade. Os servos do templo eram "cortadores de madeira e carregadores de água" e de modo geral faziam o labor que outros queriam evitar.

■ **10.35,36** (na Bíblia hebraica corresponde ao **10.36,37**)

וּלְהָבִיא אֶת־בִּכּוּרֵי אַדְמָתֵנוּ וּבִכּוּרֵי כָל־פְּרִי
כָל־עֵץ שָׁנָה בְשָׁנָה לְבֵית יְהוָה׃

וְאֶת־בְּכֹרוֹת בָּנֵינוּ וּבְהֶמְתֵּינוּ כַּכָּתוּב בַּתּוֹרָה
וְאֶת־בְּכוֹרֵי בְקָרֵינוּ וְצֹאנֵינוּ לְהָבִיא לְבֵית אֱלֹהֵינוּ
לַכֹּהֲנִים הַמְשָׁרְתִים בְּבֵית אֱלֹהֵינוּ׃

E que também traríamos as primícias da nossa terra. As primícias da colheita e dos pomares tinham de ser trazidas ao templo para sustento do ministério. Ver sobre as *primícias* (no hebraico, *bikkurim*) em Êx 13.1-13; 22.29; 23.19; 34.22,26; Nm 18.15-18; Lv 23.17,20. Cuidar dessa questão foi um aspecto importante das reformas de Neemias. As tribos semíticas nômades sacrificavam os filhotes primogênitos do gado e dos rebanhos, e, quando a agricultura se desenvolveu, os frutos do trabalho deles também estavam sujeitos às leis das primícias. As primícias também faziam parte do culto cananeu antigo, e talvez, conforme alguns sugerem, a prática tenha sido incorporada à cultura dos hebreus. Ver no *Dicionário* o verbete chamado *Primícias*, quanto a detalhes sobre a questão. Os primogênitos dos homens e dos animais eram oferecidos (vs. 36). Os primogênitos dos animais eram oferecidos literalmente, e os primogênitos dos seres humanos eram dedicados a Yahweh, para viverem, em lugar de morrerem. Originalmente, sacrifícios humanos estiveram envolvidos. Até 621 a.C. temos uma história de sacrifícios humanos na Palestina, e algumas vezes os hebreus participaram, imitando os povos pagãos ao derredor. Ver no *Dicionário* o artigo chamado *Moleque, Moloque*. Os fenícios abandonaram a prática desde bem cedo (entre os séculos VIII e VI a.C.).

Este versículo, naturalmente, nada diz sobre sacrifícios humanos e a redenção dos primogênitos. Ver Êx 13.13; 34.20; Nm 18.15; Lc 2.22-24. Os animais, entretanto, conforme já dissemos, eram literalmente abatidos. Animais que não podiam ser sacrificados (imundos, de acordo com os requerimentos cerimoniais) eram remidos, a fim de que pudessem ser usados no trabalho (ver Êx 13.13; 34.20; Nm 18.15,16). Os primogênitos dos homens eram remidos (não eram literalmente sacrificados em tempos posteriores) e eram então dedicados a Yahweh, para servirem como sacerdotes da família. Portanto, todos os primogênitos dos animais, literal ou simbolicamente, eram sacrificados a Yahweh.

Com a passagem do tempo, a tribo de Levi tornou-se uma casta sacerdotal em Israel, e, até onde os homens estavam envolvidos, substituíram as antigas leis das primícias. Ver no *Dicionário* o artigo chamado *Levitas*. Assim, em vez de terem um sacerdote para cada família, os sacerdotes e levitas serviam no templo, representando a nação inteira, liderando o culto de Yahweh.

■ **10.37** (na Bíblia hebraica corresponde ao **10.38**)

וְאֶת־רֵאשִׁית עֲרִיסֹתֵינוּ וּתְרוּמֹתֵינוּ וּפְרִי כָל־עֵץ
תִּירוֹשׁ וְיִצְהָר נָבִיא לַכֹּהֲנִים אֶל־לִשְׁכוֹת בֵּית־
אֱלֹהֵינוּ וּמַעְשַׂר אַדְמָתֵנוּ לַלְוִיִּם וְהֵם הַלְוִיִּם
הַמְעַשְּׂרִים בְּכֹל עָרֵי עֲבֹדָתֵנוּ׃

As primícias da nossa massa. A lei das primícias era bastante extensa, conforme demonstra este versículo, e o artigo no *Dicionário* sobre as *Primícias* conta a história toda com detalhes.

Nossa massa. Ver Nm 15.20,21. Entre as doações feitas para sustento do clero de Israel, havia a substância dos cereais crus (no hebraico, *'aresah*), o grão, preparado em suas primeiras fases. Mas o Talmude fala de uma espécie de pasta de cevada ou trigo (Talmude Babilônico, *Nedarim* 41b) e essa substância parece estar em vista aqui. A massa, no primeiro estágio de mistura, que podia ser transformada em um bolo, era requerida. Isso facilitava o problema da cozedura por parte dos levitas. Ver Rm 11.16 quanto a um uso metafórico da questão. Ver até que ótimo ponto as leis das "doações aos levitas" chegaram. Uma dona de casa judia, quando misturava a massa para fazer pão ou bolo, tinha de doar parte da massa ao ministério.

Os pomares não estavam isentos da lei das primícias. Ver Lv 18.23,24. E também não escapavam o vinho e o azeite (ver Nm 18.12). A décima parte dos produtos agrícolas era o dízimo para os ministros (ver Nm 18.21). Os produtos agrícolas eram a riqueza da Terra Prometida, juntamente com os animais domesticados. Tudo era dizimado. Ver no *Dicionário* o verbete chamado *Dízimo*, quanto a detalhes. Originalmente, o dízimo era uma prática realizada em favor dos reis regulares, para eles "obterem sua partilha" de tudo, de fato, uma espécie de tributo cobrado sobre o povo do rei. A quantia de 10% tornou-se sagrada e devotada aos deuses e a Deus, isto é, ao ministério envolvido no culto às divindades.

É por isso que temos a abrangente declaração de Mishnah: "Tudo quanto é consumido e é vigiado e cresce do solo está sujeito ao dízimo" (Maaseroth 1.1). Os fariseus, nos dias de Jesus, exageravam a questão que já era naturalmente exagerada (ver Mt 23.23; Lc 11.42). Jesus objetou à ênfase deles quanto aos detalhes da lei, com a negligência das coisas que têm maior importância, como a justiça e a retidão de alma.

Neemias, em seu zelo, fez as reformas incluírem toda a maciça legislação, a qual, presumivelmente, tornou-se obrigatória, pelo menos em seus dias.

■ **10.38** (na Bíblia hebraica corresponde ao **10.39**)

וְהָיָה הַכֹּהֵן בֶּן־אַהֲרֹן עִם־הַלְוִיִּם בַּעְשֵׂר הַלְוִיִּם
וְהַלְוִיִּם יַעֲלוּ אֶת־מַעֲשַׂר הַמַּעֲשֵׂר לְבֵית אֱלֹהֵינוּ
אֶל־הַלְּשָׁכוֹת לְבֵית הָאוֹצָר׃

O sacerdote, filho de Arão, estaria com os levitas quando estes recebessem os dízimos. *Coletores de Dízimos*. Para certificar-se de que o sistema de dízimos funcionava corretamente, os levitas receberam a incumbência de reunir e distribuir os dízimos. Os dízimos deviam ser trazidos aos armazéns do templo. Os sacerdotes atuavam como garantidores e inspetores da quantidade e da qualidade. Eles acompanhavam o trabalho dos levitas com olhos atentos. Dentre o dízimo dado aos levitas, outro era extraído, o qual ia para os sacerdotes. Portanto, os sacerdotes recebiam o dízimo dos dízimos. Ver Nm 18.26-30. Quanto aos armazéns do templo, ver Ne 13.13 e Ed 8.29; 10.6. Os sacerdotes eram filhos de Arão, isto é, formavam um clã entre os descendentes de Levi. Ver Nm 18.2-26.

■ **10.39** (na Bíblia hebraica corresponde ao **10.40**)

כִּי אֶל־הַלְּשָׁכוֹת יָבִיאוּ בְנֵי־יִשְׂרָאֵל וּבְנֵי הַלֵּוִי
אֶת־תְּרוּמַת הַדָּגָן הַתִּירוֹשׁ וְהַיִּצְהָר וְשָׁם כְּלֵי
הַמִּקְדָּשׁ וְהַכֹּהֲנִים הַמְשָׁרְתִים וְהַשּׁוֹעֲרִים
וְהַמְשֹׁרְרִים וְלֹא נַעֲזֹב אֶת־בֵּית אֱלֹהֵינוּ׃

Porque àquelas câmaras os filhos de Israel e os filhos de Levi. *O Final*. Este versículo provê uma conclusão dos requisitos do pacto estabelecido por Neemias. O culto do templo e seus ministros tinham de ser sustentados, sob pena de o programa inteiro do yahwismo ruir por terra. As câmaras do templo (ver Ne 13.13; Ed 8.29; 10.6) tinham de ser mantidas cheias, e aos levitas cabia a tarefa de garantir isso. Todas as funções de responsabilidade dos levitas tinham de ser mantidas em operação: os porteiros, os cantores, os levitas auxiliares, os sacerdotes. Cada indivíduo, ao cumprir sua tarefa especial, tinha de ser um recebedor dos dízimos porque, como é óbvio, o culto era um trabalho de tempo integral, e aqueles homens não podiam sair e cuidar de suas próprias necessidades. De fato, eles tinham terras de plantio adjacentes às suas cidades, mas isso não era o bastante para sustentar o sistema.

A Aplicação dessas Questões no Novo Testamento. O ministério precisava ser sustentado e tinha o direito de tirar seu sustento daqueles a quem servia: ver 1Co 9.4 ss. No vs. 9, Paulo trouxe a lei para dentro da questão, a fim de reforçar o seu caso.

Assim não desampararíamos a casa do nosso Deus. "Tanto o compromisso como a violação desse compromisso, na sequência, são explicados em Ne 13.1-14" (Ellicott, *in loc.*).

Esquecendo a Casa de Deus. Adam Clarke (*in loc.*) generalizou o texto, fazendo-o referir-se à frequência fiel à igreja cristã e ao sustento de seu clero. Ele listou as seguintes ideias: 1. A igreja é a casa de Deus, sua habitação. 2. A família dos crentes deveria mostrar-se ativa na igreja. 3. Deveria haver ali ministros cuidando de todos os negócios. 4. A adoração de Deus é o objetivo principal da igreja. 5. As ordenanças do evangelho são o sustento espiritual da igreja. 6. Não negligenciemos a casa de Deus, pois o adorador deve estar presente. O crente deve participar, levar ali os seus familiares e observar e propagar todas as provisões da fé.

"Esse compromisso solene foi repetido no fim do pacto, como expressão do zelo intenso mediante o qual o povo, o tempo todo, era animado para glorificar e adorar a Deus" (Jamieson, *in loc.*).

CAPÍTULO ONZE

REGISTRO DOS HABITANTES DE JERUSALÉM E CIRCUNVIZINHANÇA (11.1-36)

Quase todos os judeus, conforme era apenas natural, queriam viver na capital, Jerusalém. Mas isso não era possível. Portanto, foi escolhido um sistema de sortes que determinasse quem residiria na capital e quem deveria ir a outros lugares de Judá, para povoar as cidades interioranas. Seja como for, é uma boa ideia não sobrecarregar a capital. São Paulo é um triste exemplo do que acontece quando os homens fazem isso. Brigham Young, pioneiro norte-americano e líder dos mórmons, quando controlava o Estado de Utah (EUA), não permitiu que se desenvolvesem cidades populosas. Ele advertiu o povo do resultado de grandes cidades onde os cidadãos têm liberdade de fazer o que lhes parecer melhor e podem circular relativamente desconhecidos entre o povo. Cidades superocupadas tendem a criar condições para bandidos e vítimas de crimes e de degradação. Atualmente, mais de cem anos depois, a maior cidade do Estado de Utah, Salt Lake City, tem uma pequena população relativa de apenas um milhão de habitantes. Se Brigham Young fosse vivo hoje em dia, esse número seria ainda menor. Contudo, é relativamente seguro caminhar pelas ruas da cidade hoje em dia. Talvez a primeira regra da urbanização (que é uma especialidade de muitas universidades modernas) seja evitar que se desenvolvam megacidades.

Jerusalém precisava ser povoada, mas outro tanto acontecia com Judá. Pois de que outra forma os judeus teriam uma nação? Se todos permanecessem na capital, haveria uma cidade-estado, e não uma nação.

Em Ne 11.1–13.31 temos a continuação das memórias de Neemias, que tinham sido deixadas para trás em Ne 7.5. Neemias relata o que ele fez a respeito da reorganização da nação, e não apenas da capital da nação.

Jerusalém tinha sido essencialmente restaurada, os escombros tinham sido removidos, as cicatrizes do cativeiro babilônico (e outras destruições posteriores) tinham sido eliminadas. A cidade estava pronta para ser reocupada. "A narrativa reverte para Ne 7.5. Foram lançadas sortes para a transferência da décima parte da população para a capital" (Ellicott, *in loc.*).

Caracterização Geral do Capítulo. "Este capítulo aborda a questão dos habitantes de Jerusalém, bem como dos habitantes das tribos de Judá e Benjamim, que se estabeleceram ali por sorte, ou por sua própria vontade, com seus nomes e números (vss. 1-9). Também trata dos sacerdotes e levitas que habitaram a capital: vss. 10-19; e, igualmente, fala do restante do povo, os sacerdotes e os levitas que habitaram outras cidades e aldeias de Judá e Benjamim: vss. 20-36" (John Gill, *in loc.*).

■ **11.1**

וַיֵּשְׁבוּ שָׂרֵי־הָעָם בִּירוּשָׁלָ͏ִם וּשְׁאָר הָעָם הִפִּילוּ
גוֹרָלוֹת לְהָבִיא ׀ אֶחָד מִן־הָעֲשָׂרָה לָשֶׁבֶת בִּירוּשָׁלַ͏ִם
עִיר הַקֹּדֶשׁ וְתֵשַׁע הַיָּדוֹת בֶּעָרִים׃

Os príncipes do povo habitaram em Jerusalém. A capital, conforme é apenas natural, contava com a grande maioria dos governantes, tanto civis quanto religiosos. A versão Peshitta diz *anciãos*. Eles eram os nobres (Ne 6.17), os chefes de clãs, os chefes do povo (vs. 3; Ne 7.70; Ed 2.68). Estavam, em sua maioria, em Jerusalém, durante a administração de Neemias na cidade (ver Ne 6.17), bem como no tempo de Esdras (Ed 8.29). Mas somente os líderes não podiam fazer a cidade funcionar e garantir sua segurança e funções gerais. A reconstrução tinha ocorrido, os sinais do cativeiro babilônico tinham sido removidos, e assim Jerusalém se tornara receptiva à ocupação geral. O templo estava ali, o que fazia de Jerusalém o lugar centralizado da adoração nacional, bem como a principal residência dos sacerdotes e levitas.

Enquanto isso, as pessoas que se mantinham "afastadas" da capital estabeleceram-se no interior, ocupando-se da vida agrícola, livres dos problemas próprios de toda cidade grande. Mas Neemias cuidou para que a décima parte da população de Judá se mudasse para a capital. Alguns se apresentariam como voluntários, mas outros tiveram de ser escolhidos por meio das sortes.

Mudanças Forçadas. Temos outros exemplos históricos de mudanças forçadas de populações para novas localidades. Naturalmente, os assírios e os babilônios, em suas invasões, deportações de povos e importações de outros povos para tomar o lugar dos primeiros, com frequência, ocupavam-se dessa atividade. Essa norma obliterava um inimigo. Ver Ed 2.1 e 5.12 e os artigos sobre *Cativeiros*, no *Dicionário*. No período acaemenido e posteriormente, pessoas foram transplantadas à força para povoar as cidades que tinham sido fundadas. Ver Diodoro da Sicília VIII.83.7; XVIII.4.4; Heródoto, *História* VII.156; Pausânio, *Descrição da Grécia* Viii.27.3-5.

Um de dez. Ou seja, um homem, em cada dez, transferiria sua família para Jerusalém. As estruturas familiares seriam mantidas. As famílias não seriam desmanchadas pela mudança forçada. Ver no *Dicionário* o verbete chamado *Sortes*. O cronista não explicou, contudo, qual método foi usado nessa transferência. Acreditava-se, naturalmente, que Yahweh faria certo que a sorte cega não estaria envolvida. Yahweh controlaria as sortes e enviaria para Jerusalém as famílias que ele queria ali. Ver no *Dicionário* o artigo chamado *Providência de Deus*.

Na santa cidade de Jerusalém. Visto que o templo e seu culto sagrado estavam ali, centralizando a adoração. Ver Is 48.2; 52.1; Dn 9.24; Tobias 13.9; Mt 4.5; 27.53, quanto ao uso dessa expressão. O título árabe moderno da cidade preserva essa ideia: El-Quds (a Santa). Talvez o nome se tenha originado da transferência do adjetivo do "Santo dos Santos" para a área inteira.

■ **11.2**

וַיְבָרֲכוּ הָעָם לְכֹל הָאֲנָשִׁים הַמִּתְנַדְּבִים לָשֶׁבֶת
בִּירוּשָׁלָ͏ִם׃ פ

O povo bendisse a todos os homens. Houve voluntários, conforme este versículo deixa claro, e essas "almas corajosas" receberam louvor especial da parte da população. Algumas pessoas estariam ansiosas para trocar a vida interiorana pela vida citadina, mas os que já estivessem estabelecidos nas fazendas haveriam de querer permanecer onde estavam. Os que foram voluntariamente para a capital "tiveram seu patriotismo aplaudido por todos" (Ellicott, *in loc.*). Jerusalém era um lugar perigoso, a despeito da restauração. Os habitantes da cidade teriam de conservar os olhos abertos. Além disso, era difícil abandonar os lucros que se estava fazendo (vs. 3).

Líderes que Residiam em Jerusalém (11.3-24)

Estes versículos são independentes do vs. 2. Não falam sobre os voluntários que foram residir em Jerusalém. A referência à ocupação de Jerusalém sugeriu naturalmente a relevância da menção aos líderes daquele lugar. Sem dúvida, a lista está relacionada, de alguma maneira, a 1Cr 9, mas exatamente como é algo disputado. Sem dúvida trata-se de uma lista pós-exílica, extraída dos arquivos do templo. E também, sem dúvida, é uma lista ao mesmo tempo incompleta e apenas representativa, e os números fornecidos provavelmente indicam não a população total, mas apenas os chefes de famílias. Seja como for, é impossível usar os números dados em qualquer tentativa de calcular a população total da cidade. Os vss. 1-36 constituem uma espécie de recenseamento. Os vss. 9, 14 e 22 mostram que um supervisor acompanhava cada grupo.

■ 11.3

וְאֵ֙לֶּה֙ רָאשֵׁ֣י הַמְּדִינָ֔ה אֲשֶׁ֥ר יָשְׁב֖וּ בִּירוּשָׁלִָ֑ם וּבְעָרֵ֣י יְהוּדָ֗ה יָֽשְׁב֞וּ אִ֤ישׁ בַּאֲחֻזָּתוֹ֙ בְּעָ֣רֵיהֶ֔ם יִשְׂרָאֵ֥ל הַכֹּהֲנִ֛ים וְהַלְוִיִּ֥ם וְהַנְּתִינִ֖ים וּבְנֵ֥י עַבְדֵ֥י שְׁלֹמֹֽה׃

São estes os chefes da província. O cronista listou as principais classes envolvidas: sacerdotes, levitas, servos do templo (ou *netinim*) e descendentes dos servos de Salomão (aparentemente devem ser distinguidos como um grupo separado, diferente dos *netinim*). "Uma boa diferença será encontrada entre a enumeração aqui feita e aquela de 1Cr 9.2 ss. Ali, parece que foram enumerados somente os que vieram com Zorobabel. Aqui, aqueles e as pessoas que vieram tanto com Ezra como com Neemias entram no cômputo geral" (Adam Clarke, *in loc.*). A lista provida nos vss. 3-19 deste capítulo é idêntica à de 1Cr 9.2-17.

■ 11.4-36

V4 וּבִירוּשָׁלִַ֙ם֙ יָֽשְׁב֔וּ מִבְּנֵ֥י יְהוּדָ֖ה וּמִבְּנֵ֣י בִנְיָמִ֑ן מִבְּנֵ֣י יְהוּדָ֗ה עֲתָיָ֤ה בֶן־עֻזִּיָּה֙ בֶּן־זְכַרְיָ֣ה בֶן־אֲמַרְיָ֔ה בֶּן־שְׁפַטְיָ֖ה בֶּן־מַֽהֲלַלְאֵ֑ל מִבְּנֵי־פָֽרֶץ׃

V5 וּמַעֲשֵׂיָ֣ה בֶן־בָּר֣וּךְ בֶּן־כָּל־חֹ֠זֶה בֶּן־חֲזָיָ֙ה בֶן־עֲדָיָ֧ה בֶן־יוֹיָרִ֛יב בֶּן־זְכַרְיָ֖ה בֶּן־הַשִּׁלֹנִֽי׃

V6 כָּל־בְּנֵי־פֶ֕רֶץ הַיֹּשְׁבִ֖ים בִּירוּשָׁלִָ֑ם אַרְבַּ֥ע מֵא֛וֹת שִׁשִּׁ֥ים וּשְׁמֹנָ֖ה אַנְשֵׁי־חָֽיִל׃ ס

V7 וְאֵ֖לֶּה בְּנֵ֣י בִנְיָמִ֑ן סַלֻּ֡א בֶּן־מְשֻׁלָּ֡ם בֶּן־יוֹעֵ֡ד בֶּן־פְּדָיָה֩ בֶן־קוֹלָיָ֨ה בֶן־מַעֲשֵׂיָ֧ה בֶּן־אִֽיתִיאֵ֛ל בֶּן־יְשַֽׁעְיָֽה׃

V8 וְאַחֲרָ֖יו גַּבַּ֣י סַלָּ֑י תְּשַׁ֥ע מֵא֖וֹת עֶשְׂרִ֥ים וּשְׁמֹנָֽה׃

V9 וְיוֹאֵ֥ל בֶּן־זִכְרִ֖י פָּקִ֣יד עֲלֵיהֶ֑ם וִיהוּדָ֧ה בֶן־הַסְּנוּאָ֛ה עַל־הָעִ֖יר מִשְׁנֶֽה׃ פ

V10 מִן־הַכֹּהֲנִ֑ים יְדַֽעְיָ֥ה בֶן־יוֹיָרִ֖יב יָכִֽין׃

V11 שְׂרָיָ֨ה בֶן־חִלְקִיָּ֜ה בֶּן־מְשֻׁלָּ֣ם בֶּן־צָד֗וֹק בֶּן־מְרָי֛וֹת בֶּן־אֲחִיט֖וּב נְגִ֥ד בֵּ֥ית הָאֱלֹהִֽים׃

V12 וַאֲחֵיהֶ֗ם עֹשֵׂ֤י הַמְּלָאכָה֙ לַבַּ֔יִת שְׁמֹנֶ֥ה מֵא֖וֹת עֶשְׂרִ֣ים וּשְׁנָ֑יִם וַעֲדָיָ֨ה בֶן־יְרֹחָ֜ם בֶּן־פְּלַלְיָ֣ה בֶן־אַמְצִ֗י בֶן־זְכַרְיָ֛ה בֶּן־פַּשְׁחוּר בֶּן־מַלְכִּיָּֽה׃

V13 וְאֶחָיו֙ רָאשִׁ֣ים לְאָב֔וֹת מָאתַ֖יִם אַרְבָּעִ֣ים וּשְׁנָ֑יִם וַעֲמַשְׁסַ֧י בֶּן־עֲזַרְאֵ֛ל בֶּן־אַחְזַ֥י בֶּן־מְשִׁלֵּמ֖וֹת בֶּן־אִמֵּֽר׃

V14 וַאֲחֵיהֶם֙ גִּבּ֣וֹרֵי חַ֔יִל מֵאָ֖ה עֶשְׂרִ֣ים וּשְׁמֹנָ֑ה וּפָקִ֣יד עֲלֵיהֶ֔ם זַבְדִּיאֵ֖ל בֶּן־הַגְּדוֹלִֽים׃ ס

V15 וּמִן־הַלְוִיִּ֑ם שְׁמַעְיָ֧ה בֶן־חַשּׁ֛וּב בֶּן־עַזְרִיקָ֖ם בֶּן־חֲשַׁבְיָ֥ה בֶן־בּוּנִּֽי׃

V16 וְשַׁבְּתַ֨י וְיוֹזָבָ֜ד עַל־הַמְּלָאכָ֤ה הַחִיצֹנָה֙ לְבֵ֣ית הָאֱלֹהִ֔ים מֵרָאשֵׁ֖י הַלְוִיִּֽם׃

V17 וּמַתַּנְיָ֣ה בֶן־מִ֠יכָה בֶּן־זַבְדִּ֨י בֶן־אָסָ֜ף רֹ֗אשׁ הַתְּחִלָּה֙ יְהוֹדֶ֣ה לַתְּפִלָּ֔ה וּבַקְבֻּקְיָ֖ה מִשְׁנֶ֣ה מֵאֶחָ֑יו וְעַבְדָּ֛א בֶן־שַׁמּ֥וּעַ בֶּן־גָּלָ֖ל בֶּן־יְדִיתֽוּן׃

V18 כָּל־הַלְוִיִּם֙ בְּעִ֣יר הַקֹּ֔דֶשׁ מָאתַ֖יִם שְׁמֹנִ֥ים וְאַרְבָּעָֽה׃ פ

V19 וְהַשּׁוֹעֲרִ֗ים עַקּ֤וּב טַלְמוֹן֙ וַאֲחֵיהֶ֔ם הַשֹּׁמְרִ֖ים בַּשְּׁעָרִ֑ים מֵאָ֖ה שִׁבְעִ֥ים וּשְׁנָֽיִם׃

V20 וּשְׁאָ֨ר יִשְׂרָאֵ֜ל הַכֹּהֲנִ֤ים הַלְוִיִּם֙ בְּכָל־עָרֵ֣י יְהוּדָ֔ה אִ֖ישׁ בְּנַחֲלָתֽוֹ׃

V21 וְהַנְּתִינִ֖ים יֹשְׁבִ֣ים בָּעֹ֑פֶל וְצִיחָ֥א וְגִשְׁפָּ֖א עַל־הַנְּתִינִֽים׃ פ

V22 וּפְקִ֤יד הַלְוִיִּם֙ בִּיר֣וּשָׁלִַ֔ם עֻזִּ֤י בֶן־בָּנִי֙ בֶּן־חֲשַׁבְיָ֔ה בֶּן־מַתַּנְיָ֖ה בֶּן־מִיכָ֑א מִבְּנֵ֤י אָסָף֙ הַמְשֹׁ֣רְרִ֔ים לְנֶ֖גֶד מְלֶ֥אכֶת בֵּית־הָאֱלֹהִֽים׃

V23 כִּֽי־מִצְוַ֥ת הַמֶּ֖לֶךְ עֲלֵיהֶ֑ם וַאֲמָנָ֛ה עַל־הַמְשֹׁרְרִ֖ים דְּבַר־י֥וֹם בְּיוֹמֽוֹ׃

V24 וּפְתַֽחְיָ֨ה בֶּן־מְשֵֽׁיזַבְאֵ֜ל מִבְּנֵי־זֶ֤רַח בֶּן־יְהוּדָה֙ לְיַ֣ד הַמֶּ֔לֶךְ לְכָל־דָּבָ֖ר לָעָֽם׃

V25 וְאֶל־הַחֲצֵרִ֖ים בִּשְׂדֹתָ֑ם מִבְּנֵ֣י יְהוּדָ֗ה יָשְׁב֞וּ בְּקִרְיַ֤ת הָֽאַרְבַּע֙ וּבְנֹתֶ֔יהָ וּבְדִיבֹן֙ וּבְנֹתֶ֔יהָ וּבִיקַּבְצְאֵ֖ל וַחֲצֵרֶֽיהָ׃

V26 וּבְיֵשׁ֥וּעַ וּבְמוֹלָדָ֖ה וּבְבֵ֥ית פָּֽלֶט׃

V27 וּבַחֲצַ֥ר שׁוּעָ֛ל וּבִבְאֵ֥ר שֶׁ֖בַע וּבְנֹתֶֽיהָ׃

V28 וּבְצִֽקְלַ֥ג וּבִמְכֹנָ֖ה וּבִבְנֹתֶֽיהָ׃

V29 וּבְעֵ֥ין רִמּ֛וֹן וּבְצָרְעָ֖ה וּבְיַרְמֽוּת׃

V30 זָנֹ֤חַ עֲדֻלָּם֙ וְחַצְרֵיהֶ֔ם לָכִישׁ֙ וּשְׂדֹתֶ֔יהָ עֲזֵקָ֖ה וּבְנֹתֶ֑יהָ וַיַּחֲנ֥וּ מִבְּאֵֽר־שֶׁ֖בַע עַד־גֵּֽיא־הִנֹּֽם׃

V31 וּבְנֵ֥י בִנְיָמִ֖ן מִגָּ֑בַע מִכְמָ֣שׂ וְעַיָּ֔ה וּבֵֽית־אֵ֖ל וּבְנֹתֶֽיהָ׃

V32 עֲנָת֥וֹת נֹ֖ב עֲנָֽנְיָֽה׃

V33 חָצ֥וֹר ׀ רָמָ֖ה גִּתָּֽיִם׃

V34 חָדִ֥יד צְבֹעִ֖ים נְבַלָּֽט׃

V35 לֹ֥ד וְאוֹנ֖וֹ גֵּ֥י הַחֲרָשִֽׁים׃

V36 וּמִן־הַלְוִיִּ֔ם מַחְלְק֥וֹת יְהוּדָ֖ה לְבִנְיָמִֽין׃ פ

Habitaram, pois, em Jerusalém. São mencionadas as tribos de Judá e Benjamim, mas Benjamim havia sido absorvida pela tribo de Judá, e não havia distinção real entre as duas tribos, após o exílio. Contudo, havia alguma consciência tribal, que continuou até os tempos dos romanos, conforme hoje falamos sobre as conexões étnicas que temos com povos da Europa e de outros lugares do mundo. Cf. Rm 11.1 e Fp 3.5.

Os vss. 4-19 listam os descendentes de vários chefes de famílias que se mudaram ou que já habitavam em Neemias. Eram 468 leigos da tribo de Judá (vss. 4-6) e 928 leigos da tribo de Benjamim (vss. 7-9). Além desses, havia 1.192 sacerdotes (vss. 10-14), 284 levitas (vss. 15-18) e 172 porteiros (vs. 19). O grande total orçou em 3.044. As listas de 1Cr 9 também mostram que descendentes de Efraim e Manassés viviam em Jerusalém.

Os nomes dos líderes provinciais de Judá são listados (antecipadamente no vs. 3). Dou artigos sobre esses homens no *Dicionário*, relatando o pouco que se sabe acerca deles, os significados de seus nomes etc. A essas informações acrescento aqui algumas poucas observações:

1. *Vss. 4-9.* Os leigos que eram líderes provinciais incluíam Ataías, filho de Uzias, filho de Zacarias, filho de Amarias, filho de Sefatias, filho de Maalaleel e dois filhos de Perez. Perez era filho de Judá (ver Gn 38.2-5, 26-29). Outro filho de Judá, Zera, mencionado em Gn 38.30 e 1Cr 9.6, não é citado no presente texto. Conforme alguns estudiosos supõem, isso explica por que 1Cr 9.6 tem 690 pessoas mencionadas, ao passo que Neemias refere-se a somente 468 (vs. 6). Na lista de Benjamim, Neemias nomeou apenas uma linhagem de descendentes (vs. 7), mas o cronista incluiu quatro linhagens. Isso poderia explicar o número de 928 benjamitas, segundo a lista de Neemias (vs. 8), um total levemente inferior aos 956 de 1Cr 9.9. Ver Zera mencionado no vs. 24. Provavelmente sua família foi acidentalmente deixada de fora no vs. 5. 1Cr 9.6 omite o total dos filhos de Perez, mas dá um grande total (690) que provavelmente representa todos os judaítas residentes em Jerusalém.

2. O *vs. 9* implica que os oficiais mencionados eram supervisores, e que havia muita gente sobre a qual eles exerciam controle, que não entrou na lista e em seus totais. O vs. 9 não tem paralelo em 1Cr 9. Provavelmente "superintendente" significa que o homem mencionado (Zicri) encabeçava os descendentes de Benjamim, e não meramente o seu próprio clã. Ver a palavra "superintendente" também nos vss. 14 e 22. Senua era uma espécie de prefeito de Jerusalém, que só ocupava o segundo lugar após Neemias, o governador.

   Superintendente. No hebraico, *paqidh*, um chefe representativo, equivalente ao termo assírio *amelpaqudu*. Pode significar "prefeito". A Septuaginta nos dá a palavra *epískopos*, como tradução, e isso tem influenciado algumas traduções a traduzir o termo hebraico como *superintendente*.

   O segundo sobre a cidade. No hebraico, *mishneh*, que significa aqui "segundo encarregado", mas não de alguma seção de Jerusalém, como se a cidade estivesse dividida em distritos. Antes, ele era o "segundo oficial", como um prefeito, que obedecia a Neemias, o primeiro poder, o governador.

3. *Vss. 10-14.* Seis famílias de sacerdotes são aqui listadas. Cf. 1Cr 9.10-13. Estão em vista os mesmos indivíduos (nomes de clãs), com algumas diferenças nas grafias dos nomes. O total de 1.192 difere da lista de 1Crônicas, que enumera 1.760. Encontramos o mesmo tipo de dificuldade com todas as listas em Ed e Neemias, começando pelas grandes listas do segundo capítulo de Esdras e do sétimo capítulo de Neemias. Os vss. 10 e 11 dão os nomes dos sacerdotes que habitavam em Jerusalém, e a narrativa é paralela a 1Cr 9.10,11, excetuando o fato de que Seraías (vs. 11) é o Azarias da passagem paralela.

   Adaías (Ed 10.29) liderava a família de Pasur (Ne 7.41 e Ed 2.38), e sua genealogia é traçada até Malquias.

   Zabdiel é chamado de *superintendente* (*supervisor*, conforme a tradução da Septuaginta). Ver as notas sobre o vs. 9 quanto ao significado dessa palavra. Ver também o vs. 22, onde o termo ocorre de novo. Zabdiel era superintendente dos sacerdotes, tal como Joel era superintendente dos leigos. O leitor deve contrastá-lo com o príncipe (vs. 11). O príncipe pode ter governado questões internas, sagradas, enquanto o superintendente controlava os aspectos mais seculares da comunidade sacerdotal, mas isso é apenas uma conjectura. Havia a tendência de diferenciar entre as funções sagradas e as funções seculares do clero (vs. 16).

4. *Vss. 15-19.* Temos aqui a lista dos clãs dos levitas, através da menção de seus respectivos cabeças. Os vss. 15-18 são bastante próximos da lista paralela, em 1Cr 8.14-16, sendo provável que originalmente as listas fossem idênticas. Visto que os manuscritos da Septuaginta, *AB* e *Aleph,* têm apenas cerca de metade do material, julgamos que a lista foi crescendo com a passagem do tempo, e que esses manuscritos representem uma listagem mais antiga. Entretanto, não são muitos os nomes ausentes. Existem omissões em materiais expandidos, nos vss. 16, 17, 20 e 21. Dos quatro líderes levitas que aparecem em 1Cr 9, três acham-se na presente lista. O quarto líder, Berequias (Ne 9.16), é omitido, possivelmente porque esse clã não residia em Jerusalém, mas nas vilas dos neofatitas. Encontramos as variantes usuais na grafia dos nomes e algumas substituições. Os porteiros (vs. 19) são representados, no livro de Neemias, por dois chefes de famílias, mas no trecho paralelo (1Cr 9.17), há quatro desses chefes. Portanto, os totais são diferentes: Neemias, 172; 1Cr, 212. Como em tudo mais, quanto a informações adicionais sobre os nomes, examine o *Dicionário*.

   Dentre os seis porteiros que figuram em Ed 2.42, apenas Acube e Talmom são listados aqui. Talvez os outros quatro habitassem fora de Jerusalém.

5. *Vss. 20-24.* O restante dos judeus habitava em cidades da Judeia (e nas fazendas), fora da capital, Jerusalém. Esses são descritos nos vss. 25-36. Aqui temos "os cabeças da nação" (Ellicott, *in loc.*).

   Os servos do templo se localizavam em Ofel (vs. 21, ver Ne 3.26), a colina de Jerusalém que levava ao norte, para o templo. O vs. 20 é praticamente igual a Ne 11.3b. Não se acha na maioria dos manuscritos gregos, mas é suprido no manuscrito *L* da Septuaginta. Tanto quanto possível, o povo "lá fora" retornou a seus lares ancestrais (cf. o vs. 3). Ver sobre os servos do templo (os *netinim*), no *Dicionário*. Visto que essa classe de servos do templo não é mencionada no trecho paralelo de 1Cr 9, nem nos manuscritos *AB* e *Aleph* da Septuaginta, e que a Peshitta omite os nomes dos líderes, o versículo é claramente um suplemento no texto presente. Outro tanto pode ser dito com referência aos vss. 22 e 23, que podem ter sido inseridos por um editor que perdeu a referência a um superintendente (vs. 9) dos levitas, visto que tais líderes foram nomeados quanto a outros grupos (vss. 9 e 14). Portanto, esse editor supriu o elemento perdido. Seja como for, o superintendente aqui é Uzi, o mesmo Uzias de Ed 10.21.

   Vs. 23. O "mandado do rei" provavelmente é uma referência a Davi, que tinha organizado os levitas em turnos e funções. Ele enfatizara o ministério da música. Os cantores participavam da adoração e faziam-se presentes aos sacrifícios. Cf. Ne 12.24 e 1Cr 25. Por outra parte, os reis persas estavam interessados nos cultos locais (ver Ed 6.9,10), e alguns estudiosos supõem que a referência poderia ser ao rei da Babilônia. Nesse caso, o homem envolvido provavelmente foi Artaxerxes. Seja como for, havia uma provisão física para a classe dos cantores, pelo que eles podiam prosperar em sua profissão sem se preocupar com as provisões físicas fundamentais. Eles contavam com uma pensão diária dos alimentos necessários. Uzi deveria ter a certeza de que o sistema funcionava bem. Dario fizera provisão para os sacerdotes (Ed 6.10). Talvez Artaxerxes fosse um amante da música, pelo que favorecia a classe dos cantores levitas. Mas não é muito provável que estes fossem empregados por ele em capacidades fora do templo (conforme dizem alguns).

   Vs. 24. Este versículo nos faz voltar às aldeias judaicas, distantes de Jerusalém. As palavras "à disposição do rei" implicam em uma residência no estrangeiro, na corte persa. Se isso é verdade, então Petaías provavelmente era o embaixador que fazia a mediação entre Judá e a corte persa. Era ele um judeu, aparentemente de família nobre, um descendente de Zera, irmão gêmeo de Perez. Cf. o vs. 4 e ver Gn 38.30 e Nm 26.20. A família de Zera na lista dos judeus (vss. 4-6), pode ter sido acidental, mas é possível que essa família ainda não tivesse retornado à Judeia quando a lista estava sendo compilada. Petaías era "um dos famosos olhos do monarca persa, que noticiava os negócios judaicos a ele" (*Oxford Annotated Bible, in loc.*). Alguns fazem de Petaías governador da Judeia, mas isso é menos provável.

6. *Vss. 25-36.* Tendo misturado, nos vss. 20-24, Jerusalém, aldeias judaicas e a corte da Pérsia na Babilônia, o autor sagrado agora centraliza a atenção sobre aquelas coisas "lá fora", nas aldeias onde os judeus se estabeleceram, ou as quais reocuparam, fora de Jerusalém.

Caracterização Geral. "As colônias judaicas, relativamente poucas, estavam bastante dispersas em quatro áreas: o sul (Neguebe); a região montanhosa (a Sefelá); as montanhas ao norte e a oeste de Jerusalém; e um pequeno grupo bem para oeste, na planície costeira. Há um silêncio surpreendente acerca de muitos lugares mencionados em outros pontos na coletânea de Esdras-Neemias: Tecoa (Ne 3.5); Bete-Haquerém (3.14); Bete-Zur (3.16); Queila (3.17); Belém e Netofa (7.26); Quiriate-Jearim (7.29); Gibeom, Mispa, Meronote (3.7); Quefira e Beerote (7.29); Jericó (7.36) e Bete-Gilgal (12.29). A situação dispersa dessas aldeias tem levado muitos a considerar a lista como artificial e não histórica" (Raymond A. Bowman, *in loc.*). Por outro lado, talvez o cronista tenha simplesmente ficado cansado daquela interminável listagem de nomes de pessoas e lugares, preferindo oferecer uma lista breve, meramente representativa. Alguns outros estudiosos pensam que a lista é historicamente autêntica, mas reflete um tempo anterior ao de Neemias, quando o território de Judá foi, de fato, esparsamente povoado. O grosso da população — prossegue a teoria — ainda não tinha regressado do exílio. Talvez a natureza tão dispersa da lista (pessoas estavam largamente espalhadas por todo o território) se devesse ao fato de que alguns do povo referido nunca estiveram no cativeiro, tendo sido deixados em suas terras ancestrais.

A lista dos vss. 25-30 menciona dezessete aldeias espalhadas nas áreas que indiquei acima. A lista dos vss. 31-35 dá os nomes de quinze localidades onde viviam os descendentes de Benjamim, no norte do território de Judá. O Vale dos Artífices (vs. 35) provavelmente ficava perto de Lode e Ono. Alguns levitas mudaram-se para o norte, para o território de Benjamim (vs. 36). Quanto ao *Vale dos Artífices*, ver 1Cr 4.14 e também o artigo com esse nome no *Dicionário*. Anoto os outros nomes próprios no *Dicionário*, em artigos separados, pelo que não repito aqui a informação.

Os lugares de ocupação de Benjamim foram "desde Berseba até ao vale de Hinom" (vs. 30), isto é, do extremo sul do território concedido às doze tribos até a fronteira setentrional de Judá. Note-se a seguinte tradução do vs. 36: "E, dos levitas, alguns de Judá foram juntos a Benjamim", o que significa que alguns que costumavam viver em Judá mais tarde se mudaram para terras de Benjamim.

Os levitas, para melhor instruir o povo, foram espalhados ao redor, alguns aqui e outros ali, em ambas as tribos (Benjamim e Judá).

"Os homens de Judá espalharam-se do extremo sul ao extremo norte de Judá, em uma extensão de cerca de oitenta quilômetros" (Ellicott, *in loc.*).

CAPÍTULO DOZE

RELAÇÃO DOS SACERDOTES E DOS LEVITAS, INCORPORANDO O TEMPO DESDE O RETORNO DA BABILÔNIA A JERUSALÉM ATÉ O FIM DO IMPÉRIO PERSA (12.1-26)

Os vss. 12.27 — 13.3 relatam a dedicação das muralhas de Jerusalém e mencionam regras para a adoração pública.

"Este capítulo fornece-nos uma narrativa dos chefes dos sacerdotes e dos levitas nos dias de Zorobabel, Jesua, Joiaquim, Eliasibe e Neemias: vss. 1-26; da dedicação das muralhas de Jerusalém e da alegria expressa naquela ocasião: vss. 27-43; e da nomeação de algumas pessoas sobre os tesouros para os sacerdotes, levitas, cantores e porteiros: vss. 44-47" (John Gill, *in loc.*).

"As genealogias listam os indivíduos ou representantes dos sacerdotes e dos levitas em diversos períodos, desde o retorno sob Dario II até o tempo do sumo sacerdote Jadua" (Raymond A. Bowman, *in loc.*).

Os vss. 1-26 são uma espécie de apêndice adicionado às listas referentes aos recenseamentos que terminaram no capítulo 11. Cf. Ed 2.36-40. Os vss. 1-9 listam os nomes dos sacerdotes e levitas que chegaram sob a liderança de Zorobabel, no primeiro retorno dos judeus da Babilônia.

Os Sacerdotes (12.1-7)

■ 12.1-7

V1 וְאֵלֶּה הַכֹּהֲנִים וְהַלְוִיִּם אֲשֶׁר עָלוּ עִם־זְרֻבָּבֶל בֶּן־שְׁאַלְתִּיאֵל וְיֵשׁוּעַ שְׂרָיָה יִרְמְיָה עֶזְרָא:

V2 אֲמַרְיָה מַלּוּךְ חַטּוּשׁ:

V3 שְׁכַנְיָה רְחֻם מְרֵמֹת:

V4 עִדּוֹא גִנְּתוֹי אֲבִיָּה:

V5 מִיָּמִין מַעַדְיָה בִּלְגָּה:

V6 שְׁמַעְיָה וְיוֹיָרִיב יְדַעְיָה:

V7 סַלּוּ עָמוֹק חִלְקִיָּה יְדַעְיָה אֵלֶּה רָאשֵׁי הַכֹּהֲנִים וַאֲחֵיהֶם בִּימֵי יֵשׁוּעַ: פ

Visto que a lista dos vss. 1-7 é dos sacerdotes que retornaram com Zorobabel, deve ser paralela a Ne 7.39-42. Mas, em vez das quatro famílias de sacerdotes, segundo se vê no capítulo 7, o autor sagrado fala em 22 famílias. Jamieson (*in loc.*) dá-nos uma explicação plausível: "De conformidade com o vs. 7, estão em vista 'os chefes dos sacerdotes', os cabeças dos 24 turnos em que o sacerdócio havia sido dividido (ver 1Cr 24.1-20). Apenas quatro turnos voltaram do cativeiro (Ne 7.39-42; Ed 2.36-39). Mas esses quatro foram divididos por Zorobabel e Jesua no número original de 24. Mas aqui foram enumerados somente 22 turnos, e não mais de vinte turnos nos vss. 12-21. A discrepância se deve à circunstância extremamente provável de que dois dos 24 turnos se tinham extinguido na Babilônia. Nenhum membro pertencente a esses dois turnos aparece como quem retornou do exílio (vss. 2-5)".

Quando comparamos isso à lista de Ne 10.2-8, há diversas adições e omissões, mas os nomes dados estão em ordem de sequência idêntica, quando correspondem nas duas listas. Diferentes tempos e condições são provavelmente refletidos nas listas, e o cronista não procurava harmonia e uma relação completa absoluta, nem poderia ter atingindo tal alvo, ainda que o tivesse alvejado.

Davi, naturalmente, foi quem organizou os sacerdotes nos 24 turnos ou divisões (ver 1Cr 24.7-19), e esse padrão foi imitado com algum sucesso (mas não com sucesso absoluto). A lista aqui reflete um tempo cem anos antes, isto é, cerca de 538 a.C.

Os sacerdotes e levitas. Estas palavras servem de título para os vss. 1-9. Os sacerdotes aparecem nos vss. 1-7, e os levitas, nos vss. 8,9.

Para detalhes sobre cada um dos 22 nomes da lista, ver o *Dicionário*. Cf. Ne 7.39-42. A maioria dos nomes podem ser encontrados espalhados pelo livro de Esdras. Exemplos: Jesua (Ed 3.2); Ed (o Azarias de Ed 7.1); Amarias (vs. 2), visto em Ed 7.1; Maluque (vs. 2), o Malquias de Ed 10.25; Hatus (vs. 2), que figura em Ed 8.2; Secanias (vs. 3), visto em Ed 8.3; Reum (vs. 3), Ed 2.2; Meremote (vs. 3), Ed 8.33; Ido (vs. 4), paralelo a Ed 5.1; Miamim (vs. 5), paralelo a Ed 10.25.

Paralelos também ocorrem com Ne 10.2 ss., os cantores do pacto estabelecido sob a liderança de Neemias.

Poderíamos esperar que a lista fosse um paralelo próximo do capítulo 2 de Esdras, mas não é. Portanto, podemos supor ter aqui descendentes de pessoas mencionadas ali, o que poderia explicar as diferenças. Ver Ed 2.36-39 quanto à lista dos sacerdotes.

Os Levitas (12.8,9)

■ 12.8,9

וְהַלְוִיִּם יֵשׁוּעַ בִּנּוּי קַדְמִיאֵל שֵׁרֵבְיָה יְהוּדָה מַתַּנְיָה עַל־הֻיְּדוֹת הוּא וְאֶחָיו:

וּבַקְבֻּקְיָה וְעֻנִּי אֲחֵיהֶם לְנֶגְדָּם לְמִשְׁמָרוֹת:

O cronista fornece os nomes de oito levitas que retornaram na companhia de Zorobabel. Juntamente com seus associados, o número deles chega a 74 (Ed 2.40), ou a 202, se os cantores forem incluídos (Ed 2.41). Esdras listou apenas dois nomes (Ed 2.40). Note o leitor que Matanias e Bacbuquias não devem ser confundidos com homens dos mesmos nomes, nos dias de Neemias (Ne 11.17), embora seu trabalho fosse similar. Além disso, temos o problema dos nomes de famílias, de tal modo que um nome pode não ser o nome de um indivíduo.

Estavam defronte deles. Isto pode referir-se à maneira antifonal de cantar ou à mudança de turnos em diferentes ocasiões. O que é claro é que havia organização na questão, cada indivíduo com seu serviço e função no tempo determinado.

Sumos Sacerdotes Pós-exílicos (12.10,11)

■ 12.10,11

וְיֵשׁוּעַ הוֹלִיד אֶת־יוֹיָקִים וְיוֹיָקִים הוֹלִיד אֶת־אֶלְיָשִׁיב וְאֶלְיָשִׁיב אֶת־יוֹיָדָע׃

וְיוֹיָדָע הוֹלִיד אֶת־יוֹנָתָן וְיוֹנָתָן הוֹלִיד אֶת־יַדּוּעַ׃

Aqui a lista é dada sem um título preliminar. Cf. 1Cr 6.1-14. O primeiro sumo sacerdote pós-exílico foi Jesua (Ed 2.2), contemporâneo de Zorobabel (Ag 1.1; Zc 3.1 ss.). A lista conclui com Jadua, que provavelmente era contemporâneo do autor-editor da compilação da unidade literária de Esdras-Neemias. Muitas gerações de sumos sacerdotes estenderam-se de Arão até Jeozadaque, o qual foi levado para o exílio, por ocasião do cativeiro babilônico. Ver 1Cr 6.3-15. Então apareceu Jesua, o sumo sacerdote que retornou com Zorobabel (Ed 2.1,2 e Ne 11.1). Ele descendia de Eliasibe (vs. 10). Até Jadua foram três gerações. Joanã, provavelmente é o mesmo homem com esse nome, em Ne 12.22.

"Seis gerações se espalharam ao longo de duzentos anos, de 536 a 332 a.C." (Ellicott, *in loc.*). Ver o *Dicionário* quanto ao detalhado artigo chamado *Sumo Sacerdote*.

Sacerdotes que Serviram sob Joiaquim (12.12-21)

■ 12.12-21

וּבִימֵי יוֹיָקִים הָיוּ כֹהֲנִים רָאשֵׁי הָאָבוֹת לִשְׂרָיָה V12 מְרָיָה לְיִרְמְיָה חֲנַנְיָה׃

לְעֶזְרָא מְשֻׁלָּם לַאֲמַרְיָה יְהוֹחָנָן׃ V13

לְמַלּוּכִי יוֹנָתָן לִשְׁבַנְיָה יוֹסֵף׃ V14

לְחָרִם עַדְנָא לִמְרָיוֹת חֶלְקָי׃ V15

לְעִדּוֹא זְכַרְיָה לְגִנְּתוֹן מְשֻׁלָּם׃ V16

לַאֲבִיָּה זִכְרִי לְמִנְיָמִין לְמוֹעַדְיָה פִּלְטָי׃ V17

לְבִלְגָּה שַׁמּוּעַ לִשְׁמַעְיָה יְהוֹנָתָן׃ V18

וּלְיוֹיָרִיב מַתְּנַי לִידַעְיָה עֻזִּי׃ V19

לְסַלַּי קַלָּי לְעָמוֹק עֵבֶר׃ V20

לְחִלְקִיָּה חֲשַׁבְיָה לִידַעְיָה נְתַנְאֵל׃ V21

"Esta lista, que se propõe a nomear os sacerdotes dos tempos de Joiaquim, pai de Eliasibe (vs. 10), é na verdade uma lista dupla, pois nomeia tanto os ancestrais remotos como os representantes contemporâneos da família" (Raymond A. Bowman, *in loc.*). Quanto ao pouco que se sabe sobre esses homens, os significados de seus nomes etc., ver os artigos separados no *Dicionário*.

Encontramos aqui vinte nomes que correspondem, grosso modo, aos 22 nomes dos vss. 1-7. Hatus (vs. 2) e Maadias (vs. 5) não figuram na lista dos vss. 12-21. Temos uma variante na ortografia de Harim (vs. 15), que é o mesmo Reum do vs. 3. Miniamim (vs. 17) é escrito como Miamim, no vs. 5.

Joiaquim era filho e sucessor de Jesua, o primeiro sumo sacerdote do segundo templo. "Seguem-se os principais homens do sumo sacerdócio em seu tempo. Eles eram filhos ou descendentes dos sacerdotes no tempo de seu pai, antes mencionado... ao todo havia vinte. Houve 22 nomes nos dias de seu pai, mas não havia filhos e descendentes de dois deles, a saber, Hatus (vs. 2) e Maadias (vs. 5)" (John Gill, *in loc.*).

A Fonte das Listas Genealógicas (12.22,23)

Esperaríamos aqui a lista dos levitas (que sempre aparecem depois dos sacerdotes), mas isso é adiado até os vss. 24 e 25. Temos uma interpolação que fornece a origem das listas apresentadas. O título da obra originária aparece como o *Livro das Crônicas*. Talvez esteja em foco o mesmo livro chamado pelo seu título mais longo: *Livro da História dos Reis de Israel e Judá*. Quanto a esse livro, dou notas expositivas detalhadas em 1Rs 14.19, onde falo sobre os livros perdidos da Bíblia. Alguns desses livros serviram como fontes originárias para os livros canônicos, embora nunca lhes tenha sido dada posição canônica e eles não tenham sobrevivido até os nossos próprios dias. Cf. 2Cr 9.29; 12.15; 20.34; 26.22; 35.25 quanto a tais obras mencionadas. Alguns eruditos pensam que, ocasionalmente, os autores sagrados se referiram a "bibliotecas imaginárias", como se eles tivessem livros que lhes fornecessem materiais, mas isso é uma suposição tola. Naturalmente, existiam muitos livros, e, naturalmente, houve fontes informativas escritas que serviram de base para os livros canônicos. É possível que o livro mencionado no vs. 23 tenha sido uma obra diferente daquela de título parecido, mencionada em 1Rs 14.19, e pode ter sido uma obra escrita especificamente para fornecer informações sobre as famílias levíticas, uma extensa genealogia (e, talvez, um comentário). Ver o artigo geral no *Dicionário* intitulado *Livro (Livros)*, que discute sobre alguns dos livros perdidos.

Meyer argumenta que o livro referido no vs. 23, além de materiais genealógicos, também continha informes históricos, e pode ter sido a crônica oficial do templo para o período pós-exílico.

■ 12.22,23

הַלְוִיִּם בִּימֵי אֶלְיָשִׁיב יוֹיָדָע וְיוֹחָנָן וְיַדּוּעַ כְּתוּבִים רָאשֵׁי אָבוֹת וְהַכֹּהֲנִים עַל־מַלְכוּת דָּרְיָוֶשׁ הַפָּרְסִי׃ פ

בְּנֵי לֵוִי רָאשֵׁי הָאָבוֹת כְּתוּבִים עַל־סֵפֶר דִּבְרֵי הַיָּמִים וְעַד־יְמֵי יוֹחָנָן בֶּן־אֶלְיָשִׁיב׃

Até aos dias de Joanã, filho de Eliasibe. Isso nos leva ao fim do reinado de Dario II. Visto que Joanã foi deposto por ter assassinado a seu irmão (cf. o vs. 11), o sumo sacerdote deve ter sido deposto em algum tempo entre 408 a.C., quando ainda ocupava o ofício sumo sacerdotal, de acordo com certos papiros descobertos em 405 a.C., quando morreu Dario II. O Dario do texto provavelmente é Dario II, que governou a Pérsia de 423 a 405 a.C. De acordo com os papiros Elefantinos, Joanã era sumo sacerdote em 408 a.C. É possível que Neemias tenha vivido para ver o filho de Jônatas, Jadua, tornar-se sumo sacerdote (entre 408 e 405 a.C.).

Os Levitas sob Joiaquim (12.24-26)

Os levitas aqui mencionados serviram em seu ofício nos dias do sumo sacerdote Joiaquim (cf. os vss. 10 e 12) e nos dias de Neemias. Os nomes dados não são nomes de indivíduos, mas são nomes levitas comuns, representando indivíduos que vieram na linhagem dos cabeças de clãs assim chamados. Aqui temos os oficiais existentes do templo, e muitos desses nomes, naturalmente, são os mesmos que aqueles de tempos anteriores. Ver o *Dicionário* quanto a detalhes sobre esses nomes.

■ 12.24

וְרָאשֵׁי הַלְוִיִּם חֲשַׁבְיָה שֵׁרֵבְיָה וְיֵשׁוּעַ בֶּן־קַדְמִיאֵל וַאֲחֵיהֶם לְנֶגְדָּם לְהַלֵּל לְהוֹדוֹת בְּמִצְוַת דָּוִיד אִישׁ־הָאֱלֹהִים מִשְׁמָר לְעֻמַּת מִשְׁמָר׃

Hasabias, Serebias. Estes dois nomes não devem ser confundidos com nomes de homens que acompanharam Esdras (Ed 8.18,19), visto que eles não podiam estar vivos no tempo apresentado pelo presente texto. Este versículo dá os nomes dos cantores (envolvidos no ministério da música, que era tão importante para Davi). O vs. 25 dá os nomes dos porteiros. O vs. 26 diz que os homens mencionados serviram nos dias de Joiaquim e Neemias, mas a menção de Esdras, no mesmo versículo, está fora de lugar. O cronista supôs que Esdras e Neemias fossem contemporâneos, mas fazer Esdras ter vivido por tanto tempo é duvidoso. Alguns críticos colocam Esdras depois de

Neemias e supõem uma perturbação cronológica. Eles o situam durante o reinado de Artaxerxes II.

Ver 1Cr 23.5,36 e o capítulo 25 do mesmo livro, e também 2Cr 8.14, quanto à criação de turnos dos levitas, com suas respectivas funções. Ver sobre os porteiros em 1Cr 9.15-17.

■ 12.25,26

מַתַּנְיָ֧ה וּבַקְבֻּקְיָ֛ה עֹבַדְיָ֥ה מְשֻׁלָּ֖ם טַלְמ֣וֹן עַקּ֑וּב
שֹׁמְרִ֤ים שׁוֹעֲרִים֙ מִשְׁמָ֔ר בַּאֲסֻפֵּ֖י הַשְּׁעָרִֽים׃

אֵ֕לֶּה בִּימֵ֛י יוֹיָקִ֥ים בֶּן־יֵשׁ֖וּעַ בֶּן־יוֹצָדָ֑ק וּבִימֵי֙ נְחֶמְיָ֣ה
הַפֶּחָ֔ה וְעֶזְרָ֖א הַכֹּהֵ֥ן הַסּוֹפֵֽר׃ פ

Faziam a guarda aos depósitos das portas. Os dízimos e as oferendas traziam tudo quanto era necessário para a vida e subsistência dos levitas, e havia depósitos para guardar os bens oferecidos. Esses depósitos estavam localizados próximo a vários portões do templo, talvez sendo câmaras vinculadas ou próximas a eles. Certos levitas foram destacados para montar guarda nesses depósitos, a fim de garantir que não haveria violações nem furtos. A palavra hebraica é *'assupe*, cognata do acádico *bit assuppu*, armazém.

DEDICAÇÃO DAS MURALHAS DE JERUSALÉM E REGRAS ACERCA DA ADORAÇÃO PÚBLICA (12.27—13.3)

As dedicações serviam não somente para reconhecer certas coisas como santas, mas também para colocar coisas seculares sob a proteção divina e santificá-las. Os antigos hebreus não limitavam seus atos de dedicação somente a objetos estritos de culto. Até casas particulares eram dedicadas a Yahweh (cf. Dt 20.5). Os ritos de dedicação eram uma espécie de final de uma obra e, em muitos casos, uma liberação das coisas dedicadas para serem empregadas nas funções específicas para as quais tinham sido preparadas.

"Tais ritos eram, ao que tudo indica, reconhecidos como o ato final de uma construção, tal como os sacrifícios das primícias eram o ato final e essencial do processo agrícola. Assim sendo, era apenas natural supor que, quando as muralhas da cidade santa (11.1) fossem reconstruídas, essas muralhas seriam dedicadas, a fim de afastar possíveis catástrofes, pondo-as sob a proteção de Deus (Raymond A. Bowman, *in loc.*). Assim é que, até hoje, pessoas piedosas oram sobre seus portões e portas, pedindo que ladrões e homens ímpios e desarrazoados se mantenham afastados de seus lares. A eficácia de tais atos tem sido confirmada pela experiência. Li sobre um caso no qual um ladrão saiu assustado de perto de uma casa, ao ver uma entidade (não física) que impediu sua aproximação. Neste mundo ímpio, precisamos de toda a proteção que possamos obter, e a oração e as dedicações existem para servir-nos.

Note o leitor o uso da primeira pessoa do singular na narrativa seguinte. Quanto às memórias de Neemias, ver: Ne 1.1—7.5; 11.27-43; 13.4-30, ao que a presente seção, de Ne 12.27-43, é adicionada. Contudo, alguns eruditos supõem que esse "eu" seja um artifício literário do cronista. De qualquer maneira, não há razão para duvidarmos da qualidade de testemunha ocular da narração.

PREPARATIVOS PARA A DEDICAÇÃO (12.27-30)

Participação da Comunidade. Os levitas que moravam longe da capital, Jerusalém, foram convocados a participar da celebração, e podemos ter certeza de que muitos judeus leigos também se fizeram presentes a fim de comemorar a grande vitória concedida através de Neemias. Cf. Ne 11.3,20. As muralhas foram dedicadas "com música, purificação, cortejo e sacrifícios" (*Oxford Annotated Bible*, comentando sobre o vs. 27).

Não nos é fornecido nenhum dado cronológico, mas alguns eruditos, mediante o uso de 2Macabeus 1.18, supõem que a data tenha sido o vigésimo quinto dia do nono mês, o que, apropriadamente, ocorreu três meses após a conclusão do trabalho (ver Ne 6.15).

■ 12.27

וּבַחֲנֻכַּ֞ת חוֹמַ֣ת יְרוּשָׁלִַ֗ם בִּקְשׁ֤וּ אֶת־הַלְוִיִּם֙ מִכָּל־
מְק֣וֹמֹתָ֔ם לַהֲבִיאָ֖ם לִירוּשָׁלִָ֑ם לַעֲשֹׂ֨ת חֲנֻכָּ֤ה וְשִׂמְחָה֙
וּבְתוֹד֣וֹת וּבְשִׁ֔יר מְצִלְתַּ֖יִם נְבָלִ֥ים וּבְכִנֹּרֽוֹת׃

Na dedicação dos muros de Jerusalém. A celebração foi uma festa de Hanukkah, semelhante à que houve na rededicação do templo, no tempo dos Macabeus (1Macabeus 4.52,59). Essa festa continua sendo celebrada no judaísmo moderno. Após ter considerado vários argumentos e datas, Raymond A. Bowman estabeleceu 2 de outubro de 445 a.C. como o dia da dedicação das muralhas de Jerusalém. Comparar Ne 6.15, que fala do dia em que as muralhas da cidade foram terminadas.

Toda a comunidade dos levitas, vinda de toda a parte do território de Judá, foi convidada a participar da celebração, por parte de Neemias. Foi um grande dia de vitória, do qual todos deveriam participar. A ajuda dos levitas na música, nos cânticos, nas ações, nos louvores e nas danças seria necessária. Os levitas dedicados às questões musicais eram habilidosos no uso de todo tipo de instrumentos musicais, e houve um alegre ruído naquele dia. Quanto ao uso dos instrumentos musicais, cf. Ed 3.10; 1Cr 15.16; 16.5; Is 5.12; Sl 33.2; 43.4; Jó 30.31. Ver no *Dicionário* o artigo denominado *Música, Instrumentos Musicais*, quanto a detalhes. Encontramos uma descrição similar no culto de dedicação do templo, na época dos Macabeus (ver 1Macabeus 4.54).

"A dedicação foi tanto um cortejo musical como sacrificial, conforme o padrão da dedicação do templo de Salomão (Ellicott, *in loc.*).

"Os antigos consagravam suas cidades aos deuses, e as próprias muralhas das cidades eram consideradas sagradas. Ovídio fornece-nos uma narrativa das cerimônias usadas no lançamento dos alicerces das muralhas da cidade de Roma, por parte de Rômulo" (Adam Clarke, *in loc.*, referindo-se a Ovídio, *Fast.* lib. iv. vs. 819).

■ 12.28

וַיֵּאָ֣סְפ֔וּ בְּנֵ֖י הַמְשֹׁרְרִ֑ים וּמִן־הַכִּכָּר֙ סְבִיב֣וֹת יְרוּשָׁלִַ֔ם
וּמִן־חַצְרֵ֖י נְטֹפָתִֽי׃

Ajuntaram-se os filhos dos cantores. Neste versículo, são mencionados dois lugares específicos, que eram as principais fontes informativas sobre os cantores que se reuniram para a dedicação: a campina, nas vizinhanças de Jerusalém, em contraste com as aldeias ao redor de Jerusalém (vs. 29); e as aldeias dos netofatitas. Cf. 1Cr 9.16. Havia colônias de judeus perto de Netofa. Ver no *Dicionário* o artigo detalhado intitulado *Netofa (Netofatitas)*. Esse era o nome de uma localidade do território de Judá, perto de Belém. Ver 1Cr 9.16 e Ed 2.22. A campina provavelmente refere-se à planície do rio Jordão, perto de Jericó.

"Essa cerimônia de consagração das muralhas e dos portões da cidade foi um ato de piedade da parte de Neemias, não meramente para agradecer a Deus, de modo geral, por ter sido capacitado a levar a construção a um término feliz, mas sobre a base especial de que a cidade era o lugar que Yahweh tinha escolhido para pôr o seu templo e ali manifestar a sua presença" (Jamieson, *in loc.*).

■ 12.29

וּמִבֵּית֙ הַגִּלְגָּ֔ל וּמִשְּׂד֥וֹת גֶּ֖בַע וְעַזְמָ֑וֶת כִּ֣י חֲצֵרִ֗ים בָּנ֤וּ
לָהֶם֙ הַמְשֹׁ֣רְרִ֔ים סְבִיב֖וֹת יְרוּשָׁלִָֽם׃

Como também de Bete-Gilgal e dos campos de Geba e de Azmavete. Este versículo adiciona outras três regiões das quais os levitas vieram para ajudar na dedicação das muralhas de Jerusalém. Ver sobre esses três nomes no *Dicionário*, quanto a detalhes. Bete-Gilgal é a mesma Gilgal de Js 15.7. Ver sobre Geba em Ne 11.31 e Ed 2.26. Azmavete é mencionado em Ed 2.24. Ficava ao norte de Jerusalém, ao passo que Netofa (vs. 28) ficava cerca de 24 quilômetros a sudoeste. Os servos do templo estavam localizados principalmente em Ofel, mas os cantores levitas podiam ser encontrados especialmente nas aldeias ao norte da capital.

■ 12.30

וַיִּֽטַּהֲר֔וּ הַכֹּהֲנִ֖ים וְהַלְוִיִּ֑ם וַֽיְטַהֲרוּ֙ אֶת־הָעָ֔ם
וְאֶת־הַשְּׁעָרִ֖ים וְאֶת־הַחוֹמָֽה׃

Purificaram-se os sacerdotes e os levitas. A purificação geral, sem a qual não teria havido nenhuma dedicação formal, começou entre o povo, primeiramente os sacerdotes e os levitas, e em seguida o povo em geral (todos participantes da cerimônia), e então incluiu as próprias muralhas. Ver no *Dicionário* o artigo detalhado intitulado *Purificação*. Ver também o verbete chamado *Limpo e Imundo*. As estruturas usadas para atender a questões seculares tornavam-se automaticamente imundas. Os sacerdotes sempre passavam por cerimônias de purificação antes de qualquer culto ou função (ver Ed 6.20). Os leigos ficavam imundos por qualquer razão ou por diversas razões, ao entrar em contato com objetos imundos. Havia um ritual de purificação (ver 1Sm 21.5). Talvez o jejum fosse um dos elementos de purificação. Ver no *Dicionário* o verbete intitulado *Jejum*. Também havia a aspersão de sangue (Êx 12.22; Lv 14.4-7), a lavagem com água, os banhos. Ver sobre o banho cerimonial em Lv 14.8; 15.16; 17.15; Nm 8.7; 19.19. Provavelmente sacrifícios especiais também faziam parte dos procedimentos (ver Êx 12.22 e Lv 14.4-7).

O GRUPO DE MOVIMENTO À ESQUERDA (12.31-37)

■ 12.31

וָאַעֲלֶה אֶת־שָׂרֵי יְהוּדָה מֵעַל לַחוֹמָה וָאַעֲמִידָה שְׁתֵּי תוֹדֹת גְּדוֹלֹת וְתַהֲלֻכֹת לַיָּמִין מֵעַל לַחוֹמָה לְשַׁעַר הָאַשְׁפֹּת:

Após a purificação, houve um cortejo em torno das muralhas de Jerusalém. Era mister organizar os grupos que fariam parte do cortejo. A marcha em redor da cidade não foi uma questão de inspeção. Foi um ato ritualista. Historicamente temos a cena paralela da marcha em torno da catedral de Armagh, liderada por São Patrício, na Irlanda. Essa marcha deu início a um nascer do sol e foi efetuada por grande multidão de participantes. No caso a que nos referimos na Bíblia, dois grupos foram empregados, cada qual movendo-se em uma direção diferente, um na direção horária e outro na direção contrária. Os grupos parecem ter sido organizados a fim de serem simetricamente arranjados. O vs. 31 descreve o primeiro grupo (que se movimentava na direção horária), e os vss. 38 ss. descrevem o segundo grupo.

Os dois grupos marchavam e cantavam, tocavam instrumentos e davam graças a Deus. Por assim dizer, eram coros ambulantes. Os grupos marcharam em torno das paredes e então se encontraram no templo, que, apropriadamente, era o alvo da cerimônia. "Os coros provavelmente começaram sua marcha perto do Portão do Vale, o qual, de forma muito interessante, era o lugar onde Neemias começou e terminou a inspeção noturna das muralhas arruinadas da cidade, meses antes (ver Ne 2.13-15). A primeira procissão movimentava-se na direção anti-horária, sobre a muralha sul e oriental, na direção do Portão do Monturo (Ne 12.31) e passou pela porta da Fonte, até a porta da Água. Visto que ambos os coros entraram no templo (ver o vs. 40), o primeiro grupo deve ter seguido ao longo da muralha até a Porta Oriental... E o segundo coro movimentou-se na direção horária, presumivelmente tento partido do Portão do Vale e passando por vários portões e torres até que chegaram ao Portão da Guarda" (John A. Martin, *in loc.*). O leitor poderá acompanhar a rota tomada no mapa provido no capítulo terceiro.

Porta do Monturo. Ver as notas expositivas em Ne 3.13 quanto a essa porta da cidade.

■ 12.32-34

וַיֵּלֶךְ אַחֲרֵיהֶם הוֹשַׁעְיָה וַחֲצִי שָׂרֵי יְהוּדָה:

וַעֲזַרְיָה עֶזְרָא וּמְשֻׁלָּם:

יְהוּדָה וּבִנְיָמִן וּשְׁמַעְיָה וְיִרְמְיָה: ס

Após ele ia Hosaías. O grupo que seguia na direção anti-horária (vss. 31-37) era, igualmente, um coro ambulante (levitas), mas também incluía príncipes e leigos importantes. Esse grupo seguia na direção direita, seguindo a rota anterior de Neemias (Ne 2.13-15). Os principais participantes aparecem nos vss. 32-36, e então, no vs. 37, a rota deles é novamente descrita. Esse versículo está ligado ao vs. 31. Depois que foi mencionado o avanço até a Porta do Monturo (vs. 31; cf. Ne 2.13), a descrição é interrompida por uma lista de membros proeminentes do primeiro grupo, que anoto no *Dicionário*. Talvez esses nomes tenham sido interpolados pelo cronista, que fez assim sua contribuição para a história com base nos materiais disponíveis. Havia sacerdotes, levitas, príncipes e o povo em geral, mas a ordem não parece ter seguido estritamente a questão de classes. O vs. 41 parece deixar claro que havia sete sacerdotes em cada grupo.

O líder do primeiro grupo era o leigo Hosaías (mencionado somente aqui em todo o Antigo Testamento). E o líder do segundo grupo foi o próprio Neemias, o "eu" referido no vs. 38. Ver também o vs. 40. Examinando o vs. 36, alguns estudiosos fazem de Esdras o cabeça do primeiro grupo, mas outros duvidam da autenticidade dessa observação. Os nomes dados nos vss. 33 e 34 provavelmente são nomes de sacerdotes, e havia sete sacerdotes, tal como no segundo grupo também havia sete sacerdotes (vs. 41). Hosaías era o príncipe que liderava o grupo dos governantes seculares; ou seja, era o líder de metade do grupo de homens proeminentes. E alguns eruditos fazem dele o líder do primeiro grupo inteiro.

A Ordem. Esdras (Ne 12.36); o coro (formado por levitas); Hosaías e os príncipes; sete sacerdotes; Zc e seus oito associados, ou seja o grupo de levitas musicais. Ver também Ed 8.3 e o *Dicionário*, no número 28.

■ 12.35,36

וּמִבְּנֵי הַכֹּהֲנִים בַּחֲצֹצְרוֹת זְכַרְיָה בֶן־יוֹנָתָן בֶּן־שְׁמַעְיָה בֶּן־מַתַּנְיָה בֶּן־מִיכָיָה בֶּן־זַכּוּר בֶּן־אָסָף:

וְאֶחָיו שְׁמַעְיָה וַעֲזַרְאֵל מִלֲלַי גִּלֲלַי מָעַי נְתַנְאֵל וִיהוּדָה חֲנָנִי בִּכְלֵי־שִׁיר דָּוִיד אִישׁ הָאֱלֹהִים וְעֶזְרָא הַסּוֹפֵר לִפְנֵיהֶם:

Dos filhos dos sacerdotes. Esses filhos (vs. 35) não formavam um grupo separado, mas eram alguns dos sacerdotes cujo trabalho consistia em tocar as trombetas. Não eram levitas, pois as trombetas só podiam ser tocadas por sacerdotes em ocasiões litúrgicas e festivas.

O vs. 36 fornece os nomes dos levitas que tocavam instrumentos. Eles tocavam os instrumentos musicais tradicionalmente associados a Davi (cf. Am 6.5). Zacarias era o líder deles. Os instrumentos que eles tocavam, em contraste com as trombetas, acompanhavam o cântico do coro ambulante. Davi foi o homem de Deus que enfatizou de tal maneira o ministério da música, porque ele mesmo era um músico excelente. Cf. o vs. 24. Lemos no fim do vs. 36 que Esdras ia adiante deles (o que provavelmente significa o cortejo inteiro). Ou, em outras palavras, ele foi o líder do primeiro grupo e seguia na vanguarda. Alguns eruditos, entretanto, pensam que essa nota é historicamente inexata, adicionada pelo cronista ou por algum editor subsequente.

Oito levitas foram aqui nomeados, e não houve outros oito, que seguiam com o segundo grupo (vs. 42).

■ 12.37

וְעַל שַׁעַר הָעַיִן וְנֶגְדָּם עָלוּ עַל־מַעֲלוֹת עִיר דָּוִיד בַּמַּעֲלֶה לַחוֹמָה מֵעַל לְבֵית דָּוִיד וְעַד שַׁעַר הַמַּיִם מִזְרָח:

À entrada da Porta da Fonte subiram diretamente as escadas da cidade de Davi. Este versículo leva-nos de volta à descrição do circuito anti-horário do primeiro grupo, e, assim sendo, reinicia o comentário do vs. 31.

Continuando em seu avanço, o primeiro grupo chegou à *Porta da Fonte* (ver no *Dicionário*). Ver também Ne 2.14. Ficava ao sul da Porta do Monturo (vs. 31; ver Ne 3.13 quanto a notas expositivas). Quanto às escadas da cidade de Davi, ver Ne 3.15. Essas escadarias (ou subida) levavam à cidade de Sião, que foi edificada em um lugar elevado. Eles então passaram para além da casa de Davi, o seu palácio, um edifício separado do palácio de Salomão, que talvez ainda existisse. Ver 2Sm 5.11. Mesmo que o próprio edifício não mais existisse nos dias de Neemias, o local antigo ainda era conhecido, e assim foi mencionado no presente relato. A muralha que subia parecia chegar a um lugar mais alto que o local do palácio de Davi. Então o grupo chegou à *Porta das Águas* (comentada no *Dicionário*). Ver também Ne 3.26 e 8.16. Eles deram uma guinada de direção sul para a direção leste e assim aproximaram-se do templo. O mapa no terceiro capítulo de Neemias permite-nos seguir os degraus mencionados na descrição.

O SEGUNDO GRUPO (DIREÇÃO HORÁRIA) (12.38-42)

12.38

וְהַתּוֹדָה הַשֵּׁנִית הַהוֹלֶכֶת לְמוֹאל וַאֲנִי אַחֲרֶיהָ וַחֲצִי הָעָם מֵעַל לְהַחוֹמָה מֵעַל לְמִגְדַּל הַתַּנּוּרִים וְעַד הַחוֹמָה הָרְחָבָה:

Ao que parece, esse grupo era encabeçado pelo próprio Neemias, o "eu" dos vss. 38 e 40. O vs. 38 dá o ponto de partida desse grupo que, ao que tudo indica, foi em algum ponto nas vizinhanças da *Porta do Vale* (ver a respeito no *Dicionário*). Esse grupo movimentou-se para a esquerda. O Texto Massorético diz aqui "para fora", o que a Vulgata Latina traduziu como "para o lado oposto", e John Gill, *in loc.*, pensou ser o lado norte das muralhas da cidade. Mas "para fora" é um erro escribal de "para a esquerda", emenda que várias traduções adotam, incluindo algumas versões portuguesas. Nossa versão portuguesa prefere dizer "em frente". Note o leitor que "para a esquerda" é contrastado com as palavras "à mão direita", do vs. 31. O Texto Massorético é o texto hebraico padronizado do Antigo Testamento. Ver no *Dicionário* o artigo chamado *Massora (Massorah); Texto Massorético*.

Neemias ("eu") era o líder desse grupo, mas note-se que é dito que ele encabeçava especificamente a metade dos governantes civis, e Hosaías dirigia a outra metade (vs. 32). Em ambos os casos, é dito que os líderes "iam" após o povo, o que significa que os dois "seguiam na retaguarda" de seus respectivos grupos. "Ele (Neemias) seguia na retaguarda de seu grupo, e Esdras seguia na vanguarda do grupo que lhe pertencia" (John Gill, *in loc.*). Essa segunda companhia passou adiante da Torre dos Fornos. Ver sobre *Fornos, Torre dos*, no *Dicionário*. A referência é aos fornos dos padeiros, e não aos fornos de dissolver metais. Ver Ne 3.11. Então chegaram ao Muro Largo (ver Ne 3.8, onde dou detalhes sobre a muralha). O leitor poderá acompanhar, no mapa provido no terceiro capítulo deste livro, as rotas seguidas pelos dois grupos.

12.39

וּמֵעַל לְשַׁעַר־אֶפְרַיִם וְעַל־שַׁעַר הַיְשָׁנָה וְעַל־שַׁעַר הַדָּגִים וּמִגְדַּל חֲנַנְאֵל וּמִגְדַּל הַמֵּאָה וְעַד שַׁעַר הַצֹּאן וְעָמְדוּ בְּשַׁעַר הַמַּטָּרָה:

E desde a Porta de Efraim. Este versículo dá vários pontos, ao longo das muralhas, que o grupo seguiu: Porta de Efraim (Ne 8.16; ver *Efraim, Porta de*, no *Dicionário*); a *Porta Velha* (Ne 3.6; ver no *Dicionário* o artigo com esse nome); Torre de Hananeel (ver no *Dicionário* sobre *Hananeel, Torre de*); Torre dos Cem (ver no *Dicionário* sobre *Torre dos Cem (Meah)*; e Porta do Gado (ver Ne 3.1,32, ver no *Dicionário* o artigo *Porta das Ovelhas*). Em seguida eles pararam defronte da Porta da Guarda (Ne 3.25; ver *Porta da Guarda (Maphkad)*, no *Dicionário*). Talvez os líderes seculares se tenham reunido nesse lugar para vigiar a cerimônia de dedicação que seria realizada pelos sacerdotes. O leitor pode acompanhar esses lugares ao longo da muralha, ou acompanhar essa parte das muralhas que aparece no mapa oferecido nas notas sobre o terceiro capítulo deste livro.

12.40

וַתַּעֲמֹדְנָה שְׁתֵּי הַתּוֹדֹת בְּבֵית הָאֱלֹהִים וַאֲנִי וַחֲצִי הַסְּגָנִים עִמִּי:

Então ambos os coros pararam na casa de Deus. Os dois grupos tinham terminado seus circuitos e chegaram à área do templo, ou seja, à "casa de Elohim". E ficaram de pé no átrio do templo, talvez na área aberta bem a leste do edifício. O "eu" que aparece neste versículo refere-se a Neemias, que proveu a narrativa anotada, aqui e ali, pelo cronista. Ação de graças era o vocábulo do dia. Houve cânticos, louvores e a execução de música pelos instrumentos musicais, bem como sacrifícios. Foi uma ocasião festiva. Neemias e seu grupo são mencionados, mas não Hosaías e o grupo por ele encabeçado (vss. 31, e 32), o que parece ter sido causado por simples negligência.

12.41

וְהַכֹּהֲנִים אֶלְיָקִים מַעֲשֵׂיָה מִנְיָמִין מִיכָיָה אֶלְיוֹעֵינַי זְכַרְיָה חֲנַנְיָה בַּחֲצֹצְרוֹת:

Os sacerdotes... iam com trombetas. Os sete sacerdotes sopravam trombetas. Outra lista, aparentemente inserida na narrativa pelo cronista, representava o clero do segundo grupo. Cf. a lista dos sete sacerdotes que tomavam parte no primeiro grupo, nos vss. 33-35.

12.42

וּמַעֲשֵׂיָה וּשְׁמַעְיָה וְאֶלְעָזָר וְעֻזִּי וִיהוֹחָנָן וּמַלְכִּיָּה וְעֵילָם וָעָזֶר וַיַּשְׁמִיעוּ הַמְשֹׁרְרִים וְיִזְרַחְיָה הַפָּקִיד:

E faziam-se ouvir os cantores sob a direção de Jezraías. Este versículo lista os levitas musicais do segundo grupo. Esta é uma lista paralela às dos levitas musicais do primeiro grupo, citados no vs. 36. Ambos os grupos tinham oito levitas musicais, especialistas em cânticos, cujo líder era Jezraías. Eles cumpriam o ideal davídico de uma bem desenvolvida guilda musical, que ajudava a adoração no templo. Ver o vs. 36 e 1Cr 23—26, quanto às várias ordens dos levitas, conforme determinado por Davi. 1Cr 25 trata especificamente do ministério da música e dos responsáveis por ele. Essas tarefas passavam de geração a geração, através de clãs que se ocupavam dessas atividades. O líder do primeiro grupo era Zacarias (vs. 35).

SACRIFÍCIO E CELEBRAÇÃO (12.43)

12.43

וַיִּזְבְּחוּ בַיּוֹם־הַהוּא זְבָחִים גְּדוֹלִים וַיִּשְׂמָחוּ כִּי הָאֱלֹהִים שִׂמְּחָם שִׂמְחָה גְדוֹלָה וְגַם הַנָּשִׁים וְהַיְלָדִים שָׂמֵחוּ וַתִּשָּׁמַע שִׂמְחַת יְרוּשָׁלִַם מֵרָחוֹק:

Natureza da Dedicação e da Celebração. Houve muitos cânticos, vários toques de trombetas e instrumentos musicais, louvores (talvez até danças) e também o oferecimento de muitos sacrifícios, sem dúvida de expiação, mas também de ação de graças (as ofertas de cereais). O autor não se deu ao trabalho de informar o número imenso de animais oferecido naquela ocasião. Ver Lv 7.37 quanto aos vários tipos de ofertas e também para referências aos lugares do Antigo Testamento onde essas ofertas são descritas. Ver no *Dicionário* o verbete intitulado *Sacrifícios e Ofertas*. Cf. a celebração do lançamento dos alicerces do templo, em Ed 3.13. Em ambas as ocasiões foram produzidas altas exclamações e muito ruído, por causa da alegria. "Este versículo é pleno de alegria, mas antes do regozijo veio a abundante oferenda de sacrifícios" (Ellicott, *in loc.*). Os sacrifícios foram seguidos (conforme se tornara costumeiro) por uma grande refeição comunal que pertencia aos participantes. O sangue e a gordura eram oferecidos a Yahweh, conforme tinha sido ordenado por Moisés (ver Lv 3.17). Deus era sempre o conviva invisível de qualquer sacrifício ou festividade.

Cf. este versículo com Ed 6.17, a dedicação do segundo templo, quando o cronista listou o número dos animais sacrificados. Mas nada se comparou ao grande dia que comemorou a dedicação do templo de Salomão, em 1Rs 8.63 (22 mil novilhos e 120 mil ovelhas!)

O grande ruído do regozijo foi ouvido a longa distância, o que também se deu por ocasião do lançamento dos alicerces do segundo templo (Ed 3.13, um versículo quase idêntico).

A COMUNIDADE IDEAL (12.44—13.3)

O novo Israel, agora equipado com seu templo (ver o livro de Esdras) e sua muralha da cidade (ver o livro de Neemias), precisava regulamentar o culto a Yahweh. Oficiais foram nomeados para cada ofício e função. Neemias planejou o modelo e fez o que estava a seu alcance para tornar isso uma realidade. A referência a Zorobabel, no vs. 47, indica que o autor sacro pensou que o ideal era a prática normal do período pós-exílico, mas permanece questão aberta quando desse ideal foi colocado em prática, e quão cedo.

Um dos propósitos desta seção foi preparar o leitor para as falhas, os pecados e os erros que aparecerão no restante do livro. Deveria haver um ideal contra o qual se compararia o que realmente teria acontecido. Portanto, o comportamento irregular, retratado no capítulo 13, não era o "normal" que o autor retratava para nós. O povo judeu sabia melhor do que isso; eles tinham maior conhecimento do que aquele que estavam aplicando, o que é verdadeiro acerca de todo povo religioso, por mais sincero que seja.

■ 12.44

וַיִּפָּקְד֣וּ בַיּוֹם֩ הַה֨וּא אֲנָשִׁ֜ים עַל־הַנְּשָׁכ֗וֹת לָא֨וֹצָר֜וֹת לַתְּרוּמוֹת֙ לָֽרֵאשִׁ֣ית וְלַֽמַּעַשְׂר֔וֹת לִכְנ֨וֹס בָּהֶ֜ם לִשְׂדֵ֤י הֶעָרִים֙ מְנָא֣וֹת הַתּוֹרָ֔ה לַכֹּהֲנִ֖ים וְלַלְוִיִּ֑ם כִּ֚י שִׂמְחַ֣ת יְהוּדָ֔ה עַל־הַכֹּהֲנִ֥ים וְעַל־הַלְוִיִּ֖ם הָעֹמְדִֽים׃

Ainda no mesmo dia se nomearam homens. Os sacerdotes e os levitas precisavam ser sustentados, pelo que homens qualificados foram escolhidos para coligir, manusear, guardar e distribuir os produtos derivados dos dízimos, das primícias e ofertas voluntárias que eram a origem do sustento do ministério. Até o homem espiritual precisa comer e ter um lugar para viver. Cf. as instruções de Paulo para os tempos do Novo Testamento: 1Co 9.4 ss.

Para as câmaras. Isto é, células do templo (ver Ne 3.30) que serviam de armazéns. Cf. Ne 10.38,39 e Ed 8.29. Os tesouros de que falam algumas versões portuguesas referem-se aos armazéns de bens materiais. Ver 1Cr 26.20,26.

Das ofertas. Isto é, as ofertas referidas em Ne 10.39 e Ed 8.25.

Dízimos. Ver Ne 10.37,38 e o artigo no *Dicionário* que versa sobre esse assunto. Essas coisas faziam parte de leis físicas que visavam o sustento do ministério (cf. Ne 13.5).

As porções designadas pela lei. Vários manuscritos hebraicos falam aqui em "para os chefes", os recebedores desses bens, ou seja, os oficiais comissionados a receber os bens materiais acima descritos. Outros manuscritos falam nos "campos". Mas, se ficarmos aqui com os "campos", então estarão em pauta aquelas regiões geográficas predeterminadas para ali serem feitas as coletas. Mas a Septuaginta parece preservar o melhor texto, que diz "dos campos", as origens da maioria dos produtos que foram enumerados.

Supõe-se ser uma alegria conferir doações para o sustento do ministério, e assim toda a nação de Judá sentia-se feliz por estar apoiando abundantemente os sacerdotes e levitas. Devemos lembrar que o autor sagrado apresentava o ponto de vista ideal. Contando com sustento, os sacerdotes e levitas estavam capacitados a agir como deveriam, e isso também servia de motivo de alegria para todo o povo de Judá.

Deus ama ao que dá com alegria.
2Coríntios 9.7

Cousa mais bem-aventurada é dar do que receber.
Atos 10.35

A coisa mais importante em qualquer relação pessoal
não é aquilo que se obtém, e, sim, aquilo que se dá.
Eleanor Roosevelt

■ 12.45

וַֽיִּשְׁמְר֞וּ מִשְׁמֶ֤רֶת אֱלֹֽהֵיהֶם֙ וּמִשְׁמֶ֣רֶת הַֽטָּהֳרָ֔ה וְהַמְשֹׁרְרִ֖ים וְהַשֹּׁעֲרִ֑ים כְּמִצְוַ֥ת דָּוִ֖יד שְׁלֹמֹ֥ה בְנֽוֹ׃

E executavam o serviço do seu Deus. Cada classe de sacerdotes e levitas estava ocupada em cumprir os seus deveres. A questão havia sido regulamentada. Cada indivíduo observava as leis e os mandamentos de Moisés no tocante a seu ofício, segundo as ordens emanadas da parte de Yahweh. Portanto, todas as funções eram plenamente servidas, como as da purificação, que era tarefa especial dos levitas (ver 1Cr 23.27 ss.). Nenhuma pessoa imunda tinha permissão para participar do culto, e os que estivessem nessas condições deveriam passar pelos procedimentos apropriados para se tornarem novamente limpos e qualificados para a adoração. Os porteiros cuidavam para que nenhuma pessoa imunda fosse admitida aos ritos. Ver no *Dicionário* o verbete chamado *Limpo e Imundo*. Ademais, os levitas também cumpriam seus deveres de guardar as portas, os portões e os depósitos; e os cantores estavam presentes para aplicar suas habilidades ao acompanhar a adoração efetuada pelos sacerdotes (levitas aarônicos). O regulamento do templo sempre foi atribuído a Davi (conforme temos, novamente, neste versículo). Ver 1Cr 23.1—26.32. Ele era o *rei ideal* (ver as notas expositivas a respeito em 1Rs 15.3), pois, embora tivesse cometido alguns pecados graves, ele nunca se desviou do yahwismo e nunca foi maculado pela idolatria.

Salomão também merece menção honrosa aqui por ter cumprido as ordens de Davi referentes às coisas no templo que ele construiu. Assim, em um sentido secundário, Davi e Salomão tinham voltado ao segundo templo. Ver 2Cr 8.14 quanto à fidelidade de Salomão às ordens de Davi.

■ 12.46

כִּֽי־בִימֵ֥י דָוִ֛יד וְאָסָ֖ף מִקֶּ֑דֶם ראש [רָאשֵׁ֣י] הַמְשֹׁרְרִ֗ים וְשִׁיר־תְּהִלָּ֥ה וְהֹד֖וֹת לֵֽאלֹהִֽים׃

Pois já outrora, nos dias de Davi e de Asafe. O autor sacro lembra, uma vez mais, que fora o *rei ideal*, Davi, quem ordenara os levitas e os sacerdotes em seus turnos e funções, pelo que nada de novo havia sido inventado por Zorobabel, Esdras ou Neemias. As instituições eram divinas e davídicas, e isso era autoridade suficiente para os que viviam no período pós-exílico. Cf. 1Cr 16.7 e 25.1 ss. Para um tratamento mais extenso do assunto, ver 1Cr 23—26.

Outrora. "Sempre houve referência demonstrada para com os antigos precedentes" (Ellicott, *in loc.*).

Asafe. O levita original nomeado para o ministério da música. Ver sobre Asafe no *Dicionário* quanto a detalhes completos.

■ 12.47

וְכָל־יִשְׂרָאֵל֩ בִּימֵ֨י זְרֻבָּבֶ֜ל וּבִימֵ֣י נְחֶמְיָ֗ה נֹֽתְנִ֛ים מְנָי֛וֹת הַמְשֹׁרְרִ֥ים וְהַשֹּׁעֲרִ֖ים דְּבַר־י֣וֹם בְּיוֹמ֑וֹ וּמַקְדִּשִׁים֙ לַלְוִיִּ֔ם וְהַלְוִיִּ֥ם מַקְדִּשִׁ֖ים לִבְנֵ֥י אַהֲרֹֽן׃ פ

Todo o Israel. Neemias não somente tornou a constituir as antigas formalidades do culto, mas também reativou os modos antigos de sustento do ministério, conforme já vimos, com abundância de detalhes, no vs. 44. "Vinculando Neemias a Zorobabel, como se Neemias fosse o sucessor imediato de Zorobabel, ele salientou a continuidade da comunidade cúltica ideal por todo o período pós-exílico. Quanto às palavras 'as porções de cada dia', ver Ne 11.23. O sujeito que se consagrava, ao que se presume, é 'todo o Israel' (cf. Ne 10.37). Esse verbo significa 'separar', no sentido de apresentar a Deus, no templo, de modo que dali por diante toda e qualquer profanação estava estritamente proibida (cf. Lv 27.9). Ilustrando o relacionamento apropriado entre os membros do clero, o autor indicou que os levitas davam parte de seus dízimos (o dízimo dos dízimos) para os sacerdotes (cf. Ne 10.38). Os filhos de Arão eram sacerdotes, em contraste com os levitas (cf. Ne 10.38)" (Raymond A. Bowman, *in loc.*). Quanto ao dízimo dos dízimos, ver Nm 18.26.

"Todo o Israel. Todas as classes do povo exibiram uma fidelidade consciente ao pagar o que deviam ao templo e aos servos de Deus nomeados para nele ministrar " (Jamieson, *in loc.*).

CAPÍTULO TREZE

OUTRAS REFORMAS, INCLUINDO A QUESTÃO DOS CASAMENTOS MISTOS (13.1-31)

Alguns estudiosos põem os vss. 1-3 juntamente com o capítulo anterior, visto que não há menção de Neemias como se ele tivesse realizado as reformas associadas a esses versículos. Se assim realmente sucedeu, então as reformas de Neemias começam no vs. 4. Seja como for, este capítulo aborda os abusos que contradiziam a noção da comunidade ideal descrita em Ne 12.44 ss. Os vss. 1-3 deste capítulo fazem parte daquela comunidade ideal. E então, começando no vs. 4, temos o relato de como Neemias precisou efetuar várias reformas para que a comunidade se tornasse verdadeiramente a comunidade ideal, tanto quanto fosse humanamente possível.

Durante doze anos, Neemias tinha servido como governador de Judá, a saber, do vigésimo ano ao trigésimo segundo ano do governo de Artaxerxes (Ne 5.14; cf. Ne 13.6). Neemias havia solicitado um período de licença para realizar a magnificente tarefa de reconstruir as muralhas de Jerusalém. Uma vez que isso estava completado, ele continuou sua administração de governo e de reformas, e ninguém teria antecipado que ele abandonaria o ofício de copeiro pessoal do rei da Pérsia por tão longo tempo. Ver Ne 2.5 ss. quanto à solicitação de licença de Neemias.

Pouco se conta sobre os detalhes, ano após ano, dos doze anos que Neemias passou em Jerusalém, mas "reorganização" e "reformas" foram as palavras-chaves desse período. Podemos supor que Neemias foi um administrador muito hábil e deixou o lugar em boas condições para o seu sucessor. Terminados aqueles doze anos, Neemias retornou a seus deveres anteriores, presumivelmente em Susã (ver Ne 1.1) ou Persépolis. Ele reiniciou seus deveres como copeiro do rei, mas por quanto tempo permaneceu nessa posição é algo que não se sabe. Diante do afastamento de Neemias, as coisas tenderam por desintegrar-se. Violações sérias da lei de Moisés instalaram-se entre o povo judeu. Assim, quando Neemias voltou a Jerusalém (talvez em 430 a.C. ou mais tarde), teve de enfrentar de imediato a tarefa das reformas. Ele havia chegado a Jerusalém, pela primeira vez, em 444 a.C., pelo que talvez nada menos de catorze anos depois ele voltou a Jerusalém para cumprir uma nova missão.

A começar por 430 a.C., temos o início dos quatrocentos anos de silêncio entre o Antigo e o Novo Testamento. Durante esses quatro séculos foram compostos livros apócrifos e pseudepígrafos, mas não houve mais livros canônicos do Antigo Testamento. No *Dicionário* ofereço artigos sobre essas composições.

Os vss. 1-3 deste capítulo são redigidos na terceira pessoa, mas a começar pelo vs. 4 temos o "eu", a primeira pessoa do singular, pois era Neemias falando. Quanto às memórias de Neemias, ver Ne 1.1—7.5; 11.27-43 e 13.4-30. Os primeiros três versículos provavelmente são a composição e o comentário do cronista, devendo ser ligados a Ne 12.44-47 como uma continuação. O assunto é paralelo do trecho de Ed 9.1—10.44.

■ 13.1-3

בַּיּוֹם הַהוּא נִקְרָא בְּסֵפֶר מֹשֶׁה בְּאָזְנֵי הָעָם וְנִמְצָא
כָתוּב בּוֹ אֲשֶׁר לֹא־יָבוֹא עַמֹּנִי וּמֹאָבִי בִּקְהַל
הָאֱלֹהִים עַד־עוֹלָם:

כִּי לֹא קִדְּמוּ אֶת־בְּנֵי יִשְׂרָאֵל בַּלֶּחֶם וּבַמָּיִם וַיִּשְׂכֹּר
עָלָיו אֶת־בִּלְעָם לְקַלְלוֹ וַיַּהֲפֹךְ אֱלֹהֵינוּ הַקְּלָלָה
לִבְרָכָה:

וַיְהִי כְּשָׁמְעָם אֶת־הַתּוֹרָה וַיַּבְדִּילוּ כָל־עֵרֶב
מִיִּשְׂרָאֵל:

Naquele dia se leu para o povo no livro de Moisés. Estes três versículos devem ser vinculados a Ne 12.44-47 como uma continuação. É usada a terceira pessoa do singular. As reformas de Neemias começam a ser narradas no vs. 4, e ali temos o "eu", referindo-se a coisas que o próprio Neemias disse e fez. Ver acima sobre as memórias de Neemias. Ne 12.44—13.3 fala sobre a comunidade ideal, que tinha de ser pura, separada dos gentios, separada dos pagãos. A leitura da lei de Moisés revela que os amonitas e moabitas não tinham parte na comunidade de Israel, por causa de infrações causadas no passado, quando eles procuraram impedir a conquista da Terra Prometida por parte de Israel. Ver Dt 23.3-5 quanto à passagem em questão.

No palco do Israel pós-exílico, os amonitas eram o povo liderado pelo horrendo Tobias (ver Ne 2.10 e 13.4-8). Os moabitas (povo que residia adjacente a Amom, mais ao sul) também estiveram envolvidos em planos contra o projeto de Neemias. Dentro do contexto antigo, tanto os moabitas quanto os amonitas estavam vedados de entrar na comunidade de Israel, devido à altiva oposição (ver Dt 23.3). Seus atos, no tempo de Neemias, foram suficientes para desqualificá-los de participar na comunidade ideal estabelecida por Neemias. Os moabitas tinham ido tão longe, nessa oposição, que chegaram a contratar Balaão (vs. 1) para amaldiçoar Israel (Nm 22—25), pelo que se tinham tornado malignamente culpados. Balaque era o homem que tivera a ideia diabólica de contratar Balaão para amaldiçoar Israel, e, embora nenhuma maldição tivesse sido permitida por Yahweh, os casamentos mistos com os moabitas arruinaram a separação e distinção de Israel como nação.

Note-se que os atos dessas nações foram condenados pelo manual da fé religiosa dos hebreus, a saber, a legislação mosaica.

Vs. 3. Ouvir a lei era suficiente para fazer os israelitas agir. Os hebreus estavam familiarizados com a antiga síndrome do pecado-calamidade-julgamento-restauração e ansiavam por evitar qualquer manifestação dessa síndrome no tempo de Neemias. Ver no *Dicionário* o verbete intitulado *Lei Moral da Colheita segundo a Semeadura*. A comunidade ideal era extremamente sensível à mera leitura das Escrituras que falavam sobre a separação entre Israel e outros povos. Mas logo veremos que a comunidade ideal não era assim tão ideal, conforme o tempo foi passando. Quando Neemias voltou a Jerusalém, logo percebeu que tinha muitas reformas a fazer, para que a comunidade ideal voltasse a seu estado inicial. Neste presente versículo, a lei lida foi um reflexo de Dt 23.3. A "mistura estrangeira" (*American Jewish Translation*) precisava ser eliminada. Os judeus pensavam em si mesmos como a farinha pura, ao passo que os misturados com o paganismo, por meio de casamentos mistos, compunham a massa corrompida.

Extensão da Separação. Alguns eruditos pensam que os estrangeiros foram completamente banidos de Jerusalém e enviados a seus países de origem. Mas outros supõem que a exclusão foi apenas dos privilégios do templo e do culto. Quanto a outro banimento, anteriormente feito, ver Ed 10.15-44.

Reformas de Neemias (13.4-31)

Voltamos agora ao uso da primeira pessoa do singular, o "eu". Neemias volta à narrativa, com parte de suas memórias. Ver os comentários da introdução antes da exposição sobre Ne 13.1. A comunidade ideal, visualizada em Ne 12.44—13.4, como é óbvio, nunca teve cumprimento, pois quando Neemias voltou a Jerusalém, cerca de 430 a.C., ele encontrou condições deploráveis e a necessidade de reformas urgentes. Ver a introdução geral ao capítulo quanto a detalhes. Comento ali sobre os doze anos de trabalho de Neemias em Jerusalém, e sua volta à Pérsia para reiniciar o trabalho de copeiro do rei. Não somos informados sobre os motivos pelos quais Neemias retornou, mas sabemos que ele obteve do rei outra licença para ausentar-se (vs. 6). É provável que Neemias apenas quisesse fazer uma verificação das coisas. Para seu espanto, ele encontrou toda a variedade de males, a começar pelo próprio sumo sacerdote, que tinha agora apertados laços de família com o ímpio Tobias.

Expulsão de Tobias (13.4-9)

■ 13.4

וְלִפְנֵי מִזֶּה אֶלְיָשִׁיב הַכֹּהֵן נָתוּן בְּלִשְׁכַּת בֵּית־אֱלֹהֵינוּ
קָרוֹב לְטוֹבִיָּה:

Ora antes disto. Essas palavras são um tanto vagas e têm deixado perplexos os intérpretes. Elas poderiam significar "enquanto eu estava de volta, com o rei da Pérsia". Durante esse tempo, o sumo sacerdote havia preparado sua momice. Mas também poderiam significar "antes que a lei acima fosse lida", referindo-se aos vss. 1-3 deste capítulo. Talvez diga respeito a algum incidente específico relatado por Neemias, que agora o cronista, ao narrar o registro, deixou de lado.

Eliasibe. Ver Ne 3.1,20,21; 12.10,22. Este homem, embora fosse sumo sacerdote (ver no *Dicionário* o artigo chamado *Sumo Sacerdote*), não era cuidadoso quanto à separação racial. De alguma maneira não especificada, ele estava ligado por laços de família com o horrendo Tobias. Sabemos que o sumo sacerdote estava vinculado por casamento com Sambalá (ver Ne 13.28), e parece que as famílias envolvidas estavam todas misturadas por casamentos mistos. Não há razão para duvidar da historicidade dessa informação. Só porque Eliasibe se relacionava por casamento com Sambalá não significa que essa condição não teria existido com a família de Tobias também.

Encarregado da câmara da casa do nosso Deus. Na Septuaginta, isso é interpretado como "o tesouro", mas talvez somente esteja em foco um lugar para estar, ou um depósito. Cf. Ed 8.29 e 10.6. O vs. 5 demonstra que a Tobias foi dada essa câmara pela autoridade do sumo sacerdote, e que isso era uma infração séria. Nenhum estrangeiro poderia ter espécie alguma de acesso ao complexo do templo.

■ 13.5

וַיַּעַשׂ לוֹ לִשְׁכָּה גְדוֹלָה וְשָׁם הָיוּ לְפָנִים נֹתְנִים
אֶת־הַמִּנְחָה הַלְּבוֹנָה וְהַכֵּלִים וּמַעְשַׂר הַדָּגָן
הַתִּירוֹשׁ וְהַיִּצְהָר מִצְוַת הַלְוִיִּם וְהַמְשֹׁרְרִים
וְהַשֹּׁעֲרִים וּתְרוּמַת הַכֹּהֲנִים:

E fizera para este uma câmara grande. Ver a oposição de Tobias contra o projeto de Neemias e contra o próprio Neemias, a quem ele ridicularizou (Ne 2.10-19; 4.3,7; 6.1,12,17,19). Mas na ausência de Neemias, Tobias tinha-se mudado para o templo e estava guardando os objetos valiosos daquele local. Foi-lhe dado um dos depósitos do templo, uma câmara lateral que servia para guardar as ofertas sob a forma de grãos. "Ali Tobias podia opor-se à obra de Deus, ao mesmo tempo que fingia assistir aos cultos!" (John A. Martin, *in loc.*). A câmara entregue ao horrendo Tobias tinha sido um depósito para os vários itens enumerados neste versículo, coisas pertencentes aos ministros, oferendas sob a forma de dízimos, ofertas voluntárias etc. Ver os comentários em Ne 12.44, que, pelo menos em parte, são paralelos a este versículo. O lugar fora santificado pelos dízimos e pelas ofertas. Mas agora estava contaminado pelo maligno Tobias. Jamieson (*in loc.*) pode estar correto ao supor que Tobias, que não residia em Jerusalém, tivera esse "esplêndido apartamento" preparado para ele, um lugar para ficar quando estivesse de visita à capital. O vs. 9 talvez indique que as várias câmaras estavam combinadas em uma para Tobias, de modo que ele tivesse mais espaço. Ver em Ne 2.10 como Tobias residia distante de Jerusalém. É perfeitamente possível que agora ele se tivesse mudado de forma permanente para a capital da nação.

■ 13.6

וּבְכָל־זֶה לֹא הָיִיתִי בִּירוּשָׁלִָם כִּי בִּשְׁנַת שְׁלֹשִׁים
וּשְׁתַּיִם לְאַרְתַּחְשַׁסְתְּא מֶלֶךְ־בָּבֶל בָּאתִי אֶל־הַמֶּלֶךְ
וּלְקֵץ יָמִים נִשְׁאַלְתִּי מִן־הַמֶּלֶךְ:

Mas quando isso aconteceu não estive em Jerusalém. Durante alguns anos, Neemias tinha voltado a servir pessoalmente ao monarca persa, talvez em Susã ou Persépolis (quartéis-generais dos reis da Pérsia). No ano trigésimo segundo de Artaxerxes (cerca de 432-433 a.C.), Neemias conseguiu do monarca persa outra licença para ausentar-se, a fim de verificar como as coisas corriam em Jerusalém. Talvez ele tivesse ouvido rumores sobre as coisas que aconteciam ali, ou talvez sua viagem tenha sido de simples rotina de verificação.

Rei de Babilônia. A expressão está historicamente correta, porquanto o autor sagrado espera que saibamos que os persas haviam conquistado a Babilônia, deslocando da cidade os monarcas babilônios, pelo que os reis da Pérsia também se tinham tornado reis da Babilônia. Cf. Ed 6.22.

Neemias estivera ausente de Jerusalém por doze anos (cf. Ne 5.14 a 13.6). Alguns estudiosos pensam que o ano em que ele voltou foi 430 a.C. Não somos informados por quanto tempo Neemias permaneceu em Jerusalém nessa segunda vez. Talvez Malaquias tenha sido o principal profeta de seus dias ali.

■ 13.7

וָאָבוֹא לִירוּשָׁלִָם וָאָבִינָה בָרָעָה אֲשֶׁר עָשָׂה
אֶלְיָשִׁיב לְטוֹבִיָּה לַעֲשׂוֹת לוֹ נִשְׁכָּה בְּחַצְרֵי בֵּית
הָאֱלֹהִים:

Então soube do mal que Eliasibe fizera. Neemias rotulou o que Eliasibe fizera de "mal". Ele violara todas as leis da separação do templo, bem como as leis referentes ao limpo e ao imundo. Tobias havia contaminado o templo e o tornara imundo, cerimonialmente falando. Ver no *Dicionário* o artigo chamado *Limpo e Imundo*.

■ 13.8

וַיֵּרַע לִי מְאֹד וָאַשְׁלִיכָה אֶת־כָּל־כְּלֵי בֵית־טוֹבִיָּה
הַחוּץ מִן־הַלִּשְׁכָּה:

Isso muito me indignou. Neemias estava "fumegante", conforme diz a expressão popular. Parece que ele foi pessoalmente à câmara de Tobias e jogou fora dali todas as coisas pertencentes a Tobias. O fato de ele ter sido capaz disso, sem que ninguém lhe fizesse oposição, nem mesmo o sumo sacerdote, mostra o poder que Neemias tinha. Essa circunstância, entretanto, não justifica a oposição que ele ainda mantinha no ofício de governador. "Neemias estava irado, em consonância com sua personalidade volátil (vs. 25)... a ira foi expressa pela violência das ações de Neemias, visto que o verbo 'atirar', usado neste versículo, também é usado no hebraico para indicar a ideia de 'jogar pedras'" (Raymond A. Bowman, *in loc.*). Alguns sugerem que as coisas que Neemias atirou para fora da câmara não foram apenas móveis e objetos pessoais, pertencentes a Tobias, mas também objetos usados no culto do templo. Mas é difícil imaginar que ao pagão Tobias tivesse sido dada alguma participação no culto de Yahweh.

Embora nada nos seja dito a respeito, podemos imaginar o horror com que outros observaram a cena. Mas Neemias não temeu o rosto de ninguém. Cf. o ato de Jesus ao purificar o templo, em Mt 21.12.

■ 13.9

וָאֹמְרָה וַיְטַהֲרוּ הַלְּשָׁכוֹת וָאָשִׁיבָה שָּׁם כְּלֵי בֵּית
הָאֱלֹהִים אֶת־הַמִּנְחָה וְהַלְּבוֹנָה: פ

Então ordenei que se purificassem as câmaras. Sem dúvida, isso foi feito pelos levitas, sob as ordens de Neemias. Ninguém levantou a voz em protesto. Em primeiro lugar, todos conheciam a lei e sabiam que Neemias estava com a razão. Em segundo lugar, o homem estava furioso, e seus raios de poder de vontade ressecavam as forças de todos aqueles ministros transigentes. Teria sido melhor confrontar um leão naquele momento do que resistir a Neemias! O ritual de purificação haveria de descontaminar o lugar. A condição de santidade precisava ser restaurada. Foram efetuados ritos de purificação com água e, talvez, com sangue. Cf. 2Cr 29.15,16,18; 34.3,5,8. O ritual de purificação envolvia os atos de lavar e esfregar (ver Lv 6.27,28). Então havia o ato de salpicar sangue, de uma maneira simbólica (Ez 45.18,19), além do ato de oferecer sacrifícios (Lv 15.1-33). Encontramos a interessante informação de que, na Babilônia, os atos de purificação de um templo envolviam aspergir água, tocar tambores, queimar de incenso, acender tochas, esfregar as portas com resina de cedro, abater de um carneiro e recitar exorcismos (A. Sachs, "Temple Program for the New Year's Festival at Babylon", contido no livro de J. B. Pritchard, *Ancient Near Eastern Texts Relating to the Old Testament*). Se um templo fosse contaminado, estaria contaminada a comunidade inteira e o culto inteiro, o que explica o elaborado das cerimônias de purificação.

Terminado o expurgo, os itens originais foram devolvidos à câmara, incluindo os vasos sagrados usados no culto a Yahweh.

Restauração do Sustento aos Levitas (13.10-14)

■ 13.10

וָאֵדְעָה כִּי־מְנָיוֹת הַלְוִיִּם לֹא נִתָּנָה וַיִּבְרְחוּ אִישׁ־
לְשָׂדֵהוּ הַלְוִיִּם וְהַמְשֹׁרְרִים עֹשֵׂי הַמְּלָאכָה:

Também soube que os quinhões dos levitas não se lhes davam. O povo judeu se mostrara lasso; e alguns deles eram até preguiçosos; o ministério foram negligenciado. As primícias não eram trazidas; os dízimos não eram coletados; os depósitos que conteriam as ofertas voluntárias viviam quase sempre vazios. Os levitas tinham de arar terras adjacentes às cidades onde residiam para sobreviver. O culto do templo, pois, era negligenciado. O que deveria ter sido feito, Ne 12.44 descreve como ignorado.

"Embora os sacerdotes tivessem outros meios de sustento (ver Nm 18.8 ss.), os levitas dependiam inteiramente dos dízimos para sobreviver (vs. 12). À semelhança de Malaquias (3.10), Neemias esperava que o povo judeu trouxesse seus dízimos aos depósitos do templo. Fica entendido que os levitas coletavam regularmente suas porções desde os tempos de Zorobabel (ver Ne 12.47), mas, a despeito da suposta organização pare recolhimento dos dízimos (ver Ne 12.44), é evidente que houve considerável lassidão, durante o período persa, na apresentação dos dízimos ao templo (cf. Ml 3.8 ss.)" (Raymond A. Bowman, *in loc.*).

13.11

וָאָרִיבָה אֶת־הַסְּגָנִים וָאֹמְרָה מַדּוּעַ נֶעֱזַב בֵּית־
הָאֱלֹהִים וָאֶקְבְּצֵם וָאַעֲמִדֵם עַל־עָמְדָם׃

Então contendi com os magistrados, e disse. Quando os dízimos não mais eram recolhidos, os levitas foram forçados a parar suas tarefas no templo e a fugir, para obter o dinheiro com que se sustentar (vs. 10). Cada levita teve de apelar para seu campo, isto é, retornar às tarefas agrícolas (Ne 12.28,29). Cf. Nm 35 e Js 21. Neemias, pois, atacou os magistrados, isto é, aqueles que estavam em posições de autoridade, civil e religiosa, e repreendeu-os por haverem negligenciado o templo, a Casa de Deus (Elohim). Ele precisou convocar uma assembleia e confrontá-los com seus pecados e inadequações. Cf. Ne 2.17 ss. e 5.7. Quanto ao templo como a "casa de Elohim", ver Ne 6.10; 8.16; 11.16,22 e 12.40. "Neemias foi o último leigo a interferir eficazmente na constituição sacerdotal, em virtude dos poderes que a coroa da Pérsia investiu nele" (W. F. Albright). Promessas solenes haviam sido quebradas, o que constitui o abc dos políticos (ver Ne 10.39).

Ajuntei os levitas e os cantores. Neemias enviou um recado de chamada a todos os levitas e cantores que serviam no culto do templo, para que deixassem suas plantações e reiniciassem os seus deveres no templo de Jerusalém.

13.12

וְכָל־יְהוּדָה הֵבִיאוּ מַעְשַׂר הַדָּגָן וְהַתִּירוֹשׁ וְהַיִּצְהָר
לָאוֹצָרוֹת׃

Então todo o Judá trouxe os dízimos do grão. Mediante sua palavra poderosa, Neemias prevaleceu sobre todo o Judá para recomeçar a trazer as contribuições necessárias para o sustento do ministério. Ver Ne 12.44 quanto aos modos ideais de contribuir. Neemias precisou reorganizar todo o programa e, com ameaças e palavras de encorajamento, pôs as coisas novamente em condições de operação. Os depósitos do templo ficaram novamente cheios, e os "agricultores" tornaram-se, de novo, "ministros". Eles disseram: "Não desampararemos a casa do nosso Deus" (ver Ne 10.39). E Neemias forçou os judeus a observar essa promessa, pelo menos por algum tempo. Foi assim que ele restaurou os dízimos e o pessoal que cuidava do templo, uma tarefa em nada pequena no meio de espectadores indiferentes.

Digno é o trabalhador do seu salário.

Lucas 10.7

Sou um trabalhador autêntico; ganho o que como;
Obtenho o que visto; não devo nada ao ódio alheio;
Não invejo a felicidade de ninguém.
E alegro-me diante do bem de outros homens.

Shakespeare

13.13

וָאוֹצְרָה עַל־אוֹצָרוֹת שֶׁלֶמְיָה הַכֹּהֵן וְצָדוֹק הַסּוֹפֵר
וּפְדָיָה מִן־הַלְוִיִּם וְעַל־יָדָם חָנָן בֶּן־זַכּוּר בֶּן־מַתַּנְיָה
כִּי נֶאֱמָנִים נֶחְשָׁבוּ וַעֲלֵיהֶם לַחֲלֹק לַאֲחֵיהֶם׃ פ

Por tesoureiros dos depósitos. Os depósitos tinham sido renovados, e agora havia aqueles que cuidariam deles e garantiriam a distribuição apropriada. A mesma coisa é dita em Ne 12.44, sem uma lista dos nomes dos responsáveis. Os sacerdotes ficariam com a décima parte de todas as oferendas recolhidas, e o resto iria para os levitas não aarônicos. Ver Nm 18.26. O sumo sacerdote Eliasibe havia fracassado em seu ofício e chegara a contaminar o templo. Os homens nomeados com o propósito de distribuir as oferendas eram conhecidos por sua fidelidade, e por isso mereciam toda a confiança de Neemias.

13.14

זָכְרָה־לִּי אֱלֹהַי עַל־זֹאת וְאַל־תֶּמַח חֲסָדַי אֲשֶׁר
עָשִׂיתִי בְּבֵית אֱלֹהַי וּבְמִשְׁמָרָיו׃

Por isto, Deus meu, lembra-te de mim. Uma vez mais, Neemias invocou a Yahweh para que visse o bem que ele estava tentando realizar em favor do povo, e pediu que suas boas obras e ele mesmo prosperassem pela graça divina. "Lembra-te de mim", disse ele novamente. Ver as notas em Ne 5.19 e comparar com algo similar em Ne 13.31. Há um relembrar divino negativo dos homens infiéis em Ne 4.5 e 13.29. Há aquele "livro de referências divinas", a Mente Divina, que tem tudo registrado, e em acordo com a *Lei Moral da Colheita segundo a Semeadura* (ver a respeito no *Dicionário*), que recompensa e pune com justiça. Isso reflete o *Teísmo* (ver a respeito no *Dicionário*).

Por sete vezes, neste livro, temos orações em que Neemias pede que Deus se lembre. Ver Ne 6.4 (duas vezes); 13.14,22,29,31 e 5.19. Sua recompensa vinha de Deus. Ele não esperava que os homens justificassem seus atos. Ver notas expositivas mais completas, com ilustrações, em Ne 5.19. Quanto ao livro de registros de Deus, ver Êx 32.32,33. Isso naturalmente é um *antropomorfismo* (ver a respeito no *Dicionário*), mas expressa uma grande verdade. Cf. Ml 3.16, os bons feitos dos homens justos que atuarão como créditos na conta corrente de homens fiéis, no dia do juízo final. Neemias havia encabeçado a construção das muralhas de Jerusalém, e em seguida labutara para que houvesse um correto culto a Yahweh, bem como o sustento dos ministros levitas. Suas boas obras o seguiriam para além do sepulcro.

Sim, diz o Espírito, para que descansem das suas fadigas,
pois as suas obras os acompanham.

Apocalipse 14.13

A idade não os deixará exaustos,
Nem os anos os condenarão.
Quando o sol puser-se no horizonte
E também pela manhã,
Nós nos lembraremos deles.

Edward Henry Bickersteth

Este versículo deve ser confrontado com Os 6.10.

Neemias não queria que os seus esforços fossem
desfeitos pela negligência do povo.

John A. Martin, *in loc.*

Reformas Relativas ao Sábado (13.15-22)

13.15

בַּיָּמִים הָהֵמָּה רָאִיתִי בִיהוּדָה דֹּרְכִים־גִּתּוֹת בַּשַּׁבָּת
וּמְבִיאִים הָעֲרֵמוֹת וְעֹמְסִים עַל־הַחֲמֹרִים וְאַף־יַיִן
עֲנָבִים וּתְאֵנִים וְכָל־מַשָּׂא וּמְבִיאִים יְרוּשָׁלִַם בְּיוֹם
הַשַּׁבָּת וָאָעִיד בְּיוֹם מִכְרָם צָיִד׃

Naqueles dias vi em Judá. Já vimos que Neemias teve de reinaugurar a guarda do sábado (ver Ne 10.31). Ne 9.14 mostra-nos que a guarda do sábado fazia parte da legislação mosaica dada no Sinai. E, como é claro, a instituição desse dia especial recua até à história da criação (ver Gn 2.3). A guarda do dia de sábado tornou-se um dos *Dez Mandamentos* (ver a respeito no *Dicionário*) e era o sinal do pacto mosaico (comentado na introdução a Êx 19), tal como a circuncisão era o sinal do pacto abraâmico. Meus amigos, não mais observamos esses sinais, pois estamos sob o novo pacto, o qual não se caracteriza por sinal algum. Ver no *Dicionário* o verbete intitulado *Sábado*. Nos dias de Neemias, o sétimo dia havia sido reservado pelos judeus para os negócios comerciais, o que naturalmente estava errado. Cf. Am 8.5 e Jr 17.21-27. Ver também Ez 20.13; 22.8; 23.38. Quanto a ideias adicionais a respeito, ver a exposição em Ne 10.31.

As palavras "naqueles dias" provavelmente representam uma fórmula usada pelo autor sacro para introduzir algum outro episódio.

Cf. Ne 12.44; 13.1 e 4. Durante sua segunda visita, Neemias observou abuso após abuso, entre os quais ele anotou o fato de que o sábado não estava mais sendo observado, em oposição direta à ordem que ele havia estabelecido após a construção das muralhas da cidade. Os agricultores trabalhavam no sábado! Homens envolviam-se no comércio no sábado! O templo estava sendo negligenciado no sábado! Para os judeus, o dinheiro significava mais do que o culto a Yahweh. O dinheiro significava mais do que a legislação mosaica. Neemias, sem dúvida alguma, ficou furioso (cf. Ne 13.8). Visto que são mencionadas várias colheitas, que ocuparam diversos meses, pode ser que Neemias continuou observando o que estava acontecendo e foi ficando cada vez mais furioso, antes de agir. Ou poderia um homem como Neemias ficar esperando todo aquele tempo? O que ele viu era uma "coisa má", tal como a contaminação do templo por meio de Tobias (ver o vs. 7). O povo tinha concordado, por escrito, em não fazer tais coisas (ver Ne 10.31), mas eles eram infiéis e quebravam facilmente suas promessas. Finalmente, porém, Neemias falou em termos em nada incertos.

"Ele admoestou os judeus sobre aqueles males; testificou contra eles como quem tinha quebrado a lei. E conclamou os céus e a terra para que testificassem contra eles" (John Gill, *in loc*.). "O sábado parece ter sido totalmente desconsiderado" (Adam Clarke, *in loc*.). "Protestei" é linguagem própria dos profetas. Ver Ne 9.26. Neemias haveria de fechar os portões da cidade (vs. 19) e assim faria parar as negociações nos dias de sábado. Em primeiro lugar, porém, ele dirigiu uma tirada contra os nobres, por não terem reforçado a observância do sábado (vs. 17).

■ 13.16

וְהַצֹּרִים יָשְׁבוּ בָהּ מְבִיאִים דָּאג וְכָל־מֶכֶר וּמֹכְרִים בַּשַּׁבָּת לִבְנֵי יְהוּדָה וּבִירוּשָׁלָ͏ִם׃

Também habitavam em Jerusalém tírios que traziam peixes. Esses peixes tinham de desaparecer do mercado nos dias de sábado. Os tírios eram pescadores e tinham um comércio de peixes de dimensões internacionais. E não se esqueceram dos que gostavam de peixe em Jerusalém. Os tírios foram os mais extraordinários comerciantes do mundo antigo (ver Ez 27). Aqueles homens, que vendiam peixes em toda parte, eram agentes de grandes casas mercantis da Fenícia. O peixe era trazido pelo mar até Jope, e daí seguia até Jerusalém por um caminho terrestre. Os tírios sabiam como preservar o pescado. Eles tinham seus sistemas de transporte. Eram pagãos que pisavam a legislação de Moisés, e isso com a ajuda dos judeus! Aqueles homens tinham ajudado a transportar materiais para o segundo templo de Jerusalém (ver Ed 3.7), tal como tinham feito nos tempos antigos de Salomão (1Rs 7). Também supriam um labor técnico, que faltava aos hebreus, bem como habilidades arquiteturais como Israel nunca possuiu. Podemos dar-lhes crédito por essas cousas, mas devemos condená-los no episódio dos peixes.

■ 13.17

וָאָרִיבָה אֵת חֹרֵי יְהוּדָה וָאֹמְרָה לָהֶם מָה־הַדָּבָר הָרָע הַזֶּה אֲשֶׁר אַתֶּם עֹשִׂים וּמְחַלְּלִים אֶת־יוֹם הַשַּׁבָּת׃

Contendi com os nobres de Judá. Como lhe era usual, Neemias levou suas queixas diretamente aos príncipes, aos nobres, aos governantes civis e religiosos, que tinham a autoridade de fazer mudanças. Cf. At anteriores parecidos, em Ne 5.7 e 13.11. O abuso do sábado, por parte dos judeus, era outra coisa má (ver o vs. 7; ver também Js 22.16). A expressão aqui usada, "profanando o sábado", é bastante tardia, de caráter sacerdotal. Ver também Êx 31.14 e Is 56.2,6. Eles transformaram o que era sagrado em secular e profano e tratavam o santo dia de sábado como se fosse outro dia qualquer. Dessa maneira, anularam o sinal do pacto mosaico.

Os nobres tinham-se mostrado negligentes, gananciosos e descuidados, pelo que, acima de todas as demais pessoas, precisavam da repreensão administrada por Neemias. Ver a predição de Jeremias em Jr 17.27. O cativeiro babilônico havia ocorrido por causa do abuso contra o sábado, entre muitos outros pecados.

■ 13.18

הֲלוֹא כֹה עָשׂוּ אֲבֹתֵיכֶם וַיָּבֵא אֱלֹהֵינוּ עָלֵינוּ אֵת כָּל־הָרָעָה הַזֹּאת וְעַל הָעִיר הַזֹּאת וְאַתֶּם מוֹסִיפִים חָרוֹן עַל־יִשְׂרָאֵל לְחַלֵּל אֶת־הַשַּׁבָּת׃ פ

Acaso não fizeram vossos pais assim...? Jeremias, o profeta, havia predito o cativeiro babilônico, porque o sábado estava sendo profanado (Jr 17.27). E o cativeiro babilônico tinha acontecido. Apesar disso, os líderes do novo Israel persistiam em um curso desastroso que atrairia outras calamidades. Mas eles colheriam o que haviam semeado. Essa é uma das principais leis espirituais. Ver no *Dicionário* o verbete intitulado *Lei Moral da Colheita segundo a Semeadura*. Cf. Ed 9.14; 10.10,14 e Ez 20.12 ss. Yahweh já começara a olhar de soslaio para aqueles judeus que haviam retornado do cativeiro babilônico, mas sem aprender sua lição.

■ 13.19

וַיְהִי כַּאֲשֶׁר צָלֲלוּ שַׁעֲרֵי יְרוּשָׁלַ͏ִם לִפְנֵי הַשַּׁבָּת וָאֹמְרָה וַיִּסָּגְרוּ הַדְּלָתוֹת וָאֹמְרָה אֲשֶׁר לֹא יִפְתָּחוּם עַד אַחַר הַשַּׁבָּת וּמִנְּעָרַי הֶעֱמַדְתִּי עַל־הַשְּׁעָרִים לֹא־יָבוֹא מַשָּׂא בְּיוֹם הַשַּׁבָּת׃

Dando já sombra as portas de Jerusalém antes do sábado. Ne 7.3 mostra-nos que os portões da cidade, uma vez consertados, por ordem de Neemias, eram fechados ao cair da noite, por temor de que os opressores lançassem um ataque de surpresa. Assim também agora, nos dias de sábado, os portões eram trancados e guardados pelas sentinelas apropriadas, para impedir qualquer tipo de comércio naqueles dias. Ninguém podia entrar ou sair da cidade. Os comerciantes com peixes ficavam "na mão", conforme diz uma expressão idiomática popular de hoje em dia.

Era começar a fazer escuro, e as portas de Jerusalém eram trancadas. O dia ia do pôr do sol ao romper do dia, pois o novo dia começava às 18 horas. O sábado ia das 18 horas de nossa sexta-feira até as 18 horas de nosso sábado. Jarchi foi quem pitorescamente falou sobre os portões da cidade serem fechados "conforme as sombras da noite se estendiam sobre os portões", como lemos aqui, em nossa versão portuguesa.

■ 13.20

וַיָּלִינוּ הָרֹכְלִים וּמֹכְרֵי כָל־מִמְכָּר מִחוּץ לִירוּשָׁלָ͏ִם פַּעַם וּשְׁתָּיִם׃

Então os negociantes e os vendedores. A despeito de todas as tiradas e provisões de Neemias, aqueles gananciosos comerciantes "se abrigavam" do lado de fora dos portões, na esperança de que acontecesse algo que levantasse o banimento. Talvez eles até tenham tentado negociar durante a noite, quando ninguém estava olhando. É tradicional (entre a maioria das pessoas) o dinheiro falar mais alto do que a religião.

Porque o amor do dinheiro é raiz de todos os males;
e alguns, nessa cobiça, se desviaram da fé,
e a si mesmos se atormentaram com muitas dores.

1Timóteo 6.10

■ 13.21

וָאָעִידָה בָהֶם וָאֹמְרָה אֲלֵיהֶם מַדּוּעַ אַתֶּם לֵנִים נֶגֶד הַחוֹמָה אִם־תִּשְׁנוּ יָד אֶשְׁלַח בָּכֶם מִן־הָעֵת הַהִיא לֹא־בָאוּ בַּשַּׁבָּת׃ ס

Protestei, pois, contra eles, e lhes disse. Quando Neemias percebeu o que aqueles ímpios negociantes estavam fazendo, ameaçou usar contra eles a força. Ele queria que eles se afastassem das muralhas. Não queria que ninguém sofresse a tentação de fazer "negócios em segredo". Neemias apelaria para a violência, e isso os deixou assustados, de forma que abandonaram o lugar. Algumas vezes, a solução violenta é a mais rápida, fácil e econômica. Os homens malignos riem-se da negociação, e é por isso que muitos líderes são psicopatas que só entendem a violência. É inútil tentar raciocinar com alguns homens, como se todos respeitassem a razão.

Lançarei mão sobre vós. Em outras palavras, Neemias ameaçou atacá-los, espalhá-los, destruir suas mercadorias e aprisionar a alguns, enquanto o resto fugia. John Gill pensa que Neemias chegaria ao extremo de "espancar e matar" alguns deles. Ele poderia executá-los, visto que quebrar o sábado era uma ofensa capital. Ver Êx 25.2; 31.15; Nm 15.32 ss.

> Pode alguém relembrar-se quando os tempos não
> eram difíceis, e quando o dinheiro não andava escasso?
>
> Ralph Waldo Emerson

■ 13.22

וָאֹמְרָה לַלְוִיִּם אֲשֶׁר יִהְיוּ מִטַּהֲרִים וּבָאִים שֹׁמְרִים הַשְּׁעָרִים לְקַדֵּשׁ אֶת־יוֹם הַשַּׁבָּת גַּם־זֹאת זָכְרָה־לִּי אֱלֹהַי וְחוּסָה עָלַי כְּרֹב חַסְדֶּךָ׃ פ

Também mandei aos levitas que se purificassem. Provisões apropriadas foram tomadas para reforçar a obrigatoriedade do dia de sábado. Certos levitas tiveram de purificar-se, passando por banhos cerimoniais, ritualistas, aspersões com água e talvez com sangue, para serem ministros capazes de guardar as muralhas e deter o comércio efetuado nos dias de sábado. Ver o vs. 9 quanto a uma purificação anterior como parte das reformas de Neemias. Ver no *Dicionário* o verbete intitulado *Limpo e Imundo*, quanto às coisas que tornavam um judeu cerimonialmente impuro, e como essa imundícia poderia ser anulada.

Ne 7.1,2 mostra-nos que os levitas foram encarregados dos portões da cidade, tal como já estavam encarregados dos portões do templo. Alguns eruditos pensam que essa foi uma ocasião especial, visto que manter guardas de portões seculares era a regra, com exceção do templo. Mas parece evidente que os levitas já estavam atarefados na guarda dos portões da cidade, pelo menos em algumas épocas da história de Israel. Seja como for, a guarda dos portões da cidade, naqueles dias, para resguardar a santidade do dia de sábado, era, definitivamente, uma tarefa própria para os levitas, os ministros das coisas sagradas.

Neemias queria que Yahweh lançasse crédito em sua conta corrente pelo bem que ele tinha praticado. Ele havia purificado o templo (vs. 9); ele havia restaurado o sustento financeiro dos ministros (vss. 10-14); ele havia restaurado a observância apropriada do sábado. Em outras palavras, ele tinha feito o bem. Como recompensa, pediu salvação física, proteção contra seus inimigos e longa vida (uma promessa especial para quem guardasse a lei mosaica; ver Dt 4.1; 5.33; 6.2; Ez 20.11). E também queria tempo para terminar sua missão na terra. Alguns eruditos veem nisso a inclusão da salvação eterna, mas tal pensamento é estranho ao contexto. A origem do bem divinamente dado a Neemias seria a poderosa e eterna misericórdia de Deus, no hebraico, *hesed*, o seu amor leal. A *Revised Standard Version* dá aqui uma ótima tradução, "amor constante". Ver no *Dicionário* o verbete chamado *Amor*. Neemias tinha trabalhado com amor e esperava a recompensa da parte do amor divino.

Por sete vezes, neste livro, temos orações de Neemias que invocam Elohim a lembrar-se dele para o seu bem. Ver Ne 5.19 (e as notas expositivas completas ali); 6.14 (por duas vezes); 13.14,22,29,31. O livro termina com esse tom excelente.

Neemias esperava receber uma recompensa divina por seu labor espiritual.

> Quando outras ajudas falham,
> E os consolos fogem,
> Ajuda dos impotentes,
> Fica comigo.
>
> H. F. Lyte

> Continuai trabalhando! Continuai trabalhando!
> Mantende o brilhante galardão em vista.
> O Mestre disse que ele
> Fortalecerá e renovará.
> Continuai trabalhando até o fim do dia.

> Ouvi vós a chamada do Mestre —
> Dá-me do teu melhor!
> Pois, seja grande ou pequeno,
> Esse é o teste.
>
> S. C. Kirk

Reformas quanto aos Casamentos Mistos (13.23-29)

Poderíamos supor que, após a maneira radical pela qual Esdras tratou da questão dos casamentos mistos, o problema não voltaria a ser uma praga contra Israel por longo tempo. Infelizmente, porém, a corrupção do coração humano nunca desiste. Ver Ed 9—10. Aquilo que fora reformado, logo precisou ser reformado de novo. Isso é típico da vida humana. É conforme alguém disse em um sermão que de certa feita ouvi: "E assim digo para o Senhor: Eis-me aqui com o mesmo pecado de novo, pedindo perdão!"

"O povo de Judá tinha prometido, por escrito, que não se misturaria por casamentos mistos com povos pagãos (ver Ne 10.30). No entanto, quando Neemias voltou a Jerusalém, descobriu que muitos homens haviam violado esse compromisso também (cf. Ed 9.1-4; 10.44; Ml 2.10,11), tendo-se casado com mulheres da cidade filisteia de Asdode, com amonitas e moabitas (ver os comentários sobre Ed 10.1-3). Isso tinha sido proibido pela legislação mosaica (ver Êx 34.12-16; Dt 7.1-5). Aqueles casamentos mistos significavam que os filhos dos judeus estavam falando os idiomas de suas mães, e não o hebraico" (John A. Martin, *in loc.*).

Tinham-se passado apenas 25 anos desde as reformas de Esdras, e o mal dos casamentos mistos perseguia de novo a Judá.

■ 13.23

גַּם בַּיָּמִים הָהֵם רָאִיתִי אֶת־הַיְּהוּדִים הֹשִׁיבוּ נָשִׁים אַשְׁדֳּדִיּוֹת עַמֳּנִיּוֹת מוֹאֲבִיּוֹת׃

Vi também naqueles dias. O olho reformador de Neemias, que não perdia de vista uma coisa sequer, viu mais abusos. Ele tinha purificado o templo contaminado (vs. 9); tinha restabelecido o sustento dos ministros (vss. 10 ss.); tinha feito parar as profanações contra o dia de sábado (vss. 15 ss.); e agora ele faria cessar as corrupções morais (sobretudo a idolatria) envolvidas nos casamentos mistos com pagãos.

Parece que casamentos de judeus com outros povos eram encontrados principalmente nas fronteiras de Judá, nas vizinhanças dos povos mencionados, asdoditas, amonitas e moabitas. Ver sobre os nomes locativos no *Dicionário*, bem como sobre Asdode, em Ne 4.7; sobre Amom, em Ne 2.10 e Ed 9.1; e sobre Moabe, em Ed 9.1.

■ 13.24

וּבְנֵיהֶם חֲצִי מְדַבֵּר אַשְׁדּוֹדִית וְאֵינָם מַכִּירִים לְדַבֵּר יְהוּדִית וְכִלְשׁוֹן עַם וָעָם׃

Seus filhos falavam meio asdodita. Esses filhos, naturalmente, aprenderam a falar o idioma de suas mães. A versão árabe fornece-nos a ideia mais natural do que os filhos falavam, misturando metade em hebraico e metade em outra língua, que é o que realmente acontece aos filhos que ficam expostos a um meio ambiente bilíngue. Com a versão árabe concorda nossa versão portuguesa. Mas a queixa do cronista era que os filhos tinham abandonado sua língua nativa (pois seus pais eram judeus) e estavam falando metade hebraico e metade outra língua estrangeira. Fica na dúvida quanto de hebraico esses filhos ainda eram capazes de falar. O aramaico foi adotado no exílio pelos judeus, mas podemos supor com razão que muitos judeus eram bilíngues. Talvez a antiga língua da Filístia ainda fosse falada na Palestina, a despeito da invasão por parte dos filhos de Israel e da quase aniquilação daquele povo. Mais provavelmente, a linguagem falada nos territórios filisteus era o nabateu, mistura do aramaico com o árabe, que tinha produzido um dialeto distinto. Essa era a língua que prevalecia no sul da Palestina, nos dias de Neemias.

Alguns eruditos argumentam que o aramaico se tornara o idioma dos judeus (tendo-se transformado na língua nativa deles naquela data recuada); e Josefo parece dar apoio a esse ponto de vista. O mais certo, porém, é que os judeus continuavam falando o hebraico (pelo menos muitos deles), juntamente com o aramaico; e então houve a mistura inevitável dos dois idiomas. Seja como for, finalmente o aramaico prevaleceu sobre o hebraico como língua da Palestina, nos dias de Jesus. O aramaico era uma língua irmã do hebraico, mas provavelmente elas não eram tão próximas uma da outra quanto o espanhol é parecido com o português.

Devemos lembrar que mães e filhos viviam juntos de maneira bem reclusa, pelo que os filhos aprendiam o idioma de suas mães. E esses filhos apanhavam também "algumas palavras" da parte de seus pais, que estariam a maior parte do tempo "fora de casa", trabalhando.

■ 13.25

וָאָרִיב עִמָּם וָאֲקַלְלֵם וָאַכֶּה מֵהֶם אֲנָשִׁים וָאֶמְרְטֵם וָאַשְׁבִּיעֵם בֵּאלֹהִים אִם־תִּתְּנוּ בְנֹתֵיכֶם לִבְנֵיהֶם וְאִם־תִּשְׂאוּ מִבְּנֹתֵיהֶם לִבְנֵיכֶם וְלָכֶם׃

Contendi com eles, e os amaldiçoei. Neemias ficou violento ao observar aquela situação. Ele atacou os ofensores; espancou-os; puxou-lhes a barba; proferiu-lhes uma tirada de fala degradante; e fê-los prometer que abandonariam suas esposas estrangeiras e não se casariam mais com mulheres estrangeiras daquela maneira. E eles também não podiam mais tomar noivos estrangeiros para suas filhas, nem tomar noivas estrangeiras para seus filhos, em casamentos de conveniência. Ali estava o reformador Neemias, no seu jeito mais autêntico, sem conversa mole, sem diplomacia, sem transigência. Ou as coisas corriam do seu jeito, ou de jeito nenhum, pois ele estava certo de que sua maneira de agir era a maneira de Yahweh, e assim recomendava a legislação mosaica. Essa legislação é que fazia de Israel uma nação distinta entre as nações (ver Dt 4.4-8), e era um absurdo sacrificar essa distinção em lugar de um rosto feminino bonito.

Contraste-se isso com o modo de agir de Esdras. Ele fazia o seu desapontamento e consternação contra si mesmo, em lugar de contra os ofensores (Ed 9.3). Neemias, em vez de ficar abatido, ficava violento. Mas a versão Peshitta certamente labora em erro ao dizer que ele matou alguns dos judeus culpados. Mui apropriadamente, a *Oxford Annotated Bible*, comentando sobre este versículo, lembra-nos que aquilo que Neemias fez era comum na história do Próximo e Médio Oriente. Portanto, Neemias estava aplicando sua "solução oriental".

Amaldiçoei. Em seu zelo justo, Neemias proferiu julgamentos pesados, caso eles não se arrependessem. Ele os sujeitou a maldições divinas. Eles teriam um mau fim, por haverem corrompido o yahwismo. Aben Ezra inclui nessas maldições ameaças de exclusão e, sem dúvida, a exclusão fazia parte das maldições; mas o que Neemias realmente desejava era que Yahweh castigasse aqueles judeus, tal como ele mesmo havia feito. Eles corriam perigo de ser divinamente espancados.

■ 13.26

הֲלוֹא עַל־אֵלֶּה חָטָא־שְׁלֹמֹה מֶלֶךְ יִשְׂרָאֵל וּבַגּוֹיִם הָרַבִּים לֹא־הָיָה מֶלֶךְ כָּמֹהוּ וְאָהוּב לֵאלֹהָיו הָיָה וַיִּתְּנֵהוּ אֱלֹהִים מֶלֶךְ עַל־כָּל־יִשְׂרָאֵל גַּם־אוֹתוֹ הֶחֱטִיאוּ הַנָּשִׁים הַנָּכְרִיּוֹת׃

Não pecou nisto Salomão, rei de Israel? O mais clamoroso exemplo do mesmo erro foi o de Salomão, que pecou por misturar-se por casamento com todas aquelas mulheres estrangeiras, que logo o fizeram desviar-se para a mais flagrante idolatria. Ver 1Rs 11.1-8 quanto à história. Salomão tornou-se conhecido por sua sabedoria, mas nessa categoria da vida ele aplicou uma crassa estupidez oriental. Naqueles tempos, era para a glória de um homem ter um grande harém. Somente os pobres tinham apenas uma esposa. Ver no *Dicionário* o artigo chamado *Poligamia*. Ter várias esposas era uma prática comum e aprovada em Israel, por toda a história; mas quando mulheres estrangeiras entravam nas câmaras nupciais, isso era ir longe demais. Paul Getty (um dos homens mais ricos que já houve na história do mundo, e que teve muitas esposas em sucessão, uma forma de poligamia) declarou: "Se um homem tem apenas uma mulher, isso prova que ele é um fracasso comercial!" Os judeus não queriam ser fracassos comerciais, pelo que muitas mulheres sempre faziam parte do jogo da vida. Contudo, Salomão havia deixado um "exemplo horrível", quanto à maneira como sua poligamia deu lugar à idolatria. Salomão foi um grande homem, e nenhum rei de Israel poderia comparar-se a ele. Ademais, ele era amado por Deus. A despeito de tudo isso, as mulheres estrangeiras fizeram dele um tolo. A *King James Version* diz aqui "outlandish women", uma bela demonstração de inglês do século XVII, sem dúvida fiel aos fatos, mas não ao hebraico, que significa apenas "mulheres estrangeiras".

Ele era amado do seu Deus. "Temos aí uma alusão a seu nome alternativo, Jedidias, que significa 'amado do Senhor', 2Sm 12.24,25" (John Gill, *in loc.*).

■ 13.27

וְלָכֶם הֲנִשְׁמַע לַעֲשֹׂת אֵת כָּל־הָרָעָה הַגְּדוֹלָה הַזֹּאת לִמְעֹל בֵּאלֹהֵינוּ לְהֹשִׁיב נָשִׁים נָכְרִיּוֹת׃

Dar-vos-íamos nós ouvidos...? Aquilo que Tobias tinha feito (com a ajuda do sumo sacerdotes) foi chamado de "mal"; a profanação do sábado também foi chamada de "mal". Mas aqueles casamentos mistos foram chamados de um grande mal. Foi um ato especial de iniquidade, uma forma de infidelidade e traição contra Yahweh. O julgamento já se enroscava, pronto para lançar o bote.

■ 13.28

וּמִבְּנֵי יוֹיָדָע בֶּן־אֶלְיָשִׁיב הַכֹּהֵן הַגָּדוֹל חָתָן לְסַנְבַלַּט הַחֹרֹנִי וָאַבְרִיחֵהוּ מֵעָלָי׃

Um dos filhos de Joiada, filho do sumo sacerdote Eliasibe. Um caso infame de tais violações estava de pé diante de Neemias. Um dos filhos do sumo sacerdote Eliasibe tinha praticado o absurdo de casar-se com uma filha do abominável Sambalá! Neemias ficou tão furioso pela presença do homem, que o pôs para correr, sem dúvida gritando altas denúncias e proferindo toda espécie de maldições (conforme o vs. 35 nos levaria a crer). Assim agia o reformador Neemias quando estava em seu melhor: nada de conversa mole, nada de diplomacia, nada de transigência, mas tão somente atos decisivos. Jarchi diz que o homem foi banido da cidade, sim, e até de Judá, e isso é perfeitamente possível. Seja como for, daquele tempo em diante, ele não pôde mais atuar como sacerdote, podemos ter certeza.

Josefo (Antiq. XI.7.2) informa-nos sobre tal casamento, mas chamou o homem abusivo de Manassé, irmão de Judá, o sucessor de Jonatã (ver Ne 12.1). Ele chamou o homem de marido de Nikaso, filha de Sambalá. Também disse que esse casamento foi arranjado por razões políticas. Mas a época determinada por Josefo foi cerca de cem anos após os tempos de Neemias, durante o reinado de Dario III (335-330 a.C.), levando-nos aos tempos de Alexandre, o Grande.

Sambalá, o abominável, foi um dos principais oponentes de Neemias. Ver Ne 2.10,19; 4.1,7; 6.1,2,5,12,14. "Ele, tal como Tobias (ver Ne 6.17,18 e 13.4), ao que tudo indica, tinha planejado, através dessa relação de família, destruir a obra de Deus. Neemias tinha jogado para fora da câmara os móveis de Tobias (vs. 8) e então pôs para correr o marido culpado" (John A. Martin, *in loc.*). Um sacerdote só podia casar-se legalmente com uma virgem israelita (Lv 21.14).

■ 13.29

זָכְרָה לָהֶם אֱלֹהָי עַל גָּאֳלֵי הַכְּהֻנָּה וּבְרִית הַכְּהֻנָּה וְהַלְוִיִּם׃

Lembra-te deles, Deus meu. Outro apelo para que Deus se lembrasse. O reformador Neemias continuava invocando a Deus para que recompensasse os seus esforços, para dar-lhe o sucesso nesses esforços e para receber o bem como uma recompensa. Por sete vezes achamos Neemias conclamando a Yahweh para que se lembrasse dele para seu bem. Ver Ne 5.19 (onde ofereço anotações completas); 6.14 (por duas vezes); 13.14,22,29,31. Mas ele também invocou a Yahweh para lembrar-se de seus inimigos para mal deles! Ver Ne 6.14 quanto a outra má memória. Neemias esperava que a *Lei Moral da Colheita segundo a Semeadura* fizesse justiça em todas as situações. Ver o artigo sobre esse assunto no *Dicionário*, e ver também o verbete chamado *Teísmo*. O teísmo afirma que Deus criou a tudo e não abandonou a sua criação, antes, ele recompensa e pune as suas criaturas inteligentes, dotadas de responsabilidade moral. Isso fazia parte da filosofia da história do cronista (comentado nos parágrafos quarto a sétimo das notas introdutórias imediatamente antes da exposição sobre 1Cr 1.1).

Foi coisa terrível que Neemias tenha proferido maldição contra parte do sacerdócio, somente por causa de algumas belas fisionomias femininas e ambição política. Os valores tinham sido assim distorcidos. Os homens estavam caminhando pelo teto da casa, e mesmo assim pensavam que seu andar era exemplar.

Como também a aliança sacerdotal e levítica. Nenhum homem se tornava um sacerdote em Israel exceto através do modo usual de consagração, segundo o qual fazia seus votos e prometia fidelidade a Yahweh. Ver Nm 24.11-13. Ml 2.4-8 atacou os abusos contra essa regra. Os homens em Judá tinham quebrado seus votos e corrompido seu ofício e seus privilégios. Talvez haja uma alusão ao grande pacto referido no capítulo 10 deste livro.

Quero ser verdadeiro, pois há aqueles que confiam em mim.
Quero ser puro, pois há aqueles que se importam.
Quero ser forte, pois há muito para sofrer.
Quero ser corajoso, pois há muito para ousarmos.

Howard Arnold Walter

Recapitulação (13.30,31)

■ **13.30**

וָאֲטַהֲרֵ֖ם מִכָּל־נֵכָ֑ר וָאַעֲמִ֧ידָה מִשְׁמָר֛וֹת לַכֹּהֲנִ֥ים וְלַלְוִיִּ֖ם אִ֥ישׁ בִּמְלַאכְתּֽוֹ׃

Encontramos aqui uma minúscula recapitulação das reformas de Neemias. O vs. 30 sumaria os incidentes do capítulo: todos os elementos estrangeiros, como aqueles representados por Tobias (vss. 7 ss.) e pelos casamentos mistos (vss. 23 ss.); a restauração dos levitas em seus turnos e serviços, com a devida autoridade (vss. 10-13). "Neemias era excelente ao fazer as pessoas trabalharem!" (John A. Martin, *in loc.*).

■ **13.31**

וּלְקֻרְבַּ֧ן הָעֵצִ֛ים בְּעִתִּ֥ים מְזֻמָּנ֖וֹת וְלַבִּכּוּרִ֑ים זָכְרָה־לִּ֥י אֱלֹהַ֖י לְטוֹבָֽה׃

Lembra-te de mim, Deus meu, para o meu bem. Entre as reformas realizadas por Neemias, houve também a questão do sustento financeiro do ministério. "As primícias não têm contrapartida no capítulo 13 de Neemias, mas os arranjos para a coleta presumivelmente foram um trabalho de Neemias (Ne 10.35-38), tal como a oferta de lenha (Ne 10.34)" (Raymond A. Bowman, *in loc.*).

Por sete vezes neste livro, encontramos orações, da parte de Neemias, que invocam Elohim a lembrar-se dele para seu bem. As notas expositivas principais sobre essa questão aparecem em Ne 5.19, mas cada referência tem alguma coisa a adicionar. Ver Ne 6.14 (duas vezes); 13.14,22,29,31. O livro de Neemias termina com essa nota final. É enfatizada a *Lei Moral da Colheita segundo a Semeadura*. Ver sobre esse título no *Dicionário*. O Criador também é o Juiz, o Preservador e o Benfeitor. Os homens são abençoados pelo bem que praticam e punidos pelo mal que fazem. Ver a filosofia da história do cronista, nas notas de introdução a 1Cr 1.1 (parágrafos quarto a sétimo). Neemias salientou a necessidade de conhecer, obedecer, agir e cumprir a lei mosaica, o padrão de vida que tornava Israel uma nação distinta. Ademais, Neemias foi um exemplo de trabalhador decidido, que combinava idealismo com labor diligente e um propósito dirigido por Deus.

"Com essas palavras, Neemias deixou a cena, entregando ao Justo Juiz sua própria vida e a realização dos seus deveres " (Ellicott, *in loc.*).

Neemias deixou sua marca na história. E deveríamos adicionar que foi com as palavras do vs. 31 que os anais da história do Antigo Testamento terminaram. Depois dele há quatrocentos anos de silêncio, entre o Antigo e o Novo Testamento. Naturalmente, a história secular e os livros apócrifos e pseudepígrafos continuam a falar sobre Israel e sua história. Cronologicamente, porém, neste ponto do livro de Neemias atingimos o fim da história canônica do Antigo Testamento.

Faz o teu dever e deixa o resto para o céu.

Pierre Corneille

O cumprimento dos deveres espirituais em nossas vidas diárias é algo vital para a nossa sobrevivência.

Winston Churchill

Dá o melhor que há em ti!
Pois, seja isso grande ou pequeno,
Eis aí o teste.

Faz, pois, o melhor que puderes,
Não por causa da recompensa, nem
Pelos louvores dos homens, mas
Por causa do Senhor.

S. C. Kirk

Não há lugar na civilização para o ocioso.
Nenhum de nós tem direito ao lazer.

Henry Ford

ESTER

O LIVRO QUE DESCREVE COMO UMA HEROÍNA SALVOU SEU POVO

> *Irei ter com o rei, ainda que é contra a lei. Se perecer, pereci.*
>
> ESTER 4.16

10	Capítulos
167	Versículos

INTRODUÇÃO

O livro canônico de Ester (ver o artigo sobre *Ester, Adições ao Livro de*, no *Dicionário*) conta-nos a história de Ester, jovem judia que substituiu Vasti, como rainha do rei persa, Assuero. Esse livro propõe-se a fornecer-nos as circunstâncias históricas do estabelecimento da festa judaica de Purim. Trata-se da história de uma heroína judia, por conseguinte. Embora não contenha o nome de Deus, e nem seja citado uma vez sequer no Novo Testamento, tem desfrutado de grande popularidade entre os judeus. O hino de louvor aos heróis da fé, em Eclesiástico 44.49, não menciona Ester. Nos fins do século I d.C., os rabinos judeus continuavam disputando sobre a canonicidade do livro. Lutero emitiu o desejo de que o mesmo nunca tivesse sido escrito. Também não figurava entre os rolos dos *Manuscritos do Mar Morto* (ver a respeito no *Dicionário*). Esses fatos dão ao livro uma posição curiosa, dentro do cânon sagrado. Mas, a corrente principal do judaísmo sempre lhe deu um grande valor.

ESBOÇO:

I. A Heroína e Certas Dificuldades Históricas
II. Conteúdo
III. Propósito Geral
IV. Autoria e Data
V. Posição no Cânon

I. A HEROÍNA E CERTAS DIFICULDADES HISTÓRICAS

O nome hebraico dessa mulher era Hadassah, que significa "murta", o nome de uma planta. Ester era o nome (provavelmente persa) que lhe foi dado, quando ela tornou-se parte do harém real. É possível que esse último nome esteja ligado a *Istar*, nome de uma das principais deusas babilônicas. Há um targum que revela que ela foi assim chamada em honra à estrela Vênus, no grego, *Aster*, vinculada à palavra portuguesa *estrela*. Alguns estudiosos supõem que essa troca de nomes tenha seguido uma imitação da palavra hebraica, não tendo havido uma troca genuína de um apelativo por outro. Ester pertencia à tribo de Benjamim. Seu nome tem sido imortalizado no livro que foi escrito para decantar seus atos heroicos. Ela tinha um primo, Mordecai, que a adotou quando da morte de seus pais (Et 2.5-7), tendo-a criado na Pérsia. Ali ela também foi o instrumento na salvação dos judeus, quando as autoridades do império persa queriam destruí-los. Isso foi possível somente porque Ester tornou-se a rainha do rei persa, em lugar de Vasti. Desse modo, Ester ficou em uma posição em que pôde interceder em favor de seus compatriotas judeus.

Muitos eruditos liberais não creem na historicidade do livro de Ester. Preferem pensar que se trata de um romance histórico, porquanto contém vários erros históricos evidentes. O principal desses erros é que não é possível identificar com certeza qualquer rei da Pérsia chamado Assuero. Assuero tem sido identificado por outros como Xerxes (485-465 a.C.). Mas Mordecai, o primo de Ester, teria sido levado para o exílio por Nabucodonosor, mais de um século antes da subida de Xerxes ao trono da Pérsia. Assuero também tem sido identificado com Artaxerxes II (404-358 a.C.), mas há várias dificuldades cronológicas que acompanham essa identificação. Ester, por sua vez, tem sido identificada com Amestris, de Xerxes, mas sabemos que o pai de Amestris era um general persa, o que significa que Amestris não era uma donzela judia.

O problema da avançadíssima idade de Mordecai só poderia ser explicado se pensássemos que, em Et 2.5,6 há menção a Quis, o bisavô de Mordecai, e não a este último. Menos grave é a questão do nome de Ester, que não figura nos registros históricos. Isso deve-se à circunstância de que os monarcas antigos tinham muitas esposas e concubinas, cujos nomes apenas em um caso ou outro são mencionados. Contudo, alguns estudiosos pensam que o livro é uma *peça pseudo-história*, usada para simbolizar o conflito entre os deuses babilônicos e elamitas. *Nesse caso, Ester é Istar*, e Mordecai é Marduque. A similaridade de sons, entre esses nomes, é impressionante, mas poucos estudiosos pensam que essa teoria pode ser defendida com êxito. Outras objeções giram em torno de coisas subjetivas, como a indagação se Hamã teria a coragem de tentar um genocídio. Ele anunciaria a data do massacre com tanta antecedência? Uma jovem judia teria o poder de exercer qualquer influência sobre um poderoso monarca persa? Alguém construiria uma forca com 25 metros de altura? Isso equivaleria a um moderno prédio de oito andares. Porém, visto que a vida real por muitas vezes é mais estranha que a ficção, essas objeções não têm muito peso. Também não precisamos supor que todos os detalhes da história sejam exatos, mesmo que o livro de Ester seja essencialmente histórico.

Outras Dificuldades Históricas Dignas de Serem Mencionadas:

1. O trecho de Et 1.1 menciona 127 províncias persas. Mas Heródoto (3.89) alude somente a vinte satrapias. As inscrições de Dario variam entre 21 e 29 satrapias. A resposta dada a essa objeção é que as satrapias maiores eram divididas em unidades menores, e que o livro de Ester refere-se a essas divisões todas. Todavia, não há como provar que o argumento está certo.
2. Heródoto (3.84) diz-nos que os reis da Pérsia eram obrigados a escolher sua rainha dentre as sete principais famílias da nação. Essa objeção é respondida dizendo-se que essa regra não era necessariamente permanente e absoluta, e que em um sistema onde havia pluralidade de esposas, tal regra facilmente podia ser desobedecida. Provavelmente, seria aplicável somente às esposas principais, que servissem de rainhas. Mas na verdade, Ester aparece como uma rainha. A rainha de Xerxes, conforme se sabe, foi Amestris, que era uma princesa persa. Portanto, deve-se supor que uma outra rainha tenha entrado em cena. Esse problema, nem por isso, fica resolvido, porque Vasti também não era Amestris. Ou seria?
3. Se a festa de Purim foi instituída por Mordecai, por que isso não é mencionado senão quando ocorre como o dia de Mordecai, em 2Macabeus 15.36? A resposta a essa objeção é que a festa de Purim só se tornou proeminente na época em que o livro de 2Macabeus foi escrito, pelo que não teria sido mencionada, juntamente com outras festas nacionais dos judeus. O próprio livro de Esdras não menciona todas as festividades judaicas, incluindo algumas mais antigas que a festa de Purim. A lista de heróis, em Eclesiástico, não menciona nem Et e nem Mordecai. Pelo que, pergunta-se: teriam sido eles figuras históricas? Essa objeção é respondida supondo-se que aquela lista seja incompleta. Pois o autor da lista também omitiu Esdras, que, sem dúvida alguma, foi uma personagem histórica.

II. CONTEÚDO

1. A História da Rainha Vasti (1.1-22)
2. Ester, Substituta de Vasti (2.1-23)
3. Hamã Conspira para Aniquilar os Judeus (3.1-15)
4. Intervenção Corajosa de Ester (4.1—7.10)
5. Os Judeus Vingam-se (8.1—9.19)
6. Instituição da Festa de Purim (9.20-32)
7. Mordecai em Posição de Autoridade (10.1-3)

III. PROPÓSITO GERAL

Embora o nome de Deus não seja ali mencionado, o livro, evidentemente, tem o intuito de dar uma vívida demonstração de como a *Providência de Deus* opera entre os homens, podendo reverter qualquer situação difícil. Outrossim, a narrativa tem a finalidade de explicar como veio a ser instituída a festa de *Purim* (ver a respeito no *Dicionário*). Essa festa judaica é mencionada pela primeira vez em 2Macabeus 15.36. Ao preservar o seu povo, muitos dos quais se mostravam lassos em sua conduta, Deus demonstra o poder do seu pacto com eles. *Purim* é palavra que vem do assírio, *Puru*, que indica um pedregulho apropriado para ser lançado como se fosse um dado, em sortilégios. Ver Et 3.7; 9.24,26. Esse *puru*, pois, representa o destino. Hamã lançou sortes para qual seria o melhor dia para tentar destruir totalmente os judeus. Mas Deus reverteu esse destino. Se, porventura, o livro só foi escrito na época dos Macabeus, então o seu propósito foi o de encorajar a fidelidade a Deus, em consideração à fidelidade histórica do Senhor.

IV. AUTORIA E DATA

O livro é anônimo, mas a tradição judaica tem procurado fazer algumas identificações. Alguns supõem que o próprio Mordecai tenha sido o seu autor ou, pelo menos, tenha sido uma das principais fontes informativas. Admite-se que a história contém um autêntico colorido da vida e dos costumes persas, o que significa que o autor tinha conhecimento desses costumes em primeira mão, ou então, que teve acesso aos registros apropriados. Agostinho atribuía o livro de Ester a Esdras; mas os eventos ali registrados ocorreram depois de seu tempo. O pseudo-Filo e o rabino Azarias afirmaram que o livro foi escrito por Joiaquim, filho do sumo sacertote Josué, no décimo segundo ano do reinado de Artaxerxes, a pedido de Mordecai. Mas tudo isso não passa de conjectura.

Data. A mais antiga referência pós-bíblica à festa de Purim fica em 2Macabeus 15.36, com data posterior a 161 a.C. Refere-se ao *dia de Mordecai,* o que quer dizer que o livro deve ter sido escrito antes desse tempo. É comumente datado no século II a.C. Se foi uma história genuína, e se foi escrito perto, quanto ao tempo, dos acontecimentos ali descritos, então foi escrito em cerca de 500 a.C. Muitos estudiosos supõem que o livro reflita os conflitos dos Macabeus e que foi escrito como uma espécie de novela romântica, a fim de encorajar os leitores à fidelidade a Deus, mediante a confiança em sua providência. Isso o colocaria dentro do século II a.C. Se foi escrito durante o governo de Artaxerxes Longânimo, então deve ter sido escrito por volta de 450 a.C.

V. POSIÇÃO NO CÂNON

A canonicidade do livro de Ester foi longamente disputada entre os judeus. Essa disputa prosseguiu até o fim do século I d.C. Seja como for, aparece na terceira divisão das Escrituras hebraicas, entre os livros de Rute, Cantares, Eclesiastes e Lamentações, como um dos rolos. Os rabinos, em Jammia (cerca de 100 d.C.) deram atenção especial à questão de sua canonicidade. Contra a sua canonicidade eles argumentavam que o livro instituía, como obrigatória, uma nova festa religiosa, que ultrapassava a lei de Moisés, que, presumivelmente, havia instituído todas as festas obrigatórias. Mas essa objeção foi afastada mediante a invenção de que o livro fora revelado a Moisés no monte Sinai, embora só tivesse sido escrito na época de Mordecai (Talmude de Jerusalém, *Megillah,* 70d). Isso serve de triste demonstração de como a mente religiosa pode chegar a qualquer conclusão, *a priori,* que uma pessoa ou um grupo de pessoas queiram fazê-lo. Sua suposta natureza não religiosa (por não mencionar nem uma vez o nome de Deus), sem dúvida alguma, foi a grande razão que levou Lutero e outros a rejeitarem tão violentamente o livro.

O livro de Ester tem desfrutado de grande popularidade entre os judeus, o que é muito compreensível. Ele é lido anualmente, por ocasião da festa de Purim. O livro notabiliza-se por seu ardoroso nacionalismo, de mistura com a atitude de repúdio aos pagãos e ao paganismo. Não precisaria mais nada para garantir a sua preservação. (AM I IB WBC WES Z)

Ao Leitor

O leitor sério, ao examinar o livro de Ester, preparará o caminho para o estudo lendo a *Introdução* ao livro. Essa introdução aborda os seguintes assuntos: a heroína e certas dificuldades históricas; conteúdo; propósito geral; autoria e data; posição no cânon.

A esses assuntos gerais, adiciono alguns poucos comentários, que se seguem:

Caracterização Geral. "A significação do livro de Ester é que ele testifica a respeito da vigilância secreta de Yahweh sobre o povo disperso de Israel. O nome de Deus não ocorre neste livro nem uma vez sequer, mas em nenhum outro livro da Bíblia a sua providência é mais conspícua. Terminado o cativeiro babilônico, um mero remanescente retornou a Jerusalém e a Judá. A grande massa da nação de Judá preferiu a vida fácil e lucrativa sob o governo persa. Mas Deus não se esqueceu deles... Os eventos historiados no livro de Ester cobrem um período de doze anos (Usher)" (*Scofield Reference Bible*).

Ver no *Dicionário* o verbete chamado *Providência de Deus.* Assim como o livro de Jó especializou-se em tentar informar acerca do *Problema do Mal,* por que os homens sofrem e por que sofrem como sofrem (ver o artigo sobre esse assunto no *Dicionário*), o livro de Ester especializou-se em contar sobre a *Providência de Deus.*

"O livro de Ester foi escrito a fim de encorajar o remanescente dos exilados judeus, lembrando-os da fidelidade de Deus, que cumpriria as suas promessas, feitas à nação. O autor sacro estava descrevendo a infalível preservação, por parte de Deus, de seu povo (mesmo os "desobedientes", que não quiseram retornar a Jerusalém, como Ester e Mordecai). O autor sagrado também explica como começou a Festa de Purim. Essa festa, cada vez que fosse celebrada, encorajaria o remanescente" (John A. Martin, na sua introdução ao livro de Ester).

"Na Bíblia hebraica, Ester aparece em último lugar nos cinco rolos (*megilloth*), os quais eram lidos nas grandes festividades do ano judaico. É o *Rolo de Purim,* uma festa secular que celebrava o livramento de um plano sutil de Antissemitismo. Os rabinos disputaram sua aceitação ao cânon das Escrituras por longo tempo, pois ele não contém nenhuma referência às coisas mais preciosas da religião judaica, nem mesmo menciona, uma vez sequer, o nome de Deus. Na Bíblia grega, o livro de Ester ocupa lugar entre os livros históricos e também tornou-se mais longo pela adição de passagens que tencionam torná-lo mais religioso (*Oxford Annotated Bible,* Introdução)". Ver *Adições ao Livro de Ester* na *Enciclopédia de Bíblia, Teologia e Filosofia.* Ver no *Dicionário* o artigo chamado *Purim,* quanto a detalhes.

EXPOSIÇÃO

CAPÍTULO UM

Natureza Secular do Livro de Ester. O autor sagrado não menciona, nem uma vez sequer, o nome de Deus nem apela à oração e a outros exercícios religiosos. No judaísmo posterior, tornou-se prática nunca usar o nome divino. Talvez o autor do livro tivesse em mente que o secularismo é, na verdade, uma *superpiedade* velada. Parece até que ele temia mencionar as *coisas sagradas,* por medo de estragá-las. Ele temia tornar-se culpado de *ostentação* com coisas sagradas. Essa é uma lição que muitos evangélicos precisam aprender.

A HISTÓRIA DA RAINHA VASTI (1.1-22)

O autor inicia sua narrativa pelo primeiro grande tema, a necessidade de Deus livrar o seu povo. Ele nos dá o pano de fundo da questão. O autor sagrado descreve aqui, com algum detalhe, como era um banquete persa, bem como as razões pelas quais *Ester* chegou a um lugar de proeminência. A *Providência de Deus* precisou mostrar-se ativa, ou os judeus pereceriam totalmente.

Assuero, o rei (várias identificações) é usado para estabelecer a cena histórica. Ele serve como um *tipo,* um governante antagônico, uma força que os judeus precisavam enfrentar, um poder que a *Providência de Deus* teve de anular em favor de seu povo. Antes de tudo, Assuero baixou a ordem de que todos os judeus deveriam ser executados (Et 3.13). Mais tarde, reverteu esse decreto, no sentido de que fossem mortos todos os que queriam matar os judeus (Et 8.11). Assuero, assim sendo, foi o aniquilador potencial dos judeus, mas, pelo poder de Deus, tornou-se o protetor daquele povo. Em tudo isso, Ester foi o instrumento que levou a essa mudança, a heroína de uma história que os judeus nunca esqueceram. A festa de Purim foi iniciada para que os judeus nunca a esquecessem.

■ 1.1

וַיְהִי בִּימֵי אֲחַשְׁוֵרוֹשׁ הוּא אֲחַשְׁוֵרוֹשׁ הַמֹּלֵךְ מֵהֹדּוּ
וְעַד־כּוּשׁ שֶׁבַע וְעֶשְׂרִים וּמֵאָה מְדִינָה׃

Nos dias de Assuero. Esse rei tem sido variegadamente identificado. No *Dicionário* descrevo *quatro* pessoas que receberam esse nome. Provavelmente ele é o segundo daquela lista. O nome é tipicamente hebraico é significa "homem poderoso" ou "olho poderoso". O nome grego é Xerxes. "Assuero (Ed 4.6; Dn 9.1) é Xerxes I (485-464 a. C.), cujo império persa se estendia da Índia (isto é, do vale do rio Indo) até a Etiópia, a moderna Núbia, e incluía vinte *satrapias* (ver

Heródoto, *História* III.89), que eram subdivididas em *províncias*" (*Oxford Annotated Bible,* comentando sobre o vs. 1 do livro).

Há dificuldades com qualquer uma das identificações, conforme mostrei na introdução I.1, especialmente no segundo parágrafo. Os críticos supõem que qualquer referência histórica é apenas artificial, porquanto acreditam que o relato sobre *Ester* é uma *novela religiosa,* e não história autêntica. Abordo os problemas históricos na primeira seção da introdução, com discussões *favoráveis* e *contrárias.* "Não é história, mas é uma lenda, engastada no início do período persa, cuja intenção é explicar a origem e a significação da festa de *Purim.* Embora embelezada com numerosos artifícios fictícios, pode repousar sobre uma narrativa histórica de algum livramento local dos judeus, na Pérsia, pois há evidências de um certo *Marduka* (Mordecai), que ocupou um posto oficial em Susã, sob Xerxes I" (*Oxford Annotated Bible,* introdução).

Os *críticos conservadores,* por outra parte, sentem-se infelizes diante de qualquer conversa sobre lendas ou narrativas fictícias, enfeitadas com alguns poucos detalhes históricos. Na primeira seção da introdução, abordo o problema. As novelas têm sido uma grande força por trás do pensamento humano, e por que se acharia estranho que a Bíblia contivesse uma ou duas lendas (como os livros de Jó e Ester)? Esse é um artifício literário legítimo para ensinar lições espirituais e morais. Jesus usou ficção quando relatou suas parábolas. Porém, toda conversa nesse sentido é desagradável para os estudiosos conservadores, os quais pensam que os *informes históricos* têm de ser baseados em uma *história genuína.* Mas existe aquele gênero literário chamado de "novela histórica" que tenta, tanto quanto possível, dar um genuíno pano de fundo histórico a um bom relato que, em si mesmo, é fictício. Em meio a esse tipo de discussão, não devemos perder de vista as *lições* do livro, que são óbvias e importantes.

Cento e vinte e sete províncias. Heródoto (*História* III.89) fala em cerca de vinte satrapias nos tempos de Xerxes I. Para obter o fabuloso número de 127 províncias, temos de falar em termos de *subdivisão* de satrapias. As subdivisões (cf. Et 3.12) eram administradas por *governadores locais.* Esse item (as 127 províncias) representa um dos problemas históricos do livro, que discuto na primeira seção da introdução. Seja como for, a menção a *muitas* províncias foi um artifício do autor sagrado para mostrar quão grande rei foi Assuero, quão grande era o seu poder, e como os judeus precisavam do poder de Deus para controlar o monstro persa. Ver também Et 8.9 e 9.30 quanto às 127 províncias.

Dario (Histapes) nomeou 120 governadores (ver Dn 6.1,2), e isso dá crédito às 127 províncias que aparecem neste versículo.

■ 1.2

בַּיָּמִים הָהֵם כְּשֶׁבֶת הַמֶּלֶךְ אֲחַשְׁוֵרוֹשׁ עַל כִּסֵּא
מַלְכוּתוֹ אֲשֶׁר בְּשׁוּשַׁן הַבִּירָה:

Naqueles dias, assentando-se o rei Assuero. Xerxes I sentou-se no seu trono (Talmude, *Megillah* 11). O império medo-persa tinha várias capitais onde os reis persas mantinham suas cortes em rotação. Uma dessas capitais era *Susã* (ver a respeito no *Dicionário*). Susã era a capital do Elão e foi reconstruída como cidadela real por Dario I, sendo usada como residência real até que Persépolis se tornou a principal capital. A história revela-nos que Xerxes também usava aquele lugar como capital principal, e parece que ele passava os *invernos* em Susã (privilégio dos ricos e poderosos), para escapar ao clima mais rigoroso que prevalecia em outros lugares. Eu mesmo conheço várias pessoas do norte dos Estados Unidos e do Canadá que passam o inverno em seus lares em Miami, Flórida, sul dos Estados Unidos; quando chega o tempo frio, elas "se vão como o ganso selvagem no inverno". Cf. Ne 1.1 e Ed 6.2. A *arqueologia* tem confirmado o poder e a importância de Susã, que descrevo no artigo no *Dicionário.* Heródoto (*História* VII.6) confirma o uso de Susã por parte de vários reis da Pérsia. Ver no *Dicionário* o verbete intitulado *Pérsia.*

■ 1.3

בִּשְׁנַת שָׁלוֹשׁ לְמָלְכוֹ עָשָׂה מִשְׁתֶּה לְכָל־שָׂרָיו וַעֲבָדָיו
חֵיל פָּרַס וּמָדַי הַפַּרְתְּמִים וְשָׂרֵי הַמְּדִינוֹת לְפָנָיו:

No terceiro ano do seu reinado, deu um banquete. *A Grande Festa.* Os reis da antiguidade, quando não empenhados em alguma guerra, pareciam sempre estar entretidos em banquetes. E, naturalmente, sendo eles grandes homens, davam grandes banquetes. Usualmente, essas festas serviam apenas para diversão, e delas nada resultava de útil, exceto estômagos e cabeças doloridas, devido aos excessos. As duas festas (vss. 3 e 5), dadas por Xerxes I, estavam nas mãos de Deus com um propósito especial. Sem uma modificação no rumo dos acontecimentos, os judeus exilados estariam destinados a perecer. Forças sinistras operavam na surdina. Portanto, por meio de um banquete, a *Providência de Deus* (ver a respeito no *Dicionário*) estava produzindo uma grande mudança salvadora.

Esse primeiro dos dois banquetes não foi por ocasião da coroação de Xerxes. Foi apenas uma festa de excessos (literalmente, "uma bebedeira"), para que os convivas se divertissem e planejassem. O autor sagrado, pois, usou a questão a fim de ilustrar o grande poder e as riquezas do monarca persa, e como Yahweh manipulou as coisas para ajudar o seu povo, os judeus exilados. Essa ajuda divina se tornaria um memorial para a nação de Israel, ao mesmo tempo que os persas festejavam.

O *império persa* tinha um grande sistema administrativo, e Xerxes I tirou vantagem da ocasião para reunir seus muitos governadores, a fim de planejar juntos as coisas do Estado. Há evidências de que os banquetes persas eram ocasiões realmente fabulosas. Em certa ocasião, segundo se lê, nada menos de quinze mil convidados foram entretidos, e tais extravagâncias causavam profunda impressão nos autores antigos (Olmstead, *History of the Persian Empire,* págs. 182 e 183).

■ 1.4

בְּהַרְאֹתוֹ אֶת־עֹשֶׁר כְּבוֹד מַלְכוּתוֹ וְאֶת־יְקָר תִּפְאֶרֶת
גְּדוּלָּתוֹ יָמִים רַבִּים שְׁמוֹנִים וּמְאַת יוֹם:

As riquezas da glória do seu reino. Está em foco, principalmente, o poder militar da Pérsia. A *Revised Standard Version* diz *chefes do exército,* mas isso é apenas uma interpretação. Judite 1.6 fala de um rei que fez seu exército inteiro festejar por 120 dias! Talvez a palavra "riquezas" aponte para a guarda pessoal de elite do rei. Eles eram chamados de *Dez Mil Imortais* (Heródoto, *História* VIII.83). Mas o termo hebraico aqui usado fala simplesmente em *exército,* o qual atraiu as interpretações que mencionei anteriormente.

A referência ao exército persa não justifica a interpretação de que o banquete tenha sido usado "para preparar-se para a invasão da Grécia, que ele lançou em 481 a.C." (John A. Martin, *in loc.*). Heródoto diz que Xerxes precisou de *quatro anos* para preparar-se para essa invasão. Assim sendo, alguns estudiosos supõem que os 180 dias de festa foram tempos de planejamento dessa invasão, mas estamos aqui abordando conjecturas que não são sugeridas no livro de Ester. Ver Heródoto (*História* VII.8).

Por cento e oitenta dias. *Xerxes,* aquele homem vão, exibiu seu poder e suas riquezas e pavoneou-se diante dos governadores e das tropas de elite, e continuou nessa exibição por 180 dias! Se ele não se estava preparando para invadir a Grécia (ver as notas expositivas sobre o versículo anterior), então estava realmente desperdiçando o seu tempo por pura vaidade. Devemos supor que, durante todos esses seis meses, Xerxes, seus nobres, seu exército e todos os seus governadores continuavam comendo e bebendo, comendo e bebendo, enquanto o povo pagava as contas com altos impostos e taxas!

Ao tentar fazer o livro de Ester caber dentro de sua interpretação da guerra contra a Grécia, os intérpretes veem Et obtendo favor em cerca de 479 a.C. e Xerxes indo à guerra em 481 a.C. Na famosa batalha das Termópilas, a grande flotilha persa derrotou os gregos. Mas os persas não riram por muito tempo. Os gregos em breve lhes administraram duas derrotas estontantes, uma em Salamis (480 a.C.) e outra em Plateia (479 a.C.). Foi assim que o imenso exército de Xerxes (com mais de um milhão de homens em armas!) voltou para casa capengante e humilhado. Os estudantes do grego clássico sempre são forçados a ler as histórias de Heródoto, e eu mesmo li muito, no original grego. O grego de Heródoto, a propósito, foi escrito em bom e suave grego clássico, não tão difícil como muitas composições clássicas redigidas em grego antigo. Heródoto tem sido chamado de *pai da história,* e bem que merece o título. Suas histórias são ricas em toques pessoais e relatos de interesse humano, verdadeiramente um grande tesouro literário, além de historicamente informativas.

> Eu te digo, rapaz, detesto
> A grandiosidade de uma festa persa!
> ...
>
> Ali, todo conviva pode beber e encher-se
> Tanto ou tão pouco quanto quiser.
> Ele está isento de quaisquer regras,
> Banqueteando-se entre pródigos e tolos!
>   Horácio, *Sat.* lib. ii.67, que adapto levemente

■ 1.5

וּבִמְלוֹאת׀ הַיָּמִ֣ים הָאֵ֗לֶּה עָשָׂ֣ה הַמֶּ֡לֶךְ לְכָל־הָעָ֣ם הַנִּמְצְאִים֩ בְּשׁוּשַׁ֨ן הַבִּירָ֜ה לְמִגָּד֧וֹל וְעַד־קָטָ֛ן מִשְׁתֶּ֖ה שִׁבְעַ֣ת יָמִ֑ים בַּחֲצַ֕ר גִּנַּ֖ת בִּיתַ֥ן הַמֶּֽלֶךְ:

Passados esses dias, deu o rei um banquete a todo o povo. *Outra Festa!* Tendo acabado uma grande bebedeira (conforme diz certa expressão popular), o vão rei Xerxes nada tinha melhor para fazer senão começar mais uma festa, convidando outra audiência cativa. Todos os cidadãos do sexo masculino (vs. 9) participaram dessa segunda festa. O autor sagrado nos dá outras evidências ofuscantes das riquezas e do poder de Xerxes. Sua capital era decorada com caríssimas colunas de mármore e pavimentos de mosaico, cujos remanescentes os arqueólogos têm desenterrado. Portanto, dinheiro e vinho eram derramados como se fossem o rio Amazonas. Esse segundo banquete foi comparativamente pequeno. Durou apenas *sete dias!* Os cidadãos masculinos, "grandes e pequenos", foram convidados. Foi uma festa popular e democrática, pois, afinal, Xerxes I, o Fabuloso, era um homem do povo. O Targum diz que os judeus foram convidados, todos os 18.500 judeus que residiam em Susã, mas isso é fantasioso. Provavelmente, *alguns* judeus se encontravam entre os convidados. Heródoto (*História* I.126) fala-nos sobre *Ciro*, que "festejou com todos os persas". Portanto, os persas talvez fossem um povo de grandes banquetes, e Horácio sabia do que estava falando.

No pátio do jardim do palácio real. Lugares luxuosos, de fato, conforme a arqueologia tem demonstrado. O rei recebeu o que havia de melhor, e deu o que havia de melhor. Ctésias e Dinon, em *Athenaei Deipnosoph* 1.4, dizem que certo rei persa deu um jantar para quinze mil homens e gastou um total de quarenta talentos (1.200 quilos de ouro!). As refeições oferecidas em restaurantes são sempre ocasiões em que se verificam excessos, mas ninguém, antigos ou modernos, pode comparar-se aos persas.

■ 1.6

ח֣וּר׀ כַּרְפַּ֣ס וּתְכֵ֗לֶת אָחוּז֙ בְּחַבְלֵי־ב֣וּץ וְאַרְגָּמָ֔ן עַל־גְּלִ֥ילֵי כֶ֖סֶף וְעַמּ֣וּדֵי שֵׁ֑שׁ מִטּ֣וֹת׀ זָהָ֣ב וָכֶ֗סֶף עַ֛ל רִֽצְפַ֥ת בַּהַט־וָשֵׁ֖שׁ וְדַ֥ר וְסֹחָֽרֶת:

Havia tecido branco. O autor sagrado, ilustrando as riquezas e o esplendor de Xerxes, parou de falar, por um momento, sobre tanto alimento e vinho, e descreveu a decoração do palácio real. Como já seria de esperar, o palácio era outro espetáculo de luxo e excessos. Suas incomuns cortinas eram feitas de caríssimo algodão importado, penduradas com cordas de linho fino, e fixadas a argolas de prata. Além disso, havia as impressionantes *colunas* que o Targum revela serem de várias cores, como vermelho, verde, amarelo "brilhante" e branco puríssimo. Parece que as cortinas eram penduradas em fios fixados naquelas colunas a intervalos. Também havia "leitos" para as pessoas descansarem e comerem. Esses leitos eram recobertos pela lã de cordeiro mais fina que se possa imaginar, "a mais fina e mais suave", conforme diz o Targum. Suas armações eram feitas de ouro e prata. E, finalmente, havia um pavimento de mosaico realmente impressionante, como diz nossa versão portuguesa, "de pórfiro, de mármore, de alabastro e de pedras preciosas".

Os mosaicos persas usualmente eram feitos nas cores branco, negro, vermelho e amarelo. Jarchi diz que pedras preciosas eram fixadas neles, e o Targum fala no uso de cristais. Segundo o Talmude, os persas colocavam pérolas em seus corredores e pavimentos. Filostrato (*Vit. Apollon.* 1.2. cap. 11) refere-se a um templo na Índia que era pavimentado com pérolas. Uma de minhas fontes informativas usa quase uma coluna inteira para descrever todo esse excesso, e resisti à tentação de reproduzir aquela descrição por inteiro. Outra de minhas fontes informativas usa apenas cinco linhas para os vss. 5-7, e assim poupa os leitores da descrição de ambientes tão luxuosos. Mas ela diz: "Era deslumbrante".

■ 1.7

וְהַשְׁקוֹת֙ בִּכְלֵ֣י זָהָ֔ב וְכֵלִ֖ים מִכֵּלִ֣ים שׁוֹנִ֑ים וְיֵ֥ין מַלְכ֛וּת רָ֖ב כְּיַ֥ד הַמֶּֽלֶךְ:

Dava-se-lhes de beber em vasos de ouro. Os copos de beber vinho, de vários tipos, desenhos e tamanhos, eram feitos de ouro. E havia o *vinho real* para encher os copos reais. O rei abriu suas adegas de vinho, e o resultado é que não faltou vinho. O vinho foi derramado "abundantemente" sobre os convidados, conforme se lê na *Revised Standard Version*. O rei deu o melhor que tinha e, realmente, ele tinha o melhor para dar.

■ 1.8

וְהַשְּׁתִיָּ֥ה כַדָּ֖ת אֵ֣ין אֹנֵ֑ס כִּי־כֵ֣ן׀ יִסַּ֣ד הַמֶּ֗לֶךְ עַ֚ל כָּל־רַ֣ב בֵּית֔וֹ לַעֲשׂ֖וֹת כִּרְצ֥וֹן אִישׁ־וָאִֽישׁ:

Bebiam sem constrangimento, como estava prescrito. Temos aqui uma curiosa nota histórica. Havia na Pérsia uma "lei do vinho", uma regra que governava os festins persas. Ninguém era forçado a beber mais do que queria. Embora a maioria dos convidados acabasse intoxicada, sem dúvida, nenhum homem era forçado a fazê-lo. Os evangélicos têm uma regra melhor: não se deve ingerir bebidas alcoólicas de forma nenhuma. Duas de minhas fontes informativas retiram a nobreza de uma alegada lei persa relativa às bebidas alcoólicas, ao sugerir que a lei que dizia "Beba se quiser, não beba se não quiser", foi somente para *aquela oportunidade*. A prática usual, segundo eles, era que, cada vez que a pessoa encarregada de levantar um brinde o fizesse, os outros também tinham de beber. Esse costume, pois, teria sido suspenso no caso do segundo banquete oferecido por Assuero. Horácio (*Sat.* lib. ii. s. vi. vs. 67) diz que era obrigatório beber nos banquetes gregos. Seja como for, geralmente as pessoas que vão aos banquetes forçam-se a beber! A história demonstra que os persas começaram com hábitos controlados, mas no fim desintegravam-se de maneira vergonhosa.

■ 1.9

גַּ֚ם וַשְׁתִּ֣י הַמַּלְכָּ֔ה עָשְׂתָ֖ה מִשְׁתֵּ֣ה נָשִׁ֑ים בֵּ֚ית הַמַּלְכ֔וּת אֲשֶׁ֖ר לַמֶּ֥לֶךְ אֲחַשְׁוֵרֽוֹשׁ: ס

Também a rainha Vasti deu um banquete às mulheres. Entrementes, *Vasti* (provavelmente uma das concubinas do rei Xerxes) efetuava sua própria festa particular para mulheres. Ela oferecera uma festa de bebidas alcoólicas durante sete dias, somente para mulheres. Os costumes persas não requeriam que homens e mulheres se banqueteassem separadamente (cf. Et 5.6 e 7.1). Talvez o grande número de convidados tornasse mais conveniente que as mulheres bebessem e comessem independentemente, naquela ocasião. A história revela que Vasti não era a *rainha*. A rainha de Xerxes chamava-se Amestris (Heródoto, *História* VII.61; IX.108-112). Sua *esposa*, segundo sabemos, era uma mulher arrogante e supersticiosa, mas podemos supor pelo presente texto que Vasti, a concubina real, era mulher realmente bela. *Vasti* é um nome elamita. E Heródoto diz-nos que a esposa de Xerxes era persa. Seja como for, Vasti parece ter sido a principal concubina do rei Assuero, isto é, sua favorita, pelo menos a mais espetacularmente bonita de todas as mulheres do palácio! Portanto, veja o leitor a situação. Ester haveria de substituir uma concubina favorita, e não uma esposa. Mas, dentro do antigo contexto, dizemos: "E daí? Ela haveria de realizar uma tarefa em favor de seu povo". Quanto ao que se sabe ou se conjectura sobre *Vasti*, ver o artigo sobre ela no *Dicionário*. A fraqueza desse artigo, que acabo de reler, é que ele coloca Vasti muito alto na escala das esposas e concubinas reais. Por outra parte, ela era *tão bela* que, em certo sentido, "era a maior delas todas". Isto é, *se* aceitarmos a declaração de que "a glória de uma mulher é sua beleza, enquanto a de um homem é sua inteligência", a fama de Vasti tinha toda a razão. O rei, estonteado de tanto beber, queria exibir o melhor que tinha, e Vasti foi sua escolha. É difícil crer que ele teria enviado a rainha-mãe a uma matilha de machos uivantes, mas Vasti era adequada para esse propósito.

VASTI É DEPOSTA (1.10-22)

Alguns intérpretes falam na "rainha que foi destronada". Mas dificilmente poderíamos compreender essa questão como a *rainha da Pérsia* que perdeu seu trono. Antes, Vasti, a *concubina favorita,* é que foi *substituída.* Devemos lembrar, entretanto, que ser a concubina favorita do rei da Pérsia não era pequena honra, mas uma posição cobiçada por muitas outras mulheres. Naturalmente, o livro de Ester apresenta Vasti como a rainha (vs. 9). Mas a rainha-mãe era Amestris, e podemos ter certeza de que ela nada teve com o episódio descrito na seção à nossa frente. Heródoto (*História* 3.84) diz-nos que os reis da Pérsia eram obrigados a escolher suas *esposas* dentre sete famílias principais da Pérsia. Essa regra dificilmente poderia aplicar-se a uma substituta da rainha Vasti, pois a escolhida para substituí-la foi Ester, uma judia. Tal regra não se aplicaria a uma concubina que, afinal, era uma estrangeira, e muitas delas o eram. É verdade que alguns estudiosos argumentam que Vasti e Amestris eram a mesma mulher, mas não há nenhuma evidência externa ou interna para essa suposição. Isso é apenas uma explicação *ad hoc,* criada no momento para explicar a discrepância. Ou seja, foi inventada exatamente com o propósito de tentar explicar o problema.

■ 1.10

בַּיּוֹם֙ הַשְּׁבִיעִ֔י כְּט֥וֹב לֵב־הַמֶּ֖לֶךְ בַּיָּ֑יִן אָמַ֡ר לִ֠מְהוּמָן בִּזְּתָ֨א חַרְבוֹנָ֜א בִּגְתָ֤א וַאֲבַגְתָא֙ זֵתַ֣ר וְכַרְכַּ֔ס שִׁבְעַת֙ הַסָּ֣רִיסִ֔ים הַמְשָׁ֣רְתִ֔ים אֶת־פְּנֵ֖י הַמֶּ֥לֶךְ אֲחַשְׁוֵרֽוֹשׁ׃

Ao sétimo dia. Durante sete dias, todos tinham bebido e agora estavam bêbados. Todos eles estavam bêbados, exceto o psiquiatra da corte, cuja tarefa era observar o comportamento humano quando influenciado pela bebida e pelo deboche. Um psiquiatra poderia ser definido como segue: "Um homem que, quando uma bela mulher entra na sala, observa *todas as outras pessoas*". Portanto, imagino o psiquiatra da corte como o único homem sóbrio naquela multidão. Os beberrões, naturalmente, voltaram a mente para as questões sexuais e esperavam ver alguma dança sensual efetuada por uma belíssima mulher. Isso os prepararia para "algo mais", e você pode ter certeza de que essas festas de vinho terminavam com as pessoas fazendo "algo mais".

Portanto, quem seria a candidata que satisfaria as concupiscências da multidão de machos uivantes? Em Susã não havia mulher que fizesse melhor trabalho do que *Vasti,* a concubina preferida do rei. Portanto, o rei enviou seus sete eunucos, auxiliares da corte e guardadores do grande harém, para trazer Vasti ao salão do banquete, o mais depressa possível. O Targum diz que Vasti realizaria sua dança com apenas uma coroa na cabeça! E, apesar de uma de minhas fontes informativas dizer que o escritor do comentário judaico pensou maliciosamente, aposto que o Targum não estava longe da verdade. "... a ingestão de bebidas alcoólicas agora estava desenfreada, e o fim dessas atividades era assinalado por excessos de orgia" (Jamieson, *in loc.*).

Caros leitores, de acordo com os costumes persas, a rainha, ainda mais do que as esposas ordinárias, vivia escondida dos olhares públicos, e podemos estar certos de que nenhum homem na terra, nem mesmo o rei, teria chamado sua esposa para excitar aquelas feras masculinas.

Os sete eunucos. Jovens postos a serviço do rei eram castrados. Alguns deles cuidavam do harém real. Outros serviam em outras capacidades, mas, no "estado" em que se encontravam, nenhum deles teria imaginação fértil sobre intrigas políticas ou o desejo de tornar-se um político importante. Ver no *Dicionário* o verbete chamado *Eunucos.* A lei de Moisés excluía tais homens da adoração pública (ver Dt 23.1), mas fora de Israel tais homens, algumas vezes, galgavam altas posições no governo, através de serviço fiel e inteligente.

■ 1.11

לְהָבִ֛יא אֶת־וַשְׁתִּ֥י הַמַּלְכָּ֖ה לִפְנֵ֣י הַמֶּ֑לֶךְ בְּכֶ֣תֶר מַלְכ֗וּת לְהַרְא֨וֹת הָֽעַמִּ֤ים וְהַשָּׂרִים֙ אֶת־יָפְיָ֔הּ כִּֽי־טוֹבַ֥ת מַרְאֶ֖ה הִֽיא׃

Que introduzissem à presença do rei a rainha Vasti, com a coroa real. A "rainha" Vasti deveria comparecer diante daqueles ridículos e bêbados machos apenas com a coroa, que o Targum diz que era seu único "traje". Nessa condição, ela agradaria a todos. Ela não mostraria apenas a beleza de seu rosto. Ao que parece, o nome dela significa "bela", e bastava uma olhada para comprovar isso. Naturalmente, seria ridículo se a rainha-mãe se pusesse de pé com sua coroa na cabeça, a fim de que os homens a contemplassem e exclamassem diante de tanta beleza. Também, segundo penso, tola é a ideia de que Vasti deveria comparecer no salão em "vestes reais", apenas para mostrar aos homens quão ofuscante era a sua beleza. Aqueles homens alcoolizados não teriam menos curiosidade sobre rainhas e sua majestade. Eles queriam que suas paixões fossem excitadas por algum espetáculo sensual do corpo feminino, de movimentos sinuosos como os de uma cobra, conforme as mulheres são tão boas em demonstrar. Eles queriam ver uma rainha do *striptease,* e não uma rainha majestática.

■ 1.12

וַתְּמָאֵ֞ן הַמַּלְכָּ֣ה וַשְׁתִּ֗י לָבוֹא֙ בִּדְבַ֣ר הַמֶּ֔לֶךְ אֲשֶׁ֖ר בְּיַ֣ד הַסָּרִיסִ֑ים וַיִּקְצֹ֤ף הַמֶּ֙לֶךְ֙ מְאֹ֔ד וַחֲמָת֖וֹ בָּעֲרָ֥ה בֽוֹ׃

Porém a rainha Vasti recusou vir. *A Virtuosa Vasti.* Certa vez ouvi um sermão que chamava a mulher de "virtuosa Vasti", e talvez Vasti tenha sido realmente virtuosa. E, como é natural, todas as minhas fontes informativas louvam Vasti por sua recusa de misturar-se aos homens naquele deboche. O autor sacro não nos diz *por quê,* porém o mais provável é que ele esperava que usássemos da imaginação e chegássemos à ideia de que a dama simplesmente estava acima de toda aquela sujeira. Mas, com sua virtude, ela desapontou um bocado de beberrões e teve de pagar alto por sua arrogância. O rei usou aquela atitude *insolente* como desculpa para livrar-se dela e obter outra concubina favorita mais liberal.

"O rei estava acostumado a obter o que desejava, sempre que o desejasse. Por conseguinte, a reação dela tornou-o furioso (cf. 7.7)" (John A. Martin, *in loc.*).

Plutarco diz-nos que os persas não expunham suas esposas aos olhares públicos. Mas as concubinas e meretrizes podiam ser expostas à indecência, pois ninguém pensava coisa alguma a respeito (*Temístocles*). Vasti, porém, não era o tipo ordinário de concubina. Ela protegeu a si mesma, quando o rei não quis fazê-lo.

"Temos poucas mulheres como Vasti. Algumas das mais nobres da nossa terra (a Inglaterra) se vestem e se enfeitam com o máximo de esplendor e gastam seu dinheiro somente para exibir-se em bailes, teatros, galas, óperas — a fim de serem vistas e admiradas pelos homens!" (Adam Clarke, *in loc.,* falando sobre a Inglaterra do século XIX. Que teria ele dito sobre o fim do século XX!?).

Uma mulher que conheço pessoalmente expressou a questão da seguinte maneira:

Todos os homens são malandros;
Todas as mulheres são exibicionistas.

Compare-se esta história com aquela do Novo Testamento na qual uma mocinha dançou! (Mt 14.6 ss.). Essa pode ter sido a única dança da história na qual um homem, *literalmente,* perdeu a cabeça.

■ 1.13

וַיֹּ֣אמֶר הַמֶּ֔לֶךְ לַחֲכָמִ֖ים יֹדְעֵ֣י הָֽעִתִּ֑ים כִּי־כֵן֙ דְּבַ֣ר הַמֶּ֔לֶךְ לִפְנֵ֕י כָּל־יֹדְעֵ֖י דָּ֥ת וָדִֽין׃

Então o rei consultou os sábios que entendiam dos tempos. O rei *bêbado* deve ter ficado um pouco mais sóbrio, por causa de seu amargo desapontamento e humilhação por parte "daquela mulher", e consultou conselheiros e sábios sobre o que deveria fazer com Vasti. Ele consultou os sábios que tinham conhecimento "dos tempos", isto é, versados em astrologia e, provavelmente, nas artes mágicas. Aqueles homens conheciam todas as leis da terra. O que a lei requeria? Xerxes sempre consultava seus conselheiros. Ele não tomava decisões importantes sozinho. Homens conhecedores da lei sabiam dos *precedentes* nos quais se baseavam as decisões.

Mediante ligeira mudança no hebraico, podemos alterar "tempos" para "leis". E alguns intérpretes pensam que uma sábia substituição deveria ser feita, embora sem apoio textual para tanto. Seja como for, o texto deixa claro que os melhores conselheiros e sábios da corte, em Susã, foram consultados sobre o caso. No império persa havia sete juristas, o famoso *Conselho dos Sete* (Heródoto, *História* III.31,84; cf. Ed 7.14), a *Corte Suprema*, e talvez o rei Xerxes tenha chegado ao extremo de consultá-los sobre a questão.

Aqui os críticos se deparam com um problema: Por que seria necessário tudo isso para substituir uma concubina favorita? Talvez uma rainha só pudesse ser deposta mediante tal modo de proceder. Por esse motivo, os críticos concluem que o autor sacro acrescentou estofo à sua história, a fim de tornar mais interessante sua novela religiosa. O caso de Vasti deflagrou um escândalo nacional e estabeleceu perigoso precedente. Se a atitude de Vasti não fosse tratada com rigor, muitos casos de revolta poderiam surgir no grande império persa. Outras mulheres, julgando-se oprimidas pelos maridos, rebelar-se-iam (vs. 17), e então o império persa cairia no caos.

Os astrólogos, conforme comentou Aben Ezra, sabiam do tempo certo para fazer qualquer coisa. Outros tinham conhecimento sobre os tempos antigos, sendo bem versados na história e na lei. Portanto, eles sabiam o que aconselhar ao rei.

■ 1.14

וְהַקָּרֹב אֵלָיו כַּרְשְׁנָא שֵׁתָר אַדְמָתָא תַרְשִׁישׁ מֶרֶס
מַרְסְנָא מְמוּכָן שִׁבְעַת שָׂרֵי פָּרַס וּמָדַי רֹאֵי פְּנֵי
הַמֶּלֶךְ הַיֹּשְׁבִים רִאשֹׁנָה בַּמַּלְכוּת:

Os sete príncipes dos persas e dos medos. O autor sagrado nomeou aos sete príncipes da Pérsia, os mais elevados homens do país, depois do próprio rei. Quanto ao pouco que se sabe sobre eles, ver o *Dicionário*. É provável que esteja em foco aqui a *Corte Suprema* da Pérsia, os homens mencionados nos comentários sobre o versículo anterior, bem como por Heródoto, no lugar identificado. Esses homens tinham o raro privilégio de avistar a face do rei a qualquer dia em que quisessem fazê-lo, isto é, eles tinham acesso livre e desimpedido ao rei e eram frequentemente consultados por ele. Uma de minhas fontes informativas diz que aqueles homens tinham acesso ao rei, *exceto* quando ele estava em seu harém. Quando o rei estava *ali*, ninguém podia incomodá-lo.

Todo os nomes dados aqui são persas. Por isso, sem dúvida está incorreto o comentário do Targum, neste ponto, que diz que eles eram sábios provenientes de diferentes países, convocados para aconselhar o rei. Antes, eles eram os melhores elementos que os persas tinham, os mais nobres dentre os nobres.

■ 1.15

כְּדָת מַה־לַּעֲשׂוֹת בַּמַּלְכָּה וַשְׁתִּי עַל אֲשֶׁר לֹא־עָשְׂתָה
אֶת־מַאֲמַר הַמֶּלֶךְ אֲחַשְׁוֵרוֹשׁ בְּיַד הַסָּרִיסִים: ס

Sobre que se devia fazer, segundo a lei à rainha Vasti. A *questão* não era se a concubina preferida deveria ser punida ou não, mas como fazê-lo. O rei tinha mulheres demais para preocupar-se com *uma* delas. O rei não tinha intimidade emocional com suas muitas mulheres. Isso seria um sinal de fraqueza em um monarca oriental. Portanto, ele não teria problema emocional em livrar-se de Vasti. Note-se como Ester foi tratada com relativa indiferença, quando substituiu a infeliz da Vasti. Ela disse a Mordecai que nem ao menos tinha visto o rei por um mês e temia pedir para vê-lo (Et 4.11)! Isso não soa como palavras proferidas por uma rainha-mãe, mãe do herdeiro do trono. Estamos falando de meras concubinas.

O poder do rei era *absoluto*, e nenhuma infração poderia ser ignorada. Ação *rápida* era a palavra de cada dia.

■ 1.16

וַיֹּאמֶר מוֹמֻכָן לִפְנֵי הַמֶּלֶךְ וְהַשָּׂרִים לֹא עַל־הַמֶּלֶךְ
לְבַדּוֹ עָוְתָה וַשְׁתִּי הַמַּלְכָּה כִּי עַל־כָּל־הַשָּׂרִים וְעַל־
כָּל־הָעַמִּים אֲשֶׁר בְּכָל־מְדִינוֹת הַמֶּלֶךְ אֲחַשְׁוֵרוֹשׁ:

Então disse Memucã. O principal conselheiro, de nome Memucã, fez a primeira sugestão. Ele salientou a *universalidade* do "crime" de Vasti: não era algo feito somente contra o rei, mas contra as subautoridades da nação, contra os nobres e até contra todo o povo que vivia nas províncias, os quais estariam contemplando tudo para ver o que aconteceria "àquela mulher". Memucã disse que a infração era *séria* e deveria ser tratada de maneira severa, para dar uma lição que fosse vista por todos os que se sentissem tentados a contradizer o poder do rei. Heródoto (*História* III.31) conta-nos um caso similar, que envolveu Cambises, no qual a prontidão da reprimenda foi crucial para o caso.

■ 1.17

כִּי־יֵצֵא דְבַר־הַמַּלְכָּה עַל־כָּל־הַנָּשִׁים לְהַבְזוֹת
בַּעְלֵיהֶן בְּעֵינֵיהֶן בְּאָמְרָם הַמֶּלֶךְ אֲחַשְׁוֵרוֹשׁ אָמַר
לְהָבִיא אֶת־וַשְׁתִּי הַמַּלְכָּה לְפָנָיו וְלֹא־בָאָה:

A notícia do que se fez a rainha chegará a todas as mulheres. As mulheres poderiam sentir-se tentadas a rebelar-se, imitando a "rainha", portanto precisavam ver o que acontecia a uma mulher que desobedecesse ao rei, ou a seu próprio marido, para dizer a verdade. Mulheres tendentes à rebeldia acabariam desprezando seus maridos, desobedecendo às ordens deles, para depois se jactarem diante de suas amigas e vizinhas... "... elas zombariam da autoridade de seus maridos, recusando sujeitar-se a eles, desprezando suas ordens, negligenciando obedecer-lhes, e não lhes dando a devida honra" (John Gill, *in loc.*).

A rebelde Vasti foi chamada à presença do rei. Uma vez mais, porém, *recusou-se a fazê-lo*. Definitivamente, ela tinha um problema de atitude. Ela haveria de levar sua rebeldia até o fim, custasse o que custasse. Agora ela tinha uma "causa" a defender e estava disposta a sacrificar-se por isso. Achou que havia sido *manipulada* por tempo bastante, e agora haveria de manipular as coisas ela mesma.

■ 1.18

וְהַיּוֹם הַזֶּה תֹּאמַרְנָה שָׂרוֹת פָּרַס־וּמָדַי אֲשֶׁר שָׁמְעוּ
אֶת־דְּבַר הַמַּלְכָּה לְכֹל שָׂרֵי הַמֶּלֶךְ וּכְדַי בִּזָּיוֹן
וָקָצֶף:

Hoje mesmo as princesas da Pérsia e da Média. As princesas da nação também estariam envolvidas no plano perverso de Vasti e até ensinariam seus filhos sobre a liberação da mulher, e em breve o caos reinaria sobre toda a Pérsia. O resultado final seria primeiramente o *desprezo*: a autoridade real sairia enfraquecida. Em segundo lugar, haveria *ira*: as mulheres e quem mais elas conseguissem influenciar andariam no espírito de rebeldia, procurando contra quem poderiam irar-se e atacar. O mal penetraria nas áreas onde as autoridades políticas são formadas, de modo que o rei da Pérsia em breve teria conselheiros e governadores rebelados. Como é claro, Vasti tinha de ser detida, e rapidamente! O nome dela se tornara sinônimo de discórdia e contenção. Ela seria a corruptora mor da moral em toda a Pérsia. A *anarquia* estava em formação.

■ 1.19

אִם־עַל־הַמֶּלֶךְ טוֹב יֵצֵא דְבַר־מַלְכוּת מִלְּפָנָיו
וְיִכָּתֵב בְּדָתֵי פָרַס־וּמָדַי וְלֹא יַעֲבוֹר אֲשֶׁר לֹא־תָבוֹא
וַשְׁתִּי לִפְנֵי הַמֶּלֶךְ אֲחַשְׁוֵרוֹשׁ וּמַלְכוּתָהּ יִתֵּן הַמֶּלֶךְ
לִרְעוּתָהּ הַטּוֹבָה מִמֶּנָּה:

Se bem parecer ao rei. Esta expressão ocorre por *nove* vezes em todo o Antigo Testamento, e *sete* delas estão no livro de Ester: aqui e em 3.9; 5.4,8; 7.3; 8.5 e 9.13. Ver também Ne 2.5,7. *Agradar o rei* era um sinônimo virtual do direito e da lei.

Uma lei deveria ser promulgada para lidar com a situação. Deveria ser como outras leis dos medos e dos persas: não seria sujeita a alterações. *Vasti* (e qualquer outra pessoa rebelde, no futuro) não poderia recusar-se a comparecer perante o rei, se a isso fosse convocada, e quem assim fizesse perderia posições e honra. Vasti tinha aberto um precedente. Amanhã, o rei da Pérsia poderia pensar que havia tratado a "bela" Vasti com demasiada severidade. Mas lei era lei, e mudanças de temperamento não teriam efeito sobre a *legislação* da Pérsia.

Quanto ao *caráter imutável* das leis persas, ver Dn 6.8,12,15. Ver Et 8.8 quanto a como esse conceito operou em favor dos judeus.

A *essência* do decreto do rei Assuero é que ele mereça *obediência absoluta,* e isso deveria ser interpretado apropriadamente em cada caso. Os que se recusassem a pagar-lhe honra real seriam sujeitados à desgraça e perderiam todas as vantagens e posições que tivessem adquirido.

Dessa maneira, *Vasti* perdeu sua posição de concubina favorita, a qual deve ter sido cobiçada por mulheres de todo o vastíssimo império da Pérsia. Ser concubina do rei era melhor do que ser esposa de qualquer outro homem. Arrastava atrás de si posição, autoridade, poder, dinheiro e prestígio. Os registros da Pérsia não contêm, como é óbvio, menção a uma *rainha* que tivesse sido deposta, e os persas não tinham razão para registrar a substituição de uma concubina, por mais esplendorosa que ela possa ter sido. Mas esse acontecimento foi importante para o bem-estar dos judeus e ficou registrado em um livro canônico da Bíblia.

■ **1.20,21**

וְנִשְׁמַע פִּתְגָם הַמֶּלֶךְ אֲשֶׁר־יַעֲשֶׂה בְּכָל־מַלְכוּתוֹ כִּי
רַבָּה הִיא וְכָל־הַנָּשִׁים יִתְּנוּ יְקָר לְבַעְלֵיהֶן לְמִגָּדוֹל
וְעַד־קָטָן:

וַיִּיטַב הַדָּבָר בְּעֵינֵי הַמֶּלֶךְ וְהַשָּׂרִים וַיַּעַשׂ הַמֶּלֶךְ
כִּדְבַר מְמוּכָן:

Quando for ouvido o mandado. *Um vasto sistema de correios* (algo parecido com o *Pony Express* do ocidente primitivo dos Estados Unidos da América) tornava possível a comunicação de qualquer notícia com a máxima velocidade. Foi assim que, em breve tempo, todo o império persa ficou sabendo da questão. A rebeldia feminina foi cortada pela raiz, e o *decreto do rei* lançou medo no coração dos contenciosos. O primeiro resultado imediato foi que as *esposas* continuaram a prestar honra e obediência a seus maridos, desde a maior delas até a esposa dos mais insignificante agricultor que vivia nos campos. Uma forma de insanidade fora esmagada.

O *rei ficou satisfeito* (vs. 21) com tudo quanto o sábio Memucã dissera. Não houve voz de dissensão. Todos os conselheiros balançavam a cabeça, em concordância. O porta-voz dos sábios tinha expressado bem as ideias de todos. A Corte Suprema foi unânime em sua decisão, e o rei agiu *imediatamente,* conforme lhe fora sugerido.

A insubordinação no seio da família real não foi tolerada, e a insubordinação doméstica comum nem ao menos teve chance de começar.

■ **1.22**

וַיִּשְׁלַח סְפָרִים אֶל־כָּל־מְדִינוֹת הַמֶּלֶךְ אֶל־מְדִינָה
וּמְדִינָה כִּכְתָבָהּ וְאֶל־עַם וָעָם כִּלְשׁוֹנוֹ לִהְיוֹת כָּל־
אִישׁ שֹׂרֵר בְּבֵיתוֹ וּמְדַבֵּר כִּלְשׁוֹן עַמּוֹ: פ

Então enviou cartas a todas as províncias do rei. *Cartas* foram o modo de comunicação do decreto real. O império persa foi o primeiro a possuir um *sistema postal* (Heródoto, *História* VII.98). Ver também Et 3.13 e 8.10. Até pessoas comuns terminaram enviando cartas umas às outras. Note o leitor que as cartas do rei foram traduzidas para os vários idiomas falados no império. Ninguém seria desculpado de compreender o decreto, por causa do "problema de língua".

A *essência* da comunicação dizia que cada homem, em sua própria casa, é rei, e que sua "rainha" deveria ser-lhe obediente, tal como a rainha no palácio real, em Susã, estava sob o poder do rei.

Adam Clarke (*in loc.*) gostava da essência do edito real: "Tanto a lei de Deus como o bom senso ensinam a obediência de uma esposa a seu esposo, desde a fundação do mundo. Seria possível que isso já não estivesse em prática no império persa, antes do decreto real?" O Targum contém um pitoresco comentário no sentido de que "... cada mulher deveria falar a mesma linguagem de seu marido". Isso significa que não deveria haver barreira de linguagem entre marido e mulher. Dessa maneira, quando ele *falasse,* ela *saltaria* para obedecer-lhe.

Arthur C. Lichtenberger, *in loc.*, em contraste com Adam Clarke, preocupava-se com as *manipulações,* isto é, a opressão das pessoas por parte daqueles que possuíssem autoridade, em nome de leis injustas. Ellicott, *in loc.,* entretanto, supunha haver "indevida influência feminina" na Pérsia, distorção que o decreto do rei Assuero ajudou a corrigir.

E que se falasse a língua do seu povo. O hebraico por trás desta frase é difícil e, aparentemente, contém uma expressão idiomática desconhecida hoje em dia. Ou então o próprio autor sagrado escreveu de forma confusa neste ponto. Portanto, os intérpretes ficam perplexos diante do significado dessas palavras. O Targum sugere que elas significam que toda esposa deveria aprender o idioma falado por seu marido (as raças se estavam misturando e os idiomas eram um problema). Marido e mulher falarem um só idioma eliminaria os problemas de comunicação no lar. Dessa maneira, a esposa saberia o que o marido queria dela, e atenderia a seus desejos. A Septuaginta simplesmente omite essa parte do versículo, sem saber o que fazer com ela. O aramaico era a língua oficial, mas não resolvia todos os problemas de comunicação.

CAPÍTULO DOIS

O autor judeu exaltou Ester, transformando-a em uma rainha, e fez Vasti, a *rainha,* ser deposta do trono. Mas as evidências são de que estamos tratando com uma concubina favorita, e não com uma rainha autêntica. A posição de concubina favorita do rei era respeitada, e dali uma mulher poderia exercer muita influência sobre o rei. Isso era tudo quanto se fazia necessário para Ester agir como o livro de Ester diz que ela agiu, e assim salvar o povo judeu do aniquilamento. Ver os comentários sobre Et 1.10 e 1.15, onde ofereço argumentos que não reitero aqui. Nada existe nos registros históricos da Pérsia a respeito de uma rainha que teria sido destronada, e, se uma concubina favorita perdesse sua posição, os registros não fariam menção a um evento relativamente trivial. Também é impossível que a *rainha-mãe* passasse um mês inteiro sem ao menos ver o rei, e então temer aproximar-se dele, conforme está escrito a respeito de Ester, depois que ela substituiu Vasti. Ver Et 1.15. Os críticos naturalmente encaram o livro de Ester como uma novela religiosa, e não um documento histórico. Para razões que os críticos apresentam (problemas históricos no próprio livro de Ester), ver os comentários (com argumentação favorável e contrária), sob a seção I da introdução ao livro. Não é necessário questionar a historicidade do livro. Entretanto, é mister vê-lo sob uma luz mais clara. O intérprete honesto tentará sempre fazer brilhar a verdade do texto, e, se certos raios luminosos nos perturbarem, fiquemos então perturbados, em vez de sermos desonestos.

Ester sendo judia, nunca poderia ter-se tornado a rainha-mãe da Pérsia. Heródoto (*História* 3.84) diz-nos que a rainha-mãe era escolhida cuidadosamente dentre as sete principais famílias *persas,* e também que a rainha do tempo de Xerxes I era uma mulher chamada *Amestris*. Ela jamais poderia ser chamada diante de uma multidão de lobos uivantes para exibir seu corpo, que era o que Xerxes queria que Vasti fizesse (1.11). Mas uma concubina favorita, tão bela, tão atrativa, serviria para esse propósito.

Seja como for, *Ester,* em sua posição recém-encontrada, poderia usar a influência do rei para ajudar a proteger o povo de Israel no exílio. A *Providência de Deus* esteve assim em operação para o bem de seu povo, onde quer que esse povo estivesse. Ver no *Dicionário* o verbete chamado *Providência de Deus.*

■ **2.1**

אַחַר הַדְּבָרִים הָאֵלֶּה כְּשֹׁךְ חֲמַת הַמֶּלֶךְ אֲחַשְׁוֵרוֹשׁ
זָכַר אֶת־וַשְׁתִּי וְאֵת אֲשֶׁר־עָשָׂתָה וְאֵת אֲשֶׁר־נִגְזַר
עָלֶיהָ:

Passadas estas cousas. Ou seja, a confusão e as vicissitudes do primeiro capítulo, incluindo o decreto real para depor Vasti. Agora o rei estava sóbrio e começou a pensar novamente na bela Vasti. Ao que tudo indica, ele estava triste em seu coração por causa do decreto que havia expedido. Por outra parte, e daí?! Havia muitas mulheres bonitas em seu reino, qualquer uma poderia substituir a rebelde Vasti.

Os intérpretes que se preocupam com questões cronológicas supõem que podem ajustar Ester à história e também que a grande festa em Susã aconteceu na primavera do ano de 481 a.C., quando ele enviou seu vasto exército contra a Grécia. Seu casamento com Ester (segundo esse raciocínio continua), descrito no vs. 16, só ocorreu após a campanha contra a Grécia. Contudo, não há razão para supor que possamos manusear tão claramente o elemento tempo dentro do livro de Ester.

Que Aconteceu a Vasti? O autor sagrado não se incomoda em dizer-nos o que, finalmente, aconteceu a essa mulher. Sabemos, porém, que ela foi deposta e entrou em desgraça. Talvez tenha sido exilada. Seja como for, voltou a lavar as próprias roupas. Talvez algum oficial local, lá fora, tenha-se alegrado por tomá-la como esposa. Vasti não deixou de ser bonita só porque deixou de ser a concubina favorita do rei.

Josefo conta a grande paixão do rei Assuero por Vasti (*Antiq.* 1.11. cap. 6), e o Targum revela-nos que ele ficou muito irado com seus conselheiros por o terem impelido a livrar-se dela; mas detalhes como esses provavelmente não passam de ficção. Nenhuma fonte, contudo, diz o que, afinal, aconteceu a Vasti.

■ 2.2

וַיֹּאמְרוּ נַעֲרֵי־הַמֶּלֶךְ מְשָׁרְתָיו יְבַקְשׁוּ לַמֶּלֶךְ נְעָרוֹת בְּתוּלוֹת טוֹבוֹת מַרְאֶה׃

Então disseram os jovens do rei. Os conselheiros jovens do rei saíram em seu socorro. Eles não permitiriam que o rei se quedasse tristonho, a pensar em Vasti. "Esquece-te da antiga Vasti. Há muitas jovens virgens que podem substituí-la. Vamos começar uma busca séria para encontrar a jovem certa". O autor judeu naturalmente nada diz (e talvez nada soubesse) sobre a lei persa que requeria que a rainha-mãe fosse escolhida dentre as sete famílias *persas* mais proeminentes. Escolher uma rainha dentre as jovens mais belas de um reino é um motivo universal e um artifício literário. Portanto, o autor sacro apela a esse artifício para conseguir a substituta de Vasti. De fato, se estava em pauta apenas uma concubina favorita, e não uma rainha-mãe, por que a busca não poderia operar daquela maneira? Afinal de contas, a glória de uma mulher é sua beleza física, tal como a glória de um homem é a sua inteligência.

Foi assim que os jovens conselheiros do rei organizaram um concurso de beleza feminina, trazendo todas as mais notáveis candidatas a Susã, para marchar perante eles. O rei estaria presente, e todos contemplariam as jovens quando elas passassem.

■ 2.3

וְיַפְקֵד הַמֶּלֶךְ פְּקִידִים בְּכָל־מְדִינוֹת מַלְכוּתוֹ וְיִקְבְּצוּ אֶת־כָּל־נַעֲרָה־בְתוּלָה טוֹבַת מַרְאֶה אֶל־שׁוּשַׁן הַבִּירָה אֶל־בֵּית הַנָּשִׁים אֶל־יַד הֵגֶא סְרִיס הַמֶּלֶךְ שֹׁמֵר הַנָּשִׁים וְנָתוֹן תַּמְרוּקֵיהֶן׃

Ponha o rei comissários em todas as províncias. *Autoridades especialmente nomeadas* foram enviadas a todas as províncias do império persa, e viram muitas mulheres bonitas em sua busca. As melhores e mais excelentes foram trazidas a Susã, para o harém do rei, e o eunuco Hegai, chefe do harém, foi o homem encarregado de recebê-las. Foram dados às jovens unguentos, que algumas traduções traduzem por *cosméticos*. À beleza natural, pois, foram adicionadas decorações artificiais. Algumas traduções também falam em *purificação,* como se tivessem sido aplicadas algumas medidas religiosas e/ou higiênicas. Mas esse detalhe parece inteiramente deslocado. As jovens foram apenas embelezadas, como se já não fossem bonitas, "para torná-las luzidias e belas", conforme John Gill, *in loc.*, comentou. Ver o vs. 12 deste capítulo quanto à especificação dos unguentos que foram aplicados. Esse versículo também nos informa sobre a preparação extremamente elaborada de cada mulher, e por quanto tempo as medidas de beleza foram aplicadas.

Como jovem radical, fui contra qualquer "pintura" para mulheres. Por outro lado, em anos posteriores, vejo que os gregos estavam com a razão: "moderação em todas as coisas". *Alguma* pintura, *algumas* roupas bem feitas, *algumas* joias — essa é a resposta, e não o ascetismo.

Eunuco do rei. Ver no *Dicionário* o verbete *Eunuco*. Como é óbvio, somente os eunucos podiam entrar nos haréns (ver Et 1.10; 2.3,11 e 4.5). Não se podia confiar em outros homens. Nos países orientais, as mulheres eram deixadas ao encargo de eunucos. No ocidente, qualquer coisa pode acontecer com elas.

■ 2.4

וְהַנַּעֲרָה אֲשֶׁר תִּיטַב בְּעֵינֵי הַמֶּלֶךְ תִּמְלֹךְ תַּחַת וַשְׁתִּי וַיִּיטַב הַדָּבָר בְּעֵינֵי הַמֶּלֶךְ וַיַּעַשׂ כֵּן׃ ס

A moça que cair no agrado do rei essa reine em lugar de Vasti. Os jovens conselheiros novamente agradaram ao rei com suas sugestões e atos. Vasti seria substituída por alguém que caísse no agrado do rei. E o monarca ficaria feliz com a escolha.

Novas mulheres sempre eram trazidas aos haréns orientais, para substituir as mais velhas. O negócio dos haréns era, definitivamente, uma questão de *rotação*. Somente um homem pobre se apegava à mesma mulher ano após ano. Os poderosos e ricos participavam desse sistema de rotação, e esse era também o antigo costume entre os hebreus. Ver no *Dicionário* os verbetes intitulados *Poligamia* e *Monogamia*. John Gill, *in loc.*, pensando nos costumes judaicos, supôs que as jovens trazidas tivessem entre 12 e 14 anos de idade, dotadas "de beleza perfeita, em todas as suas partes naturais".

■ 2.5

אִישׁ יְהוּדִי הָיָה בְּשׁוּשַׁן הַבִּירָה וּשְׁמוֹ מָרְדֳּכַי בֶּן יָאִיר בֶּן־שִׁמְעִי בֶּן־קִישׁ אִישׁ יְמִינִי׃

Certo homem judeu... chamado Mordecai. Quanto a detalhes, ver no *Dicionário* os verbetes chamados *Mordecai* e *Ester*. O nome dele, como é óbvio, provinha do nome do deus pagão Marduque, o que explica a variação de grafia: *Mordecai* e *Mardoqueu* (tudo dependendo da versão portuguesa que estiver sendo usada). O sentido desse apelativo é incerto. Na mitologia pagã, o deus Marduque e a deusa Istar eram primos, e assim temos o fato curioso de que Ester e Mordecai, cujos nomes se derivavam dessas divindades pagãs, também eram primos. Os nomes de família dados a Mordecai devem ser entendidos como antepassados remotos, e não como elos familiares recentes. Essa é a interpretação que nos fornecem Josefo, o Targum e a Midrash. Tanto Simei quanto Quis foram representantes bem conhecidos da tribo de Benjamim (ver 2Sm 16.5-13; 1Rs 2.8,36-46). O primeiro era inimigo de Davi, e o segundo era o pai de Saul, primeiro rei de Israel (1Sm 9.1; 14.51). Os artigos sobre eles no *Dicionário* provêm detalhes para o leitor curioso. Mordecai não era descendente direto de Saul, mas veio através de outra linhagem da família de Quis. O autor sagrado enfatizou que as pessoas em questão (Et e Mordecai) eram "judeus puros" e, assim, guardiães apropriados de seu povo, em Susã. Ester era órfã criada pelo primo Mordecai (vs. 7). Foi assim que Mordecai, oficial na corte persa de Susã, transformou-se em amigo e salvador dos judeus. Estando Mordecai consciente da rara beleza física de sua prima, calculou acertadamente que ela seria uma fortíssima candidata a substituir a infeliz Vasti.

■ 2.6

אֲשֶׁר הָגְלָה מִירוּשָׁלַיִם עִם־הַגֹּלָה אֲשֶׁר הָגְלְתָה עִם יְכָנְיָה מֶלֶךְ־יְהוּדָה אֲשֶׁר הֶגְלָה נְבוּכַדְנֶאצַּר מֶלֶךְ בָּבֶל׃

Que fora transportado de Jerusalém, com os exilados. *Mordecai* provavelmente era filho de alguma vítima do *cativeiro babilônico* (ver a respeito no *Dicionário*). Mas sua inteligência e força de vontade superior levaram-no a uma posição elevada na corte real da Pérsia. Assim ele pôde agir em favor dos judeus que permaneciam no exílio (a maior parte dos judeus não voltou para Jerusalém, na companhia de Zorobabel, Esdras e Neemias). O tempo envolvido indica que Mordecai, pessoalmente, não tinha sido vítima do exílio. Talvez ele tenha nascido em Susã, pelo que, em certo sentido, era um nativo da Babilônia. Se Mordecai fosse um jovem em 597 a.C. (ano do cativeiro babilônico), então teria bem mais de cem anos ao tempo da subida ao trono de Xerxes (485 a.C.), e Ester teria cerca de 70 anos de idade quando cativou o rei com seus encantos virginais!

O autor do livro, entretanto, talvez nada soubesse sobre a cronologia envolvida, e assim deu a ideia de que Mordecai tinha sido levado pessoalmente para o exílio. "Uma visão telescópica similar da história encontra-se em outros escritos produzidos pelo judaísmo (cf. Ed 4.6; Dn 1.21; 6.1; Tobias 14.15, *et passim,* aqui e acolá). De acordo com Ed 2.2 e Ne 7.7, certo Mordecai estava entre os exilados que tinham sido levados por Nabucodonosor. Talvez o autor sagrado pretendesse identificar os dois (conforme faz o Targum). *Mordecai* não é um nome hebraico, conforme seria próprio a um judeu da dispersão" (Bernhard W. Anderson, *in loc.*).

Jeconias, rei de Judá. Este era o rei judeu na época do exílio babilônico. Ver sobre ele no *Dicionário*. Ver também 2Rs 24.12-16. Falando estritamente, Jeconias foi o penúltimo dos reis de Judá. Zedequias foi um rei vassalo em Judá, depois que os outros monarcas judeus foram depostos.

■ 2.7

וַיְהִי אֹמֵן אֶת־הֲדַסָּה הִיא אֶסְתֵּר בַּת־דֹּדוֹ כִּי אֵין לָהּ
אָב וָאֵם וְהַנַּעֲרָה יְפַת־תֹּאַר וְטוֹבַת מַרְאֶה וּבְמוֹת
אָבִיהָ וְאִמָּהּ לְקָחָהּ מָרְדֳּכַי לוֹ לְבַת׃

Ele criara a Hadassa, que é Ester, filha de seu tio. *Hadassa* (murta) era o nome hebraico de Ester. Mas alguns estudiosos opinam que esse nome é cognato do assírio que significa "noiva". Seu nome de cativeiro era *Ester*, talvez cognato da palavra persa *stara* (estrela), porém, mais provavelmente ainda, da palavra *Istar,* a deusa babilônica. É evidente que ela era muito mais jovem que Mordecai, pois, do contrário, não teria sido tomada como *filha,* quando os pais da menina morreram. Ela, pois, era prima de Mordecai, e não sobrinha, conforme algumas traduções dizem, seguindo a Vulgata Latina, que fala em "sobrinha". Seja como for, o livro mostra-nos que a moça era "bela, corajosa, esperta e cheia de recursos. Coisa alguma é dita sobre o que ela pensava a respeito do plano de ser feita 'rainha' em lugar de Vasti" (Arthur C. Lichtenberger, *in loc.*). Visto que os hebreus estavam acostumados com haréns, ela não faria objeção por ter sido levada para o harém real da Pérsia. Casar-se uma judia com um estrangeiro (mesmo que fosse um rei) era estritamente proibido para a legislação mosaica, conforme os livros de Esdras e Neemias ilustram sobejamente. Portanto, Ester foi uma exceção à regra, a fim de trazer algum bem aos judeus. Ela precisava ter alguma elevada *posição* na Pérsia, para que fizesse o que fez, e assim cumprisse a sua missão, razão pela qual as leis hebreias do casamento tiveram de ser relaxadas em seu caso. As leis, afinal de contas, nunca contam a história inteira. Existem situações humanas nas quais as leis fixas não são de grande ajuda.

O livro de Ester não diz especificamente que Ester, mediante *providência divina,* se tornou "rainha" de Assuero, mas qualquer judeu que lesse a história entenderia isso. Ester foi um instrumento divino para um ato específico de Yahweh, embora Deus não seja mencionado no livro.

Entrementes, a rainha-mãe, *Amestris,* mostrava-se indiferente em relação ao que acontecia no harém do rei. Heródoto (*Callipe,* 1.9, cap. 107.11) disse-nos que Amestris era uma mulher ímpia e cruel. Ela ordenou que a esposa de seu cunhado fosse mutilada, e que catorze crianças fossem executadas no fogo! Poderia Amestris ter sido assim *tão* má? Por outra parte, aquelas catorze crianças foram oferecidas aos deuses, como sacrifícios humanos, e isso serve para provar que Amestris era devotadamente *religiosa*. Perseguir e matar outras pessoas, em nome de Deus ou dos deuses, até hoje é um ato aprovado até entre muitas pessoas religiosas.

O Targum ajunta que a mãe de Ester morreu de parto, e o pai havia morrido antes desse acontecimento funesto. Isso pôs as coisas nas mãos de Mordecai, por intermédio de quem a *Providência de Deus* poderia usar Ester.

■ 2.8

וַיְהִי בְּהִשָּׁמַע דְּבַר־הַמֶּלֶךְ וְדָתוֹ וּבְהִקָּבֵץ נְעָרוֹת
רַבּוֹת אֶל־שׁוּשַׁן הַבִּירָה אֶל־יַד הֵגָי וַתִּלָּקַח אֶסְתֵּר
אֶל־בֵּית הַמֶּלֶךְ אֶל־יַד הֵגַי שֹׁמֵר הַנָּשִׁים׃

Ao serem ajuntadas muitas moças na cidadela de Susã, sob as vistas de Hegai. Ester era apenas uma candidata *entre muitas outras;* porém, foi-lhe conferida vantagem imediata, porque ela chamou a atenção do chefe do harém, de nome Hegai, o eunuco (vs. 9). Encontramos com ele no vs. 3 deste capítulo, onde há algumas notas expositivas.

Ester foi para o harém *voluntariamente,* podemos ter certeza, a fim de ser preparada para a apresentação ao monarca Assuero, conforme acontecia a todas as jovens do harém. O Targum, comentando esta passagem, provavelmente labora em erro, ao falar como Ester foi *forçada* a ir para o harém. Presume-se, entretanto, que Mordecai ocultou Ester, esperando que os oficiais do rei não a encontrassem. Mas eles a encontraram, e ela era *tão* bela que foi obrigada a tornar-se uma candidata. A Septuaginta concorda com o Targum, e até introduz uma oração, neste ponto da história, na qual Ester disse a Yahweh que só se casaria à força com um pagão, com um homem *incircunciso*. Mas o próprio livro de Ester não fornece nenhum indício de tais acontecimentos. Pelo contrário, "Ester aceitou o seu papel e dedicou-se de todo o coração a ele. Ela não sabia de antemão o que lhe seria requerido, mas enfrentou cada demanda conforme elas aconteceriam" (Arthur C. Lichtenberger, *in loc.*). De fato, o cerne do livro é que Ester, mediante esperteza, beleza e inteligência superiores, *derrotou* todas as outras candidatas, por implicação "porque Deus estava metido na questão".

■ 2.9

וַתִּיטַב הַנַּעֲרָה בְעֵינָיו וַתִּשָּׂא חֶסֶד לְפָנָיו וַיְבַהֵל
אֶת־תַּמְרוּקֶיהָ וְאֶת־מָנוֹתֶהָ לָתֵת לָהּ וְאֵת שֶׁבַע
הַנְּעָרוֹת הָרְאֻיוֹת לָתֶת־לָהּ מִבֵּית הַמֶּלֶךְ וַיְשַׁנֶּהָ
וְאֶת־נַעֲרוֹתֶיהָ לְטוֹב בֵּית הַנָּשִׁים׃

A moça lhe pareceu formosa e alcançou favor perante ele. *Ester imediatamente* chamou a atenção de Hegai, eunuco e homem sábio. Ele andava com as mulheres o tempo todo e sabia quando via algo bom. Portanto, Hegai apressou-se a fornecer a Ester os cosméticos de que ela precisaria; e deu-lhe sete donzelas para banhá-la, pintá-la e, de modo geral, servi-la. E também cuidou que lhe fosse dado o melhor (mais conspícuo) lugar na sala de espera, para garantir que ela seria notada. Em outras palavras, Deus trabalhava por intermédio de Hegai. Esse foi o primeiro passo em que a providência divina estava operando, uma vez que Ester foi posta entre as candidatas.

Hegai supriu a Ester ótimos alimentos e, de modo geral, cuidava dela. Alguns intérpretes supõem que Ester estava quebrando as leis judaicas sobre os alimentos, em contraste com Daniel, que se recusava a comer alimentos proibidos (ver Dn 1.5,8). O livro de Ester não desce à questão das leis relativas aos alimentos, pelo que não sabemos o que aconteceu quanto a esse aspecto.

■ 2.10

לֹא־הִגִּידָה אֶסְתֵּר אֶת־עַמָּהּ וְאֶת־מוֹלַדְתָּהּ כִּי מָרְדֳּכַי
צִוָּה עָלֶיהָ אֲשֶׁר לֹא־תַגִּיד׃

Ester não havia declarado o seu povo nem a sua linhagem. *Entrementes,* Ester não revelou a ninguém a sua origem judaica. Mordecai lhe havia dado ordens estritas para não revelar o fato. Ele não a teria orientado nesse sentido, se pensasse que isso não enfraqueceria suas chances de ganhar sobre as outras candidatas. Sem dúvida, era coisa humilhante ser uma das cativas, ou seja, a filha de um judeu que se tornara cativo. Em verdade, tal pessoa dificilmente se sairia bem em competição com jovens persas, de famílias proeminentes e nativas, *caso* sua identidade racial fosse conhecida. Portanto, temos aqui um preconceito racial ao contrário. Os judeus tinham suas leis contra casamentos com estrangeiros, e alguns estrangeiros provavelmente preferiam casar-se com não judeus. A ordem foi baixada "a fim de que ela não fosse desprezada e maltratada por esse motivo (por ser judia)" (John Gill, *in loc.*). O próprio rei Assuero não soube da nacionalidade dela senão bastante tempo depois (ver Et 7.4). "Por certo não servia de crédito ser judeu na corte persa" (Adam Clarke, *in loc.*).

Talvez devamos compreender que Deus protegia e usava Ester, *apesar* de ela e Mordecai estarem vivendo em Susã, e não seguirem a lei de Moisés. Seguir essa *legislação* os teria identificado como judeus. Em outras palavras eles estavam "escondendo o jogo", mas

Deus iria usá-los de qualquer maneira. De acordo com a lei mosaica, Ester não podia casar-se com o rei, que era um pagão (ver Dt 7.1-4).

Uma Ilustração Moderna. Em novembro de 1995, recebi uma carta de Willard Stull, missionário batista americano de longa data, que tinha trabalhado na área da Amazônia. Ele contou que a mulher que se tornara sua esposa fora rejeitada por um ex-namorado porque trabalhava como *telefonista*, o que, presumivelmente, não era uma profissão de classe. Mas ter trabalhado como telefonista não impediu que a jovem, finalmente, casasse com um notável missionário e fizesse uma significativa contribuição para o trabalho missionário evangélico em Manaus, Estado do Amazonas. Assim também Ester, embora humilde judia, tornou-se heroína de um dos livros da Bíblia.

■ 2.11

וּבְכָל־יוֹם וָיוֹם מָרְדֳּכַי מִתְהַלֵּךְ לִפְנֵי חֲצַר בֵּית־הַנָּשִׁים לָדַעַת אֶת־שְׁלוֹם אֶסְתֵּר וּמַה־יֵּעָשֶׂה בָּהּ׃

Passeava Mordecai todos os dias diante do átrio da casa das mulheres. Ansioso por receber notícias concernentes ao resultado do concurso de beleza, Mordecai caminhava *todos os dias* nas proximidades do harém, esperando receber uma palavra. Ele andava e orava, andava e orava, invocando a *Providência de Deus*. Ninguém, naturalmente, podia aproximar-se muito do harém real. "O harém era um santuário inviolável, e o que ocorria lá dentro era segredo para os de 'fora' como se eles estivessem a mil quilômetros de distância" (Jamieson, *in loc.*). É possível que Mordecai fosse um dos porteiros do palácio e tivesse o direito de andar ao redor, sem ser questionado. Cf. Et 2.21 e 5.13.

O acesso ao harém real era restringido aos eunucos autorizados (ver Et 1.10; 2.3; 4.5).

■ 2.12

וּבְהַגִּיעַ תֹּר נַעֲרָה וְנַעֲרָה לָבוֹא אֶל־הַמֶּלֶךְ אֲחַשְׁוֵרוֹשׁ מִקֵּץ הֱיוֹת לָהּ כְּדָת הַנָּשִׁים שְׁנֵים עָשָׂר חֹדֶשׁ כִּי כֵּן יִמְלְאוּ יְמֵי מְרוּקֵיהֶן שִׁשָּׁה חֳדָשִׁים בְּשֶׁמֶן הַמֹּר וְשִׁשָּׁה חֳדָשִׁים בַּבְּשָׂמִים וּבְתַמְרוּקֵי הַנָּשִׁים׃

Em chegando o prazo de cada moça vir ao rei Assuero. Este *versículo* é realmente incrível! Por um ano inteiro, as jovens foram preparadas para comparecer perante o rei, seis meses de embelezamento com óleo de mirra para deixar a pele suave e lisa, e seis meses com outras coisas, como cosméticos e perfumes doces. Todos sabemos da vaidade feminina, mas doze meses para tornar uma moça bela? Naturalmente, havia outras atividades. Existe atualmente uma grande indústria para tornar as mulheres artificialmente belas, mas um ano inteiro de preparação para sair ao encontro de um homem, mesmo que esse homem seja o rei? Ao fornecer esses detalhes (que os críticos nem se dão ao trabalho de comentar), o autor sagrado assegura que o que estava acontecendo a Ester era algo grande e solene, e ter vencido a disputa com dezenas de outras jovens, em tal programa, só poderia ser atribuído à *Providência de Deus*.

■ 2.13

וּבָזֶה הַנַּעֲרָה בָּאָה אֶל־הַמֶּלֶךְ אֵת כָּל־אֲשֶׁר תֹּאמַר יִנָּתֵן לָהּ לָבוֹא עִמָּהּ מִבֵּית הַנָּשִׁים עַד־בֵּית הַמֶּלֶךְ׃

Então é que vinha a jovem ao rei. *Finalmente*, após um ano inteiro de preparação, cada candidata que havia sobrevivido aos sufocantes testes preliminares era apresentada ao rei para *sua inspeção*. Era a hora da verdade. Hegai havia preparado exaustivamente Ester para sua aparição diante do rei, com conselhos que somente um homem em sua posição poderia dar (vs. 15). Do começo ao fim, Ester teve ajudas extras que lhe conferiram nítida vantagem sobre as outras, e isso, naturalmente, era a providência divina em operação. As jovens gozavam de todos os favores e podiam pedir qualquer coisa que lhes agradasse, especialmente cosméticos, óleos, joias, qualquer coisa que acreditassem aumentaria suas chances de ser mais belas do que já eram, se isso fosse possível!

■ 2.14

בָּעֶרֶב הִיא בָאָה וּבַבֹּקֶר הִיא שָׁבָה אֶל־בֵּית הַנָּשִׁים שֵׁנִי אֶל־יַד שַׁעֲשְׁגַז סְרִיס הַמֶּלֶךְ שֹׁמֵר הַפִּילַגְשִׁים לֹא־תָבוֹא עוֹד אֶל־הַמֶּלֶךְ כִּי אִם־חָפֵץ בָּהּ הַמֶּלֶךְ וְנִקְרְאָה בְשֵׁם׃

À tarde entrava e pela manhã tornava à segunda casa das mulheres. Este *é um versículo interessante,* especialmente se for historicamente correto. Diz que cada concubina que era aprovada para o harém real entrava à noite na câmara do rei, onde o rei consumava o casamento. Dali por diante, a mulher era uma concubina oficial. A mulher era então colocada em outra divisão do harém, a divisão das *mulheres casadas*. Ali ela esperaria que o rei a chamasse de novo, *se porventura* a desejasse. Nessa outra divisão do harém, ela permaneceria como uma *viúva* virtual, enquanto o rei consumava "casamentos" com outras concubinas. Talvez o rei a chamasse de novo, talvez não. Cf. isso com Et 4.11. Chegou o tempo em que Ester se queixou a Mordecai de não ver o rei por um mês inteiro e temia aproximar-se dele. Tais coisas jamais seriam ditas a respeito da *rainha-mãe*. Estamos definitivamente tratando da questão do concubinato. Ver a introdução ao presente capítulo. Somos informados de que Dario, a quem Alexandre o Grande conquistou, tinha 360 concubinas. Embora isso seja como um nada para Salomão, que tinha mil mulheres, foi uma realização respeitável. As concubinas que eram mantidas em regime de *espera* naturalmente não podiam aproximar-se de outros homens, pois, afinal, eram *esposas*. Além disso, não nos esqueçamos do sistema de *rotação*. Algumas concubinas iam embora, e outras apareciam. Tornar-se concubina não era a mesma coisa que permanecer concubina. Sempre havia novas concubinas, e as antigas eram desativadas.

Nos relatos árabes das *Mil e Uma Noites*, certo homem, Shehriyar, tinha uma nova "esposa" a cada noite, e nunca chamava a mulher pela segunda vez!

Outro chefe dos eunucos cuidava do segundo harém, das "jovem casadas", a saber, Saasgaz, acerca de quem nada sabemos, exceto aquilo que o versículo revela.

■ 2.15

וּבְהַגִּיעַ תֹּר־אֶסְתֵּר בַּת־אֲבִיחַיִל דֹּד מָרְדֳּכַי אֲשֶׁר לָקַח־לוֹ לְבַת לָבוֹא אֶל־הַמֶּלֶךְ לֹא בִקְשָׁה דָּבָר כִּי אִם אֶת־אֲשֶׁר יֹאמַר הֵגַי סְרִיס־הַמֶּלֶךְ שֹׁמֵר הַנָּשִׁים וַתְּהִי אֶסְתֵּר נֹשֵׂאת חֵן בְּעֵינֵי כָּל־רֹאֶיהָ׃

Ester, filha de Abiail... alcançou favor de todos quantos a viam. Chegado o tempo de Ester ter sua entrevista com o rei, ela nada pediu de extraordinário. Afinal, as coisas estavam nas mãos de Deus. Ele faria com que tudo saísse o melhor possível. Mas ela pediu que Hegai lhe desse qualquer *conselho* que julgasse apropriado para o momento. Ele era um especialista na questão e deve ter tido algo útil para dizer, embora o autor não revele qual foi o conselho de Hegai. Mas o autor sagrado tem o cuidado de dizer-nos que Ester ganhava o favor diante de *todos* aqueles com quem entrava em contato, e ele projetava a ideia de que a condição continuaria, com a jovem cativando o próprio rei. "Espertamente, Ester confiou no julgamento de Hegai, que conhecia o gosto real" (Bernhard W. Anderson, *in loc.*).

■ 2.16

וַתִּלָּקַח אֶסְתֵּר אֶל־הַמֶּלֶךְ אֲחַשְׁוֵרוֹשׁ אֶל־בֵּית מַלְכוּתוֹ בַּחֹדֶשׁ הָעֲשִׂירִי הוּא־חֹדֶשׁ טֵבֵת בִּשְׁנַת־שֶׁבַע לְמַלְכוּתוֹ׃

Assim foi levada Ester ao rei Assuero, à casa real. *Foi um acontecimento importante* quando Ester, finalmente, compareceu perante o rei, porque era o começo do programa divino para proteger seu povo no exílio. Portanto, o autor dá-nos uma nota cronológica que os críticos consideram inventada, mas os estudiosos conservadores levam a sério e tentam assinalar o mês e o ano. O "sétimo ano do seu reinado", ao que parece, foi o sétimo ano após a deposição de

Vasti (cf. Et 1.3). Por que o rei ficou tanto tempo sem uma rainha?, perguntam os eruditos conservadores, e eles mesmos respondem dizendo que o rei estava ausente na Grécia, em sua grande guerra. Se Xerxes iniciou viagem de volta para casa, após a desgraçada derrota na Grécia, pouco depois, ou em 479 a.C., então seu casamento com Ester ocorreu mais ou menos naquele tempo. Mas a verdade é que não sabemos quando começar a contagem dos sete anos, porque o sétimo ano não significa, necessariamente, que sete anos se tenham passado desde que Vasti foi expulsa do harém real. Tebete era o nome babilônico para os meses de dezembro-janeiro.

■ 2.17

וַיֶּאֱהַב הַמֶּלֶךְ אֶת־אֶסְתֵּר מִכָּל־הַנָּשִׁים וַתִּשָּׂא־חֵן
וָחֶסֶד לְפָנָיו מִכָּל־הַבְּתוּלֹת וַיָּשֶׂם כֶּתֶר־מַלְכוּת
בְּרֹאשָׁהּ וַיַּמְלִיכֶהָ תַּחַת וַשְׁתִּי׃

O rei amou a Ester mais do que a todas as mulheres. *Ester conquistou o rei Assuero* com sua graça e beleza, de forma que ele a *amou* mais do que a todas as virgens que lhe foram apresentadas. E assim, em breve tempo, o casamento se consumou e Vasti foi devidamente substituída. Este versículo revela-nos, naturalmente, que Ester não era a única que o rei tomou como concubina. Afinal, durante todo aquele tempo (doze meses; vs. 12), o rei não tomaria somente uma mulher. O mais provável é que ele tenha feito o sistema de rotação em seu harém realmente rodar. Saía um bando de concubinas e entrava outro bando. Conforme o autor sagrado assegura, *porém*, acima de todas elas estava Ester. Ela havia tomado o lugar de Vasti como concubina preferida. Entrementes, a rainha-mãe, Amestris (que fora escolhida dentre as sete mais proeminentes famílias persas) olhava com indiferença para todos esses acontecimentos, ou mesmo nem se incomodava em olhar para eles.

Mais do que a todas as mulheres. Isto é, mais do que todas as outras virgens que ele também tornara concubinas. "... as virgens do rei eram as suas concubinas" (John Gill, *in loc.*).

Amou. Não estamos tratando aqui do amor romântico, como se o rei estivesse apaixonado por todas aquelas jovens mulheres. A palavra aponta para a consumação dos "casamentos". Quando ele consumava seus casamentos, "amava" as mulheres, conforme se diz no idioma popular moderno.

"As outras competidoras tinham apartamentos que lhes pertenciam no harém real" (Jamieson, *in loc.*).

■ 2.18

וַיַּעַשׂ הַמֶּלֶךְ מִשְׁתֶּה גָדוֹל לְכָל־שָׂרָיו וַעֲבָדָיו אֵת
מִשְׁתֵּה אֶסְתֵּר וַהֲנָחָה לַמְּדִינוֹת עָשָׂה וַיִּתֵּן מַשְׂאֵת כְּיַד
הַמֶּלֶךְ׃

Então o rei deu um grande banquete. *Uma grande festa* foi feita em honra a Ester para celebrar o fim do tremendo processo que a guindara a tão elevada posição. A ocasião foi tão feliz que o rei chegou a conceder remissão de taxas nas províncias. Pelo momento, Assuero estava em uma fase de expansão e tornou-se menos ganancioso. Em seguida, ele distribuiu presentes, como se fosse Natal, e isso com "liberalidade real", ou seja, pesadamente. Na verdade, ele agiu como um homem apaixonado, e talvez estivesse mesmo, pelo menos durante algum tempo. Não muito depois, já negligenciava Ester, como sempre fazia com suas concubinas (ver Et 4.11). Assim ocorre com a maioria dos homens, conforme a vida diária ilustra. Schopenhauer observou que "o amor é uma insanidade curável pelo casamento".

Alívio. Esta palavra tem sido variegadamente interpretada: remissão das taxas (*Revised Standard Version*); feriado, um dia sem trabalho (a versão siríaca, a Vulgata Latina, a *American Translation* à margem da *Revised Standard Version*); soltura de prisioneiros (1Macabeus 10.33; Mt 27.15); liberação do serviço militar ou licença para a desobrigação do dever (Ec 8.8; Heródoto, *História* III.67). Ele distribuiu presentes conforme era o costume nos dias de aniversário natalício do rei.

■ 2.19

וּבְהִקָּבֵץ בְּתוּלוֹת שֵׁנִית וּמָרְדֳּכַי יֹשֵׁב בְּשַׁעַר־הַמֶּלֶךְ׃

Quando pela segunda vez se reuniram as virgens. Este versículo tem deixado os intérpretes perplexos. A Septuaginta simplesmente o omite. É difícil perceber por que todas aquelas mulheres foram reunidas uma segunda vez. Será que mais concubinas foram escolhidas daquele grupo seleto? Os eruditos queixam-se da *obscuridade* do hebraico deste versículo. Talvez tudo quanto ele signifique é que, nos tempos de Mordecai, houve outra grande reunião de virgens, para que houvesse *outro* concurso de beleza. O rei queria fazer girar seu harém *de novo*.

O que fica claro é que Mordecai era uma espécie de oficial na corte persa, pois se sentava no portão do rei. Talvez ele ocupasse alta posição no sistema judicial do rei, visto que *sentar-se no portão* indicava deliberar legalmente. Em sua posição especial de autoridade (sem importar que posição fosse), Mordecai descobriu um conluio para assassinar o rei (vs. 21). Foi assim que o plano não deu certo (os possíveis assassinos foram enforcados), e Mordecai obteve poder junto ao rei. O autor sagrado continua a relatar como a providência divina fez funcionar todos os detalhes para a proteção de seu povo no exílio. Seus instrumentos especiais foram Mordecai e Ester.

■ 2.20

אֵין אֶסְתֵּר מַגֶּדֶת מוֹלַדְתָּהּ וְאֶת־עַמָּהּ כַּאֲשֶׁר
צִוָּה עָלֶיהָ מָרְדֳּכָי וְאֶת־מַאֲמַר מָרְדֳּכַי אֶסְתֵּר
עֹשָׂה כַּאֲשֶׁר הָיְתָה בְאָמְנָה אִתּוֹ׃ ס

Ester não havia declarado ainda a sua linhagem e o seu povo. Os vss. 20-23 são uma espécie de explicação parentética para mostrar-nos como Mordecai cresceu em estatura diante do rei, pelo que estava preparado para influenciá-lo quando as coisas se voltassem contra os judeus. Ester atravessava um período de glória, mas Mordecai também não se mostrava tão humilde assim. Ele tinha sua posição no portão (sem importar qual fosse) e era conhecido pelo rei. Um texto em escrita cuneiforme, traduzido por A. Ungnad, falou sobre um certo Mordecai, entre os dignitários persas, que recebeu um salário por serviços prestados em Susã. Talvez esse pedaço de argila atue como confirmação histórica para o livro de Ester.

Ester vivia um período de glória, e Mordecai era poderoso, mas o *grande segredo* de que ela era uma judia continuava oculto. Cf. o vs. 10, onde apresento *razões* para o engano. O rei acabaria descobrindo a verdade (ver Et 7.4), e o conhecimento parece não tê-lo perturbado muito.

Alguns intérpretes supõem que Mordecai ocuparia uma posição superior, caso ele guardasse o segredo. Talvez a glória de Ester seja contrastada com a humildade comparativa de Mordecai. Somente em Et 8.1 a relação existente entre Mordecai e Ester torna-se conhecida pelo rei, e isso se revelou uma circunstância favorável. E então Mordecai foi elevado a uma posição superior.

Os versículos que se seguem mostram como, de maneira preliminar, Mordecai foi elevado na estimativa do rei. Assim se desenvolveram as coisas, pouco a pouco, em favor dos judeus.

John Gill (*in loc.*) argumentou que *cada passo* foi ordenado pela providência divina, incluindo a demora na revelação da nacionalidade de Ester e a relação entre Mordecai e ela. Cada coisa tinha de acontecer na ordem própria e no tempo próprio.

O CONLUIO DE ASSASSINATO (2.21-23)

■ 2.21

בַּיָּמִים הָהֵם וּמָרְדֳּכַי יֹשֵׁב בְּשַׁעַר־הַמֶּלֶךְ קָצַף
בִּגְתָן וָתֶרֶשׁ שְׁנֵי־סָרִיסֵי הַמֶּלֶךְ מִשֹּׁמְרֵי הַסַּף
וַיְבַקְשׁוּ לִשְׁלֹחַ יָד בַּמֶּלֶךְ אֲחַשְׁוֵרֹשׁ׃

Dois safados estavam infelizes com o rei, que tinha cometido algum erro contra eles. Tratavam-se de dois eunucos, dois servos ou oficiais do rei. Os nomes deles eram Bigtã e Teres. Nada sabemos sobre eles exceto o que fica implícito no texto presente. O autor não se incomoda em dizer por que eles estavam tão irados contra Xerxes a ponto de querer matá-lo. Talvez o autor sagrado não soubesse o porquê. Os dois homens eram "guardas da porta", ou seja, membros da guarda pessoal do rei que guardavam seus apartamentos particulares. (Ver Heródoto, *História* III.77.118.) Por conseguinte, tinham fácil acesso ao rei, que era um homem praticamente morto, não fora a intervenção de Mordecai. *Gorionides* (*Hist. Hb* 1.2, cap. 1, parte 72) diz que aqueles homens abomináveis cortariam a cabeça de Assuero, enquanto ele estivesse dormindo. Presumivelmente, a cabeça seria carregada para a Grécia e apresentada como troféu. Os dois homens ímpios obteriam algum dinheiro por esse serviço, mas Gorionides estava apenas inventando a história.

É estranho notar que Xerxes, finalmente, foi assassinado por *Artabanus,* o capitão da guarda, e teve a ajuda de um certo Mitridates, eunuco das câmaras interiores.

■ 2.22

וַיִּוָּדַע הַדָּבָר לְמָרְדֳּכַי וַיַּגֵּד לְאֶסְתֵּר הַמַּלְכָּה וַתֹּאמֶר אֶסְתֵּר לַמֶּלֶךְ בְּשֵׁם מָרְדֳּכָי׃

Veio isso ao conhecimento de Mordecai. *Mordecai* tornou-se um salvador quando ouviu os dois homens sussurrando o plano assassino. E logo Mordecai pôs em funcionamento a maquinaria que fez naufragar o plano. Mordecai passou as tristes notícias a Ester, e Ester contou-as ao rei, identificando Mordecai como o informante. Nada foi dito, entretanto, sobre o fato de eles serem primos e judeus. Essa informação podia esperar e não tinha ligação alguma com o caso. Ver Et 8.1 quanto ao desvendamento desse segredo. Os escritores judeus embelezam este versículo, dizendo que os dois patifes falavam a língua tarsiana que Mordecai, com toda a sua erudição, compreendia, pelo que descobriu o que os dois estavam planejando (conforme o *Talmude Bab. Megillah.* fol. 13.2). Mas Josefo diz que o próprio Mordecai tinha um informante, de nome Barnabazus, que era servo de um dos dois patifes. Ver *Ant.* 1.11, cap. 6, sec. 4. Seja como for, não somos informados sobre como Mordecai descobriu o plano assassino, mas devemos compreender que a providência divina estava naquilo tudo.

■ 2.23

וַיְבֻקַּשׁ הַדָּבָר וַיִּמָּצֵא וַיִּתָּלוּ שְׁנֵיהֶם עַל־עֵץ וַיִּכָּתֵב בְּסֵפֶר דִּבְרֵי הַיָּמִים לִפְנֵי הַמֶּלֶךְ׃ פ

Investigou-se o caso, e era fato. O resultado natural foi a execução por enforcamento, um método favorito de execução entre os persas. O rei ordenou que se fizesse uma *inquisição* sobre a questão, para certificar-se de que Mordecai estava correto. E o rei ficou satisfeito com o que descobriu, em confirmação à mensagem transmitida por Ester. O autor sacro identifica um livro no qual se registravam os feitos heroicos, como o *Livro das Crônicas*, que já havia sido mencionado em Ed 6.1,2. O livro em questão não era uma das muitas fontes informativas que supriam dados para os livros bíblicos, mas as *crônicas reais* da Pérsia. Ver também Ed 4.15. Heródoto (*História* VIII.90) diz que Xerxes ordenou a seus escribas registrar em um diário os nomes dos capitães que realizassem feitos dignos, de modo que eles fossem devidamente recompensados. A ajuda de Mordecai sem dúvida ficou registrada. E o próprio rei lembraria o caso, outro elemento da providência divina que governava toda a questão.

Ver 1Rs 14.19 quanto aos livros perdidos que serviram de fontes informativas dos livros bíblicos canônicos. Ver também 2Cr 9.29; 12.15; 20.34; 26.22; 35.25 e Ne 12.23.

Ambos foram pendurados numa forca. Alguns intérpretes pensam que temos aqui alguma forma de crucificação, que também era uma punição para crimes hediondos. Ver Heródoto (*História* III.120,125,159). "O corpo morto de Leônidas foi crucificado por ordem de Xerxes, depois que os gregos resistiram desesperadamente nas Termópilas" (Ellicott, *in loc.*). A punição de Hamã foi, quase certamente, a *empalação* (ver Et 7.10), e muitos eruditos pensam que temos aqui a mesma forma de execução. Encontramos uma referência histórica a essa forma de execução, em Ed 6.11. As traduções e versões portuguesas falam em enforcamento ou crucificação, mas certamente está em vista a empalação.

CAPÍTULO TRÊS

HAMÃ CONSPIRA PARA ANIQUILAR OS JUDEUS (3.1-15)

REINICIA-SE A ANTIGA INIMIZADE DE SANGUE (3.1—9.19)

■ 3.1

אַחַר הַדְּבָרִים הָאֵלֶּה גִּדַּל הַמֶּלֶךְ אֲחַשְׁוֵרוֹשׁ אֶת־הָמָן בֶּן־הַמְּדָתָא הָאֲגָגִי וַיְנַשְּׂאֵהוּ וַיָּשֶׂם אֶת־כִּסְאוֹ מֵעַל כָּל־הַשָּׂרִים אֲשֶׁר אִתּוֹ׃

Depois destas coisas o rei Assuero engrandeceu a Hamã. Que coisas? A informação de que Mordecai tinha salvado a vida de Xerxes, descobrindo o plano de assassinato contra o rei (ver Et 2.21-23), o que elevou Mordecai aos olhos do rei. Nenhuma recompensa fora dada a Mordecai na época, mas isso foi retificado pelo rei. Assuero ficou surpreso diante da negligência (ver Et 6.1-3).

"Hamã foi guindado à posição de *grão-vizir,* a quem oficiais inferiores tinham de prestar obediência, uma honra que Mordecai, como benjamita, se negava a reconhecer" (*Oxford Annotated Bible, in loc.*). O rei havia baixado ordem para que seus altos oficiais recebessem o respeito de outros oficiais, pelo que deixar de reconhecer a posição exaltada de Hamã era o mesmo que opor-se ao rei (vs. 2).

Ver a introdução ao presente capítulo quanto à alegada renovação da inimizade de sangue entre a tribo de Benjamim e os amalequitas.

Hamã, filho de Hamedata, agagita. Josefo (*Antiq.* XI.6.5), o Talmude e muitos intérpretes antigos e modernos pensam que esse título significa que Hamã era descendente do rei dos amalequitas, da época de Saul. Ele é o único homem com esse nome mencionado no Antigo Testamento (ver 1Sm 15.8). Mordecai, como Saul, pertencia à tribo de Benjamim, pelo que temos aqui uma antiga inimizade renovada. Matanças ferozes assinalaram a luta na antiguidade (ver Êx 17.14,16) e uma guerra eterna foi declarada contra aquela gente. O oráculo de Balaão, em Nm 24.7 (cerca de 1000 a.C.), predisse que Israel se levantaria "mais alto do que Agague". Amaleque é enfaticamente amaldiçoado em 1Sm 15.33. Talvez o livro esteja dizendo indiretamente que a *antiga maldição* continuava em operação e derrubaria o arrogante Hamã. Seja como for, o homem foi declarado inimigo dos judeus (vs. 10).

Hamã, um pequeno Hitler, havia *armado seu assento acima* do assento de outros príncipes do império persa, e, quando Mordecai não lhe prestava honrarias, seu objetivo tornou-se o extermínio dos judeus, até onde ele pudesse efetuar isso.

"Hamã é a nossa terminologia para um antissemita. Ele foi promovido pelo rei da Pérsia à posição de grão-vizir (ver Et 3.1) e ficou profundamente ofendido pela recusa de Mordecai em prestar-lhe honrarias (ver Et 3.2). Isso talvez simbolizasse a inimizade existente entre os israelitas e os amalequitas, mas Hamã, por extensão, tornou-se o odiador dos judeus, uma figura universal" (Arthur C. Lichtenberger, *in loc.*).

Contra esse tipo de interpretação, temos o fato de que os arqueólogos descobriram uma inscrição que indica ter havido uma província, no império persa, chamada *Agague*. Talvez Hamã fosse apenas um homem natural de Agague, e não descendente de um semita ocidental que viveu seiscentos anos antes.

■ 3.2

וְכָל־עַבְדֵי הַמֶּלֶךְ אֲשֶׁר־בְּשַׁעַר הַמֶּלֶךְ כֹּרְעִים וּמִשְׁתַּחֲוִים לְהָמָן כִּי־כֵן צִוָּה־לוֹ הַמֶּלֶךְ וּמָרְדֳּכַי לֹא יִכְרַע וְלֹא יִשְׁתַּחֲוֶה׃

Todos os servos do rei. Todas as *luzes inferiores* ansiavam por obedecer às ordens do rei, inclinando-se diante de Hamã para "lamber suas botas", conforme diz uma expressão moderna. Embora não estivesse envolvido um ato de adoração (conforme foi requerido de Daniel e seus companheiros; ver Dn 3.8-15), era definitivamente um processo humilhante para quem não se inclinasse a prestar tal obediência. O Targum diz que Hamã havia levantado uma estátua para si mesmo e requeria adoração, mas isso certamente labora em erro. Mordecai não estava evidenciando idolatria por sua recusa de submeter-se; simplesmente não queria humilhar-se. O vs. 4 deste capítulo dá-nos a razão disso: Mordecai era um *judeu*. E por que isso deveria fazer alguma diferença? Prostrar-se diante de um superior era ato comum e universal no antigo Oriente (ver 1Sm 24.8; 2Sm 14.4; 1Rs 1.16). Os judeus prestavam honra a outros, e nem por isso eram culpados de idolatria. Portanto, o que estaria acontecendo? Os intérpretes apelam de novo para a inimizade entre os benjamitas e os amalequitas: "Nenhum benjamita que se prezasse se inclinaria diante de um antigo inimigo dos judeus" (Bernhard W. Anderson, *in loc.*). Talvez sim, talvez não. Permanece indistinto por que Mordecai se mostrava tão resoluto em sua desobediência para atender aos desejos do rei.

Ver Heródoto (*História* III.86; VII.134,136; VIII.118), quanto aos gestos de prestação de honra segundo os costumes orientais.

■ 3.3,4

וַיֹּאמְרוּ עַבְדֵי הַמֶּלֶךְ אֲשֶׁר־בְּשַׁעַר הַמֶּלֶךְ לְמָרְדֳּכָי
מַדּוּעַ אַתָּה עוֹבֵר אֵת מִצְוַת הַמֶּלֶךְ:

וַיְהִי באמרם כְּאָמְרָם אֵלָיו יוֹם וָיוֹם וְלֹא שָׁמַע אֲלֵיהֶם וַיַּגִּידוּ
לְהָמָן לִרְאוֹת הֲיַעַמְדוּ דִּבְרֵי מָרְדֳּכַי כִּי־הִגִּיד לָהֶם
אֲשֶׁר־הוּא יְהוּדִי:

Então os servos do rei. *Os outros servos* quiseram saber "por que" Mordecai era uma *persona non grata* tão pronunciada. Por que ele se recusava a obedecer tão decididamente às ordens do rei, deixando de cumprir o que todos no Oriente faziam no tocante ao respeito pago aos governantes e, de fato, o que as mulheres sempre faziam perante os homens? E *Mordecai*, que até aquela época tinha evitado cuidadosamente confessar que era judeu, revelou esse fato como a "razão" para não submeter-se. Mas ele só fez depois de ter sido pressionado "dia após dia". Definitivamente, foi um erro ter revelado sua identidade racial, porque isso tornou os judeus, em geral, o alvo da ira de Hamã. Por outra parte, essa revelação era necessária para que Yahweh pudesse demonstrar sua grande graça e poder, livrando seu povo de tão poderosas forças inimigas. O vs. 4 deste capítulo parece subentender que a obediência continha um verniz de idolatria, mas parece que essa inferência (que Mordecai se mostrara ansioso por dar) foi apenas um pretexto para ocultar alguma outra razão, sem importar qual tenha sido. Ver no vs. 2 uma tentativa de encontrar respostas para esse quebra-cabeça. "Provavelmente, a recusa persistente, dia após dia, de prestar honras, se derivasse mais do orgulho pessoal do que de escrúpulos religiosos" (John A. Martin, *in loc.*). Os *reis* persas requeriam honras pessoais como se fossem seres divinos (Heródoto, *Polymnia*, cap. 136), mas não há evidência histórica de que essa atitude tenha sido transferida para oficiais menores.

Alguns intérpretes sugerem que Hamã tinha uma origem social inferior, e Mordecai sentia-se acima de tal lixo. Por essa razão (o orgulho), não obedecia à ordem real. Mas essa é apenas outra conjectura. A referência dada anteriormente, da parte de Heródoto, mostra que os gregos não se inclinavam diante dos chefes persas simplesmente porque isso lhes parecia humilhante. Talvez Mordecai compartilhasse dessa atitude.

■ 3.5,6

וַיַּרְא הָמָן כִּי־אֵין מָרְדֳּכַי כֹּרֵעַ וּמִשְׁתַּחֲוֶה לוֹ וַיִּמָּלֵא
הָמָן חֵמָה:

וַיִּבֶז בְּעֵינָיו לִשְׁלֹחַ יָד בְּמָרְדֳּכַי לְבַדּוֹ כִּי־הִגִּידוּ
לוֹ אֶת־עַם מָרְדֳּכָי וַיְבַקֵּשׁ הָמָן לְהַשְׁמִיד אֶת־כָּל־
הַיְּהוּדִים אֲשֶׁר בְּכָל־מַלְכוּת אֲחַשְׁוֵרוֹשׁ עַם מָרְדֳּכָי:

Vendo, pois, Hamã, que Mordecai. *Hamã*, em extraordinária e insana ira contra Mordecai e sua insubordinação, não pensou que seria suficiente atacá-lo, humilhá-lo e expulsá-lo do serviço real, ou mesmo *executá-lo*. Ele planejou envolver toda a comunidade judaica e cometer genocídio! sua vingança foi adiada, não para que ele esperasse um sóbrio segundo pensamento e acomodasse a sua ira, mas a fim de que tivesse tempo de destruir a comunidade inteira, e não somente um indivíduo.

Antissemitismo é um termo moderno. Apareceu pela primeira vez (ao que parece) na Alemanha, por volta de 1875, e foi usado em um panfleto escrito pelo fundador de uma liga antissemita, Wilhelm Marr. Mas foi somente no século XX que o poder demoníaco do Antissemitismo foi completamente entendido e usado com lógica completa como instrumento político. Contudo, as perseguições contra os judeus antedatam o cristianismo... Alguns eruditos acreditam que o livro de Ester é uma descrição oculta de movimentos antijudaicos no período de Antíoco Epifânio... Seja como for, Hamã não pertence a nenhuma era ou nação. Ele pode ser um homem sem poder, que distribui histórias e espalha rumores acerca dos judeus. Pode ser também qualquer homem que cultiva um ódio requeimento contra os judeus. Pode ser alguém que ocupa uma posição que saiba quão grande arma é o Antissemitismo, e usa isso com proveito próprio. Mas quem quer que ele seja, sua sorte será a mesma que a de Hamã" (Arthur C. Lichtenberger, *in loc.*).

Destruir todos os judeus... em todo o reino de Assuero. O plano de Hamã foi diabólico, universal, não limitado à capital do império. Ele estava disposto a fazer uma "caça completa" no império persa inteiro, pois era um pequeno Hitler.

Tendo apresentado essa *ameaça*, o autor sacro estava agora preparado para mostrar como a *Providência de Deus* (ver a respeito no *Dicionário*) salvou os judeus por intermédio dos instrumentos humanos Mordecai e Ester.

■ 3.7

בַּחֹדֶשׁ הָרִאשׁוֹן הוּא־חֹדֶשׁ נִיסָן בִּשְׁנַת שְׁתֵּים עֶשְׂרֵה
לַמֶּלֶךְ אֲחַשְׁוֵרוֹשׁ הִפִּיל פּוּר הוּא הַגּוֹרָל לִפְנֵי הָמָן
מִיּוֹם ׀ לְיוֹם וּמֵחֹדֶשׁ לְחֹדֶשׁ שְׁנֵים־עָשָׂר הוּא־חֹדֶשׁ
אֲדָר: ס

No primeiro mês, que é o mês de nisã, no ano duodécimo do rei Assuero. Em sua superstição, *Hamã* voltou-se à adivinhação a fim de determinar que dia seria mais favorável para começar seu ataque contra os judeus, levando a questão diante do rei. A religião babilônica afirmava que os deuses se reúnem no começo do Ano Novo (nisã, março-abril), a fim de determinar a sorte dos homens. Portanto, qualquer oráculo obtido naquele mês seria propício e considerado dotado de poder diante dos deuses, que ainda estavam no estágio do planejamento. O *pur*, ou "sorte", era um meio comum de adivinhação. As sortes proviam respostas tipo "sim" ou "não" e, mediante um processo de eliminação, um homem poderia obter sua resposta, que presumivelmente viria dos deuses. *Pur* é uma palavra não hebraica que corresponde à palavra hebraica que significa *sorte*. A forma verbal significa "lançar". Esta passagem antecipa a conclusão do livro, que descreve a instituição da festa do *Purim* (isto é, *sortes*), que se tornou uma festa de feriado judaica, para celebrar a *Providência de Deus* ao preservar Israel. Ver Et 9.20–10.3.

O *modus operandi* no uso do *pur* não fica claro no texto. Poderia significar que o mecanismo era usado todos os dias de todos os anos, dentro da lista dos doze meses. Mas, nesse caso, continuaria verdadeiro que se pensava ser mais eficaz no primeiro dia do primeiro mês do ano, quando os deuses se reuniam para decidir a sorte dos homens. Ou então o lançamento das sortes meramente *averiguava* os doze meses e cada dia do ano, para ver qual dia e qual mês seria mais propício para ao genocídio.

O Grande Dia da Matança. Haveria uma grande e cuidadosa preparação, pois então, em um *único* dia, com um só golpe, os judeus seriam mortos, homens, mulheres e crianças. A sorte determinou o dia propício como o décimo terceiro do décimo segundo mês, *adar*. O texto massorético, no vs. 7, não contém essa notícia, que é suprida pela Septuaginta, mas cf. os vss. 13, 8.13 e 9.1, que dizem a mesma coisa. O texto massorético é o texto hebraico padronizado. Ver no *Dicionário* o artigo chamado *Massora (Massorah)*; *Texto Massorético*, quanto a detalhes.

No ano duodécimo do rei Assuero. Essa dificuldade ocorreu quatro anos depois de Ester ter assumido a posição de concubina predileta. Cf. Et 2.16 (ou seja, cerca de 474 a.C.).

3.8

וַיֹּ֤אמֶר הָמָן֙ לַמֶּ֣לֶךְ אֲחַשְׁוֵר֔וֹשׁ יֶשְׁנ֣וֹ עַם־אֶחָ֗ד מְפֻזָּ֤ר וּמְפֹרָד֙ בֵּ֣ין הָֽעַמִּ֔ים בְּכֹ֖ל מְדִינ֣וֹת מַלְכוּתֶ֑ךָ וְדָתֵיהֶ֞ם שֹׁנ֣וֹת מִכָּל־עָ֗ם וְאֶת־דָּתֵ֤י הַמֶּ֙לֶךְ֙ אֵינָ֣ם עֹשִׂ֔ים וְלַמֶּ֥לֶךְ אֵין־שֹׁוֶ֖ה לְהַנִּיחָֽם׃

Então disse Hamã ao rei Assuero. O "povo" referido era "diferente", segundo disse Hamã, e tão diferente que não obedecia às leis baixadas pelo rei. Eram insubordinados e potencialmente rebeldes, e poderiam causar muita tribulação se não fossem exterminados. A Pérsia tinha destruído tantos povos para obter poder, e o que seria mais um povo? Ainda recentemente, sem nenhuma razão, Xerxes I havia invadido a Grécia, por mero orgulho, enviando contra os gregos mais de um milhão de soldados, por pura diversão. Portanto, Xerxes estaria aberto ao *genocídio*, o abc da conquista mundial. E a última coisa que Xerxes desejava era uma rebelião que estourasse "dentro" de seu império, o que anularia seus ganhos ou enfraqueceria o seu poder.

Hamã, entretanto, não mencionou seu "problema pessoal" com Mordecai, o que poderia debilitar o seu caso, transformando-o em uma questão de vingança pessoal. Ver os vss. 2,3. Mordecai, na opinião de Hamã, tornara-se símbolo da rebelião geral judaica, o que, naturalmente, não correspondia à verdade. Hamã, tal como todos os políticos mentirosos, apresentou distorcidamente a verdade da questão, fazendo de um caso pessoal a revolta universal de um povo!

Existe espalhado, disperso entre os povos... um povo. Os movimentos de retorno encabeçados por Zorobabel, Esdras e Neemias levaram de volta a Jerusalém apenas cerca de cinquenta mil pessoas, que se tornaram o novo Israel. Mas a vasta maioria dos judeus continuava espalhada por todo o império persa. Não seria fácil matar tanta gente dispersa, mas Hamã faria um esforço heroico nesse sentido.

3.9

אִם־עַל־הַמֶּ֣לֶךְ ט֔וֹב יִכָּתֵ֖ב לְאַבְּדָ֑ם וַעֲשֶׂ֨רֶת אֲלָפִ֜ים כִּכַּר־כֶּ֗סֶף אֶשְׁקוֹל֙ עַל־יְדֵי֙ עֹשֵׂ֣י הַמְּלָאכָ֔ה לְהָבִ֖יא אֶל־גִּנְזֵ֥י הַמֶּֽלֶךְ׃

Se bem parecer ao rei. *O Generoso Hamã*. Ele estava tão interessado no "bem público" (vs. 8) que pagaria as despesas envolvidas na campanha de matança, a saber, dez mil talentos de prata! Isso correspondia a dois terços das rendas anuais do império persa, uma quantia simplesmente impossível de conseguir. Mas talvez não fosse impossível que o louco Hamã tenha oferecido essa quantia. Quanto ao peso, essa prata toda pesaria cerca de 340 toneladas e, segundo uma de minhas fontes informativas, valeria 18 milhões de dólares, embora seja impossível transformar pesos antigos em valores monetários modernos. Contudo, é evidente que a oferta de Hamã era pretensiosa e absurda. Naturalmente, ele recuperaria seu dinheiro mediante o saque de propriedades e artigos valiosos dos judeus mortos e, portanto, em última análise, nada tinha a perder. A Pérsia, segundo entendemos, possuía suas moedas de prata, pelo que Hamã estava falando a linguagem do rei Assuero. Ver no vs. 11 se Xerxes aceitou ou não a oferta (ou se aceitaria o dinheiro). Quanto a ideias adicionais, ver o vs. 11.

O oferecimento de Hamã, para facilitar as coisas com o seu próprio dinheiro, equivalia a um *suborno*.

Quanto ao fato de que o dinheiro oferecido por Hamã equivalia a dois terços das rendas anuais do império persa, ver Heródoto (*História*, III.95).

3.10

וַיָּ֧סַר הַמֶּ֛לֶךְ אֶת־טַבַּעְתּ֖וֹ מֵעַ֣ל יָד֑וֹ וַֽיִּתְּנָ֗הּ לְהָמָ֧ן בֶּֽן־הַמְּדָ֛תָא הָאֲגָגִ֖י צֹרֵ֥ר הַיְּהוּדִֽים׃

Então o rei tirou o seu anel da mão, deu-o a Hamã. "A doação do *anel de selar* (cf. Gn 41.42), nos tempos modernos, seria o mesmo que dar permissão de afixar a assinatura do rei a documentos oficiais. Assim sendo, ao 'inimigo dos judeus' foi conferido poder *ilimitado* e, conforme os eventos posteriores demonstraram, o rei permaneceu ignorante sobre aquele 'certo povo' (vs. 8) que foi condenado à morte por seu decreto" (Bernhard W. Anderson, *in loc.*).

Adversário dos judeus. Assim é chamado Hamã por *cinco vezes* no livro de Ester (3.10; 7.6; 8.1; 9.10,24). O anel de selar, dado a Hamã pelo rei, seria usado para imprimir a assinatura real sobre argila, e operaria como a assinatura do rei, expressando toda a sua autoridade (ver Et 3.12; 8.2,8; Gn 41.42; Dn 6.17 e Ag 2.23).

3.11

וַיֹּ֤אמֶר הַמֶּ֙לֶךְ֙ לְהָמָ֔ן הַכֶּ֖סֶף נָת֣וּן לָ֑ךְ וְהָעָ֕ם לַעֲשׂ֥וֹת בּ֖וֹ כַּטּ֥וֹב בְּעֵינֶֽיךָ׃

Essa prata seja tua. *Este versículo*, ao que parece, diz que o rei "rejeitou" o dinheiro, mas isso pode ter sido apenas uma evasão polida, tipicamente oriental, de que um homem diz "não", mas, na realidade, quer dizer "sim". O rei disse "guarda o teu dinheiro", embora soubesse que Hamã estava preso, pela honra, a pagar o que dissera que pagaria. Talvez o negócio fosse que Hamã pagaria o dinheiro do saque das propriedades e valores dos judeus, pelo que o pagamento certamente viria, porém mais tarde. Esse arranjo parece ter sido agradável a todos os envolvidos.

Além disso, havia a questão do *serviço público*. Se o que Hamã dissera fosse a verdade, então ele faria bem em tomar a iniciativa de exterminar um poder que era hostil ao rei. Nesse caso, Hamã merecia ficar com o seu dinheiro. Em outras palavras, o rei teria dado esse dinheiro a Hamã, como parte do pagamento que ele merecia por sua previsão e notável serviço prestado ao Estado.

"O rei alegrava-se em lançar os cuidados do governo nas mãos de seus ministros e mostrava-se por demais indolente para formar uma opinião pessoal, contentando-se em acreditar que os judeus eram um povo inútil e desleal" (Ellicott, *in loc.*).

Custaria muito dinheiro obter a ajuda de tanta gente disposta a executar (matar) a comunidade dos judeus. Mas Hamã alegrava-se por pagar a empreitada com o próprio dinheiro, tão ansioso estava de que a tarefa fosse cumprida.

A Proclamação é Enviada (3.12-15)

3.12

וַיִּקָּרְא֣וּ סֹפְרֵ֣י הַמֶּ֡לֶךְ בַּחֹ֣דֶשׁ הָרִאשׁוֹן֩ בִּשְׁלוֹשָׁ֨ה עָשָׂ֜ר י֣וֹם בּ֗וֹ וַיִּכָּתֵ֣ב כְּֽכָל־אֲשֶׁר־צִוָּ֣ה הָמָ֡ן אֶ֣ל אֲחַשְׁדַּרְפְּנֵֽי־הַ֠מֶּלֶךְ וְֽאֶל־הַפַּחוֹת֩ אֲשֶׁ֨ר ׀ עַל־מְדִינָ֜ה וּמְדִינָ֗ה וְאֶל־שָׂ֤רֵי עַם֙ וָעָ֔ם מְדִינָ֤ה וּמְדִינָה֙ כִּכְתָבָ֔הּ וְעַ֥ם וָעָ֖ם כִּלְשׁוֹנ֑וֹ בְּשֵׁ֨ם הַמֶּ֤לֶךְ אֲחַשְׁוֵרֹשׁ֙ נִכְתָּ֔ב וְנֶחְתָּ֖ם בְּטַבַּ֥עַת הַמֶּֽלֶךְ׃

Chamaram, pois, os secretários do rei. *Hamã Tinha Pressa*. Ele não permitiu que se passassem muitos dias antes que tivesse preparado aquilo que estava escudado em um decreto do rei. Foram instruídos todos os subchefes (governadores e outros oficiais do império persa) para planejar o grande programa de matança. O decreto foi traduzido para várias línguas, de modo que ninguém pudesse ler erroneamente a declaração, cujo original, provavelmente, estava em aramaico, a *língua franca* da época.

No dia treze do primeiro mês. Talvez as providências tenham começado no dia do Ano Novo, o primeiro dia do mês de nisã. Portanto, dentro de duas semanas, Hamã realizara a primeira parte de seu plano. Ele contava com a autoridade real por trás de suas providências, e o restante seria apenas um grande jogo de manipulação. Aparentemente o *pur* (sorte; ver o vs. 7) dera a Hamã dois *trezes*: o primeiro no mês de nisã como o dia em que o plano deveria começar, e o segundo no dia treze de adar (o décimo segundo mês; vs. 13) como o dia real da matança.

3.13

וְנִשְׁל֨וֹחַ סְפָרִ֜ים בְּיַ֣ד הָרָצִים֮ אֶל־כָּל־מְדִינ֣וֹת הַמֶּלֶךְ֒ לְהַשְׁמִ֡יד לַהֲרֹ֣ג וּלְאַבֵּ֣ד אֶת־כָּל־הַ֠יְּהוּדִים מִנַּ֨עַר וְעַד־זָקֵ֜ן טַ֤ף וְנָשִׁים֙ בְּי֣וֹם אֶחָ֔ד בִּשְׁלוֹשָׁ֥ה עָשָׂ֛ר לְחֹ֥דֶשׁ שְׁנֵים־עָשָׂ֖ר הוּא־חֹ֣דֶשׁ אֲדָ֑ר וּשְׁלָלָ֖ם לָבֽוֹז׃

Enviaram-se as cartas. O famoso sistema postal persa (o primeiro do mundo) rapidamente levou a mensagem a todos os rincões do império persa. *Todos* os oficiais, grandes e pequenos, receberam a ordem de exterminar os judeus.

Por intermédio dos correios. Literalmente, correios é "corredores". Talvez alguns superatletas fossem empregados a entregar as cartas de um lugar a outro, mas a maior parte do trabalho era feita por meio de cavaleiros montados em cavalos, conforme seu deu com o famoso *Pony Express,* o primeiro sistema postal dos Estados Unidos da América. Nesse país, a chegada das estradas de ferro pôs os cavalos fora do trabalho. O primeiro sistema postal persa foi introduzido por Ciro. Ver Heródoto, *História* V.14; VIII.98; Xenofonte, *Cyropaedia* VIII.6.17,18. O sistema postal da Pérsia, embora humilde, em comparação aos padrões modernos de comunicação em massa, foi um grande avanço nos tempos antigos, primeiramente como *ideia,* e depois como *execução.*

> O gênio é um por cento inspiração, e noventa e nove por cento transpiração.
> Thomas E. Edison

> O gênio gera grandes obras. Somente o labor as termina.
> Joseph Joubert

Os persas foram os inventores de um ideal e da ideia que resultou em significativa inovação.

A Crueldade do Decreto Real. Nenhum judeu, de parte alguma do império, seria poupado. Todos os homens, mulheres e crianças deveriam ser mortos violentamente. Isso deveria ocorrer em um dia específico: o dia *treze* do décimo segundo mês, pois assim tinha sido determinado pelo *pur* (sorte). Ver as notas sobre o versículo anterior.

Além de matar, os executores receberam ordem de tomar despojos, confiscar propriedades e objetos valiosos, pois esses seriam o *salário* dos executores. Que os executores ficariam ricos por matar aos judeus, tornou-se o grande incentivo para a matança. Talvez Hamã pagasse seus dez mil talentos ao rei, como parte desses despojos (ver o vs. 11).

Após o vs. 13, a Septuaginta adiciona um pseudodecreto, uma cópia imaginária do decreto de *Artaxerxes.*

Dois Trezes. No primeiro seria publicado o cruel decreto (vs. 12). O segundo era a data do proposto extermínio dos judeus (vs. 13). Portanto, aí temos, desde os tempos antigos, o *treze* como um número significativo da sorte boa ou má. *Sexta-feira treze* surgiu bem mais tarde. Aqueles que supostamente sabem dessas coisas dizem-nos que o dia treze não é, de fato, um número de falta de sorte, a despeito de sua má reputação. Para Hamã, contudo, tornou-se definitivamente um dia de falta de sorte, no final das contas.

■ **3.14**

פַּתְשֶׁגֶן הַכְּתָב לְהִנָּתֵן דָּת בְּכָל־מְדִינָה וּמְדִינָה גָּלוּי לְכָל־הָעַמִּים לִהְיוֹת עֲתִדִים לַיּוֹם הַזֶּה׃

Tais cartas encerravam o traslado do decreto. *Este versículo* repete, sem novas ideias, o que já havia sido dito no vs. 13. Os judeus não poderiam escapar, embora continuassem esperando o melhor. Entrementes, a *Providência de Deus* estaria trabalhando em favor dos judeus, mediante os instrumentos Mordecai e Ester, e essa é a mensagem principal do livro de Ester.

O traslado. Uma cópia do decreto real foi posta nas mãos de todos os oficiais, grandes e pequenos, de todos os lugares do império persa. Ninguém teria desculpa para desobedecer ao decreto. Todos seriam os matadores ou os mortos. O rei não permitia atos de insubordinação.

■ **3.15**

הָרָצִים יָצְאוּ דְחוּפִים בִּדְבַר הַמֶּלֶךְ וְהַדָּת נִתְּנָה בְּשׁוּשַׁן הַבִּירָה וְהַמֶּלֶךְ וְהָמָן יָשְׁבוּ לִשְׁתּוֹת וְהָעִיר שׁוּשָׁן נָבוֹכָה׃ פ

Os correios, pois, impelidos pela ordem do rei. Os transportadores das cartas partiram com pressa. A autoridade do rei estava por trás de toda a questão. A pseudorrebelião dos judeus tinha de ser cortada pela raiz. O decreto vinha de Susã, capital do império. Não havia dúvidas quanto à sua autenticidade. O rei e o abominável Hamã sentaram-se para comer, beber e celebrar. Mas os habitantes da capital, Susã, estavam perplexos. Nero tocava seu violino, indiferente, enquanto Roma era incendiada (ou pelo menos é isso o que diz a lenda a respeito). Por semelhante modo, o rei da Pérsia e o horrendo Hamã mostravam-se indiferentes diante do desastre que se abateria sobre um povo inteiro. Mas o povo persa não compartilhava dessa indiferença para com a sorte de seus vizinhos e amigos, que porventura eram judeus. Eles não tinham testemunhado nenhum sinal de rebeldia da parte dos judeus. A população em geral, embora predominantemente gentílica, refletia os sentimentos de temor, ultraje e consternação dos judeus. Cf. Et 8.15.

"Medida mais contrária às boas normas da política, mais desgraçada e cruel nunca fora tomada por nenhum governo. Seria de supor-se que o rei que tinha baixado o decreto fosse um idiota, e seus conselheiros, que o haviam instado à medida, fossem loucos varridos. Mas um governo déspota será sempre capaz de extravagância e crueldade" (Adam Clarke, *in loc.*, que escreveu antes de Hitler).

CAPÍTULO QUATRO

CORAJOSA INTERVENÇÃO DE ESTER (4.1—7.10)

Mordecai Contra-ataca. A *Providência de Deus* (ver a respeito no *Dicionário*) não haveria de abandonar os judeus somente porque o réprobo Hamã estava cozinhando seus planos diabólicos, para os quais ele contava com a autoridade do rei (ver o capítulo 3). Yahweh não permitiria que o plano de Hamã desse certo e, com essa finalidade, tinha seus instrumentos, Mordecai e Ester, ambos conhecidos pessoais do rei e em posição de autoridade (que a *Providência de Deus* já havia garantido).

Natureza Secular do Livro de Ester. O autor sagrado nunca mencionou o nome de Deus, nem apelou para a oração e exercícios religiosos. No judaísmo posterior, tornou-se prática jamais usar os nomes divinos. Talvez o autor tenha presumido que o secularismo era, na realidade, uma *superpiedade* velada. Ele temia até mesmo mencionar as *coisas sagradas,* por causa de contaminá-las. Temia tornar-se culpado de *ostentação* com coisas sagradas. Essa é uma lição que muitos evangélicos precisam aprender.

Mordecai recusara prostrar-se diante de Hamã e agora estava pagando o preço por sua arrogância. De outro lado, essa mesma arrogância foi inspirada por Yahweh para fazer os judeus entrarem em dificuldades, a fim de que o seu poder, ao livrá-los das tribulações, se tornasse evidente a todos. Sua intervenção seria comemorada para sempre no livro de Ester, como uma lição para todos nós. Essa é uma manifestação do *teísmo* (ver a respeito no *Dicionário*), em contraste com o *deísmo* (ver também no *Dicionário*). O Criador não abandonou sua criação; ele é, igualmente, o Juiz; ele recompensa os bons e pune os maus, e *intervém* nos negócios humanos.

■ **4.1**

וּמָרְדֳּכַי יָדַע אֶת־כָּל־אֲשֶׁר נַעֲשָׂה וַיִּקְרַע מָרְדֳּכַי אֶת־בְּגָדָיו וַיִּלְבַּשׁ שַׂק וָאֵפֶר וַיֵּצֵא בְּתוֹךְ הָעִיר וַיִּזְעַק זְעָקָה גְדֹלָה וּמָרָה׃

Quando soube Mordecai. *Mordecai Foi Devidamente Humilhado.* Sua arrogância desapareceu, pois ele estava passando pelo teste mais severo de sua vida. Ele aplicou todos os sinais orientais da lamentação, rasgando as roupas, vestindo-se de cilício e lançando cinzas sobre a cabeça. Naquela desprezível condição, ele tentou obter acesso ao rei (vs. 2), o qual não lhe foi permitido, pois, *naquelas condições,* nenhuma pessoa obteria permissão para ver o rei. E Mordecai se foi, lamentando e chorando, por causa do decreto que exigia a execução em massa do seu povo. Ele subiu e desceu pelas ruas e praças públicas de Susã, o tempo todo lamentando e chorando. Na verdade, parecia que Mordecai tinha perdido o bom uso da mente, e assim tinha acontecido, ao menos temporariamente.

O Correio, *Smith's Bible Dictionary*.

Enviaram-se as cartas, por intermédio dos correios, a todas as províncias do rei, para que se destruíssem, matassem e aniquilassem de vez a todos os judeus...

Ester 3.13

Na Pérsia, criou-se um sistema de correios montados, que levavam os decretos reais até as mais longínquas regiões do império. As cartas na antiguidade remota eram escritas em tabletes de argila, fragmentos de barro ou em pergaminho, preparado com peles de animais.

Quanto a esses *sinais* de lamentação e consternação, ver sobre *Vestimentas, Rasgar das,* no *Dicionário*. Quanto ao cilício, às cinzas e ao choro, ver Gn 37.34; Jr 49.3; Dn 9.3; Jl 1.13; Jn 23.6 e Jó 2.8.

4.2

וַיָּב֕וֹא עַ֖ד לִפְנֵ֣י שַֽׁעַר־הַמֶּ֑לֶךְ כִּ֣י אֵ֥ין לָב֛וֹא אֶל־שַׁ֥עַר הַמֶּ֖לֶךְ בִּלְב֥וּשׁ שָֽׂק׃

E chegou até à porta do rei. Mordecai tentou obter acesso ao rei, mas isso lhe foi recusado. Quem gostaria de receber um homem em frangalhos como aquele, no palácio? Naquelas condições ninguém conseguiria passar pelos guardas do palácio. Lamentando-se, ele estava em estado de imundícia cerimonial. Ver no *Dicionário* o verbete intitulado *Limpo e Imundo*. Isso não significava coisa alguma para os persas, mas toda aquela sujeira e confusão tinha um significado. Além disso, o palácio real era um lugar de alegria. Ninguém que estivesse lamentando teria entrada ali. "... coisa alguma triste ou de mau agouro poderia ferir os olhos do monarca" (Ellicott, *in loc.*).

4.3

וּבְכָל־מְדִינָ֣ה וּמְדִינָ֗ה מְקוֹם֙ אֲשֶׁ֨ר דְּבַר־הַמֶּ֤לֶךְ וְדָתוֹ֙ מַגִּ֔יעַ אֵ֤בֶל גָּדוֹל֙ לַיְּהוּדִ֔ים וְצ֥וֹם וּבְכִ֖י וּמִסְפֵּ֑ד שַׂ֣ק וָאֵ֔פֶר יֻצַּ֖ע לָֽרַבִּֽים׃

Em todas as províncias aonde chegava a palavra do rei. A *consternação e o susto de Mordecai* foram compartilhados por todos os judeus que residiam no império persa. Em breve, todo homem, mulher e criança sabia o terror que a comunidade dos exilados judeus estava enfrentando. Por isso eles exibiam os mesmos *sinais* de lamentação que Mordecai exibia (vs. 1), ao que adicionaram o *jejum*. O Talmude afirma que ninguém deveria fazer um espetáculo público de seu choro ou aflição, para não afligir a outras pessoas com seus sofrimentos. Mas a comunidade judaica dos dias de Ester não prestou atenção a essas regras, se é que, na época, elas já existam. As orações estavam subindo a Yahweh, e, por trás das cenas, o Senhor começava a reverter o processo. Eventualmente, Hamã é quem teria razão de lamentar-se. "Quão espantoso! Em toda aquela aflição, não há um único indício de oração dirigida a Deus!" (Adam Clarke, *in loc.*, ao salientar uma das razões pelas quais o livro de Ester não foi admitido no cânon do Antigo Testamento por longo tempo). Nem ao menos o nome "Deus" se acha no livro inteiro. Mas a *Providência de Deus* o permeia, a despeito de suas insuficiências verbais.

Mas talvez a relutância do autor em usar o nome divino ou a referir-se a exercícios santos fosse uma demonstração de *superpiedade*, e não de secularismo. No judaísmo posterior, tornou-se prática corrente jamais proferir os nomes divinos. É fácil uma pessoa fazer espetáculo com as coisas santas, um pecado especial dos evangélicos. Algumas vezes, a ostentação substitui a verdadeira espiritualidade.

■ 4.4

וַתָּבוֹאנָה נַעֲרוֹת אֶסְתֵּר וְסָרִיסֶיהָ וַיַּגִּידוּ לָהּ
וַתִּתְחַלְחַל הַמַּלְכָּה מְאֹד וַתִּשְׁלַח בְּגָדִים לְהַלְבִּישׁ
אֶת־מָרְדֳּכַי וּלְהָסִיר שַׂקּוֹ מֵעָלָיו וְלֹא קִבֵּל:

Então vieram as servas de Ester. *É óbvio*, mediante este versículo, que alguns sabiam que havia certo relacionamento entre Ester e Mordecai, sendo provável que os auxiliares dela estivessem informados do caso, embora a população geral não estivesse. Os servos de Ester informaram-lhe a respeito da condição triste, suja e decrépita de Mordecai. Ester fez o que pôde, enviando uma muda limpa de roupas, para que ele se visse livre daqueles horríveis trajes de pano de saco. Mas ele queria continuar a lamentar e recusou a gentileza. Os sentimentos judaicos (de uma data posterior) teriam condenado Mordecai por seu ato de lamentação *em público* (conforme diz o Talmude), mas não sabemos dizer se essas regras posteriores tinham algum poder no judaísmo mais antigo. Ver as notas expositivas sobre o versículo anterior.

Se Mordecai se arrumasse, poderia aparecer no palácio real e explicar diretamente a Ester o que estava acontecendo, mas nem isso interessava a ele naquele momento.

■ 4.5

וַתִּקְרָא אֶסְתֵּר לַהֲתָךְ מִסָּרִיסֵי הַמֶּלֶךְ אֲשֶׁר הֶעֱמִיד
לְפָנֶיהָ וַתְּצַוֵּהוּ עַל־מָרְדֳּכָי לָדַעַת מַה־זֶּה וְעַל־
מַה־זֶּה:

Então Ester chamou a Hatá, um dos eunucos do rei. Ester tinha um eunuco guardião especial a quem o rei nomeara para atender às suas ordens. O nome dele era Hatá, e Ester lhe pediu ajuda. A tarefa dele era servir de intermediário. Ele teria de perguntar a Mordecai o que estava acontecendo. O Targum, neste versículo, faz tolamente o homem ser Daniel. A comunicação entre as mulheres que pertenciam aos haréns de homens importantes e poderosos não era nada fácil. Mulheres importantes (nem todas as mulheres de um harém) tinham atendentes pessoais que também guardavam e observavam sua boa conduta. Em alguns casos, eles também atuavam como companheiros. Provavelmente Ester, cortada das linhas normais de comunicação, ainda não tinha descoberto o terrível decreto real contra os judeus.

■ 4.6,7

וַיֵּצֵא הֲתָךְ אֶל־מָרְדֳּכָי אֶל־רְחוֹב הָעִיר אֲשֶׁר לִפְנֵי
שַׁעַר־הַמֶּלֶךְ:

וַיַּגֶּד־לוֹ מָרְדֳּכַי אֵת כָּל־אֲשֶׁר קָרָהוּ וְאֵת פָּרָשַׁת
הַכֶּסֶף אֲשֶׁר אָמַר הָמָן לִשְׁקוֹל עַל־גִּנְזֵי הַמֶּלֶךְ
בַּיְּהוּדִיִּים לְאַבְּדָם:

Saiu, pois, Hatá à praça da cidade. Cumprindo os desejos de sua senhora, Hatá foi direto a Mordecai para perguntar o "porquê" daquelas atitudes. Mordecai não ocultou nenhuma das informações necessárias. Foi descrita a *traição de Hamã*; a essência do decreto baixado pelo rei foi repetida; e Mordecai não esqueceu de referir-se à quantia que Hamã prometera pagar do próprio bolso. Este versículo não subentende que o rei tinha rejeitado o oferecimento de dinheiro, feito por Hamã (e talvez ele não tenha rejeitado mesmo; ver Et 3.11). Pense só no número de assassinos que teriam de ser contratados. Talvez até um destacamento do exército precisasse estar envolvido. Nesse caso, Hamã daria uma polpuda soma em dinheiro por sua cooperação. Ver em Et 3.9 o dinheiro que aquele réprobo teria de gastar para que a tarefa se cumprisse.

■ 4.8

וְאֶת־פַּתְשֶׁגֶן כְּתָב־הַדָּת אֲשֶׁר־נִתַּן בְּשׁוּשָׁן לְהַשְׁמִידָם
נָתַן לוֹ לְהַרְאוֹת אֶת־אֶסְתֵּר וּלְהַגִּיד לָהּ וּלְצַוּוֹת
עָלֶיהָ לָבוֹא אֶל־הַמֶּלֶךְ לְהִתְחַנֶּן־לוֹ וּלְבַקֵּשׁ מִלְּפָנָיו
עַל־עַמָּהּ:

Também lhe deu o traslado do decreto escrito. *Ester, a Salvadora*. Chegamos agora ao *ponto principal* da tentativa de salvação, talvez algo que Mordecai só chegou a pensar naquele momento. Ele deu uma cópia do decreto destrutivo do rei a Hatá, o qual, por sua vez, deveria entregá-la a Ester. Conforme Mordecai esperava, isso a inspiraria a seguir sua sugestão para intervir diretamente diante do rei e tentar reverter todo o louco plano de Hamã. Embora não sejamos informados quanto a isso, devemos entender que Ester ganhara sua posição no império persa precisamente com o propósito de estar ali, no momento certo em que seu povo precisaria dela. Essa era a essência da *Providência de Deus* quanto àquele episódio. Deus contava com uma mulher colocada em *elevada posição*, um instrumento seu para o bem dos judeus, e ele também contava com um homem que não estava tão altamente colocado, mas ajudaria no seu plano. Todos quantos cumprem missões são colocados onde estão por meio da providência divina, e todos quantos os ajudam são colocados na companhia deles também por um ato da providência divina.

Ester, naturalmente, ao risco da própria vida, aceitaria a ideia de Mordecai não com relutância, mas de boa vontade, mesmo porque não havia caminho fácil para solucionar o problema. Ela tinha de seguir o *curso difícil*, porquanto não havia outro. Coragem era a palavra do dia.

Com frequência, a prova da coragem não é morrer, mas viver.
Vitorio Alfieri

É melhor morrer sobre os pés do que viver ajoelhado.
La Pasionaria

A Septuaginta e a Vulgata fazem Mordecai instruir Ester a orar a Yahweh, antes de aproximar-se do rei; mas o texto hebraico do livro mostra-se extremamente silencioso sobre tal coisa. Não obstante, podemos ver a providência e o propósito de Deus brilhando em toda a história. A oração muda as coisas, e podemos imaginar que toda forma de oração subia ao céu por todos os tipos de pessoas. É um mistério por que o livro de Ester não menciona a oração. A natureza *secular* do livro de Ester impediu-o de ser aceito no cânon do Antigo Testamento por longo tempo. Entretanto, esse presumido secularismo pode ser evidência da superpiedade do autor sacro. No judaísmo posterior, tornou-se prática nem ao menos proferir os nomes divinos. O autor sagrado pode não ter mencionado coisas e nomes santos para evitar a *ostentação*. Caros leitores, penso que muitos evangélicos substituem a verdadeira espiritualidade pela ostentação. Talvez uma das lições do livro de Ester seja evitar o trivial ao abordar questões santas.

■ 4.9,10

וַיָּבוֹא הֲתָךְ וַיַּגֵּד לְאֶסְתֵּר אֵת דִּבְרֵי מָרְדֳּכָי:

וַתֹּאמֶר אֶסְתֵּר לַהֲתָךְ וַתְּצַוֵּהוּ אֶל־מָרְדֳּכָי:

Tornou, pois Hatá. *O Serviço de Intermediação Tem Continuidade*. Hatá trouxe um relatório completo a Ester, a qual pôs-se a agir a contento. A mensagem dela, de volta a Mordecai, foi a dificuldade envolvida em ao menos ver o rei, e o perigo de ser considerada intrusa. Compreendemos quão estritamente as concubinas eram vigiadas e mantidas *incomunicáveis*. As concubinas do rei eram prisioneiras virtuais e tinham de usar meios estranhos para falar com os de fora ou receber qualquer palavra da parte deles.

4.11

כָּל־עַבְדֵ֣י הַמֶּ֡לֶךְ וְעַם־מְדִינ֨וֹת הַמֶּ֜לֶךְ יֽוֹדְעִ֗ים אֲשֶׁ֣ר כָּל־אִ֣ישׁ וְאִשָּׁ֡ה אֲשֶׁ֣ר יָֽבוֹא־אֶל־הַמֶּלֶךְ֩ אֶל־הֶחָצֵ֨ר הַפְּנִימִ֜ית אֲשֶׁ֣ר לֹֽא־יִקָּרֵ֗א אַחַ֤ת דָּתוֹ֙ לְהָמִ֔ית לְבַ֓ד מֵאֲשֶׁ֨ר יֽוֹשִׁיט־ל֥וֹ הַמֶּ֛לֶךְ אֶת־שַׁרְבִ֥יט הַזָּהָ֖ב וְחָיָ֑ה וַאֲנִ֗י לֹ֤א נִקְרֵ֙אתִי֙ לָב֣וֹא אֶל־הַמֶּ֔לֶךְ זֶ֖ה שְׁלוֹשִׁ֥ים יֽוֹם׃

Todos os servos do rei e o povo das províncias do rei sabem.
Este versículo é verdadeiramente revelador:

1. Nenhuma pessoa podia ir diretamente ao palácio para ver o rei. Quem quer que falasse com o rei, teria de seguir o procedimento dos subordinados reais para ganhar acesso ao monarca.
2. Um intruso, que não obedecesse à *lei* que governava esse acesso, poderia ser executado no ato.
3. Tanto Heródoto quanto Xenofonte dizem-nos que o acesso estava *potencialmente* disponível, a qualquer pessoa, mas ela tinha de seguir os procedimentos corretos. Tentativas de *assassinato* deveriam ser evitadas, e esse era um dos motivos dos métodos de segurança. Portanto, a *trivialidade* era estritamente proibida.
4. Além disso, havia o ritual do *cetro de ouro*. A pessoa que fosse admitida à presença do rei (e devidamente acompanhada, naturalmente) recebia esse cetro como sinal de aceitação. Cf. Et 5.2.
5. O mais surpreendente (será mesmo?) é que Ester tinha sido negligenciada pelo rei por um mês inteiro e nem ao mesmos o tinha avistado. Isso, como é claro, descreve a posição de uma concubina (mesmo que fosse a favorita), e não a posição da rainha-mãe, que Heródoto diz ser *Amestris* (Heródoto, *História* 3.84). A história mostra-nos que algumas concubinas eram usadas pelo rei, e *nunca mais* eram chamadas. Além disso, visto que a concubina era "do rei", não podia casar-se com outro homem e era cuidadosamente vigiada para que não houvesse infrações. Ademais, o harém do rei vivia em *rotação,* sempre despedindo concubinas mais idosas e aceitando novas para consumar novos "casamentos". Ver a introdução ao segundo capítulo, além das notas sobre os vss. 8 e 19 quanto a detalhes.

É ridículo modernizar e cristianizar esse texto. Hamã não tinha "quebrado o casamento" por sua má influência sobre o rei. É absurdo dizer que o "rei e a rainha" tinham perdido as linhas de comunicação e não estavam psicologicamente próximos. É uma estupidez falar sobre romance, amor e laços familiares. O fato da questão é que Ester, a concubina favorita, tinha perdido o domínio psicológico sobre o rei. Ele possuía muitas outras mulheres e era homem muito ocupado para preocupar-se com uma mulher específica qualquer. Ester havia perdido favor diante do rei taciturno, pelo que teve de seguir os procedimentos regulares para ao menos ser admitida à sua presença. Se ela simplesmente se apresentasse como intrusa na presença real, poderia ser executada, como aconteceria a qualquer um.

4.12,13

וַיַּגִּ֣ידוּ לְמָרְדֳּכָ֑י אֵ֖ת דִּבְרֵ֥י אֶסְתֵּֽר׃ פ

וַיֹּ֥אמֶר מָרְדֳּכַ֖י לְהָשִׁ֣יב אֶל־אֶסְתֵּ֑ר אַל־תְּדַמִּ֣י בְנַפְשֵׁ֔ךְ לְהִמָּלֵ֥ט בֵּית־הַמֶּ֖לֶךְ מִכָּל־הַיְּהוּדִֽים׃

Fizeram saber a Mordecai. Hatá comunicou a desalentadora mensagem de Ester a Mordecai, a qual dizia: "Esqueça. É impossível para mim ao menos ver o rei, e tentar fazê-lo poderia custar-me a vida. Pense em algum outro plano".

Mordecai (vs. 13) não ficou impressionado com a resposta "negativa" de Ester. Ela poderia escapar à execução como uma intrusa, naquela ocasião, mas, se o decreto se cumprisse, em alguma outra ocasião (a saber, no décimo segundo mês; Et 3.13), ela, juntamente com todos os judeus, seria morta. Por conseguinte, era uma situação de "fazer ou morrer". Ester preocupava-se com questões como *segurança pessoal* e estava disposta, na ocasião, a deixar que todos os outros judeus morressem, caso ela pudesse escapar; mas Mordecai mostrou que não havia segurança para nenhum judeu, inclusive Ester. Ir ao encontro do rei poderia significar a morte dela. Mas manter-se quieta significava morte *certa*. O argumento de Mordecai era *irretorquível*.

4.14

כִּ֣י אִם־הַחֲרֵ֣שׁ תַּחֲרִישִׁי֮ בָּעֵ֣ת הַזֹּאת֒ רֶ֣וַח וְהַצָּלָ֞ה יַעֲמ֤וֹד לַיְּהוּדִים֙ מִמָּק֣וֹם אַחֵ֔ר וְאַ֥תְּ וּבֵית־אָבִ֖יךְ תֹּאבֵ֑דוּ וּמִ֣י יוֹדֵ֔עַ אִם־לְעֵ֣ת כָּזֹ֔את הִגַּ֖עַתְּ לַמַּלְכֽוּת׃

Porque, se de todo te calares agora. *Livramento para os Judeus de Algum Outro Lugar. A fé* de Mordecai, de que Israel seria livrado por algum outro *modus operandi,* se Ester falhasse no teste, provavelmente se baseava no seu conhecimento da *relação de pacto* com Yahweh. O pacto abraâmico (anotado em Gn 15.18) requeria a sobrevivência da raça por causa de Yahweh, por seu plano. Mas o autor *secular* não se importa em falar sobre tais coisas e, admiravelmente, não menciona nenhum nome divino como a fonte de livramento potencial. Vagamente, ele falou sobre como "se levantará para os judeus socorro e livramento".

Por outra parte, Ester tinha chegado ao reino "por causa de um tempo como este". Ora, essa é uma ótima peça de *teísmo* (ver no *Dicionário*). A elevação de Ester no reino não se devia ao seu rosto bonito ou às suas maneiras gentis, nem a todo aquele óleo que o eunuco havia espalhado sobre o corpo dela, para fazê-lo brilhar (ver Et 2.12). Por qual razão Mordecai continuava falando na providência divina, mas sem dizê-lo por meio de palavra, continua sendo um mistério. E ele nem mesmo mencionou a oração como meio para convencer Yahweh a fazer algo sobre a miserável situação. A natureza *secular* do livro impediu que os rabinos o aceitassem no cânon das Escrituras do Antigo Testamento por longo tempo. Mas visto ser esse o único livro do Antigo Testamento que estava completamente dedicado ao tema da *Providência de Deus,* sua posição no cânon do Antigo Testamento foi eventualmente garantida. Ver o artigo sobre esse tema no *Dicionário*.

> Nem mesmo sentado diante de sua lareira, em casa, um homem pode escapar de sua condenação determinada.
>
> Ésquilo

> Aquilo que Deus escrever na sua testa, isso você certamente fará.
>
> O Alcorão

> A sorte lidera os bem dispostos e arrasta consigo aqueles que resistem.
>
> Sêneca

O livro de Ester tem sido apodado de *demasiado secular* por vários eruditos, mas talvez tenhamos aqui uma superpiedade por parte do autor sagrado. No judaísmo posterior, os piedosos evitavam pronunciar o nome divino. É fácil substituir a verdadeira espiritualidade pela ostentação. O autor do livro de Ester, por conseguinte, pode ter-nos dado uma lição vital: Não fique andando ao redor exibindo sua fé religiosa, por seu falar piedoso constante!

4.15,16

וַתֹּ֥אמֶר אֶסְתֵּ֖ר לְהָשִׁ֥יב אֶֽל־מָרְדֳּכָֽי׃

לֵךְ֩ כְּנ֨וֹס אֶת־כָּל־הַיְּהוּדִ֜ים הַֽנִּמְצְאִ֣ים בְּשׁוּשָׁ֗ן וְצ֣וּמוּ עָ֠לַי וְאַל־תֹּאכְל֨וּ וְאַל־תִּשְׁתּ֜וּ שְׁלֹ֤שֶׁת יָמִים֙ לַ֣יְלָה וָי֔וֹם גַּם־אֲנִ֥י וְנַעֲרֹתַ֖י אָצ֣וּם כֵּ֑ן וּבְכֵ֞ן אָב֤וֹא אֶל־הַמֶּ֙לֶךְ֙ אֲשֶׁ֣ר לֹֽא־כַדָּ֔ת וְכַאֲשֶׁ֥ר אָבַ֖דְתִּי אָבָֽדְתִּי׃

Então disse Ester. A argumentação de Mordecai tinha sido irretorquível. Portanto, Ester cedeu e enviou uma mensagem (sem dúvida novamente através de Hatá) para dizer-lhe que era para "fazer ou morrer" que ela iria falar com o rei. Entretanto, ela rogou que Mordecai pedisse aos *judeus* que *jejuassem* por três dias e três noites para ajudá-la a realizar o propósito. Naturalmente, isso significava jejum e oração para que Yahweh interviesse; mas o relutante autor sacro não falou em nenhum nome divino, nem mesmo mencionou a oração. Mas sabemos do que ele estava falando, mesmo sem nenhuma palavra a respeito. Ver no *Dicionário* os verbetes intitulados *Oração* e *Jejum*. Ester rogava por uma intervenção divina em seu caso, provida pelos esforços dos judeus que encontrariam favor diante de Yahweh, mas o autor sagrado não permitiu que ela usasse o nome divino. Talvez ele fosse *tão* piedoso que pensasse ser um sacrilégio até mesmo usar os nomes divinos, ou referir-se a coisas sagradas como a oração.

Foi uma prática posterior do judaísmo nem ao menos mencionar o nome divino, pelo que "de algum outro lugar" (vs. 14) poderia ser uma evasão piedosa para ele não proferir o nome divino. O jejum (e, presumivelmente, a oração) também poderia ser uma referência ao poder divino e a como o homem é capaz de valer-se desse poder. Portanto, o que é chamado de *secular*, pelos intérpretes, poderia ser a demonstração de elevada piedade.

> Uma vez, a cada indivíduo e nação, chega o momento de decidir.
> James Russell Lowell

> Há uma maré nos negócios dos homens
> Que, tomados no dilúvio,
> Leva à fortuna.
> Omitida, toda a viagem da vida
> Está envolva em coisas rasas e em misérias.
> Shakespeare

4.17

וַיַּעֲבֹר מָרְדֳּכָי וַיַּעַשׂ כְּכֹל אֲשֶׁר־צִוְּתָה עָלָיו אֶסְתֵּר׃ ס

Então se foi Mordecai. Tendo recebido a mensagem sobre a resolução de Ester e seu pedido pela ajuda da comunidade judaica quanto a exercícios espirituais (para influenciar Yahweh a intervir), *Mordecai foi direto aos judeus transmitir o pedido de ajuda* da parte de Yahweh.

> Perigo, o estímulo das grandes mentes.
> George Chapman

> É melhor enfrentar um perigo uma vez do que viver sob medo constante.
> Provérbio anônimo

> Dentre os espinhos do perigo,
> Arrancamos esta flor — segurança.
> Shakespeare

CAPÍTULO CINCO

Este capítulo continua a seção geral, iniciada em Et 4.1, a corajosa intervenção de Ester (4.1—7.10).

O CONLUIO DESCOBERTO POR ESTER (5.1—7.10)

A ENTREVISTA DE ESTER COM O REI (5.1-8)

O capítulo 4 nos preparou para a entrevista entre Ester e o rei, salientando quão difícil era falar com o ele, e como os intrusos (que não seguissem o procedimento apropriado) podiam ser executados. Também vimos que, por um mês inteiro, Ester nem ao menos vira o rei (ver as notas sobre Et 4.11 quanto a implicações), e, assim sendo, teria de apelar para os meios legais de acesso ao monarca. Ester, entretanto, tomaria um atalho, conforme dizemos em uma expressão popular, tentando atrair a atenção do rei mediante *seus encantos*, e assim ultrapassar a burocracia.

A Tarefa Era Urgente. O decreto do rei, manipulado por Hamã (capítulo 3), tinha ordenado a execução de toda a comunidade judaica no décimo terceiro dia do décimo segundo mês. Ver sobre isso em Et 3.13. Mordecai conseguiu a ajuda de Ester para tentar impedir o desastre (ver Et 4.13 ss.). Ambos confiavam em uma intervenção divina para que cuidasse da questão. A comunidade judaica inteira jejuava (e, sem dúvida, orava) para ajudar Ester a obter a reversão da situação (ver Et 4.16).

Enquanto o autor continua deixando de mencionar o nome de Yahweh (ou qualquer dos outros nomes divinos) bem como coisas santas como a oração, sua mensagem é: "A *Providência de Deus* pode tomar conta de qualquer situação". Talvez o que pareça *secularismo* seja, na verdade, superpiedade da parte do autor sacro. Ele não saía ao redor dizendo: "Deus isto", "Deus aquilo", "o Senhor me disse" etc. Os evangélicos têm o mau hábito de ocupar-se demasiadamente em "conversas sobre Deus". Mas Mordecai não fazia de sua fé religiosa uma *ostentação*, um substituto para a verdadeira espiritualidade. O judaísmo posterior produziu a prática de nem ao menos mencionar o nome divino, e talvez o autor do livro de Ester tenha generalizado essa regra a fim de incluir a menção a qualquer coisa santa. Talvez o autor tenha exagerado, mas a moderna ostentação religiosa é um exagero pior ainda.

Os capítulos 5-7 assinalam o clímax do livro. Aqui, as mesas foram viradas e o mal foi vencido por Deus. O povo de Deus foi preservado através de um improvável jogo de circunstâncias... Sua soberania estava funcionando, realizando os seus propósitos" (John A. Martin, *in loc.*).

5.1

וַיְהִי בַּיּוֹם הַשְּׁלִישִׁי וַתִּלְבַּשׁ אֶסְתֵּר מַלְכוּת וַתַּעֲמֹד בַּחֲצַר בֵּית־הַמֶּלֶךְ הַפְּנִימִית נֹכַח בֵּית הַמֶּלֶךְ וְהַמֶּלֶךְ יוֹשֵׁב עַל־כִּסֵּא מַלְכוּתוֹ בְּבֵית הַמַּלְכוּת נֹכַח פֶּתַח הַבָּיִת׃

Ao terceiro dia Ester se aprontou. Isto é, depois que Mordecai convenceu Ester a tentar intervir em favor dos judeus, por meio de uma entrevista pessoal com o rei (o fim do capítulo 4). Ester estava em uma situação crítica. Ela tentou ultrapassar a burocracia para ter uma entrevista com o rei (ver Et 4.1), exibindo os seus encantos em um lugar onde o rei poderia ocasionalmente passar para vê-la. O texto hebraico deixa de mencionar qualquer exibição de emoções da parte de Ester; mas a Septuaginta embeleza o texto neste ponto, descrevendo vividamente seus sentimentos e temores, e também oferecendo uma descrição de sua magnífica aparência. Ela estava ali, definitivamente, "para ser vista".

No pátio interior da casa do rei. Trata-se da câmara com múltiplas colunas, sem dúvida semelhante à que os arqueólogos descobriram na outra capital da Pérsia, Persépolis.

Devemos entender que o rei *precisava vê-la ali*, porquanto isso era algo necessário para que a entrevista ocorresse. A providência divina cuidaria de cada detalhe. Portanto, ali estava ela, toda enfeitada em suas vestes reais, uma bela visão, e o rei a veria e seria conquistado, uma vez mais, por seus encantos. Mulheres que influenciam homens com sua *beleza* são algo tão antigo quanto o mundo, e esse artifício parece funcionar sempre.

> A beleza é um dom de Deus.
> Aristóteles

Helena, segundo nos contou Homero em uma de suas histórias, enviou mil navios somente com o *seu rosto*. Naturalmente, isso foi um recorde, mas Ester era um poder feminino que precisava ser levado em conta.

5.2

וַיְהִי כִרְאוֹת הַמֶּלֶךְ אֶת־אֶסְתֵּר הַמַּלְכָּה עֹמֶדֶת בֶּחָצֵר נָשְׂאָה חֵן בְּעֵינָיו וַיּוֹשֶׁט הַמֶּלֶךְ לְאֶסְתֵּר אֶת־שַׁרְבִיט הַזָּהָב אֲשֶׁר בְּיָדוֹ וַתִּקְרַב אֶסְתֵּר וַתִּגַּע בְּרֹאשׁ הַשַּׁרְבִיט׃ ס

Quando o rei viu a rainha Ester parada no pátio. *Realmente*, o rei passou e lá estava ela, uma das vencedoras distintivas de um de seus concursos de beleza (ver Et 2.17,19). O rei ficou encantado. É verdade que ele era o rei, mas também era um homem, afinal. Ela estonteava qualquer um, e o rei foi mentalmente enviado à lona. O rei convidou-a para entrar em sua câmara secreta, estendendo a ela o cetro de ouro (ver Et 4.11), e esse gesto foi como se ele tivesse dito: "Você foi aceita. Você tem algum problema no qual eu possa ajudá-la?" "No baixo-relevo de Persépolis, copiado por Sir Robert Ker Porter, vemos o rei Dario entronizado no meio de sua corte e andando ao redor em trajes reais. Em ambos os casos, ele está carregando na mão direita uma vara fina ou cetro, mais ou menos do comprimento de sua própria altura. A vara é ornamentada com uma pequena bola na extremidade superior" (Jamieson, *in loc.*).

Ester "tocou a ponta do cetro", como se dissesse: "Agradeço por ter-me recebido". A Septuaginta diz que o rei deixou o cetro repousar sobre o pescoço de Ester, quando ela se prostrou diante dele. Talvez isso seja um toque histórico genuíno.

5.3

וַיֹּאמֶר לָהּ הַמֶּלֶךְ מַה־לָּךְ אֶסְתֵּר הַמַּלְכָּה
וּמַה־בַּקָּשָׁתֵךְ עַד־חֲצִי הַמַּלְכוּת וְיִנָּתֵן לָךְ׃

Então lhe disse o rei. O rei Assuero ficou tão encantado com Ester que exagerou e ofereceu-lhe qualquer coisa que ela quisesse: "Até metade do reino se te dará". Naturalmente, *somente Yahweh* poderia ter conferido tanta graça a Ester, e os rabinos dão a ele o crédito por isso. Quanto à questão de dar até metade do trono em troca de alguma coisa trivial, cf. Et 5.6; 7.2 e Mc 6.23. Naturalmente, era costume dos reis da Pérsia dar às esposas certas cidades, tornando-as mulheres extremamente ricas. Ora, Xerxes era imperador sobre cerca de 127 províncias, pelo que dizer que daria a *metade* a uma *mulher* seria apenas uma figura de linguagem, equivalente a "Você pode ter quase qualquer coisa que quiser!" ou então "Farei quase qualquer coisa que você quiser". A declaração era uma "hipérbole costumeira" (*Oxford Annotated Bible,* comentando sobre o vs. 3).

Quanto a referências históricas ao *cetro de ouro,* ver Xenofonte, *Cyrop.* livro VIII. par. 139.

> Um objeto de beleza é uma alegria perene; sua força de atração aumenta. Nunca se transformará em nada.
>
> John Keats

5.4

וַתֹּאמֶר אֶסְתֵּר אִם־עַל־הַמֶּלֶךְ טוֹב יָבוֹא הַמֶּלֶךְ וְהָמָן
הַיּוֹם אֶל־הַמִּשְׁתֶּה אֲשֶׁר־עָשִׂיתִי לוֹ׃

Respondeu Ester. *O Banquete Decisivo.* Ester requereu que o réprobo Hamã fosse convidado a um banquete, juntamente com o rei e seus dignitários (e Mordecai, naturalmente, também estaria presente). Ela estava planejando uma terrível armadilha para executar Hamã, que o autor do livro vai revelando aos poucos. Ele nos mantém em suspense por longo tempo, antes de dizer como funcionaria a ideia de Ester. Os rabinos se sentiram perturbados acerca de como Ester adiava tirar vantagem da atitude favorável do rei. Estaria ela jogando com a vida dos judeus? Mas qualquer bom relato tem seu período de demora, em situações perigosas, por motivo de suspense; e o que poderia ser mais verdadeiro à *experiência humana* do que isso? Grandes milagres são com frequência adiados ao ponto de nossa exasperação, mas, de repente, está ali a solução!

5.5

וַיֹּאמֶר הַמֶּלֶךְ מַהֲרוּ אֶת־הָמָן לַעֲשׂוֹת אֶת־דְּבַר
אֶסְתֵּר וַיָּבֹא הַמֶּלֶךְ וְהָמָן אֶל־הַמִּשְׁתֶּה אֲשֶׁר־עָשְׂתָה
אֶסְתֵּר׃

Fazei apressar a Hamã, para que atendamos ao que Ester deseja. O convite da "rainha" levou Hamã a supor que lhe estava sendo dada honra especial e adicional (vs. 9 e 13). Mas ver Mordecai no portão (o qual não prestou atenção a ele, permanecendo *sentado* quando Hamã passava; vs. 9) azedou toda a honraria que ele estava recebendo e ainda receberia, conforme pensava. Ele tinha de livrar-se daquela praga chamada Mordecai, pois somente então poderia realmente apreciar a sua boa sorte. O vinho fluiria, e todos se sentiriam felizes. No meio da felicidade do rei, Ester apresentaria o ousado plano contra Hamã.

5.6

וַיֹּאמֶר הַמֶּלֶךְ לְאֶסְתֵּר בְּמִשְׁתֵּה הַיַּיִן מַה־שְּׁאֵלָתֵךְ
וְיִנָּתֵן לָךְ וּמַה־בַּקָּשָׁתֵךְ עַד־חֲצִי הַמַּלְכוּת וְתֵעָשׂ׃

Disse o rei a Ester, no banquete do vinho. No meio da ingestão de vinho, o rei estava cheio de curiosidade sobre a petição especial que Ester faria, pelo que indagou claramente sobre isso. Poderia ser até "metade do reino", a hipérbole do vs. 3, onde comento a questão. O banquete começara no relato do vs. 5. E este versículo dá continuidade à narração, e também haveria o *amanhã* (vs. 8). Talvez o programa todo tivesse sido marcado para *sete dias,* conforme se deu com uma festa anterior, oferecida pelo rei (ver Et 1.10). Talvez a festa tivesse começado com a ingestão de ótimos alimentos, mas, quando o rei aproximou-se de Ester, fazendo sua indagação, o banquete já se transformara em uma *competição de ingestão de bebidas alcoólicas.* "Os persas, em seus banquetes, atendiam a duas fases: a primeira consistia em carnes e outros alimentos finos, quando tomavam água. E a segunda consistia na ingestão do vinho. Aelinus (*Var Hist.* 1.2 cap. 1) disse que, depois de empanturrados de bons alimentos, eles começavam a beber" (John Gill, *in loc.*).

5.7,8

וַתַּעַן אֶסְתֵּר וַתֹּאמַר שְׁאֵלָתִי וּבַקָּשָׁתִי׃
אִם־מָצָאתִי חֵן בְּעֵינֵי הַמֶּלֶךְ וְאִם־עַל־הַמֶּלֶךְ טוֹב
לָתֵת אֶת־שְׁאֵלָתִי וְלַעֲשׂוֹת אֶת־בַּקָּשָׁתִי יָבוֹא הַמֶּלֶךְ
וְהָמָן אֶל־הַמִּשְׁתֶּה אֲשֶׁר אֶעֱשֶׂה לָהֶם וּמָחָר אֶעֱשֶׂה
כִּדְבַר הַמֶּלֶךְ׃

Então respondeu Ester. O vs. 7 introduz, desajeitadamente, a petição que se seguiria, mas a petição não foi feita, afinal. E o vs. 8 diz como Ester adiou tudo para o dia seguinte. Mas então o autor sagrado continuou protelando a revelação do pedido de Ester, a qual só acontece no capítulo 7, pois o material do capítulo 6 age como um parêntese, onde ele fornece detalhes informacionais. O autor sacro continuava aumentando o suspense, sustentando-o com boas histórias que abordam situações de perigo. Gradualmente Ester foi ganhando a boa vontade do rei ao mesmo tempo que obtinha confiança quanto a seu plano ousado. "O autor apresentou a história dessa maneira, para dar tempo para o importante evento que só será mencionado no capítulo seguinte" (Adam Clarke, *in loc.*). Talvez Ester tivesse segundos pensamentos, mais sóbrios, e quase abandonara a sua ideia. Ou talvez sua intuição feminina lhe tenha dito que o *momento certo* ainda não havia chegado.

Nas festas de vinho, apenas alguns poucos convidados bebiam vinho na presença do rei. Entre eles estavam Hamã e Ester. Mas ninguém bebia os mesmos vinhos finos que eram ingeridos pelo rei. Seja como for, os vinhos servidos eram de excelente qualidade, pois todos os participantes formavam um grupo seleto. "O monarca reclinava-se sobre um divã de pés dourados e degustava o rico vinho de Helbom. A rainha, quando presente, sentava-se em uma cadeira ao lado, enquanto os convivas bebiam de um vinho inferior, sentados ao redor, no assoalho" (Athenaeus, *Deipno,* iv, par. 145). A passagem de Et 7.8, entretanto, mostra que Ester se mantinha recostada em um divã. Parece que o único homem especialmente convidado a beber vinho com o rei e a rainha era Hamã, o que o enchia de orgulho, na expectativa de grandes honras futuras.

5.9

וַיֵּצֵא הָמָן בַּיּוֹם הַהוּא שָׂמֵחַ וְטוֹב לֵב וְכִרְאוֹת הָמָן
אֶת־מָרְדֳּכַי בְּשַׁעַר הַמֶּלֶךְ וְלֹא־קָם וְלֹא־זָע מִמֶּנּוּ
וַיִּמָּלֵא הָמָן עַל־מָרְדֳּכַי חֵמָה׃

Então saiu Hamã naquele dia alegre e de bom ânimo. *Hamã,* cheio de alegria e orgulho, pensava estar prestes a receber alguma honraria *adicional* da parte do rei, pois ele (ao que tudo indica) fora o único convidado a beber vinho com o rei e a rainha. Mas sua alegria foi abafada e sua ira levou-o a requeimar de indignação quando ele o viu, *sentado* na porta do rei, Mordecai, que nem ao menos se levantou quando Hamã passava e menos ainda se prostrou diante dele, conforme exigiam os costumes orientais. O *contraste* entre o soerguimento e a queda de Hamã seria grande, outra característica de uma boa história. Em sua ira, Hamã continuou traçando planos de matança em massa dos judeus. Ele poria fim a toda aquela insolência. Cf. Et 3.2, onde somos informados que Mordecai recusou prostrar-se diante de Hamã. Nesse caso ele não deu a menor atenção a Hamã, ficando de pé, a despeito de um machado estar pendurado sobre a sua cabeça. De fato, Mordecai mostrou-se extremamente *rude* e, naturalmente, um homem como Hamã merecia ser tratado com rudeza, e até pior.

Mordecai, ao ouvir que Ester levava adiante seu plano, tirou os sinais de lamentação, como o cilício (ver Et 4.2), pois, de outra sorte, não poderia estar à porta do rei.

Hamã reuniu a família e os amigos a fim de *desabafar,* pois Mordecai continuava arruinando a sua diversão, conforme vemos nos versículos seguintes.

■ 5.10

וַיִּתְאַפַּק הָמָן וַיָּבוֹא אֶל־בֵּיתוֹ וַיִּשְׁלַח וַיָּבֵא אֶת־אֹהֲבָיו וְאֶת־זֶרֶשׁ אִשְׁתּוֹ׃

Hamã, porém, se conteve, e foi para casa. *Passando perto de Mordecai,* que exibia sua usual insubordinação, Hamã nada disse, embora as chamas lhe queimassem o cérebro. Ele foi diretamente para casa, à sua boa esposa, Zeres, que o havia suportado em tudo. E Hamã também chamou seus amigos chegados. Com eles, poderia de desabafar e esfriar a alma conturbada pela ira. Ademais, talvez alguém tivesse alguma sugestão sobre como Hamã poderia tratar a questão, antes do décimo terceiro dia do décimo segundo mês do ano, quando Mordecai e todos os outros judeus seriam executados. Ver no *Dicionário* sobre *Zeres.* O nome dela significa "ouro". O Targum afirma que ela era filha de Tatnai, governador deste lado do rio Eufrates, ou seja, uma parte do império persa que jazia daquém do rio Eufrates. Cf. Ed 5.3.

■ 5.11

וַיְסַפֵּר לָהֶם הָמָן אֶת־כְּבוֹד עָשְׁרוֹ וְרֹב בָּנָיו וְאֵת כָּל־אֲשֶׁר גִּדְּלוֹ הַמֶּלֶךְ וְאֵת אֲשֶׁר נִשְּׂאוֹ עַל־הַשָּׂרִים וְעַבְדֵי הַמֶּלֶךְ׃

Contou-lhes Hamã a glória das suas riquezas. Os vss. 11,12 deste capítulo descrevem o esplendor adquirido por Hamã. Ele tinha uma família numerosa, muito dinheiro e honrarias, o que para os persas (bem como para os judeus) servia de sinal de aprovação e bênção divina. Esses fatos são apresentados pelo autor sagrado a fim de, mais adiante, poder *contrastar* isso com sua terrível queda.

> *A soberba precede a ruína, e a altivez do espírito, a queda.*
> Provérbios 16.18

Os ouvintes de Hamã já conheciam suas realizações. Mas ele, cheio de si, repetiu-as todas *novamente,* conforme deve ter feito por muitas vezes, mostrando tudo quanto fora capaz de fazer, bem como todas as honras especiais que o rei havia cumulado sobre ele. De fato, não era ele o primeiro-ministro do império *inteiro?*

Além disso, não nos esqueçamos daqueles seus excelentes *dez* filhos, dotados de extraordinária inteligência e que seguiam de perto os passos do pai ilustre. O Targum exagera grandemente ao dizer-nos que o homem tinha 208 filhos, e talvez os tivesse, mas Zeres era mãe de somente dez deles. Era costume entre os persas que os filhos de pessoas proeminentes recebessem pensões anuais da parte do império. Ver Heródoto (*Clio,* 1.1.c. 136).

■ 5.12

וַיֹּאמֶר הָמָן אַף לֹא־הֵבִיאָה אֶסְתֵּר הַמַּלְכָּה עִם־הַמֶּלֶךְ אֶל־הַמִּשְׁתֶּה אֲשֶׁר־עָשָׂתָה כִּי אִם־אוֹתִי וְגַם־לְמָחָר אֲנִי קָרוּא־לָהּ עִם־הַמֶּלֶךְ׃

Disse mais Hamã. *A Fanfarronice Prossegue.* Além de todas essas outras honras, a rainha, ao decidir oferecer um grande banquete, convidou apenas uma pessoa para sentar-se com o rei e a rainha na festa do vinho, e essa pessoa era a *número um,* a saber, o próprio Hamã. Naturalmente, isso só podia significar que, durante o banquete, ele receberia alguma honraria nova, pois, afinal, era o *convidado de honra.* Ademais, não fora um mensageiro que fizera o convite a Hamã, como era a maneira usual de agir. Antes, a rainha *pessoalmente* transmitira o convite honroso.

> Orgulho, Inveja, Avareza,
> Essas são as fagulhas
> Que fazem o coração
> Dos homens pegar fogo.
> Dante, *Inferno*

■ 5.13

וְכָל־זֶה אֵינֶנּוּ שֹׁוֶה לִי בְּכָל־עֵת אֲשֶׁר אֲנִי רֹאֶה אֶת־מָרְדֳּכַי הַיְּהוּדִי יוֹשֵׁב בְּשַׁעַר הַמֶּלֶךְ׃

Porém, tudo isto não me satisfaz. Mas de que adiantava tudo aquilo (vss. 11 e 12) sobre o que Hamã se jactara, enquanto aquele espinho, Mordecai, o feria na ilharga? Ele tinha de livrar-se daquele incômodo antes que pudesse desfrutar a vida como deveria um homem de sua estatura. Mordecai era um *judeu* desprezível, inspirador de ódio e destruição. Hamã, pois, admitiu que todo o seu dinheiro e fama não podiam satisfazê-lo, enquanto vivesse o abominável Mordecai. A abominação teria de ser removida, para que desse vida à merecida alegria de Hamã.

> O orgulho sempre tornará infeliz aquele que o professa.
> Adam Clarke

Somente Deus pode satisfazer os anseios da alma. Até os anjos, que vivem na glória, não continuaram felizes quando se rebelaram. Adão, embora estivesse no paraíso, tornou-se miserável quando caiu do Princípio Espiritual. *Acabe,* embora fosse rei de Israel e possuidor de extensivo poder e riquezas, jazia chorando em seu leito, porque não podia ficar com a vinha de Nabote (ver 1Rs 21).

■ 5.14

וַתֹּאמֶר לוֹ זֶרֶשׁ אִשְׁתּוֹ וְכָל־אֹהֲבָיו יַעֲשׂוּ־עֵץ גָּבֹהַּ חֲמִשִּׁים אַמָּה וּבַבֹּקֶר אֱמֹר לַמֶּלֶךְ וְיִתְלוּ אֶת־מָרְדֳּכַי עָלָיו וּבֹא־עִם־הַמֶּלֶךְ אֶל־הַמִּשְׁתֶּה שָׂמֵחַ וַיִּיטַב הַדָּבָר לִפְנֵי הָמָן וַיַּעַשׂ הָעֵץ׃ פ

Então lhe disse Zeres, sua mulher. *Zeres e sua Grande Ideia.* Mordecai teria de ser abatido, e antes do décimo terceiro dia do décimo segundo mês (ver Et 3.13), quando toda a comunidade judaica estava marcada para morrer. Portanto, a horrível Zeres sugeriu a ideia de preparar uma forca para a execução *imediata* de Mordecai. Quem pode aguentar um espinho que vive espetando o tempo todo? Em vez do dia treze do décimo segundo mês do ano, Mordecai seria executado *amanhã* mesmo. O rei não negaria a Hamã o cumprimento de seu desejo, pois, afinal, considere-se quão grande homem era Hamã, que chegava a ser o convidado de honra da própria rainha Ester. Naturalmente, conforme qualquer aluno de Escola Dominical sabe, o próprio Hamã (ver Et 8.10) seria enforcado na forca que ele se apressara a preparar para Mordecai, uma ilustração da *Lei Moral da Colheita Segundo a Semeadura* (ver a respeito no *Dicionário*).

> *Não vos enganeis: de Deus não se zomba; pois aquilo que o homem semear, isso também ceifará.*
> Gálatas 6.7

> Semeai um hábito, e colhereis um caráter.
> Semeai um caráter, e colhereis um destino.
> Semeai um destino, e colhereis... Deus.
> Professor Huston Smith

Faça-se uma forca de cinquenta côvados de altura. Isto é, cerca de 25 metros de altura, mais ou menos as mesmas dimensões de um edifício de seis andares. A altura extravagante tem levado alguns críticos a falar da natureza fictícia do relato e, de fato, do livro inteiro, que eles consideram uma novela religiosa, e não história autêntica. Por outro lado, os persas costumavam fazer tudo em dimensões extraordinárias, pelo que uma forca gigantesca estaria em consonância com essa mentalidade. A grande altura da forca chamaria a atenção de todos quantos a vissem, e todos diriam: "Que grande pecador foi o homem aqui executado!"

O Poste de Empalação. Alguns eruditos pensam que o mecanismo construído por ordens de Hamã seria um gigantesco poste de empalação, e não uma forca. O corpo de Mordecai seria traspassado por aquele imenso poste. Ver Ed 6.11 quanto à execução por *empalação*. Outros pensam que está em pauta alguma forma de crucificação. O homem seria *cravado* no poste. Seja como for, na maioria das traduções, a "forca" é, realmente, a palavra que significa "madeira", o que nos dá licença para interpretá-la historicamente. Em outras palavras, como os persas executavam as pessoas? A empalação era uma maneira comum.

"Deus estava soberanamente operando por trás até de um ato tão odioso como levantar uma forca. Cf. At .23 e 4.27,28" (John A. Martin, *in loc.*).

CAPÍTULO SEIS

Este capítulo dá continuação ao tema da corajosa intervenção de Ester, a seção que começa em Et 4.1 e se estende até Et 7.10. Mas agora temos outra subdivisão da história, outro golpe da intervenção divina.

UM SERVIÇO FINALMENTE RECOMPENSADO (6.1-5)

A passagem de Et 2.19-23 registra uma tentativa de assassinato do rei, que foi abortada por Mordecai, o qual ouvira a questão da parte dos rebelados e informara Ester, a qual, por sua vez, informara o rei. Serviços notáveis eram recompensados pessoalmente pelo rei. Porém, por alguma razão não divulgada, o serviço de Mordecai fora esquecido e ficara sem recompensa. Aconteceu, pois, que, no tempo oportuno, na noite anterior à execução tencionada por Mordecai, o rei teve uma má noite e não pôde dormir. Portanto, ordenou que um servo lesse para ele os anais do rei. Por acidente (conforme os homens dizem), exatamente a porção dos registros que foi lida mencionava o feito heroico de Mordecai. O rei Assuero quis saber "qual recompensa" o homem obtivera por isso, tendo recebido como resposta dura e crua "nenhuma". O rei ficou surpreendido e consternado, e imediatamente pôs em movimento providências para que Mordecai fosse recompensado. Isso lhe daria grande prestígio que faria parte de seu livramento naquela hora crítica.

O autor não mencionou jamais Deus ou qualquer coisa sagrada. Mas devemos compreender que a *Providência de Deus* sempre esteve em operação. Ver o *Dicionário* sobre esse tema. Os eruditos queixam-se da natureza *secular* do livro de Ester. Mas, no judaísmo posterior, tornou-se costume nem ao menos mencionar os nomes divinos, por motivo de extrema reverência. Talvez o autor de Ester tivesse levado esse costume mais longe ainda, de modo que nem falou sobre exercícios santos, como a oração. Portanto, aquilo que se tem suposto *secular* talvez seja verdadeira *superpiedade.* O autor sagrado mostrava-se contrário à *ostentação*, a qual pode facilmente substituir a verdadeira espiritualidade. Meus amigos, pensem no que acontece em algumas reuniões evangélicas, onde vemos a *ostentação* em operação, calculada para impressionar outras pessoas com uma grande espiritualidade. Talvez "eliminar a ostentação" seja uma lição inesperada do livro de Ester. Um número demasiado de pessoas religiosas vive sempre envolvido com o "falar sobre Deus".

■ 6.1

בַּלַּיְלָה הַהוּא נָדְדָה שְׁנַת הַמֶּלֶךְ וַיֹּאמֶר לְהָבִיא אֶת־סֵפֶר הַזִּכְרֹנוֹת דִּבְרֵי הַיָּמִים וַיִּהְיוּ נִקְרָאִים לִפְנֵי הַמֶּלֶךְ׃

Naquela noite o rei não pôde dormir. As noites ruins dos reis são piores que as noites ruins dos homens ordinários. Os sonhos ruins dos reis são piores que os sonhos ruins de homens ordinários. A insônia dos reis é pior que a insônia dos homens ordinários. *Portanto, aí você tem a questão: até a insônia pode ser parte da providência divina!* Foi assim que Assuero, no meio de sua insônia real (enviada por Yahweh, segundo dizem os rabinos), decidiu ouvir a leitura dos anais reais. Ver Et 2.23 sobre esses registros e comentários.

"A falta de sono dos reis é, naturalmente, um tema favorito da literatura (cf. Dn 6.18; 1Esdras 3.3; Shakespeare, *Rei Henrique IV,* parte 2, ato III, cena 1). As versões (Septuaginta, Latim Antigo e Luciano), além dos Targuns, adicionam que foi Deus quem tirou o sono do rei" (Bernhard W. Anderson, *in loc.*).

Os críticos veem providência divina demais aqui e lançam dúvidas sobre a autenticidade histórica do livro de Ester. Por outra parte, há aquelas grandes *coincidências significativas* que nos deixam boquiabertos. O homem espiritual sabe sobre essas coisas. Ver na *Enciclopédia de Bíblia, Teologia e Filosofia* o verbete intitulado *Coincidências Significativas.*

"Circunstâncias quase incríveis apontam para a mão orientadora de Deus guiando o curso dos eventos. Toda a história da nação judaica foi alterada porque um rei pagão, a centenas de quilômetros de distância do centro das atividades divinas em Jerusalém, não conseguia dormir" (John A. Martin, *in loc.*).

■ 6.2,3

וַיִּמָּצֵא כָתוּב אֲשֶׁר הִגִּיד מָרְדֳּכַי עַל־בִּגְתָנָא וָתֶרֶשׁ שְׁנֵי סָרִיסֵי הַמֶּלֶךְ מִשֹּׁמְרֵי הַסַּף אֲשֶׁר בִּקְשׁוּ לִשְׁלֹחַ יָד בַּמֶּלֶךְ אֲחַשְׁוֵרוֹשׁ׃

וַיֹּאמֶר הַמֶּלֶךְ מַה־נַּעֲשָׂה יְקָר וּגְדוּלָּה לְמָרְדֳּכַי עַל־זֶה וַיֹּאמְרוּ נַעֲרֵי הַמֶּלֶךְ מְשָׁרְתָיו לֹא־נַעֲשָׂה עִמּוֹ דָּבָר׃

Achou-se escrito que Mordecai. Quanto à história sumariada nestes dois versículos, ver Et 2.21-23. Heródoto (*História* VIII) relata como os feitos heroicos eram registrados, e como os heróis eram recompensados, pelo que essa história tem um toque autêntico. O feito heroico de Mordecai ocorrera cinco anos antes, conforme pode ser deduzido mediante uma comparação entre Et 2.16 e 3.7. É provável que algum erro burocrático tenha impedido que Mordecai recebesse a devida recompensa. Mas até isso fora controlado pelo destino, visto que uma recompensa *quando a vida de Mordecai estava sendo ameaçada* era mais eficaz ao propósito de Deus relativamente aos judeus. *Circunstâncias incomuns* são, geralmente, o *modus operandi* da providência divina. Oh, Senhor, concede-nos tal graça!

Mordecai, o benfeitor real, seria agora recompensado por parte do rei. Seu nome estava na lista dos heróis do reino, e em breve os registros assinalariam como ele fora recompensado. Havia o envolvimento de uma questão quase legal, porque, quando o rei dizia algo, na Pérsia estava dito.

Josefo (*Antiq.* VI. cap. vi. sec. 10) fala sobre vigias estacionados, por toda a noite, em turnos, para guardar a câmara de dormir do rei. Qualquer ruído os lançaria em estado de alerta. O rei poderia chamá-los e requerer qualquer coisa que quisesse. Portanto, essa circunstância ajudou na realização da história diante de nós.

Os registros estavam ali:

Para não esquecermos. Para não esquecermos.

Rudyard Kipling

Por *sete vezes* no livro de Neemias, há menção à *memória divina,* a qual sempre se tornava ativa mediante orações, embora essas nunca sejam citadas. Ver Ne 6.5,19; 6.14 (duas vezes); 13.14,22,29,31.

Lembra-te de mim, Deus meu, para o meu bem.

Neemias 13.31

■ 6.4

וַיֹּאמֶר הַמֶּלֶךְ מִי בֶחָצֵר וְהָמָן בָּא לַחֲצַר בֵּית־הַמֶּלֶךְ הַחִיצוֹנָה לֵאמֹר לַמֶּלֶךְ לִתְלוֹת אֶת־מָרְדֳּכַי עַל־הָעֵץ אֲשֶׁר־הֵכִין לוֹ׃

Perguntou o rei: Quem está no pátio? *Este versículo* apresenta um excelente toque de ironia! O rei estava providenciando imediatamente para que Mordecai fosse recompensado, a fim de que a injustiça fosse retificada. Portanto, ele tinha de chamar alguém que arranjasse as coisas para a recompensa. E quem estaria nas vizinhanças da câmara onde o rei dormia, quando ele chamou alguém para ajudá-lo? Hamã, o terrível, pessoalmente. Portanto, Hamã foi chamado para pôr em prática a recompensa do sortudo Mordecai! Era a *providência divina* operando de novo. Portanto, o livro de Ester foi o único livro da Bíblia a ser escrito como uma espécie de monólogo sobre o tema, tal como o livro de Jó é uma espécie de monólogo sobre o *Problema do Mal* (ver no *Dicionário*), o único livro dessa natureza em toda a Bíblia. Naturalmente, em um sentido real, a Bíblia como um todo é um livro sobre a providência divina.

Hamã não sabia disso, mas seu extremo desejo era a autodestruição. Ansiosamente, ele chegou à corte com o intuito de solicitar ao rei a empalação de Mordecai naquele mesmo dia. Primeiramente, porém, ele seria o instrumento mediante o qual Mordecai seria recompensado e honrado. Segundo: ele seria empalado no próprio instrumento que havia preparado para Mordecai. Tudo quanto visava o mal foi transformado em bem, um consolo para os judeus perseguidos, a qualquer tempo que lessem o livro de Ester. Deus se importa! Portanto, regozijem-se os judeus! Os olhos dele estão fixo nos pardais, e eu sei que ele cuida de mim.

> Que comunhão, que alegria divina!
> Deitado nos braços eternos.
> Que bem-aventurança, que alegria divina,
> Deitado nos braços eternos.
>
> E. A. Hoffman

Cedo pela manhã, Hamã apresentou-se no palácio real para cumprir seus desígnios ousados. Mas naquele dia havia surpresas reservadas para ele e para todos. Ele já havia preparado o terrível poste de empalação que acabaria servindo para terminar sua própria vida!

■ **6.5,6**

וַיֹּאמְרוּ נַעֲרֵי הַמֶּלֶךְ אֵלָיו הִנֵּה הָמָן עֹמֵד בֶּחָצֵר
וַיֹּאמֶר הַמֶּלֶךְ יָבוֹא׃

וַיָּבוֹא הָמָן וַיֹּאמֶר לוֹ הַמֶּלֶךְ מַה־לַעֲשׂוֹת בָּאִישׁ אֲשֶׁר
הַמֶּלֶךְ חָפֵץ בִּיקָרוֹ וַיֹּאמֶר הָמָן בְּלִבּוֹ לְמִי יַחְפֹּץ
הַמֶּלֶךְ לַעֲשׂוֹת יְקָר יוֹתֵר מִמֶּנִּי׃

Os servos do rei lhe disseram. *O Instrumento Ignorante e Inconsciente.* Deus faz com que até os ímpios o louvem. Hamã estava ansioso por cumprir as ordens do rei, porquanto pensava que a ordem era em sua própria honra. Nunca, nem em seus pesadelos mais terríveis, Hamã pensaria em ter de servir e honrar o desprezado Mordecai. O rei de nada suspeitava a respeito dos desígnios de Hamã, e este último ignorava os desígnios do rei. Mas a providência divina tinha tudo sob controle. Deus está em seu trono e tudo corre bem no mundo.

De quem se agradaria o rei mais do que a mim para honrá-lo? "O egoísta Hamã estava fora de si com alegria e entusiasmo. Ele pensou que o rei estaria falando sobre *ele*" (John A. Martin, *in loc.*).

O autor sagrado falou o que achava que Hamã estava pensando. Não é necessário dizer, juntamente com Aben Ezra, que ele possuía o *espírito da profecia*, pelo que sabia, por meio do Espírito de Deus, o que Hamã estava pensando.

"O nome de Mordecai não é mencionado porque fazia parte do esquema literário do autor que o vilão cheio de si pronunciasse julgamento contra si mesmo, com a própria boca" (Bernhard W. Anderson, *in loc.*). "É um excelente toque da arte literária aquele mediante o qual o próprio Hamã foi posto a decidir que honrarias deveriam ser pagas ao homem que ele decidira enforcar" (L. B. Paton, *in loc.*).

■ **6.7,8**

וַיֹּאמֶר הָמָן אֶל־הַמֶּלֶךְ אִישׁ אֲשֶׁר הַמֶּלֶךְ חָפֵץ
בִּיקָרוֹ׃

יָבִיאוּ לְבוּשׁ מַלְכוּת אֲשֶׁר לָבַשׁ־בּוֹ הַמֶּלֶךְ וְסוּס אֲשֶׁר
רָכַב עָלָיו הַמֶּלֶךְ וַאֲשֶׁר נִתַּן כֶּתֶר מַלְכוּת בְּרֹאשׁוֹ׃

E respondeu ao rei. O *homem* a quem o rei queria honrar seria honrado pelo rei. Por um momento de glória, ele vestiria os próprios trajes reais, provavelmente seu distintivo *robe púrpura*, sinal de sua realeza (conforme diz o Targum sobre este versículo. Lemos que Ciro apareceu em público com um traje metade púrpura, metade branco, e ninguém teve permissão de usar traje semelhante. Era feito com fios entremeados de ouro (Xenofonte, *Cyropaedia*, 8. cap. 23). Lemos que um certo Trebazus, amigo íntimo de Artaxerxes, requereu que lhe fosse dado um antigo traje do rei, que lhe parecia ser um grande prêmio. A petição foi concedida, mas sob a condição de que ele não usasse o traje em público. Seu troféu era olhar e admirar o traje, mas ele não podia vesti-lo. Em seu orgulho, porém, o homem esqueceu a condição e apareceu vestido com o traje. Os oficiais do rei ameaçaram-no de severa punição, mas o rei, em sua misericórdia, disse a *mentira real* que ele mesmo ordenara ao homem que vestisse o traje, pois ele seria o bobo da corte naquele dia. Ver Heródoto (*Clio.* 1.1. cap. 192).

O cavalo. O rei, naturalmente, tinha um bocado de cavalos especiais, tal como algumas pessoas ricas têm hoje em dia uns tantos automóveis. Hamã julgou apropriado que o homem especialmente honrado tivesse permissão de montar em um cavalo real e também que se exibisse em trajes finos de púrpura, montado no excelente animal. Heródoto fala sobre cavalos reais especiais (*Clio.* 1.1. cap. 192). E, naturalmente, ninguém podia montar um cavalo depois que o monarca o tivesse montado, porque o animal se enchera da virtude real.

A coroa real. O homem que fosse honrado seria "rei por um dia", e assim poderia usar uma das coroas reais. Mas Aben Ezra, o Targum, a versão siríaca e a Bíblia hebraica põem a coroa na *cabeça do cavalo*. Os intérpretes se admiraram com isso. Contudo, os arqueólogos descobriram que havia uma *crista real* em um cavalo, pelo que "coroas de cavalos" deixaram de ser um mistério. No entanto, neste versículo, a coroa poderia ser para o homem. Seja como for, uma grande honra estaria envolvida.

■ **6.9**

וְנָתוֹן הַלְּבוּשׁ וְהַסּוּס עַל־יַד־אִישׁ מִשָּׂרֵי הַמֶּלֶךְ
הַפַּרְתְּמִים וְהִלְבִּישׁוּ אֶת־הָאִישׁ אֲשֶׁר הַמֶּלֶךְ חָפֵץ
בִּיקָרוֹ וְהִרְכִּיבֻהוּ עַל־הַסּוּס בִּרְחוֹב הָעִיר וְקָרְאוּ
לְפָנָיו כָּכָה יֵעָשֶׂה לָאִישׁ אֲשֶׁר הַמֶּלֶךְ חָפֵץ בִּיקָרוֹ׃

Vistam delas aquele a quem o rei deseja honrar. *O homem que seria honrado* receberia todo esse material de ostentação, da parte de algum alto oficial do rei, especialmente nomeado. Então o homem a ser honrado faria uma parada pelas ruas da cidade e se mostraria o mais possível, perante o maior número possível de pessoas. A cena como que estaria dizendo a todos: "Vede que grande homem é este, a quem o rei tem honrado de maneira tão real!" Um arauto seguiria à frente do cavalo e do homem e faria anúncios periódicos ao povo, em voz alta, descrevendo o maior dos homens do momento.

> Todos os deleites são vãos.
>
> Shakespeare

Nenhum grande homem vive na vaidade. Um homem que se exibe relatará um equívoco que tenha cometido... antes do que não receba permissão de falar sobre a sua própria querida pessoa.

Joseph Addison

Este versículo deve ser comparado a Gn 41.43.

■ **6.10**

וַיֹּאמֶר הַמֶּלֶךְ לְהָמָן מַהֵר קַח אֶת־הַלְּבוּשׁ
וְאֶת־הַסּוּס כַּאֲשֶׁר דִּבַּרְתָּ וַעֲשֵׂה־כֵן לְמָרְדֳּכַי
הַיְּהוּדִי הַיּוֹשֵׁב בְּשַׁעַר הַמֶּלֶךְ אַל־תַּפֵּל דָּבָר
מִכֹּל אֲשֶׁר דִּבַּרְתָּ׃

Apressa-te, toma as vestes e o cavalo. Hamã havia provido o rei com a *ideia de grandeza* e agora teria de tornar real o que imaginara no caso do abominável Mordecai, seu odiado inimigo, uma súbita mudança na sorte, para dizermos o mínimo. O versículo supõe que o rei estava totalmente inconsciente do que Hamã planejava. Ele não sabia que o povo adversário odiado por seu primeiro-ministro *era o povo judeu*. Os críticos acham isso incrível e outra indicação para duvidarem da historicidade do livro de Ester. Por outra parte, o rei Assuero estivera pessoalmente envolvido em tanto genocídio, e desde sua juventude acompanhara outros chamados grandes homens ocupados em genocídio, que é perfeitamente possível que ele estivesse curioso sobre a identidade das "próximas vítimas".

O judeu Mordecai. Por *cinco vezes*, no livro de Ester, Mordecai foi assim chamado: aqui e em Et 8.7; 9.29,31 e 10.3.

Uma reversão mortificadora da sorte humana! Como pôde Hamã suportar aquilo? O Targum exagera, fazendo Hamã implorar que o rei o matasse, em vez de ter de sujeitar-se a tal desgraça. "Quão extraordinária foi a conduta da providência divina em todo esse negócio!" (Adam Clarke, *in loc.*).

O Targum embeleza o versículo, dando ao cavalo real que Mordecai montaria um nome, a saber, Shiphregaz. Sabemos pela história que homens comuns e homens importantes deram nomes a cavalos. Alexandre chamou um de seus cavalos favoritos de *Bucéfalo*. Dario chamou seu principal cavalo de *Histapis*.

"Nunca a condenação foi mais justa e a retribuição foi mais merecida do que a execução daquele gigantesco criminoso" (Jamieson, *in loc.*). Conduzindo-nos a esse fim, temos as descrições sobre a *Providência de Deus*, que tomou conta de cada detalhe.

■ 6.11

וַיִּקַּח הָמָן אֶת־הַלְּבוּשׁ וְאֶת־הַסּוּס וַיַּלְבֵּשׁ אֶת־מָרְדֳּכָי וַיַּרְכִּיבֵהוּ בִּרְחוֹב הָעִיר וַיִּקְרָא לְפָנָיו כָּכָה יֵעָשֶׂה לָאִישׁ אֲשֶׁר הַמֶּלֶךְ חָפֵץ בִּיקָרוֹ׃

Hamã tomou as vestes e o cavalo. O próprio *Hamã* foi nomeado pelo rei para ser o *arauto* que conduziria o cavalo e Mordecai através das ruas, outra estonteante humilhação. Portanto ali estava o odiado Mordecai, que não se prostrava diante de Hamã (com o que começou o drama), montando orgulhosamente o cavalo real, com as vestes púrpuras, enquanto Hamã, humildemente, puxava o cavalo, *a pé*. Mordecai sem dúvida não esperava tão súbita reversão dos eventos, mas a história mostra que os persas estavam sujeitos a essas reversões súbitas de atitudes e, algumas vezes, tomavam decisões precipitadas, baseadas nas paixões. Eles não estavam acostumados a esperar por segundos pensamentos, mais sóbrios, conforme os gregos, segundo sabemos, recomendavam.

■ 6.12

וַיָּשָׁב מָרְדֳּכַי אֶל־שַׁעַר הַמֶּלֶךְ וְהָמָן נִדְחַף אֶל־בֵּיתוֹ אָבֵל וַחֲפוּי רֹאשׁ׃

Depois disto Mordecai voltou para a porta do rei. A parada terminou, e Mordecai retornou a seu posto, na porta do rei; mas Hamã, como um cão ferido, correu para casa a fim de lamber seus ferimentos. Ele se lamentava cobrindo a cabeça, um sinal comum de tristeza, como se "o céu tivesse caído sobre a sua cabeça", pois, na realidade, era isso o que tinha acontecido. O homem dirigiu-se diretamente à esposa, conforme fizera antes (ver Et 5.10 ss.). Até os homens maus amam a alguém. E sempre haverá alguém que ame a homens maus. Em *desespero* ele cobriu a cabeça (ver 2Sm 15.30; Jr 14.3,4). O texto hebraico usualmente não desenvolve o lado emocional dos relatos, o que a Septuaginta faz. Mas encontramos nesse "encobrir da cabeça" sinal de profunda *tristeza*.

Entrementes, Mordecai retornava a seu posto usual. Somente mais tarde ele foi elevado a uma posição ainda mais alta, conforme se desenrolou o drama (Et 8.1). Hamã sofrera uma queda irreversível (vs. 13), o primeiro passo que o levou à execução fatal.

Livros antigos fazem-nos lembrar
Daquele que esteve em grande prestígio.

Mas agora, caído de sua elevada posição,
Está na miséria e chegou a um fim miserável.

Geoffrey Chaucer

■ 6.13

וַיְסַפֵּר הָמָן לְזֶרֶשׁ אִשְׁתּוֹ וּלְכָל־אֹהֲבָיו אֵת כָּל־אֲשֶׁר קָרָהוּ וַיֹּאמְרוּ לוֹ חֲכָמָיו וְזֶרֶשׁ אִשְׁתּוֹ אִם מִזֶּרַע הַיְּהוּדִים מָרְדֳּכַי אֲשֶׁר הַחִלּוֹתָ לִנְפֹּל לְפָנָיו לֹא־תוּכַל לוֹ כִּי־נָפוֹל תִּפּוֹל לְפָנָיו׃

Contou Hamã a Zeres, sua mulher. Foi terrível contar o ocorrido; a humilhação era demasiada para suportar. Então certos homens *sábios*, que supostamente tinham poderes de adivinhação, como os astrólogos, os médiuns etc., *viram* claramente que o curso de Hamã, doravante, só tenderia a piorar. Ele encontraria um inimigo a quem não poderia derrotar. Ele encontrara um *judeu* invencível, diante do qual *cairia*, provavelmente uma referência velada à sua *morte iminente*. Alguns intérpretes supõem que a *condenação predestinada* de Hamã foi outro desdobramento da maldição contra os amalequitas, antigos inimigos da tribo de Benjamim. Ver a introdução ao capítulo 3 deste livro.

"Os escritores judaicos deleitam-se em colocar nos lábios dos pagãos tais confissões sobre o triunfo inevitável do povo escolhido (ver Judite 5.20,21; 3Macabeus 3.8-10; 5.31)" (Bernhard W. Anderson, *in loc.*).

Note o leitor o amargor da informação. A própria esposa de Hamã, Zeres, que antes o tinha encorajado (ver Et 5.14), agora concordava com os sábios: Hamã estava acabado.

■ 6.14

עוֹדָם מְדַבְּרִים עִמּוֹ וְסָרִיסֵי הַמֶּלֶךְ הִגִּיעוּ וַיַּבְהִלוּ לְהָבִיא אֶת־הָמָן אֶל־הַמִּשְׁתֶּה אֲשֶׁר־עָשְׂתָה אֶסְתֵּר׃

Falavam estes ainda com ele. Este versículo provavelmente fala mais sobre a *continuação* do banquete do que sobre um segundo banquete. Enquanto Hamã ouvia as palavras condenatórias dos sábios, agentes do rei chegaram para levá-lo ao banquete no qual sua condenação agonizante teria cumprimento. "Agora, com o mundo ruindo ao redor de sua cabeça, Hamã foi levado rapidamente ao banquete de Ester, que antes ele desejara tão ardentemente, mas agora tanto temia " (John A. Martin, *in loc.*).

"Ele só poderia ter pouco apetite para apreciar o que ele sabia estar preparado para ele, no palácio de Ester" (Adam Clarke, *in loc.*).

É a sorte que lança os dados,
E quando ela os lança,
Transforma reis em aldeões,
E aldeões em reis.

John Dryden

Aquilo que Deus escrever em tua testa,
É a isso que certamente chegarás.

O Alcorão

CAPÍTULO SETE

Esta *seção geral*, iniciada em Et 4.1, que fala da corajosa intervenção de Ester, continua e estende-se através do capítulo 7. A história do terrível fim de Hamã faz parte de como Yahweh garantia a segurança de seu povo. O homem mau tinha de ser derrubado. Seus atos nefandos tinham de receber justo castigo. Portanto, temos a trabalhar, mão com mão, a *Providência de Deus* e a *Lei Moral da Colheita Segundo a Semeadura* (ambos recebem artigos distintos no *Dicionário*).

A TERRÍVEL SORTE DE HAMÃ (7.1-10)

O capítulo anterior contou-nos como Hamã começou a precipitar-se de cabeça, como foi humilhado e como os sábios que ele reuniu para aconselhá-lo sobre a sua condição disseram que o "jogo havia terminado para ele". Ele jamais seria capaz de derrotar o judeu Mordecai; e, além disso, as coisas ficariam cada vez piores (ver Et 6.13). Eles previram a morte de Hamã, sem dúvida, mas não a descreveram por misericórdia. Enquanto esses sábios conversavam com Hamã, enviados do rei vieram buscá-lo para continuar o banquete do rei, o que naturalmente lhe seria fatal (ver Et 6.14).

7.1

וַיָּבֹא הַמֶּלֶךְ וְהָמָן לִשְׁתּוֹת עִם־אֶסְתֵּר הַמַּלְכָּה׃

Veio, pois, o rei com Hamã. O único convidado especial era o abominável Hamã. Após toda a glutonaria do banquete, houve ingestão de vinho. Então um grupo seleto de pessoas, o rei e a rainha, além de alguns poucos convidados, reuniram-se para tomar vinho. Isso era considerado uma grande honra, mas as coisas tinham azedado, e Hamã sabia, em seu coração, que era um homem morto. Ver as notas em Et 5.8,9 quanto a detalhes sobre o *modus operandi* das festas persas.

Se o banquete que ora começamos a considerar foi o *segundo* banquete de Ester, então houve *cinco* banquetes mencionados até este ponto do livro de Ester: dois do rei (Et 1.3,5); um de Vasti (Et 1.9) e dois de Ester (Et 5.4,8). Mas estou imaginando que o que temos aqui é a continuação do único banquete de Ester, que naturalmente perdurou por vários dias. Seja como for, os persas eram conhecidos por seus banquetes fabulosos, frívolos e degradados. Eles foram os inventores campeões dos banquetes.

> Eu te digo, menino,
> Detesto a grandiosidade
> De uma festa persa.
>
> Horácio

7.2

וַיֹּאמֶר הַמֶּלֶךְ לְאֶסְתֵּר גַּם בַּיּוֹם הַשֵּׁנִי בְּמִשְׁתֵּה הַיַּיִן מַה־שְּׁאֵלָתֵךְ אֶסְתֵּר הַמַּלְכָּה וְתִנָּתֵן לָךְ וּמַה־בַּקָּשָׁתֵךְ עַד־חֲצִי הַמַּלְכוּת וְתֵעָשׂ׃

Qual é a tua petição, rainha Ester? *O Pedido Relutante.* Desde Et 5.7, o autor sagrado nos *enrolou* com o pedido de Ester, aumentando o drama e o suspense. Agora, *finalmente,* Ester se adianta para dizer qual era o seu pedido. De acordo com as hipérboles orientais, ela poderia ter qualquer coisa, até *metade do reino* (Et 5.3,6; 7.2).

Cf. esta história com o relato bastante semelhante (com o mesmo final mortal) em que João Batista perdeu a cabeça (Mt 14.6 ss.).

O banquete continuava e a ingestão de vinho ia adiantada. O rei e quase todos os outros estavam meio embriagados. Portanto, ele estava em boas condições para ouvir e sem dúvida atender o pedido terrível. Mas Ester atacou no *momento certo,* e esse foi o motivo pelo qual continuava adiando a questão. Havia uma ocasião própria para apresentar o pedido, como acontece com todas as coisas:

> Tudo tem o seu tempo determinado, e há tempo para todo propósito debaixo do céu: Há tempo de nascer, e tempo de morrer; templo de plantar, e tempo de arrancar o que se plantou.
>
> Eclesiastes 3.1,2

7.3

וַתַּעַן אֶסְתֵּר הַמַּלְכָּה וַתֹּאמַר אִם־מָצָאתִי חֵן בְּעֵינֶיךָ הַמֶּלֶךְ וְאִם־עַל־הַמֶּלֶךְ טוֹב תִּנָּתֶן־לִי נַפְשִׁי בִּשְׁאֵלָתִי וְעַמִּי בְּבַקָּשָׁתִי׃

Então respondeu a rainha Ester, e disse. *O Argumento Preliminar de Ester.* A fim de garantir que seu terrível pedido seria concedido, Ester introduziu-o com uma argumentação intrincada. O pedido baseava-se em uma *urgente necessidade,* e não em alguma veneta feminina. Ester referiu-se ao *favor* que havia obtido diante do rei, não somente aparecendo para atrair a atenção dele, com vistas a dar início ao banquete (ver Et 5.1 ss.), mas também através de todo o seu relacionamento com o rei. Ela tinha cumprido zelosamente seus deveres e privilégios como concubina preferida. Quanto a informações sobre a questão, ver a introdução ao capítulo 2 e também Et 4.1. Portanto, *se* a conduta dela havia merecido favor real (e, como é óbvio, assim tinha acontecido), então o que ela estava pedindo era a *vida,* tanto para si mesma como para o seu povo, pois todos os judeus estavam sob a pena de morte que Hamã fora capaz de incluir em um decreto real (capítulo 3). A sorte de Ester dependia da sorte de todo o seu povo, um conceito constante que encontramos na mente judaica. Ester abriu o coração diante do rei. Ela não estava apenas representando um belo ato teatral. Sua vida estava em perigo, juntamente com a vida de todo o seu povo. *Somente o rei* poderia salvá-los.

Nesse ponto, tornou-se claro para o rei que Ester era judia. Ver Et 2.10,20. Um dos incríveis detalhes sobre a história do livro de Ester, e que fazem os críticos duvidar da sua historicidade, é o fato de que o rei não sabia quem era o povo *rebelde* que ameaçava seu império (de acordo com a avaliação de seu primeiro-ministro, Hamã). O rei permitiria o *genocídio* contra um povo cuja identidade era desconhecida por ele? Ver o desenvolvimento que dou a esse tema em Et 6.10. Parece que o rei se envolvera em tanto genocídio que nem ao menos teve a curiosidade de saber quem seriam as *próximas vítimas.*

7.4

כִּי נִמְכַּרְנוּ אֲנִי וְעַמִּי לְהַשְׁמִיד לַהֲרוֹג וּלְאַבֵּד וְאִלּוּ לַעֲבָדִים וְלִשְׁפָחוֹת נִמְכַּרְנוּ הֶחֱרַשְׁתִּי כִּי אֵין הַצָּר שֹׁוֶה בְּנֵזֶק הַמֶּלֶךְ׃ ס

Porque fomos vendidos. Ao que tudo indica, essas palavras se referem à oferta de Hamã de dar ao rei dez mil talentos de prata para pagar as despesas da execução da comunidade judaica. Ver a exposição em Et 3.9-11 e 4.7. A facilidade da questão (que não permitia ao rei que a aventura lhe custasse coisa alguma) agiu sobre o monarca como um *suborno,* como a *venda* dos judeus à morte. Se a venda tivesse sido "à escravidão", a coisa já teria sido bastante séria, mas não teria provocado a *heroica intervenção* de Ester no caso.

Porque o inimigo não merece que eu moleste o rei. O trecho hebraico por trás dessa "tradução" é obscuro, pelo que as traduções e interpretações dessas palavras são apenas *conjecturas.* A *Revised Standard Version* tem a seguinte ideia: se a comunidade judaica ao menos tivesse sido vendida à escravidão, o rei teria perdido seus serviços, ou seja, teria sofrido considerável perda. Tal perda seria maior que a perda que os judeus sofreriam por tornar-se escravos. Se isso tivesse acontecido, Ester nada teria dito. Mas, quando estava em jogo a *morte de uma comunidade inteira,* ela precisou fazer o que estava ao seu alcance para intervir.

Outra ideia é que Hamã poderia ter vendido os judeus à escravidão para enriquecer o tesouro real. Se esse fosse o caso, Ester teria ficado calada. Ou então, matando o povo, o rei perderia os serviços por eles prestados. Em outras palavras, eles valiam para o rei vivos, e não mortos.

A ideia de nossa versão portuguesa é que Hamã era tão desprezível que não valia a pena lutar para que o decreto real não se cumprisse. Porém, é inútil multiplicar interpretações quando realmente não sabemos o que o original hebraico está tentando dizer.

7.5

וַיֹּאמֶר הַמֶּלֶךְ אֲחַשְׁוֵרוֹשׁ וַיֹּאמֶר לְאֶסְתֵּר הַמַּלְכָּה מִי הוּא זֶה וְאֵי־זֶה הוּא אֲשֶׁר־מְלָאוֹ לִבּוֹ לַעֲשׂוֹת כֵּן׃

Quem é esse...? *Quem era aquele homem abominável?,* perguntou o rei. Ele não reconheceu o caso de Hamã e seus dez mil talentos de prata, nem o pedido de executar uma comunidade inteira. Sua mente lenta não vinculou os dois casos, e é possível mesmo que ele tenha esquecido o incidente que envolvera Hamã. Quando presidia os Estados Unidos e Nixon era o vice-presidente, Dwight David Eisenhower certa feita observou aos repórteres em uma conferência concedida à imprensa: "Deem-me uma semana e eu vos direi o que Nixon está fazendo!" Isso nos revela o quão pouco fazem os vice-presidentes e o quão pouco os presidentes se incomodam com isso, contanto que os primeiros não se envolvam em escândalos. Talvez Assuero fosse assim. Quem se incomodaria com as atitudes do vice, contanto que as coisas estivessem correndo bem? Alguns estudiosos desculpam a lentidão mental do rei salientando que o homem estava um pouco embriagado. O rei estava ingenuamente inconsciente do plano que se desenvolvera em sua própria corte, e ao qual ele tinha dado impulso por suas próprias ações.

O olhar de terror de Hamã (quando ele ouviu as terríveis palavras da rainha) já contaram ao rei a história inteira.

O *adversário,* inimigo dos judeus e do rei, era aquele "ímpio Hamã, sentado ali", disse Ester, apontando o dedo para o traidor. Hamã caiu em terror. Estava trêmulo e apavorado. Aquilo que ele mais temia subitamente lhe sobreveio.

■ 7.6

וַתֹּאמֶר־אֶסְתֵּר אִישׁ צַר וְאוֹיֵב הָמָן הָרָע הַזֶּה וְהָמָן נִבְעַת מִלִּפְנֵי הַמֶּלֶךְ וְהַמַּלְכָּה׃

O adversário e inimigo é este mau Hamã. O *drama,* tal como todas as boas histórias de suspense, finalmente desferiu o golpe que enviou o oponente à lona. Agora Hamã estava derrotado. Tudo havia terminado. O homem abominável foi desmascarado e demonstrou quem realmente era, perante o mais poderoso homem da terra então, que tinha nas mãos a vida dele, e em breve a esmagaria. O rei da Pérsia era um matador fazia muito tempo e tinha aniquilado a muitos por menores razões. Além disso, era chegado o dia de Ester. O sol de Hamã se punha. O homem vil deixaria de ser vil.

■ 7.7

וְהַמֶּלֶךְ קָם בַּחֲמָתוֹ מִמִּשְׁתֵּה הַיַּיִן אֶל־גִּנַּת הַבִּיתָן וְהָמָן עָמַד לְבַקֵּשׁ עַל־נַפְשׁוֹ מֵאֶסְתֵּר הַמַּלְכָּה כִּי רָאָה כִּי־כָלְתָה אֵלָיו הָרָעָה מֵאֵת הַמֶּלֶךְ׃

O rei... se levantou do banquete. O rei abandonou a cena do banquete e saiu para o jardim do palácio. Provavelmente ele ia chamar guardas para aprisionar a Hamã. A justiça era rápida naqueles dias. Hamã não sobreviveria àquela noite. Talvez o rei tivesse saído envergonhado do lugar. Ele, o rei dos reis, havia sido enganado pelo primeiro-ministro. Que vergonha! O rei estava furioso e saíra por alguns momentos, para esfriar a cabeça e controlar sua ira. Porventura o rei teria alguma razão para tentar controlar sua ira, conforme os homens ordinários fazem? Sem importar a razão exata que levou o rei a sair do salão do banquete, o ato deixou Ester e Hamã sozinhos. O homem avantajou-se da situação e tentou usar isso como oportunidade de salvar a sua vida. Ele sabia que o rei haveria de executá-lo, e somente Ester poderia intervir em favor dele. Faria ela tal coisa? Ela era uma mulher. Teria um coração terno em favor de um condenado?

■ 7.8

וְהַמֶּלֶךְ שָׁב מִגִּנַּת הַבִּיתָן אֶל־בֵּית מִשְׁתֵּה הַיַּיִן וְהָמָן נֹפֵל עַל־הַמִּטָּה אֲשֶׁר אֶסְתֵּר עָלֶיהָ וַיֹּאמֶר הַמֶּלֶךְ הֲגַם לִכְבּוֹשׁ אֶת־הַמַּלְכָּה עִמִּי בַּבָּיִת הַדָּבָר יָצָא מִפִּי הַמֶּלֶךְ וּפְנֵי הָמָן חָפוּ׃ ס

Hamã tinha caído sobre o divã em que se achava Ester. *Hamã* caiu prostrado no divã e segurava os pés de Ester, uma forma comum de súplica. Foi naquele momento crítico que o rei voltou ao salão do banquete e se deparou com a cena. Ele interpretou o que viu como uma tentativa de ataque sexual e, irado, gritou: "Será que esse homem vil tentará violentar a rainha aqui mesmo no meu palácio e adicionará isso a seus outros crimes?" Enquanto o rei gritava, chegaram alguns atendentes e cobriram a face do homem que estava prestes a ser executado. Uma espécie de saco foi posta sobre o rosto da vítima. Nos Estados Unidos, vítimas de execução por enforcamento (e também de outras formas de execução) são tratadas da mesma maneira. Talvez seja mais fácil os executores não verem o terror que se apossou do condenado. Não temos evidência de que essa era uma prática observada pelos persas, a menos que o presente versículo seja considerado uma evidência. A Septuaginta diz que "seu rosto ficou vermelho", isto é, *coberto* de terror e vergonha. Talvez seja isso que devemos entender com essas palavras, a despeito da ausência de referências quanto à prática de cobrir os rostos dos que estavam prestes a serem executados.

Há referências históricas aos gregos e romanos também empregarem a máscara da morte, cobrindo a cabeça quando haveria algum caso de punição capital (Lívio, *História* 1. par. 15). E embora isso não seja mencionado nos registros históricos antigos, é provável que os persas fizessem a mesma coisa. Aben Ezra mencionou um suposto costume no qual os persas cobriam a face daqueles com quem o rei estava desagradado, mas isso também não conta com apoio antigo.

O divã. Não era do tipo de leito em que as pessoas costumam dormir à noite. Está em vista o tipo de divã em que os orientais descansavam e se deitavam para comer. Servia ao propósito de *mesa de comer.*

■ 7.9

וַיֹּאמֶר חַרְבוֹנָה אֶחָד מִן־הַסָּרִיסִים לִפְנֵי הַמֶּלֶךְ גַּם הִנֵּה־הָעֵץ אֲשֶׁר־עָשָׂה הָמָן לְמָרְדֳּכַי אֲשֶׁר דִּבֶּר־טוֹב עַל־הַמֶּלֶךְ עֹמֵד בְּבֵית הָמָן גָּבֹהַּ חֲמִשִּׁים אַמָּה וַיֹּאמֶר הַמֶּלֶךְ תְּלֻהוּ עָלָיו׃

Enforcai-o nela. A forca, ou poste de empalação ou de crucificação já estava visível, pois Hamã a tinha preparado. *Harbona,* um dos eunucos do rei, salientou a existência desse mecanismo de execução, e assim "por que não usá-lo para Hamã?" Ali estava a forca, da altura de um edifício de seis andares, com cerca de 25 metros de altura. Hamã quis executar Mordecai de maneira espetacular, mas a sua própria execução é que seria espetacular. Ver a exposição em Et 5.14 quanto aos detalhes sobre a execução em vista, a qual, considerando-se todos os fatores envolvidos, parece ter sido a *empalação.* A Septuaginta, contudo, fala em crucificação.

O rei foi rápido em sua decisão: "Enforcai-o nela", disse o rei. O período de vida de Hamã definitivamente tinha terminado.

"A observação do eunuco foi cuidadosamente calculada para sugerir ao impressionável rei um método mediante o qual a punição do vilão seria efetuada com apropriada *justiça poética*" (Bernhard W. Anderson, *in loc.*).

"A palavra do rei era suficiente, sendo ele um homem soberano e tirânico" (John Gill, *in loc.*).

■ 7.10

וַיִּתְלוּ אֶת־הָמָן עַל־הָעֵץ אֲשֶׁר־הֵכִין לְמָרְדֳּכָי וַחֲמַת הַמֶּלֶךְ שָׁכָכָה׃ פ

Enforcaram, pois, a Hamã. *O Feito Terrível se Cumpriu.* O homem foi lançado de cima para baixo, e o poste perfurou o meio de seu corpo ou entrou em suas pernas e penetrou seu corpo, saindo no pescoço! Assim era (e é) a desumanidade dos homens com os homens. Usando uma expressão idiomática diferente, "o homem cavou seu próprio sepulcro", sendo executado exatamente da mesma maneira que tinha preparado para um seu semelhante (cf. Pv 26.27). Por conseguinte, da forma mais chocante possível, operou a *Lei Moral da Colheita Segundo a Semeadura,* e a *Providência de Deus* continuou operando. Ver sobre ambos os temas no *Dicionário.* Os judeus ainda tinham de enfrentar o cruel decreto real, embora Deus também tivesse uma maneira de contornar isso, conforme o livro de Ester em breve mostrará.

A *ira do rei,* depois desse terrível espetáculo de violência, ficou satisfeita, e ele se sentiu em paz novamente.

> A ira começa pela insensatez,
> E termina com o arrependimento.
>
> Henry George Bohn

> Não poderia haver lei mais justa,
> Do que se os artífices da morte
> Perecessem por suas próprias invenções.
>
> Adam Clarke, citando um poeta cujo nome não foi dado

Perilo inventou um modo de execução em que a vítima era queimada no interior oco de um boi de bronze. Ele mesmo, eventualmente, morreu *dessa maneira.*

"Nunca a condenação foi mais justa e a retribuição mais merecida do que a execução daquele gigantesco criminoso" (Jamieson, *in loc.*).

> A vingança, embora doce no começo,
> Logo ricocheteia e cai sobre si mesma.
>
> John Milton

CAPÍTULO OITO

OS JUDEUS SE VINGAM (8.1—9.19)

O AVANÇO DE MORDECAI (8.1,2)

O *temido Hamã estava morto*, mas a história de terror não havia terminado. Ester e Mordecai haveriam de obter significativos despojos sob a forma de poder. Mordecai foi promovido, e aos judeus foi dada a autoridade para levantar-se, matar todos os seus inimigos (vss. 7-14) e saquear suas propriedades. E foi isso o que eles fizeram: mataram a muitos homens, mulheres e crianças! Foi uma ocasião de grande alegria para os judeus, pois os matadores foram mortos e os judeus obtiverem grandes riquezas e poder.

■ 8.1

בַּיּוֹם הַהוּא נָתַן הַמֶּלֶךְ אֲחַשְׁוֵרוֹשׁ לְאֶסְתֵּר הַמַּלְכָּה
אֶת־בֵּית הָמָן צֹרֵר הַיְּהוּדִיִּים וּמָרְדֳּכַי בָּא לִפְנֵי
הַמֶּלֶךְ כִּי־הִגִּידָה אֶסְתֵּר מַה הוּא־לָהּ׃

Naquele mesmo dia deu o rei. Hamã foi considerado criminoso, e assim o Estado, exercendo seu poder, confiscou as propriedades dele. Como é óbvio, posteriormente, sua esposa e seus filhos também foram mortos (ver Et 9.14). As vastas propriedades de Hamã ficaram com Ester, a nova, orgulhosa e agora fabulosamente rica mulher. De acordo com o Targum, ela ficou com todo o pessoal de Hamã, seus escravos e servos, e também seus suboficiais.

Quanto a Mordecai, primeiramente ele narrou ao rei exatamente que relação de parentesco mantinha com Ester, para que não mais houvesse confusão sobre a questão. Ver Et 2.7 quanto ao assunto. Sem dúvida, o rei agradou-se ao ouvir todas essas coisas, que foram um fator na elevação de Mordecai. A natureza disso é descrita no vs. 2 deste capítulo.

■ 8.2

וַיָּסַר הַמֶּלֶךְ אֶת־טַבַּעְתּוֹ אֲשֶׁר הֶעֱבִיר מֵהָמָן וַיִּתְּנָהּ
לְמָרְדֳּכָי וַתָּשֶׂם אֶסְתֵּר אֶת־מָרְדֳּכַי עַל־בֵּית הָמָן׃ פ

Tirou o rei o seu anel... e o deu a Mordecai. Mordecai tornou-se alguém, dentro daquele *grupo seleto*, que podia ir ver o rei a qualquer tempo, sem esperar por permissão, a saber, entre os "que se avistavam pessoalmente com o rei" (ver Et 1.14). De fato, o presente versículo parece ensinar que Mordecai se tornou o primeiro-ministro, ocupando o lugar de Hamã. Ele recebeu o anel de selar do rei, que era usado para deixar sua marca sobre a argila e assim apor a *assinatura do rei* sobre qualquer decreto ou questão. Era o poder de decretar em nome do rei, e logicamente por sua direção. Ver as notas em Et 3.10, quanto ao anel de selar.

Em seguida, Mordecai tornou-se fabulosamente rico, bem como administrador de intermináveis propriedades, incluindo a casa de Hamã, da qual ele era agora o supervisor. "Delegando a ele a administração dessa valiosa propriedade (Cf. Et 3.9 e 5.11), Ester dotou a seu pai de criação e primo o prestígio que cabia a um grão-vizir. Aqui Mordecai é descrito como quem possuía tudo quanto antes pertencia ao 'inimigo dos judeus': suas riquezas, seu título e sua autoridade. De fato, todas as mesas foram emborcadas!" (Bernhard W. Anderson, *in loc.*).

A PETIÇÃO DE ESTER (8.3-8)

■ 8.3,4

וַתּוֹסֶף אֶסְתֵּר וַתְּדַבֵּר לִפְנֵי הַמֶּלֶךְ וַתִּפֹּל לִפְנֵי רַגְלָיו
וַתֵּבְךְּ וַתִּתְחַנֶּן־לוֹ לְהַעֲבִיר אֶת־רָעַת הָמָן הָאֲגָגִי וְאֵת
מַחֲשַׁבְתּוֹ אֲשֶׁר חָשַׁב עַל־הַיְּהוּדִים׃

וַיּוֹשֶׁט הַמֶּלֶךְ לְאֶסְתֵּר אֵת שַׁרְבִט הַזָּהָב וַתָּקָם אֶסְתֵּר
וַתַּעֲמֹד לִפְנֵי הַמֶּלֶךְ׃

Falou mais Ester perante o rei. *Outra Petição*. Até aí, tudo bem; mas ainda restava o decreto da destruição dos judeus marcada para o décimo terceiro dia do décimo segundo mês daquele mesmo ano. Portanto, Ester, embora agora uma grande e poderosa mulher em seus próprios direitos, prostrou-se diante do rei, com muito choro e lamentações, derramando uma torrente de *lágrimas*. O rei olhou para aquela triste cena: Ester jazendo no chão, chorando e lamentando-se. Portanto, o que poderia ele fazer? Ele estendeu o cetro de ouro em sua direção, dando a entender que sua presença ali era aceita, e que ele estava pronto para ouvir outro pedido dela. Cf. isso com Et 5.2, onde anoto sobre a questão. Ver também Et 4.11, quanto a outros detalhes sobre o cetro e as condições para quem queria entrevistar-se com o rei.

As Lágrimas de uma Mulher. Quase qualquer homem sabe o que significa enfrentar as lágrimas de uma mulher. É mais fácil, a cada dia, enfrentar a ira do que as lágrimas de uma mulher. De fato, depois das lágrimas de um bebê, as lágrimas de uma mulher são a arma mais forte que há no arsenal humano.

■ 8.5

וַתֹּאמֶר אִם־עַל־הַמֶּלֶךְ טוֹב וְאִם־מָצָאתִי חֵן
לְפָנָיו וְכָשֵׁר הַדָּבָר לִפְנֵי הַמֶּלֶךְ וְטוֹבָה אֲנִי
בְּעֵינָיו יִכָּתֵב לְהָשִׁיב אֶת־הַסְּפָרִים מַחֲשֶׁבֶת
הָמָן בֶּן־הַמְּדָתָא הָאֲגָגִי אֲשֶׁר כָּתַב לְאַבֵּד אֶת־
הַיְּהוּדִים אֲשֶׁר בְּכָל־מְדִינוֹת הַמֶּלֶךְ׃

Se bem parecer ao rei. *A Reversão*. "O pedido de Ester foi simples. Ela queria que fosse baixado um *segundo decreto* que anulasse o primeiro. Novamente, ela queria ser conhecida como judia. Ela falou em *meu povo* e em *minha família* (Cf. Et 7.3)" (John A. Martin, *in loc.*). Ver o primeiro decreto do rei em Et 3.12-15. Ester acumulou frases de apelo para obter a reversão do problema criado pelo primeiro decreto, e deixou a questão toda nas mãos benevolentes do rei, confiando na graça dele, reconhecendo sua autoridade e solicitando seu favor. É evidente que Ester era boa no uso das palavras, e não meramente com suas lágrimas. Ela pensava bem; falava bem; e estava conseguindo convencer o homem mais poderoso da terra naquela geração, para finalmente obter *o que queria*. Estou conjecturando que Assuero nunca encontrou uma mulher como Ester! Ela chamou o primeiro decreto de "concebido por Hamã", aliviando assim o rei de qualquer participação no triste negócio. Sua maneira de falar indicava ter ela alta inteligência, grande tato, sabedoria e habilidade. Ester sempre conseguia o que queria. Os argumentos dela eram *irretorquíveis*.

■ 8.6

כִּי אֵיכָכָה אוּכַל וְרָאִיתִי בָּרָעָה אֲשֶׁר־יִמְצָא אֶת־עַמִּי
וְאֵיכָכָה אוּכַל וְרָאִיתִי בְּאָבְדַן מוֹלַדְתִּי׃ ס

Pois como poderei ver o mal que sobrevirá ao meu povo? Novamente temos a forte identidade de uma judia individual com a comunidade judaica, um constante em toda a literatura hebraico-judaica. Ester seria como nada sem o seu povo, a despeito de toda a riqueza e o poder recém-adquiridos por ela. Portanto, o apelo não era somente por ela, mas por todos os exilados do povo judeu que estavam espalhados por todo o império persa. Cf. Et 7.3.

■ 8.7

וַיֹּאמֶר הַמֶּלֶךְ אֲחַשְׁוֵרֹשׁ לְאֶסְתֵּר הַמַּלְכָּה וּלְמָרְדֳּכַי
הַיְּהוּדִי הִנֵּה בֵית־הָמָן נָתַתִּי לְאֶסְתֵּר וְאֹתוֹ תָּלוּ עַל־
הָעֵץ עַל אֲשֶׁר־שָׁלַח יָדוֹ בַּיְּהוּדִיִּים

Então disse o rei Assuero. *Hamã, o terrível*, havia sido eliminado, e suas propriedades foram dadas a Ester, para serem administradas por Mordecai (Et 7.10; 8.1,2). Tendo feito *isso*, Assuero não negaria nada que beneficiasse os judeus. Assim sendo, o rei baixaria um novo decreto para reverter o primeiro (vss. 8-14). Embora Mordecai não seja mencionado como estando presente quando Ester fez o novo apelo, este versículo informa que ele observara a cena inteira. As versões da Septuaginta, do latim antigo e do siríaco omitem a parte que coube a Mordecai, mas os plurais, no vs. 8, subentendem sua presença.

8.8

וְאַתֶּ֞ם כִּתְב֣וּ עַל־הַיְּהוּדִ֗ים כַּטּ֤וֹב בְּעֵֽינֵיכֶם֙ בְּשֵׁ֣ם הַמֶּ֔לֶךְ וְחִתְמ֖וּ בְּטַבַּ֣עַת הַמֶּ֑לֶךְ כִּֽי־כְתָ֞ב אֲשֶׁר־נִכְתָּ֣ב בְּשֵׁם־הַמֶּ֗לֶךְ וְנַחְתּ֛וֹם בְּטַבַּ֥עַת הַמֶּ֖לֶךְ אֵ֥ין לְהָשִֽׁיב׃

Escrevei, pois, aos judeus, como bem vos parecer. Tal como no caso do primeiro decreto (ver Et 3.12 ss.), o novo decreto visava, especificamente, os judeus. O *primeiro decreto* determinava o total aniquilamento dos judeus; e o *segundo* visava o bem-estar deles. Ambos tinham o *selo* do rei, sua autoridade, a autenticação de seu anel (ver Et 8.2). O escrito foi feito em nome do rei e com autorização dele. Foi também selado o decreto com o anel real, que atuava como *assinatura*. Ademais, ninguém poderia reverter o que o rei havia determinado, porque ele era soberano. O rei ouvia e, algumas vezes, seguia um conselho, mas as decisões eram dele.

O primeiro decreto não fora *anulado*, porque, em sentido estrito, nenhum decreto real podia sê-lo. Podia ser tornado obsoleto por um novo decreto, equivalente à anulação, mas não a anulação estrita. Ver Et 1.19 quanto à natureza inalterável das leis e dos decretos persas. Entretanto, não há evidência extrabíblica da natureza irretratável das leis e decretos persas. Cf. Dn 6.8,12,15. Os críticos supõem que essa natureza supostamente inalterável seja uma invenção bíblica, e não algo pertencente à história. Mas alguns eruditos pensam que argumentos baseados *no silêncio* usualmente são maus argumentos.

Quanto ao uso do *anel de selar*, Cf. Et 3.10,12 e 8.2.

8.9

וַיִּקָּרְא֣וּ סֹפְרֵֽי־הַמֶּ֡לֶךְ בָּעֵת־הַ֠הִיא בַּחֹ֨דֶשׁ הַשְּׁלִישִׁ֜י הוּא־חֹ֣דֶשׁ סִיוָ֗ן בִּשְׁלוֹשָׁ֣ה וְעֶשְׂרִים֮ בּוֹ֒ וַיִּכָּתֵ֣ב כְּֽכָל־אֲשֶׁר־צִוָּ֣ה מָרְדֳּכַ֣י אֶל־הַיְּהוּדִ֡ים וְאֶ֣ל הָאֲחַשְׁדַּרְפְּנִֽים־וְהַפַּחוֹת֩ וְשָׂרֵ֨י הַמְּדִינ֜וֹת אֲשֶׁ֣ר ׀ מֵהֹ֣דּוּ וְעַד־כּ֗וּשׁ שֶׁ֣בַע וְעֶשְׂרִ֤ים וּמֵאָה֙ מְדִינָ֔ה מְדִינָ֤ה וּמְדִינָה֙ כִּכְתָבָ֔הּ וְעַ֥ם וָעָ֖ם כִּלְשֹׁנ֑וֹ וְאֶ֨ל־הַיְּהוּדִ֔ים כִּכְתָבָ֖ם וְכִלְשׁוֹנָֽם׃

Então foram chamados sem detença os secretários do rei. *Elaborada Preparação.* As descrições excedem as do primeiro decreto. Não é omitido nenhum detalhe cronológico ou circunstância que circundara a questão. O decreto foi baixado em sivã, o terceiro mês (nosso junho-julho), no ano de 474 a.C., ou seja, pouco mais de dois meses após o primeiro decreto (ver Et 3.12). A data marcada para a execução de toda a comunidade judaica era o décimo segundo mês, no dia treze, ou seja, restavam ainda nove meses antes que chegasse o dia da matança. Hamã havia escolhido suas datas para a publicação do decreto e a execução dos judeus por meio de sortes (ver Et 3.7,13 e 9.1). Ver os comentários em Et 3.13 quanto aos dois *trezes* envolvidos na questão. O vs. 12 deste capítulo mostra-nos que o segundo treze (do décimo segundo mês) estava reservado como dia da condenação dos inimigos dos judeus, outra demonstração da justiça poética.

Mordecai agora substituía Hamã como quem despachava os decretos reais. Portanto, ele baixou ordens, em nome do rei, não somente a todos os judeus, mas também a todos os governadores e subgovernadores do reino, o qual se estendia da Índia à Etiópia. O império persa contava com 127 províncias, e cada uma delas recebeu o decreto em seu próprio idioma, para que não houvesse mal-entendidos da mensagem. Heródoto (*História* III.89) mencionou somente vinte satrapias, pelo que devemos supor que essas satrapias estavam divididas em subterritórios, para que o número de 127 províncias pudesse ser atingido. Cf. Et 1.1, que também dá o número de 127 províncias e onde ofereço comentários adicionais. Et 3.12 também tem notas sobre a variedade de línguas em que o decreto foi traduzido. O aramaico era a *língua franca* e oficial da correspondência internacional, mas muita gente, em situações locais, não conhecia essa língua.

Sátrapas... governadores... príncipes. Temos aqui as várias classes e fileiras dos oficiais persas, dos mais poderosos aos subchefes, que obteriam uma cópia do decreto e seriam responsáveis, em sua área de poder, tanto pela publicação quanto pelo cumprimento do decreto. No caso do primeiro decreto, temos as mesmas designações para os oficiais persas (Et 3.12).

8.10

וַיִּכְתֹּ֗ב בְּשֵׁם֙ הַמֶּ֣לֶךְ אֲחַשְׁוֵרֹ֔שׁ וַיַּחְתֹּ֖ם בְּטַבַּ֣עַת הַמֶּ֑לֶךְ וַיִּשְׁלַ֣ח סְפָרִ֡ים בְּיַד֩ הָרָצִ֨ים בַּסּוּסִ֜ים רֹכְבֵ֤י הָרֶ֙כֶשׁ֙ הָֽאֲחַשְׁתְּרָנִ֔ים בְּנֵ֖י הָֽרַמָּכִֽים׃

Escreveu-se em nome do rei Assuero. *Mordecai* redigiu o decreto em nome do rei; *Mordecai* selou o decreto com o anel real; *Mordecai* enviou o decreto por meio dos correios. Era o homem do momento.

"Dessa vez os correios (ver Et 3.13,15) saíram com uma pressa desusada porque foram fornecidos com cavalos superiores do estábulo real" (Bernhard W. Anderson, *in loc.*). Ver as notas em Et 3.13 quanto ao primeiro *sistema postal* verdadeiramente universal e popular dessa natureza na história das nações. Foram os persas que conceberam a ideia e o ideal, e o puseram em prática.

O gênio gera grandes obras.
Mas só o trabalho as termina.

Joseph Joubert

Foi assim que uma cavalgada dos melhores animais do rei, cavalos reais, mulas e camelos, passaram a ser empregados. Mas alguns tradutores supõem que os vários "animais" sejam apenas descrições de cavalos. Assim é que, em nossa versão portuguesa, não são referidas nem mulas nem camelos, mas somente *ginetes* criados na coudelaria do rei. A *Revised Standard Version* também só fala em cavalos. O original hebraico está em alguma dúvida. "... o verdadeiro conhecimento desses animais reveste-se de pouca importância" (Adam Clarke, *in loc.*, comentando sobre a dificuldade de compreender as palavras hebraicas deste versículo). A mensagem, porém, é perfeitamente clara. A fim de que o novo decreto chegasse ao seu destino o mais rápido possível, o rei empregou os *melhores* animais e entregadores do correio.

8.11

אֲשֶׁר֩ נָתַ֨ן הַמֶּ֜לֶךְ לַיְּהוּדִ֣ים ׀ אֲשֶׁ֣ר בְּכָל־עִיר־וָעִ֗יר לְהִקָּהֵל֮ וְלַעֲמֹ֣ד עַל־נַפְשָׁם֒ לְהַשְׁמִיד֩ וְלַהֲרֹ֨ג וּלְאַבֵּ֜ד אֶת־כָּל־חֵ֨יל עַ֧ם וּמְדִינָ֛ה הַצָּרִ֥ים אֹתָ֖ם טַ֣ף וְנָשִׁ֑ים וּשְׁלָלָ֖ם לָבֽוֹז׃

Nelas o rei concedia aos judeus. *Vingança e Autodefesa.* Em meio a tanto genocídio, por que nos surpreender de ver os judeus fazendo aos outros o mesmo que havia sido planejado contra eles? Alguns eruditos, tentando reduzir o impacto negativo deste versículo, salientou que os judeus agiram em autodefesa. Isso soa bem, mas, quando vemos que as *crianças* também seriam objetos da ira hebreia, compreendemos que a *brutalidade*, e não somente a autodefesa, inspiraria mais desumanidade do homem contra o homem. Erramos, porém, ao cristianizar essas coisas. Os povos antigos agiam como se fossem um bando de selvagens, e não podemos falar de modo muito diferente dos povos modernos, os quais matam mais e melhor, por terem armas melhores e mais letais. Note-se o terrível acúmulo de palavras que indicam matança: "destruir, matar e aniquilar". Uma matança em massa foi autorizada pelo decreto, e muitas mulheres e crianças seriam incluídas nos atos de ira insensata. Naturalmente, foi *fantástico* que o rei da Pérsia desse a um grupo de minoria o direito de tal violência sem freios. Por causa disso, os críticos duvidam da historicidade do decreto, pelo menos nos termos descritos.

"Era costume ordinário destruir a *toda a família de alguém* condenado por um grande crime. Sem importar se isso era certo ou errado, assim ditava o costume do povo e contava com a sanção da lei" (Adam Clarke, *in loc.*). Quantas leis in*justas* têm provocado confusão e continuam a prejudicar inocentes!

8.12

בְּיוֹם אֶחָד בְּכָל־מְדִינוֹת הַמֶּלֶךְ אֲחַשְׁוֵרוֹשׁ בִּשְׁלוֹשָׁה
עָשָׂר לְחֹדֶשׁ שְׁנֵים־עָשָׂר הוּא־חֹדֶשׁ אֲדָר׃

Num mesmo dia, em todas as províncias. Em um *único dia* estava determinada toda aquela matança, o que também sucedia no primeiro decreto e, de fato, o *mesmo dia* foi escolhido para os judeus matarem, ao invés de serem mortos. Cf. Et 3.13, cujos comentários falam sobre os dois *trezes* do capítulo 3. Portanto, tudo era uma *justiça poética*, mas os *excessos* não me permitem dizer coisa alguma sobre o que o texto diz. Algumas de minhas fontes informativas conseguem *falar bonito* sobre a miserável questão, mas não vou citá-las. Naturalmente, haveria muito saque (vs. 11), de modo que os judeus seriam recompensados pela matança, enriquecendo-se diante da miséria alheia. Caros leitores, Jesus não teria enviado, despachado ou recomendado tal decreto, a despeito do que aconteceu, e penso que coisa alguma é mais evidente do que isso.

O nono capítulo do livro de Ester registra a fantástica e agonizante matança que os judeus efetuaram, e fico de cabeça pendida de vergonha quando leio esse texto. Mas a vergonha de um homem é a glória de outro.

Após o vs. 12, a Septuaginta embeleza o texto, incluindo 24 versículos que alegadamente representam o decreto completo de Assuero, o qual é chamado de *Artaxerxes* em algumas versões, embora nossa versão portuguesa também diga aqui Assuero.

8.13

פַּתְשֶׁגֶן הַכְּתָב לְהִנָּתֵן דָּת בְּכָל־מְדִינָה וּמְדִינָה גָּלוּי
לְכָל־הָעַמִּים וְלִהְיוֹת הַיְּהוּדִיִּים עֲתוּדִים לַיּוֹם הַזֶּה
לְהִנָּקֵם מֵאֹיְבֵיהֶם׃

A carta. Recebemos essa informação no vs. 9. Havia muitas *cópias* do decreto, em várias línguas. O sistema postal persa espalharia a mensagem a todo rincão do império. Todo homem conheceria o assunto do decreto. Foi uma *publicação universal* do diário oficial do império.

> Vingança. A mais nobre vingança consiste em perdoar.
> Provérbio do século XVI

> A ação rara
> É agir virtuosamente,
> E não com vingança.
> Shakespeare

8.14

הָרָצִים רֹכְבֵי הָרֶכֶשׁ הָאֲחַשְׁתְּרָנִים יָצְאוּ מְבֹהָלִים
וּדְחוּפִים בִּדְבַר הַמֶּלֶךְ וְהַדָּת נִתְּנָה בְּשׁוּשַׁן
הַבִּירָה׃ פ

Os correios, montados em ginetes. O decreto real requeria *urgência*. Portanto, partiram os espertos correios, montados nos melhores cavalos do estábulo do rei. Cf. o vs. 10. Aquilo que fora antecipado teve cumprimento. O próprio rei ordenou que os correios se *apressassem*. O decreto foi expedido em Susã (uma das capitais persas), mas logo estava espalhado por todo o império. *Houve pressa*, embora ainda restassem quase *nove meses* até a data da execução (vs. 12). Talvez Assuero temesse que alguns entusiasmados selvagens matassem os judeus com base na força do primeiro decreto. Esses precisavam saber que ocorrera uma mudança na mente do rei.

8.15

וּמָרְדֳּכַי יָצָא מִלִּפְנֵי הַמֶּלֶךְ בִּלְבוּשׁ מַלְכוּת תְּכֵלֶת
וָחוּר וַעֲטֶרֶת זָהָב גְּדוֹלָה וְתַכְרִיךְ בּוּץ וְאַרְגָּמָן
וְהָעִיר שׁוּשָׁן צָהֲלָה וְשָׂמֵחָה׃

Então Mordecai saiu da presença do rei com veste real. *Mordecai*, vestido em sua imitação das vestes reais, saiu para ajudar a despachar o mais rapidamente possível o decreto real. "Essa é uma descrição da ovação que saudou o novo grão-vizir, quando ele saiu do palácio, pomposamente vestido nas cores reais. Em contraste com a perplexidade da reação popular diante do primeiro ato de Hamã, quando ele estava no ofício (ver Et 3.15), a natureza de estadista de Mordecai, evidenciada no decreto pró-judaico, foi saudada entusiasticamente. Aqui o autor projeta seus próprios sentimentos na cidade de população predominantemente gentílica" (Bernhard W. Anderson, *in loc.*).

Quanto às cores reais, Cf. Et 1.6. A túnica do rei era de cor púrpura com faixas brancas, e tinha fios de ouro entremeados no tecido. Mordecai usava uma grande coroa de ouro, mas diferente da coroa do rei, que ninguém, exceto o rei, podia usar. A Septuaginta diz que a coroa de Mordecai era de *linho fino*, provavelmente uma tentativa pessoal para distinguir a coroa de Mordecai da coroa de ouro usada pelo rei. O toque da coroa de ouro de Mordecai, contudo, talvez seja historicamente correto.

8.16

לַיְּהוּדִים הָיְתָה אוֹרָה וְשִׂמְחָה וְשָׂשֹׂן וִיקָר׃

Para os judeu houve felicidade, alegria, regozijo e honra. Foi um ótimo dia para os judeus. As notícias sobre a *reversão* espalharam-se como fogo selvagem. Homens contendiam pelas cópias do decreto. Todo judeu queria *ler* as boas-novas para certificar-se de que aquilo era verdade. Note-se que aos humildes judeus eram agora conferidas "honrarias". Os gentios comuns temeram. O poder de matar tinha sido posto nas mãos dos judeus, os quais realmente matariam seus inimigos. Em toda parte, os judeus celebravam com grandes festividades. Naturalmente, o autor sacro via em tudo isso a operação da *providência divina*, que é o tema principal deste livro. Ver no *Dicionário* o verbete chamado *Providência de Deus*.

Felicidade. Algumas versões dizem aqui "luz", um símbolo de bem-estar. Cf. Jó 22.28; 30.26; Sl 97.11. Naturalmente, essa expressão é idiomática e metafórica. Estamos acostumados com a expressão que fala na "luz que ilumina o caminho", e ter "luz" significa isso.

> Em esperança que lança um raio brilhante,
> Pelo caminho cada vez mais largo do futuro;
> Em paz que somente tu podes dar,
> Oh, Mestre, contigo deixa-me viver.
> Washington Gladden

8.17

וּבְכָל־מְדִינָה וּמְדִינָה וּבְכָל־עִיר וָעִיר מְקוֹם אֲשֶׁר
דְּבַר־הַמֶּלֶךְ וְדָתוֹ מַגִּיעַ שִׂמְחָה וְשָׂשׂוֹן לַיְּהוּדִים
מִשְׁתֶּה וְיוֹם טוֹב וְרַבִּים מֵעַמֵּי הָאָרֶץ מִתְיַהֲדִים
כִּי־נָפַל פַּחַד־הַיְּהוּדִים עֲלֵיהֶם׃

Também em toda província, e em toda cidade. Houve grandes celebrações em cada província, cidade e aldeia onde os judeus exilados estavam espalhados. Eles organizaram festas e tiveram um *dia de regozijo*. Os pagãos, sabendo que aqueles judeus tinham nas mãos o poder de matar, de súbito tornaram-se religiosos e converteram-se à fé judaica. Naturalmente, isso significa que eles tiveram de ser circuncidados. Depois que passasse a tempestade (a matança do dia treze do décimo segundo mês), eles poderiam voltar a ser pagãos. Mas por enquanto era *popular* e *seguro* alguém tornar-se judeu! A fé judaica transformou-se em uma religião popular e democrática. Pessoas ignorantes correram a tornar-se judeus, para salvar a própria vida.

Terminada a matança, a alegria aumentou, e os judeus enviaram presentes uns aos outros, como se fosse Natal (ver Et 9.22).

"Desde a execução de Hamã, tornou-se perigoso aos homens não trazer a marca da circuncisão!" (Bernhard W. Anderson, *in loc.*). Mas a questão inteira foi inspirada por *temor*, e não por piedade genuína. Até hoje, ministros entusiasmados mas mal informados tentam assustar as pessoas para entrar no céu falando das chamas eternas do inferno!

"Eles formavam uma classe de convertidos que provavelmente não traria muita honra à verdadeira religião" (Adam Clarke, *in loc.*).

CAPÍTULO NOVE

O GRANDE DIA DA VINGANÇA (9.1-10)

O dia da condenação chegou, cerca de nove meses após o segundo decreto de Assuero ter sido expedido (ver Et 8.9). Muitos pagãos se tinham convertido duvidosamente à fé judaica para evitar ser mortos no décimo terceiro dia do décimo segundo mês de 473 a.C., a data marcada para a execução em massa e para o saque (ver Et 8.17). O *segundo decreto* havia anulado o primeiro, publicado por influência de Hamã, que assinalara *aquele mesmo dia* para a matança em massa e para o saque da comunidade judaica (ver Et 3.13). Portanto, estava em operação a *Providência de Deus* (ver a respeito no *Dicionário*), sendo esse o tema central do livro de Ester.

Sabemos que Hamã era um antissemita da pior espécie e devemos imaginar que apoiadores compartilhavam sua filosofia. Mas o capítulo 9 do livro de Ester mostra que o antissemitismo estava espalhado por todo o império persa (vss. 1,2,5,16; Cf. Et 8.11-13). Por conseguinte, haveria muita gente para os judeus matarem naquele dia de condenação. Nenhuma menção *aberta* fora feita aos judeus, quando Hamã falara sobre aquela classe de cidadãos excêntricos, desobedientes e indesejáveis (ver Et 3.8). Os judeus tinham um odiador dos judeus, mas agora aprendemos que havia muitos deles. A execução de Hamã, um pequeno Hitler (ver Et 7.10), não fora suficiente para solucionar o problema. O antissemitismo havia envenenado todo o império, tal como nos tempos da Segunda Guerra Mundial envenenou a Alemanha.

O *vs. 2* talvez indique que alguns tentariam cumprir o primeiro decreto, matando a muitos judeus. Porém, conforme as coisas acabaram acontecendo, os judeus ocuparam-se de suas matanças essencialmente sem oposição alguma. Era melhor enfrentá-los do que enfrentar *o rei*, que havia mudado de ideia e expedira o segundo decreto. Dessa maneira, um homem seria morto à espada, em vez de ser *empalado* (ver Et 7.10).

9.1

וּבִשְׁנֵים עָשָׂר חֹדֶשׁ הוּא־חֹדֶשׁ אֲדָר בִּשְׁלוֹשָׁה עָשָׂר יוֹם בּוֹ אֲשֶׁר הִגִּיעַ דְּבַר־הַמֶּלֶךְ וְדָתוֹ לְהֵעָשׂוֹת בַּיּוֹם אֲשֶׁר שִׂבְּרוּ אֹיְבֵי הַיְּהוּדִים לִשְׁלוֹט בָּהֶם וְנַהֲפוֹךְ הוּא אֲשֶׁר יִשְׁלְטוּ הַיְּהוּדִים הֵמָּה בְּשֹׂנְאֵיהֶם׃

No dia treze do duodécimo mês. Esse foi um dia (sexta-feira?) muito *infeliz* para os inimigos dos judeus. Foi péssimo para aquela gente, mas um *dia bom* para os judeus (ver o vs. 22). Ver a introdução ao capítulo quanto a detalhes que se aplicam ao vs. 1.

Uma das chaves da história é que as "coisas podem virar ao contrário". O que os inimigos queriam fazer contra os judeus foi feito contra eles mesmos. A alegria que deveria vir a seus inimigos foi dada aos judeus. Deus jamais é mencionado no livro, mas sua providência está em vista.

A Natureza Secular do Livro de Ester. O autor sagrado não menciona o nome de Deus ou alguma instituição santa e religiosa, nem mesmo a oração. O livro de Ester tem sido acusado de *secularismo*, e foi necessário muito tempo para obter posição canônica. Mas isso pode dever-se a superpiedade, e não o secularismo. No judaísmo posterior, o uso dos nomes divinos era evitado por motivo de respeito, e talvez o autor sacro nem ao menos tenha mencionado coisas santas pelo mesmo motivo. Esta é uma importante lição do livro: há muita "conversa sobre Deus", mas bem pouca espiritualidade. Há por demais *ostentação*, que é uma forma de autoglorificação, e não a glorificação de Deus.

Os judeus chegaram a *governar* aqueles que os odiavam. Este capítulo mostra que o antissemitismo estava disperso por todo o império persa. Mas a *Providência de Deus* (ver no *Dicionário*) venceu todos os obstáculos.

> Ninguém é tão pequeno que Deus não possa elevá-lo.
> Ninguém é tão grande que Deus não possa derrubá-lo.
> Adam Clarke, *in loc.*

9.2

נִקְהֲלוּ הַיְּהוּדִים בְּעָרֵיהֶם בְּכָל־מְדִינוֹת הַמֶּלֶךְ אֲחַשְׁוֵרוֹשׁ לִשְׁלֹחַ יָד בִּמְבַקְשֵׁי רָעָתָם וְאִישׁ לֹא־עָמַד לִפְנֵיהֶם כִּי־נָפַל פַּחְדָּם עַל־כָּל־הָעַמִּים׃

Porque os judeus nas suas cidades. Podemos ter *certeza* de que algum plano cuidadosamente elaborado capacitou os judeus a matar sistematicamente todos os antissemitas. Talvez se possa pensar que houve alguma oposição aos judeus. Talvez alguns fanáticos tentassem obedecer às ordens do primeiro decreto (capítulo 3). Mas, se esse foi o caso, qualquer ataque contra os judeus foi evitado. Parece que os judeus mataram livremente, facilmente, por todo o império persa. A Vulgata transmite a ideia de que os inimigos dos judeus ficaram *paralisados de medo,* de forma que, ao chegar a data fatal, não ofereceram resistência. Mas, embora não tenham resistido, foram mortos sem misericórdia. Portanto, se houve algum poder opositor por parte dos agressores originais, esse poder foi absolutamente anulado. O vs. 16 deste capítulo revela-nos que os judeus mataram 75 mil pessoas nas províncias.

9.3

וְכָל־שָׂרֵי הַמְּדִינוֹת וְהָאֲחַשְׁדַּרְפְּנִים וְהַפַּחוֹת וְעֹשֵׂי הַמְּלָאכָה אֲשֶׁר לַמֶּלֶךְ מְנַשְּׂאִים אֶת־הַיְּהוּדִים כִּי־נָפַל פַּחַד־מָרְדֳּכַי עֲלֵיהֶם׃

Todos os príncipes das províncias, e os sátrapas, e os governadores e os oficiais do rei. Os judeus que mataram seus inimigos gozavam do apoio dos vários escalões de poder da Pérsia. Os governantes sabiam quem odiava aos judeus, quem eram os fanáticos, e os identificaram, selando a terrível condenação. Por que eles fizeram isso? Por motivo de entusiasmo pelos judeus? Não. Fizeram porque temiam a *Mordecai* que, de súbito, se tornara o governador número um do império, depois do imperador, que tinha poder absoluto e virtual. Esses governantes contavam com tropas ao seu comando, e iam de porta em porta, expulsando todos os odiadores dos judeus de seus lares e matando-os nas ruas, tal como fez Hitler fez quando estava no poder e voltou sua ira contra um povo inteiro. Naturalmente, tudo isso era visto pelos judeus piedosos como *intervenção divina* em favor deles.

9.4

כִּי־גָדוֹל מָרְדֳּכַי בְּבֵית הַמֶּלֶךְ וְשָׁמְעוֹ הוֹלֵךְ בְּכָל־הַמְּדִינוֹת כִּי־הָאִישׁ מָרְדֳּכַי הוֹלֵךְ וְגָדוֹל׃ פ

Porque Mordecai era grande na casa do rei. A estrela de Mordecai se erguia sobre o horizonte, e ninguém podia fazer-lhe oposição. O rei investira vastos poderes sobre Mordecai, e ele anelava por usar esse poder. Em primeiro lugar, Mordecai usou sua nova força em ira contra os inimigos dos judeus, os quais rilhavam os dentes diante dele. Eles choravam e fugiam, mas de nada adiantava. Mordecai os apanhava e os entregava à carnificina. Uma de minhas fontes informativas tem aqui a ridícula frase: "Mordecai tinha boa reputação". Quem poderia incomodar-se com o que as pessoas pensavam sobre ele? Ele se transformara em uma máquina de matar.

9.5

וַיַּכּוּ הַיְּהוּדִים בְּכָל־אֹיְבֵיהֶם מַכַּת־חֶרֶב וְהֶרֶג וְאַבְדָן וַיַּעֲשׂוּ בְשֹׂנְאֵיהֶם כִּרְצוֹנָם׃

Feriram, pois, os judeus a todos os seus inimigos. *Matança e destruição* eram as palavras do dia. O Targum diz-nos que os judeus usaram espadas, lanças e cacetes, bem como quaisquer outras armas que pudessem ter em mãos. Até mesmo instrumentos agrícolas foram usados para matar. De fato, a colheita foram as cabeças dos que odiavam os judeus! Os homens encobriam os olhos para não ver os golpes que terminavam com eles. Mulheres lamentavam-se e choravam; mães e filhos eram mortos juntos e afundavam no sangue. Os judeus estavam fazendo aos outros o que outros *desejaram* fazer com eles, mas mulheres e crianças? Algumas de minhas fontes informativas gemem diante das descrições, ao passo que outras dão vivas exultantes!

> Erramos, mostrando-nos tão majestáticos,
> Oferecendo esse espetáculo de violência.
>
> Shakespeare

■ 9.6

וּבְשׁוּשַׁ֣ן הַבִּירָ֗ה הָרְג֤וּ הַיְּהוּדִים֙ וְאַבֵּ֔ד חֲמֵ֥שׁ מֵא֖וֹת אִֽישׁ׃

Na cidadela de Susã os judeus mataram. Somente em Susã, a capital, quinhentas pessoas foram mortas. O versículo poderia ser interpretado como "somente no palácio real", mas, na verdade, fala na cidade inteira. A *Revised Standard Version* diz *capital,* em vez de *palácio,* conforme lemos em algumas traduções. Provavelmente, a maioria daqueles quinhentos era de cortesãos do próprio Hamã, seu pessoal na capital, seus apoiadores mais fanáticos.

■ 9.7-9

וְאֵ֧ת ׀ פַּרְשַׁנְדָּ֛תָא וְאֵ֥ת ׀ דַּֽלְפ֖וֹן וְאֵ֥ת ׀ אַסְפָּֽתָא׃

וְאֵ֧ת ׀ פּוֹרָ֛תָא וְאֵ֥ת ׀ אֲדַלְיָ֖א וְאֵ֥ת ׀ אֲרִידָֽתָא׃

וְאֵ֤ת ׀ פַּרְמַ֙שְׁתָּא֙ וְאֵ֣ת ׀ אֲרִיסַ֔י וְאֵ֥ת ׀ אֲרִדַ֖י וְאֵ֥ת ׀ וַיְזָֽתָא׃

Matança dos Dez Filhos de Hamã. Além da matança das quinhentas pessoas mencionadas no vs. 6, os *dez filhos* de Hamã foram mortos, e o autor sacro registra os nomes deles *todos*, a fim de que possamos perceber quão grande triunfo *ocorreu.* Coisa alguma se sabe sobre essas pessoas, exceto seus nomes, e o pouco que pode ser dito sobre elas está registrado em artigos com seus nomes, no *Dicionário*. Podemos supor que eles foram *empalados*, tal como sucedera ao pai (ver Et 7.10). Quanto ao modo de execução, sugerimos o enforcamento, a crucificação e a empalação, e a última dessas três execuções é a mais confirmada historicamente. Cf. Et 2.23. Enquanto outras pessoas, quinhentas delas só na capital, morreram *facilmente*, com golpes de lanças e espadas, ou com o golpe esmagador dos cacetes, os dez filhos de Hamã receberam tratamento especial. Foram mortos por meios normais (provavelmente à espada), mas em seguida seus corpos foram empalados, talvez no mesmo poste de empalação que matara o pai deles (ver Et 9.13).

O Targum *diz-nos* que Hamã tinha mais de duzentos filhos e, considerando que todos os poderosos da época tinham amplos haréns, isso provavelmente está certo. Julgamos, por conseguinte, que os *dez filhos seletos* deste versículo eram todos filhos de sua esposa Zeres (ver Et 5.10,14). Fora ela quem encorajara os preparativos para a morte de Mordecai por empalação (conforme informa o capítulo 5), e assim temos aqui outra pequena demonstração de *justiça poética.*

Os nomes dados podem ser traçados até antigas raízes persas, exceto *Adalia*. Nas cópias da Bíblia hebraica, os nomes são listados verticalmente, um por linha, ocupando assim dez linhas, por motivo de ênfase e triunfo sobre aquelas *feras*, como qualquer um da família de Hamã deveria ser considerado.

■ 9.10

עֲשֶׂ֨רֶת בְּנֵ֜י הָמָ֧ן בֶּֽן־הַמְּדָ֛תָא צֹרֵ֥ר הַיְּהוּדִ֖ים הָרָ֑גוּ וּבַ֨בִּזָּ֔ה לֹ֥א שָׁלְח֖וּ אֶת־יָדָֽם׃

Porém, no despojo não tocaram. Os judeus não estavam atrás de dinheiro. Eles não saquearam as casas e propriedades daqueles a quem mataram, nem mesmo dos dez filhos de Hamã, embora pudessem tê-lo feito (ver Et 8.11). "Os judeus, respeitadores como eram, não se deixaram motivar por considerações mercenárias" (Bernhard W. Anderson, *in loc.*). Contudo, considerando toda aquela matança sem razão, esse fator não me consola muito.

■ 9.11,12

בַּיּ֣וֹם הַה֗וּא בָּ֣א מִסְפַּ֧ר הַֽהֲרוּגִ֛ים בְּשׁוּשַׁ֥ן הַבִּירָ֖ה לִפְנֵ֥י הַמֶּֽלֶךְ׃ ס

וַיֹּ֨אמֶר הַמֶּ֜לֶךְ לְאֶסְתֵּ֣ר הַמַּלְכָּ֗ה בְּשׁוּשַׁ֣ן הַבִּירָ֡ה הָרְגוּ֩ הַיְּהוּדִ֨ים וְאַבֵּ֜ד חֲמֵ֧שׁ מֵא֣וֹת אִ֗ישׁ וְאֵת֙ עֲשֶׂ֣רֶת בְּנֵֽי־הָמָ֔ן בִּשְׁאָ֛ר מְדִינ֥וֹת הַמֶּ֖לֶךְ מֶ֣ה עָשׂ֑וּ וּמַה־שְּׁאֵלָתֵךְ֙ וְיִנָּ֣תֵֽן לָ֔ךְ וּמַה־בַּקָּשָׁתֵ֥ךְ ע֖וֹד וְתֵעָֽשׂ׃

No mesmo dia foi comunicado ao rei. Um *auxiliar* levou ao conhecimento do rei o *número total* dos que foram mortos. É evidente que ele requereu esse ato, com o propósito de apresentar os "resultados" a Ester, cujo favor procurava e cujos desejos queria satisfazer. Devidamente, ele entregou o relatório a Ester e perguntou-lhe se haveria alguma outra petição. O rei queria chegar ao fim daquele negócio terrível, mas sabia que só poderia terminar quando Ester dissesse: "Basta!" Para Ester, entretanto, o *bastante* ainda não tinha chegado. O vs. 13 informa o que mais ela queria.

O Targum diz-nos aqui que setenta dos filhos de Hamã (por meio de outras mulheres) tinham conseguido fugir, e por isso teriam de ser caçados. É de presumir que Zeres havia fugido com eles. Ester precisava de tempo para caçá-los, bem como a outros apoiadores da causa de Hamã.

■ 9.13

וַתֹּ֤אמֶר אֶסְתֵּר֙ אִם־עַל־הַמֶּ֣לֶךְ ט֔וֹב יִנָּתֵ֣ן גַּם־מָחָ֗ר לַיְּהוּדִ֤ים אֲשֶׁ֣ר בְּשׁוּשָׁ֔ן לַעֲשׂ֖וֹת כְּדָ֣ת הַיּ֑וֹם וְאֵ֛ת עֲשֶׂ֥רֶת בְּנֵֽי־הָמָ֖ן יִתְל֥וּ עַל־הָעֵֽץ׃

Então disse Ester. *Ester precisava de mais tempo* para caçar os que tinham fugido (talvez incluindo os setenta filhos de Hamã e sua esposa, Zeres, que haviam escapado ao primeiro assalto (ver sobre os vss. 11,12). Alguns odiadores dos judeus, parte da multidão que tinha apoiado Hamã, tinham escapado e estavam escondidos. Portanto, Ester precisava de um *dia extra* para pôr fim ao jogo da matança. Esse pedido, o rei lhe concedeu prontamente. Mas a dama tinha ainda outra petição: ela queria que o *corpo morto* dos filhos de Hamã fosse empalado e exibido, para que todos vissem: "Isto é o que acontece aos que se opõem aos judeus!" Essa petição também foi concedida pelo rei.

Portanto, a vingança de Ester foi impulsionada "pelo céu e pelo inferno" (conforme disse Shakespeare em outra situação).

Porventura isso pôs fim à inimizade de sangue entre a tribo de Benjamim e os amalequitas? Ver a introdução ao capítulo 3 deste livro quanto a essa possibilidade. Talvez o autor sagrado tenha em mente 1Sm 15. A casa de Agague foi obliterada nesse ponto (ver 1Sm 31.10)? Isso pode ter inspirado a *fúria* do ataque, mas talvez Hamã fosse simplesmente um persa de um lugar chamado *Agague*, conforme uma descoberta arqueológica poderia subentender, o que também menciono nas notas sobre a introdução ao capítulo 3 deste livro. Talvez a real motivação da matança ilimitada tenha sido a *prevenção*. Ester queria pôr fim à ameaça, para seus dias e para as gerações seguintes.

> Somos para os deuses como as moscas são para meninos. Eles nos matam por esporte.
>
> Shakespeare

> Aqueles a quem os homens temem, eles odeiam,
> E a quem temem, eles os querem mortos.
>
> Quintus Ennius

■ 9.14

וַיֹּ֤אמֶר הַמֶּ֙לֶךְ֙ לְהֵעָשׂ֣וֹת כֵּ֔ן וַתִּנָּתֵ֥ן דָּ֖ת בְּשׁוּשָׁ֑ן וְאֵ֛ת עֲשֶׂ֥רֶת בְּנֵֽי־הָמָ֖ן תָּלֽוּ׃

Então disse o rei que assim se fizesse. Tudo quanto Ester queria, ela obteve. Até os corpos mortos dos dez filhos de Hamã foram empalados e expostos para que todos vissem. Que cena horrenda a dama preparou! Assim os judeus tiveram um feriado de matança. Os atos de Ester foram um "aviso visual para outras pessoas não cometerem os mesmos crimes daqueles que foram punidos" (John A. Martin, *in loc.*).

"Não devemos julgar Ester pelos padrões cristãos" (Ellicott, *in loc.*, que assim nos consolou em meio a todo aquele sangue e entranhas expostas). Há agora um caminho superior que Cristo nos trouxe. Não precisamos sancionar tudo quanto lemos no Antigo Testamento.

> Os homens odeiam com maior constância do que amam.
> Samuel Johnson

> Se o amor é perfeito, expele o temor. Portanto o ódio, se for perfeito, expelirá o temor.
> Tennyson

■ **9.15**

וַיִּקָּהֲל֞וּ הַיְּהוּדִ֣ים אֲשֶׁר־בְּשׁוּשָׁ֗ן גַּ֠ם בְּי֣וֹם אַרְבָּעָ֤ה עָשָׂר֙ לְחֹ֣דֶשׁ אֲדָ֔ר וַיַּֽהַרְג֣וּ בְשׁוּשָׁ֔ן שְׁלֹ֥שׁ מֵא֖וֹת אִ֑ישׁ וּבַ֨בִּזָּ֔ה לֹ֥א שָׁלְח֖וּ אֶת־יָדָֽם׃

Reuniram-se os judeus que se achavam em Susã. A colheita de matanças do segundo dia produziu trezentos homens adicionais, levando o grande total a 500+10+300=810. Presumimos que a matança adicional vitimou Zeres, bem como bom número de outros filhos de Hamã, cuja mãe não era essa esposa principal. Entrementes, grandes matanças estavam sendo efetuadas por todo o império persa, em todas as províncias.

O Targum inclui entre essas mortes adicionais a família de Amaleque, mas não sabemos se isso é historicamente exato. No entanto, os judeus não estavam interessados em saques, conforme somos informados no vs. 10, onde comento o assunto. "Assim Susã foi expurgada de todos os inimigos dos judeus" (Adam Clarke, *in loc.*).

■ **9.16**

וּשְׁאָ֣ר הַיְּהוּדִ֡ים אֲשֶׁר֩ בִּמְדִינ֨וֹת הַמֶּ֜לֶךְ נִקְהֲל֣וּ ׀ וְעָמֹ֣ד עַל־נַפְשָׁ֗ם וְנ֨וֹחַ֙ מֵאֹ֣יְבֵיהֶ֔ם וְהָרֹג֙ בְּשֹׂ֣נְאֵיהֶ֔ם חֲמִשָּׁ֥ה וְשִׁבְעִ֖ים אָ֑לֶף וּבַ֨בִּזָּ֔ה לֹ֥א שָֽׁלְח֖וּ אֶת־יָדָֽם׃

A Matança nas Províncias Remotas. Por todo o império persa, 75 mil pessoas foram mortas (vs. 16), número dado por Josefo, pela Vulgata Latina, pelo siríaco e pelo Targum. Mas a Septuaginta fornece um número conservador e misericordioso de quinze mil. O número maior certamente é o correto e justifica o relatório posterior de 1Macabeus 11.47, que diz que os judeus "fizeram o que lhes agradou mais", e o que mais lhes agradou foi matar o maior número possível de inimigos. Mas nesse caso (de uma ocasião posterior), somos informados que eles mataram nada menos de cem mil pessoas!

> Quem se lembraria do rosto de Helena
> Se lhe faltasse o terrível halo de lanças?
> ...
>
> Nunca chores. Deixa-os brincar.
> A antiga violência não é antiga demais
> A ponto de não poder gerar novos valores.
> Robinson Jeffers

Conforme é dito nos vss. 10 e 15, os judeus não enriqueceram à custa do saque, embora fosse direito deles saquear (ver Et 8.11). Isso porque seus motivos eram "puros".

Um sábio comentário é o do bispo Wordsworth, *in loc.*, que escreveu: "A história mostra quão temerária é a vida humana, e especialmente a vida dos persas, que prevaleceram os soberanos das mais célebres nações do mundo oriental. Ficam demonstradas as ruinosas consequências que resultariam à civilização humana se Xerxes tivesse sido vitorioso contra os gregos, em Salamis. Se a Grécia não tivesse triunfado em sua luta contra a Ásia, teriam dominado, no Ocidente, a rudeza original e a poligamia oriental, e grandes dificuldades obstruiriam o progresso da civilização e do cristianismo. O livro de Ester revela-nos que foi a mão de Deus que fez Xerxes estacar nos estreitos de Salamis".

■ **9.17,18**

בְּיוֹם־שְׁלֹשָׁ֥ה עָשָׂ֖ר לְחֹ֣דֶשׁ אֲדָ֑ר וְנ֗וֹחַ בְּאַרְבָּעָ֤ה עָשָׂר֙ בּ֔וֹ וְעָשֹׂ֣ה אֹת֔וֹ י֖וֹם מִשְׁתֶּ֥ה וְשִׂמְחָֽה׃

וְהַיְּהוּדִ֣ים אֲשֶׁר־בְּשׁוּשָׁ֗ן נִקְהֲלוּ֙ בִּשְׁלֹשָׁ֤ה עָשָׂר֙ בּ֔וֹ וּבְאַרְבָּעָ֥ה עָשָׂ֖ר בּ֑וֹ וְנ֗וֹחַ בַּחֲמִשָּׁ֤ה עָשָׂר֙ בּ֔וֹ וְעָשֹׂ֣ה אֹת֔וֹ י֖וֹם מִשְׁתֶּ֥ה וְשִׂמְחָֽה׃

Sucedeu isto no dia treze do mês de adar. A matança nas províncias durou um dia, em contraste com as duas matanças ocorridas na capital (vs. 13). Por essa razão, os judeus, em Susã, celebravam o décimo quinto dia do décimo segundo mês como o dia da vitória, ao passo que, nas províncias, o dia catorze era o dia da celebração. Essa informação explica como chegaram a existir dois diferentes dias de *Purim*. Esses dias tornaram-se uma festa e um feriado. O jejum e a lamentação eram reservados para *outros* dias. Contrastar Et 4.3. Ver os vss. 20-32 quanto à instituição formal dos dois dias de Purim. Quanto a detalhes sobre *Purim*, ver no *Dicionário*. Dois dias continuaram a ser observados na história posterior, mas o primeiro permaneceu como o principal dia de Purim. Atualmente, a festa ainda ocupa dois dias, e diferentes atos de comemoração e adoração são distribuídos entre os dois, conforme explica o artigo. O décimo quinto dia era o dia de celebração dos judeus da capital.

■ **9.19**

עַל־כֵּ֞ן הַיְּהוּדִ֣ים הַפְּרָוזִ֗ים הַיֹּשְׁבִים֙ בְּעָרֵ֣י הַפְּרָז֔וֹת עֹשִׂ֗ים אֵ֠ת י֣וֹם אַרְבָּעָ֤ה עָשָׂר֙ לְחֹ֣דֶשׁ אֲדָ֔ר שִׂמְחָ֥ה וּמִשְׁתֶּ֖ה וְי֣וֹם ט֑וֹב וּמִשְׁלֹ֥חַ מָנ֖וֹת אִ֥ישׁ לְרֵעֵֽהוּ׃ פ

Também os judeus das vilas que habitavam nas aldeias abertas. Este versículo repete o que fora declarado no vs. 17. Nas províncias, o décimo quarto dia tornou-se o dia da celebração. O autor sacro explicou *por que* os judeus das províncias celebravam a festa de Purim no décimo quarto dia, em contraste com a data observada em Susã (*Susã Purim*, conforme a festa é conhecida no calendário judaico atual). Visto que as cidades destituídas de *muralhas* (aldeias) são especificamente mencionadas acerca do feriado longe da capital, alguns supõem que as cidades maiores, dotadas de muralhas, guardariam a data do Susã Purim. A Septuaginta expande o versículo a fim de incluir as cidades muradas na mesma data que a capital. Porém o mais provável é que devemos compreender com cidades "lá fora", quer muradas quer não, que a celebração da festa era provincial. Conforme o tempo passava, este versículo dava base bíblica para a elaborada discussão talmúdica da matéria. A conclusão foi que as cidades muradas tinham de observar o Susã Purim.

INSTITUIÇÃO DA FESTA DE PURIM (9.20-32)

Quanto a detalhes e a um sumário dessa questão, ver sobre *Purim* no *Dicionário*. Temos aqui o fundamento bíblico para a festa que não fazia parte, como é natural, da legislação mosaica, sendo uma espécie de festa de "última hora". Ver no *Dicionário* o artigo geral intitulado *Festas (Festividades) Judaicas*, terceira seção, "Festividades Após o Exílio Babilônico". *Purim* (sortes) está ligado à palavra hebraica *puro*, "cesta", uma referência à cesta onde as *sortes* eram postas. Ver Et 3.7 ss. quanto ao uso das *sortes* para determinar qual seria o melhor dia para a matança dos judeus. Com base nessa circunstância (adicionando-se o fato de que a data determinada, o décimo terceiro dia do décimo segundo mês, tornou-se a data em que os inimigos dos judeus foram destruídos), a festa veio a ser chamada *Purim* (sortes). Ver a própria explicação do autor sagrado em Et 9.24.

Os versículos desta seção mostram-nos que Mordecai oficializou os dias que seriam observados como a *festa do Purim,* e o judaísmo tem seguido essa orientação desde *então*. Ambos os dias da celebração espontânea, tanto nas *províncias* (o décimo quarto dia) quanto na *capital* (Susã Purim) foram legalizados, pelo que a festa dividiu-se em dois dias. Foi assim que nasceu uma nova *tradição*.

9.20

וַיִּכְתֹּ֣ב מָרְדֳּכַ֔י אֶת־הַדְּבָרִ֖ים הָאֵ֑לֶּה וַיִּשְׁלַ֣ח סְפָרִ֗ים
אֶל־כָּל־הַיְּהוּדִ֡ים אֲשֶׁר֩ בְּכָל־מְדִינוֹת֙ הַמֶּ֣לֶךְ
אֲחַשְׁוֵר֔וֹשׁ הַקְּרוֹבִ֖ים וְהָרְחוֹקִֽים׃

Mordecai escreveu estas cousas e enviou cartas. *A carta de Mordecai* criou a festa de Purim. "... ela não fora estabelecida pela lei mosaica, mas ordenada por Mordecai (vss. 20-28) e Ester (vss. 29-32). A festa de *dois dias* servia para *relembrar* a bondade de Deus, que operava através de certo número de circunstâncias para proteger o seu povo da extinção. Mordecai redigiu uma proclamação cujo propósito era *celebrar* o evento *anualmente*, com um banquete e regozijo (cf. 8.17), dar alimentos aos necessitados e compartilhar com os pobres" (John A. Martin, *in loc.*).

Celebrava-se a *Providência de Deus* (ver a respeito no *Dicionário*). O nome de Deus nem ao menos foi mencionado em conexão com a proclamação da festa. Supomos que isso evidencie uma *superpiedade* por parte do autor sagrado, o qual, em consonância com o judaísmo posterior, não proferia os nomes divinos. O livro e suas festas têm sido acusados de *secularismo*, mas, se considerarmos a questão por esse prisma, essa acusação perde poder.

A Palavra Escrita. A formalização da festa veio através da carta de Mordecai, o que deu autenticidade à festa, embora não fizesse parte da Torá.

9.21

לְקַיֵּם֮ עֲלֵיהֶם֒ לִהְי֣וֹת עֹשִׂ֗ים אֵ֠ת י֣וֹם אַרְבָּעָ֤ה עָשָׂר֙
לְחֹ֣דֶשׁ אֲדָ֔ר וְאֵ֛ת יוֹם־חֲמִשָּׁ֥ה עָשָׂ֖ר בּ֑וֹ בְּכָל־שָׁנָ֥ה
וְשָׁנָֽה׃

Ordenando-lhes que comemorassem o dia catorze do mês de adar. Tanto o dia catorze (o das províncias) como o dia quinze (o de Susã) foram aprovados e autenticados pela carta de Mordecai. Mas *por que* a diferença de datas ocorreu, ver as notas expositivas sobre o vs. 13. Ester pedira um *dia extra* para terminar apropriadamente a matança, e isso ocorreu na capital. Portanto, somente apenas dois dias de matanças os judeus da capital descansaram. Assim, eles comemoravam a vitória no décimo quinto dia. Mas nas províncias houve somente um dia de matanças, pelo que ali se comemorava a vitória no décimo quarto dia. Cf. os vss. 17 e 18, que nos dão essa informação.

A festa tornou-se uma instituição oficial do judaísmo e era celebrada *anualmente*. Quanto aos problemas históricos relacionados à questão, ver as explicações no artigo sobre *Purim*, no *Dicionário*.

9.22

כַּיָּמִ֗ים אֲשֶׁר־נָ֨חוּ בָהֶ֤ם הַיְּהוּדִים֙ מֵאוֹיְבֵיהֶ֔ם וְהַחֹ֗דֶשׁ
אֲשֶׁר֩ נֶהְפַּ֨ךְ לָהֶ֤ם מִיָּגוֹן֙ לְשִׂמְחָ֔ה וּמֵאֵ֖בֶל לְי֣וֹם ט֑וֹב
לַעֲשׂ֣וֹת אוֹתָ֗ם יְמֵי֙ מִשְׁתֶּ֣ה וְשִׂמְחָ֔ה וּמִשְׁל֤וֹחַ מָנוֹת֙ אִ֣ישׁ
לְרֵעֵ֔הוּ וּמַתָּנ֖וֹת לָאֶבְיוֹנִֽים׃

Como os dias em que os judeus tiveram sossego dos seus inimigos. *Elementos Originais.* Com a passagem dos séculos, a festa adquiriu natureza mais complexa, incluindo a leitura de todo o livro de Ester. Este versículo nos dá os elementos originais da festa.

1. A festa era um feriado, um sábado, um dia de descanso (vs. 18), devotado a celebrações alegres. Nada havia de lamentações naquele dia. Era um tempo para cantar, comer, beber e dançar.
2. Era um dia de *comemoração*. Os inimigos dos judeus tinham sido destruídos pelo poder de Deus, por meio de sua providência constante. Os homens, pois, eram convocados a relembrar esses fatos.
3. O povo trocava presentes de acepipes, alimentos especiais e doces, e, presumivelmente, outros tipos de presentes também. As regras judaicas posteriores requeriam que um homem enviasse pelo menos dois presentes a um amigo. Muitos presentes podiam ser enviados, mas homens presenteavam a homens, e mulheres a mulheres (Labush e Schulcan, em *Talmude Bab. Migillah*, cap. 694, sec. 4).
4. Alimentos, bebidas e presentes fluíam como se fossem o rio Amazonas. Mordecai não queria que fossem deixados de fora das festividades os pobres, os quais não tinham dinheiro para celebrar e por certo não podiam enviar presentes a outras pessoas. Portanto, ordenou-se que fossem dados presentes aos pobres. As regras posteriores permitiam presentes em dinheiro, mas, se fosse doado dinheiro, este tinha de ser gasto na compra de alimentos e bebidas, para fazer parte das celebrações. O dinheiro não podia ser usado com outros propósitos. É por isso que lemos sobre "os dinheiros do Purim" (Lebush e Schulchan, *Talmude Bab. Megillah*, sec. 2.3).

9.23

וְקִבֵּל֙ הַיְּהוּדִ֔ים אֵ֥ת אֲשֶׁר־הֵחֵ֖לּוּ לַעֲשׂ֑וֹת וְאֵ֛ת
אֲשֶׁר־כָּתַ֥ב מָרְדֳּכַ֖י אֲלֵיהֶֽם׃

Assim os judeus aceitaram como costume. Os *judeus obedeceram* à carta sobre a festa de Purim enviada por Mordecai, e assim a festa começou a ser anualmente observada. Era uma festa de dois dias e incorporava os elementos alistados e discutidos nas anotações sobre o versículo anterior. "Mordecai escreveu para eles que se comprometessem a si mesmos e a seus sucessores, e a todos os seus prosélitos, a celebrar a festa anual, através de todas as suas gerações" (Adam Clarke, *in loc.*).

Os judeus temiam inovações que talvez fossem tidas como contradições com Moisés. Mas a autoridade de Mordecai era suficiente para fazer o Purim entrar no calendário judaico das festas nacionais. O *Talmude Hieros Megillah*, fol. 70.4, menciona os anciãos e rabinos importantes que se opuseram à celebração da festa, como também alguns profetas que temiam que fosse uma *inovação* que pudesse debilitar os mandamentos de Moisés. Mas a comunidade judaica em geral sempre celebrou com entusiasmo essa festa.

9.24

כִּי֩ הָמָ֨ן בֶּֽן־הַמְּדָ֜תָא הָֽאֲגָגִ֗י צֹרֵר֙ כָּל־הַיְּהוּדִ֔ים
חָשַׁ֥ב עַל־הַיְּהוּדִ֖ים לְאַבְּדָ֑ם וְהִפִּ֥יל פּוּר֙ ה֣וּא
הַגּוֹרָ֔ל לְהֻמָּ֖ם וּֽלְאַבְּדָֽם׃

Porque Hamã, filho de Hamedata, o agagita. *Este* versículo nos faz lembrar Et 3.1 (os antepassados de Hamã) e Et 3.5,6 (o seu desejo de matar toda a comunidade judaica). Foi assim que ele se tornou o "inimigo dos judeus". Ele havia lançado *purim* (sortes) para determinar o dia mais propício à grande matança dos judeus (ver Et 3.7). A essência do decreto que ele fizera Assuero proclamar era o aniquilamento absoluto dos judeus, "para os assolar e destruir", que é paralelo de Et 3.13. Por conseguinte, o autor fornece uma breve nota de sumário para o caso de termos esquecido o que estava por trás da nova festa instituída pela carta de Mordecai. O vocábulo hebraico por trás da tradução *assolar* (literalmente, *esmagar*) é uma palavra de som semelhante ao do nome de Hamã (a saber, *hummam*) e, provavelmente, é um jogo de palavras propositado.

9.25

וּבְבֹאָ֣הּ לִפְנֵֽי־הַמֶּ֗לֶךְ אָמַ֤ר עִם־הַסֵּ֙פֶר֙ יָשׁ֞וּב מַחֲשַׁבְתּ֧וֹ
הָרָעָ֛ה אֲשֶׁר־חָשַׁ֥ב עַל־הַיְּהוּדִ֖ים עַל־רֹאשׁ֑וֹ וְתָל֥וּ אֹת֛וֹ
וְאֶת־בָּנָ֖יו עַל־הָעֵֽץ׃

Tendo Ester ido perante o rei. O autor sacro fornece outro versículo de sumário, agora acerca da heroica intervenção de Ester, para impedir os maus desígnios de Hamã. A intervenção original está registrada no capítulo 5 do livro, e a questão de ela empalar o corpo dos filhos de Hamã aparece em Et 9.13. Dessa maneira, Ester foi capaz de tratar Hamã tal como ele teria tratado a Mordecai, porquanto o poste de empalar foi preparado por aquele homem ímpio para executar a Mordecai (ver Et 5.14).

9.26

עַל־כֵּ֡ן קָרְאוּ֩ לַיָּמִ֨ים הָאֵ֤לֶּה פוּרִים֙ עַל־שֵׁ֣ם הַפּ֔וּר
עַל־כֵּ֕ן עַל־כָּל־דִּבְרֵ֖י הָאִגֶּ֣רֶת הַזֹּ֑את וּמָה־רָא֣וּ עַל־
כָּ֔כָה וּמָ֥ה הִגִּ֖יעַ אֲלֵיהֶֽם׃

Por isso àqueles dias chamam purim, do nome Pur. Os vss. 24 e 25 fazem uma breve *recapitulação* do atrevido plano formado contra os judeus, e como ele foi revertido, a fim de podermos compreender como a festa de Purim veio a existir. O vs. 26 age como outra recapitulação, agora sobre o que acabara de acontecer, ou seja, a carta pela qual Mordecai instituíra a festa (ver Et 9.20-23). Este versículo fornece a primeira referência *explícita* à nova festa, mas já pudemos compreender a essência da questão. Ver no vs. 22 os elementos originais da festa, e ver no *Dicionário* o artigo chamado *Purim,* para detalhes, incluindo os desenvolvimentos (e problemas) históricos da festa. A leitura do livro de Ester, nessa ocasião, pode ser remetida a 2Macabeus 15.36 e a Josefo (*Antiq.* XI.6.13); Mishna, *Rosh ha-Shanah,* 3.7.

Àqueles dias. Quais dias? Os dois dias da festa do purim. A razão pela qual essa festa é celebrada em *dois dias* é dada nos vss. 17-19.

■ 9.27

קִיְּמ֣וּ וקבל הַיְּהוּדִ֣ים ׀ עֲלֵיהֶ֡ם וְעַל־זַרְעָ֣ם וְעַ֣ל כָּל־
הַנִּלְוִ֣ים עֲלֵיהֶם֮ וְלֹ֣א יַעֲב֒וֹר לִהְי֣וֹת עֹשִׂ֗ים אֵ֣ת שְׁנֵ֤י
הַיָּמִים֙ הָאֵ֔לֶּה כִּכְתָבָ֖ם וְכִזְמַנָּ֑ם בְּכָל־שָׁנָ֥ה וְשָׁנָֽה׃

Determinaram os judeus. Este versículo é ainda outra recapitulação, desta vez referindo-se ao vs. 23. A carta de Mordecai foi eficaz. Os judeus cumpriram as ordens recebidas, e assim têm feito através dos séculos. A festa foi e continua sendo celebrada anualmente.

Sobre todos os que se chegassem a eles. Isto é, os prosélitos (cf. 8.17). Tudo fora feito sem caducar (comparar a linguagem de Et 1.18). Não houve nenhuma negligência, alteração ou revogação. Diz uma Midrash: "Mesmo que todas as festividades viessem a ser anuladas, o *Purim* jamais será anulado". O autor sagrado trabalha sobre a questão porque o Purim não fazia parte da Torah, e houve alguma oposição a ele, como *inovação* (ver o vs. 23).

Lebush e Schulchan, *Talmude Bab. Megillah,* cap. 687, sec. 2, mostraram-se enfáticos sobre o fato de *todo o povo judeu,* incluindo homens, mulheres, crianças e prosélitos, ser obrigado a ouvir a leitura do livro ou lê-lo pessoalmente. Foi assim que a festa de Purim se tornou uma ocasião nacional de grande importância, uma obrigação para todos.

■ 9.28

וְהַיָּמִ֣ים הָ֠אֵלֶּה נִזְכָּרִ֨ים וְנַעֲשִׂ֜ים בְּכָל־דּ֣וֹר וָד֗וֹר
מִשְׁפָּחָה֙ וּמִשְׁפָּחָ֔ה מְדִינָ֥ה וּמְדִינָ֖ה וְעִ֣יר וָעִ֑יר וִימֵ֞י
הַפּוּרִ֣ים הָאֵ֗לֶּה לֹ֤א יַֽעַבְרוּ֙ מִתּ֣וֹךְ הַיְּהוּדִ֔ים וְזִכְרָ֖ם
לֹא־יָס֥וּף מִזַּרְעָֽם׃ ס

É que estes dias seriam lembrados. O autor sagrado (ou editor posterior) continuava a trabalhar na questão, salientando a *obrigação* da festa para *todas as gerações.* Ela tinha de ser observada *em todos os lugares,* por todos os judeus, onde quer que se encontrassem, e em *todas as famílias.* O purim é um importante memorial que comemora a *Providência de Deus* em favor dos judeus. Todos os judeus piedosos foram convocados a *relembrar* aquele exemplo histórico da providência divina e a concluir que Deus está em seu trono e tudo está bem no mundo, para os judeus, em qualquer ponto da história. A piedade pessoal seria assim inspirada em todas as gerações.

Temos uma declaração radical no sentido de que, *naquele dia,* seria melhor omitir a leitura regular e a observância de coisas da lei do que omitir a festa do Purim (Lebush e Schulchan, *Talmude Bab. Megillah,* cap. 687, sec. 2). A palavra *Megillah* é uma referência ao livro de Ester.

Observâncias posteriores da festa assumiram alguns elementos pitorescos, conforme Jamieson, *in loc.,* ilustrou: "Em ambos os dias da festa, judeus modernos leem inteiramente a *Megillah* (o livro de Ester), em suas sinagogas. A cópia lida não deve ser impressa, mas escrita a mão sobre velum, na forma de um rolo. Os nomes dos *dez filhos* de Hamã são escritos ali de uma maneira peculiar, espalhados como se fossem outros tantos corpos em uma tábua posta na vertical, com cruzes que se projetam formando ângulos retos. O leitor deve pronunciar todos esses nomes em um único hálito, unindo-os para formar um só nome. Sempre que o nome de Hamã for pronunciado, os judeus fazem um barulho terrível na sinagoga. Alguns judeus batem com os pés no chão. Os meninos têm malhos com os quais batem nas coisas e fazem ruídos". Em tempos posteriores, após a invenção da pólvora, os judeus passaram a explodir bombas sob as cadeiras, aumentando assim o barulho e a confusão em geral. É tempo de eles dizerem: "Vede o que Deus fez em favor de nossos antepassados, e compreendei que ele também está conosco".

A AUTORIDADE DE ESTER QUANTO À FESTA DE PURIM (9.29-32)

■ 9.29

וַ֠תִּכְתֹּב אֶסְתֵּ֨ר הַמַּלְכָּ֧ה בַת־אֲבִיחַ֛יִל וּמָרְדֳּכַ֥י הַיְּהוּדִ֖י
אֶת־כָּל־תֹּ֑קֶף לְקַיֵּ֗ם אֵ֣ת אִגֶּ֧רֶת הַפֻּרִ֛ים הַזֹּ֖את
הַשֵּׁנִֽית׃

Não é claro se Ester enviou ou não uma carta extra, ou se o nome e as palavras dela faziam parte da segunda comunicação de Mordecai. Seja como for, ela acrescentou sua autoridade e autenticou a festa, adicionando algo à sua natureza obrigatória. Ela escreveu "com toda a autoridade", pois como "rainha" contava com o apoio e a autoridade do rei, que também encorajou a celebração. No vs. 29, Ester e Mordecai aparecem como coautores, mas no vs. 30 o verbo é do gênero masculino, singular. Obtemos assim a ideia de uma *carta conjunta,* na qual tanto Mordecai quando Ester escreveram o que queriam dizer. Ou então Ester enviou uma carta separada, em seu próprio nome. As cartas adicionais reforçaram a carta original, talvez porque alguma negligência tinha entrado na questão da observância anual. Seja como for, a carta em duas ou três edições parece ter adicionado autoridade para garantir a observância da festa de Purim. A observância da festa precisava dessa *sanção leal,* visto que não fazia parte dos eventos ordenados pela Torah.

Portanto, temos: a carta original de Mordecai; outra carta escrita por ele (tendo como coautora Ester), a qual foi enviada para reforçar o documento original. Ou então Mordecai enviou uma segunda carta, e Ester adicionou sua própria autoridade, enviando ainda uma terceira carta, da qual ela foi a autora. O hebraico dos vss. 29 ss. é um tanto desajeitado, deixando-nos em dúvida quanto à natureza exata da comunicação.

Segunda vez. Estas palavras são deixadas de fora pela Septuaginta, pelo latim antigo e pelo siríaco, podendo ter sido uma glosa de um editor posterior. Nesse caso, os detalhes específicos da comunicação ficam em ainda maior dúvida. Seja como for, o que parece evidente é que a série de cartas confirmava e autenticava a natureza obrigatória da festa do Purim.

■ 9.30

וַיִּשְׁלַ֣ח סְפָרִ֔ים אֶל־כָּל־הַיְּהוּדִ֗ים אֶל־שֶׁ֤בַע וְעֶשְׂרִים֙
וּמֵאָה֙ מְדִינָ֔ה מַלְכ֖וּת אֲחַשְׁוֵר֑וֹשׁ דִּבְרֵ֥י שָׁל֖וֹם וֶאֱמֶֽת׃

Expediram cartas a todos os judeus. *A distribuição* das cartas foi garantida pelo sistema postal persa, o primeiro sistema postal universal na história da humanidade. Ver sobre isso nas notas expositivas de Et 3.13 e 8.10. O fato de ter sido utilizado o sistema postal do império persa mostra que Assuero entrou pessoalmente na questão. Essa carta recebeu a mesma distribuição que o decreto do rei, a saber, foi espalhada por todas as 127 províncias do império persa. Cf. Et 1.1 e 8.9, onde há notas expositivas sobre a questão. O fato de os judeus foram capazes de usar o sistema postal imperial mostra o prestígio que eles haviam obtido. Isso também fez parte da *Providência de Deus,* um dos temas principais do livro de Ester.

Com palavras amigáveis e sinceras. A festa de Purim promoveu a paz de Deus e sua verdade entre o povo judeu, e isso pode ser a referência dessas palavras. Mas talvez tenham sido enviadas palavras adicionais, juntamente com as cartas, que transmitiam a ideia de paz e verdade ao povo judeu. O autor sagrado, uma vez mais, evitou cuidadosamente mencionar os nomes divinos, os quais, no judaísmo posterior, não eram proferidos. Isso foi sinal de superpiedade, e não de secularismo. O autor sacro não "usou sua fé religiosa na manga da camisa", conforme diz certa expressão idiomática moderna. Em outras palavras, o autor sacro evitava a *ostentação* e a vulgarização da fé, desviando-se de falar demais em Deus. Meus amigos, como os evangélicos modernos vulgarizam a fé, com tanto "o Senhor me disse", "o Senhor me levou a fazer isto ou aquilo" etc. Além disso, há aqueles cultos religiosos barulhentos, que chamam mais a atenção para os crentes que se põem a gritar do que para Deus. Pessoalmente, tento evitar o uso demasiado dos nomes divinos, substituindo-os por *autoridades,* o que se parece com o costume dos hebreus que temiam dizer *Yahweh,* preferindo o nome divino *Adonai.*

■ 9.31

לְקַיֵּם אֶת־יְמֵי הַפֻּרִים הָאֵלֶּה בִּזְמַנֵּיהֶם כַּאֲשֶׁר קִיַּם
עֲלֵיהֶם מָרְדֳּכַי הַיְּהוּדִי וְאֶסְתֵּר הַמַּלְכָּה וְכַאֲשֶׁר קִיְּמוּ
עַל־נַפְשָׁם וְעַל־זַרְעָם דִּבְרֵי הַצֹּמוֹת וְזַעֲקָתָם׃

Para confirmar estes dias de purim nos seus tempos determinados. As cartas tinham por intuito *confirmar* a observação dos dois dias de purim, conferindo-lhes maior autoridade. Deveriam ser observados sempre nas datas corretas (dias catorze e quinze do décimo segundo mês), todos os anos. A autoridade tanto de Mordecai quanto de Ester apoiava a questão, e isso foi suficiente para adicionar uma ordem ao que Moisés tinha ordenado, embora, como é óbvio, a festa fosse uma *inovação*. A festa de Purim, pois, foi assim *adicionada* às festividades, celebrações, feriados, dias de lamentação etc. que caracterizavam o judaísmo. Tinha-se tornado uma instituição e uma tradição nacional, e assim, de fato, continua até os nossos dias. Apesar de não haver aqui nenhuma menção da ratificação do sacerdócio, dos levitas etc., podemos estar certos de que tudo isso está em consonância com a instituição, conforme comento no vs. 23 deste capítulo.

■ 9.32

וּמַאֲמַר אֶסְתֵּר קִיַּם דִּבְרֵי הַפֻּרִים הָאֵלֶּה וְנִכְתָּב
בַּסֵּפֶר׃ פ

E o mandado de Ester estabeleceu. Provavelmente este versículo significa que uma *cópia* das cartas concernentes ao purim, ou uma cópia da carta original de Mordecai, foi posta nos arquivos oficiais dos persas, visto que aborda atividades de súditos que viviam espalhados pelo império. Cf. Et 2.23; 6.1 e 10.2, onde ofereço notas expositivas adequadas. Ver também Ed 6.1,2.

CAPÍTULO DEZ

MORDECAI EM POSIÇÃO DE AUTORIDADE (10.1-3)

Descrição da Grandeza de Mordecai. Este pequeno capítulo é uma espécie de *epílogo* que relata quão grande era Mordecai, o primeiro-ministro de Assuero ou Xerxes I. Mordecai não foi como um cometa que relampejou no firmamento, teve um breve período de duração e terminou. Ele continuou a ser a mão direita do rei e mostrou-se um ministro fiel e capaz.

Em algumas antigas cópias (gregas) do livro de Ester, após Et 10.3, foi acrescentada *parte* da obra apócrifa, *Adições ao Livro de Ester,* que descrevi com o título de *Ester, Adições ao Livro de,* na *Enciclopédia de Bíblia, Teologia e Filosofia.* Esse documento consiste em 107 versículos, os quais, nas antigas Bíblias gregas, foram adicionados em vários lugares, na Septuaginta. Há um total de seis adições. Cada adição foi acrescentada em um lugar diferente no livro grego de Ester, em vez de serem agrupadas e formarem uma unidade.

■ 10.1

וַיָּשֶׂם הַמֶּלֶךְ אֲחַשְׁוֵרֹשׁ מַס עַל־הָאָרֶץ וְאִיֵּי הַיָּם׃

Depois disto o rei Assuero impôs tributo sobre a terra. Assuero naturalmente tinha grande poder, e o seu império precisava de um hábil administrador. O homem certo para o trabalho era Mordecai. Ele foi promovido à posição de primeiro-ministro e muitos detalhes do governo lhe foram delegados. Mordecai foi um grande patriota judeu, mas também foi capaz de administrar habilidosamente uma potência estrangeira. Ele foi um homem grande o bastante para preencher ambas as posições e funções.

Mordecai conseguiu aumentar os já vastos recursos econômicos de Assuero. Maior número de impostos se baixou sobre as 127 províncias. Não obstante, não há uma única menção à *piedade* pessoal de Mordecai; cumpre-nos compreender, entretanto, que somente um *judeu piedoso* poderia ter sido elevado a tal poder, porque Deus, afinal de contas, é o Poder que há por trás de todos os poderes terrenos. O autor sagrado não ficou falando "muito" sobre Deus. Nem ao menos mencionou algum dos três nomes divinos em hebraico, em todo o livro. No judaísmo posterior, o uso dos nomes divinos era evitado por motivo de extrema piedade, e não por secularismo.

As Guerras Contra a Grécia? Alguns estudiosos supõem que impostos foram levantados para pagar a guerra de Assuero contra os gregos (a qual terminou em desastre para os persas e é descrita com detalhes por Heródoto). Mas o autor do livro de Ester não menciona esse acontecimento. Na verdade, ele não cita *nenhum* evento capaz de sacudir o império persa. Apenas fala sobre como a *Providência de Deus* operou em favor dos judeus.

■ 10.2

וְכָל־מַעֲשֵׂה תָקְפּוֹ וּגְבוּרָתוֹ וּפָרָשַׁת גְּדֻלַּת מָרְדֳּכַי
אֲשֶׁר גִּדְּלוֹ הַמֶּלֶךְ הֲלוֹא־הֵם כְּתוּבִים עַל־סֵפֶר דִּבְרֵי
הַיָּמִים לְמַלְכֵי מָדַי וּפָרָס׃

Quanto aos mais atos do seu poder e do seu valor. Assuero foi um homem grande, poderoso e rico, conforme nos diz o autor sagrado. Entre seus atos (que foram de interesse especial para o autor sacro), esteve a elevação de Mordecai à posição de primeiro-ministro. Isso estabeleceu o palco de real interesse do autor sagrado, a preservação dos judeus em um período especialmente difícil na história do povo judeu. De fato, o período histórico de Mordecai-Ester foi um instrumento da salvação nacional, conforme o livro nos diz. A orientação de Deus estava por trás da elevação de Mordecai, no império persa, por parte de Assuero. O autor sagrado como que disse: "Se você está curioso em saber mais sobre Assuero, então leia os arquivos oficiais do império, o 'livro da história dos reis da Média e da Pérsia'". Quanto a isso, ver a exposição sobre Et 2.23; 6.1; 9.32; 10.2 e cf. Ed 6.1,2.

■ 10.3

כִּי מָרְדֳּכַי הַיְּהוּדִי מִשְׁנֶה לַמֶּלֶךְ אֲחַשְׁוֵרוֹשׁ וְגָדוֹל
לַיְּהוּדִים וְרָצוּי לְרֹב אֶחָיו דֹּרֵשׁ טוֹב לְעַמּוֹ וְדֹבֵר
שָׁלוֹם לְכָל־זַרְעוֹ׃

Pois o judeu Mordecai foi o segundo depois do rei Assuero. Mordecai foi um grande patriota judeu e, como tal, um homem piedoso (embora o autor deixe isso de fora, omitindo qualquer referência específica a essa questão). Ele também foi a mão direita de Assuero, seu primeiro-ministro. Obteve a aceitação dos grandes do império persa e era popular com as massas. Sempre buscou o bem-estar de seu povo, bem como da população persa em geral. E, acima de tudo, falava de *paz* ao remanescente perseguido dos judeus, trazendo-lhes a luz de um novo dia.

O *livro de Ester* deixa de lado qualquer informação sobre eventos subsequentes, a morte e o sepultamento de Mordecai e Ester. Cippi Hebraici (*Moreh Nevochim,* par. 3, cap. 22) diz-nos que Mordecai foi sepultado na cidade de Susã e que todos os judeus se reuniram para prestar-lhe altas honrarias. Ademais, nos dias da festa de Purim, eles visitavam sua sepultura, entoavam cânticos, tocavam instrumentos musicais, regozijavam-se no milagre operado através dele em favor do povo judeu e, de modo geral, louvavam o seu nome. A sepultura de Ester alegadamente estava localizada a cerca de oitocentos metros de Tzephat. O povo judeu também se reunia ali nos dias de Purim para louvar o nome dela, comer e beber, regozijar-se e, de modo geral, celebrar as realizações dela. Mas Benjamim de Tudela (*Talmude Bab. Bava Bathra,* fol. 14.2) diz que ambos foram sepultados perto de uma sinagoga em um lugar chamado *Hamdã.* Usualmente, adições dessa categoria são lendárias. Seja como for, não temos meios para julgar a historicidade dessas tradições.

Neste ponto, a Septuaginta tem onze versículos adicionais, *parte* das *Adições ao Livro de Ester.* Ver a introdução a este capítulo quanto aos detalhes.

As Três Grandes Lições do Livro de Ester. Em minha opinião, entre as muitas lições do livro de Ester que poderiam ser salientadas, enfatizo *três*:

1. A *Providência de Deus* que está sempre ativa entre os homens. Esse é o tema dominante. Quanto a esse assunto, ver no *Dicionário* o verbete chamado *Teísmo*.
2. Deus tem *instrumentos especiais* para missões especiais. Todos nós, em certo sentido, seguimos no trem de Mordecai e Ester, dotados de nossas tarefas, privilégios e oportunidades especiais.
3. Devemos seguir o exemplo deixado pelo autor, que não se mostrou exibido acerca de sua fé religiosa. Ele conseguiu escrever uma espécie de monólogo sobre a *Providência de Deus*, sem mencionar nenhum dos três nomes divinos uma única vez! Ele fez isso por motivo de extrema piedade, e não em razão de seu secularismo. O judaísmo posterior evitava pronunciar os nomes divinos, crendo serem estes por demais sagrados para serem proferidos. Contraste-se essa prática ao oposto extremo que se vê hoje em dia. Um número exagerado de pessoas vive com o nome de Deus entre os lábios, e pessoas dadas à ostentação, em nome do louvor a Deus ou por quererem meter Deus em cada pequeno detalhe de sua vida, apenas chamam a atenção alheia para si mesmas, e não para Deus.

Sucesso. "Obteve sucesso quem viveu bem, quem riu com frequência e quem amou muito; quem obteve o respeito de homens inteligentes e o amor das criancinhas; quem preencheu o seu lugar e realizou a sua tarefa; a quem nunca faltou apreciação pelas belezas terrenas nem deixou de expressá-las; quem buscou o melhor que há nos outros; quem deu o melhor que possuía; cuja vida foi uma inspiração e cuja memória é uma bênção" (Robert Louis Stevenson).

JÓ

O livro que procura soluções para o problema do mal

> *Eu sei que meu Redentor vive, e por fim se levantará sobre a terra. Depois, revestido este meu corpo da minha pele, em minha carne verei a Deus.*
>
> Jó 19.25,26

42	Capítulos
1.070	Versículos

INTRODUÇÃO

ESBOÇO:

I. Caracterização Geral
II. O Homem Jó; Problema de Historicidade
III. Proveniência
IV. Data, Autoria e Integridade do Livro
V. O Problema do Mal
VI. Esboço do Conteúdo
VII. Bibliografia

I. CARACTERIZAÇÃO GERAL

Este livro reflete episódios da época patriarcal, quando a lei mosaica ainda não havia sido promulgada. Os intérpretes antigos e alguns modernos continuam favorecendo a data mais antiga do livro. Ver sobre *Data,* na quarta seção deste artigo. Todavia, quase todos os intérpretes modernos, embora acreditem que houve, realmente, um homem de nome Jó, que é a figura central do livro desse nome, e que ele deve ter vivido na época dos patriarcas hebreus, acreditam que a narrativa primeiramente circulou sob a forma de tradições orais, até que foi reduzida à forma escrita, aí pelo século V ou IV a.C. Quanto a especulações sobre a historicidade de Jó, ver o artigo sobre Jó, 2. *Jó do Livro de Jó*. Uma das razões para a defesa de uma data posterior do livro é que ele pertence à chamada literatura de sabedoria, dentro da tradição judaica, literatura essa pertencente a um período posterior. Além disso, talvez reflita uma grande crise de fé criada na mente nacional judaica, pelos cativeiros assírio e babilônico. Nesse caso, o livro não seria mera peça pessoal, refletindo os conflitos de um indivíduo isolado acerca do problema do mal, e, sim, um tipo de busca dos judeus por uma resposta acerca das aflições que Israel sofreu como nação. A antiga doutrina judaica, tão forte no Antigo Testamento, acerca da regularidade e previsibilidade da retribuição divina, foi perturbada pelos imensos sofrimentos da nação às mãos de povos pagãos que, sem dúvida, eram mais corruptos do que os judeus. O décimo nono capítulo de Jó mostra-nos que o homem que é sábio conserva a sua crença na retidão e na vindicação dada por Deus aos retos. A esperança da vindicação após a morte (uma resposta comum para o problema do mal) acha-se em Jó 19.25-27.

Os consoladores de Jó, que eram apenas atormentadores, não podiam perceber outra coisa além de uma retribuição divina regular, precisa e previsível. Para eles, Jó estava sofrendo porque merecia tal coisa, o que, segundo pensavam, fatalmente mostraria ser a verdade, apesar da capa de justiça com que Jó se vestia.

Alguns eruditos pensam haver problemas com o arranjo do material, supondo que algum editor, ou editores, de uma época posterior, tivessem feito adições que só teriam servido para lançar o livro na confusão. O capítulo 21, diferentemente dos capítulos 1—19, retrata um Jó cético, que condenou a si mesmo e, então, foi levado à sabedoria *divina* no capítulo 28. Após uma espécie de discurso de despedida, que contém um juramento de liberação (caps. 30 e 31), que seria, basicamente, um paralelo aos discursos dos capítulos 3—19, quanto à atitude, aparece uma reprovação *desnecessária* por parte de certo Eliú (caps. 32—37). Então o próprio Deus força Jó a retratar-se (caps. 38 e 39). Isso posto, parece haver consideráveis mudanças de atitude entre os capítulos 3—19, por um lado, e as porções subsequentes do livro. E alguns estudiosos supõem que isso reflita adições feitas posteriormente. Todavia, isso poderia ser reflexo apenas de um confuso arranjo e tratamento, por parte do próprio autor sagrado que, ao abordar uma questão espinhosa, não se mostrou muito metódico quanto, talvez, gostaríamos que ele tivesse sido. As presumíveis adições seriam os capítulos 28, 32—37 e 38 e 39.

Alguns estudiosos também supõem que o prólogo (Jó 1 e 2) e o epílogo (Jó 42.7-17) tenham sido adições feitas ao corpo original do livro. Outros eruditos têm criticado a filosofia que transparece na obra, supondo que as tragédias gregas sejam superiores, pois, nessas tragédias, quando um homem sofre, nunca mais se recupera. E dizem que isso é mais realista diante da vida. No entanto, Jó recuperou-se e prosperou mais do que antes. Todavia, a vida também nos mostra casos de recuperação diante do sofrimento, mesmo nesta vida, não havendo nisso nada que possa ser considerado contrário à realidade. Mediante essa recuperação de Jó, o autor sagrado estava dizendo que a providência divina é capaz de nos surpreender. Em primeiro lugar, devido a razões desconhecidas, o homem sofre; e a única razão para isso é a inescrutável vontade de Deus. Em segundo lugar, para consternação daqueles que acreditavam que Jó era um homem iníquo, subitamente ele voltou a prosperar materialmente. E isso prova que a resposta simplista para o problema do sofrimento, de que este resulta de erros cometidos, nem sempre explica o que está acontecendo entre os homens. Por outro lado isso também prova que não podemos afirmar que Deus nunca abençoa os pecadores. Assim, os eruditos que não apreciam a bela e surpreendente recuperação de Jó — como se isso sempre fosse contrário à experiência humana, o que já vimos que não é assim — apegam-se à ideia de que o epílogo do livro foi uma adição posterior, com o intuito de vindicar, artificialmente, a causa de Jó, de tal modo que "tudo está bem com aquilo que termina bem", o que, conforme sabemos, não corresponde à mensagem que o autor sagrado queria transmitir.

Outro Propósito. O livro de Jó provê uma resposta ou várias respostas para o problema do mal, sobre o que tratamos especificamente na quinta seção. Não há que duvidar que esse é o principal problema a ser ventilado no livro. Porém, em adição a isso, também é seguro que o autor sagrado estava sondando as profundezas da fé de um ser humano, mesmo diante do sofrimento moral e físico. Todavia isso constitui apenas uma das respostas possíveis para o problema do sofrimento. Um indivíduo pode lançar-se nos braços da graça, do amor e do poder de Deus, sofrendo no escuro, escudado exclusivamente em sua fé. De alguma maneira, em algum lugar, Deus está no seu trono, e tudo corre bem no mundo, a despeito de teimosas evidências humanas em contrário.

Qualidade Estética. Alfred, Lord Tennyson, que foi um poeta de grande envergadura, considerava o livro de Jó como "o maior poema dos tempos antigos e modernos". "Esteticamente falando, Jó é a produção literária suprema do gênio dos hebreus". (E)

Admiráveis Qualidades Intrínsecas. É de estranhar que um livro que nada exiba de caracteristicamente israelita, onde a lei mosaica nunca é promovida, tenha encontrado lugar seguro no cânon hebraico da Bíblia. Essa posição do livro de Jó nunca foi seriamente desafiada. Podemos apenas supor que a sua qualidade estética seja tão grande que ninguém jamais ousou desafiar seu direito ao rol dos livros divinamente inspirados. Outrossim, o livro reflete uma experiência humana crítica, sendo uma busca por respostas para certas duras experiências humanas, pelas quais todos os povos se interessam.

II. O HOMEM JÓ; PROBLEMA DE HISTORICIDADE

Sob o título *Jó,* segundo ponto, (ver a respeito no *Dicionário*), falamos sobre a origem e o significado do nome Jó, além de apresentarmos uma discussão sobre o problema da historicidade do livro. Esse artigo também procura fazer uma descrição abreviada da caracterização do homem Jó, no livro que traz o seu nome.

III. PROVENIÊNCIA

Se o livro de Jó não é uma obra histórica e, sim, uma novela filosófico-religiosa, uma parte da literatura de sabedoria judaica, então não importa muito a investigação acerca de onde o livro foi escrito. Mas, se trata de uma obra histórica, então temos o informe, em Jó 1.3, de que o relato ocorreu no "Oriente", com "o maior de todos os do Oriente". Mesmo nesse caso, porém, o autor sagrado, outro que não o próprio Jó, poderia ter escrito acerca de Jó, um homem do Oriente, sem que ele, o autor, residisse ali. Apesar de não podermos determinar onde o livro foi escrito, pode ser que o forte caráter aramaico do livro indique que foi produzido em um centro aramaico de erudição. Se o livro realmente deriva-se da época dos patriarcas (ver sobre *Data,* seção IV), então esse lugar poderia ter sido em algum ponto perto de *Araam Naharaim* (a Araam dos Dois Rios), ao norte da Mesopotâmia. Nos fins do segundo milênio a.C., tribos arameias deslocaram-se para o sul e se estabeleceram nas fronteiras entre a Babilônia e a Palestina, continuando a controlar a rota de caravanas que atravessava a área de Cabur. E foi então que Alepo e Damasco tornaram-se centros dos arameus. O trecho de Jó 1.17 poderia indicar um tempo quando os caldeus ainda estavam vivendo como seminômades, isto é, antes de 1000 a.C. Mas, se o livro de Jó pertence a uma data comparativamente posterior, então todas as especulações dessa natureza têm pouco ou nenhum valor, no que diz respeito à proveniência desse livro.

"Parece que Jó foi uma personagem histórica que passou por experiências incomuns. Ele, talvez, fosse um xeque que vivia próximo ao deserto da Arábia, em uma época similar à dos patriarcas hebreus. O autor do livro usou de licença poética, e assim transformou a narrativa sobre os sofrimentos de Jó em um memorável drama". (AM)

Jó é apresentado como homem que vivia na terra de Uz (Jó 1.1), que alguns estudiosos supõem que ficasse situada em algum ponto entre Damasco da Síria, ao norte, e Edom, ao sul, ou seja, nas estepes a leste da Síria-Palestina. Porém, mesmo que essa informação seja correta, isso não significa que o autor do livro residia ali. A conclusão é que não dispomos de informação certa quanto a esse particular.

IV. DATA, AUTORIA E INTEGRIDADE DO LIVRO

1. Data. O livro é encaixado, bem claramente, dentro do período dos patriarcas hebreus. Não há nenhuma menção à lei mosaica, como também coisa alguma distintamente judaica no livro. Alguns eruditos supõem que houvesse uma tradição oral, que preservava a narrativa, fora de Israel, antes de ter sido posta em forma escrita, por algum israelita desconhecido. A isso podem ter sido feitas adições, da parte de um editor ou editores posteriores, como um prólogo, alguns dos capítulos finais e o epílogo. Se Jó foi uma personagem histórica, então poderíamos datá-lo dentro dos limites amplos entre 2000 e 1000 a.C. Várias descrições, como a longa vida de Jó, o fato de que suas riquezas eram aquilatadas sob a forma de gado, e que o relato parece refletir uma vida nômade (própria das tribos dos sabeus e dos caldeus), ajustam-se ao segundo milênio a.C., melhor que qualquer outra época posterior. Isso faz de Jó um homem que viveu há muito tempo, talvez até algum tempo antes de Abraão. Por outro lado, visto que o livro faz parte da literatura de sabedoria dos judeus, muitos têm pensado que sua compilação pertence a um tempo muito posterior a isso. As opiniões a respeito divergem muito umas das outras, indo desde o segundo milênio até o século IV a.C. Encontraram-se fragmentos do livro de Jó entre os manuscritos do mar Morto, o que elimina a data ultraposterior de 200 a.C., como alguns eruditos têm arriscado. Todavia, esse livro poderia refletir especulações filosóficas, sobre o problema do mal, especificamente o *porquê* dos sofrimentos de certos homens bons, o que já pertence ao período pós-exílico dos judeus. Os judeus estavam então meditando sobre como grandes tragédias podem sobrevir aos homens, conforme os próprios judeus tinham sofrido às mãos dos assírios e dos babilônios. Ideias comuns sobre como operam a divina providência e a retribuição, estavam sendo testadas pelos acontecimentos históricos, e o livro de Jó pode ter sido uma tentativa de prover respostas para esse problema.

2. Autoria. Em vista do ambiente patriarcal que transparece no livro, a tradição judaica piedosa tem pensado que *Moisés* foi o autor do livro de Jó *(Baba Bathra* 14v ss), embora isso, segundo outros, esteja fora da realidade. O próprio livro não nos fornece nenhuma indicação de que Jó tenha escrito qualquer porção da obra. Isso posto, temos um autor desconhecido que viveu em um período desconhecido. "A menção aos bandos de caldeus (Jó 1.17), e o uso da arcaica palavra *qesitah* (42.11, em nossa versão portuguesa, "dinheiro") apontam, meramente, para a antiguidade da história, e não para a sua presente forma escrita. Os eruditos modernos têm variado na data do livro, desde os dias de Salomão até cerca de 250 a.C., embora as datas mais populares variem entre 600 e 400 a.C., apesar do que há uma tendência crescente em favor de datas posteriores. Os argumentos com base no assunto, na linguagem e na teologia, provavelmente, favorecem uma data até posterior à de Salomão; mas, visto que o livro é *sui generis* dentro da literatura dos hebreus, e que a linguagem empregada é tão distintiva (alguns eruditos chegam a pensar que se trata de uma tradução de um original aramaico, enquanto outros consideram que seu autor teria vivido fora da Palestina), qualquer dogmatismo deriva-se de fatores subjetivos e preconcebidos". (ND)

3. Integridade. Na primeira seção, **Caracterização Geral,** demos as razões pelas quais alguns eruditos duvidam que o livro inteiro tenha sido escrito por um único autor. As porções atribuídas a algum outro autor-editor são o prólogo (caps. 1 e 2), a descrição sobre o hipopótamo (40.10—41.25), os discursos de Eliú (32.1—37.24), o capítulo 21, e o epílogo (42.7-17). Alguns estudiosos dizem que os capítulos 28, 32—37 e 38—39 também são adições. Porém, até onde podemos ver as coisas, as razões contra e a favor da autoria original dessas seções são puramente subjetivas, e nada de positivo pode ser provado. É verdade que uma grandeza essencial de expressão poética percorre a obra inteira; mas, tanto podem ter havido dois ou três poetas envolvidos, como também somente um. Além disso, qualquer autor pode inserir material tomado por empréstimo; e, nesses pontos, certa incongruidade ou diferença de estilo pode ser observada, interrompendo a suavidade do fluxo da apresentação, sem que isso indique a contribuição feita por algum outro autor.

Segundo esses críticos, os discursos de Eliú são rejeitados como originais (Jó 32.1—37.34), porque ele não é mencionado no epílogo, onde os amigos de Jó foram repreendidos. Porém, se o epílogo foi acrescentado por algum autor posterior, por que ele omitiu esse nome? Deveríamos supor que os discursos de Eliú tivessem sido incluídos no livro após a adição do epílogo? Novamente, entramos em um raciocínio meramente subjetivo, não havendo como fazer nenhuma afirmação absoluta acerca do problema assim levantado. E nem isso é necessário para a crença na divina inspiração do livro. Todos os livros da Bíblia contêm seus elementos humanos, e nenhum deles foi escrito em um vácuo, para então ser hermeticamente fechado. Os eruditos que fazem a fé depender dessas coisas enfatizam aquilo que se reveste de pouca ou nenhuma importância, exceto que essas coisas, naturalmente, desempenham um papel legítimo na análise e na avaliação literárias.

V. O PROBLEMA DO MAL

Oferecemos ao leitor um detalhado artigo sobre o *Problema do Mal* (ver a respeito no *Dicionário*). O livro de Jó é o único livro da Bíblia que aborda especificamente esse problema, ao mesmo tempo que é um dos mais extensos escritos que têm sido preservados desde tempos antigos. Alguns estudiosos negam que o tema principal do livro seja esse problema, preferindo sugerir que o livro realmente perscruta as profundezas da fé que um homem é capaz de ter, diante de inexplicáveis sofrimentos. Porém, isso, por si mesmo, faz parte do problema do mal. No que consiste o problema do mal? Esse é o problema que consiste em explicar como é que pode haver tanta maldade no mundo. Existe o *mal natural:* os acidentes, as inundações, os terremotos, os incêndios, as enfermidades e, acima de tudo, a morte, a qual parece ser o ponto culminante dos males naturais. Existem males que não se derivam diretamente da vontade e dos atos maus dos homens. Essas são coisas naturais que afligem todas as pessoas. Esses são "atos de Deus", conforme alguns dizem. Existe também o *mal moral,* males que se derivam diretamente da vontade e dos atos pervertidos e maldosos dos homens, como as guerras, as matanças, a desumanidade do homem contra o homem. Essa questão toda envolve Deus: Se existe um Deus todo-sábio (que conhece até o futuro), todo-poderoso e todo-amoroso, então por que há tanta maldade e sofrimento neste mundo? Não podemos lançar a culpa de tudo sobre a perversidade humana. Jó ficou muito doente, e sua carne, por assim dizer, desprendeu-se de seus ossos. Isso foi uma enfermidade, parte dos males naturais. Por que Deus permite o sofrimento? Por que o homem bom sofre? Por que os homens maus não são julgados? Por que razão os ímpios prosperam? Qual é o resultado final do sofrimento? Haverá algum dia sem sofrimentos? Estas são perguntas que os homens costumam fazer, perplexos. Apesar de não haver respostas absolutas e perfeitas, nosso artigo sobre o problema do mal procura dar aos leitores as respostas que existem. Mas, todas essas respostas funcionam melhor quando são outras pessoas que sofrem. Quando temos de enfrentar alguma grande tragédia, então as respostas que existem não nos parecem muito boas.

Razões do Sofrimento, Segundo o Livro de Jó:
Seja como for, o livro de Jó procura nos fornecer algumas respostas para o problema do mal. Abaixo, oferecemos um sumário:
1. Os discursos dos amigos molestos de Jó fornecem a resposta-padrão, que está sendo posta em dúvida, por este livro: Deus castiga os ímpios com o sofrimento. Segundo os amigos de Jó, a retribuição divina é a grande resposta. Mas, apesar de haver nisso alguma razão, Jó nos é apresentado como um homem *inocente* das ações de que o acusavam, pelo que *os seus* sofrimentos não podiam ser atribuídos àquelas acusações. Mesmo quando ele se confessou pecador, e declarou que se arrependia, isso não foi feito a fim de explicar *por que* ele estava sofrendo, mas serviu apenas para mostrar que todos os homens, diante de Deus, devem assumir uma posição de humildade, como pecadores que são. Ver Jó 42.6.
2. Os discursos de Eliú salientaram o princípio de que o sofrimento é uma *disciplina* para os justos, o que corresponde a um princípio verdadeiro, embora, por certo, não seja *a* resposta no caso específico de Jó. Ver Jó 33.16-18; 27.30; 36.10-12.
3. Jó 19.25,26. Os remidos participam de uma gloriosa vida pós-túmulo, pelo que todos os sofrimentos terrenos e temporários são ali obliterados. Essa é uma boa resposta-padrão, sem dúvida, mas não é ainda o principal argumento do livro. Seja como for, essa resposta tenta pôr na correta perspectiva o problema do sofrimento humano. Nós, como seres mortais, exageramos a importância das coisas temporais e transitórias desta vida. Pode haver desígnio ou não nessas coisas; mas elas duram por algum tempo, e logo se acabam.
4. *Há profundezas da fé* que os justos podem obter, e que lhes conferem coragem para enfrentar seus sofrimentos, sem duvidarem da providência e dos desígnios de Deus. Apesar disso também não são uma resposta definitiva para o problema, são uma espécie de solução para aqueles que estão sofrendo no presente. Um homem, mediante a sua fé, impõe-se à sua situação adversa, obtendo nisso razão para prosseguir, significado, desígnio e esperança.
5. O texto sagrado declara que Deus atua em todo o universo, trazendo chuvas à terra onde nenhum homem existe (Jó 38.26), que Deus está cônscio do mal e dos sofrimentos (personificados nos monstros, hipopótamo e crocodilo, Jó 40.15—41.34). É óbvio que Deus cuida dos homens e observa os seus sofrimentos. Apesar de, talvez, não sabermos qual a *razão* de nossos sofrimentos, pelo menos tomamos consciência da bondade e da providência permanentes de Deus, o qual permite todas essas coisas, e assim podemos descansar no Senhor.
6. A *Presença de Deus*. Essa é a resposta final e mais excelente do livro de Jó. Poderíamos dizer: "Estive com o Senhor, e sei que não pode sobrevir ao homem, finalmente, um dano permanente". Essa é a resposta mística, a resposta que envolve a presença majestática e consoladora de Deus. Na presença de Deus, talvez os nossos argumentos intelectuais não *melhorem;* mas a nossa fé em sua providência torna-se *invencível*. Os místicos que têm experimentado a presença divina têm chegado ao extremo de negar a existência do mal, exceto como um fator que envolve a ausência do bem, ou seja, aquilo que contrasta com o bem positivo. Todos os atos de Deus estão encobertos dos olhares humanos, embora vejamos muitas luzes. Há cores brilhantes e escuras, formando um grande desenho, como em um tapete. As cores escuras fazem destacar a beleza das cores brilhantes; e, juntas, essas cores, brilhantes e escuras, produzem uma beleza singular. Alguns místicos afirmam que o mal e o sofrimento perfazem as cores escuras daquele simbólico tapete, e que, finalmente, tudo é bom, tudo é necessário; tudo faz parte da beleza de todas as coisas. Na presença de Deus, pois, sentimos isso, embora, talvez, nos faltem argumentos intelectuais para afirmar tal coisa de modo inteligente. Na presença de Deus, pois, encontramos sua vontade inescrutável, e nos inclinamos, reverentes, sabendo que até o mal redundará em bem para nós, embora não saibamos dizer de que maneira. Quando a alma comunga com Deus, ela sabe que Deus está em seu trono, e que tudo está bem no mundo. Talvez não disponhamos de respostas intelectuais, mas podemos experimentar a presença d'aquele que nos dá as respostas, e é em momentos como estes que sabemos que o Consumado Artista nunca cai em erros e equívocos. O Criador de todas as coisas indagou de Jó: "Acaso, anularás tu, de fato, o meu juízo? Ou me condenarás, para te justificares?" (Jó 40.8). Jó não ficou satisfeito com as respostas que lhe foram dadas e, sim, com a comunhão imediata com o Ser divino. Foi isso que levou Jó, à semelhança dos grandes profetas, a dizer: "Eu te conhecia só de ouvir, mas agora os meus olhos te veem" (Jó 42.5). E todas as soluções possíveis para o mal que há neste mundo são encontradas em face dessa visão beatífica.
7. O prólogo tem por finalidade dar-nos a resposta (ou, pelo menos, uma resposta), desde o começo. Satanás, percebendo a prosperidade de Jó, e como Deus elogiou seu fiel servo, pôs então em dúvida a lisura de Jó, propondo submeter a teste a autenticidade de sua bondade. Jó seria bom por ser verdadeiramente justo, ou seria bom somente porque Deus o havia abençoado? Em outras palavras, a sua bondade era autêntica justiça de alma, ou seria uma bondade *egoísta,* alicerçada sobre a prosperidade material? Seguiu-se o terrível teste de Jó. Se levarmos em conta isso, de forma literal, e não como um esquema literário para introduzir a narrativa, então temos aí um perturbador ensino de que os justos podem sofrer meramente porque os poderes malignos querem submetê-los a teste; e, mais perturbador ainda é o pensamento de que Deus coopera para que os justos sejam submetidos a essas provas! Portanto, é melhor compreendermos esse prólogo (provavelmente escrito por um autor diferente daquele que compôs o grande poema) como um artifício literário, e não como algo cuja intenção era mostrar que as Escrituras ensinam que os poderes malignos podem fazer uma espécie de barganha com Deus, com o resultado de que os justos acabam sofrendo injustamente.

VI. ESBOÇO DO CONTEÚDO
1. Prólogo. O teste é proposto e aceito (caps. 1 e 2).
2. Primeira Série de Discursos. O discurso de Jó e de seus três amigos molestos (caps. 3—14).
   a. Jó seria culpado, pelo que estava sendo punido. Essa é a razão do sofrimento humano.
   b. Jó nega tal acusação.
3. Segunda Série de Discursos. Os três amigos molestos de Jó discursam e recebem sua resposta (caps. 15—21).
4. Quarta Série de Discursos. Elifaz e Bildade apresentam novos argumentos e Jó lhes dá resposta (caps. 22—33).
5. Discursos de Eliú (caps. 32—37)
   a. O propósito da aflição (caps. 32—33)
   b. Vindicação da pessoa de Deus (cap. 34)
   c. As vantagens da piedade (cap. 35)
   d. Deus é grande, e Jó é ignorante (caps. 36 e 37)
   e. Eliú faz a valiosa observação de que o sofrimento pode servir-nos de disciplina.
6. Os Discursos de Deus (caps. 38—42.6)
   Na presença de Deus, a solução deve ser sentida, mesmo quando não intelectualizada.
   a. Deus é todo-poderoso e majestático! Jó percebe sua pequenez e sente a vaidade de suas palavras (38.1—40.5).
   b. O poder de Deus contrasta com a fraqueza humana. Jó se arrepende e demonstra a humildade que cabe bem ao homem. A *presença* de Deus experimentada garante a solução final para o problema do mal (40.6—42.6).
7. *Epílogo*. Os molestos consoladores de Jó são repreendidos. Deus reverte a fortuna de Jó, e a paz e a abundância material substituem a enfermidade e a carência (42.7-17).

VII. BIBLIOGRAFIA
AM B DH G I IB ND NTI PAT PF PF (1841).

Ao Leitor
O leitor sério, ao examinar o livro de Jó, preparará o caminho para seu estudo lendo a introdução ao livro. Esta introdução aborda os seguintes assuntos: caracterização geral; o homem, Jó; o problema

da historicidade; proveniência; data, autor e integridade do livro; o problema do mal; esboço do conteúdo.

Um Livro Distinto. Jó é o único livro da Bíblia que aborda o *problema do mal*. Consiste virtualmente em um monólogo e em um manual sobre o assunto que é um dos mais difíceis problemas tanto para a teologia como para a filosofia. O problema do mal pergunta: "Por que os homens sofrem, e por que sofrem como sofrem?"

Os homens sofrem através do *mal moral,* isto é, da desumanidade do homem contra o homem. Os homens sofrem através do *mal natural,* isto é, dos abusos da natureza, enfermidades, incêndios, inundações, terremotos, desastres naturais e, o campeão de todos os males — a morte.

O livro de Jó apresenta um caso notável de "sofrimento desmerecido", cujas *razões* não podemos discernir. É fácil explicar o sofrimento (pelos menos, é mais fácil), quando aplicamos a *lei do carma,* a lei da causa e do efeito: os homens sofrem porque merecem sofrer, por causa de seus pecados, erros, lapsos e omissões. Essas *causas* podem ser encontradas na vida presente, em algum estado preexistente (conforme acredita a Igreja Cristã Oriental) e em vidas terrenas anteriores, se pensarmos que a reencarnação é uma doutrina válida. Seja como for, podemos discernir *causas:* algum erro cometido leva os homens a sofrer com o mal. Embora essa ideia, sem dúvida, esteja por trás de muitos casos de sofrimento, há outras considerações e mistérios envolvidos, que nenhuma explicação pode resolver. Na introdução, quinta seção, comento sobre os tipos de respostas que o livro de Jó fornece. Então, no *Dicionário,* no artigo chamado *Problema do Mal,* penetro mais profundamente no assunto. Obtemos assim algumas respostas, mas, quando o mal *nos atinge,* as respostas não são tão adequadas como quando atinge outra pessoa.

O Livro de Jó é uma ótima peça poética e tem muitas características e qualidades que ultrapassam a simples consideração do problema do mal, o que tento sublinhar na introdução.

As Profundezas da Fé. Não podemos dizer que o livro de Jó resolve os problemas do mal. Ele apenas tenta fornecer algumas respostas. Sonda as profundezas da fé e acha ali alguma *consolação,* a despeito do sofrimento. Jó encontrou, na *presença de Deus,* a resposta para o problema do mal, mas exatamente *como,* não sabemos dizê-lo. Portanto, restam mistérios, mas a investigação compensa e nos dá segurança, mesmo sem o conhecimento completo.

Mensagem Principal do Livro. Embora o livro, de fato, proponha uma teodiceia (a defesa da bondade de Deus diante do sofrimento humano), apresenta primariamente o problema da existência ou não da fé e da espiritualidade desinteressada. Porventura um homem tem fé por razões egoístas? Porventura ele obtém em sua fé ganho, material e espiritual, que o beneficie? Haverá ele de servir a Deus, adorará ele a Deus, se as coisas saírem erradas e se suas orações não forem respondidas? O autor sagrado traz o problema do mal ao quadro, para testar a teoria da fé e da adoração desinteressada. Quais são os motivos que levam um homem a viver piedosamente? Os homens são sempre egoístas? Porventura um homem adora Deus somente por ele ser Deus, sem considerar alguma vantagem pessoal através de sua fé? "Haverá na terra um homem fiel a Deus, pelo fato de ele ser de Deus?" (Bernhard W. Anderson, comentando Jó 1.9). Esse intérprete prossegue a fim de dizer: "A questão do livro de Jó não é a teodiceia, mas a adoração verdadeira".

"A sugestão sutil de Satanás, de que a adoração é algo basicamente egoísta, fere no âmago do homem sua relação com Deus. O livro de Jó faz mais do que levantar a questão do sofrimento dos justos. Através das palavras de Satanás, o livro também trata dos motivos para a vida piedosa. Porventura alguém servirá o Senhor se não obtiver algum lucro pessoal com isso? A adoração é uma moeda que compra uma recompensa celestial? É a piedade parte de um contrato mediante o qual um homem obtém lucro e afasta a tribulação?" (Roy B. Zuck, comentando Jó 1.9).

Ateísmo. A principal razão (embora certamente não a única) pela qual os homens são ou se tornam ateus consiste no problema do sofrimento. Eles calculam que um Deus como o alegado, que permite a existência do sofrimento observável no mundo todos os dias, na realidade não deve existir. Sua suposta "bondade suprema" entra em conflito com o que acontece às pessoas.

O Deus de Satanás. (Ver as notas adicionais em Jó 1.11, além das sugestões que se seguem.)

Caros leitores, tomarei uma posição sobre as questões que estamos tratando e que não encontrei em minhas fontes informativas. Em primeiro lugar, sugiro que o *tipo de Deus* inventado pela fala de Satanás, que demanda adoração sem importar como ele age, é o *Deus voluntarista* do judaísmo primitivo. O *voluntarismo* (ver a respeito no *Dicionário*) supõe que a vontade de Deus é dominante, em detrimento de qualquer consideração da bondade (conforme a compreendemos) ou mesmo das regras morais (conforme as entendemos). Contra esse tipo de Deus, observo que, de acordo com as Escrituras, Deus estabeleceu as regras e é a *Origem* de toda a moralidade que tem sido imposta aos homens. Se o homem abandonar o amor e voltar-se para o Destruidor, então ele não será mais o Deus das Escrituras, ou, pelo menos, o Deus do Novo Testamento.

O Testemunho de Jesus. Jesus falou em Deus como um *Pai.* Disse ele: "Qual dentre vós é o homem que, se seu filho lhe pedir pão, lhe dará uma pedra? Ou se lhe pedir peixe, lhe dará uma serpente?" (Mt 7.9,10). O Deus que dá uma pedra a um filho seu que pede pão, ou que sempre dá uma serpente quando o filho lhe pede um peixe, não é o Deus retratado no Novo Testamento. Se um homem orar e suas orações nunca forem respondidas, se a sua vida estiver plena de miséria, enfermidade, acidentes e morte de entes queridos, e se dissermos que "Deus está fazendo isso", então penso que temos de abandonar aquele *conceito de Deus* (o Deus do voluntarismo). Também não devemos estar interessados na adoração ao tipo de Deus que Satanás inventou. Um filho tem o direito de pedir favores a seu pai. A lei do amor exige misericordiosa e abundante reação. Portanto, não existe algo como fé desinteressada, visto que nosso relacionamento com Deus é entre filho e Pai. Naturalmente, existem pessoas espiritualmente egoístas, e nisso há abuso.

"Na linguagem poética do livro (de Jó), Deus está em operação no universo, a ponto de fazer 'chover sobre a terra, onde não há ninguém' (Jó 38.26); e ele estava consciente do mal (personificado pelos monstros como o hipopótamo e os animais orgulhosos) (Jó 40.15—41.34). Ao mesmo tempo, Deus cuidava de Jó com tanto empenho que se revelou pessoalmente a ele, e com ele compartilhou a visão de suas responsabilidades cósmicas. Um Deus que confessa sua preocupação com o homem é um Deus que está profundamente envolvido no destino humano. Deus não é uma força passiva. Na presença da santidade e do amor criativo, o homem virtuoso desiste de seu orgulho na adoração. À sua maneira pessoal, o poeta transmitiu um ponto de vista do pecado que transcende a moralidade, e a consciência do pecado só é possível dentro do contexto da fé" (*Oxford Annotated Bible,* introdução).

Teísmo. A citação anterior expressa com eloquência a natureza do *teísmo* (ver a respeito no *Dicionário*). Assim é que Deus criou, mas também se faz presente para intervir nos negócios dos homens: ele recompensa, pune e guia. Os homens são moralmente responsáveis diante de Deus. Que o leitor contraste o *teísmo* com o *deísmo* (ver também no *Dicionário*).

Os Livros Poéticos. O livro de Jó dá início à seção dos livros poéticos: Jó, Salmos, Provérbios, Eclesiastes, Cantares de Salomão e Lamentações. Em sua forma poética, esses livros investigam a condição humana e relacionam os homens com Deus de maneiras múltiplas. "São livros de experiências humanas do povo de Deus, sob as várias circunstâncias da vida terrena. Essas experiências, à parte das meras circunstâncias externas, são operadas neles pelo Espírito... Os livros poéticos são épicos, líricos e dramáticos, e suprem exemplos de expressão literária sem igual na literatura não inspirada" (*Scofield Reference Bible,* introdução).

Principais Problemas do Livro; Dificuldades Teológicas. Ver a exposição sobre esses temas em Jó 1.1, onde apresento uma declaração detalhada.

Capítulos e Versículos. O livro de Jó conta com 42 capítulos e 1.070 versículos. Em Jó 40.20, chegamos ao versículo 13.888 do Antigo Testamento, o equivalente a 60% dos versículos totais dessa coletânea, que contém 23.148 versículos.

Pessimismo. Em sua luta com o sofrimento, Jó caiu no pessimismo, desenvolvendo a ideia de que a própria existência é um mal (pelo menos até onde ele estava pessoalmente envolvido). Ver Jó 3.3 ss. Ver na *Enciclopédia de Bíblia, Teologia e Filosofia* o verbete chamado *Pessimismo.*

EXPOSIÇÃO

CAPÍTULO UM

PRÓLOGO. O TESTE É PROPOSTO E ACEITO (1.1—2.13)

APRESENTAÇÃO DO HERÓI DO LIVRO, JÓ (1.1-5)

Alguns estudiosos supõem que o prólogo (Jó, capítulos 1 e 2) e o epílogo (42.7-17) tenham sido adições feitas ao corpo original do livro. O *prólogo* é criticado sob bases teológicas: Será que Deus joga com Satanás, às expensas de seu povo, que assim se torna peão em um sinistro jogo divino? É perfeitamente possível que o leitor hebreu, não iluminado pela teologia superior do Novo Testamento, realmente acreditasse nisso. Devemos lembrar que a teologia dos hebreus era fraca quanto a *causas secundárias*, tendendo a atribuir tudo, de bom ou de mau, tão somente a Deus. Assim sendo, se Satanás tivesse uma ideia má e quisesse jogar um jogo sinistro qualquer, então, em certo sentido, isso poderia ser atribuído ao próprio Deus. Mas a presença desse tipo de teologia não significa que o autor *original* não tivesse encabeçado seu livro com um prólogo que contivesse tal coisa. Por outra parte, talvez tudo seja apenas um artifício literário para introduzir o livro, que não deva ser tomado a sério como uma *declaração teológica*.

O *epílogo* também é criticado, porque as "coisas acabaram todas muito bem", em contradição com a experiência humana. As tragédias gregas punem seus heróis com uma perda; com outra perda; e, finalmente, com o *esmagamento*. E alguns pensam que isso caracteriza melhor o que realmente acontece na vida. Portanto, de acordo com alguns estudiosos, as tragédias gregas são uma literatura superior ao livro de Jó, porquanto refletiriam melhor o que acontece na experiência humana. Por outra parte, algumas coisas sucedem, coisas que nos surpreendem, e então ficamos cheios de alegria e senso de triunfo. A experiência humana também apresenta ocasionalmente casos espetaculares de recuperação, após a derrota e a tragédia, quando então, com frequência, algum *milagre* está em operação. Ora, *isso* também faz parte da experiência humana. Ver no Dicionário o artigo chamado *Milagre*.

O *prólogo* (capítulos 1 e 2) foi escrito em prosa, e o restante do livro tem forma poética. "O propósito do prólogo é apresentar o *herói* e os demais *protagonistas* do poema. Foi composto em estilo viçoso e sereno, conforme a maneira das narrativas patriarcais, e move-se rapidamente sem transições psicológicas. Trata-se de um *drama* em dois atos paralelos, precedido por um *prelúdio* e seguido por um *poslúdio*. O próprio drama oferece uma introdução às discussões poéticas" (Samuel Terrien, introdução ao prólogo do livro de Jó).

O prólogo inclui um comentário sobre o caráter espiritual de Jó, anotações sobre sua família, possessões materiais e as atividades de Satanás contra ele. A introdução desenvolve-se rapidamente, e chegamos às confrontações com os "consoladores", quando então mergulhamos em muitos argumentos complicados e contra-argumentos.

O PAÍS DE JÓ; NOME E CARÁTER (1.1)

■ 1.1

אִישׁ הָיָה בְאֶרֶץ־עוּץ אִיּוֹב שְׁמוֹ וְהָיָה הָאִישׁ הַהוּא
תָּם וְיָשָׁר וִירֵא אֱלֹהִים וְסָר מֵרָע:

Havia um homem na terra de Uz, cujo nome era Jó. Quanto a um sumário sobre *Jó*, ver o *Dicionário*, segundo ponto. O primeiro ponto do artigo discute o próprio nome, que parece significar "retorno" ou "odiado". O nome em hebraico é *'iyyabh*, que parece estar relacionado a *'ayabh*, "ser hostil" ou "tratar como um inimigo". Mas, no tocante ao Jó do livro à nossa frente, o autor sagrado pode estar tentando transmitir a ideia de "um objeto de inimizade e perseguição", e isso está em consonância com o livro como uma espécie de monólogo sobre o problema do mal: "Por que os homens sofrem e por que sofrem como sofrem?" Ver as notas anteriores sob o título *Um Livro Distinto;* ver no *Dicionário* o artigo intitulado *Problema do Mal;* e ver a introdução ao livro presente, quinta seção. Jó era objeto de uma *hostilidade cósmica*. Ele foi submetido a teste, do qual seus muitos sofrimentos fizeram parte.

Alguns relacionam o nome a um termo árabe cognato, chegando assim à ideia de "voltar", isto é, "arrepender-se" e voltar à restauração. No Alcorão (38.16,44), temos o epíteto *'awwabh*, "arrependido", nome atribuído tanto a Davi quanto a Jó.

Terra de Uz. Ver sobre *Uz* no *Dicionário,* quanto a explicações completas. Presumivelmente, estamos tratando com um território nas fronteiras da Idumeia (Edom) com a Arábia. Nesse caso, talvez o livro esteja apresentando Jó como um xeque árabe. Ou, então, se insistirmos em fazer dele um hebreu (o que não faz o livro de Jó), devemos supor que ele vivia no deserto da Arábia. As alusões bíblicas não transmitem a ideia de que se tratava de um lugar a sudeste da Palestina (ver Jr 25.19 ss.; Lm 4.21). Cf. Jó 2.11, onde temos os nomes de localizações onde viviam alguns dos amigos de Jó.

Caráter Moral e Espiritual de Jó. Quatro descrições sobre os aspectos do caráter de Jó nos são dadas:

1. Ele era um homem *íntegro*. Em outras palavras, ele não tinha inadequações espirituais dominantes. Jó era *inculpável*, isto é, era *moralmente são*. Cf. Gn 6.9, onde o mesmo é dito sobre Noé, e Gn 17.1, sobre Abraão.
2. Jó era um homem *reto*. Em outras palavras, ele não se desviava dos padrões de Deus. Cf. o vs. 8 com Jó 2.3. Ele tinha um *espírito reto* e regras de retidão no coração, as quais observava em sua vida.
3. Ele *temia a Deus,* a base de toda a piedade e espiritualidade. Ele tinha grande *reverência* por Deus e pelas coisas espirituais e, realmente, *temia* quebrar as regras morais e espirituais. Ele sabia que Deus é vingador do mal e queria evitar isso mediante uma atitude certa. Ver no *Dicionário* o detalhado artigo chamado *Temor,* sobretudo o primeiro ponto, onde dou explicações completas com muitas referências bíblicas.
4. Jó *se desviava do mal,* aplicando todo o seu conhecimento e não pecando por mera curiosidade, por motivo de vantagem pessoal, ou por qualquer outra razão.

Note-se que essa avaliação da espiritualidade de Jó foi repetida por Deus diante de Satanás (ver Jó 1.8; 2.3). O autor diz que Jó era um homem inocente que estava prestes a sofrer. Seu sofrimento não foi provocado por nenhum carma negativo.

O Palco é Armado. Esse *tipo* de homem (e não um pecador notório) estava prestes a sofrer coisas horríveis. Jó, pois, tornou-se o mais conhecido exemplo bíblico de *sofrimento desmerecido.* O autor sacro, portanto, aproximou-se do problema do mal de um ponto de vista vantajoso. Ele não nos permitiria resolver o problema do sofrimento humano mediante um apelo para a questão de causa (pecado) e efeito (julgamento). O problema do sofrimento humano é mais profundo.

O Problema da Historicidade. O livro de Jó é posto dentro de uma situação anterior à lei mosaica. A lei de Moisés não é mencionada. E, além disso, se Jó fosse um xeque árabe, não estaria envolvido na lei mosaica, afinal de contas.

Alguns eruditos, a maioria deles liberais, embora alguns conservadores, não aceitam um Jó histórico. Eles supõem que o livro seja uma novela poético-religiosa, sobrecarregada de raciocínios filosóficos, e não o registro histórico de um homem pobre que sofreu todos os tipos de males, embora nada merecesse. Um apelo é à falta de genealogia no caso de Jó. Mas *Elias*, o profeta, também não tem registro genealógico no Antigo Testamento. Outrossim, se Jó tivesse sido um xeque árabe (e não um hebreu), não haveria muito sentido em registrar sua genealogia. Na segunda seção da *Introdução*, entro no problema da historicidade do livro.

O Palco Histórico. O livro é posto em uma situação anterior à lei de Moisés. A lei mosaica nem é mencionada. E, além disso, se Jó fosse um xeque árabe, não se envolveria na lei mosaica, seja como for. O livro é posto dentro do período dos patriarcas, anterior à lei. Isso não significa, entretanto, que tenha sido realmente escrito naquela época, tornando-se assim um dos mais antigos livros da Bíblia. Um autor mais recente, no entanto, pode ter propositadamente posto o livro dentro de uma situação anterior à lei, a fim de não permitir que "a observância da lei" fosse suposta como a razão pela qual os homens sofrem. Ver a seção IV da *Introdução*, chamada *Data, Autoria e Integridade do Livro*. Se a legislação mosaica estivesse misturada à questão, obteríamos a resposta padrão dos hebreus ao problema do mal: "Você quebrou a lei (ainda que inconscientemente) e agora está sofrendo *por causa disso*". Mas, embora esse seja um elemento para o problema do mal, a questão é mais profunda; e o autor sagrado anelava por aprofundar-se no tema.

A Busca pela Fé. A esperança de entender *por que* os homens sofrem não é conduzida no livro como uma inquirição filosófica. A mente dos hebreus não se voltava para as questões filosóficas. Era sempre impulsionada por tendências religiosas. A investigação gira em torno da fé (sem levantar questões) em relação ao problema do sofrimento. Essa é, porém, uma das *abordagens* na investigação do problema do mal, e a fé está incontestavelmente envolvida na questão. O *significado da fé* e o *porquê dos sofrimentos* estão intimamente relacionados. Perguntar: "Qual é o sentido da fé?" já envolve o sofrimento dos homens e o problema do mal. Naturalmente, se alguém insiste em que o *significado da fé* é o tema verdadeiro do livro e que o *porquê do sofrimento* é uma parte disso, então quem poderia objetar?

A FAMÍLIA DE JÓ; RIQUEZAS E FAMA (1.2,3)

■ 1.2

וַיִּוָּלְדוּ לוֹ שִׁבְעָה בָנִים וְשָׁלוֹשׁ בָּנוֹת׃

Nasceram-lhe sete filhos e três filhas. Aquele homem *inculpável e temente a Deus*, que observava todas as leis da moralidade e da espiritualidade, também era um homem muito rico, próspero, conhecido e feliz. Nada lhe faltava. Portanto, esse é o homem que seria reduzido a *nada*. Vejamos, pois, como ele reagirá diante dessa nova situação. Não podemos acusá-lo de ter caído em pecados graves. Por que, pois, ele sofreu? Obteremos várias respostas parciais (ver a quinta seção da *Introdução*), mas não haverá resposta absoluta, exceto "na presença de Deus é que todas as coisas são resolvidas". Isso, entretanto, nos deixa no mistério do Ser divino. A *fé* precisa descansar o caso nesse ponto.

Jó tinha uma família feliz, uma boa esposa, *sete filhos e três filhas*. Eles formavam uma unidade familiar feliz, livre de preocupações, seja no campo econômico, seja no campo da saúde, seja em qualquer outro campo da vida diária. "Herança do Senhor são os filhos; o fruto do ventre, seu galardão" (Sl 127.3) (Samuel Terrien, *in loc.*). Para a mente dos hebreus, Jó tinha todas as indicações da aprovação divina.

Terminada sua provação, exatamente o mesmo número de filhos e filhas lhe foi restaurado (ver Jó 42.13).

■ 1.3

וַיְהִי מִקְנֵהוּ שִׁבְעַת אַלְפֵי־צֹאן וּשְׁלֹשֶׁת אַלְפֵי גְמַלִּים וַחֲמֵשׁ מֵאוֹת צֶמֶד־בָּקָר וַחֲמֵשׁ מֵאוֹת אֲתוֹנוֹת וַעֲבֻדָּה רַבָּה מְאֹד וַיְהִי הָאִישׁ הַהוּא גָּדוֹל מִכָּל־בְּנֵי־קֶדֶם׃

Possuía sete mil ovelhas... este homem era o maior de todos os do Oriente. Jó era um homem muito *rico*, com um total de 11.500 animais domesticados, divididos naqueles tipos de animais que os homens ricos precisam: animais de trabalho, animais que serviam como alimentação, e animais de transporte. Tal riqueza capacitava-o a ter uma *casa muito grande*, vastas propriedades e abundância de escravos, que mantinham todas as suas posses em boa ordem. Isso, de acordo com uma avaliação popular, era evidência da aprovação e da ajuda divina. Jó era "o maior de todos os do Oriente", expressão vaga que é inútil investigar. Ele era o maior homem de sua área e desfrutava de poder político e favor entre seus vizinhos. A *área* na qual ele vivia era o deserto da Arábia, conforme o vs. 1. "Ele era o chefe dessa área, mas não sabemos o quanto essa área se estendia. Os árabes ainda chamam o Haurã, ou seja, o distrito a leste de Jerusalém, de 'terra de Jó'" (Ellicott, *in loc.*).

A área onde Jó vivia ficava no "deserto" (Jó 1.19). Era um lugar fértil, falando em termos agrícolas, e próprio para a criação de gado (ver Jó 1.3,14 e 42.12), provavelmente fora da própria Palestina. "O povo do *Oriente* era identificado com os habitantes de Quedar, no norte da Arábia (Jr 49.28). Jó era também incomumente sábio. Os homens do Oriente eram notórios por sua grande sabedoria, que eles expressavam artisticamente em provérbios, cânticos e histórias... Jó era altamente respeitável (ver Jó 29.7-11); sábio conselheiro (29.21-24); empregador honesto (31.13-15,38,39); hospitaleiro e generoso (31.16-21,32); e fazendeiro próspero (31.38-40)" (Roy B. Zuck, *in loc.*). No entanto, esse homem foi ferido pela tragédia, por razões desconhecidas.

■ 1.4

וְהָלְכוּ בָנָיו וְעָשׂוּ מִשְׁתֶּה בֵּית אִישׁ יוֹמוֹ וְשָׁלְחוּ וְקָרְאוּ לִשְׁלֹשֶׁת אַחְיֹתֵיהֶם לֶאֱכֹל וְלִשְׁתּוֹת עִמָּהֶם׃

Seus filhos iam às casas uns dos outros. Jó era homem ativo, que se movimentava e ia a muitos lugares, realizava muitas coisas e era bem-sucedido em tudo quanto fazia. Seus filhos eram honrados pelos vizinhos, sendo convidados para muitas festas, e as filhas (bonitas, sem dúvida) eram favorecidas, sendo convidadas para os lares de criadores de gado e fazendeiros prósperos, cujos filhos queriam tê-las como esposas. Essa "situação familiar" ajudava Jó a prosperar cada vez mais. O texto, contudo, não dá a entender "prazeres descuidados", que poderiam fazer parte da queda de Jó, conforme uma de minhas fontes pretende. Pelo contrário, Jó tinha uma boa família que era querida pelos seus vizinhos. Nenhum de seus filhos dava trabalho e todos seguiam o seu bom exemplo. Naturalmente, quando a tribulação chegou, sua família foi avassalada, mas isso foi resultado do sofrimento de Jó, não a causa. A pergunta que o autor sagrado apresenta é: "Por que os *inocentes* sofrem?" ele não falará sobre *carma*.

O autor sagrado enfatiza "o amor e a harmonia dos membros da família de Jó, em contraste com a *ruína* que logo interrompeu tão bela cena de felicidade... A narrativa *dá a entender* que a série de festas eram os aniversários de cada filho ou filha" (Jamielson, *in loc.*). É possível que tais celebrações fossem confinadas a tempos específicos, provavelmente a festas de sete dias, nas quais mais de uma pessoa era honrada.

"Os filhos desse príncipe edomita eram, ao que tudo indica, solteiros, e, no entanto, cada um deles mantinha sua casa de uma maneira real (cf. 2Sm 13.7; 14.28 ss.). Tão incomum era a *harmonia fraterna*, que regularmente eles se reuniam para ter banquetes em família, para os quais convidavam seus irmãos, costume excepcional no antigo Oriente" (Samuel Terrien, *in loc.*).

■ 1.5

וַיְהִי כִּי הִקִּיפוּ יְמֵי הַמִּשְׁתֶּה וַיִּשְׁלַח אִיּוֹב וַיְקַדְּשֵׁם וְהִשְׁכִּים בַּבֹּקֶר וְהֶעֱלָה עֹלוֹת מִסְפַּר כֻּלָּם כִּי אָמַר אִיּוֹב אוּלַי חָטְאוּ בָנַי וּבֵרֲכוּ אֱלֹהִים בִּלְבָבָם כָּכָה יַעֲשֶׂה אִיּוֹב כָּל־הַיָּמִים׃ פ

Chamava Jó a seus filhos e os santificava. Jó era *homem piedoso*, e assim fazia com que aquelas muitas festas se tornassem ocasiões de observância religiosa com o apropriado cerimonial de purificações e sacrifícios. Jó queria ter certeza de que, se algum de seus filhos tivesse pecado, esse pecado seria expiado, e nenhum empecilho viria de alguma inadequação espiritual. Ele se preocupava com que nenhum de seus filhos viesse a amaldiçoar secretamente a Deus. Ele considerava cuidadosamente o *bem-estar espiritual* de sua família. O autor sagrado nos diz que Jó era próspero *e* piedoso, e que a tragédia atingiria um homem *inocente;* de nós espera-se que perguntemos: "Por quê?" Jó era um homem muito rico, porquanto era rico tanto espiritual quanto materialmente. A prosperidade sempre arrasta sua própria ameaça. Os ricos acabam por voltar-se à idolatria de muitas espécies, literais e espirituais. Mas não era esse o caso de Jó. Ele provou que é melhor um crente ser rico do que pobre, e que o homem espiritual não tem dificuldade para manusear dinheiro, que, afinal, pode ser uma forma de *serviço espiritual*.

Os Sacerdotes da Família. Sabemos que originalmente o pai era o sacerdote da família. Mais tarde, entre o povo hebreu, surgiu o clã sacerdotal, os levitas, o que transformou a tribo deles em uma casta religiosa. Portanto, muitos dos deveres que cabiam antes aos sacerdotes foram formalizados em adoração *pública*. Mas a história de Jó é posta dentro do período patriarcal, quando o chefe de uma família era também o sacerdote da família. Sem dúvida, é isso o que está por trás da cena referida neste versículo, onde Jó oferece pessoalmente os devidos sacrifícios. Presumimos que o autor sacro esteja atribuindo à sociedade árabe o tipo de condições que existiam na sociedade hebreia. Os árabes, afinal, eram filhos de Abraão e tinham as mesmas tradições essenciais dos hebreus.

E blasfemado contra Deus em seu coração. Cf. Jó 2.6,9. Satanás supunha que os homens dotados de riquezas, até mesmo o piedoso Jó, privados de seus bens materiais e de seus familiares, transformar-se-iam em *amaldiçoadores de Deus*.

O DRAMA NO CÉU: DEUS E SATANÁS DISPUTAM SOBRE JÓ (1.6-12)

Yahweh Recomenda Jó; Primeiro Ato do Drama (1.6-8)

Jó era elogiado pelos homens, e também foi elogiado por Deus. O Adversário (Satanás), em suas andanças pela terra, tinha observado Jó, aquele grande homem, mas não demonstrou respeito por ele e duvidou da autenticidade de sua espiritualidade, questionando a avaliação feita por Deus. Os vss. 9-12 seguem-se a essa parte consternadora do livro. Deus barganhava com Satanás para prejuízo de seu povo. Ver a introdução àquela seção, no vs. 9, onde abordo o problema.

■ 1.6

וַיְהִי הַיּוֹם וַיָּבֹאוּ בְּנֵי הָאֱלֹהִים לְהִתְיַצֵּב עַל־יְהוָה
וַיָּבוֹא גַם־הַשָּׂטָן בְּתוֹכָם׃

Num dia em que os filhos de Deus vieram apresentar-se perante o Senhor. Os *filhos de Deus* eram seres divinos ou subdivinos que compartilhavam da natureza da deidade. Cf. Jó 2.1; 38.7; Gn 6.2; Sl 29.1; 82.1,6; 89.6; Dn 3.25. Esses *filhos* apresentavam-se periodicamente diante do Pai para prestar contas (cf. 1Rs 22.19; Zc 6.5). O autor sacro descreve a cena de uma corte real do Oriente: o rei em seu trono, e seus filhos (os quais, naturalmente, se ocupavam em muitas atividades, privadas e públicas) entrevistados pelo pai para certificar-se de que tudo corria bem. Provavelmente, está em vista aqui alguma visão primitiva dos *abhis*. Lembremos que eles eram chamados *elohim* (deuses). Alguns estudiosos insistem em que temos aqui uma espécie de *politeísmo*, no qual deveria haver Deus e deuses. Outros estudiosos insistem em que Deus é Pai por criação, e nenhuma comunidade dotada de natureza divina é assumida. Seja como for, na redenção, os homens aparecem como partícipes da natureza divina (ver 2Pe 1.4). Ver esse versículo no *Novo Testamento Interpretado*. Ver também, na *Enciclopédia de Bíblia, Teologia e Filosofia* o verbete intitulado *Transformação segundo a Imagem de Cristo*, quanto a detalhes completos sobre o assunto. A redenção eleva os homens acima da posição dos anjos e confere-lhes participação genuína na natureza divina, embora em escala finita. Contudo, a participação do indivíduo remido na divindade aumenta cada vez mais. Visto que há uma infinitude com a qual seremos cheios, também deve haver infinito enchimento. O homem remido se aproxima mais e mais da infinitude. A glorificação é, pois, um *processo eterno*, e o homem avança de um estágio de *glória* para outro nesse processo (ver 2Co 3.18). Essa é a obra eterna do Espírito.

Veio também Satanás entre eles. Alguns intérpretes tentam distinguir Satanás do restante dos filhos de Deus, como se deles não fizesse parte, mas de alguma maneira estivesse associado ao grupo. Essa é, contudo, uma interpretação artificial e forçada, baseada no dogma. Seja como for, não encontramos aqui um Satanás vil e rebelde, que era o quadro projetado sobre ele no judaísmo posterior, adotado pelo cristianismo. Esse *filho de Deus* já aparece como uma espécie de *adversário*, conforme o sentido da palavra Satanás. Mas ainda não era um ser maligno. Em outras palavras, temos aqui, no livro de Jó, um estágio de desenvolvimento da doutrina de um diabo pessoal, o príncipe do mal e cabeça do exército de seres espirituais malignos. Ver no *Dicionário* o verbete denominado *Satanás*. O significativo é que as "tribulações de Jó" foram ideia de Satanás. Ele queria pôr fim ao *fingimento piedoso*, removendo as supostas causas da piedade, ou seja, a prosperidade física e material.

Satanás. "Este nome aparece nas páginas do Antigo Testamento como o de uma pessoa específica, aqui e em Zc 3.12, e, talvez, em 1Cr 21.1 e Sl 109.6. Cf. Nm 22.22,32. Somente aqui e no livro de Zacarias temos o artigo definido, *o adversário*" (Ellicott, *in loc.*).

■ 1.7

וַיֹּאמֶר יְהוָה אֶל־הַשָּׂטָן מֵאַיִן תָּבֹא וַיַּעַן הַשָּׂטָן אֶת־
יְהוָה וַיֹּאמַר מִשּׁוּט בָּאָרֶץ וּמֵהִתְהַלֵּךְ בָּהּ׃

Então perguntou o Senhor a Satanás. *Satanás* compareceu diante de Yahweh para fazer seu relatório de atividades, pois, como é óbvio, ele tinha essa responsabilidade diante de Deus, o Rei da corte, chamado aqui de *Yahweh, o Eterno*. Ver no *Dicionário* o verbete intitulado *Deus, Nomes Bíblicos de*. Satanás, entretanto, não tinha muita coisa inspiradora para dizer sobre suas atividades. Ele apenas vagueara pela terra, uma espécie de vagabundo espiritual, observando o que faziam os homens, talvez interferindo aqui e ali, para o bem e para o mal, mas não se envolvendo muito em coisa alguma. Note a diferença de apresentação, quando isso é comparado com o Novo Testamento:

> *Sede sóbrios e vigilantes. O diabo, vosso adversário, anda em derredor, como leão que ruge, procurando alguém para devorar.*
>
> 1Pedro 5.8

As duas descrições sobre Satanás são definitivamente diferentes, mas a primeira menciona um poder que ele pode usar para o mal, quando isso lhe é permitido (ver o vs. 12).

■ 1.8

וַיֹּאמֶר יְהוָה אֶל־הַשָּׂטָן הֲשַׂמְתָּ לִבְּךָ עַל־עַבְדִּי אִיּוֹב
כִּי אֵין כָּמֹהוּ בָּאָרֶץ אִישׁ תָּם וְיָשָׁר יְרֵא אֱלֹהִים וְסָר
מֵרָע׃

Perguntou ainda o Senhor a Satanás. *Em suas vagueações*, Satanás, observando tanta loucura humana, e rindo-se "do que são esses loucos mortais" (conforme diziam os gregos), deve ter visto pelo menos *uma grande exceção* ao caos geral: Jó, homem piedoso e bom. Neste ponto, Yahweh chama Jó afetuosamente de "meu servo". O elogio espiritual de Jó é repetido no vs. 1, onde o leitor também poderá ver os detalhes. Uma de minhas fontes informativas era muito o alvo ao projetar no texto o Satanás do judaísmo posterior e do cristianismo, regozijando-se sobre o fato de que, se Satanás dominava a terra com o mal, havia um homem, Jó, a quem ele não conseguia dominar. O livro de Jó, entretanto, não transmite tal ideia. Satanás ainda não era "o deus deste século" (2Co 4.4; Ef 2.2). E nem o mundo inteiro estava debaixo de "seu controle", para o mal (ver 1Jo 5.19). Ele era apenas uma espécie de vagabundo cínico. Jó, o *santo eminente*, irritou o Satanás que figura no livro de Jó, porquanto ele julgava que Jó tinha uma piedade falsa e pretensiosa, a qual cairia por terra diante da mais leve provocação. Satanás estava ansioso para provar que a *sua* avaliação do caráter de Jó é que estava certa, não a de Yahweh. O Satanás de uma época posterior, dotado de poderoso intelecto, saberia que a piedade de Jó era *genuína*, e tentaria fazer essa condição chegar ao fim, mediante a mudança perversa de uma boa condição em outra má.

Egoísmo. Ver sobre este termo na *Enciclopédia de Bíblia, Teologia e Filosofia*. Certos filósofos éticos supõem que um homem aja somente no seu interesse próprio, embora possa disfarçar-se de nobre. Satanás chamou Jó e, sem dúvida, todos os alegados homens espirituais de *egoístas*, pessoas envolvidas na "espiritualidade" somente por interesse.

As Dúvidas e os Planos de Satanás: Interferência Cósmica na Vida de Jó (1.9-12)

Deparamos aqui com alguns problemas teológicos: porventura Deus barganha com Satanás e testa seu povo com provas severas, apenas para provar um ponto a um adversário cínico? Nesse caso, então já temos nossa explicação sobre o problema do mal, pelo menos no que diz respeito a Jó e, por analogia, a muitos outros casos. *A resposta é a seguinte:* "O problema do mal, e por que os homens sofrem como sofrem, pelo menos em alguns casos, deriva das barganhas de Deus com Satanás, o qual quer submeter os crentes a teste, para mostrar que eles são hipócritas". Na quinta seção da *Introdução* ao livro, *não* alisto isso como uma das razões dos sofrimentos humanos, porquanto não o considero possível. De fato, essa é uma *teologia má*, não importa quem a promova.

Portanto, *o que podemos dizer sobre esta seção?*

1. *Primeiramente*, de acordo com a mente dos hebreus, que era sempre religiosa e nada filosófica, a *principal coisa* em vista é a

"adoração desinteressada", e não, estritamente falando, o problema do mal. A piedade de Jó baseava-se em motivos egoístas? O autor estava falando sobre a possibilidade de uma devoção genuína e autêntica, não como aspecto principal (juntamente com Habacuque e o salmista): "Por que os ímpios prosperam e por que os justos sofrem?" O autor do livro de Jó usa o problema do mal como um modo de investigar a sua consideração primária: Haverá alguém que adore a Deus por causa de Deus, e não para atender a seus próprios propósitos egoístas?

Não obstante, o livro também serve de pesquisa autêntica, para entendermos por que os homens sofrem, e por que sofrem como sofrem. Ver a quinta seção da *Introdução,* bem como, no *Dicionário,* o verbete intitulado *Problema do Mal.*

2. Quais eram as intenções do autor sacro (adoração genuína ou investigação sobre o problema do mal), quer dizer, sobre esse "acordo" de Deus com Satanás, que terminou por atingir a Jó de forma tão selvagem? Verdadeiramente, isso reflete uma teologia distorcida. Mas alguns intérpretes não concordam com esta minha avaliação.
3. Alguns estudiosos ultraconservadores dizem simplesmente: "Coisas assim podem acontecer. Deus dá a Satanás poder tal, que ele pode usá-lo para prejuízo de seu próprio povo". Entristeço-me por dizer ao leitor que esse é um crasso *voluntarismo* (ver a respeito na *Enciclopédia de Bíblia, Teologia e Filosofia*). O *voluntarismo* é a doutrina que diz: "Aquilo que Deus faz é certo e aquilo que ele *quer* é correto, a despeito de nossos padrões morais, que podem ser aplicados ao caso". Mas temos de fazer uma distinção sobre aquilo que os "homens dizem que Deus é, e aquilo que ele realmente é e faz". O homem recebeu seus padrões morais da parte de Deus, o Doador, e Deus não está prestes a quebrar suas próprias regras, especialmente se isso visa prejudicar seu próprio povo.

Penso que é ridículo dizermos que um homem *inocente* sofre (como foi o caso de Jó), por causa de alguma barganha cósmica entre Deus e Satanás. Como poderia Deus rebaixar-se a tanto? É a teologia humana que se rebaixa a essa posição, não o Deus Todo-poderoso. Temos aqui uma *teologia primitiva,* não iluminada pelas que se seguiram. Os homens têm alcançado melhor compreensão sobre a natureza, os atributos e as obras de Deus, e *continuarão a mover-se* para um entendimento cada vez melhor.

A posição dos ultraconservadores tinha o mau hábito de deixar-nos com dogmas primitivos, que atualmente já melhoraram devido a maiores luzes. Quem disse que o Antigo Testamento foi iluminado pela mesma luz que temos no Novo Testamento? Por certo, a passagem dos séculos trouxe muitas doutrinas melhores, que não se adaptam bem a algumas doutrinas mais antigas.
4. Alguns eruditos dizem que a única coisa que temos no livro de Jó é uma *boa história,* usada como *artifício literário* para introduzir o drama que se segue, e que não devemos excitar-nos acerca da teologia que o livro contém. Não somos responsáveis por esse tipo de teologia, nem o autor original estava interessado em fazer *declarações teológicas* com sua história. Essa ideia, embora aberta a questionamentos, é melhor que a de número 3, pelo menos.
5. *Sumário.* A terceira interpretação é definitivamente forçada e deve ser rejeitada. A quarta interpretação resolve o problema teológico, mas, provavelmente, não é o que o autor sagrado tencionava. Quanto às doutrinas, especialmente as mais importantes, como a que transparece neste texto, que envolve uma compreensão da natureza divina, não devemos empregar textos do Antigo Testamento, especialmente trechos controvertidos. A *teologia,* tal como qualquer outro campo do conhecimento e da investigação, *progride.* E tem avançado para além da compreensão que o autor sacro detinha a respeito do texto diante de nós.

Embora a questão essencial de Jó seja a verdadeira fé a qualquer custo, bem como a adoração que isso envolve, temos uma *teodiceia* que faz parte da questão da fé, bem como uma sondagem dentro do enigma do sofrimento.

Finalmente, os inocentes podem sofrer e realmente sofrem. Nem todas as coisas ruins que acontecem podem ser atribuídas à *Lei Moral da Colheita segundo a Semeadura* (ver a respeito no *Dicionário*). Os inocentes podem sofrer, e realmente sofrem, mas não pela razão sugerida na seção que se segue. Talvez, para certas pessoas, o sofrimento seja uma *disciplina* e uma *escola,* um plano intrincado para a melhoria através da *adversidade.* Mas isso não nos dá todas as respostas. Na presença de Deus, encontramos nossas respostas, mas no momento, elas estão veladas por um enigma, o enigma dos *mistérios* que circundam o Ser divino. É nesse ponto que precisamos de *fé* autêntica, a base da adoração autêntica. Deus é o *Mysterium Fascinosum* e também o *Mysterium Tremendum* (ver sobre ambos no *Dicionário*).

É um quebra-cabeça envolto em um mistério, dentro de um enigma.

Sir Winston Churchill

Deus se move de maneira misteriosa,
Para realizar suas maravilhas.
Ele implanta seus passos no mar,
E cavalga sobre a tempestade.

William Cowper

1.9,10

וַיַּעַן הַשָּׂטָן אֶת־יְהוָה וַיֹּאמַר הַחִנָּם יָרֵא אִיּוֹב אֱלֹהִים:

הֲלֹא־אַתָּה שַׂכְתָּ בַעֲדוֹ וּבְעַד־בֵּיתוֹ וּבְעַד כָּל־אֲשֶׁר־לוֹ מִסָּבִיב מַעֲשֵׂה יָדָיו בֵּרַכְתָּ וּמִקְנֵהוּ פָּרַץ בָּאָרֶץ:

Então respondeu Satanás ao Senhor. O *Adversário* (Satanás), que se deleita em dificultar a vida dos homens, embora deva prestar contas a Yahweh, na verdade tinha observado o esplêndido Jó, mas não se impressionara. Por que Jó não seria piedoso? Ele tinha tudo e não era perturbado. A bênção de Deus o cercava por todos os lados. Sua família era protegida. Ele tinha poder e fama. Tudo quanto fazia, prosperava. Suas terras sempre produziam boas colheitas. Seu comércio sempre obtinha bons lucros. Qual homem vivo não louvaria a Deus *se* gozasse dessas condições?

Daí emerge a *principal pergunta* do livro. Haverá algo como a espiritualidade *desinteressada*? Não será a espiritualidade do homem apenas outra forma de *egoísmo,* um agente mediante o qual ele obtém vantagens?

"Satanás manifestou a pior forma de ceticismo e demonstrou incredulidade pela bondade humana" (Ellicott, *in loc.*). Ele levantou a questão da *motivação* à espiritualidade de Jó. Satanás não negou que, *aparentemente,* Jó era um modelo de piedade. Mas acreditava que nele nada restaria de piedoso, *caso* todas as bênçãos divinas lhe fossem removidas.

"É um sinal dos filhos de Satanás zombar e não dar crédito a nenhum homem por sua *piedade desinteressada*. O egoísmo, dizem eles, está no fundo da religião do melhor homem" (Fausset, *in loc.*).

OS PRINCIPAIS PROBLEMAS DO LIVRO; DIFICULDADES TEOLÓGICAS (1.11)

1.11

וְאוּלָם שְׁלַח־נָא יָדְךָ וְגַע בְּכָל־אֲשֶׁר־לוֹ אִם־לֹא עַל־פָּנֶיךָ יְבָרֲכֶךָּ:

Estende, porém, a tua mão... e verás. Considere o leitor estes cinco pontos:
1. As *barganhas cósmicas* que envolvem Deus e Satanás, que azedam a vida humana e trazem desastres, compõem uma ideia do livro que já comentei e rejeitei na introdução à seção de Jó 1.9-12.
2. Haverá algo como *adoração desinteressada?* Ver os comentários após este versículo.
3. Ver o *Deus da voluntariedade.* Ver os comentários que se seguem.
4. Por que os *inocentes sofrem* e o problema das *causas secundárias.* Ver os comentários que se seguem.
5. *O problema do mal.*

Considere agora o leitor estes outros cinco pontos que são a resposta para as cinco perguntas anteriores:
1. *Barganha cósmica.* Ver os cinco argumentos e raciocínios na introdução a Jó 1.9-12. As almas estão seguras nos braços de Jesus. Os seres humanos não são os perdedores do jogo cósmico entre Deus e Satanás.

Docemente minha alma descansará.

Fanny J. Crosby

2. *Adoração desinteressada?* Se um *golpe divino* derrubasse Jó, ele terminaria amaldiçoando a Deus, o Poder divino, conforme Satanás insistia. Em outras palavras, a espiritualidade humana seria sempre *interesseira*.

A *mensagem principal* do livro vem assim à tona: A adoração humana a Deus e a fé humana serão basicamente egoístas? Algum homem terá fé, servirá e adorará a um Deus que nunca responde às orações e permite desastre após desastre para arruinar a sua vida? A piedade humana será apenas um meio para obter riquezas materiais e evitar a dor? Haverá algum homem que continue tendo fé, se nunca obtiver nenhum benefício pessoal dessa fé? Será sua fé verdadeira, se apenas quer obter lucros espirituais e felicidade para si mesmo, se não estiver realmente interessado no próprio Deus?

3. *O Deus da voluntariedade*. Caros leitores, tomarei posição sobre essas questões anteriores que não encontrei em minhas fontes informativas. Primeiramente, sugiro que o *tipo de Deus* que Satanás inventa (evidentemente com a aprovação do autor do livro), que requer adoração sem importar como ele aja, é o Deus da voluntariedade do judaísmo primitivo. Ver no *Dicionário* o verbete intitulado *Voluntarismo*.

Trasímaco, no diálogo platônico desse nome, perguntou: Algo é direito porque Deus assim o quer, *ou* Deus quer alguma coisa por ser direita? Se for direito somente porque Deus o quer, e se isso está errado de acordo com a moralidade humana, então estaremos falando sobre o *voluntarismo,* ou seja, o domínio da vontade, a despeito da evidente imoralidade daquilo que é desejado. Mas se Deus deseja algo por ser isso intrinsecamente bom (moralmente correto), então teremos escapado ao voluntarismo. Estamos supondo que existam valores morais *fixos* e *verdadeiros,* e que a moralidade divina é a fonte e a inspiração da moralidade humana. Estamos pressupondo que a moralidade divina não esteja baseada na vontade caprichosa, mas seja um valor fixo.

O *voluntarismo* é a noção teológico-filosófica que diz que a vontade domina no universo e, usualmente, essa é a *vontade irracional,* até onde o homem pode determinar as coisas. A vontade de Deus, ao que se presume, domina a ponto de que a sua razão e bondade obscureçam, se é que não são totalmente eliminadas. Deus faz o que melhor lhe parece, sem ter de agradar o homem. Sua vontade domina, para detrimento de sua bondade (conforme entendemos o termo) e a despeito da moralidade (conforme a compreendemos). Contra tais noções, observo que *esse* tipo de Deus é uma invenção humana. O próprio Deus deixou o exemplo de toda a bondade *humana*. O próprio Deus estabeleceu as regras da moralidade. Será que a Fonte da bondade e da moralidade, mediante algum capricho cósmico, desconsideraria suas próprias regras? O âmago dos atributos de Deus é o *amor,* conforme as religiões e as filosofias não cansam de afirmar. Porventura o grande Deus do amor abandonou sua própria natureza e tornou-se um destruidor? Nesse caso, ele não é mais o Deus das Escrituras iluminadas, especialmente, do Novo Testamento. Quero lembrar o leitor de que o calvinismo *radical* é voluntarista, de maneira que deve ser rejeitado.

O Testemunho de Jesus. Jesus referiu-se a Deus como Pai. Ele disse: "Qual dentre vós é o homem que, se seu filho lhe pedir pão, lhe dará uma pedra? Ou se lhe pedir peixe, lhe dará uma serpente?" (Mt 7.9,10). O Deus que desse uma pedra quando o filho lhe pedisse pão, ou uma serpente quando lhe pedisse um peixe, seria um Deus da voluntariedade, que agiria de modo caprichoso. Esse não é o Deus teísta do Novo Testamento. Ver no *Dicionário* o artigo chamado *Teísmo*. Se um homem orar e suas orações nunca forem respondidas, se sua vida for cheia de miséria, enfermidades, acidentes e morte de entes queridos, e se dissermos: "Deus está fazendo tudo isso!", então penso que esse conceito de Deus (o da voluntariedade) deve ser abandonado. Nem deveríamos estar interessados em adorar esse tipo de Deus. Se falarmos contra esse tipo de Deus, não estaremos blasfemando, mas rejeitando um conceito de Deus que o homem inventou. Um filho tem o *direito* de pedir favores a seu pai e esperar um tratamento justo, racional e benévolo. A lei do amor requer reações favoráveis, misericordiosas e até abundantes. De outro modo, a oração não teria sentido, porquanto o homem que pedisse um peixe ao Pai celeste, obteria uma serpente. Não há coisa como uma adoração desinteressada, ou uma fé desinteressada, visto que nosso relacionamento com Deus é entre filho e Pai. Naturalmente, há pessoas "espirituais" motivadas pelo egoísmo, que fazem de sua alegada espiritualidade um meio de lucro pessoal. Mas, quando se chega a esse ponto, já estamos falando sobre *abuso*. Devemos evitar os dois extremos: o Deus voluntarista e o abuso.

4. *Por que os inocentes sofrem, e o problema das causas secundárias*. Infelizmente, a lei do carma (da semeadura e da colheita) não explica tudo. Mesmo que fizéssemos a reencarnação entrar na questão, isso não solucionaria o problema do sofrimento, porquanto é evidente que os *inocentes* sofrem. Podemos supor, com segurança, que a *maior parte* dos sofrimentos seja autoproduzida, sem importar se a causa se encontre *nesta vida,* em vidas anteriores (se é que a reencarnação exprime uma verdade) ou em alguma existência espiritual da alma, antes da vida física (conforme pensa a Igreja Oriental Ortodoxa). Ver no *Dicionário* o verbete intitulado *Lei Moral da Colheita segundo a Semeadura*. O livro de Jó, corretamente (segundo acredito), propõe o problema: *Por que os inocentes sofrem?* Portanto, não soluciona o problema do sofrimento. Considere o leitor estes versículos:

... *embora me incitasses contra ele para o consumir sem causa.*

Jó 2.3

... *multiplica as minhas chagas sem causa.*

Jó 9.17

Note o leitor que aquilo que é atribuído à obra de Satanás em Jó 2.3, é atribuído a Deus em Jó 9.17. Sim, a teologia dos hebreus era fraca quanto a causas secundárias.

Causas Secundárias. A teologia dos hebreus tendia por pensar em termos de uma *única* causa operando em *todas as coisas*. Essa atitude, como é óbvio, faz de Deus a causa do mal e não meramente do bem. O calvinismo *radical* é afligido com a mesma deficiência. Eis a razão por que promove, impudentemente, sua doutrina de reprovação ativa. O Deus deles também é voluntarista: sua vontade faz obscurecer o exercício de seu amor. De fato, o calvinismo radical contradiz abertamente João 3.16, ao afirmar que Deus *não ama* o mundo inteiro, mas somente o mundo dos eleitos. Tal teologia (a primitiva fé dos hebreus e o moderno calvinismo radical) é *unipolar,* aderindo a um lado das grandes questões e ignorando o outro, ou seja, *o outro polo*. E não é responsabilidade nossa sempre tentar reconciliar polos opostos.

Nada é tão óbvio neste nosso mundo como o fato de que existem *genuínas* e *poderosas causas secundárias,* que nada têm a ver com Deus e sua bondade. Essas causas secundárias provocam males que contradizem o amor de Deus.

Pessoas inocentes realmente sofrem e precisamos examinar as *razões* disso. Não podemos erguer os braços e dizer: "Foi Deus quem fez isso!", ou então: "Foi Satanás quem fez isso!" Precisamos buscar razões *benevolentes* por trás do sofrimento dos inocentes. Costumamos dizer: "Deus assim o quis!", mas isso não é suficiente. Deveríamos dizer: "Deus assim o quis (ou o permitiu) por razões válidas e benevolentes". Se abandonarmos o amor de Deus em qualquer situação, então não haverá mais razão para continuarmos a viver. Temos de enfrentar o *enigma* do sofrimento dos inocentes. O *caos* entra na questão; mas, de alguma maneira, até o caos se relaciona à fonte da bênção, visando o bem. Continuamos a pensar no problema do mal, buscando iluminação e sabedoria. Continuamos sondando, cientes de que o amor escreverá o capítulo final da história humana. O amor, e não uma vontade arbitrária, está no controle de todas as coisas.

5. *O problema do mal*. Já pudemos determinar que o problema do mal não é o tema principal do livro de Jó. O tema principal é *adoração e fé desinteressada*. Mas o problema do sofrimento humano está tão intrinsecamente envolvido nessa questão, que se tornou um dos tópicos principais do livro. Ver a quinta seção da *Introdução* ao livro. O livro de Jó não soluciona esse problema, um dos mais difíceis tanto para a teologia como para a filosofia, mas oferece uma discussão e uma busca frutífera. É responsabilidade do homem espiritual ser *fiel* a Deus mesmo quando estiver sob um sofrimento aparentemente insensato. Temos de continuar perscrutando. Há luz em algum ponto. A lei do amor está brilhando ali, em algum lugar.

Em algum romper do dia dourado, Jesus voltará!
Em algum romper do dia dourado, todas as batalhas ganhas!
Ele bradará a vitória, irromperá a melancolia,
Em algum romper do dia dourado: para mim,
— para você.

C. A. Blackmore

1.12

וַיֹּאמֶר יְהוָה אֶל־הַשָּׂטָן הִנֵּה כָל־אֲשֶׁר־לוֹ בְּיָדֶךָ רַק
אֵלָיו אַל־תִּשְׁלַח יָדֶךָ וַיֵּצֵא הַשָּׂטָן מֵעִם פְּנֵי יְהוָה׃

Somente contra ele não estendas a tua mão. *A barganha cósmica* reduziu o bom homem, Jó, a quase nada. Quanto ao problema teológico envolvido nessa questão, ver a introdução a Jó 1.9-12. Os estudiosos ultraconservadores compreendem o texto literalmente: pode Satanás barganhar com Deus e causar dano aos justos? Os críticos pensam nisso como uma ideia absurda, atribuindo-a à primitiva teologia judaica, agora ultrapassada. Alguns deles objetam em transformar a questão num problema teológico, supondo que o "ambiente celestial" e a "barganha cósmica" sejam apenas *artifícios literários*, e não proposições teológicas. Seja como for, seria bastante ridículo transformar tão controvertidos textos do Antigo Testamento em base de qualquer doutrina cristã importante.

Quanto ao sofrimento dos *inocentes*, ver os parágrafos finais das notas na introdução a Jó 1.9-12 e, no vs. 11, o quarto ponto. Quanto aos principais problemas do livro de Jó e suas dificuldades teológicas, ver os *cinco pontos* discutidos no vs. 11.

Dizer alguém que Deus não prejudicou Jó, mas *permitiu* que Satanás o fizesse, não exime o texto de sua dificuldade. Eu jamais permitiria que um assassino mutilasse meu filho. Se ele o fizesse, estando em meu poder impedir o crime, então eu seria *culpado* do crime como cúmplice. Além disso, o texto não é aliviado de sua dificuldade se destacarmos que Satanás estava *limitado* em sua má ação: ele não podia *matar* Jó. Cf. 2Co 12.7,9, onde vemos Paulo sendo assediado por Satanás (por permissão de Deus), para que se mantivesse humilde. Ver também 1Ts 2.18, quanto às limitações impostas ao princípio do mal no mundo. Sabemos que o mundo inteiro está no colo do Maligno, que opera suas maldades e colhe seus frutos através de toda a espécie de matança e destruição. Mas supor que Deus desfere essa força para atacar seus filhos é uma teologia perturbadora, independentemente de quem a defendeu ou defende ainda.

O Targum, em comentário sobre o presente versículo, mostra Satanás a agir pela "autoridade" de Deus, e o mal como se fosse originado na "presença do Senhor". Caros leitores, não compro essa teologia, e por "comprar" uso a expressão inglesa que significa *aceitar*. Que os estudiosos ultraconservadores a comprem.

Samuel Terrien observa aqui que o autor sagrado não tinha "consciência dos problemas teológicos levantados por tal desenvolvimento e que qualquer comentário relativo à *crueldade divina* está fora de lugar". Mas a *razão* pela qual o autor sacro não tinha consciência de problemas teológicos é que ele defendia uma teologia primitiva incompatível com as ideias mais avançadas de Deus no Novo Testamento. Além disso, na verdade, não há no caso nenhuma crueldade divina. Esse *fator*, na realidade, é apenas um elemento infeliz da história, conforme o *autor sacro* a apresentou, não refletindo como as coisas realmente são. Se a cena da corte celestial e a barganha cósmica são meros *artifícios literários*, então não haverá nenhum problema.

A PRIMEIRA VISITAÇÃO DO MAL (1.13-22)

1.13

וַיְהִי הַיּוֹם וּבָנָיו וּבְנֹתָיו אֹכְלִים וְשֹׁתִים יַיִן בְּבֵית
אֲחִיהֶם הַבְּכוֹר׃

Sucedeu um dia, em que seus filhos e suas filhas comiam. Este primeiro ataque de Satanás, para prejudicar a Jó, limitou-se às suas riquezas e à sua família. Incorporou *quatro* desastres distintos. A segunda visitação (capítulo 2) traria enfermidade contra o corpo de Jó. Ver em Jó 1.16 os quatro ataques dolorosos. Considerados em seu conjunto, esses ataques ilustram tanto o mal natural quanto o mal moral (abusos da natureza e abusos da parte de homens ímpios e desarrazoados).

O Primeiro Ataque Desastroso. Satanás estava com pressa, querendo golpear Jó onde ele seria mais gravemente ferido: destruiria seus bens e seus familiares! Algum tipo de festa especial seria a cena do primeiro ataque satânico, de modo que a alegria seria transformada em súbita *angústia*. O autor quer falar da *angústia*, quando um homem é derrubado no chão por acontecimentos esmagadores. Esse homem haveria de levantar-se e louvar a Deus? Manteria ele sua adoração de maneira desinteressada? Ou esse homem diria: "Se Deus é assim, então doravante sou um ateu?" A maioria dos ateus o é por causa do problema do mal: Por que os homens sofrem e por que sofrem como sofrem? Onde estão a bondade, o poder e a proteção de Deus? Como poderemos reconciliar a bondade de Deus com o sofrimento que vemos no mundo? Por que os *inocentes sofrem?* Ver a quinta seção da *Introdução* ao livro de Jó.

A seção dos vss. 13-19 apresenta *quatro* desastres que reduziram Jó a virtualmente *nada*. Nesses ataques, Satanás não tocou no corpo de Jó. Até aí a saúde de Jó não fora assediada. No capítulo 2, entretanto, o corpo de Jó é atingido, o que alguns supõem ser o teste mais severo que ele teve de enfrentar.

"Satanás começou seus assaltos contra Jó, quando seus *dez filhos* se banqueteavam na casa do irmão mais velho (vss. 13 e 18; cf. o vs. 4). Os assaltos foram alternativamente causados por forças humanas e naturais: o ataque dos sabeus (vs. 15); o fogo de Deus (vs. 16); o ataque desfechado pelos caldeus (vs. 17); e grande ventania que soprou da banda do deserto (vs. 19). Deus permitiu a Satanás desfechar ambos os tipos de causas, para conseguir o seu propósito dentro de um cronograma rápido e preciso. Jó, quando se encolhia sob o choque das notícias de uma perda, era estonteado por outro choque" (Roy B. Zuck, *in loc.*).

Notemos *dois* tipos específicos de mal: os desastres naturais, que constituem o "mal natural"; e desastres que vêm da vontade pervertida do homem, isto é, o "mal moral". Jó sofreu ambos os tipos. Apesar de assim esmagado, ainda reteve sua fé e adoração, mostrando que elas eram desinteressadas e não baseadas em vantagens pessoais. Esse é o principal tema do livro. Podem essa fé e essa adoração desinteressadas existir diante de uma grande adversidade? O *tema principal*, naturalmente, incluía outro: o problema do mal.

Satanás estava *ansioso* por fazer Jó sofrer. Sabemos que existem grandes forças malignas no mundo, e devemos diariamente pedir a proteção de Deus contra elas. Por outra parte, só existe um Poder no universo, o de Deus, embora chamemos de poderes a outras energias. Repousamos sobre o poder de Deus, que opera através do Senhor Jesus Cristo.

Sei que a mão de Deus é
Minha própria promessa.
Sei que o Espírito de Deus
É meu irmão.
A quilha do universo é o amor.

Walt Whitman

O Primeiro Teste: Mal Moral (1.14,15)

Jó era um homem rico que não tinha com o que se preocupar no mundo. O ataque de Satanás foi desfechado primeiramente contra as suas riquezas. É agonizante ser rico e de súbito tornar-se pobre, o que tem sido a experiência de tanta gente durante as grandes guerras. Conheço pessoalmente, na cidade de Guaratinguetá, no Estado de São Paulo, um homem que foi um rico fazendeiro na Europa, mas perdeu tudo. Ele acabou no Brasil, vendendo roupas masculinas! Mas ele continua a relembrar os "bons dias de antigamente". O problema do mal não é algo que *incomoda a mente. É antes algo contra o qual a alma tem de lutar.* Na luta, estaremos tratando com a tessitura da vida e não com a lógica. Uma grande pergunta é: "Por que o mal é permitido no mundo de Deus?" Mais importante ainda: "Como podemos vencer o mal e triunfar?" Jó chegou a ver Deus, finalmente (ver Jó 19.27) e, na presença de Deus, encontrou a solução de como vencer o mal (mas não escapar dele).

Na novela de Thornton Wilder, *The Bridge of San Luis Rey*, temos a cena em que a ponte, de súbito, ruiu, lançando à morte uma dúzia de pessoas, no abismo lá embaixo. Um jovem padre, perturbado por esse "ato de Deus", resolveu pesquisar o problema. Estudou a vida de todas as *doze* vítimas e fez a admirável descoberta de que *todas* tinham vivido de tal modo que se *prepararam* para aquele modo preciso e aquele tempo de morte. Mas o jovem padre, tão ansioso por sondar os mistérios de Deus, foi prontamente queimado na fogueira, como um herege que tinha avançado demais em sua tentativa de justificar os caminhos de Deus perante os homens. Caros leitores, a novela expõe uma boa história e, talvez, até verdadeira, *em algum sentido*. Mas o problema do mal tem, como uma de suas marcas distintas, o elemento do mistério. Não cede diante de nossas pesquisas e de nossa lógica. Deus oculta-se (ver Is 45.15).

■ 1.14,15

וּמַלְאָךְ בָּא אֶל־אִיּוֹב וַיֹּאמַר הַבָּקָר הָיוּ חֹרְשׁוֹת וְהָאֲתֹנוֹת רֹעוֹת עַל־יְדֵיהֶם׃

וַתִּפֹּל שְׁבָא וַתִּקָּחֵם וְאֶת־הַנְּעָרִים הִכּוּ לְפִי־חָרֶב וָאִמָּלְטָה רַק־אֲנִי לְבַדִּי לְהַגִּיד לָךְ׃

Deram sobre eles os sabeus. Ver no *Dicionário* o verbete *Sabeus (Povos)*, quanto a completas informações. Os sabeus eram árabes de um ou mais distritos. Uma história anterior relata como eles mataram mil bois e quinhentos jumentos, e também os seus guardadores (ver Gn 10.7 e 25.3). Portanto, nos dias de Jó, tudo consistia em negócios, como era usual.

O primeiro ataque removeu parte das riquezas de Jó, assim como alguns trabalhadores. Portanto, temos aí saque e assassinato, crimes horrendos que perturbaram a mente e a alma de Jó.

"Foi em um *domingo*, 7 de dezembro de 1941, que as bombas caíram sobre Pearl Harbor. Você ora e uma criança morre! Você participa da Ceia do Senhor e, ao voltar para casa, recebe um telegrama do Ministério da Guerra, informando-o da morte de uma pessoa querida! Que espécie de mundo é este? ... Você pode ser purificado de todos os seus pecados e, no entanto, perde a fortuna e a saúde. Mas, apesar de todas as suas perdas, você não perderá o favor divino, e não perderá, em nenhum grau, o melhor que ele tem reservado para você" (Paul Scherer, *in loc.*). O irmão Scherer, assim sendo, fala-nos sobre a *fé*, mas algumas vezes a fé míope não corresponde. Contudo, a *verdade* permanece. Como?

Um homem *inocente* estava sofrendo. Por quê? Continuamos a sondar atrás de respostas, mas existem muitos mistérios.

Note o leitor que o primeiro teste resultou da vontade perversa do homem. O problema do mal, pois, deriva de vontades pervertidas, ao que chamamos de "mal moral". Mas também deriva de desastres naturais, e a isso chamamos de "mal natural".

Segundo Teste: Desastre Natural, Mal Natural (1.16)

■ 1.16

עוֹד זֶה מְדַבֵּר וְזֶה בָּא וַיֹּאמַר אֵשׁ אֱלֹהִים נָפְלָה מִן־הַשָּׁמַיִם וַתִּבְעַר בַּצֹּאן וּבַנְּעָרִים וַתֹּאכְלֵם וָאִמָּלְטָה רַק־אֲנִי לְבַדִּי לְהַגִּיד לָךְ

Jó seria atingido de todas as direções e maneiras. Homens perversos viriam contra ele (vss. 14,15), praticando o *mal moral*. Em seguida, a natureza se moveria contra ele, tornando-o vítima do *mal natural*. Essas são as duas classificações principais do problema do mal. Note-se como esses *quatro testes* ocorreram:

Males Morais e Naturais Alternados:
1. Vss. 14,15: *mal moral* (sofrimentos provocados pela desumanidade do homem contra o homem).
2. Vs. 16: *mal natural* (sofrimentos provocados pela natureza).
3. Vs. 17: *mal moral* (sofrimentos provocados pelo homem).
4. Vss. 18,19: *mal natural* (sofrimentos provocados pela natureza).

Fogo do Céu. Quanto a outra referência a *fogo do céu*, ver Lv 10.2 e Nm 11.1. E, naturalmente, temos as chamas que destruíram Sodoma e Gomorra (Gn 20.23-29). O texto presente não tenta definir no que consistia esse fogo. Só entendemos que foi algo totalmente devastador. As conjecturas incluem raios incomuns, erupção vulcânica ou um fogo sobrenatural que permanece indefinido. Talvez alguma grande conflagração tenha sido *iniciada* por um relâmpago, e o incêndio, varrendo os campos, destruiu os animais domésticos e aqueles que cuidavam deles. Quanto ao poder destruidor do *relâmpago*, cf. Êx 9.23; Nm 16.35; 1Rs 18.38; 2Rs 1.10,12,14. "O *príncipe dos ares* recebeu permissão para exercer controle sobre esses agentes destruidores" (Fausset, *in loc.*).

Supõe-se que sete mil ovelhas tenham sido mortas. Ver o vs. 3.

Terceiro Teste: Mal Moral (1.17)

De forma alternada (ver sobre o vs. 16), temos agora outro teste provocado pela vontade perversa do homem, um ato de desumanidade do homem contra o homem, depois de *um ato de Deus sobre a natureza*.

■ 1.17

עוֹד זֶה מְדַבֵּר וְזֶה בָּא וַיֹּאמַר כַּשְׂדִּים שָׂמוּ שְׁלֹשָׁה רָאשִׁים וַיִּפְשְׁטוּ עַל־הַגְּמַלִּים וַיִּקָּחוּם וְאֶת־הַנְּעָרִים הִכּוּ לְפִי־חָרֶב וָאִמָּלְטָה רַק־אֲנִי לְבַדִּי לְהַגִּיד לָךְ׃

Os caldeus. Ver no *Dicionário* o detalhado artigo intitulado *Caldeia*. Homens ímpios, que se originaram naquela região do mundo, saíram ao redor saqueando e matando, produzindo muitas vítimas inocentes. Eles arrebatavam animais domesticados, a principal fonte de riquezas da época. Naquele assalto em particular, eles tiveram grande sucesso, tomando três mil camelos (ver o vs. 3). Adicionando a perda de três mil camelos às sete mil ovelhas destruídas, temos as riquezas essenciais de Jó obliteradas. Os camelos eram os animais de transporte da época, os *cavalos do deserto*, por assim dizer. Ver no *Dicionário* o verbete chamado *Camelo*.

"Os caldeus eram habitantes ferozes e saqueadores da Mesopotâmia. É possível que eles tivessem vindo da direção norte, em contraste com os sabeus (vs. 15), que vieram do sul. Ao que parece, esses assaltos, por parte dos dois grupos, foram ataques de surpresa" (Roy B. Zuck, *in loc.*). Os caldeus, ou *chasdim*, eram descendentes de Naor, irmão de Abraão (Gn 22.20,22), os quais se estabeleceram na parte leste do país. Xenofonte (*Cyropaedia*, 1.3.11) observou que os caldeus eram muito cruéis. Sabe-se que esse povo se misturou a árabes vagabundos e, como eles, viviam do saque e do assassinato. O texto ilustra a circunstância triste e bem conhecida de que as perturbações raramente vêm uma só de cada vez. As tribulações assediam os homens com golpes, raramente com um único golpe.

Quarto Teste: Mal Natural (1.18,19)

No vs. 16, salientei como o mal natural e o mal moral se *alternaram*, tornando miserável a vida de Jó. Portanto, temos dois testes da parte do mal natural (segundo e quarto) e dois testes da parte do mal moral (primeiro e terceiro). O *problema do mal* (ver a respeito no *Dicionário*) manifesta-se mediante essas duas maneiras principais. Os quatro testes destruíram quase tudo quanto Jó possuía, exceto alguns membros de sua família e ele mesmo. Ele continuava com boa saúde física, mas sua mente fora lançada na angústia.

■ 1.18,19

עַד זֶה מְדַבֵּר וְזֶה בָּא וַיֹּאמַר בָּנֶיךָ וּבְנוֹתֶיךָ אֹכְלִים וְשֹׁתִים יַיִן בְּבֵית אֲחִיהֶם הַבְּכוֹר׃

וְהִנֵּה רוּחַ גְּדוֹלָה בָּאָה מֵעֵבֶר הַמִּדְבָּר וַיִּגַּע בְּאַרְבַּע פִּנּוֹת הַבַּיִת וַיִּפֹּל עַל־הַנְּעָרִים וַיָּמוּתוּ וָאִמָּלְטָה רַק־אֲנִי לְבַדִּי לְהַגִּיד לָךְ׃

Falava este ainda quando... Ver como esta expressão introduz os testes dois, três e quatro. O autor sacro diz que Jó agora estava reduzido a quase nada, *muito rapidamente*. Em outras palavras, Jó foi devastado quase da "noite para o dia", conforme diz uma expressão idiomática moderna.

Destruição da Família de Jó. Uma coisa foi perder as riquezas e os servos. Algo muito diferente foi perder membros da própria família. Conforme avançaram, os testes *intensificaram* os sofrimentos. Grande vendaval (talvez um vento sobrenatural) fez a casa onde estava a maior parte da família de Jó (em meio a uma grande festa; cf. o vs. 13), *desabar*. Somente uma pessoa não identificada (provavelmente um servo, não um filho) escapou e correu para contar a Jó o que havia acontecido.

Algo na ordem da criação saíra errado. Os pássaros piam contra nós. O sol nos requeima. A natureza nos derruba por terra. O temor deixa a mente desnorteada. Sim, algo na ordem da criação saiu errado. Quem se responsabiliza por todas essas crises, por toda essa transição, por toda essa dor?

Russell Champlin

O *vento soprou no deserto,* aparentemente atacando com a força de um tornado. O vento demoliu tudo em seu caminho, *incluindo* a casa na qual os filhos de Jó se divertiam, e se encaminhou diretamente para o alvo. O tornado foi *satanicamente* orientado. Esse foi o segredo de sua *precisão.* Ver as notas expositivas nos vss. 11,12, quanto a uma discussão completa sobre os problemas teológicos que essa circunstância cria.

Ali estava Jó, reduzido a nada. Porventura ele agora amaldiçoaria a Deus, conforme Satanás disse que faria (vs. 11)? Continuaria Jó a adorar a Deus, quando as "razões" para isso fossem removidas? Continuaria a adorar a Deus, embora ele, um homem *inocente* (ver Jó 2.3), tivesse sido ferido? Aceitaria sua fé o fato de que terríveis sofrimentos podem sobrevir a um homem *piedoso?* Seria sua adoração desinteressada, ou ele adoraria a Deus somente quando obtivesse algum benefício pessoal dessa atitude e desses atos? Ver as observações introdutórias, imediatamente antes da exposição em Jó 1.1, especialmente aquelas sob o título *Mensagem Principal do Livro.*

O Triunfo de Jó (1.20-22)

Na primeira *lufada* de desastres, Jó provou que a adoração de um homem a Deus pode ser *desinteressada.* Um homem pode adorar a Deus simplesmente porque isso é correto, não porque alguma vantagem pessoal se deriva da espiritualidade. Outrossim, um homem *inocente* pode reter sua fé mesmo que sofra de forma aparentemente injusta e por razões desconhecidas, *se* houver alguma razão. Um homem ainda pode adorar e servir a Deus quando sofre "sem uma causa" (ver Jó 2.3). Ver Jó 1.11, quanto às *dificuldades teológicas* apresentadas pelo livro: o Deus voluntarista; o sofrimento dos inocentes; o poder que Satanás tem de ferir homens espirituais porque Deus lhe permite fazer isso; e o problema do mal em geral. A teologia dos hebreus era fraca quanto a *causas secundárias,* o que os levava a atribuir ao Poder Supremo a causa de tudo, de bom e de mau. Ver outras notas expositivas sobre essa deficiência teológica, no vs. 11.

■ 1.20

וַיָּ֣קָם אִיּ֗וֹב וַיִּקְרַ֤ע אֶת־מְעִלוֹ֙ וַיָּ֣גָז אֶת־רֹאשׁ֔וֹ וַיִּפֹּ֥ל אַ֖רְצָה וַיִּשְׁתָּֽחוּ׃

Então Jó se levantou... e adorou. Jó demonstrou os sinais orientais comuns de consternação e tristeza. Ver Jó 2.12 e Gn 37.29,34; 44.13; Jz 11.35, quanto ao ato de rasgar as vestes, e o artigo do *Dicionário* chamado *Vestimentas, Rasgar das.* Quanto ao ato de *rapar a cabeça* como sinal de consternação, ver Is 15.2; Jr 48.37; Ez 7.18. Coisa alguma é dita em relação a lançar cinzas sobre a cabeça, outro sinal de consternação. Ver 2Sm 13.19; Et 4.1. Em Jó 2.8, vemos Jó sentado sobre cinzas ou sobre lixo. Mas ali *lixo de cinzas* é o que mais provavelmente está em vista. Ver a exposição naquele ponto. Ele não se cortou nem se mutilou, conforme os pagãos costumavam fazer. A lei mosaica e os costumes hebreus não permitiam a mutilação.

Ver no *Dicionário* o detalhado artigo intitulado *Lamentação,* sobretudo a terceira seção, que descreve os atos ou costumes associados à questão.

O fato de Jó ter *caído no chão* foi uma conduta de desespero, mas ele transformou isso em um ato de adoração. Jó adorou a Deus no pó, algo que Satanás dissera que ele não faria nem poderia fazer. Cf. a conduta de Davi (2Sm 12.20) e Ezequias (2Rs 19.1). "Momentos de intensa tristeza ou provação, *ou* momentos de grande alegria, forçam-nos à presença imediata de Deus" (Ellicott, *in loc.*).

■ 1.21

וַיֹּ֗אמֶר עָרֹ֞ם יָצָ֣אתִי מִבֶּ֣טֶן אִמִּ֗י וְעָרֹם֙ אָשׁ֣וּב שָׁ֔מָה יְהוָ֣ה נָתַ֔ן וַיהוָ֖ה לָקָ֑ח יְהִ֛י שֵׁ֥ם יְהוָ֖ה מְבֹרָֽךְ׃

E disse: Nu saí do ventre de minha mãe. *Desnudado* de suas riquezas e de sua família, Jó estava *nu* diante de Deus, tal como esteve nu ao nascer. O Senhor (Yahweh) é o Doador e o Tirador, e Jó não disputou os direitos dele. Satanás pensava que Jó só se interessava por seus próprios direitos pessoais. Satanás estava tratando com um homem melhor do que supusera. Jó nasceu destituído, havia florescido e, então, retornara à destituição. Jó estava resignado diante desse retorno e atribuiu tudo ao poder divino. Ele não pensou que o caos estivesse envolvido, nem a chance. Cf. Gn 3.19; Sl 139.13,15; Eclesiástico 40.1, quanto a declarações similares à do presente versículo. Yahweh é o proprietário geral de tudo, e seu nome deve ser sempre bendito, em qualquer vicissitude (ver 1Sm 3.18; Ec 5.15). Essa bênção, posta nos lábios de um árabe, toma alguns intérpretes de surpresa, porquanto eles supunham que *Elohim,* e não *Yahweh,* fosse o nome divino original do versículo. Contudo, não há apoio textual para isso. Foi um autor hebreu quem escreveu este versículo. Ademais, os árabes, como filhos de Abraão que eram, poderiam ter usado os mesmos nomes divinos. É curioso notar que até hoje, no noroeste da Arábia, sobreviventes falam palavras similares às do texto presente. Eles entoam uma fórmula litúrgica: "seu Senhor o deu, seu Senhor o tirou" (*The Book of the Ways of God,* Emil G. Graeling).

"Reconhecendo os direitos soberanos de Deus..., Jó louvou ao Senhor. É verdadeiramente notável como Jó seguiu à adversidade com a adoração, o ai com a adoração. Diferente de tantas pessoas, ele não cedeu à amargura. Recusou-se a culpar a Deus por qualquer erro (cf. Jó 2.10)" (Roy B. Zuck, *in loc.*).

Aflições vindas da Mão Soberana
São bênçãos disfarçadas.

Adam Clarke

John Gill (*in loc.*) salientou, com toda a razão, que toda essa consternação diz respeito a coisas materiais e físicas. A alma de Jó não fora desnudada. Sua alma nada perdera. Esse é um fator, no problema do mal, que devemos sempre observar.

■ 1.22

בְּכָל־זֹ֖את לֹא־חָטָ֣א אִיּ֑וֹב וְלֹא־נָתַ֥ן תִּפְלָ֖ה לֵאלֹהִֽים׃ פ

Em tudo isto Jó não pecou. Se Jó se tivesse rebelado contra a *causa* de suas calamidades, teria pecado. Portanto, o ateísmo, que *resulta* da contemplação de todo o mal que aflige este mundo, é uma *reação pecaminosa.* Ver no *Dicionário* o verbete intitulado *Deus, Conceitos de,* e, especialmente, o artigo intitulado *Ateísmo.* Apresento um artigo detalhado sobre o *Ateísmo,* na *Enciclopédia de Bíblia, Teologia e Filosofia.*

"O primeiro ato do drama aproxima-se do término (vs. 22), com uma indicação da recusa de Jó de 'atribuir a Deus qualquer insensatez'. A palavra hebraica *tiphlah* (falta de gosto) aplica-se a caprichos morais e a mau comportamento. Jó não acusou a deidade de capricho imoral e desgoverno" (Samuel Terrien, *in loc.*). Isso implica uma ou duas coisas: O Deus voluntarista de Jó (ver o vs. 11) estava simplesmente acima da crítica de Jó. Ou, então, Jó acreditava em *razões* genuínas para o sofrimento humano, mesmo no caso dos sofrimentos de um homem espiritual inocente, embora tais razões estejam, com frequência, ocultas para nós.

Uma Ilustração Dramática. O dr. John Brown registra um incidente que ilustra bem o texto à nossa frente. Havia um clamor de dor. O pai da família proferiu esse clamor em desespero. Os filhos vieram correndo para ver o que acontecia. Ali, de pé diante deles, estava o pai deles. Seu rosto estava branco e contorcido de tristeza. Naquele momento, ele controlou sua agonia com um ato da vontade. Disse aos filhos: "Vamos agradecer ao Senhor". Ele se voltou para um sofá, e ali, por perto, jazia a esposa dele, a mãe deles, *morta.* Caros leitores, esse incidente faz parte das memórias de um homem que, em meio à tragédia, não se esqueceu de dar graças! Quem se responsabiliza por todas essas crises, por todas essas transições, por toda essa dor?

CAPÍTULO DOIS

Os testes que provaram Jó continuam induzindo a busca de uma resposta à pergunta: "Haverá algo como uma adoração desinteressada? Porventura um homem adorará e servirá a Deus embora não obtenha nenhuma vantagem pessoal disso, mas somente sofrimento e dor?"

DRAMA NO CÉU: DEUS E SATANÁS DISPUTAM O CASO DE JÓ; O SEGUNDO ATO DO DRAMA (2.1-10)

Jó passou pelos primeiros *quatro testes,* que o deixaram *nu* (Jó 1.1-19). Ali, prostrado no chão, afundado em sua tristeza, ele continuava adorando a Deus. Estava provado que Satanás se equivocara, pelo menos até aquele ponto. O drama comprovara o fato de que existe *adoração desinteressada* (o tema principal do livro). Um homem inocente, embora severamente afligido, e *sem causa alguma* (ver Jó 2.3), ainda assim pode adorar a Deus, embora não haja vantagem aparente para ele em tal atitude.

Os sofrimentos não transformam necessariamente homens espirituais em ateus, embora homens profanos corram para o ateísmo na primeira provação. Quanto aos problemas teológicos levantados pela narrativa, tais como o conceito de um Deus voluntarista; o sofrimento dos inocentes; o poder de Satanás para prejudicar homens espirituais; por que Deus lhe dá permissão para fazer isso e o problema do mal em geral, ver as notas expositivas em Jó 1.11, cuja substância não repito aqui. Ver também, no *Dicionário,* o detalhado artigo chamado *Problema do Mal.* O tema principal do livro é a adoração desinteressada. Porventura um homem adora e serve a Deus somente por causa das *vantagens* que a sua espiritualidade lhe proporciona, ou pode existir verdadeira adoração sem a busca de vantagens pessoais? Trabalhando juntamente com isso (e fazendo parte necessária desse tema), temos de considerar o problema do mal, o *porquê* dos sofrimentos. Ver a *Introdução* ao livro, quinta seção, quanto aos tipos de respostas que o livro de Jó fornece. Pode a adoração desinteressada ser mantida em meio ao sofrimento?

O *segundo diálogo* de Deus com Satanás reproduz, palavra por palavra, o primeiro diálogo encontrado em Jó 1.6-8, exceto por uma progressão na narrativa. No primeiro diálogo, Deus só chamou Satanás para contemplar o esplêndido caso de Jó, o homem perfeito. Agora ele aponta para o que restou *daquele* tipo de homem, a despeito dos quatro testes severos que Satanás (com a permissão de Deus) contra ele lançara (ver Jó 1.13-19). Satanás supunha que a lógica de Deus contivesse uma falha: não fora tocado *o corpo de Jó,* a possessão mais entesourada da qual ele continuava a cuidar e a nutrir, como uma mãe faz com seu filho infante. Portanto, embora Jó tivesse sido testado, não fora provado de *tal maneira* que se transformasse em um blasfemo. Qualquer crente pode passar por certos testes; ninguém pode passar por todos os testes possíveis, conforme Satanás pensava. O príncipe do mal continuou a duvidar dos *motivos* de Jó para adorar a Deus. Continuou seguro de que esses motivos eram vis e egoístas, porque todos os homens são essencialmente egoístas. O que os homens realmente adoram é o seu próprio "eu". Ver na *Enciclopédia de Bíblia, Teologia e Filosofia* o detalhado artigo chamado *Egoísmo.*

■ 2.1

וַיְהִי הַיּוֹם וַיָּבֹאוּ בְּנֵי הָאֱלֹהִים לְהִתְיַצֵּב עַל־יְהוָה
וַיָּבוֹא גַם־הַשָּׂטָן בְּתֹכָם לְהִתְיַצֵּב עַל־יְהוָה׃

Num dia, em que os filhos de Deus vieram apresentar-se perante o Senhor. Este versículo é diretamente paralelo a Jó 1.6, cujas notas expositivas também se aplicam aqui. O presente versículo adiciona, *uma vez mais, evidências* que demonstraram ter havido *outra ocasião* na qual os "filhos de Deus" se apresentaram diante de Elohim, para dar conta de suas atividades. Quando homens bons, que se professam religiosos, se reúnem em pleno acordo para adorar o Senhor, o Targum diz que eles são *companheiros dos anjos.* E os anjos são chamados filhos de Deus, em um sentido especial, por serem seres divinos. O Targum diz que essa segunda reunião dos filhos de Deus com o Pai celeste ocorreu "um ano mais tarde", mas isso é uma fantasia desnecessária. Adam Clarke, *in loc.,* diz que tal reunião, que incluiu Satanás, foi apenas metafórica, e não real. Mas isso labora contra o judaísmo da época representado pelo livro de Jó. A malignidade de Satanás de um judaísmo posterior, como é óbvio, não permitira um convite para ele entrar na corte celeste e falar com o Rei Supremo.

■ 2.2

וַיֹּאמֶר יְהוָה אֶל־הַשָּׂטָן אֵי מִזֶּה תָּבֹא וַיַּעַן הַשָּׂטָן
אֶת־יְהוָה וַיֹּאמַר מִשּׁוּט בָּאָרֶץ וּמֵהִתְהַלֵּךְ בָּהּ׃

Então o Senhor disse a Satanás. Este versículo é paralelo a Jó 1.17, cujas notas expositivas também se aplicam aqui. Satanás continuava suas perambulações pela terra, presumivelmente realizando algum tipo de serviço, como filho de Deus em missões delegadas. *Satanás* teria de prestar contas a *Yahweh,* nome divino que aparece em ambos os versículos. Tendo feito tudo quanto podia para destruir Jó, Satanás tinha agora um "relatório especial" a oferecer. Porventura Jó blasfemou contra Deus, quando suas riquezas e sua família foram violentamente removidas? Não! Não obstante, Satanás "sabia" que Jó blasfemaria se seu corpo fosse atacado, o que seria uma provação mais severa que a anterior. Satanás lançou-se à aventura de provar que Jó não passava de um hipócrita egoísta, cuja espiritualidade terminaria uma vez que não mais servisse para beneficiar seu próprio "eu".

■ 2.3

וַיֹּאמֶר יְהוָה אֶל־הַשָּׂטָן הֲשַׂמְתָּ לִבְּךָ אֶל־עַבְדִּי אִיּוֹב
כִּי אֵין כָּמֹהוּ בָּאָרֶץ אִישׁ תָּם וְיָשָׁר יְרֵא אֱלֹהִים וְסָר
מֵרָע וְעֹדֶנּוּ מַחֲזִיק בְּתֻמָּתוֹ וַתְּסִיתֵנִי בוֹ לְבַלְּעוֹ חִנָּם׃

Observaste o meu servo Jó? Este versículo é essencialmente idêntico a Jó 1.8, exceto pelo fato de que agora temos uma *progressão.* Jó passara nos primeiros *quatro testes* que tinham aniquilado suas riquezas e sua família. Mas Satanás queria outra chance para destruí-lo. Incrivelmente, de acordo com nossa teologia mais iluminada, Deus daria a Satanás essa oportunidade, só para provar um argumento. Mas tudo isso não passa de artifício literário. Ver Jó 1.11, quanto aos problemas teológicos do livro.

Para o consumir. Literalmente, no hebraico, "devorar". A despeito da severidade de sua provação, Jó se manteve firme em sua *integridade* pessoal.

Sem causa. Esta parte do versículo é importante para a compreensão do livro. Diz-nos que os *inocentes* sofrem testes severos, sem nenhuma razão. O *carma* (ver na Enciclopédia de Bíblia, Teologia e *Filosofia*) não explica todas as coisas terríveis (e as boas também) que acontecem às pessoas. Há outras forças em operação. Portanto, temos uma pergunta angustiante: "Por que os *inocentes* sofrem?" Isso faz parte do *problema do mal* (ver a respeito no *Dicionário*).

Talvez os intérpretes estejam corretos quando veem Deus repreender indiretamente a Satanás, pelo mal que ele praticou. Contudo, recordemos que a teologia dos hebreus era fraca quanto a causas secundárias e, assim, aquilo que Satanás fez, os hebreus entendiam como se tivesse sido feito por Deus, a primeira e *única* causa real das coisas.

A Aprovação de Deus. Yahweh-Elohim aprovou o homem Jó, que agora jazia na miséria, caído no pó, mas que continuava adorando a Deus (ver Jó 1.20). Ele aprovava o homem que não proferira blasfêmia contra a *causa* de seu sofrimento, a saber, o nome de Deus, que fora quem lhe dera tudo (ver Jó 1.21). Satanás foi forçado a dar um "bom relatório" sobre o homem, mas continuava insistindo em que o próprio homem na realidade não era bom. Agora, bastaria um pouco mais de tempo e alguns testes mais severos, para que ficasse provado o caso contra Jó.

■ 2.4

וַיַּעַן הַשָּׂטָן אֶת־יְהוָה וַיֹּאמַר עוֹר בְּעַד־עוֹר וְכֹל אֲשֶׁר
לָאִישׁ יִתֵּן בְּעַד נַפְשׁוֹ׃

Pele por pele. A alusão é a animais que foram mortos, e cujas peles foram utilizadas para o fabrico de vestes, tendas, odres etc. O ensino aqui é o seguinte: "Nada existe, neste grande mundo, que um homem valorize tanto quanto o seu corpo". A pele de um animal morto tinha *valor* comercial.

"Pele por pele provavelmente é um provérbio usado por algum negociante" (*Oxford Annotated Bible,* comentando este versículo). A ênfase recai sobre o *valor* de um couro de animal. A pele de um animal vale dinheiro. Portanto, o corpo de um homem é a coisa mais valiosa que ele possui, e tocar no corpo é a essência de tudo quanto o homem valoriza.

Jó resistira à perda de suas riquezas e à perda de sua família, mas tocar em seu corpo com sofrimento poria fim à sua fé, conforme calculava Satanás.

"Um homem sacrificará tudo quanto tem neste mundo para salvar a sua vida" (Adam Clarke, *in loc.*). É por isso que, ocasionalmente, vemos o espetáculo de um homem rico gastando todas as suas riquezas, a fim de tentar curar um corpo doente.

"Satanás zombou amargamente do egoísmo do homem e disse: 'Jó está disposto a separar-se de sua propriedade e de seus filhos, porquanto essas coisas são externas, são *bens permutáveis*'. Mas ele dará qualquer coisa, até sua própria fé religiosa, a fim de salvar sua vida" (Fausset, *in loc.*). Ver na *Enciclopédia de Bíblia, Teologia e Filosofia* o verbete chamado *Egoísmo*. Todos os atos de uma pessoa, bons e maus, são auto-orientados, isto é, feitos por interesse próprio, ainda que, em alguns casos, essa atitude possa ser perfeitamente disfarçada.

■ 2.5

אוּלָם שְׁלַח־נָא יָדְךָ וְגַע אֶל־עַצְמוֹ וְאֶל־בְּשָׂרוֹ
אִם־לֹא אֶל־פָּנֶיךָ יְבָרֲכֶךָּ׃

Estende, porém, a tua mão. Se Deus permitisse que Satanás prejudicasse o corpo de Jó, em breve ficaria evidente que a alegada espiritualidade do homem era apenas um meio de serviço próprio. Então ele abandonaria sua adoração e serviço a Deus, como coisas inúteis, e revelaria todo o seu egoísmo. De fato, conforme pensava Satanás, Jó cairia em *desgraça extrema* e pronunciaria blasfêmias abertas, *amaldiçoando Deus*, a fonte de suas misérias. Ver Jó 1.11, onde temos declaração similar cujas notas também se aplicam aqui. Satanás continuava insistindo em que não existe adoração desinteressada. O livro de Jó examina essa tese como tema principal e envolve o problema do sofrimento humano na questão, como um corolário necessário.

■ 2.6

וַיֹּאמֶר יְהוָה אֶל־הַשָּׂטָן הִנּוֹ בְיָדֶךָ אַךְ אֶת־נַפְשׁוֹ
שְׁמֹר׃

Mas poupa-lhe a vida. *A Permissão Divina é Dada*. Novamente, devemos lembrar a fraqueza da teologia dos hebreus, que não levava em consideração causas secundárias, pois fazia de Deus a *única causa*. Portanto, quando Deus dava permissão para que Satanás fizesse algo contra Jó, era o mesmo que *causar* o sofrimento de Jó. "Para provar a falácia dos argumentos de Satanás, Yahweh dispôs-se a submeter seu herói à tortura" (Samuel Terrien, *in loc.*). Essa não é uma teologia aceitável para nós, mas o era para os antigos hebreus. Várias de minhas fontes informativas *repudiam* essa barganha cósmica, mediante a qual um homem reto sofria *sem causa* (ver Jó 2.3).

Adam Clarke chama a questão inteira de *metáfora*, não aceitando nenhuma barganha cósmica real. Outros eruditos dizem que estamos tratando com *artifícios literários*, e não com acontecimentos metafísicos. É melhor afirmar que estamos lidando com uma teologia obsoleta, no tocante a *alguns* pontos do livro. Por que pensaríamos ser estranho nossa teologia ultrapassar a antiga teologia dos hebreus, e ter ela deficiências? Se a teologia dos hebreus não fosse deficiente, não haveria necessidade do Novo Testamento. Quanto a uma discussão detalhada dos problemas teológicos do livro de Jó, ver as notas expositivas em Jó 1.11, cuja substância não reitero aqui. Também é bom lembrar que nossa atual teologia tem deficiências e, conforme avançar a verdade, novas ideias substituirão as antigas, como sempre ocorreu na busca pela verdade. Jesus disse que o Espírito guiaria seus discípulos à verdade que ele mesmo não tinha apresentado (Jo 16.13). Isso *sempre* será a verdade, visto que a verdade é uma inquirição eterna, e não uma realização definitiva. Estamos crescendo espiritualmente e sendo continuamente iluminados, e esse será sempre o *nosso* caso. Somente Deus está isento desse avanço na verdade, pois apenas ele é infinito. Mas, em suas obras, o próprio Deus está sempre avançando. *Estagnação* é uma palavra estranha à verdadeira teologia.

A Restrição. Qualquer tipo de sofrimento poderia ser administrado por Satanás, menos matar Jó. Deus tinha planos para o "sobrevivente" do teste, no que consiste pelo menos boa parte do livro. Primeiramente, porém, era necessário ficar provado que existe adoração desinteressada e que um homem espiritual não é apenas um egoísta. A espiritualidade envolve mais do que isso.

Note-se como até o apóstolo Paulo reteve alguns elementos da teologia que é expressa no texto presente:

> *E para que não me ensoberbecesse com a grandeza das revelações, foi-me posto um espinho na carne, mensageiro de Satanás, para me esbofetear, a fim de que não me exalte.*
> 2Coríntios 12.7

Caros leitores, neste versículo do Novo Testamento continuamos diante da antiga e deficiente teologia dos hebreus: a falta de apreciação por causas secundárias. Assim é que Satanás saiu pelos arredores, fazendo o serviço de Deus e afligindo o apóstolo Paulo. A teologia do tempo de Paulo explicava essencialmente os males físicos como o trabalho de poderes demoníacos, e muitas pessoas carismáticas de nossos dias afirmam o mesmo. Conheço pessoalmente um caso em que uma hemorragia cerebral que deixara uma senhora, membro de uma igreja, essencialmente paralisada, foi manuseada como uma possessão demoníaca! As pessoas que tentaram ajudar aquela senhora fizeram um *exorcismo* nela, na tentativa de restaurar suas pernas paralisadas.

Segunda Visitação do Mal O Corpo de Jó é Afligido (2.7-10)

A primeira visita do mal ocorreu em *quatro* acontecimentos distintos ou desastres. Ver Jó 1.16. As riquezas e a família de Jó foram atacadas. Cada um desses quatro desastres foi uma expressão do *problema do mal* (ver a respeito no *Dicionário* e na quinta seção da *Introdução* ao livro de Jó). Dois desses ataques foram manifestações do mal moral, ou seja, a desumanidade do homem contra o homem; e dois foram expressões do mal natural, os abusos da natureza (acontecimentos naturais). Esses *dois aspectos* constituem a essência de *como* o mal e a tragédia ferem os homens.

A aflição do corpo de Jó foi uma manifestação do mal natural. Este mundo hostil traz dilúvios, incêndios, terremotos e enfermidades. Mas o rei das aflições naturais é a morte. Devemos salientar aqui o óbvio: nenhuma das provações pelas quais Jó passou atingiu ou prejudicou sua *alma*. Essa é uma importante consideração na tentativa de explicar os *porquês* do sofrimento humano.

Ilustração Baseada em um Cântico Popular. Na década de 1960, saiu uma canção que ilustra bem a isenção da alma humana dos ataques do mal, se essa alma é a de um homem espiritual.

> Miguel remou o bote para o outro lado, Aleluia!
> Miguel remou o bote para o outro lado, Aleluia!
> O rio Jordão é profundo e largo, Aleluia!
> Esfria o corpo, mas não a alma, Aleluia!

Pessimismo. Os extremos sofrimentos físicos de Jó fizeram-no cair na armadilha do pessimismo. A definição primária do pessimismo é a de que a própria existência é um mal. O capítulo 3 deste livro, a *lamentação de Jó*, exprime esse ponto do princípio ao fim. Ver na *Enciclopédia de Bíblia, Teologia e Filosofia* o artigo chamado *Pessimismo*. Ver Jó 3.6.

■ 2.7

וַיֵּצֵא הַשָּׂטָן מֵאֵת פְּנֵי יְהוָה וַיַּךְ אֶת־אִיּוֹב בִּשְׁחִין רָע
מִכַּף רַגְלוֹ עַד קָדְקֳדוֹ׃

E feriu a Jó de tumores malignos. Satanás afligiu Jó com "tumores malignos", ou úlceras. Não há como determinar a natureza exata dessa enfermidade, nem isso é importante para a compreensão do texto. Até as humildes pústulas (*King James Version*) são uma questão séria. Resultam de uma infecção cutânea avançada, que penetra nas camadas mais profundas da pele e, então, chega a um músculo. São causadas por bactérias, como o estreptococo ou o estafilococo, e devem ser tratadas por meio de antibióticos.

A Enfermidade. Não estamos abordando um caso de lepra. O hebraico original diz aqui *shehin ra,* que subentende uma *inflamação.* Não há inflamação mais estranha do que uma pústula, e ter pústulas do alto da cabeça à planta dos pés seria algo que uma pessoa não poderia suportar. Samuel Terrien, *in loc.,* investigou as palavras hebraicas *shehin ra* no Antigo Testamento, tendo descoberto que elas são usadas para falar de certa variedade de enfermidades, de modo que tais palavras, por si mesmas, não nos ajudam grande coisa. Talvez a condição fosse a desordem cutânea denominada *pemphigus foliaceus,* que aparece de súbito e alcança quase imediatamente um estágio agudo. Por outra parte, toda essa conversa sobre qual seria a doença envolvida nos afasta da mensagem central do texto: Jó tornou-se, de fato, um homem miserável. Algumas vezes a provação consiste em viver, e não em morrer e, algumas vezes, morrer é algo excelente.

Roy. B. Zuck (*in loc.*) escolheu *penphigus foliaceus* como o candidato mais provável. Essa enfermidade deixa os cabelos eriçados, ao ouvirmos a descrição da afecção: inflamação, úlceras, coceira, degeneração das características faciais, perda de apetite, depressão, horrendas pústulas que atraem vermes, dificuldade de respirar, mau hálito, dor contínua, rápida perda de peso, pele escurecida, febre e descamação da pele! É possível que Satanás, conhecendo tudo sobre essa enfermidade, a tivesse escolhido para Jó.

■ 2.8

וַיִּקַּח־לוֹ חֶרֶשׂ לְהִתְגָּרֵד בּוֹ וְהוּא יֹשֵׁב בְּתוֹךְ־הָאֵפֶר׃

Tomou um caco para com ele raspar-se. *Em sua agonia,* Jó retirou-se para um monte de lixo, para ali morrer. A tradução "sentado em cinza" reflete o termo hebraico *mazbala,* ou seja, um montão de lixo de cinzas. Até hoje, segundo dizem os viajantes, do lado de fora das aldeias árabes, pode-se observar monturos, montes de lixo, carcaças apodrecendo, crianças brincando em meio a pilhas de lixo, esmoleres sem moradia e idiotas da vila perambulando ao redor, e cães selvagens brigando por *pedacinhos de alimentos* que encontram naquela confusão horrenda. Jó, o respeitado príncipe árabe, abandonou sua casa e foi para lugar tão miserável, a fim de esperar pela morte. Ele estava rasgado por dentro, pela dor e pela angústia mental. Não havia medicamentos, e suas orações desesperadas eram inúteis.

Raspar-se. Por que Jó tinha de raspar seus ferimentos não é revelado, mas é provável que ele usasse aquele caco para coçar suas pústulas. Talvez ele também estivesse removendo o pus que corria de suas pústulas. Suas feridas eram por demais nojentas para serem tocadas.

Houvera tempo em que o aristocrata Jó se sentara entre os sábios nos conselhos da cidade, mas agora o vemos sentado a raspar-se em suas pústulas putrefatas.

> Em vão aos deuses (se há algum) oramos
> Vítimas infelizes pagando por debochos praticados.
> Homens continuam a adorar suas divindades sonolentas
> Mas a morte zomba da devoção deles e
> Faz parar seu hálito que ora.
> Até em santuários santificados a sorte intrusa chega,
> E tira os devotos de seus túmulos.
>
> Adaptação de Ovídio

A Esposa de Jó o "Consola" (2.9,10)

■ 2.9

וַתֹּאמֶר לוֹ אִשְׁתּוֹ עֹדְךָ מַחֲזִיק בְּתֻמָּתֶךָ בָּרֵךְ אֱלֹהִים וָמֻת׃

A *escandalosa esposa de Jó* conseguiu, de alguma maneira, escapar aos golpes que acabaram com sua família (Jó 1.15 ss.). Ela havia sido como uma rainha na cidade, gastando o dinheiro de Jó com alegria feroz. Agora o dinheiro dele se acabara; os filhos dele morreram; e tudo quanto restava a Jó era seu monte de lixo e suas pústulas. A mulher de Jó era exatamente como Satanás esperava que fosse. Se ela tinha alguma espiritualidade, certamente era uma espiritualidade egoísta. Ela não tinha nada de adoração desinteressada. Ver Jó ainda firme em sua "integridade" era o máximo de insensatez, na opinião dela. Ela disse a Jó que fizesse o que Satanás dissera que ele faria — "amaldiçoar a Deus" (Jó 1.11; 2.5) — e, depois disso, *morrer* e obter o fim do triste drama. Ela não se preocupava se Jó seria ou não um pecador que estava pagando pelos seus erros. Ela simplesmente queria que ele e seu Deus saíssem do caminho. Ela queria que a farsa da fé religiosa terminasse, pois não aguentava ver tão "inúteis" sofrimentos.

John Gill (*in loc.*) repreendeu os intérpretes judeus que "fingem saber tudo" e tolamente chamaram a esposa de Jó de *Diná,* a filha de Jacó.

Portanto, os inimigos de um homem podem ser aqueles de sua própria casa (Mq 7.6 e Mt 10.36). A oposição à espiritualidade torna-se uma prova especialmente amarga quando vem de um familiar próximo.

Samuel Terrien (*in loc.*) interpreta que a esposa de Jó só estava tentando vê-lo morto e livre de sofrimentos, supondo que uma *maldição* tivesse o poder de eliminar os sofrimentos dele. Em outras palavras, ela era uma antiga advogada da *eutanásia.* Ver na Enciclopédia de Bíblia, Teologia e Filosofia o verbete chamado *Eutanásia.* Ela raciocinava que, se Jó amaldiçoasse a Deus, uma retaliação divina mataria o homem, pondo fim a seus sofrimentos. O irmão Terrien chegou a supor que o ato da mulher de Jó tenha sido *inspirado pelo amor,* por mais ignorante que tenha parecido ser. Mas provavelmente Agostinho estava mais próximo da verdade quando comparou a mulher de Jó a Eva, a tentadora original que produziu a morte, ao chamá-la de "ajudante de Satanás".

> Ao toque gentil de uma mulher pura e virtuosa,
> O que, neste mundo, cruel e indiferente,
> Se pode comparar?
>
> Russell Champlin

■ 2.10

וַיֹּאמֶר אֵלֶיהָ כְּדַבֵּר אַחַת הַנְּבָלוֹת תְּדַבֵּרִי גַּם אֶת־הַטּוֹב נְקַבֵּל מֵאֵת הָאֱלֹהִים וְאֶת־הָרָע לֹא נְקַבֵּל בְּכָל־זֹאת לֹא־חָטָא אִיּוֹב בִּשְׂפָתָיו׃ פ

Mas ele lhe respondeu: Falas como qualquer doida. "Jó não caiu na tentação. Ele reconheceu em sua proposta aparentemente razoável o sinal da insensatez. A fé oferecia a ele uma razão mais elevada do que o raciocínio humano" (Samuel Terrien, *in loc.*). Ele a chamou de "doida" e companheira dos "insensatos" (no hebraico, *nehaloth,* a palavra de Sl 14.1). É o insensato que diz em seu coração: Não há Deus. Embora a mulher não tenha negado a existência de Deus, estava dando a entender isso no caso de Jó: seria melhor nada ter a ver com o "Deus dele". Deus é quem estava afligindo Jó. Talvez essa mesma força destrutiva pudesse ser mais provocada ainda, ao ser amaldiçoada, e talvez matasse Jó, em vez de meramente deixá-lo miserável. Assim provocado, Deus faria um favor a Jó se o matasse. Mas isso concorda com o raciocínio dos insensatos. Jó, por sua vez, continuava olhando para Deus, para que ele fizesse justiça. Ele já havia recebido muita bondade da mão divina. Então recebera o mal. De alguma maneira, Jó não sabia como nem por quê.

> O ano está na primavera,
> O dia ainda está de manhã;
> A manhã está às sete horas;
> As faldas das colinas estão peroladas com o orvalho;
> O caracol está no espinho;
> Deus está no seu céu,
> Tudo vai bem com o mundo.
>
> Robert Browning

Não pecou Jó com os seus lábios. Jó não ousou blasfemar e podemos assumir com segurança que, por igual modo, não havia maus pensamentos em seu coração. A versão caldaica adiciona a este versículo as palavras: "Mas em seu coração ele pensou palavras", o que é um comentário infeliz e incorreto. Vários intérpretes judeus seguem tolamente a versão caldaica. O pecado e a insensatez são aliados nas Escrituras (ver 1Sm 25.25; 2Sm 13.13; Sl 14.1). Mas Jó não se tornou culpado em nenhum dos dois sentidos.

APRESENTAM-SE OS "CONSOLADORES" DE JÓ (2.11-13)

Nos capítulos 3—14 do livro de Jó, temos a primeira série de diálogos entre Jó e seus "amigos". Mas, antes que o autor chegue aos *diálogos*, ele apresenta aqueles que trocarão ideias com Jó em raciocínios teológico-filosóficos.

Naturalmente, a notícia da triste sorte de Jó se espalhou por toda a parte e, entre aqueles que ouviram falar dela, estavam seus três amigos especiais, que tinham desfrutado de tempos favoráveis com ele e vivido com ele nos "anos bons". Provavelmente eram homens bons, mas tolos, que pensavam ter a resposta para todas as coisas, até para o problema do mal. Eles anelavam por comunicar a Jó, o pobre homem, a sabedoria deles. Eram indivíduos dogmáticos e cheios de credos fixos, homens que podiam voltar-se para qualquer passagem nos livros sagrados e oferecer sabedoria instantânea para qualquer ocasião. Tinham respostas simplistas para problemas difíceis e nunca haviam imaginado que poderiam existir enigmas sobre os quais eles *não* possuíam nenhum conhecimento. Prepararam suas *ministrações pastorais* para aquele pobre homem, Jó, uma ovelha que se tinha desviado. Eles compreendiam sua tarefa com fórmulas adredemente preparadas e certas premissas que, conforme pensavam, poderiam lançar luz sobre qualquer situação. Eles falaram principalmente sobre a lei do *carma* — cada indivíduo recebe aquilo que semeia — e jamais pensaram que o *inocente* pudesse sofrer.

2.11

וַיִּשְׁמְעוּ שְׁלֹשֶׁת רֵעֵי אִיּוֹב אֵת כָּל־הָרָעָה הַזֹּאת הַבָּאָה עָלָיו וַיָּבֹאוּ אִישׁ מִמְּקֹמוֹ אֱלִיפַז הַתֵּימָנִי וּבִלְדַּד הַשּׁוּחִי וְצוֹפַר הַנַּעֲמָתִי וַיִּוָּעֲדוּ יַחְדָּו לָבוֹא לָנוּד־לוֹ וּלְנַחֲמוֹ׃

Ouvindo, pois, três amigos de Jó. Os três amigos de Jó vieram da parte noroeste da Arábia. O prestigioso xeque, Jó, estava em dificuldades. E eles pensaram que poderiam ajudá-lo. Deixaram momentaneamente suas atividades e tentaram endireitar o caso de Jó, porque, como era óbvio, ele estava sendo punido por causa de um ou mais pecados secretos. As intenções deles eram boas, mas não eram tão sábios quanto pensavam ser. Seus credos, cuidadosamente preparados, tinham grandes hiatos. Suas filosofias não se aproximavam muito da explicação sobre tudo o que acontece neste mundo.

Elifaz o temanita. Quanto a notas expositivas completas sobre esta pessoa, ver o artigo no *Dicionário*, cuja informação não repito aqui. Ele residia em Temã, Edom (Gn 36.11; Jr 49.7; Ob 9; Ez 25.13; Am 1.12), que antigas fontes informam ter sido um lugar famoso por seus sábios.

Bildade o suíta. Quanto a informações detalhadas sobre este homem, ver o artigo no *Dicionário*. Pertencia à tribo dos suah, sendo assim um suíta. Provavelmente isso significa que ele estava associado aos nômades arameus, os quais migraram para a parte sudeste da Palestina (ver Gn 25.2,6). Seu nome parece ser derivado da frase aramaica que significa "amado do Senhor".

Zofar o naamatita. Há um artigo detalhado sobre ele, no *Dicionário*, e, como nos casos dos outros dois amigos de Jó, citados aqui, os artigos fornecem o âmago dos seus argumentos, e não meramente o pouco que se sabe sobre cada um desses homens. Não há certeza quanto ao significado do nome desse homem, embora pareça estar associado à ideia de um "pássaro que gorjeia" ou "prego afiado". Ele vivia em Na'amah, que talvez fosse a mesma que Djebel-el-Na'anmah, na parte noroeste da Arábia.

Assim, Jó foi privilegiado em ser visitado pelos homens mais sábios da área e, conforme eles pensavam, certamente trariam alguma solução para o problema dele. Mas em breve tornou-se claro que:

> Havia mais coisas no céu e na terra
> Do que era sonhado em suas filosofias.
>
> Shakespeare

Ver Jó 1.1, quanto ao local onde Jó residia, próximo das regiões de seus três amigos.

2.12

וַיִּשְׂאוּ אֶת־עֵינֵיהֶם מֵרָחוֹק וְלֹא הִכִּירֻהוּ וַיִּשְׂאוּ קוֹלָם וַיִּבְכּוּ וַיִּקְרְעוּ אִישׁ מְעִלוֹ וַיִּזְרְקוּ עָפָר עַל־רָאשֵׁיהֶם הַשָּׁמָיְמָה׃

Levantando eles de longe os olhos e não o reconhecendo... Tão mutilado, emaciado e deformado estava Jó, que seus amigos nem puderam reconhecê-lo. Satanás tinha cumprido muito bem a sua tarefa. A primeira reação deles não foi atacar Jó e dizer-lhe quão grande pecador ele era (o que terminaram fazendo) mas, sim, cair em profunda lamentação, por causa dos sofrimentos do amigo. Eles levantaram a voz em altas lamentações e, então, realizaram aqueles atos orientais comuns de consternação, o que Jó também tinha feito. Cf. Jó 1.20, onde dou notas expositivas sobre a questão. Ver também 2Sm 12.16 e Lm 2.10. Ver no *Dicionário* o artigo detalhado sobre o tema da *Lamentação*, especialmente a terceira seção, onde discuto os costumes específicos ou atos relacionados à questão.

Assim, ali estavam eles, Jó e seus três amigos, sentados naquela *mazbala*, aquele montão de lixo de cinzas (ver Jó 2.8). Jó estava preparado para morrer. Mas seus amigos queriam experimentar suas filosofias sobre ele, antes que a morte o vencesse. Ali estavam eles, formando uma visão dolorosa e ridícula, bastante burlesca, se Jó não estivesse sofrendo tanto. Imagine-se aqueles sábios xeques árabes sentados juntos sobre o montão de lixo, em vez de nos portões da aldeia, onde poderiam exibir suas riquezas e sabedoria!

PESSIMISMO

Passou Jó a falar, e amaldiçoou o seu dia natalício.
Disse Jó: Pereça o dia em que nasci
e a noite que disse:
Foi concebido um homem!
Converta-se aquele dia em trevas; e
Deus, lá de cima, não tenha cuidado dele,
nem resplandeça sobre ele a luz.

Jó 3.1-4

O SOFRIMENTO NÃO POUPA NINGUÉM

A Vida

Feliz aquele que em modesta lida,
Isento da ambição e da miséria
No regaço do amor e da virtude
A vida passa. Mais feliz ainda
Se, das turbas ruidosas afastado,
À sombra do carvalho, entre os que adora,
Sente a existência deslizar tranquila,
Como as águas serenas do ribeiro;
Mas, que digo! Nem esse, infindos males,
Comuns a todos, seu viver não poupam.

Soares de Passos

2.13

וַיֵּשְׁבוּ אִתּוֹ לָאָרֶץ שִׁבְעַת יָמִים וְשִׁבְעַת לֵילוֹת וְאֵין־דֹּבֵר אֵלָיו דָּבָר כִּי רָאוּ כִּי־גָדַל הַכְּאֵב מְאֹד׃

Sentaram-se com ele na terra, sete dias e sete noites. Sete Dias de Silêncio! É difícil para nós imaginarmos costumes como esses. Por sete dias e sete noites, os quatro homens ficaram sentados sobre seus montículos de cinzas, desfigurados com cinzas e sujeira, as vestes rasgadas, sujas e miseráveis. O *silêncio* se devia à consternação e ao respeito. Que se pode dizer quando um amigo está em tão miserável estado? A tristeza de Jó era profunda, e eles não queriam agravá-la ainda mais, através de conversa tola. Finalmente, os três amigos de Jó cederam diante dessa tentação, mas durante sete dias não disseram uma só palavra.

Jó foi o primeiro a falar, e seu tristonho monólogo está registrado no capítulo 3. Encorajados por sua fala, os três amigos correram em socorro dele, com seus argumentos inadequados.

O *suicídio* era uma medida conhecida entre os antigos semitas, mas sua incidência em nada se assemelhava ao que se vê na maioria das nações modernas. Portanto, a autodestruição estava fora de cogitação. Jó por certo enfrentava a possibilidade da morte, mas não a apressaria, uma sábia decisão. Ver na *Enciclopédia de Bíblia, Teologia e Filosofia* o verbete intitulado *Suicídio*. Esta questão está coalhada por toda a espécie de dificuldades, com as quais se debatem nossos teólogos e filósofos.

"Sentar-se no silêncio com Jó durante uma semana talvez tenha sido a maneira de seus amigos lamentarem sua condição moribunda, ou talvez um ato de simpatia e consolo, ou, ainda, uma reação de horror. Sem importar qual tenha sido a razão, de acordo com os costumes da época, os três amigos de Jó tinham de dar ao sofredor a primeira chance de expressar-se" (Roy B. Zuck, *in loc.*).

Cf. a conduta de Davi em 2Sm 12.16. Ver também Gn 1.10; 1Sm 31.13 e Ez 3.15. O autor nos transmitia um sofrimento intenso, para o qual *razões* urgentes tinham de ser buscadas. Essa busca e a discussão poética a respeito, na discussão do livro (ver Jó 3.1—31.40), oferecem um de nossos mais eloquentes poemas antigos.

CAPÍTULO TRÊS

A DISCUSSÃO POÉTICA (3.1—31.40)

PRIMEIRA SÉRIE DE DISCURSOS (3.1—14.22)

Os *costumes e a cortesia* exigiam que o homem aflito tivesse permissão de falar primeiro, portanto este capítulo do livro, em sua inteireza, contém a lamentação de Jó. Depois dessas lamentações, seguem-se os ataques de seus amigos, os quais afirmaram principalmente que Jó era um pecador secreto e estava sendo punido com justiça. Em outras palavras, ele estava engajado em um caso radical da *Lei Moral da Colheita segundo a Semeadura* (ver a respeito no *Dicionário*). Temos aqui a mais óbvia razão para o sofrimento humano, embora, de maneira alguma, a única. De fato, o livro de Jó ensina que os *inocentes* sofrem. Ver Jó 2.3. As aflições de Jó não tinham *causa* alguma. Quanto aos problemas teológicos do livro, que são a barganha cósmica em detrimento dos justos; se existe ou não uma adoração desinteressada; o Deus voluntarista do judaísmo; por que os inocentes sofrem; e o problema geral do mal, ver os comentários em Jó 1.11. Ver a quinta seção da *Introdução* ao livro de Jó e, no *Dicionário*, o artigo chamado *Problema do Mal*.

O *tema principal* do livro de Jó é a *adoração desinteressada*. Porventura um homem haverá de adorar a Deus quando disso não tirar benefício algum? Em outras palavras, seria verdadeira a doutrina do *Egoísmo* (ver a *Enciclopédia de Bíblia, Teologia e Filosofia)*? Um homem age de maneira desinteressada em favor do próximo, ou ele sempre espera alguma vantagem pessoal? Será a espiritualidade de um homem (sua fé e sua adoração) apenas uma maneira de servir a si mesmo? A piedade humana é apenas um meio de obter vantagens pessoais e uma maneira de afastar o perigo? Estaria um homem realmente interessado em Deus, por sua causa somente? Satanás supunha que, se a vida de Jó se tornasse miserável, ele amaldiçoaria a Deus (Jó 1.11 e 2.5). Portanto, Jó foi afligido *sem que houvesse causa* para isso, somente para ver se ele reteria a sua *integridade*. Quando suas riquezas e sua família lhe foram arrebatadas, ele passou no teste (capítulo 1). Em seguida, seu corpo foi profundamente afligido, mas ele também passou nesse teste (capítulo 2). O sofrimento humano entra no livro como um meio de testar a espiritualidade do indivíduo, e o livro de Jó torna-se, assim, o único que trata demoradamente do *porquê* do sofrimento humano e do problema do mal. O sofrimento humano ocorre através do *mal moral* (a desumanidade do homem com o homem) e também através do *mal natural* (o abuso da natureza, como enfermidades, incêndios, inundações, terremotos e a morte). Jó sofreu amplamente tanto os abusos da vontade humana pervertida como os abusos da natureza. No entanto, ele reteve a sua integridade espiritual.

A LAMENTAÇÃO DE JÓ (3.1-26)

A Maldição (3.1-10)

Por causa de seus supremos sofrimentos, Jó caiu no abismo de uma quase total desesperança. Ele proferiu uma *maldição*, mas não contra Deus, conforme Satanás disse que ele faria (ver Jó 1.11 e 2.5). Ele desejou jamais ter nascido (vss. 2-10 deste capítulo) ou, então, que tivesse morrido por ocasião de seu nascimento (vss. 11-19). Visto que essas bênçãos não lhe tinham sido conferidas, ele desejava morrer em breve (vss. 20-26). Mas ele falou com sua voz miserável sem chegar a ponto nenhum. Ele ignorou tanto Deus como o ser humano, ao proferir o seu "ai". Em consonância com o costume e a prática dos semitas, Jó não pensou em suicidar-se, embora o suicídio não fosse desconhecido entre eles.

Pessimismo. Em sua luta contra o sofrimento, Jó caiu no pessimismo, a ideia de que a própria existência é um mal (pelo menos até onde ele estava pessoalmente envolvido). Ver na *Enciclopédia de Bíblia, Teologia e Filosofia* o artigo denominado *Pessimismo*. Ver as notas adicionais em Jó 3.6.

3.1

אַחֲרֵי־כֵן פָּתַח אִיּוֹב אֶת־פִּיהוּ וַיְקַלֵּל אֶת־יוֹמוֹ: פ

Amaldiçoou o seu dia natalício. Jó amaldiçoou o seu "dia natalício". Sentimo-nos muito tristes quanto aos infantes que morrem e diante de pais que perdem suas crianças; mas Jó viu que, em seu caso, essa condição teria sido uma grande bênção. Quanto ao problema vexatório da morte dos infantes e as questões teológicas levantadas por esse acontecimento, ver no *Dicionário* o detalhado artigo chamado *Infantes, Morte e Salvação dos*. O dia e a noite, de acordo com as crenças antigas (ver Sl 19.3), eram dotados de uma espécie de existência autônoma. Se ao menos o *dia do nascimento de Jó*, ou a noite em que ele fora concebido, nunca tivessem ocorrido, então Jó teria escapado ao caos da existência e aos resultados temíveis de uma vida inútil. O livro não expõe a possibilidade de uma alma preexistente ter nascido em um corpo diferente. O discurso de Jó só indica que, sem *aquele* nascimento, que acabou produzindo tanto sofrimento, ele nunca teria existido e, portanto, não estaria sofrendo. Isso, caros leitores, é uma teologia míope, até onde me diz respeito. Nesse ponto, estou com a Igreja Ortodoxa Oriental, apegado à ideia da preexistência da alma. Ver na *Enciclopédia de Bíblia, Teologia e Filosofia* o artigo geral sobre *Alma*. Não acredito que se possa anular uma *alma* meramente porque duas pessoas, um homem e uma mulher, não se uniram sexualmente para produzir um *bebê*. Por certo, a história da alma é separada e distinta da história do corpo que, finalmente, ela venha a possuir. Caros leitores, é uma *frivolidade* pensar que uma alma eterna depende da procriação física para poder existir. Mas é isso o que uma grande parte da Igreja Cristã acredita atualmente. A Igreja Ortodoxa Oriental acredita na preexistência e independência entre a alma e o corpo (eles têm histórias separadas), sem reencarnação, embora algumas pessoas na Igreja Ortodoxa Oriental misturem a reencarnação nesta questão. Quanto a um artigo detalhado sobre o assunto, ver na *Enciclopédia de Bíblia, Teologia e Filosofia* o verbete chamado *Reencarnação*. Como é óbvio, Jó desejava a *não existência*, e não uma nova chance de uma vida nova, sem complicações, por meio da reencarnação.

Jó amaldiçoou o seu nascimento, a sua vida, e não Deus, conforme Satanás afirmou que ele faria (ver Jó 1.11 e 2.5).

3.2,3

וַיַּעַן אִיּוֹב וַיֹּאמַר:

יֹאבַד יוֹם אִוָּלֶד בּוֹ וְהַלַּיְלָה אָמַר הֹרָה גָבֶר:

Pereça o dia em que nasci. *Jó ampliou a maldição*, dando detalhes e conferindo volume à sua queixa e às suas lamentações. As notas que ofereço no vs. 1 deste capítulo também se aplicam aqui. O *dia* e a *noite* personificados, por assim dizer, são entidades com uma espécie de existência autônoma. O dia e a noite, pois, tinham trazido a Jó sua miséria, e ele desejou que, de alguma maneira, eles fossem obliterados em sua existência, para que ele próprio pudesse descansar no *nada*.

AS LAMENTAÇÕES DE JÓ

Discursos Envolvidos	Falado para si Mesmo	Falado contra Deus	Falado contra Inimigos
Solilóquio Introdutório (cap. 3)	3.11-19, 24-26	3.20-23	3.3-10
O Primeiro Discurso de Jó (caps. 6—7)	6.1-12; 7.1-10	7.12-21	6.13-20
O Segundo Discurso de Jó (caps. 9—10)	9.25-31	9.17-21; 10.8-17	
O Terceiro Discurso de Jó (caps. 12—14)	14.1-6, 7-15	13.3, 14-16, 23-27	
O Quarto Discurso de Jó (caps. 16—17)	17.4-10	16.9-14	
O Quinto Discurso de Jó (cap. 19)		19.7-12	19.13-19
O Sexto Discurso de Jó (cap. 21)			cap. 21
O Sétimo Discurso de Jó (caps. 23—24)	23.3-12		
O Oitavo Discurso de Jó (caps. 26—31)	29.2-6, 12-20; 30.16-19, 24-31	30.20-23	30.1-15

Definições:

O que é *lamentável* é algum fato que provoca tristeza, miséria, lágrimas, remorso, aflição ou descontentamento. Um acontecimento adverso, perverso ou desprezível traz lamentação. A *lamentação* é uma expressão informal (particular) ou formal (falada ou escrita) que expressa dor e tristeza. Alguns poemas e canções são lamentações formais. Existe na Bíblia o livro chamado *Lamentações*, que chora a queda de Jerusalém e seu cativeiro na Babilônia, isto é, a morte de uma nação. Quando Jó estava sob a mão pesada de Deus, ele tinha muitas razões para lamentar. Quanto mais pesada ficou a mão divina, mais amargas ficaram as lamentações do pobre homem. Ele foi abandonado por Deus e pelos homens.

RAZÕES PARA LAMENTAÇÃO

1. *Tristeza pelos mortos.* Abraão lamentou por Sara (Gn 23.2); Jacó, por José (Gn 27.34,35); os egípcios, por Jacó (Gn 50.3,10); Maria e Marta por Lázaro (Jo 11.31).

2. *Em face das calamidades.* Estão inclusas as calamidades já sofridas ou apenas antecipadas. Ver Jó 1.21,22; Êx 33.4; Jn 3.5; Jr 14.2; Ne 1.4; Et 4.3.

3. *Por causa do arrependimento pelo pecado.* Ver Jn 3.5; Jr 14.2; Ne 1.4; Et 4.3.

4. *Lamentações cultuais.* Os profetas de Baal, no monte Carmelo, lamentavam-se e laceravam-se na tentativa de agradar ao seu deus e provocar intervenção em favor deles (1Rs 18.28). O culto de Israel, em determinadas ocasiões, também estava associado à lamentação (Jr 41.5). Ezequiel deixou registrado um caso de lamentação cúltica pagã (Ez 8.14); e o mesmo fez Isaías (Is 45.4), ainda que nesse último caso os israelitas estivessem envolvidos em ritos pagãos.

ALGUNS MODOS E COSTUMES DE LAMENTAÇÃO

1. *Choro e clamor em voz alta.* Esses atos são mencionados em conexão com a lamentação em Gn 50.10; 2Sm 13.36; Sl 6.6; 42.3. Os orientais, de modo geral, eram bastante vocíferos em suas lamentações.

2. *Lágrimas.* Uma emoção forte, positiva ou negativa, provoca lágrimas.

3. *Desfiguramentos.* Havia demonstrações externas nas lamentações. Uma pessoa assentava-se sobre cinzas e salpicava cinzas sobre o rosto (2Sm 13.19; 15.32). A barba era raspada, os cabelos eram aparados, ou eram arrancados tufos de cabelos (Lv 10.6; 2Sm 19.24; Ez 26.16). Alguns povos pagãos laceravam o corpo, uma prática proibida pela lei mosaica (Lv 19.28).

4. *Roupas rasgadas.* Ver Gn 37.29,34; 2Cr 34.27; Mt 26.65.

5. *Roupas de pano de saco.* Ver Gn 36.34; 2Sm 14.2; Sl 38.6.

6. *Cabeça coberta.* Ver Lv 13.45; 2Sm 15.30; Jr 14.4.

7. *Remoção das roupas;* nudez, falta de higiene corporal. Ver Êx 33.4; Dt 21.12,13; Ez 26.16; Dn 10.3; Mt 6.16,17.

8. *Lamentações profissionais.* Ver Jr 9.17; 2Cr 35.25; Mt 9.23. Ver o artigo *Sepultamento, Costumes de,* no Dicionário.

Uma Curiosidade. Notemos que Jó não olhou estrada abaixo para a *imoralidade*. No período patriarcal, pode ter havido essa ideia, entre os hebreus, mas não há nenhuma expressão dessa noção no Pentateuco. A ideia só entrou no pensamento dos hebreus nos Salmos e Profetas, sem grande esclarecimento. No período intermediário entre o Antigo e o Novo Testamento foi mais desenvolvida, e ainda mais no Novo Testamento. É verdade que em Jó 19.26 essa esperança é levantada, possivelmente mediada através da ressurreição, e não através de uma alma imortal que sobrevive à morte biológica do corpo. Alguns veem a reencarnação nessa referência, mas isso é discutível. Seja como for, é notável que a lamentação de Jó, que vemos aqui e nos capítulos seguintes, não tente aliviar o problema do sofrimento humano com uma visão da existência futura, além do sepulcro, onde o sofrimento pudesse ser anulado. Isso, entretanto, está em harmonia com a teologia geral do período patriarcal. Os livros escritos por Moisés não prometem uma vida de bem-estar para além da morte biológica nem ameaçam os ímpios com a punição em uma futura vida, não física. Ver no *Dicionário* o verbete chamado *Alma,* e ver na *Enciclopédia de Bíblia, Teologia e Filosofia* o artigo chamado *Imortalidade.*

A Noite Personificada Fala. Ela anunciou o conceito de um filho que teria sido a alegria de sua mãe. Mas o futuro era tão negro e miserável, que nenhum regozijo foi encorajado. John Gill curiosamente comenta aqui que nem mesmo as próprias *mulheres* sabem em que noite exata elas conceberam e, certamente, os *homens* não o sabem. Mas a *Noite* sabia. A noite em que Jó foi concebido foi uma noite miserável, que ele desejava fosse anulada. Alguns estudiosos interpretam a Noite como personificação de Satanás e colocam nela o pecado original, mas isso é apenas fantasia. Ver, contudo, Jó 14.4.

Elaborações do Conceito. Os vss. 4-5 elaboram sobre o *dia* do nascimento de Jó; os vss. 6-7 falam sobre a noite em que ele foi concebido; e o vs. 10 anela pela anulação do nascimento dele.

■ 3.4

הַיּוֹם הַהוּא יְהִי חֹשֶׁךְ אַל־יִדְרְשֵׁהוּ אֱלוֹהַּ מִמָּעַל וְאַל־תּוֹפַע עָלָיו נְהָרָה:

Converta-se aquele dia em trevas. Jó volta a lamentar o seu nascimento. O dia é luz, e luz é esperança. Mas o primeiro dia de Jó foi de trevas miseráveis e repleto de presságios ruins. Deus não levou em conta o dia do nascimento de Jó. A luz não incidiu sobre aquele dia. Antes, foi um dia melancólico, de negligência e tristeza, por causa do tipo de vida que finalmente haveria para Jó. Premonições de desespero anulavam qualquer alegria que pudesse estar envolvida no nascimento de um filho. Deus se tornara um estranho para aquele pequeno, que fora esquecido pelo Ser divino e pelos seres humanos.

Deus... não tenha cuidado dele. "Literalmente, *requerer, perguntar a respeito* e, assim, *manifestar cuidado a respeito*" (Ellicott, *in loc.*). Empregando o linguajar popular, podemos dizer que o versículo significa: "Deus não poderia importar-se menos". No ato de criação, Deus disse: "Haja luz", e houve luz. Mas o dia de Jó não teve luz nem esperança. Seu nascimento foi uma espécie de anticriação. A providência do sorriso de Deus não abençoara aquele dia.

... Cópula, nascimento, morte
Esses são os fatos...

Thomas Stearns Eliot

Esses são os fatos brutais de uma vida sem Deus e sem esperança. As palavras de Eliot indicam que não há *significado* nenhum nesta vida. Jó caiu nessa armadilha, no meio de sua miséria. Para ele não havia *fatos remidores.*

■ 3.5

יִגְאָלֻהוּ חֹשֶׁךְ וְצַלְמָוֶת תִּשְׁכָּן־עָלָיו עֲנָנָה יְבַעֲתֻהוּ כִּמְרִירֵי יוֹם:

Reclamem-no as trevas e a sombra da morte. *O dia precário de Jó* deveria ser engolido por trevas melancólicas, varrido por nuvens escuras e aterrorizado pela negridão. Supostamente, o dia é iluminado, mas o de Jó era escuro.

"A palavra aqui usada para *enegrecimento* é a única ocorrência do vocábulo em todo o Antigo Testamento. Está em vista a negridão que acompanha um eclipse, um tornado ou uma pesada tempestade" (Roy B. Zuck, *in loc.*). O dia do nascimento de Jó foi um dia de pesada tempestade. A luz não pôde atravessar as espessas trevas. O nascimento de Jó, por assim dizer, foi um equívoco, uma piada cósmica. Ele foi vítima de uma mentira cósmica. Entrou na vida já trazendo aquela ferida incurável que causaria sua morte e, assim, teve uma peregrinação triste e sem sentido para lugar nenhum. O dia do nascimento de Jó foi *aterrorizado* pelas trevas preternaturais, por aquele *blecaute* inoportuno e inesperado. Sua vida fora obscurecida desde o começo.

■ 3.6

הַלַּיְלָה הַהוּא יִקָּחֵהוּ אֹפֶל אַל־יִחַדְּ בִּימֵי שָׁנָה בְּמִסְפַּר יְרָחִים אַל־יָבֹא:

Aquela noite! dela se apoderem densas trevas. A miséria de Jó era tão profunda que ele desejava que as trevas anulassem tudo, toda a vida e toda a existência. Essa anulação tinha de começar pela noite em que ele fora concebido. Ele anelava, de alguma maneira, voltar àquele ponto do tempo. Se, de algum modo, a noite de sua concepção pudesse ser obliterada, então a *fonte* de sua *tristeza* seria engolida pelo *nada,* que era a grande esperança de Jó, inútil naturalmente, mas uma ânsia retrospectiva. Ele não queria que a noite de sua concepção fosse um tempo marcado no calendário. Ele não queria que aquela noite tivesse ocorrido em um dia específico do ano. Se aquele dia se transformasse em nada, então *ele* seria reduzido a nada, e esse era o seu desejo mais intenso.

Pessimismo. A definição básica do pessimismo é que a própria existência é um mal. Assim sendo, o pior pecado do homem seria o fato de ele ter nascido. Schopenhauer, o mais eloquente advogado do pessimismo como um sistema filosófico, acreditava que a melhor coisa que poderia acontecer seria Deus fazer com que todas as coisas cessassem de existir. Então haveria a paz do nada. A insana vontade de viver está na base de toda a miséria humana. A vida é nossa inimiga; a morte é nossa amiga, *se* ela pudesse indicar total obliteração. Infelizmente, Schopenhauer acreditava na *reencarnação,* mecanismo insano mediante o qual se dá continuidade à vida. Jó caiu num pessimismo do tipo do de Schopenhauer. Ver na *Enciclopédia de Bíblia, Teologia e Filosofia* o verbete chamado *Pessimismo.* Entristeço-me por ter de dizer aos caros leitores que a Igreja Ocidental tem uma teologia de extremo pessimismo acerca do destino humano (excetuando alguns poucos salvos). De fato, esse pessimismo ultrapassa qualquer coisa que o livro de Jó contém. Não obstante, Deus surpreenderá os pessimistas provendo coisas maravilhosas por meio da missão de Cristo, que finalmente beneficiará todos os homens. Ver no *Dicionário* o artigo *Mistério da Vontade de Deus.*

■ 3.7

הִנֵּה הַלַּיְלָה הַהוּא יְהִי גַלְמוּד אַל־תָּבֹא רְנָנָה בוֹ:

Seja estéril aquela noite. Ainda personificando a Noite, Jó esperava que, de alguma maneira, a noite de sua concepção ficasse estéril (literalmente, no hebraico, ficasse "pedregosa"). A concepção de um filho costuma levar a um nascimento jubiloso. Jó preferiria a esterilidade, para que não houvesse um dia que seria de profunda tristeza, em vez de alegria. "Jó imprecou males sobre o dia em que ele nasceu, e agora (vs. 7) sobre a noite em que ele fora concebido" (John Gill, *in loc.*). Ele queria que a noite em que fora concebido se tornasse tão estéril como a pedernira. Cf. Is 49.21. "Os orientais, emocionais como são, gritavam quando um menino nascia. Mas Jó disse: 'dela sejam banidos os sons de júbilo', ou seja, naquela noite na qual uma concepção prometeu que nasceria um filho". Viver é sofrer, e há grande futilidade em toda a vida. A bondade é quando não há fagulha de vida para começar uma existência humana. O *pessimismo* era a teologia de Jó, no momento.

■ 3.8

יִקְּבֻהוּ אֹרְרֵי־יוֹם הָעֲתִידִים עֹרֵר לִוְיָתָן:

E sabem excitar o monstro marinho. Obras de poderes malignos, como aqueles possuídos por encantadores e sábios, ou forças cósmicas desconhecidas poderiam despertar o monstro dorminhoco, fazendo-o impor o caos. Em seu desespero, Jó desejava que *qualquer espécie* de poder destruidor obliterasse a ele e à sua memória, aliviando assim o seu sofrimento. Em outras palavras, ele queria estar morto, por quaisquer meios existentes. Jó desejava que o dia de sua concepção pudesse ter sido obliterado, salvando-o do infortúnio de ter nascido e vivido neste mundo caótico. Ver na *Enciclopédia de Bíblia, Teologia e Filosofia* o verbete denominado *Caos*.

O monstro marinho. Alguns intérpretes ocupam-se aqui em uma exegese inútil, tentando identificar esse monstro marinho com algum animal terrestre, como o crocodilo, ou com algum animal marinho, como a baleia ou a serpente do mar. Antes, Jó entrou no terreno da mitologia do Oriente Próximo e falou sobre o monstro marinho com sete cabeças, que teria o poder de engolir o sol ou a lua, mediante algum eclipse. Mais extensamente ainda, o monstro teria o poder de engolir a própria criação com seus poderes sobrenaturais.

Ver no *Dicionário* o verbete chamado *Leviatã*, onde forneço detalhes sobre o assunto, os quais não reitero aqui.

"Leviatã é um monstro marinho que, de acordo com a antiga mitologia dos semitas, pertencia ao mundo do *caos*, que o Criador, Deus, precisou subjugar, a fim de estabelecer uma terra habitável. Em Is 27.1, leviatã, o monstro marinho, é inimigo de Deus, enquanto em Sl 104.26 ele se torna mero joguete nas mãos de Yahweh. Jó 41.1 ss. e Sl 74.14 usam o termo para transmitir a ideia de sentimento de um temor elementar, produzido pelo crocodilo. Tal como no caso de *tannin* (Jó 7.12; em nossa versão portuguesa, 'monstro marinho' também) e *rahab* (Jó 9.13; em nossa versão portuguesa, 'auxiliadores do Egito', e 26.12 falta em nossa versão portuguesa), leviatã tornou-se personificação do *antagonismo cósmico* a Deus. Despertar esse poder era levar o mundo de volta ao caos primevo. O sofredor preferiria que a própria terra chegasse ao fim, antes que ele tivesse sido concebido" (Samuel Terrien, *in loc.*).

■ 3.9

יַחְשְׁכוּ כּוֹכְבֵי נִשְׁפּוֹ יְקַו־לְאוֹר וָאַיִן וְאַל־יִרְאֶה בְּעַפְעַפֵּי־שָׁחַר׃

Escureçam-se as estrelas... dessa noite. Jó desejava que as *trevas* obliterassem o dia de sua concepção e o dia de seu nascimento, conforme demonstram os versículos anteriores. Naquela noite escura, ele não queria que estrela alguma desse o mínimo de iluminação, nem que os primeiros alvores da madrugada viessem a iluminar o ambiente. As estrelas da manhã são os planetas Vênus e Mercúrio, luzes que podem ser vistas facilmente de madrugada, por causa de seu brilho (cf. Jó 38.7). Vênus é a *terceira luminária* do firmamento, vindo depois do sol e da lua. Jó queria também que Vênus deixasse de despedir seus raios e, assim, anunciasse o dia de seu sofrimento. O hebraico original é bastante poético no tocante à madrugada: "as pálpebras da manhã", comparando os raios da manhã à abertura das pálpebras de uma pessoa que vai despertando. Jó não queria abrir os olhos para o sol, nem queria que astro algum do céu os abrisse. Antes, desejava que as trevas aniquilassem tudo. Os poetas árabes chamam o sol de "olho do dia". Jó queria que todos os olhos permanecessem fechados, a fim de que ele pudesse mergulhar *no nada de suas trevas*.

■ 3.10

כִּי לֹא סָגַר דַּלְתֵי בִטְנִי וַיַּסְתֵּר עָמָל מֵעֵינָי׃

Pois não fechou as portas do ventre de minha mãe. As trevas cósmicas infelizmente não tinham sido capazes de impedir que a mãe de Jó o concebesse, nem de impedir seu nascimento por meio de algum aborto misericordioso. Portanto, a *tristeza* tornou-se a palavra do dia. Usualmente vemos a vida como um bem e a morte como um mal a ser evitado, mas os sofrimentos de Jó tinham revertido esse ponto de vista. Ele tinha caído no *pessimismo*, supondo que a própria existência fosse um mal. Ver as notas expositivas em Jó 3.6. Foi realmente um *infortúnio* que as portas do ventre de sua mãe não se tivessem fechado na terrível noite de sua concepção. Se isso tivesse acontecido, Jó não teria vindo à existência. Caros leitores, em Jó 3.1, tento mostrar que é má teologia supor que a existência da alma humana depende da procriação física. A alma tem de ser mais do que isso. Contudo, do princípio ao fim, Jó não apelou para um pós-vida, no qual a alma seria libertada dos males e sofrimentos da vida física. Como consolação, ele se voltou para o *nada*, não para a vida depois do sepulcro. Schopenhauer, o mais eloquente advogado do pessimismo, fez a mesma coisa. Ele se voltou para o *nada*, como se isso fosse a própria salvação, e esperava que, algum dia, Deus preferisse anular toda a espécie de vida. Disso viria a paz. Finalmente, em Jó 19.26, a esperança de uma vida futura brilhou na consciência de Jó.

A vida breve é nossa porção aqui.
Breve tristeza, cuidados de pouca duração.

John Mason Neale

A Inquirição (3.11-19)

■ 3.11

לָמָּה לֹּא מֵרֶחֶם אָמוּת מִבֶּטֶן יָצָאתִי וְאֶגְוָע׃

Por que não morri eu na madre? Tendo havido a concepção, Jó deveria nascer. Diante do fato terrível, ele desejou ter nascido morto. Nesse caso, poderia ter "expirado" antes que o sofrimento começasse. A morte hipnotizara Jó. Ele começou a olhar para a morte com mórbida alegria. Ele se juntou à companhia daqueles filósofos pessimistas do Egito e da Babilônia, que viam a morte como um estado de tranquilidade, sono e nada (vs. 13). O pensamento dos hebreus, em contraste, encarava a morte como um mal a ser evitado. Um severo sofrimento tirara de Jó a *ideia*, conforme se diz em uma expressão idiomática moderna.

Por que não expirei ao sair dela? Note que a versão portuguesa concorda aqui com a *Revised Standard Version* e não faz o versículo dar a entender uma alma imaterial e imortal que deixa o corpo por ocasião da morte biológica. Nascer *vivo* e sair em *segurança* do ventre materno, para a *vida*, era visto como um ato especial da providência divina (Sl 22.9). Jó desejou que aquela pequena demonstração da providência divina não tivesse operado em favor dele. Ver no *Dicionário* o artigo chamado *Providência*. Ver na *Enciclopédia de Bíblia, Teologia e Filosofia* o verbete intitulado *Infantes, Morte e Salvação dos*.

■ 3.12

מַדּוּעַ קִדְּמוּנִי בִרְכָּיִם וּמַה־שָּׁדַיִם כִּי אִינָק׃

Por que houve regaço que me acolhesse? Uma vez nascido, o bebê, de acordo com os costumes orientais, era primeiramente posto nos joelhos da mãe, de maneira que um pouco de descanso era desfrutado. Então o bebê era levado aos seios maternos. Havia também o costume patriarcal de colocar o bebê recém-nascido nos joelhos de um *antepassado paterno*, simbolizando que a criança pertencia à sua descendência e estava abençoada com a companhia de seu antepassado e de seus contemporâneos (ver Gn 50.23). Talvez seja isso o que esteja em vista no presente versículo. Jó desejava não ter descansado nos joelhos de sua mãe nem ter sido recebido em sua família por meio da bênção patriarcal. Preferia ter sido um natimorto, ou ter morrido antes de ser colocado sobre os joelhos de alguém. Entrementes, desejava nunca ter tomado leite de sua mãe, pois assim poderia ter morrido de fome, uma grande *vantagem* que não lhe teria permitido chegar àqueles dias de sofrimento. Em seu desespero, ele chegou a ver a vida como indigna de ser vivida. Jó foi tratado com grande cuidado, mas preferia ter caído morto no chão. Ver também Gn 30.3 e Is 66.12. Jarchi informa-nos que uma parteira, tendo completado o parto, tomava temporariamente a criança em seu regaço, dando-lhe descanso e consolo. Ela lavava o corpinho do recém-nascido com água e sal e o enrolava nos paninhos apropriados. Os gregos e romanos também tinham um costume semelhante ao da bênção paterna dos hebreus. O pai recebia a criança, e, pondo-a sobre os joelhos, tornava assim conhecido que aquele bebê era "seu filho", agora recebido em sua família. A deusa Levana é retratada como se estivesse ordenando o gesto de amor e preocupação (Kipping, *Antiq. Roman.* 1.1. cap. l, sec. 10).

■ 3.13

כִּי־עַתָּה שָׁכַבְתִּי וְאֶשְׁקוֹט יָשַׁנְתִּי אָז יָנוּחַ לִי׃

Porque já agora repousaria tranquilo. *Morrer por ocasião do nascimento* teria sido muito melhor do que uma *vida na morte*. Permanente sono e paz teriam resultado da morte do infante Jó, muito melhor do que a morte viva do Jó adulto. Como é claro, Jó não antecipava a continuação da vida através de uma alma imortal. Tal crença só surgiu na fé hebraica no tempo dos Salmos e Profetas e, mesmo assim, ainda não claramente definida. Delineamentos de doutrinas como o céu e a terra teriam de esperar pelos livros apócrifos e pseudepígrafos e, finalmente, pelo Novo Testamento. A teologia, como qualquer outro campo do conhecimento, cresce e se desenvolve. De muitas maneiras, a teologia dos hebreus era *deficiente*. Se assim não fosse, não haveria necessidade das revelações do Novo Testamento.

Nas Escrituras, a morte, tal como em certa expressão idiomática moderna, é chamada de *sono* (ver Sl 13.3). Isso não subentende, nos primeiros livros da Bíblia, que somente o corpo dorme, e a alma vai para Deus, conforme dizem alguns intérpretes cristãos ao comentar sobre o presente versículo. Antes, em consonância com a teologia deficiente da época, Jó via a morte como *sono eterno* (não existência) do ser que antes existira.

3.14,15

עִם־מְלָכִים וְיֹעֲצֵי אָרֶץ הַבֹּנִים חֳרָבוֹת לָמוֹ׃

אוֹ עִם־שָׂרִים זָהָב לָהֶם הַמְמַלְאִים בָּתֵּיהֶם כָּסֶף׃

Com os reis e conselheiros da terra. Seria melhor para Jó ter entrado no esquecimento (não existência), porquanto, afinal, os grandes homens do passado, como os reis, os poderosos, os aristocratas, os ricos, os famosos, tinham-no precedido para o *doce nada*. Tais homens tinham construído um nome para si mesmos, edificado cidades, feito grandes exércitos colocar-se em marcha, obtido vitórias, impressionado seus contemporâneos. Eles tinham recolhido grandes quantidades de ouro e prata (vs. 15) e tinham sido admirados pelas massas populares. Contudo, foram reduzidos ao nada, e era isso o que agora Jó anelava ansiosamente. Era como se ele estivesse dizendo: "Eu teria boa companhia em meu esquecimento interminável". Esta, naturalmente, é uma declaração que não faz sentido, mas, pelo menos por enquanto, era o que atraíra a *mente enferma* de Jó.

> A última cena...
> Que põe fim à última e estranha história,
> Em uma segunda infância, e então o esquecimento.
> Adaptado de Shakespeare

3.16

אוֹ כְנֵפֶל טָמוּן לֹא אֶהְיֶה כְּעֹלְלִים לֹא־רָאוּ אוֹר׃

Ou, como aborto oculto, eu não existiria. *Bendito Aborto.* Certos infantes nunca veem a luz do nascimento. O útero os expulsa, *mortos*. Essa era outra condição que teria aliviado Jó dos sofrimentos que ele experimentou como adulto.

O infante (um feto já bem desenvolvido) nasceu morto, arrancado abruptamente da árvore da vida. O corpinho minúsculo foi sepultado. Os pais sacudiram a cabeça e perguntaram: "Por quê?" Seja como for, a criança nada sofreu. Haveria uma alma já em companhia do corpo que se foi para algum mundo espiritual? Alguns teólogos respondem com um "sim", e outros com um "não". Alguns eruditos dizem-nos que a alma não chega a combinar-se com corpo que ela sabe não ser viável, isto é, que não viverá. Nesse caso, o corpo infante, abortado, nunca foi habitado por uma alma. Jó, entretanto, não aceitava esse tipo de teologia. De fato, ele estava interessado unicamente na doce morte que punha fim a todas as coisas, incluindo os sofrimentos.

Que dizer sobre a morte dos infantes e a questão da salvação? Ver no *Dicionário* o artigo intitulado *Infantes, Morte e Salvação dos,* que apresenta as várias teologias que acompanham o fenômeno.

> Minha vida terminou tão cedo
> Que não sei
> Por que começou.
> Epitáfio achado no túmulo de um infante,
> no oeste dos Estados Unidos

Houve um costume mediante o qual os infantes abortados eram sepultados em poços ou cavernas, mas é provável que a maioria deles tenha recebido sepultamentos normais. Cf. Ec 6.3-5, que emite sentimentos similares aos de Jó.

Morte, Bendito Nada para Todos (3.17-19)

3.17-19

שָׁם רְשָׁעִים חָדְלוּ רֹגֶז וְשָׁם יָנוּחוּ יְגִיעֵי כֹחַ׃

יַחַד אֲסִירִים שַׁאֲנָנוּ לֹא שָׁמְעוּ קוֹל נֹגֵשׂ׃

קָטֹן וְגָדוֹל שָׁם הוּא וְעֶבֶד חָפְשִׁי מֵאֲדֹנָיו׃

Os vss. 17-19 falam da *igualdade* de todos no esquecimento. A morte traz o nada total, e esse nada é igual para todos quantos viveram, sem importar se foram fortes ou fracos, ricos ou pobres, reis ou aldeões, criminosos ou justos, opressores ou oprimidos, grandes ou pequenos, escravos ou mestres. Todos os mortos tornam-se uma massa inexistente, um doce nada. Esses obtiveram a *paz* final. Não há como Jó pudesse ter contemplado qualquer tipo de vida de uma alma imaterial, combinada com algum julgamento pelo mal e alguma bênção para os justos. Ele não estava dizendo: "A morte torna iguais todas as almas que habitam em um mesmo lugar". Ele estava dizendo: "A morte produz a não existência para todos, e isso é bom".

Compare o leitor os sentimentos expressos por Horácio (*Odar. lib.* 1. Od. iv. vs. 13).

> A morte é o estado
> Onde compartilham de uma honra igual,
> Aqueles que foram sepultados ou não;
> Onde Agamenom não sabe mais
> Que ele desprezou Íris;
> Onde o belo Aquiles e Tersites jazem
> Igualmente nus, pobres e secos.

Os gregos pensavam que era uma calamidade para o corpo morto permanecer insepulto, porquanto isso (alegadamente) impedia a viagem da alma para o mundo dos espíritos. Mas Horácio não viu vantagem em ser sepultado ou ficar insepulto. Outrossim, a sua *honra* era, de fato, uma *desonra*. Seu mundo dos espíritos era um lugar lúgubre.

A *sorte* bate à porta de todo homem, de maneira imparcial. Bate à porta do palácio e à entrada da cabana do campo. A sorte de Jó, pois, não tomou nenhuma alma para alguma outra existência, mas apenas deixou corpos, sepultos e insepultos. Que diferença fazia se aqueles corpos haviam sido antes grandes homens ou homens comuns? Que diferença fazia que alguns tivessem construído pirâmides, e outros, cabanas sem janelas?

> A morte devora tanto os cordeiros como as ovelhas.
> A morte é a grande niveladora.
> Provérbio de século XVII

O Clamor (3.20-26)

3.20

לָמָּה יִתֵּן לְעָמֵל אוֹר וְחַיִּים לְמָרֵי נָפֶשׁ׃

Por que se concede vida ao miserável...? Seria um desserviço a Deus dar vida a um corpo que, ao chegar ao estágio adulto, experimentasse miséria e dor? Qual o propósito servido pelo sofrimento humano? Jó lutou com o *problema do mal* (ver a respeito na *Enciclopédia de Bíblia, Teologia e Filosofia*). Ver Jó 1.1, quanto à exposição dos principais problemas do livro de Jó. Por que os *inocentes* sofrem? Compreendemos a lei do carma, isto é, a *lei moral da colheita segundo a semeadura* (ver a respeito no *Dicionário*). Mas tal lei não resolve o *porquê* do sofrimento. Algumas vezes os homens sofrem sem causa (aparente). Jó 2.3 diz que Jó "sofreu sem causa", ou seja, "sem razão alguma". Pode o *caos* atacar a um homem justo', enquanto Deus se põe de lado e não presta atenção a coisa alguma? Jó debateu-se com os mistérios da providência divina. Sua mente estava perplexa diante de enigmas. *Por muitas vezes,* em seu solilóquio (capítulo 3), Jó perguntou "Por quê?" Ver os vss. 11,12,16,23 e cf. Jó 7.20 e 13.24.

Para Jó, era *incongruente* que a vida tivesse sido usada somente para fomentar o sofrimento. Portanto, ele perguntava "por quê?"

Jó estava laborando definitivamente sob a *ilusão* de que a vida humana é algo que acontece *uma única vez*, e a morte extingue essa vida, que *antes* um homem tivera. Se ele pudesse ver uma vida de sofrimentos como somente *um capítulo* na história contínua da alma, então poderia ter posto *essa vida* sob melhor perspectiva. A Igreja Ortodoxa Oriental acredita na preexistência e na pós-existência da alma, e crê que a associação com o corpo é uma vicissitude da alma. A Igreja Ocidental, por sua vez, acredita na sobrevivência da alma após a morte biológica. As religiões orientais acreditam na imortalidade e na reencarnação. *Todas* essas respostas são melhores do que a teologia deficiente de Jó. A *visão patriarcal* de Jó sobre o homem não era capaz de tratar com o problema do sofrimento. A visão patriarcal fornecia ao homem apenas uma única existência física. A teologia posterior dos hebreus remediou isso até certo ponto. Nosso conhecimento sobre a alma continua a crescer. Sabemos mais agora sobre a natureza espiritual do homem do que sabíamos no começo do período neotestamentário. A teologia é uma ciência em contínuo crescimento e, conforme ela cresce, o quadro se torna mais otimista, e não pessimista.

■ 3.21

הַמְחַכִּים לַמָּוֶת וְאֵינֶנּוּ וַיַּחְפְּרֻהוּ מִמַּטְמוֹנִים:

Que esperam a morte, e ela não vem. *Os homens sofrem* muito tempo esperando a morte, mas ela se mostra relutante e mantém-se afastada. Os homens felizes temem a morte, e ela, de súbito, derruba-os por terra, quando ainda eles queriam viver muitos anos mais. Alguns homens, no sofrimento, escavam pela morte, como um homem escava em busca de um tesouro, ou seja, eles desejam a morte *ardentemente*. Para o homem que sofre, a morte, e não a vida, é o *tesouro* que deve ser buscado. Jó continuava a laborar a ilusão de que a vida humana é uma única coisa, e a morte extingue essa única e curta vida, conforme anotou no último parágrafo sobre o vs. 20. O pobre homem escava *freneticamente* a fim de desenterrar um tesouro que ele supunha estar enterrado. O homem miserável, que sofre, anela pela morte de alguma maneira. Alguns homens "escavam" cometendo suicídio, mas essa não era uma opção permissível. Sobre esse assunto, ver as notas em Jó 2.13, bem como o artigo chamado *Suicídio*, na *Enciclopédia de Bíblia, Teologia e Filosofia*.

Alguns homens miseráveis, sofredores, escavam em busca de tesouros, mas para consternação deles nada encontram. Alguns homens buscam desesperadamente a morte como fim para o sofrimento, mas ela se recusa a bater em sua porta. Isso também causa consternação. "... Eles anelam mais por serem separados da vida do que aqueles que amam o ouro e escavam pedindo a morte" (Adam Clarke, *in loc.*).

Talvez a metáfora usada por Jó seja a da "mineração". Os homens escavam pelo minério do ouro, que está profundamente enterrado no solo, formando veios. Mas ficam desapontados quando tudo quanto conseguem desenterrar é sujeira. Jó, pois, tinha de contentar-se com a sujeira de uma vida contínua e miserável.

■ 3.22

הַשְּׂמֵחִים אֱלֵי־גִיל יָשִׂישׂוּ כִּי יִמְצְאוּ־קָבֶר:

Que se regozijariam por um túmulo. Alguns homens alegram-se muito quando encontram o tesouro da morte, porque assim são definitivamente libertados dos sofrimentos e da calamidade. Minha mãe sofreu quatro anos e meio com o câncer e, em muitas ocasiões, anelava pela morte. Ela me perguntou um dia: "Quanto tempo é preciso para morrer?" E a consternação se estampou em sua face. Houve ocasiões em que ela temeu a morte, mas quando a morte finalmente chegou, ela lhe deu boas-vindas e, caros leitores, assim também fizemos todos nós. Existem vidas que afundam tão profundamente na dor, que não acham que vale a pena continuar vivendo. Então nos voltamos para a imortalidade da alma e achamos conforto nesse pensamento. Jó, por outra parte, voltava-se para o esquecimento total como resposta.

Satanás tomara as riquezas e a família de Jó, e então afligira seu corpo de maneira insuportável. Também parece ter obtido acesso à sua *mente*. Jó não era mais capaz de *pensar retamente* e, de fato, sua teologia deficiente não o ajudou nessa questão.

Josefo (*Antiq.* 1.13. cap. 8, sec. 4) diz-nos que Hircano, ao abrir o túmulo de Davi, encontrou três mil talentos, e grande foi o seu regozijo! Portanto, aquele que encontra a morte, quando precisa dela para que cessem as suas dores, é um homem feliz.

■ 3.23

לְגֶבֶר אֲשֶׁר־דַּרְכּוֹ נִסְתָּרָה וַיָּסֶךְ אֱלוֹהַּ בַּעֲדוֹ:

Por que se concede luz ao homem...? *Luz*, neste versículo, significa *vida* através do nascimento. Ser trazido à *luz* é ser trazido à vida física. Confiamos em que Deus nos cerque, isto é, ponha uma barreira de proteção ao nosso derredor, mantendo fora o mal e os sofrimentos. No caso de Jó, pelo contrário, ele foi cercado por sofrimentos, cortado de toda a ajuda externa e mantido prisioneiro em sua casa de dores. Jó estava *perplexo* diante da *ação reversa* de Deus. Quando deveria ter sido protegido, foi perseguido por males de toda a espécie. A muralha que Deus construíra, a fim de manter a miséria de fora, mostrou ser o portão pelo qual a dor entrou. Neste versículo, Jó, pela primeira vez, atribuiu suas calamidades diretamente a Deus. A teologia dos hebreus era fraca quanto a causas secundárias para quem Deus fora feito única causa e, portanto, até a origem do mal. Mas a vontade de Deus era considerada suprema, e ninguém podia falar contra isso. Esse é o tipo de teologia que encontramos em Rm 9, o que significa que essa forma de teologia sobreviveu no tempo do Novo Testamento. Uma teologia mais iluminada, tanto dentro quanto fora do Novo Testamento, reconhece o livre-arbítrio humano como a existência de causas secundárias que explicam o mal. A teologia hebraica primitiva criou um *Deus voluntarista*, cuja vontade é suprema e age contra a moralidade, conforme os homens a entendem. Ver Jó 1.11, quanto aos vários problemas do livro criados pelas diversas formas de teologia primitiva.

Ver Jó 1.10, quanto ao uso que Satanás fez da palavra "sebe" (cerca) para indicar os cuidados protetores de Deus. Algo na ordem da criação havia saído errado. As aves entoavam um cântico contrário. O sol estava muito quente. A natureza pisava sobre Jó. Temores deixavam sua mente perplexa. Quem se responsabilizaria por todas essas crises, por toda essa dor?

■ 3.24

כִּי־לִפְנֵי לַחְמִי אַנְחָתִי תָבֹא וַיִּתְּכוּ כַמַּיִם שַׁאֲגֹתָי:

Porque em vez do meu pão me vêm gemidos. *A Impaciência de Jó.* Temos ouvido falar da famosa "paciência de Jó". Mas nós o vemos aqui impaciente e até rebelde contra a sua sorte. A miséria se tornara seu alimento e sua bebida. Seus gemidos, tão constantes, eram como água sendo derramada. "Não mais podemos falar em paciência. Não se manifestara, por enquanto, um desafio aberto, mas uma rebeldia *subentendida*. É esse o homem que encostou sua testa no pó, submisso diante de Deus, e disse: O Senhor o deu e o Senhor o tomou. Bendito seja o nome do Senhor? Não é o mesmo homem. É Jó, o Titã, que logo começará, em sua loucura, a entrar em choque com o Todo-poderoso" (Paul Scherer, *in loc.*).

Uma Alusão. As pústulas de Jó tinham tomado conta de tal modo do seu corpo, que se tornara difícil para ele comer. Além disso, na condição em que se achava, quem teria desejo de comer? Portanto, os gemidos e suspiros de dor de Jó tornaram-se o seu alimento. Eram tão abundantes que pareciam as correntezas impetuosas de um grande rio, ou a maré que bate na praia, quando começa a subir. Talvez haja uma alusão a muito *choro*. As lágrimas lhe escorriam pela face, como um rio. "Não havia senão suspiros e soluços" (John Gill, *in loc.*).

■ 3.25

כִּי פַחַד פָּחַדְתִּי וַיֶּאֱתָיֵנִי וַאֲשֶׁר יָגֹרְתִּי יָבֹא לִי:

Aquilo que temo me sobrevém. Este é um dos versículos mais conhecidos do livro de Jó. Os *temores* de Jó tinham chegado a uma drástica condição de realidade. O *terror* caíra sobre ele. Ele não poderia ter temido coisa pior. Suas calamidades eram supremas. Franklin D. Roosevelt, que foi presidente dos Estados Unidos da América, consolou os cidadãos americanos durante a Segunda Guerra Mundial, com sua famosa declaração: "A única coisa que devemos temer é o próprio temor". Mas isso não aconteceu no caso de Jó. Rebecca West disse: "O temor, como a dor, parece e soa pior do que nos faz sentir", mas não foi esse, igualmente, o caso de Jó. Foi assim que Jó anelava morrer, nunca ter sido concebido, nunca ter nascido. Sua dor era maior do que ele podia suportar.

Jó tinha sido um homem rico, mas agora fora reduzido a nada pelos ladrões e pelos desastres naturais. Jó tinha uma bela e próspera família, mas quase todos eles tinham sido mortos por criminosos e por calamidades naturais. Jó era um homem inteligente que tinha gozado de boa saúde, mas agora seu corpo fora atacado por uma enfermidade nojenta.

> Todas as coisas humanas estão sujeitas à decadência,
> E quando a Sorte ordena, até monarcas devem obedecer.
> John Dryden

> Quando perdemos tudo, incluindo a esperança,
> A vida torna-se uma desgraça, e a morte, um dever.
> Voltaire

3.26

לֹא שָׁלַוְתִּי וְלֹא שָׁקַטְתִּי וְלֹא־נָחְתִּי וַיָּבֹא רֹגֶז׃ פ

Não tenho descanso. Já lemos que não há *paz* para os ímpios. Mas Jó era um homem *inocente* que sofrera sem causa (Jó 2.3).

> Mas os perversos são como o mar agitado, que não se pode aquietar, cujas águas lançam de si lama e lodo. Para os perversos, diz o meu Deus, não há paz.
> Isaías 57.20,21

Mas Jó era um homem *inocente* para quem não havia paz. Compreendemos a *Lei Moral da Colheita segundo a Semeadura* (ver a respeito no *Dicionário*), mediante a qual os ímpios recebem o que merecem. Portanto, temos de admitir que é difícil compreender por que os inocentes sofrem sem nenhuma *razão* moral ou espiritual. Isso se assemelha ao *caos*.

> Minha alma, por que estás desconsolada dentro em mim,
> Assediada, perseguida pelo dilúvio e pelo estrondo do mundo?
> A esperança está perdida hoje ou menos do que nos anos passados,
> Rebaixada e apequenada por essas lágrimas não derramadas?
>
> Ou a esperança é uma altura sublime e dominante,
> Ascendendo até mundos brilhantes além?
> Senhor, é isso o que tenho ouvido.
> Mas a fé jaz morta com olhos bem fechados.
> Uma grande verdade, dizem, aquela esperança lá adiante.
> A fé cega a nada responde,
> E, no entanto, nem por isso deixa de ser a verdade.
> Russell Champlin

"O *solilóquio* (capítulo 3) está no começo das disputas faladas. Trata-se de um poema de magnitude raramente igualada, pois seu estilo não envelheceu e seus temas reverberam na mente de todo o homem que tem sido esmagado... É uma maldição, uma inquirição e um grito. Corresponde ao que sabemos sobre a própria vida" (Samuel Terrien, *in loc.*).

Esse poema, como é natural, desnuda as deficiências humanas do pensamento e da compreensão. Não contempla nenhuma esperança para além do sepulcro; atribui a Deus o mal, sendo fraco quanto a causas secundárias. Deus estava em seu céu, mas as coisas definitivamente não estavam certas neste mundo. O capítulo 3 de Jó é uma expressão eloquente de *pessimismo* (ver a respeito na *Enciclopédia de Bíblia, Teologia e Filosofia*).

CAPÍTULO QUATRO

PRIMEIRO CICLO DA DISCUSSÃO (4.1—14.22)

PRIMEIRO DISCURSO DE ELIFAZ (4.1—5.27)

O trecho de Jó 4.1-11 fala sobre o *dogma da justiça*. Nenhum homem poderia sofrer como Jó estava sofrendo, a menos que fosse *culpado* de alguma transgressão, aberta ou secreta. Elifaz pregou a *Lei Moral da Colheita segundo a Semeadura* (ver a respeito no *Dicionário*), ou a lei do carma. Isso, como é claro, é *uma* das respostas para o *problema do mal* (ver a *Introdução* ao livro de Jó, seção quinta, e o artigo do *Dicionário* assim chamado). Os ímpios recebem aquilo que semeiam. Mas o livro de Jó é mais profundo e pergunta: "Por que os *inocentes* sofrem?" Jó sofreu sem causa (ver Jó 2.3) ou, pelo menos, não merecia seus sofrimentos por haver pecado ou por ser injusto. Podemos supor que houvesse alguma razão divina, mas certamente *não a barganha cósmica* com Satanás, que o autor usa como um artifício literário para introduzir o livro. Os justos *não* sofrem por causa de alguma barganha de Deus com Satanás. Ver Jó 1.11, quanto aos vários problemas teológicos do livro, informação que não repito aqui.

Sinceridade dos "Consoladores" de Jó. O livro de Jó insiste nesse ponto. As ideias dos três amigos de Jó eram parciais e, algumas vezes, completamente erradas, mas eles mesmos eram sinceros. Eles vieram de longe para falar com o amigo (ver Jó 2.11). A preocupação deles por Jó era genuína, mas sua teologia inadequada não solucionou o problema do mal nem, especificamente, por que Jó, um homem inocente, sofria. O silêncio inicial deles devia-se ao respeito que sentiam por Jó e ao espanto diante das calamidades que viam (Jó 2.13). A amizade é um dos principais temas da literatura de sabedoria oriental e hebreia, e não há razão alguma em supormos que os amigos de Jó se mostrassem hostis para com ele. Bons amigos reprovam quando isso se faz necessário. Algumas vezes esses amigos estão com a razão e, outras, estão enganados e também não têm todas as respostas, mais do que nós.

Elifaz falou primeiro, o que provavelmente indica que era o mais velho dos três amigos e também o mais respeitado por sua sabedoria. Como indivíduo *dogmático* que era, pensou saber todas as respostas e acreditou que o alegado enigma dos sofrimentos de Jó poderia ser facilmente explicado pelo seu discurso. Ele era um indivíduo dogmático que havia tido *impressionante experiência espiritual* envolvendo o aparecimento de um espírito (vss. 13 ss.). Essa experiência, ao que se presume, dera a ele *autoridade* para falar, pois, afinal, *Jó* não tinha passado por tão gloriosa prova; portanto, Jó era um homem abaixo de Elifaz quanto à realização espiritual, e dotado de sabedoria inferior. Erroneamente, Elifaz pensava que seu *dogma* era autenticado pela sua experiência. Mas aprendemos, mediante a observação, que pessoas de todas as espécies de denominações e religiões passam por impressionantes experiências espirituais, sem que isso possa ser tomado como poder autenticador para suas crenças. Não obstante, tais experiências não devem ser desprezadas. Pode haver algum significado nelas, como também nenhum significado. Precisamos testar cada caso individualmente e nada aceitar somente porque as pessoas dizem isto ou aquilo, ou porque têm vivido experiências espirituais.

"Elifaz era um indivíduo religioso cujo dogmatismo repousava sobre uma experiência notável e misteriosa (vss. 12-16). Porventura um espírito passara alguma vez diante da face de Jó? Os pelos de sua carne já se tinham eriçado alguma vez? Pois então que Jó se mantivesse *manso*, enquanto alguém tão superior quanto Elifaz declarasse a causa dos infortúnios dele. Elifaz disse muitas coisas verdadeiras (como seus dois amigos também disseram) e por várias vezes chegou a mostrar-se eloquente; mas permaneceu duro e cruel, um homem dogmático que precisava ser ouvido por causa de uma notável experiência" (*Scofield Reference Bible, in loc.*). A observação do dr. Scofield, naturalmente, não fez justiça a Elifaz. Mais do que um sujeito dogmático, Elifaz era um sábio oriental, um ancião respeitado por todos. Mas sua teologia era deficiente. Ele pensava saber mais do que realmente sabia, o que corresponde à condição da maioria dentre nós (se não de todos nós).

Circunstâncias dos Discursos:
1. Uma semana inteira de silêncio foi interrompida pela lamentação de Jó (capítulo 3).
2. Então os três amigos de Jó, Elifaz, Bildade e Zofar (Jó 2.11) sentiram-se compelidos pelo pessimismo de Jó (seu desejo de morrer) a falar e explicar o *porquê* dos sofrimentos de Jó.
3. Cada um deles falou por sua vez e recebeu uma resposta da parte de Jó. Esse ciclo repetiu-se três vezes, com exceção do terceiro amigo, que não falou pela terceira vez.
4. Os críticos permaneceram adamantinos em sua posição teológica, que dizia que os indivíduos justos estão isentos desses sofrimentos e, antes, são recompensados. Em contraste, são os pecadores, abertos e secretos, que recebem o tratamento que Jó recebeu (por exemplo, ver Jó 4.7,8).

5. Os sofrimentos de Jó se originavam de seu pecado, e ele precisava arrepender-se para pôr fim ao castigo divino. Isso contradizia Jó 1.1,8 e 2.3, a saber, que Jó estava sofrendo "sem causa". O problema era mais profundo do que os críticos de Jó supunham. É possível que os *inocentes* sofram.
6. Conforme as falas prosseguem, os "amigos" de Jó foram-se tornando mais amargos e venenosos e continuaram a insistir sobre a necessidade do arrependimento (ver Jó 5.8; 8.6 e 11.14).
7. Muitos detalhes foram adicionados à teoria teológica que fornecia ilustrações quanto à tese: precisamos apelar para o Deus indignado (Jó 5.8); precisamos ser puros e retos, para evitar tais calamidades (Jó 8.6); o pecado deve ser descontinuado (Jó 11.14); os ímpios estão sempre em perigo (Jó 15); os pecadores caem numa armadilha (Jó 18); os pecadores não vivem por muito tempo e perdem suas riquezas (Jó 20); alguns pecados específicos, dos quais Jó era aparentemente culpado, foram nomeados (Jó 22.5-9); Bildade galhofou de Jó chamando-o de *verme* (Jó 25.5,6).
8. O tempo todo, Jó manteve a sua *inocência*, o que significava que as falas de seus três amigos, que por muitas vezes eram discursos eloquentes, não haviam desvendado a verdadeira causa de seus sofrimentos. Ver Jó 6.10; 9.21; 16.7 e 27.6.
9. Jó chegou a atribuir seus sofrimentos diretamente a Deus, a única causa, em concordância com a fraqueza da teologia dos hebreus, que não levava em consideração as *causas secundárias*. Ver Jó 6.4; 9.17; 13.27; 16.12 e 19.11.
10. Por que Deus se mantinha a afligi-lo permanecia um *enigma*. Jó perguntou a Deus o porquê desse sofrimento (Jó 7.20; 13.24). Ver também a razão do solilóquio de abertura (Jó 3.11,12,16,20,23).
11. Jó pensava que, se pudesse arrastar Deus a um tribunal, poderia demonstrar que Deus estava sendo injusto com ele (Jó 13.3; 16.21; 19.23; 23.4 e 31.35).
12. A despeito de suas queixas, Jó permanecia firme em sua adoração, provando assim que existe adoração desinteressada. Nem tudo quanto o homem faz se alicerça no egoísmo. Esse é o principal tema e consideração do livro de Jó.
13. Permanecem *enigmas* sobre as *razões* do sofrimento humano. O problema do mal não é resolvido, mas algumas sugestões úteis são feitas, as quais sumario e discuto na quinta seção da *Introdução* ao livro de Jó. O problema do mal é a segunda mais importante consideração do livro, um assunto intimamente entretecido com o primeiro.

PRIMEIRO DISCURSO DE ELIFAZ (4.1—5.27)

■ 4.1

וַיַּעַן אֱלִיפַז הַתֵּימָנִי וַיֹּאמַר׃

Então respondeu Elifaz. Ver anteriormente notas expositivas que nos informam sobre esse homem. Ver no *Dicionário* o verbete sobre ele, onde dou detalhes e um sumário que não repito aqui. Ele era um homem que viera de longe, provavelmente um xeque árabe, tal como Jó também o era. Sábio, era um homem respeitado por suas contribuições à teologia e à filosofia. Era um indivíduo dogmático que tinha significativa experiência espiritual (vss. 12 ss.), o que, segundo ele pensava, lhe dava *autoridade* especial. Muito provavelmente, Elifaz era o mais velho e distinto dos três amigos de Jó, e por isso lhe foi dada a primeira chance de falar. O artigo sobre ele sumaria suas *três falas*. Sua irritação com o "pecador Jó" foi-se acentuando quando Jó continuou insistindo em sua inocência. Ele terminou acusando Jó de todas as variedades de vícios e pecados vis. Sua teologia não abria espaço para a tese de que um homem *inocente* pode sofrer, e suas sondagens no problema do mal só o levavam à consideração sobre a Lei Moral da Colheita segundo a Semeadura (ver a respeito no *Dicionário*). Em outras palavras, Elifaz era um homem sábio, mas advogava uma teologia *deficiente*, como *sempre* acontece com os indivíduos *dogmáticos*. Ademais, tal como todos os dogmáticos, ele se tornou amargo contra o seu oponente, Jó. Era praticante feito do *ódio teológico*.

Odium Teologicum

Ó Deus... que carne e sangue fossem tão baratos!
Que os homens viessem a odiar e matar,
Que os homens viessem a silvar e decepar a outros
Com língua de vileza,
... por causa de...
"Teologia".

Russell Champlin

■ 4.2

הֲנִסָּה דָבָר אֵלֶיךָ תִּלְאֶה וַעְצֹר בְּמִלִּין מִי יוּכָל׃

Se intentar alguém falar-te, enfadar-te-ás? Era impossível não falar, mas Elifaz polidamente pediu permissão de Jó para expressar-se. Elifaz já tinha as respostas (segundo ele pensava) e em breve iluminaria o pobre Jó, seu inferior. É sempre assim que os indivíduos dogmáticos pensam e agem.

"Elifaz falou com tato e cautela. Ele não tencionava deliberadamente iniciar uma discussão acadêmica. Sabia que até uma *repremenda* sem consideração só serviria para aumentar os sofrimentos do pecador. Ele suspeitava que deveria permanecer em silêncio, mas não podia mais resistir à tentação de falar. Ele poderia repreender os erros do homem ferido" (Samuel Terrien, *in loc.*).

"Nada havia de errado em sua intenção. Elifaz, Bildade e Zofar tinham em mente a tentativa de fazer o sofredor abandonar seus pensamentos mórbidos sobre si mesmo, a fim de pensar em Deus. Mas apesar disso, os amigos de Jó estavam equivocados" (Paul Scherer, *in loc.*). Esses mesmos intérpretes também depreciam os discursos, sermões e doutrinas "quase religiosos, quase psiquiátricos" de nossos tempos modernos, que tentam solucionar todos os problemas difíceis da mente e do corpo com uma psicologia popular, misturada à teologia popular. Que bem faria falar a Jó acerca de "relaxar", "livrar-se de seu complexo de inferioridade", fazer afirmações vazias e diárias como "Estou melhorando de todas as maneiras e todos os dias" e "ter imagens apropriadas sobre pai e mãe"?

"Visto que você proferiu palavras injuriosas para o seu Criador, quem pode resistir e ficar sem falar? É nosso *dever* levantar-nos em favor de Deus e corrigi-lo" (Adam Clarke, *in loc.*).

■ 4.3

הִנֵּה יִסַּרְתָּ רַבִּים וְיָדַיִם רָפוֹת תְּחַזֵּק׃

Eis que tens ensinado a muitos. O próprio Jó, como sábio de boa reputação, já tinha instruído outras pessoas. Ele tinha praticado o bem e fortalecido os fracos. Visto que fora instrutor de outras pessoas e lhes fizera o bem, assim também era apropriado que ele, ao precisar de instrução, suportasse tudo com paciência, evitando qualquer atitude amargurada.

Mãos fracas. A *mão* é o instrumento da ação. Quando a mão está fraca, o homem está debilitado em sua inteireza. As mãos representam o homem inteiro. Cf. Is 35.3; 2Sm 4.1. Quanto a uma referência similar no Novo Testamento, ver Hb 12.12.

■ 4.4

כּוֹשֵׁל יְקִימוּן מִלֶּיךָ וּבִרְכַּיִם כֹּרְעוֹת תְּאַמֵּץ׃

As tuas palavras têm sustentado aos que tropeçavam. Os que "tropeçavam" (moral e espiritualmente) eram ajudados pelos conselhos de Jó, sem dúvida, por suas boas ações e atos de caridade abertos. Jó havia fortalecido as mãos dos fracos e também seus *joelhos vacilantes*. Hb 12.12 inclui tanto as *mãos* (vs. 3) quanto os *joelhos* (vs. 4) e pode ser uma citação indireta da presente passagem. Ou, então, podemos estar tratando com uma expressão hebraica comum que aparece aqui e ali, na literatura dos hebreus. O Targum diz que o ato de "tropeçar" é tropeçar no "pecado", e é assim que os seres humanos caem na calamidade. Mas muito provavelmente a referência é *geral*. Isso quer dizer que, quando Jó encontrava pessoas que estivessem padecendo de *qualquer* tipo de necessidade, ele as ajudava com suas palavras e ações.

Joelhos vacilantes. Um homem dotado de joelhos fracos ou enfermiços é fisicamente fraco, a despeito de qualquer outra força que possa ter. Assim sendo, moral e espiritualmente, há pessoas de joelhos débeis que não podem resistir a nenhum tipo de tentação e provação. Além disso, há pessoas desafortunadas e afligidas que também são vacilantes de joelhos, embora não estejam enfrentando nenhum problema especial de pecado. "Os desanimados precisam ser encorajados" (Adam Clarke, *in loc.*).

■ 4.5

כִּי עַתָּה ׀ תָּבוֹא אֵלֶיךָ וַתֵּלֶא תִּגַּע עָדֶיךָ וַתִּבָּהֵל׃

Mas agora, em chegando a tua vez, tu te enfadas. Jó se tornara o homem com mãos fracas e joelhos vacilantes. O conselheiro agora precisava receber conselhos. O ajudador agora precisava de ajuda. Mas afortunadamente para Jó ele tinha *três ajudadores* que estavam presentes para corrigi-lo. Os três homens não tinham nenhuma dúvida de que o problema de Jó era um *problema com o pecado*. E o arrependimento remediaria qualquer situação.

...te enfadas. Jó foi vencido por seus problemas, a ponto de *perturbar-se* debaixo deles. A calamidade havia avassalado o pecador. Ele tinha perdido o contato com Deus. Tudo quanto ele temia o havia alcançado (ver Jó 3.25). Jó tinha afundado sob o tremendo peso que o esmagava.

...te perturbas. Tão perturbado estava Jó, que preferia a morte à vida: ele preferia nunca ter sido concebido; ou então, uma vez concebido, ter sido abortado; e agora, tendo chegado à maturidade, queria morrer (capítulo 3). Jó se tornara um consumado *pessimista*. A definição primária de *pessimismo* é que a própria existência é um mal. Quanto a isso, ver a *Enciclopédia de Bíblia, Teologia e Filosofia*.

Jó era como um peixe fora d'água; e não tinha forças para nadar; e o céu estava irado contra ele, atingindo-o com seus raios.

■ 4.6

הֲלֹא יִרְאָתְךָ כִּסְלָתֶךָ תִּקְוָתְךָ וְתֹם דְּרָכֶיךָ׃

Não é o teu temor de Deus aquilo em que confias...? *O temor de Deus é o princípio do saber* (Pv 1.7). Há no *Dicionário* um detalhado artigo intitulado *Temor*. A primeira seção, chamada *Temores Benéficos*, é um comentário sobre a natureza e os benefícios do temor a Deus no coração humano. Jó, de conformidade com Elifaz, tinha perdido suas amarras, escorregado para fora do temor e respeito apropriados a Deus. Havia perdido a comunhão com o Senhor. Existia pecado na vida dele que corroía tudo. Cf. Jó 15.4 e 22.4 (temor sem um objeto refere-se *à fé e à piedade*). Jó teria permitido que sua integridade se debilitasse. Sua fé já não era tão forte como antes. Corrupções interiores tinham enfraquecido o sábio homem. Agora ele precisava de esperança. Mas olhem para ele: desesperançado e querendo morrer. Isso só poderia significar que ele tinha perdido sua integridade. Sua fé já não era tão genuína como antes. Elifaz, pois, estava chamando Jó de volta ao seu estado de degradação, para que ele recuperasse a integridade. Jó tinha bom "registro em seu passado". Elifaz, pois, chamou-o de volta aos tempos de bom atleta espiritual, cheio de força e poder. O pecado tinha-o tirado da pista de corrida. Nenhum homem inocente tinha jamais perecido. Jó tinha perdido a inocência e estava perecendo. O amigo de Jó, Elifaz, relembrou-o dos benefícios passados de sua espiritualidade e exortou-o a *retornar* ao antigo estado. Arrependimento era a palavra do dia. No entanto, Jó era homem inocente, algo que a mente de Elifaz não podia compreender. Isso estava "além de sua teologia".

ELIFAZ INVESTIGA AS RAZÕES DO SOFRIMENTO. A TRISTE COLHEITA DE TRIBULAÇÃO DE JÓ (4.7-11)

Algumas vezes a origem das aflições é um enigma, mas Elifaz não incluía enigmas em sua teologia. Ele pensava poder resolver qualquer problema, voltando-se para algum capítulo e versículo, o que, aliás, é uma prática moderna extremamente difundida entre os evangélicos! Elifaz apelou para a experiência de Jó: "Já pereceu algum homem inocente? És tu o único caso para o qual alguém poderia apontar?"

■ 4.7

זְכָר־נָא מִי הוּא נָקִי אָבָד וְאֵיפֹה יְשָׁרִים נִכְחָדוּ׃

Lembra-te: acaso já pereceu algum inocente? A *teologia de Elifaz* não podia ir além do que era óbvio, a doutrina tradicional de um indivíduo material que sofre as retribuições *deste mundo* por causa de pecados cometidos. Ele não apelou para uma retribuição de pós-túmulo como meio de equilibrar as contas. Não falou sobre uma alma imortal e imaterial, nem sobre as doutrinas do céu e da terra. Sua teologia estava rigidamente dentro dos limites dos conceitos patriarcais. A alma imortal só entrou na teologia dos hebreus nos Salmos e nos Profetas, e mesmo assim sem a elaboração de recompensas ou punições na existência pós-túmulo.

Elifaz não podia imaginar um único exemplo de sofrimento "sem causa" (Jó 2.3). Para ele, os inocentes não sofreriam. O problema do mal era explicado por ele com a simples lei do carma, a *Lei Moral da Colheita segundo a Semeadura* (ver a respeito no *Dicionário*). Sua *teologia* era, na realidade, uma *humanologia*, visto que não tinha mistérios. Seu sistema não tinha defeitos, pensava ele, mas, para conseguir tal sistema, ele tinha de *simplificar*, aquilo que é o vício das teologias sistemáticas. Para conseguir armar uma teologia sistemática, sem nenhuma exceção evidente e nenhum problema difícil, é preciso engajar-se numa *quádrupla atividade*: simplificar, omitir, adicionar e distorcer as Escrituras. Além disso, é preciso supor que as Escrituras Sagradas são um compêndio absoluto de ideias teológicas, algo que elas não reivindicam para si mesmas.

"Até a prosperidade, para nada dizermos sobre a adversidade, é uma punição para os ímpios (ver Pv 1.32). Para os justos, entretanto, os castigos trabalham para o bem deles (ver Sl 119.67; Is 71.75)" (Fausset, *in loc.*).

Pereceu. É anacronismo fazer disso a punição pelo pecado, em alguma existência do pós-túmulo. E a punição "neste mundo", que terminasse na morte, era o que Elifaz tinha em mente. Elifaz, como é óbvio, tinha visto outros casos de "sofrimento inocente", mas sempre fizera desses casos possibilidades de *pecados secretos* sendo punidos.

■ 4.8

כַּאֲשֶׁר רָאִיתִי חֹרְשֵׁי אָוֶן וְזֹרְעֵי עָמָל יִקְצְרֻהוּ׃

Segundo eu tenho visto. É perfeitamente possível que Paulo tenha citado este versículo (de forma livre) quando nos deu a lei da colheita segundo a semeadura, em Gl 6.7,8. Quanto a uma completa explicação, ver sobre esses versículos no *Novo Testamento Interpretado*. Ver na seção quinta da *Introdução* ao livro presente como a lei do carma compõe parte do problema do mal, sendo uma explicação que faz parte do quadro. Ver no *Dicionário* o detalhado artigo chamado *Lei Moral da Colheita segundo a Semeadura*. Dentro da teologia e da filosofia, essa lei é aplicada de maneira bastante ampla. A Igreja Cristã Ocidental confina sua operação a uma única vida terrena e, depois, a algum lugar de punição. Mas a Igreja Ortodoxa Oriental faz da preexistência da alma parte da questão. Pecados e fracassos de outras existências também devem ser seguidos com a retribuição apropriada; as boas obras devem também receber a devida retribuição, e o bem que tiver sido feito deve ter sua recompensa. As religiões orientais fazem a lei da colheita segundo a semeadura (o carma) aplicar-se a uma série de vidas, mediante muitas reencarnações. Isso significa que agora você pode estar pagando por algum mal cometido na Idade Média. Coligir benefícios é o lado positivo da lei, e isso também se aplica a uma longa fileira de vidas. Elaborei um artigo detalhado, com os *prós* e os *contras* que estão atrelados a essa doutrina, na *Enciclopédia de Bíblia, Teologia e Filosofia*. Ver sobre *Reencarnação*. Pode-se perceber, por meio dessas explicações, que a lei da colheita segundo a semeadura desfruta de larga aplicação no pensamento humano. Elifaz tinha uma versão dessa aplicação: o homem é punido neste mundo *físico* devido ao mal que ele pratica. Sua mente não ia além disso. Ele era cego o bastante para supor que, tendo dito *isso*, houvesse explicado o problema do sofrimento humano, mas isso é apenas um começo, quando estamos tratando com o problema do mal.

Começos. Caros leitores, entristeço-me por ter de dizer a vocês que *toda* teologia e filosofia é apenas um *começo*, quando estamos investigando os enigmas da existência humana, nesta vida e na outra. As teologias sistemáticas, com seus dogmas sábios-estúpidos, enganam as pessoas para que pensem que aquilo que pode ser dito já o foi. Mas essa é uma abordagem simplista e infantil da teologia. Sempre necessitaremos, desesperadamente, de liberdade para investigar, um elemento fundamental para buscar e obter a verdade. Elifaz, pensando que já havia descoberto toda a verdade, não tinha paciência com a investigação.

4.9

מִנִּשְׁמַת אֱלוֹהַ יֹאבֵדוּ וּמֵרוּחַ אַפּוֹ יִכְלוּ׃

Com o hálito de Deus pereçam. O *hálito de Deus*, operando como se fosse uma grande fornalha, consome o pecador. Em sua ira, Deus (metaforicamente) respira fogo e fumaça, através de sua boca e de seu nariz, e nenhum homem ímpio escapa. "A morte prematura é o resultado da ira de Deus, uma ideia expressa quase com as mesmas palavras em Sl 90.7" (Samuel Terrien, *in loc.*).

A alusão não é ao vento oriental ressecante que de tal maneira aterrorizava os fazendeiros, destruindo suas plantações, mas, sim, a algum monstro horrendo que podia espalhar e realmente espalhava a devastação entre os homens. Ver sobre *Ira de Deus*, no *Dicionário*, quanto a completas explicações. O fogo era sempre um símbolo do julgamento, e esse conceito avançou até o Primeiro Livro de Enoque; o rio de fogo tornou-se um meio para punir os pecadores *após* a vida física. Então se transformou no lago de fogo, no livro de Provérbios (19.20; 20.10,14,15; 21.8). As chamas do inferno foram acesas pela primeira vez no livro de Enoque, e o Novo Testamento incorporou esse modo de falar acerca da retribuição. A mente simplista e naturalista fez disso um fogo *literal* e, assim, nasceu uma doutrina horrenda. Só podemos entender a questão, falando em sentido *metafórico*. Ver na *Enciclopédia de Bíblia, Teologia e Filosofia* o verbete intitulado *Lago de Fogo*. Caros leitores, lançar uma alma eterna, imortal e *imaterial* em chamas literais teria tanto efeito como jogar uma pedra contra o sol. Dizer, conforme me foi dito um dia, "Deus pode fazer a alma sentir o fogo", é tão ridículo e infantil que não merece um instante de nossa atenção. Seja como for, Elifaz não estava falando sobre algum julgamento no pós-túmulo, com o seu fogo. Estava falando metaforicamente sobre a ira de Deus contra o pecador literal, neste mundo material. O homem era tão simples em seus pensamentos que supôs que as chamas nunca tocassem um homem inocente. Pelo contrário, pessoas inocentes hoje em dia é que estão no fogo.

"*Pereçam.* Vss. 7,11,20. Os retos (comparar com Jó 1.1,8; 2.3) não são *destruídos*. Mas os que aram o mal e *semeiam a tribulação* também a colhem (cf. Pv 22.8; Os 8.7; 10.13), e assim os *ímpios* pereçem sob a *ira* de Deus. Tal teoria, entretanto, simplesmente não se ajusta a *todos* os fatos. Por muitas vezes, os inocentes *sofrem* (ver Lc 13.4,5; Jo 9.1-3; 1Pe 2.19,20) e é frequente os ímpios não enfrentarem problemas. O ponto de vista de Elifaz, de uma doutrina estanque de retribuição, não condiz com a realidade" (Roy B. Zuck, *in loc.*).

> O campo da iniquidade produz o fruto da morte.
>
> Ésquilo

> Mas
>
> O bom tempo de Deus
> Nem sempre cai em um Sábado,
> Quando o mundo espera receber salários.
>
> Robert Browning

4.10,11

שַׁאֲגַת אַרְיֵה וְקוֹל שָׁחַל וְשִׁנֵּי כְפִירִים נִתָּעוּ׃

לַיִשׁ אֹבֵד מִבְּלִי־טָרֶף וּבְנֵי לָבִיא יִתְפָּרָדוּ׃

Cessa o bramido do leão. *Uma Curiosidade Linguística*. Ao empregar a "metáfora do leão" a estes versículos, o poeta utilizou *cinco* palavras diferentes para o animal. Estamos informados de que a língua irmã, o árabe, tem quatrocentas palavras para o temível leão! De acordo com o número de sinônimos que nossos idiomas têm inventado para qualquer objeto, conceito ou acontecimento, obtemos uma ideia da importância destacada a essas coisas. Era temível ser apanhado por um leão. Devemos lembrar que a antiga Palestina estava infestada de feras que vagueavam pelos campos e pelas montanhas. Ser morto por uma fera era um perigo diário que as tribos nômades tinham de enfrentar por todo aquele território. Ver Lv 26.22, quanto à ameaça de *julgamento divino* por meio das feras. Na língua inglesa muito mais palavras exprimem a transmissão e a recepção de dor do que palavras empregadas com referência ao prazer. As palavras que exprimem "possessão" (em um dicionário realmente completo) enchem uma página inteira. Palavras para *desaprovação* (e variantes) são mais ou menos o dobro do que aquelas que indicam "aprovação". Assim também, o temível leão era variegadamente referido.

A natureza certamente não é benigna para com o pecador. Portanto, temos o *leão que ruge*, a *voz terrível* do leão que persegue e apanha sua presa; os *dentes perfuradores* do leão jovem e faminto, que não somente rasgam a carne, mas até quebram os ossos. Mas o *leão velho,* em seu estado degenerado, perece por falta de alimento e, algumas vezes, o leãozinho perece por falta da caça bem-sucedida de seus pais. Elifaz descreveu *calamidades* associadas aos leões. Os leões tanto podiam vitimar como ser vítimas, e o pecador se assemelha a isso. Fazer, porém, de Jó um leão, de sua esposa uma leoa, e de seus filhos os leõezinhos é um refinamento exagerado do texto, que não se ajusta ao sentido. O leão é o rei dos animais e, embora possa prosperar em suas caçadas, até ele mesmo pode chegar a um fim desastroso. Os ímpios também podem ser fortes como o leão e prosperar, mas os dias maus chegam quando o próprio leão, velho e fraco, torna-se uma vítima. Por igual modo, muitos poderes opositores ferozes atacam o pecador, tal como o leão ataca sua presa. Elifaz estava a dizer-nos que o pecador é tomado de surpresa por forças destruidoras, tal como um leão ataca subitamente uma vítima impotente e incapaz de defender-se.

O MISTÉRIO DO SOFRIMENTO (4.12-21)

Uma Visão Noturna Reveladora (4.12-16)

Temos a seguir uma descrição do terror noturno, uma experiência mística que iluminou um homem sábio e deu-lhe uma origem sobre-humana de certo conhecimento. Existem experiências místicas verdadeiras e falsas. Ver no *Dicionário* o verbete chamado *Misticismo*, quanto a detalhes. Uma visão pode ser somente um sonho ou uma alucinação, quando se está acordado, ou pode ser um vislumbre de outro mundo, um mundo superior. Não há como saber da verdadeira natureza da experiência de Elifaz, mas ele tinha *certeza* de que a mão divina havia tocado nele. Qualquer que tenha sido a natureza daquela experiência, contudo, nem por isso ela resolveu o problema do mal (conforme Elifaz alegava), e nem mesmo alterou a teologia dogmática deficiente do homem que passara pela experiência. Ademais, as experiências místicas permeiam todas as religiões e jamais poderão ser usadas como provas do valor da verdade de sistemas de crenças. Um homem jamais pode dizer: "Minha doutrina é correta, porque eu tive tal e tal experiência mística".

Necessitamos desesperadamente do *toque místico* em nossa vida espiritual, pois esse é *um* dos meios que nos ajudam no desenvolvimento espiritual. Ver na *Enciclopédia de Bíblia, Teologia e Filosofia* o verbete intitulado *Desenvolvimento Espiritual, Meios do*.

Caros leitores, há certa loucura entre várias denominações modernas para restaurarem o misticismo cristão, como as línguas, as profecias etc. Sugiro que esses foram *começos,* e não finalidades, e que a vereda mística atual não tem de seguir e, de fato, talvez seja melhor não acompanhar a do primeiro século. Seja como for, nossa experiência espiritual deve incluir o contato com a presença de Deus, que nos fortalece, nos transforma e nos faz crescer espiritualmente. Entretanto, *todas as experiências* são apenas trampolins que nos levam a algo superior, e não finalidades em si mesmas. Ver na *Enciclopédia de Bíblia, Teologia e Filosofia* o verbete chamado *Movimento Carismático,* quanto às minhas opiniões sobre esse assunto e quanto às opiniões de meu tradutor, que tem visto esse território em primeira mão. Ver o vs. 15, quanto às várias explicações sobre a natureza de uma visão, suas causas e origens.

4.12

וְאֵלַי דָּבָר יְגֻנָּב וַתִּקַּח אָזְנִי שֵׁמֶץ מֶנְהוּ׃

Uma palavra se me disse em segredo. Elifaz foi sábio o bastante para reconhecer a pequenez de sua revelação. Um poder qualquer aproximou-se dele. Foi-lhe trazida uma mensagem, a qual ele assimilou *um pouco*. Elifaz foi suficientemente sábio para evitar a jactância tola daqueles que recebem alguma experiência e se exaltam acima das outras pessoas, supondo que suas teologias tenham chegado à plena maturidade por causa de tal experiência mística. Note-se que

Elifaz superestimou o pouco que havia recebido, porquanto pensava que essa experiência lhe tinha dado a *única razão* para o sofrimento humano, quando há muitas razões que o justificam. Ademais, nada foi aprendido quanto a por que os inocentes sofrem, conforme ocorria no caso de Jó. Em outras palavras, a augusta experiência de Elifaz era bastante interessante, mas não tinha nenhuma aplicação ao caso miserável de Jó.

Autoridade. Elifaz usou sua experiência mística para emprestar autoridade ao seu dogma, um erro comum, conforme saliento na introdução à seção de Jó 4.12-21. As experiências místicas são tão generalizadas que, se emprestassem autoridade aos credos, *todos os credos* deveriam ser corretos!

Ver a exposição no vs. 15, quanto a *várias explicações* sobre a natureza, as causas e as origens da visão de Elifaz, bem como sobre a natureza do *espírito* que apareceu a ele.

Caros leitores, a experiência parece ensinar-me que o poder de Deus se move em muitos lugares, de muitas maneiras, e *todas* as denominações são apenas seitas. Há certa *universalidade* de manifestações que não depende de credos, aos quais tanto temos enfatizado para prejuízo de nossa compreensão espiritual. Todas as denominações se assemelham a casas com portas e janelas. Algumas portas estão abertas ao conhecimento; outras estão fechadas. A diferença entre as denominações reside, essencialmente, em quais portas e janelas elas abrem e quais fecham. Apesar de poderem ser canais de informação, também são depositários estagnados de material antigo, que seria melhor limparmos e descartarmos.

Ver a *Introdução* ao capítulo 4 de Jó, quanto a informações gerais sobre a natureza dos discursos do livro de Jó.

■ 4.13

בִּשְׂעִפִּים מֵחֶזְיֹנוֹת לָיְלָה בִּנְפֹל תַּרְדֵּמָה עַל־אֲנָשִׁים׃

Entre pensamentos de visões noturnas. *Benditas Sejam Aquelas Visões Noturnas!* O dia e suas atividades terminam. Um homem vai descansar. Esse homem é um ser espiritual. Ele conhece as realidades espirituais. Não é um iniciante na fé. Sabe que o sono pode funcionar como uma porta que abre a casa do tesouro das revelações de Deus. Sabe que pode obter um vislumbre do outro mundo, através de sonhos e visões que descerram as revelações de Deus; sonhos e visões que o iluminam, e ele gosta de ser iluminado. A agitação e a bulha da vida passam em poucas horas. Seus olhos físicos estão fechados, mas seus olhos espirituais estão alertas. E, algumas vezes, o Espírito se aproxima e toca naquele pobre mortal enquanto ele dorme. O homem espiritual sabe dessas coisas.

A visão veio e "Elifaz apelou para uma fonte de autoridade sobrenatural, quase profética. Ele não falava em nome de alguma tradição, conforme a maioria dos sábios está acostumada a fazer" (*Oxford Annotated Bible*, comentando o vs. 13).

"O livro de Gênesis exibe a mesma ideia de revelação através de visões noturnas. Ver Gn 15.1; 20.3; 30.11; 41.1; 46.2. Mais adiante, no Antigo Testamento, isso só se torna comum de novo no livro de Daniel... O *sono profundo* deste texto nos faz lembrar Gn 2.21 e 15.12" (Ellicott, *in loc.*).

Deus é o sono do trabalhador.
Eclesiastes 5.12

Nas águas mais profundas há a melhor pesca.
Provérbio do século XVII

■ 4.14

פַּחַד קְרָאַנִי וּרְעָדָה וְרֹב עַצְמוֹתַי הִפְחִיד׃

Sobrevieram-me o espanto e o tremor. O *temor* é fenômeno comum nas experiências místicas, porque um homem espiritual subitamente enfrenta um mundo enigmático, bem como novas experiências para as quais ele não tem categorias cerebrais. *Tememos* o que é estranho, desconhecido e imprevisível. Quando a Presença se faz sentir, é por si mesma temível. A seção IX do artigo sobre *Misticismo* (ver a *Enciclopédia de Bíblia, Teologia e Filosofia*) apresenta as *Categorias Místicas,* isto é, as coisas que comumente acompanham essas experiências.

Percebi-me
Ao ser levantado acima do meu próprio poder,
E com nova visão me reacendi,
Tal que luz nenhuma é tão pura
Que meus olhos contra ela foram fortificados.
Dante, *Paraíso*, xxx.38-60

O espanto se apoderou daquele que tivera a visão. Seus ossos chacoalharam dentro dele. Sua carne estremeceu em todo o corpo. Os cabelos de sua cabeça se eriçaram de horror. A aparição da Presença Divina foi súbita e inesperada. Tremendo, ele se levantou da "fragilidade e fraqueza da natureza humana, devido à consciência da culpa e do senso da terrível majestade de Deus, e a uma desassossegada apreensão de quais poderiam ser as consequências daquilo" (John Gill, *in loc.*).

■ 4.15

וְרוּחַ עַל־פָּנַי יַחֲלֹף תְּסַמֵּר שַׂעֲרַת בְּשָׂרִי׃

Então um espírito passou por diante de mim. Nem Elifaz nem o autor sagrado do livro elaboraram sobre essas palavras simples, de maneira que obtemos uma discussão sem nenhum resultado preciso:

1. Alguns insistem em que a palavra "vento", uma tradução possível do termo hebraico *ruah,* é o que devemos entender aqui em lugar de "espírito". Uma lufada de "ar" pode estar em foco, conforme temos em Jó 41.16; Êx 10.13; Ec 1.6 e 3.19. Note o leitor que o espírito de Samuel foi chamado de *elohim,* um deus (1Sm 28.13). Nesse caso, algum *vento espantoso* passou por diante de Elifaz, eriçando os cabelos de sua cabeça e de sua face.
2. Alguns estudiosos supõem que esse espírito fosse o espírito de um humano desencarnado, ao qual foi dada uma espécie de missão. Coisas dessa natureza acontecem. Algumas vezes os espíritos aparecem por dispensação de Deus, ou meramente por serem espíritos errantes que ainda não encontraram lugar no mundo intermediário, pois as barreiras finais ainda não foram estabelecidas. Mas essa teologia não fazia parte do período patriarcal e representa um anacronismo na explicação do texto presente.
3. Outros pensam que o espírito era um *demônio,* pelo que a visão teria sido diabólica, mas isso é contra qualquer indicação do texto.
4. Talvez fosse um *espírito angelical,* o que já fazia parte da teologia do período patriarcal.
5. Alguns críticos supõem que todas essas coisas tenham sido manifestações patológicas de uma *mente humana perturbada,* nada tendo a ver com o sobrenatural, embora sejam assim comumente interpretadas.
6. Ou tudo foi apenas *alucinação* de um sonho acordado, um fenômeno que, às vezes, acontece e é tido como sobrenatural. Estudos recentes mostram que *algumas* pessoas podem produzir alucinações à sua vontade, e outras pessoas têm sonhos que tomam como algo mais do que isso. Sabemos que as alucinações fazem parte de uma percepção do bom senso e todas as pessoas têm alucinações todos os dias, em algum grau. Essas coisas pertencem aos segredos da psique humana, ainda pouco compreendidos pela nossa ciência. Até mesmo uma alucinação e certos sonhos, em que a pessoa esteja acordada ou dormindo, podem ter algum sentido espiritual. Mas as experiências místicas por certo são mais do que os truques da psique humana. Algumas manifestações psíquicas são naturais, inteiramente dependentes da psique e dela originárias. Mas algumas experiências místicas conseguem tocar em outros mundos e existências.
7. Outros estudiosos ainda pensam que o espírito que apareceu a Elifaz seria o *Espírito de Deus,* mas nosso texto não chega a essa altura toda. O autor sacro estava pensando em alguma *forma mediadora* do poder divino, e não no próprio poder divino.

Elifaz não era um *repetidor.* Ele afirmava ter tido somente uma experiência significativa. Estou conjecturando que a possibilidade de número 4 seja a explicação mais provável, mas não podemos ter certeza. Por que Elifaz não disse simplesmente: "O anjo do Senhor me apareceu?" Estou imaginando que ele não era capaz de definir sua própria experiência com precisão, a ponto de não poder explicá-la. Mas, embora o homem só contasse com aquela única experiência, ele punha sua autoridade sobre ela, pensando dar foros de verdade ao seu dogma. Caros leitores, isso não passa de *ilusão*.

4.16

יַעֲמֹד ׀ וְלֹא־אַכִּיר מַרְאֵהוּ תְּמוּנָה לְנֶגֶד עֵינָי דְּמָמָה וָקוֹל אֶשְׁמָע׃

Parou ele, mas não lhe discerni a aparência. O espírito era *indistinto*, sem forma estabelecida, uma das características das manifestações dos espíritos. Os espíritos parecem ter o poder de aparecer em grande variedade de formas ou, simplesmente, como uma energia indistinta no ar. Alguma forma havia, contudo. O silêncio reinava e, subitamente, uma *voz* se fez ouvir. A voz entregou a *mensagem* que a visão teve o intuito de trazer-lhe. Cf. o silêncio e a voz de que se lê em 1Rs 19.12. Alguns estudiosos sugerem que o autor do livro de Jó, embora colocando seu livro dentro do período patriarcal, o tenha escrito após a composição de 1Reis, estando familiarizado com a história de teofania de Elias no monte Horebe. Os vss. 17 ss. dão a mensagem que o espírito comunicou.

O espírito apareceu, esvoaçou ao redor, parou, manifestou certa energia de forma indistinta e então falou. Não estando acostumado com tais coisas, Elifaz ficou ali, olhando e tremendo, tremendo e olhando, os pelos arrepiados e a boca aberta.

A Mensagem do Espírito (4.17-21)

Examinando as palavras do texto sagrado, derivamos algum entendimento como este:

1. O que quer que aconteça aos homens, podemos ter certeza de que eles o merecem (a lei do carma, ou da colheita segundo a semeadura). Ver no *Dicionário* sobre *Lei Moral da Colheita segundo a Semeadura*.
2. Os homens precisam de uma visão exaltada de Deus, na qual eles são humilhados e deixam de falar tolices, como a de que são inocentes. Os inocentes não sofrem nem podem sofrer.
3. As pretensões de santidade são meras afrontas a Deus, o único Ser realmente santo. Quando falamos sobre pureza, estamos limitados a falar sobre Deus.
4. Até os anjos "santos", imortais, são acusados de insensatez pelo augusto Deus. Portanto, que pode fazer o homem para escapar ao escrutínio divino?
5. O estado do homem mortal, em contraste com os seres imortais (os anjos), é lamentável, atacado pela decadência, e ele termina por ser reduzido ao pó. O homem orgulhoso perece, ninguém o vê nem se importa. Tais homens são humildes pecadores que merecem ser julgados.
6. Não há sabedoria no homem, e ele morre como um animal, sem deixar vestígio. Ele merece o que obtém, e a arrogância apenas tenta ocultar os pecados secretos.

> Os montes gemeram nas dores do parto;
> Grandes expectativas encheram a terra.
> E eis! um ratinho nasceu.
>
> Faedro, Fábulas, IV.22.1

7. A mensagem de Elifaz foi essencialmente a de Rm 3.23: "Pois todos pecaram e carecem da glória de Deus". Ele pensava que, na realidade, a punição de Jó decorria do fato de ser ele tão grande pecador. Jó admitiu ser um pecador, mas negava que seus atuais sofrimentos tivessem alguma coisa a ver com essa condição. Sua dor era *grande demais* para ser explicada.

4.17

הַאֱנוֹשׁ מֵאֱלוֹהַּ יִצְדָּק אִם מֵעֹשֵׂהוּ יִטְהַר־גָּבֶר׃

Seria porventura o mortal justo diante de Deus? Jó não seria um homem *justo*, conforme pretendia ser. O padrão da justiça é Deus, e Jó, em sua arrogância, estava fazendo-se *mais justo* do que o próprio Deus, pretendendo saber mais do que Deus. Deus sabia, porém, que Jó era injusto e, assim, o estava castigando. Mas *Jó* acreditava que era justo.

Na realidade, nenhum homem é *puro* diante de Deus. Isso é um *truísmo*. Jó não reivindicaria sua pureza em comparação com Deus ou "diante de Deus". Mas negava que seu enorme sofrimento derivasse de sua impureza natural como pecador. A teologia de Elifaz tinha negligenciado outros fatores em operação. De fato, um homem *inocente* sofria grande aflição por razões ainda não determinadas.

O mortal... o homem. O hebraico diz aqui literalmente "fraco" e "forte", respectivamente, e os intérpretes têm feito o melhor que podem para interpretar esses termos. Foi assim que "fraco" tornou-se *mortal*, e "forte", *homem*. Seja como for, o *frágil* homem é sempre um pecador e merece a punição que obtém. E até o suposto homem *forte* (que poderia ser concebido como se não tivesse defeitos debilitadores) na realidade é impuro diante da presença de Deus. Tal homem também é moral e espiritualmente fraco.

4.18

הֵן בַּעֲבָדָיו לֹא יַאֲמִין וּבְמַלְאָכָיו יָשִׂים תָּהֳלָה׃

Eis que Deus não confia nos seus servos. Os "servos" e os "anjos", que figuram neste versículo, são uma e a mesma entidade. Os anjos de Deus *o servem,* uma ideia tradicional tanto no judaísmo quanto no cristianismo. E também servem aos que hão de herdar a salvação, conforme vemos em Hb 1.14: *Não são todos eles espíritos ministradores, enviados para serviço a favor dos que hão de herdar a salvação?*

Sem dúvida alguma, os *filhos de Deus* referidos no prólogo, que tiveram de prestar relatórios ao Pai celeste acerca de suas atividades (Jó 1.6 e 2.1), devem ser compreendidos como os *anjos*. Nada é dito quanto à natureza de suas atividades, mas compreendemos que missões contínuas lhes são determinadas. Eles são delegados e embaixadores do Rei, considerados responsáveis diante dele. Como servos do Rei Supremo, eles precisam ser seres elevados, poderosos e muito inteligentes, mas até tais seres são acusados de insensatez e, de acordo com a compreensão divina, merecem repreensão ocasional por seus atos tolos. Ver no *Dicionário* o verbete intitulado *Anjo*.

"O poeta, neste versículo, não tencionava lançar os anjos no descrédito. Ele meramente desejava exaltar a perfeição de Deus. Assim, ao aparecer no horizonte, o sol brilha mais que o brilho dos planetas e das constelações" (Samuel Terrien, *in loc.*).

Se Deus acusa os anjos divinos de insensatez, quanto mais encontrará ele falta no homem, que é frágil e mortal? O homem é um modelo de defeitos e pecados. Diariamente, o homem aparece como um insensato. Sua justiça é apenas um fingimento, e sua conversa piedosa não passa de arrogância. Deus nem ao menos pode confiar em seus santos anjos, quanto mais no homem desviado, o pecador mortal. Cf. Jó 15.14-16 e 25.4,5, onde sentimentos similares são expressos e ideias são adicionadas.

Alguns intérpretes, contudo, fazem o vs. 18 referir-se aos *anjos caídos,* mas isso é contra o intuito do autor sacro. Até os elevados, santos, poderosos e inteligentes anjos, que estão a serviço do Rei, são cheios de defeitos e insensatez, quanto mais o homem! Comparar ou contrastar os anjos caídos ao homem dificilmente serviria aos propósitos do autor sagrado. Os anjos não merecem *confiança*, no sentido mais pleno; e menos confiança ainda merecem os homens.

4.19

אַף ׀ שֹׁכְנֵי בָתֵּי־חֹמֶר אֲשֶׁר־בֶּעָפָר יְסוֹדָם יְדַכְּאוּם לִפְנֵי־עָשׁ׃

Quanto mais àqueles que habitam em casas de barro. *A Fragilidade Humana é Descrita*. Enquanto os anjos habitam na glória e Deus habita em seu trono augusto, o humilde homem reside em ridículas casas de barro, que ele mesmo constrói. Assim é salientada sua pobreza de espírito. Ele é uma criatura dotada de pouco intelecto e de visão deficiente, e a cabana de barro exibe sua pobreza de espírito. O humilde homem vem do barro e ao barro retorna. Até os insetos são capazes de destruir a substância do homem e esmagar-lhe a vida. Mas alguns estudiosos acham que devemos entender aqui que "o homem é esmagado como a traça". O homem é como um inseto que é pisado pela sorte e reduzido a um *mingau*.

Cujo fundamento está no pó. Temos aqui uma referência à humilde origem do homem, porquanto ele é feito do pó da terra. Ver Gn 2.7; 3.17; Ec 12.7. Alguns estudiosos veem nisso um sentido moral: o homem está na lama moral e espiritual, visto que veio, literalmente, do pó da terra. Embora o autor, sem dúvida alguma, acreditasse nisso, é duvidoso que esse seja o sentido da passagem.

"O homem é tão frágil que até uma traça pode destruí-lo" (Ellicott, *in loc.*). Isso implica seu estado humilde e pecaminoso, e como ele, cheio de iniquidade, merece o duro tratamento que recebe da mão divina. O menor acidente pode matar um homem. Além disso, o homem é tão fraco moralmente como é fraco fisicamente. Assim, eram ridículos os protestos de Jó de que ele era inocente, bem como era intolerável sua arrogância.

"Jó deveria adotar uma atitude de humildade, em vez de rebelar-se contra a vontade divina" (*Oxford Annotated Bible,* comentando sobre o vs. 18).

■ 4.20

מִבֹּקֶר לָעֶרֶב יֻכַּתּוּ מִבְּלִי מֵשִׂים לָנֶצַח יֹאבֵדוּ׃

Nascem de manhã, e à tarde são destruídos. *Continuam as Descrições sobre a Fragilidade Humana.* Um homem levanta-se pela manhã, sentindo-se muito bem e em ótimas condições de saúde. Mas à tarde pode estar morto. Um animal selvagem o ataca; ou ele sofre algum tolo acidente. Até uma simples enfermidade pode matar um homem em um único dia. O pobre sujeito, que pensa ser algo grande, morre tão rápida e ridiculamente; e quando morre, outros homens nem notam a sua morte, nem sentem falta dele. Um homem é apenas

Um tolo de cabeça oca
A caminho de sua morte poeirenta.

Russell Champlin

Sabemos bem, com base na experiência, que os homens se iludem e correm para a ruína, quando imaginam que permanecerão para sempre sobre a terra.

João Calvino

Ninguém, entre os mortais, dá atenção à sua própria morte iminente, nem dá muita atenção à morte de outrem.

Ewald

Pois todos os nossos dias se passam na tua ira; acabam-se os nossos anos como um breve pensamento.

Salmo 90.9

Perece o justo, e não há quem se impressione com isso.

Isaías 57.1

Perecem para sempre. Alguns intérpretes, erroneamente, fazem a alma entrar no quadro. Mas o poeta estava falando sobre o homem mortal, sua morte e a breve duração da vida humana, não sobre o perecimento da alma em algum lugar imaterial. Essa doutrina, na qual a alma é condenada em algum lugar imaterial, não fazia parte da teologia patriarcal e, de fato, nem é delineada no Antigo Testamento. Só entrou na teologia dos hebreus nos livros pseudepígrafos, escritos durante o período intertestamentário, isto é, nos quatrocentos anos de silêncio divino, e muito mais ainda se desenvolveu no Novo Testamento. Ver no *Dicionário* o verbete chamado *Julgamentos dos Homens Perdidos.*

■ 4.21

הֲלֹא־נִסַּע יִתְרָם בָּם יָמוּתוּ וְלֹא בְחָכְמָה׃

Se se lhes corta o fio da vida. As *cordas da tenda* são os meios pelos quais a tenda é mantida em posição, para que permaneça funcional. Se essas cordas forem cortadas do chão, onde são seguradas por estacas, a tenda ruirá. Um homem também é assim. Sua vida é mantida por coisas deveras frágeis. Seu corpo é um estudo virtual em precariedade. As veias de seu cérebro, tão importantes, são extremamente finas e fracas. Se uma delas se romper, ele estará morto. Ou um coágulo de sangue entope uma dessas veias, e tal homem ficará paralisado pelo resto de sua vida. Seu coração é uma bomba delicada que descansa entre cada batida, mas não são necessários muitos anos para que o coração fique inteiramente exausto. Além disso, há aquelas horrendas enfermidades e acidentes que dão a um homem uma morte instantânea ou, pelo menos, apressam o processo.

O homem era um tolo e morreu como um tolo. Ele nunca atingiu a sabedoria, que era um dos principais propósitos da vida. Vivia para o "eu" e para as coisas materiais. Ele esqueceu Deus, e Deus, finalmente, o esqueceu.

"As pessoas perecem, morrendo sem chamar a atenção de outras e *sem sabedoria*. Morrer sem haver encontrado a sabedoria era o *desastre final* nos países do Oriente Próximo e Médio. Essas palavras, proferidas por um antagonista que se fez amigável, não são sutis. A casa de Jó não estava segura. Ele era como material de construção espalhado e esmagado no chão como traça. Sua vida estava estragada e sem firmeza, como uma tenda que cai quando suas cordas são afrouxadas (cf. Jó 5.24; 8.22; 15.34). De acordo com Elifaz, Jó definitivamente não era um homem sábio... Pois era óbvio que Jó estava sofrendo por ser um pecador" (Roy B. Zuck, *in loc.*).

As coisas eram conforme diziam os gregos:

Quão tolos são esses mortais!
A maioria nunca tem o direito ao seu lado.
...

Os tolos formam uma terrível e avassaladora maioria,
Por todo o vasto mundo.

Henry Ibsen

Se se lhes corta. O trecho hebraico envolvido pode ter o significado de cortar a corda da tenda, mas também pode apontar para a *preeminência* ou para a *excelência.* Nesse caso, o poeta quer dar a entender que a excelência humana de nada vale. Tal excelência perece juntamente com o homem. "Excelência, beleza pessoal, força física, eloquência poderosa e várias vantagens mentais. Todas essas coisas passam... Não mais são vistas ou ouvidas entre os homens. A memória delas perece com a memória daqueles que morrem" (Adam Clarke, *in loc.*).

Quanto a um sumário dos elementos da mensagem do espírito que assustara a Elifaz, ver a exposição na introdução ao vs. 17.

CAPÍTULO CINCO

Continua o Discurso de Elifaz. Ver a introdução à seção, que também serve para iniciar os discursos dos três amigos de Jó, no começo do capítulo 4.

O FRUTO DA OBSTINAÇÃO (5.1-7)

Jó, ao insistir sobre a sua inocência, não provou ser puro, mas, na opinião de Elifaz, apenas adicionou ao seu já considerável estoque de pecados a obstinação, parente da rebeldia. Portanto, mais ainda se tornou objeto do desprazer divino, fazendo com que seus sofrimentos aumentassem, se isso fosse possível.

Elifaz havia observado a dureza de Jó, que recusava render-se à razão e arrepender-se. Um homem piedoso teria reconhecido suas falhas e, há muito, ter-se-ia inclinado, submisso, diante de Deus (Jó 4.2-6). Sob a superfície de uma alegada *integridade,* ali jazia a iniquidade (Jó 4.7-11). Os próprios santos anjos são censurados pelo olho penetrante de Deus, quanto mais os homens humildes, mortais e miseráveis (Jó 4.12-21). Jó, incapaz de impulsionar-se a interceder diante de Deus, só podia usar mediadores (Jó 5.1-5), e isso seria melhor do que sua atitude obstinada, até este ponto da história. Ver na *Enciclopédia de Bíblia, Teologia e Filosofia* o artigo chamado *Mediação (Mediador).* Entretanto, Elifaz não tinha fé em tal ministério e já havia lançado dúvida sobre quão apropriada era a mediação angelical (ver Jó 4.18). Jó não tiraria proveito se seres "insensatos" intercedessem por ele. Elifaz pensava que Jó poderia ter-se inclinado diante de tais seres e, assim, destacou a questão no vs. 1 deste capítulo.

■ 5.1

קְרָא־נָא הֲיֵשׁ עוֹנֶךָּ וְאֶל־מִי מִקְּדֹשִׁים תִּפְנֶה׃

Chama agora! Haverá alguém que te atenda? Jó pode ter deixado de orar a Deus e expressar seu arrependimento, porquanto tolamente tentou conseguir ajuda da mediação angelical, o que teria sido um ato tolo, porquanto Deus acusava até aqueles seres augustos com "imperfeições" (Jó 4.18).

O discurso do primeiro amigo de Jó tornou-se irônico: "Qual dos santos anjos dar-te-ia atenção, e qual deles seria eficaz perante o elevado Deus e far-te-ia qualquer bem?" Os "santos", sem dúvida, são os mesmos anjos de Jó 4.18. Cf. Jó 15.15; Zc 14.5 e Dn 8.13.

Avança e chama. Vê se existe algum ser além de Deus que seja capaz de ajudar-te. Seja como for, para qual dos elevados anjos te voltarias? E, mesmo que te voltasses para tal ser, poderia ele fazer-te algum bem? O caso é claro. Não há intermediário para ti. Assim sendo, vai diretamente a Deus, confessa teus pecados e arrepende-te. Então terás alívio do teu sofrimento.

Desenvolvimentos Teológicos. "A ideia de *anjos intercessores* bem pode constituir o primeiro sinal de uma tendência dos pensamentos que levarão à visão do Mediador (Jó 9.33), da Testemunha celestial (Jó 16.19) e, finalmente, do Redentor (Jó 19.25)" (Samuel Terrien). Foi assim que os discursos levaram à antecipação de uma figura messiânica, que os cristãos aplicam a Jesus Cristo.

Este versículo provavelmente subentende que, ainda que a *mediação angelical* estivesse disponível e passível de uso, um pecador notório como Jó não seria beneficiado por seu concurso. Não estão em vista os santos (humanos) que já se foram deste mundo, embora *alguns* intérpretes católicos romanos tenham usado Jó 5.1 como apoio às orações feitas aos santos mortos.

■ 5.2

כִּי־לֶאֱוִיל יַהֲרָג־כָּעַשׂ וּפֹתֶה תָּמִית קִנְאָה׃

Porque a ira do louco o destrói. Aqui Jó é chamado (indiretamente) de *louco*. A ira de Deus mata loucos como Jó. Ele só podia esperar que seu sofrimento prosseguisse à conclusão lógica da *morte*. O zelo ou inveja também é um agente matador. Aqui temos o Deus zeloso que defende sua honra contra pecadores blasfemos. Jó se estabelecera como seu próprio deus e, assim sendo, era culpado da mais vil idolatria. Quanto ao *Deus ciumento*, ver a exposição em Dt 4.24; 5.9; 6.15 e 32.16,21. Alguns intérpretes aplicam esse ciúme, ou zelo, ao próprio Jó. Ele era um homem zeloso de suas próprias boas obras, realizações e qualidades espirituais. Isso o teria cegado para a verdade da questão. Jó era um homem "... quente, apaixonado, irado contra Deus, invejoso diante da prosperidade alheia, insensato... tudo o que serviria para sua própria ruína" (John Gill, *in loc.*). Portanto, independentemente de ser inveja divina ou humana, essa atitude contribuiria para pôr fim à vida de Jó.

A inveja humana é a podridão dos ossos (Pv 14.30). Ver no *Dicionário* o detalhado artigo chamado *Inveja*.

■ 5.3

אֲנִי־רָאִיתִי אֱוִיל מַשְׁרִישׁ וָאֶקּוֹב נָוֵהוּ פִתְאֹם׃

Bem vi eu o louco lançar raízes. *Os ímpios prosperam,* por algum tempo. Elifaz observara como os tolos prosperam e lançam raízes no solo, como se fossem viver para sempre. Contudo, ele também percebera como a calamidade, súbita e inesperada, os arrebata da face da terra. Ele vira Jó seguindo a mesma vereda destruidora, e, por isso, o estava avisando. A calamidade do louco é então transferida para seus filhos, conforme passa a afirmar o vs. 4. Cf. este versículo com Jr 12.2 e Sl 27.35,36. Vimos e comentamos tais sentimentos em Jó 4.9,19. Ver Jr 17.8 e Sl 37.35,36. Elifaz julgou que, no caso de Jó, haveria alguma *podridão secreta*. Ele era a vítima culpada de uma sábia ira de Deus. O Juiz justo estava ocupado em *atos retributivos*. Elifaz contava com uma única resposta que ele pensava aplicar-se universalmente a todos os casos de sofrimento. Sua teologia era deficiente. No sofrimento humano, há mais fatos em operação do que a *Lei Moral da Colheita segundo a Semeadura* (ver a respeito no *Dicionário*).

■ 5.4

יִרְחֲקוּ בָנָיו מִיֶּשַׁע וְיִדַּכְּאוּ בַשַּׁעַר וְאֵין מַצִּיל׃

Seus filhos estão longe do socorro. *Os loucos ferem seus próprios filhos,* porque sua calamidade, como é natural, também os esmaga. Eles participam do julgamento que sobrevém a seus pais e, sendo pecadores em si mesmos, adicionam combustível à fogueira. O Antigo Testamento encerra tanto a ideia de que os filhos dos ímpios sofrem, por causa dos pecados dos pais, *como também* a ideia de que os filhos podem sofrer somente por seus próprios pecados. Quanto a sofrer ou morrer pelos pecados dos pais, ver Êx 20.5 e Nm 14.18. Naturalmente, devemos lembrar que, de acordo com a primitiva teologia dos hebreus, não estamos tratando, nestes versículos, com a alma imaterial, mas tão somente com as calamidades terrenas que, com frequência, resultam na morte biológica. Por certo, neste versículo do livro de Jó, não estamos falando de um julgamento de além-túmulo, em alguma dimensão espiritual, seja de forma positiva, seja de forma negativa. As doutrinas do céu e do inferno só foram enfocadas nos livros pseudepígrafos e apócrifos, quando a teologia dos hebreus avançou. Além disso, no Novo Testamento, tais ideias foram ainda mais elaboradas.

"Não importa o quanto o insensato pareça prosperar pelo momento, pois a maldição é rápida e lhe sobrevém de súbito, e todos os outros homens observam o que acontece. Sua casa é destruída, seus filhos são oprimidos, seus campos são tomados e confiscados, suas cercas são derrubadas, e suas riquezas tornam-se meras iscas para os cobiçosos" (Paul Scherer, *in loc.*).

Às portas. A teologia judaica posterior fez com que versículos tais como Êx 20.5; Nm 14.18; Ez 18.20 e o presente versículo fossem aplicados ao julgamento espiritual, depois da morte biológica. E, naturalmente, os teólogos cristãos deram prosseguimento a essa atividade. Tal interpretação, entretanto, é anacrônica. O Targum diz aqui: "... são esmagados nas portas do inferno, no dia do grande julgamento", um exemplo daquilo de que estou falando. As portas da fazenda ou da cidade de alguém tornam-se a "porta do inferno". A porta era um lugar de ações judiciais (ver Jó 22.10; Sl 127.5; Pv 22.22; Gn 23.10 e Dt 21.19). Os filhos dos loucos seriam perseguidos pela lei e pelos atos judiciais. Sofreriam a destruição formal e legal, bem como a perda pessoal da parte de certo número de calamidades.

■ 5.5

אֲשֶׁר קְצִירוֹ רָעֵב יֹאכֵל וְאֶל־מִצִּנִּים יִקָּחֵהוּ וְשָׁאַף צַמִּים חֵילָם׃

A sua messe o faminto a devora. Os bens materiais de um homem ímpio são cobiçados pelos observadores invejosos, que espreitam as calamidades que o atingem. Esses observadores arrebatam suas terras; pilham sua colheita; e até obtêm algo de vantajoso de seus "espinhos", isto é, de fontes inesperadas de riquezas. O hebraico original, neste ponto, é obscuro, o que leva os intérpretes a conjecturar o que está em pauta. Alguns estudiosos veem aqui uma "cerca de espinhos", que foi plantada pelo insensato para proteger suas uvas e suas plantações. Os opressores não têm a menor dificuldade em passar por tais barreiras. O Targum e a Vulgata armam homens (exércitos pequenos, particulares, ou grupos de saques) que atacam as plantações de um homem pobre. Os *bandidos do deserto* reduzem a nada o insensato e tornam-se, assim, agentes de Deus, que efetua um justo julgamento.

É provável que Elifaz tivesse aludido à perda das riquezas de Jó, quando os sabeus tomaram seu gado e mataram seus servos (Jó 1.15). Ele pensava que um homem inocente não poderia sofrer essas desgraças, e que os sabeus foram instrumentos divinos das aflições de Jó.

■ 5.6

כִּי לֹא־יֵצֵא מֵעָפָר אָוֶן וּמֵאֲדָמָה לֹא־יִצְמַח עָמָל׃

Porque a aflição não vem do pó. *As Aflições Nunca Acontecem de Maneira Simplista.* Elas não se *originam do solo,* como se fossem planta daninha gerada de alguma semente carregada pelo vento para aquele trecho da terra. Existem causas para tristeza e dor, e Elifaz encontra essas causas *no homem.* É assim que os ímpios são punidos com justiça, por serem *fontes originárias* do mal. E que não se culpe a sorte! Nem se culpe o mero acaso, dizem os críticos. "Os homens mesmos são a causa, e, se você está sofrendo, então você é o culpado!" Naturalmente, males como os dilúvios, os terremotos, os desastres, os acidentes, as enfermidades e a morte natural, por assim dizer, parecem originar-se do solo, porquanto, em muitos casos, não podemos atribuir-lhes causas morais. É provável que Elifaz tornasse um terremoto, por exemplo, resultado da iniquidade moral dos homens. O problema do mal consiste nessas *duas* categorias latas, os males morais (coisas que derivam da desumanidade do homem contra o homem) e os males naturais (abusos e desastres da natureza independentes da vontade humana). Ver a quinta seção da *Introdução* ao livro de Jó, e no *Dicionário* o artigo intitulado *Problema do Mal*.

É *do solo* que vem o sustento do homem, por meio da agricultura. Do solo vem também a água necessária. O solo é a origem dos metais que os homens usam para fabricar instrumentos. Ele abençoa, e não amaldiçoa. O homem é a fonte das maldições.

"Não é de meras causas naturais que nos chegam as aflições e tribulações. A justiça de Deus é que as inflige contra o homem ofensor" (Adam Clarke, *in loc.*).

O presente versículo foi impresso como título de um jornal parisiense no dia em que Hitler invadiu a cidade de Paris, durante a Segunda Guerra Mundial. O que aconteceu naquele dia não foi resultado de causas naturais nem veio da sorte: veio de Hitler, um dos grandes monstros humanos da história.

■ 5.7

כִּי־אָדָם לְעָמָל יוּלָּד וּבְנֵי־רֶשֶׁף יַגְבִּיהוּ עוּף׃

Mas o homem nasce para o enfado. Este breve versículo é um dos mais conhecidos do livro de Jó. Expressa a desgraça humana com suas múltiplas tribulações, reveses e desastres. As calamidades são tantas, que parecem fagulhas subindo de uma fogueira crepitante. O homem, pois, nasce para tais calamidades. Elas fazem parte da condição humana, da qual todos os seres humanos participam. Essas inúmeras aflições, Elifaz atribuía ao próprio homem.

A fonte de todas as guerras, a origem de todos os males, jaz em nós mesmos.
Pierre Lecomte Du Nouy

O homem chega neste mundo como um ser corrupto, ansioso por *azedar* e complicar o que poderia ser uma boa vida. Sendo pecador, o homem peca e continua pecando. E então começa a colher os resultados de sua insensata semeadura, mas continua a semear. Ele deixa claro que arruína a sua própria vida. É um autêntico caso de suicídio.

O destino não é uma questão de chance.
É uma questão de escolha.
William Jennings Bryan

Os jovens pensam que os idosos são tolos.
Os idosos sabem que os jovens são tolos.
George Champman

Cada homem é o arquiteto de sua própria fortuna.
Appius Claudius

Os *maus hábitos*, cultivados cuidadosamente através dos anos, são como tropas inimigas acampadas entre um povo conquistado. Não apreciamos a presença deles, mas somos impotentes para nos livrarmos. Falamos bravamente em caçá-los. Em segredo, esforçamo-nos contra eles, mas no fim obedecemos a eles sem oferecer resistência.

Interpretações Deste Versículo. Embora tão simples, este versículo tem sido submetido a grande variedade de interpretações:

1. *Faíscas*. Um fazendeiro queima um campo para abrir espaço para o plantio. Ele acende um grande fogo. A madeira está úmida, de maneira que o calor a faz expandir-se. Ao expandir-se, a umidade explode, levantando grande quantidade de fagulhas. É conforme alguém já disse: "As fagulhas não parecem voar em outra direção, senão para cima, e isso mostra quão inevitável é a tribulação. A tribulação é incansável. Está sempre presente, tal como as fagulhas sempre sobem do fogo".

2. Em algumas versões antigas, lemos sobre *abutres* ou *águias*, em vez de "fagulhas", como possíveis traduções do termo hebraico. Essas aves de rapina, tal como as fagulhas, podem ser vistas a subir bem alto, lembrando ao homem sua existência precária. A palavra aqui traduzida por "faíscas" é, literalmente, "filhos de *resep*" e alguns estudiosos fazem essa expressão referir-se às aves de rapina.

3. Ou os *filhos de resep* podem ser uma alusão ao deus ugarítico do relâmpago, da pestilência e das chamas. Nesse caso, *poeticamente*, o autor sagrado refere-se às dificuldades que viriam sobre o homem através dos atos do hostil deus das calamidades. E, naturalmente, para compreendermos que ele merece o que obtém.

"As tribulações originam-se do pecado comum do homem, por meio da lei das consequências naturais, tal como as fagulhas naturalmente esvoaçam no ar, vindas do fogo lá embaixo" (Fausset, *in loc.*).

Na loja do diabo todas as coisas se vendem,
Cada grama de escória custa um quilo de ouro;
Por uma capa e sinetes pagamos com a vida,
Adquirimos bolhas com a tarefa inteira da vida.
James Russell Lowell

O DEVER DO HOMEM NA TERRA (5.8-27)

O Apelo de Elifaz (5.8-17)

■ 5.8

אוּלָם אֲנִי אֶדְרֹשׁ אֶל־אֵל וְאֶל־אֱלֹהִים אָשִׂים דִּבְרָתִי׃

Quanto a mim eu buscaria a Deus. *Remédio oferecido:* buscar a Deus com sinceridade e reverter o curso do desastre por meio do arrependimento. Era isso o que *Elifaz* se propunha a fazer, mas Jó continuava a insistir sobre a sua inocência.

Sofreste açoites e vergões
Tratamento de opróbrio e de dor
Para que curasses a minha praga,
E minha paz obtenha para sempre.
Hino germânico

O sofrimento pode produzir a redenção quando gera o arrependimento apropriado, como os sofrimentos de Cristo, combinados com o arrependimento humano.

"Se eu fosse você", disse Elifaz a Jó. "Está entre as ironias da vida que homens como Elifaz são os primeiros a apresentar-se como médicos da alma dos aflitos... Eles têm *carroças* cheias de conselhos a dar aos aflitos, os quais, dessa maneira, tornam-se seus monturos... Os conselhos são oferecidos sobre a suposição de que um homem, somente por ser desafortunado, deva estar em um plano moral e intelectual inferior ao de seu próspero conselheiro... Como tais homens se avantajam de sua posição!" (James Mckechnis, em seu livro, *Job, Moral Hero*).

Cf. Is 8.19; 9.13; Am 5.8; 1Cr 22.19, que também exortam ao homem que busque a Deus para remediar os seus problemas.

■ 5.9

עֹשֶׂה גְדֹלוֹת וְאֵין חֵקֶר נִפְלָאוֹת עַד־אֵין מִסְפָּר׃

Ele faz cousas grandes e inescrutáveis. Elifaz continuava seu apelo para Jó agir, buscando Deus da maneira certa e abandonando as tolas pretensões de inocência. "*Deus é poderoso* para ajudá-lo; considere ao menos o que ele tem feito." ele tinha feito um sem-número de coisas maravilhosas. "Seu caso não é difícil demais para ele. É desesperador, mas não impossível. Que seu próprio desespero dirija a sua mente para o Deus que opera maravilhas".

O magnânimo Desespero somente
Poderia ter-me mostrado algo tão divino.
Onde a débil Esperança jamais alçaria voo,
Mas somente agitaria suas asas diáfanas.
Andrew Marvell

"Os vss. 9-11 formam uma *doxologia* que justifica a ideia de um apelo à deidade, descrevendo seu poder e sua justiça. O vs. 9 é quase idêntico a Jó 9.10 e pode ser uma interpolação colocada neste local" (Samuel Terrien, *in loc.*). Cf. os vss. 9-16 com Lc 1.46-55.

"Nenhuma obra, por mais complicada que seja, é profunda demais para ele traçar o seu *plano*. Nenhuma obra, por mais estupenda que seja, é grande demais para ele *executar* o seu poder. Aquele que é reto está sempre seguro ao entregar sua causa a Deus e nele confiar" (Adam Clarke, *in loc.*). O Deus que tem feito maravilhas na natureza, que realiza feitos grandes, e até insondáveis e nunca imaginados, certamente pode resolver os pequenos problemas do homem.

Inescrutáveis. "... as coisas da natureza, muitas das quais são um quebra-cabeça até para os maiores filósofos, os quais são incapazes, a despeito de toda a sua sagacidade, de descobrir suas causas e razões" (John Gill, *in loc.*). O Deus que planejou e executou a criação da própria natureza tem os recursos para resolver os problemas de suas criaturas. Ver no *Dicionário* o artigo chamado *Providência de Deus*.

■ **5.10**

הַנֹּתֵן מָטָר עַל־פְּנֵי־אָרֶץ וְשֹׁלֵחַ מַיִם עַל־פְּנֵי חוּצוֹת׃

Faz chover sobre a terra. Algumas das obras de Deus são *inescrutáveis,* mas outras são facilmente perceptíveis, como a chuva que é concedida providencialmente e os suprimentos de água nos rios e nos lagos. Tais coisas são necessárias para a sobrevivência humana. Podemos ver essas obras divinas todos os dias, com nossos próprios olhos e, embora tão visíveis e óbvias, ainda assim são obras grandíssimas de provisão, da parte do Pai celeste, o qual controla todas as coisas. Tal Deus certamente pode solucionar os problemas de um pobre homem, *contanto que* este o busque em arrependimento.

"Elifaz aconselhou Jó a *apelar para Deus,* porque Deus é majestático, poderoso (vs. 9) e benévolo, enviando chuvas para as plantações (vs. 10). Outrossim, Deus encoraja e socorre aos abatidos e entristecidos (vs. 11). Ele também frustra os espertos (vss. 12-14) e livra o necessitado e o pobre (vss. 15,16)" (Roy B. Zuck, *in loc.*).

Pela providência divina, a chuva cai sobre toda a terra. A chuva não respeita um país ou um agricultor. É universal e ilustra a *universalidade* da providência divina. Portanto, Jó era candidato a receber as bênçãos e a intervenção divina.

Cf. a declaração de Jesus, em Mt 5.45: "para que vos torneis filhos do vosso Pai celeste, porque ele faz nascer o seu sol sobre maus e bons e vir chuvas sobre justos e injustos".

■ **5.11**

לָשׂוּם שְׁפָלִים לְמָרוֹם וְקֹדְרִים שָׂגְבוּ יֶשַׁע׃

Para pôr os abatidos num lugar alto. São exatamente os *humildes* que precisam ser elevados, e os que *choram* que precisam ser consolados. Por conseguinte, Deus cuida de casos difíceis e até desesperadores. Jó não estava fora do alcance da mão divina, a menos que continuasse em sua atitude de rebeldia, recusando-se a confessar sua culpa. O homem humilde torna-se grande quando a *Providência de Deus* exerce controle sobre ele. Aquele que chora é exaltado e cheio de alegria, porque o poder de Deus é suficiente para essa operação. Estamos tratando com um Deus que trabalha e *faz grandes reversões e surpresas*. Quão agradável é sermos objetos de uma surpresa divina! Surpresa! Oh, Senhor, concede-nos tal graça!

"... a exaltação do homem deve vir da parte de Deus, não de seus próprios esforços pessoais. Cf. Sl 75.4-10 e a oração de Ana, em 1Sm 2.6-8. Ver também Sl 113.7" (Ellicott, *in loc.*).

Os atos providenciais de Deus são distribuídos por um Poder imparcial. Elohim é o Pai de todas as humildes criaturas da terra. Ele eleva os humildes e rebaixa os orgulhosos (Lc 1.53). Jó, por conseguinte, teria de abandonar sua arrogância, se quisesse ganhar alguma coisa da mão divina.

■ **5.12,13**

מֵפֵר מַחְשְׁבוֹת עֲרוּמִים וְלֹא־תַעֲשֶׂינָה יְדֵיהֶם תּוּשִׁיָּה׃

לֹכֵד חֲכָמִים בְּעָרְמָם וַעֲצַת נִפְתָּלִים נִמְהָרָה׃

Ele frustra as maquinações dos astutos. *As surpresas e reversões* de Deus também se aplicam aos astutos, que imaginam coisas más e as põem em prática quando obtêm uma chance. Os planos dos indivíduos astuciosos são anulados, e seus atos são revertidos. Sem dúvida, Elifaz estava incluindo Jó entre esses homens astuciosos, hipócritas, pretensiosos e arrogantes. Tais homens só podem chegar a um mau fim, e Jó, de tão doente, não estava muito distante da calamidade última, a *morte*. A sabedoria de um indivíduo pode ter um mau uso. De fato, alguns *sábios* tornam-se *astuciosos,* e foi isso o que Elifaz supôs que tivesse acontecido no caso de Jó. O sábio regozija-se naquilo que sua sabedoria pode realizar visando o bem. Mas o astucioso fica *desapontado* em seus desígnios. Os astutos são como os construtores de Babel. A torre que estavam construindo, pensavam eles, logo lhes abriria a habitação divina. Mas foi então que houve uma reversão divina. A terra foi abandonada. O trabalho de construção cessou, e os operários foram espalhados.

A força e o erro atrapalham o homem que faz uso deles. E, em sua maior parte, essas coisas ricocheteiam na cabeça do planejador.

Lucrécio, lib. v., vs. 1151

Astutos. No hebraico temos a palavra *arum*, a mesma usada para descrever a serpente em Gn 3.1.

Ele apanha os sábios na sua própria astúcia. Esta é uma das duas porções do livro de Jó citadas no Novo Testamento. A outra passagem é Jó 41.11 (ver Rm 11.35). A sabedoria deste mundo é loucura para Deus. Homens astutos causam a própria destruição, mediante sua sabedoria mal aplicada, que se transforma em astúcia. A *Providência de Deus* arranja de tal modo os eventos que os planejadores astutos são prejudicados. Ilustrando o presente texto, Paul Scherer (*in loc.*) conta sobre homens ricos e poderosos, na cidade de Chicago, nos Estados Unidos, que controlavam mais riquezas do que o governo federal americano obtinha com a cobrança de impostos! No entanto, veja o leitor o que aconteceu. Sete daqueles homens poderosos morreram na pobreza. Outros foram, finalmente, aprisionados, e alguns deles cometeram suicídio. E foi assim que certos homens astutos foram destruídos por sua própria astúcia.

Os egípcios, que perseguiram Israel, a fim de destruí-lo, foram, eles mesmos, destruídos. Para Israel, entretanto, as águas do mar se abriram. Mas para os egípcios, as águas se fecharam. José foi vendido para o Egito, mas tornou-se o primeiro-ministro do faraó. Seus irmãos, que receberam o dinheiro de sua venda, terminaram famintos. Hamã foi enforcado (ou empalado) no próprio instrumento que tinha preparado para eliminar Mordecai (ver Et 5.14; 7.10).

■ **5.14**

יוֹמָם יְפַגְּשׁוּ־חֹשֶׁךְ וְכַלַּיְלָה יְמַשְׁשׁוּ בַצָּהֳרָיִם׃

Eles de dia encontram as trevas. Os *ímpios* encontram as trevas em pleno meio-dia. O tempo da luz, para os justos, é mais do que noite para o pecador. A iluminação é sinal de espiritualidade. Os ímpios se distinguem por suas trevas e ignorância. Jó agia como um homem iluminado e sábio, mas, para Elifaz, Jó estaria habitando na noite da ignorância e da rebeldia.

O Ímpio Tateia ao Meio-dia. Cf. Is 59.10; Dt 28.29. "Em vívida metáfora, Elifaz estabelece a sorte daqueles que 'conspiram contra o Senhor' (Sl 2.1-5). A cegueira deles é uma espécie de cegueira judicial que feriu 'aos que estavam fora' (Gn 19.11) da casa de Ló, em Sodoma. Essa cegueira também feriu o coração do faraó (Êx 8.15,19; 9.12). Atingiu a patrulha do rei da Síria, diante das palavras do profeta Eliseu (2Rs 6.18). E cegou os políticos e 'sábios' dos dias de Isaías (Is 31.2). É dessa maneira que a luz de Deus se transmuta em trevas. Leia de novo a terrível acusação de Paulo contra o mundo dos gentios, em Rm 1.18-32" (Paul Scherer, *in loc.*).

"Este versículo possivelmente é uma alusão à praga das trevas que atingiu o Egito, trevas tão espessas que podiam ser sentidas (Êx 10.21)" (Ellicott, *in loc.*). Ver Jo 9.39, quanto a uma clara referência à cegueira judicial, isto é, a cegueira espiritual que resulta do julgamento de Deus contra os pecadores. Ver também At 17.27.

Escura como o mundo do homem...
Cegos como os mil novecentos e quarenta pregos
Na cruz.

Edith Sitwell

■ **5.15,16**

וַיֹּשַׁע מֵחֶרֶב מִפִּיהֶם וּמִיַּד חָזָק אֶבְיוֹן׃

וַתְּהִי לַדַּל תִּקְוָה וְעֹלָתָה קָפְצָה פִּיהָ׃

Salva o necessitado da mão do poderoso. A *Revised Standard Version* diz aqui *órfão*. O pobre órfão é salvo da boca dos ímpios, porquanto tem a salvação do Senhor. Ele é salvo da mão gananciosa e violenta que se estende para fazer-lhe mal, porquanto ele tem a salvação do Senhor. Entrementes, os "sábios", que, na realidade, são hipócritas, perecem através de vários instrumentos de punição de Yahweh. A palavra "boca", usada no vs. 15, significa as calúnias e as ameaças dos ímpios que oprimem a seus semelhantes. A *espada* pode ser a *justiça vingadora* das autoridades civis, mas nisso a justiça é pervertida. Os inocentes sofrem e são executados pelos indivíduos ímpios e desarrazoados. O autor falava de grandes injustiças sociais, não apenas de injustiças pessoais. Cf. Sl 57.4 e 59.7, quanto às metáforas da *boca* e da *espada*.

5.17

הִנֵּה אַשְׁרֵי אֱנוֹשׁ יוֹכִחֶנּוּ אֱלוֹהַּ וּמוּסַר שַׁדַּי אַל־תִּמְאָס׃

Bem-aventurado é o homem. Deus corrige *todos* os homens, porque todos são culpados diante dele. O autor sacro toma a posição de Rm 3.23: "Pois todos pecaram e carecem da glória de Deus". Jó, sem dúvida, concordaria com esse parecer. Ele não se considerava livre de pecado. Tão somente negava que seu *imenso sofrimento* resultava de sua própria iniquidade. Seu registro era bom. Ele não merecia os sofrimentos que estava experimentando. De fato, ele sofria sem causa aparente (Jó 2.3), tal e qual Yahweh tinha declarado. Elifaz, entretanto, não era capaz de entender o princípio pelo qual os inocentes podem sofrer. Ele oferecia *felicidade* (bem-estar geral) ao indivíduo arrependido e esperava que Jó fosse esse homem. Ele não oferecia esperança e não tinha explicações para os inocentes que sofrem.

Para a *correção feliz* aplicada por Yahweh ou Elohim (o nome divino usado no presente texto), cf. Sl 94.12 e Hb 12.5-13, breve homilia sobre o assunto. Ver também Tg 1.12. Afinal, os *filhos* são corrigidos para seu próprio bem. O sofrimento pode agir como *disciplina*, outra resposta para o problema do mal. Até um homem inocente pode sofrer, se isso for uma medida de disciplina espiritual. Naturalmente, Elifaz não estava advogando *somente* disciplina. Ele defendia a ideia de que a correção do pecador pode servir *também* de disciplina, e não de mera retribuição. Naturalmente, isso abriga alguma verdade, mas mesmo assim não explica o caso de Jó. Ele não estava sendo disciplinado. Ver *Problema do Mal*, a quinta seção da *Introdução* ao livro, e o verbete com esse título no *Dicionário*.

A *disciplina* não deve ser desprezada nem rejeitada, e não devemos ressentir-nos de sua aplicação. Esta porção do presente versículo é diretamente paralela a Pv 3.11. O homem não deve agir como uma *criança* rebelde; também não deve ser infantil quando o Pai celeste lhe envia alguma provação, a fim de discipliná-lo. Ele deve aprender suas lições com alegria e confiança. Se o sofredor rejeitar seu teste de retribuição e disciplina, acabará perecendo (ver Jó 4.7-11). Ver no *Dicionário* o artigo chamado *Disciplina*, quanto a explicações detalhadas.

Bem-aventurado. Este vocábulo deriva-se de uma palavra hebraica que significa "estender-se", "atingir um alvo distante", "andar energicamente na direção de algo". Em seu *andar*, um homem é impelido em seu caminho e, ao atingir a razão para o curso de sua vida, ele se mostra eufórico. Ver no *Dicionário* o verbete chamado *Andar*.

Todo-poderoso. O Deus Todo-poderoso sabe o que está fazendo. Sua retribuição e sua disciplina são justas e bem-intencionadas. Ele usa seu poder para aprimorar seus filhos, não para prejudicá-los. Ver no *Dicionário* o verbete chamado *Todo-poderoso*.

Promessas aos Arrependidos (5.18-27)

Elifaz fez a Jó uma *oferta atrativa*. Se ele se arrependesse de seus pecados, encontraria um *Deus benévolo*, que reverteria todos os seus sofrimentos e toda a sua perda. Todas as espécies de coisas boas foram prometidas: curas das feridas (vs. 18); escape do mal presente e do futuro (vss. 19-22); prosperidade (vs. 23 e 24); posteridade (vs. 25); vida longa (vs. 26); bem geral (vs. 27). A oferta foi bela e, ao que se pode presumir, Elifaz foi o porta-voz de Elohim. O que ele disse era atrativo, mas não se adaptava ao caso de Jó.

5.18

כִּי הוּא יַכְאִיב וְיֶחְבָּשׁ יִמְחַץ וְיָדָיו תִּרְפֶּינָה׃

Porque ele faz a ferida e ele mesmo a ata. Jó estava todo ferido, física e mentalmente. *Deus*, conforme Elifaz reafirmava, infligira-lhe aqueles ferimentos, e assim poderia curá-los e tornar Jó novamente são. A Jó cabia remover a *causa*, isto é, o pecado, oculto ou conhecido. Os críticos de Jó enfatizaram o dever do homem para com Deus. Um homem nada representa e está sob a ira de Deus, a menos que satisfaça às condições da autêntica santidade. Elifaz insistiu sobre sua tese: a lei da colheita segundo a semeadura. Sua mente não podia sair dos estreitos limites desse raciocínio. Ele havia simplificado o problema do mal, possibilitando, assim, apenas duas respostas: *retribuição* contra o pecado, e *disciplina*. Mas tendo ele falado sobre essas coisas, ainda havia enigmas no problema do sofrimento humano. Os *sofrimentos de Jó* continuavam enigmáticos.

Cf. este versículo com Dt 32.39; Os 6.1 e 1Sm 2.6, que emitem sentimentos similares.

"Como um cirurgião explorador, Deus faz um ferimento ainda maior, mediante sondagens, abrindo mais ainda a ferida, para que a matéria estranha saia e se possa aplicar o medicamento" (John Gill, *in loc.*).

A *teologia dos hebreus*, durante muitos séculos, desprezou a cura dos médicos e referiu-se a Yahweh como o único curador legítimo. No campo físico, isso era um exagero, embora no campo espiritual seja uma verdade óbvia.

5.19

בְּשֵׁשׁ צָרוֹת יַצִּילֶךָּ וּבְשֶׁבַע לֹא־יִגַּע בְּךָ רָע׃

De seis angústias te livrará, e na sétima... *Total livramento da tribulação* é o significado das sete provas que podem ser anuladas pelo poder divino. Quando falamos sobre Deus, estamos falando de um poder ilimitado que oferece livramento de uma ou de todas as formas de aflição.

> Se teu corpo sofre dor e tua saúde não podes recuperar,
> E tua alma quase se afunda no desespero.
> Jesus sabe a dor que sentes, ele pode salvar-te e curar-te
> Leva tua carga ao Senhor, e deixa-a com ele.
> C. Albert Tindley

Sete. Número da perfeição e de um estado completo. Assim sendo, toda a espécie de provação pode afligir-nos, mas o poder divino é suficiente para suprir todos os tipos de cura e reverter qualquer sofrimento. Alguns intérpretes pensam que Jó sofreu *sete* tipos específicos de provação, ou então que Elifaz tinha em vista sete tipos particulares de aflição, mas essas interpretações são fantasiosas. Devemos entender metaforicamente o número *sete*. Ver no *Dicionário* o verbete chamado *Número (Numeral, Numerologia)*, quanto aos significados dos números e a importância que a Bíblia empresta a eles.

"Deus salva igualmente de *muitos*, tanto quanto de *poucos*" (Adam Clarke, *in loc.*). O Senhor nos livra de *todas* as tribulações (ver Sl 34.6,15,17,19). Ver também Pv 6.16; 30.15,18,21, quanto a expressões similares que envolvem números.

O mal te não tocará. Esta é uma grande promessa, similar a Sl 91.10,11, que diz:

> Nenhum mal te sucederá, praga nenhuma chegará à tua tenda. Porque aos seus anjos dará ordens a teu respeito, para que te guardem em todos os teus caminhos.

5.20

בְּרָעָב פָּדְךָ מִמָּוֶת וּבְמִלְחָמָה מִידֵי חָרֶב׃

Na fome te livrará da morte... na guerra. Estes são dois grandes males sociais e universais que assolam as massas populares: a fome e a guerra. A despeito de todo o nosso progresso e tecnologia, o mundo moderno está repleto destes males. Mas aquilo que mata as massas populares não tocaria em Jó, *se* ele se separasse do mundo pecaminoso, através do verdadeiro arrependimento.

Caiam mil ao teu lado, e dez mil, à tua direita; mas tu não serás atingido.

Salmo 91.7

Elifaz prometeu a Jó aquilo que ele não podia garantir. Que é mais claro do que os piedosos perecerem, juntamente com os pecadores, nos desastres naturais? Um ônibus cheio de evangélicos sofre um desastre na estrada, e muitos crentes são mortos. O avião que transportava o Coro do Tabernáculo Mórmon (muitos anos atrás) caiu e matou a muitos deles. Um pastor e a sua filha missionária foram, tola e ridiculamente, sepultados, no automóvel deles, por uma avalancha de neve que, de súbito, os apanhou no caminho. E considere isto o leitor! Eles estavam a caminho da igreja, para que ela pudesse fazer seu apelo missionário. No entanto, naquele carro miserável, foram ambos esmagados. Caros leitores, a lista é interminável. Então indagamos: "Por que os homens sofrem, e por que sofrem como sofrem?" E também perguntamos: "Por que os inocentes sofrem?" A retribuição e a disciplina, *brinquedos* de Elifaz, não eram adequados no caso de Jó.

5.21

בְּשׁוֹט לָשׁוֹן תֵּחָבֵא וְלֹא־תִירָא מִשֹּׁד כִּי יָבוֹא׃

Do açoite da língua estarás abrigado. Elifaz retornou agora à língua caluniadora, condenatória e injuriosa dos ímpios que oprimem a outros. Ver o vs. 15. Os ímpios falam de maneira ameaçadora e então cumprem suas ameaças contra outras pessoas. Algumas vezes eles operam mesmo através dos sistemas judiciários. Algumas vezes têm seus executores particulares e sempre oprimem economicamente. O mundo está cheio de ameaças contra os pobres e fracos. Elifaz chegou a pensar tolamente que um homem pobre e arrependido seria protegido. Mas a simples observação mostra-nos que as coisas não operam desse modo neste mundo ímpio.

"Talvez nenhum mal seja mais temido do que o açoite da língua. Falar mal, detratar, caluniar, tagarelar, espalhar boatos, sussurrar e escandalizar são alguns dos termos que usamos quando queremos expressar a influência maléfica de um caluniador. Isso incendeia um mundo de fogo, que deriva do inferno... Ver Sl 31.20; 52.2-4; Pv 12.18; 14.3 e Tg 3.5-8" (Adam Clarke, *in loc.*). Ver no *Dicionário* o verbete intitulado *Linguagem, Uso Apropriado da*.

Alguns pensam que o caluniador, neste caso, era o próprio Satanás, o ser que estava por trás das tribulações de Jó, conforme vemos no prólogo do livro. Mas essa referência específica não parece estar em mente. O Targum refere-se à língua má de Balaão, para ilustrar o texto.

5.22

לְשֹׁד וּלְכָפָן תִּשְׂחָק וּמֵחַיַּת הָאָרֶץ אַל־תִּירָא׃

Da assolação e da fome te rirás... das feras da terra. *Três outros tipos* de perigo são anulados por Deus no caso do homem justo: forças destruidoras em geral; a fome, em particular, e as feras. Os poderes assoladores têm paralelos nos versículos anteriores. O vs. 22 menciona as ameaças destruidoras em geral. O vs. 20 já havia citado a fome; Jó 4.10 já havia falado na ameaça dos animais ferozes. Assim sendo, este versículo simplesmente repete elementos que já haviam aparecido e tinham sido comentados.

Este versículo adiciona o *riso feliz* do justo. Longe de ficar com medo, ele é capaz de minimizar os perigos, porquanto está seguro na mão divina, e uma cerca divina fora posta em torno dele. Ele tem o anjo de Deus em seu portão, em suas portas, nas janelas de sua casa (Sl 91.11,12). Ser assim protegido traz alegria que substitui o temor. Jó estava vivendo em *temor*. Elifaz ofereceu-lhe *alegria*, como substituto pelo temor, *caso* ele se arrependesse.

O Targum espiritualiza estes versículos e faz dos animais ferozes inimigos, como certas pessoas, mencionando Ogue como exemplo. Mas o trecho, sem dúvida, fala literalmente de animais ferozes. A Palestina antiga estava infestada de animais de várias espécies, matadores de homens, pelos quais as tribos nômades eram severamente vazadas.

5.23

כִּי עִם־אַבְנֵי הַשָּׂדֶה בְרִיתֶךָ וְחַיַּת הַשָּׂדֶה הָשְׁלְמָה־לָךְ׃

Porque até com pedras do campo. *Paz com a natureza*, tanto a animada quanto a inanimada, foi prometida ao homem bom que anda corretamente com Deus. O autor sagrado menciona as *pedras* para falar de qualquer ameaça natural, como os terremotos, as inundações e coisas semelhantes. Conforme Elifaz pensava, a *natureza* não atacaria jamais um homem inocente. Naturalmente, sabemos que isso não é verdade. Durante a Segunda Guerra Mundial, foi pregado um sermão que prometia aos justos que nenhuma bomba explodiria perto de suas residências; mas tal prédica não foi realista. Paulo expressou melhor ainda essa questão ao lembrar-nos dos *gemidos* e das *dores de parto* que devemos experimentar no corpo, enquanto esperamos pela redenção da alma (ver Rm 8.19,22,23). Alguns intérpretes hebreus pensavam que as pedras referiam-se a tábuas de pedra levantadas nos campos, as quais conteriam pactos inscritos sobre elas. Nesse caso, nenhum pacto feito com o Ser divino seria quebrado. Os pactos não seriam ameaçadores para o homem bom. Mas isso parece muito fantasioso. Antes, o homem bom, por assim dizer, tem um pacto com a própria natureza, que mantém afastados os temíveis desastres naturais.

Outras interpretações são dadas às *pedras:* o homem bom não teria um campo cheio de pedras onde fosse difícil plantar. Além disso, seus inimigos, que habitavam em fortalezas de pedra e esconderijos, em cavernas e buracos nas colinas, não atacariam o homem bom. Mas *pedras* literais, como as que existem na natureza, parecem ser o que o autor sagrado entendia no texto.

E então, pela *terceira vez*, o escritor fala da batalha contra as feras do campo. Ver Jó 4.10; 5.22,23. Ver Lv 26.22, quanto à ameaça constante dos animais ferozes, bem como as notas expositivas em Jó 4.10, para maiores detalhes.

Cf. este versículo com Os 2.18: "Naquele dia, farei a favor dela aliança com as bestas-feras do campo, e com as aves do céu, e com os répteis da terra; e tirarei desta o arco, e a espada, e a guerra e farei o meu povo repousar em segurança".

5.24

וְיָדַעְתָּ כִּי־שָׁלוֹם אָהֳלֶךָ וּפָקַדְתָּ נָוְךָ וְלֹא תֶחֱטָא׃

Saberás que a paz é a tua tenda. O justo teria um *lar seguro* onde habitar. "Nenhum mal te sucederá, praga nenhuma chegará à tua tenda" (Sl 91.10). Então, ele não sofrerá nenhum dano às suas riquezas, ou seja, a seus animais domesticados e às suas plantações. Quando ele sair para inspecionar e contar seu gado, não encontrará animais perdidos, injuriados ou doentes. Antes, reterá suas riquezas, e isso por causa da bênção de Deus.

O Targum faz da casa do homem justo um lugar para a instrução quanto à lei, um *santuário particular*. Se um homem fizer de seu lar um lugar assim, poderá esperar proteção divina especial. Adam Clarke mencionou a questão de *vizinhos hostis* como uma fonte de tribulação que interrompe a paz doméstica. A paz em um lar deve incluir bons vizinhos. Então, nenhum inimigo viria para saquear lares e aldeias. O saque inclui assassinatos, ataques sexuais e sequestros, coisas que destroem uma família. Assaltantes, andarilhos e assassinos serão mantidos longe da habitação do justo. Isso constituía uma ameaça constante às aldeias e aos acampamentos no deserto da Palestina.

5.25

וְיָדַעְתָּ כִּי־רַב זַרְעֶךָ וְצֶאֱצָאֶיךָ כְּעֵשֶׂב הָאָרֶץ׃

Saberás também que se multiplicará a tua descendência. Sempre foi muito importante para a mente semita que um homem gozasse de grande prosperidade. Isso fazia parte do *pacto abraâmico*. Ver sobre Gn 15.18, quanto a um sumário das promessas feitas a Abraão, e ver especificamente Gn 15.5. Jó, ainda recentemente, tinha perdido os seus servos e seus familiares, através dos atos violentos de saqueadores e por meio de desastres naturais. Ver Jó 1.13,18. Portanto, deve ter sido especialmente amargo para Jó ouvir falar em uma grande posteridade. O que fica implícito, naturalmente, é que Jó, o pecador, era aquele que tinha perdido a sua família. Jó, o homem bom, inocente quanto a pecados secretos, não teria sofrido tão horrendas perdas.

Como a erva da terra. Coisa alguma prospera e se espalha tanto como a erva daninha dos campos, que simboliza a fertilidade e o poder de sobrevivência. O pobre Jó foi informado de que, se ele não tivesse sido um pecador, até aquele dia sua família seria como um campo coberto de erva fértil.

Das cidades floresçam os habitantes como a erva da terra.
Salmo 72.16

A família do homem seria tão numerosa quanto "os espirais de erva que ninguém pode enumerar, tal como não pode enumerar as estrelas do céu ou a areia das praias do mar, mediante cuja figura de linguagem grande posteridade é, algumas vezes, expressa" (John Gill, *in loc.*). Quanto a essas figuras de linguagem, ver sobre *estrelas* (Gn 22.17 e Êx 32.13) e sobre *areia* (Gn 22.17 e 1Rs 4.20).

A *relva* é uma figura de linguagem que fala da fragilidade do homem, bem como da facilidade e prontidão com que o homem perece. Ver Sl 90.5,6; 102.4; 103.15; Is 40.6-8.

■ 5.26

תָּבוֹא בְכֶלַח אֱלֵי־קָבֶר כַּעֲלוֹת גָּדִישׁ בְּעִתּוֹ׃

Em robusta velhice entrarás para a sepultura. Uma *longa vida* é desejável, quando usada de modo útil, especialmente na promoção da espiritualidade. É melhor, contudo, viver bem do que viver longos anos, mas é melhor ainda viver bem e por muitos anos. Vida longa para os justos era uma suposição semítica e uma promessa padrão. Quanto a uma vida longa como algo desejável, ver as notas sobre Gn 5.21. Quanto a uma longa vida em resultado da observância da lei, ver Dt 5.15; 22.6,7 e 25.15. Cf. o uso que Paulo fez dessa figura de linguagem em Ef 6.2,3. O primeiro mandamento dado, ao qual vinculamos uma *promessa* e, nesse caso, vida longa, era a questão de honrar pai e mãe. Certamente é desejável ter uma vida longa, realizar algo de valor e estar *pronto* para morrer, e morrer com o conhecimento de que se agiu bem, tendo tido tempo para cumprir a própria missão. Oh, Senhor, concede-nos tal graça!

Você não morrerá antes do tempo. Você partirá desta vida como um convidado que comeu bem e está satisfeito. Você partirá feliz com o que tiver aprendido e feliz porque desfrutou de uma vida plena e útil. Você morrerá como aquele grão de cereal que teve a oportunidade de passar pelo curso completo do ano, a primavera, o verão, o outono e o inverno. E, tendo então caído por terra, sua história não terminará. Você levantar-se-á do pó para a vida eterna (ver 1Co 15.42-44).

"O sepulcro não é o fim melancólico da vida, mas, antes, é a passagem para uma vida superior, para a qual o indivíduo já está maduro. 'Já agora a coroa da justiça me está guardada, a qual o Senhor, reto juiz, me dará naquele dia; e não somente a mim, mas também a todos quantos amam a sua vinda' (2Tm 4.8)" (Ellicott, *in loc.*, que cristianizou o texto). Elifaz não esperava por uma vida além-túmulo, algo que não havia entrado ainda na teologia patriarcal.

"Ir para o sepulcro em pleno vigor, como molhos de grão de cereal, retrata lindamente uma vida vivida plenamente e pronta para terminar. Cf. Jó 42.17" (Roy B. Zuck, *in loc.*). Morrer ainda no vigor da vida é um privilégio dado a bem poucos. Elifaz pensava que o homem bom poderia esperar esse tipo de morte.

■ 5.27

הִנֵּה־זֹאת חֲקַרְנוּהָ כֶּן־הִיא שְׁמָעֶנָּה וְאַתָּה דַע־לָךְ׃ פ

Ouve-o, e medita nisso para teu bem. Elifaz tinha *confiança em sua autoridade,* a qual ele adquirira mediante uma experiência mística incomum (ver Jó 4.13 ss.). Ele acreditava que sua experiência garantia a veracidade de seu credo, um erro comum entre os indivíduos dogmáticos. Seja como for, ele terminou seu discurso assegurando a Jó que havia autoridade por trás de suas palavras e que Jó faria bem em assimilar e seguir o que ele lhe dissera. Essa também é uma atitude comum dos indivíduos dogmáticos que vivem *inchados* em seus credos, achando que, presumivelmente, solucionam todos os problemas no céu e na terra. Se Jó soubesse o que era melhor para ele, tomaria a sério a palavra de Elifaz e agiria de conformidade com o que ouvira da parte dele. Caso contrário, teria de adquirir sabedoria pelo caminho difícil. Soltando esse raio final, o crítico terminou o seu discurso.

Esse imperativo final tinha por finalidade deixar o sofredor com um agudo senso de inferioridade. Isso justificava, naquele que falava, a convicção quanto ao caráter rebelde de Jó. Então, de acordo com os críticos de Jó, ele de fato respondeu (capítulos 6 e 7) como se fosse um rebelado contra Deus, desconsiderando todas aquelas "sábias" palavras como não aplicáveis ao seu caso.

No tocante ao problema do mal (por que os homens sofrem e por que sofrem como sofrem), o discurso poético e, algumas vezes, eloquente de Elifaz, ofereceu somente duas respostas comuns: *retribuição* (colheita do que o indivíduo tiver semeado) e *disciplina*. Esses fatores são importantes quanto ao *porquê* do sofrimento humano, mas outros fatores permanecem como enigmas, apesar de toda a nossa argumentação. Elifaz, pois, cometeu o erro comum dos indivíduos dogmáticos. Ele pensou ter todas as respostas embutidas em seu credo limitado.

Elifaz era um homem simples. Ele tinha duas respostas fáceis para uma pergunta muito difícil. Mas devemos lembrar que a simplicidade não é, necessariamente, sinônimo da verdade. As verdades de Deus transcendem a nossa compreensão; são profundas e elevadas demais para nós. Temos algumas respostas limitadas a respeito de determinadas coisas. Além disso, a verdade é uma *aventura* que prossegue sem parar. Não é uma realização definitiva.

CAPÍTULO SEIS

Continuamos com a *primeira* série de discursos, a fala dos três amigos de Jó e a resposta de Jó, que ocupam os capítulos 3-14 do livro. Na introdução ao capítulo 4, ofereço um sumário no tocante à série de discursos, o que não repito aqui. Ver especialmente *Circunstâncias dos Discursos*. Cada um dos críticos de Jó falou e recebeu uma resposta da parte dele. Esse ciclo ocorreu por *três vezes,* exceto pelo fato de que o terceiro amigo de Jó não apresentou um terceiro discurso. O capítulo 6 nos dá a primeira resposta de Jó ao primeiro discurso, de Elifaz. Ele não ficou convencido com os argumentos e a eloquência de Elifaz. Seu caso, Jó acreditava, ficara sem resposta, diante da insistência de seu crítico de que a *retribuição* e a *disciplina* seriam suficientes para explicar por que os homens sofrem, e por que sofrem como sofrem. Ver sobre *Problema do Mal,* na V seção da Introdução ao livro, e ver o mesmo título no *Dicionário*.

RESPOSTA DE JÓ A ELIFAZ (6.1—7.21)

O SOLILÓQUIO (6.1-20)

O Peso da Angústia (6.1-13)

Elifaz havia oferecido um discurso *ortodoxo.* Mas a ortodoxia dele não se aplicava ao caso de Jó. Sua calamidade era grande demais. Ultrapassava qualquer julgamento divino razoável, quanto a qualquer pecado secreto que ele pudesse ter praticado. Seus infortúnios tinham de estar envolvidos em fatores que ainda não tinham sido ventilados. Jó era um homem *inocente* que estava sofrendo (Jó 2.3).

■ 6.1,2

וַיַּעַן אִיּוֹב וַיֹּאמַר׃

לוּ שָׁקוֹל יִשָּׁקֵל כַּעְשִׂי וְהַוָּתִי בְּמֹאזְנַיִם יִשְׂאוּ־יָחַד׃

Então Jó respondeu. "O patriarca sofredor declarou que a razão de sua queixa era que a sua *angústia... era pesada*. Mas, se a sua queixa fosse comparada em uma balança com a sua miséria, esta seria muito mais pesada. De fato, mais pesada do que areia molhada. Suas palavras (capítulo 3), embora aparentemente impetuosas, *nada eram,* se comparadas aos seus sofrimentos" (Roy B. Zuck, *in loc.*).

"O livro de Jó é um épico sobre a vida interior. Lutero, em certa passagem, compara o sofredor com o Eneias de Virgílio, um tipo do herói eterno, conduzido por todas as águas e oceanos, através de todas as hostilidades, até que ele se tornou um guerreiro capaz e habilidoso. Simplesmente não havia tal heroicidade em Jó. O poema é inteiramente oriental. Seus discursos ficam pendurados como pérolas, em um fio tão tênue como uma narrativa" (Paul Scherer, *in loc.*).

Uma Pesagem Divina. Jó ansiava que seu caso fosse realmente avaliado. Era uma angústia realmente pesada. Mas quem poderia julgar exatamente quão pesada ela era? As respostas fáceis de Elifaz, o indivíduo dogmático, de que Jó sofria por causa de *retribuição* (ele estava colhendo o que teria semeado) e estava sendo *disciplinado* (ele precisava sofrer para melhorar a sua espiritualidade), simplesmente não se ajustavam à *imensidão* de sua tristeza. Essa tristeza fez a balança descer até o fundo. Uma pesagem divina, e não uma pesagem humana, poderia determinar quais eram as verdadeiras razões de seu sofrimento. Elifaz tinha apresentado falsos argumentos; eloquentes, sim, mas nem por isso, verdadeiros.

Lembretes. Quanto a uma maior compreensão do livro de Jó, tome nota dos quatro pontos a seguir:

1. O *tema principal* do livro é a adoração desinteressada. Haverá um homem capaz de continuar a adorar a Deus e dar atenção a coisas espirituais, *se* ficar demonstrado que não está obtendo nenhuma vantagem egoísta para fazê-lo? Porventura um homem promove a espiritualidade como meio de ganhar alguma vantagem para si mesmo? Ver "Ao Leitor", sob o título "A Principal Mensagem do Livro", nos comentários de Introdução, imediatamente antes da exposição a Jó 1.1. Ver também, na *Enciclopédia de Bíblia, Teologia e Filosofia*, o artigo chamado *Egoísmo*.
2. Jó, em seus sofrimentos, tornou-se um pessimista. Ver na *Enciclopédia de Bíblia, Teologia e Filosofia* o verbete chamado *Pessimismo*.
3. O *problema do mal* é aquele que ocupa a maior parte do espaço do livro. Está intimamente relacionado ao primeiro tema da adoração desinteressada. Por conseguinte, o livro de Jó apresenta uma teodiceia. Quanto às respostas dadas, ver a Introdução ao livro, seção V, e, no *Dicionário*, o verbete chamado *Problema do Mal*.
4. O livro de Jó está fundamentado sobre uma primitiva teologia dos hebreus, que causa problemas para a mente moderna cristã. Ver Jó 1.11, quanto a um sumário para esses problemas.

6.3

כִּי־עַתָּה מֵחוֹל יַמִּים יִכְבָּד עַל־כֵּן דְּבָרַי לָעוּ׃

Esta na verdade pesaria mais que a areia dos mares. *A areia dos mares* não apenas é infinitamente abundante, mas também se molha quando banhada pela maré. Por conseguinte, falar em seu *peso* é metáfora vívida. A esse peso, Jó comparou seu próprio sofrimento, por causa da pesada carga de tristeza. Jó admite que proferira *palavras precipitadas* (*Revised Standard Version*), quando se deixou afundar em seu pessimismo, no capítulo 3. A palavra hebraica traduzida por "precipitada" pode significar "selvagem". Talvez as reprimendas severas de seus amigos tenham levado Jó a falar de maneira um tanto descontrolada. Ver Pv 27.3, quanto a outra referência ao peso da areia. Ali, a *ira* do homem insensato aparece como mais pesada ainda do que a areia ou a pedra. John Gill cristianizou o texto, referindo-se ao peso da glória que é dado ao crente em Cristo (2Co 4.17). Os protestos de Jó eram violentos por causa de seus imensos sofrimentos. "Suas palavras (capítulo 3, sua *lamentação*) foram aparentemente impetuosas, mas, em comparação com seus sofrimentos, eram como nada" (Roy B. Zuck, *in loc.*).

6.4

כִּי חִצֵּי שַׁדַּי עִמָּדִי אֲשֶׁר חֲמָתָם שֹׁתָה רוּחִי בִּעוּתֵי אֱלוֹהַּ יַעַרְכוּנִי׃

Porque as flechas do Todo-poderoso. *O próprio Deus*, insistiu Jó, atirava flechas envenenadas contra ele. Novamente, Jó pôs a culpa em Deus por suas tribulações. Cf. o capítulo 3. A teologia dos hebreus era fraca quanto a *causas secundárias* e terminava atribuindo a Deus todas as coisas, como se ele fosse a única causa. O hipercalvinismo comete erro idêntico, com os mesmos resultados: Deus é a fonte até mesmo do mal. Nada dizemos porque adoramos a um Deus *voluntarista*, ou seja, um Deus cuja vontade é suprema e que não obedece às leis morais que ele impôs aos homens. Pelo menos, essa é a armadilha na qual caiu a teologia dos hebreus e na qual o moderno hipercalvinismo também tem caído. Ver na *Enciclopédia de Bíblia, Teologia e Filosofia* o artigo chamado *Voluntarismo*. No voluntarismo, a vontade é a consideração suprema, e a razão é virtualmente nada. Os homens, segundo o voluntarismo, erram ao buscar razões para os atos de Deus. Eles simplesmente confiam em sua vontade, sem importar se essa vontade está certa ou errada. É conforme Trasímaco, em um dos diálogos de Platão, perguntou: "Deus faz uma coisa porque está certa, ou essa coisa está certa meramente porque ele assim a faz?" Caros leitores, o voluntarismo apresenta um Deus distorcido. Trata-se de uma teologia e de uma filosofia deficientes, independentemente de aparecerem aqui e ali nas Escrituras, tal como em Rm 9. Cf. Jó 7.20; 16.12,13; Lm 3.12,13, quanto a versículos similares que falam sobre "atacar a Deus".

Uma Resposta Má para o Problema do Mal. Um Deus, cheio de vontade, que faz tanto o bem quanto o mal (conforme os homens julgam a questão), controla tudo. Portanto, não nos admira o fato de que o mundo tenha tanto mal, dificuldades e tribulação. Deus é a causa do mal!

Um homem cuja esposa tinha afundado juntamente com o Titanic disse a um amigo: "Não acredito, por um momento sequer, que Deus tenha qualquer coisa a ver com isso!" "As pessoas precisam parar de acreditar em um Deus como esse" (Paul Scherer, *in loc.*).

Oh, Amor, que não me deixas ir.
Dou-Te de volta a vida que devo,
Que nas profundezas de Teu oceano, seu fluxo
Possa ser mais rico e mais pleno.

George Matheson

Mesmo depois de termos feito essas observações, ainda assim não solucionamos o problema do mal. Continuamos tendo grande dificuldade para dar respostas adequadas a esta pergunta: "Por que os *inocentes* sofrem?"

Além das flechas, temos os raios e os relâmpagos, os grandes e incansáveis poderes destruidores de Deus. Jó julgou-se ferido pelos repetidos raios de Deus. Sua condição era desesperadora, e ele culpava a Deus por seu desespero. Ele era ferido por dentro pelas flechas e espetado por fora pelos relâmpagos. Suas misérias eram multifacetadas e mortais.

Os terrores de Deus se arregimentam. A metáfora é a de um exército assediador. Deus se tornara como um exército hostil contra Jó, cujo caso era desesperador e sem solução. Cf. Ef 6.11 ss., onde ataques tão maliciosos são atribuídos a Satanás. Por meio de uma teologia voluntarista, Satanás, como agente de Deus, faz a vontade dele, quer os homens gostem, quer não. Por conseguinte, ser atacado por Satanás é ser atacado por Deus, causa única de tudo. Nenhuma *causa secundária* participa do drama.

6.5

הֲיִנְהַק־פֶּרֶא עֲלֵי־דֶשֶׁא אִם יִגְעֶה־שּׁוֹר עַל־בְּלִילוֹ׃

Zurrará o jumento montês junto à relva? Os *animais*, em qualquer necessidade que tenham, fazem tremenda confusão. O jumento montês, quando lhe falta alimento, sai zurrando. O burro domesticado faz a mesma coisa, quando seu proprietário o negligencia. O boi que não recebe ração também muge e deixa seu dono louco com o ruído que faz. Assim também Jó, sofrendo como sofria, continuava gritando, e quem poderia acusá-lo? Entrementes, os amigos de Jó eram como jumentos bem alimentados. Não clamavam acerca de coisa alguma. E também não entendiam todo o barulho que Jó estava fazendo. Eram como burros gordos. De fato, eram jumentos nédios.

6.6

הֲיֵאָכֵל תָּפֵל מִבְּלִי־מֶלַח אִם־יֶשׁ־טַעַם בְּרִיר חַלָּמוּת׃

Comer-se-á sem sal o que é insípido? *Jó Muda Aqui a sua Metáfora*. No versículo anterior, ele se assemelha a um animal faminto que clama por alimento. No vs. 7 ele obtém um alimento repelente, que lhe parece intragável (*Revised Standard Version*). Seus sofrimentos se assemelham à fome do animal faminto que protesta a cada segundo, ou a um homem que é forçado a comer alguma coisa indigesta, cujo gosto é *insuportável*. Algumas traduções só dão a ideia de comer um *ovo sem sal*, o que, afinal, não é assim tão mau. O hebraico é incerto, assim algumas traduções não se referem simplesmente ao ovo, mas a algum alimento nojento. Seja como for, a vida se tornara *intragável* para Jó. Era como uma refeição nojenta, que ninguém, no uso correto de sua mente, comeria. Seu alimento era "repulsivo e insípido" (*Oxford Annotated Bible,* comentando sobre o vs. 6). A *Revised Standard Version* traduz "visco de beldroega", em lugar de *ovo.* A beldroega é uma planta usada por algumas pessoas para fazer saladas, mas em muitos lugares é evitada.

O ponto destacado por Jó é que o homem precisa de alimentos decentes. Deus lhe estava servindo uma refeição repulsiva, lançando todo aquele sofrimento contra ele. Talvez, em *segundo lugar,* Jó protestasse contra os conselhos de seus amigos, idênticos a alimento sem sal e repulsivo.

Sal. Este elemento era muito valorizado no Oriente, onde se comiam muitos legumes e verduras como alimento principal. Naturalmente, o sal continua sendo muito valorizado, embora estudos científicos demonstrem que o *sal,* e não o açúcar, é o verdadeiro *vilão.* Aqueles que não consomem sal virtualmente desconhecem problemas de pressão alta e outros problemas arteriais. Mas as pessoas, mesmo sabendo disso, continuam usando sal em excesso. Ver no *Dicionário* o artigo chamado *Sal,* em suas aplicações metafóricas.

■ 6.7

מֵאֲנָה לִנְגּוֹעַ נַפְשִׁי הֵמָּה כִּדְוֵי לַחְמִי׃

Aquilo que a minha alma recusava tocar. Jó não tinha apetite pela comida que Deus lhe estava servindo. Ele não queria tocar naquele alimento. Era algo *nojento* para ele. Este versículo, pois, repete essencialmente as ideias que aparecem no versículo anterior. Jó reiterou a natureza repulsiva de sua "refeição de vida". Ele preferiria passar fome e morrer a continuar participando daquela coisa horrível. "Minha enfermidade é como um alimento nauseante" (Umbreit, *in loc.*). Em outras palavras, Jó estava doente de viver, mas talvez temesse morrer. Cf. a metáfora de Sl 42.3: "As minhas lágrimas têm sido o meu alimento".

Definitivamente, Jó *não* estava:

> Buscando o alimento que ele come,
> Nem estava satisfeito com o que obtinha.
>
> Shakespeare

Ele se parecia com o pessimista que:

> Nada tinha para fazer senão trabalho;
> Nada tinha para comer senão comida;
> Nada tinha para vestir senão roupas.
>
> Benjamim King

Sua vida se fixara em um ciclo horrendo de atos inúteis, acompanhados por profunda tristeza.

■ 6.8

מִי־יִתֵּן תָּבוֹא שֶׁאֱלָתִי וְתִקְוָתִי יִתֵּן אֱלוֹהַּ׃

Quem dera que se cumprisse o meu pedido. Os vss. 8-13 nos levam de volta ao desejo que Jó tinha de morrer, tão prevalecente em suas lamentações, expressas no capítulo 3. Cf. Jó 3.3-13. Em primeiro lugar, ele desejava nunca haver sido concebido; mas, se tivesse sido concebido, que tivesse passado por um aborto espontâneo; mas, se lhe faltassem essas *bênçãos,* então que tivesse nascido morto. Faltando-lhe todas essas outras bênçãos, então ele desejava ter morrido jovem, para nunca ver o dia no qual sua vida se transformara. Jó se tornara um completo pessimista. O *pessimismo* (ver a *Enciclopédia de Bíblia, Teologia e Filosofia*) é a crença de que a *própria vida* é má. A salvação seria o fim de toda a existência. Então, haveria paz. Nessa paz não haveria sofrimento. Penso que qualquer homem que estivesse sofrendo como Jó preferiria sofrer aniquilamento absoluto a continuar vivendo aquele tipo de vida. Jó não levantou a questão de uma vida para além do sepulcro, por meio de uma alma imaterial que sobreviveria à morte biológica. Isso refletia naturalmente uma deficiência em sua teologia patriarcal. Finalmente, ele veio a esperar uma *ressurreição* (Jó 19.25 ss.), doutrina dos hebreus que entrou em sua teologia, antes que entrasse qualquer doutrina da alma.

O meu pedido. Devemos compreender que Jó *desejava* a morte e *orava* por isso. Para ele, a morte seria uma bênção divina. E ele não esperava sobreviver à morte em alguma forma imaterial. "O tema egípcio do desejo pela morte prematura reaparece (ver o capítulo 3). Outrossim, Jó temia que, em sua tortura, ele viesse a negar as palavras do Santo (vs. 10)" (*Oxford Annotated Bible,* comentando sobre o vs. 8). Se *isso* viesse a acontecer, então ficaria provado que Satanás estava com a razão (ver Jó 2.4,5). Os homens desejam morrer quando estão em profunda aflição, mas desejar a morte não é prova de que o indivíduo esteja pronto para morrer.

Jó não estava pensando em suicídio, quase desconhecido entre os povos semitas e que não era tido como solução apropriada para as tribulações. Contudo, nada havia de tão desejável para Jó quanto a morte.

■ 6.9

וְיֹאֵל אֱלוֹהַּ וִידַכְּאֵנִי יַתֵּר יָדוֹ וִיבַצְּעֵנִי׃

Que fosse do agrado de Deus esmagar-me. *A noite eterna* era o seu desejo. Nada mais de estrelas para contemplar; nada mais de luz; nada mais de ciclos de manhã e tarde; não mais dia que se seguiria à noite. Novamente, a teologia de Jó não tinha lugar para uma alma imortal. A teologia dele era deficiente. Ver as notas sobre Jó 1.11, quanto aos vários problemas teológicos do livro.

Jó também clamou à divindade brutal (Eloah) que o *esmagasse* e o cortasse em pedaços, terminando assim sua triste história. *Eloah tinha poder.* Podia fazer o que fosse de sua vontade. Ver no *Dicionário* o artigo chamado *Deus, Nomes Bíblicos de,* quanto a plenas explicações. O nome *El,* sozinho ou em combinações, é a palavra semita para "poder". Jó tinha cessado de esperar uma bênção beneficente. Ele queria que um poder destrutivo pusesse fim a tudo, libertando-o de suas agonias. *Eloah* é a forma singular de *Elohim.* Trata-se essencialmente de uma forma poética, sendo encontrada principalmente no livro de Jó.

"Jó queria ser como uma flor cortada no campo, ou como uma árvore cortada até as raízes por um machado, ou desejava que o fio de sua vida fosse cortado, Is 38.12" (John Gill, *in loc.*).

Que soltasse a sua mão. É provável que a metáfora, neste caso, seja a soltura dos prisioneiros. Cf. Sl 105.20. Caso sofresse morte prematura, Jó seria como um prisioneiro cujo tempo de confinamento tivesse chegado ao fim e, para ele, a morte significaria a libertação. Até ali, a mão divina lhe havia administrado aflição. Mas também poderia soltá-lo, através da morte, e era por isso que Jó anelava tanto.

■ 6.10

וּתְהִי עוֹד נֶחָמָתִי וַאֲסַלְּדָה בְחִילָה לֹא יַחְמוֹל כִּי־לֹא כִחַדְתִּי אִמְרֵי קָדוֹשׁ׃

Isto ainda seria a minha consolação. A morte prematura teria impedido que Jó blasfemasse. Satanás havia predito que o sofrimento do corpo faria de Jó um blasfemo (Jó 2.4,5), e Jó, em sua agonia, viu que isso poderia tornar-se realidade. E então ficaria provado que ele não possuía fé desinteressada e havia adorado a Deus somente por algum benefício que isso pudesse produzir para seu "eu". Em outras palavras, ele era um egoísta. Ver na *Enciclopédia de Bíblia, Teologia e Filosofia* o verbete chamado *Egoísmo.* Um homem submetido a sofrimentos extremos é capaz de quase tudo, até de blasfemar. Penso que Deus pode ignorar isso quando se trata de um homem reduzido a quase nada e sujeitado a uma punição *cruel e incomum,* conforme reza a lei americana a respeito de algumas formas de execução. Minha mãe sofreu de câncer durante quatro anos e meio. Sua personalidade inteira mudou. Ela me disse, certo dia: "Esta enfermidade tira de nós toda a forma de humanidade". O Deus de amor não ficará preocupado com as palavras amargas de alguém que foi reduzido a um verme esmagado. O *verme esmagado* não é a mesma pessoa que existira antes. Os dois são entidades diferentes. Talvez o profeta Baha Ullah estivesse mais próximo da verdade quando nos consolou dizendo que os testes difíceis podem tirar-nos a fé. Por outra parte, o tempo devolve a fé, e devemos ter paciência de esperar pela operação do tempo, depois de uma provação severa.

Até aquele ponto, Jó não foi hipócrita. Ele não negou nenhuma das palavras do Santo. Ele conservou a fé, mesmo sob o teste mais severo, sabendo todo o tempo que ele era *inocente.* Mas um esmagamento contínuo poderia levá-lo à blasfêmia. Ele queria sair do

TEMAS REPETIDOS NAS RESPOSTAS DE JÓ

Temas repetidos podem ser, meramente, um artifício literário para fornecer cenários para novas seções. Encontramos muito este tipo de repetição em 1 e 2Crônicas. Ou a repetição pode ser uma maneira de desenvolver um tema mais prolongadamente. O Salmo 119 fornece 176 louvores ou descrições da lei. O hino à lei, para conseguir tantas declarações, repete muitos temas diretamente, ou com modificações leves. Por *muito falar* a lei fica *muito louvada*. A este tipo de repetição chamamos de *embelezamento*. A repetição também é utilizada para enfatizar o que está sendo falado. Existe também a *repetição-surpresa*. O impacto de uma ideia é alcançado com uma repetição que nos surpreende. Por exemplo: um sobrinho de Henry James perguntou-lhe: "O que é que eu devo fazer com a minha vida?" James respondeu: Existem três coisas importantes na vida: seja gentil; seja gentil; seja gentil. Esperamos três coisas diferentes, mas ouvimos que existe uma só coisa de imensa importância. O choque da repetição nos impressiona com a lição a ser transmitida. Outro exemplo deste tipo de repetição: um pai deve ao seu filho três coisas: exemplo; exemplo; exemplo.

Finalmente, existe a repetição de argumentação. Sempre em discussões, as pessoas envolvidas repetem seus argumentos, procurando forçar o oponente a aceitar suas ideias "por muito falar" as mesmas coisas. O livro de Jó exibe este tipo de repetição, tanto nos seus próprios discursos, como nos de seus "amigos". O gráfico a seguir lista cinco temas essenciais que são repetidos em todas as três séries de acusações e resposta. Então, dentro de cada palestra, os mesmos temas se repetem.

	Os Temas Repetidos	Primeiro Discurso	Segundo Discurso	Terceiro Discurso
A Primeira Série de Discursos	1. Desapontamento entre amigos	6.14-20	----	12.1-3; 13.1-12
	2. A grandeza de Deus	----	9.1-12	12.7-25
	3. Decepção na maneira como Deus trata os homens	7.11-17	9.13—10.17	1.2-6
	4. Desespero com a vida e/ ou desejo de morrer	6.8-13; 7.1-10	10.18-22	cap. 14
	5. Desejo de que Deus o vindique ante os homens	7.20,21	----	13.13-19
A Segunda Série de Discursos	1. Desapontamento entre amigos	16.1-5; 17.3-5	19.1-4	21.1-6
	2. A grandeza de Deus	----	19.28,29	21.19-22
	3. Decepção na maneira como Deus trata os homens	16.1-17	19.5-22	21.7-18;23,24
	4. Desespero com a vida e/ ou desejo de morrer	17.6-16	----	----
	5. Desejo de que Deus o vindique ante os homens	16.18—17.2	19.23-27	----
A Terceira Série de Discursos	1. Desapontamento entre amigos	----	26.1-4	(não houve um terceiro discurso nesta série)
	2. A grandeza de Deus	23.8-17	26.5—27.12 cap. 8	
	3. Decepção na maneira como Deus trata os homens	24.1-17	----	
	4. Desespero com a vida e/ou desejo de morrer, mas aqui são os ímpios que morrem, a declaração sendo generalizada	24.18-25	27.13-23 caps. 29,30	
	5. Desejo de que Deus o vindique ante os homens	23.1-7	cap. 31	

Observações:
1. As repetições servem para enfatizar certas ideias-chaves.
2. Os mesmos temas se repetem na segunda e na terceira séries de discursos e também nos discursos individuais. A precisão desta repetição indica que foi feita de propósito. As ideias voltam para serem discutidas de novo, com certa variação de tratamento.
3. A estatura do livro, como uma composição literária, é aumentada pela percepção de que o livro é um grandioso poema. Levou considerável habilidade manejar essa grande massa de material de forma poética.
4. Quando amigos se ajuntam para discutir um problema, um diálogo resultará. Considere os diálogos de Platão. Mas o livro de Jó emprega o estilo literário do discurso. Este meio de ensino ocupa muito espaço e tempo, mas é efetivo se for habilmente manejado.

mundo antes que isso pudesse acontecer. Ele se endureceria sob as suas tristezas, isto é, suportaria tudo, até que a morte o libertasse. O texto hebraico é incerto aqui. E a tradução "dor" poderia ser "exultação". Nesse caso, Jó *exultaria em sua dor,* porquanto saberia que isso, em breve, o levaria para o doce esquecimento da morte.

■ 6.11

מַה־כֹּחִי כִי־אֲיַחֵל וּמַה־קִּצִּי כִי־אַאֲרִיךְ נַפְשִׁי׃

Por que esperar se já não tenho forças...? Para que prolongar esta agonia? De que adianta a força física? O que importa ser forte e continuar no sofrimento? É muito melhor morrer do que sofrer pacientemente uma dor insuportável. Esse tipo de vida não vale a pena. Não restavam mais forças em Jó, não havia mais recursos para ele continuar em sua tristeza. Ele não era feito de pedra ou bronze (vs. 12), o que talvez lhe permitisse suportar mais ainda aquela agonia. Ele queria liberdade. Liberdade para morrer.

Elifaz tinha sugerido que Jó poderia ser restaurado à saúde caso se arrependesse (ver Jó 4.19 ss.). A Jó, porém, não restavam forças para ter esperança de recuperação. Seus servos estavam mortos; quase todos os membros de sua família tinham sido destruídos; suas riquezas tinham sido obliteradas; seu corpo estava reduzido a uma massa nojenta de pústulas; suas forças físicas tinham-se exaurido. A morte, pois, se tornara atrativa para ele. E ele pediu a Deus que o deixasse *ir-se,* que o deixasse morrer.

■ 6.12

אִם־כֹּחַ אֲבָנִים כֹּחִי אִם־בְּשָׂרִי נָחוּשׁ׃

Acaso a minha força é força de pedra? Jó não fora feito de bronze ou pedra. Era apenas uma pessoa física, frágil, sujeita aos ataques da natureza. Sócrates lembrou aos juízes, na *Apologia de Platão,* que ele não era "um pau ou uma pedra", sem sentimentos e sem a capacidade de sofrer. Paulo, sob o sofrimento, ouviu as palavras "minha graça te basta" (2Co 12.19). Mas Jó não ouviu palavra alguma, nem foi consolado e, ainda por cima, supunha estar sendo alvejado sem cessar pelas *flechas divinas* (Jó 6.4). Portanto, ele não estava recebendo nenhuma consolação divina. Pelo contrário, considerava culpa divina suas aflições.

A *Ilíada* de Homero (lib. iv, vs. 507) tem algo similar ao falar dos ferimentos da guerra:

> Seus corpos não são feitos de rochas,
> Nem suas costelas são de aço.
> As armas ferem, e os golpes são sentidos.

■ 6.13

הַאִם אֵין עֶזְרָתִי בִי וְתֻשִׁיָּה נִדְּחָה מִמֶּנִּי׃

Não! Jamais haverá socorro para mim. Em si mesmo, Jó não encontrava ajuda nem tinha fonte alguma do "eu" fora de si mesmo, quer da parte de Deus, quer da parte dos homens. Ele estava completamente *destituído.* Qualquer recurso a que ele pudesse ter apelado estava *afastado,* tanto por causa de sua tristeza, como por causa do decreto divino. Contrastar este versículo com Jó 5.22.

> A esperança é tão barata quanto o desespero.
> Thomas Fuller

> O castelo era chamado Castelo da Dúvida,
> E seu proprietário era o Gigante Desespero.
> John Bunyan, *O Peregrino*

O Fracasso da Amizade (6.14-20)

O texto à nossa frente é notoriamente obscuro e tem provocado muitas traduções e interpretações. Mas pelo menos uma coisa parece clara. A verdadeira piedade se evidencia quando um amigo é verdadeiro. Os homens devem uns aos outros a gentileza, que é outro nome para o *amor.* Jó queixou-se de não receber o que merecia meramente por ser um homem entre os homens; presumivelmente, um homem que tinha amigos. Há aquela piedade fingida, a qual fala de amor, mas persegue e censura outros seres humanos; e era isso que Jó estava experimentando. Algumas vezes os filhos pródigos deixam a casa paterna meramente porque irmãos mais velhos censuradores permanecem ali. E os pais cegos não veem as causas verdadeiras das coisas. A igreja não se preocupa com as favelas, contanto que seus membros aumentem de número, continuamente, em seus próprios consolos e luxos. Os homens amam o próprio "eu" e acumulam coisas sobre si mesmos e sobre seus parentes próximos, enquanto continuam surdos ao clamor da angústia humana. A *amizade,* algumas vezes, fracassa. Qual de nós não conhece muitos casos parecidos com este? O amigo de ontem é o homem abandonado de hoje. Os amigos, com frequência, são amigos de outras pessoas meramente para *explorá-las.*

■ 6.14

לַמָּס מֵרֵעֵהוּ חָסֶד וְיִרְאַת שַׁדַּי יַעֲזוֹב׃

Ao aflito deve o amigo mostrar compaixão. "A prova da verdadeira religião jaz na compaixão humana pelo próximo. Outra tradução possível é: 'Um homem deve mostrar bondade para outro homem em desespero, mesmo para quem esquece o temor ao Todo-poderoso'" (*Oxford Annotated Bible,* comentando sobre este versículo). A versão portuguesa escolhe a segunda possibilidade. Mas a Atualizada da Sociedade Bíblica reverte o significado, subentendendo que o homem que abandona a Deus não merece a bondade de seus amigos. Essa ideia, entretanto, dificilmente poderia ter sido aquilo que Jó dissera. Jó buscava a *bondade humana,* independentemente do estado de sua espiritualidade naquele momento. "Mesmo que ele se tivesse afastado do Todo-poderoso, ainda assim precisava de companheirismo" (Roy B. Zuck, *in loc.*).

Ainda outros percebem aqui um *temor* de que o sofrimento poderia resultar na *apostasia:*

> Se o opróbrio vem de seu amigo para o desesperado,
> ele pode esquecer o temor do Todo-poderoso.

Dita a mesma coisa, menos desajeitadamente, esse mesmo pensamento foi dado por Kissane, como:

> Quando um amigo decepciona aquele que está desesperado,
> ele esquece o temor do Todo-poderoso.

Não importa qual seja a verdadeira tradução deste versículo, a *bondade humana* é enfatizada. A bondade deve ser estendida ao desesperado, sem importar o que pensemos sobre a sua condição espiritual. Afinal, são os enfermos, físicos ou espirituais, que *precisam de cura.* A graça divina providencia a cura, mesmo no caso daqueles que nada merecem. Então a *misericórdia* entra em ação, no lugar da lei da colheita segundo a semeadura. Todos nós, com frequência, carecemos de misericórdia.

> As amizades multiplicam as alegrias e dividem as tristezas.
> Henry George Bohn

> Nunca injuries um amigo, nem mesmo brincando.
> Cícero

■ 6.15,16

אַחַי בָּגְדוּ כְמוֹ־נָחַל כַּאֲפִיק נְחָלִים יַעֲבֹרוּ׃
הַקֹּדְרִים מִנִּי־קָרַח עָלֵימוֹ יִתְעַלֶּם־שָׁלֶג׃

Meus irmãos aleivosamente me trataram. Se Jó esperava *bondade* da parte de seus amigos, eles eram como um leito de rio traiçoeiro que, algumas vezes, estava seco, mas, de súbito, por meio de chuvas ou de neves que se dissolviam, tornava-se uma torrente impetuosa, destruindo tudo em sua passagem. Riachos gentis podem tornar-se rios caudalosos, e foi exatamente o que aconteceu aos amigos de Jó. Jó acusou seus *irmãos* (de raça, que também eram seus amigos íntimos) de o terem decepcionado, quando ele mais precisava deles. Trivialidades piedosas eram, para eles, mais importantes do que uma demonstração de autêntica espiritualidade, a qual repousa, afinal de contas, no *amor,* e não em algum credo que precise ser defendido eternamente. O vs. 16 empresta outra distorção à metáfora. Durante o inverno, os rios se enregelam. A superfície torna-se gelo, e tudo parece calmo. Mas abaixo da superfície, que não é enregelada, está a torrente rugidora. Se a camada de gelo for fina, alguma pessoa que de nada suspeite pode terminar *debaixo do gelo*. Um rio, pois, é *hipócrita* por natureza, mostrando externamente um aspecto, diferente do interior. Jó chamou seus três amigos de *hipócritas*. Eles eram amigos que se sentiam felizes por festejar juntamente com ele em tempos de abundância e paz. Mas, chegando a tribulação, tornaram-se seus *inimigos*. Eram indivíduos dogmáticos, com um credo correto, mas a essa correção faltava o *amor*, de maneira que nada daquela correção lhes adiantava; tal como 1Co 13 ensina com eloquência. O vs. 17 distorce ainda mais a metáfora, o que anoto ali.

Turvada com o gelo. A neve e o gelo que permanecem no solo por algum tempo carregam-se de sujeira do ar bem como de objetos que passam. É assim que a neve e o gelo *escurecem*, e assim permanecem até que outra camada de neve seja depositada por alguma tempestade, como uma capa branca de neve e gelo. Talvez esse fenômeno seja o que Jó tivesse em mente, nesta parte do versículo. A cor *negra* da neve turvada nos faz lembrar dos lamentadores que vestem sua roupa de cilício (ver Sl 35.14).

■ **6.17,18**

בְּעֵת יְזֹרְבוּ נִצְמָתוּ בְּחֻמּוֹ נִדְעֲכוּ מִמְּקוֹמָם׃

יִלָּפְתוּ אָרְחוֹת דַּרְכָּם יַעֲלוּ בַתֹּהוּ וְיֹאבֵדוּ׃

Torrente que no tempo do calor seca. A *metáfora do rio* forneceu a Jó ainda outra distorção. Talvez esse rio imaginário de Jó ficasse seco parte do ano. Ao que tudo indica, era um rio completamente inofensivo. Mas eis que, de repente, transforma-se em uma torrente rugidora, ficando perigoso. Então cria uma fina camada de gelo à superfície, tornando-se traiçoeiro para os que de nada suspeitam. Então, quando o calor sobrevém, esse *tipo de perigo* é anulado. Mas, no lugar disso, há uma sequidão mortal. O rio, antes caudaloso, agora não tem água. Tornou-se um rio morto. As caravanas de camelos param, porque os condutores dos animais sabem que "aqui há água", mas, quando se aproximam, enchem-se de desespero, porque o calor secou toda a água. Os camelos ajoelham-se no chão e morrem de sede. Assim acontecia a Jó e seus três amigos. Seus amigos tinham-se tornado rios *secos*. Não demonstravam nenhuma simpatia ou consolo pelo pecador, deixando-o morrer de sede.

> Quando outros ajudadores falham,
> E o consolo foge,
> Fica comigo.
>
> H. F. Lyte

As caravanas que viajam por aquelas regiões de riachos põem sua esperança nessas torrentes. Mas, faltando água nelas, as caravanas perecem no deserto. Assim acontece aos necessitados que se dirigem a outros, pedindo ajuda, mas não encontram a água da bondade humana. Em lugar de água, os homens encontram um deserto espiritualmente seco. Os alegados homens piedosos os decepcionam. O amor é a prova da espiritualidade (ver 1Jo 4.7). Mas alguns homens só têm a religiosidade espalhafatosa dos credos e das cerimônias. A espiritualidade de algumas pessoas não passa de ostentação pessoal. São como riachos secos no deserto. Os homens se perdem totalmente nas areias secas da falsa espiritualidade.

■ **6.19**

הִבִּיטוּ אָרְחוֹת תֵּמָא הֲלִיכֹת שְׁבָא קִוּוּ־לָמוֹ׃

As caravanas de Tema a procuram. As caravanas de camelos partiam de Tema para juntar-se a outras caravanas, em *Seba*. Nos tempos antigos, as caravanas viajavam juntas, o que conferia alguma proteção contra os ladrões e saqueadores. Ou era em Seba que os mercadores esperavam, ansiosamente, a entrega das mercadorias trazidas pelas caravanas. Seja como for, Jó falou sobre a *ânsia* e a *expectação* de todos os envolvidos. Mas uma coisa era necessária. O *ciclo dos negócios* não poderia continuar sem a existência de água no deserto. O caminho era longo demais para ser percorrido, não fora um suprimento de água ao longo do trajeto. O processo inteiro dependia de adequado suprimento de água. Assim é que os homens, ao percorrer as estradas poeirentas desta vida, dependem da bondade de outros, que tornem a viagem um sucesso. Sem amor, as pessoas perecem.

Ver no *Dicionário* os artigos chamados *Tema* e *Seba*. Talvez Tema fosse um território no norte do deserto da Arábia, nas fronteiras com a Síria. Havia tráfico feito por camelos e comércio vindo do golfo Pérsico para o mar Mediterrâneo (ver Is 21.14; Jr 25.23). Seba provavelmente era um distrito do golfo da Arábia (cf. Jó 1.15), onde os negociantes praticavam seu comércio e recebiam mercadorias das caravanas.

Os negociantes de Seba esperavam anelantemente pelas caravanas. Teriam elas sido perturbadas pelos ladrões? Saqueadores teriam roubado suas mercadorias? Não, nada disso havia acontecido. O que tinha sucedido era muito pior. Os caravaneiros tinham perecido por um ato da *natureza traiçoeira*. Assim era que Jó estava morrendo, enquanto seus traiçoeiros amigos não lhe ofereciam a água da simpatia humana. Seus amigos tinham fracassado diante da prova da verdadeira piedade. Eles estavam cheios de credos sábios, mas o coração deles era seco como uma pedra.

■ **6.20**

בֹּשׁוּ כִּי־בָטָח בָּאוּ עָדֶיהָ וַיֶּחְפָּרוּ׃

Ficam envergonhados por terem confiado. É provável que Jó estivesse referindo-se agora às caravanas, e não aos negociantes de Seba. Em seu descuido, eles se desviaram da rota, buscando as águas presumidas. Mas ficaram desapontados e confundidos. Encontraram somente areia. A expectativa transformou-se em desespero. E Jó, em sua aflição, não encontrou um único amigo.

> Se você tem um verdadeiro amigo,
> Você tem mais do que sua partilha.
>
> Thomas Fuller

"Ora, a esperança não confunde... " (Rm 5.5). Mas Jó, à semelhança dos condutores de caravanas de camelos, tinha perdido a esperança. Comparar a descrição de Jeremias sobre a fome, em Jr 14.3.

A INVECTIVA (6.21—7.7)

■ **6.21**

כִּי־עַתָּה הֱיִיתֶם לֹא תִּרְאוּ חֲתַת וַתִּירָאוּ׃

Assim também vós outros sois nada para mim. "Vós vos tornastes como pessoas que não existem. Vós sois nada para mim. Vedes a minha calamidade e temeis que Deus vos puna por vossos pecados, *se* mostrardes simpatia para comigo. Vós pensais que Deus fere àqueles que mostram bondade para com os pecadores. Se sois tão sábios, dizei-me agora onde eu errei. Dizei-me, ou calai-vos!"

Sois nada para mim. O original hebraico diz aqui, literalmente, "Vós sois... não!" O texto é por demais abrupto, e a sintaxe é incoerente, demonstrando alguma grande emoção, que venceu o fluxo suave da linguagem. Temos aqui uma explosão emocional, que fez da linguagem mera *carne moída*.

... vos espantais. Um possível consolador pode ficar gelado diante de uma cena de dor extrema. Mas os *consoladores* de Jó se enregelaram na inação, porquanto temiam que o divino Vingador que atacara Jó se voltasse contra eles, caso consolassem "o pecador".

"Há uma espécie de amizade espúria nessa situação, que, ocasionalmente, se esconde no pano de fundo, como se não houvesse amizade. Em outras ocasiões, essa amizade torna-se *acovardada*. Há um indício aqui de que os amigos de Jó temiam consolá-lo a fim de não comprometerem sua posição diante do Todo-poderoso" (Paul Scherer, *in loc.*).

Os amigos de Jó tornaram-se um leito seco de riacho, inútil e hipócrita. Eram águas enganadoras, que nem existiam.

■ **6.22,23**

הֲכִי־אָמַרְתִּי הָבוּ לִי וּמִכֹּחֲכֶם שִׁחֲדוּ בַעֲדִי׃

וּמַלְּטוּנִי מִיַּד־צָר וּמִיַּד עָרִיצִים תִּפְדּוּנִי׃

Acaso disse eu: Dai-me um presente? "Em sua destituição, Jó não esperava nenhuma ajuda material, mas verdadeira simpatia e compreensão" (Samuel Terrien, *in loc.*). A amizade de seus amigos tinha errado o alvo. Ele não queria dons que pudessem provocar tensão quanto à situação financeira deles. Ele queria o presente espontâneo da bondade humana. Nunca havia pedido nada para seus amigos. Em sua hora de necessidade, eles se mostraram mesquinhos, embora usassem palavras gentis; suas palavras eram aguçadas e cortantes e, em certas ocasiões, abusivas. Jó tinha muito para *restaurar*, pois havia perdido todas as suas riquezas. Mas, mesmo nessa condição, não esperava ajuda financeira. Ele tinha uma necessidade mais profunda, para a qual eles estavam cegos. "Quando um homem entra em decadência e torna-se prejudicial para seus amigos, vinte coisas são acumuladas para que possam falar contra o caráter dele. Eles dizem que ele é indolente, pródigo e extravagante, de modo que não mereceria nenhuma ajuda. Dessa maneira, os amigos poupam seu dinheiro e justificam sua falta de doações. Esse era o caso de Jó. Ele nem ao menos pedira dinheiro" (John Gill, *in loc.*).

Ao que tudo indica, Jó estava mergulhado em dívidas e não tinha como pagá-las. Seus "opressores" o pressionavam, mas não dispunha de recursos materiais para quitá-las. Isso aumentava a miséria em que ele vivia. Jó, entretanto, não pedia que ninguém o redimisse de suas dívidas. Estes versículos também parecem indicar que Jó não tentou vingar-se dos que tinham matado seus servos e familiares, e saqueado seus bens. Ele não conclamou seus amigos a compor uma força armada e ir atrás dos sabeus ou caldeus (ver Jó 1.14,17). Nem tentou transformar seus amigos em *vingadores*. Lembramos que Abraão, espontaneamente, restaurou os bens de Ló pela força das armas (ver Gn 14). Jó não seguiu o caso de Abraão, exigindo que seus amigos arriscassem a vida em seu favor, tal como Abraão se tinha arriscado em favor de Ló.

A mim me pertence a vingança; eu é que retribuirei, diz o Senhor.

Romanos 12.19

A mais nobre vingança consiste em perdoar.

Provérbio do século XVI

■ 6.24

הוֹרוּנִי וַאֲנִי אַחֲרִישׁ וּמַה־שָּׁגִיתִי הָבִינוּ לִי׃

Ensinai-me, e eu me calarei. *Os sofrimentos de Jó eram intensos demais* para serem explicados pela *Lei Moral da Colheita segundo a Semeadura* (ver a respeito no *Dicionário*). Ele pleiteou em favor de uma *pesagem divina* para que se determinasse o que lhe dava tanta tristeza, o que podia comparar-se ao peso da sua dor (Jó 6.23). Coisa alguma que seus amigos haviam dito tinha *tanto peso*. Por consequência, Jó conclamou seus três amigos para dizer *algo* que oferecesse uma razão lógica para suas condições. Ele estava aberto às instruções dadas por eles, mas também sabia que, até aquele instante, eles tinham errado o alvo com suas instruções.

O outro argumento que Elifaz apresentou foi a *disciplina*. No entanto, Jó não precisava tanto de disciplina. Ele não era algum grande pecador, nem vivia indisciplinado. E, caso ele tivesse *errado*, então queria saber que grande(s) pecado(s) tinha(m) causado todos aqueles funestos acontecimentos. "Errado" é tradução das palavras hebraicas que significam "estar estonteado na bebedeira" (cf. Is 28.7; Pv 20.1). Talvez esteja em vista alguma espécie de erro ritual (ver Lv 4.13), cometido na ignorância, que poderia ter ofendido a Deus. Talvez alguma torpeza moral fosse a causa (ver 1Sm 26.21; Pv 5.23), mas, nesse caso, Jó não fazia ideia do que poderia ser. Jó estava disposto a deixar-se convencer e instruir, mediante o poder de palavras honestas. "Vocês pensam que estou estonteado e tropeçando para cá e para lá como um bêbado. Tratem claramente comigo. Mostrem-me o que tenho feito e ficarei calado" (Paulo Scherer, *in loc.*). Tão sábias instruções seriam *bondosas*. Mas até aquele ponto, seus críticos tinham somente sido *cruéis*.

■ 6.25

מַה־נִּמְרְצוּ אִמְרֵי־יֹשֶׁר וּמַה־יּוֹכִיחַ הוֹכֵחַ מִכֶּם׃

Oh! Como são persuasivas as palavras retas! As *palavras retas* revelam a verdade, mas os argumentos dos críticos de Jó eram meros disparates: nada provavam; nada corrigiam; nenhuma solução davam para os sofrimentos de Jó. Pelo contrário, eram apenas palavras irritantes derramadas sobre os ferimentos de Jó. Palavras *retas* são as que se originam da verdadeira sabedoria. A fonte final e última dessas palavras é Deus, que dá sabedoria e compreensão aos homens. Palavras *honestas* são cheias de força.

Leais são as feridas feitas pelo que ama, porém os beijos de quem odeia são enganosos.

Provérbios 27.6

Os atos falam mais alto do que as palavras.

Provérbio do século XX

Palavras sem pensamentos nunca chegam ao céu.

Cláudio

A sabedoria é plena de compaixão.

Eurípedes

Cf. este versículo com Pv 8.6,9. Ver também Is 11.21.

■ 6.26

הַלְהוֹכַח מִלִּים תַּחְשֹׁבוּ וּלְרוּחַ אִמְרֵי נֹאָשׁ׃

Acaso pensais em reprovar as minhas palavras...? A fala de um homem desesperado (como o caso de Jó) é tão leve quanto o vento. Isto é, os amigos de Jó *tratavam as palavras dele* como se não houvesse peso nelas. Eles as consideravam falsas e hipócritas. Eles sabiam, realmente, criticar, mas não tinham sabedoria suficiente para aplicar suas palavras ao caso, resolvendo o enigma. Eram as *palavras deles* que não tinham mais peso do que a brisa que soprava. Os críticos de Jó não tinham sido capazes de encontrar nenhuma falha na *conduta* dele, assim terminaram meramente atacando suas *palavras*. Eles nada tinham resolvido. Contudo, continuavam a persegui-lo, por causa das suposições contidas em seus credos: nenhum homem inocente pode sofrer.

■ 6.27

אַף־עַל־יָתוֹם תַּפִּילוּ וְתִכְרוּ עַל־רֵיעֲכֶם׃

Até sobre o órfão lançaríeis sorte...? Jó fora deixado como um *órfão* pelos desastres que o haviam atingido. Ele falava em sentido metafórico: era uma criança sem pais; estava sozinho no mundo; não tinha família, e seus poucos amigos tinham-se tornado seus críticos.

Lançaríeis sorte...? Os "amigos" de Jó eram como um bando de abutres, lançando sortes sobre o homem caído para ver qual valor ainda não consumido pelas calamidades poderiam tomar dele. Ver Sl 22.18. Eles tinham tentado fazer de um amigo mera mercadoria. Outro sentido possível é "lançar uma rede por sobre" (em lugar de lançar sortes). Eles tinham tratado Jó como um animal ferido e caído. Eles eram os caçadores, ao passo que Jó era a caça. Tinham escavado uma armadilha para ele, da mesma maneira que os homens capturam animais ferozes em buracos na terra, para matá-los e ficar com o couro. A *Revised Standard Version* diz, nesta parte do versículo, "barganharíeis", o que corresponde à tradução de nossa versão portuguesa "especularíeis", resguardando, assim, a metáfora comercial.

Sem importar qual metáfora exata Jó tenha usado, o sentido de suas palavras é claro: seus críticos estavam preparados para realizar qualquer ato de *crueldade*. Alguns estudiosos traduzem essa parte referente à rede como: "festejam sobre seu amigo"; tal como os homens, às vezes, capturam animais e então preparam um alimento qualquer com eles, para celebrar algum evento trivial. A palavra hebraica foi usada dessa maneira em 2Rs 6.23 e Jó 41.6. Aben Ezra e Bar Tzemach entenderam a frase dessa maneira. Jó queixou-se de que seus alegados amigos o tratavam como um animal que tivessem capturado, matado e comido.

■ 6.28

וְעַתָּה הוֹאִילוּ פְנוּ־בִי וְעַל־פְּנֵיכֶם אִם־אֲכַזֵּב׃

Agora... olhai para mim. Jó convidou seus amigos a dar uma boa olhada nele. "Vede que homem miserável sou. Nenhum homem em *minhas* condições teria *energia* para mentir. Qualquer pecador em minha condição fugiria para Deus para pedir-lhe ajuda, plenamente arrependido. Mas o que estais vendo é um homem *inocente* desesperado". Jó não estava mentindo diante da face de Deus, apresentando-se como se fosse aquilo que não era. Por igual modo, ele não mentiria diante de seus amigos sobre a questão. Estava ansioso para confessar os seus pecados, para fazer reparação e restituição por quaisquer erros cometidos contra outrem e para dar as boas-vindas àquele alívio e bênção divinos que Elifaz prometera ao pecador arrependido (ver Jó 5.19 ss.).

Os críticos de Jó podiam olhar para seu rosto. Quando ele falava, porventura havia qualquer careta ou gesto que indicasse que ele estava mentindo? Se olhassem, só veriam a tristeza de um homem inocente. Os credos deles não continham proposições que explicassem o caso. Eles tinham apenas uma teologia deficiente. De fato, todas as teologias são deficientes. As teologias que têm todas as respostas e solucionam todos os enigmas são apenas *humanologias*. Livros, palavras e pensamentos não avançam muito na explicação do *Mysterium Tremendum* (ver a respeito no *Dicionário*) que é Deus.

Os teólogos sistemáticos acreditam muito em si mesmos ao tentar descrever a natureza de Deus. Mas usualmente só conseguem descrever um super-homem. Tudo quanto eles podem dizer é aquilo que o homem é, elevado a uma potência superior. É claro que Deus é "outro", e não "isso".

■ 6.29

שֻׁבוּ־נָא אַל־תְּהִי עַוְלָה וְשֻׁבִי עוֹד צִדְקִי־בָהּ׃

Tornai a julgar, vos peço. Jó convidou seus críticos a reconsiderar seu caso, para que "nenhum erro fosse cometido". Ele pediu que seus críticos o vindicassem e provassem o que realmente era verdade: *Jó era inocente*. Então eles fariam progresso aproximando-se de alguma espécie de interpretação correta do caso. Em primeiro lugar, teriam de abandonar falsos julgamentos. Somente então seriam capazes de fazer julgamentos verdadeiros. Jó, pois, convidou seus amigos a reverter o curso em que estavam, abandonando suas falsas premissas. Jesus disse: "Não julgueis, para que não sejais julgados" (Mt 7.1). Tanto mais, essa declaração deveria aplicar-se aos atos e às palavras de um homem, quando a pessoa julgada é, de fato, inocente diante das acusações. "Eram os amigos de Jó que precisavam converter-se, e não Jó"! (Samuel Terrien, *in loc.*). Meus argumentos são prova suficiente de minha inocência" (Adam Clarke, *in loc.*).

A justiça de minha causa triunfará. Ou, melhor ainda, conforme diz a *Revised Standard Version*: "Minha vindicação está em jogo". Verdadeiros amigos ajudariam Jó a ser vindicado diante de qualquer acusação de maldade. Uma vez concretizado esse passo, então poderiam ser encontradas as causas *reais* dos sofrimentos de Jó.

■ 6.30

הֲיֵשׁ־בִּלְשׁוֹנִי עַוְלָה אִם־חִכִּי לֹא־יָבִין הַוּוֹת׃

Há iniquidade na minha língua? Se Jó estivesse proferindo falsidades, ele poderia degustá-las. Qualquer perversidade seria amarga em sua boca. Ele tinha sensibilidade suficiente para discernir a calamidade do erro. Foi assim que Jó usou a "metáfora de degustação". Enquanto falava, ia provando suas palavras. Seu senso de percepção dizia-lhe que elas eram verazes. Malícia e mentira têm um gosto revoltante para o homem justo. Em linguagem direta, sem nenhum sentido metafórico, Jó dizia que "sua *consciência* era capaz de discernir a correção de seu caso" (*Oxford Annotated Bible*, comentando sobre este versículo).

Alguns estudiosos fazem a segunda parte do versículo referir-se à degustação das palavras de seus amigos, por parte de Deus, e não à degustação das próprias palavras. Nesse caso, ao prová-las, ele as julgava repelentes, amargas e destruidoras. Ele julgava que seus amigos estavam proferindo "coisas perniciosas". Cf. as "palavras devoradoras", mencionadas em Sl 52.4.

CAPÍTULO SETE

Este capítulo continua dando a resposta de Jó a Elifaz, de maneira que não introduz nenhuma nova seção. Jó 6.1—7.21 registra a primeira resposta a seu primeiro amigo, que também se aplica aqui. Os discursos dos três amigos de Jó e as respostas de Jó a eles ocupam os capítulos 3—14.

A VIDA É SEM ESPERANÇA (7.1-6)

Jó continuou com sua resposta a Elifaz, tomando, de forma marcante, a posição de um *pessimista*, tão evidente em sua lamentação do capítulo 3. Os pessimistas argumentam que a própria vida é um mal, e que a salvação consiste na cessação de toda a existência, na redução ao nada. Isso garantiria paz a todos os sofredores. Ver no *Dicionário* sobre *Pessimismo*.

"Jó sofria porque a vida humana, de modo geral, é um *serviço duro*. Ele estava sujeitado à condição de um homem mortal que levava a vida de um soldado ou mercenário (vss. 1-3). A dor física faz as noites e os dias parecerem intermináveis (vss. 4 e 5)" (Samuel Terrien, *in loc.*). A vida nada é senão dor, e ela tem uma miserável e dolorosa duração. Não vale a pena viver, era o pensamento central de Jó, embora ele nunca tivesse proferido tais palavras.

A vida é ridiculamente breve, e até essa brevidade está plena de dores absurdas. A vida passa como se fosse um vento, e esse vento é um tufão.

■ 7.1

הֲלֹא־צָבָא לֶאֱנוֹשׁ עַל־אָרֶץ וְכִימֵי שָׂכִיר יָמָיו׃

Não é penosa a vida do homem sobre a terra? Jó acreditava na teoria de que há um tempo apropriado para viver e para morrer, no caso de cada indivíduo, e breve é esse tempo determinado, no qual a miséria também é determinada para fazer essa breve vida tão miserável quanto possível. Jó, pois, continuou defendendo seu *pessimismo* (ver a respeito no *Dicionário*), pensando que a própria existência é um mal. A vida, dessa maneira, é um plano e um prazo, mas isso não significa (de acordo com o raciocínio pessimista) que ela seja boa. Antes, é um mal determinado. Jó expandiu aqui a "ode à miséria", sua lamentação do capítulo 3. O mal se assemelha a algum monstro voraz, o qual ataca e consome toda a vida e toda a existência. É como algum monstro que engole aquilo que poderia ser um bem, tornando-o amargo e espantoso. Que há para se viver? Alguns poucos dias, meses e anos determinados para um homem, mas são plenos de sofrimento, até mesmo no caso de crianças. Dizemos: "Quem dera que fosse dia! Quem dera que fosse noite!" Porque não aguentamos nem uma coisa nem outra. Ver Dt 28.67.

> Cheio de dores, este ser intelectual,
> Cujos pensamentos vagueiam pela eternidade,
> Ele perece, é engolido e se perde,
> No ventre largo da noite incriada.
>
> Milton, *Paraíso Perdido*, Livro II.11.146-150

Duração da Vida. Alguns estudos parecem indicar que, no caso da maioria das pessoas, não está determinada nenhuma duração absoluta de vida. Elas podem viver alguns poucos anos a mais ou a menos, sem que isso perturbe o propósito da vida. A oração pode tornar mais longa a vida, como se deu no caso do rei Ezequias, que obteve quinze anos extraordinários (ver 2Rs 20.6); mas isso não significa que os homens ganhem alguma coisa se viverem um pouco mais. Tudo depende daquilo que cada indivíduo tiver de fazer. Todos nós precisamos de tempo para cumprir nosso propósito. Ver Sl 39.4. No livro de Jó, ver também 14.5,13,14; 29.2,3.

Penosa a vida. A metáfora pode incluir a ideia de um *escravo*. Ele tem uma vida para viver, mas de que vale? Ele serve a outros, sua e labora até a exaustão, e ninguém se importaria se ele continuasse a viver ou se morresse. Portanto, todos os homens são escravos dos desastres da vida e das vicissitudes miseráveis. Ou, então, a metáfora é que o *soldado* leva uma vida dura e amarga, matando ou sendo morto. O termo hebraico, *saba*, "serviço duro", pode também indicar o serviço militar. Ver Jó 14.14 e Is 40.2.

■ 7.2

כְּעֶבֶד יִשְׁאַף־צֵל וּכְשָׂכִיר יְקַוֶּה פָעֳלוֹ׃

Como o escravo que suspira pela sombra. *Um escravo*, no meio de suas misérias, servindo a um senhor duro, nunca tem um momento de descanso ou paz. Esse homem, que trabalha e sua, ao sol e no calor do dia, anela por qualquer sombra que alivie sua dor, seja a sombra de uma árvore, de uma rocha ou de algum abrigo. Ou, então, "sombra" é uma figura poética que significa "noite". O escravo anela ansiosamente pela noite que o salvará do sol e de seus labores. A noite é a sombra da terra inteira. Talvez Jó estivesse retratando um homem a trabalhar durante o calor do *dia* de sua vida, anelante pela *noite*, isto é, pela sua *morte*.

■ 7.3

כֵּן הָנְחַלְתִּי לִי יַרְחֵי־שָׁוְא וְלֵילוֹת עָמָל מִנּוּ־לִי׃

Assim me deram por herança meses de desengano. Os dias de Jó eram muitos, e suas noites não lhe conferiam alívio. Sua miséria era ininterrupta, pior que a de um soldado ou escravo.

"Sou como um escravo. Tenho meu labor determinado para o dia. Sou como um soldado, assediado pelo inimigo. Sou obrigado a estar continuamente de vigia sem nenhum descanso" (Adam Clarke, *in loc.*). Os dias de miséria de Jó eram uma condenação inevitável. Os dias eram agoniados, e as noites, melancólicas. Sua vida era vazia ou vã. Cf. Jó 7.16 e Ec 1.2,14. "Tudo é vaidade".

Meses. Mediante este vocábulo, Jó enfatizou a natureza da longa duração de sua miséria. Ele sofria e não podia levá-la a um fim. Não tinha nenhuma esperança de alívio e anelava pela noite da morte.

■ 7.4

אִם־שָׁכַבְתִּי וְאָמַרְתִּי מָתַי אָקוּם וּמִדַּד־עָרֶב וְשָׂבַעְתִּי נְדֻדִים עֲדֵי־נָשֶׁף׃

Ao deitar-me digo: Quando me levantarei? Quando chegariam suas *noites naturais* que, segundo se poderia esperar, confeririam algum alívio? Bem contrário era o caso. Ele não podia encontrar maneira de deitar-se que facilitasse suas dores. Suas feridas latejavam da cabeça aos pés. Ele anelava pelo amanhecer. Mas, quando o dia chegava, coisa alguma mudara; a dor não havia passado; a tristeza só era renovada pela luz do dia. Então ele orava: "Senhor, ajuda-me a passar esta noite". Quando o dia amanhecia, ele orava: "Senhor, ajuda-me a atravessar este dia". Mas o céu não acolhia suas orações. Jó fora abandonado por Deus e pelos homens. Cf. Sl 130.6.

Farto-me de me revolver na cama. Jó vivia *saciado* com seus sofrimentos e tentativas de obter alívio. "Ele estava farto e saciado com suas voltas na cama, como um homem fica de tanto comer, conforme a palavra também pode significar" (John Gill, *in loc.*).

■ 7.5

לָבַשׁ בְּשָׂרִי רִמָּה וְגוּשׁ עָפָר עוֹרִי רָגַע וַיִּמָּאֵס׃

A minha carne está revestida de vermes. Dentre todos os homens, Jó era o mais miserável. Vermes tinham atacado seus ferimentos; provavelmente, as larvas das moscas, que comem carne morta. Não havia como ele tomar um banho, de maneira que a sujeira e o suor o deixavam uma desgraça. Sua pele rachava à toa e ficava putrefacta como se ele fosse um homem morto. "Quem poderia dormir com o corpo coberto de vermes (que, provavelmente, roíam a carne morta) e escamas de sujeira (literalmente, crostas de sujeira)? As escamas em sua pele endureciam e rachavam; seus ferimentos drenavam pus" (Roy B. Zuck, *in loc.*).

Crostas de sujeira. "Incrustações de pus endurecido e seco, que formavam as partes mais altas das pústulas, em um estado de decadência" (Adam Clarke, *in loc.*). Os intérpretes falam em varíola e elefantíase. Mas a verdade é que as desgraças de Jó ultrapassavam essas enfermidades. Seja como for, Jó era uma massa nojenta, de acordo com a medida de qualquer um dos sentidos físicos, como a vista, o olfato e o tato.

■ 7.6

יָמַי קַלּוּ מִנִּי־אָרֶג וַיִּכְלוּ בְּאֶפֶס תִּקְוָה׃

Os meus dias. Nesta passagem bíblica, "dias" significa a duração da vida (vs. 1), e aqui esses dias são chamados velozes e com seu final para breve. Sua vida breve e miserável tinha passado *sem nenhuma esperança*. Cf. Jó 6.11; 14.19; 17.11,15. Jó desistiu da esperança de ter felicidade algum dia. A teologia de Jó era a de que uma vida é miseravelmente breve e não há vida além do sepulcro, o que lhe poderia conferir esperança. A teologia dos patriarcas não incluía a doutrina de uma alma imortal. Em Jó 19.26, Jó parece manifestar a esperança de uma nova existência, após a vida física, mediante a ressurreição, mas esse versículo é muito disputado. Ver Jó 1.11, quanto à discussão sobre os problemas teológicos do livro. Jó tinha uma teologia deficiente, como, de fato, se dá com toda a teologia geral do Antigo Testamento.

Mais velozes do que a lançadeira. Os povos antigos não contavam com nossas máquinas, veículos, aviões e foguetes. Por isso mesmo, Jó estava reduzido a ilustrar a *pressa* da vida mediante uma simples lançadeira de tecelão. Tratava-se de uma mecânica capaz de movimentos muito ligeiros, segundo as medidas da tecnologia antiga. Cf. Jó 9.25; 16.22. Quanto a outros versículos que falam sobre o tempo curto que o homem tem para viver, ver Sl 90.5; 102.11; 103.15; 144.4; Is 38.12; 40.6 e, no Novo Testamento, Tg 4.1.

ORAÇÃO (7.7-21)

■ 7.7

זְכֹר כִּי־רוּחַ חַיָּי לֹא־תָשׁוּב עֵינִי לִרְאוֹת טוֹב׃

Sopro. Esta metáfora, muito provavelmente, preserva a ideia de *velocidade* que figura no vs. 6, mas adiciona a condição de ausência de substância. As misérias de Jó levaram-no a orar. A oração de Jó é uma espécie de *solicitação* chorosa. Ele apela ao Deus "brutal", pedindo piedade. Deus é visto como um poder destruidor e agressor. A teologia dos hebreus era fraca quanto a causas secundárias, de modo que as misérias de Jó foram atribuídas a Deus, a *causa única*. A exagerada ênfase moderna sobre a predestinação (que corresponde ao fracasso em reconhecer o livre-arbítrio), como no hipercalvinismo, cai na mesma armadilha. A causa única, como é óbvio, é a causa do mal. Ver a discussão sobre os problemas teológicos do livro em Jó 1.11. Jó esperava que o tremendo espetáculo de seus sofrimentos induzisse Deus a agir com misericórdia, a fim de aliviar sua condição. Jó reteve a fé, embora fraca, na bondade de Deus, a despeito dos seus sofrimentos.

O "vento", conforme dizem aqui (em lugar de "sopro") algumas traduções, é tanto rápido (continuando a metáfora do versículo anterior) como sem substância. Ninguém sabe de onde ele vem e ninguém sabe para onde vai. O vento vem e vai. Algumas vezes sopra furiosamente, mas logo se transforma em brisa calma ou é até obliterado. Deus deveria ter piedade, caso contrário a vida de Jó desapareceria como o sopro suave da brisa, para nunca mais retornar. Seus breves dias se perderiam na miséria. Se esse "vento" for compreendido como mero "sopro" (conforme faz a nossa versão portuguesa), a metáfora será ainda mais severa. A vida nada mais é que um sopro, dado por um homem. Ele inala e então expele o ar, e isso termina a história do sopro.

Em breve, nem Deus nem os homens continuariam vendo Jó. "Deus não mais o veria (cf. Jó 7.17-19,21). Ele desapareceria para sempre, enviado para o sepulcro, para nunca mais retornar (cf. o vs. 21)" (Roy B. Zuck, *in loc.*).

"É em seus momentos de desespero que o homem começa a orar" (*Oxford Annotated Bible,* comentando sobre o vs. 7). Cf. este versículo com Sl 78.39.

■ 7.8

לֹא־תְשׁוּרֵנִי עֵין רֹאִי עֵינֶיךָ בִּי וְאֵינֶנִּי׃

Os olhos dos que agora me veem. Olhos divinos e humanos em breve não veriam mais Jó. Sua condição deplorável era certamente terminal. Jó clamava pela *piedade* divina e humana. Deus e os homens olhavam para ele com olhos desinteressados. Jó deixou entendido que Deus poderia agir com piedade *tarde demais*. Jó já teria desaparecido de vista. Nesse caso, Deus teria perdido a oportunidade de demonstrar bondade, e Jó sentia que havia algo de errado com isso. Os hebreus promoviam um conceito voluntarista de Deus. Ou seja, a *vontade é suprema,* e Deus pode agir de maneira que, para os homens, seria algo imoral. Em outras palavras, Deus não estava obrigado a seguir as regras morais que ele mesmo instrui os homens a observar. Ninguém pode protestar, porquanto o poder divino poderia fulminá-lo pela blasfêmia. Mas esse conceito de Deus certamente está incorreto. Como é óbvio, é por trás de pontos de vista exagerados da predestinação que se deixa de fora qualquer benefício para os homens humildes, quebrantados e "não eleitos". Tal visão anula o amor de Deus, seu principal atributo e o único que pode fazer jus ao nome divino, pois dizemos que "Deus é amor". Ver na *Enciclopédia de Bíblia, Teologia e Filosofia* o artigo chamado *Voluntarismo*. O voluntarismo anula Deus como o Grande Intelecto, o qual age de acordo com a suprema razão e a propriedade das coisas, e não meramente de forma voluntariosa. Também anula a esperança que temos no *Mistério da Vontade de Deus* (ver a respeito no *Dicionário*), que faz provisão graciosa em favor de todos os homens, embora nem todos sejam eleitos.

Pode haver neste versículo o mesmo elemento presente em Sl 104.32. O olhar de Deus faz a terra tremer. Trata-se de um olhar temível, destruidor.

> *Vi um grande trono branco e aquele que nele se assenta, de cuja presença fugiram a terra e o céu, e não se achou lugar para eles.*
>
> Apocalipse 20.11

■ 7.9

כָּלָה עָנָן וַיֵּלַךְ כֵּן יוֹרֵד שְׁאוֹל לֹא יַעֲלֶה׃

Tal como a nuvem. A *Metáfora da Nuvem*. Aqueles que costumam observar as nuvens se admiram diante do fato de que as nuvens mudam de formato tão rapidamente, aparecem e desaparecem, e se desintegram. Isso se deve às poderosas correntes de ar da atmosfera, invisíveis e impalpáveis pelo homem na terra, embora reais. Assim também os poderes divinos ocultos exercem poderoso efeito sobre o homem, o qual pode aparecer e desaparecer pelas *correntezas* da adversidade, sejam elas terrestres, humanas, celestiais ou divinas. Forças que os homens não compreendem garantem sua vida breve e, no caso de muitos, sem sentido algum. Quando uma nuvem desaparece, desaparece. E, de acordo com a teologia dos antigos patriarcas, quando um homem morria, realmente morria. Não haveria uma alma imortal mediante a qual o homem continuasse a existir. Em Jó 19.26, Jó parece ter obtido o vislumbre de uma vida futura; mas os eruditos disputam o significado do versículo. Muitos deles não conseguem ver a ressurreição nesse quadro, e certamente o versículo não falava de uma parte imaterial, a alma imortal. Alguns estudiosos veem aí um sinal da reencarnação, mas isso também é duvidoso.

"O pensamento da *finalidade* da morte impulsionou Jó a ignorar toda a moderação na linguagem, mesmo ao falar com Deus. A atitude quase terna com que a oração começou agora se transforma em amarga exposição" (Samuel Terrien, *in loc.*).

Os intérpretes que apelam para a ressurreição e para as doutrinas da imortalidade, a fim de aliviar as declarações amargas de Jó, mostram-se *anacrônicos*. Somente no tempo dos Salmos e dos Profetas é que uma clara indicação de crença na vida vindoura entrou na teologia dos hebreus e, mesmo assim, sem definições. É um erro cristianizar as declarações de Jó. Isso seria *eisegese*, e não *exegese*. Em outras palavras, coloca-se no texto o que a pessoa *quiser ver*, em vez de explicá-lo, naquilo que ele é *realmente*.

> Antes,
> O homem é uma nuvem que se desvanece.
> Ele se evapora na superfície do céu
> Ele se dissipa até o nada, como uma nuvem quando se transforma em chuva.

O homem é um ser *efêmero*, ou seja, de acordo com a raiz da palavra grega, vive *apenas um dia*, como algumas espécies de insetos, que, literalmente, uma vez abandonando o estágio de larva, têm apenas um dia para viver.

■ 7.10

לֹא־יָשׁוּב עוֹד לְבֵיתוֹ וְלֹא־יַכִּירֶנּוּ עוֹד מְקֹמוֹ׃

Nunca mais tornará a sua casa. O próprio indivíduo, sepultado no solo ou em uma caverna, nunca mais retorna à sua casa. E, então, dentro em breve, até o lugar onde ele vivia é obliterado pelo tempo. Ele desapareceu; sua casa desapareceu; a história terminou sem remédio e sem esperança.

> *Pois, soprando nela o vento, desaparece; e não conhecerá, daí em diante, o seu lugar.*
>
> Salmo 103.16

John Gill (*in loc.*) imaginou o corpo de Jó no sepulcro, seus sofrimentos terminados; mas também imaginou seu espírito no céu, entoando hinos com os anjos. Por conseguinte, "ele podia exultar em seus sofrimentos, porquanto logo estaria livre, podendo sentar-se e entoar hinos, na beira da eternidade". São belas palavras que provavelmente exprimem uma verdade, mas são anacrônicas e cristãs, e não hebraicas e patriarcais.

■ 7.11

גַּם־אֲנִי לֹא אֶחֱשָׂךְ פִּי אֲדַבְּרָה בְּצַר רוּחִי אָשִׂיחָה בְּמַר נַפְשִׁי׃

Por isso não reprimirei a minha boca. *Jó Nada Tinha para Perder*. Ele não poderia ser mais miserável do que já era. Não tinha esperança de que uma vida feliz haveria de fazê-lo retornar à terra, e não tinha nenhuma visão de bem-aventurança na terra. Por conseguinte, ele clamou ao Deus duro, solicitando piedade, e proferiu palavras duras, amargas. Nem por isso, contudo, escorregou para a blasfêmia, conforme Satanás disse que ele faria (ver Jó 1.11 e 2.5). Mas certamente Jó foi rebelde e descuidado em suas palavras. E quem não seria, se tivesse experimentado os sofrimentos de Jó? A maioria dos homens blasfema e nega a existência de Deus, ou seja, corre para o *ateísmo* prático. Em outras palavras, não são ateus por terem inventado excelentes argumentos que demonstram a inexistência de Deus. Pelo contrário, são ateus *circunstanciais*. São incrédulos em razão do sofrimento deles mesmos e de outras pessoas. Se Deus é o Todo-poderoso, se é Todo-bem, se pode prever todas as coisas, de onde vêm a dor e o mal? Por que Deus não faz parar o mal e a dor? Ver a seção V da Introdução sobre o *Problema do Mal*, e ver o mesmo título no *Dicionário* quanto a uma explicação mais detalhada.

"Tudo é sem esperança. Portanto, darei licença a mim mesmo para que me queixe" (Adam Clarke, *in loc.*). Os filhos de Jó tinham desaparecido desta vida. Suas riquezas tinham sido destruídas e saqueadas. Seu corpo era uma massa de pústulas. Ele se queixava amargamente. Nada mais lhe restava.

■ 7.12

הֲיָם־אָנִי אִם־תַּנִּין כִּי־תָשִׂים עָלַי מִשְׁמָר׃

Acaso sou eu o mar...? *Toda a Atenção de Deus Tornou-se Negativa*. Jó estava sendo tratado como se fosse o mar misterioso, a habitação de toda a espécie de animal poderoso e destruidor. Estava sendo tratado como se fosse um monstro marítimo ou uma gigantesca serpente venenosa. E Jó perguntava: "Por que toda essa atenção? Por que toda essa atenção, se ela só traz dor?" As palavras de Jó, embora em completa consonância com a antiga teologia dos hebreus, combinam-se aqui com referências a antigas noções sobre a criação:

1. *O Mar.* Temos aqui uma menção ao oceano primevo, que o Criador precisou guardar dentro de seus limites próprios, a fim de manter a segurança e a paz no mundo. Cf. Sl 89.9 ss. Algumas vezes, o mar é combinado com *Raabe*, como em Jó 9.13; 26.12 e Sl 74.13 (ver as notas explicativas). E também é combinado com *Teom*, conforme se vê em Jó 28.14 e 38.16, cujas notas o leitor deve consultar. Aqui é combinado com *Tannim*, o monstro marinho, ou uma gigantesca serpente venenosa, que faz o mal tanto mais temível. Jó, como se fora o mar, precisava ser restringido pela dor.

2. *O Tannim*, ou monstro marinho, talvez visto como uma espécie de gigantesca serpente marinha venenosa, criatura temível, tinha de ser vigiado por Deus, para não fugir do controle. Disse Jó, sarcasticamente: "Ó Deus Todo-poderoso, estás com medo de mim que tenhas que me afligir tão terrivelmente para me manteres sob controle?"

Para que me ponhas guarda? Um poema acádico retrata Marduque, o mais elevado deus, a vencer o dragão. Ele teve de aprisionar a besta e montar guarda sobre ela para que não se libertasse e invadisse as águas, causando tribulação novamente. Provavelmente há alguma alusão poética nestas palavras. Jó, aquele temível dragão (conforme as palavras deixam entendido), exigia poderes divinos especiais para ser mantido sob controle, e assim foi afligido e posto na prisão dos sofrimentos. *Sarcasmo* era a palavra do dia. Jó nada tinha para perder. Ele não restringia a sua boca.

■ 7.13,14

כִּי־אָמַרְתִּי תְּנַחֲמֵנִי עַרְשִׂי יִשָּׂא בְשִׂיחִי מִשְׁכָּבִי׃

וְחִתַּתַּנִי בַחֲלֹמוֹת וּמֵחֶזְיֹנוֹת תְּבַעֲתַנִּי׃

Dizendo eu: Consolar-me-á o meu leito. O poeta retornou aqui aos pensamentos do vs. 4, cujas notas o leitor deverá consultar. O pobre homem, esperando algum alívio da dor, deita-se na cama. Mas ali ele se agita e revolve a noite inteira, porquanto coisa alguma alivia o seu sofrimento. Além disso, paralelamente a esses desconfortos e agonia, Deus adicionou temores psíquicos e espirituais. Quando, finalmente, chegava a dormir, Jó tinha pesadelos. Ou, então, quando ainda não havia dormido, terríveis visões patológicas o aterrorizavam. É provável que, aqui, "visões" sejam um paralelo poético de "sonhos". Jó não estava reivindicando o que Elifaz tinha clamado, que ele tivera verdadeiras visões (ver Jó 4.13 ss.). Estudos demonstram que males físicos podem exercer efeito sobre a vida dos sonhos, tornando-os assustadores e até patológicos. Os sonhos podem refletir a miséria humana e tornar um homem ainda mais miserável do que ele já se sente. Ver na *Enciclopédia de Bíblia, Teologia e Filosofia* o artigo chamado *Sonhos*. Os pesadelos de Jó tornaram-se tão severos, e sua insônia tão aguda, que ele suspeitava haver nessas coisas uma espécie de castigo divino. Estava envolvida alguma espécie de desintegração psicológica, podemos estar certos. "Jó acusou *Deus* de havê-lo assustado com sonhos, pelo que nem no sono ele podia escapar de seus problemas. Uma vez mais, Jó expressou o desejo de pôr fim à sua miséria por meio da morte (cf. Jó 3.20-23; 6.8,9; 10.18,19 e 14.13)" (Roy B. Zuck, *in loc.*).

Alguns intérpretes supõem que os temíveis sonhos de Jó resultassem da atuação de *demônios*. O próprio Satanás entrava na vida de sonhos de Jó. Não sei dizer se esse era ou não o caso. O fato é que Jó, tendo uma teologia fraca quanto a causas secundárias, naturalmente atribuía a Deus aquilo que Satanás fazia. Porém, existem causas secundárias que são reais e, algumas vezes, poderosas, que nada têm a ver com Deus.

■ 7.15

וַתִּבְחַר מַחֲנָק נַפְשִׁי מָוֶת מֵעַצְמוֹתָי׃

Minha alma escolheria antes ser estrangulada. O desejo de *morrer* retornou a Jó, e, dessa vez, o *estrangulamento* pareceu-lhe atrativo. Ele não estava pensando em enforcar-se (suicídio). Embora esse método fosse conhecido entre os povos semitas, sua ocorrência não era frequente. "Morte, antes que meus corpos", é o que se lê no texto massorético; mas a maioria dos eruditos faz uma pequena alteração no fraseado hebraico, para que diga "dores" ou "tortura", o que explica o que lemos em nossa versão portuguesa: "antes a morte do que esta tortura". As versões portuguesas dão uma ou outra dessas variações. A versão Atualizada da Sociedade Bíblica diz "esta tortura". Ver no *Dicionário* o artigo chamado *Massorá (Massorah); Texto Massorético*.

A palavra "ossos" (que não figura em nossa versão portuguesa) é interpretada como "minha vida" ou "meus membros em geral, aflitos como eles estão". Jó pode ter-se referido a um *esqueleto desgastado e enfermo* (cf. Jó 19.20), que é sugestão de Fausset (*in loc.*). Visto que é o esqueleto que suporta todo o corpo humano, a palavra pode ter sido usada para referir-se ao "corpo inteiro", como John Gill (*in loc.*) conjeturava.

■ 7.16

מָאַסְתִּי לֹא־לְעֹלָם אֶחְיֶה חֲדַל מִמֶּנִּי כִּי־הֶבֶל יָמָי׃

Estou farto da minha vida. Jó veio a abominar sua vida e não tinha o menor desejo de viver "para sempre" ou por "muito tempo". Ele estava vivendo uma vida que não era digna de ser vivida, e queria que ela terminasse o mais cedo possível. Desejava que seus amigos (e até o próprio Deus) o deixassem em paz, a fim de que pudesse viver os poucos dias que lhe restavam, em paz relativa, ou, pelo menos, não avassalado por palavras vãs a coroar sua miséria física. Alguns fazem deste versículo um apelo desesperado de Jó a Deus para "livrá-lo" desta vida, e esse apelo substitui o anterior (para ser deixado sozinho), que parece melhor: "Deixa-me sozinho, isto é, deixa de afligir-me, quanto aos poucos e vãos dias que me restam (cf. Jó 10.20 e Sl 39.13)" (Fausset, *in loc.*).

Sopro. A *King James Version*, em inglês, diz aqui "um hálito", e a Imprensa Bíblica Brasileira diz "vaidade". "Sopro" refere-se à brevidade da vida que Deus soprou sobre as suas criaturas humanas (ver Gn 2.7). Uma vida curta é apenas como um inspirar e um exalar. Em breve ela se acaba, tal como um homem solta seu último suspiro. Cf. o vs. 7, onde vento é alternativa para "sopro". A vida nada é senão uma respiração que um homem toma. Ele inspira, expira, e isso é tudo. Sua vida se acabou. Ver Sl 144.4.

O Espanto de Jó (7.17-21)

Estes cinco versículos levam-nos ao fim do primeiro discurso-reprimenda, proferido contra a primeira fala de Elifaz. Quase certamente o Salmo 8 estava na mente do poeta, ou então, mediante gigantesca coincidência, o salmista e o poeta disseram virtualmente as mesmas palavras. Jó é posto dentro do período patriarcal, mas isso não quer dizer que o livro de Jó tenha sido realmente escrito naquela época. Situar Jó na época patriarcal pode ter sido apenas o recurso literário de um autor posterior.

O espanto de Jó pode ter girado em torno de *por que* o grande Criador e sustentador de todas as coisas demonstrou tanta atenção para com ele (negativa e destrutivamente). Por que a mente divina pensaria tanto nele para criar-lhe tantas dificuldades?

■ 7.17

מָה־אֱנוֹשׁ כִּי תְגַדְּלֶנּוּ וְכִי־תָשִׁית אֵלָיו לִבֶּךָ׃

Que é o homem, para que tanto o estimes...? "A maioria dos comentadores concorda em reconhecer que esta estrofe é uma paródia do Salmo 8, contanto, naturalmente, que esse salmo seja anterior ao livro de Jó. Enquanto o salmista perguntou por que o Criador dos céus estrelados teria conferido ao homem domínio sobre a natureza, o atormentado árabe Jó indagava, não sem bastante ironia, por que tão grande Deus faria dele o centro da atenção divina. E daí perguntou por que o Senhor do Universo visitaria o homem minúsculo a cada manhã e o testaria a cada momento". Novamente, a linguagem é similar à do Salmo 8 (vs. 4), embora aquele salmo signifique 'visitar com favor', ao passo que o trecho hebraico do livro de Jó significa 'visitar com punição'. Outro salmo aborda o mesmo tema, com intuito quase idêntico e, como Jó, vincula a ideia da *brevidade* da vida (Jó 7.6) à ideia do exagero de Deus quanto à importância da pecaminosidade do homem (Sl 144.3,4) (Samuel Terrien, *in loc.*).

"O espírito do salmista era de devotada adoração, enquanto o espírito de Jó era de agonia e desespero" (Ellicott, *in loc.*).

■ 7.18

וַתִּפְקְדֶנּוּ לִבְקָרִים לִרְגָעִים תִּבְחָנֶנּוּ׃

E cada manhã o visites. As visitações do salmista eram divinas, originadoras de esperança. Mas as de Jó eram terríveis punições divinas, episódios de julgamento que quase o tinham obliterado.

> O homem é apenas uma cana, a mais débil na natureza. Mas ele é uma cana pensante. Não é mister que o universo pegue em armas a fim de esmagá-lo. Um vapor, uma gota de água, o suficiente para destruí-lo.
>
> Pascal

"Em uma atitude amargurada, Jó parodiou a fé do salmista, distorcendo deliberadamente, ressentido, as palavras de seu contexto" (Paul Scherer, *in loc.*). O Observador dos homens tinha feito de Jó seu alvo de violências.

■ 7.19

כַּמָּה לֹא־תִשְׁעֶה מִמֶּנִּי לֹא־תַרְפֵּנִי עַד־בִּלְעִי רֻקִּי׃

Até quando não apartarás de mim a tua vista? *O ataque de Deus contra Jó* era tão constante que ele nem ao menos tinha tempo de engolir a própria saliva. Em Jó 9.18, Jó nem tinha tempo de recuperar o fôlego, tão rápidos e constantes eram os ataques sobre ele. Se Jó conseguisse manter a língua umedecida, certamente continuaria seu amargo queixume. Com isso devemos conferir a expressão moderna: "Num piscar de olhos". Talvez Jó tivesse ficado doente em sua garganta, e até engolir se tornara quase impossível para ele!

■ 7.20

חָטָאתִי מָה אֶפְעַל לָךְ נֹצֵר הָאָדָם לָמָה שַׂמְתַּנִי לְמִפְגָּע לָךְ וָאֶהְיֶה עָלַי לְמַשָּׂא׃

Se pequei. Jó não admitia ter pecado a ponto de todas aquelas miseráveis calamidades o atingirem. Mas ele observou que, se tivesse pecado, então por certo a reação divina era exagerada. "O pecado humano não pode justificar a hostilidade de Deus contra o homem" (*Oxford Annotated Bible,* comentando sobre o vs. 20). Ironicamente, Jó chamou Deus de "o Preservador do homem", mas então ele fez essa preservação apenas prolongar a agonia, em vez de trazer bondade e felicidade. Deus fez do homem seu alvo de ataque e o preservou para *aquele* exato destino. Ele o conservou vivo para que pudesse continuar a atacá-lo.

> Somos para os deuses o que as moscas são para os meninos.
> Eles nos matam por diversão.
>
> Shakespeare

Jó refere-se aqui ao *enigma* do sofrimento. Se Deus é Todo-bom, Todo-poderoso, Todo-conhecedor, então de onde vem o mal? Se Deus fosse considerado um Ser malévolo, então o problema do mal teria achado sua solução final. Essa é a explicação do pessimismo. Ver na *Enciclopédia de Bíblia, Teologia e Filosofia* o verbete chamado *Pessimismo.* Ver no *Dicionário* o artigo chamado *Problema do Mal,* e ver a seção V da Introdução ao presente livro. Poderia Jó, no meio de todo esse sofrimento insensato, continuar demonstrando *adoração desinteressada* a Deus, ou terminaria ele blasfemando, conforme Satanás disse que faria? Sua adoração era egoísta? Porventura ele adorava e servia somente para obter coisas para si mesmo? Essa é a questão principal do livro.

Ver a *Mensagem Principal do Livro* sob a seção intitulada *Ao Leitor,* nas notas imediatamente antes da exposição a Jó 1.1.

■ 7.21

וּמֶה לֹא־תִשָּׂא פִשְׁעִי וְתַעֲבִיר אֶת־עֲוֹנִי כִּי־עַתָּה לֶעָפָר אֶשְׁכָּב וְשִׁחֲרְתַּנִי וְאֵינֶנִּי׃ פ

Por que não perdoas a minha transgressão...? Se Jó tinha pecado, e *se suas agonias* tivessem sido causadas por isso, então "por que ele não perdoava?", perguntou Jó a Deus. A bondade é um atributo divino *essencial,* e isso significa que ele demonstra *misericórdia* e redime os homens do pecado e seus efeitos. O perdão é, tradicionalmente, parte da relação divino-humana, porque os homens sempre têm necessidade dele. Declarou Voltaire: "Deus me perdoa. Esse é o trabalho dele". O evangelho ensina-nos idêntica verdade. Jó disse a Deus que seu perdão tinha de vir em breve, naquela mesma noite, enquanto ele dormia no pó, porquanto havia boa chance de que, na manhã seguinte, a morte já o tivesse arrebatado. Uma vez mais, vemos que Jó não olhava para além da morte biológica, para encontrar a vida eterna. Ele não esperava sobreviver à morte em uma alma imaterial. Isso não fazia parte da teologia patriarcal. É possível que, em Jó 19.26,27, ele estivesse esperando pela ressurreição, mas esses versículos são controvertidos, como se outra coisa pudesse estar em foco. Seja como for, Deus não estava olhando para uma "esperança mais além", para solucionar os sofrimentos terrenos de Jó ou de qualquer outro ser humano.

A parte final deste versículo nos remete aos sentimentos do vs. 8, onde comento a questão. Jó chegou a ter uma débil esperança. Talvez Deus, de súbito, o favorecesse, de modo que ele não desaparecesse antes do raiar da próxima manhã.

> Pobre coração humano,
> Conheço o êxtase de toda a tua dor,
> E a angústia de tua alegria.
>
> James Strahan

Mas Jó sussurrou:

> Não fui moldado para os teus cuidados,
> Para depender de ti e ter esperança,
> E esperar pela tua lenta compaixão.
>
> (idem)

Jó reafirmou sua antiga confiança em um Deus de amor, mas *sarcasticamente* asseverou estar frustrado em sua esperança.

CAPÍTULO OITO

Continuamos com a seção iniciada no capítulo 3, a *primeira série* de discursos dos três amigos de Jó, com correspondentes repreensões da parte de Jó. Essa seção se estende até o capítulo 14. Ver a introdução ao capítulo 3. O plano geral do livro é que os três amigos de Jó falaram cada um por três vezes, com exceção do terceiro amigo, que não falou pela terceira vez. Por sua vez, Jó deu respostas a eles. Na introdução ao capítulo 4, sob o título *Circunstâncias dos Discursos,* apresento um sumário dos itens e uma caracterização geral do plano dos discursos, o que não repito aqui. Os críticos de Jó transmitiram, essencialmente, a mesma mensagem: os sofrimentos de Jó resultavam de seus pecados, dos quais ele precisava arrepender-se. Além disso, há a questão da disciplina que a dor oferece. Eles não chegaram a lugar nenhum e deixaram sem solução o problema do mal. Os sofrimentos de Jó não podiam ser explicados. A razão desses sofrimentos continuava um *enigma.*

A mensagem principal do livro é uma adoração desinteressada. Porventura os homens adoram a Deus para ganhar algo para o próprio "eu", em vez de servir ao próprio Deus? Será verdade o *Egoísmo* (ver na *Enciclopédia de Bíblia, Teologia e Filosofia*)? Ver também, no *Dicionário* o verbete intitulado *Pessimismo,* a posição que Jó assumiu em seus sofrimentos e em suas queixas. O *Problema do Mal* (ver o artigo no *Dicionário* e a seção VI da *Introdução* ao livro) entra como tema secundário, um corolário necessário sobre a natureza da adoração.

O crítico-atacante-amigo agora era *Bildade.* Ver no *Dicionário* o artigo sobre *Bildade,* quanto ao que se conhece a respeito de sua pessoa e quanto à natureza dos seus argumentos.

"Bildade era um indivíduo dogmático-religioso do tipo superficial. Seu dogmatismo repousava sobre as tradições (por exemplo, Jó 8.8-10), sobre a sabedoria proverbial e sobre frases piedosas aprovadas. Esse dogmatismo abunda em seus discursos. Seus chavões exprimem verdades batidas, mas, na verdade, todas as pessoas conhecem bem esses chavões (ver Jó 9.1,2; 13.2), que não lançam nenhuma luz sobre os problemas que Jó estava enfrentando" (*Scofield Reference Bible,* comentando sobre o vs. 1 deste capítulo).

A *posição de Bildade* era essencialmente a mesma de Elifaz, mas seu ataque era inspirado por uma ira escaldante contra a insolência e a irreverência de Jó (demonstradas no capítulo 7). Ele era um crente convencido, que estava pronto para atacar qualquer oponente que encontrasse pelo caminho, como se fosse um *fundamentalista combativo.* Para ele, a eloquência de Jó nada mais era que um vento tempestuoso verbal (8.2), estando ele seguro de que não era um inchado com seus próprios pensamentos. Inchado ou não, ele não foi capaz de solucionar o problema que tinha nas mãos; o *porquê* do sofrimento humano, embora tenha dependido de muitos *textos de prova* em sua tentativa. Ver o artigo sobre ele no *Dicionário,* quanto a um completo exame sobre seus raciocínios.

■ 8.1

וַיַּעַן בִּלְדַּד הַשּׁוּחִי וַיֹּאמַר׃

Bildade, o suíta. Presumivelmente, ele era descendente distante de Suá, um dos filhos de Abraão e Quetura, que habitava no deserto da Arábia, chamado nas Escrituras de "terra oriental" (Gn 25.6). Ver no *Dicionário* o artigo chamado *Suá*, terceiro ponto.

8.2

עַד־אָ֥ן תְּמַלֶּל־אֵ֑לֶּה וְר֥וּחַ כַּ֝בִּ֗יר אִמְרֵי־פִֽיךָ׃

Até quando falarás tais coisas? "Até quando falarás tais coisas, como se fosses uma tempestade, com tua ousadia e blasfêmias? Não passas de um saco de vento, Jó. É tempo de parares e me escutares, uma verdadeira fonte de sabedoria. Tu, Jó, falas de forma violenta e sem sentido. Protesto em altas vozes contra ti. Ouve os meus gritos. Eles têm sabedoria para instruir-te." Portanto, Bildade falou como quem tinha alguma espécie de autoridade:

> Sou o Senhor Oráculo.
> Quando abro os meus lábios
> Que nenhum cão ladre!
>
> Shakespeare

Bildade começou "abruptamente e sem moderação". Os mestres fundamentalistas combativos sempre proferem *verdades abruptas*. Algumas vezes elas causam mais dano do que mentiras. A língua cortante injuria. Verdade falada sem amor deixa de ter as suas virtudes.

> Odium Teologicum
>
> Ó Deus... que carne e sangue fossem tão baratos!
> Que os homens viessem a odiar e matar,
> Que os homens viessem a silvar e decepar a outros
> Com língua de vileza,
> ... por causa de...
> "Teologia".
>
> Russell Champlin

Qual vento impetuoso? Ou seja, desconsiderando as restrições apropriadas, com discursos ousados e barulhentos, vãos, precipitados e desordenados contra Deus. Bildade virtualmente acusou Jó de *blasfêmia*, semelhantemente ao que Satanás disse que Jó se rebaixaria a fazer, caso fosse submetido a severo teste (ver Jó 1.11; 2.5).

8.3

הַאֵ֭ל יְעַוֵּ֣ת מִשְׁפָּ֑ט וְאִם־שַׁ֝דַּ֗י יְעַוֵּֽת־צֶֽדֶק׃

Perverteria Deus o direito...? Em seus discursos quase blasfemos (capítulos 3 e 7), Jó acusou virtualmente Deus de perverter o juízo e a justiça. Era claro, para Bildade, tal como tinha sido para Elifaz (capítulo 4), que os sofrimentos de Jó eram causados como um julgamento contra ele. Presumivelmente, a *grandeza* dos sofrimentos de Jó podia ser explicada pela *gravidade* de seus pecados. Portanto, afirmar sua inocência e "repreender" a Deus em face do doloroso tratamento a que estava sendo submetido equivaliam a dizer que Deus tinha pervertido o juízo e a justiça. Bildade perdeu completamente de vista a possibilidade de que algo diferente do *pecado* pudesse ser a *causa* dos sofrimentos de Jó. Ele continuou a tocar a *mesma canção* que Elifaz tocara, mas tão somente alta. Desde o começo, Bildade estava "atrasado", isto é, aproximava-se do problema com uma ideia preconcebida sobre a razão pela qual Jó estava sendo afligido. Ele apresentou suas respostas antes de ter feito qualquer investigação. Essa abordagem é típica de indivíduos dogmáticos que presumem que seus credos podem resolver qualquer problema no céu ou na terra. Eles nunca pensam, uma vez sequer, que seus credos podem ser parciais, e parcialmente *errados*. Bildade acusou o homem enfermo, mas na realidade nunca disse qual era a causa de sua enfermidade.

Estaria Deus punindo Jó por nada? Jó 2.3 diz que sua dor era "sem causa", e o prólogo culpa uma barganha cósmica feita com o próprio Satanás. Dificilmente podemos aceitar essa abordagem. Ver Jó 1.11, quanto à discussão sobre os problemas teológicos do livro de Jó. Ver também Jó 1.12, quanto às ideias adicionais.

8.4

אִם־בָּנֶ֥יךָ חָֽטְאוּ־ל֑וֹ וַֽ֝יְשַׁלְּחֵ֗ם בְּיַד־פִּשְׁעָֽם׃

Se teus filhos pecaram contra ele. Bildade feriu Jó com sua grande faca ao relembrar-lhe como seus filhos tinham morrido miseravelmente. "Naturalmente, eles morreram por serem pecadores. Deus os cortou desta vida. E tu, Jó, estás sofrendo por causa de teus pecados, e em breve Deus também te cortará, se não te arrependeres."

Bildade ignorou o *mistério* do sofrimento dos *inocentes* com uma pergunta retórica. Em seguida, sua ira inspirou-o a mostrar-se cruel. Elifaz ainda demonstrou alguma simpatia; mas Bildade assemelhou-se mais a um boxeador que salta quando a campainha toca. Bildade era o campeão de Deus, enquanto Jó era o ofensor de Deus. Bildade feriu Jó com sua adaga, "precisamente onde sabia que feriria mais fundo: no coração do pai cujos filhos tinham morrido. Seus filhos eram pecadores, e essa era a razão pela qual morreram prematuramente" (Samuel Terrien, *in loc.*).

Diz o original hebraico: "Deus os jogou fora", como se eles fossem um lixo inútil. Jogar fora significa a destruição e o esquecimento da *morte*. Eles sofreram a inevitável consequência de seus atos tolos.

"Certamente esse ataque cruel e sem coração feriu Jó profundamente. Afinal de contas, ele tinha oferecido sacrifícios para encobrir os pecados de seus filhos (ver Jó 1.5)" (Roy B. Zuck, *in loc.*).

8.5,6

אִם־אַ֭תָּה תְּשַׁחֵ֣ר אֶל־אֵ֑ל וְאֶל־שַׁ֝דַּ֗י תִּתְחַנָּֽן׃

אִם־זַ֥ךְ וְיָשָׁ֗ר אָ֥תָּה כִּי־עַ֭תָּה יָעִ֣יר עָלֶ֑יךָ וְ֝שִׁלַּ֗ם נְוַ֣ת צִדְקֶֽךָ׃

Mas, se tu buscares a Deus. O arrependimento era a solução mágica, conforme Bildade insistiu. Um homem precisa buscar e suplicar a Deus, presumivelmente fazendo os sacrifícios e emendas pelos resultados de pecados antigos. Então o favor divino estaria garantido, e, como um passe de mágica, os sofrimentos de Jó terminariam. Se Jó fosse *puro* e *reto*, então a misericórdia divina poria fim a seus intensos sofrimentos. O fato de que eles continuavam sem dar-lhe descanso mostrava que Jó era um pecador incansável, que nunca se arrependera. Se Jó se arrependesse, teria feito o seu papel e, então, Deus faria a parte dele e curaria Jó.

O segundo crítico de Jó, portanto, perdeu completamente de vista que a *Lei Moral da Colheita segundo a Semeadura* (ver a respeito no *Dicionário*) não explica todo o sofrimento que há no mundo. Os inocentes podem sofrer e realmente sofrem. O problema do mal está repleto de enigmas. A lei do carma é poderosa, e a *retribuição* é necessária e útil, porquanto cura, e não meramente castiga. Mas não podemos explicar todas as coisas e condições más apelando a essa lei. Jó havia apelado a Deus (ver Jó 7.20,21), mas seus críticos supunham que seu apelo carecesse de sinceridade moral.

Deus havia arrebatado as *propriedades* de Jó. Mas, se ele se arrependesse, obteria novas propriedades, "restauração da justiça de tua morada", onde Deus entraria em comunhão com o seu proprietário. Suas antigas propriedades eram cenário de segredos e pecados graves, ou não teriam sido destruídas pelas forças da natureza. Alguns estudiosos espiritualizam "morada" neste versículo, pensando significar a *alma*. Jó prosperaria espiritualmente, mas essa é uma explicação anacrônica.

8.7

וְהָיָ֣ה רֵאשִׁיתְךָ֣ מִצְעָ֑ר וְ֝אַחֲרִיתְךָ֗ יִשְׂגֶּ֥ה מְאֹֽד׃

O teu primeiro estado. O primeiro estado de Jó seria pequeno em relação ao que Deus faria, caso ele se arrependesse. As bênçãos divinas aumentariam a cada dia, até que ele se tornasse novamente um homem *próspero* (sinal da bênção divina, segundo as crenças dos hebreus). Bildade estava prometendo-lhe riqueza maior do que ele tivera antes de começarem as suas tribulações. O crítico de Jó promovia o raciocínio comum de que as bênçãos materiais são sinal de bênção divina. Naturalmente, quando a tempestade passou, foi exatamente isso o que aconteceu. Jó aumentou suas propriedades 100% acima do que tinha antes, isto é, *o dobro*. Ver Jó 42.1 ss. Não obstante, as bênçãos finais de Jó não ocorreram pelas razões apresentadas por Bildade.

O TESTEMUNHO DO PASSADO (8.8-19)

8.8

כִּי־שְׁאַל־נָא לְדֹר רִישׁוֹן וְכוֹנֵן לְחֵקֶר אֲבוֹתָם׃

Pois, eu te peço, pergunta agora a gerações passadas. *Bildade Apela para as Tradições.* Os antigos tinham muita coisa para ensinar-nos, foi o raciocínio dele. Eles instruiriam Jó, e Bildade seria o seu porta-voz. O segundo crítico de Jó era um indivíduo dogmático que derivava sua autoridade das tradições. Ele vivia citando os livros que exploravam questões de sabedoria. Se Jó tivesse lido tais livros, provavelmente teria deixado de assimilar o conteúdo deles.

A sabedoria dos antigos sábios estava preservada sob a forma de *provérbios*, principalmente. De fato, os antigos tinham preferência por esse tipo de instrução. Jó é considerado um dos livros da *Literatura de Sabedoria* dos judeus, de maneira que o uso de provérbios neste livro é apropriado.

"Elifaz havia apoiado seus pontos de vista apelando para a sua própria experiência (ver Jó 4.8). Bildade tentou apresentar-se introduzindo uma autoridade supostamente maior, as observações feitas por pessoas das gerações passadas" (Roy B. Zuck, *in loc.*). Presumimos que os *patriarcas* mais respeitáveis fossem as fontes de informação de Bildade. Naturalmente, as tradições têm um lugar apropriado. Uma voz chega até nós, vinda do passado. Mas não devemos depender somente disso. De muitas maneiras, sabemos mais que os antigos, mesmo nos campos da teologia e da filosofia, para nada dizer sobre as ciências. Ser antigo não significa, necessariamente, ter razão. Até as Escrituras do Antigo Testamento foram ultrapassadas pelo Novo Testamento, provando que o antigo é ultrapassado pelo moderno.

8.9

כִּי־תְמוֹל אֲנַחְנוּ וְלֹא נֵדָע כִּי צֵל יָמֵינוּ עֲלֵי־אָרֶץ׃

Porque nós somos de ontem, e nada sabemos. Na moderna expressão idiomática, diríamos: "Nascemos ontem", em lugar do hebraico "nós somos de ontem". Presumivelmente, a antiguidade adiciona peso à autoridade. Embora ainda não houvesse cânon das Escrituras, as declarações dos sábios eram tidas em alta estima e, sem dúvida, considerava-se que uns tantos provérbios contivessem a *inspiração divina*. Em contraste, os "modernos" nada sabem, e o presente dia curto é apenas uma *sombra*. Era através dos antigos que o sol coava sua luz, obscurecendo qualquer sabedoria moderna.

"Ele era como o tipo *paleortodoxo* de teólogo que apelava para o passado, sem perceber que o presente requer que se *repensem* as fórmulas que não são mais adequadas" (Samuel Terrien, *in loc.*). Os credos baseados na autoridade dos antigos expressavam a autoridade humana. Visto que ele tinha um credo, não precisava pensar.

São como a sombra. Ou seja: 1. com pouca luz; 2. tendo vida de pequena duração (Jó 7.6,7,9). Os relógios de sol dos antigos operavam através da sombra projetada, lançada pela luz do sol.

A Tirania das Tradições. Qualquer pessoa pensante sabe o que representa a tirania das tradições. Existe o mau hábito de romantizar o passado. Outrossim, devemos lembrar que o presente é o herdeiro de *todo* o passado, estando em melhor posição para fazer juízo do que um homem situado em algum *lugar* no passado. Ademais, a verdade é *uma aventura contínua*, e não uma realização definitiva. É ridícula a suposição de que a verdade possa ser reduzida a um credo ou a um grupo de credos, ou mesmo a *todos* os credos agrupados juntamente. A verdade, tal como Deus, é infinita, e qualquer indivíduo, grupo, denominação ou sistema religioso todo, do Oriente ou do Ocidente é, necessariamente, fragmentar. O passado é uma peça do quebra-cabeça, mas não é o quebra-cabeça completo e resolvido. Por certo, dentro do credo de Bildade não havia resposta para o problema do sofrimento humano. Ele não resolveu o problema do mal, a despeito de toda a sua pretensão.

8.10

הֲלֹא־הֵם יוֹרוּךָ יֹאמְרוּ לָךְ וּמִלִּבָּם יוֹצִאוּ מִלִּים׃

Porventura não te ensinarão os pais...? *O Mestre Consumado.* Alguns professores gostam de agradar seus ouvintes, apresentando *coisas novas* como se fossem troféus para serem admirados. Bildade, entretanto, não tinha nenhuma novidade ou inovação. Ele estava convencido de que suas tradições, cheias da sabedoria dos antigos, eram adequadas ao problema de Jó, bem como a qualquer outro problema nos céus ou na terra. O passado era visto como o mestre consumado. Bildade andava iludido por haver simplificado em demasia a verdade e abandonado a busca pela verdade. Ele tinha estacionado o seu trem na estação das tradições. Mas o verdadeiro trem da verdade havia deixado a estação e partido para novos horizontes. Bildade pensava à semelhança da geometria euclidiana: ele poderia reduzir tudo a fórmulas máximas e jamais levantar caso que não tivesse sido previsto em seu sistema de provérbios.

Do próprio entendimento. Um entendimento ganho através da experiência, sem nenhuma intenção de estagnar-se. Bildade, entretanto, havia estagnado a verdade; Jó tinha dito: "Ensina-me..." (Jó 6.24), mas falara com Deus. Bildade era um insuficiente substituto de Deus, como também era o seu conceito de "verdade através somente de credos".

8.11

הֲיִגְאֶה־גֹּמֶא בְּלֹא בִצָּה יִשְׂגֶּה־אָחוּ בְלִי־מָיִם׃

Pode o papiro crescer sem lodo? Para que haja papiro, será mister primeiro haver um lodaçal, no qual o papiro medrará. Para que haja um lodaçal fértil de canas, é preciso haver água, sendo esse o *sine qua non* de toda a vida. Portanto, de acordo com o segundo crítico de Jó, para que a pessoa tenha a verdade, é necessário considerar a sabedoria dos patriarcas e de seus livros, com declarações escolhidas e provérbios. Para ele, esse era o *sine qua non* para obter o conhecimento. Ver na *Enciclopédia de Bíblia, Teologia e Filosofia* o artigo intitulado *Conhecimento e a Fé Religiosa,* quanto aos modos de tomarmos conhecimento das coisas e quanto às teorias da verdade. A planta do papiro era boa para fabricar papel, recipientes, sapatos, cestas, barcos e outros utensílios. Mas só estava disponível para uso quando devidamente cuidada e cultivada. Assim também, a verdade tinha muitas aplicações, e o *lodaçal* onde era cultivada fazia parte das atividades dos antigos. Ver na *Enciclopédia de Bíblia, Teologia e Filosofia* o artigo chamado *Papiro.*

8.12,13

עֹדֶנּוּ בְאִבּוֹ לֹא יִקָּטֵף וְלִפְנֵי כָל־חָצִיר יִיבָשׁ׃

כֵּן אָרְחוֹת כָּל־שֹׁכְחֵי אֵל וְתִקְוַת חָנֵף תֹּאבֵד׃

Antes de qualquer outra erva se secam. A fraca planta do papiro é mais frágil que a própria erva. E outro tanto sucede a todos quantos, devido à sua arrogância, não querem arrepender-se e se esquecem de Deus. Na opinião de Bildade, esse era o caso de Jó. Bildade chamou Jó, abertamente, de *ímpio*, e viu em sua enfermidade um caso terminal. A morte em breve haveria de removê-lo da terra, da mesma maneira que a frágil planta do papiro logo se resseca e morre.

A esperança do ímpio perecerá. A *King James Version* diz "hipócrita", mas a *Revised Standard Version,* concordando com a nossa versão portuguesa, diz "ímpio". O termo hebraico correspondente, *haneph,* originalmente significava uma pessoa *profana* (ver Jr 3.1; Sl 106.38). Mais tarde adquiriu o sentido de renegado, descrente, alguém que *atraiçoa* sua missão (cf. Is 10.6). De acordo com seu segundo crítico, Bildade, Jó era um traidor da causa santa. Tal homem deveria *perecer,* o que significa, em todo o livro de Jó, que a morte biológica, que fazia parte da teologia dos antigos patriarcas, representava o fim da personalidade humana. Por conseguinte, Bildade não estava falando de um julgamento que aconteceria depois do sepulcro, pois essa doutrina só entrou na teologia dos hebreus no tempo dos livros intertestamentários, dos livros apócrifos e pseudepígrafos. Os eruditos sabem que as chamas do inferno só foram acesas no livro de 1Enoque. Dn 12.2 faz uma previsão dessa doutrina, mediada através da ressurreição. Cf. o presente versículo com Sl 9.17.

8.14

אֲשֶׁר־יָקוֹט כִּסְלוֹ וּבֵית עַכָּבִישׁ מִבְטַחוֹ׃

Sua confiança é teia de aranha. *A Metáfora do Inseto.* Que intrincado desígnio tem a teia de aranha! Nós a admiramos, embora temamos o pequeno inseto que a teceu. Mas quão fácil é acabar com a própria teia! Assim acontece à esperança dos ímpios, que chega a transformar-se em nada, rápida e completamente, embora, em alguns casos, haja uma demora, de acordo com a maneira como os homens calculam o tempo.

"Os ímpios, subjugados pelos fortes hábitos do pecado, esperam infrutiferamente, até que o último fio da teia da vida seja cortado. Mas então eles não têm mais forças, e a vida deles se reduz a nada" (Adam Clarke, *in loc.*). O ímpio se edifica em esperança e vive seu breve dia; mas o que ele edificou se arruína, com frequência sob um único golpe, tal como acontece à teia de aranha, que, apesar de tão bela, é completamente desmantelada por um único golpe.

A teia de aranha é tecida de suas próprias entranhas. Assim também as obras do ímpio são autoproduzidas, sem nenhuma aplicação da graça e do poder de Deus. Não admira, pois, que pereçam tão rapidamente!

■ 8.15

יִשָּׁעֵן עַל־בֵּיתוֹ וְלֹא יַעֲמֹד יַחֲזִיק בּוֹ וְלֹא יָקוּם׃

Encostar-se-á à sua casa. *Continua Aqui a Metáfora da Teia de Aranha.* Tendo terminado a sua teia, a aranha sai ao redor para aplicar pressão às várias partes dela, a fim de testar a sua resistência. Agora a teia é chamada de "casa" da aranha. Se um animal ou ser humano se encostar naquela magnífica estrutura, a teia imediatamente cederá e se desintegrará. Por semelhante modo, é isso o que acontece *à casa* do ímpio. Qualquer pressão, qualquer teste, qualquer julgamento é suficiente para derrubá-la. E, quando a casa rui, o homem morre. Portanto, consideremos o espetáculo. O homem constrói uma magnífica estrutura. Sua vida torna-se cheia de luxos e prazeres, e ele fica arrogante com a excelência de sua casa. Mas na primeira vez que um julgamento divino *se apoia* sobre aquela casa, ela rui. Aquele homem é um construtor insensato, alguém que, nas palavras de Jesus, constrói sobre a areia (ver Mt 7.26).

Diz um provérbio árabe:

> O tempo destrói a casa bem construída,
> Tal como acontece à teia de aranha.

■ 8.16

רָטֹב הוּא לִפְנֵי־שָׁמֶשׁ וְעַל גַּנָּתוֹ יֹנַקְתּוֹ תֵצֵא׃

Ele é viçoso perante o sol. *A Metáfora da Planta.* Agora o ímpio é comparado a uma planta, em suas raízes, crescimento e duração de vida. O poeta já havia empregado a metáfora de uma planta, o papiro (vss. 11,12). Uma planta, como todo o tipo de vida, depende do sol: sem luz não há vida. Mas essa planta excelente dispõe de muita luz do sol, e assim cresce e seus ramos se desenvolvem em todas as direções. Ela parece tão viçosa que somos tentados a pensar que viverá para sempre. Ela é verde e vibrante; saudável e forte. Ela prospera e floresce. Assim também o ímpio aumenta suas riquezas, poder e prestígio. Ele enfia suas raízes profundamente no solo, e seus ramos se entrelaçam em muitos empreendimentos. Fausset (*in loc.*) pensa que a descrição aqui é de uma planta dotada de flor. Esse tipo de planta é ridiculamente vigorosa e desloca toda a competição por solo. Ganaciosamente ocupa todo o espaço e torna o jardim impróprio para as flores. Essa é uma boa descrição do homem ímpio e ganacioso.

■ 8.17

עַל־גַּל שָׁרָשָׁיו יְסֻבָּכוּ בֵּית אֲבָנִים יֶחֱזֶה׃

As suas raízes se entrelaçam. *As raízes* da relva são tão vigorosas como as folhas. Elas se aprofundam no solo e se entrelaçam em redor de tocos e rochas. Até parece que essa erva viverá para sempre. A erva foi transplantada para o jardim. Temos aqui um caso claro da sobrevivência do mais apto, que não é, obviamente, a sobrevivência do melhor. Os fortes sobrevivem. Os fracos perecem. As ervas são os reis dos jardins. Este versículo ensina que os *ímpios prosperam,* mas que seu breve dia logo se acaba.

■ 8.18

אִם־יְבַלְּעֶנּוּ מִמְּקוֹמוֹ וְכִחֶשׁ בּוֹ לֹא רְאִיתִיךָ׃

Mas se Deus o arranca do seu lugar. Mas agora considere o leitor o que está acontecendo: o jardineiro chega ao jardim. Ele se encaminha para perto da erva, lança-lhe um olhar mau, agarra a planta acima da superfície e puxa-a pelas raízes. Com um único golpe, a erva termina. Somente um pequeno buraco no solo assinala o lugar onde estava a erva, que antes prosperava com tanta arrogância. Até o próprio buraco entra no ato e diz à erva: "Nunca te vi". Até a memória da planta se oblitera. A segurança da erva era apenas superficial. Forças externas terminaram toda a triste história.

"O próprio solo envergonha-se da erva murcha, à sua superfície, como se nunca tivesse estado vinculado a ela" (Fausset, *in loc.*).

"O sentido é que a erva será tão totalmente destruída que não serão deixadas nem raízes nem folhas, nem coisa alguma que mostre que a erva cresceu uma vez ali" (John Gill, *in loc.*). Os homens são chamados para relembrar o poder do Jardineiro Cósmico que, finalmente, impediu que a erva crescesse em seu jardim.

■ 8.19

הֶן־הוּא מְשׂוֹשׂ דַּרְכּוֹ וּמֵעָפָר אַחֵר יִצְמָחוּ׃

Eis em que deu a sua vida! Alguns eruditos pensam que o texto hebraico original está corrompido neste trecho. Roy B. Zuck sugere o seguinte sentido: "A única alegria que tal planta pôde experimentar consistiu em saber que alguma outra coisa a substituiu". Mas será que uma erva seria retratada como tendo alegria porque foi substituída por outra planta? Então teríamos a declaração simples de que a erva jaz ali, em decadência, e isso poderia ser esperado, igualmente, da parte do homem ímpio. Adam Clarke, *in loc.*, porém, prefere ficar com a ideia de *alegria*, e diz que essa declaração é irônica. A alegria da erva foi a sua destruição. Todo o júbilo, jogos, passatempos, o prazer do homem piedoso, ou seja, sua *alegria,* logo se reduziu a nada.

A alegria do homem, na vida, tornou-se uma espécie diferente de alegria, na morte. A prosperidade reduziu-se em morte, e era a mesma coisa em um sentido, desde que a primeira produziu a segunda. O hipócrita jacta-se de sua alegria, mas não sabe que a *verdadeira alegria* (sarcasmo) consiste na morte inevitável.

A segunda parte do versículo é clara. No lugar da erva, alguma outra planta medrará. Ninguém é indispensável. A vida continua. As ervas podem substituir outras ervas, ou flores podem substituir as ervas. O Jardineiro Cósmico está envolvido no *processo inteiro,* assim é melhor nenhum indivíduo mostrar-se arrogante. A erva pensava que o lugar seria dela para sempre. Mas logo se tornou a casa de outra planta.

> Eis! Aqui está ele, apodrecido em seu caminho,
> E do solo outra planta crescerá.
>
> Paráfrase do versículo, por Samuel Terrien, *in loc.*

> Muitas coisas crescem no jardim que nunca tinham sido plantadas ali.
>
> Provérbio

■ 8.20

הֶן־אֵל לֹא יִמְאַס־תָּם וְלֹא־יַחֲזִיק בְּיַד־מְרֵעִים׃

Eis que Deus não rejeita ao íntegro. *Em contraste* com o que aconteceu à erva, o Jardineiro Cósmico não rejeitará jamais o homem perfeito. Se um homem for *inculpável,* conforme Jó declarou ser, estará livre do julgamento divino. Mas parecia evidente que Jó não era inocente, porquanto tinha caído na desintegração e esperava inocentemente o seu fim. Além disso, Deus não ajudará um indivíduo malfeitor. Ora, Deus não estava ajudando Jó, o que o marcava, obviamente, como um homem ímpio, pois, de outra maneira, ele nunca teria chegado àquele estado de miséria. Compare-se esse sentimento com Jó 1.1,8; 2.3 e 8.6. O Targum diz aqui *contrário*. O ódio divino destrói logo aquilo que odeia. Somente a santidade é respeitada pela Mente divina. Mas o ímpio é repelido de modo aborrecido e desprezível. Essa era outra das máximas de Bildade.

Com a mesma certeza com que Deus pune e desarraiga o ímpio, com a mesma certeza ele defende e salva o justo.

Adam Clarke

Todavia, estou sempre contigo, tu me seguras pela minha mão direita.

Salmo 73.23

■ 8.21

עַד־יְמַלֵּה שְׂחוֹק פִּיךָ וּשְׂפָתֶיךָ תְרוּעָה׃

Ele te encherá a boca de riso. Um Jó arrependido se encheria de riso, em vez de gritar de dor. Estaria pleno de regozijo, em vez de amargas queixas. Jó era o seu pior inimigo e, assim sendo, não permitia que o rio da alegria fluísse. Era um *impedimento* para seu próprio bem-estar, algo tão comum entre todos nós.

"A atitude de Bildade era de egoísmo sem simpatia. Ele desejava pensar bem sobre Jó, porquanto era seu amigo, mas não podia reconciliar a condição aflita de Jó com nenhuma teoria de governo justo e, por conseguinte, era impulsionado a suspeitar de que nem tudo andava direito com ele" (Ellicott, *in loc.*).

Então, a nossa boca se encheu de riso, e a nossa língua, de júbilo; então, entre as nações se dizia: Grandes cousas o Senhor tem feito por eles.

Salmo 126.2

■ 8.22

שׂנְאֶיךָ יִלְבְּשׁוּ־בֹשֶׁת וְאֹהֶל רְשָׁעִים אֵינֶנּוּ׃ פ

Se Jó endireitasse seus caminhos diante de Deus, então nenhum homem poderia prevalecer contra ele, porquanto o próprio Deus seria o seu defensor. Os sabeus e os caldeus tinham atacado e destruído suas riquezas e sua família (Jó 1.15,17). Isso havia acontecido porque Jó cultivava um ou mais pecados secretos. Mas isso nunca poderia repetir-se, porque o governo de Deus é justo e generoso. A residência de Jó tinha sido nivelada por inimigos, e suas riquezas, de modo geral, tinham sido saqueadas. Mas um Jó justo teria uma residência segura, porquanto estaria sob a mão divina. Os saqueadores seriam nivelados pelo poder divino, antes de terem a oportunidade de fazer o mal ao homem bom. Assim aconteceria aos que tinham isolado Jó para feri-lo; visto que o odiavam, seriam *envergonhados* antes de terem oportunidade de agir.

Deitemo-nos em nossa vergonha, e cubra-nos a nossa ignomínia, porque temos pecado contra o Senhor, nosso Deus, nós e nossos pais, desde a nossa mocidade até ao dia de hoje; e não demos ouvidos à voz do Senhor, nosso Deus.

Jeremias 3.25

Envergonhem-se e juntamente sejam cobertos de vexame os que se alegram com o meu mal; cubram-se de pejo e ignomínia os que se engrandecem contra mim.

Salmo 35.26

CAPÍTULO NOVE

O plano geral dos discursos do livro é que os três críticos-amigos de Jó produziram três discursos cada um, exceto o terceiro amigo, que produziu somente dois discursos. Por sua vez, Jó respondeu com réplicas às argumentações deles. Os capítulos 3—14 ocupam-se desse arranjo. Assim é que agora, neste capítulo, temos a réplica de Jó contra o seu segundo crítico, Bildade. Quanto a maiores detalhes sobre essas questões, ver a introdução ao capítulo 4, especialmente sob o título *Circunstâncias dos Discursos*. A mensagem principal do livro é a *adoração desinteressada*. É o ser humano totalmente egoísta, contra aqueles que apenas adoram e servem a Deus? Que benefício pessoal ele pode obter de tal atividade? Continuará ele com sua adoração se estiver sendo severamente afligido? O problema do mal surge em cena como um corolário necessário da mensagem principal. Ver no *Dicionário* o verbete intitulado *Problema do Mal*. E ver na *Enciclopédia de Bíblia, Teologia e Filosofia* os artigos chamados *Egoísmo* e *Pessimismo* (que foi a posição manifestada por Jó, no capítulo 3 do livro, e, de fato, na maioria dos lugares). Quanto aos problemas teológicos do livro, ver as notas expositivas em Jó 1.11.

A resposta de Jó, dada no capítulo 9, parece referir-se aos argumentos de Elifaz, e não aborda somente ou exclusivamente os argumentos de Bildade. Seja como for, ambos os críticos apresentaram a mesma tese, embora de diferentes maneiras: Deus pune o homem maligno; o homem bom não pode sofrer como Jó estava sofrendo. Elifaz falou como homem que tinha sua própria autoridade, por causa de sua experiência espiritual superior. Bildade, entretanto, falou como homem que transmitiu a sabedoria dos antigos, que não falava em seu próprio nome. Ambos eram indivíduos dogmáticos que se mostravam indispostos a considerar qualquer ideia que não se ajustasse exatamente aos seus credos. Nenhum dos dois chegou perto de resolver o problema do sofrimento humano: por que os homens sofrem, e por que sofrem como sofrem? Pode um homem inocente (Jó 2.3) sofrer? Nenhum dos dois chegou perto de explicar o problema do mal, e Jó compreendeu isso, o que é evidenciado pelas suas respostas.

Samuel Terrien supõe que as respostas de Jó seguissem um plano de "reação adiada", de modo que o discurso de Jó é a resposta a Elifaz, e não a Bildade. Nesse caso, a passagem de Jó 9.2-21 constitui essa resposta, ao passo que o trecho de Jó 9.32—10.22 é uma meditação sobre o caráter de Deus, que termina com uma oração.

■ 9.1,2

וַיַּעַן אִיּוֹב וַיֹּאמַר׃

אָמְנָם יָדַעְתִּי כִי־כֵן וּמַה־יִּצְדַּק אֱנוֹשׁ עִם־אֵל׃

Então Jó respondeu. Jó ofereceu uma réplica ao discurso de Elifaz, ou ao discurso de Bildade, ou a ambos. "Como se tivesse tido tempo para meditar sobre o primeiro discurso de Elifaz, Jó citou a declaração cardeal dele com aparente aprovação (vss. 2-7)" (Samuel Terrien, *in loc.*). Note o leitor como as palavras de Jó reproduzem as palavras do visitante fantasmagórico de Jó 4.17 (virtualmente igual ao vs. 2 deste capítulo).

Graus de Culpa. Ninguém é inculpável no sentido absoluto do termo, "pois todos pecaram e carecem da glória de Deus" (Rm 3.23). Jó não estava argumentando contra essa tese óbvia, nem estava reivindicando não ter pecado. Ele meramente afirmava que seus imensos sofrimentos não se originavam de tal causa (ver Jó 2.3). Ele não estava sendo punido por seus pecados. Devia haver *alguma outra resposta* para os seus sofrimentos. Note o leitor como o autor sacro não menciona o sistema sacrificial do Antigo Testamento. Ele escreveu "como se" tivesse escrito antes da doação da lei, de modo que também não podia fazer a expiação pelo pecado participar do quadro. De fato, antes da outorga da lei, em muitas culturas havia aqueles sacrifícios que, presumivelmente, produziam expiação pelo pecado. Somos informados, em Jó 1.5, que Jó ofereceu os sacrifícios apropriados para expiação e santificação. Mas ele sentia que essa não era a verdadeira maneira pela qual um homem se tornava justo diante de Deus.

Os ímpios perecem (ver Jó 8.13, parte do discurso de Bildade), mas Jó sabia que era inocente. Por que *estava ele* sofrendo?

... porque à tua vista não já justo nenhum vivente.

Salmo 143.2

Ver na *Enciclopédia de Bíblia, Teologia e Filosofia* o artigo chamado *Justificação* quanto a uma discussão cristã sobre a questão. A resposta dada pelos antigos era uma bondade respeitável, mas não uma santidade absoluta; vida respeitável, mas não liberdade absoluta do pecado; e expiação, por meio de sacrifícios e abluções, para compensar as diferenças. Jó, entretanto, não estava satisfeito com essas respostas antigas.

■ 9.3

אִם־יַחְפֹּץ לָרִיב עִמּוֹ לֹא־יַעֲנֶנּוּ אַחַת מִנִּי־אָלֶף׃

Se quiser contender com ele. Neste ponto, Jó parece usar a linguagem legal dos tribunais. Se um homem tomar seu caso perante

Deus e fingir ser justo, outros rirão diante dele e o expulsarão do tribunal. Esse homem tolamente tentaria contender com o próprio Deus! Além da questão da justiça, há milhares de outras questões sobre as quais um homem pode estar enganado, e o Mestre da Corte poderia apontá-las para ele, envergonhando-o, pois ninguém é capaz de responder às perguntas divinas (ver Jó 38.3; 40.4 e 42.2-6). Não obstante, Jó sabia que tinha uma resposta que seus críticos não tinham: o homem inocente pode sofrer e realmente sofre. Porém, ele não sabia dizer *por quê*. A questão era enigmática. Deus tem todo o poder, mas poder sem amor é intolerável. Deve haver, em algum lugar, uma resposta que leve o amor em consideração. Ver Jó 5.8, parte do discurso de Elifaz: a apresentação de uma causa perante Deus. Mas, para ver-se envolvido nessa atividade, o indivíduo deveria ser *justo*, ou um raio o derrubaria por terra antes que ele pudesse falar. Jó teve a audácia de duvidar de Deus (ver Jó 10.2; 13.22; 14.15; 31.35-37), exigindo respostas da parte dele. Mas tudo quanto obteve foram perguntas divinas que o deixaram confuso, e o enigma do sofrimento permanecia. Quanto ao que pode ser dito no livro de Jó sobre o problema do mal, ver a *Introdução* ao livro, seção V.

Nem a uma de mil cousas. Deus pode acusar um homem de mil coisas, mas o homem não pode defender-se de um único caso. Outrossim, Deus pode apontar para mil buracos em seu credo, e o homem não terá nenhuma resposta. Ou então Deus pode fazer-lhe mil perguntas difíceis sobre coisas em geral, conforme ele demonstrou mais tarde (ver as referências acima), e o homem não terá resposta para um único enigma. Por conseguinte, é melhor permanecer afastado do tribunal celestial, e não provocar Deus com perguntas e acusações tolas.

■ **9.4**

חֲכַם לֵבָב וְאַמִּיץ כֹּחַ מִי־הִקְשָׁה אֵלָיו וַיִּשְׁלָם׃

Ele é sábio de coração e grande em poder. Deus é Todo-sábio (onisciente) e também Todo-poderoso (onipotente). Ver no *Dicionário* o artigo chamado *Atributos de Deus*. Empregando o que os teólogos chamam de *Via Eminentiae* (ver na *Enciclopédia*), os homens tentam descrever Deus aplicando a ele, em alto grau, suas próprias qualidades e atributos. Além disso, eles inventam argumentos intelectuais para explicar por que acreditam que Deus existe e quais são as suas verdadeiras qualidades. Em outras palavras, eles usam *argumentos positivos*, essencialmente baseados em suas experiências, incluindo as experiências místicas e os seus raciocínios. Esse método produz algum fruto e tende por cair no *Antropomorfismo* (ver a respeito no *Dicionário*), segundo o qual Deus é transformado em um Super-homem.

Além disso, há a *Via Negationis*, que é a abordagem negativa. "Deus é transcendental". Ele não é aquilo que o homem é. Algum fruto nasce, mas é difícil falar sobre qualquer coisa referente à experiência humana, à qual nosso conhecimento está essencialmente vinculado. Seja como for, os *omnis* (onipresente, onisciente, onipotente) são conceitos essencialmente negativos, visto que, na realidade, não temos experiência com o infinito, e, se temos, essa experiência é inefável. Assim sendo, o *omni* torna-se não-infinito, mas *muito grande*. Portanto, o texto presente fala da grande sabedoria e poder de Deus. Nenhum pecador ousa aproximar-se de tal sabedoria e poder. Os ímpios não podem prosperar porque é o Deus Todo-sábio e Todo-poderoso que, afinal de contas, determina o seu destino. Até o mais sábio dos homens e o mais poderoso se postam como crianças desnorteadas diante do Deus Altíssimo.

Comparar o presente versículo com Jó 12.13; 38.1—40.2; 40.6-41. Deus exibiu seus atributos de sabedoria e poder quando confundiu Jó posteriormente.

"Deus confunde o mais hábil argumentador com a sua sabedoria, e o mais poderoso homem com o seu Poder" (Fausset, *in loc.*).

■ **9.5**

הַמַּעְתִּיק הָרִים וְלֹא יָדָעוּ אֲשֶׁר הֲפָכָם בְּאַפּוֹ׃

Ele é quem remove os montes. O poeta ilustra o *grande poder* de Deus que ele havia descrito no vs. 4. Trata-se de um poder tão grande que pode derrubar montanhas, sem dúvida uma referência a terremotos. Atos da natureza são atribuídos a Deus, conforme fazemos até em tempos modernos. O vs. 6 quase certamente continua com a ideia do terremoto. "Pelas fortes convulsões dos terremotos, montanhas, vales e colinas e até ilhas inteiras são removidos em um único instante" (Adam Clarke, *in loc.*). Além disso, o trabalho é feito sem o acompanhamento de qualquer notícia. Tudo ocorre mediante algum poder invisível, o que pode ser muito destrutivo. Assim sendo, o poder de Deus derruba o ímpio a qualquer momento, sem aviso. Nenhum homem prosperará se for contrário ao Todo-poderoso.

Dar-me-ia pressa em abrigar-me do vendaval e da procela.
Salmo 55.8

Comparar com Zc 4.8 e Pv 16.20. Voltaire ficou muito infeliz com Deus, por causa de um terremoto que atingiu Lisboa em 1776, com a perda de cinquenta mil pessoas. E há inúmeras ilustrações disso por toda a história da humanidade. Alguns terremotos, especialmente, os destruidores, são acompanhados por erupções vulcânicas, o que adiciona terror e destruição àquilo que já é temível.

Na *Enciclopédia de Bíblia, Teologia e Filosofia* ofereço um detalhado artigo chamado *Terremoto*. Na Bíblia, os terremotos figuram entre as armas mais potentes do arsenal de Deus.

■ **9.6**

הַמַּרְגִּיז אֶרֶץ מִמְּקוֹמָהּ וְעַמּוּדֶיהָ יִתְפַלָּצוּן׃

Quem move a terra para fora do seu lugar. Continua aqui a *ilustração* do terremoto. Os terremotos mais poderosos podem sacudir até mesmo as colunas da terra. O antigo conceito semita da terra, em relação ao cosmos, era como segue: havia um *firmamento*, uma estrutura tipo cúpula arqueada por cima da terra. Acima dessa massa sólida de material existia grande expansão de água. O sol, a lua e as estrelas eram luzes fixadas no lado de baixo do firmamento. A terra era chata, e nas beiradas havia montanhas sobre as quais o firmamento repousava em dois extremos. A terra penetrava nas águas abaixo, isto é, no abismo de água. Pensava-se que abaixo da terra estava o *seol*. Por baixo do seol havia as colunas sobre as quais repousava toda a massa. Mas não temos nenhuma conjectura a respeito de em que as *colunas* repousavam. Seja como for, essas colunas formavam os alicerces da terra inteira. Quanto a uma ilustração dessa visão cósmica, ver na *Enciclopédia de Bíblia, Teologia e Filosofia* o artigo chamado *Astronomia*. A declaração do vs. 6 é que as próprias colunas que servem de alicerce da terra podem ser sacudidas pelo poder de Deus, ameaçando toda a vida e até a própria existência da terra. Algum terremoto gigantesco poderia destruir a terra e seus habitantes mediante um único golpe fatal. Os intérpretes que supõem que os antigos pontos de vista semíticos não podiam errar apresentam uma questão que deixa a desejar, argumentam que estamos tratando aqui de expressões metafóricas, e não declarações literais de crença.

Vacilem a terra e todos os seus moradores, ainda assim eu firmarei as suas colunas.
Salmo 75.3

Esta declaração no livro de Salmos supõe que o próprio Deus firma as colunas da terra, pelo que nada de catastrófico pode acontecer a ela. Essas colunas seriam instáveis, não fosse a preservação divina providencial. Mas o poder de Deus pode fazer as colunas vacilar, e, por igual maneira, Deus castiga homens ímpios, fazendo-os perecer.

■ **9.7**

הָאֹמֵר לַחֶרֶס וְלֹא יִזְרָח וּבְעַד כּוֹכָבִים יַחְתֹּם׃

Quem fala ao sol. Se o sol fosse impedido de elevar-se acima do horizonte, isso seria um notável milagre de Deus. Talvez o poeta tenha falado metaforicamente de tal poder: Deus pode fazer o que ele bem quiser. Alguns estudiosos reduzem essa figura a um mero eclipse, ou a nuvens que ocultam o sol nascente. Naturalmente, temos de considerar o longo dia de Josué, o que também ocorreu mediante algum freio divino do sol, mas também é explicado mediante termos naturais. Ver no *Dicionário* o artigo denominado *Astronomia*, quinta seção, intitulada *A Astronomia e Outros Itens Interessantes, na Bíblia*. Ver também sobre *Josué, Longo Dia de*, e a narrativa em Js 10.12-14.

Quanto a detalhes sobre essa história, ver o verbete intitulado *Bete-Horom, Batalha de*.

Sela as estrelas. Provavelmente, devemos pensar aqui em nuvens espessas. As estrelas não são vistas por causa dos atos divinos de Deus, que controlam a natureza. O autor sagrado enfatiza como a própria natureza está sujeita ao poder de Deus, quanto mais o homem humilde, o pecador que merece o julgamento divino.

Os céus são como um grande livro no qual podemos ler a glória de Deus. Algumas vezes, porém, Deus sela o livro, "de forma que ele não pode ser lido. Algumas vezes os céus tornam-se negros como o ébano, e então nenhuma estrela, figura ou caráter nesse grande livro de Deus pode ser lida" (Adam Clarke, *in loc.*). Diz o Targum: "Sela as estrelas com nuvens". Também podemos pensar em tempestades violentas, que ilustram o poder divino e ameaçam os homens, tal como podem selar a luz vinda do céu.

Jó, em seu pessimismo, falou sobre os céus como algo que emite luz. Ver Jó 3.9. Cf. também Jó 41.15.

A AMORALIDADE DA ONIPOTÊNCIA (9.8-13)

■ **9.8**

נֹטֶה שָׁמַיִם לְבַדּוֹ וְדוֹרֵךְ עַל־בָּמֳתֵי יָם׃

Quem sozinho estende os céus... O poder de Deus é ilustrado, igualmente, pelo ato criativo de espalhar as estrelas, estabelecendo a ordem cósmica. Então as temíveis ondas são como nada para Deus. Ele também as criou e pode sair andando sobre elas sempre que quiser. Quando Deus pisa sobre as águas, causa grandes tempestades e ondas no mar, que assustam os marinheiros.

A *antiga cosmologia dos hebreus* retratava toda a criação feita para o homem, pelo que os luzeiros do céu, isto é, o sol, a lua e as estrelas existiam para dar luz e conforto aos homens. Portanto, ao espalhar os céus, Deus o fez como quem arma uma tenda para cobrir e proteger. Pelo lado de baixo, a tenda foi feita brilhante, com inúmeras luzes, por causa do homem.

Consideremos:
1. *O Deus Voluntarista.* Os versículos diante de nós retratam uma *Vontade Inexorável* que nenhum homem pode colocar em dúvida, mesmo que ele viole as condições morais impostas ao homem. Ver na *Enciclopédia de Bíblia, Teologia e Filosofia* o verbete chamado *Voluntarismo*. Nesse conceito de Deus não damos grande importância à razão e à justiça, conforme compreendemos esses termos. As coisas estariam certas porque Deus as quer, e não porque estão certas em si mesmas.
2. *A Onipotência do Deus Amoral.* Então Deus tem poder onipotente, mas isso não é controlado pela moralidade do homem, mesmo que ela tenha sido imposta ao homem por parte de Deus. Portanto, o vs. 12 retrata Deus como um ladrão ou raptor cujos atos não podem ser nem obstruídos nem postos em dúvida.
3. *O Inteiramente Outro.* Deus, pois, é o "inteiramente outro". Não podemos atingir o conhecimento sobre Deus examinando o homem e aplicando os atributos humanos a ele, em um grau mais elevado. Ver as notas sobre Jó 9.4, quanto a *Via Eminentiae* e *Via Negationis*, maneiras de explicar Deus. Os versículos à nossa frente aplicam a *Via Negationis*. Deus é transcendental e não pode ser descrito mediante a aplicação dos conceitos antropomórficos. "Os juízos de Deus continuam sendo insondáveis, e inescrutáveis são os seus caminhos! (Rm 11.33). Porém, esses juízos não podem ofender, em análise final, a imagem dele mesmo, expressa na vida humana. De outro modo, suas *maravilhas* se tornariam 'maravilhas', de fato!" (Paul Scherer, *in loc.*, limitando-as por meio de uma moralidade apropriada).

Caros leitores, o hipercalvinismo promove um conceito voluntarista de Deus. A isso devemos resistir sobre bases morais. O Deus de amor não pode sair fazendo certas coisas que lhe são atribuídas, como a reprovação ativa, por exemplo. Um conceito de julgamento que não seja temperado pelo amor é um conceito voluntarista. O julgamento divino existe para corrigir e remediar, não apenas para punir. De fato, todos os julgamentos de Deus são remediais, até o julgamento dos perdidos. Ver sobre 1Pe 4.6, no *Novo Testamento Interpretado*. E ver, no *Dicionário*, o artigo intitulado *Julgamento de Deus dos Homens Perdidos*.

■ **9.9**

עֹשֶׂה־עָשׁ כְּסִיל וְכִימָה וְחַדְרֵי תֵמָן׃

Quem fez a Ursa, o Órion, o Sete-estrelo e as recâmaras do sul. *O ato da criação* é também descrito porque mostra o poder de Deus e sua vontade inexorável. Ele fez as constelações de estrelas, cujos nomes são registrados aqui. Dou artigos sobre as constelações no *Dicionário*, de maneira que o leitor pode examiná-los, quanto a informações mais detalhadas. Ver os artigos chamados *Plêiades (e Outras Constelações); Sete-Estrelo*. Os homens olham para os céus admirados, e sabem que ali há grande poder. O poeta assegura que esse Poder existe, não meramente para ser admirado, mas para impressionar os ímpios hipócritas. Por outra parte, esse Poder também existe para abençoar os arrependidos. Jó podia fazer essa escolha. Os nomes próprios têm sido variegadamente traduzidos e interpretados, mas a mensagem é bastante clara. Devemos lembrar que Deus *transcende* seu cosmo criativo, e isso também ilustra seu poder.

As recâmaras do sul. Isto é, as *regiões invisíveis* do hemisfério sul, com seu próprio jugo de inúmeras estrelas, em distinção às outras constelações que tinham acabado de ser citadas. O autor fala da *vastidão* dos céus estrelados. Ver no *Dicionário* o artigo denominado *Astronomia*, que ilustra essa vastidão através do conhecimento moderno.

■ **9.10**

עֹשֶׂה גְדֹלוֹת עַד־אֵין חֵקֶר וְנִפְלָאוֹת עַד־אֵין מִסְפָּר׃

Quem faz grandes cousas. *Ninguém pode sondar* a *verdadeira natureza* do próprio Deus ou de suas obras. Deus faz maravilhas sem-número, porque tem o poder e a sabedoria para tanto. Por conseguinte, ninguém pode pôr-se diante de Deus e interrogá-lo. Ele não tem de prestar contas a quem quer que seja. Não existe tribunal diante do qual ele possa ser convocado e interrogado. Mas podemos estar certos de que o seu poder fere o homem maligno e de que ele julga o pecado. Note o leitor como este versículo faz referência à declaração de Elifaz, em Jó 5.9. Ver as notas ali quanto a outros detalhes. O segundo crítico de Jó salientou que o caso de Jó não era muito difícil para Deus, o qual faz maravilhas sem-fim. Mas devemos buscar a Deus da maneira certa, incluindo a humildade e o arrependimento. O caso de Jó era desesperador, mas não impossível. Jó reconhecia o Poder divino, mas só o via operar em sua vida de forma negativa. E isso o deixava assustado. Jó reconhecia o estupendo poder de Deus, mas demorava-se sobre seus terríveis atos de destruição, os quais, segundo todas as aparências, não eram governados por nenhuma razão, pois, afinal de contas, faziam-no sofrer "sem causa" (Jó 2.3).

■ **9.11**

הֵן יַעֲבֹר עָלַי וְלֹא אֶרְאֶה וְיַחֲלֹף וְלֹא־אָבִין לוֹ׃

Eis que ele passa por mim, e não o vejo. *O Deus Oculto.* Deus deixa suas pegadas por toda a parte, assim sabemos que ele está "ali, em algum lugar". Mas ele é transcendental, e nunca podemos achá-lo. Ele está acima de nossa percepção e de nossa razão, além de nossa investigação. Ele transcende ao cosmo criado e não nos admiramos por não poder encontrá-lo. "Ele é incompreensível em todos os seus caminhos e em todas as suas obras. E assim deve ser, se ele é *Deus*. Sua própria natureza e operações são *inescrutáveis*" (Adam Clarke, *in loc.*). Deus é "inteiramente outro", conforme comento nas notas sobre o vs. 8. Ver na *Enciclopédia de Bíblia, Teologia e Filosofia* o detalhado artigo chamado *Transcendente, Transcendência, Transcendentais*. Ver as notas sobre o vs. 8 deste capítulo quanto à *Via Negationis*, um modo de dizer algo sobre Deus. Dizemos que Deus é *imanente* (está presente em sua criação) e também *transcendente* (está fora, acima e além de sua criação, de forma que permanece oculto da compreensão humana). Ver no *Dicionário* o artigo chamado *Atributos de Deus*.

Cf. Jó 4.15, onde o crítico Elifaz disse algo similar, e ao que Jó provavelmente se referia.

■ **9.12**

הֵן יַחְתֹּף מִי יְשִׁיבֶנּוּ מִי־יֹאמַר אֵלָיו מַה־תַּעֲשֶׂה׃

Eis que arrebata a presa! Quem o pode impedir? *A Metáfora do Ladrão.* Jó falou com Deus como se ele estivesse agindo como um ladrão ou sequestrador. Um ladrão não pede licença ao dono da casa para roubar. Ele simplesmente chega e rouba. As pessoas são sequestradas subitamente e sem aviso prévio. A palavra hebraica traduzida por "arrebata" é usada somente aqui em todo o Antigo Testamento (uma *hapax legomenon*), mas cognatos são encontrados em outros trechos bíblicos, como em Pv 23.28 e outros lugares para referir-se à violência humana. Nossa versão portuguesa expressou bem a questão com a tradução *Arrebata a presa!*

"Deus é implicitamente comparado a um ladrão e sequestrador a quem ninguém pode resistir, ou mesmo criticar e censurar" (Samuel Terrien, *in loc.*). Este versículo subentende um Deus voluntarista, alguém que é tão "completamente outro" que está acima das regras da moralidade que ele impôs ao homem. Ver os comentários no vs. 8, que desenvolve este tema. Jó foi lançado em horrendo sofrimento "sem causa" (Ver Jó 2.3), mas não tinha direito de perguntar a Deus: "Por quê?" Era a vontade de Deus, a vontade inquestionável e inexorável. O artigo no *Dicionário* chamado *Voluntarismo* põe em dúvida esse tipo de conceito de Deus. O voluntarismo deixa inteiramente de fora o conceito de Deus como um Deus de amor (ver 1Jo 4.8) e enfatiza a vontade às expensas da razão, da moralidade e da justiça, conforme compreendemos esses termos. O voluntarismo manifesta uma teologia desequilibrada. Na verdade, o Deus revelado no Novo Testamento contém um conceito superior do Deus do Antigo Testamento, e por que isso nos deveria surpreender?

"Mesmo que Deus estivesse, por assim dizer, laborando em erro e se tornasse um *assaltante*, ainda assim poderia manter a sua causa devido ao seu grande poder, e então esmagar o seu adversário" (Ellicott, *in loc.*).

9.13

אֱלוֹהַּ לֹא־יָשִׁיב אַפּוֹ תַּחְתָּו שָׁחֲחוּ עֹזְרֵי רָהַב׃

Deus não revogará a sua própria ira. Deus é inexorável na aplicação de sua vontade e poder, e assim faz todos os inimigos prostrar-se a seus pés. Até os temíveis *aliados de Raabe* não podem oferecer-lhe resistência.

Auxiliadores do Egito. *Raabe.* Nos livros poéticos do Antigo Testamento, este nome é usado para indicar um monstro de poder demoníaco. Quando esse vocábulo é empregado, parece estar relacionado aos atos criativos de Deus, ao restringir o mar, pelo que somos levados a pensar em algum monstro marinho terrível. Visto que esse monstro é usado como símbolo do Egito (ver Is 30.7; e ver as notas sobre Jó 3.8 e 7.12), nossa versão portuguesa chama aqui Raabe de "auxiliares do Egito", referindo-se a um mito da criação babilônica, no qual Marduque derrotou Tiamate (outro nome para Raabe e para o leviatã; ver Jó 7.12) e, então, capturou seus auxiliares. Posteriormente, Raabe tornou-se um apelido do Egito (ver Sl 87.4; 89.10 e Is 30.7). Tiamate também pode referir-se à deusa do oceano salgado primevo, a antagonista do deus-herói do grande épico babilônico. Isso significa que Deus conquista e subjuga deuses de qualquer espécie. Sendo esse o caso, que poderia fazer o pobre Jó contra Deus? Como resistiria ele aos poderes e ao julgamento de Deus? Só lhe restava continuar sofrendo "sem causa" (Jó 2.3). Ver no *Dicionário* o verbete chamado *Tiamate*, quanto a detalhes.

Ver também sobre *Raabe*, em Jó 26.12 e Is 51.9. Se Deus venceu nesse "conflito cósmico", então nenhum homem sobre a face da terra pode chamar a atenção dele nem resistir à sua vontade inexorável e ao seu poder.

FÚTIL É CONTENDER COM DEUS (9.14-19)

9.14

אַף כִּי־אָנֹכִי אֶעֱנֶנּוּ אֶבְחֲרָה דְבָרַי עִמּוֹ׃

Quanto menos lhe poderei eu responder...? Jó, o pobre sofredor, não era ninguém para questionar o Todo-poderoso, aquele que criou os céus e a terra. Jó não era ninguém para derrotar tão poderoso e tão temíveis poderes sobrenaturais. Ele não era capaz de escolher palavras que compusessem um bom argumento. Ele não podia raciocinar com o Deus voluntarista. Restava-lhe somente continuar sofrendo de forma *enigmática*.

Aqui o quadro é o de uma ação legal na qual Jó ou se fingiu um defensor sem esperança (vss. 14,15), ou um querelante incapaz de forçar uma audição (vs. 16). A despeito de tudo, Jó manteve firme a sua inocência (vs. 15). Jó pensava que o poder de Deus era *arbitrário*, em consonância com o conceito voluntarista dos hebreus sobre Deus. A razão estava longe do contexto. Ele simplesmente tinha de submeter-se a um sofrimento aparentemente ridículo.

"Não posso contender com meu Criador. Ele é o *Legislador e o Juiz*. Como permanecerei de pé no julgamento, diante dele?" (Adam Clarke, *in loc.*). "Em uma luta de forças, o Criador tem as vantagens" (*Oxford Annotated Bible*, comentando sobre o vs. 10).

9.15

אֲשֶׁר אִם־צָדַקְתִּי לֹא אֶעֱנֶה לִמְשֹׁפְטִי אֶתְחַנָּן׃

A ele, ainda que eu fosse justo, não responderia. Nem mesmo um *homem inocente* pode raciocinar com o Deus que pune à toa. Ele não dispõe de razões que se apliquem. Os sofrimentos permanecem um enigma. Ao homem inocente, não podendo apelar para a razão, só restaria rogar a misericórdia de Deus. Seu apelo era por *piedade*, e não por justiça, conforme ele entendia o termo. Ele era um réu sem esperança, no tribunal divino. Reconhecendo isso, só esperava um pouco de misericórdia para aliviar suas dores.

É errado cair aqui na armadilha de Elifaz, supondo que Jó, embora *inocente* de um ou mais atos específicos que tivessem causado seus sofrimentos, era um pecador terrível, o que explicaria os julgamentos a que era sujeitado.

> Tenho asco de mim mesmo quando vejo Deus,
> E transformo-me no nada.
> Contente que tu sejas exaltado,
> E Cristo seja tudo em todos.
>
> Adam Clarke

Jó ficaria calado na presença do terrível Juiz. Portanto, ele tão somente apresentaria um apelo por misericórdia, em vez de falar em sua própria defesa, por motivo de sua inocência.

"... súplica, e não asserção" (Ellicott, *in loc.*).

9.16,17

אִם־קָרָאתִי וַיַּעֲנֵנִי לֹא־אַאֲמִין כִּי־יַאֲזִין קוֹלִי׃
אֲשֶׁר־בִּשְׂעָרָה יְשׁוּפֵנִי וְהִרְבָּה פְצָעַי חִנָּם׃

Ainda que o chamasse. Jó, em sua dor e humilhação, não esperava realmente que Deus ouvisse seu apelo de inocência e misericórdia... Isso era verdade, porque ele tinha aprendido que tudo quanto podia esperar de Deus era ainda mais sofrimento. Encontramos aqui palavras de total *desespero*. Jó havia sido esmagado até o lugar em que não supunha que apelos, quer por justiça ou por misericórdia, fossem eficazes com seu Deus voluntarista. O vs. 16 também parece indicar que Deus só responderia se houvesse mais dor. E até mesmo um *Deus ouvinte* só esmagaria mais ainda.

"Seus apelos por misericórdia não passavam de tola fantasia, na presente realidade, em que Deus o esmagava como se fosse uma tempestade" (Samuel Terrien, *in loc.*). O Targum e a versão siríaca dão ao texto hebraico uma vocalização diferente, fazendo a palavra "tempestade" ter o sentido de "por um nada" ou "com um cabelo". Em outras palavras, Jó sofria "sem causa" (ver Jó 2.3). O vs. 17 repete a afirmação. Jó permaneceu firme na convicção de que era um homem inocente. Ele lançava a culpa por seu sofrimento em um Deus arbitrário e voluntarista, que causa sofrimentos sem razão discernível.

Jó foi apanhado na armadilha de uma teologia inferior, na qual a *inexorável* vontade divina abençoa ou amaldiçoa sem considerações de razão e moral, conforme o homem julga essas coisas. Mas estou imaginando que *qualquer* homem, antigo ou moderno, que fosse sujeitado aos sofrimentos de Jó, cairia para essa teologia deficiente. Um sofrimento aparentemente insensato transforma muitos homens em ateus, enquanto outras pessoas, que não abandonam definitivamente a Deus, são transformadas em voluntaristas.

Jó sempre fora um homem de oração e, sem dúvida, tinha visto grandes coisas acontecerem. Mas, naquele período de sua vida, a oração o decepcionara. Certamente ele não recebera nenhuma satisfação da parte do tribunal celeste. A cúpula celestial se transformara em uma cúpula de cobre, pois o cobre é símbolo do julgamento divino.

Esmaga. Aqui e em Gn 3.15 e Sl 139.11 são as três ocorrências dessa palavra hebraica no Antigo Testamento. Ver as notas expositivas sobre o vs. 18.

■ 9.18

לֹא־יִתְּנֵנִי הָשֵׁב רוּחִי כִּי יַשְׂבִּעַנִי מַמְּרֹרִים׃

Não me permite respirar. Os gritos de desespero de Jó se tornavam cada vez mais agoniados. Do ponto de vista dos hebreus, ele estava aproximando-se das blasfêmias que Satanás disse que ele pronunciaria quando estivesse sob tensão extrema (ver Jó 1.11 e 2.5).

A respiração de Jó era esmagada *para fora dele*, e, em lugar de oxigênio saudável, ele inalava amargor de espírito. Ele estava sendo esmagado (vs. 17) como a posteridade da mulher (ver Gn 3.15). Ver também Sl 139.11, onde a palavra hebraica para *esmagar* é usada, completando assim as três ocorrências do termo no Antigo Testamento.

Este versículo deve ser comparado com Jó 7.19, que tem algo similar. As dores de Jó vinham tão depressa e de forma tão inexorável que ele mal podia engolir sua saliva ou respirar. Um homem respira profundamente depois de uma experiência exaustiva ou um esforço muito grande. Deus nem ao menos permitia que Jó respirasse, a despeito de sua exaustão. Jó não estava sofrendo de asma ou alguma afeção pulmonar, que não lhe permitisse respirar, o que é uma interpretação exageradamente literal do vs. 18. Cf. este versículo com Jr 9.15 e Lm 3.15,19.

■ 9.19

אִם־לְכֹחַ אַמִּיץ הִנֵּה וְאִם־לְמִשְׁפָּט מִי יוֹעִידֵנִי׃

Se se trata da força do poderoso. Jó não estava em condições de ter um "contexto de forças" com o Todo-poderoso. Se ele pleiteasse justiça, que bem faria isso? Seu oponente era, ao mesmo tempo, Juiz e Júri. Ninguém pode convocar Deus ao tribunal, e, se porventura ele aceitar vir, ninguém pode derrotá-lo em um caso. Deus toma as decisões e os homens que sofrem podem sofrer na inocência. Isso envolve um enigma. Não se procurem razões. Não se aplique a força humana. Que cada sofredor apenas sofra e espere por uma morte prematura.

"Ele é Deus e eu sou apenas um homem, e por isso não podemos comparecer juntos em um tribunal" (John Gill, *in loc.*). Jó reconhecia assim quão fútil era pleitear com seu Deus voluntarista e amoral. Quão diferente é esse Deus imaginário do *Pai Celeste* referido por Jesus, o qual, com tanta paciência e misericórdia, ouve seus filhos que se queixam! (Ver o violento contraste que há em Mt 7.25 ss.)

A GARGALHADA ZOMBETEIRA DE DEUS (9.20-24)

■ 9.20

אִם־אֶצְדָּק פִּי יַרְשִׁיעֵנִי תָּם־אָנִי וַיַּעְקְשֵׁנִי׃

Ainda que eu seja justo. Chegamos agora ao mais veemente protesto de inocência de Jó. Ele se refere a Deus como um Tirano Todo-poderoso que destrói os bons e os maus, sem discriminar a justiça, conforme os homens a compreendem. Jó insistia sobre a sua inocência. Ele falava com a paixão de um herói abusado. A dor física e mental o levava a falar de maneira precipitada e atrevida. Ele chegou muito perto (de acordo com a mente dos semitas) de blasfemar, conforme Satanás disse que ele faria (ver Jó 1.11 e 2.5).

A minha boca me condenará. Ao defrontar-se com o Todo-poderoso, embora fosse inocente, ele ficaria tão aterrorizado que terminaria por incriminar a si mesmo. Além disso, ele mostraria ser *perverso,* pela palavra do Juiz. Jó supunha que devesse haver alguma razão para a oposição divina que ele estava enfrentando, mas ele era incapaz de solucionar o enigma. Não obstante, teimava ser inocente.

■ 9.21

תָּם־אָנִי לֹא־אֵדַע נַפְשִׁי אֶמְאַס חַיָּי׃

Eu sou íntegro. *Embora fosse inocente,* Jó havia sofrido tão terrivelmente que não via mais utilidade para sua vida, nem tinha mais consideração por si mesmo. Havia perdido o seu instinto de *autopreservação* (ver a respeito na *Enciclopédia de Bíblia, Teologia e Filosofia*). Ele chegou a pensar na vida como um mal, e na morte como um alívio desejável. O pessimismo é uma doutrina condenável. Mas qualquer homem que sofresse o que Jó estava sofrendo seria empurrado para o ateísmo, para o pessimismo, ou para ambas as coisas. É conforme disse Schopenhauer: "O pior pecado de um homem é ele ter nascido". Ele acreditava que a mente divina fosse insana, porquanto insistia em promover a vida, a despeito de todas as suas misérias. A *salvação* consistiria no desejo da mente divina para que todas as coisas deixassem de existir. Se isso acontecesse, só haveria o *nada,* e isso traria a *paz* final. A paz verdadeira, para os pessimistas, só pode existir quando nada mais existir, porquanto a própria existência é um mal perturbador.

> Todos nós labutamos contra a nossa própria cura, pois a morte é a cura para todas as enfermidades.
> Sir Thomas Browne

■ 9.22

אַחַת הִיא עַל־כֵּן אָמַרְתִּי תָּם וְרָשָׁע הוּא מְכַלֶּה׃

Para mim tudo é o mesmo. *Deus, o Nivelador*. Jó, em seu desespero, pensava só haver uma verdade e uma realidade: Deus destrói o ímpio e o inocente, sem fazer a mínima distinção entre eles. Em outras palavras, Deus é o inimigo de toda a vida, pelo que quem pode ficar de pé diante dele? Outrossim, quem pode alterar a natureza do mal, visto que Deus está por trás do mal? A teologia dos hebreus era fraca quanto a causas secundárias, fazendo de Deus a única causa, até do mal. E o hipercalvinismo, com seu exagero na doutrina da predestinação, cai na mesma armadilha.

> Nem mesmo sentado em casa pode um homem escapar a seu destino determinado.
> Ésquilo

> É a sorte que lança os dados, e quando ela os lança, transforma reis em aldeões, e aldeões em reis.
> John Dryden

Este versículo deve ser comparado a algo similar, em Ec 9.2.

"Por conseguinte, digo: ele extermina tanto os perfeitos quanto os ímpios" (Samuel Terrien, *in loc.*).

"Minhas próprias observações mostram que, no curso da providência, os justos e os ímpios têm igual sorte. Quando a calamidade vem, o inocente e o culpado caem juntamente" (Adam Clarke, *in loc.*).

■ 9.23

אִם־שׁוֹט יָמִית פִּתְאֹם לְמַסַּת נְקִיִּם יִלְעָג׃

Se qualquer flagelo mata à súbita. *O Deus Zombador.* Na verdade, essas palavras de Jó foram muito amargas, e nem sei como Satanás não ganhou a sua aposta de que o homem sob severo teste blasfemaria (ver Jó 1.11 e 2.5). Mas devemos observar que ele blasfemou de seu Deus voluntarista, não da verdadeira compreensão de Deus. Outrossim, ele ignorava a existência de causas secundárias. Tendo dito isso, nem assim conseguimos explicar como é que os inocentes podem sofrer e realmente sofrem.

"Jó concluiu: Que diferença isso faz? Quer inculpável quer ímpio, Deus haveria de destruí-lo arbitrariamente. Ação tão indiscriminada, como um açoite, traz a morte para os inocentes e para os ímpios" (Roy B. Zuck, *in loc.*).

Flagelo. A metáfora aponta para qualquer tipo de calamidade, acidente, enfermidade ou desastre. Deus olha lá de cima para as pobres vítimas e escolhe a sua. Ele a golpeia com seu chicote, e esse é o fim dela. Outrossim, quando ele olha e golpeia com o açoite, não faz distinção entre o homem ímpio e o bom. Deus é um destruidor arbitrário. Uma vez que destrói um homem, ele pensa que é engraçado e zomba do morto que jaz em terra; então o som das gargalhadas divinas reboa através dos céus. Quando uma calamidade alcança um inocente, Deus ri-se dele! O sofrimento faz parte de um *esporte* celeste.

    Somos para os deuses
    Como as moscas são para os meninos.
    Eles nos matam por esporte.

                                           Shakespeare

Ver os versículos que falam sobre o riso de Deus contra os ímpios: Sl 2.4; Pv 1.26; Jr 48.39; Gl 6.7. Mas a posição de Jó era a de que Deus revolve a terra inteira atrás de suas vítimas, e a justiça é cega. Deus estaria indiferente às distinções morais tão importantes para o homem. O destino é arbitrário e destruidor. Nenhum indivíduo escapa à arbitrariedade ou à destruição.

■ 9.24

אֶרֶץ ׀ נִתְּנָה בְיַד־רָשָׁע פְּנֵי־שֹׁפְטֶיהָ יְכַסֶּה אִם־לֹא
אֵפוֹא מִי־הוּא:

Se não é ele o causador disso, quem é logo? Jó atacava seu Deus arbitrário e voluntarista. Ele acusava Deus de injustiça social e opressão política. E adicionou de maneira desafiadora: "Se não é Deus quem causa toda essa maldade, então quem é?" "Aqui, pela primeira vez, Jó acusou Deus de injustiça. Ao contemplar as injustiças da vida, com ele e com outras pessoas, Jó protestou contra a crença de seus críticos, de que Deus nunca perverte a justiça (ver Jó 4.7 e 8.3)" (Roy B. Zuck, *in loc.*). Jó, por assim dizer, declarou: "Deus entregou a terra nas mãos dos ímpios. E se não foi Deus quem fez isso, então quem foi?" Jó deixou de perceber, uma vez mais, que poderia existir uma causa secundária.

DEUS NÃO CONSIDERARIA JÓ INOCENTE (9.25-29)

■ 9.25

וְיָמַי קַלּוּ מִנִּי־רָץ בָּרְחוּ לֹא־רָאוּ טוֹבָה:

Os meus dias foram mais velozes. "Novamente, o poeta revela-se como um profundo mestre da psicologia. Jó havia acabado de fazer uma declaração herética, com risco de sua vida, e imediatamente revelou seu temor pela morte, mediante três imagens de beleza atrativa: o corredor (vs. 25).; os navios (vs. 26) e a águia (vs. 26b). Quando suas corajosas resoluções de ter bom ânimo (vs. 27) foram interrompidas pelo excesso de dores, ele se voltou a Deus com uma oração melancólica (vs. 29), o que, uma vez mais, conduz a uma inquirição filosófica: 'Por que, pois, eu labuto em vão?' (vs. 29)" (Samuel Terrien, *in loc.*).

Assim, pois, os esforços de Jó para vindicar a si mesmo eram fúteis, porque seus dias deslizavam velozmente, e ele se aproximava rapidamente da morte.

Primeira Metáfora: O Corredor. O homem é um grande atleta. Ele tem poder. Ele faz uma corrida com velocidade e graça. Portanto, em breve a termina. Assim acontecia com a vida de Jó, que passava rápida e inutilmente. Não havia bem a ser obtido nessa corrida. A morte era o alvo. Jó, suportando toda aquela dor, corria rapidamente para um fim fútil. Jó lamentava a brevidade da vida, que era insignificante e cheia de dor (cf. Jó 7.6-9; 10.30; 14.1,2,5 e 7.1).

"Jó estava dividido. Ele anelava por Deus, mas o temia. Ele odiava a vida e, no entanto, a amava... Existem milhares de pessoas que fazem de sua atitude desanimada o único comentário sobre a vida" (Paul Scherer, *in loc.*). A vida é como o dinheiro posto em uma sacola com buracos. Para Jó, a vida era tão fútil quanto isso.

A vida de Jó não se assemelhava a uma lenta caravana, mas as de um carteiro que montava um cavalo poderoso em seu circuito. O corredor cumpre a sua missão de modo tão rápido quanto possível. O correio precisa apressar-se. Supercavalos e superatletas eram empregados nesse serviço.

■ 9.26

חָלְפוּ עִם־אֳנִיּוֹת אֵבֶה כְּנֶשֶׁר יָטוּשׂ עֲלֵי־אֹכֶל:

A Segunda Metáfora: Os Navios Velozes. A referência mais provável é aos barcos de papiro do Egito, as *lanchas rápidas* da época. Eram leves e tangidos com grande facilidade pelo vento. Ver Is 18.2, quanto a uma referência a esse tipo de embarcação. Tais embarcações eram usadas no rio Nilo, e, quando desciam o rio, iam mais depressa ainda.

Os barcos não somente passavam rapidamente, mas também não deixavam banzeiro, exatamente como acontece ao homem. Algumas dessas embarcações eram conduzidas por remos, e homens fortes podiam fazê-las movimentar-se rapidamente.

Terceira Metáfora: A Águia, Ave de Rapina. A águia é famosa por suas asas fortes e por seu voo veloz. Também é uma caçadora implacável, cuja descida à terra, para apanhar um animal que de nada suspeita, é impressionante. Essa metáfora é especialmente apropriada, porquanto fala de *morte súbita,* que não está no controle do animal morto. Há algo de brutal no mergulho da águia, e algo de brutal na morte calamitosa de um homem inocente. Roy B. Zuck, *in loc.,* pensa que o autor pode estar referindo-se ao *falcão,* o qual atinge velocidades de até 193 quilômetros por hora em sua descida para apanhar a presa! A palavra hebraica empregada pode incluir águias, abutres e falcões.

As três metáforas incluem a ideia perfeita de velocidade na terra, na água e no ar. Cf. este versículo com Hc 1.8 e Lm 4.19.

■ 9.27,28

אִם־אָמְרִי אֶשְׁכְּחָה שִׂיחִי אֶעֶזְבָה פָנַי וְאַבְלִיגָה:
יָגֹרְתִּי כָל־עַצְּבֹתָי יָדַעְתִּי כִּי־לֹא תְנַקֵּנִי:

Se eu disser. Jó via uma bruxuleante luz de esperança e pensava talvez ser até capaz de parar com suas tristezas e dores. Aqui ele assume uma atitude mais otimista, mas então, de súbito, no meio de suas fantasias, o antigo sofrimento o esmaga novamente. Ele sabia que o severo Juiz não o consideraria inocente e, assim sendo, não permitiria que seu breve alívio durasse por muito tempo. De fato, ele não teve alívio, somente imaginou que assim poderia ser, mas até a ideia foi logo abandonada. "Quando suas bravas resoluções de ter bom ânimo (vs. 27) foram interrompidas pelo excesso de sua dor, ele se voltou para Deus em uma oração melancólica (vs. 28)" (Samuel Terrien, *in loc.*). O trecho, no hebraico original, é muito vívido: "Esquecerei o meu rosto", ou seja, o rosto de tristeza. A Vulgata Latina interpreta isso como: "Mudarei minha fisionomia", mas o temor de um sofrimento constante o fez abortar a tentativa.

■ 9.29

אָנֹכִי אֶרְשָׁע לָמָּה־זֶּה הֶבֶל אִיגָע:

Serei condenado. A *arbitrária aflição divina* em breve poria fim a um rosto feliz, assim por que fingir ser alegre? "ele continuaria *culpado* diante de Deus; portanto, por que ao menos tentar?" (Roy B. Zuck, *in loc.*). "Jó submeteu-se, não tanto por estar convencido de que Deus tinha *razão,* mas porque Deus é *poderoso,* e ele mesmo era fraco" (Barnes, *in loc.*). Isso exprime um voluntarismo puro. Trasímaco, no diálogo de Platão, que tem o seu nome, perguntou: "Uma coisa é certa porque Deus a fez, ou Deus a faz porque ela é certa?" A *vontade* é predominante, e Jó pensava que a vontade suprema é perversa, a causa de todo o mal, bem como a *fonte* de todos os seus sofrimentos, embora ele fosse um homem inocente.

INTENÇÕES DE DEUS PARA COM O HOMEM (9.30—10.22)

A NECESSIDADE DE UM MEDIADOR (9.30-35)

"Esta estrofe provê um segundo *marco* na jornada espiritual de Jó (cf. Jó 7.21). Embora tenha dito, pouco atrás, que Deus trata cegamente tanto homens perfeitos como homens ímpios (vs. 22), ele percebe, *superficialmente,* que estava sendo perseguido por Deus, porque este o considerava culpado (vs. 28). Mas agora, em uma declaração, ele proclama a incapacidade do homem de salvar a si mesmo contra a vontade de Deus (vss. 30 e 31). O texto não deve ser pressionado excessivamente, embora possamos reconhecer aqui um homem necessitado de salvação pela graça. Enquanto o teólogo penitente da *sola gratia* implorou a Deus: "Lava-me, e ficarei mais alvo que a neve" (Sl 51.7), Jó exclamou: "Ainda que me lave com água de neve... mesmo assim me submergirás no lodo". À semelhança do salmista, Jó percebeu que não podia lavar a si mesmo, mas, diferentemente do salmista, não desistiu da ideia de autopurificação e de receber de uma vez por todas as riquezas da misericórdia divina, clamando: 'Tem misericórdia de mim'" (Samuel Terrien, *in loc.*).

Essa é uma excelente e perceptiva nota expositiva de nosso irmão Terrien, mas contém uma grande falha: Jó não estava falando da salvação da alma, mas somente do livramento dos sofrimentos físicos. Ele apelava para a graça divina pura *nesse sentido*, e não em favor da salvação da alma após a morte biológica. É um erro cristianizar o texto sagrado. Por outra parte, é correta a observação de que obtemos muitas coisas através da *pura graça divina,* sem nenhum mérito humano. Isso se estende ao mundo material e ao mundo espiritual.

■ **9.30**

אִם־הִתְרָחַצְתִּי בְמוֹ שָׁלֶג וַהֲזִכּוֹתִי בְּבֹר כַּפָּי׃

Ainda que me lave com água de neve. Jó reconhece aqui a futilidade de limpar-se para agradar a Deus. O *arrependimento* seria a neve que purifica, bem como o *cáustico* com o qual ele lavaria as mãos. Mas, se não era o arrependimento, que poderia ser? De alguma maneira, Jó tentaria lavar-se perante Deus e esperar o melhor resultado. O *melhor* não consiste na salvação da alma, mas no alívio e na cura do corpo. Talvez Jó até chegasse a pensar no sacrifício apropriado. Ver Jó 1.5. Talvez isso exercesse alguma espécie de efeito purificador.

Com cáustico. Os antigos árabes usavam um álcali misturado com óleo, como se fosse sabão. Essa mistura era bastante eficaz como purificador, embora não fosse muito agradável.

Talvez haja aqui uma alusão ao antigo rito da lavagem das mãos como sinal de inocência, o ato usado por Pilatos (ver Mt 27.24). Mas não sabemos dizer se esse ato é assim tão antigo. Seja como for, Jó não tinha fé na autopurificação. Deus não daria nenhuma atenção a tal ato (vs. 31).

■ **9.31**

אָז בַּשַּׁחַת תִּטְבְּלֵנִי וְתִעֲבוּנִי שַׂלְמוֹתָי׃

Mesmo assim me submergirás no lodo. Se Jó se desse ao trabalho de passar por ritos e cerimônias para tornar-se puro diante de Deus, sem importar o que viesse a empregar, Deus não prestaria a mínima atenção. De fato, o Senhor lançaria o homem "limpo" em uma fossa! E faria isso levado pelo desprazer, porquanto o "homem limpo" continuaria imundo com o seu pecado. Esse homem seria tão vil que até suas roupas o tornariam abominável diante de Deus! Ou a ideia pode ser que o Deus arbitrário lançaria um homem inocente no abismo imundo, para ver quão sujo ele ficaria. Em outras palavras, ele pensava ser inútil apelar a Deus sob quaisquer circunstâncias. Jó falava aqui um *enigma* inerente de tratar com um Deus transcendental, cujos caminhos são inescrutáveis.

■ **9.32**

כִּי־לֹא־אִישׁ כָּמֹנִי אֶעֱנֶנּוּ נָבוֹא יַחְדָּו בַּמִּשְׁפָּט׃

Porque ele não é homem, como eu. Jó continuou sua ideia sobre a dificuldade de tratar com um Deus transcendental. Esse trato está cheio de *enigmas,* porque Deus não se parece com um homem, e o raciocínio humano não pode conceber o Senhor. Seria uma situação quase impossível Deus e o homem se apresentarem juntos em um tribunal. Os dois não teriam base comum para julgar um caso entre si. Cf. isso com Rm 11.33.

A Futilidade. Quem poderia debater com Deus em um tribunal? Qual árbitro poderia ser chamado para mediar a disputa entre Deus e um mero ser humano? Quem poderia ouvir imparcialmente os argumentos apresentados pelos contendores e fazer um julgamento? Um mediador seria tão impotente para seu papel como Jó. Infeliz o homem que luta com seu Criador! Ver Is 45.9.

■ **9.33**

לֹא יֵשׁ־בֵּינֵינוּ מוֹכִיחַ יָשֵׁת יָדוֹ עַל־שְׁנֵינוּ׃

Não há entre nós árbitro. Se um *árbitro* tentasse negociar entre Deus e o homem, se um *mediador* fosse chamado, Deus *feriria* o homem, ou o *anjo,* ou qualquer outro *ser* que fosse empregado. Tal ser seria tão impotente quanto Jó. *O Deus transcendental* é tanto o juiz quanto o júri, e não admite nenhum árbitro em seus casos. Deus faz como melhor lhe agrada, e deixa o homem a perguntar: *Por quê?* Os intérpretes, neste ponto, costumam cristianizar o texto, fazendo de Cristo o Mediador entre Deus e os homens (ver 1Tm 2.5 e Hb 8.6). Mas isso é um anacronismo, não o que Jó estava falando. "O nobre príncipe árabe (Jó) não era um profeta do mistério cristão da encarnação, nem era capaz de contemplar o 'chocante' espetáculo de um Deus encarnado. Não obstante, o poeta tentava desesperadamente transpor o hiato que separa o Criador da criatura" (Samuel Terrien, *in loc.*). Em outras palavras, Jó tinha excelente *percepção,* mas não fazia a menor ideia do que lhe era requerido mediar, em uma causa com Deus. Portanto, ele desistiu imediatamente da ideia, como se fosse apenas outro pensamento inútil.

■ **9.34**

יָסֵר מֵעָלַי שִׁבְטוֹ וְאֵמָתוֹ אַל־תְּבַעֲתַנִּי׃

Tire ele a sua vara de cima de mim. Tendo desistido da ideia de um mediador que lhe pudesse fazer algum bem, Jó voltou à carga com uma oração na qual exprimiu um desejo, esperando que Deus ouvisse a sua voz. "Tira de cima de mim a tua vara! Para de bater em mim com ela! Cessa de aterrorizar-me com teu intolerável julgamento!" Alguns intérpretes, entretanto, fazem do *mediador,* referido no vs. 33, o assunto do verbo aqui. Nesse caso, Jó continuaria a esperar que tal ser, fosse ele um homem, um anjo ou um deus, pudesse mostrar-se eficaz em seu arbítrio e afastasse a vara de Deus de suas costas.

■ **9.35**

אֲדַבְּרָה וְלֹא אִירָאֶנּוּ כִּי לֹא־כֵן אָנֹכִי עִמָּדִי׃

Então falarei sem o temer. *Abruptamente,* Jó cessou de sonhar acordado e também abandonou suas orações fúteis, tendo compreendido que Deus, que não se parece com o homem em nenhum sentido, não se impressionaria diante de nenhuma mediação ou lamento contínuo de Jó. "Não é assim. Estou sozinho comigo mesmo." Nenhum mediador capaz estava com ele, e ele somente, miserável como era, poderia esperar alguma cooperação da parte de Deus para livrar-se de sua dor. Foi assim que Jó admitiu que a vida é um jogo sem juiz algum, e que tudo estava perdido. Por conseguinte, Jó continuou *temendo a Deus,* porquanto sabia que mais sofrimentos e assaltos ainda o atingiriam.

Não estaria em mim. Esta obscura frase portuguesa traduz um original hebraico obscuro. Várias ideias estão vinculadas a ela, a saber:
1. Jó não tinha nenhum mediador. Foi deixado sozinho, a depender somente de si mesmo.
2. Ele ficou sozinho em seus presumidos pecados e em sua fraqueza.
3. Ele tinha perdido a razão, ou estava no processo de tornar-se insano.
4. Em seu terror diante de Deus, ele havia perdido seu raciocínio normal.
5. Ele nada tinha em si mesmo que lhe possibilitasse confrontar o Deus Terrível.
6. Ele não dispunha de forças nem de circunstâncias que o capacitassem a pleitear sua causa diante de Deus.
7. Ele deixado a depender somente de seus próprios recursos, ou seja, estava condenado ao fracasso.

CAPÍTULO DEZ

Jó continua neste capítulo seus lamentos, pedidos de misericórdia e fúteis raciocínios iniciados em Jó 9.1. Ele respondia a Elifaz, a Bildade, ou a ambos, tentando replicar seus argumentos contra ele, os quais essencialmente o tachavam de ser um grande pecador, merecedor do terrível julgamento que estava sofrendo. Jó continuava asseverando a sua inocência. Ele exibia um marcante pessimismo: a própria vida é um mal. Ele via Deus como um Ser voluntarista, cuja vontade arbitrária o tornava um homem miserável, sem nenhuma razão verdadeira. O plano dos discursos (capítulos 3—14) é que os três críticos-amigos de Jó proferiram, cada um, três discursos, exceto o terceiro deles, que fez apenas dois discursos. Por sua vez, Jó replicou a esses discursos-acusações. Mas talvez estivesse em operação uma "ação adiada". Em outras palavras, a réplica de Jó a Bildade, seu *segundo crítico* (de acordo com a cronologia do texto), na realidade, talvez tenha sido contra Elifaz, o *primeiro crítico*.

Ver detalhes nas introduções aos capítulos 4 e 9. O trecho de Jó 9.32—10.22 finaliza o primeiro discurso de Jó, com uma meditação sobre o caráter de Deus. Ver sobre os problemas teológicos do livro, em Jó 1.11.

O DEUS ANTROPOMÓRFICO DE JÓ (10.1-7)

Um *comportamento tipicamente humano* é atribuído a Deus, e Jó é lançado ainda mais profundamente em seu desespero.

■ 10.1

נָקְטָה נַפְשִׁי בְּחַיָּי אֶעֶזְבָה עָלַי שִׂיחִי אֲדַבְּרָה בְּמַר נַפְשִׁי׃

A minha alma tem tédio à minha vida. Jó esperava que surgisse alguma espécie de árbitro, para pleitear o seu caso, algum homem, algum anjo, algum deus; mas ele não achava nenhum (Jó 9.33 ss.). Portanto, resolveu tornar-se seu próprio advogado de defesa. Em seu desespero, Jó desafiou a Deus. Nada tinha para perder. Ele já havia sofrido tudo, exceto a morte, e esta seria extremamente bem-vinda. Significaria paz e livramento de dores intoleráveis. Jó tomou a própria vida nas mãos; mas, visto que viera a detestar sua vida (ver Jó 9.23), decidiu deixar explodir sua ira e permitir que Deus o matasse, se assim o quisesse.

Jó confrontou Deus e pediu que não o condenasse sem que, primeiramente, soubesse quais acusações estavam sendo feitas contra ele.

Minha vida. Jó estava cansado de sua vida física. A palavra hebraica *nephesh* (alma, vida) foi usada na teologia judaica posterior, com o sentido de *alma;* mas ver aqui a alma no sentido moderno é anacronismo. A teologia patriarcal não especulava sobre uma parte imaterial do homem, nem sobre a vida além-túmulo, seja para os bons, seja para os ímpios.

Jó "deixou sua queixa fluir livremente" (*Revised Standard Version*). Ele falou com "amargor de espírito", porquanto sua vida se tornara amarga e insuportável.

O Targum diz aqui: "Minha alma é decepada em minha vida", ou seja, estou morrendo enquanto ainda vivo. Em outras palavras, Jó estava vivendo uma vida que não era digna de ser vivida. Portanto, ele arriscou aquela vida miserável, a fim de queixar-se ousadamente na presença do Deus Todo-poderoso.

■ 10.2

אֹמַר אֶל־אֱלוֹהַּ אַל־תַּרְשִׁיעֵנִי הוֹדִיעֵנִי עַל מַה־תְּרִיבֵנִי׃

Não me condenes. Não está em vista a condenação da alma no pós-túmulo. Jó falava das coisas que o condenavam a sofrimentos físicos.

Faze-me saber por que contendes comigo. O primeiro apelo de Jó era que o Todo-poderoso não o condenasse sem primeiramente ouvir a argumentação dele. Ele esperava abalar o Deus arbitrário e voluntarista com argumentos que causavam pena. Portanto, pediu que lhe *mostrasse por que* ele estava sofrendo tantas dores; que lhe mostrasse quais pecados ele havia cometido que mereciam tão terrível julgamento, se é que o *pecado*, na realidade, era a razão de sua tão grande miséria. Jó estava buscando a resposta fugidia para o sofrimento humano e, especialmente, por que os *inocentes* sofrem. Ele tinha esperança de que o enigma seria resolvido, mas o livro inteiro, apesar de projetar alguma luz, fica muito aquém dessa esperança. A melhor resposta do livro é que, na *presença* de Deus, todos os problemas são resolvidos, incluindo o problema do mal, mas essa ideia só podemos sentir, crendo que ela é um dogma. Não nos é dado nenhum delineamento nem respostas racionais. Ver a seção V da Introdução quanto às respostas para o problema do mal que o livro de Jó fornece. E ver no *Dicionário* o artigo chamado *Problema do Mal* quanto a um exame mais filosófico-teológico do problema.

■ 10.3

הֲטוֹב לְךָ כִּי־תַעֲשֹׁק כִּי־תִמְאַס יְגִיעַ כַּפֶּיךָ וְעַל־עֲצַת רְשָׁעִים הוֹפָעְתָּ׃

Parece-te bem que me oprimas...? Jó começou argumentando com uma aguda reprimenda: Seria *bom* que o Criador dos homens abusasse daquilo que ele criara, sem razão aparente? Seria Deus como um homem de *tendências sádicas* que aprecia ferir a outros? Seria a solução verdadeira do problema do mal, a de que Deus *gosta* de ver os homens agonizar? Schopenhauer chamava o Deus voluntarista, que ele imaginava, de *insano*. Jó sugeriu que Deus pudesse ser um sádico. Naturalmente, do ponto de vista da teologia dos hebreus, Jó havia caído na blasfêmia, conforme Satanás disse que ele faria, se fosse sujeitado a pressão suficiente (ver Jó 1.11 e 2.5). Seria a própria existência um mal, porque o Criador da vida gosta de ver suas criaturas sofrer? Ver na Enciclopédia de Bíblia, Teologia e Filosofia o verbete chamado *Pessimismo*. Do capítulo 3 deste livro em diante, Jó defendeu os princípios daquela lamentável filosofia que assevera: o maior pecado de um homem é ele ter nascido, pois a própria existência é um mal.

E favoreças o conselho dos perversos? Seria a razão da prosperidade dos ímpios o fato de que Deus mesmo favorece o mal, ao mesmo tempo que pune o homem bom? Nesse caso, Deus age como um sádico com os bons, e como um benfeitor dos maus. Então, obviamente, Deus é o mal em pessoa, *se* o julgamos segundo os *nossos* padrões morais. Mas o Deus voluntarista de Jó não obedecia às regras humanas, nem mesmo às regras que ele próprio dera ao homem para observar. Deus havia abandonado as obras de suas mãos (ver Sl 138.8), segundo todas as aparências.

A esperança é tão barata quanto o desespero.
Provérbio do século XVII

Minha mãe gemeu, meu pai chorou
Quando saltei dentro deste mundo perigoso.
William Blake

■ 10.4

הַעֵינֵי בָשָׂר לָךְ אִם־כִּרְאוֹת אֱנוֹשׁ תִּרְאֶה׃

Tens tu olhos de carne? Ou seja, Deus *julga* conforme os homens julgam? Não são os seus pensamentos *inteiramente outros*? Mas Jó falava com *ironia*, como se Deus fosse apenas um Super-homem, visto que seu estranho comportamento o furtava da natureza do Deus augusto, nas alturas. *Esse Deus*, afirmava Jó, agia como homem e imitava a desumanidade do homem para com o homem. Outra ideia possível é que as coisas correm erradas porque Deus, tal como o homem, tem julgamentos imperfeitos e incorre em toda a espécie de equívocos, ao tratar com os homens. Ele não seria um Deus infinito, e, sim, um Deus finito, e *muito parecido* com os homens.

■ 10.5

הֲכִימֵי אֱנוֹשׁ יָמֶיךָ אִם־שְׁנוֹתֶיךָ כִּימֵי גָבֶר׃

São os teus dias como os dias do mortal? *Jó Continua Humanizando a Deus*. Seria Deus um Ser temporal e não eterno, conforme temos pensado que ele seja, e, como ser temporal, cometeria ele equívocos, tal como o homem se equivoca? Pois certamente o que ele estava fazendo a Jó era um equívoco, levando um inocente a sofrer sem causa (ver Jó 2.3). Ou estaria Deus oprimindo Jó, em meio a tantos testes, porque ele tinha de cumprir sua tarefa antes que ele próprio deixasse de existir? "O teu tempo é curto? Impossível! No entanto, poder-se-ia até pensar, a partir da rápida sucessão de teus golpes, que tua existência tem duração limitada, de modo que não tens tempo vago para avassalar-me" (Fausset, *in loc.*).

■ 10.6

כִּי־תְבַקֵּשׁ לַעֲוֹנִי וּלְחַטָּאתִי תִדְרוֹשׁ׃

E averiguares o meu pecado? *Deus, com pressa,* dispondo de tempo limitado, fez uma rápida e brutal investigação de Jó, e resolveu que ele tinha de sofrer, por razões não declaradas. Os homens, quando estão com pressa, cometem equívocos, conforme diz uma antiga canção: "A pressa se engana". Deus, em vista de seu tempo limitado, havia-se enganado com respeito a Jó. Deus parecia agir como um Juiz inescrupuloso, mais disposto a ferir do que a descobrir a verdade. Ele agiu precipitadamente, sem dispor de evidências contra Jó.

10.7

עַל־דַּעְתְּךָ כִּי־לֹא אֶרְשָׁע וְאֵין מִיָּדְךָ מַצִּיל׃

Bem sabes tu que eu não sou culpado. Embora Deus, em seu conhecimento superior, *soubesse* que Jó era inocente, agiu contra ele. Deus era um Juiz injusto, que desconsiderava evidências, ou, então, agindo voluntariosamente, sem recompensar um homem justo, recompensava potencialmente os ímpios (ver o vs. 3 deste capítulo). Jó continuava a manifestar suas ideias sobre um Deus voluntarista, cuja vontade é suprema e inexorável, até mesmo contra os justos. Quanto à *inocência de Jó*, cf. Jó 9.28. Além disso, temos a declaração do próprio Deus, ao diabo, acerca da inocência de Jó (Jó 2.3). Assim, por que os inocentes sofrem? Seria porque Deus é como o homem, cometendo seus próprios equívocos? Ou seria porque Deus opera segundo os ditames da sua vontade, que pode ser e é perversa? Jó estava sob a *mão castigadora* de Deus, e não encontrava meio para escapar. Sua inocência não o ajudava, de modo que permanecia um enigma por que a mão divina continuava a esmigalhá-lo.

10.8

יָדֶיךָ עִצְּבוּנִי וַיַּעֲשׂוּנִי יַחַד סָבִיב וַתְּבַלְּעֵנִי׃

As tuas mãos me plasmaram e me aperfeiçoaram. As mãos divinas que, naquele momento, esmagavam Jó, eram as *mesmas mãos* que o tinham criado, em primeiro lugar! Sem dúvida isso era uma maravilhosa *contradição*. Por que Deus criara Jó? Para esmagá-lo? Porventura teria criado Jó para fazer de sua criatura um brinquedo, e, como se fosse um menino pequeno, ter prazer em prejudicar e matar quem lhe era inferior? Deus, na opinião de Jó, agia como um mágico ou um artífice louco. Deus gerara intrincadas e belas criaturas, investidas de magnificente desígnio. Mas, quando se cansava de seu jogo de criação, desfigurava e esmagava a todos quantos havia criado.

"Os homens geralmente dão grande valor às obras nas quais gastaram grandes habilidades e períodos de tempo. Mas embora Deus me tenha *formado* com tão grande habilidade e labuta, agora está prestes a destruir-me!" (Adam Clarke, *in loc.*). Deus mais se parecia com um oleiro desvairado que fazia belos e úteis vasos de argila, mas, em vez de utilizar-se deles ou vendê-los como itens decorativos nas casas, simplesmente os esmagava com alegria feroz.

Recorrendo a outra metáfora, podemos falar sobre o pai que era a fonte da vida de seu filho. Porém, por razões desconhecidas, o pai aflige esse filho e o leva a ponto de morrer. Um dos mais excelentes ensinamentos da Bíblia é sobre a paternidade de Deus. Jó não via nenhuma evidência dessa paternidade divina em seus sofrimentos.

10.9

זְכָר־נָא כִּי־כַחֹמֶר עֲשִׂיתָנִי וְאֶל־עָפָר תְּשִׁיבֵנִי׃

Lembra-te de como me formaste. Metáfora do *Oleiro* e do *Barro*. O oleiro louco fazia belos trabalhos de argila para que todos os admirassem. E, de fato, sua maior produção era o ser humano. Embora as obras fossem belas e úteis, o louco oleiro agora "queria" reduzir todas as suas criações de volta ao pó. Notemos como Rm 9 retém o conceito do Deus voluntarista, por meio do uso dessa metáfora do oleiro e da argila (ver Rm 9.19 ss.). Caros leitores, entristeço-me por dizer isso a vocês, mas esse tipo de conceito de Deus não se harmoniza com o restante do Novo Testamento. Trata-se de um fragmento de teologia inferior, voluntarista, deixada pelo judaísmo. Ver na *Enciclopédia de Bíblia, Teologia e Filosofia* o verbete denominado *Voluntarismo*. O voluntarismo faz a vontade ser suprema, às expensas da razão, da justiça (conforme os homens compreendem esse termo) e do amor. Deus aparece então como o Destruidor poderoso e voluntarista, não como o Deus que amou o mundo de tal maneira que deu o seu Filho como sacrifício pelos homens (ver Jo 3.16). Precisamos lembrar que até mesmo aqueles que promovem grandes avanços espirituais, como foi o caso do apóstolo Paulo, ainda assim carregam antigas ideias como bagagem nas costas. Nenhum ser humano fica livre do que herdou das tradições, de seus próprios genes e do seu meio ambiente.

Veja o leitor como o poema de Tennyson apela para uma teologia melhor:

Tu não deixarás no pó!
Tu criaste o homem, mas ele não sabe por quê.
Ele pensa que não foi criado para morrer.
Tu o fizeste, e tu és justo.

O presente versículo deve ser comparado com Sl 22.15. Ver também Gn 3.19 e Ec 12.7.

10.10

הֲלֹא כֶחָלָב תַּתִּיכֵנִי וְכַגְּבִנָּה תַּקְפִּיאֵנִי׃

Porventura não me vazaste como leite...? *A Metáfora do Leite.* Prosseguindo nas metáforas que ilustram a *destruição*, Jó falou sobre o bom leite que se estraga somente porque alguém, devido à sua vontade perversa, simplesmente o derrama no chão! Ou, então, o leite pode coalhar, como acontece quando se fabrica o queijo. Jó desprezou o fato de que o queijo é bom. Ele não estava dizendo, contudo, que Deus fizera o que era bom. Antes, ele enfatizou o processo de *azedume*, do qual resulta o queijo. É como se ele tivesse dito: "Deus azedou a minha vida com todas estas dores!"

Jó tinha receio de que "o amor era doce no começo, mas azedo no fim" (Draxe, 1616).

O *derramamento* do leite pode ser uma alusão ao embrião. Nesse caso, Jó se queixava de ter azedado desde o princípio, tendo saído do ventre materno como leite já azedo. O versículo seguinte sugere que Jó falava da vida *antes do nascimento*, quando estava sendo formado no ventre materno. Até mesmo ali, o Deus voluntarista já o estava azedando. John Gill (*in loc.*) supunha que o leite se referisse à semente de seus pais, porquanto poderia haver alusão direta ao líquido espermático. Mas até mesmo naquele estágio de sua vida, Jó estava sendo azedado, porquanto seu destino era sofrer muitas dores. O queijo sendo formado no coalho, conforme John Gill supunha, referia-se à mistura do espermatozoide masculino com o óvulo feminino. Na concepção de Jó, essa mistura azedou desde o instante inicial, porque um *filho da tristeza* estava prestes a nascer. Cf. o quadro *positivo* do salmista acerca do mesmo processo, em Sl 139.13 ss.

10.11

עוֹר וּבָשָׂר תַּלְבִּישֵׁנִי וּבַעֲצָמוֹת וְגִידִים תְּסֹכְכֵנִי׃

De pele e carne me vestiste. Jó estava azedo, mesmo quando o espermatozoide paterno juntou-se ao óvulo materno para formar o *queijo azedo*. Então o processo mau continuou, conforme o feto foi-se desenvolvendo, com a formação da pele, da carne e de todos os órgãos. Tudo parecia um processo maravilhoso e benévolo, mas a dor esperava por uma criança que de nada suspeitava.

Curiosamente, Adam Clarke, em seu espírito puritano (século XIX), deu as ideias dos vss. 10-11 em *latim* e então recusou-se a traduzir o trecho. Disse ele: "Não faço apologia por deixar isto sem ser traduzido". Em seguida, passou a falar sobre a *nutrição* como mensagem desses versículos. Isso, contudo, é um absurdo.

10.12

חַיִּים וָחֶסֶד עָשִׂיתָ עִמָּדִי וּפְקֻדָּתְךָ שָׁמְרָה רוּחִי׃

Vida me concedeste na tua benevolência. O *favor divino* fez Jó como ele era, mas em breve isso seria pervertido. Alguns supõem o corpo otimamente moldado como se fosse a *veste do espírito*, razão pela qual essa palavra aparece aqui. Mas a *Revised Standard Version* provavelmente está certa quando diz "respiração" em lugar de "espírito". Deus soprou sobre o homem, e ele se tornou um ser vivo (ver Gn 2.7), mas no período patriarcal não havia doutrina da alma imortal. Porfírio, advogado do neoplatonismo, referia-se ao corpo como a veste da alma (*De Antro. Nymph.*), mas tal ideia era estranha ao antigo pensamento dos hebreus. Em 2Co 5.4, temos o corpo ressurreto como veste da alma, um desenvolvimento do Novo Testamento. O que Jó estava dizendo é que Deus tinha preservado sua "respiração" ou "vida". Ele era um ser vivo por causa de um ato de Deus. No entanto, nem bem criou o homem com tanto cuidado, Deus o esmagou.

O corpo humano também é chamado de "tabernáculo", em 2Co 5.1 e 2Pe 1.12,14, mas essa metáfora pertence à doutrina cristã, influenciada pela filosofia grega, e não pela antiga fé dos hebreus.

O teu cuidado. A providência divina foi necessária para formar e dar continuidade à criatura humana, mas logo a destruição arruinou essa obra-prima da arte divina. Ver no *Dicionário* sobre *Providência de Deus*. O artífice e o destruidor eram o mesmo Deus.

O CAÇADOR SEM ESCRÚPULOS (10.13-17)

■ 10.13

וְאֵלֶּה צָפַנְתָּ בִלְבָבֶךָ יָדַעְתִּי כִּי־זֹאת עִמָּךְ׃

Este versículo parece introduzir o que se segue, em vez de comentar o que se passara antes. Deus assemelha-se a um *caçador sem escrúpulo*. A destruição está em seu caminho e não há misericórdia. Ele age por vontade arbitrária, e nenhum homem é capaz explicar por quê. O porquê dos atos de Deus está oculto ao coração humano. Aquele antigo elemento do enigma continuava acompanhando o sofrimento. Nós sofremos. Os inocentes sofrem. Por quê? Na verdade, caçar e matar animais por *esporte* deixa a minha mente perplexa. Por que os homens têm prazer em matar? Para o homem, matar é um esporte. Alguns matam outros homens por esporte. Alguns limitam sua loucura aos animais. Estava no propósito (coração) de Deus caçar Jó, injuriá-lo e, presumivelmente, matá-lo. Deus é aqui retratado como o *Louco Caçador Cósmico*, e o problema do mal é lançado sobre Jó, como se fosse sua culpa, mas não sabemos dizer *por que* Deus age conforme faz.

■ 10.14,15

אִם־חָטָאתִי וּשְׁמַרְתָּנִי וּמֵעֲוֹנִי לֹא תְנַקֵּנִי׃

אִם־רָשַׁעְתִּי אַלְלַי לִי וְצָדַקְתִּי לֹא־אֶשָּׂא רֹאשִׁי שְׂבַע קָלוֹן וּרְאֵה עָנְיִי׃

Se eu pecar, tu me observas. Deus, o feroz leão faminto (vs. 16), via o pecado de Jó e o marcara para morrer (vs. 14). Mas, mesmo que não visse em Jó nenhum pecado (vs. 15), ele o marcaria para morrer, afinal de contas, por ser isso um bom esporte. Conhecemos animais que matam por esporte, e não somente para alimentar-se. Até a humilde gaivota algumas vezes participa desse esporte. É um desgosto ver um animal matar outro por pura diversão. A mente de Jó estava cheia de desgosto por causa do jogo de ferimentos e matança.

Jó ficava horrorizado ao pensar que o Deus, alegadamente benévolo, estava no jogo da matança e do fazer sofrer, sem nenhuma razão evidente. Jó enganosamente acreditara na bondade de Deus. A todo o tempo, porém, o único fim de Deus era destruir.

Olho para a minha miséria. Alguns dizem "bêbado com aflição", contendendo ser a metáfora por trás da palavra hebraica. Bêbado de aflição produz uma ideia poética que faz excelente companhia a "cheio de ignomínia". Esse é um excelente "paralelo", conforme comentou Samuel Terrien, *in loc*.

■ 10.16

וְיִגְאֶה כַּשַּׁחַל תְּצוּדֵנִי וְתָשֹׁב תִּתְפַּלָּא־בִי׃

Por que se a levanto. O hebraico diz aqui literalmente "ele se levanta", mas a versão siríaca traz a primeira pessoa do singular: "Se eu me levantar". Outros emendam isso para: "Quando estou (exausto), tu me persegues como um leão". Se o humilde homem pensa em termos de exaltação, se age como se houvesse esperança e significado na vida, então, de súbito, ele vê Deus a persegui-lo como um leão, pronto para ferir e matar. O leão cósmico opera maravilhas perversas contra a sua *presa*. "Deus era como um leão perseguidor, pronto para atirar-se contra Jó com toda a sua tremenda força (cf. Jó 9.4-13)" (Roy B. Zuck, *in loc*.).

■ 10.17

תְּחַדֵּשׁ עֵדֶיךָ נֶגְדִּי וְתֶרֶב כַּעַשְׂךָ עִמָּדִי חֲלִיפוֹת וְצָבָא עִמִּי׃

Tu renovas contra mim as tuas testemunhas. Jó parece voltar aqui ao tribunal onde pleiteava contra Deus. Ele não chegou a lugar nenhum com sua causa. Seu oponente celeste somente continuava a *multiplicar* testemunhos e argumentos contra ele, diminuindo cada vez mais sua possibilidade de libertar-se da dor. Alguns supõem que a imagem judicial (testemunho) pudesse ser compreendida como "avanço em uma atitude agressiva". Nesse caso, pois, este versículo dá continuação à metáfora do leão do vs. 16. Seja como for (no tribunal ou no campo, lá fora), Jó é retratado como vítima impotente do atacante celestial (juiz ou leão).

Comparar o versículo com Ml 3.5. "Os testes acumulados de Jó eram como uma sucessão de testemunhas trazidas como prova de sua culpa, para desgastá-lo" (Fausset, *in loc*.).

A Metáfora Militar. A mente fértil do poeta inventou ainda outra metáfora. Jó estava sendo atacado por um exército hostil; Deus, pois, era o general das tropas que incansavelmente lançavam repetidos ataques (sua variedade de sofrimentos). Deus lançava tropa depois de tropa, o que, no hebraico, quer dizer literalmente "mudanças e uma hoste", ou seja, uma *sucessão* de hostes, uma substituindo a outra, para lançar mais um ataque. Jó era assediado por uma guerra contínua.

■ 10.18

וְלָמָּה מֵרֶחֶם הֹצֵאתָנִי אֶגְוַע וְעַיִן לֹא־תִרְאֵנִי׃

Por que, pois, me tiraste da madre? Vendo que a vida de Jó era de contínuos sofrimentos, *por que* Deus, o Criador e controlador da vida, lhe permitira nascer vivo? Teria sido muito melhor se Jó tivesse nascido antes do tempo. Este versículo é, virtualmente, igual a Jó 3.11, onde dou informações detalhadas. Ter nascido vivo era visto como um ato especial e benévolo da providência divina (Sl 22.9), mas Jó encarou esse fato como um mal. A vida se tornara um mal para ele. Seu pior pecado era ter nascido. Conforme disse Schopenhauer: "O pior pecado de um homem é ter ele nascido". Ver, na *Enciclopédia de Bíblia, Teologia e Filosofia*, o verbete chamado *Pessimismo*. "Vss. 18-22. Uma vez mais, as queixas de Jó pediam a morte (cf. Jó 3.20-23; 6.8,9; 7.15; 10.18,19; 14.13), desejando que ele nunca tivesse nascido (cf. Jó 3.17). Se ele tivesse ido, como uma criança nascida, bem antes do tempo, do ventre ao túmulo, teria ultrapassado toda a sua miséria. Mas, visto que estava prestes a morrer, pediu para Deus dar-lhe pelo menos um breve momento de descanso, com um momento de alegria" (Roy B. Zuck, *in loc*.). "O sofredor foi atacado pelo tema do não-ser" (*Oxford Annotated Bible*, comentando sobre o vs. 18). Jó deleitava-se no pensamento da morte eterna (esquecimento total) porquanto não antecipava nenhum tipo de vida além do sepulcro, boa ou má.

■ 10.19

כַּאֲשֶׁר לֹא־הָיִיתִי אֶהְיֶה מִבֶּטֶן לַקֶּבֶר אוּבָל׃

Teria eu sido como se nunca existira. Uma criança nascida antes do tempo é como uma não-entidade. O corpo minúsculo é levado da maternidade para o cemitério, para ser relembrado somente pelos seus pais. "Minha vida se acabou antes de começar, e nem sei por que foi iniciada", dizia o epitáfio em um cemitério de um infante no Velho Oeste dos Estados Unidos. Não ter nenhuma memória de vida é melhor do que viver ao longo desta vida de sofrimentos, pelo menos se esse sofrimento é o do tipo experimentado por Jó. O desejo de Jó de não ter existido era tão forte que ele ansiava que essa condição tivesse começado desde o início. Ver Jó 3.11, onde Jó e sua lamentação expressam o mesmo desejo. Outros detalhes da exposição são oferecidos ali. Ver também Ec 4.3 e 6.3-5. Quanto ao problema do que acontece aos infantes que morrem, ver na *Enciclopédia de Bíblia, Teologia e Filosofia* o verbete intitulado *Infantes, Morte e Salvação dos*.

■ 10.20

הֲלֹא־מְעַט יָמַי יֶחְדָּל יָשִׁית מִמֶּנִּי וְאַבְלִיגָה מְּעָט׃

Não são poucos os meus dias? Jó esperava alguma misericórdia divina para que tivesse um breve período de descanso, antes da morte inevitável. Seus dias eram poucos, tanto antes de seus sofrimentos como depois deles. Ele fez um apelo por *consolação*, antes do consolo final da morte. Ver Jó 9.25, quanto a um sentimento similar. Ver também Jó 14.1,6 e Sl 90.10. "Minha vida não pode ser longa. Concede-me um momento de descanso antes que eu morra" (Adam Clarke, *in loc*.).

10.21

בְּטֶרֶם אֵלֵךְ וְלֹא אָשׁוּב אֶל־אֶרֶץ חֹשֶׁךְ וְצַלְמָוֶת:

Antes que eu vá para o lugar de que não voltarei. *A Terra Sem Retorno*. Jó definitivamente não esperava que houvesse continuação da vida em alguma esfera após a morte. Ele tomou o *ponto de vista do esquecimento*. Somente muito depois a teologia dos hebreus incluiu a ideia de uma alma imortal e da ressurreição. Em Jó 19.16, ele pode ter apanhado um vislumbre da ressurreição, mas esse trecho bíblico é controvertido, e vários significados têm sido vinculados a ele. A vida é aqui retratada como uma viagem para a terra do nada. Ninguém (segundo Jó pensava) poderia voltar nem encontrar ali vida alguma.

O Antigo Testamento usa quatro palavras hebraicas para retratar as trevas do sepulcro: *hosek*, "melancolia" (Jó 3.4); *salmawet*, "sombra escura" (Jó 3.5); *epah*, "noite profunda" (aqui e em Am 4.13); e *opel*, "trevas" (Jó 3.6; 23.17; 28.3). Nos vss. 21,22, Jó usou três dessas palavras.

Ver as notas em Jó 3.5, que adicionam detalhes ao que comento aqui. "Trevas" aqui não se refere à nossa falta de conhecimento do mundo dos espíritos, pelo que, em grande parte, permanecemos "nas trevas" sobre esse mundo. Jó simplesmente não esperava sobreviver à morte biológica. Em sua imaginação, a morte era a noite eterna.

10.22

אֶרֶץ עֵיפָתָה כְּמוֹ אֹפֶל צַלְמָוֶת וְלֹא סְדָרִים וַתֹּפַע כְּמוֹ־אֹפֶל: פ

Terra de negridão, de profunda escuridade. Com acúmulo de palavras para indicar as trevas (vss. 21,22), o poeta fala sobre o mundo do nada, que se seguiria à vida física. Houve o triste dia do nascimento de Jó, para ser seguido pela noite escura de sua morte. Haveria também aquela terra chamada *seol*, mas essa seria uma terra do nada. A teologia posterior dos hebreus fez dela a habitação de almas que ficavam esvoaçando ao redor, sem razão e sem forma real de vida. Ato contínuo, o seol tornou-se o lugar de almas genuínas, boas e más, sem distinção. Finalmente, apareceram compartimentos bons e maus, para os justos e os injustos, respectivamente. Céu e inferno foram desenvolvimentos posteriores, que tiveram seus inícios nos livros pseudepígrafos e apócrifos. O Novo Testamento, por sua vez, ofereceu ainda maior desenvolvimento, mas é admirável quão pouco há, até mesmo no Novo Testamento, acerca da vida pós-túmulo.

"Esse discurso, tal como alguns outros discursos de Jó, terminou em uma nota tristonha sobre a morte (cf. Jó 3.21,22; 7.21; 14.22)" (Roy B. Zuck, *in loc.*).

... e, manifestada agora pelo aparecimento de nosso Salvador Cristo Jesus, o qual não só destruiu a morte, como trouxe à luz a vida e a imortalidade, mediante o evangelho.

2Timóteo 1.10

A hora mais tenebrosa é aquela antes da alvorada, mas a teologia de Jó não lhe permitia ver essa esperança. É um erro cristianizar o texto e assim aliviar as agonias de Jó. Em seu lamentável *seol*, a luz era trevas.

CAPÍTULO ONZE

Continuamos com a seção dos primeiros discursos dos três amigos críticos de Jó, e com as réplicas de Jó (capítulos 3—14). Temos três discursos de cada amigo (com somente dois discursos do terceiro amigo) e as respostas de Jó a cada um deles. Quanto a uma descrição completa do plano do livro, ver as introduções aos capítulos 4 e 8.

O PRIMEIRO DISCURSO DE ZOFAR (11.1-20)

A Iniquidade de Jó (11.1-6)

Os discursos dos três amigos-críticos de Jó não contribuíram grande coisa para espantar o mistério sobre o problema do mal, isto é, por qual razão os homens sofrem e por que sofrem como sofrem. Ver a seção V da Introdução ao livro de Jó, quanto a uma discussão sobre esse problema, e ver no *Dicionário* o artigo chamado *Problema do Mal*, que encerra uma discussão mais detalhada. Os amigos de Jó só podiam enxergar que existia a *Lei Moral da Colheita segundo a Semeadura* (ver a respeito no *Dicionário*), ou seja, a lei do carma. Um homem obtém aquilo que tiver dado, e colhe aquilo que tiver semeado. Portanto, ficava óbvio que Jó era um grande pecador, porque seus sofrimentos também eram grandes. A teologia dos três "amigos" de Jó era deficiente; ela não explicava por que os *inocentes* sofrem, e Jó era inocente, pela própria palavra de Deus (ver Jó 2.3). Ele estava sofrendo "sem causa".

"À semelhança de Elifaz e Bildade, Zofar defendeu o dogma da justiça divina, mas seu temperamento foi ainda mais imoderado do que o de seu antecessor. Ele acreditava que Jó era menos um herege mal orientado do que um *homem cheio de conversa* (literalmente, 'um homem de lábios'). Ele descartou as apologias de Jó mais como 'parolas' (vs. 3); não obstante, mereciam a repreensão apropriada" (Samuel Terrien, *in loc.*).

"Zofar era um indivíduo dogmático religioso que supunha saber tudo sobre Deus; aquilo que Deus faria em qualquer caso possível; por que ele faria isto e aquilo, e todos os seus pensamentos a respeito. De todas as formas de dogmatismo, essa é a *mais irreverente* e a menos aberta para a razão" (*Scofield Reference Bible*, comentando sobre Jó 11.1).

Conversas sobre Deus. Caros leitores, considerem todas as frívolas "conversas sobre Deus" de pessoas religiosas, especialmente entre os evangélicos, que fazem Deus entrar em tudo, a cada minuto, suprindo seus pensamentos e dirigindo seus atos. Eles banalizam Deus e fazem dele uma espécie de bichinho de estimação. Zofar era um homem que tinha muita "conversa sobre Deus".

11.1,2

וַיַּעַן צֹפַר הַנַּעֲמָתִי וַיֹּאמַר:

הֲרֹב דְּבָרִים לֹא יֵעָנֶה וְאִם־אִישׁ שְׂפָתַיִם יִצְדָּק:

Então respondeu Zofar. Quanto ao âmago dos discursos dos três amigos de Jó, ver a *Introdução* ao livro. Quanto ao que se sabe sobre *Zofar* e sobre a natureza geral de seus discursos, ver o artigo correspondente no *Dicionário*.

O naamatita. Havia a tribo de *Naamá* (ver esse nome em Js 15.41, a única ocorrência na Bíblia). Mas a citação de Josué refere-se à tribo de Judá, pelo que não pode ser o que está em vista neste trecho. Os amigos de Jó eram árabes... Deve ter havido outro Naamá, mas, como na Bíblia não há menção alguma a seu respeito, ficamos sem conhecimento específico da área geográfica do nascimento do terceiro amigo crítico de Jó. Ver no *Dicionário* o verbete chamado *Naamá*.

A palavra *Naamá* significa "agradável", "doce", e era o nome de uma descendente de Caim, filha de Lameque e Zilá, e irmã de Tubalcaim (Gn 4.22). Talvez Zofar fosse descendente distante dessa linhagem.

Esse amigo crítico de Jó falou apenas por duas vezes, em vez das três vezes que falaram os outros amigos. Seus dois discursos são o do presente capítulo e o de Jó 20.1 ss. Provavelmente ele era o mais jovem dos três e considerado o menos sábio, a quem também foi dado menos tempo.

Zofar significa "áspero". Na verdade, seus discursos eram exatamente isso. Ele estava furioso com o "palavrório" de Jó (vss. 2,3) e apressou-se a repreender a zombaria contra Deus, da parte de Jó. Ele falava com extremo sarcasmo.

Palavrório. Jó não era algum herege desviado que precisasse de instrução. Era um apóstata atrevido, cujo "palavrório" precisava ser repreendido. Nenhum *garganta grande* como Jó deveria ter permissão de falar sem que se lhe dessem resposta; e Zofar estava certo de que era o homem para esse trabalho. Jó pensava estar *justificado* diante de seus discursos frívolos, mas Zofar mostraria que ele era apenas um louco, proferindo blasfêmias contra Deus. Jó era um *homem de lábios*, conforme diz o hebraico, literalmente, mas *lábios impuros* que derramavam um discurso abusivo. Na verdade, "conversar é barato", conforme diz certo provérbio.

... pensam pouco demais, falam demais.

John Dryden

11.3

בַּדֶּיךָ מְתִים יַחֲרִישׁוּ וַתִּלְעַג וְאֵין מַכְלִם׃

Será o caso de as tuas parolas fazerem calar os homens? *Jó, o mentiroso,* assim Zofar o chamou, declarando que ninguém deveria enganar-se por homens de sua espécie, deixando sem resposta suas propostas enlouquecidas. De fato, tais discursos seriam apenas *zombaria* contra Deus e os homens. Esses discursos eram vergonhosos, mas Jó era tão insensível para com a espiritualidade que nem ao menos se envergonhava. Portanto, uma resposta aos discursos de Jó deveria *envergonhá-lo.*

Grandes faladores são grandes mentirosos.

Provérbio francês

O discurso de Jó era sarcástico, severo e até blasfemo. Ver o capítulo 10. Por outro lado, ele blasfemava contra o Deus voluntarista da teologia dos hebreus. Ver na *Enciclopédia de Bíblia, Teologia e Filosofia* o verbete *Voluntarismo.*

11.4

וַתֹּאמֶר זַךְ לִקְחִי וּבַר הָיִיתִי בְעֵינֶיךָ׃

Pois dizes: A minha doutrina é pura. *Jó asseverava* que sua doutrina era *pura,* e que ele mesmo era *limpo* ou inocente de qualquer pecado. No entanto, lá estava Jó sofrendo daquela maneira, prova do severo julgamento de Deus contra um pecador desavergonhado. Qualquer observador saberia que Jó era um hipócrita, um mentiroso, escondendo um ou mais grandes pecados. Jó seria um notório *pecador privado,* habilidoso para esconder sua vida secreta dos amigos. Cf. Dt 32.2 e Pv 4.2.

11.5

וְאוּלָם מִי־יִתֵּן אֱלוֹהַּ דַּבֵּר וְיִפְתַּח שְׂפָתָיו עִמָּךְ׃

Oh! Falasse Deus e abrisse os seus lábios contra ti. O desejo de *Zofar* era que o próprio Deus descesse de seu céu e corrigisse Jó. Visto que isso muito dificilmente aconteceria, Zofar, em sua sabedoria superior e arrogância, tomou sobre si a tarefa de ser o porta-voz de Deus. O que Zofar diz aqui é que "Deus estava sendo blasfemado pelo mentiroso Jó, e este merecia uma reprimenda direta do próprio Deus, que era a parte ofendida". Visto que Deus não satisfaria os desejos de Zofar, ele prosseguiu com sua diatribe *vitriólica,* crendo estar prestando um serviço a Deus. Quanto amargor é dito contra as pessoas por aqueles que acreditam estar prestando serviço a Deus!

Odium Teologicum

Ó Deus... que carne e sangue fossem tão baratos!
Que os homens viessem a odiar e matar,
Que os homens viessem a silvar e decepar a outros
Com língua de vileza,
... por causa de...
"Teologia".

Russell Champlin

11.6

וְיַגֶּד־לְךָ תַּעֲלֻמוֹת חָכְמָה כִּי־כִפְלַיִם לְתוּשִׁיָּה וְדַע
כִּי־יַשֶּׁה לְךָ אֱלוֹהַּ מֵעֲוֹנֶךָ׃

E te revelasse os segredos da sabedoria. *Se Deus aparecesse a Jó,* exibiria sua famosa *sabedoria,* bem como seus segredos, que estão ocultos aos homens. Ele exibiria sua *compreensão* divina. Como resultado, os sofrimentos de Jó, por maiores que fossem, seriam demonstrados como *menores* do que ele merecia. Zofar, assim sendo, solucionou o problema do sofrimento humano mediante um grande princípio dogmático: onde houver sofrimento, aí haverá a colheita do que um homem semeou, que é a operação da lei do carma. Mas nada havia na teologia de Zofar que explicasse como o homem *inocente* pode sofrer. Havia aquela grande verdade que ele ignorava, em razão de seu *dogma* rígido: Jó era um inocente e, no entanto, sofria. Na teologia de Zofar não havia *enigmas* nem mistérios. Ele havia sistematizado uma teologia sem problemas nem deficiências, ou, pelo menos, era isso o que ele pensava. As teologias sistemáticas serão sempre *deficientes,* pois quem pode sistematizar a verdade infinita?

As teologias sistemáticas são forçadas a *distorcer* algumas verdades e *omitir* outras, a fim de obter um sistema perfeito. Caros leitores, a verdade é mais importante do que tais sistemas e o consolo mental que eles nos oferecem. Zofar tinha poderes intelectuais que usava mal. Faltava-lhe a simpatia ocasional que Bildade havia demonstrado, e certamente ele rejeitava a abordagem cortês de Elifaz. Mas os três incorriam no mesmo equívoco: o carma explicaria tudo. Ver no *Dicionário* o verbete intitulado *Lei Moral da Colheita segundo a Semeadura.*

11.7

הַחֵקֶר אֱלוֹהַּ תִּמְצָא אִם עַד־תַּכְלִית שַׁדַּי תִּמְצָא׃

Porventura desvendarás tu os arcanos de Deus...? *Zofar Se Contradiz.* Depois de ter-se apresentado como porta-voz de Deus, e de ter atacado Jó com suas palavras *infalíveis,* Zofar falou sobre o Deus *transcendental.* Mas como poderia um homem falar sobre o que é transcendental? Teria ele sido capaz de obter informações da parte de Deus, por meio de alguma revelação secreta, de modo que agora sabia como proceder contra Jó? Zofar era um indivíduo dogmático estrito, mas, pelo momento, escorregara para a teologia mística. Evidentemente, ele pensava que tinha preparado seu coração para buscar sabedoria da parte do Deus transcendental (vs. 13) e disse que Jó também poderia ser iluminado, caso seu exemplo fosse seguido.

Os críticos reconhecem a beleza da poesia atribuída a Zofar.

Os arcanos de Deus. Estas coisas profundas de Deus são *inefáveis,* conforme diz a teologia mística. Mas o *sábio* Zofar as compreendia e era, assim sendo, porta-voz qualificado para revelar a Mente divina. Naturalmente, não há *limite* para o Todo-poderoso, pois seu poder também é inefável. Mas Zofar pensava saber o bastante para ser o instrutor infalível de Jó. Para ele, ninguém poderia descobrir de modo perfeito o Todo-poderoso, mas ele achava que havia progredido o suficiente para dizer somente a verdade contra o mentiroso Jó.

Jó questionava os *motivos* de Deus para lançar contra ele toda aquela dor. Mas se tivesse entendido mais sobre a essência e a verdadeira natureza de Deus, obteria sua resposta. Zofar estava a dizer: "A imensa *santidade* divina te encontrou, ó Jó. Sofres por causa de teus pecados secretos". A santidade perfeita de Deus estaria entre aquelas *coisas profundas* que podem ser descobertas por uma investigação correta. Este versículo pode ser comparado a Jó 28.16 e Ec 42.19. Jó certamente laborava em erro ao supor que Deus não distingue entre o justo e o pecador (conforme ele afirmou em Jó 9.22). Ele negligenciara a santidade de Deus e fizera dele um Deus arbitrário.

A Matemática de Zofar. Pecados + pecados + pecados = julgamento do pecado. Mas Zofar não tinha fórmula para homem inocente + sem pecados + sem pecados = sofrimentos. Ele não adicionava os números certos e continuava a obter uma resposta falsa, que não se aplicava a Jó.

11.8,9

גָּבְהֵי שָׁמַיִם מַה־תִּפְעָל עֲמֻקָּה מִשְּׁאוֹל מַה־תֵּדָע׃
אֲרֻכָּה מֵאֶרֶץ מִדָּהּ וּרְחָבָה מִנִּי־יָם׃

Como as alturas dos céus é a sua sabedoria. A *sabedoria divina* é mais elevada que os mais altos céus, e mais profunda que o seol nas entranhas da terra. Em outras palavras, a sabedoria divina é inefável e está fora do terreno da investigação humana. Mas o verdadeiro interessado (e Zofar pensava ser um interessado) poderia obter o suficiente dessa sabedoria para repreender com sucesso o mentiroso e pecador Jó.

Essa sabedoria (vs. 9) também tem mais extensão que a terra e mais larga que o mar, duas metáforas que falam da vastidão ou infinidade. Os antigos dos dias de Jó não tinham meios para medir a terra, e ela parecia ser interminável. O mar era um enigma para os árabes e hebreus. Esses povos não eram marinheiros experimentados na navegação. Os fenícios, no entanto, tinham algo a dizer sobre o mar. Quiçá os marinheiros fenícios tenham chegado à América do

Norte, como alguns eruditos modernos asseveram. Mas até eles se confundiam diante da imensidade do mar, que parecia não ter limites ou extremidades. Eles sabiam mais do que os árabes e os hebreus, mas o conhecimento deles também era minúsculo.

"*Comprimento* geralmente é atribuído à terra, e *largura* ao mar. Os *confins* da terra falam de uma grande distância, e o mar é chamado de *espaçoso e largo*. Ver Sl 72.1 e 104.25. Mas Deus, em suas perfeições, particularmente em sua *sabedoria* e *compreensão*, é infinito, Sl 147.5" (John Gill, *in loc.*).

> Estas são suas gloriosas obras!
> Tu, Deus Todo-poderoso. Teu é o arcabouço universal.
> Quão maravilhosamente justo! Tu mesmo, quão admirável.
> Milton

■ 11.10

אִם־יַחֲלֹף וְיַסְגִּיר וְיַקְהִיל וּמִי יְשִׁיבֶנּוּ׃

Quem o poderá impedir? O Deus ilimitado pode limitar a outros, e assim, quem se oporá a ele? Ele pode lançar outros na prisão, e quem dirá uma palavra? Ele pode chamar a juízo um homem que se pensava inocente, e quem indagará: "Tu não podes fazer isso"? Deus, em sua sabedoria, conhece a diferença entre um homem honesto e um hipócrita, e teria chamado Jó a juízo, porque ele pertencia à segunda categoria. Cf. Jó 9.22. Jó, em seu palavrório excessivo e blasfemo, tinha feito oposição a Deus e queria impor limites ao ilimitado.

O Targum diz aqui: "Se ele passar e fechar os céus com nuvens e reunir exércitos, quem pode impedi-lo disso?"

"Ele, o ilimitado, pode fazer o que quer que lhe agrade, e com nada se satisfaz, exceto com aquilo que é *direito*. Quem lhe pode atribuir falha?" (Adam Clarke, *in loc.*).

"A sabedoria de Deus detectava o pecado onde o olho humano de Jó não podia chegar" (Fausset, *in loc.*).

■ 11.11,12

כִּי־הוּא יָדַע מְתֵי־שָׁוְא וַיַּרְא־אָוֶן וְלֹא יִתְבּוֹנָן׃

וְאִישׁ נָבוּב יִלָּבֵב וְעַיִר פֶּרֶא אָדָם יִוָּלֵד׃

Porque ele conhece os homens vãos. Literalmente, no hebraico, "homens ocos", vazios, sem substância, sem inteligência ou fibra moral. Em uma expressão moderna, chamaríamos tais homens de "sem cérebro". Jó era como um *asno estúpido*, que nunca atingiria a sabedoria (vs. 12). Sua linguagem blasfema era *asinina*. O asno selvagem era considerado o mais estúpido dos animais, daí a metáfora. Jó era como o filhote desse animal estúpido, que jamais se eleva acima de seu pai. Um homem é pleno de vaidade e se considera sábio, mas não passa de um asno. Ele vagueia ao redor, fazendo seus ruídos estúpidos. A linguagem tola de Jó nada era senão o zurro de um animal irracional. O asno do deserto não se deixava amansar e era estúpido (ver Jó 39.5-8; Jr 2.24; Gn 16.12). Jó era um homem tipo asno, na estimativa de Zofar, que não se incomodava em falar diplomaticamente.

Alguns estudiosos veem outro sentido possível: o burro selvagem pode dar nascimento a um homem, ou seja, um homem estúpido pode tornar-se sábio. Assim diz o Targum: "Um jovem obstinado pode tornar-se sábio e, assim, tornar-se um grande homem". Mas dificilmente era isso o que Zofar queria dizer. Ele não estava dizendo: "Ó Jó, tu, asno, cresce e torna-te sábio!" Antes, ele falava com ironia: "As chances de Jó tornar-se sábio não eram maiores que a possibilidade de um burro selvagem dar nascimento a um homem" (Roy B. Zuck, *in loc.*).

■ 11.13,14

אִם־אַתָּה הֲכִינוֹתָ לִבֶּךָ וּפָרַשְׂתָּ אֵלָיו כַּפֶּךָ׃

אִם־אָוֶן בְּיָדְךָ הַרְחִיקֵהוּ וְאַל־תַּשְׁכֵּן בְּאֹהָלֶיךָ עַוְלָה׃

Se dispuseres o teu coração. *Uma Súplica Apropriada.* O pecador tem de buscar reconciliação com seu Criador, em arrependimento sincero. O homem justo deve primeiramente confessar e abandonar seus próprios pecados, pondo-os longe de si mesmo (vs. 14), mediante um ato permanente de sua vontade espiritual. Em seguida, ele deve certificar-se de que sua casa está limpa e não é um abrigo do mal, no que diz respeito a seus parentes e servos. Zofar não desistiu de Jó como um *réprobo sem esperança*, mas estava certo de que ele era um réprobo, pois, do contrário, não estaria sofrendo daquela forma. Faltando-lhe melhor iluminação, Zofar falava a linguagem usual acerca do arrependimento, da oração e da reparação. A casa de Jó precisava de purificação. "Sua realização era brilhante, sem dúvida, ditada por uma convicção genuína, mas baseada no moralismo familiar do sábio que acredita na salvação por meio das obras" (Samuel Terrien, *in loc.*, o qual, por conseguinte, cristianizou suas observações ao incluir no quadro a salvação da alma, quando tudo o que Jó buscava era alívio para seus sofrimentos físicos).

Cf. o vs. 13 deste capítulo com Pv 16.1 e Sl 10.17, que contêm sentimentos similares. Ver também 1Cr 29.18.

■ 11.15

כִּי־אָז תִּשָּׂא פָנֶיךָ מִמּוּם וְהָיִיתָ מֻצָק וְלֹא תִירָא׃

Então levantarás o teu rosto sem mácula. *Restauração.* A combinação feita por arrependimento, oração e reparação operaria a ordem da restauração do homem, e este, por conseguinte, deixaria de temer. Mas o rosto do homem teria de ser *sem mácula*, pois, de outra maneira, Deus continuaria a açoitá-lo com múltiplas aflições. Jó precisava parar de pecar e fazer as devidas emendas. Somente isso tornaria seu rosto limpo. Ver na *Enciclopédia de Bíblia, Teologia e Filosofia* o verbete chamado *Reparação (Restituição)*.

Jó seria capaz de "levantar a cabeça", viver com confiança e saúde. Talvez Zofar fizesse referência às palavras de Jó, em Jó 10.15, sobre não ser capaz de levantar a cabeça. O homem agora humilhado seria exaltado. O homem agora esmagado seria restaurado. Ele seria *constante*, o que, no hebraico original, significa literalmente "dissolvido"; como os metais aquecidos e moldados, ele se tornaria *forte*, endurecido pela fusão de seu sofrimento-arrependimento-restauração. Cf. Jó 37.18.

■ 11.16

כִּי־אַתָּה עָמָל תִּשְׁכָּח כְּמַיִם עָבְרוּ תִזְכֹּר׃

Pois te esquecerás dos teus sofrimentos. As águas impetuosas trazem um dilúvio devastador. Mas, quando elas terminam, as pessoas logo se esquecem e edificam suas casas uma vez mais, perto do leito do rio. Assim, Jó, restaurado, esqueceria o dilúvio de suas tristezas e se sentiria feliz e saudável. Mas ele precisava fazer a sua parte: arrependimento, oração e restauração. Cf. Pv 31.6,7, trecho bíblico bastante similar.

Suas dores foram desgastantes e ruinosas por algum tempo. Mas a restauração as removeria, bem como a memória delas. Na realidade, os réprobos podiam tornar-se homens de Deus, livres da aflição divina.

■ 11.17

וּמִצָּהֳרַיִם יָקוּם חָלֶד כַּבֹּקֶר תִּהְיֶה׃

A tua vida será mais clara que o meio-dia. *A Vida Brilhante.* A vida de Jó tinha sido embotada com a tristeza e estivera quase a ponto de ir para a noite eterna (ver Jó 10.21,22). Mas o arrependimento e a restauração trariam de volta a *luz da vida*. A noite, de súbito, se tornaria tão clara como o meio-dia. Jó sairia da experiência como um novo homem e desfrutaria as primeiras horas da manhã daquele novo dia. Em vez de terror, ele gozaria de paz e bem-estar. Quanto à metáfora da *Luz*, ver a *Enciclopédia de Bíblia, Teologia e Filosofia*. A seção I daqueles artigos contrasta a metáfora das trevas com a metáfora da luz.

> *Porque a mim se apegou com amor, eu o livrarei; pô-lo-ei a salvo, porque conhece o meu nome.*
> Salmo 91.14

O Targum diz aqui: "Tu voarás das trevas das tuas calamidades". O sol, oculto pelas nuvens, subitamente irrompe e espanta as trevas. A noite, que tinha escondido o sol por tanto tempo, inesperadamente cedeu diante do *sol nascente*, e um novo dia nasceu. Jó poderia ter um novo dia se o buscasse de uma nova maneira. Jó era um pecador, mas não acima de recuperação. Essa era a atitude de Zofar.

Mas a vereda dos justos é como a luz da aurora, que vai brilhando mais e mais até ser dia perfeito. O caminho dos perversos é como a escuridão; nem sabem eles em que tropeçam.

Provérbios 4.18,19

11.18

וּבָטַחְתָּ כִּי־יֵשׁ תִּקְוָה וְחָפַרְתָּ לָבֶטַח תִּשְׁכָּב׃

Sentir-te-ás seguro. *Esperança para o Justo.* O pecador Jó estava sofrendo o que merecia. Mas o homem arrependido, o justo Jó, renovaria a sua *esperança*. Ele olharia *em redor* e não veria perigo. Seria capaz de descansar à noite em paz, em contraste com suas voltas na cama, em suas dores (ver Jó 7.4). Jó dissera que estava "sem esperança" (Jó 7.6). Mas Deus traria esperança a uma situação destituída de esperança.

Olharás derredor. Ele veria que todo o seu castelo e todas as suas possessões estavam seguros, nenhum inimigo estava atacando, nenhum perigo estava por perto; ele constataria que havia segurança, em contraste com a situação anterior, quando seus inimigos atacavam e espalhavam o terror (ver Jó 1.12,17).

Olharás. Esta palavra também pode ser traduzida por "escavarás", e alguns tradutores e intérpretes preferem esse sentido. Nesse caso, pode estar em vista cavar poços para que houvesse suprimento de água, ou cavar buracos para as estacas que seguravam as tendas. Jó teria abundância de água e suas tendas estariam seguras em seus respectivos lugares.

*Vivo na esperança e penso que isso sucede
A todos quantos chegam a este mundo.*

Robert Burns

*A esperança é uma espécie de felicidade,
A principal felicidade que este mundo concede.*

Samuel Johnson

Ver na *Enciclopédia de Bíblia, Teologia e Filosofia* o artigo intitulado *Esperança,* quanto a detalhes.

11.19

וְרָבַצְתָּ וְאֵין מַחֲרִיד וְחִלּוּ פָנֶיךָ רַבִּים׃

Deitar-te-ás, e ninguém te espantará. O poeta continua a declaração do vs. 18, a respeito do homem justo que descansa em segurança. Antes, o ato de jazer deitado era uma agonia. Jó não encontrava maneira de deitar-se para aliviar suas dores (ver Jó 7.4). Agora, porém, teria paz. E longe de ser objeto de ataques hostis, seria o objeto das súplicas de outros, que buscariam favores dele.

Em paz me deito e logo pego no sono, porque, Senhor, só tu me fazes repousar seguro.

Salmo 4.8

Quando te deitares, não temerás; deitar-te-ás, e o teu sono será suave.

Provérbios 3.24

11.20

וְעֵינֵי רְשָׁעִים תִּכְלֶינָה וּמָנוֹס אָבַד מִנְהֶם וְתִקְוָתָם
מַפַּח־נָפֶשׁ׃ פ

Mas os olhos dos perversos desfalecerão. Caso Jó não se arrependesse, contudo, seus olhos não veriam a luz de um novo dia. Sua visão falharia quando a morte cerrasse seus olhos para sempre. Não haveria como escapar dos sofrimentos e da morte final. Sua esperança seria tão somente exalar o último suspiro, quando então sua vida terminaria. "Sua esperança então o abandonaria como a respiração deixa o corpo quando uma pessoa morre" (Fausset, *in loc.*).

Morrendo o homem perverso, morre a sua esperança, e a expectação da iniquidade se desvanece.

Provérbios 11.7

"Esses primeiros discursos dos compatriotas de Jó não ofereciam consolo. Embora fossem verdadeiras as suas generalidades sobre a bondade, a justiça e a sabedoria de Deus, a cruel acusação de que Jó precisava arrepender-se de algum pecado oculto errava tremendamente o alvo. Eles não conseguiam perceber que, algumas vezes, Deus tem outras razões para o sofrimento humano" (Roy B. Zuck, *in loc.*).

CAPÍTULO DOZE

O *plano do livro de Jó,* no tocante à primeira série de discursos dos três amigos críticos de Jó e suas reprimendas, é que cada um deles falou por três vezes, excetuando o terceiro amigo, que só falou duas vezes. Então Jó ofereceu réplicas a cada um deles. Mas parece haver uma reação adiada, mediante a qual Jó respondeu não ao discurso de um de seus amigos-críticos, que acabara de ser proferido, mas sim ao discurso anterior. Ele também parece haver respondido a ambos ou, de modo geral, apresentado suas réplicas levantadas antes, sem respeitar a ordem cronológica. As introduções aos capítulos 4 e 8 deste livro oferecem mais detalhes sobre esse plano. Ver especialmente o título *Circunstâncias dos Discursos,* na introdução ao capítulo 4. Os capítulos 3—14 ocupam-se desse plano e então prosseguem para novos modos de expressão, a começar pelo capítulo 15, com uma *Segunda Série de Argumentos.*

RÉPLICA DE JÓ AO DISCURSO DE ZOFAR (12.1—14.22)

"Este discurso conclui o *primeiro ciclo* de discussões. Sua divisão tradicional em três capítulos ajusta-se bem a seu plano orgânico: 1. Crítica empírica da providência divina (Jó 12.1-25); 2. Acusação contra as ministrações dos três amigos de Jó, o que leva a outro ataque contra Deus (Jó 13.1-27); 3. Meditação regada por oração sobre a tragédia da vida (Jó 13.28—14.22)" (Samuel Terrien, *in loc.*).

Apesar de seus melhores esforços, os amigos-críticos de Jó foram incapazes de silenciá-lo. De fato, sua réplica neste ponto é o discurso mais longo do livro. Jó fez objeção a seus jurados auto-escolhidos e diminuiu o valor deles, dizendo que não eram a metade do que pensavam ser. Ele também criticou sua visão piedosa de Deus. Então, Jó voltou-se diretamente contra Deus, com suas reprimendas, queixas e súplicas por misericórdia.

REPRIMENDA DE JÓ A SEUS TRÊS AMIGOS-CRÍTICOS (12.1-12)

Jó *objetou* aos dogmas dos amigos, que não tinham dado solução a seus problemas. Sua própria experiência e a observação de que os injustos não são punidos foram os principais elementos de seu discurso. "O homem enfermo replica com pesado sarcasmo" (*Oxford Annotated Bible,* comentando sobre o vs. 2 deste capítulo).

12.1,2

וַיַּעַן אִיּוֹב וַיֹּאמַר׃

אָמְנָם כִּי אַתֶּם־עָם וְעִמָּכֶם תָּמוּת חָכְמָה׃

Então Jó respondeu. O *tema principal* do livro de Jó é a adoração desinteressada. Porventura um homem adora a Deus pelo bem que pode obter através da sua piedade, ou ele continua a adorar a Deus quando as coisas correm mal? É o homem apenas egoísta? Ver na *Enciclopédia de Bíblia, Teologia e Filosofia* o verbete chamado *Egoísmo.* Jó assumia continuamente a posição do *pessimista* (ver também na *Enciclopédia*), que diz que a própria existência é má, e a morte é a "única salvação do sofrimento" que podemos encontrar. Nela encontramos paz eterna e descanso, além, naturalmente, do *nada.* Jó não apelou para uma vida pós-túmulo, mas manteve sempre a teologia patriarcal, que não tinha nenhuma esperança em um pós-vida, de natureza boa ou má. O problema do mal veio a participar da questão como corolário necessário. Nesse corolário temos de procurar o porquê do sofrimento humano, incluindo a questão: Por que os *inocentes* sofrem? Jó era um inocente que sofria (ver Jó 2.3).

O próprio Deus, entretanto, não acusava Jó de pecado, em contraste com seus amigos-críticos. Ver as notas expositivas sobre 1.11, quanto aos problemas teológicos do livro de Jó.

Jó começou sua réplica a Zofar ou, de fato, aos três amigos, com a famosa e sarcástica observação que tem sido repetida através dos séculos: "Na verdade, vós sois o povo, e convosco morrerá a sabedoria".

Os *sábios discursos* dos amigos-críticos de Jó não abandonaram o óbvio e, com esse óbvio, eles não explicaram o *porquê* dos sofrimentos de Jó. No entanto, continuavam exprimindo suas piedosas trivialidades, verdadeiras em si mesmas, mas inadequadas para solucionar o problema do sofrimento humano. Quanto ao que o livro diz sobre isso, ver a seção V da Introdução, e também, no *Dicionário*, o verbete denominado *Problema do Mal*. Os discursos dos amigos de Jó demoravam-se apenas sobre duas respostas: o sofrimento vem diretamente por causa do pecado e é, na realidade, um *julgamento* contra o pecado. Além disso, o sofrimento pode oferecer *disciplina* até para o homem justo. Ambas as respostas são corretas, mas há outras nas quais eles nem pensaram, como também não conseguiam explicar por que os *inocentes* sofrem. Ademais, em sua sabedoria estúpida, eles supunham que tivessem dado *todas* as respostas, e assim deixaram de lado a parte *enigmática* que circunda o terrível fato do sofrimento.

Além disso, tal como Jó também o fazia, eles não levavam em conta a vida pós-túmulo, nem diziam: "O terror é para hoje, para esta vida terrena; mas há uma glória além, após a morte biológica do corpo físico". Ninguém apelou para a vida do outro lado do túmulo como cura para os sofrimentos atuais. Em Jó 19.26, Jó pode ter obtido um vislumbre da ressurreição, mas esse versículo é controvertido, e vários significados possíveis são atribuídos a ele. Ver no *Dicionário* o artigo chamado *Lei Moral da Colheita segundo a Semeadura*.

Jó enfatizou sua posição como não conformista. Seus críticos falaram o que a *maioria* das pessoas diz, mas nada resolveram. Jó sabia que sem dúvida havia no problema mais do que fora dito. Ele também sabia que a imensidade de seus sofrimentos não se devia ao julgamento contra corrupções secretas. Indivíduos dogmáticos, vindos de todas as denominações e religiões, pensam inutilmente deter o monopólio do conhecimento. A outras pessoas, eles chamam de hereges e ignorantes. As teologias sistemáticas participam dessa *loucura monopolizada*. Os indivíduos dogmáticos são sempre arrogantes. Eles podem solucionar qualquer problema abrindo a Bíblia em algum capítulo e versículo, e somente *eles* sabem como interpretar o que acham. Entrementes, eles distorcem e ignoram outras passagens, nos mesmos livros sagrados, se esses capítulos e versículos não se ajustam a seus sistemas. Os que falam sobre a *única regra* de fé e prática como sendo as Escrituras, realmente querem dizer: "A única regra de fé e prática é como eu e minha denominação interpretamos as Escrituras". Todos os indivíduos dogmáticos deixam de reconhecer que há verdades que vêm ao homem fora dos livros sagrados, porquanto a *verdade de Deus* não está, nem pode estar, contida em nenhum livro ou coleção de livros. Os indivíduos dogmáticos falham em reconhecer que muitas verdades têm de ser abordadas *experimentalmente*, porquanto nosso conhecimento, em seu *melhor aspecto*, é tanto parcial como parcialmente errôneo. A verdade é uma *aventura* contínua, não uma realização definitiva.

Jó sofria profunda dor, mas ainda assim podia *pensar*, o que não é uma característica comum e especial dos indivíduos dogmáticos. O conhecimento que seus críticos tinham a respeito de Deus era comum a sistemas e a muitos falsos sábios. Mas o conhecimento dogmático não tinha resolvido os problemas de Jó.

> Da covardia que teme novas verdades,
> Da preguiça que aceita meias-verdades,
> Da arrogância que pensa saber toda a verdade,
> Ó Senhor, livra-nos.
>
> Arthur Ford

Ver no *Dicionário* o detalhado artigo chamado *Conhecimento e a Fé Religiosa*. Ver também *Símbolos e o Conhecimento*.

■ 12.3

גַּם־לִי לֵבָב כְּמוֹכֶם לֹא־נֹפֵל אָנֹכִי מִכֶּם וְאֶת־מִי־אֵין כְּמוֹ־אֵלֶּה׃

Também eu tenho entendimento como vós. *Jó, o Pensador.* Caros leitores, penso que é importante notarmos aqui que Jó não sacrificou seus poderes de intelecção a fim de satisfazer indivíduos dogmáticos. Ele estava sofrendo fortes dores, mas ainda assim podia pensar. Seus críticos eram distribuidores de chavões piedosos e truísmos. Mas Jó, muito capaz de pensar, sabia que eles não tinham encontrado a resposta que ele queria receber. Jó continuava a pensar no seu problema, perscrutando respostas. Ele era um advogado da "livre investigação", para consternação de seus críticos dogmáticos. De fato, ele defendeu *com vigor* a liberdade de investigação. Os indivíduos que seguem o dogmatismo têm algo a oferecer. A intuição tem algo a oferecer. O misticismo tem algo a oferecer. Todos são modos de alcançar o conhecimento.

Mas não devemos esquecer que o Grande Pensador criou pequenos pensadores que, quando usam seus poderes intelectuais, imitam o Criador. O intelecto não compete com outros modos de conhecimento. Antes, trata-se de um meio válido de obter conhecimento. Ademais, o intelecto é o *guardião* do ser, rejeitando excessos e exageros que as pessoas ajuntam para si mesmas, quando não pensam. Nunca devemos permitir que nossa inteligência (dada por Deus) satisfaça o dogma. Nunca nos devemos perder na teia das experiências místicas sem usar o *escrutínio* do intelecto.

Jó Não Era um Homem Inferior. Jó tinha bom senso suficiente para comparar argumentos e pessoas. Ele não era inferior a seus detratores em nenhum sentido, nem como pessoa, nem quanto ao seu conhecimento, nem quanto aos seus argumentos. Seus críticos disseram *coisas comuns* que todos conheciam: "Quem não sabe coisas como essas?" Eles nada acrescentaram à compreensão do porquê do sofrimento humano. "O que eles tinham dito sobre Deus era apenas conhecimento comum" (Roy B. Zuck, *in loc.*).

■ 12.4

שְׂחֹק לְרֵעֵהוּ אֶהְיֶה קֹרֵא לֶאֱלוֹהַּ וַיַּעֲנֵהוּ שְׂחוֹק צַדִּיק תָּמִים׃

Eu sou irrisão para os meus amigos. *No passado*, as orações de Jó haviam sido respondidas. Mas agora os céus tinham-se tornado céus de bronze, símbolo do julgamento divino. Por isso Jó veio a ser alvo da zombaria de seus vizinhos. Também era alvo de zombarias porque seus vizinhos e amigos pensavam ser ele um tolo desvairado, sofrendo por seus pecados (que insensatamente ele havia cometido), e obstinado, que se recusava a arrepender-se, apesar de estar sob grande pressão.

Deus tinha permitido (ou causado) a Jó tornar-se alvo de zombarias, o que era *injusto*, de acordo com o pensamento humano de Jó.

"O ridículo não é teste da verdade nem do mérito" (Ellicott, *in loc.*). De fato, novas verdades são sempre ridicularizadas até que cheguem provas avassaladoras. Então os zombadores dizem: "Nós já sabíamos disso o tempo todo".

> Com efeito, não é inimigo que me afronta; se o fosse, eu o suportaria; nem é o que me odeia quem se exalta contra mim, pois dele eu me esconderia; mas és tu, homem meu igual, meu companheiro e meu íntimo amigo.
>
> Salmo 55.12,13

Eu, que invocava a Deus. É possível traduzir como "oprimia" a palavra hebraica aqui traduzida por "invocava". Nesse caso, o próprio Deus seria considerado um dos opressores de Jó. Vimos antes essa ideia, de maneira que ela não nos surpreende. Ver Jó 10.1 ss., quanto à amarga queixa de Jó contra Deus, como seu perseguidor e opressor.

■ 12.5

לַפִּיד בּוּז לְעַשְׁתּוּת שַׁאֲנָן נָכוֹן לְמוֹעֲדֵי רָגֶל׃

No pensamento de quem está seguro. O homem que goza de lazer e desfruta a vida, mostra desprezo pelo infortúnio de outros seres humanos. Ele se julga superior, pois goza do favor divino, enquanto o desafortunado deve ser seu inferior, por estar sofrendo o julgamento divino. Por esse motivo é que falsos amigos facilmente começam a criticar o homem que sofre retrocessos e provações. O homem que vive em tranquilidade está apenas esperando oportunidade para mostrar o seu desprezo. Mas, quando um homem escorrega e cai, logo se torna motivo de zombaria para os hipócritas.

O lema de um homem feliz é *desprezo pelo desastre*. O homem alegadamente superior ataca o sofredor, porque os fortes atacam os fracos, e até se regozijam com seus prejuízos. Alguns animais atacam e matam outros animais feridos, até os de sua própria espécie. Jó estava dizendo que existem homens dessa natureza. O homem ímpio chega a encontrar *razões morais* para os seus ataques.

Como dente quebrado e pé sem firmeza, assim é a confiança no desleal, no tempo da angústia.
Provérbios 25.19

■ 12.6

יִשְׁלָיוּ אֹהָלִים ׀ לְשֹׁדְדִים וּבַטֻּחוֹת לְמַרְגִּיזֵי אֵל לַאֲשֶׁר הֵבִיא אֱלוֹהַּ בְּיָדוֹ׃

As tendas dos tiranos gozam paz. Os ímpios, e até os criminosos, prosperam. Até aqueles que provocam a Deus estão a salvo de sua ira. Ademais, ele providencia para que até eles prosperem. Portanto, que dizer sobre o argumento de que homens maus e violentos certamente sofrerão o julgamento de Deus? Jó, homem inocente, foi severamente castigado. Mas o ladrão que vive como parasita da sociedade tanto é protegido como goza de abundância. Jó examinou as *incongruências* dos argumentos de seus amigos-críticos e concluiu que a *Lei Moral da Colheita segundo a Semeadura* (ver a respeito no *Dicionário*) não era a resposta à pergunta que diz: Por que os seres humanos sofrem? E isso em certo número de casos flagrantes, incluindo o seu próprio caso.

Três Observações:
1. O homem inocente é alvo de zombaria por parte de seus próprios amigos (vs. 4).
2. O homem que tropeça é empurrado e sofre abusos por parte daqueles que estão gozando, em lazer (vs. 4).
3. Os ímpios, até mesmo os criminosos, permanecem em segurança e prosperam (vs. 6).

Conclusão. Os alegados argumentos "sábios" de seus amigos-críticos realmente não explicaram a razão dos sofrimentos humanos.

Os que provocam a Deus estão seguros. O original hebraico é aqui controvertido, sendo variegadamente traduzido. Se a tradução aqui dada está correta, então significa que os ímpios, além de todos os seus outros crimes, envolvem-se na *idolatria*, que deveria provocar a ira de Deus, mas não o faz. Moffatt traduz esse trecho como: "Que fabricam um deus de seu próprio poder", ou então: "Eles trazem Deus em suas mãos", ou seja, manipulam o verdadeiro Deus (segundo pensam) para benefício próprio. Isso acrescenta uma *quarta razão* que mostra por que chavões "sábios" não identificaram a razão para o sofrimento humano. Aqueles que deveriam sofrer por crimes sérios e blasfêmias permaneciam intocados pela dor. Mas Jó, homem de piedade autêntica, sofria. No entanto, os idólatras e os blasfemos nada sofriam.

Eles escarnecem dos reis; os príncipes são objeto do seu riso; riem-se de todas as fortalezas, porque, amontoando terra, as tomam.
Habacuque 1.10

A Visão Monista do Universo (12.7-12)

■ 12.7

וְאוּלָם שְׁאַל־נָא בְהֵמוֹת וְתֹרֶךָּ וְעוֹף הַשָּׁמַיִם וְיַגֶּד־לָךְ׃

Pergunta agora às alimárias. Tudo é um só e é sustentado pelo Um. Há somente uma causa. Todas as coisas exprimem o Ser divino. A natureza ensina-nos verdades. Zofar tinha chamado Jó de filho de um asno montês (ver Jó 11.12). Mas Jó retorquiu que até os chamados animais mudos têm mais verdade para dizer do que Zofar. Todas as coisas na natureza sofrem, e todos sabem que Deus é a causa das calamidades (ver Jó 2.10). O pecado não é a única resposta. A mente sondadora de Jó percebia as distorções dos argumentos de seus amigos-críticos, e apelou para a natureza que sofre, a fim de repreendê-los.

Fazendo parte do Um, as aves do céu e as feras e outros animais dos campos participam dos sofrimentos da natureza. Mas haveríamos de atribuir pecado a eles? A natureza testifica sobre a grandeza e a *Providência de Deus*, mas também testifica ser Deus a única causa, ou seja, a causa do sofrimento. O bem e o mal não são resultados de mero acaso. Há poder por trás do desastre: um único Poder, isto é, Deus. Deus cuida dos pardais (ver Mt 6.26), mas também faz o pardal cair e perecer, finalmente. Não é diferente no caso do homem. Existem em operação *poderes enigmáticos* que a lei da semeadura e da colheita não explicam.

■ 12.8

אוֹ שִׂיחַ לָאָרֶץ וְתֹרֶךָּ וִיסַפְּרוּ לְךָ דְּגֵי הַיָּם׃

Ou fala com a terra. A terra está repleta de animais irracionais, e ela mesma é uma força produtora de vida. Há muitas espécies de peixes no mar, e nos maravilhamos com aquilo que o Criador criou. Sua providência é evidente. Não obstante, também é evidente o seu poder de destruição, que afeta todos os seres vivos. Ele é igualmente a causa do sofrimento, a *providência positiva* e também a *providência negativa*. Ele é a única Causa.

Outrossim, consideremos os abusos (por nosso ponto de vista). A águia certamente está mais à vontade e mais segura do que um humilde coelho ou pombinho. De fato, são as aves de rapina que tornam a vida miserável para os animais indefesos. A natureza está plena de violência e matança. O leão está em maior segurança do que o boi. A cobra mata para o seu almoço. "*Por que* toda essa violência? Por que todo esse sofrimento? Por quê?" Eu lhe direi por quê: Deus é a causa. Os sábios-estúpidos amigos de Jó punham todos os seus argumentos em uma única cesta: o pecado. Mas isso não explica o que acontece dia após dia na natureza.

A *antiga teologia dos hebreus* era fraca quanto a causas secundárias, pelo que lançava a culpa por tudo em Deus e fazia dele a causa também do mal, não somente do bem. Ver Jó 1.11 e suas notas expositivas quanto aos problemas teológicos do livro de Jó.

■ 12.9

מִי לֹא־יָדַע בְּכָל־אֵלֶּה כִּי יַד־יְהוָה עָשְׂתָה זֹּאת׃

Qual entre todos estes não sabe que a mão do Senhor fez isto? *A mão do Senhor*, isto é, o seu poder, a sua vontade, a sua determinação, é que fizeram todas as coisas. Ele é soberano e sua soberania chega até as calamidades, enfermidades e desastres que nos perseguem como praga. Há bem e há o mal. *Ambas* as coisas vêm da mão de Deus.

"Porque o bem e o mal estão promiscuamente espalhados por toda a natureza, e, entre os humanos, vocês são tão ignorantes quanto eu" (disse Jó a seus amigos). A sabedoria deles não havia encontrado solução para o sofrimento humano e para o sofrimento na natureza.

Senhor. No hebraico, *Yahweh*. Esta é a única ocorrência deste nome divino na parte poética do livro de Jó. Ver no *Dicionário* o verbete intitulado *Deus, Nomes Bíblicos de*. Talvez o autor sacro tivesse evitado que a designação hebraica de Deus fosse usada, visto que estava apresentando Jó como um xeque árabe.

Veja o leitor como Jó 12.9b cita diretamente Is 41.20, ou seria isso mera coincidência verbal? Se temos uma indicação do tempo da escrita do livro, com base nessa citação de Isaías, então o livro fala sobre o período patriarcal, mas certamente ele foi escrito muito mais tarde. Quanto à questão da data, ver a *Introdução* ao livro, seção IV.

O que for obscuro em mim, ilumina!
Para que eu possa asseverar a Providência Eterna
E justificar os caminhos de Deus aos homens.
Adaptado de John Milton

■ 12.10

אֲשֶׁר בְּיָדוֹ נֶפֶשׁ כָּל־חָי וְרוּחַ כָּל־בְּשַׂר־אִישׁ׃

Na sua mão está a alma de todo ser vivente. Deus, o *doador* da vida, é também o *preservador* da vida. Mas ele é igualmente o *consumidor* da vida. Ele dá e ele tira (ver Jó 1.21). Portanto, bendito seja o seu Nome. O homem e os animais estão juntos em uma única declaração. Nenhuma distinção é feita.

> *Quem sabe que o fôlego de vida dos filhos dos homens se dirige para cima e o dos animais para baixo, para a terra?*
> Eclesiastes 3.21

Aquele homem sábio contemplou a possibilidade de tanto as almas humanas quanto as almas dos animais serem uma realidade, e não tinha certeza se deveria fazer aguda distinção entre essas almas. Ver na *Enciclopédia de Bíblia, Teologia e Filosofia* o verbete chamado *Alma dos Animais*. Platão supunha que *toda a vida*, de qualquer tipo e grau, fosse alma imaterial, e que os corpos fossem coisas materiais que agissem como casas das almas. O autor do livro de Jó naturalmente nem ao menos chegara a ponto de crer na existência da alma humana, quanto mais na existência da alma animal. A teologia patriarcal dos hebreus não contemplava uma vida pós-túmulo. Jó colocou os animais e os homens juntos, sob a mesma providência, positiva e negativa. A providência divina tanto protege quanto destrói a vida. O poder destruidor, por conseguinte, existe inteiramente à parte do problema do pecado.

"O homem, raciocinou Jó, está sujeito às mesmas leis que os animais inferiores" (Fausset, *in loc.*).

IDADE E EXPERIÊNCIA

Está a sabedoria com os idosos, e na longevidade o entendimento?.
Jó 12.12

Quando alguém perguntou de Tales: "O que é difícil?", ele replicou: "Conhecer a ti mesmo". Quando alguém perguntou: "O que é fácil?" ele replicou: "Dar conselhos aos outros".
Diógenes Laertius

Muitas pessoas recebem conselhos, mas somente os sábios aproveitam.
Publilius Syrus

Os sábios, mesmo que todas as leis fossem abolidas, viveriam as mesmas vidas.
Aristófanes

Nos dias da minha mocidade, eu me lembrei de Deus. Na minha velhice, ele não tem esquecido de mim.
Robert Southey

Os jovens acham que os velhos são tolos. Os velhos sabem que os jovens são tolos.
George Chapman

Estou preparado para encontrar com meu Criador. Se meu Criador está pronto para sofrer a provação de me encontrar, é outro assunto.
Winston Churchill, um comentário feito na noite antes de ele completar 75 anos

A mocidade está cheia de pecados; a velhice está cheia de loucuras.
Samuel Daniel

Quando um homem fica virtuoso na sua velhice, ele somente oferece a Deus o que diabo não quis.
Alexander Pope

Antes de a velhice chegar, meu desejo era o de viver bem. Na minha velhice, meu desejo é o de morrer bem.
Sêneca

■ 12.11,12

הֲלֹא־אֹזֶן מִלִּין תִּבְחָן וְחֵךְ אֹכֶל יִטְעַם־לוֹ׃

בִּישִׁישִׁים חָכְמָה וְאֹרֶךְ יָמִים תְּבוּנָה׃

Porventura o ouvido não submete à prova...? *Duas Metáforas.* Ficamos sabendo das coisas por experiência própria, e as nossas experiências nos são dadas pela percepção dos sentidos (empirismo). O ouvido ouve as palavras, e o cérebro julga o que foi ouvido. A boca prova o gosto dos alimentos, distinguindo os bons dos ruins. Assim, também, um homem tem poderes que distinguem bons argumentos de maus argumentos. E Jó afirmou que seus poderes de intelecção (tal como seu ouvido ou boca) podiam revelar se seus amigos-críticos estavam ou não dizendo a verdade, parte da verdade, ou alguma mentira. Jó sabia que eles haviam dito algumas verdades e algumas mentiras. Seja como for, eles não tinham resolvido o problema do sofrimento humano. A verdade era que ele, um homem *inocente* estava sofrendo. Mas os amigos não conseguiam perceber como isso podia ser verdade.

Bildade havia apelado para a sabedoria dos antigos (vs. 12); mas, dessa forma, não foi capaz de resolver o problema em mãos. Por conseguinte, seu apelo era um instrumento fraco. O *homem idoso*, que já vivera neste mundo por longo tempo e aprendera muitas coisas, acumulara certo grau de sabedoria. Ele escreve um livro e apresenta sua sabedoria diante de nós, sob a forma de provérbios. Lemos os provérbios e nos maravilhamos diante do que ele foi capaz de descobrir. Mas aquele homem é sábio apenas em parte. Além disso, ele tem erros misturados com verdades. Jó pôs em dúvida a teoria de Bildade sobre "confiança nos antigos e nas tradições". Não podemos permitir que nossa busca pela verdade seja limitada a esse caminho ou a qualquer outro caminho isolado. Precisamos apelar a muitas fontes, na nossa busca pela verdade, por muitos modos de pesquisa, e respeitar todas essas fontes. Sabemos de coisas que os antigos desconheciam. Nossa ciência e nossa teologia ultrapassam os provérbios dos antigos. *Ver* na *Enciclopédia de Bíblia, Teologia e Filosofia* o artigo intitulado *Conhecimento e a Fé Religiosa*. Ver os comentários sobre o vs. 2 deste capítulo, quanto a um desenvolvimento do tema "contra os dogmas".

Devemos lembrar que, com frequência, são os antigos sábios que Deus escolhe como profetas. A esses homens também são conferidos iluminação e conhecimento místico. Então eles se tornam mais sábios ainda. Mas, mesmo em tais casos, ocorre o erro humano, e os homens estão sempre limitados ao seu tempo, de muitas maneiras. O conhecimento dos homens sempre será limitado. Nunca chegará o tempo em que eles poderão abandonar a busca pela verdade. Essa busca é uma aventura, e não uma realização definitiva.

DEUS, O GOVERNADOR INDISCRIMINADO DE HOMENS (12.13-15)

■ 12.13

עִמּוֹ חָכְמָה וּגְבוּרָה לוֹ עֵצָה וּתְבוּנָה׃

Não! Com Deus está a sabedoria e a força. Jó volta agora sua mente dos homens sábios para o Deus de toda a sabedoria. Deus é Todo-sábio e Todo-poderoso, mas se mostra arbitrário em seu governo, o que nos deixa consternados. Devemos lembrar, uma vez mais, que a antiga teologia dos hebreus era fraca quanto a causas secundárias e fazia de Deus a única causa, tanto do bem quanto do mal. Essa é uma visão voluntarista de Deus: uma coisa é boa porque Deus assim o quer, não porque ela é boa em si mesma. O *voluntarismo* (ver a respeito na *Enciclopédia de Bíblia, Teologia e Filosofia*) ensina que a vontade é suprema a ponto de à razão e à justiça não serem dados os devidos lugares. Poder é direito, e a vontade indiscriminada está por trás do poder.

> *Para mim tudo é o mesmo, portanto digo: Tanto destrói ele o íntegro como o perverso.*
> Jó 9.22

Ver a exposição sobre esse versículo.

"O mundo revela-nos a natureza absoluta do poder de Deus, mas não sua justiça. Ele é o autor *exclusivo* de todos os acontecimentos (vss. 13-21 e 11.8) e das trevas totais do *seol* (vs. 22), uma ideia extremamente incomum para a mente dos hebreus, de acordo com a qual o *seol* jaz fora da jurisdição de Deus (Sl 6.5). Contrastar com Jó 26.6 e Am 9.2; Sl 139.8,11; Pv 15.11. Não somente a sorte dos indivíduos, mas também o surgimento e a queda das nações, depende de seu *fiat* todo-poderoso (vss. 23-25). Não se pode negar que há grandeza nessa filosofia da existência, a qual é completamente teocêntrica. Mas Jó não se submete sem protestar diante desse *governo de ferro*. De fato, a passagem toda deve ser considerada um prelúdio ao ataque *agressivo* das linhas que se seguem" (Samuel Terrien, *in loc*.).

Caros leitores, era certo Jó mostrar-se agressivo contra a doutrina unipolar da predestinação absoluta e da teologia de uma única causa. Mas existem outras causas; o homem está envolvido com seu livre-arbítrio. Ademais, é blasfêmia atribuir o mal a Deus, o que faz o hipercalvinismo. Ver na *Enciclopédia de Bíblia, Teologia e Filosofia* o artigo sobre *Predestinação (e Livre-arbítrio)*.

Jó exaltou o poder e a sabedoria de Deus, mas prosseguiria a fim de demonstrar que aqueles atributos estão envolvidos na destruição, e não meramente na providência positiva. E também objetaria a esse tipo de Deus voluntarista. Ver no *Dicionário* o artigo intitulado *Atributos de Deus*. Deus é a única *fonte* de poder e sabedoria, mas, de acordo com a teologia dos hebreus, esses atributos se tornavam destrutivos sempre que Deus pensava que era melhor assim eles se mostrarem.

> *Meu é o conselho e a verdadeira sabedoria, eu sou o Entendimento, minha é a fortaleza.*
>
> Provérbios 8.14

"A onipotência divina desconhece obstáculos ou lei" (*Oxford Annotated Bible*, comentando sobre o vs. 13).

■ 12.14

הֵן יַהֲרוֹס וְלֹא יִבָּנֶה יִסְגֹּר עַל־אִישׁ וְלֹא יִפָּתֵחַ׃

O que ele deitar abaixo não se reedificará. *Os poderes destrutivos de Deus* funcionam quando ele pensa que isso é apropriado. Ele destrói aquilo que tiver sido construído pelo homem ou por si mesmo. Ele estabelece mudanças súbitas e varre para longe o *status quo*. Os homens nunca podem sossegar, porque jamais preveem quando o próximo golpe divino arruinará todas as coisas. Um homem fica *preso* em sua casa de miséria e sofrimentos conforme sucedeu a Jó, e nenhum poder nos céus ou na terra poderá restabelecer a menor diferença. A imagem foi extraída do abismo, no qual caem animais que de nada suspeitam. Ali está ele, naquele abismo miserável, esperando pelo momento de torturar e matar sua presa, sem demonstrar piedade alguma pelo pobre animal que ali cair. Buracos também eram usados como prisões (ver Jr 37 e 38.6). Jó estava em seu abismo-prisão, e a esperança ficava inteiramente de fora. Jó dizia que a causa real por trás do sofrimento é a vontade imprevisível de Deus, que com frequência age contra aquilo que chamamos de moralidade. O bem e o mal são igualmente nivelados. Deus age de maneira ilegal, porque o seu poder não está restringido por regras que ele impõe ao homem. Ele não precisa obedecer às suas próprias regras. Os amigos-críticos de Jó erravam o alvo quando supunham que Deus sempre abençoa os bons e castiga os maus. Jó dizia que ninguém pode predizer o que Deus fará.

■ 12.15

הֵן יַעְצֹר בַּמַּיִם וְיִבָשׁוּ וִישַׁלְּחֵם וְיַהַפְכוּ אָרֶץ׃

Se retém as águas, elas secam. Deus age de maneira imprevisível com as águas. Primeiramente, ele as retira. As chuvas cessam e os rios secam. Estabelece-se a seca. Logo a fome segue-se à seca, e pessoas, incluindo inocentes, e animais, que nem são inocentes nem culpados, morrem como se fossem moscas. Em seguida, Deus decide que a terra terá água, *grande quantidade de água*. Portanto, ele determina que caiam chuvas intermináveis. Os rios se enchem e se transformam em grandes e destrutivas torrentes. E, então aqueles que não morrem devido à fome são destruídos pelas cataduras. Algumas vezes, os grandes dilúvios de Deus são quase universais, como o dilúvio de Noé. Então os homens dizem: "Houve justiça e misericórdia em meio a tão grande calamidade". Nas pequenas tragédias, os homens dizem o mesmo. Os inocentes continuam a sofrer, mas ninguém apresenta uma boa resposta quanto à *razão* dessas calamidades.

■ 12.16

עִמּוֹ עֹז וְתוּשִׁיָּה לוֹ שֹׁגֵג וּמַשְׁגֶּה׃

Com ele está a força e a sabedoria. O autor sagrado retorna ao tema do vs. 13: a combinação, em Deus, de toda a sabedoria e de todo o poder. Ver as notas expositivas ali. Então, em sua sabedoria, Deus sabe tudo acerca dos homens. Ele sabe quais deles dizem a verdade e não enganam. Ele também conhece os que dizem mentiras e enganam. Jó diz: "Deus sabe que não sou enganador e mentiroso. Ele também sabe que vocês estão equivocados em seus argumentos". Mas este versículo ensina, principalmente, que enganador, enganado, mentiroso e aquele que diz a verdade são todos iguais para Deus. Todos estão em suas mãos. Ele tem o poder de fazer prosperar e de matar, e pode fazê-lo *indiscriminadamente*, pois tanto o enganador quanto o enganado são vítimas do exercício arbitrário do poder de Deus. Puro voluntarismo!

■ 12.17

מוֹלִיךְ יוֹעֲצִים שׁוֹלָל וְשֹׁפְטִים יְהוֹלֵל׃

Aos conselheiros leva-os despojados do seu cargo. *Os grandes da terra*, em sua arrogância, supõem que Deus os favorecerá. Enganados, eles também estão nas mãos de Deus. Ele fará o que mais lhe agradar. Ele os surpreenderá com algum golpe súbito e destrutivo. O poder deles nada significa para Deus. Ele não usa de respeito para com as pessoas. Seus coriscos voam por toda a parte, ferindo tudo. Os sábios e poderosos que naturalmente ficaram ricos são de súbito saqueados pela vontade divina e deixados despidos. Os homens olham admirados, e Deus zomba e se ri deles. Os sábios da terra, como também os juízes, transformam-se em insensatos. Os homens riem-se deles. Até os autores de sábios provérbios são apenas tolos diante de Deus. Ver o vs. 20. Dizem os homens, em sua insensatez: "Deus agirá *assim e assado* sob dadas circunstâncias". Mas Deus não obedece às razões e às regras deles, nem às suas próprias regras.

Leva-os despojados. Talvez tenhamos aqui uma metáfora da *guerra*. Os líderes e os conselheiros de uma nação são levados para o cativeiro, enquanto sua nação é despojada e saqueada. Suas ótimas casas são niveladas, ou os conquistadores vivem nelas. Deus está por trás dos inimigos desses conselheiros. Foi Deus quem lhes deu o poder de fazer aquele mal.

"Desnudando-os de sua sabedoria e poder, Deus demonstra sua sabedoria e poder *superiores*" (Roy B. Zuck, *in loc*.).

> Quem pode suportar as chicotadas e zombarias do tempo,
> Os erros dos opressores e os insultos do homem orgulhoso?
>
> Shakespeare

■ 12.18,19

מוּסַר מְלָכִים פִּתֵּחַ וַיֶּאְסֹר אֵזוֹר בְּמָתְנֵיהֶם׃

מוֹלִיךְ כֹּהֲנִים שׁוֹלָל וְאֵתָנִים יְסַלֵּף׃

Dissolve a autoridade dos reis. "Deus toma todas as roupagens esplêndidas dos reis e os veste de cilício. Dissolve a autoridade deles e permite que seus súditos se rebelem e derrubem os governos, amarrando os reis como cativos e despojando-os de todo o seu poder, autoridade e liberdade" (Adam Clarke, *in loc*.). Os príncipes (vs. 19) recebem o mesmo tipo de tratamento e perdem propriedades e riquezas nesse processo. A história do mundo é, em certo sentido, uma *crônica das guerras*, com o acompanhamento da desumanidade do homem contra o homem, as mudanças de poder que custam vidas humanas e muita miséria, seguidas por fome e pragas de todas as espécies. O autor via Deus como inspirador de tão nefastas atividades.

Uma corda lhes cinge os lombos. Ou seja, os laços mediante os quais eles governam os homens. Ou, então, estão em pauta os cintos que seguram no lugar as vestes reais. Os reis punham em vigor o *jugo da tirania*.

Assim diz o Senhor ao seu ungido, a Ciro, a quem tomo pela mão direita, para abater as nações ante a sua face, e para descingir os lombos dos reis...

Isaías 45.1

Foi assim que Jó lançou dúvidas sobre os chavões piedosos de seus amigos-críticos, que viam uma providência ordenada ferir os maus e sempre abençoar os bons. Disse Jó: "Na vida diária, as coisas não acontecem realmente assim". "Jó era o tipo de homem que sentia o *vazio* da *irrealidade* da *ortodoxia* tradicional, e tateava o seu caminho, em meio a profundas trevas, sustentado, não obstante, por uma fé inquebrantável de que existe a *luz*, e que a luz acabará amanhecendo, finalmente" (Ellicott, *in loc.*). Jó estava efetuando uma investigação livre, contradizendo os dogmas.

■ 12.20

מֵסִיר שָׂפָה לְנֶאֱמָנִים וְטַעַם זְקֵנִים יִקָּח׃

Aos eloquentes ele tira a palavra. Um *ataque direto* contra os sábios dos séculos. Bildade estava profundamente impressionado pelos sábios compositores de provérbios, os inventores das tradições. Mas Jó tinha certeza de que Deus não estava impressionado com eles. Aqueles que costumavam usar sua fala para compor grandes pronunciamentos de sabedoria eram privados dessa fala, instrumento de seus ensinos. Os homens confiavam nos sábios, mas em breve eles nem ao menos poderiam mais falar.

"Ao que parece, eles tinham aparente discernimento e compreensão, mas Deus anulava tudo isso. Jó dizia que a verdade não está com os sábios, na extensão que os amigos-críticos de Jó pensavam. De fato, os criadores dos provérbios são tolos, à vista de Deus. Existem enigmas na natureza, na doutrina, nos sofrimentos humanos. Não se podem solucionar todos os problemas meramente abrindo as Escrituras Sagradas em algum capítulo e versículo, para então ler o trecho. Existem belas e preciosas joias nos livros, e nós as respeitamos, mas a verdade de Deus não pode estar contida em um livro ou conjunto de livros. Temos de continuar sondando a verdade, engajados na deliciosa aventura do aprendizado. Não podemos apelar para os livros, para as tradições e para as ortodoxias como depósitos finais da verdade, e então dizer: "Ali não há erros. Eles são a nossa única regra de fé e prática".

Somente uma *mente infantil* diz que as coisas "não têm erros" e "esta é a nossa regra", independentemente de isso se aplicar a Livros Sagrados ou a qualquer outro padrão. A verdade divina não pode ser confinada dessa maneira. A linguagem humana não pode conter o infinito, nem o pode fazer uma coleção de livros. Precisamos de toda a ajuda que pudermos e devemos respeitar os livros e as tradições, mas o Espírito de Deus está presente e nos conduz a *mais ainda*. "A linguagem humana não pode aprisionar o infinito" (Erasmo de Roterdã). Nem podem aprisionar o infinito nenhum credo, religião, fé ou denominação, cristã ou não. Deus é maior do que todas as instituições humanas e bibliotecas. Estamos aproximando-nos de *Deus*, e não indo na direção de uma suposta autoridade final entre os homens, inventada ou organizada por eles. Autoridades e tradições nos ajudam, mas não devemos permitir que nos aprisionem. Ver na *Enciclopédia de Bíblia, Teologia e Filosofia* o detalhado artigo intitulado *Autoridade*.

Os homens ficam apaixonados por sua sabedoria e importância, e pensam que já encontraram a solução para todos os problemas.

Quos Deus vult perdere, prius dementat.

ou seja:

Deus deixa apaixonados aqueles a quem ele resolveu destruir.

Deus tira o *lábio dos confiados*, conforme diz, literalmente, o original hebraico. Os homens põem sua confiança em *absolutos falsos*, mas Deus é o único absoluto. Quando inventamos outros absolutos, criamos ídolos e nos tornamos idólatras, embora, talvez, *idólatras piedosos*.

■ 12.21

שׁוֹפֵךְ בּוּז עַל־נְדִיבִים וּמְזִיחַ אֲפִיקִים רִפָּה׃

Lança desprezo sobre os príncipes. As classes privilegiadas não escapam aos julgamentos de Deus nem a seus castigos, mesmo que inocentes, se porventura isso puder acontecer. Aqueles que têm poder, aqui, não o têm perante Deus, que é o único Poder. A ira de Deus é liberada como um grande *derramamento*, como se fosse um dilúvio. Em outras palavras, essa ira é *abundante* e retira a força dos alegados poderosos.

■ 12.22

מְגַלֶּה עֲמֻקוֹת מִנִּי־חֹשֶׁךְ וַיֹּצֵא לָאוֹר צַלְמָוֶת׃

Das trevas manifesta cousas profundas. Deus traz à luz *profundas trevas*, o que provavelmente se refere às iniquidades secretas que os homens ocultam de outros homens. Esses homens pertencem ao reino das trevas, mas se apresentam como se fossem luz. Ver na *Enciclopédia de Bíblia, Teologia e Filosofia* o verbete chamado *Luz, a Metáfora da,* que inclui a metáfora das trevas.

Alguns veem as coisas profundas como os próprios pensamentos, planos e estratagemas de Deus, que controla todas as coisas. Essas coisas, ocultas dos homens, Deus traz à luz quando as ocasiões certas o exigem. Ver 1Co 2.10,11 e Sl 92.5.

Quão grandes, Senhor, são as tuas obras! Os teus pensamentos, que profundos!

Salmo 92.5

Este versículo deve ser confrontado com Rm 11.33,34. Os homens traçam planos secretos que Deus traz à luz, mas ele também tem planos secretos que fazem parte de sua providência, positiva e negativa. Suas revelações tomam os homens de surpresa.

■ 12.23

מַשְׂגִּיא לַגּוֹיִם וַיְאַבְּדֵם שֹׁטֵחַ לַגּוֹיִם וַיַּנְחֵם׃

Multiplica as nações e as faz perecer. Deus *permite que grandes nações se formem*, somente para depois esmigalhá-las e reduzi-las a nada. Isso segue alguma vontade misteriosa de Deus, que controla todas as coisas, individuais, comunais e nacionais. As grandes nações são subitamente *dispersas*, uma possível referência ao cativeiro imposto sobre elas, por outras nações, que obedecem ao mandado divino. Deus mostra-se, assim, soberano sobre todos os seres humanos, pessoal e coletivamente, e o fluxo da história individual e universal obedece a seus estratagemas, bons e maus. Deus mantém um *governo universal*, que não segue o que os homens pensam que deveria ser. É a vontade divina que levanta e derruba os homens. Ver na *Enciclopédia de Bíblia, Teologia e Filosofia* os verbetes chamados *Soberania de Deus* e *Determinismo*. Mais adiante, Jó objetará ao caráter absoluto do poder de Deus, que também está por trás de todos os eventos maus. Ele se tornará agressivo em sua fala e protestará contra o *governo de ferro* de seu Deus voluntarista.

Ver no *Dicionário* sobre o *Cativeiro Assírio* sofrido pelas dez tribos do norte, e sobre o *Cativeiro Babilônico* sofrido pela tribo de Judá, quanto a ilustrações sobre a *dispersão* das nações. Naturalmente, o autor sagrado escreveu este livro antes desses eventos, mas eles servem para ilustrar o *modus operandi* das guerras antigas.

Cf. este versículo com Is 9.3 e Sl 107.38,39.

Tens multiplicado este povo, a alegria lhe aumentaste; alegram-se eles diante de ti, como se alegram na ceifa e como exultam quando repartem os despojos.

Isaías 9.3

■ 12.24

מֵסִיר לֵב רָאשֵׁי עַם־הָאָרֶץ וַיַּתְעֵם בְּתֹהוּ לֹא־דָרֶךְ׃

Tira o entendimento aos príncipes. O *príncipe* de cada nação é o general do exército, o rei, aquele que mantém as coisas unidas e em boa ordem. Ele lidera o povo em qualquer empreendimento que assim queira fazer. Quando é ferido, quando seu coração se amedronta, então seu povo se espalha e se dispersa. A terra torna-se um deserto, e a nação transmuta-se em nômades, quando o poder controlador se desfaz. Quando os líderes se acovardam e perdem a compreensão, o povo fica sem pastor. Então aquele povo é sujeitado ao ataque de inimigos, cada um deles um predador. O poeta diz, aqui, que Deus é o poder que desorienta e destrói os líderes, de modo que o povo seja deixado como ovelhas impotentes em campos perigosos. Talvez tenhamos aqui uma alusão aos quarenta anos de perambulação pelo deserto, por parte do povo de Israel. O livro de Jó, sem dúvida, foi escrito após esse evento, embora apresente o período patriarcal como seu meio ambiente.

Lança ele o desprezo sobre os príncipes e os faz andar errantes, onde não há caminho.

Salmo 107.40

■ 12.25

יְמַשְׁשׁוּ־חֹשֶׁךְ וְלֹא־אוֹר וַיַּתְעֵם כַּשִּׁכּוֹר:

Nas trevas andam às apalpadelas. O povo, quer se trate de uma nação ou de um indivíduo, tateia nas trevas que Deus cria a propósito. Os homens tropeçam como se estivessem embriagados, por estarem cegos pelas trevas e andando em terreno desconhecido. O povo tateia nas trevas quando está sem liderança. Mas a situação também é geral: Deus aflige os homens com as trevas (ignorância) para que perambulem ao redor como se estivessem intoxicados.

"Eles andam às apalpadelas como se fossem cegos, como se fossem homens de Sodoma, quando foram feridos de cegueira... ou como os egípcios, quando caíram sobre eles densas trevas, tão espessas que podiam ser apalpadas... Eles tropeçavam como homens embriagados que perderam a visão e os demais sentidos" (John Gill, *in loc.*).

O Senhor te ferirá com loucura, com cegueira e com perturbação do espírito. Apalparás ao meio-dia, como o cego apalpa nas trevas, e não prosperarás nos teus caminhos; porém somente serás oprimido e roubado todos os teus dias; e ninguém haverá que te salve.

Deuteronômio 28.28,29

CAPÍTULO TREZE

Este capítulo dá prosseguimento à réplica de Jó ao discurso de Zofar. A seção ocupa Jó 12.1—14.22. Este discurso conclui o primeiro ciclo da discussão. Ver a introdução ao capítulo 12, que põe esse primeiro ciclo em seu meio ambiente apropriado. Ver também as introduções aos capítulos 4 e 8, quanto a informações sobre o plano do *primeiro ciclo* de discursos, capítulos 3–14.

DESAFIO DE JÓ A SEUS AMIGOS E À DEIDADE (13.1-27)

Os Curadores Incompetentes (13.1-11)

À semelhança de um animal ferido, Jó atacou seus amigos-críticos e também o próprio Deus, que ele supunha ser a causa de seus sofrimentos. À semelhança de um boxeador ansioso por atacar o seu oponente, Jó veio balançando-se quando a sineta tocou. Tornou-se arrogante e cortante com suas palavras, sarcástico e insolente, porquanto, afinal de contas, nada tinha para perder. A dor era imensa e a morte, iminente. Seu longo e eloquente discurso acerca do Deus Todo-poderoso (capítulo 12) foi uma espécie de introdução a seus ataques contra o *governo férreo* de seu Deus voluntarista. Ver na *Enciclopédia de Bíblia, Teologia e Filosofia* o artigo chamado *Voluntarismo*. De acordo com o sistema voluntarista, a vontade é suprema, às expensas da razão e da justiça. Deus faz as coisas certas. Essas coisas não são corretas em sua própria natureza.

Retratando Deus como a única causa (do bem e do mal, edificando e destruindo), Jó não deixava espaço para causas secundárias, o que era típico da primitiva teologia dos hebreus. E continua sendo típico no hipercalvinismo. Se Deus é a causa única, então, como é óbvio, ele é a causa do mal, e não meramente do bem. Ver Jó 1.11, quanto aos problemas teológicos do livro criados pela natureza primitiva da teologia hebreia envolvida.

"A despeito do desregramento de Deus, os amigos de Jó eram médicos inúteis (vs. 4) e não escapariam à reprimenda da deidade (vs. 10)" (*Oxford Annotated Bible*, comentando sobre o vs. 1 deste capítulo). O Deus voluntarista, por não fazer distinção entre o bem e o mal, mas reduzir *ambas* as coisas a nada (ver Jó 9.22), não deixaria em paz os amigos-críticos de Jó. Eles também chegariam em breve à miséria, e Jó se consolava com esse pensamento.

■ 13.1,2

הֶן־כֹּל רָאֲתָה עֵינִי שָׁמְעָה אָזְנִי וַתָּבֶן לָהּ:

כְּדַעְתְּכֶם יָדַעְתִּי גַם־אָנִי לֹא־נֹפֵל אָנֹכִי מִכֶּם:

Eis que tudo isso viram os meus olhos. Jó não sabia todas as coisas, mas sabia, pelo menos, tanto quanto os seus amigos, que o estavam "instruindo". De fato, ele sabia mais do que eles, porquanto sabia que, apesar de todos os discursos sábios, eles não haviam solucionado o porquê do sofrimento humano. E nem os sistemas deles incorporavam a ideia essencial de que os inocentes podem sofrer, o que era o *caso de Jó*. Ver Jó 12.1,2, que contém esses mesmos pensamentos. Jó não ficou impressionado com seus amigos-críticos, como se a sabedoria fosse *propriedade deles* e *morresse* com eles. Eles tinham apresentado um papel alegadamente brilhante, mas que, de fato, era lamentável, porquanto em nada sondara as razões verdadeiras das dores de Jó. Elifaz disse: "Quanto a mim, eu buscaria a Deus" (em contraste contigo, ó estúpido Jó, que continuas a falar em inocência). Ver Jó 5.8. E Jó replicou: "Mas quanto a mim, eu falaria ao Todo-poderoso, visto que falar com vocês é uma futilidade". Assim sendo, Jó denunciou a futilidade dos esforços de seus amigos-críticos. Eles eram meros *besuntadores de mentiras* (vs. 4), falsos porta-vozes de Deus (vs. 7). Seus provérbios pomposos eram meras cinzas (vs. 12).

■ 13.3

אוּלָם אֲנִי אֶל־שַׁדַּי אֲדַבֵּר וְהוֹכֵחַ אֶל־אֵל אֶחְפָּץ:

Mas falarei ao Todo-poderoso. Os amigos-críticos de Jó supostamente apresentaram palavras douradas de sabedoria. Mas Jó percebeu a farsa toda. "Não era com eles que Jó desejava debater. Ele queria argumentar (no hebraico, disputar, debater) seu caso com o próprio Deus" (Roy B. Zuck, *in loc.*). Jó estava cansado de disputar com a terrível tríade. Ele queria chegar à fonte do poder e da sabedoria, para descobrir a causa de seus sofrimentos e ver se algo positivo poderia ser realizado. Talvez seu anelo se concretizasse: ele teria permissão de morrer e encontrar a *paz no nada*. Cf. 9.34,35, quanto ao desejo de Jó de levar seu caso diretamente a Deus. Seus *médicos* (os três amigos-críticos) o haviam decepcionado. Eles não tinham nenhuma cura a oferecer-lhe. Cf. Jó 16.2. Antes Jó temera um encontro com o Todo-poderoso, mas agora ele se tornara temerário. Ele havia perdido toda a esperança na vida e desejava morrer. Nada perderia se fosse confrontado com o Todo-poderoso. Talvez em sua vontade caprichosa, Deus acabasse dizendo: "Basta. Deixarei que Jó morra".

■ 13.4

וְאוּלָם אַתֶּם טֹפְלֵי־שָׁקֶר רֹפְאֵי אֱלִל כֻּלְּכֶם:

Besuntais a verdade com mentiras. Os amigos-críticos de Jó tinham falado com eloquência, proferindo muitas verdades. Mas em sua falta de conhecimento e profundidade de pensamento, eles distorceram algumas coisas e fizeram omissões sérias, exatamente da maneira que os dogmáticos fazem, sem importar qual a sua fé religiosa. Em suas distorções e omissões, eles forjaram também algumas *mentiras*. Deixaram essencialmente intocado o problema do sofrimento humano, ao insistir tão somente na lei da colheita segundo a semeadura, pois há outras razões pelas quais os homens podem sofrer. Mas essas razões não podiam abrir a mente deles para uma visão mais ampla, algo típico dos advogados das teologias sistemáticas, que servem a algum sistema. Ver no *Dicionário* o verbete denominado *Problema do Mal*, bem como a seção V da *Introdução* ao livro de Jó.

Há maiores verdades na dúvida honesta,
Acreditem-me, do que na metade dos credos.

Laureate

Há mais coisas no céu e na terra...
Do que são sonhadas em tua filosofia.

Shakespeare

Em lugar de "forjadores de mentiras", a *Revised Standard Version* diz: "Vós caiais com mentiras", uma tradução possível do original hebraico. As mentiras encobrem defeitos, como a caiadura cobre os buracos e as manchas em uma parede. Os homens encobrem as falsidades com uma argumentação plausível, mas falsa.

Médicos que não valem nada. A antiga cultura dos hebreus tinha pouco respeito pela profissão médica, que fazia uso frequente da magia e de práticas idólatras. Os hebreus apelavam para que Deus curasse (ver Sl 91.3,6; 103.3). Os amigos-críticos de Jó se apresentavam como curadores, mas apenas aprofundaram seus ferimentos e sofrimentos. Eles eram médicos inúteis, e, assim sendo, foram rejeitados por Jó, que se volta, agora, para Deus, a fim de receber ajuda ou ter uma morte pacífica.

Um *médico bem-sucedido* deve ter tanto conhecimento quanto habilidade. Aos amigos-críticos de Jó faltavam ambas as coisas. Eles eram ricos em palavras, mas não tinham nenhum poder de cura.

13.5

מִי־יִתֵּן הַחֲרֵשׁ תַּחֲרִישׁוּן וּתְהִי לָכֶם לְחָכְמָה׃

Oxalá vos calásseis de tudo. *Silenciar é Demonstrar Sabedoria.* Os amigos-críticos de Jó multiplicaram palavras, mas não encontraram solução para o porquê do sofrimento humano; não foram capazes de curar a enfermidade de Jó, nem mesmo metaforicamente, mostrando-lhe a razão de suas dores, nem como um fato, prescrevendo medidas curativas. Eram habilidosos como faladores, mas não como curadores. Jó lhes disse para "se calarem". O silêncio seria a sabedoria deles, uma reprimenda muito sarcástica.

> *Até o estulto, quando se cala, é tido por sábio, e o que cerra os lábios, por entendido.*
>
> Provérbios 17.28

Os amigos-críticos de Jó, em seu *muito falar*, tinham revelado ignorância. Se tivessem permanecido calados, pelo menos deixariam de mentir, e assim teriam feito *algum progresso* no sentido de tornar-se sábios.

> Vir sapit, qui pauca loquitur.

ou:

> Um homem sábio fala pouco.
>
> Provérbio latino

Um homem em silêncio provavelmente não é um tolo. O indivíduo insensato está sempre exprimindo seus chavões piedosos e sua falsa sabedoria. Dizer truísmos óbvios não faz de um homem uma pessoa sábia. E as coisas ficam piores, quando verdades óbvias são misturadas com meias-verdades, mentiras e distorções, sem falar em todas aquelas inevitáveis *omissões*.

13.6

שִׁמְעוּ־נָא תוֹכַחְתִּי וְרִבוֹת שְׂפָתַי הַקְשִׁיבוּ׃

Ouvi agora a minha defesa. Era chegada a vez de Jó *multiplicar palavras,* e ele esperava realizar algo mediante suas palavras, pelo menos mais do que seus amigos-críticos tinham feito. Portanto, ele os chamou para se manterem quietos e ouvir o que ele tinha para dizer.

"Por repetidas vezes, neste capítulo, Jó pediu que seus amigos ouvissem, com ouvidos atentos, em vez de multiplicarem palavras ignorantes. Ver os vss. 6, 13 e 17" (Roy B. Zuck, *in loc.*). O corpo de Jó era atravessado por dores, mas mesmo assim ele tinha poderes de raciocínio. Era capaz de pleitear sua causa e de fazer sentido com ela. "Os discursos deste livro foram concebidos como se tivessem sido entregues em um *tribunal de justiça.* Diferentes conselheiros pleiteavam uns contra os outros" (Adam Clarke, *in loc.*). Os lábios de Jó lançariam repreensões contra os seus amigos, conforme a Septuaginta dá a entender.

13.7

הַלְאֵל תְּדַבְּרוּ עַוְלָה וְלוֹ תְּדַבְּרוּ רְמִיָּה׃

Porventura falareis perversidade em favor de Deus...? Jó acusou seus amigos-críticos de serem *testemunhas falsas* e mentirosos que atribuíam suas mentiras e meias-verdades a Deus. Eram *enganadores,* ocultavam a verdade, dizendo meias-verdades e formulando mentiras, e davam a Deus o *crédito* pelo que diziam. Eram "enganadores em favor de Deus", uma contradição de termos, dita com *sarcasmo.* Eles fingiram poder resolver grandes problemas com argumentação inadequada, uma característica de indivíduos dogmáticos e criadores de teologias sistemáticas. Eles tinham conseguido enganar muitos homens com seus chavões, estabelecendo-se como *autoridades.* Mas Jó percebeu claramente a farsa. Algumas vezes, a *fé* consiste em acreditar naquilo que não corresponde à verdade. Essa é uma fé equivocada, mas nossos credos andam cheios dessa espécie de fé. Na verdade, algumas vezes precisamos ser liberados da teologia. Nem todos aqueles que têm um baralho podem jogar bem. Os críticos de Jó tinham seus baralhos, mas jogavam um jogo miserável.

13.8

הֲפָנָיו תִּשָּׂאוּן אִם־לָאֵל תְּרִיבוּן׃

Sereis parciais por ele? Pensando que Deus estava contra Jó, seus três amigos bandearam-se para o lado dele, conforme pensavam, e negligenciaram qualquer argumento que Jó tivesse para apresentar. Mas, ao assim fazerem, caíram na armadilha de dizer meias-verdades e até mesmo mentiras (vss. 4 e 6), em nome de Deus! Eles contendiam por Deus com falácias e pressuposições contra Jó, antes que ele fosse levado a julgamento. Tornaram-se, assim, culpados de injustiça e não deram a Jó oportunidade de provar a sua inocência.

13.9

הֲטוֹב כִּי־יַחְקֹר אֶתְכֶם אִם־כְּהָתֵל בֶּאֱנוֹשׁ תְּהָתֵלּוּ בוֹ׃

Ser-vos-ia bom, se ele vos esquadrinhasse? Poderiam pecadores como aqueles, que proferiam mentiras em nome de Deus e, sem dúvida, possuíam outros pecados e imperfeições, sair-se bem quando chegasse a *vez deles* de enfrentar o Deus terrível, que destrói os maus e os bons igualmente (ver Jó 9.22)? Os críticos de Jó estavam prestes a ser divinamente criticados; os juízes em breve seriam julgados; os arrogantes logo seriam humilhados. Deus é o nivelador da humanidade, e eles não encontrariam lugar de escape. Era apenas uma questão de tempo: Jó agora; eles, mais tarde. Eles poderiam enganar os homens com seus argumentos falazes e seu fingimento de piedade. Mas de Deus não se zomba. Outrossim, Jó era *inocente,* a despeito de estar sendo terrivelmente castigado. Mas qual seria o castigo daqueles *pecadores* que diziam mentiras em nome de Deus?

Quanto a *zombar de Deus,* ver Gl 6.7, no *Novo Testamento Interpretado.*

"Deus percebe perfeitamente bem todos os raciocínios falazes dos homens! Ele não julga segundo as aparências externas. Ele vê e conhece o coração, bem como todos os desígnios dos homens. Ele pode detectar sofismas e falsas glosas. E não se deixa enganar por pretensões ilusórias" (John Gill, *in loc.*).

13.10

הוֹכֵחַ יוֹכִיחַ אֶתְכֶם אִם־בַּסֵּתֶר פָּנִים תִּשָּׂאוּן׃

Acerbamente vos repreenderá. "Assim sendo, o blasfemo (Jó disse que Deus era *injusto* para com ele, mas mesmo assim continuava acreditando na *justiça* retributiva de Deus contra seus amigos!" (Samuel Terrien, *in loc.*). Jó era culpado de magnificente inconsistência, e estava certo de que Deus repreenderia seus críticos autonomeados. A um homem que sofria, como Jó estava sofrendo, poderíamos permitir inconsistências lógicas. Além disso, ele estava exprimindo seu coração, e não sua cabeça. "Se a mente de Jó corria o perigo de tornar-se ímpia, seu coração não corria esse risco... há um Deus que não permite mentiras... Uma coisa ainda precisamos ser: honestos" (Paul Scherer, *in loc.*). Deus sondou a vida de Jó e não encontrou nenhuma razão para ele sofrer (ver Jó 2.3). Mas se Deus sondasse a vida dos três amigos de Jó, certamente acharia *razões* para afligi-los.

13.11

הֲלֹא שְׂאֵתוֹ תְּבַעֵת אֶתְכֶם וּפַחְדּוֹ יִפֹּל עֲלֵיכֶם׃

Porventura não vos amedrontará a sua dignidade...? Deus é dotado de uma *majestade* (*Revised Standard Version*) que amedronta os homens. Ele tem um *terror* em seu julgamento que assusta terrivelmente os homens. Jó assegurou a seus amigos que eles não seriam isentos desses temíveis atributos de Deus.

O simples temor a Deus pode esmagar psicologicamente um ser humano. Quando vem o golpe divino, então o homem é reduzido a nada. Os críticos de Jó proferiram sofismas em favor de Deus. A justiça divina não haveria de negligenciar esse ato de insolência.

> *Quem te não temeria a ti, ó Rei das nações? Pois isto é a ti devido...*
>
> Jeremias 10.7

Ver no *Dicionário* o verbete chamado *Temor*, que inclui notas sobre o temor de Deus, que supostamente os homens devem ter.

"Posteriormente, eles foram realmente reprovados por Deus, quando os convenceu dos erros de seus pontos de vista (ver Jó 42.7-9)" (Roy B. Zuck, *in loc.*).

> O temor é um sentimento mais forte que o amor.
>
> Plínio, o Moço

Jó Insulta o Homem e a Deus (13.12-19)

■ **13.12,13**

זִכְרֹנֵיכֶם מִשְׁלֵי־אֵפֶר לְגַבֵּי־חֹמֶר גַּבֵּיכֶם׃
הַחֲרִישׁוּ מִמֶּנִּי וַאֲדַבְּרָה־אָנִי וְיַעֲבֹר עָלַי מָה׃

As vossas máximas são como provérbios de cinzas. Jó chegou ao cúmulo dos insultos, quando chamou os provérbios daqueles "sábios" de "cinzas", e suas defesas apenas de "barro". E logo se lançou à mais forte diatribe contra Deus, ou seja, contra seu Deus voluntarista.

"Conforme era seu costume, Jó prefaciou um pensamento ousado (vs. 15, o Deus que assassina), com uma chamada à atenção (vs. 13) e um aviso prévio de sua ousadia (vs. 14)" (Samuel Terrien, *in loc.*). Em seu desespero, Jó destemidamente disse a Deus palavras cortantes, verdadeiras blasfêmias, e estava preparado para aceitar as consequências.

Os atormentadores de Jó tinham-se apresentado como curadores, mas lhes faltavam o amor, além de eles não saberem como curar. "O amor, e somente o amor, conhece a arte da cura" (Paul Scherer, *in loc.*).

Visto que aqueles homens falavam apenas *cinzas e barro*, Jó os instrui a calar-se e escutar o que ele tinha para dizer, algo excessivamente amargo. Ele não apenas ousou olhar com ar superior a seus oponentes, mas chegou a chamar Deus de assassino! Por meio de uma avaliação das coisas, Jó caiu na blasfêmia, conforme Satanás disse que ele faria (Jó 1.11 e 2.5). Ver no *Dicionário* o verbete intitulado *Blasfêmia*.

■ **13.14**

עַל־מָה אֶשָּׂא בְשָׂרִי בְשִׁנָּי וְנַפְשִׁי אָשִׂים בְּכַפִּי׃

Tomarei a minha carne nos meus dentes. *Jó Arriscou a Própria Vida.* Jó, em sua dor severa e sem alívio, nada tinha para perder. De fato, morrer seria lucro, pois traria paz e o nada eterno, segundo ele pensava. Jó não olhava para uma futura vida pós-túmulo. Ele só desejava ser aniquilado. Foi por isso que "tomou sua carne nos dentes", antiga expressão idiomática de significado difícil, mas que fazia sentido para Jó e seus contemporâneos. A frase da segunda metade do versículo define o que isso quer dizer para nós: "Porei a vida na minha mão". Ambas as expressões significam a mesma coisa: Jó arriscou sua vida por aquilo que estava dizendo. Deus poderia golpeá-lo instantaneamente e terminar com tudo. Jó dera um aviso prévio à sua ousadia, que lhe custaria sua vida miserável. "Tomar a carne nos dentes", muito provavelmente, faz alusão às feras que levam as presas nos dentes a um lugar apropriado para matá-las e devorá-las.

■ **13.15**

הֵן יִקְטְלֵנִי לֹא אֲיַחֵל אַךְ־דְּרָכַי אֶל־פָּנָיו אוֹכִיחַ׃

Eis que me matará, já não tenho esperança. A *King James Version* (1611) traduziu mal este versículo, o qual se tornou um dos mais citados do livro de Jó na língua inglesa. Essa versão diz: "Embora ele me mate, contudo confiarei nele". Essa tradução mostra imensa fé e coragem. Jó estava disposto a ver toda aquela miserável situação chegar ao fim, retendo a sua fé em Deus, fazendo a coisa certa. Mas essa tradução não está correta.

Nossa versão portuguesa, seguindo a *Revised Standard Version*, diz: "Eis que me matará, já não tenho esperança; contudo, defenderei o meu procedimento". Como é claro, Jó falou com beligerância. Primeiramente, Jó chamou Deus de assassino potencial. Mas ser morto por um golpe divino não era um pensamento que detivesse sua língua, antes que isso ocorresse. Ele defenderia a sua causa, a despeito da suposta ameaça divina. Portanto, o que a *King James Version* transformou em excelente declaração de fé e coragem é, na realidade, amarga diatribe contra o Deus voluntarista. Ver na *Enciclopédia de Bíblia, Teologia e Filosofia* o artigo chamado *Voluntarismo*.

"Jó estava resolvido a apresentar seu caso, embora esse ato pudesse matá-lo! Ele estava disposto a arriscar-se por causa da remota possibilidade de que Deus o exoneraria" (Roy B. Zuck, *in loc.*).

■ **13.16**

גַּם־הוּא־לִי לִישׁוּעָה כִּי־לֹא לְפָנָיו חָנֵף יָבוֹא׃

Também isso será a minha salvação. Novamente a *King James Version* insistiu em uma falsa tradução, dizendo: "*Ele* também será a minha salvação". A *Revised Standard Version* é melhor: "*Isso* será a minha salvação", ou seja, sua *ousada defesa* poderia surtir efeitos positivos. Um homem inocente talvez fosse capaz de convencer Deus a revelar o *porquê* de seus sofrimentos, ajudando-o a pôr fim a eles. Nossa versão portuguesa segue bem de perto a *Revised Standard Version*.

■ **13.17**

שִׁמְעוּ שָׁמוֹעַ מִלָּתִי וְאַחֲוָתִי בְּאָזְנֵיכֶם׃

Atentai para as minhas razões. Jó emitiu outra *chamada para obter a atenção*. Cf. o vs. 13. Ele estava entregando sua mais ousada defesa, jogando, por assim dizer, o seu trunfo. Confiava que seus esforços renderiam efeitos positivos (vs. 18) e precisava que seus amigos-críticos seguissem atenciosamente o que ele tinha para dizer. Ele estava prestes a fazer uma defesa "tão brilhante como o sol, de tal maneira que parecesse o mais claro possível, como atitude correta de um homem justo" (John Gill, *in loc.*).

■ **13.18**

הִנֵּה־נָא עָרַכְתִּי מִשְׁפָּט יָדַעְתִּי כִּי־אֲנִי אֶצְדָּק׃

Tenho já bem encaminhada minha causa. Por alguns instantes, Jó esqueceu seu desespero e pensou que poderia ganhar a causa, tanto contra a terrível tríade de amigos-críticos como até contra um Deus hostil, que aprovaria a sua lógica. Sua preparação foi imaculada e a entrega de seu discurso, insofreável. Seus argumentos foram postos em ordem como se fossem um exército, e ele teve uma chance de ganhar seu caso, até diante do Deus augusto, Todo-sabedor e Todo-poderoso.

Serei justificado. Alguns intérpretes cristianizam o versículo e falam em justificação espiritual. Mas Jó queria somente convencer a Deus para que dissesse *por que* ele estava sofrendo fisicamente.

■ **13.19**

מִי־הוּא יָרִיב עִמָּדִי כִּי־עַתָּה אַחֲרִישׁ וְאֶגְוָע׃

Quem há que possa contender comigo? Pleiteariam contra Jó *inimigos formidáveis*, incluindo a terrível tríade de amigos e o Deus augusto. "Não importa!", disse Jó. "Vamos dar prosseguimento ao caso, porque, se eu fizer silêncio, perder-me-ei nesta dor e dela morrerei". Cf. Is 50.8: "Quem contenderá comigo?" Essa seria uma tarefa impossível. Contudo, Jó iria tentar. Ele nada tinha para perder. "Jó estava solicitando uma ação legal imediata, em vista da possibilidade iminente de sua morte. Ele já havia dito: 'Pois agora me deitarei no pó' (Jó 7.21). Era Deus, e não o homem, diante de quem ele queria implicitamente pleitear" (Samuel Terrien, *in loc.*).

E renderia o espírito. Estas palavras não implicam que Jó tivesse fé na vida pós-túmulo. Só querem dizer que ele *daria o último suspiro*, e então morreria. Visto que em breve morreria, ele precisava que seu caso fosse pleiteado com urgência. Tanto a *Revised Standard Version* como a nossa versão portuguesa estão corretas, ao dizer: "Neste caso eu me calaria". A fé na vida pós-túmulo entrou na teologia dos hebreus nos Salmos e nos Profetas. Ver isso aqui é um anacronismo.

■ **13.20,21**

אַךְ־שְׁתַּיִם אַל־תַּעַשׂ עִמָּדִי אָז מִפָּנֶיךָ לֹא אֶסָּתֵר׃

כַּפְּךָ מֵעָלַי הַרְחַק וְאֵמָתְךָ אַל־תְּבַעֲתַנִּי׃

Concede-me somente duas cousas. Insistindo uma vez mais em uma tradução distorcida, a *King James Version*, ao falar nas *duas coisas* que Jó implorou que Deus fizesse, usa a forma negativa: "Não me concedas somente duas coisas: retira a tua mão de mim e não me aterrorize o teu temor". Mas a *Revised Standard Version* e a nossa versão portuguesa estão corretas, ao deixar de fora o "não". A petição de Jó foi positiva: "Alivia a tua mão de sobre mim, e não me espante o teu terror". Jó não estava pedindo que a mão benévola de Deus estivesse sobre ele para seu bem. Antes, solicitava que Deus tirasse sua pesada mão de sobre ele, pois isso produzia dor.

Note o leitor que, em duas ocasiões anteriores (Jó 7.12 ss. e 10.2 ss.), Jó, impulsionado pela intensidade de sua emoção espiritual, abruptamente deixou o simples discurso para fazer um apelo direto ao próprio Deus. Como poderia ele fazer um julgamento justo, se continuasse sujeitando-o à tortura? Jó não se ocultou timidamente de Deus. Antes, compareceu à sua presença ousadamente, fazendo-lhe pedidos, porquanto nesses pedidos poderia haver alguma esperança. Se ele obtivesse as duas coisas que tinha requerido, então não teria de esconder-se de Deus. Poderia esperar algum benefício da parte dele, para aliviar sua dor.

"Cessa de torturar-me no corpo físico e de aterrorizar-me mentalmente; permite-me ter liberdade da dor física e essa indevida apreensão de teus terrores" (Ellicott, *in loc.*).

■ **13.22,23**

וּקְרָא וְאָנֹכִי אֶעֱנֶה אוֹ־אֲדַבֵּר וַהֲשִׁיבֵנִי׃

כַּמָּה לִי עֲוֹנוֹת וְחַטָּאוֹת פִּשְׁעִי וְחַטָּאתִי הֹדִיעֵנִי׃

Interpela-me e te responderei. Se Jó pudesse ser liberado de seu sofrimento, então faria as devidas súplicas e estaria preparado para ouvir as instruções apropriadas. Um *diálogo frutífero* poderia desenvolver-se, o que era impossível sob as atuais circunstâncias de agonia. Se ele fosse um pecador (vs. 23) e estivesse enganado ao pensar que era *inocente*, estaria pronto para ouvir isso e então fazer os ajustes devidos. Ele não ficaria *limitado dogmaticamente*, conforme sucedia a seus três amigos. Sua mente estaria aberta para qualquer possibilidade, mas primeiro ele precisava ser aliviado de seus terríveis sofrimentos para que pudesse manter um diálogo com Deus.

Em outra ocasião, quando Jó pediu para Deus enumerar seus pecados (ver Jó 6.24), Deus não compareceu ao tribunal. O que fica subentendido na presente passagem é que Deus, uma vez mais, não veio conversar sobre os pecados de Jó. Ele deixou Jó em silêncio, para falar de seu caso sem nenhuma interrupção. Deus não apareceu para fazer barganha alguma. É conforme minha mãe costumava dizer: "Algumas vezes podemos barganhar com Deus, e outras vezes, não podemos". Posteriormente, Eliú diria que não se pode argumentar contra Deus (ver Jó 37.19). Mas Jó, em seu desespero, estava disposto a tentar qualquer coisa, até mesmo algo que fosse fatal para ele. Na verdade, ele desejava que houvesse alguma fatalidade, caso seus sofrimentos pudessem ser aliviados.

■ **13.24**

לָמָּה־פָנֶיךָ תַסְתִּיר וְתַחְשְׁבֵנִי לְאוֹיֵב לָךְ׃

Por que escondes o teu rosto...? *Deus Permaneceu em Silêncio.* Ele não cedeu quanto ao diálogo que Jó tinha requerido. Antes, permaneceu escondido nas sombras, e Jó continuou a sofrer sem nenhuma explicação divina quanto ao *porquê*. Os pecados de Jó não foram enumerados e ele não foi chamado de culpado. Foi simplesmente ignorado. Jó foi tratado como um criminoso em tribunal, sem que as acusações fossem assacadas contra ele, para que isso pudesse ser considerado justo ou injusto. "O herói estava perplexo pela aparente hostilidade do Senhor dos homens. Para ele, todas as calamidades — perda das riquezas materiais, filhos, saúde, amizades e honras — eram menos excruciantes do que a solidão espiritual e o senso de abandono da parte de Deus. Ele bem poderia perguntar, como Cristo fez mais tarde: "Deus meu, Deus meu, por que me abandonaste?" (Sl 22.1). Deus oculta o seu rosto quando está irado (Sl 27.9; Is 54.8) ou indiferente (Sl 30.7). "Sua inimizade é ... desconcertante" (Samuel Terrien, *in loc.*).

■ **13.25,26**

הֶעָלֶה נִדָּף תַּעֲרוֹץ וְאֶת־קַשׁ יָבֵשׁ תִּרְדֹּף׃

כִּי־תִכְתֹּב עָלַי מְרֹרוֹת וְתוֹרִישֵׁנִי עֲוֹנוֹת נְעוּרָי׃

Queres aterrorizar uma folha arrebatada pelo vento? Temos aqui as *metáforas* da folha frágil e da palha seca. Diante de Deus, Jó nada era senão uma folha frágil que poderia ser esmagada e transformada em pó, ou um pedaço de palha inútil que o vento tange ao redor. Não obstante, Deus insistia em perseguir e seguir o que era frágil e inútil. Por que esse nada *merecia* tanta atenção divina? Cf. Jó 7.12,20. O vs. 25 não é uma confissão de pecado, embora o vs. 26 certamente pareça ser. Mas *aqueles pecados* eram típicos da juventude frívola. Porventura Deus traria de volta a história passada e puniria Jó por isso, embora, no presente momento, ele fosse inocente? Os homens demonstram certa indulgência com os pecados dos jovens, supondo que sejam inevitáveis e devam ser negligenciados por terem sido cometidos pelos ignorantes e inexperientes. Talvez Deus, mais severo, esmagasse um homem maduro ou velho, por causa dos pecados cometidos na juventude. Por que Deus conjuraria pecados passados, cometidos na adolescência, e puniria Jó por causa deles? Jó considerava isso improvável, e assim, para todos os propósitos práticos, continuava a considerar-se *inocente*. Jó, contudo, não estava falando sobre inocência absoluta. Jó teria confessado ser pecador em qualquer estágio de sua vida. A contenção dele era a de não ser tão culpado a ponto de merecer a agonia que estava sofrendo. Ele compara suas agonias com as dos prisioneiros que sofrem toda a espécie de abuso, sendo comparativamente inocentes; de maneira que ninguém podia apontar para determinados pecados e então dizer: "Por causa *destes pecados* estás sendo punido!"

"As leviandades e indiscrições de minha juventude eu reconheço. Mas será essa a *base* sobre a qual são formadas acusações contra um *homem*, cuja integridade de vida é inatacável?" (Adam Clarke, *in loc.*). O *mistério* dos sofrimentos presentes permanecia. Jó poderia ter-se envolvido em irresponsabilidades, conforme acontece entre tantos jovens, mas, em sua vida de homem maduro, coisa alguma poderia ser *apontada* que justificasse as suas dores.

■ **13.27**

וְתָשֵׂם בַּסַּד רַגְלַי וְתִשְׁמוֹר כָּל־אָרְחוֹתָי עַל־שָׁרְשֵׁי רַגְלַי תִּתְחַקֶּה׃

Também pões os meus pés no tronco. Jó compara agora suas agonias com as dos prisioneiros que sofrem toda a espécie de abusos por parte de seus captores. Ninguém aparecerá para demandar um *habeas-corpus* e para certificar-se de que as acusações contra o homem eram justas e estavam bem consubstanciadas. Jó simplesmente vivia na prisão da dor, sem que nenhuma acusação fosse feita contra ele. Jó dizia: "Deus é injusto por estar fazendo isto contra mim!" Por que haveria Deus de tratar Jó como se ele fosse um prisioneiro, pondo seus pés no tronco, vergastando-lhe as costas, ameaçando-o com a "disciplina própria da prisão", observando-o ali em seu cativeiro, seguindo-o por toda parte e assediando-o? Cf. Jó 7.19,20; 10.14. Tendo proferido seu discurso ousado, Jó caiu novamente em desespero, continuando a murchar como se fosse uma indumentária apodrecida e roída pelas traças. Jó queixou-se de que Deus estava continuamente a persegui-lo, a ponto de ele nem ter tempo para engolir a própria saliva (ver Jó 7.19).

H. B. Wells conta sobre uma igreja na qual um *grande olho* foi pintado sobre a parede de uma sala de escola dominical, justamente acima da plataforma. Uma inscrição abaixo do olho dizia: "Tu, Deus, me vês!" (Gn 16.13). Assim também havia o *Grande Olho* seguindo o pobre Jó, não lhe dando um momento sequer de descanso.

Tira a minha alma do cárcere, para que eu dê graças ao teu nome; os justos me rodearão, quando me fizeres esse bem.
Salmo 142.7

A SORTE DO HOMEM MORTAL (13.28—14.22)

■ 13.28

וְהוּא כְּרָקָב יִבְלֶה כְּבֶגֶד אֲכָלוֹ עָשׁ׃

Apesar de eu ser como uma cousa podre. Temos agora um poema que conclui a discussão do primeiro ciclo de discursos. Ver o plano dos discursos na introdução aos capítulos 4 e 8. Este poema, naturalmente, divide-se em quatro seções.
1. A precária mortalidade do ser humano (13.28—14.6)
2. A finalidade da morte humana (14.7-12)
3. Uma imaginação selvagem especula sobre a vida pós-túmulo (14.13-17)
4. A irrevogável sorte humana do aniquilamento (14.18-22)

Após o ousado discurso que repreendeu a Deus por sua injustiça e negligência, Jó caiu no desespero. O Todo-poderoso, porém, ignorou tanto ele quanto seu discurso atrevido. "Em uma guinada súbita, Jó mudou da confiança de que poderia ganhar seu caso em tribunal contra Deus, para um lamento melancólico sobre a futilidade da vida e a certeza da morte" (Roy B. Zuck, *in loc.*). Cf. esta conclusão ao discurso com o lamento do capítulo 3.

Caindo no desespero, Jó agora via a si mesmo como algo *podre*, isto é, inútil e nojento, ou como uma veste roída pelas traças, cuja utilidade anterior foi completamente obliterada.

Cousa podre. As versões da Septuaginta, o siríaco e o árabe fazem isso referir-se a um vaso (odre) feito de peles de animais, que ficou velho e estragado, de modo que não tinha mais utilidade. Jó comparou seu corpo enfermo àquele pedaço de couro inútil e em processo de desintegração.

CAPÍTULO QUATORZE

Este capítulo continua a seção iniciada em Jó 13.28, onde dou notas de introdução. Jó 13.28—14.6 fala sobre a precária mortalidade do ser humano. Ver as outras três seções envolvidas nesse discurso, que conclui o *primeiro ciclo* de discussões.

■ 14.1

אָדָם יְלוּד אִשָּׁה קְצַר יָמִים וּשְׂבַע־רֹגֶז׃

O homem, nascido de mulher. O *homem mortal*, isto é, a criatura que nasce do ser humano do sexo feminino, recebe apenas alguns poucos dias, e até esses poucos dias são repletos de tribulações. O homem nasce para a tribulação como "as fagulhas sobem para o céu", conforme alguém já disse: "As fagulhas parecem não voar noutra direção qualquer". Ver Jó 5.7. Tal como em Jó 7.1 ss., Jó contempla a ridícula brevidade da vida humana. Alguns insetos vivem somente um dia, mas ficam esvoaçando como se fossem viver para sempre. Assim também o homem, em sua arrogância, embora seu período de vida seja ridiculamente breve, esvoaça como se fosse viver para sempre. Mas alguma enfermidade ou acidente logo faz desaparecer essa ilusão.

A *média bíblica* da vida humana é apenas de *setenta anos* (ver Sl 90.10), e esse é um período miseravelmente curto. Aqueles dentre nós que já atingiram os sessenta anos, ao olhar para trás para a brevidade da duração do dia da vida, maravilham-se de quão rapidamente esse dia se escoou, como se fosse um sonho passado na noite. Mas a até mesmo esse breve dia não se permite passar em paz. Há temores, comoções e tremores, causados por acidentes, esperanças despedaçadas, enfermidades e morte. Para Jó havia aquele sofrimento desmerecido, pois a verdade é que até os inocentes sofrem.

Se eu fosse Deus...
Não haveria mais o adeus solene,
A vingança, a maldade, o ódio medonho,
E o maior mal, que a todos anteponho,
A sede, a fome da cobiça infrene!

Eu exterminaria a enfermidade,
Todas as dores da senilidade;
A criação inteira alteraria,
Se eu fosse Deus.

Martins Fontes, Santos, 1884-1937

"Jó 14.1-22: Um dos maiores poemas de toda a literatura" (*Oxford Annotated Bible*, comentando sobre Jó 14.1).

Apesar da *restauração* (ver a respeito no *Dicionário*), Jó não tinha visão para tal acontecimento.

■ 14.2

כְּצִיץ יָצָא וַיִּמָּל וַיִּבְרַח כַּצֵּל וְלֹא יַעֲמוֹד׃

Nasce como a flor, e murcha. O homem nasce com uma beleza como a da flor, que desabrocha na direção do sol, mas logo, como a flor, é cortado pelo Fazendeiro, que prepara o campo para a plantação. Em breve termina o seu *dia*, e as sombras da *noite* o engolfam. Então chega a *noite* da morte, e esse é o fim da história. Cf. este versículo com Jó 8.9 e Ec 6.12, que têm figuras de linguagem semelhantes.

... Ele passará como a flor da erva. Porque o sol se levanta com seu ardente calor, e a erva seca, e a sua flor cai, e desaparece a formosura do seu aspecto.
Tiago 1.10,11

Quanto ao homem, os seus dias são como a relva; como a flor do campo, assim ele floresce; pois, soprando nela o vento, desaparece; e não conhecerá, daí em diante, o seu lugar.
Salmo 103.15,16

■ 14.3

אַף־עַל־זֶה פָּקַחְתָּ עֵינֶךָ וְאֹתִי תָבִיא בְמִשְׁפָּט עִמָּךְ׃

E sobre tal homem abres os teus olhos. Além das outras tribulações do homem, que ele precisa suportar em sua breve vida, há também os assédios de Deus, que não dão descanso ao homem. Sempre há razões para Deus punir o homem. Ele sempre cultiva seu conjunto de pecados e vícios, o qual chega ao fim pelo toque da retribuição. Mas até os *inocentes* sentem esse toque, como no caso de Jó. Portanto, para Jó, o problema do mal incluía as duas coisas tradicionais: os abusos da natureza e os abusos do homem contra o homem. Mas para ele isso também incluía uma *terceira coisa*, o desprazer de Deus que nivela os bons e os maus, sem estabelecer nenhuma distinção (ver Jó 9.22).

O Deus da esperança acabou sendo o Deus do desespero humano.

Os olhos de Deus estão abertos sobre os homens, e eles esperam que isso signifique uma providência positiva; mas, para lamentação deles, com frequência isso aponta para uma providência negativa. Ver no *Dicionário* o verbete chamado *Providência de Deus*. Foi assim que Jó falou exclusivamente com Deus, para seu desalento. O capítulo inteiro deixa de mencionar os amigos-críticos de Jó. Jó apresentou um pensamento desalentador, que assusta até os homens bons: Deus está sempre vigiando para ver que outras calamidades ele pode fazer cair sobre os homens, sem importar sejam eles bons ou maus. Jó, pois, promovia o conceito de seu Deus voluntarista. Ver na *Enciclopédia de Bíblia, Teologia e Filosofia* o artigo chamado *Voluntarismo*.

■ 14.4

מִי־יִתֵּן טָהוֹר מִטָּמֵא לֹא אֶחָד׃

Quem da imundícia poderá tirar cousa pura? Embora se considerasse inocente, não merecedor de seus imensos sofrimentos, Jó admitiu que a humanidade está cheia de pecado e corrupção. O homem, como raça, é corrupto, e isso em condição permanente. Ninguém pode tirar algo limpo daquilo que é inerentemente imundo. Cf. os vss. 16,17, onde Jó voltou ao tema do pecado, algo dito no estilo do apóstolo Paulo, em Rm 3.10-18, tomando por empréstimo do Salmo 14. Portanto, apesar de haver a retribuição sem justificação, também há muita coisa merecida, de acordo com a *Lei Moral da Colheita segundo a Semeadura* (ver no *Dicionário*). Deus se ocupa em trazer calamidade sobre os que a merecem e sobre os que não a merecem (ver Jó 9.22). Permanecia de pé o *enigma* do sofrimento. O homem é básica e incuravelmente corrupto. Jó não entra nos problemas teológicos quanto ao *porquê* ou *como* tudo começou. Ele só se preocupa com o presente, e trata-se de um presente lamentável.

Este versículo tem sido usado como um texto de prova quanto ao *pecado original*. "Nenhum ser humano nasce neste mundo sem a corrupção da natureza. Todos os seres humanos são impuros e profanos, e do princípio da *depravação* é que toda transgressão é produzida. Dessa depravação da natureza somente Deus pode salvar" (Adam Clarke, *in loc.*). Ver no *Dicionário* o artigo chamado *Pecado Original*, quanto a uma discussão teológica sobre a questão. Ver na *Enciclopédia de Bíblia, Teologia e Filosofia* o artigo geral chamado *Pecado*.

■ 14.5

אִם חֲרוּצִים ׀ יָמָיו מִסְפַּר־חֳדָשָׁיו אִתָּךְ חֻקָּו עָשִׂיתָ וְלֹא יַעֲבוֹר׃

Visto que os seus dias estão contados. *A vida e todas as suas condições,* incluindo sua duração, são determinadas por Deus. Encontramos este *determinismo* (ver a respeito na *Enciclopédia de Bíblia, Teologia e Filosofia*) em Jó 7.1, onde são dadas amplas explicações. Ver também Is 10.23 e Dn 9.27. Até hoje ninguém foi capaz de descobrir um *elixir* que prolongue a vida do homem indefinidamente. Atualmente vemos o estúpido espetáculo do enregelamento de corpos humanos, especialmente entre os abastados, que tolamente supõem que, algum dia, suas tendas de barro poderão ser revivificadas. Mas estudos mostram que a duração da vida, para a maioria das pessoas, é flexível. Que diferença faz se a maioria das pessoas vive um pouco mais ou um pouco menos? Ocasionalmente, uma pessoa tem de morrer em um dia específico, adrede marcado. O rei Ezequias, sem nenhuma razão especial, exceto seu desejo extremo, obteve quinze anos extras de vida (ver 2Rs 20.6). Ezequias obteve esses quinze anos extras mediante lágrimas e oração. Portanto, Senhor, concede-nos tal graça!

> Existe um limite fixado para todo homem. Esse limite permanece onde foi marcado. Nenhum homem pode movê-lo para trás ou para frente, por nenhum meio.
> Sêneca, *Consolat. Ad Marciam*, Cap. 20

Naturalmente, os estoicos (grupo ao qual Sêneca pertencia) eram deterministas absolutos, o que explica os sentimentos expressos. Ver na *Enciclopédia de Bíblia, Teologia e Filosofia* o verbete chamado *Predestinação*.

■ 14.6

שְׁעֵה מֵעָלָיו וְיֶחְדָּל עַד־יִרְצֶה כְּשָׂכִיר יוֹמוֹ׃

Desvia dele os teus olhares. Visto que o dia do homem é tão curto, e que sua morte já está determinada em algum ponto do tempo, não muito distante, Jó rogou a Deus que o deixasse sozinho, a fim de que pudesse terminar seus dias em paz, e não assediado divinamente. Naturalmente, ele estava pensando em seu próprio caso. Jó havia feito esse pedido (ver Jó 10.20, onde ofereço notas adicionais) e agora retornava a ele.

Como o jornaleiro. Aquele que trabalha por um dia de cada vez, e sabe quando o dia terminará e receberá o seu salário. Nos tempos antigos, os jornaleiros eram pagos a cada dia de trabalho. O trabalhador anela pelo fim do dia. Ele fica cansado do calor do dia e cansado do trabalho. Todos os homens, diante de Deus, não passam de trabalhadores diários, suando em seu rápido dia de vida. O descanso só vem no fim do dia. Era por isso que Jó anelava, mas esperava que as horas da noite, antes de sua morte, passassem em paz.

"Quando a vida de um homem é passada em tribulação e entre as enfermidades da idade avançada, nos dias finais ele não tem prazer" (John Gill, *in loc.*).

A FINALIDADE DA MORTE HUMANA (14.7-12)

■ 14.7

כִּי יֵשׁ לָעֵץ תִּקְוָה אִם־יִכָּרֵת וְעוֹד יַחֲלִיף וְיֹנַקְתּוֹ לֹא תֶחְדָּל׃

Porque há esperança para a árvore. Jó logo olharia descuidadamente para a possibilidade de sobreviver ante a morte biológica (por meio da alma ou da ressurreição?; vss. 13-17), mas seu pensamento constante era o da brevidade e finalidade da morte humana, o que assinala o verdadeiro e último fim do homem. Nos versículos diante de nós, era isso que Jó levava em conta.

A árvore é algo de maravilhoso. Pode-se cortar uma árvore e deixar apenas o toco, mas sua vida persistirá. Ela lançará novos brotos. A vida soergue-se de suas raízes, que não morreram. No tempo que temos representado no livro de Jó, o período patriarcal, os hebreus não faziam ideia de uma vida pós-túmulo. Esses pensamentos entraram na teologia dos hebreus no tempo dos Salmos e dos Profetas, mas ainda não muito claramente. Mas no mundo lá fora, como nas religiões orientais, já havia doutrinas da imortalidade e até alguma referência à ressurreição. De fato, os ritos e as crenças religiosas no Oriente Médio cultivavam tais ideias. Mas Jó falava de modo brusco contra tal possibilidade, conforme demonstram os versículos que se seguem. O homem, afirmava ele, *não é* como a árvore maravilhosa que aflora em nova vida a partir das raízes e assim volta à vida por si mesma. Os egípcios eram os campeões da doutrina da sobrevivência da alma, de alguma maneira, e Jó poderia ter sentido a influência deles. Contudo, para ele, uma *árvore* cortada tinha esperança, mas um *homem* cortado ia-se para sempre.

■ 14.8,9

אִם־יַזְקִין בָּאָרֶץ שָׁרְשׁוֹ וּבֶעָפָר יָמוּת גִּזְעוֹ׃

מֵרֵיחַ מַיִם יַפְרִחַ וְעָשָׂה קָצִיר כְּמוֹ־נָטַע׃

Se envelhecer na terra a sua raiz. Para dizermos a verdade, a árvore cortada é mutilada; mas suas raízes, ainda vivas sob o solo, garantem o retorno à vida, acima da superfície. Mas o homem não tem raízes de vida para revivê-lo, uma vez que seu corpo seja deitado no sepulcro. As raízes *cheiram* a água revivificadora e transmissora de vida, e assim florescem e se desenvolvem. Novos ramos crescem na direção do sol. E eis! A árvore revive para que todos a vejam. O poeta produz uma excelente metáfora. A água é um *salvador*. A água opera no toco decepado e traz de volta a vida das raízes que a cheiram ali, gerando nova vida e nova esperança.

■ 14.10

וְגֶבֶר יָמוּת וַיֶּחֱלָשׁ וַיִּגְוַע אָדָם וְאַיּוֹ׃

O homem, porém, morre, e fica prostrado. Em contraste com a árvore, ao morrer, um homem se vai para sempre. Ele apodrece no sepulcro. Não cheira nenhuma água doadora de vida nem produz rebentos de vida. Ele nada é de forma permanente. Quando dá seu *último suspiro* (*Revised Standard Version*), ele está claramente *morto*. Agora, diga-me, onde está ele? Estará em algum céu? Está em algum mundo dos espíritos, esperando pela reencarnação? Não! Ele está *morto*. Essa era a doutrina de Jó, e esse era o ensino dos patriarcas. Não há nenhum apelo em todo o Pentateuco para que se faça o bem e se evite o mal, por causa de alguma existência no pós-túmulo, onde as contas serão resolvidas. Não há ensinos sobre os céus e sobre o inferno no Pentateuco. A teologia dos hebreus era deficiente quanto a esse ponto, e por que isso nos surpreenderia? A doutrina cristã veio para anular tal deficiência. É errado cristianizar textos antigos, tentando injetar neles algo que não existe, por meio de uma eisegese, em substituição à *exegese*.

> Ai! Ai!
> As plantas aquáticas, quando morrem, e as ervas do jardim, despertam de novo para a vida, e assim vivem belamente por

outro ano. Mas nós, os grandes, os poderosos e os sábios, quando morremos... dormimos por longo tempo, de modo lúgubre, dormindo o sono interminável da morte.

Moschus

"Os ciprestes e os pinheiros, quando cortados, não revivem. Para os romanos, eles eram símbolos da morte" (Fausset, *in loc.*).

14.11,12

אָזְלוּ־מַיִם מִנִּי־יָם וְנָהָר יֶחֱרַב וְיָבֵשׁ׃
וְאִישׁ שָׁכַב וְלֹא־יָקוּם עַד־בִּלְתִּי שָׁמַיִם לֹא יָקִיצוּ
וְלֹא־יֵעֹרוּ מִשְּׁנָתָם׃

Como as águas do lago se evaporam. Torrentes de água como aqueles rios cheios pelas chuvas, e até os lagos, podem secar completamente se nenhuma chuva cair por determinado tempo. A seca põe fim à vida porquanto toda a vida depende da água para sua continuação. Assim acontece ao homem que morre. Ele seca para sempre, não tem fonte de vida em si mesmo. Morre como o leito seco de um rio ou de um lago. Antes havia vida ali, mas a falta de água acabou com tudo. Nenhuma fonte subterrânea vem em seu socorro para reviver-lhe o corpo. Nenhuma água secreta dos céus leva-o a viver, em algum estado imaterial. Nenhuma provisão divina de ressurreição reativa os mortos.

Uma Imaginação Selvagem Especula sobre a Vida Pós-túmulo (14.13-17)

14.13

מִי יִתֵּן בִּשְׁאוֹל תַּצְפִּנֵנִי תַּסְתִּירֵנִי עַד־שׁוּב אַפֶּךָ
תָּשִׁית לִי חֹק וְתִזְכְּרֵנִי׃

Jó, um xeque árabe, provavelmente sob a influência da cultura egípcia, por um momento deslizou para as especulações sobre algum tipo de vida pós-túmulo. Mas é errado cristianizar isso e dizer: "Era assim que Jó realmente se sentia". É claro que ele realmente sentia o que expressara do começo ao fim: a morte é o fim para o homem. Nada existiria após a morte. Assim dizia a teologia dos antigos patriarcas. Jó desviou-se disso por um momento, mais como uma especulação, um desespero, do que como verdadeira esperança. Definitivamente, Jó não mudou de ideia sobre a questão. Em Jó 19.26, Jó retornou ao assunto, dessa vez com mais seriedade, talvez para aceitar o pós-vida como um seguro para o problema do mal. Mas este versículo é controvertido e poderia significar muitas coisas.

Jó primeiramente morreria, então se calaria no sepulcro. A ira de Deus passaria, enquanto o corpo de Jó ressecaria no sepulcro miserável. As dúvidas sobre as dores físicas inspiraram-no a olhar timidamente para "além do sepulcro". Ali ele obteve um vislumbre de esperança, mas tudo era apenas um *tatear espiritual,* e não a verdadeira fé sobre a sobrevivência à morte biológica.

"Havia um sussurro no coração de Jó. Seria o sussurro de Deus? Haverá ainda *algum lugar,* neste universo misterioso, um amor que não nos deixa ir embora?" (Paul Scherer, *in loc.*).

Oh, Amor, que não me deixas ir-me embora,
Descanso minha alma cansada em ti.
Devolvo-te a vida que te devo,
Para que nas profundezas de teu oceano
Ela seja mais rica e mais plena.

George Matheson

14.14,15

אִם־יָמוּת גֶּבֶר הֲיִחְיֶה כָּל־יְמֵי צְבָאִי אֲיַחֵל עַד־בּוֹא חֲלִיפָתִי׃
תִּקְרָא וְאָנֹכִי אֶעֱנֶךָּ לְמַעֲשֵׂה יָדֶיךָ תִכְסֹף׃

Morrendo o homem, porventura tornará a viver? Uma leve esperança enviou um raio brilhante pelo caminho cada vez mais largo do futuro. Jó levantou aquela dúvida antiquíssima: "Se um homem morrer, tornará a viver?" ele tentou acreditar que seus sofrimentos, que terminariam mediante a morte do corpo, irromperiam em outra vida, sem sofrimentos. Deus haveria de querer de volta a obra de suas mãos (vs. 15), mas agora sob outra forma. A primeira forma, o corpo físico, seria aniquilado pela morte e pelo sepulcro; a segunda forma seria diferente e melhor, em substituição à primeira. Assim sendo, o Oleiro celestial receberia de volta sua obra em uma forma aperfeiçoada. Ou, pelo menos, essa era a esperança de Jó. Ele poderia estar pensando na reencarnação, uma doutrina comum da época, em alguns lugares do Oriente. Ou, mais provavelmente ainda, ele estava pensando na ressurreição, outra ideia comum em algumas culturas. No presente texto, temos um ótimo toque, porquanto Jó, *limitado* que estava pela teologia herdada de seus pais, estava *cego* quanto a esperar algo melhor para além do sepulcro. Mas, em seu desespero, ele avançou para além dos limites impostos pela sua cultura e tentou encontrar consolo em *outra ideia,* que não fazia parte de seu meio ambiente teológico. De fato, caros leitores, isso é tudo quanto temos para fazer. Não nos podemos limitar ao que temos herdado em nossas igrejas tradicionais. Devemos buscar algo diferente, algum bendito suplemento para nossas imposições teológicas. Somente então a teologia fará sentido.

Cf. o vs. 15 com Jó 10.3,8. Jó objetou, à maneira desanimadora, como as *obras das mãos* de Deus estavam sendo manuseadas. O homem Jó fora desfigurado pelos sofrimentos. Agora surgira em cena a esperança de que, embora a primeira obra tivesse sido desfigurada pela dor e pela morte, outra a substituiria, muito mais gloriosa. Isso aconteceria no tempo determinado, isto é, no *dia de Deus,* provavelmente aludindo a uma possível ressurreição.

Veja o leitor como o amor de Deus une o homem físico com o homem espiritual, no outro mundo. Esse amor garante o término do plano, a perfeição da obra-prima que Deus começou e, finalmente, terminará *no homem.*

Na esperança que envia um raio brilhante
Pelo caminho cada vez mais largo do futuro,
Numa paz que somente tu és capaz de dar,
Contigo, ó Senhor, deixa-me viver.

Washington Gladden

A Imortalidade e o Problema do Mal. Com essa especulação, Jó abriu uma janela para o problema do mal. Embora os sofrimentos presentes continuem a reter seus elementos enigmáticos, que nenhuma especulação pode dissipar, um simples olhar para além-túmulo nos leva a encontrar uma *nova obra* de Deus, informando-nos que o problema do mal será finalmente anulado pela imortalidade. Os sofrimentos humanos, até mesmo os dos inocentes, cedem diante da "esperança no além", perante a qual encontraremos cura para todos os males. A fé que Jó apreendeu por um instante foi uma ótima fé. Para nós, porém, a imortalidade tornou-se um *grande dogma,* conforme deveria ser.

14.16,17

כִּי־עַתָּה צְעָדַי תִּסְפּוֹר לֹא־תִשְׁמוֹר עַל־חַטָּאתִי׃
חָתֻם בִּצְרוֹר פִּשְׁעִי וַתִּטְפֹּל עַל־עֲוֹנִי׃

E até contarias os meus passos. Agora mesmo, na vida física de Jó, Deus era (conforme Jó conjeturava) um Juiz Terrível, observando e contando os seus pecados e punindo-o por causa deles. Ele mantinha as pegadas de cada passo de Jó, caçando-o como se fosse um animal, infligindo-lhe, a cada segundo, alguma nova aflição. Mas, em havendo vida para além do sepulcro, onde a obra de Deus é aperfeiçoada, então esse tipo de atividade divina (que prejudica) termina. Todos os pecados de Jó seriam reunidos em uma sacola (vs. 17), e suas iniquidades seriam cobertas. Isso significa que Jó ficaria *livre* desses pecados e de seus temíveis efeitos, e que Deus continuaria formando sua nova obra, operando através da imortalidade humana.

Deus contaria os passos de Jó de maneira pejorativa. Deus era como um grande espião, vendo e castigando em tudo. Nunca negligenciava pecado algum e nunca falhava em castigar. Alguns fazem esse olhar para Deus, um olhar benévolo, ao passo que o olhar para o pecado seria uma negligência, mas, sem dúvida, essa é uma interpretação inferior. Pelo contrário, Jó retorna ao seu atual estado de sofrimento, tendo Deus como seu *perseguidor.* O vs. 17 também tem sido variegadamente interpretado. A colocação dos pecados em uma sacola é interpretada como "a manutenção de sua memória, para ajudar na questão da punição". Alguns estudiosos insistem em que, somente por um momento, Jó caiu no luxo de esperar uma cura para além do sepulcro. Ato contínuo, ele retornou a seu pessimismo e queixumes, cheio de temores e desespero. Note igualmente o leitor que, pelo momento, Jó caiu no modo de pensar de seus amigos-críticos. As iniquidades de Jó estavam por trás de toda a sua dor. Cf. Dt 32.34 e Os 13.12. O ajuntamento dos pecados de Jó seria para seu mal, e não para seu bem.

"Adicionando iniquidade à iniquidade, tal como em Sl 69.27" (John Gill *in loc.*).

O Aniquilamento Irrevogável do Homem (14.18-22)

■ 14.18

וְאוּלָם הַר־נוֹפֵל יִבּוֹל וְצוּר יֶעְתַּק מִמְּקֹמוֹ׃

Como o monte que se esboroa e se desfaz. Somente por um momento Jó permitiu-se olhar para além do sepulcro, como resposta para os seus sofrimentos (vss. 13-15). Mas logo ele cai de novo naquele abismo de terror: seus insuportáveis sofrimentos. Portanto, ele prossegue com várias figuras de linguagem para descrever mais profundamente seu estado *miserável e sem esperança*.

Os vss. 18,19 são de autenticidade duvidosa. A versão cóptica saídica os omite. A recensão de Jerônimo e a versão siro-hexaplarica assinala-os com asteriscos, o que indica uma dúvida quanto à autenticidade. E vários manuscritos da Septuaginta não os contêm. O texto massorético (MT) os apresenta, porém, mais adiante, nenhum manuscrito verdadeiramente antigo poderia ser responsável pela sua inclusão. Ver no *Dicionário* os dois verbetes chamados: *Manuscritos do Antigo Testamento* e *Massora (Massorah); Texto Massorético*.

O vs. 18 nos mostra que tudo está em estado de decadência; tudo chega ao fim, até os alegados montes eternos. Os abalos sísmicos reduzem-nos a pó. Até as rochas gigantescas são arrancadas de seus lugares e caem, repousando em lugares estranhos. Quanto pior se dá com a frágil vida humana!

> Mudança e decadência ao redor eu vejo.
> Ó tu, que não mudas, fica comigo.
>
> H. F. Lyte

"Tudo na natureza está sujeito à mutabilidade e à decadência. Até as montanhas podem cair de suas bases, despedaçando-se, de súbito engolidas por terremotos" (Adam Clarke, *in loc.*).

Portanto, o homem não tem esperança na morte. Seu estado é irreparável. Jó esqueceu seu vislumbre da imortalidade e retornou ao *pessimismo* anterior (ver a respeito na *Enciclopédia de Bíblia, Teologia e Filosofia*).

■ 14.19

אֲבָנִים שָׁחֲקוּ מַיִם תִּשְׁטֹף־סְפִיחֶיהָ עֲפַר־אָרֶץ וְתִקְוַת אֱנוֹשׁ הֶאֱבַדְתָּ׃

Como as águas gastam as pedras. A água é um líquido bastante leve e certamente fraco em comparação a uma pedra. Mas, se a água continuar a correr, correr e correr, ou mesmo continuar a pingar, pingar e pingar, desgastará uma pedra. Assim sendo, o severo julgamento de Deus com relação ao homem finalmente o desgasta, e o homem deixa de existir. O famoso discurso de Shakespeare nos diz isso mesmo de forma eloquente:

> Os templos solenes, o próprio grande globo,
> Sim, tudo quanto nele está contido, dissolve-se,
> E, tal como esse cenário sem substância estiolado,
> Conforme os sonhos são feitos, e nossa breve vida
> Termina em sono.
>
> Extraído de *A Tempestade*

As coisas mais duras cedem diante das destruições causadas pelo tempo, e o destruidor divino nivela e desgasta tudo. O homem é reduzido a nada por meio de seus assaltos.

> *Tu os arrastas na torrente, são como um sono.*
>
> Salmo 90.5

As chuvas do desprazer divino, que caem, desintegram todas as esperanças do homem.

"Os mais duráveis elementos da natureza, dos montes, das rochas e do solo desintegram-se sob os vários fenômenos da erosão. Assim também a esperança do homem é destruída, pouco a pouco, gota após gota" (Samuel Terrien, *in loc.*).

> *Tu reduzes o homem ao pó e dizes: Tornai, filhos dos homens.*
>
> Salmo 90.3

■ 14.20

תִּתְקְפֵהוּ לָנֶצַח וַיַּהֲלֹךְ מְשַׁנֶּה פָנָיו וַתְּשַׁלְּחֵהוּ׃

Tu prevaleces para sempre contra ele. O belo é desfigurado pela dor, é devastado pelo tempo e torna-se feio. O homem passa. Na morte, sua fisionomia se transforma em uma máscara de horror, quando seu corpo jaz ali, apodrecendo no sepulcro. Em seu pessimismo, pois, Jó disse: "É *isso* o que espera pelo homem". Na morte, o rosto do homem, já idoso, torna-se pálido. O sangue deixa de correr pelo corpo. O fluxo da vida rósea se vai. Em seguida, inicia-se o processo de putrefação, e coitado do homem que tem de desenterrar um cadáver e ver o terror que aconteceu! Jó declarou: "Deus nos está conduzindo a um terror. E por quê? Porque não podemos nos avizinhar do terror do sepulcro com uma vida pacífica?"

"A aparência rosada e florida do homem se vai. Sua fisionomia transforma-se em corrupção. Seu rosto fica pálido e encovado. Seus olhos ficam fundos e sem brilho. Seu nariz fica afilado. Suas orelhas se contraem, e seu queixo cai. No sepulcro ele é transformado em podridão, poeira e vermes" (John Gill, *in loc.*). Ora, isso é uma nota expositiva!

■ 14.21

יִכְבְּדוּ בָנָיו וְלֹא יֵדָע וְיִצְעֲרוּ וְלֹא־יָבִין לָמוֹ׃

Os seus filhos recebem honras, e ele não o sabe. Os filhos de um homem podem ser honrados ou aviltados, mas o pai deles não sabe de coisa alguma. Esse homem não está olhando do céu, aplaudindo de alegria *ou* lamentando de desprazer. Ele se foi! Uma *forma espúria* de imortalidade é a de que um homem sobrevive em seus descendentes. Mas um professor de filosofia disse em classe, certo dia, que esse ponto de vista deixa de exercer qualquer atração nos netos, bisnetos e trinetos. Um homem morto é inconsciente da sorte de seus descendentes (cf. Jó 21.21). Jó falou *como se* um homem tivesse alguma consciência psicológica após a morte, mas isso não passa de artifício literário. O que ele estava realmente dizendo é: "O homem morreu. Ele de nada sabe. Seus filhos podem agir bem ou mal. Mas que importa? Ele não se importa. Ele nada é e não tem mais consciência do que causaria a sua preocupação".

O homem morreu. Ele não se incomoda com a sorte de outros, que continuam na terra. Nem se preocupa com a própria sorte (Ec 9.5,6). Ele morreu e *se foi*. Ele não tem mais sorte. Ele não tem mais destino.

> *Porque os vivos sabem que hão de morrer, mas os mortos não sabem cousa nenhuma...*
>
> Eclesiastes 9.5

■ 14.22

אַךְ־בְּשָׂרוֹ עָלָיו יִכְאָב וְנַפְשׁוֹ עָלָיו תֶּאֱבָל׃ פ

Ele sente as dores. Jó falou *como se* houvesse uma alma no *seol*, engajada em um cântico fúnebre eterno, acerca do sofrimento envolvido em qualquer tipo de existência. Mas podemos estar certos de que a alma de Jó era um nada. Ele falou *como se* a alma, no sepulcro ou no *seol*, retivesse alguma espécie de identidade pessoal, mas, mesmo ali, tudo é dor. A alma pode ocupar-se somente da tristeza eterna, em um cântico fúnebre ilimitado. Se Jó realmente acreditava *nisso*, ele foi verdadeiramente um miserável pessimista. Se um homem sofre no corpo, e então a alma separa-se do barro, e ele cai em lamentação eterna, então que poderia haver de mais lamentável? É improvável, contudo, que Jó tivesse em mente uma alma imaterial que deixasse o corpo somente para encontrar outra vida pessimista. Em Jó 3.13 ss., Jó olha para a morte como um agente que traz a paz eterna. Mas agora ele parece vê-la como introdução a uma interminável continuação da dor. No texto anterior, ele estava apaixonado pela morte, como sua salvadora. Mas agora ele vê a morte como um terror medonho, o agente do sofrimento eterno. Alguns intérpretes, entretanto, pensam não haver nisso contradição. Eles supõem que Jó *realmente* tivesse chegado a *esse tipo* de pessimismo. Jó assumiu certo ponto de vista de uma existência após a morte, mas imediatamente transformou-a em uma existência de dor interminável. Estou especulando que Jó tenha caído no *pessimismo extremado,* não como uma doutrina séria de um pós-vida, mas somente como meio para enfatizar sua *completa* falta de esperança. Ele estava dizendo: "*Se* porventura existe alguma espécie de pós-vida, ela deve ser pior ainda que o presente estado miserável!"

Assim sendo, com a *mais pessimista nota possível,* Jó terminou o primeiro ciclo dos discursos.

CAPÍTULO QUINZE

Os capítulos 3—14 constituem o primeiro ciclo dos discursos dos amigos-críticos de Jó, cada qual com sua réplica da parte de Jó. O capítulo 15 introduz o *segundo ciclo* de discursos. Elifaz tornou a falar, para dar uma resposta rude às palavras de Jó, que parecia uma saca de ar. Ver a introdução ao capítulo 4, quanto ao plano geral dos discursos. Descrevi as *circunstâncias* desses discursos e seu âmago geral. Ver os artigos no *Dicionário* sobre cada um dos amigos-críticos de Jó, quanto a detalhes sobre eles e seus raciocínios. Todos eles tocaram a mesma música, embora com ritmos diferentes: "Jó é um grande pecador, pois somente um homem assim poderia sofrer como ele sofre". A resposta deles ao problema do mal era a lei da colheita segundo a semeadura. "Jó está colhendo o que semeou." Também obtemos dos discursos deles a ideia de que a dor pode ser uma *disciplina* para o homem espiritual. Mas, para além dessas duas sugestões, os críticos deixaram intocado o problema de por que os homens sofrem e por que sofrem como sofrem. Jó, por sua vez, continuava afirmando sua *inocência.* Embora fosse um pecador, especialmente na juventude (ver Jó 13.26), seus atuais sofrimentos eram grandes demais para serem explicados pelo princípio da retribuição.

A mensagem principal do livro de Jó é a adoração desinteressada. Continuaria um homem a adorar a Deus se fosse afligido conforme Jó o foi? Não apelaria ele para as blasfêmias (Jó 1.11; 2.5)? Seria o homem apenas um egoísta, que usa a adoração como um meio de lucro pessoal, tal como usa tudo mais em sua vida? Intimamente aliado ao problema da adoração desinteressada, temos o problema da dor humana, porquanto Jó foi afligido para testar a qualidade de sua espiritualidade. Ver a seção V da *Introdução ao Problema do Mal,* e ver também a discussão mais completa sobre esse assunto no *Dicionário.* O problema do mal pode ser definido, essencialmente, através da pergunta: "Por que os homens sofrem e por que sofrem como sofrem?" Apesar de todas as nossas sondagens, permanecem elementos enigmáticos nesse problema.

SEGUNDA SÉRIE DE DISCURSOS. OS TRÊS AMIGOS MOLESTOS DE JÓ DISCURSAM E RECEBEM A SUA RESPOSTA (15.1—21.34)

SEGUNDO DISCURSO DE ELIFAZ (15.1-35)

■ 15.1

וַיַּעַן אֱלִיפַז הַתֵּימָנִי וַיֹּאמַר׃

Então respondeu Elifaz, o temanita. Comparar este versículo com Jó 4.1, que é idêntico e cuja exposição nos fornece detalhes sobre esse primeiro amigo-crítico de Jó, Elifaz.

"Até este ponto, os amigos de Jó tinham exibido total falta de compreensão, mas também tinham pensado honestamente que Jó não estava além do consolo humano e da salvação de Deus. A maneira orgulhosa como o sofredor Jó reagiu diante das sugestões pastorais de seus três amigos aprofundou cada vez mais a culpa que, desde o começo, o tinha alienado deles. O tom do diálogo fora aguçado de tal modo que Elifaz, que no primeiro ciclo de discursos tinha observado as regras da civilidade oriental com gentileza (ver Jó 4.2), agora deixou de lado todos os circunlóquios da cortesia" (Samuel Terrien, *in loc.*).

■ 15.2

הֶחָכָם יַעֲנֶה דַעַת־רוּחַ וִימַלֵּא קָדִים בִּטְנוֹ׃

Porventura dará o sábio em resposta ciência de vento? Jó, o alegado sábio árabe, continuava na verdade sendo apenas a sacola de vento, que enchia seu ventre com o vento oriental, proferindo palavras triviais, que ele apresentava como demonstrações de sabedoria. O ataque foi abrupto, sem nenhum aquecimento preliminar. Elifaz como que dizia: "Bildade estava com a razão (ver Jó 8.2). Se você fosse *sábio,* falaria como um saco de vento? Não há nisso nenhum proveito, e isso não faz nenhum bem. Você é um ímpio" (Paul Scherer, *in loc.*).

E encher-se-á a si mesmo. Literalmente, *ventre,* no hebraico, com o sentido de *pulmões.* Jó proferia palavras *vãs e de vento.* Estava cheio de ar quente e não de sabedoria.

Vento oriental. Ou seja, o vento mais forte de seu conhecimento e, assim, apropriado para ser usado como metáfora do sopro de palavras vãs de um homem pseudossábio. Esse vento era o mais destrutivo de todos (ver Is 27.8), como o são as palavras de um insensato. Jó era apenas uma grande tempestade, que fazia muito barulho.

■ 15.3

הוֹכֵחַ בְּדָבָר לֹא יִסְכּוֹן וּמִלִּים לֹא־יוֹעִיל בָּם׃

Arguindo com palavras que de nada servem. *A fala de vento tempestuoso* de Jó era destituída de razão, sem o menor proveito. Enevoava a verdade, em vez de revelá-la. Prejudicava, em vez de fazer bem. A fala dele era como o hálito da morte, que rejeitava bons conselhos e continuava a chamar-se de inocente, quando Jó era culpado, conforme seus sofrimentos provavam. Ele derrubava por terra a piedade, opunha-se a conselhos sábios, chamava Deus de todos os nomes feios. Ele estava exercendo uma influência perniciosa. Produzia argumentos pretensiosos que falhavam no teste da lógica e da piedade. Falava desrespeitosamente de seu Criador.

■ 15.4

אַף־אַתָּה תָּפֵר יִרְאָה וְתִגְרַע שִׂיחָה לִפְנֵי־אֵל׃

Tornas vão o temor de Deus. *O temor de Deus* é o princípio da sabedoria (ver Pv 1.7). Rejeitando o temor de Deus, Jó tinha assim anulado até uma sabedoria primitiva que houvesse em si mesmo. Ver no *Dicionário* o artigo intitulado *Temor,* que inclui uma seção sobre o temor de Deus. Ele *quebrou* (hebraico literal) a reverência a Deus (cf. Jó 4.6 e Sl 2.11).

Servi ao Senhor com temor e alegrai-vos nele com tremor.
Salmo 2.11

A totalidade da piedade e da adoração pode ser chamada de "o temor de Deus". Ver Ec 12.14; Is 29.13. Em sua irreverência e declarações blasfemas contra Deus, Jó lançara fora a piedade em geral e tinha-se tornado vão e pretensioso.

É terrível cair nas algemas de uma *mente fechada.* Tal mente não está meramente "fechada para reparos"; ela está realmente fechada! O orgulho tinha fechado a mente de Elifaz, e Jó a tinha ferido (cf. os vss. 2,3,10). A tradição também tinha fechado a mente de Bildade. Jó tinha caído nas algemas da *intolerância,* uma qualidade constante de indivíduos inclinados para o dogmatismo.

■ 15.5

כִּי יְאַלֵּף עֲוֹנְךָ פִּיךָ וְתִבְחַר לְשׁוֹן עֲרוּמִים׃

Pois a tua iniquidade ensina à tua boca. A *iniquidade* (e não Deus) era a professora da boca de Jó. Não causava admiração, por conseguinte, que ele preferisse usar uma *língua afiada.* Os argumentos de Jó eram pseudossábios; espertos, mas não corretos. Ele tentava justificar-se diante de Deus, com conversas sobre a sua inocência.

Dessa maneira, ele simplesmente adicionava algo aos seus pecados, em vez de desvencilhar-se deles. Conforme seus pecados se multiplicavam, assim se multiplicavam os seus sofrimentos. Ele era homem que destruía a si mesmo. Jó tinha acusado seus amigos de serem "forjadores de mentiras" (Jó 13.4,7). Essa era uma boa declaração, mas se aplicava mais a Jó do que a seus amigos. "A iniquidade que havia no coração dele impulsionou a sua boca a falar como ele estava fazendo (ver Mt 12.34), e isso era uma notável instância de *insensatez* (Pv 15.2), bem como uma prova de que ele se desfizera do temor ao Senhor... Ele não controlava sua língua, e sua religião era vã (Tg 1.26)" (John Gill, *in loc.*).

■ 15.6

יַרְשִׁיעֲךָ פִיךָ וְלֹא־אָנִי וּשְׂפָתֶיךָ יַעֲנוּ־בָךְ:

A tua própria boca te condena. A boca grande e ruidosa de Jó era seu maior oponente. Ela o condenava. Jó não precisava da ajuda de seus críticos. O melhor argumento contra ele eram suas próprias baboseiras.

Ainda que eu seja justo, a minha boca me condenará; embora seja eu íntegro, ele me terá por culpado.

Jó 9.20

Uma linguagem *eloquente* não é necessariamente uma *linguagem veraz*, embora, como é óbvio, esse tipo de linguagem impressione os homens. Muitos criminosos culpados têm sido libertados em tribunal porque algum advogado eloquente defende seus casos com argumentos convincentes, ainda que falsos. Nossa linguagem pode ser posta em mau ou bom uso. Ver na *Enciclopédia de Bíblia, Teologia e Filosofia* o verbete intitulado *Linguagem, Uso Apropriado da*.

Não saia da vossa boca nenhuma palavra torpe, e sim unicamente a que for boa para edificação, conforme a necessidade, e, assim, transmita graça aos que a ouvem.

Efésios 4.29

Antes de Falar

Faz tudo passar diante de três portas de ouro:
As portas estreitas são, a primeira: É verdade?
Em seguida: É necessário? Em tua mente
Fornece uma resposta veraz. E a próxima
É a última e mais estreita: É gentil?
E se tudo chegar, afinal, aos teus lábios,
Depois de ter passado por essas três portas,
Então poderás relatar o caso, sem temeres
Qual seja o resultado de tuas palavras.

Beth Day

■ 15.7

הֲרִאישׁוֹן אָדָם תִּוָּלֵד וְלִפְנֵי גְבָעוֹת חוֹלָלְתָּ:

És tu porventura o primeiro homem que nasceu? A *antiguidade* servia de prova da verdade, para algumas mentes de gerações passadas, e até hoje é assim. Aquilo que é *antigo*, presumivelmente, tem resistido ao teste do tempo, de maneira que deve ser válido. Bildade dependeu dos argumentos das tradições antigas, falados em forma de provérbios, por sábios antigos (Jó 8.8-10). Ele era um *tradicionalista* que transformou em *dogmas* as declarações de sábios do passado. Elifaz fala aqui com ironia, *como se* Jó, sendo o primeiro homem a ter nascido no mundo, naturalmente soubesse mais do que os outros. Jó seria tão antigo quanto as colinas (às quais chamamos de eternas) e, portanto, deveria ser sábio. Jó havia reconhecido que "a sabedoria está com os idosos" (ver Jó 12.12), pelo que deveria ser muito idoso na verdade, visto que reivindicava o monopólio da sabedoria.

Ver na *Enciclopédia de Bíblia, Teologia e Filosofia* o artigo intitulado *Conhecimento e a Fé Religiosa*, especialmente a seção II, *Teorias da Verdade*. A quarta dessas seções é o *tempo*. Esse critério da verdade, entretanto, validaria muitas superstições e absurdos, visto que tais coisas são, na verdade, muito antigas. O teste do tempo, entretanto, nem sempre é um critério válido. Além disso, por que deveria ele pensar que os antigos sabiam mais do que nós, em *qualquer* campo?

A evidência fala bem ao contrário, até mesmo no terreno religioso. Todos os campos do conhecimento estão no processo de crescimento e evolução, e até o conhecimento espiritual. *Estagnação* não é um vocábulo que se ache no *Dicionário Divino*. Os homens gostam de estagnar a verdade para alcançar conforto mental. Se já soubéssemos de tudo, ou pelo menos de tudo quanto *podemos* saber, então nenhum esforço seria requerido de nossa parte. Simplesmente acreditamos no que está escrito. Caros leitores, essa é uma maneira infantil de olhar para a verdade e para o processo de adquirir conhecimentos.

A *ideia falsa* promovida por Elifaz é que, quanto mais recuarmos no tempo, mais perto chegaremos da sabedoria eterna. Sem dúvida alguma, essa é uma noção falsa. Pelo contrário, a sabedoria eterna continua a manifestar-se, cada vez mais, conforme o tempo passa. Ela não se manifestou de uma vez para sempre, em algum tempo antigo.

■ 15.8

הַבְסוֹד אֱלוֹהַּ תִּשְׁמָע וְתִגְרַע אֵלֶיךָ חָכְמָה:

Ou ouviste o secreto conselho de Deus...? Elifaz acusou Jó de reivindicar o monopólio da sabedoria. Ironicamente, ele disse: "Tu és tão conforme és porque obtiveste os segredos de Deus diretamente da parte dele. Então, tendo obtido toda essa sabedoria, juntaste toda ela para ti mesmo". Jó ouviu os *conselhos secretos* de Deus. A palavra hebraica aqui usada significa "almofada". No Oriente, os conselheiros sentavam-se sobre suas almofadas confortáveis e deliberavam, e joias de sabedoria emanavam de seus lábios. Jó, pois, estaria sentado em uma almofada divina, ouvindo Deus a discorrer diante de seus conselheiros, e assim obteve conhecimento da fonte originária, em contraste com seus amigos-críticos, que tinham aprendido a sabedoria mediante as tradições. Jó fora admitido aos segredos de Deus.

A intimidade do Senhor é para os que o temem, aos quais ele dará a conhecer a sua aliança.

Salmo 25.14

"Farias parte do *gabinete celeste* quando Deus disse: 'Façamos o homem à nossa imagem, segundo a nossa semelhança?'" (Adam Clarke, *in loc.*).

"Tal como se fosse a Sabedoria personificada (Pv 8.25), Jó pensou ter sido trazido à presença das colinas" (*Oxford Annotated Bible*, comentando sobre o vs. 7).

Nos vss. 7,8 pode haver alusão ao antigo mito semita, que falava sobre o Homem primevo que existia antes da criação do mundo. Nas mãos dos autores cristãos, o Homem primevo tornou-se o Logos, que se encarnou em Jesus e se tornou o Ungido, o Cristo. Elifaz pode ter sugerido, ironicamente, que Jó afirmava ser o Homem primevo.

■ 15.9

מַה־יָּדַעְתָּ וְלֹא נֵדָע תָּבִין וְלֹא־עִמָּנוּ הוּא:

Que sabes tu, que nós não saibamos? Se Jó reivindicava ter o monopólio da sabedoria e ser o Homem primevo, o fato é que todas as suas reivindicações de sabedoria superior eram mentirosas. Ele não sabia mais do que sabiam seus amigos-críticos, de modo que poderia receber as instruções *deles*. Ver um argumento similar usado por Jó em Jó 12.3 e 13.2, onde ele foi repreendido por seus amigos-críticos.

■ 15.10

גַּם־שָׂב גַּם־יָשִׁישׁ בָּנוּ כַּבִּיר מֵאָבִיךָ יָמִים:

Também há entre nós encanecidos e idosos. Há certa igualdade entre os homens, porquanto todos são criaturas de Deus, que ele sustenta em suas mãos. Mas conforme os homens envelhecem, presumivelmente ficam mais sábios; no círculo de amigos de Jó havia homens idosos, alguns deles mais velhos que seu pai. Assim, ao que se presume, havia um acúmulo de sabedoria reunido por eles, sobre o qual Jó nada conhecia, pelo que ele não era um homem grande e sábio, e ainda tinha muito que aprender. No entanto, prosseguindo em sua atitude de superioridade, ele não era o tipo de pessoa que alguém pudesse ensinar. Ele era arrogante e duro. Era um *pecador* endurecido, que desempenhava o papel de sábio. Não admirava aos amigos de Jó que Deus o punisse da forma que fazia! Jó reivindicava conhecer grandes segredos diretamente de Deus, mas seus segredos eram *pecados secretos*. O Targum declara que Elifaz e Bildade eram homens idosos, mais velhos que o pai de Jó, mas esse comentário é duvidoso. Elifaz não estava apontando para si mesmo como entre os homens mais idosos e sábios. Mas ele conhecia as *tradições* dos sábios e concordava com a doutrina deles, diferentemente do arrogante Jó. John Gill tem um curioso comentário neste ponto: "A verdade é aquele antigo e bom caminho, o caminho mais antigo, mas o erro é quase tão antigo quanto a verdade. Há, pois, um caminho pelo qual homens ímpios caminham. Uma pretensão de antiguidade, cuidadosamente observada, pode conduzir ao erro (Jr 6.16 e Jó 22.15)".

"Combater a teologia deles era mostrar falta de respeito pelos mais idosos, insulto impensável naqueles dias" (Roy B. Zuck, *in loc.*). A verdade, entretanto, jaz noutro lugar. Para alguém avançar no conhecimento e na espiritualidade, é forçado a combater antigas teologias e práticas. Os sistemas ficam estagnados, por pararem seus trens nas estações das tradições e das denominações. Mas a verdade prossegue para novas estações.

■ 15.11

הַמְעַט מִמְּךָ תַּנְחֻמוֹת אֵל וְדָבָר לָאַט עִמָּךְ׃

Porventura fazes pouco caso das consolações de Deus...? A *sabedoria dos antigos* produz instruções que tendem ao consolo. Arrependeis-vos e vivei! Arrependei-vos e parai de sofrer! Consolai-vos mudando os vossos caminhos. Os antigos falavam palavras assim sábias, e as tradições as conservaram em provérbios e livros. A doutrina antiga pertencia aos gentios, mas Jó, em sua dureza, reivindicando inocência, era imune aos gentios. Jó apequenava as consolações de Deus, por causa da dureza de seu coração. A teoria de Jó certamente não continha consolações: Os *inocentes* podem sofrer. Isso era definitivamente contra o credo aceito e deveria ser rejeitado a qualquer preço, mesmo que ao preço do sacrifício da verdade. Jó continuava analisando e sondando. Seus amigos-críticos não queriam seu conforto mental perturbado pela livre investigação.

"... consolos, as *revelações* a que Elifaz se havia referido (ver Jó 4.12,17; 5.7,17-27 e 8.26), serviam de reprimenda consoladora a Jó, o que ele repetiu em parte no vs. 14" (Fausset, *in loc.*).

"Poderá ser coisa difícil para Deus consolar-te? Mas tu impedes isso por tua linguagem desequilibrada" (a Vulgata).

■ 15.12

מַה־יִּקָּחֲךָ לִבֶּךָ וּמַה־יִּרְזְמוּן עֵינֶיךָ׃

Por que te arrebata o teu coração? Com olhos chamejantes de ira e consternação, Jó permitiu que seu coração fosse levado para longe da verdade, da instrução e do consolo final. Definitivamente, Jó tinha um problema de atitude. "Somente um homem enlouquecido poderia falar e agir conforme tu fazes" (Adam Clarke, *in loc.*).

> *O homem de Belial, o homem vil, é o que anda com a perversidade na boca, acena com os olhos, arranha com os pés e faz sinais com os dedos. No seu coração há perversidade; todo o tempo maquina o mal; anda semeando contendas.*
>
> Provérbios 6.12-14

■ 15.13

כִּי־תָשִׁיב אֶל־אֵל רוּחֶךָ וְהֹצֵאתָ מִפִּיךָ מִלִּין׃

Para voltares contra Deus o teu furor. Jó tinha abusado de seus amigos ao rejeitar sábios conselhos que visavam tão somente o bem dele; mas também havia abusado de Deus. De fato, o seu espírito (ser essencial) tinha-se voltado contra Deus, porquanto seu coração se tornara duro e inflexível. As palavras de Jó tornaram-se palavras de blasfêmia. Ele agora era uma peste, um insensato, um saco cheio de ar. "Seu apaixonado protesto de inocência é a prova mesma de sua rebeldia espiritual" (Samuel Terrien, *in loc.*). Talvez Elifaz tivesse em mente as audaciosas palavras de Jó, como aquelas registradas em Jó 6.4; 7.15-20; 10.2,3,16,17 e 13.20-27.

■ 15.14

מָה־אֱנוֹשׁ כִּי־יִזְכֶּה וְכִי־יִצְדַּק יְלוּד אִשָּׁה׃

Que é o homem, para que seja puro? Note o leitor como Elifaz, indivíduo tradicionalista e dogmático, nos vss. 14-16 deste capítulo, essencialmente, repetia coisas que já havia dito (ver Jó 4.17-19). Portanto, Jó 15.14 é a substância de Jó 4.17, mas ele também usou as próprias palavras de Jó (14.1), e assim preparou uma arma contra o pobre homem, mediante o uso impróprio de *suas* palavras. Ver a exposição em Jó 14.1 e 14.17. Elifaz reiterou sua tese acerca da depravação humana, mas em termos ainda mais brutais do que fizera antes. Um homem nascido de mulher é abominável (literalmente, causador de desgosto, vs. 16), corrupto, imundo, uma criatura tão depravada a ponto de *beber* a iniquidade como se fosse o seu líquido necessário. Ele tinha sede de pecado e deleitava-se em toda a espécie de vícios e abominações. Ele era o pecador enlouquecido. Comparar isso à tirada de Paulo contra a corrupta natureza humana, em Rm 3.10 ss., que cita o Sl 14. A implicação feita por Elifaz era a de que Jó era esse tipo de homem, pois, afinal de contas, nascera daquela pobre e depravada criatura, a fêmea humana. Como, pois, ele podia reivindicar inocência e proferir a blasfêmia de que era um *inocente* sofredor, e Deus era o autor desse sofrimento?

O nascimento natural era tido como uma contaminação automática, o que explica a doutrina do *pecado original*. Ver no *Dicionário* o verbete intitulado *Pecado Original*. Jó era *imundo* desde o nascimento, e ficou cada vez mais depravado, conforme os anos passavam. A teologia de Elifaz não podia ultrapassar essa posição. Mas existem enigmas no sofrimento, e os inocentes realmente sofrem.

■ 15.15

הֵן בִּקְדֹשָׁיו לֹא יַאֲמִין וְשָׁמַיִם לֹא־זַכּוּ בְעֵינָיו׃

Eis que Deus não confia nem nos seus santos. Elifaz continua seu manifesto contra a inocência de Jó e descreve mais ainda sua imensa corrupção. Jó nunca disse que não tinha pecado. De fato, ele admitiu os pecados de sua juventude (ver Jó 13.27) e, sem dúvida, teria confessado que continuava pecador. Porém, negou que tivesse cometido pecados tais, públicos ou privados, a ponto de merecer os gigantescos sofrimentos pelos quais passava. Nesse sentido, ele era inocente. Ele nada havia feito para causar tão grande dor!

Este versículo é uma leve modificação (sem afetar o sentido) de Jó 4.18. Nem mesmo os céus e os anjos augustos são puros no sentido absoluto. Até mesmo eles são culpados de insensatez em certas ocasiões. Portanto, como pode o homem mortal falar acerca de inocência? Os *santos*, neste caso, são os anjos, chamados de *servos* em Jó 4.18. Eles servem a Deus e têm grandes missões a realizar, mas não desempenham suas tarefas acima de qualquer crítica. Não obstante, Jó não queria que seus amigos-críticos o criticassem! Em comparação com Deus, todos os seres criados são imundos e profanos. Por *céus* devemos compreender os *seres celestiais*.

Naturalmente, Jó não estava sendo condenado por Deus (ver Jó 2.3), mas somente por seus críticos humanos. Isso, aqueles homens nunca teriam compreendido. Automaticamente, eles relacionavam seus sentimentos e dogmas com os requisitos espirituais do próprio Deus, um erro comum dos indivíduos tradicionalistas e dogmáticos.

■ 15.16

אַף כִּי־נִתְעָב וְנֶאֱלָח אִישׁ־שֹׁתֶה כַמַּיִם עַוְלָה׃

Quanto menos o homem. Se os anjos se saem mal no julgamento de Deus, quanto mais o homem *imundo* que bebe a iniquidade como se fosse água? Em outras palavras, o homem pecaminoso promove seus vícios com apetite descontrolado. Depois que ele sorve algum pecado, logo está sedento de outros pecados diferentes. O homem é um embriagado espiritual, um vagabundo que se deleita na corrupção. Tal pecador sofrerá julgamento semelhante ao de Jó.

O homem bom tem fome e sede de "justiça" (ver Mt 5.6), e sua contraparte espiritual é o homem que tem fome e sede de suas variedades de pecado, sobre as quais perdeu todo o controle.

> *A boca dos perversos devora a iniquidade.*
>
> Provérbios 19.28

"O pecado, como a água, é fácil de obter. Está sempre próximo da mão... Está sempre ao redor de um homem, e os homens facilmente cedem diante dele. Todo homem volve-se para seu curso ímpio, tal como os cavalos de guerra galopam para a batalha" (John Gill, *in loc.*).

■ **15.17,18**

אֲחַוְךָ שְׁמַע־לִי וְזֶה־חָזִיתִי וַאֲסַפֵּרָה׃

אֲשֶׁר־חֲכָמִים יַגִּידוּ וְלֹא כִחֲדוּ מֵאֲבוֹתָם׃

Escuta-me, mostrar-te-ei. *Elifaz chama a atenção de Jó*. Com impaciência e fúria, Elifaz apressou-se a chegar à sua conclusão. Ele tinha estado ao redor por tempo suficiente nesta vida para fazer observações. Tinha ouvido e visto coisas, tinha sido um discípulo dos mestres (vs. 18), portanto possuía *autoridade* para aquilo que iria dizer. Elifaz não dependia somente de seus próprios pensamentos. Outrossim, suas conclusões eram estudadas; ele chegara aonde chegara devido ao tempo e à experiência, bem como aos seus estudos. Ele fora *testemunha ocular* de fenômenos estranhos e maravilhosos (Jó 4.12 ss.), pelo que também não era homem comum. De fato, era um homem que merecia e exigia a atenção de outras pessoas. Elifaz estava prestes a citar uma longa lista de declarações de sabedoria dos mestres, todos eles bons em si mesmos, mas aplicava a sabedoria deles erroneamente a Jó. Aqui ele adotou a linguagem dos tradicionalistas, da qual Bildade tinha dependido (ver Jó 8.8, apelando tanto para a própria experiência pessoal quanto para a *tradição universal*). Ele falou de uma época que passara diante da comoção civil e política que resultara da intromissão de estrangeiros (vs. 19).

Naturalmente, a finalidade dessa introdução à apresentação de seus sábios provérbios era humilhar Jó, que não tinha erudição, ou, se a tivesse, não a respeitava como deveria. Certamente Elifaz pensava que a Jó faltava a experiência espiritual que ele mesmo possuía. Usualmente, aqueles que falam de suas próprias notáveis experiências são bastante arrogantes perante seus inferiores.

■ **15.19**

לָהֶם לְבַדָּם נִתְּנָה הָאָרֶץ וְלֹא־עָבַר זָר בְּתוֹכָם׃

(Aos quais somente se dera a terra...) Elifaz informou-nos como segue: "Houve um tempo em que os sábios eram fortes e predominavam na terra. Ensinar era fácil, e os homens obedeciam a seus sábios provérbios. Mas, então, chegaram *estrangeiros*, trazendo seus exércitos, sua cultura e suas filosofias, e atraíram os homens segundo sua insensatez". Elifaz estava dando a entender, se não mesmo declarando abertamente, que Jó tinha sido corrompido por filosofias estrangeiras, razão pela qual se desviara tanto da verdade. Jó tinha passado por más experiências com os sabeus e os caldeus (Jó 1.15-17), e esses homens iníquos também trouxeram falsas doutrinas que corromperam a mente dos homens, roubando-lhes a alma, e não meramente injuriando-lhes o corpo e saqueando-lhes as possessões materiais. Certos homens saqueiam mentes, e não fazendas.

■ **15.20**

כָּל־יְמֵי רָשָׁע הוּא מִתְחוֹלֵל וּמִסְפַּר שָׁנִים נִצְפְּנוּ לֶעָרִיץ׃

Todos os dias o perverso é atormentado. Temos aqui o ponto do discurso, a frase-clímax. Aquilo que Elifaz tinha observado e aprendido com os sábios do passado (entre outras coisas) foi exatamente o que ele e seus amigos vinham dizendo o tempo todo: "*É o ímpio* que geme de dor todos os seus dias, por causa do desprazer de Deus, que o apanhou em uma armadilha. Todos os seus anos são como tesouros que guardam a dor, em lugar do lucro. Esse homem torna-se um *depositário* da ira de Deus e de sua punição. O homem justo não é tratado dessa maneira por Deus". O homem inocente não é sujeitado a dores, como estava acontecendo com Jó. Portanto, era óbvio que Jó merecia o que estava recebendo. A *Lei Moral da Colheita segundo a Semeadura* (ver a respeito no *Dicionário*) sempre funciona e estava funcionando naquele instante, no caso de Jó. O pecador atormenta a si mesmo durante toda a sua vida.

■ **15.21**

קוֹל־פְּחָדִים בְּאָזְנָיו בַּשָּׁלוֹם שׁוֹדֵד יְבוֹאֶנּוּ׃

O sonido dos horrores está nos seus ouvidos. Talvez o ímpio chegue a prosperar por algum tempo, mas ele é o homem que, ocasionalmente, ao longo de sua vida, ouvirá *sons aterrorizantes*. Ele ouvirá sobre desastres que atingirão seus entes amados e amigos, sobre homens violentos que saquearão suas propriedades; exatamente aquilo que tinha acontecido a Jó (capítulos 1 e 2). Então, finalmente, o destruidor lhe faz uma visita e termina com ele, a despeito da prosperidade que ele tenha conseguido promover em causa própria. Naturalmente, Elifaz, amigo-crítico de Jó, estava descrevendo o caso dele. Jó tinha tido seus ouvidos aterrorizados por notícias de desastres e estava esperando o golpe final: Deus haveria de removê-lo por meio da morte. A voz *dos terrores* (tradução literal do original hebraico) jamais permitirá que o ímpio entre em repouso.

Para os perversos, todavia, não há paz, diz o Senhor.

Isaías 48.22

Além das tribulações externas, o homem mau terá uma consciência perturbada, que o esbofeteará o tempo todo, mesmo quando não houver verdadeiro perigo físico (ver Lv 26.36; Pv 28.1; 2Rs 7.6).

Fogem os perversos, sem que ninguém os persiga.

Provérbios 28.1

■ **15.22**

לֹא־יַאֲמִין שׁוּב מִנִּי־חֹשֶׁךְ וְצָפוּי הוּא אֱלֵי־חָרֶב׃

Não crê que tornará das trevas. Isto é, o ímpio não acredita que possa escapar ao infortúnio. Cf. Jó 9.16 e 39.12. As *trevas* são a metáfora usada para qualquer tipo de infortúnio. Ver Jó 19.8, quanto a uma declaração direta com esse significado. Jó, na verdade, caiu no *pessimismo*, pensando que a vida em si mesma era um mal, e isso, para Elifaz, servia de evidência de que Jó era um terrível pecador. *Trevas* aqui indicam não a morte, da qual a ressurreição poderá livrar um homem (ver Jó 14.7 ss.). Elifaz não levantava a possibilidade da ressurreição, da qual o "ímpio" Jó não podia esperar participar. Ele se referia apenas às tribulações terrestres e, finalmente, à morte biológica. Os sábios antepassados de Elifaz não lhe tinham ensinado a esperança em uma vida para além-túmulo como solução para o problema do mal. A teologia deles era deficiente.

"As trevas (no hebraico, *hosek*, termo também usado por Elifaz em Jó 15.23,30; cf. Jó 3.4 e 10.21) caçavam Jó, possivelmente uma referência às trevas da morte" (Roy B. Zuck, *in loc.*). "Trevas: perigo e calamidade" (Fausset, *in loc.*). John Gill, *in loc.*, dá ao versículo uma interpretação diferente: "Quando se deitava à noite, ele se desesperava de ver novamente a luz da manhã, por temor a um inimigo, ladrão, assassino ou a alguma outra forma de desastre (Dt 28.66,67)". E então, quando estava em *aflição* (trevas), ele temia que nunca fosse livrado dela, o que Gill adicionou à primeira ideia.

Que o espera a espada. Ou seja, tendo semeado a violência, ele deveria esperar a morte violenta. Ver Mt 26.52. Ou então, metaforicamente, violência gera violência, iniquidade gera maus resultados, o que faz parte da lei da semeadura e da colheita, embora o que seja colhido possa não ser morte violenta, por meio de arma mortífera.

■ **15.23**

נֹדֵד הוּא לַלֶּחֶם אַיֵּה יָדַע כִּי־נָכוֹן בְּיָדוֹ יוֹם־חֹשֶׁךְ׃

Por pão anda vagueando. O ímpio chega até a passar fome. Ele fica vagueando, procurando por alimentação básica, mas ninguém sai em sua ajuda. O dia das *trevas* está à mão, o que, neste versículo, provavelmente é o dia da *morte* do indivíduo. O poeta descrevia uma cena de terror, na qual o pecador é reduzido a nada. Sem alimento, e desesperado, o pecador fica vagueando, mas seu único destino é a morte. A qualquer dia, o indivíduo pode ser morto. O homem foi reduzido de um estado de prosperidade e bem-estar material para outro em que nem ao menos é capaz de alimentar-se!

■ **15.24**

יְבַעֲתֻהוּ צַר וּמְצוּקָה תִּתְקְפֵהוּ כְּמֶלֶךְ עָתִיד לַכִּידוֹר׃

Assombraram-no a angústia e a tribulação. O indivíduo que prevalecia contra outros, que saqueava, matava e destruía, agora é um homem que espera pela mesma coisa. Exércitos poderosos estão preparados para terminar com ele, tal como os reis se preparam exaustivamente para a batalha. Suas *tribulações e angústias* são figurativamente retratadas como se fossem *exércitos* atacantes. "A aflição e a angústia perseguem-no como um rei preparado para atacar. Cf. as palavras de Jó sobre o *terror*, em Jó 9.34; 13.21; 18.11; 20.25. Jó tinha dito que Deus *prevalece* sobre o homem (Jó 14.20). Elifaz confirmou que é a própria angústia pela qual passa um homem, e não Deus, que o destrói no fim" (Roy B. Zuck, *in loc.*).

> Poucos usurpadores podem descer às sombras
> Por meio de uma morte seca, ou com um fim quieto.
>
> Juvenal, Sat. Vs. 112

Juvenal falou sobre o hades como as sombras, a terrível vida pós-túmulo! A morte *seca* é morte sem derramamento de sangue; o sangue torna-se o líquido da morte, quando verte de algum ferimento fatal. Tais homens não têm morte quieta ou pacífica.

> *Acamparei ao derredor de ti, cercar-te-ei com baluartes e levantarei tranqueiras contra ti.*
>
> Isaías 29.3

> *Assim sobrevirá a tua pobreza como um ladrão, e a tua necessidade, como um homem armado.*
>
> Provérbios 6.11

■ **15.25**

כִּי־נָטָה אֶל־אֵל יָדוֹ וְאֶל־שַׁדַּי יִתְגַּבָּר׃

Porque estendeu a sua mão contra Deus. O ímpio naturalmente tem muitos inimigos, mas seu pior inimigo é Deus. Deus é a *causa* primária das dificuldades desse homem, embora muitas causas secundárias possam ser empregadas para a sua destruição. *Deus* é o poder por trás de todos os desastres anteriores que assaltam o pecador. Quando o pecador estende a mão contra seu semelhante, sem que o saiba, está sacudindo o punho no rosto de Deus. Tal insolência não pode passar sem ser notada e punida. Elifaz acusava Jó de pecados sérios, embora ocultos. Mas *Deus os via*, e agora Jó estava sofrendo agonias.

> *Diz ele, no seu íntimo: Deus se esqueceu, virou seu rosto e não verá isto nunca.*
>
> Salmo 10.11

Deus poderia tornar-se um poder não para proteger, mas, sim, para oprimir e destruir. O pecador provoca essa situação, mediante sua loucura.

"O pecador é um *adversário de Deus*. Ele faz papel de herói contra o Todo-poderoso" (Samuel Terrien, *in loc.*).

■ **15.26**

יָרוּץ אֵלָיו בְּצַוָּאר בַּעֲבִי גַּבֵּי מָגִנָּיו׃

Arremete contra ele obstinadamente. O pecador desvairado corre contra Deus com escudo espesso, acompanhado de sua dura cerviz. Em sua loucura, ele lança um ataque violento contra o próprio Deus, como se maltrato contra os semelhantes. Ver no *Dicionário* o verbete intitulado *Dura Cerviz*. A metáfora contida nessa expressão retrata a rebeldia de um animal teimoso contra o jugo. O animal endurece o pescoço e move a cabeça para um lado e para outro, na tentativa de impedir o jugo. Mas aqui a figura é simplesmente a de um homem enlouquecido e teimoso, que guerreia contra o próprio Deus. A *Revised Standard Version* dá uma tradução possível do hebraico, na segunda parte do versículo.

O insensato arremete contra Deus com pescoço altivo, dependendo de seu grosso escudo para protegê-lo, conforme ele pensa em vão, contra a vingança de Deus Altíssimo.

> *Pois diz lá no seu íntimo: Jamais serei abalado: de geração em geração, nenhum mal me sobrevirá. A boca, ele a tem cheia de maldição, enganos e opressão; debaixo da língua, insulto e iniquidade.*
>
> Salmo 10.6,7

■ **15.27**

כִּי־כִסָּה פָנָיו בְּחֶלְבּוֹ וַיַּעַשׂ פִּימָה עֲלֵי־כָסֶל׃

Porquanto cobriu o rosto com a sua gordura. O pecador é *nédio*; seu rosto e seus lombos estão cobertos da gordura de seus excessos e da falta de exercício. Ele tem vivido a "boa vida", conforme os homens a consideram. Tem prejudicado seus semelhantes, ao mesmo tempo que engorda como um porco. É um homem de excessos, e agora deve sofrer castigo excessivo. Esse homem, além de seus exageros alimentares, agradou a si mesmo com toda a espécie de prazeres do pecado, e com os muitos excessos que geralmente acompanham a possessão de riquezas. Seu deus é o seu ventre.

> *O destino deles é a perdição, o deus deles é o ventre, e a glória deles está na sua infâmia, visto que só se preocupam com as cousas terrenas.*
>
> Filipenses 3.19

> Que eu tenha ao meu redor homens que sejam gordos,
> Homens de cabeça macia e que durmam a noite toda.
> Cassius, que está ali, tem aparência magra e faminta;
> Ele pensa demais. Tais homens são perigosos.
>
> Shakespeare

"Ele tem vivido no luxo e nos excessos, e, como homem sobrecarregado de carne, não pode defender a si mesmo" (Adam Clarke, *in loc.*). Havia uma espécie de dinossauro, segundo dizem os cientistas, tão pesado e gordo que era incapaz de fugir de seus predadores naturais, os dinossauros maiores.

■ **15.28**

וַיִּשְׁכּוֹן עָרִים נִכְחָדוֹת בָּתִּים לֹא־יֵשְׁבוּ לָמוֹ אֲשֶׁר הִתְעַתְּדוּ לְגַלִּים׃

Habitou em cidades assoladas. "O *pecador gordo* finalmente termina em uma cidade fantasma, caçando o seu alimento e temendo toda a sombra, como se algum atacante se tivesse atirado contra ele. Sua cidade-fantasma está caindo aos pedaços e logo se tornará um montão de escombros. Contrastar isso com seu estado anterior de residência luxuosa, abundância e poder. Naturalmente, Elifaz se referia diretamente às tristes condições de Jó, em contraste com seu estado anterior. Ele era o pecador gordo, que agora se tornara magro e faminto. E, como o Cassius do poema de Shakespeare, ele também pensava muito.

Este versículo admite ainda outras interpretações: 1. O rico é aquele que produz cidades-fantasmas devido aos seus assassínios, ataques sexuais e saques. 2. Ou, então, o rico habita em tais lugares esperando a passagem de caravanas, a fim de atacá-las e saqueá-las. Seja como for, Elifaz dizia que Jó tinha praticado opressão social e econômica contra os menos poderosos do que ele e, naturalmente, se tornara objeto da ira divina. 3. Ou, então, o pecador nédio habita em cidades luxuosas que se tornariam cidades-fantasmas, e isso faria parte de sua punição. 4. Ou, finalmente, o pecador gordo, um tirano violento, ataca as cidades dos menos poderosos, reduzindo-as a nada. Em seguida, o rico edifica cidades maiores nos lugares das primeiras, e ali reina como um louco. Mediante tais atos, ele perpetua o seu nome para as gerações futuras, porquanto os grandes assassinos são sempre os grandes heróis da história humana.

■ **15.29**

לֹא־יֶעְשַׁר וְלֹא־יָקוּם חֵילוֹ וְלֹא־יִטֶּה לָאָרֶץ מִנְלָם׃

Por isso não se enriquecerá. O *rico e gordo tirano* atinge seu ponto culminante de poder e abundância. Doravante ele deverá declinar e entrar em total desintegração. Ele não será capaz de prolongar a sua posição. Faltam-lhe raízes na terra. Ele edificou apenas uma ilusão. Sua edificação não tem alicerces. Deus viu o que ele estava fazendo e, finalmente, perdeu a paciência com ele. De acordo com a interpretação de Elifaz da miséria de Jó, Deus perdeu a paciência com um pecador secreto que vinha oprimindo outras pessoas. "O transgressor perderá suas riquezas, um cruel lembrete das privações de Jó (ver 1.13-17)" (Roy B. Zuck, *in loc.*).

> *Porventura, fitarás os teus olhos naquilo que é nada? Pois, certamente, a riqueza fará para si asas, como a águia que voa pelos céus.*
>
> Provérbios 23.5

15.30

לֹא־יָס֨וּר ׀ מִנִּי־חֹ֗שֶׁךְ יֹֽ֭נַקְתּוֹ תְּיַבֵּ֣שׁ שַׁלְהָ֑בֶת וְ֝יָס֗וּר בְּר֣וּחַ פִּֽיו׃

Não escapará das trevas. Jó teve sua época. Agora as *trevas* (o desastre e, finalmente, a morte) já se aproximavam. Uma grande chama queimaria suas raízes e consumiria seus ramos. Os seus *renovos* (que floresciam como uma flor) seriam arrebatados por um vento poderoso. O poema combina várias metáforas que descrevem o fim lamentável do tirano-rico-gordo: trevas, chamas e vento. *Todos os elementos* estavam contra ele.

Talvez a menção às raízes e aos ramos seja uma alusão à "árvore genealógica" de Jó. Sua família tinha sido destruída pelo assopro de Deus (ver Jó 1.18,19). Mas alguns estudiosos pensam que isso alude às suas *plantações*, que tinham sido destruídas, algo que não foi especificamente mencionado no capítulo 1, mas, sem dúvida, deve estar incluído nas perdas das riquezas de Jó. A perda de seus animais domesticados também fez parte dos desastres (ver Jó 1.16).

Ao assopro da boca de Deus será arrebatado. O original hebraico não contém aqui o vocábulo "Deus", mas essa palavra é corretamente subentendida. A boca de Deus assopra o fogo; assopra um vento ressecador. A *ira de Deus* é entendida nessa figura de linguagem. Cf. algo similar, em Is 11.4: "Ferirá a terra com a vara de sua boca e com o sopro dos seus lábios matará o perverso".

Alguns intérpretes acham que devemos pensar aqui no *último suspiro* de Jó, por ocasião de sua morte. Mas esse pensamento é menos provável. Devemos antes pensar no sopro de Deus como o *agente da morte*.

15.31

אַל־יַאֲמֵ֣ן בַּשָּׁ֣יו נִתְעָ֑ה כִּי־שָׁ֝֗וְא תִּהְיֶ֥ה תְמוּרָתֽוֹ׃

Não confie, pois, na vaidade. Jó confiava no *vazio*, ou seja, em seus pensamentos vãos e em seus argumentos falazes. Ele confiou no pensamento tolo de que Deus não puniria seus pecados secretos. Mas ele estava apenas auto-enganado por sua falsa doutrina e por suas práticas nefandas. Já *vazio*, por ocasião da morte, se tornaria ainda mais vazio, isto é, *nada*. Os vss. 31 e 33 antecipam uma morte prematura para Jó. O homem vazio deveria morrer vazio, e em breve. Um ímpio e gordo pecador, que confiava em suas riquezas, estava destinado a nada ganhar, no fim. Elifaz parece estar aqui acusando Jó de confiança em sua opulência, uma acusação que Jó, finalmente, veio a negar (ver Jó 31.24,25). O vazio rebelde receberia *alguma coisa* no fim: a retribuição de Deus. Isso substituiria suas riquezas. Outrossim, suas riquezas eram temporárias, mas a retribuição que ele receberia seria permanente.

15.32

בְּֽלֹא־י֭וֹמוֹ תִּמָּלֵ֑א וְ֝כִפָּת֗וֹ לֹ֣א רַעֲנָֽנָה׃

Esta se lhe consumirá antes dos seus dias. O *pecador* teria de pagar toda a sua dívida antes de morrer. A "verdura" de sua vida se tornaria totalmente negra e queimada. A Vulgata Latina dá uma interpretação diferente ao versículo: "Ele perecerá antes de seu tempo, antes de seus dias estarem completos". Antes de morrer, ele seria uma árvore ressecada e morta, toda a vitalidade de sua vida consumida, quando a morte completaria sua obra terrível. Ou, então, o *verde* dentro da palavra "reverdecerá" refere-se à sua posteridade, porquanto a imagem dos *ramos*, no vs. 30, continua retida aqui. Nesse caso, Jó e sua família pereceriam para cumprir as demandas da retribuição divina.

15.33

יַחְמֹ֣ס כַּגֶּ֣פֶן בִּסְר֑וֹ וְיַשְׁלֵ֥ךְ כַּ֝זַּ֗יִת נִצָּתֽוֹ׃

Sacudirá as suas uvas verdes. A vida de Jó poderia chegar à fruição, mas o golpe divino faria a vinha de sua vida perder as uvas, antes mesmo que tivessem tempo para amadurecer. Além disso, a oliveira não produziria azeitonas nem se *reproduziria*, porque suas flores, que produzem azeitonas, que por sua vez produzem sementes, seriam sacudidas da árvore pela ira divina. Ambas as figuras de linguagem falam de uma "vida não terminada", de uma morte prematura, antes da realização das coisas e das condições para as quais um homem nasceu. A vinha é estéril; e a oliveira é estéril, por causa da iniquidade. A *posteridade* de Jó pode estar em vista, e não a devida realização que a vida dele deveria produzir.

"Temos aqui a imagem daquilo que é *incompleto*. A perda das uvas imaturas é poeticamente feita como resultado dos atos do próprio indivíduo, a fim de expressar, mais agudamente, que a ruína do pecador é o fruto de sua própria conduta" (Fausset, *in loc.*).

> *Ai do perverso! Mal lhe irá; porque a sua paga será o que as suas próprias mãos fizeram.*
>
> Isaías 3.11

> *Ouve tu, ó terra! Eis que eu trarei mal sobre este povo, o próprio fruto dos seus pensamentos; porque não estão atentos às minhas palavras e rejeitam a minha lei.*
>
> Jeremias 6.19

Elifaz continuou seu argumento de que tudo quanto Jó tinha sofrido resultava da lei do carma, a *Lei Moral da Colheita segundo a Semeadura* (ver no *Dicionário*). Ele nunca imaginaria que Jó pudesse dizer a verdade quando afirmava que os *inocentes* podem sofrer, e realmente sofrem. Isso estava para além de sua teologia e nunca mereceu um minuto de sua consideração, embora exprima uma *verdade*.

15.34

כִּֽי־עֲדַ֣ת חָנֵ֣ף גַּלְמ֑וּד וְ֝אֵ֗שׁ אָכְלָ֥ה אָֽהֳלֵי־שֹֽׁחַד׃

Pois a companhia dos ímpios será estéril. Os hipócritas formam uma companhia que é estéril tanto quanto às realizações potenciais da vida deles como no tocante à sua posteridade. Onde a peita ocorre (os homens engajam-se em atos vis secretos), o *fogo* vem e consome, ou seja, *todos os tipos* de desastres atacam. A falta de realização e a perda da posteridade são coisas típicas dos pecadores secretos. "O dogma da retribuição, talvez adiado, mas certo, é o argumento sustentado até o fim" (Samuel Terrien, *in loc.*). Provavelmente temos aqui uma alusão ao fogo que consumiu as possessões de Jó (ver Jó 1.16,19), bem como aos ventos que destruíram seus filhos e a casa. Elifaz, pois, sugeriu que Jó era o tipo do homem que se dava licença a atos secretos de suborno e outros crimes parecidos.

Estéril. Esta foi a mesma palavra usada por Jó (ver Jó 3.7) para descrever suas próprias condições. Talvez Elifaz tenha usado essa palavra propositadamente ao lamento de Jó.

"Jó é representado posteriormente por Elifaz como se fosse um opressor e um ímpio magistrado, o tipo de homem que seria culpado dos crimes apontados no texto presente. Ver Jó 22.6-9" (John Gill, *in loc.*).

15.35

הָרֹ֣ה עָ֭מָל וְיָלֹ֣ד אָ֑וֶן וּ֝בִטְנָ֗ם תָּכִ֥ין מִרְמָֽה׃ ס

Concebem a malícia, e dão à luz a iniquidade. Os pecadores hipócritas concebem a injúria como uma mulher concebe uma criança, e então dão à luz o mal. Outrossim, o coração deles planeja exatamente a injúria que são capazes de produzir. Eles pensam em termos injuriosos; concebem a injúria; dão à luz a injúria. Nisso consiste a prosperidade deles.

> *Então, a cobiça, depois de haver concebido, dá à luz o pecado; e o pecado, uma vez consumado, gera a morte.*
>
> Tiago 1.15

O que realmente acontece é que o mal, que os pecadores planejam acerca de outros, sobrevém contra eles. Eles cometem suicídio físico e espiritual. Naturalmente, um pecador faz com que outros sofram, mas eles mesmos são os principais recebedores do mal que fora planejado.

CAPÍTULO DEZESSEIS

RÉPLICA DE JÓ AO SEGUNDO DISCURSO DE ELIFAZ
(16.1—17.16)

O plano dos discursos corresponde ao que cada um dos três amigos-críticos de Jó falou por três vezes, exceto o terceiro, que apresentou apenas dois discursos. Jó respondeu a cada um deles por sua vez. Quanto a detalhes sobre esse plano e outros referentes à natureza e à circunstância dos discursos, ver as introduções aos capítulos 4 e 8 do livro de Jó. Não reitero aqui essa informação.

OS AMIGOS DE JÓ CAUSAM TRISTEZA (16.1-6)

Talvez eles tenham começado a dar seus conselhos com boas intenções, mas, diante de um Jó rebelde e arrogante, logo começaram a apelar para diatribes perigosas e ofensivas. Os críticos confundiam sua teologia com a verdade e supunham que suas palavras, por mais agudas que parecessem, fossem realmente modos de consolar um pecador, porquanto podiam levá-lo ao alívio e à restauração. Caros leitores, os indivíduos tradicionalistas e dogmáticos continuam confundindo sua teologia com a verdade e proferindo palavras vitriólicas, *como se* fossem palavras de amor, cujo intuito fosse ajudar.

■ 16.1,2

וַיַּעַן אִיּוֹב וַיֹּאמַר׃
שָׁמַעְתִּי כְאֵלֶּה רַבּוֹת מְנַחֲמֵי עָמָל כֻּלְּכֶם׃

Então respondeu Jó. Foi devido à sarcástica palavra usada por Jó, "consoladores", que seus três amigos-críticos foram chamados ironicamente de "consoladores de Jó". A expressão "consoladores" tornou-se proverbial para os críticos equivocados que ferem com palavras, em vez de ajudare, que põem ácido nas feridas, em vez de curá-las. A maioria dos homens, em algum tempo de sua vida, sente a dor do ácido em um ferimento, em vez do azeite suavizador. Infelizmente, em certas ocasiões, até mesmo pessoas religiosas sinceras aumentam a dor de outros, pondo ácido em seus ferimentos. Somos inteiramente descuidados e sem consideração quanto às palavras que usamos. Algumas vezes, a verdade nua e crua causa mais dano do que mentiras gentis. Além disso, as pessoas com frequência falam aquilo que pensam, recorrendo a verdades brutais, que são meras manifestações de ódio ou ciúme. Apresento um eloquente poema em Jó 15.6, que ilustra bem o uso apropriado da linguagem e serve de bom comentário sobre os vss. 2,3 deste capítulo. Ver no *Dicionário* o artigo *Linguagem, Uso Apropriado da*.

Comum é o lugar-comum,
E a palha inútil é para os grãos.

Isso é trivial, mas diz uma verdade, e também existem aquelas meias-verdades que não contribuem muito para esclarecer as coisas.

Assim também, os consoladores de Jó inspiravam *cansaço e tristeza*, em vez de consolação genuína. Jó estava sentindo dores; eles estavam passando bem. Portanto, era fácil para eles atribuir causas falsas à dor. A terrível tríade de amigos terminou como consoladores molestos. Eles nada diziam de novo. Eles não deram resposta para o problema do mal, isto é, por que os homens sofrem e por que sofrem como sofrem. Eles pioraram as dores de Jó, em vez de aliviá-las, e nunca mudaram um fio sequer de suas doutrinas inadequadas.

Consoladores molestos. "Temos aqui o que os retóricos chamam de oxímoro; o que os três amigos de Jó disseram, em vez de aliviá-lo, impôs pesadas pressões que ele não conseguia suportar" (John Gill, *in loc.*). *Oxímoro* reúne duas palavras gregas: *oxys* (perspicaz, esperto) + *moros* (estúpido). Portanto, está em vista uma figura de linguagem que une termos contraditórios como *leveza pesada*, *vaidade séria*. Neste vs. 2, temos a contribuição de Jó: *consoladores que trouxeram peso*.

■ 16.3

הֲקֵץ לְדִבְרֵי־רוּחַ אוֹ מַה־יַּמְרִיצְךָ כִּי תַעֲנֶה׃

Não terão fim essas palavras de vento? O hebraico diz, literalmente, palavras de sacos de vento, que, contra toda a razão, continuam a proferir teologias deficientes e atacam um inocente. Palavras que apenas emitem algum som, mas que não têm sentido, é o que está em vista aqui. A *King James Version* traduziu aqui por "palavras vãs". Os amigos-críticos de Jó não estavam contribuindo em coisa alguma para resolver o problema do sofrimento humano, mas continuavam a falar sobre a lei da colheita segundo a semeadura, que não se aplicava ao caso de Jó. Com a conversa deles de que Jó era um pecador, recolhendo o que dera, eles perderam de vista a meta da situação: um homem inocente pode sofrer. Existem enigmas na questão do *problema do mal*. Ver esse assunto na seção V da *Introdução* ao livro e no artigo que tem esse título no *Dicionário*. Talvez parte do sofrimento do inocente seja que, na realidade, exista o *caso*, no mundo, voltado talvez para o bem e para o homem espiritual, e que algumas vezes o ataca, e não meramente ao homem ímpio. Paulo levou em conta esse elemento (Rm 8.20). A criação inteira ficou sujeita à *futilidade*, mas o propósito remidor de Deus, em Cristo, anula essa finalidade. Talvez a pura futilidade possa ferir, ocasionalmente, um bom homem, e contra isso pedimos proteção divina especial.

■ 16.4,5

גַּם אָנֹכִי כָּכֶם אֲדַבֵּרָה לוּ־יֵשׁ נַפְשְׁכֶם תַּחַת נַפְשִׁי
אַחְבִּירָה עֲלֵיכֶם בְּמִלִּים וְאָנִיעָה עֲלֵיכֶם בְּמוֹ רֹאשִׁי׃
אֲאַמִּצְכֶם בְּמוֹ־פִי וְנִיד שְׂפָתַי יַחְשֹׂךְ׃

Eu também poderia falar como vós falais. O tema principal do livro de Jó é *a adoração desinteressada*. Sob provação severa, continuaria um homem a adorar a Deus, especialmente (como foi o caso de Jó) ao pensar que Deus era a fonte de sua perturbação? Ou o homem é um ser *egoísta* que só pratica a fé religiosa em troca das vantagens que isso lhe oferece? O problema do sofrimento humano entra na questão como um companheiro necessário do tema principal, porquanto a *dor* submete a teste a qualidade da espiritualidade humana. Jó caiu no *pessimismo*, a ideia de que a própria existência é um mal. Ver na *Enciclopédia de Bíblia, Teologia e Filosofia* os verbetes intitulados *Egoísmo* e *Pessimismo*.

Se Jó estivesse no lugar de seus amigos, em estado de lazer, e eles estivessem sofrendo, talvez imitasse a conduta deles, apontando-lhes um dedo acusador e sacudindo a cabeça, admirado da estupidez deles, conclamando-os a arrepender-se de seus pecados secretos. Ele *poderia* fazer isso, mas era bom demais para agir dessa maneira. Antes, ele seria um verdadeiro consolador (vs. 5), capaz de fortalecer os joelhos cambaleantes e levantar-lhes a cabeça, em vez de desencorajá-los e amaldiçoá-los. Suas palavras aliviariam o sofrimento, em vez de aumentá-lo. Contrastar isso com os *consoladores molestos* que eles eram (vs. 2). Os amigos de Jó estavam cheios de contentamento e derrisão, conforme deixa entendido o gesto de sacudir a cabeça (Sl 22.7; Is 37.22). Jó não se tornaria, de modo algum, culpado de fazer pouco dos que sofressem dores. Jó estava amargurado diante de seu sofrimento, mas não esqueceria a justiça devida a seus *amigos* nem os trataria como eles o estavam tratando. Jó havia agido corretamente no passado; Jó 4.4; 29.21-23.

Como o óleo e o perfume alegram o coração, assim o amigo encontra doçura no conselho cordial.

Provérbios 27.9

■ 16.6

אִם־אֲדַבְּרָה לֹא־יֵחָשֵׂךְ כְּאֵבִי וְאַחְדְּלָה מַה־מִנִּי יַהֲלֹךְ׃

Se eu falar, a minha dor não cessa. Falando, Jó sofria aflições; não falando, continuava em dores; então continuou falando. Ele nada tinha a perder. Deus e os homens o haviam desgastado, e ele prosseguiu para denunciar a ambos, porquanto sabia que era inocente e não merecia o tratamento que estava recebendo. Jó falou a Deus em oração e, humildemente, pediu alívio para sua dor e respostas que explicassem *por que* ele estava sofrendo. Não obstante, suas dores em nada foram aliviadas; parecia que suas orações não estavam sendo ouvidas. Ele nada aprendeu. Por conseguinte, continuou com suas queixas atrevidas e amargas contra Deus e os homens.

■ **16.7**

אַךְ־עַתָּה הֶלְאָנִי הֲשִׁמּוֹתָ כָּל־עֲדָתִי׃

Na verdade, as minhas forças estão exaustas. Deus havia exaurido Jó. Ele estava completamente exausto. E também o deixara inamistoso e sem conforto. Por isso, ele se voltara para o *pessimismo*, ou seja, a noção de que a própria existência é má. Schopenhauer dizia que o pior pecado que um homem já cometeu é o de ter nascido. Jó se apaixonara pela morte, como salvadora daqueles que sofrem, porquanto não antecipava uma vida pós-túmulo, boa ou má. Ele queria entrar no total esquecimento da morte. Coisa alguma podia explicar a *origem* de seus sofrimentos, exceto a *hostilidade* de Deus. A teologia dos hebreus era fraca quanto a causas secundárias, pelo que *todas as coisas,* boas ou más, eram lançadas na conta de Deus. Deus se tornara o perseguidor de Jó e encorajara seus "amigos" a serem *consoladores molestos* (vs. 2).

Destruíste a minha família. Jó havia perdido riquezas, servos e até a família. Tudo isso, descrito no capítulo 1, constituía as perdas de Jó. Além disso (capítulo 2), o seu corpo fora atacado da maneira mais violenta e virulenta. E isso só fez aumentar as suas dores, que já eram grandes. Talvez os *amigos* de Jó, que se tinham tornado seus atormentadores, também devam ser incluídos nessa "família". Jó estava sem familiares e sem amigos.

■ **16.8**

וַתִּקְמְטֵנִי לְעֵד הָיָה וַיָּקָם בִּי כַחֲשִׁי בְּפָנַי יַעֲנֶה׃

Testemunha disto é que já me tornaste encarquilhado. Além disso, havia as aflições que Jó sofria em seu corpo, descritas no capítulo 2. Ele estava ressequido por todo aquele sofrimento, prematuramente envelhecido. Havia perdido muito peso e estava reduzido a um esqueleto. Essas miseráveis condições testemunhavam contra ele, chamando-o de pecador sob o julgamento de Deus. Mas Jó sabia que havia alguma *outra razão* para seu deplorável estado. "Ele estava fisicamente emaciado, e a caveira de seu rosto estava em evidência (cf. Jó 17.7)" (Roy B. Zuck, *in loc.*).

Fez envelhecer a minha carne e a minha pele, despedaçou os meus ossos.

Lamentações 3.4

Tais coisas testemunhavam contra Jó, tal como se vê em Jó 10.7. Tais condições, para seus consoladores molestos, entretanto, eram provas inquestionáveis da depravação de Jó.

■ **16.9**

אַפּוֹ טָרַף וַיִּשְׂטְמֵנִי חָרַק עָלַי בְּשִׁנָּיו צָרִי יִלְטוֹשׁ עֵינָיו לִי׃

Na sua ira me despedaçou. *Deus, Fera Feroz e Destruidora*. Jó volta-se agora para outra símile chocante. Deus era como um animal feroz que despedaçava sua vítima e, finalmente, matava. Jó havia caído como vítima inocente da fúria divina. O Deus-leão o apanhou no campo, o derrubou no solo e o despedaçou com seus dentes poderosos; esmigalhou seus ossos sem misericórdia e, pairando por sobre ele, olhou-o com olhos ferozes, preparado para matá-lo.

Na sua ira. Isto corresponde ao original hebraico, que também é seguido por outras traduções. Jó tornou-se homem odiado por Deus, e Deus tornou-se fera feroz, a qual, em seu ódio, gostava de aleijar e matar. A *Versão Atualizada da Sociedade Bíblica* corretamente retém a ideia de *hostilidade* nos atos de Deus. Não obstante, falamos em Deus como amor (ver 1Jo 4.8). O feroz ataque divino tinha tirado de Jó qualquer pensamento sobre o Deus amoroso.

Se o homem não se converter, afiará Deus a sua espada; já armou o arco, tem-no pronto; para ele preparou já instrumentos de morte, preparou suas setas inflamadas.

Salmo 7.12,13

Jó, entretanto, não se arrependia. Por que, pois, o ataque? Porventura Deus também ataca os inocentes? Os intérpretes, cristianizando o texto, fazem de Satanás o autor dos ataques, mas a teologia dos hebreus, com sua doutrina de uma única causa, naturalmente atribuiu ataques a Satanás, como se Deus fosse a *causa real*. O Deus de Jó era um Deus *voluntarista*. Em outras palavras, um Deus cuja vontade é tudo, às expensas da razão e da justiça. Assim é que Trasímico perguntou: "Algo está certo porque Deus o fez, ou Deus o fez por estar certo?" O *voluntarismo* (ver a respeito na *Enciclopédia de Bíblia, Teologia e Filosofia*) dá primeiramente como resposta o seguinte: Uma coisa é certa porque Deus a faz, através de sua irresistível vontade, e ele não é forçado a obedecer às regras morais que ele mesmo impõe ao homem.

■ **16.10,11**

פָּעֲרוּ עָלַי בְּפִיהֶם בְּחֶרְפָּה הִכּוּ לְחָיָי יַחַד עָלַי יִתְמַלָּאוּן׃

יַסְגִּירֵנִי אֵל אֶל עֲוִיל וְעַל־יְדֵי רְשָׁעִים יִרְטֵנִי׃

Homens abrem contra mim a boca. Jó continuou com a metáfora da fera terrível. Os homens, à semelhança de Deus, atacavam Jó com a boca aberta, prontos para despedaçá-lo com os dentes e, finalmente, consumi-lo no almoço. Mediante o "ódio" que Deus tinha (vs. 9), eles também infligem feridas. Além disso, não havia apenas um homem. Os homens circundavam Jó como uma matilha de animais selváticos, tornando-o objeto de um ataque comunal. Tal tratamento foi imediatamente transferido para Deus como a verdadeira causa de tudo (vs. 11). Foi Deus quem entregou Jó ao ataque de homens selvagens e violentos. Foi Deus quem o jogou, impotente e inocente, nas mãos de seus atacantes. Novamente, temos Deus como a causa única, bem como todas as coisas, boas ou más, atribuídas a ele. Ver as notas expositivas sobre o vs. 9 deste capítulo.

"À semelhança de uma fera selvagem, Deus, em suas hostilidades... atacou Jó e o despedaçou com ira (cf. Jó 14.13 e 19.11), e então rugiu e ficou olhando ferozmente para ele. *Além disso,* as pessoas zombaram de Jó (cf. Jó 30.1,9,10), derrubaram-no e, em sua oposição, aliaram-se contra ele como um grupo de soldados. Deus o havia deixado nas mãos de homens ímpios, uma óbvia *contradição* do que Elifaz deixou implícito, isto é, que Jó era ímpio (ver Jó 15.12-35)" (Roy B. Zuck, *in loc.*).

Todos os que me veem zombam de mim... Contra mim abrem a boca, como faz o leão que despedaça e ruge.

Salmo 22.7,13

Outra metáfora poderia estar em vista aqui. Jó, atacado pelo leão (Deus) e deixado ferido e sangrando, sofre então *outra* desgraça. Supostos amigos chegam e encontram-no naquele estado miserável. Em vez de ajudá-lo, postam-se em redor dele, de boca aberta, a fazer pouco dele, atormentando-o com suas palavras. Então ferem-no no rosto para aumentar-lhe as dores. E continuam de pé em redor dele, respirando maldições e ameaças.

A ORAÇÃO PURA DE JÓ (16.12-17)

■ **16.12**

שָׁלֵו הָיִיתִי וַיְפַרְפְּרֵנִי וְאָחַז בְּעָרְפִּי וַיְפַצְפְּצֵנִי וַיְקִימֵנִי לוֹ לְמַטָּרָה׃

Em paz eu vivia. Em seu desespero, Jó, uma vez mais, voltou-se para Deus em oração. Ele não dispunha de outro recurso, embora suas orações tivessem deixado de ser recebidas e ouvidas. Ele continuou tentando chegar ao fundo do problema. *Por que* esse sofrimento? Por que os inocentes sofrem?

Este versículo continua a metáfora da fera iniciada no vs. 9. Deus, o Leão divino, tinha apanhado Jó quando ele estava sossegado e não antecipava nenhum tipo de ataque ou reversão em sua vida confortável. O Leão segurou-o pelo pescoço, como é costume dos leões. Eles sacodem a vítima para quebrar-lhe o pescoço e têm facilidade em fazer tal coisa. Com o pescoço partido, o animal fica incapaz de defender-se e morre, e o leão faz então a sua festa. Jó tinha-se tornado o *alvo* dos ataques divinos. Um leão aproxima-se de um bando de animais para escolher a sua vítima. O bando não foge, porque a fuga é inútil. Os animais apenas ficam por ali de pé, aguardando que o leão mate apenas um, e cada animal espera não ser a vítima. Finalmente, o leão, observando calmamente os animais, escolhe um e ataca. A vítima cai e é devorada. Por quê? Jó perguntou por que *ele,* homem inocente, fora escolhido como alvo do ataque divino? Cf. Jó 10.16, onde encontramos a mesma figura de linguagem.

Jó referiu-se à súbita ruptura de sua paz (ver Jó 15.21) e à extinção de seus filhos (Jó 15.33,34) pelos ataques divinos repentinos. Ele se refere a esses desastres respectivamente nos vss. 12a e 15b. Jó havia entornado a taça de amargura e provado formas extremadas de dor e humilhação. Contudo, foi capaz de levantar a cabeça e oferecer outra oração.

■ 16.13

יָסֹבּוּ עָלַי רַבָּיו יְפַלַּח כִּלְיוֹתַי וְלֹא יַחְמוֹל יִשְׁפֹּךְ לָאָרֶץ מְרֵרָתִי׃

Cercam-me as suas flechas. *Uma Nova Metáfora: Arqueiros Habilidosos.* Os arqueiros jogaram suas flechas, e o corpo de Jó foi rasgado. Seus rins foram abertos e a sua bílis derrama-se no chão. Jó ficou ferido e sangrando. Em breve morrerá. Os arqueiros são os *instrumentos* que infligem dor e morte. Foi *Deus* quem os mandou. Eles cumpriram a vontade de Deus. Mas ali no chão, note bem o leitor, está um homem *inocente*. Por quê? Há uma alusão aos três atormentadores de Jó, a terrível tríade. Eles lançavam suas flechas contra Jó, mas a figura de linguagem inclui *todos* os seus sofrimentos, sem importar as suas causas.

A metáfora poderia basear-se na guerra ou na *caça*. Jó estava sendo caçado incansavelmente pelos inimigos que Deus enviara para "matar o animal". As flechas abriram vários órgãos vitais. Jó sofreu *múltiplos* ferimentos.

■ 16.14

יִפְרְצֵנִי פֶרֶץ עַל־פְּנֵי־פָרֶץ יָרֻץ עָלַי כְּגִבּוֹר׃

Fere-me com ferimento sobre ferimento. Os atacantes de Jó não se contentam em ferir e abrir seus órgãos vitais. Eles acusam e quebram todos os seus ossos. Eles o pisam enquanto ele jaz, impotente, no chão. Os arqueiros tornam-se agora um *gigante violento* que é capaz de quebrar um homem em pedaços, e passam a fazer exatamente isso.

A metáfora do presente versículo talvez não continue a do versículo anterior, mas pode ser uma nova metáfora: a do *exército atacante*. Esse exército parecia-se com um gigante sem misericórdia que esmagava suas vítimas, ataque após ataque. Nossa versão portuguesa, sem dúvida seguindo a *Revised Standard Version*, diz "guerreiro" em lugar de "gigante" e, com isso, algumas versões da Bíblia em português concordam.

> *O Senhor sairá como valente, despertará o seu zelo como homem de guerra; clamará, lançará forte grito de guerra e mostrará sua força contra os seus inimigos.*
>
> Isaías 42.13

■ 16.15

שַׂק תָּפַרְתִּי עֲלֵי גִלְדִּי וְעֹלַלְתִּי בֶעָפָר קַרְנִי׃

Cosi sobre a minha pele o cilício. Seguindo as práticas orientais, Jó, o pobre homem, estava vestido com cilício e deitou poeira sobre a cabeça. Ver Gn 37.34. Ele não mencionou o ato de rasgar as roupas, mas é provável que isso também estivesse envolvido. A palavra "orgulho" que aparece neste versículo provavelmente significa "cabeça", pois no original hebraico é "chifre". Jó teria usado uma metáfora na qual ele se parecia com um animal miserável, sentado ali sobre o montão de cinzas jogadas no monturo, com a cabeça coberta de imundícia. O "chifre", como parte da cabeça, representa a cabeça inteira. Ou, metaforicamente, uma ideia de "força" e, então, depreende-se que a sua "força" foi sujeitada à humilhação.

Ver no *Dicionário* os verbetes chamados *Pano de Saco* e *Lamentação,* especialmente a seção III, *Alguns Modos de Lamentação*. Em lugar de *chifre*, as versões portuguesas dizem "glória" ou "orgulho", que são *interpretações* da metáfora. O chifre pode ser metáfora que indica poder, autoridade ou eminência. Jó, pois, foi totalmente humilhado quando as cinzas chegaram aos seus *chifres.* Jó era um animal derrotado, não mais um ser humano. Ele havia perdido a sua humanidade.

■ 16.16

פָּנַי חֳמַרְמְרָה מִנִּי־בֶכִי וְעַל עַפְעַפַּי צַלְמָוֶת׃

O meu rosto está todo afogueado de chorar. Seu rosto estava corado de tanto chorar amargamente, inchado e desfigurado, e a *escuridão da morte* já começava a pesar sobre suas pálpebras, até que elas se fechassem definitivamente.

> *Por isso, caiu doente o nosso coração; por isso, se escureceram os nossos olhos.*
>
> Lamentações 5.17

"... como um homem moribundo, ele dificilmente podia erguer as pálpebras... Ele não estava esperando livramento da morte... havia um peso morto em seus olhos, a sombra da própria morte" (John Gill, *in loc.*). Ver a exposição em Jó 14.1-6. Alguns eruditos supõem que olhos lacrimejantes e fraqueza de visão estivessem entre os sintomas da enfermidade de Jó. Nesse caso, ele transformou alguns de seus sintomas em metáforas de sua horrenda condição, que acabariam por levá-lo à morte.

■ 16.17

עַל לֹא־חָמָס בְּכַפָּי וּתְפִלָּתִי זַכָּה׃

Embora não haja violência nas minhas mãos. Jó manteve a inocência por todo o caminho, em sua miséria. Sua oração era *pura,* portanto, havia uma *chance* de que Deus ainda pudesse ouvir um homem inocente, aliviando suas condições e salvando sua vida. Deus tinha deixado de responder às orações de Jó. Ele chegou a sentir que Deus trata do culpado e do inocente da mesma maneira miserável.

> *Tanto destrói ele o íntegro como o perverso.*
>
> Jó 9.22

O Deus de Jó era um Deus voluntarista. Ver na *Enciclopédia de Bíblia, Teologia e Filosofia* o artigo chamado *Voluntarismo.* Dentro desse sistema, a *vontade* é suprema, com a exclusão da razão e da justiça. O Deus voluntarista não tem de obedecer às regras morais que ele impõe aos homens. Sua vontade estaria acima de qualquer lei, mesmo de suas leis. Eis por que, em seu trato com os homens, ele pode tratar a todos igualmente, o bom e o injusto, o inocente e o culpado. Contudo, em seu coração, Jó continuava a esperar que sua inocência atraísse a *misericórdia* divina. Sem dúvida, a palavra *inocente* inclui a ideia de que Jó, sofrendo severas dores, não blasfemou contra Deus, conforme Satanás disse que aconteceria (Jó 1.11; 2.5). Portanto, o tema central do livro entra aqui: *adoração desinteressada.* Deverá um homem continuar a adorar a Deus, embora nessa adoração nada mais haja que contribua para sua vantagem pessoal? Seria um homem apenas um ser egoísta, mesmo em se tratando da fé religiosa? Embora, ao longo do caminho, Jó tenha proferido coisas que pudéssemos chamar de blasfêmias (ver o capítulo 9, versículo após versículo), o autor do livro espera que suponhamos que ele tenha permanecido livre de blasfemar. Pois se Jó blasfemou, então Satanás ganhou a aposta com Deus. O problema do sofrimento humano (ver sobre *Problema do Mal,* na seção V da *Introdução*) testou a qualidade da adoração e da fé de Jó. Esse é um tema secundário, mas é o tema *mais discutido* do livro de Jó.

Jó apegou-se à sua esperança com a tenacidade de um homem que estivesse morrendo e não tivesse outra esperança. Ele continuava lançando no rosto de Deus os seus protestos de *inocência*.

16.18

אֶרֶץ אַל־תְּכַסִּי דָמִי וְאַל־יְהִי מָקוֹם לְזַעֲקָתִי׃

Ó terra, não cubras o meu sangue. "Jó implorou que a *terra* não *cobrisse o seu sangue*, ou seja, que a injustiça de sua situação fosse iluminada e seu clamor por justiça não fosse sepultado juntamente com seu corpo, sob a superfície do solo, sendo esquecido. Sangue inocente era derramado sobre o chão. O sangue seria absorvido pela terra, de modo que ninguém visse o crime que estava sendo cometido. Por conseguinte, Jó retratou Deus como se ele fosse um assassino que esconderia sangue inocente na terra. Então ninguém poderia jamais dizer: "Vede o que Deus fez a um homem inocente!" Jó pleiteou com a terra para não permitir que tão grande injustiça fosse perpetrada. Talvez o versículo aluda ao caso de Caim e Abel. Caim matou, e a terra absorveu o sangue inocente de Abel. Mas esse sangue clamou a Deus, pedindo vingança. Ver Gn 4.10.

"seu *assassinato* deveria ser vingado. A terra, personificada, é convidada a assistir à vingança (cf. Gn 4.10,11)" (*Oxford Annotated Bible*, comentando sobre o vs. 18). Jó comparou-se a alguém que estivesse sendo assassinado, cujo sangue a terra se recusasse a beber, até que ele fosse vingado (Gn 4.10,11; Ez 24.1,8; Is 26.21)" (Fausset, *in loc.*).

16.19

גַּם־עַתָּה הִנֵּה־בַשָּׁמַיִם עֵדִי וְשָׂהֲדִי בַּמְּרוֹמִים׃

Já agora sabei que a minha testemunha está no céu. *Testemunha*. Jó agora apela para a esperança de que outra testemunha cooperasse com ele, em sua inocência. Ele viu a possibilidade de uma testemunha interceder e pleitear em favor dele no Tribunal Celeste. Tal testemunha se tornaria seu advogado perante Deus, para defendê-lo. Os intérpretes compreendem variegadamente a referência a essa *testemunha no céu*, a saber:

1. Talvez as *próprias palavras* de Jó, ao chegar ao tribunal celeste, se tornassem suas testemunhas. Elas seriam ouvidas, e Jó seria considerado inocente. A testemunha, entretanto, é personificada no vs. 20, e isso não se ajusta muito bem à ideia de *palavras*.
2. Talvez o *próprio Deus* esperasse tornar-se a testemunha de Jó e, finalmente, inocentá-lo, estando convencido pelos insistentes argumentos de Jó. Nesse caso, o Juiz também se tornaria uma testemunha e intercederia pelo homem acusado. Esse é um significado um tanto desajeitado, mas não impossível.
3. Talvez esteja em pauta algum *ser angelical*, deixado indefinido, mas real, que poderia tomar o caso de Jó a fim de defendê-lo.
4. Jó parece retornar a Jó 9.33, onde existe a ideia de um *intercessor*. Possivelmente, ao longo do caminho, sua fé nessa ideia foi fortalecida, tendo adquirido mais alguns detalhes. Nesse caso, poderíamos vincular Jó 9.33 a Jó 19.25, onde temos o *Vindicador* (o *Redentor* de algumas traduções). Nesse caso, os versículos poderiam assumir um sentido messiânico, se realmente Cristo, o Redentor, estiver em Jó 19.25.

Este versículo está sujeito a muitas interpretações, e também podemos cristianizar o texto em demasia, vendo o Redentor (conforme entendemos esse termo) com o sentido de Jó 19.25. Em Jó 19.25, temos uma espécie de redenção, porque Jó, uma vez morto, voltaria à vida. É um erro, porém, empurrar essa ideia demasiadamente à redenção cristã. Seja como for, no *texto presente*, Jó não estava falando sobre a redenção espiritual. Apenas esperava que alguma testemunha convencesse Deus a interromper seus sofrimentos físicos, e, assim sendo, salvar sua *vida física*. O quanto, finalmente, Jó prosseguiu para além disso é uma questão aberta. Ver a exposição sobre Jó 19.25 quanto a um completo tratamento dos potenciais desse texto, o que demonstra algum *crescimento* na teologia de Jó. A teologia de Jó no capítulo 16 ainda não havia crescido o bastante para que ele pudesse falar sobre um Redentor em qualquer sentido significativo. Certamente nada existe no texto presente como a *justificação* cristã. Jó estava apenas pleiteando por sua vida física, não pela justificação de uma alma imaterial. Essa doutrina não fazia parte da teologia patriarcal, e só entrou no Antigo Testamento nos Salmos e nos Profetas, e, ainda assim, não muito claramente.

16.20

מְלִיצַי רֵעָי אֶל־אֱלוֹהַ דָּלְפָה עֵינִי׃

Os meus amigos zombam de mim. Embora os amigos continuassem zombando de Jó, ele continuava a pleitear diante do próprio Deus para reconsiderar o seu caso e para vindicá-lo, aliviando assim seus sofrimentos. A terrível tríade dos consoladores molestos de Jó (ver Jó 16.2) reagiu violentamente ao novo pretensioso discurso que ele acabara de proferir, e assim Jó falou da *zombaria* deles e pediu a Deus que o ajudasse, a despeito de seus zombadores. A ideia de uma "testemunha celeste" que pudesse pleitear em favor de Jó era ridícula para os "consoladores", e as palavras zombeteiras deles denunciavam tal possibilidade. Note o leitor o *oxímoro* que há neste versículo: os *amigos zombadores* de Jó. Ver as notas expositivas sobre o vs. 2 deste capítulo quanto a tais figuras de linguagem. Esses *amigos zombeteiros* eram, igualmente, seus *consoladores molestos*.

> Os meus olhos se cansavam de olhar para cima. Ó Senhor, ando oprimido, responde tu por mim.
>
> Isaías 38.14

16.21

וְיוֹכַח לְגֶבֶר עִם־אֱלוֹהַּ וּבֶן־אָדָם לְרֵעֵהוּ׃

Para que ele mantenha o direito do homem contra o próprio Deus. Uma vez mais Jó retornou à ideia de um *mediador*, uma *testemunha*, um *intercessor*. Ver as notas expositivas sobre o vs. 19, quanto a significados possíveis. Na sociedade humana, um homem em dificuldades pode chamar seus *vizinhos*, a fim de que o ajudem ou falem uma boa palavra em seu favor. Por que esse tipo de condição não poderia prevalecer no céu? Os tribunais humanos geralmente contam com esse tipo de procedimento. Não poderia uma pessoa esperar que o tribunal celestial propiciasse tal ajuda a um acusado? Naturalmente, a interpretação cristã sobre este versículo é que existe tal Pessoa, Jesus, o Cristo, o único Mediador entre Deus e os homens (ver 1Tm 2.5). Mas Jó não estava pleiteando em favor da justificação, nem em favor de sua alma imaterial. Ele apenas queria justiça que aliviasse seus sofrimentos físicos e salvasse sua vida física da morte prematura. Não obstante, ele tateava na direção de uma nova compreensão teológica que estava produzindo fruto e talvez lhe trouxesse uma vantagem significativa, conforme Jó 19.25 poderia indicar.

> O Deus de Amor e do Inferno, juntamente,
> Esse é um pensamento que não pode ser pensado.
> Se houver tal Deus, que o Grande Deus
> O amaldiçoe e o reduza a nada.
>
> Tennyson

Jó esperava que seu Deus voluntarista cedesse diante de um Deus de amor, e o resultado seria uma declaração de inocência, além do que o inocente seria livre, *vindicado*.

16.22

כִּי־שְׁנוֹת מִסְפָּר יֶאֱתָיוּ וְאֹרַח לֹא־אָשׁוּב אֶהֱלֹךְ׃

Porque dentro em poucos anos. *Jó Tornou a Cair no Pessimismo*. Tudo quanto restava a Jó era a morte inevitável, que o reduziria a absolutamente nada. Ele deveria ter pensado que lhe restavam alguns poucos e miseráveis anos antes que lhe fosse dado o alívio do nada proporcionado pela morte. Não havia esperança, e o que poderia parecer esperança era somente miséria. Foi assim que Jó logo abandonou a esperança de um intercessor e testemunha (vss. 19 e 21) e escorregou de volta nas trevas. Ver Jó 14.5 ss., quanto a esse mesmo tipo de pessimismo. Ao homem foram dados alguns poucos dias para viver, mas então lhe são cortados, como os homens cortam árvores que não revivem. Algumas árvores, de fato, voltam à vida, mas não o homem que é cortado pela morte. Ele se reduz a nada. Jaz no chão para nunca mais levantar-se, a não ser na ressurreição final, fique entendido. Ele dorme o sono eterno da morte.

Quanto ao fato de a vida ser cortada (sendo ela de poucos dias), cf. Jó 7.6,8; 9.25,26; 10.20; 14.1,2,5; 7.11. E quanto à ideia de que não há retorno à vida, após a morte, cf. Jó 7.9; 10.21 e 14.12.

CAPÍTULO DEZESSETE

Não há interrupção entre os capítulos 16 e 17, portanto a introdução que dou no começo do capítulo 16 também se aplica aqui. Ver também as introduções aos capítulos 4 e 8 quanto ao plano dos discursos e suas características gerais.

DETIDO SEM FIANÇA (17.1-5)

Jó continuou a enumerar seus sofrimentos e a denunciar as injustiças divinas e humanas. Seu *pessimismo* (ver a *Enciclopédia de Bíblia, Teologia e Filosofia*) dominava tudo. Ele veio a encarar a vida como um mal, e a morte como uma paz interminável, uma salvadora. Mas ele estava falando de aniquilamento absoluto, não de um estado melhor para além do sepulcro.

■ 17.1

רוּחִי חֻבָּלָה יָמַי נִזְעָכוּ קְבָרִים לִי׃

O meu espírito se vai consumindo. A palavra hebraica *ruah*, "espírito", refere-se ao espírito psicológico de Jó, sua coragem, sua força psicológica, e não ao seu espírito ou alma. Seus sofrimentos deixaram-no *quebrantado*. O termo hebraico *hubbalah*, "quebrado", tem sido encontrado com o sentido de *jugos quebrados*, embora também possa significar "doentio" ou "distorcido". Jó fora reduzido a uma personalidade distorcida e agoniada, por todas as dores que sofria. Ele tinha uma *respiração ofegante*, que deixava entrever a morte iminente. A sepultura já estava com a boca hiante e em breve devoraria Jó, e ele deixaria de existir (ver Jó 16.22). O sepulcro se tornara a *porção dele*, conforme o hebraico poderia ser traduzido literalmente. "... o túmulo é a minha propriedade, a minha casa, onde espero estar em breve" (John Gill, *in loc.*, o qual, ato contínuo, cristianizou o texto, ao dizer "até a ressurreição"). Naquele momento, entretanto, Jó esperava somente o *aniquilamento*.

> Minha respiração é laboriosa;
> Meus dias estão extintos,
> O sepulcro é meu.
>
> Samuel Terrien, paráfrase sobre o vs. 1

■ 17.2

אִם־לֹא הֲתֻלִים עִמָּדִי וּבְהַמְּרוֹתָם תָּלַן עֵינִי׃

Estou de fato cercado de zombadores. Entrementes, os *consoladores molestos* (ver Jó 16.2) continuavam zombando dele, com seus discursos mal informados e teologicamente limitados. Eles não compreendiam a *razão* de seus sofrimentos, zombando dele como um pecador secreto, que estava recebendo aquilo que merecia. "Testemunhando o fim iminente de Jó, seus amigos recusavam-se mais do que nunca a considerar suas reivindicações de inocência e persistiam em sua atitude de *provocação*" (Samuel Terrien, *in loc.*). A seus amigos ele chamava de zombadores, enquanto eles aumentavam seus ataques *hostis* contra Jó.

■ 17.3

שִׂימָה־נָּא עָרְבֵנִי עִמָּךְ מִי הוּא לְיָדִי יִתָּקֵעַ׃

Dá-me, pois, um penhor. Jó, entretanto, não cedeu diante de seus consoladores-molestos-zombadores, mas renovou o contexto diretamente com Deus. Ele expressou uma oração de *desafio*. "Jó foi compelido a voltar à impossível possibilidade... o próprio Deus, que é o Juiz, deveria ser o seu fiador" (Paul Scherer, *in loc.*). Deus deveria aceitar uma garantia por Jó, *até* que ele provasse estar inocente. Deus tinha de prover fiança, até que um julgamento justo fosse arranjado e executado. Jó requereu uma espécie de julgamento preliminar que dissesse: "Este homem pode ser inocente. Vamos examinar o seu caso". Cf. a certeza de um melhor pacto do Novo Testamento, em Hb 7.22.

Quem mais haverá que se possa comprometer comigo? Literalmente, "bata as mãos com", um gesto que significa: "Sou o fiador deste homem. Pago a fiança deste homem, até que seu testemunho ocorra". "Provede uma *fiança* para ele no tribunal, uma fiança dada pelo réu, uma garantia de que nenhuma vantagem será ganha contra ele: *desistir da segurança*, literalmente, bater mãos, uma prática mediante a qual um acordo foi ratificado (cf. Pv 6.1; 11.15; 17.18 e 22.26)" (Roy B. Zuck, *in loc.*).

■ 17.4

כִּי־לִבָּם צָפַנְתָּ מִשָּׂכֶל עַל־כֵּן לֹא תְרֹמֵם׃

Porque aos seus corações encobriste o entendimento. Os consoladores-molestos de Jó eram indivíduos *dogmáticos* que pensavam que sua doutrina poderia resolver qualquer problema nos céus e na terra; assim, eles *fecharam a mente* contra qualquer explicação no tocante à *razão* do sofrimento humano. Eram *tradicionalistas* que encontravam *todas* as respostas em algum capítulo e versículo dos documentos sagrados, que eles aceitavam como a única regra de fé e prática. Eles se recusavam a raciocinar sobre a questão e fechavam a mente. Não tinham limites nem problemas em sua teologia. Mas o caso de Jó estava acima do poder da teologia deles, e não havia um capítulo ou versículo, em seus documentos sagrados, que pudesse explicar esse caso. Aqueles homens, caros leitores, eram *fundamentalistas combativos*. Jó apelou para que Deus não permitisse que eles triunfassem em seu joguinho, que lhe causava tanta miséria. Ele queria que o próprio Deus mostrasse os pontos inadequados da teologia deles.

Não os exaltarás. Estas palavras são interpretação de um trecho hebraico problemático. A frase também pode ser entendida como se *Deus* exultasse sobre sua vítima, Jó. Mas alguns pensam que o trecho diz que *Jó* exaltaria a Deus, caso obtivesse a ajuda de que necessitava; Sl 30.1 é dado como texto apoiador. A Septuaginta simplesmente omite a frase difícil como ininteligível. Talvez o que devemos entender seja o seguinte: "Tu, ó Deus, não te exaltarás fazendo de mim uma vítima!" Mas essa é, igualmente, uma interpretação conjeturada.

■ 17.5

לְחֵלֶק יַגִּיד רֵעִים וְעֵינֵי בָנָיו תִּכְלֶנָה׃

Se alguém oferece os seus amigos como presa. O texto hebraico original desse versículo também é obscuro, o dando lugar a diversas traduções. A *King James Version* faz dessa frase uma simples declaração de que aqueles que lisonjeiam amigos falharão, juntamente com seus filhos. A *Revised Standard Version* diz: "informes contra seus amigos", para obter suas propriedades. Tais homens terão perturbações e desastres em casa. Talvez o que esteja em foco seja que "Deus, como homem sem coração, ordene a seus amigos participar de uma festa, enquanto seu filho (Jó) sofre calamidades".

Ou podemos fazer da "lisonja" (*King James Version*) a "linguagem suave" dos amigos hostis de Jó. Aqueles que agirem dessa maneira terão calamidade em casa. Seus filhos *fracassarão*, ou seja, chegarão a um fim mau. John Gill fez da "lisonja" as *promessas vazias* feitas a Jó, de que ele seria restaurado, de que suas riquezas voltariam etc., caso ele se arrependesse. Adam Clarke, ao afirmar que esse versículo tem sido sujeitado a muitas interpretações, oferece a sua própria: "O homem que espera muito da parte de seus amigos será desapontado; apesar de depender deles, os olhos de seus filhos poderiam deixar de encontrar pão".

■ 17.6

וְהִצִּגַנִי לִמְשֹׁל עַמִּים וְתֹפֶת לְפָנִים אֶהְיֶה׃

Mas a mim me pôs por provérbio dos povos. Jó tornou-se um provérbio tolo entre o povo, o fulcro de toda a espécie de piadas doentias. Também cuspiam nele, ou então, quando seu nome era mencionado, com desprezar, as pessoas cuspiam. Diz a nossa versão portuguesa "aquele em cujo rosto se cospe", o que é um significado possível. Jó era tratado como alguém em quem outras pessoas cospem, por motivo de *desgosto*.

> *Se seu pai lhe cuspira no rosto, não seria envergonhada por sete dias? Seja detida sete dias fora do arraial e, depois, recolhida.*
>
> Números 12.14

Cf. Jó 30.10, onde a figura de linguagem é repetida.

17.7

וַתֵּכַהּ מִכַּעַשׂ עֵינִי וִיצֻרַי כַּצֵּל כֻּלָּם׃

Pelo que já se escureceram de mágoa os meus olhos. Os olhos de Jó estavam gastos com seu choro e seu emagrecimento. Talvez seus males físicos tivessem afetado seus olhos, ou então ele estivesse falando metaforicamente. Mas *todos* os seus membros estavam debilitados a ponto de ele não ser capaz de sobreviver durante muito tempo. Em outras palavras, ele estava uma *ruína* física. Seus membros tinham perdido as forças e as funções. Ele se tornara uma *sombra* de suas condições físicas anteriores. "Qualquer aflição que debilite o arcabouço físico geralmente debilita a impressão visual que as pessoas têm dele, na mesma proporção" (Adam Clarke, *in loc.*).

17.8

יָשֹׁמּוּ יְשָׁרִים עַל־זֹאת וְנָקִי עַל־חָנֵף יִתְעֹרָר׃

Os retos pasmam disto. Pessoas retas se espantariam diante da visão de Jó e requereriam alguma espécie de explicação dos motivos pelos quais isso acontecera, supondo ser ele um homem reto. Os inocentes levantar-se-iam contra os pecadores e protestariam contra o que ocorrera a Jó. Naturalmente, apesar de haver usado o plural, a fim de trazer a opinião de outras pessoas retas para ajudar sua causa (em sua imaginação), Jó estava falando de *seus próprios protestos* como homem inocente. Jó chamou seus atormentadores de *hipócritas*. Eles é que eram os pecadores, porquanto o tratavam daquela forma. Eles eram os hipócritas, porquanto fingiam ser pessoas retas, quando o tempo todo eram miseráveis que feriam os outros. Alguns estudiosos veem uma *profecia* neste versículo. Jó seria restaurado e, quando isso acontecesse, os justos ouviriam a sua história com incredulidade, sacudindo a cabeça diante do fato de que um homem inocente sofreu como Jó sofreu. Essas pessoas haveriam de vociferar em altos protestos contra os hipócritas que tinham perseguido Jó.

17.9

וְיֹאחֵז צַדִּיק דַּרְכּוֹ וּטְהָר־יָדַיִם יֹסִיף אֹמֶץ׃

Contudo o justo segue o seu caminho. O justo, à semelhança de Jó, manteria seu curso de vida de forma constante, a despeito das perseguições alheias, por estar convencido de sua inocência e de seu triunfo final. Suas mãos estavam limpas e ficariam cada vez mais fortes. Por alguns momentos, o espírito de Jó reviveu dentro dele, e ele viu a luz de um dia melhor. Talvez a imagem que temos aqui seja a de um guerreiro que adquire coragem renovada no meio da batalha.

Mas os que esperam no Senhor renovam as suas forças, sobem com asas como águias, correm e não se cansam, caminham e não se fatigam.

Isaías 40.31

"Nenhuma calamidade ou calúnia pode abalar a convicção de inocência de um homem justo. Ele se firmará no seu caminho; ele persistirá e até se tornará cada vez mais forte na manutenção de sua retidão" (Samuel Terrien, *in loc.*).

17.10

וְאוּלָם כֻּלָּם תָּשֻׁבוּ וּבֹאוּ נָא וְלֹא־אֶמְצָא בָכֶם חָכָם׃

Mas tornai-vos todos vós, e vinde cá. Disse Jó a seus amigos-críticos: "Aproximai-vos de mim, ó terrível tríade. Chegai perto de mim e deixai-me olhar para vós. Ao fazer isso, vereis somente hipócritas. *Vós* sois os pecadores! Não sois sábios, conforme reivindicais para vós mesmos. Não solucionastes qualquer problema. Sois apenas perseguidores de um homem inocente".

Falando com ironia, disse Jó: "Voltai-vos para mim e renovai os argumentos entre nós; mas não serei capaz de encontrar um homem sábio entre vós. Estou disposto a ouvir os vossos argumentos, mas confio quanto aos resultados negativos que daí resultarão" (Ellicott, *in loc.*).

17.11

יָמַי עָבְרוּ זִמֹּתַי נִתְּקוּ מוֹרָשֵׁי לְבָבִי׃

Os meus dias passaram. Tendo desafiado os amigos com essas ousadas palavras (vs. 10), Jó caiu de novo no desespero. Sua época havia passado. Ele esperava agora uma morte para breve, e sua vida logo se acabaria. Não havia propósitos a serem cumpridos; tudo se acabara. Ele não tinha mais desejos no coração, coisas pelas quais trabalhar e realizar. Era como um homem nulo. No fim de seus discursos, Jó caía no pessimismo e falava amargas palavras de desespero. Cf. Jó 3.25,26; 7.21; 10.20-22 e 14.18-22. O texto hebraico original deste versículo está aberto a questões. O *hapax legomena* (palavras que aparecem somente por uma vez no Antigo Testamento), *morashe lebhabhi*, traduzidas aqui por "aspirações do meu coração", poderiam referir-se às *paredes* do *coração*. Então obteríamos uma tradução como:

Meus dias estão repletos com meus gemidos;
Os ligamentos de meu coração se partiram.

Se as palavras forem tomadas literalmente, então Jó estava simplesmente queixando-se de sua condição física cada vez pior, ou metaforicamente "tudo aquilo em que tenho posto meu coração se despedaçou". Seja como for, Jó tinha perdido a esperança na recuperação de sua saúde e nos seus propósitos na vida.

17.12

לַיְלָה לְיוֹם יָשִׂימוּ אוֹר קָרוֹב מִפְּנֵי־חֹשֶׁךְ׃

Convertem-me a noite em dia. Os atormentadores de Jó conseguiam transformar a noite em dia, apenas com *suas palavras*, e não na realidade. Eles lhe haviam prometido a luz de um novo dia, caso Jó se arrependesse, mas a luz que prometiam era o nada. Eles mantinham promessas vãs, mas na realidade não tinham descoberto a verdadeira razão dos sofrimentos de Jó.

Parece haver uma alusão ao discurso de Zofar, particularmente, em Jó 11.17: "A tua vida será mais clara que o meio-dia; ainda que lhe haja trevas, será como a manhã".

Jó, entretanto, não estava inclinado a confiar em falsas promessas, de modo que continuava em seu pessimismo. Ele só podia discernir a negridão da morte. O dia vem depois da noite. Essa é a ordem natural das coisas. Para Jó, no entanto, a natureza se tornara caótica, e não havia mais ordem na qual pudesse confiar.

17.13

אִם־אֲקַוֶּה שְׁאוֹל בֵּיתִי בַּחֹשֶׁךְ רִפַּדְתִּי יְצוּעָי׃

Eu aguardo já a sepultura por minha casa. O *seol* era o destino pelo qual Jó esperava, a sua casa, o seu lugar de residência final. Ele se deitaria no meio das trevas, que poriam fim à sua história. O *Seol* (ver no *Dicionário*) veio a falar do lugar para onde vão os espíritos, bons e maus. Em seguida, foi dividido em dois compartimentos: um de *bem-aventurança*, para os justos, e outro de *castigo*, para os injustos. Mas a teologia de Jó ainda não havia avançado até esse ponto. O *Seol* (traduzido aqui por sepultura) é, meramente, a sepultura.

Cf. isso com Sl 139.8, que diz: "Se subo aos céus, lá estás; se faço a minha cama no mais profundo abismo, lá estás também".

Este versículo representa um avanço em relação à teologia de Jó e chega a conceber uma alma que pode subir ou descer, e, quer tenha subido ou descido, pode encontrar Deus, que é onipresente.

17.14

לַשַּׁחַת קָרָאתִי אָבִי אָתָּה אִמִּי וַאֲחֹתִי לָרִמָּה׃

Se ao sepulcro eu clamo: Tu és meu pai. *A Lamentável Família de Jó.* Jó havia perdido suas riquezas materiais, seus servos e sua família. Mas havia adquirido uma nova família. O abismo da morte, o lugar de corrupção se tornara seu pai! E o verme que consome o corpo se tornara sua mãe! Ou então esses vermes poderiam ser chamados de suas irmãs! Jó, em breve, haveria de adquirir uma família que consumiria seu corpo e poria fim total à sua existência. Uma família *usualmente* é uma unidade que suporta, ama e ajuda. A nova família de Jó cuidaria para que ele fosse completamente destruído. Sem dúvida, temos aqui um toque de *humor negro*. O estado doentio de Jó o fazia parente de elementos destrutivos que, finalmente, consumiriam seu corpo. Seu corpo, no sepulcro, sofreria o estado doentio final.

■ **17.15,16**

וְאַיֵּה אֵפוֹ תִקְוָתִי וְתִקְוָתִי מִי יְשׁוּרֶנָּה׃

בַּדֵּי שְׁאֹל תֵּרַדְנָה אִם־יַחַד עַל־עָפָר נָחַת׃ ס

Onde está, pois, a minha esperança? Em outro toque de *humor negro*, Jó chama de *companheira* qualquer *esperança* que ele poderia ter, a qual levaria junto com ele para o sepulcro destruidor e sem esperança! A esperança acompanha o homem, e lhe dá forças para prosseguir:

> Vivo na esperança, o que, segundo penso, fazem todos quantos vêm a este mundo.
>
> Robert Bridges

> Por outro lado, dito pelo pessimismo: As esperanças são apenas sonhos daqueles que estão despertos.
>
> Píndaro

A esperança de Jó era ter apenas uma sepultura como companheira. Tal como ele, a esperança pereceria ali na putrefação! Fosse como fosse, na poeira da morte, Jó encontraria a paz. Para ele, a vida se tornara um mal (ver na *Enciclopédia de Bíblia, Teologia e Filosofia* o verbete denominado *Pessimismo*), ao passo que a morte seria salvadora e consoladora. Ele olhava para o futuro não como uma existência pós-túmulo, que anulasse o sofrimento, nem como uma resposta para o problema do mal.

CAPÍTULO DEZOITO

Quanto ao plano geral dos discursos, ver a introdução ao capítulo 4, onde também dou notas expositivas sobre as circunstâncias e a natureza geral desses discursos. Quanto a outras notas expositivas sobre a questão, ver a introdução ao capítulo 8. O plano geral era que cada um dos três amigos-críticos de Jó faria três discursos cada, mas o terceiro falou apenas duas vezes. Jó, então, deu a cada discurso uma réplica.

O *tema principal* do livro de Jó é a *adoração desinteressada*. Deveria um chamado homem piedoso, sob testes severos, preservar a sua piedade, ou cairia na blasfêmia? Ele adoraria Deus pelo bem para o "eu" que poderia obter dessa adoração, ou adoraria Deus por causa de Deus? Um homem é um completo *egoísta*? Faria o homem todas as coisas por si mesmo, até praticaria alguma fé religiosa, só por seus próprios interesses? O corolário necessário desse tema principal é uma longa discussão sobre o *problema do mal*, em que se busca a *razão* dos sofrimentos humanos. Esse é o tema de que se ocupa a maior parte do livro de Jó. Ver na *Introdução* ao livro, seção V, um estudo sobre o *Problema do Mal*. Quanto aos *problemas teológicos* do livro de Jó, ver Jó. 1.11.

O SEGUNDO DISCURSO DE BILDADE (18.1-21)

Jó tentava desesperadamente encontrar alguma razão para o sofrimento humano, além da razão óbvia: a lei da colheita segundo a semeadura. Jó sabia que não estava pagando por seus pecados, embora, como é óbvio, ele tivesse pecados. Contudo, seu sofrimento era tão gigantesco que não podia ser explicado à base de seus pecados. Ele simplesmente não tinha pecados tão grandes. O *porquê* de seus sofrimentos continuava escapando dele. Em contraste, seus amigos-críticos continuavam a tocar a mesma antiga música: a *Lei Moral da Colheita segundo a Semeadura* (ver a respeito no *Dicionário*) revolveria cada caso de sofrimento, incluindo o de Jó.

Os amigos de Jó eram indivíduos dogmáticos e tradicionalistas que resolviam todos os problemas mediante alguma declaração vinda do passado e por dogmas obtidos em seus pequenos círculos. Eles não tinham nenhuma resposta para isso e até se recusavam a considerar a questão. Quando Galileu asseverou que a terra estava *em movimento* e orbitava *ao redor do sol* (duas heresias em sua época!), os cientistas e teólogos recusaram-se a, ao menos, olhar em seu telescópio! Eles sabiam de tudo, portanto para que investigar? Jó, porém, defendia a *investigação livre*.

Bildade continuou a falar, empregando os tesouros da tradição. Belos truísmos foram proferidos, mas ele não via que poderia haver algo acima do que ele sabia. Ele tinha, convenientemente, posto a verdade em sua própria pequena sacola.

Perturbações da Ordem Natural (18.1-4)

■ **18.1,2**

וַיַּעַן בִּלְדַּד הַשֻּׁחִי וַיֹּאמַר׃

עַד־אָנָה תְּשִׂימוּן קִנְצֵי לְמִלִּין תָּבִינוּ וְאַחַר נְדַבֵּר׃

Então respondeu Bildade, o suíta. Jó era um incansável caçador de palavras. A despeito de seu enfraquecimento orgânico, ele retinha seus poderes mentais. Era um caçador campeão de palavras e nunca desistiu de seu esporte. Bildade disse: "Nunca desistirás dessa caçada inútil, nem darás ouvidos à razão". Os amigos de Jó, naturalmente, eram o povo dotado de razão e sabedoria (ver Jó 12.1), e a sabedoria morreria juntamente com eles.

O discurso foi dirigido a uma pluralidade de pessoas, portanto devemos supor que Bildade tenha falado com Jó e com um grupo imaginário de circunstantes que estaria ao redor de Jó e poderia ter simpatizado com o caso dele. Bildade admirou-se porque Jó não parou de falar todos aqueles absurdos que somente confundiam o problema. Mais tarde, Jó replicou com o mesmo "Por quanto tempo?" (ver Jó 12.7-9), e essa conversa enraivecia a terrível tríade. Jó continuava a espetar com espinhos que irritavam e injuriavam, uma tradução duvidosa do original hebraico, mas que perfaz uma boa ilustração.

■ **18.3,4**

מַדּוּעַ נֶחְשַׁבְנוּ כַבְּהֵמָה נִטְמִינוּ בְּעֵינֵיכֶם׃

טֹרֵף נַפְשׁוֹ בְּאַפּוֹ הַלְמַעַנְךָ תֵּעָזַב אָרֶץ וְיֶעְתַּק־צוּר מִמְּקֹמוֹ׃

Por que somos reputados por animais...? Bildade agora objetava amargamente às palavras mordazes de Jó, de que os seus detratores nem ao menos eram tão sábios como os animais (Jó 12.7,8). Talvez os hipopótamos tivessem mais inteligência do que as escolas dos profissionais e eruditos. Nesse caso, ele era ensinado por Deus, enquanto os "sábios" cozinhavam seus próprios sistemas. Contrariando as palavras arrogantes de Jó, Bildade proferiu um discurso e acusou Jó de ser uma besta estúpida que rasgava a si mesmo em sua ira (vs. 4). Jó tinha acusado Deus de atacá-lo como se fosse uma fera selvagem (ver Jó 16.9) e, provavelmente, Bildade estaria dizendo que Jó estava no negócio da autotortura, porquanto recusava a arrepender-se e continuava provocando a ira de Deus. O próprio Jó seria o animal insano.

Será a terra abandonada por tua causa? Remover-se-ão as rochas do seu lugar? Jó havia acusado Deus de causar grandes cataclismos que destroem a esperança dos homens (ver Jó 14.18,19). Por conseguinte, Bildade zombou dele com essas palavras, perguntando se Deus faria alguma grande coisa por ele, somente porque ele fingia ser inocente. Deus não haveria de alterar o curso de sua providência, quer negativa, quer positiva, por causa de um homem como Jó. Deus não cessaria seus atos de terror contra a natureza, nem faria coisas boas a Jó, o pecador culpado. Ele continuava arriscando uma catástrofe ao despertar a ira divina. A natureza estava contra Jó, e Deus estava por detrás da natureza. Mas nem esses fatos detiveram os discursos arrogantes de Jó. Bildade continuava a acusar Jó de ser um grande pecador, pensando que a providência natural de Deus, a operação de suas leis, finalmente o mataria.

Apagando a Luz (18.5-7)

■ **18.5,6**

גַּם אוֹר רְשָׁעִים יִדְעָךְ וְלֹא־יִגַּהּ שְׁבִיב אִשּׁוֹ׃

אוֹר חָשַׁךְ בְּאָהֳלוֹ וְנֵרוֹ עָלָיו יִדְעָךְ׃

Jó seria engolido pelas trevas, porquanto a luz do homem ímpio está *destinada* a ser apagada. A *pequena fagulha* de fogo que ele possui é extinta de forma tão fácil. Jó era um caso queimado.

A vida, como é natural, está associada à luz, porquanto *não existe vida sem luz*. Cf. Jo 1.4.

Os ímpios brilham por pouco tempo. Sua pequena fagulha é visível ali nas trevas. Mas tudo isso passa muito depressa. A figura de linguagem baseia-se no nômade que vive em sua tenda. Esta noite brilha a luz de sua lâmpada. Amanhã, ele mudará sua tenda para outro lugar, mas, antes de fazê-lo, apagará a luz da noite passada. Jó era a lâmpada da noite anterior. Quando amanhecesse, não mais existiria no mundo dos vivos. Sua fagulha estaria morta; sua luz estaria extinta. Jó era como uma fagulha da fogueira do nômade que, na noite anterior, queimara tão brilhantemente. Mas hoje o homem move-se e apaga sua fogueira da noite que passou. O fogo e a lâmpada na tenda apontam para a vida e a prosperidade (cf. Jó 21.17; Pv 13.9 e 20.20).

> *A luz dos justos brilha intensamente, mas a lâmpada dos perversos se apagará.*
>
> Provérbios 13.9

"Sua propriedade será destruída, e sua casa será pilhada. Ele e sua família chegarão a um final. Sua candeia será apagada. Ele não terá posteridade" (Adam Clarke, *in loc.*).

> *O espírito do homem é a lâmpada do Senhor, a qual esquadrinha todo o mais íntimo do corpo.*
>
> Provérbios 20.27

■ 18.7

יִצְרוּ צַעֲדֵי אוֹנוֹ וְתַשְׁלִיכֵהוּ עֲצָתוֹ׃

Os seus passos fortes se estreitarão. Os passos vigorosos de um homem demonstram sua mocidade relativa e sua boa saúde. Ele é dotado de vigor viril. Cf. Gn 49.3; Os 12.3. "Talvez Bildade estivesse sutilmente aludindo ao horror que ele sentiu entre os povos semitas, sempre que o nome de uma família corria o risco de extinguir-se (cf. o vs. 19)" (Samuel Terrien, *in loc.*). Além de todas as outras tribulações, Jó corria o risco de ser o último de sua linhagem familiar. O caso ainda era mais triste quando se levava em consideração que o *próprio* Jó havia encurtado seus passos por sua impiedade (de acordo com Bildade). Jó nunca atingiria o lugar que havia determinado como seu destino na vida. Ele teria sua curta viagem lançada no esquecimento. Mediante seus próprios erros de aconselhamento, ele se precipitaria de cabeça na condenação. Jó continuava insistindo em sua mentira de ser inocente. O hipócrita, mais cedo ou mais tarde, dá um passo em falso, devido à sua falta de sabedoria, e, assim, chega a um fim repentino. "Não mais os seus passos são vigorosos e seguros. É o coração dentro dele que leva seus pés a tropeçar" (Paul Scherer, *in loc.*). "Ele tornar-se-á vítima de seus próprios artifícios" (Ellicott, *in loc.*). Jó tinha envelhecido prematuramente por causa de sua enfermidade. Ele não seria capaz de avançar muito longe na jornada da vida.

> *Em andando por elas, não se embaraçarão os teus passos; se correres, não tropeçarás.*
>
> Provérbios 4.12

O oposto disso era o caso de Jó. Ele havia decaído fisicamente em sua enfermidade.

> Tu, minha porção sempiterna,
> Mais do que amigo ou vida para mim;
> Por todo o tempo em minha jornada de peregrino,
> Salvador, deixa-me andar contigo.
>
> Fanny J. Crosby

■ 18.8

כִּי־שֻׁלַּח בְּרֶשֶׁת בְּרַגְלָיו וְעַל־שְׂבָכָה יִתְהַלָּךְ׃

Porque por seus próprios pés é lançado na rede. À *semelhança de um animal infeliz* que vagueia pela floresta, ele é apanhado em uma armadilha, mas infelizmente uma armadilha que ele mesmo preparou por seus pensamentos e atos insensatos. Ele tem a consciência pesada, mas não quer admitir isso. Vive rodeado por ardis, e neles cai. O autor usa vários tipos de armadilhas para descrever a queda do homem pecaminoso em seus próprios artifícios. A *rede* e os *laços armados* estão entre eles. Mas, quanto ao segundo, a *Revised Standard Version* diz "armadilha". Talvez esteja em foco um trabalho de treliça sobre um buraco.

Bildade usou *oito* palavras diferentes para indicar tipos de armadilhas, mas algumas podem ser apenas uma multiplicação de sinônimos. Seja como for, os presentes versículos estabelecem o recorde para o uso veterotestamentário de tais palavras. A mensagem é clara: "Qualquer coisa que Jó fizesse, ele seria imediatamente apanhado em uma armadilha" (Roy B. Zuck, *in loc.*). Bildade falava sobre as providências divinas. O pobre homem estava colhendo o que havia semeado.

■ 18.9

יֹאחֵז בְּעָקֵב פָּח יַחֲזֵק עָלָיו צַמִּים׃

A armadilha o apanhará pelo calcanhar. Certo tipo de armadilha o apanharia pelo calcanhar, talvez uma armadilha de metal com uma mola. Os dentes da armadilha o agarram pelo calcanhar e ele sente dor. Assim também uma espécie de laço espera pelo pecador. Havia três tipos gerais de armadilhas dessa variedade: 1. *O buraco* coberto, no qual o animal caía. Os caçadores e cães vinham atrás do animal em fuga. Uma porcentagem deles cairia nessas armadilhas. 2. Vários tipos de *redes*. Essas poderiam ser espalhadas entre os ramos das árvores ou estendidas no chão. 3. *Armadilhas mecânicas*, objetos que tinham um conjunto de dentes que se fechavam quando se pisava em cima deles.

■ 18.10

טָמוּן בָּאָרֶץ חַבְלוֹ וּמַלְכֻּדְתּוֹ עֲלֵי נָתִיב׃

A corda está-lhe escondida na terra. Este versículo repete poeticamente o que fora dito antes, para efeito de ênfase. O *caminho* do pecador está impedido por armadilhas. É inevitável que ele seja apanhado, em consequência de suas iniquidades. Ele mesmo garantiu a própria queda, devido às muitas *armadilhas* que seus atos prepararam. "O desígnio disso é mostrar quão *subitamente* os homens ímpios são apanhados por redes, armadilhas e ardis de vários tipos, tudo de sua própria fabricação. Ele pode clamar: 'Paz, paz', mas uma súbita destruição se apossa dele. Ver Ec 9.12 e 1Ts 5.3" (John Gill, *in loc.*).

> *Pois o homem não sabe a sua hora. Como os peixes que se apanham com a rede traiçoeira e como os passarinhos que se prendem com o laço, assim se enredam também os filhos dos homens no tempo da calamidade, quando cai de repente sobre eles.*
>
> Eclesiastes 9.12

■ 18.11

סָבִיב בִּעֲתֻהוּ בַּלָּהוֹת וֶהֱפִיצֻהוּ לְרַגְלָיו׃

Os assombros o espantarão de todos os lados. *Terrores haverão de cercá-lo* por todos os lados, caçando-o como a um animal perseguido, até que cai em uma armadilha. Havia tantas armadilhas que ele não seria capaz de evitar todas elas. Ele acabaria sendo vítima de seus próprios feitos, *inevitavelmente*. "De pé, parado ou movimentando-se, o homem mau é dominado por temores, por dentro e por fora, e sua felicidade é distorcida por sua desintegração interior" (Samuel Terrien, *in loc.*). Quanto aos temores, comparar com o vs. 14 e com Jó 24.17.

> *... Terror-por-todos-os-lados.*
>
> Jeremias 20.3

> *Terror por todos os lados; conspirando contra mim, tramam tirar-me a vida.*
>
> Salmo 31.13

> *Busquei o Senhor, e ele me acolheu; livrou-me de todos os meus temores.*
>
> Salmo 34.4

18.12

יְהִי־רָעֵב אֹנוֹ וְאֵיד נָכוֹן לְצַלְעוֹ׃

A calamidade virá faminta sobre ele. Além de todas as outras tribulações, como um animal caçado por cães, Jó é debilitado pela fome e em breve haverá de tombar por terra. E quando assim acontecer, ele entrará em maiores calamidades ainda.

> *Em vindo o vosso terror como a tempestade, em vindo a vossa perdição como o redemoinho...*
> Provérbios 1.27

Diz a versão caldaica: "Que seu filho primogênito passe fome, e que a aflição seja preparada para a sua esposa", por meio de uma paráfrase que supostamente dá o sentido ao versículo. Ele é aqui interpretado como o *filho primogênito*, tal como em Gn 49.3, mas o significado é dúbio. O Targum e Jarchi concordam, porém, com essa ideia.

18.13

יֹאכַל בַּדֵּי עוֹרוֹ יֹאכַל בַּדָּיו בְּכוֹר מָוֶת׃

A qual lhe devorará os membros do corpo. Este versículo pode declarar especificamente o que poderia ser o significado do vs. 12. Talvez tenhamos dupla referência à destruição da família do pecador, que persiste em seu caminho. Sua possessão mais entesourada, seu *filho primogênito*, cai em calamidades que seu pai causou. Mas ali o primogênito não é seu próprio filho, e, sim, "o filho primogênito da morte", ou seja, alguma praga. A versão caldaica, entretanto, continua com a ideia de que é a *família* do homem que é vítima da insensatez do pecador. "... o anjo da morte consumirá seus filhos". O *filho primogênito da morte* pode apontar para "a pior das pragas", aquela que tem uma força especial, tal como o primogênito de um homem é a sua *força* (ver Gn 49.3).

Quanto a morrer por causa da própria iniquidade, ver as notas expositivas em Dt 24.16 e Ez 18.20. Quanto a morrer por causa dos pecados do próprio pai, ver Êx 20.5.

A *Revised Standard Version* diz aqui: "Pela enfermidade sua pele é consumida". O original hebraico diz, porém: "Consome os membros de sua pele", que nossa versão portuguesa interpreta como aquela que lhe devorará os membros do corpo. A alusão é a uma perigosa e muito avançada doença cutânea que figurava entre os males físicos que atingiram Jó. Mas a *pele* representa *todos os membros* do corpo totalmente enfermo.

18.14

יִנָּתֵק מֵאָהֳלוֹ מִבְטַחוֹ וְתַצְעִדֵהוּ לְמֶלֶךְ בַּלָּהוֹת׃

O perverso será arrancado da sua tenda. Um homem que esteja em sua própria casa tem certo sentimento de bem-estar e confiança. Ali ele se sente protegido. Mas o terror virá e o "arrancará da sua tenda". Naturalmente, a *tenda* dos nômades está em foco aqui, sendo uma "casa" precária. A confiança de um homem será de súbito anulada. A *tenda*, nesse caso, pode falar do *corpo*, mas não há ideia de que uma alma imaterial é retirada do corpo por ocasião da morte. O versículo pode significar que um homem tem uma falsa confiança, um falso senso de segurança e consolo. Mas, se ele é um pecador, então sua falsa confiança subitamente se transformará em temor. A praga (ela, no hebraico, personificação feminina da praga) que o fere em seguida o conduz ao *rei dos terrores*, isto é, a seu temível executor, para que sua vida termine na miséria, após muitas torturas.

"Rei dos terrores. Talvez a mais notável personificação de forças invisíveis a ser encontrada na Bíblia" (Ellicott, *in loc.*).

A morte tem sido chamada por muitas coisas temíveis, devido ao terror que ela é em si mesma, bem como aos terrores que ela pode trazer.

> Os portões do rei do inferno estão aqui, conforme se noticia.
> Virgílio, Aen. Vi. Vs. 100

> Oh, Plutão, tu, rei das almas.
> Sófocles, *oedip. Cl Vs.* 1638

Ou seja, o demônio, ou deus invisível do submundo, que arrebata as almas para seu reino temível, quando seus corpos morrem.

18.15

תִּשְׁכּוֹן בְּאָהֳלוֹ מִבְּלִי־לוֹ יְזֹרֶה עַל־נָוֵהוּ גָפְרִית׃

Nenhum dos seus morará na sua tenda. O lar do pecador enfermo poderia ser simplesmente incendiado, ou então, se alguém quisesse aproveitar o lugar e morar ali, a tenda teria de ser desinfetada com enxofre e ácido sulfúrico. Este versículo apresenta a segunda possibilidade. Portanto, o que era antes símbolo de confiança do homem é transformado em outra coisa por ocasião de sua morte. Tendo perdido sua residência, o homem tinha de sair ao encontro do rei dos terrores. O versículo pode dar a entender que algum *ato violento* lançou o pecador para fora de sua casa, o que era verdadeiro no caso da família de Jó. Mas nesse caso, foi um vento violento que fez o trabalho (ver Jó 1.19).

Plínio (*Hist. Nat.*, lib. xxxv. cap. 15.) fala de certo uso do enxofre que santifica e limpa as casas, mantendo longe todos os encantamentos e expulsando espíritos demoníacos imundos que poderiam perseguir o lugar. Ninguém viveria em uma casa que fora residência de um homem ímpio, sem que ela passasse pelo *expurgo* apropriado. Os ritos de Baco tinham cerimônias de expurgo que empregavam enxofre, água e a circulação dos ventos.

Compare o leitor o presente versículo com o expurgo do fogo divino (ver Jó 1.16), que destruiu as ovelhas e os servos de Jó. Cf. também a destruição de Sodoma e Gomorra mediante o fogo e o enxofre (ver Gn 19).

18.16

מִתַּחַת שָׁרָשָׁיו יִבָשׁוּ וּמִמַּעַל יִמַּל קְצִירוֹ׃

Por baixo secarão as suas raízes. *Outra Metáfora*. Agora Bildade ilustrava com uma *metáfora botânica*. Uma pessoa iníqua é comparada a uma árvore ou um arbusto cujas raízes estão ressecadas desde debaixo da terra e, acima do solo, os ramos mortos foram simplesmente *decepados*. Por conseguinte, o pecador deve morrer. Bildade já tinha usado a figura da árvore. Ver Jó 8.16-19. Embora cortadas, muitas árvores são capazes de "voltar" à vida; mas Jó não era como uma árvore. Ele não tinha raízes vivas para realizar esse milagre. Suas raízes também estavam ressecadas. Nenhum novo crescimento poderia ser esperado. Quanto a um completo desenvolvimento da metáfora, ver a exposição nas referências dadas. Ver também o mesmo tipo de argumento, na discussão de Elifaz, em Jó 15.30.

Murcharão por cima os seus ramos. O Targum faz os "ramos" falar dos *filhos* de Jó, renovando assim a metáfora dos vss. 12,13. Ver também Jó 8.12, onde o sentido é aparente. "Ele será totalmente destruído, tanto em si mesmo como em sua posteridade, como também em sua propriedade, como uma árvore cujos ramos tivessem sido *todos* cortados, e cujas raízes tivessem sido decepadas" (Adam Clarke, *in loc.*). Talvez a figura em vista seja o temível *raio* que bate em uma árvore, sacode todos os seus ramos e até queima as suas raízes.

18.17

זִכְרוֹ־אָבַד מִנִּי־אָרֶץ וְלֹא־שֵׁם לוֹ עַל־פְּנֵי־חוּץ׃

A sua memória desaparecerá da terra. Tudo quanto ele tem será destruído, e a destruição será tão completa que varrerá a sua memória da face da terra. Nenhuma posteridade continuará o seu nome, e ninguém se lembrará dele. Ele foi apenas outro pecador que caiu diante dos terrores de Deus e transformou-se em nada. Os justos, porém, são mantidos em *memória eterna* (ver Sl 112.6), mas até o nome do indivíduo iníquo é esquecido. Nenhum monumento foi jamais levantado em memória dele. Ele poderia ter sido um homem *famoso*. Poderia ter vivido uma vida piedosa, poderia ter surpreendido os seus contemporâneos, e sua sabedoria poderia ter sido ensinada às gerações sucessivas. Em lugar disso, ele simplesmente caiu no esquecimento.

> *Porque os vivos sabem que hão de morrer, mas os mortos não sabem cousa nenhuma, nem tão pouco terão eles recompensa, porque a sua memória jaz no esquecimento.*
> Eclesiastes 9.5

18.18

יְהְדְּפֻהוּ מֵאוֹר אֶל־חֹשֶׁךְ וּמִתֵּבֵל יְנִדֻּהוּ׃

Da luz o lançarão nas trevas. O indivíduo *iníquo* ficou por algum tempo na luz, mas logo foi *expulso* dali por meio de julgamentos violentos, forçado a entrar nas trevas da morte. Ele esteve no mundo por algum tempo, mas severos julgamentos divinos "expulsaram-no dali". Ele não era digno de continuar vivendo para ocupar espaço neste mundo. Ele foi subitamente removido, e seu lugar se perdeu. Sua casa foi para outrem (vs. 15). Ele foi esquecido, conforme merecia. Nenhuma posteridade continuou a sua vida (vs. 15). Quem poderia importar-se se ele viveu e morreu?

> A esperança mundana do coração dos homens
> Vira cinzas — ou prospera; mas imediatamente,
> Como a neve, sobre a face poeirenta do deserto,
> Após perdurar uma hora ou duas — desaparece.
> Omar Khayyan, Rubaiyat, est. xvii

De acordo com a teologia patriarcal, o ímpio só podia esperar pelo *aniquilamento* completo, e isso é verdade mesmo quando pensamos no indivíduo justo. Somente em tempos posteriores (dos Salmos e dos Profetas) foi que o conceito de uma alma imaterial entrou na teologia dos hebreus. No livro de Jó não temos nenhum julgamento em uma dimensão imaterial. Isso também pertence a uma época posterior.

"O ímpio é *expulso* desta vida. Ele não quer ir. Ele não quer morrer. Mas o julgamento de Deus *força* a questão. O homem espera pela 'não existência'" (Fausset, *in loc.*).

18.19

לֹא נִין לוֹ וְלֹא־נֶכֶד בְּעַמּוֹ וְאֵין שָׂרִיד בִּמְגוּרָיו׃

Não terá filho nem posteridade entre o seu povo. Ele não deixará filhos e nenhum outro parente próximo. Seu nome perder-se-á para sempre. Ninguém se lembrará dele; ninguém se importará com isso. Não há "nenhum sobrevivente onde ele costumava viver" (*Revised Standard Version*). Seu nome desaparece completamente da terra. Ele não deixa herdeiros, nem sucessores, nem sobreviventes de qualquer espécie. Ele morre em total *desolação*.

18.20

עַל־יוֹמוֹ נָשַׁמּוּ אַחֲרֹנִים וְקַדְמֹנִים אָחֲזוּ שָׂעַר׃

Do seu dia se espantarão os do ocidente. O homem, por seu fim de vida agonizante e por sua morte final, espantou homens do Ocidente e do Oriente. Sua história é contada por toda a parte, e seu exemplo é deplorado. Como poderia um homem supostamente bom chegar aonde ele chegou? O *horror* abala aqueles que contam e ouvem a história da vida e da morte do homem. Ele se torna um notório exemplo negativo. O autor referia-se aqui às duas divisões principais da civilização com as quais os habitantes do deserto da Arábia estavam acostumados: a divisão do Ocidente e do Oriente. As limitações geográficas e a falta de conhecimento do "globo" criaram esses limitados pontos de referência. Por igual modo, temos referências geográficas ao "mar ocidental" (Dt 11.24), isto é, ao mar Mediterrâneo, e ao "mar do oriente" (Ez 47.18), isto é, o mar Morto. O caso de Jó tornou-se *notório*, e não *famoso*. Notório significa famoso de *maneira negativa*. Ele poderia assustar homens, longe e por toda a parte, mas eles diriam: "Quão terrível! Como pode um homem chegar a tal estado?" O caso de Jó, por conseguinte, tornou-se um *aviso* para todos, e não uma bênção e um exemplo a ser seguido.

18.21

אַךְ־אֵלֶּה מִשְׁכְּנוֹת עַוָּל וְזֶה מְקוֹם לֹא־יָדַע־אֵל׃ ס

Tais são, na verdade, as moradas do perverso. O que aconteceu a Jó era típico das residências dos ímpios. Qualquer indivíduo que agisse como Jó, reivindicando todo o tempo a sua inocência e zombando de Deus, só poderia esperar chegar a um fim como o dele. Jó nem ao menos conhecia Deus, ou não teria feito o papel de tolo como fez. Jó se afirmava sábio e piedoso, mas sua vida e morte mostravam que ele era um mentiroso hipócrita. Jó afirmava conhecer o caminho de Deus, mas tudo quanto fazia, de fato, era desviar-se desse caminho. Ele esquecera Deus (ver Jó 8.13). O caso de Jó deve ter sido um caso de desvio gradual para a impiedade. Tal desvio levou-o a um estado de impiedade no qual Deus não mais o reconhecia. Ele fora esquecido pelo Ser divino.

Conhecer Deus. Ou seja, ter alguma espécie de comunhão e iluminação da parte dele; fazer sua vontade; ter sabedoria da parte dele; andar em seu caminho; ter espiritualidade e adoração verdadeira. Jó parecia antes um réprobo que não tinha nenhuma dessas qualidades. Jó vivia sem Deus. Ele poderia ter *acreditado* na existência de um Deus, mas era um *ateu prático* (mesmo que não fosse um ateu teórico).

CAPÍTULO DEZENOVE

Este capítulo apresenta a segunda réplica de Jó ao segundo discurso de Bildade. O plano dos discursos foi que os três amigos-críticos de Jó falassem por três vezes, mas o terceiro deles pronunciou apenas dois discursos. Jó respondeu a esses discursos, um de cada vez, apresentando as suas réplicas. Quanto ao plano geral e descrições das principais circunstâncias e de suas ideias principais, ver a introdução ao capítulo 4. Ver as notas adicionais na introdução ao capítulo 8 e também a introdução ao segundo discurso de Bildade, no começo do capítulo 18. Quanto aos problemas teológicos do livro, ver as notas em Jó 1.11.

Até este ponto, os consoladores molestos de Jó (ver Jó 16.2) só tinham tocado uma música: os sofrimentos de Jó resultavam de sua vida pecaminosa; isto é, o que ele havia semeado, estava colhendo. Ver no *Dicionário* o verbete intitulado *Lei Moral da Colheita segundo a Semeadura*. Outra ideia é a de que o sofrimento é uma disciplina da qual os indivíduos bons tiram vantagem. Mas a terrível tríade não tocou no problema de Jó, embora suas respostas, como é óbvio, tivessem muito a ver com o problema do sofrimento humano, o problema do mal: por que os homens sofrem e por que sofrem como sofrem. Ver também, quanto a esse título, no *Dicionário,* um exame mais detalhado do problema. O caso de Jó era diferente, porquanto ilustrava que os inocentes também sofrem. Isso complica as coisas e insula enigmas na situação. Talvez os sofrimentos dos inocentes se originem do *caos,* conforme Rm 8.20 mostra que pode acontecer. Nesse caso, não há nenhuma *razão* para os sofrimentos, tão somente o fato agonizante de que, algumas vezes, até para o homem bom as coisas podem ocorrer sem motivo aparente.

O *capítulo à nossa frente* levanta outra resposta ao problema do mal: um pós-*vida* em que os males da vida presente são anulados (ver Jó 19.25,26). Essa é uma excelente esperança, talvez a mais importante consideração destacada, quando o problema do mal é ventilado. Mas nem isso explica por que os inocentes sofrem nesta vida. Explica, *em última análise,* que todo o sofrimento é anulado em uma gloriosa nova vida que pertence ao espírito. Jó obteve alguma iluminação sobre isso, mas não conseguiu nenhum delineamento. Pelo menos, ele estava no caminho para um maior desenvolvimento, considerando-se os sofrimentos. A teologia patriarcal não incorporava a vida para além do túmulo, nem para os bons nem para os maus. Jó, por conseguinte, rompeu com suas crenças fundamentais e aventurou-se a algo melhor. Sua investigação do problema produziu alguns resultados, ao mesmo tempo que seus críticos continuavam expressando os *antigos argumentos,* estagnados em seus dogmas. Indivíduos dogmáticos e tradicionalistas podem ser piedosos, mas nunca irrompem para novos terrenos teológicos. Antes, ficam estagnados em seus sistemas. "Jó... irrompeu os limites de sua presente condição (vss. 22-24) e transcendeu o prospecto inevitável de sua *morte* iminente. Ele se apegou e triunfou quanto à certeza de uma visão final de Deus (vss. 25-29)" (Samuel Terrien, *in loc.*).

"Jó elevou-se a um novo nível de confiança espiritual, certo de que *veria Deus* e seria vindicado por ele (vss. 23-29)" (Roy B. Zuck, *in loc.*).

19.1,2

וַיַּעַן אִיּוֹב וַיֹּאמַר׃

עַד־אָנָה תּוֹגְיוּן נַפְשִׁי וּתְדַכְּאוּנַנִי בְמִלִּים׃

Então respondeu Jó. Jó começou sua réplica repetindo a própria introdução de Bildade aos seus dois discursos: "Até quando...?" Ver Jó 8.2 e 18.2. "Disseste 'até quando?' em tua exasperação comigo e, por isso, agora digo: 'Até quando?', em minha exasperação contigo". Suas palavras danificadoras tinham exercido o seu efeito. Por quanto tempo aquilo continuaria? Por quanto tempo Jó teria ainda de esperar até que alguém dissesse algo significativo sobre o porquê do sofrimento humano? Por que homens *inocentes sofrem*? *Os consoladores molestos* de Jó (ver Jó 16.2), embora reivindicassem ser homens bons e sábios, somente continuavam a vexar a alma de Jó com palavras que o deixavam *alquebrado*. "As palavras fazem um dano incrível quando se derivam do orgulho (ver Jó 6.28-30) e da falta de entendimento e simpatia (ver Jó 6.14,18), ou do temor (ver Jó 6.21-27), ou da presunção (ver Jó 6.28-30)" (Paul Scherer, *in loc.*). Contraste o leitor com as palavras de amor que confortam e curam.

A boca fala daquilo que o coração está cheio (ver Mt 12.34), e o que está ali é lançado no rosto dos ouvintes. Quando há amor no coração, há cura. Mas quando há *ódio* no coração, então o único resultado possível é o *dano*. "Nenhum deles parece ter sido tocado com um sentimento de ternura para com Jó, nem tipo algum de expressão terna, em nenhuma ocasião, saiu de seus lábios. Que todos aqueles que seguem o mau exemplo deles sejam arrolados nos anais da má fama!" (Adam Clarke, *in loc.*).

> A cada palavra morre uma reputação.
>
> Alexander Pope

> Um caráter morre a cada palavra.
>
> Richard Sheridan

> Cada palavra é um ferimento.
>
> Shakespeare

■ 19.3

זֶה עֶשֶׂר פְּעָמִים תַּכְלִימוּנִי לֹא־תֵבֹשׁוּ תַּהְכְּרוּ־לִי׃

Já dez vezes me vituperastes. O autor sacro não queria realmente dizer "dez vezes", nem mais nem menos. Antes, quis dizer "repetidamente". Cf. Gn 31.7; Nm 14.22. Seus amigos tinham levado Jó à mais completa humilhação, totalmente alienados. Há muito tinham deixado de ser seus amigos, tornando-se *atormentadores* ou *consoladores molestos* (Jó 16.2), conforme diz o oxímoro. Ver Jó 16.2, sob o título "consoladores molestos". Suas costas estavam alquebradas sob os pesados golpes verbais. Seu coração desmaiava dentro dele. O ódio veio a inspirar os discursos deles. Eles estavam cometendo assassínio espiritual e emocional. "Até quando... me quebrantareis com palavras?" (ver o vs. 2; Jó 22.9; Lm 3.34 e Is 53.5). A tortura moral é similar ao tormento físico e não é menos prejudicial" (Samuel Terrien, *in loc.*). Embora infligissem tão grande dor em um *amigo*, não se envergonhavam e continuavam alegremente em seu curso.

> Senhor, disse eu,
> Jamais eu poderia matar um meu semelhante;
> Crime de tal grandeza cabe a um selvagem,
> É o crescimento venenoso de mente maligna,
> Ato alienado do mais indigno.
>
> Senhor, disse eu,
> Jamais eu poderia matar um meu semelhante;
> Um ato horrível de raiva sem misericórdia,
> A punhalada irreversível de inclinações perversas,
> Ato não imaginável de plano ímpio.
>
> Disse-me o Senhor:
> Uma palavra sem afeto, lançada contra vítima que odeias,
> É um dardo abrindo feridas de dores cruéis.
> Bisbilhotice corta o homem pelas costas,
> Um ato covarde que não podes retirar.
>
> Ódio no teu coração, ou inveja levantando sua horrível cabeça,
> É desejo secreto de ver alguém morto.
>
> Russell Champlin, meditando sobre Mt 5.21,22

■ 19.4

וְאַף־אָמְנָם שָׁגִיתִי אִתִּי תָּלִין מְשׁוּגָתִי׃

Embora haja eu, na verdade, errado. Se *Jó tivesse pecado* (errado), ele o saberia, e o pecado estaria em sua memória e consciência. Ele não confessava um pecado nem concordava com as acusações de seus oponentes. Ele meramente ofereceu uma conjectura que rejeitou imediatamente a acusação, asseverando que não tinha consciência nem memória de infração alguma que pudesse ter causado tão grande sofrimento. Cf. Jó 6.24, onde Jó assevera que estava ansioso por ser ensinado por Deus, *caso* estivesse em dor por causa de pecado. Se ele errasse, nem por isso teria ferido os seus detratores. Eles não estavam sofrendo dores. Por conseguinte, deveriam estar dispostos a fazer um julgamento justo. Que ele não feriu a outros por haver conjeturado o pecado, é o significado que alguns intérpretes encontram nas palavras "comigo ficará o meu erro". Mas o mais provável é que não foi isso o que o autor sagrado quis dizer. Sua família e seus servos morreram, presumivelmente por estarem perto demais do pecador, e foram atingidos pelo raio divino por causa dessa proximidade. Pelo contrário, essas palavras significam que Jó não tinha *memória ou consciência* de qualquer grande mal que tivesse o poder de provocar tão grande agonia.

■ 19.5

אִם־אָמְנָם עָלַי תַּגְדִּילוּ וְתוֹכִיחוּ עָלַי חֶרְפָּתִי׃

Se quereis engrandecer-vos contra mim. Os amigos-críticos de Jó queriam *dominá-lo*. Eles se exaltavam às expensas de Jó, o homem sofredor. Magnificavam a justiça deles, aviltando Jó. Eles eram o povo, e a sabedoria haveria de morrer com eles (ver Jó 12.2). "Faziam da humilhação um argumento contra ele" (*Revised Standard Version*), continuando a asseverar que seu pecado o pusera onde ele estava naquele dia. Ele *se humilhara* por seus tolos pecados secretos, que Deus tinha julgado abertamente.

> Não suceda que se alegrem de mim e contra mim se engrandeçam quando me resvala o pé.
>
> Salmo 38.16

Ver também Ob 12 e Ez 35.13.

■ 19.6

דְּעוּ־אֵפוֹ כִּי־אֱלוֹהַּ עִוְּתָנִי וּמְצוּדוֹ עָלַי הִקִּיף׃

Sabei agora que Deus é que me oprimiu. Jó não se derrubara por meio de atos insensatos. *Deus é que* tinha feito isso. Jó voltou a acusar Deus por causa de seus sofrimentos. Deus era a *causa única* de seu estado. A teologia dos hebreus era fraca quanto a causas secundárias, portanto todas as coisas, boas ou más, eram lançadas na conta de Deus. Isso facilitou o desenvolvimento da doutrina do Deus voluntarista, que agiria sem razão e sem lógica. Deus dá regras aos homens e controla a moralidade deles, mas não tem de obedecer às suas próprias regras. A vontade de Deus é suprema, e aquilo que ele faz através dessa vontade está automaticamente certo, creiamos ou não na justiça de seus atos. Quanto a detalhes completos sobre essa doutrina, ver na *Enciclopédia de Bíblia, Teologia e Filosofia* o artigo chamado *Voluntarismo*.

"Uma vez mais, Jó lançou a culpa diretamente a Deus. Cf. Jó 3.23; 6.4; 7.17-21; 9.13,22,31,34; 10.2,3; 13.24-27; 16.7-14; 17.6. De que outra maneira ele poderia explicar seu estado terrível?" (Roy B. Zuck, *in loc.*).

Deus é que me oprimiu. Bildade perguntou teoricamente, em seu primeiro discurso, se Deus poderia *perverter a justiça* (Jó 8.3). Jó afirma agora que isso era exatamente o que tinha acontecido. "Eloah perverteu o meu direito" (tradução de Samuel Terrien). O termo hebraico por trás do vocábulo português "oprimiu" é *'iwwethani'*, que pode significar "falsificar", "distorcer", "subverter". Deus cometera subversão no caso de Jó! "Jó estava dizendo clara e diretamente que Deus, o autor de sua terrível sorte, tinha distorcido voluntariamente a verdade acerca dele. E a acusação foi grave" (Samuel Terrien, esclarecendo a questão). Naturalmente, isso era uma blasfêmia, de acordo com a compreensão semita sobre o Deus voluntarista. Portanto, Jó caiu na armadilha em que Satanás disse que ele cairia. Ver Jó 1.11; 2.5. Mas devemos lembrar que o voluntarismo é uma perversão teológica. Consequentemente, Jó blasfemou contra um conceito pervertido de Deus, e não contra o próprio Deus.

■ 19.7

הֵן אֶצְעַק חָמָס וְלֹא אֵעָנֶה אֲשַׁוַּע וְאֵין מִשְׁפָּט׃

Eis que clamo: Violência! Mas não sou ouvido. Jó clamou: "Violência!", mas Deus não ouviu, nem homem algum ouviu. Havia "violência contra a sua pessoa, sem causa alguma" (Jó 2.3). Ele não merecia a violência divina que o tinha atingido. Continuava gritando sobre o erro que lhe tinha sido feito pelo Deus voluntarista, mas nenhuma *justiça* era feita. Em outras palavras, Jó pensava estar sofrendo injustamente, e isso pela mão de Deus! Fortíssimas palavras, de fato. Jó não podia interpretar o "silêncio divino" como indiferença. Deus não era indiferente para com Jó. Ele o ferira sem causa, perseguira o homem. Deus estava presente. Não estava distante. Mas Deus estava ali para causar a Jó toda a espécie de miséria. "Ele está sofrendo ataques e não pode obter proteção ou reparação. Está aprisionado, sua esperança foi cortada, como a árvore sobre a qual ele já tinha falado antes (Jó 14.7)" (Ellicott, *in loc.*).

> *Até quando, Senhor, clamarei eu, e tu não me escutarás? Gritar-te-ei: Violência! E não salvarás?*
>
> Habacuque 1.2

■ 19.8

אָרְחִי גָדַר וְלֹא אֶעֱבוֹר וְעַל נְתִיבוֹתַי חֹשֶׁךְ יָשִׂים׃

O meu caminho ele fechou, e não posso passar. Jó estava emparedado e aprisionado pelo seu grande adversário, o divino Assaltante. Ele não tinha vereda pela qual pudesse caminhar para fora de sua miséria. Todas as saídas estavam bloqueadas. Então, ali mesmo, no lugar onde ele estava aprisionado, Deus fez as trevas virem sobre ele. Ele solicitou luz, mas não obteve nenhuma luz. Ele pediu explicações, mas não recebeu nenhuma explicação. Ele continuava com seus sofrimentos, sem saber *por quê*. Deus maliciosamente havia bloqueado todas as saídas e cegado seu prisioneiro.

Talvez a metáfora existente neste versículo seja como a do viajante que se perde no caminho. Nenhuma vereda que ele tenta o conduz para fora do perigo. Então, quando cai a noite, ele não pode ver para onde está indo. Seu caso se torna *sem esperança*. Cf. Jó 3.23.

> *Cercou-me de um muro, já não posso sair; agravou-me com grilhões de bronze.*
>
> Lamentações 3.7

■ 19.9

כְּבוֹדִי מֵעָלַי הִפְשִׁיט וַיָּסַר עֲטֶרֶת רֹאשִׁי׃

Da minha honra me despojou. Jó teve a glória de ser um homem sábio e rico. Mas foi despojado de tudo. Ele teve a glória de ser um pequeno rei entre seu povo. Deus tomou a sua coroa. Ele ocupava uma *posição principesca* entre os homens, mas Deus pôs fim a isso tudo. Ele tinha distinção social e influência política, uma *orgulhosa dignidade* perante Deus e os homens. Ver Sl 8.5 e Jó 7.17. Jó não caiu na negligência. Caiu em *privação* total de tudo quanto era e tinha. Mas acima de tudo, agora, ele tinha aquele corpo enfermo com o qual seria impossível continuar vivendo. Seu desespero era multifacetado.

> *Caiu a coroa da nossa cabeça; ai de nós, porque pecamos!*
>
> Lamentações 5.16

> *... profanaste-lhe a coroa, arrojando-a para a terra.*
>
> Salmo 89.39

■ 19.10

יִתְּצֵנִי סָבִיב וָאֵלַךְ וַיַּסַּע כָּעֵץ תִּקְוָתִי׃

Arruinou-me de todos os lados. Havia destruição por todos os lados, e a causa de Jó estava perdida no meio do lixo. Ele era como uma árvore que fora *desarraigada* (cf. Jó 14.7). À semelhança daquela árvore, sua *esperança* jazia por terra, com raízes expostas secando ao sol. A vida tinha-se ido embora, e nem podia retornar sob aquelas circunstâncias. "Não há mais esperança de minha restauração... mas havia aquela árvore que tinha crescido e florescido, cujas raízes tinham sido arrancadas da terra. Sou puxado pelas raízes, ressecado e desapareci" (Adam Clarke, *in loc.*).

■ 19.11,12

וַיַּחַר עָלַי אַפּוֹ וַיַּחְשְׁבֵנִי לוֹ כְצָרָיו׃

יַחַד יָבֹאוּ גְדוּדָיו וַיָּסֹלּוּ עָלַי דַּרְכָּם וַיַּחֲנוּ סָבִיב לְאָהֳלִי׃

Inflamou contra mim a sua ira. Deus tornou-se inimigo de Jó, alguém enraivecido que o atacava. De fato, ele era como um *exército atacante* (vs. 12), perante o qual Jó não tinha defesa nem esperança de escapar. O exército *cercou-o*, esperando a oportunidade certa de aproximar-se mais para matar. O exército havia levantado "armas de cerco" (*Revised Standard Version*). A pobre e pequena *tenda* de Jó era a única defesa e refúgio que ele tinha, totalmente fútil! "O exército jazia, à espera do momento propício. Minha rendição é apenas uma questão de tempo. Por quanto tempo serei capaz de resistir?" (Samuel Terrien, *in loc.*). Os soldados são pessoas treinadas *para matar*, para *odiar*, para não mostrar misericórdia. Deus estava agindo assim para com Jó, o homem quebrantado, que sofria "sem causa" (Jó 2.3).

■ 19.13

אַחַי מֵעָלַי הִרְחִיק וְיֹדְעַי אַךְ זָרוּ מִמֶּנִּי׃

Pôs longe de mim a meus irmãos. Jó estava isolado e abandonado pelo decreto divino que o afligia. Sua família estava morta, excetuando a sua esposa. Seus servos estavam mortos. Seus amigos tinham escolhido o caminho da hostilidade contra ele. Jó vivia um estado de total abandono. Mas o pior de tudo é que Deus o havia abandonado. Suas orações não eram mais ouvidas e passavam sem resposta. Ele buscava a luz, mas não a obtinha. Clamava por misericórdia, mas não a recebia. Deus é que provocara a sua solidão social. Ele fora removido de seu círculo familiar e de amigos. Entrado em um estado de *total solidão*. Acima de tudo, porém, ele tinha de viver em um corpo enfermo, que já não tolerava mais.

> *O desespero é a depressão do inferno, tal como a alegria é a serenidade do céu.*
>
> John Donne

> *Quando perdemos tudo, incluindo a esperança, a vida torna-se uma desgraça, e a morte, um dever.*
>
> Voltaire

> *Fiquei a vaguear solitário como uma nuvem*
> *Que flutua no alto sobre os vales e as colinas.*
>
> William Wordsworth

■ 19.14

חָדְלוּ קְרוֹבָי וּמְיֻדָּעַי שְׁכֵחוּנִי׃

Os meus parentes me desampararam. Jó perdera seus parentes próximos por meio dos golpes divinos de terror (ver Jó 1.19). Seus parentes mais distantes o abandonaram. Seus amigos íntimos o esqueceram, e a terrível tríade, antes formada por amigos, passou a persegui-lo. Provavelmente Jó, mediante o uso da palavra "parentes", incluía os que pertenciam à sua *própria raça*. Mas nesse caso ele indica "irmãos", em sua comunidade imediata, no deserto da Arábia.

> *Os meus amigos e companheiros afastam-se da minha praga, e os meus parentes ficam de longe.*
>
> Salmo 38.11

Os sofrimentos de Jó tinham levado sua dignidade abaixo da dignidade de um ser humano. Ele se parecia mais com um animal selvagem no campo, que estivesse sozinho e tivesse de enfrentar os perigos da natureza e dos predadores.

19.15,16

גָּרֵי בֵיתִי וְאַמְהֹתַי לְזָר תַּחְשְׁבֻנִי נָכְרִי הָיִיתִי בְעֵינֵיהֶם:

לְעַבְדִּי קָרָאתִי וְלֹא יַעֲנֶה בְּמוֹ־פִי אֶתְחַנֶּן־לוֹ:

Os que se abrigam na minha casa. A residência de Jó não ficara totalmente vazia. Seus filhos e filhas estavam mortos, mas sua esposa continuava presente (vs. 17), para piorar o caso dele. Jó ainda tinha servos que não haviam morrido das pragas e matanças provocadas pelos atacantes. Mas até mesmo essas pessoas humildes eram muito elevadas para Jó. Elas continuavam a cumprir suas tarefas, ignorando seu senhor, como se ele nem existisse. Quando ele chamava por elas (vs. 16), nem se davam ao trabalho de responder. Jó se tornara um homem praticamente inexistente. Era um *alienado*. Jó foi reduzido a *implorar* que seus servos o atendessem, e até eles o ignoravam ou zombavam dele. Sua palavra, que antes era *lei*, agora eram apelos patéticos de um homem alquebrado. Os servos sabiam que ele era um homem moribundo, assim por que alguém lhe daria atenção? Os seus salários seriam pagos por outrem, após a morte de Jó; ou, então, se esses servos fossem *escravos* (o que é provável), em breve teriam novos senhores, assim por que dar atenção ao tolo idoso?

19.17

רוּחִי זָרָה לְאִשְׁתִּי וְחַנֹּתִי לִבְנֵי בִטְנִי:

O meu hálito é intolerável à minha mulher. A esposa de Jó, que deveria ampará-lo, repelia o mau hálito que saía de sua boca enferma. Ela mantinha confortável distância de Jó, esperando que ele morresse em breve (ver Jó 2.9). Ela saía para ocupar-se dos seus negócios, ignorando o velho tolo e desejando intensamente a morte dele. A presença dele tornou-se um teste severo e uma vergonha para ela. Quem gostaria de ser a esposa de Jó? Ele se tornara *repugnante* para a mulher que era a mãe de seus filhos. As provações de Jó tinham destruído até mesmo os laços mais ternos.

Sou repugnante aos filhos de minha mãe. Nossa versão portuguesa dá a entender que os irmãos de Jó também se afastaram dele. A Septuaginta, porém, fala nos filhos das *concubinas* de Jó, cortando assim um *nó górdio*, em vez de desatá-lo. Ver na *Enciclopédia de Bíblia, Teologia e Filosofia* o verbete chamado *Nó*, quanto a uma explicação sobre essa metáfora. Mas se "filhos de minha mãe" é o texto correto, então Jó se referia à rejeição de próprios irmãos de sangue. "Até meus irmãos de sangue, filhos de minha própria mãe — literalmente, filhos de meu útero (de minha mãe), vs. 17b" (Samuel Terrien, *in loc.*).

> *Se meu pai e minha mãe me desampararem, o Senhor me acolherá.*
>
> Salmo 27.10

19.18

גַּם־עֲוִילִים מָאֲסוּ בִי אָקוּמָה וַיְדַבְּרוּ־בִי:

Até as crianças me desprezam. Crianças que andavam pela casa, filhos e filhas dos servos de Jó, crianças das ruas, na tenda de acampamento onde Jó e outros viviam, faziam pouco dele. Zombavam de Jó, "aquele homem velho e doente", que estava bem próximo da morte. Até crianças pequenas sentiam ter autoridade e direito de fazer pouco de Jó, de dizer coisas tolas contra ele. "Até os jovens ironizavam Jó, em vez de mostrar-lhe o respeito costumeiro devido aos mais velhos (cf. Jó 30.1,9,10)" (Roy B. Zuck, *in loc.*). A reverência às pessoas idosas no Oriente era uma das principais características da sociedade. Mas Jó fora excluído da sociedade dos homens.

19.19

תִּעֲבוּנִי כָּל־מְתֵי סוֹדִי וְזֶה־אָהַבְתִּי נֶהְפְּכוּ־בִי:

Todos meus amigos íntimos me abominam. A referência aqui é principalmente aos três amigos-críticos de Jó, seus consoladores molestos (ver Jó 16.2), a terrível tríade. Eles tinham sido seus amigos especiais. Pertenciam ao seu "círculo interior", e esperava-se que o ajudassem naquela hora severa de provação. Mas a *teologia* equivocada deles os levara a perseguir Jó, em vez de tentar ajudá-lo.

> Um amigo em uma vida é bastante.
> Dois é muito; três é quase impossível.
>
> Henry Adams

> Os amigos mais caros estão separados por abismos intransponíveis.
>
> Ralph Waldo Emerson

> Na prosperidade é muito fácil encontrar um amigo; na adversidade coisa alguma é tão difícil.
>
> Epicteto

> *Ninguém tem maior amor do que este: de dar alguém a própria vida em favor dos seus amigos.*
>
> João 15.13

19.20

בְּעוֹרִי וּבִבְשָׂרִי דָּבְקָה עַצְמִי וָאֶתְמַלְּטָה בְּעוֹר שִׁנָּי:

Os meus ossos se apegam à minha pele e à minha carne. Podemos extrair o sentido geral deste versículo sem dificuldades, mas suas duas linhas têm sido submetidas à controvérsia. As condições gerais de Jó eram deploráveis. Os críticos concluem que o texto original hebraico do versículo provavelmente está corrompido. A tradução portuguesa da segunda parte do versículo: "e salvai-me só com a pele dos meus dentes", quase igual à da tradução inglesa, e que se tornou proverbial, um dos mais constantemente citados trechos da Bíblia, parece indicar que, em suas misérias, Jó foi capaz de apegar-se à vida como que por um fio, ou seja, ele estava quase morto. Em inglês, "escapar pela pele dos dentes" significa "escapar somente com grandes dificuldades, por um triz".

Muitas explicações têm sido dadas, podendo ser reduzidas a apenas sete:

1. A pele dos dentes significa as *gengivas*. O corpo de Jó estava tão corroído que ele havia perdido todos os dentes e, agora, só lhe restavam as gengivas, lembrando-o de que antes fora homem saudável com dentes admiráveis.
2. Está sendo empregado algum tipo de expressão idiomática, cujo sentido se perdeu, mas parece significar que ele havia *conseguido escapar da morte por pouco,* ou com dificuldades, como se a *pele dos dentes* (se é que ela existisse) fosse uma camada *verdadeiramente muito fina.*
3. Por meio de uma emenda, podemos compreender não a *pele dos dentes,* mas a *pele* da boca ou das bochechas. Isso parece significar que Jó havia perdido sua *barba*, por causa da enfermidade, e ser um homem *sem barba*, no Oriente Próximo e Médio, era uma questão séria.
4. Por meio de um rearranjo das palavras podemos chegar ao seguinte resultado: "Estou tão magro que posso morder meus ossos com os dentes".
5. Mediante a vocalização do hebraico de maneira diferente (o hebraico não tinha nem vogais nem sinais vocálicos originalmente, os quais deveriam ser subentendidos), poderíamos ler: "Escapei uma *segunda vez*", deixando de lado qualquer referência aos "dentes", que é o que causa a dificuldade de compreensão.
6. Ou, então, este versículo pode ser um paralelo direto de Jó 13.14: "Tomarei a minha carne nos meus dentes". Esse sentido pode ser conseguido aqui mediante emenda do texto original hebraico. Mas essa expressão também tem sentido incerto e provavelmente representa uma antiga expressão idiomática conhecida de Jó, mas perdida para nós. Ver o versículo citado, quanto a uma tentativa de explicação.
7. Ainda através de outra forma de emenda, podemos obter a tradução: "Todos os meus ossos se destacam em pontas agudas".

Tendo dado sete significados diferentes, é inútil ficar elaborando o versículo. Que Jó estava em condições desesperadoras é evidente, mas o sentido por ele referido neste versículo permanece em dúvida. Talvez dizer, seguindo a expressão moderna, que Jó *escapara por pouco da morte,* seja um sentido tão bom quanto qualquer outro. Assim como a pele dos dentes, *se essa pele* pudesse existir, teria de formar uma camada muito fina, assim também por *pouquíssimo* Jó havia escapado da morte, naquele ponto. O Targum diz: "Fui deixado com a pele dos meus dentes", como se Satanás tivesse ferido todas as partes do seu corpo, mas deixado a boca intacta, a fim de que pudesse blasfemar contra Deus. E essa é outra conjectura bastante interessante.

■ 19.21

חָנֻּנִי חָנֻּנִי אַתֶּם רֵעָי כִּי יַד־אֱלוֹהַּ נָגְעָה בִּי:

Compadecei-vos de mim, amigos meus. Encontramos aqui um apelo patético pedindo *piedade,* que Jó, o pobre homem, repetiu duas vezes, chamando a terrível tríade de seus *amigos.* Ele precisava da simpatia deles, porquanto o *Deus Todo-poderoso* o havia atacado diretamente, com toda a violência. Era uma coisa terrível ter sido diretamente assaltado pelo próprio Deus, e o homem que fosse vítima desses assaltos mereceria ao menos um pouco de nossa piedade. Essa piedade poderia ser traduzida para uma forma de ajuda, e era isso naturalmente o que Jó esperava receber. Cf. Is 53.4, a descrição do Servo Sofredor de Deus.

Poderíamos perguntar como aqueles consoladores molestos e miseráveis conseguiriam ajudar Jó. Eles não tinham nenhum medicamento nem conheciam cura para suas enfermidades multifacetadas. Mas poderiam compartilhar da carga, o que, psicologicamente falando, é sempre uma ajuda. As pessoas gostam de contar a outros sobre seus desastres e ouvir palavras de consolo. Além disso, havia *aceitação.* Era importante para Jó, naquele momento, continuar sendo um membro válido da comunidade. Outrossim, havia a *intercessão.* Em vez de o espicaçarem com suas palavras, eles poderiam ter intercedido por ele, na presença de um Deus perseguidor. Eles tinham esplêndida oportunidade de viver a lei do amor, que é a prova da espiritualidade (ver 1Jo 4.7). No entanto, falavam miseravelmente. E assim o faziam, porque o coração deles estava repleto de orgulho e espírito crítico, que eles apoiavam com uma teologia inadequada. Eles falharam quanto ao primeiro teste que indica quem é espiritual: o *amor.* Ver sobre esse tema no *Dicionário.*

> O amor concede em um momento
> O que o trabalho não poderia
> Obter em uma era.
>
> Goethe

> O amor, como a morte, muda tudo.
>
> Kahlil Gibran

> Todos nós nascemos para amar. Esse é o princípio da existência e sua única finalidade.
>
> Benjamim Disraeli

Bastava que Deus tivesse atacado Jó. Seus amigos não precisavam ser brutais com ele. Ver Jó 16.20.

■ 19.22

לָמָּה תִּרְדְּפֻנִי כְמוֹ־אֵל וּמִבְּשָׂרִי לֹא תִשְׂבָּעוּ:

Por que me persegues como Deus me persegue...? Em vez de mostrar a Jó amor e piedade, a terrível tríade passou a ser formada por perseguidores abertos. De fato, conforme Jó declarou, eles estavam *imitando Deus!* Eles se tornaram "comedores de carne", expressão idiomática, no aramaico e no árabe, para "caluniar" e "maltratar". Deus afligira a carne de Jó com terrível enfermidade, e aqueles consoladores molestos (Jó 16.2) o estavam *devorando.*

"Os homens inclinam-se por tornar-se *monstros,* exatamente no momento em que acreditam ter-se tornado divinos. Um dos amigos de Jó havia vinculado suas próprias consolações com as consolações de Deus (ver Jó 15.11). Os homens facilmente se *iludem* ao acreditar que são como Deus, sempre que *presumem* falar no nome de Deus. Em uma única sentença, Jó castigou todos os *inquisidores* religiosos que justificam sua desumanidade aos seus semelhantes, pela *reivindicação ilusória* de terem sido divinamente nomeados para a tarefa. Disse Jesus: "Mas vem a hora em que todo o que vos matar julgará com isso tributar culto a Deus (Jo 16.2)" (Samuel Terrien, *in loc.*).

O dr. Taylor foi queimado insensatamente na fogueira, em Oxford. Quando ele agonizava nas chamas, um fanático avançou e o feriu na cabeça. O dr. Taylor conseguiu exclamar: "Homem, por que cometes esse erro? Já não estou sofrendo o bastante?"

Ver Jó 16.9 quanto a um versículo muito expressivo sobre a perseguição divina contra Jó.

> *E, com grande indignação, estou irado contra as nações que vivem confiantes; porque eu estava um pouco indignado, e elas agravaram o mal.*
>
> Zacarias 1.15

■ 19.23,24

מִי־יִתֵּן אֵפוֹ וְיִכָּתְבוּן מִלָּי מִי־יִתֵּן בַּסֵּפֶר וְיֻחָקוּ:
בְּעֵט־בַּרְזֶל וְעֹפָרֶת לָעַד בַּצּוּר יֵחָצְבוּן:

Quem me dera fossem agora escritas as minhas palavras! Jó queria que seus discursos fossem registrados em um *livro,* a fim de ser vindicado pela *posteridade.* Ou, então, se isso não fosse escrito em um livro, mediante pena e papel, ele esperava que a essência de sua história, incluindo sua *inocência,* ficasse gravada por meio de alguma *ponta de ferro,* em uma rocha. Ele queria que uma inscrição na rocha provasse sua inocência, e o fato de que ele estava sendo perseguido injustamente por Deus e pelos homens. Jó imaginava que, com o tempo, seu caso seria vindicado, e almejou por algum escriba que trabalhasse com a pena, registrando o seu caso em um livro, para instrução da posteridade. Ele imaginava, nos olhos de sua mente, um homem, na falda da montanha, a gravar seu caso na rocha, mediante o uso de algum estilete de metal duro.

Livro. A palavra hebraica correspondente significa "rolo", que, por sua vez, pode ser compreendida aqui como relacionada ao termo acádico *siparru,* "bronze" (cf. Jz 5.14 e Is 30.8). Nesse caso poderia estar em foco um *rolo de cobre.* Se a história de Jó fosse registrada em um rolo de cobre, tal registro duraria para toda a posteridade, pois o cobre era muito mais resistente que o papiro ou o pergaminho. Entre os rolos achados no mar Morto, havia rolos de cobre, pelo que sabemos que eles existiram nos tempos antigos. Mas, se chegaram ou não aos tempos pré-patriarcais, já é outra questão.

Porém, quando a mente de Jó voltou-se para uma *vindicação superior* e uma *esperança superior* (vss. 25 e 26), de natureza celestial e divina, encontramos um ótimo avanço na teologia, e esse texto fornece elementos que nos ajudam a explicar por que os homens sofrem e por que sofrem como sofrem.

SEI QUE MEU REDENTOR VIVE (19.25-29)

Até esta altura do livro de Jó, seus terríveis consoladores, a tríade molesta, só tinham apresentado duas respostas possíveis para a *razão* dos sofrimentos humanos. Esses sofrimentos podem resultar da *Lei Moral da Colheita segundo a Semeadura* (ver no *Dicionário*), ou podem ser uma questão de disciplina para o homem bom. Jó afirmava que isso não se aplicava ao seu caso. Seu sofrimento era *injusto* e sem causa, e envolvia um enigma (Jó 2.3). Jó constantemente recusou-se a ver uma existência pós-vida como modo de resolver o problema do sofrimento. Por uma vez ele levantou a questão, somente para rejeitá-la como algo ridículo, como alguma "mitologia egípcia", nada mais além disso. Ver Jó 14.14. Somente por um momento, ele se permitiu olhar para além do sepulcro e ali encontrar sua esperança. Mas não demorou muito a cair de novo em seu pessimismo (ver Jó 14.18 ss.).

No presente capítulo, também levantamos o prospecto de um intercessor, de um mediador, de um vindicador. Por duas vezes, Jó chegou a uma doutrina como aquela. Ver Jó 9.33 e 16.19. Na primeira referência, Jó manifestou esperança, e então rejeitou a ideia como ridícula. Mas passou a considerá-la com maior seriedade quando chegou em Jó 16.19. Ver as notas expositivas em ambos os lugares, quanto a detalhes. Em Jó 16.19, dou um sumário de ideias quanto à possível identidade da *Testemunha* envolvida.

Agora chegamos a um Vindicador ou Redentor não humano, conforme alguns traduzem a palavra. A doutrina tinha avançado, e Jó até esperava ter alguma espécie de visão beatífica, a visão do próprio Deus e de algum tipo de pós-vida, na qual ele pudesse ter aquela experiência. Os versículos à nossa frente são intensamente controvertidos, mas, a despeito das limitações de nossa compreensão, certamente temos algo que ultrapassaria o que a teologia patriarcal podia abranger. Jó definitivamente ultrapassou o seu treinamento e o seu fundo cerebral de conhecimentos, os dogmas e as tradições de sua época. Sua livre investigação estava a pagar-lhe dividendos. Suas descobertas lançaram luz sobre o antigo *problema do mal* (ver a seção V da *Introdução*): por que os homens sofrem e se há alguma *esperança* sobre essa questão. Ou o Oleiro Mestre simplesmente quebra seus vasos e os abandona no monte de lixo?

■ 19.25

וַאֲנִי יָדַעְתִּי גֹּאֲלִי חָי וְאַחֲרוֹן עַל־עָפָר יָקוּם׃

Porque eu sei que o meu Redentor vive. A palavra hebraica *goel* é assim traduzida. Ver no *Dicionário* sobre essa palavra, quanto a amplas explanações. A palavra admite ambas as ideias: de vindicador e de redentor. Existe aquele parente redentor que vai buscar as propriedades que um homem vendera. E existe aquele *vingador* do sangue, que vinga a morte de um parente e, assim sendo, recebe as honras de um remidor. Ver no *Dicionário* o verbete intitulado *Parente, Vingador do Sangue*. Isso posto, o *goel* podia ser um redentor, um vingador ou um defensor dos oprimidos. Nesse ofício, ele seria um *mediador*. Deus, como goel, redimiu Israel do Egito (ver Êx 6.6; 15.13; Sl 74.2). Ele também redime do exílio (ver Is 41.14) e da morte (ver Sl 69.18; 2.14; Lm 3.58; Os 13.14). Resta saber qual desses sentidos possíveis está no texto à nossa frente.

Jó buscava *vindicação* (vss. 23 e 24), de modo que é provável que ele estivesse pensando em Deus como o divino vindicador, o qual finalmente defenderia o seu caso e diria "Jó era inocente, embora tenha sofrido". Dessa maneira a honra de Jó seria restaurada, e seu nome seria limpo. Deus se levantaria para vindicar Jó e corrigir os seus atormentadores.

... se levantará sobre a terra. Este texto tem sido cristianizado para apontar para Cristo, o Redentor, que voltaria à terra em seu reino milenar. Mas dificilmente Jó poderia estar vendo aquele momentoso acontecimento. Talvez Jó contemplasse o Vindicador celeste, como quem estaria vindo à terra para intervir em seu caso. Certamente, por enquanto, não havia nenhuma ideia de um céu para os homens, doutrina que ainda não tinha sido desenvolvida no período patriarcal. Portanto, a vindicação de Jó ocorreria sobre a *terra*, provavelmente através de uma *ressurreição*. Essa vindicação seria uma espécie de redenção, embora não em termos da compreensão cristã. O máximo que podemos dizer é que Jó estava "chegando perto" de grandes realidades, embora as compreendesse de maneira preliminar e fragmentar. É uma *eisegese*, e não uma *exegese*, ver aqui esperanças cristãs. Em outras palavras, podemos, como crentes, "ler no texto *algo* que Jó nem imaginava, embora talvez lhe tenha sido outorgada *alguma luz* que penetrava nos ofícios de Cristo".

Alguns estudiosos veem, aqui, Jó como *reencarnado*, e não como ressurrecto e, nessa condição, vindicado pelo Vindicador, em algum tempo futuro. Ver os comentários sobre essa possibilidade, no vs. 26.

Também devemos lembrar que Jó não estava falando sobre *salvação* e, sim, sobre vindicação. Contudo, se tivéssemos de receber alguma espécie de visão beatífica de Deus, teria de haver, ali, elementos de salvação. Mas constitui um erro avançar aqui a ideia de uma compreensão cristã do que significa a salvação. Novamente, ele residia em estado primitivo, no tocante a uma doutrina mais avançada. Jó tinha começado a ver sua vida pós-túmulo, embora não a visse, exatamente, no modo e com os propósitos que a vemos, exceto que ele sabia que seu caso seria finalmente vindicado.

Identificação do Redentor (Vindicador — o Goel):
1. A maioria dos intérpretes concorda que Jó estava pensando em algo mais do que meramente humano. Ele olhava para algum homem poderoso, que pudesse pleitear o seu caso e obter êxito.
2. Alguns estudiosos simplesmente fazem o *goel* ser o próprio Deus, e existem referências bíblicas nesse sentido. Ver Is 44.6 e 48.12.
3. Ou então o *goel* seria algum ser celeste, um anjo poderoso que tivesse uma missão, dada por Deus, em favor de Jó.
4. O versículo foi cristianizado para fazer o *goel* ser Cristo, mas isso é "ver demais no texto", sob a influência do Novo Testamento. Naturalmente Cristo é o *goel*, mas não há certeza de que o texto presente seja profético e messiânico. Quanto a Cristo como o Mediador-*goel*, ver Mt 20.28; Tt 2.14; 1Pe 1.18,19; Cl 1.13; 1Ts 1.10; 1Tm 2.5. Ver na *Enciclopédia de Bíblia, Teologia e Filosofia* o verbete chamado *Redenção, Redentor*.
5. Ou, então, Jó teria a mera esperança de que alguma espécie de mediador celestial (não identificado) levaria seu caso à presença de Deus.

Embora existam bons argumentos contra a tese, estou conjeturando que Jó pensava no próprio Deus. O Juiz poderia tornar-se o Vindicador e Redentor. Ver também Êx 6.6 e Sl 103.4. A tentação de cristianizar o texto é forte, por causa de nossa situação histórica. E não é impossível que Jó 19.25 seja uma notável profecia messiânica, mesmo que não tenha sido profundamente compreendida pelo próprio Jó.

Eu sei que o meu Redentor vive, e por fim se levantará sobre a terra.
Depois, revestido este meu corpo da minha pele, em minha carne verei a Deus.
Jó 19.25, 26

OTIMISMO

Ergue para ti mansões mais firmes, ó minha alma.
Ao passarem as velozes estações;
Abandona o teu passado de teto baixo;
Que cada novo templo seja mais nobre que o anterior.
Fecha-te do céu com uma cúpula mais vasta,
Até finalmente te vejas livre,
Deixando tua concha pequena no mar agitado da vida.
— Oliver Wendal Holmes

■ 19.26

וְאַחַר עוֹרִי נִקְּפוּ־זֹאת וּמִבְּשָׂרִי אֶחֱזֶה אֱלוֹהַּ׃

Depois, revestido este meu corpo da minha pele. O sentido do versículo é incerto, tal como o do anterior. Este versículo tem sido sujeitado a certa variedade de interpretações. Assim diz a *King James Version*, em inglês, "em minha carne", ao passo que a *Revised Standard Version* diz "fora de minha carne", ou seja, sentidos opostos. A primeira parte do versículo é clara. Jó se aproxima da morte biológica pela terrível enfermidade que o havia acometido.

Tratando com um texto hebraico difícil, as versões têm dado diferentes traduções. A Septuaginta combina as ideias dos vss. 25-26 e apresenta o seguinte resultado:

> Pois eu sei que aquele que está prestes a libertar-me é eterno (25a). Sobre a terra ele poderá levantar a minha pele (25b), que está exaurida, tendo passado por este sofrimento (26.a).

O siríaco fala sobre a pele de Jó a *inchar* (isto é, na *morte*), então o processo maravilhoso, qualquer que fosse a sua natureza exata, ocorreria. Apesar de as versões manusearem de maneira diferente o texto, a primeira parte do versículo, pelo menos, não é problemática: Jó morreria como resultado de sua enfermidade. Então, *depois daquilo*, algo grande haveria de acontecer.

Em minha carne. A *Revised Standard Version* e a versão portuguesa da Imprensa Bíblica Brasileira dizem "fora da minha carne". Mas a Atualizada diz "em minha carne", com o que concorda a maior parte das autoridades. Os críticos muito provavelmente estão corretos ao afirmar que Jó não antecipava um estado *desincorporado*, no qual uma alma imaterial sobreviveria à morte biológica. Essa doutrina não entrou no Antigo Testamento senão já na época dos Salmos e dos Profetas, e antecipá-la no período patriarcal é anacronismo. "... a existência humana fora de um corpo era totalmente estranha à mentalidade semita, conforme é provado pelo crescimento e desenvolvimento da crença na ressurreição *corporal*" (Samuel Terrien, *in loc.*). Mas que Jó esperava sobreviver à morte e continuar vivendo, de alguma maneira, no pós-túmulo, é demonstrado no vs. 26, onde ele "vê a Deus".

Interpretações Possíveis:
1. Alguns intérpretes insistem em que Jó esperava ver a Deus quando ainda era um *homem mortal*, e isso de alguma forma visionária ou através de alguma espécie de teofania. Em outras palavras, a visão seria *pré-mortem*, e não *pós-mortem*. Mas essa interpretação é contra a sequência simples de elementos do vs. 26. Primeiramente, haveria a destruição da carne; então Jó teria sua visão beatífica. Seria ridículo fazer este versículo dizer: "Embora eu saiba que vou morrer e meu corpo vai entrar em decadência, contudo, antes disso, terei a minha visão". A *Revised Standard Version* diz *depois* (da destruição da carne), e *então* um acontecimento ocorreria depois do primeiro acontecimento. Ou então: "*Depois* que eu morrer, *então* verei a Deus em minha carne". Se Jó perdesse a sua carne (mediante a morte), mas na carne houvesse de ver a *Deus, então* a carne substituiria a carne, e isso, naturalmente, fala em *ressurreição*, ou então poderia ser também a *reencarnação*.
2. A maior parte dos intérpretes, incluindo os críticos, veem aqui a *ressurreição*. Se for objetado que o período patriarcal ainda era muito remoto para tal crença, poderíamos dar três respostas:
   a. Não é impossível que a ideia tenha sido *introduzida* naquele período. Novas ideias precisam ser introduzidas em algum tempo.
   b. Tivemos uma antecipação da possibilidade da ressurreição, no caso do proposto sacrifício de Isaque, por parte de Abraão. Ver Hb 11.19. Entretanto, devemos supor que o escritor da epístola aos Hebreus tivesse tido o *discernimento* para saber o que acontecia no Antigo Testamento, mas a esperança da ressurreição de Isaque não é mencionada no próprio livro de Gênesis. Ademais, para que um corpo recentemente morto fosse ressuscitado, não seria a mesma coisa que a ressurreição de uma pessoa morta há longo tempo. Isso seria mais como um milagre de *restauração* do que uma ressurreição. Portanto, o segundo argumento é fraco e não deve ser pressionado.
   c. Em *terceiro lugar,* pode ser dito que o livro de Jó não foi escrito durante o período patriarcal, embora tivesse sido escrito para representar aquele período. Portanto, não seria surpresa para alguém maravilhar-se de que ali haja uma referência à ressurreição. Esse argumento é forte quanto à interpretação do versículo: está em vista a ressurreição. Mas é inseguro dizer que é a doutrina da ressurreição patriarcal.
3. *A Alma Imortal.* Se aceitarmos a tradução que diz "fora de minha carne verei a Deus", conforme algumas traduções, então poderia estar em foco a sobrevivência das alma diante da morte. Nesse caso, entretanto, a alma sobrevive e, de *alguma maneira*, que não foi declarada, ela vê Deus. Coisa alguma é dita sobre ver Deus no céu ou em alguma outra esfera não material. Isso não fazia parte da teologia patriarcal. O vs. 25 presume (ao que tudo indica) que a visão de Deus aconteceria *na terra*. Se está em pauta a sobrevivência da alma, então temos aqui uma doutrina confusa. Roy B. Zuck tenta mostrar que, se o termo hebraico *min* significa "sem" (ver Jó 11.15), contudo, depois do verbo "ver", a palavra não tem esse significado. Deixamos para os eruditos do idioma hebraico a resposta a esse argumento. Seja como for, poucos críticos pensam que a doutrina de uma alma imaterial é introduzida aqui, portanto certamente essa doutrina só veio a tornar-se parte integrante da teologia hebraica no tempo dos Salmos e dos Profetas.
4. *Reencarnação.* Alguns poucos eruditos veem no texto presente a reencarnação, e não a ressurreição. Essa foi sempre uma doutrina favorita no Oriente Próximo e Médio e, sem dúvida, era conhecida pelos árabes no deserto da Arábia. Nesse caso, um Jó reencarnado, aqui mesmo na terra, teria sua visão beatífica e então seria vindicado. E a Jó seria dito: "Nessa outra vida, você será inocente, conforme insistiu". Contra essa ideia, podemos insistir com os mesmos argumentos usados no caso da sobrevivência da alma (número 3).

A *reencarnação*, embora doutrina comum no Oriente Próximo e Médio, não fazia parte da teologia dos hebreus, senão já no tempo do aparecimento do misticismo, na *Cabala* (ver a *Enciclopédia de Bíblia, Teologia e Filosofia*), o que só ocorreu em tempos bastante tardios. Sem dúvida, essa doutrina não fazia parte da teologia patriarcal, não sendo provável que um xeque árabe especulasse sobre tal possibilidade.

Uma história divertida é contada por Marcus Bach, que relato a meus leitores. Marcus Bach foi um poder espiritual, de passado e formação evangélica. Em seus últimos anos de vida, entretanto, ele se tornou mais universal e um evangélico *menos restrito*. Nesse estado de coisas, foi convidado a fazer um discurso fúnebre, no sepultamento *evangélico* de um amigo dele de longa data. Portanto, o dr. Bach apanhou a sua Bíblia, abriu-a em Jó 19.26 e fez desse texto a base do sermão. Mas ele fez esse versículo ensinar a *reencarnação*. Temos aí o espetáculo de um ministro a falar sobre reencarnação em um culto fúnebre *evangélico*. O dr. Bach afirmou mais tarde que teve a sorte de não ser expulso do salão. Um amigo ficou tão irado que nunca mais falou com ele. E disse também Bach: "Desde então tenho aprendido algumas poucas coisas sobre o falar em público que antes eu não sabia!"

Conclusão. Embora acompanhado por problemas, este versículo provavelmente fala da ressurreição que finalmente se tornou um dogma da fé dos hebreus. O cristianismo criou mais problemas combinando a imortalidade grega da alma com a ressurreição dos hebreus, e em 1Co 15 encontramos o esforço heroico de Paulo tentando reconciliar essas doutrinas em um único dogma. A tendência dos intérpretes cristãos modernos consiste em compreender a ressurreição do corpo como realmente a provisão de um *corpo novo*, o corpo espiritual, que revestirá a alma imortal, como seu novo veículo. Esse ponto de vista não requer que os antigos elementos sejam usados e transformados em um novo corpo. Mas, visto que o novo corpo substituirá o velho, então temos, *de fato*, uma verdadeira ressurreição. De acordo com esse ponto de vista, a ressurreição é explicada como *uma nova criação, e não uma renovação miraculosa* de um corpo morto ou de seus elementos espalhados. Caros leitores, estou certo de que essa é a verdade da questão.

Verei a Deus. Ver na *Enciclopédia de Bíblia, Teologia e Filosofia* o verbete chamado *Visão Beatífica*. Esta é a grande esperança cristã, segundo a qual a visão de Deus transforma um homem na imagem de Cristo, e assim vem a compartilhar, plenamente, da natureza divina (Rm 8.29 e 1Pe 1.4). Naturalmente, Jó não tinha esse discernimento, e não devemos cristianizar o versículo para que ele ensine mais do que faz. Jó estava *lendo*, e não descrevendo, uma grande verdade. Notemos que Jó esperava ter a sua visão à face da terra, e não há pensamento de um céu em algum lugar onde a alma imortal veja Deus e seja assim transformada.

O significado primário aqui é simplesmente que, ao ver o Juiz, Jó seria vindicado. Ficaria demonstrado ser ele inocente das acusações feitas por seus miseráveis amigos. Deus seria o seu *goel* e *vindicador*. Jó não especulava sobre a *salvação*. Havia demonstrado uma luz como um grande raio luminoso, acima do tumulto de suas discussões com os amigos. Havia antecipado algo grande ao ver Deus, mas não tinha definições quanto a isso. Estar na presença de Deus devia significar mais do que uma simples vindicação, embora não seja descrito o que isso significava, nem Jó saberia descrever *esse mais*.

Luz Sobre o Problema do Mal. Agora já temos luz adicional sobre o problema do sofrimento humano:
1. Jó propôs uma *vida* pós-*túmulo*, na qual a dor da vida antiga fosse anulada e esquecida. Essa é uma de nossas melhores respostas ao problema do sofrimento humano, embora ainda não diga por qual razão os *inocentes* sofrem neste mundo. Isso continua sendo um enigma, e nenhuma resposta para esse problema nos é dada no livro de Jó, a *menos* que aceitemos a *má ideia* de que os inocentes sofrem por causa de alguma barganha cósmica entre Deus e Satanás (conforme encontramos no Prólogo do livro de Jó). Ver Jó 1.11, quanto aos problemas teológicos do livro, onde discuto a questão, entre outros assuntos.
2. Então, na *visão de Deus,* podemos sentir as respostas: tudo irá bem quando os homens virem a Deus, e os sofrimentos da vida passada forem esquecidos. Outrossim, os inocentes serão declarados inocentes. Na presença de Deus, sentimos que há razões pelas quais os inocentes sofrem, mas permanecemos ignorantes quanto a elas. Sabemos apenas que Deus está em seu trono, e tudo vai bem no mundo.

Permanece o *enigma* sobre *por que* os inocentes sofrem aqui e agora, mas *sentimos* que há respostas *adequadas* a esse problema, e algum dia, na presença de Deus, compreenderemos essas razões.

> Eu o encontrei não no mundo do sol,
> Nem nas asas da águia, nem no olho do inseto —
> E nem nas questões que os homens perscrutam.
> ...
>
> Quando a fé tinha caído de sono,
> Ouvi uma voz: 'Não creia mais!'.
> ...
>
> Um calor dentro de meu peito se dissolveria,
> A parte mais fria da razão,
> E como um homem em ira, meu coração
> Levantou-se e respondeu: 'Senti'.
>
> Alfred Lord Tennyson

■ **19.27**

אֲשֶׁ֤ר אֲנִ֨י ׀ אֶֽחֱזֶה־לִּ֗י וְעֵינַ֣י רָא֣וּ וְלֹא־זָ֑ר כָּל֖וּ כִלְיֹתַ֣י בְּחֵקִֽי׃

Vê-lo-ei por mim mesmo. *Imortalidade Individual.* Quando um homem sobrevive à morte, continua sendo um indivíduo; ou ele gostaria que o rio que corre para o oceano simplesmente se tornasse uma parte do todo, sem ser distinguida e não-personalizada? Jó votou em favor da imortalidade individual e pessoal, e essa doutrina tornou-se dogma padrão na fé posterior dos hebreus e, então, o mesmo aconteceu no cristianismo. Jó seria aquele que veria a Deus, embora de maneira diferente. *Ele* veria a Deus, embora a morte tivesse consumido e transformado seu corpo em nada. Não obstante, ele continuaria sendo uma pessoa que poderia corresponder ao ser divino. Ele teria uma nova forma, que preservaria sua pessoa essencial, sua misericórdia, sua inteligência e sua consciência. Ademais, viveria em um estado superior, porquanto *naquele estado* (em contraste com seu estado anterior de miserabilidade) ele *veria a Deus*. Ver na *Enciclopédia de Bíblia, Teologia e Filosofia* o verbete intitulado *Imortalidade*, onde apresento vários artigos sobre o assunto e uma ampla discussão. Então ver no *Dicionário* os artigos *Alma* e *Ressurreição*.

"Por um momento fugidio, a morte pareceu não ser o fim. De fato, *Deus é o Fim*, tal como é o Começo" (Paul Scherer, *in loc.*).

> Sou mais parente de Deus
> Do que da poeira. Tu, Deus,
> És todo o passado, e esta
> Rápida hora de vida terrena
> Faz parte daquele Grandeza
> Que cobre todo o Grande para sempre.
>
> Adaptado de Paul Scherer

Ver Is 26.19, quanto a uma esperança similar, como a expressa no presente versículo.

■ **19.28,29**

כִּ֣י תֹֽאמְר֗וּ מַה־נִּרְדָּף־ל֑וֹ וְשֹׁ֥רֶשׁ דָּ֝בָ֗ר נִמְצָא־בִֽי׃
ג֤וּרוּ לָכֶ֨ם ׀ מִפְּנֵי־חֶ֗רֶב כִּֽי־חֵ֭מָה עֲוֹנ֣וֹת חָ֑רֶב לְמַ֖עַן תֵּדְע֣וּן שַׁדִּֽין ס׃

Se disserdes: Como o perseguiremos? Após o grande "Olhar para além", Jó retornou a seu estado miserável e proferiu uma súbita explosão de palavras cortantes, uma *ameaça* direta a seus ouvintes, particularmente à terrível tríade, seus miseráveis consoladores molestos (ver Jó 16.2). Se eles insistissem em *persegui-lo* (um inocente), algum *julgamento temível* (ver o vs. 29) esperava por eles, ao qual Jó simbolizou como "espada"; no entanto, ele provavelmente falava de algum severo golpe divino contra eles, a "espada do Senhor". "Julgamento" era a palavra favorita de Elifaz (ver Jó 35.11; 36.17,31). Jó apanhou sua palavra e a dirigiu contra seus amigos críticos, mesmo que aquela palavra perigosa tivesse sido dirigida por eles contra o próprio Jó. Embora Jó tivesse acabado de ter uma grande esperança, que envolvia ver a Deus, e sua mente se tivesse elevado para fora de sua miséria depois daquela visão momentânea, ele voltou a cair na dor e logo começou a atacar seus inimigos. Isso está em perfeita consonância com a natureza humana, especialmente a natureza humana que sofre. Jó esperava ver o seu Vindicador após a morte biológica, supondo que esse Poder derrubasse seus inimigos em breve, por causa da injustiça deles.

O *julgamento*, neste caso, não é a retribuição divina para além da morte, que alguns mencionam, cristianizando o texto. Antes, é consternação e perda terrenas, o tipo de coisa que o próprio Jó estava sofrendo. Eles tinham sido exemplos conspícuos de perseguidores. De repente, poderiam tornar-se exemplos conspícuos de pessoas julgadas.

Na *Enciclopédia de Bíblia, Teologia e Filosofia,* dou diferentes tipos de *julgamentos*.

CAPÍTULO VINTE

O SEGUNDO DISCURSO DE ZOFAR (20.1-29)

O plano dos discursos é a fala dos três amigos-críticos de Jó, cada um por três vezes, exceto o terceiro, que falou somente duas vezes. Então Jó apresentou sua réplica a cada um dos discursos. Os discursos têm como tema a *razão* para o sofrimento humano. Ver na seção V da *Introdução* o artigo chamado *Problema do Mal,* bem como um detalhado artigo no *Dicionário*. Esse assunto entra como companheiro paralelo do tema principal do livro, a *adoração desinteressada*. Porventura um homem continuará a adorar e a servir a Deus, quando sua vida se tornar miserável e ele nada ganhar para si mesmo, se continuar sua adoração? Satanás havia dito que tal homem acabaria amaldiçoando Deus (ver Jó 1.11 e 2.5). Ver na *Enciclopédia de Bíblia, Teologia e Filosofia* o artigo chamado *Egoísmo*. A qualidade da espiritualidade de Jó tinha de ser testada por meio do sofrimento.

Os amigos-críticos de Jó só chegaram até certo ponto da questão ao supor que todo sofrimento seria causado pelos próprios pecados, isto é, a *Lei Moral da Colheita segundo a Semeadura* (ver no *Dicionário*), ou como uma medida disciplinar. Jó afirmava que tais explicações não se ajustavam ao seu caso, visto ser ele *inocente*. Portanto, havia em operação alguma coisa *enigmática*. Em Jó 19.5-27, Jó chegou a ver que o atual sofrimento pode ser curado e anulado no *outro lado da existência*, mediante a visão beatífica de Deus. Portanto, Jó descobriu uma grande esperança, que tem muito a ver com o sofrimento humano. Essa doutrina, entretanto, não responde à pergunta: "Por que os *inocentes* sofrem *nesta vida?*" Isso poderia fazer parte do *caos* sobre o qual Paulo falou (ver Rm 8.20): a criação ficou sujeita à *inutilidade*. Mas o prólogo do livro de Jó explica os sofrimentos dele como devidos a uma barganha cósmica entre Deus e Satanás. Isso deve ser um artifício literário, e não uma questão séria, porquanto é uma ideia imoral. Ver Jó 1.1, quanto aos problemas teológicos do livro. Além disso, ver as introduções aos capítulos 4 e 8, quanto à natureza e às funções dos discursos do livro.

"À semelhança de Elifaz e Bildade (ver os capítulos 15 e 18), Zofar desenvolveu somente um tema: a condenação do homem mau pode ser adiada, mas é inevitável. Grande parte do que ele diz é verdadeiro e enérgico, mas nenhum de seus pontos de vista é relevante à situação em mãos. As perguntas feitas por Jó foram ignoradas... As palavras de abertura desse discurso indicaram um elemento de *ansiedade* que até agora não havia sido detectado nas *certezas dogmáticas* dadas por aqueles três sábios" (Samuel Terrien, *in loc.*).

Talvez os raciocínios de Jó tenham quebrado, em parte, as barreiras dogmáticas. Seus amigos eram indivíduos dogmáticos e tradicionalistas que pensavam nada mais ter de aprender, e que a teologia deles era capaz de explicar qualquer questão nos céus ou na terra. Devemos lembrar que todos os sistemas teológicos, até mesmo aqueles do cristianismo, são parciais, e há erros em todos eles. Portanto, convém-nos promover a *livre investigação*. A verdade não é algo que se atinja uma vez por todas. Antes, é uma *aventura*.

Temos à nossa frente uma das mais estontantes diatribes, proferida por uma mente endurecida. Jó, o grande pecador, foi objeto de palavras mordazes.

20.1

וַיַּעַן צֹפַר הַנַּעֲמָתִי וַיֹּאמַר׃

Então respondeu Zofar, o naamatita. Este versículo é idêntico a Jó 11.1, onde a mesma declaração introduz o *primeiro discurso* de Zofar. Ver as notas expositivas ali. Ver também as notas expositivas que introduzem o presente capítulo, quanto ao plano dos discursos.

20.2

לָכֵן שְׂעִפַּי יְשִׁיבוּנִי וּבַעֲבוּר חוּשִׁי בִי׃

Visto que os meus pensamentos me impõem resposta. A mente enfurecida de Zofar estava cheia de palavras venenosas para serem atiradas contra Jó. Não havia como conservar o silêncio. "Zofar retrucou com maior veemência do que antes e adotou um estilo mais ornado e elaborado, mas reiterando ainda a mensagem anterior de que uma condenação imediata está reservada para o ímpio" (Ellicott, *in loc.*). Zofar, pois, quebrou um silêncio que só havia mantido com o máximo de controle. Ele estava furioso e queria atingir a sua vítima com palavras que pareciam uma espada desembainhada. Ele cortaria Jó em pedaços, exatamente o que os indivíduos tendentes ao dogmatismo gostam de fazer com suas vítimas, pessoas diferentes deles.

20.3

מוּסַר כְּלִמָּתִי אֶשְׁמָע וְרוּחַ מִבִּינָתִי יַעֲנֵנִי׃

Eu ouvi a repreensão. Zofar tinha ouvido as réplicas de Jó às diatribes dele mesmo e às de seus amigos, e quase não podia acreditar no que ouvia. Jó dizia blasfêmias contra Deus, praticamente a cada golfada de ar. Somente a cortesia tipicamente oriental fizera o homem esperar sua vez de falar. Quando essa oportunidade finalmente lhe foi dada, ele se precipitou como um animal selvagem para atacar o pobre sofredor. O *espírito* de Zofar ergueu-se dentro dele para fazer parar o homem selvagem, Jó, que não podia continuar a declarar aquelas coisas, como se fosse um saco cheio de vento. Alguém tinha de pôr cobro às suas palavras blasfemas. Zofar estava perturbado diante do discurso rude e precipitado de Jó. Este tinha insultado a Deus e aos homens justos. Jó afirmou que Deus tinha "fechado a mente deles ao entendimento" (Jó 17.4). Mas Zofar asseverava agora: "Pelo contrário, minha mente me confere toda a espécie de compreensão que me apresso a declarar". Assim foi que a *obstinação* de Jó encontrou barreira à altura, no *dogmatismo* teológico de Zofar. A retribuição individual (vss. 4-29) havia de fechar bocas como a de Jó.

Aquele pobre crítico de Jó chegou a acreditar que seu julgamento era infalível e não poderia estar equivocado. Tudo quanto é chamado de *infalível* (excetuando Deus) torna-se automaticamente um *ídolo* para a mente humana. A infalibilidade é atributo exclusivo de Deus. Nenhum ser humano, livro ou sistema teológico podem ser chamados de infalível.

20.4,5

הֲזֹאת יָדַעְתָּ מִנִּי־עַד מִנִּי שִׂים אָדָם עֲלֵי־אָרֶץ׃

כִּי רִנְנַת רְשָׁעִים מִקָּרוֹב וְשִׂמְחַת חָנֵף עֲדֵי־רָגַע׃

Porventura não sabes tu que desde todos os tempos. É uma *verdade antiga*, conhecida por qualquer homem sensato, que o triunfo dos ímpios não pode ser tolerado por Deus e que os hipócritas têm um *dia breve*, antes de lhes ser cortada a vida. Essa é a *verdade padronizada*, que faz parte da consciência humana, desde o primeiro dia em que Deus pôs o homem na terra. Mas Jó, convencido de sua inocência, não era sábio o bastante para compreender o que todos os homens sempre reconheceram. Um julgamento severo estava prestes a alijá-lo deste mundo, para sempre, e assim ele desceria ao sepulcro com suas estúpidas pretensões.

"Zofar oferecia o espetáculo de um *crente dogmático* que eliminava pensamentos perturbadores, assim que estes batiam na porta da cidadela de sua mente fechada. O tom insultuoso que ele adotou contra o sofredor, Jó, indica a sua insegurança" (Samuel Terrien, *in loc.*).

Quanto ao homem, os seus dias são como a relva; como a flor do campo, assim ele floresce; pois, soprando nela o vento, desaparece; e não conhecerá, daí em diante, o seu lugar.

Salmo 103.15,16

Pois, qual o crepitar dos espinhos debaixo de uma panela, tal é a risada do insensato; também isto é vaidade.

Eclesiastes 7.6)

"Um lance de escadas leva para cima, mas o mesmo lance leva para baixo (ver Mt 11.21; Lc 10.15). As qualidades que contribuem para o sucesso podem executar meia-volta e contribuir para o fracasso" (Paul Scherer, *in loc.*). Assim Jó, antes tão orgulhoso, agora se tornou arrogante e procurava esconder seus pecados. De súbito, começou a descer o mesmo lance de escadas pelo qual antes estava subindo.

20.6

אִם־יַעֲלֶה לַשָּׁמַיִם שִׂיאוֹ וְרֹאשׁוֹ לָעָב יַגִּיעַ׃

Ainda que a sua presunção remonte aos céus. A *simples observação* confirma o fato perturbador de que os ímpios prosperam. Eles manifestam diabólica inteligência para ganhar dinheiro e obter poder. Vão das realizações humanas até atingir o topo. Mas a subida finalmente será seguida por uma descida e, quando chegarem ao fundo, os ímpios deverão ser esmagados pelo julgamento divino. Os ímpios sobem tanto, que sua cabeça atinge as nuvens. Então proferem palavras blasfemas e dizem que *Deus* os ajudou a chegar aonde se encontram. Eles se afirmam *homens do destino* e, no entanto, são apenas insensatos que agiram espertamente por algum tempo.

Se te remontares como águia e puseres o teu ninho entre as estrelas, de lá te derrubarei, diz o Senhor.

Obadias 4

20.7

כְּגֶלֲלוֹ לָנֶצַח יֹאבֵד רֹאָיו יֹאמְרוּ אַיּוֹ׃

Como o seu próprio esterco apodrecerá para sempre. A *vulgaridade* tomou conta da língua de Zofar, quando ele atacou o infeliz Jó. Embora fosse o homem orgulhoso, rico e ímpio que prosperou por algum tempo, e sua cabeça tenha chegado às nuvens, contudo, finalmente, Jó pereceria como seu próprio esterco. Como as fezes são expulsas do corpo, caem em um buraco, se perdem e são esquecidas, assim aconteceria à vida de Jó! "Sua reputação seria abominável, e sua carcaça pútrida assemelhar-se-ia aos seus próprios excrementos. Um discurso malévolo!" (Adam Clarke, *in loc.*). Algumas pessoas desrespeitam os cadáveres humanos, como se não passassem de excrementos. Um costume árabe era sepultar os cadáveres nas estercaqueiras dos reis! (Estrabão, Geogr. 1.16, parte 539). "A linguagem de Zofar expressa desgosto e a mais vil degradação" (Fausset, *in loc.*).

Os quais pereceram em En-Dor; tornaram-se adubo para a terra.

Salmo 83.10

... e lançarei fora os descendentes da casa de Jeroboão, como se lança fora o esterco...

1Reis 14.10

20.8

כַּחֲלוֹם יָעוּף וְלֹא יִמְצָאוּהוּ וְיֻדַּד כְּחֶזְיוֹן לָיְלָה׃

Voará como um sonho, e não será achado. Talvez um indivíduo tenha um sonho significativo durante a noite, mas quando acorda e abre os olhos o sonho desaparece e ele não consegue lembrar-se, experiência comum a todas as criaturas humanas. Ou um homem pode ter uma visão noturna que não resiste à luz do dia. Quando a luz natural espalha seus raios ao amanhecer, a visão noturna desaparece. Assim aconteceria com a vida de Jó. Ela teve seu breve tempo, e mesmo assim de forma tão fugidia. Um novo dia encontraria Jó desaparecido e esquecido.

Os dias de nossa vida sobem a setenta anos ou, em havendo vigor, a oitenta: neste caso, o melhor deles é canseira e enfado, porque tudo passa rapidamente, e nós voamos.

Salmo 90.10

Quem se importaria se Jó jamais tivesse existido? Nenhum ser humano examinaria sua história ou escreveria um artigo ou livro a respeito. Ele fora apenas como um dos milhões de pecadores que perecem e não deixam vestígio para trás.

O tempo, como um riacho de corrente perene,
Expulsa para longe todos os seus filhos;
Eles voam esquecidos, como um sonho
Desaparece no começo do dia.

Isaac Watts

■ 20.9

עֵין שְׁזָפַתּוּ וְלֹא תוֹסִיף וְלֹא־עוֹד תְּשׁוּרֶנּוּ מְקוֹמוֹ׃

Os olhos que o viram jamais o verão. Os olhos, que antes tinham observado Jó, não o veriam mais, e até as pessoas que costumavam vê-lo em breve desapareceriam. No lugar onde ele residira, em sua casa e seus campos (personificados), outras pessoas procurariam pelo proprietário e não mais o veriam.

Pois, soprando nela o vento, desaparece;
e não conhecerá, daí em diante, o seu lugar.

Salmo 103.16

Nunca mais tornará à sua casa, nem o lugar onde habita o conhecerá jamais.

Jó 7.10

■ 20.10

בָּנָיו יְרַצּוּ דַלִּים וְיָדָיו תָּשֵׁבְנָה אוֹנוֹ׃

Os seus filhos procurarão aplacar aos pobres. *Jó, aquele homem iníquo,* roubava a outros, incluindo os pobres e humildes. Depois que ele morresse, seus filhos seriam forçados a devolver aos pobres e humildes o que lhes fora tomado, sob a ameaça de punição da lei ou da vingança pessoal. Haveria *reparação.* Ver no *Dicionário* o verbete denominado *Reparação (Restituição).* Isso faz parte necessária do arrependimento. Embora *Jó* não quisesse arrepender-se e fosse para a sepultura devendo dinheiro a outras pessoas, *seus filhos* teriam de pagar a diferença e restaurar às vítimas o que o pai ficara devendo. Essa circunstância desgraçaria os filhos de Jó e os levaria à pobreza. Os filhos seriam reduzidos à condição humilhante de ter de buscar o favor daqueles que tinham sido oprimidos por seu pai, incluindo indivíduos de classes humildes e pobres, geralmente desprezados pelos aristocratas.

Dessa forma, Jó, o pecador, envolveria os filhos em seus crimes e os sujeitaria à vergonha pública. Comentou Jarchi: "Os pobres oprimirão ou destruirão seus filhos, porquanto foram oprimidos por ele".

Andem errantes os seus filhos e mendiguem; e sejam expulsos das ruínas de suas casas.

Salmo 109.10

■ 20.11

עַצְמוֹתָיו מָלְאוּ עֲלוּמָו וְעִמּוֹ עַל־עָפָר תִּשְׁכָּב׃

Ainda que os seus ossos. Jó teria começado como um pecador e terminaria a vida como um pecador pior ainda! Ele tivera um curso de vida desprezível, nunca se desviara do deboche. Continuava reivindicando inocência, mas fora um jovem pecador e, agora, era um pecador de mais idade. Talvez Zofar quisesse lembrar a Jó suas palavras, quando confessara que, na juventude, tinha cometido transgressões (ver Jó 13.26). Embora tivesse feito tal confissão, nem por isso Jó acreditava que seus atos afetassem seu presente estado de homem inocente. Em sua *maturidade,* ele não havia cometido pecados que pudessem explicar *por que* sofria tantas dores. Nem acreditava que os pecados de sua juventude pudessem ter causado os sofrimentos que agora, como homem de idade, ele vivia.

Não te lembres dos meus pecados da mocidade, nem das minhas transgressões. Lembra-te de mim, segundo a tua misericórdia, por causa da tua bondade, ó Senhor.

Salmo 25.7

Conforme nos relembram os comentadores judeus, Balaão morreu com somente 33 anos de idade! Ele brincou com a espiritualidade e fez de seus pecados bichinhos de estimação. Obteve vantagens pecuniárias por meio da traição, mas não demorou a ser cortado do mundo dos viventes. O mesmo aconteceria a Jó.

Esse vigor se deitara com ele no pó. A figura de linguagem é a de um pecador que se deita na cama com a amante. Jó, em sua juventude, pode ter-se envolvido nessa espécie de atividade, além de todas as formas de concupiscência juvenil. No fim, a amante seria seus *pecados,* que se deitariam com ele no pó da morte. A *King James Version,* em inglês, supre a palavra "pecados" e nos deixa apenas Jó, em sua morte poeirenta. A *Revised Standard Version* e nossa versão portuguesa dizem "vigor juvenil", que também se deitaria com ele no pó, quando o julgamento divino o atingisse.

"Embora estivesse no pleno vigor da vida, contudo, esse vigor deitar-se-ia com ele, no pó" (Ellicott, *in loc.*).

Abreviaste os dias da sua mocidade e o cobriste de ignomínia.

Salmo 89.45

■ 20.12

אִם־תַּמְתִּיק בְּפִיו רָעָה יַכְחִידֶנָּה תַּחַת לְשׁוֹנוֹ׃

Ainda que o mal lhe seja doce na boca. Doce Pecado! Jó havia saboreado seus pecados como uma criança coloca um pedaço de chocolate na boca e não o engole logo, a fim de continuar saboreando o bom gosto! As pessoas comem guloseimas não porque estas lhes façam bem, mas porque têm bom paladar, assim como faz uma criança. A criança põe o pedaço de chocolate debaixo da língua e ali o conserva, como um pequeno tesouro, e outro tanto sucede ao pecador e seu pecado. Suas iniquidades são seu doce tesouro, que ele esconde de outras pessoas, praticando-as em segredo. O pecado, entretanto, consiste em *bombons envenenados,* conforme o pecador descobre tarde demais. É conforme diz um antigo provérbio popular: "Cedo demais para ficar velho. Tarde demais para ficar sábio!"

Talvez o pior e principal pecado, aqui, seja o esforço selvagem para obter e manipular as riquezas materiais (vs. 15). No entanto, devemos lembrar que pecados são associados às riquezas materiais por causa do *abuso* acerca do dinheiro, e não por causa do dinheiro em si mesmo. Jó, segundo a estimativa de Zofar, abusara de seus semelhantes, por ser rico e poderoso, conforme fica suposto no vs. 10 deste capítulo.

■ 20.13

יַחְמֹל עָלֶיהָ וְלֹא יַעַזְבֶנָּה וְיִמְנָעֶנָּה בְּתוֹךְ חִכּוֹ׃

E o saboreie, e não o deixe. O poeta continua a usar a metáfora do pecado como um bombom. A criança continua a reter o bombom em sua boca, porque o estômago não tem nenhuma função de saborear os alimentos. Assim também o homem rico, pleno de vícios e pecados, sempre tem seus doces prazeres, que retém e os prova constantemente. Conta-se a história de certo glutão, chamado *Filoxeno,* que desejava que sua garganta fosse tão longa como a de um grou, para que continuasse a provar seu alimento, antes que chegasse ao estômago.

O que encobre as suas transgressões jamais prosperará; mas os que as confessa e deixa alcançará misericórdia.

Provérbios 28.13

■ 20.14

לַחְמוֹ בְּמֵעָיו נֶהְפָּךְ מְרוֹרַת פְּתָנִים בְּקִרְבּוֹ׃

Contudo a sua comida se transformará nas suas entranhas. Uma vez que o homem engoliu o alimento, descobriu, para seu horror, que estava cheio do terrível veneno de uma *serpente!* Os doces (vss. 12,13) aqui tornam-se alimento geral, e alimento representa os *pecados enganadores*. Os doces têm um gosto excelente, mas são cheios de veneno mortífero. Eles começam a agradar a um homem (como um pedaço de chocolate na boca), mas terminam por destruí-lo, como se fosse veneno no estômago. As riquezas materiais estão particularmente em vista (vs. 15), mas também ficam subentendidos todos os tipos de pecados. Os pecados parecem bons na boca, mas no estômago azedam e levam um homem a vomitar. Zofar, em estilo poético, está falando sobre a *Lei Moral da Colheita segundo a Semeadura* (ver a respeito no *Dicionário*). Um homem colhe aquilo que tiver semeado (ver Gl 6.7).

Os críticos de Jó continuavam a tocar a mesma velha canção. Os sofrimentos dos homens *sempre* resultam de eles terem pecado e serem merecedores do julgamento divino. Mas Jó sabia que essa resposta (apesar de padronizada e veraz, até certo ponto, pelo menos) não explicava o enigma de *seus* sofrimentos, que eram *sem causa* (ver Jó 2.3), sendo ele um homem *inocente*.

Fel de áspides. Muitos antigos acreditavam que o veneno de uma serpente estivesse na sua vesícula biliar, sem saber que as serpentes têm um *saco de veneno* especial. Alguns chegavam a acreditar que a língua da serpente podia transportar o veneno e matar um homem mesmo sem mordê-lo. Ver as notas expositivas no vs. 16 deste capítulo, onde dou mais informações sobre essas crenças fantásticas.

Ver a seção V da *Introdução* ao livro de Jó, que examina as *razões* do sofrimento humano.

"O pecado é um mal amargo, que produz uma tristeza amarga e contribui com sua obra amarga, para que um homem bom se arrependa (ver Jr 2.19; Mt 26.75)" (John Gill, *in loc.*).

A tua malícia te castigará, e as tuas infidelidades te repreenderão; sabe, pois, e vê que mau e quão amargo é deixares o Senhor, teu Deus, e não teres temor de mim, diz o Senhor, o Senhor dos Exércitos.

Jeremias 2.10

■ 20.15

חַיִל בָּלַע וַיְקִאֶנּוּ מִבִּטְנוֹ יוֹרִשֶׁנּוּ אֵל׃

Engoliu riquezas, mas vomitá-las-á. No final da história, o *pecado* leva os homens a *vomitar*, porquanto amarga a vida e a ameaça com destruição, tal como um veneno ingerido por alguém. Estão em foco as riquezas materiais e os excessos que elas trazem. Jó, como um xeque rico, teria de pagar pelo abuso de suas riquezas materiais e de seu poder. Essas riquezas se tornariam como o veneno de cobras em seu estômago (ver o vs. 14). O pecador tem de vomitar a massa venenosa, mas isso ocorrerá tarde demais. Pois o veneno, a essa altura dos acontecimentos, já terá entrado em sua corrente sanguínea. Esse homem certamente morrerá. O pecado o matou. Deus e os homens se esquecerão dele, porquanto a sua memória de nada mais vale (ver o vs. 9).

Deus é visto aqui como a *causa* do vômito do homem pecador. Alguns intérpretes, entretanto, dizem que a figura em foco é o *emético*. "A figura de Deus administrando o emético é rude e poderosa" (Peace, *Job*, pág. 199). O vômito e/ou a expulsão dos intestinos é uma figura que fala daquilo que o pecado faz, finalmente, a um homem. Ele vê que foi destruído por sua insensatez e tenta liberar-se de seus pecados, mas seus esforços são tardios e pequenos demais. O homem desfrutava de seus pecados: *estética*. Mas o pecado termina com ele: *ética*. "... a ética não pode ser descartada, mesmo sob a cobertura da estética" (Samuel Terrien, *in loc.*).

O historiador Herbert J. Muller alega que a história não tem nenhuma significação. Seria apenas uma massa confusa de acontecimentos, bons e maus, sem nenhum desígnio e alvo que pudessem ser buscados. O problema é levar as pessoas a agir corretamente, quando, na realidade, não existe que as impulsione para a frente, porquanto toda a vida é mera incerteza. Reinhod Niebuhr rejeitava essa "teoria do nada", mas punha no lugar disso um "mistério cheio de significado". Zofar tinha respostas simplistas. Simplificava exageradamente as questões difíceis e aplicava erroneamente as verdades óbvias.

Este versículo parece aplicar a figura do vômito e do emético, e isso lhe empresta um impacto vulgar, mas poderoso. Deus está por trás da disposição do pecado, mas isso geralmente vem tarde demais. O pecado mata.

■ 20.16

רֹאשׁ־פְּתָנִים יִינָק תַּהַרְגֵהוּ לְשׁוֹן אֶפְעֶה׃

Veneno de áspides sorveu. A figura aqui parece retornar à do bombom na boca (vss. 12,13). Um homem chupa a doçura da gulosema e usufrui de seu resultado. Entretanto, ele desconhece que, na doçura de que tanto aprecia, há um veneno fatal, uma vez que chegue à sua corrente sanguínea.

Veneno. Algumas traduções estampam aqui a *vesícula biliar* mais literal. Muitos antigos acreditavam que o veneno das serpentes é o seu fel. Eles não sabiam que as serpentes contam com um *saco de veneno* especial que nada tem a ver com a vesícula biliar. Plínio (*Hist. Nat. Lib. xi. Cap. 37*) pensava que o fel de outros animais, como os cavalos, também era venenoso, tanto quanto o veneno das serpentes, mas, como esse veneno não era iracundo, então não tinha efeitos. Eram ideias estranhas e pitorescas, que existiam antes do avanço da ciência.

O hedonismo não satisfaz. Outrossim, trata-se de uma noção fatal, se não nos arrependermos dela. Zofar deixou o caso por ele estava apresentando bem claro; mas Jó, na verdade, não era culpado como seus três amigos molestos supunham.

Língua de víbora o matará. A palavra "língua" aqui usada representa *as presas* de uma serpente. A figura de linguagem, pois, pode assumir outra feição. Mas Plínio explicou que o veneno das serpentes está em um líquido presente nas gengivas delas, uma substância amarelada como se fosse um óleo. Durante a cópula, de acordo com essa ciência mal orientada, a serpente macho coloca a cabeça na boca da serpente fêmea e chupa a doçura que há ali, e, nesse prazer, elas se reproduzem! (*Nat. Hist.* Lib. 1, 11. Cap. 27). Alguns antigos pensavam que a língua maldosa que as serpentes põem para fora da boca, contra a pessoa, pode matar suas vítimas, sem que elas tenham de mordê-las. Portanto, que não se deixe que uma serpente nos lamba! Talvez o poeta sagrado também compartilhasse dessas crenças fantásticas, ou, então, ele falou poeticamente, ao substituir as "presas" pela "língua" da serpente.

■ 20.17

אַל־יֵרֶא בִפְלַגּוֹת נַהֲרֵי נַחֲלֵי דְּבַשׁ וְחֶמְאָה׃

Não se deliciará com a vista dos ribeiros. O homem rico acumula riquezas materiais e se ajusta a uma *vida boa*. Ele passa a vida entre os riachos e as torrentes que fluem (poeticamente) com mel e manteiga. Mas Zofar afirmava que muitos homens ricos (incluindo Jó) não teriam permissão de desfrutar dessa vida boa, mas, antes, seriam cortados súbita e *prematuramente*. Não, o hedonismo não satisfaz, mas, mesmo que satisfizesse, suas recompensas não durariam por longo tempo. O que é certo é que o pecador terá um fim mau.

Cf. "o mel e a manteiga" deste versículo com a expressão hebraica padronizada "leite e mel", que descrevia a terra da Palestina, em Êx 3.8; Nm 13.27 e Dt 6.6. Na Palestina, havia muito leite e mel, mas no deserto da Arábia, terra mais pobre e menos abundante, os árabes só tinham leite e manteiga. Jó podia estar agora com uma saúde mais abatida, mas era, definitivamente, um *homem citadino*, aberto aos prazeres, desfrutando de todas as coisas e espalhando suas riquezas para aumentar seus prazeres, conforme Zofar pensava.

A *abundância* de leite e mel subentendem sucesso na criação de gado e também no trabalho de agricultura. Os negócios de Jó iam bem; eles eram produtivos e ele era rico. Ele pôs seu dinheiro a trabalhar de formas negativas e pecaminosas, conforme Zofar também pensava.

E será tal a abundância de leite que elas lhe darão, que comerá manteiga; manteiga e mel comerá todo o restante no meio da terra.

Isaías 7.22

■ 20.18

מֵשִׁיב יָגָע וְלֹא יִבְלָע כְּחֵיל תְּמוּרָתוֹ וְלֹא יַעֲלֹס׃

Devolverá o fruto do seu trabalho e não o engolirá. Os projetos agrícolas do pecador finalmente falharão, e ele não usufruirá do fruto de seu trabalho; as atividades de seus negócios também atravessarão tempos difíceis, e ele não obterá lucro daí. Gradualmente ele haverá de ressecar e desaparece. Deus é seu inimigo. Ele não poderá continuar prosperando durante longo tempo. Cf. Jó 5.5 e 15.17-35. Cf. o contraste espiritual declarado em 1Co 15.58:

> Portanto, meus amados irmãos, sede firmes, inabaláveis e sempre abundantes na obra do Senhor, sabendo que, no Senhor, o vosso trabalho não é vão.

A vida trata com os ímpios generosamente (Mt 5.45), quanto mais com o homem bom. "A diferença entre o justo e o injusto jaz mais fundo. Mas as retribuições não são da mesma espécie" (Paul Scherer, *in loc.*). Ver na *Enciclopédia de Bíblia, Teologia e Filosofia* o verbete chamado *Galardão*.

Do lucro de sua barganha. Parece que o poeta voltou à ideia do vs. 10. Os filhos do homem rico teriam de devolver aos oprimidos aquilo que lhes fora tirado. Ou, então, a ideia é a de perder tudo por ocasião da *morte*, uma espécie de devolução do que fora adquirido através do labor de uma vida inteira. Na restituição aos moldes mosaicos, devolvia-se quatro ou cinco vezes mais (ver Êx 22.1).

> *Pois este, quando encontrado, pagará sete vezes tanto...*
> Provérbios 6.31

■ 20.19

כִּי־רִצַּץ עָזַב דַּלִּים בַּיִת גָּזַל וְלֹא יִבְנֵהוּ׃

Oprimiu e desamparou os pobres. Este versículo repete a essência do vs. 10. Jó, o opressor ímpio e social, fez vítimas entre os *pobres*, para sua vergonha eterna. Com tal homem sem coração, esperava-se que Deus tratasse duramente. Além da opressão, ele deixou de fora a caridade. Viu os sofrimentos, mas não tentou aliviá-los. Agora ele sofria, e suas dores não eram aliviadas nem por Deus nem pelos homens. Jó vivia em uma casa de fantasia, mas teve coragem de tomar até as casas dos menos afortunados, para aumentar sua fortuna considerável, conforme Zofar dizia. Uma réplica a tais acusações só aparece no capítulo 31. Não há nenhuma evidência de que Jó tenha agido dessa maneira.

> *Se cobiçam campos, os arrebatam; se casas, as tomam; assim, fazem violência a um homem e à sua casa, a uma pessoa e à sua herança.*
> Miqueias 2.2

■ 20.20

כִּי לֹא־יָדַע שָׁלֵו בְּבִטְנוֹ בַּחֲמוּדוֹ לֹא יְמַלֵּט׃

Por não haver limites à sua cobiça. O ventre do indivíduo (*King James Version*) desejava mais riquezas, para que ele continuasse "devorando" a propriedade e o dinheiro alheio. Diz a *Revised Standard Version* que sua "ganância não tem descanso". Jó tinha dinheiro e *poder*, portanto não havia nada que cobiçasse e não fosse capaz de obter. Para ele, "poder era direito". Ou, então, era conforme dizia Mao Tsé Tung: "A justiça sai da boca de um rifle".

> *Mas os perversos são como o mar agitado, que não se pode aquietar, cujas águas lançam de si lama e lodo.*
> Isaías 57.20

Não chegará a salvar as cousas por ele desejadas. O ímpio, tendo tomado *tudo* de todos, teria *tudo* quanto era seu tomado no julgamento e seria deixado em necessidade, tal e qual deixara outros. O julgamento tomaria toda a riqueza de Jó, bem como seus servos e sua família. Ele seria reduzido a nada, porquanto assim agirá com outras pessoas, conforme Zofar dizia.

■ 20.21

אֵין־שָׂרִיד לְאָכְלוֹ עַל־כֵּן לֹא־יָחִיל טוּבוֹ׃

Nada escapou à sua cobiça insaciável. O iníquo *homem faminto*, em sua voracidade, havia devorado tudo e, assim, perdendo finalmente todas as coisas, o homem maligno chegaria a um período de necessidade. O homem que devorava outros seria agora fatalmente devorado por Deus, por meio da lei da colheita segundo a semeadura. O homem era um tirano perigoso, que a ninguém poupava, porquanto estava em seu poder prejudicar e roubar. Portanto, seria tratado da mesma maneira por um poder maior. A *King James Version* tem a ideia de que a pobreza de Jó seria tão completa, uma vez tendo sido julgado, que nem ao menos haveria saqueadores que viessem e saqueassem, pois nada haveria para eles tomarem. A *Revised Standard Version* diz que a sua prosperidade não perduraria, e essa é a ideia da nossa versão portuguesa.

■ 20.22

בִּמְלֹאות שִׂפְקוֹ יֵצֶר לוֹ כָּל־יַד עָמֵל תְּבוֹאֶנּוּ׃

Na plenitude da sua abastança. Justamente quando o pecador pensa que está "cheio" de suas possessões mal adquiridas, e em posição de desfrutar a boa vida, súbito desastre o atingirá e tirará dele tudo quanto tiver acumulado. Sua "abertura" seria reduzida, mediante um único golpe, à "estreiteza". Sua estrada, antes larga e plena de alegrias, agora é estreita e coberta de obstáculos. Sua boa vida se tornaria má. Mãos haveriam de feri-lo, as dos pobres que ele tinha oprimido.

Para o Targum, as *mãos* que ferem pertencem aos trabalhadores, aqueles a quem Jó havia explorado. Os injuriados revidariam com vingança. Os sabeus e caldeus atacaram Jó, roubando-lhe as riquezas.

■ 20.23

יְהִי לְמַלֵּא בִטְנוֹ יְשַׁלַּח־בּוֹ חֲרוֹן אַפּוֹ וְיַמְטֵר עָלֵימוֹ בִּלְחוּמוֹ׃

Para encher a sua barriga. O pecador ímpio tinha enchido o seu ventre com toda a espécie de coisas boas, e tinha um apetite voraz. Quando fosse julgado, Jó teria o seu ventre cheio de toda espécie de coisas amargas e venenosas. Deus é quem faria isso com ele, providenciando para que o seu apetite fosse "satisfeito". Uma ira feroz choveria sobre o pobre homem, e isso seria a sua alimentação. Temos aqui uma metáfora. A *King James Version* diz: "Choverá sobre ele quando estiver comendo", uma tradução muito literal, com a qual concorda nossa versão portuguesa, mas a ira de Deus é que choveria sobre ele e se tornaria seu alimento. Contudo, o original hebraico é um tanto obscuro. Talvez tenhamos aqui uma boa tradução: "Por alimento (Deus) mandará chover ira sobre ele". A *chuva* fala de abundância e provisão para a vida. A chuva do homem mau é abundante, mas traz a morte.

Em lugar de alimento, poderíamos ler "carne". Nesse caso, a ira divina cairia sobre o corpo de Jó, na forma de enfermidades.

■ 20.24

יִבְרַח מִנֵּשֶׁק בַּרְזֶל תַּחְלְפֵהוּ קֶשֶׁת נְחוּשָׁה׃

Se fugir das armas de ferro. Os inimigos de Jó, tanto os literais quanto os figurados, haveriam de atacá-lo como um bando selvagem de soldados, munidos com armas de ferro, "o bronze sem misericórdia", conforme Homero chamou tais instrumentos. E Jó, o pobre indivíduo, seria traspassado com muitas tristezas.

> *E alguns, nessa cobiça, se desviaram da fé e a si mesmos se atormentaram com muitas dores.*
> 1Timóteo 6.10

"A morte caça o homem que tenta escapar. Ele consegue evitar a lança, mas é atravessado por um dardo. Extrai o dardo de sua carne, pensando que isso melhorará a situação, mas passa momentos de terror, diante da morte" (Paul Scherer, *in loc.*).

A *espada de Deus*, conforme Bar Tzemach observou, é aqui expressa de modo figurado. Ao fugir dela, ou na sua tentativa de fuga, o homem mostra culpa na consciência. O homem, ferido aqui e ali, sangrando, cai na ira de Deus. Não há como escapar da mão de Deus. Nenhum ser humano pode fugir de sua presença.

■ 20.25

שָׁלַף וַיֵּצֵא מִגֵּוָה וּבָרָק מִמְּרֹרָתוֹ יַהֲלֹךְ עָלָיו אֵמִים׃

Ele arranca das suas costas a flecha. A flecha sem misericórdia atravessou o homem, mas com um esforço heroico ele consegue arrancá-la, enquanto geme e agoniza em dor insuportável. A flecha danificou seus órgãos internos e, quando ele a puxou para fora de seu corpo, ela trouxe fragmentos de seus órgãos. O homem se aterroriza. Chegou a hora de sua morte. Não há remédio exceto morrer.

Fel. Ou seja, a secreção da vida, que antes estava nele, operando a sua função, mas agora, fora dele, o fazia morrer.

■ **20.26,27**

כָּל־חֹשֶׁךְ טָמוּן לִצְפּוּנָיו תְּאָכְלֵהוּ אֵשׁ לֹא־נֻפָּח יֵרַע שָׂרִיד בְּאָהֳלוֹ:

יְגַלּוּ שָׁמַיִם עֲוֺנוֹ וְאֶרֶץ מִתְקוֹמָמָה לוֹ:

A terra e os céus se reunirão contra o ímpio. Calamidades de todos os tipos perturbarão sua vida. Ele perderá dinheiro e terras. O *fogo de Deus o queimará*. Ver *Fogo* no *Dicionário* para os usos metafóricos desta palavra. Neste texto, fogo literal e metafórico estão sob consideração.

Os céus lhe manifestarão a sua iniquidade. O ímpio não pode ocultar seus pecados secretos para sempre. Os céus intervirão e deixarão tudo claro. A terra também se erguerá contra aquele homem, para pôr fim à triste história dele. O pecador recebe a oposição de Deus e dos homens, da natureza e de todo elemento que pode voltar-se contra ele. Ele tem de enfrentar inimigos avassaladores, pelo que sua condenação está selada. "A criação inteira inimizou-se com ele, por causa de sua culpa, que ele tanto quis ocultar. Zofar aludiu às próprias palavras de Jó (ver Jó 16.18,19), onde ele apela *aos céus e à a terra*, a fim de que confirmem sua inocência" (Fausset, *in loc.*).

■ **20.28**

יִגֶל יְבוּל בֵּיתוֹ נִגָּרוֹת בְּיוֹם אַפּוֹ:

As riquezas da sua casa serão transportadas. Toda a riqueza que o infeliz indivíduo labutou a vida inteira para ganhar será, de súbito, varrida para longe, e ele perderá tudo para sempre.

> *Os montes debaixo dele se derretem, e os vales se fendem; são como a cera diante do fogo, como as águas que se precipitam num abismo.*
>
> Miqueias 1.4

Os avisos são menos ouvidos, quando é mais urgente a necessidade deles. Muitos recebem conselhos, mas somente os sábios aprendem. De fato, a maioria dos homens pede conselhos, quando o que realmente querem é aprovação. Assim Zofar deve ter pensado acerca de Jó. Os homens enchem-se de virtudes conforme envelhecem. Eles entregaram a vida ao diabo, mas agora querem a proteção de Deus para enfrentar a morte. Há também a história do homem que assassinou seus pais; então, ao ser julgado, apelou por misericórdia, porque agora era um órfão! O julgamento de Deus ignora essa falta de bom senso, embora os homens possam deixar-se comover por ela.

> Os sinos do inferno fazem ting-a-ling-a-ling
> Por você, mas não por mim.
>
> Anônimo

Mas as coisas não correm dessa maneira, necessariamente. A retribuição tem suas surpresas.

> *O fruto sazonado, que à tua alma tanto apeteceu, se apartou de ti, e para ti se extinguiu tudo o que é delicado e esplêndido, e nunca jamais serão achados.*
>
> Apocalipse 18.14

■ **20.29**

זֶה חֵלֶק־אָדָם רָשָׁע מֵאֱלֹהִים וְנַחֲלַת אִמְרוֹ מֵאֵל: פ

Tal, é da parte de Deus, a sorte do homem perverso. O indivíduo ímpio, tão repleto de bens, perdeu tudo, mas ainda assim tem uma "rica" herança, a ira de Deus que nivela todas as coisas. Essa é a "porção" dele, e Deus é quem tratou com ele. Quando falamos em riquezas materiais, naturalmente pensamos em heranças, porque as riquezas passam de pai para filho. Quando Zofar falou sobre heranças, viu o que Deus tinha de reserva para o ímpio rico que explorou outras pessoas. Foi, de fato, uma visão terrível. Há um decreto divino envolvido na questão.

Não devemos cristianizar este texto, fazendo a ira de Deus referir-se a algum julgamento *depois* da morte biológica de um homem. Essa doutrina não entrou na teologia dos hebreus senão na época em que foram produzidos os livros do período intermediário entre o Antigo e o Novo Testamento. Zofar falava sobre o aniquilamento absoluto do pecador, antes e por ocasião da morte física.

> Superficiais meio-crentes em credos casuais,
> Mas que nunca sentiram no íntimo, nem desejaram,
> Cujo discernimento nunca produziu fruto nas ações,
> Cujas vagas resoluções nunca foram cumpridas;
> Para quem cada ano que passa,
> É um novo começo, mas gera novos desapontamentos,
> Que hesitam e titubeiam por toda a vida,
> E perdem amanhã o terreno conquistado ontem.
>
> Matthew Arnold

CAPÍTULO VINTE E UM

O plano dos discursos é a apresentação, por cada um dos *consoladores molestos* de Jó (Jó 16.2), de três discursos, excetuando o terceiro deles, que fez somente dois discursos. Então Jó deu resposta a cada um deles, por sua vez. O capítulo 21 registra a réplica de Jó ao segundo discurso de Zofar. Quanto a notas expositivas completas sobre esse plano, ver as introduções aos capítulos 4, 8 e 20 do livro de Jó. Jó objetou à assertiva geral de que as suas dificuldades caíram sobre ele em resultado da operação da *Lei Moral da Colheita segundo a Semeadura* (ver a respeito no *Dicionário*). Jó continuava insistindo em que era *inocente*. Os dogmas dos "amigos" de Jó não incluíam essa possibilidade. Ver sobre o *Problema do Mal*, na seção V da *Introdução* ao livro de Jó. Talvez o sofrimento dos inocentes faça parte do *caos* que afetou a toda a natureza, de cujo *caso* nem mesmo o crente está isento (ver Rm 8.20). Mas rejeitamos a ideia de que alguma espécie de barganha cósmica estava em operação, como a descrita no prólogo do livro de Jó, que poderia comprovar algumas respostas. As outras introduções aos capítulos entram nessa questão, assim não repito os comentários aqui.

A réplica de Jó concede-nos um raciocínio meticuloso, proferido através de forte poesia retórica. O homem sofredor, Jó, cria réplicas diretas às afirmações de seus "amigos", como se não fossem aplicáveis ao seu caso, por serem cheias de abusos e distorções.

Raciocínios Principais à Réplica que se Segue:
1. Vss. 2-6, introdução. A chamada de atenção.
2. Vss. 7-13. Os dogmas petrificados dos consoladores molestos estavam simplesmente equivocados. Os homens maus prosperam e parecem imunes aos sofrimentos.
3. Vss. 14-21. O caso de Jó foi um clamoroso caso de *injustiça divina*, que nenhuma moralidade sensível pode aceitar ou justificar.
4. Vss. 22-27. A justiça não é feita mediante a morte, visto que tanto os bons quanto os maus compartilham dela, igualmente. Nem há consideração sobre um julgamento para além da morte biológica, que equilibre as *contas correntes*.
5. O homem mau ganha do homem justo, em uma consideração, pelo menos: sua fama sobrevive; o homem justo é totalmente esquecido.

PEDIDO POR SILÊNCIO E PARA ESCUTAREM (21.1-6)

Falar com os amigos de Jó era como falar a uma parede de tijolos. Eles não ouviam nem compreendiam. Jó refutou as palavras de Zofar (vss. 7-33), esperando alguma espécie de resposta razoável. Os indivíduos dogmáticos, entretanto, não sabem usar a razão. Antes, estão enterrados até o pescoço na tradição e na arrogância. Em contraste com as outras respostas de Jó, nesta réplica não há nenhum apelo direto a Deus.

21.1,2

וַיַּעַן אִיּוֹב וַיֹּאמַר׃

שִׁמְעוּ שָׁמוֹעַ מִלָּתִי וּתְהִי־זֹאת תַּנְחוּמֹתֵיכֶם׃

Respondeu, porém, Jó. Jó continuou na esperança de que, *se* seus consoladores molestos ouvissem e dessem atenção à sua argumentação, abandonariam, em parte, os seus dogmas teimosos. Eles não faziam ideia de que há coisas nos céus e na terra que a filosofia deles nunca havia imaginado. Eles eram os *donos* da verdade e os seus únicos propagandistas autorizados, conforme pensavam. Ver as notas expositivas em Jó 12.1. A verdade corria o perigo de morrer juntamente com eles! Aqueles homens miseráveis tinham identificado suas "consolações" com as *consolações de Deus* (ver Jó 15.11). Contudo, Jó pediu-lhes atenção benévola. Ele esperava que o que estava prestes a dizer induzisse alguma espécie de *retratação* da parte daqueles beatos.

Embora no capítulo 19 Jó tivesse mostrado fé na retribuição divina, neste capítulo 21, a fim de contradizer com maior eficácia o discurso de Zofar, ele negou que o princípio estivesse realmente em operação neste mundo miserável. Jó havia caído no *pessimismo* (ver na *Enciclopédia de Bíblia, Teologia e Filosofia*). Ele chegou a acreditar que a própria existência é um mal. O grande cético, Schopenhauer, chegou a ponto de declarar que o maior pecado que um homem pode cometer é haver nascido.

21.3

שָׂאוּנִי וְאָנֹכִי אֲדַבֵּר וְאַחַר דַּבְּרִי תַלְעִיג׃

Tolerai-me, e eu falarei. Os críticos de Jó eram "zombadores". Eles escarneciam tanto de Deus quanto dos homens. Portanto, Jó usou dessa palavra de modo irônico: "Ouvi-me, enquanto continuo a declarar de modo extravagante, ó zombadores". Ele conclamou aquelas *cidadelas do dogma* a escutar um pouco mais. Talvez ele conseguisse irromper através da mente de cimento deles e a fizesse receber um pouco de luz. Havia um *enigma* em seus sofrimentos. Ele era *inocente*. Por que o inocente sofre? O texto massorético contém, aqui, o vocábulo no singular, *inocente*. Jó destacou Zofar para a sua réplica. Ver no *Dicionário* o artigo intitulado *Massora (Massorah); Texto Massorético*, quanto a uma discussão do texto hebraico estandardizado. Ver também o verbete *Manuscritos Antigos do Antigo Testamento*. A Septuaginta tem aqui o plural, como se Jó se tivesse dirigido a todos os seus três críticos.

Cf. este versículo com Jó 12.4 e 17.2, onde Jó também chamou seus amigos-críticos de "zombadores".

21.4

הֶאָנֹכִי לְאָדָם שִׂיחִי וְאִם־מַדּוּעַ לֹא־תִקְצַר רוּחִי׃

Acaso é do homem que eu me queixo? *A vara de Deus* estava sobre Jó (vs. 9), quando deveria estar sobre os iníquos. Por que o inocente sofre? Portanto, o pobre homem, Jó, registrou sua queixa não contra os homens, mas contra Deus, e chamava o seu tratamento de *injusto*. O paciente Jó tinha-se tornado impaciente. Ele estava cansado de ver e experimentar tanta miséria neste mundo. Para ele, este não era, definitivamente, "o melhor de todos os mundos possíveis", conforme Leibniz propôs certa feita. De fato, Jó não podia imaginar mundo pior!

"Se Deus é um ser perfeito, e Criador deste mundo, ele teria escolhido criar o melhor de todos os mundos possíveis, e devemos supor que ele assim o tenha feito" (*Dictionary of Philosophy and Religion*, sobre *Leibniz*). Jó rejeitava essa tese. As evidências eram contrárias.

"Visto que Jó tinha uma querela *com Deus*, por que seus amigos se mostrariam impacientes com ele? Pelo menos, deveriam ter compreendido que ele tinha uma razão para estar irado" (Samuel Terrien, *in loc.*). Cf. Jó 6.21-23.

21.5

פְּנוּ־אֵלַי וְהָשַׁמּוּ וְשִׂימוּ יָד עַל־פֶּה׃

Olhai para mim, e pasmai. Nossa versão portuguesa, acompanhando a *Revised Standard Version*, tem uma excelente tradução aqui. A visão era repelente e terrível, ultrapassando qualquer descrição. Não obstante, lá estava ele, um *inocente*, naquela condição. Bastaria um olhar para Jó para modificar alguns dogmas. Mas os indivíduos dogmáticos nunca desistem. Um olhar para Jó teria cessado as tagarelices dos críticos dele. Eles deveriam pôr as mãos sobre a boca. Mas falar era fácil para eles, mesmo diante de um sofrimento espantoso. Provavelmente, este versículo introduz as contínuas blasfêmias de Jó, que deixaram seus críticos espantados. "Eles ficariam verdadeiramente *mudos* diante da ousadia das blasfêmias de Jó (vs. 5b). Ele mesmo já estremecia diante do pensamento de sua própria precipitação (vs. 6)" (Samuel Terrien, *in loc.*).

Harpocrates era o deus egípcio do silêncio. Ele é apresentado nas inscrições e gravuras antigas com um dedo comprimindo o lábio superior, um sinal de silêncio. Cf. Jó 29.9 e 40.4.

21.6

וְאִם־זָכַרְתִּי וְנִבְהָלְתִּי וְאָחַז בְּשָׂרִי פַּלָּצוּת׃

Porque só de pensar nisso me perturbo. A qualquer momento em que Jó pensasse sobre a profundeza de seus sofrimentos, ele se lamentava e começava a estremecer. Ele estava sujeitado a *tensões máximas*, para as quais não havia alívio. Mas também é provável que encontremos, aqui, uma introdução às blasfêmias que ele estava prestes a proferir. Ele caía estremecendo, quando considerava a extrema precipitação das palavras que estava prestes a dizer. "Estou pronto para falar das misteriosas obras da providência divina, e estremeço diante do pensamento, ao entrar em detalhes sobre tal assunto" (Adam Clarke, *in loc.*). Quanto ao *desalento* de Jó, cf. Jó 22.10 e 23.15,16.

21.7

מַדּוּעַ רְשָׁעִים יִחְיוּ עָתְקוּ גַּם־גָּבְרוּ חָיִל׃

Como é, pois, que vivem os perversos...? *Injustiça*. O ímpio enriquece. E com suas riquezas ele assalta outras pessoas. Esse ímpio se espaventa como se fosse um galo, e outros homens o louvam. Ele envelhece sem passar por tribulação especial alguma. Tem alguns poucos lamentos, mas na verdade são sempre poucos demais para serem mencionados. Continua sendo homem poderoso em sua idade avançada, pratica injustiças contra os seus semelhantes e nunca tem um momento para pensar em Deus. Mas porventura Deus fere *esse* homem? Não, pois estava ocupado demais em ferir Jó! Zofar declarou que os ímpios logo desvanecem (ver Jó 20.5 ss.), mas Jó observava exatamente o contrário. Quanto à alegada *brevidade* do triunfo dos ímpios, cf. Jó 15.29,32-34; 18.5; 20.5,8-22. Quanto a esse enigma (os ímpios continuam ativos por longo tempo), ver Rm 2.4; 1Tm 1.16; Sl 73.18; Ec 8.11-13; Lc 12.16-20 e 16.19-22.

21.8

זַרְעָם נָכוֹן לִפְנֵיהֶם עִמָּם וְצֶאֱצָאֵיהֶם לְעֵינֵיהֶם׃

Seus filhos se estabelecem na sua presença. Parte da prosperidade dos ricos consiste no fato de que a *posteridade* deles continuará em suas riquezas e poder, para deleite dos antigos pecadores que eram seus pais. No entanto, ali estava Jó, depois que sua família foi *destruída* (ver Jó 1.19), e ele era um homem inocente! Quem poderia encontrar sentido em uma situação como aquela? Cf. este versículo com Jó 18.19; Jr 12.1 e Sl 73.3.

> *Pois eu invejava os arrogantes, ao ver a prosperidade dos perversos.*
>
> Salmo 73.3

Os arrogantes e perversos continuavam a história em seus filhos, uma forma espúria de imortalidade, que envelhece pela segunda geração e nada significa. Mas Jó, pelo menos no momento, via algum valor nessa ideia.

21.9

בָּתֵּיהֶם שָׁלוֹם מִפָּחַד וְלֹא שֵׁבֶט אֱלוֹהַּ עֲלֵיהֶם׃

As suas casas têm paz, sem temor. As casas (tendas) dos ímpios são seguras, em contraste com a casa de Jó, que foi nivelada por uma grande ventania (ver Jó 1.19). A casa é o símbolo do que é bom neste mundo, contanto que se tenha tornado o *lar* de uma família unida. Os ímpios têm famílias unidas em seus excelentes lares, enquanto os filhos de Jó foram mortos em suas propriedades, destruídas por desastres naturais. O *problema do mal* (ver a *Introdução* ao livro de Jó) opera através do *mal moral* (a desumanidade do homem contra o homem) e através do *mal natural* (os abusos da natureza, como incêndios, inundações, terremotos, enfermidades e, finalmente, a morte, a campeã dos males físicos). Jó havia sofrido esses tipos de assalto, mas os perversos, algumas vezes, prosseguem indefinidamente, imunes a qualquer tipo de sofrimento. Zofar tinha predito desastre para os ímpios (ver Jó 20.26), tal como o havia feito Bildade (ver Jó 18.15). Jó, entretanto, observava exatamente o oposto. Os ímpios eram como "gatos gordos", desfrutando de uma boa vida, enquanto o homem inocente atingia a agonia. O que estava predito para os bons não acontecia a Jó (ver Jó 5.22,23). Havia nos sofrimentos de Jó um *enigma* que os argumentos não conseguiam resolver, nem os argumentos dos amigos-críticos de Jó nem os do próprio Jó. Naturalmente, o problema do mal (por que os homens sofrem e por que sofrem como sofrem) é uma das questões mais enigmáticas que existem. Ofereço uma discussão plena a respeito no artigo, do *Dicionário*, denominado *Problema do Mal*.

■ 21.10

שׁוֹרוֹ עָבַּר וְלֹא יַגְעִל תְּפַלֵּט פָּרָתוֹ וְלֹא תְשַׁכֵּל׃

O seu touro gera, e não falha. Os *animais domésticos* representavam uma alta porcentagem da riqueza dos antigos. Jó havia observado que o gado de um homem mau se multiplica abundantemente, não apanha enfermidades e continua a aumentar de número, sem parar. As vacas não sofrem abortos, mas são superprodutoras. Em contraste, Jó perdeu suas riquezas, representadas em seus animais domésticos (ver Jó 1.14-17).

Que as nossas vacas andem pejadas, não lhes haja rotura, nem mau sucesso. Não haja gritos de lamento em nossas praças.

Salmo 144.14

■ 21.11

יְשַׁלְּחוּ כַצֹּאן עֲוִילֵיהֶם וְיַלְדֵיהֶם יְרַקֵּדוּן׃

Deixam correr suas crianças, como a um rebanho. Os filhinhos dos ímpios correm à vontade, em sua alegria, e brincam e folgam em paz e saúde, em terrível contraste com os pequeninos de Jó, que foram mortos por desastres horrendos. Cf. Jó 15.29-33, onde Elifaz afirmava que as calamidades atingem a família dos pecadores. Veja-os ali! Aquelas crianças pequenas, saltando, dançando e dando pulos de alegria, enquanto os corpos dos filhos de Jó apodreciam no sepulcro. As crianças dos perversos brincam e divertem muito seus pais. Entrementes, os filhos de Jó tinham sido reduzidos à carne pútrida.

■ 21.12

יִשְׂאוּ כְּתֹף וְכִנּוֹר וְיִשְׂמְחוּ לְקוֹל עוּגָב׃

Cantam com tamboril e harpa. É provável que, aqui, Jó tenha voltado a falar sobre os *adultos*. Os adultos também têm tempo para divertir-se, mas de forma mais sofisticada. Os adultos tocam instrumentos musicais de vários tipos. Ver no *Dicionário* o artigo chamado *Música, Instrumentos Musicais*. Uma teoria estética afiança que as belas artes são meramente os *jogos* de pessoas de mais idade, que imitam as brincadeiras infantis. A criança bate em uma panela com uma colher, enquanto um adulto inventa instrumentos que custam muito dinheiro, mas o "jogo" efetuado é idêntico. A observação de Jó era a de que os ímpios gozam de um lazer fácil, depois de ganhar muito dinheiro, a ponto de poderem engajar-se nas coisas doces da boa vida, em muita música, dança e prazeres sem restrição e sem fim. "Com algumas pinceladas, Jó esboçou o idílio tradicional da sociedade patriarcal, onde havia vida e alimentos em abundância, segurança e espaço para a folia e a liberdade descuidada, que alguns observadores chamavam de supérfluas (ver Zc 8.5; Mt 11.16,17). A passagem inteira, com seu encantamento concreto e características pitorescas, revela um contraste com o *pathos* do homem que falou, estando ele desolado, destituído, isolado e condenado" (Samuel Terrien, *in loc.*).

"Um homem bom em uma cruz? O Filho de Deus crucificado? Isso parecia blasfêmia! A crucificação de Jesus é algo que deve ter perturbado os santos. Como pode alguém reconciliar a careta na face de um leão, na arena, prestes a devorar um cristão, com o sorriso de Deus nos céus? Será possível que Deus continue no céu, a despeito do fato de que nem tudo corre direito no mundo?" (Paul Scherer, *in loc.*).

■ 21.13

יְבַלּוּ בַטּוֹב יְמֵיהֶם וּבְרֶגַע שְׁאוֹל יֵחָתּוּ׃

Passam eles os seus dias em prosperidade. É verdade, naturalmente, que os ímpios, afinal, são cortados pela morte, mas outro tanto se dá com o homem reto. Em contraste com o capítulo 19, Jó não levanta a questão de uma vida futura e, certamente, não a de um julgamento em que contas antigas são resolvidas com punição ou recompensa, dependendo da qualidade da vida que foi vivida. O bom e o mau são ambos cortados, sem distinção. Portanto, por que ser bom? Jó apontou aqui para a *futilidade* das riquezas materiais, pois terminam em nada. Contudo, o mesmo é verdade no que diz respeito ao homem bom.

O perverso desce ao *seol* (ver a respeito no *Dicionário*) em *"paz"* (*Revised Standard Version*), e, no entanto, alguns homens bons, como Jó, descem ao seol em estado deplorável. Seol aqui é apenas a sepultura. Trata-se de um lugar de existência consciente, e foi um desenvolvimento posterior da teologia dos hebreus. Jó não estava dizendo que até no *seol* (lugar onde se vive para além da morte) os ímpios têm paz, pelo que continuam a escarnecer de Deus.

Os ímpios têm permissão de descer de súbito ao sepulcro, sem nenhuma enfermidade dolorosa e debilitante (em contraste com o violentamente enfermo Jó). Dessa maneira, eles vão para a morte "em paz", "não mediante alguma enfermidade demorada. Grande bênção!" (Fausset, *in loc.*). Por isso Aben Ezra disse: "Em um momento, sem aflições". E Bar Tzemach também exprimiu: "Sem enfermidades malignas".

■ 21.14

וַיֹּאמְרוּ לָאֵל סוּר מִמֶּנּוּ וְדַעַת דְּרָכֶיךָ לֹא חָפָצְנוּ׃

E são estes os que disseram a Deus: Retira-te de nós! Desfrutando de uma vida tão fácil e abundante, eles dizem a Deus para *perder-se*, conforme uma expressão idiomática popular. Eles dizem a Deus: "Retira-te!" Talvez não tenham sido ateus teóricos (eles acreditavam em Deus), mas com certeza eram ateus práticos; não tinham tempo para Deus; o princípio divino não fazia nenhuma diferença para eles. Eram seculares e profanos em todo o sentido das palavras. Assim é que muitos homens ímpios, mesmo que deem a Deus o crédito pelas riquezas que obtiveram, são, de fato, ateus práticos. Não querem ouvir falar sobre os *caminhos* restritos de Deus, sobre suas muitas leis dadas para governar nossa conduta. São espíritos livres, mas escravos de toda a sorte de corrupção. Este versículo deve ser contrastado com Sl 25.4,5: "Faze-me, Senhor, conhecer os teus caminhos, ensina-me as tuas veredas. Guia-me na tua verdade e ensina-me, pois tu és o Deus da minha salvação, em quem eu espero todo o dia".

Irão muitas nações, e dirão: Vinde, e subamos ao monte do Senhor e à casa do Deus de Jacó, para que nos ensine os seus caminhos, e andemos pelas suas veredas; porque de Sião sairá a lei, e a palavra do Senhor, de Jerusalém.

Isaías 2.3

■ 21.15

מַה־שַׁדַּי כִּי־נַעַבְדֶנּוּ וּמַה־נּוֹעִיל כִּי נִפְגַּע־בּוֹ׃

Que é o Todo-poderoso, para que nós o sirvamos? Os ímpios questionam os atributos de Deus. Ele realmente não é tão grande assim, nem se interessa por nós. Se o servirmos, que *proveito* teremos disso? Estamos dispostos a obter vantagens. Somos egoístas. O Criador divino transforma as pessoas em escravos. Na sua ignorância, as pessoas oram a ele e nada obtêm, enquanto nós, sem nenhuma oração, temos tudo. Portanto, para que brincar com esse *estofo* chamado religião? Os ímpios mostram ser completos egoístas. Ver na *Enciclopédia de Bíblia, Teologia e Filosofia* o verbete chamado *Egoísmo*. Um egoísta só servirá a outrem se obtiver alguma vantagem para si mesmo, pelo que, em última análise, até suas boas obras na realidade visam o proveito próprio. Na verdade, existe uma "piedade interesseira". Alguns homens tiram proveito de uma boa vida na igreja, por *serem religiosos*. Os homens glorificam a si mesmos na igreja sendo mais piedosos do que outros homens, a quem consideram inferiores. Fora da igreja, os homens andam atrás do dinheiro. Deus se interpõe no caminho deles. Cf. Jr 2.20.

Comparar a acusação de Satanás contra Jó, no sentido de que ele serviria a Deus somente em benefício próprio (Jó 1.9-11). Isso é realmente verdade no tocante a muitas pessoas, até no seio da igreja. Muitos dos ímpios nem ao menos pretendem servir a Deus. Eles são mais honestos do que os hipócritas egoístas.

■ 21.16

הֵן לֹא בְיָדָם טוּבָם עֲצַת רְשָׁעִים רָחֲקָה מֶנִּי:

Vede, porém, que não provém deles a sua prosperidade. "Seus planos não levam Deus em consideração, nem o levam em conta. Eles são os donos de seus destinos. Operam sua própria salvação. São salvos por suas próprias obras. E Deus faz silêncio" (Samuel Terrien, *in loc.*).

Embora os perversos sejam iníquos, a única causa (Deus) é a *origem* da riqueza deles, bem como de seu poder e bem-estar. Alguns estudiosos pensam que essas palavras são irônicas, mas isso milita contra o contexto. Adam Clarke dizia que Deus meramente *empresta* (não dá de forma permanente) as riquezas e o poder que eles têm. Isso é verdade, mas outro tanto acontece aos justos. O fato agonizante era que Deus observava os ímpios de seus dias, os quais prosperavam, enquanto Jó continuava em miséria abjeta.

Entrementes, o conselho dos ímpios, todos os seus desígnios e arrogância, estavam *longe de Jó*. Nada tinham a ver com ele, nem ele compartilhou de suas atitudes e atos. Contudo, ele vivia em estado de miséria através dos atos da causa única.

■ 21.17

כַּמָּה נֵר רְשָׁעִים יִדְעָךְ וְיָבֹא עָלֵימוֹ אֵידָם חֲבָלִים יְחַלֵּק בְּאַפּוֹ:

Quantas vezes sucede que se apaga a lâmpada dos perversos? No fim, Deus corta os perversos e os envia para o nada do sepulcro. Mas isso também se dá com os justos, e nem um deles esperava, após a morte, recompensa ou retribuição, uma doutrina estranha à teologia patriarcal. Jó desenvolveu esperança no pós-vida, no capítulo 19, mas não aplica aqui essa esperança, nem aos justos nem aos pecadores ímpios.

A *lâmpada* dos ímpios queima brilhantemente, mas Deus, afinal, se cansa e os envia para espessas trevas exteriores. A destruição é a morte, e a morte é negra. A tristeza antecede o processo e também o acompanha. Os ímpios conseguem o que merecem, mas na terra, conforme dizia a doutrina da época. Jó concordou com seus amigos-críticos neste ponto: embora a retribuição dos pecadores seja adiada, fatalmente chega. Mas então isso também acontece ao homem bom, e da mesma maneira. Portanto, temos aqui a repetição da doutrina de Jó 9.22: "Para mim tudo é o mesmo; por isso, digo: tanto destrói ele o íntegro como o perverso".

Bildade havia dito que a luz e a lâmpada dos ímpios seriam apagadas, em Jó 18.45,6. Jó tirou proveito dessas palavras, mas o contexto não estabelece diferença entre os pecadores e os santos, sendo essa a questão que fez Jó agonizar. Cf. Sl 32.10; Os 13.13 e 1Ts 5.13.

> *Muito sofrimento terá de curtir o ímpio, mas o que confia no Senhor, a misericórdia o assistirá.*
>
> Salmo 32.10

Jó viu ser cumprida a primeira parte dessa declaração, embora adiada em muitos casos, mas a segunda parte não se aplicava a ele. Ver Pv 13.9; 20.20 e 24.20.

■ 21.18

יִהְיוּ כְּתֶבֶן לִפְנֵי רוּחַ וּכְמֹץ גְּנָבַתּוּ סוּפָה:

Que são como a palha diante do vento...? As destruições de Deus são violentas como um grande temporal que tange tudo à sua frente. A palha e a pragana não podem resistir à tempestade. Mas isso diz respeito tanto aos maus quanto aos bons, e era o que deixava Jó perplexo.

> *Os ímpios não são assim; são, porém, como a palha que o vento dispersa.*
>
> Salmo 1.4

> *A sua pá, ele a tem na mão e limpará completamente a sua eira; recolherá o seu trigo no celeiro, mas queimará a palha em fogo inextinguível.*
>
> Mateus 3.12

Jó observava que os pecadores são raramente soprados para longe de súbito e com tanta facilidade como a palha é arrastada pelo temporal. Cf. este versículo com Jr 41.2 e Sl 37.35.

■ 21.19

אֱלוֹהַּ יִצְפֹּן לְבָנָיו אוֹנוֹ יְשַׁלֵּם אֵלָיו וְיֵדָע:

Deus, dizeis vós. Talvez os ímpios morram em *paz* e, além disso, em meio à *prosperidade* (vs. 13), mas nesse caso o julgamento cai sobre seus filhos (em contraste com o vs. 8, onde os vemos continuar na prosperidade de seus pais pecaminosos). Em alguns lugares, as Escrituras retratam os filhos como participantes dos pecados e juízos de seus pais. Ver Êx 20.5. Em outros, os filhos são isentados dessas coisas e sofrem por seus próprios pecados. Ver Dt 24.16; Ez 18.22. Parece que ambas as coisas acontecem. Então, os filhos sempre têm seus próprios estoques de pecados pelos quais são julgados. Mas o que deixava Jó perplexo era que os justos compartilham dos mesmos desastres que atingem os pecadores, tanto os pais como os filhos. Naquele mesmo momento, os corpos mortos dos filhos de Jó apodreciam no interior da terra, enquanto os filhos dos ímpios dançavam e se divertiam. Os críticos de Jó argumentaram em favor da tese do vs. 19, mas o próprio Jó não via os filhos dos ímpios sendo julgados. Ver Jó 18.19 e 20.10, quanto às assertivas dos críticos de Jó no tocante a essa questão. O que vemos é que, às vezes, os ímpios e seus filhos são severamente julgados, mas, de outras vezes, não. Então testemunhamos exatamente o mesmo acontecimento suceder aos bons. E então perguntamos: *Por quê?* O julgamento de Deus parece ser ao mesmo tempo injusto e arbitrário. Ele ora fere ora não fere, e não podemos prever quando nem por quê.

■ 21.20

יִרְאוּ עֵינָיו כִּידוֹ וּמֵחֲמַת שַׁדַּי יִשְׁתֶּה:

Seus próprios olhos devem ver a sua ruína. Julgamento e destruição são como *bebidas* que os ímpios precisam sorver. Mas a verdade é que os justos também são forçados a tomá-las. O Deus Todo-poderoso e arbitrário está por trás de todas essas coisas, conforme parecia a Jó. Temos de lembrar que Jó promovia o antigo conceito dos hebreus que envolvia o *voluntarismo* (ver a respeito na *Enciclopédia de Bíblia, Teologia e Filosofia*). Deus é vontade pura e faz aquilo que melhor lhe parece, sem obedecer às leis éticas que deu aos homens. Mas mesmo que ele seja arbitrário, ainda assim é justo, porque é o padrão de sua própria justiça, à qual os homens não podem objetar. A razão é eliminada e não busca a *justiça*, conforme compreendemos esse termo.

Quanto ao *cálice da ira de Deus*, cf. Dt 32.33; Is 51.17-22; Jr 25.15; Pv 14.8. A metáfora pode ser extraída dos cálices de veneno que os criminosos eram forçados a beber, em sua *execução*. "Um cálice de suco de cicuta foi a ira ou punição determinada pelos magistrados atenienses para o filósofo Sócrates" (Adam Clarke, *in loc.*).

> *O seu vinho é ardente veneno de répteis e peçonha terrível de víboras.*
>
> Deuteronômio 32.33

Ver também Sl 11.6 e Lm 4.21, que encerram declarações similares às do presente versículo.

21.21

כִּי מַה־חֶפְצוֹ בְּבֵיתוֹ אַחֲרָיו וּמִסְפַּר חֳדָשָׁיו חֻצָּצוּ׃

Porque depois de morto. "É o próprio homem culpado quem deve experimentar a ira do Todo-poderoso, pois, quando estiver morto, ele realmente não se importará com a sorte de seus descendentes (ver os vs. 21; 14.21; Jr 31.29,30; Ez 18)" (Samuel Terrien, *in loc.*).

Quem o fará voltar para ver o que será depois dele?
Eclesiastes 3.22

Cortado já o número dos seus meses. Em Jó 14.5, encontramos o ensino de que a duração da vida de um homem é determinada pelo decreto divino. Ver as notas expositivas ali existentes. Isso ocorre com alguns poucos, mas no caso da maioria dos homens, poucos anos mais ou menos não fazem a menor diferença. Ver também Jó 7.1, que tem a mesma mensagem e onde dou amplas notas expositivas. Cf. Is 10.23 e Dn 9.27. Em Jó 7.1, temos uma excelente citação ilustrativa de Sêneca sobre o fato de que ele (como estoico) tomou o mesmo ponto de vista determinista acerca da duração da vida de uma pessoa. O ímpio vive sua época e não poderia importar-se com o que acontece a seus descendentes. De fato, de acordo com a teologia patriarcal, ele não existe mais. Foi totalmente aniquilado, e é tolice pensar que está "cuidando" de alguma coisa. Ele não tem consciência para cuidar de nada. Ele é nada.

21.22

הַלְאֵל יְלַמֶּד־דָּעַת וְהוּא רָמִים יִשְׁפּוֹט׃

Acaso alguém ensinará ciência a Deus? A vontade de Deus é poderosa e não admite resistência. Seu conhecimento é vastíssimo, portanto ele sabe quando e como cortar os homens, e isso se aplica tanto aos justos quanto aos injustos (ver Jó 9.22). Ninguém pode aparecer em cena para ensinar a Deus o que ele deve fazer. Sua vontade é suprema. Talvez Jó estivesse dando a entender que seus amigos-críticos tinham violado a vontade e o conhecimento de Deus ao condená-lo como pecador. Deus sabia que Jó era inocente, mas nem por isso deixou de injuriá-lo severamente. Críticos, como os de Jó 11.5 ss.; 4.18 e 15.15, atribuem aos homens coisas que eles próprios não têm condição de saber. Por outra parte, Jó pode ter parado por um momento e reconhecido a insensatez de *suas próprias presunções*, como se *ele* pudesse dizer qualquer coisa significativa acerca do que Deus faz e de como ele age. Seja como for, a vontade de Deus se destaca tanto como suprema quanto como *enigmática*. Deus age de maneira que nenhum homem é capaz de explicar. Cf. Is 40.13 e Rm 11.34.

Com quem tomou ele conselho, para que lhe desse compreensão? Quem o instruiu na vereda do juízo, e lhe ensinou sabedoria, e lhe mostrou o caminho do entendimento?
Isaías 40.14

Seja como for, os juízos de Deus não seguiam nem seguem as limitações das teologias humanas, as quais, em si mesmas, são limitadas, produzidas na ignorância dos homens. Falamos demais.

21.23

זֶה יָמוּת בְּעֶצֶם תֻּמּוֹ כֻּלּוֹ שַׁלְאֲנַן וְשָׁלֵיו׃

Um morre em pleno vigor. Os vss. 23-26 dizem que algumas pessoas morrem na prosperidade e no bem-estar. Elas morrem subitamente e não sofrem. Mas outros sofrem terrores antes de morrer, e as suas agonias os levam às trevas. Não importa! Todos finalmente morrem e são reduzidos ao *nada* total! Jó salienta a futilidade da vida. Ele se transformara em um pessimista. Ver na *Enciclopédia de Bíblia, Teologia e Filosofia* o artigo chamado *Pessimismo*. A existência é um mal, e o pior pecado de um homem é o fato de ele ter nascido. Ora, nisso consiste o pessimismo.

Ao que parece, Deus ignora voluntariamente a vida dos homens, os que sofrem ou não. A mesma sorte mortal espera por todos, bons ou maus (repetindo o ensino de Jó 9.22, uma bela demonstração de pessimismo). Não há nenhum estado pós-vida que traga recompensas aos bons e tormentos aos maus. Essa noção fazia parte da teologia da época dos patriarcas.

Despreocupado e tranquilo. O indivíduo estava bem, rico, desfrutando de conforto e lazer. Lamentações, ele as tinha bem poucas para serem mencionadas. A morte o arrebatava em seu sono. Ele não sofria ao morrer. Caminhava para a nulidade da morte, e nem notava como e quando.

21.24

עֲטִינָיו מָלְאוּ חָלָב וּמֹחַ עַצְמוֹתָיו יְשֻׁקֶּה׃

Com seus baldes cheios de leite. O *peito* de um homem não fica cheio de leite, como o hebraico pode ser traduzido (conforme se vê na *King James Version*). Mas essa palavra é de sentido incerto. Se estão em foco os *seios*, então isso foi dito sobre um ser humano, porque o gênero feminino da espécie humana pode estar nessa condição, como sinal de prosperidade e bem-estar. Nossa versão prefere a palavra "baldes". A *Revised Standard Version* diz "corpo", e, em lugar de *leite*, prefere "gordura". O rico é um "gato gordo", conforme se diz em uma expressão moderna, em inglês. A Vulgata Latina e a Septuaginta citam *intestinos* e, nesse caso, o versículo diz que os ímpios vivem *bem alimentados*. As versões árabe e siríaca dizem "costelas gordas", transmitindo a ideia de que o pecador fica gordo devido à sua rica dieta.

Fresca a medula dos seus ossos. Como deveria estar, em vida, porquanto na morte há o ressecamento de todo o corpo morto. Os ímpios gozam de *boa saúde*. O corpo do indivíduo é comparado a um campo bem regado. A vida vem da água, sem a qual não pode haver vida. Ver Pv 3.8; Is 58.11 e 66.14.

21.25

וְזֶה יָמוּת בְּנֶפֶשׁ מָרָה וְלֹא־אָכַל בַּטּוֹבָה׃

Outro, ao contrário, morre na amargura do seu coração. Em *violento contraste*, outro homem morre depois de experimentar intensos sofrimentos. E morre amargurado. A vida o maltratou. Ele foi esmigalhado. Não obtém o bastante para comer. Além disso, nunca come os acepipes que os ricos têm em suas mesas. Seus ossos são *secos*. Suas costelas são magras. Ele nunca tem descanso, por causa dos desastres e das enfermidades.

21.26

יַחַד עַל־עָפָר יִשְׁכָּבוּ וְרִמָּה תְּכַסֶּה עֲלֵיהֶם׃

Juntamente jazem no pó. A Morte é a Grande Niveladora. O rico e o pobre são nivelados por ocasião da morte. "A mesma sorte mortal espera por ambos. Eis a situação que Deus (aparentemente) ignora. O fato da morte revela menos a igualdade de todos os homens do que a *injustiça* do destino de ambos e, em consequência, a irresponsabilidade de Deus" (Samuel Terrien, *in loc.*).

A morte devora tanto cordeiros quanto ovelhas.
Provérbio do século XVII

As riquezas e a saúde não são testes da retidão. Um homem perverso pode prosperar, ser saudável e viver por muitos anos. Um homem bom pode ser pobre, enfermiço e morrer prematuramente. Essas coisas não entendemos, mas são fatos facilmente observáveis em nosso mundo de "ais". Jó não reviveu o quadro apresentando um *pós-vida* com um julgamento que pune os ímpios e recompensa os justos. Isso não fazia parte da teologia patriarcal e só entrou no pensamento dos hebreus, com alguns detalhes, nos livros do período intermediário (apócrifos e pseudepígrafos), entre o Antigo e o Novo Testamento.

Esplêndidos monumentos podem retratar a corrupção e celebrar uma vida entregue aos debochos, mas dificilmente isso traz algum bem para o homem morto. O que resta são as carcaças que se putrefazem, tanto as dos justos como as dos injustos. As distinções dos vivos terminam no nada da morte.

Os intérpretes cristianizam o texto, trazendo à tona nossa compreensão sobre a imortalidade, com suas punições e recompensas apropriadas. Mas Jó não antecipava tais coisas. Ele estava ilustrando o fato de que as *injustiças*, em muitos casos, dominam o que acontece neste mundo. O crime pode recompensar!, disse ele, mas esse pagamento é fugidio. Ser bom não recompensa, necessariamente. Em qualquer caso, por ocasião da morte, todos os pagamentos e dívidas cessam. Assim sendo, permanecem *enigmas* nessa questão dos sofrimentos.

■ 21.27

הֵן יָדַעְתִּי מַחְשְׁבוֹתֵיכֶם וּמְזִמּוֹת עָלַי תַּחְמֹסוּ׃

Vede que conheço os vossos pensamentos. Os discursos dos três amigos-críticos de Jó começaram bastante corteses, mas se tornaram gradualmente mais amargos, cortantes e cheios de insultos. Coisa alguma, de tudo quanto Jó disse em sua defesa, alterou as opiniões daqueles indivíduos dogmáticos. Eles encalharam naquela canção única: aquele que estiver sofrendo, sem dúvida, deve ser um pecador, em consonância com a *Lei Moral da Colheita segundo a Semeadura* (ver no *Dicionário*). É extremamente difícil modificar o rumo de uma mente dogmática, e, quando isso está misturado ao tradicionalismo, então a casca grossa torna-se praticamente impenetrável. Mas Jó sabia que as respostas padronizadas deles não eram a única para o *problema do mal* (ver a seção V da *Introdução* ao livro de Jó). Por que os homens sofrem e por que sofrem como sofrem? Jó defendia a sua *inocência*, e isso quer dizer que o problema do sofrimento deve conter *enigmas*. Mas a teologia dogmática é inimiga dos enigmas. Os amigos de Jó nem se deram ao trabalho de investigar "o que existe ali" (vs. 2), pois essa investigação perturbaria a teologia inadequada e incompleta deles.

■ 21.28,29

כִּי תֹאמְרוּ אַיֵּה בֵית־נָדִיב וְאַיֵּה אֹהֶל מִשְׁכְּנוֹת רְשָׁעִים׃

הֲלֹא שְׁאֶלְתֶּם עוֹבְרֵי דָרֶךְ וְאֹתֹתָם לֹא תְנַכֵּרוּ׃

Porque direis: Onde está a casa do príncipe...? *Investiguem!* Foi isso o que Jó quis dizer a seus amigos-críticos dogmáticos. Eles tinham feito declarações gerais acerca de "por que os homens sofrem conforme sofrem?", mas não haviam submetido a teste suas teorias. Eles asseguraram que os ímpios, mesmo os príncipes, são logo destruídos e não prosperam caso não se arrependam. Mas Jó também declarou que qualquer viajante poderia tê-los informado sobre a noção contrária (ver o vs. 29). Aqueles que viajam costumam ver muitas coisas. São capazes de dizer quem é rico e quem se encontra em dificuldades. Podem informar facilmente os consoladores molestos de Jó (ver Jó 16.2) que existem muitos ímpios, "espalhados pelo mundo", que vivem no lazer, ricos, poderosos e até mesmo famosos. E parecem imunes a qualquer golpe aplicado pelo Ser divino.

Podemos ter certeza de que os "amigos" de Jó não investigariam coisa alguma, porque o dogma é o inimigo do pensamento livre. Os indivíduos dogmáticos são vítimas de seus próprios atos. São prisioneiros que merecem misericórdia, como qualquer outro tipo de prisioneiro.

As suas declarações. Eles contavam com evidências e argumentos baseados nas suas observações. O que eles observavam nem sempre concordava com a "teoria da queda do filho mau".

■ 21.30

כִּי לְיוֹם אֵיד יֵחָשֶׂךְ רָע לְיוֹם עֲבָרוֹת יוּבָלוּ׃

Que os maus são poupados no dia da calamidade. A investigação, com as evidências recolhidas *empiricamente*, é enfática quanto à asserção de que os ímpios podem ter uma maneira incrível de escapar aos desastres, ao passo que o homem bom cai neles de maneira inevitável. Os amigos-críticos de Jó não permitiam essa possibilidade. Até os *criminosos* notórios têm grande sorte de escapar à detecção e, mesmo detidos, escapam de qualquer dano. Além disso, eles recebem funerais honrosos (vss. 32,33). Os amigos-críticos de Jó viviam em um mundo idealista, não no mundo real. Inventavam regras para aquele mundo imaginário, sem valor algum no mundo real.

Ninguém ousa denunciar ou confrontar pessoas ímpias e influentes, e verificar se elas são devidamente punidas. Uma pessoa assim "popular" continua vivendo por muito tempo, recebe sepultamento honroso, e as pessoas se reúnem em redor de seu sepulcro, agindo como se estivessem tristes porque o patife morreu.

Os intérpretes continuam cristianizando o texto, lembrando a retribuição pós-túmulo. Naturalmente, os ímpios saem-se muito mal nesse teste, mas Jó não estava compreendendo tal coisa, nem os seus amigos-críticos.

■ 21.31

מִי־יַגִּיד עַל־פָּנָיו דַּרְכּוֹ וְהוּא־עָשָׂה מִי יְשַׁלֶּם־לוֹ׃

Quem lhe lançará em rosto o seu proceder? Os indivíduos ímpios têm cúmplices que podem vingar-se de algum informante ou denunciante. O ímpio rico tem dinheiro para comprar os juízes e vingadores contra os informantes. Assim sendo, prevalece a *lei do silêncio*, e o iníquo fica livre. Dizer que tais coisas não acontecem todos os dias é promover o engano, e era disso que Jó acusava seus "amigos". Para piorar as coisas, o pecador fica livre das enfermidades, de modo que nem a natureza o acusa ou pune. Presumivelmente, até Deus, em seu voluntarismo arbitrário, favorece o ímpio, "esquecendo-se" de puni-lo, ao mesmo tempo que algum homem pobre, como o infeliz Jó, é *espancado* todos os dias de sua vida.

■ 21.32

וְהוּא לִקְבָרוֹת יוּבָל וְעַל־גָּדִישׁ יִשְׁקוֹד׃

Finalmente é levado à sepultura. *Afinal, o Patife Morre.* E então surgirão homens que o denunciem? Absolutamente não, pois agora ele é uma espécie de herói popular. Além disso, restaram-lhe filhos que continuam olhando ao redor para encontrar alguém que cortem em pedaços. E assim as ovelhas obedientes (muitas delas suas vítimas) seguirão com olhares piedosos atrás do caixão mortuário e louvarão o ímpio por sua "vida boa". Em contrapartida, o homem bom que foi posto no túmulo por um decreto de Deus é alvo de zombaria, por ter sido "julgado pelo Senhor e tê-lo merecido!" Vigilâncias e monumentos são postos em redor do túmulo do ímpio, de modo que os homens continuam a maravilhar-se a respeito daquele "homem bom". A "vigilância", nesse caso, provavelmente, é uma estátua ou monumento, e não algum ser humano, embora isso também não seja impossível. Naturalmente, se objetos valiosos foram sepultados com o homem, então um grupo de vigilância será necessário para evitar a violação do túmulo e o furto dos objetos. Mas um homem bom e pobre não merecia nenhuma atenção parecida. No entanto, o túmulo de um perverso pode tornar-se local de peregrinações, pois o poderoso assume ar de herói e até de semideus.

■ 21.33

מָתְקוּ־לוֹ רִגְבֵי נָחַל וְאַחֲרָיו כָּל־אָדָם יִמְשׁוֹךְ וּלְפָנָיו אֵין מִסְפָּר׃

Os torrões do vale lhe são leves. *Torrões Leves.* Sob a superfície do solo, o cadáver do ímpio apodrece, mas na superfície torrões leves fecham o buraco. O autor sagrado indica que o pecador notório morreu em paz, honrado por outras pessoas; assim, seu sepulcro foi abençoado, em vez de amaldiçoado. A situação inteira foi *poeticamente doce*. O morto, na verdade, de nada sabe; mas, se soubesse de algo, então diria: "Quão boa e doce foi toda a minha experiência. É bom ser honrado e relembrado". Não há nenhum pensamento de *recompensa* além do sepulcro, que seja doce para o pecador, ainda que, de acordo com os nossos padrões, ele não merecesse coisa alguma. Seu cortejo fúnebre foi quase sem fim, com toda aquela gente presente ao sepultamento. E, mesmo depois da morte, muita gente andou em torno do sepulcro, a dizer coisas boas acerca do miserável pecador. Talvez as palavras "o seguem" e "foram adiante dele" refiram-se aos que morreram antes dele ou aos que morreram depois dele. Ele seguiu os que tinham morrido antes dele, e aqueles que morreram depois agora o seguem. No fim, aqueles que foram antes e aqueles que morreram depois dele são os aqui chamados de "não têm número". Esses terminam da mesma maneira e são reduzidos a nada.

21.34

וְאֵיךְ תְּנַחֲמוּנִי הָבֶל וּתְשׁוּבֹתֵיכֶם נִשְׁאַר־מָעַל׃ ס

Como, pois, me consolais em vão? Se o caso era assim para o ímpio, ao passo que Jó, homem inocente, sofria toda a sua miséria, então seus amigos-críticos eram uns mentirosos, porque tinham prometido alguma distinção entre o justo e o pecador. Foi por essa razão que Jó os chamou de *mentirosos,* no rosto deles. Eles eram consoladores falsos, molestos (ver Jó 16.2). A *essência* dos discursos dos amigos-críticos de Jó terminara por ser enganadora. Mesmo que Jó fosse culpado de todos os crimes que lhe foram imputados, a essência dos discursos teria sido enganadora, porquanto a questão inteira reduziu-se a nada. A futilidade foi a essência. Em outras palavras, "a existência é má, e o maior pecado de um homem é ter nascido" (ver na *Enciclopédia de Bíblia, Teologia e filosofia* o verbete intitulado *Pessimismo*). O poeta deixou de falar sobre uma vida futura, na qual as contas correntes entre cada pessoa e Deus serão equilibradas, pois os bons receberão recompensa eterna, e os maus, punição eterna.

CAPÍTULO VINTE E DOIS

TERCEIRA SÉRIE DE ARGUMENTOS. ELIFAZ E BILDADE APRESENTAM NOVOS ARGUMENTOS, E JÓ LHES DÁ RESPOSTA (22.1—33.33)

Note que o *terceiro amigo* não apresentou o terceiro discurso. Não sabemos por que Zofar não falou pela terceira vez. Talvez seu discurso proposto tenha sido substituído pelo discurso de Eliú (capítulos 32-37). A essa longa série de declarações e exortações, Jó não replicou. Deus interveio e entregou seu próprio discurso (Jó 38.1—42.6).

O plano dos discursos dos três membros da tríade terrível era que cada um deles falasse três vezes, com as respectivas réplicas de Jó. Quanto a esse plano, ao qual adiciono detalhes com os propósitos e as mensagens principais do livro, ver as introduções dos capítulos 4, 8 e 20.

O TERCEIRO DISCURSO DE ELIFAZ (22.1-30)

Deus Não Precisa do Homem (22.1-5)

Jó tinha caído no pessimismo, que é expresso através de suas réplicas. Os amigos-críticos iniciaram seus discursos com cortesia, mas logo começaram a atacar com extrema agressividade, tendo perdido o equilíbrio emocional. Elifaz não conseguiu responder aos principais argumentos de Jó, no capítulo 21. Não foi capaz de perceber que o caso de Jó representava escandalosa injustiça. Jó deu a entender que Deus precisava ser instruído por ele, quanto à moral apropriada. Devemos lembrar que ele tinha uma visão voluntarista de Deus, mediante a qual a vontade é dominante, ao passo que a razão e a justiça (conforme entendemos o termo) são bastante secundárias. Elifaz, assim sendo, apresentou uma visão exaltada de Deus, um Deus que não precisa do homem, em nenhum sentido, nem mesmo do homem justo. O frenesi acusador dos homens não impressiona o Deus Todo-poderoso, pelo que Jó estava completamente fora de propósito em sua réplica. Ver na *Enciclopédia de Bíblia, Teologia e Filosofia* o artigo chamado *Pessimismo*.

22.1

וַיַּעַן אֱלִיפַז הַתֵּמָנִי וַיֹּאמַר׃

Então respondeu Elifaz, o temanita. Este versículo repete Jó 4.1 e 15.1, palavra por palavra. Dou notas expositivas correspondentes naqueles lugares. Ver também Jó 2.11, onde o homem foi mencionado no início da frase.

22.2

הַלְאֵל יִסְכָּן־גָּבֶר כִּי־יִסְכֹּן עָלֵימוֹ מַשְׂכִּיל׃

Porventura será o homem de algum proveito a Deus? "Em seu papel de autonomeado sustentador de uma forma exaltada de *teísmo,* Elifaz esticou uma verdade a um ponto absurdo. Sem dúvida, Deus não precisa do homem (a palavra hebraica sugere um homem forte, vigoroso ou mesmo um *sábio*). O renomado mestre, Elifaz, admitiu que nem mesmo um membro de sua profissão é *proveitoso para Deus!* Ao mesmo tempo, a religião é *proveitosa* para o homem" (*Oxford Annotated Bible,* comentando sobre o vs. 2). Ver sobre *Teísmo,* no *Dicionário*. Essa doutrina diz que Deus não somente existe e criou todas as coisas, mas também se faz presente para controlar, guiar, recompensar e punir. Ele não é indiferente para com os homens. No *deísmo* (ver também a respeito no *Dicionário*), Deus, embora iniciador de todas as coisas, está ausente do universo e deixa que as leis naturais cuidem das coisas. Portanto, Deus não intervém diretamente na história humana, nem positiva nem negativamente.

Elifaz repreendeu Jó por sua pretensão de ter algum valor para Deus, reclamando dele por causa de sua adversidade. Ele até poderia ser um homem bom, mas nem isso seria algo em favor de Deus, nem lhe adicionaria coisa alguma. Contudo, há a retribuição divina. O homem perverso sentirá a ferroada dolorosa da ira divina.

22.3

הַחֵפֶץ לְשַׁדַּי כִּי תִצְדָּק וְאִם־בֶּצַע כִּי־תַתֵּם דְּרָכֶיךָ׃

Ou tem o Todo-poderoso interesse em que sejas justo...? "A bondade do homem não traz a Deus nenhum benefício. Deus nada ganharia se o homem fosse justo, conforme Jó vociferava. Visto que Deus não é afetado se uma pessoa é próspera e outra é pobre (cf. Jó 21.23-26), elas deverão ser assim por causa de sua retidão ou falta de caráter. Como poderia uma pessoa explicar assim, indiscriminadamente, condições aparentes? Elifaz simplesmente não podia aceitar a ideia de que Deus era responsável por qualquer desvio para longe da justiça" (Roy B. Zuck, *in loc.*). Elifaz proclamava que a religião, pelo menos em parte, consiste em "interesse próprio", ou seja, envolve egoísmo, tal e qual Satanás havia dito (ver Jó 1.9). Assim surge em cena o tema principal do livro. Podem a adoração e o serviço a Deus ser desinteressados? Ou um homem serve a Deus somente em benefício próprio, que ele esperava derivar desse serviço? Ver na *Enciclopédia de Bíblia, Teologia e Filosofia* o verbete denominado *Egoísmo*.

Um corolário do tema principal é o problema do mal, que indaga por que os homens sofrem e por que sofrem como sofrem. Como é óbvio, isso está intimamente relacionado ao problema da qualidade da adoração e da espiritualidade humana. Pode o sofrimento anular a adoração? Nesse caso, trata-se de uma adoração de qualidade espúria e egoísta.

Mas se Elifaz exaltava a majestade de Deus, ele se esqueceu de exaltar a bondade do Senhor: Deus por certo está interessado no homem e intervém na história humana, o que é uma noção básica a qualquer conceito do teísmo.

Porque, como o jovem esposa a donzela, assim teus filhos te esposarão a ti; como o noivo se alegra da noiva, assim de ti se alegrará o teu Deus.

Isaías 62.5

Digo-vos que, assim, haverá maior júbilo no céu por um pecador que se arrepende do que por noventa e nove justos que não necessitam de arrependimento.

Lucas 15.7

Dizer-se que os homens são basicamente inúteis a Deus não anula o valor que Deus dá aos seres humanos, por causa de sua graça e bondade.

Sentimos que nada somos, pois tudo és tu e em ti;
Sentimos que algo somos, isso também vem de ti;
Sabemos que nada somos — mas tu nos ajudas a ser algo.
Bendito seja o teu nome — Aleluia!

Alfred Lord Tennyson

22.4

הֲמִיִּרְאָתְךָ יֹכִיחֶךָ יָבוֹא עִמְּךָ בַּמִּשְׁפָּט׃

Ou te repreende pelo teu temor de Deus...? Embora Deus pareça indiferente para com o homem que nada representa, Jó não sofria em troca de nada. Ele não sofria porque temia Deus e era um homem espiritual. Ver no *Dicionário* o artigo chamado *Temor,* quanto a detalhes do conceito de "temer a Deus". Isso é básico na piedade do Antigo Testamento. Mas Deus também não estava repreendendo Jó por ser ele um pecador, e esse é o ponto que Elifaz insistia em não compreender. Sua teologia não tinha lugar para a ideia de que um homem inocente pode sofrer. Por que um homem inocente sofre? Talvez seja por causa do *caos* (ver Rm 8.20), que fere tanto o justo quanto o injusto, com desconcertante frequência. Certamente a causa desses sofrimentos não era porque Deus e Satanás estivessem fazendo uma barganha e Jó fosse a vítima disso (ver o *Prólogo* do livro de Jó). Temos nisso um artifício literário; ou, se a questão tiver de ser tomada a sério, como o é, naturalmente, temos um exemplo de *teologia deficiente* dos hebreus, quando o livro de Jó foi escrito.

A *King James Version* transmite a ideia de que Deus poderia temer Jó, em vez de Jó temer Deus, mas outras traduções — incluindo nossa versão portuguesa — rejeitam essa possibilidade. Elifaz não estava dizendo, *ironicamente,* que Deus poderia temer Jó, pelo que o tratava bem.

22.5

הֲלֹא רָעָתְךָ רַבָּה וְאֵין־קֵץ לַעֲוֹנֹתֶיךָ׃

Porventura não é grande a tua malícia...? *Novamente, a Mesma Antiga Canção.* Elifaz retornou ao tema que tinha dominado, até aqui, os discursos dos amigos-críticos de Jó. Os sofrimentos de um homem ocorrem em resultado do julgamento divino contra o pecado. Naturalmente, temos aqui uma verdade, mas não a única que faz parte do quadro da vida de Jó. Os *inocentes* também podem sofrer e, realmente, sofrem. Na questão do sofrimento humano, há *enigmas* para os quais o livro de Jó nunca apresentou soluções. Ver no *Dicionário* o artigo chamado *Lei Moral da Colheita segundo a Semeadura.*

Até mesmo em nossa melhor teologia, ainda não resolvemos todos os enigmas do sofrimento humano. Aceitamos o caos (ver Rm 8.20) como causa possível do sofrimento dos justos, sabendo que, finalmente, esse sofrimento será removido do quadro, em escala universal. Então ficamos a girar em torno da doutrina da existência pós-túmulo, quando todas as feridas sofridas nesta vida serão curadas. Essa é uma grande verdade e deve ser lembrada em qualquer discussão sobre as *razões* do sofrimento humano. Mas não resolve o enigma do motivo pelo qual os justos sofrem *agora,* nesta vida terrena. Há também que considerar o caso da *disciplina,* que surgirá nos discursos de Eliú (Jó 32—37). Essa também é uma boa doutrina, mas, mesmo assim, insuficiente para resolver o problema do mal. Ver o *Problema do Mal,* na seção V da *Introdução* ao livro de Jó, e um estudo ainda mais detalhado no *Dicionário.*

Indivíduos de tendências dogmáticas e tradicionais, que figuram no livro de Jó, foram incapazes de compreender os significados mais profundos do sofrimento humano. Em seus sistemas teológicos não havia espaço para problemas ainda não resolvidos. Eles detestavam *enigmas.* Contudo, não existe coisa alguma tão enigmática, neste vasto mundo, como a *razão* do sofrimento humano e das maneiras miseráveis de sofrimentos dos homens.

As Cinco Injustiças Sociais de Jó (22.6-9)

22.6

כִּי־תַחְבֹּל אַחֶיךָ חִנָּם וּבִגְדֵי עֲרוּמִּים תַּפְשִׁיט׃

Porque sem causa tomaste penhores a teu irmão. *Os Alegados Pecados e Injustiças de Jó.* Elifaz compôs (com base em sua imaginação) uma longa lista de graves pecados que Jó, presumivelmente, havia cometido. Se Jó tivesse praticado todas *aquelas coisas,* então, não nos admiramos de que ele estivesse sofrendo. Mas o argumento de Elifaz era *ad hoc.,* isto é, era inventado "para o caso específico em mãos". Ele não tinha nenhuma evidência em favor de suas asserções, por meio da investigação ou da observação. Provavelmente, parte dessa lista de falhas de Jó vinha de algum *rumor,* e não de uma invenção direta de Elifaz. O pobre homem, Jó, era desprezado. Ele se tornara objeto de calúnias e maledicências injustas. Estas se tornaram amargas e cortantes. E, como toda a maledicência, as acusações eram, essencialmente, inverídicas.

As Cinco Acusações contra Jó:

1. *Jó aceitava garantias pelos empréstimos* de pessoas que lhe deviam, até tirando-lhes as próprias roupas, tão injusto era ele em seus atos. Se um devedor dava sua túnica como garantia por um empréstimo que fizera, essa túnica tinha de ser-lhe devolvida ao cair da noite, visto que era usada como proteção contra o frio. Ver Êx 22.26,27 e Dt 24.10-13. Deixar de devolvê-la era um grande ato de injustiça e crueldade. Jó respondeu a essa acusação específica em Jó 31.19-22. *Mudas* de roupa faziam parte das riquezas materiais no Oriente Próximo e Médio na antiguidade. O pobre homem não teria o luxo de possuir duas túnicas, o que explica a necessidade de ser-lhe devolvida a túnica que havia dado como garantia, a fim de passar a noite. Cf. o presente versículo com Mt 25.36 e Tg 2.15. Jó é retratado nessa acusação como homem duro e inflexível, destituído de misericórdia, insensível para com o sofrimento alheio.

22.7

לֹא־מַיִם עָיֵף תַּשְׁקֶה וּמֵרָעֵב תִּמְנַע־לָחֶם׃

2. Se um homem estivesse trabalhando ou viajando, e ficasse com sede, Jó nem lhe daria água para beber, nem daria água aos animais do homem, como é óbvio. A água era elemento escasso no deserto da Arábia e tinha de ser empregada com cuidado. Jó não era do tipo de homem que compartilhava sua água, nem mesmo no caso de sede ardente por parte de outras pessoas. Dar um copo de água fria era considerado uma virtude nos países do Oriente, mas Jó não estava interessado nesse tipo de virtude. De fato, dar de beber ao sedento era um *dever,* mas Jó costumava negligenciar esses deveres sociais.

> *Traga-se água ao encontro dos sedentos; ó moradores da terra de Tema, levai pão aos fugitivos.*
> Isaías 21.14

> *E quem der a beber, ainda que seja um copo de água fria, a um destes pequeninos, por ser este meu discípulo, em verdade vos digo que de modo algum perderá o seu galardão.*
> Mateus 10.42

3. Água era um elemento escasso no deserto da Arábia, mas *alimento por certo não o era,* para um rico xeque árabe, Jó. Contudo, embora não lhe faltassem alimentos, ele não os compartilhava com pessoa alguma, exceto com seus amigos ricos, que tinham banquetes contínuos em suas propriedades. Jó também respondeu a essa acusação mais adiante, em Jó 31.16 e 22.

Os índios da parte norte do Brasil têm poucos pecados em seu código de ética. Mas furtar bananas é uma de suas proibições. Além disso, ter bananas e não compartilhar com outros, também é pecado. Assim sendo, Jó nem ao menos teria a moralidade de povos selvagens, que reconhecem a necessidade de alguma medida de altruísmo.

22.8

וְאִישׁ זְרוֹעַ לוֹ הָאָרֶץ וּנְשׂוּא פָנִים יֵשֶׁב בָּהּ׃

4. *Abuso de Poder.* Jó era homem poderoso e tinha prestígio entre os poderosos. Mas abusava de seu poder, promovendo males sociais e até perseguindo seus semelhantes. Jó era um poderoso *proprietário de terras,* e isso lhe dava a oportunidade de exercer opressão sobre outras pessoas. Jó era *homem honrado,* literalmente no hebraico, alguém cuja *face era aceitável.* Mas só era honrado diante dos ricos e poderosos. Para os pobres, era um tirano. Jó não tinha respeito por seus semelhantes. Só dava alguma coisa a alguém se pudesse receber algo de volta. Era um egoísta. Ver na *Enciclopédia de Bíblia, Teologia e Filosofia* o artigo chamado *Egoísmo.*

22.9

אַלְמָנוֹת שִׁלַּחְתָּ רֵיקָם וּזְרֹעוֹת יְתֹמִים יְדֻכָּא׃

5. *Abusos contra Viúvas e Órfãos.* Jó era um tirano sem misericórdia. Entre as suas vítimas contavam-se as viúvas e os órfãos completamente destituídos. Ele confiscava as propriedades das viúvas

e dos órfãos, que os maridos e pais pobres tinham deixado ao morrer. Além disso, mediante a fraude, ele obtinha o controle de suas terras e possessões, incluindo quaisquer animais domésticos que porventura os pobres tivessem. Ele *quebrava os braços dos órfãos,* expressão particularmente forte no hebraico, para mostrar quão *sem coração* se alegou que era Jó. O braço é um quadro da força, bem como os meios de fazer algo. Jó era um destruidor dos fracos, mostrando-se duro de coração e cruel. Era destituído da simpatia humana comum. Abusar das viúvas e dos órfãos era considerado um crime odioso, segundo a mentalidade do Antigo Testamento. Ver Êx 22.22; Dt 27.19; Jr 7.6; 22.3 e Zc 7.10. Jesus acusou os fariseus hipócritas desse crime:

Ai de vós, escribas e fariseus, hipócritas, porque devorais as casas das viúvas...

Mateus 23.14

Todas essas acusações não correspondiam ao caráter de Jó, conforme vemos em Jó 29.12 e 31.16-22.

■ 22.10

עַל־כֵּן סְבִיבוֹתֶיךָ פַחִים וִיבַהֶלְךָ פַּחַד פִּתְאֹם׃

Por isso estás cercado de laços. Os *pecados de Jó* tinham armado muitos laços em redor dele; ele caíra em um desses laços, e então em outro, e continuava a cair, de modo que seu estado se tornara verdadeiramente miserável. Cf. Jó 19.6, onde Jó usa a *linguagem metafórica das armadilhas,* a qual Elifaz *aproveitou* em sua declaração acusatória.

Espinhos e laços há no caminho do perverso...

Provérbios 22.5

Repentino pavor. Subiram à mente de Elifaz os desastres terríveis que tinham atingido a família e as possessões de Jó (Jó 1.13-19). Além disso, seu corpo tornou-se o objeto de ataques devastadores (ver Jó 2.7 ss.). Aqueles assaltos também ocorreram de súbito e com o máximo de severidade. Assim sendo, de acordo com Elifaz, Jó estava em meio aos golpes divinos, que ele merecia, de acordo com a lei da colheita segundo a semeadura.

"Elifaz atribuiu a Jó o tipo de sentimentos que ele mesmo tinha atribuído ao indivíduo perverso, no capítulo anterior, vss. 14 ss." (Ellicott, *in loc.*). Os ímpios são primeiro castigados severamente e então (alegadamente) arrebatados desta existência antes do seu tempo normal de vida (vs. 16).

Terror, cova e laço vêm sobre ti, ó morador da terra. E será que aquele que fugir da voz do terror cairá na cova, e, se sair da cova, o laço o prenderá; porque as represas do alto se abrem, e tremem os fundamentos da terra.

Isaías 24.17,18

■ 22.11

אוֹ־חֹשֶׁךְ לֹא־תִרְאֶה וְשִׁפְעַת־מַיִם תְּכַסֶּךָּ׃

Ou trevas em que nada vês. Outros desastres, poeticamente chamados de "trevas", que podem apontar para o negrume da noite da *morte,* bem como dilúvios, acompanham o caminho dos perversos. Cf. Jó 11.16 e 27.20, quanto aos perigos da destruição provocada pelo dilúvio. "Calamidades avassaladoras estão em pauta" (Fausset, *in loc.*).

Do alto me estendeu ele a mão e me tomou; tirou-me das muitas águas.

Salmo 18.16

Ver Jó 20.28, quanto a algo similar. "Acusar não é a mesma coisa que restaurar. Restauração envolve identificação. E isso depende do próprio Deus" (Paul Scherer, *in loc.*). Ver Gl 6.1.

Salva-me, ó Deus, porque as águas me sobem até à alma. Estou atolado em profundo lamaçal, que não dá pé; estou nas profundezas das águas, e a corrente me submerge.

Salmo 69.1,2

■ 22.12

הֲלֹא־אֱלוֹהַּ גֹּבַהּ שָׁמָיִם וּרְאֵה רֹאשׁ כּוֹכָבִים כִּי־רָמּוּ׃

Porventura não está Deus nas alturas do céu? *O Deus Todo-poderoso, majestático,* poderia ser concebido como tão distante que nem vê o que os homens fazem, ou mesmo que o veja, não se importa com isso. Mas Elifaz assegurou a Jó que Deus tanto vê quanto se incomoda e, por essa mesma razão, Jó estava sofrendo naquele dia. Deus é *transcendental,* mas também é *imanente.* Os pecadores que esperam escapar da atenção do Deus transcendental de súbito o encontram imanente, a julgá-los. O pecador não somente pratica o ateísmo teórico, mas também o *ateísmo prático* e, agora, precisa pagar o preço por esse equívoco. Ele acredita que há um Deus "em algum lugar lá fora", mas se surpreende ao descobrir que o mesmo Deus está subitamente presente em algum desastre. Quanto à distância de Deus do ser humano, cf. Jó 4.17-19; 5.9; 15.14-16. Deus é majestoso em seu céu, um Ser *totalmente outro,* pleno de sabedoria e conhecimento, e também cheio de severidade. Ele tem consciência de quem lhe convém julgar.

*Quer alguém durma, ande ou esteja à vontade,
A Justiça, invisível e muda, lhe segue os passos,
Ferindo sua vereda, à direita e à esquerda,
Pois todo o erro nem a noite esconderá!
O que fizeres, de algum lugar, Deus te verá.*

*E pensas que poderás torcer a sabedoria divina?
E pensas que a retribuição jaz remota, longe dos mortais?
Bem perto, invisível, sabe muito bem a quem deve ferir.
Mas tu não sabes a hora quando, rápida e repentinamente,
Ela virá a varrer da terra aos iníquos.*

Ésquilo

■ 22.13

וְאָמַרְתָּ מַה־יָּדַע אֵל הַבְעַד עֲרָפֶל יִשְׁפּוֹט׃

E dizes: Que sabe Deus? Deus, em "algum lugar, lá em cima", talvez não note o homem humilde, independentemente de ser esse um pecador ou um santo. Espessas nuvens o escondem. Ele tem coisas e problemas celestiais com que se preocupar. Dará ele atenção a coisas na terra? Talvez ele tenha estabelecido as *leis naturais* para tomar conta das coisas (*deísmo,* ver a respeito no *Dicionário*) e não intervirá. O poeta estava propondo a doutrina de uma deidade passiva, ideia contrária ao Antigo Testamento em geral. Ver Os 9; Is 62.5 e Lc 15.7. Grossas nuvens ocultam os céus dos homens, mas não escondem os homens dos céus. No pensamento primitivo, o céu de Deus estava localizado literalmente "lá em cima". Atualmente pensamos em termos de esferas imateriais, que não podem ser referidas pelos termos *em cima* e *embaixo.* É possível que Elifaz, em sua teologia primitiva, tenha pensado literalmente em nuvens que escondiam Deus. Ele não tinha o conceito do grande espaço nos céus, mas sabia que os céus não podem ser vistos, quando as nuvens cobrem tudo. Ou, então, devemos entender as *nuvens* metaforicamente, ou seja, "qualquer coisa que esconda os homens de Deus, e Deus dos homens": mistérios, enigmas, ignorância etc.

■ 22.14

עָבִים סֵתֶר־לוֹ וְלֹא יִרְאֶה וְחוּג שָׁמַיִם יִתְהַלָּךְ׃

Grossas nuvens o encobrem. O poeta desenvolveu aqui a "metáfora da nuvem". Deus está lá em cima, entre as nuvens. Presumivelmente, a terra está escondida de sua vista, de maneira que não faz parte dos pensamentos dele. As nuvens são *espessas,* o que garante que a proteção do escrutínio divino é segura. Ele anda acima da cúpula dos céus, ocupando sua mente com coisas celestiais. Que lhe importaria o que acontece na terra, ou se os homens são justos ou injustos? Elifaz falou sobre um *Deus transcendental* (vs. 12), mas isso não significa que ele seja *indiferente,* uma noção comum ao deísmo, mas estranha ao pensamento veterotestamentário. O próprio Jó usou a linguagem dos vss. 14,15, ao descrever o ateísmo prático dos pecados, e agora Elifaz usou as palavras de Jó contra Jó, fazendo dele um homem entre os pecadores antigos, que acompanha aquela multidão miserável (vs. 15). Ver Jó 21.14,15, quanto ao ateísmo prático. Os homens usualmente acreditam em Deus como uma teoria. São teístas teóricos. Mas, em sua maioria, os homens são *ateus práticos*, porquanto ignoram a Deus na vida cotidiana. Deus não faz a mínima diferença naquilo que dizem e fazem.

■ 22.15

הָאֹרַח עוֹלָם תִּשְׁמֹר אֲשֶׁר דָּרְכוּ מְתֵי־אָוֶן׃

Queres seguir a rota antiga...? *As Tradições Não São Tudo*. Existem tradições boas e *más*. Elifaz tomou a posição de que Jó se aliara aos homens perversos antigos e tomou partido de suas odiosas tradições. Jó, pensou Elifaz, não era um ateu teórico e, sim, um ateu prático. As tradições seguem por certas veredas, uma metáfora de vida que segue um caminho costumeiro. Jó se acostumara ao caminho errado que, certamente, o estava conduzindo à destruição (vs. 16).

> *Entrai pela porta estreita (larga é a porta, e espaçoso, o caminho que conduz para a perdição, e são muitos os que entram por ela), porque estreita é a porta, e apertado, o caminho que conduz para a vida, e são poucos os que acertam com ela.*
> Mateus 7.13,14

Cf. este versículo com Jó 34.8, onde retorna a metáfora contida no presente versículo, e onde dou notas expositivas adicionais. Elifaz estava dizendo: "Jó, você é um daqueles ateus práticos sobre os quais você mesmo falou". Nem todos os caminhos são legítimos para os homens. Alguns deles por certo *são degenerados*, e até a igreja se envolve em degeneração, pensando estar agindo bem, como, por exemplo, o uso da música *degenerada* nos cultos.

O vs. 15 por certo alude ao debache dos homens antes do dilúvio. A paciência divina finalmente acabou, e o dilúvio arrebatou a todos eles, conforme lemos no vs. 16. Homens debochados não têm fundamento espiritual. São vítimas fáceis da ira divina.

■ 22.16

אֲשֶׁר־קֻמְּטוּ וְלֹא־עֵת נָהָר יוּצַק יְסוֹדָם׃

Estes foram arrebatados antes do tempo. O autor sacro tinha em mente o dilúvio de Noé. Aquele foi um exemplo conspícuo de como Deus perde a paciência com homens ímpios e os varre da face da terra. Eles "são arrebatados antes de seu tempo" (conforme diz a *Revised Standard Version*). Eles poderiam ter ido mais longe, mas, por causa de seus pecados em multidão, perderam uma vida mais longa. O castigo da ação divina, no caso daqueles pecadores de antes do dilúvio, foi à vida da grande maioria dos seres humanos. Seus "fundamentos" foram, dessa maneira, varridos pelas águas. Isso lembra as palavras ditas por Jesus:

> *E todo aquele que ouve estas minhas palavras e não as pratica será comparado a um homem insensato que edificou a sua casa sobre a areia; e caiu a chuva, transbordaram os rios, sopraram os ventos e deram com ímpeto contra aquela casa, e ela desabou, sendo grande a sua ruína.*
> Mateus 7.26,27

Ver no *Dicionário* o verbete intitulado *Dilúvio de Noé*. Deus é o Deus da intervenção na história da humanidade. Ver no *Dicionário* o artigo chamado *Teísmo*. Ele não se mostra indiferente para com a sua criação (conforme diz o *deísmo*).

Quanto à morte prematura dos homens, ver Jó 15.32 e Ec 7.17. Os fundamentos de algumas vidas são "arrastados", isto é, transformam-se em torrentes liquefeitas, misturadas às águas do dilúvio, conforme diz, literalmente, o original hebraico. O livro de Jó não falava de uma retribuição post-mortem.

■ 22.17,18

הָאֹמְרִים לָאֵל סוּר מִמֶּנּוּ וּמַה־יִּפְעַל שַׁדַּי לָמוֹ׃

וְהוּא מִלֵּא בָתֵּיהֶם טוֹב וַעֲצַת רְשָׁעִים רָחֲקָה מֶנִּי׃

Diziam ao Senhor: Retira-te de nós. Estes dois versículos são virtualmente idênticos a Jó 21.14-16, pelo que solicito ao leitor que examine a exposição naqueles lugares. Elifaz aproveitou as palavras de Jó e condensou um pouco seus dizeres. Jó falara contra os *ateus práticos*, mas seu crítico aplicou as palavras ao próprio Jó, a quem ele pôs na companhia daqueles ateus. O amigo-crítico deu uma pequena distorção às afirmações de Jó, as quais foram aplicadas de maneira diferente. Jó havia declarado que o conselho dos ímpios era estranho a ele; Jó não pensava como eles pensavam (ver Jó 21.16). Elifaz, porém, aplicou essas palavras a si mesmo, e não a Jó, e deixou Jó na companhia dos ímpios, para sofrer suas tristezas. Podemos ter certeza de que Elifaz falou ironicamente, como se Jó não pudesse falar do modo como o fez, porquanto, conforme pensava Elifaz, o conselho dos ímpios era, de fato, o próprio caminho de Jó.

E o ímpio Jó, embora tivesse proferido palavras piedosas, enchia sua casa com coisas boas, ao destruir a casa das viúvas e viver uma existência geralmente egoísta, servindo ao próprio "eu" e prejudicando seus semelhantes. O Todo-poderoso, por sua vez, foi retratado como a *causa* de toda aquela riqueza. Ele se mostrara generoso com Jó e outros homens ímpios, permitindo (e até ajudando) que eles obtivessem casas cheias de coisas boas. Novamente encontramos a doutrina de Deus como a *causa única*. Entrementes, em contraste com Jó, Elifaz mantinha-se afastado do conselho dos ímpios, de forma que não podia participar do inevitável julgamento que lhes esperava.

■ 22.19

יִרְאוּ צַדִּיקִים וְיִשְׂמָחוּ וְנָקִי יִלְעַג־לָמוֹ׃

Os justos o veem, e se alegram. Quando o julgamento de Deus derruba por terra os pecadores, os justos tomam consciência do que está acontecendo e riem-se zombeteiramente dos ímpios. Pois assim os ímpios, finalmente, receberão o que merecem, em harmonia com a *Lei Moral da Colheita segundo a Semeadura* (ver a respeito no *Dicionário*). E os oprimidos finalmente terão a oportunidade de ver os opressores esmagados, e isso dará prazer aos justos. Estes têm desejos de leito de morte: Oh, se aqueles destruidores fossem destruídos! Quando isso acontece, eles dão graças a Deus e têm uma festa de celebração.

> *Somente com os teus olhos contemplarás e verás o castigo dos ímpios.*
> Salmo 91.8

> *Ri-se aquele que habita nos céus; o Senhor zomba deles.*
> Salmo 2.4

Cf. também Pv 15.3; 16.7 e 19.12.

> *Também Deus te destruirá para sempre; há de arrebatar-te e arrancar-te da tua tenda e te extirpará da terra dos viventes. Os justos hão de ver tudo isso, temerão e se rirão dele...*
> Salmo 52.5,6

■ 22.20

אִם־לֹא נִכְחַד קִימָנוּ וְיִתְרָם אָכְלָה אֵשׁ׃

Dizendo: Porquanto o nosso adversário foi destruído. O que o dilúvio não destruiu, as chamas divinas o fizeram, deixando vazias as tendas dos ímpios. O que restou do "adversário", as chamas consumiram. Os juízos de Deus são múltiplos e eficazes. O autor fala sobre poucos modos, mas Deus tem muitas surpresas no *modus operandi* de sua ira. Talvez haja neste versículo uma alusão à destruição, pelo fogo, das cidades da planície, incluindo Sodoma e Gomorra. Tanto Bildade quanto Zofar haviam citado o julgamento mediante o fogo. Ver Jó 18.15 e 20.26. E, aqui, Elifaz empregou a metáfora.

■ 22.21

הַסְכֶּן־נָא עִמּוֹ וּשְׁלָם בָּהֶם תְּבוֹאַתְךָ טוֹבָה׃

Reconcilia-te, pois, com ele, e tem paz. *Convite Renovado ao Arrependimento*. Tendo experimentado assustar Jó com suas eloquentes metáforas de julgamento, Elifaz agora dizia a Jó: "Ainda não é tarde demais para ti. Abandona essa tua pretensão de seres inocente. Confessa e abandona os teus pecados, e a *bondade* voará sobre ti, em lugar das águas do dilúvio". Elifaz convidou Jó a *submeter-se a Deus*, em vez de lhe fazer perguntas e falar falsidades, a fim de parecer um homem bom. Diz aqui o hebraico, literalmente, "concorda com Deus". Nesse acordo (sou um pecador e agora me arrependo), a paz lhe seria concedida e seus sofrimentos cessariam. O indivíduo dogmático, assim sendo, não adicionou nada novo à discussão, mas continuou tocando a única música que ele conhecia: os pecadores sofrem; os justos não sofrem. O hebraico subentende, literalmente: "Sê um companheiro de Deus". A *King James Version* diz: "Fica conhecido de Deus". O resultado seria a *paz* que nos é dada através da reconciliação, e o fim do conflito com o Ser divino. O pecador pode descansar se cessar de pecar. Ver no *Dicionário* o artigo chamado *Paz*. O texto não deve ser cristianizado para falar da paz que nos é dada por meio da expiação, com a promessa da vida eterna. Antes, devemos pensar aqui em paz, em descanso dos sofrimentos, nesta *vida física*.

■ 22.22

קַח־נָא מִפִּיו תּוֹרָה וְשִׂים אֲמָרָיו בִּלְבָבֶךָ׃

Aceita, peço-te, a instrução que profere. Existe uma *lei*, um *padrão* ou *instrução*. Talvez haja aqui alusão à lei de Moisés, pois o livro de Jó teria sido escrito, de fato, após a lei ter sido transmitida através de Moisés, embora posto no período patriarcal, omitindo assim referências *diretas* à legislação mosaica. Seja como for, em qualquer período histórico, há aquela lei de Deus mediante a qual os homens são instruídos. Há também paz e prosperidade na *obediência*. Mas as palavras de Deus devem ser postas no coração como um *tesouro*, para que sempre nos influenciem a vida. Deve haver uma conversão genuína ao princípio divino. Não basta falar sobre as instruções divinas; elas devem tornar-se parte da nossa vida.

> Quando falamos com o Senhor, na luz de sua Palavra, quanto é a glória que ele derrama em nosso caminho. Enquanto cumprirmos a vontade de Deus, ele permanecerá conosco e com todos quantos confiarem nele e lhe forem obedientes.
> J. H. Sammis

Guardo no coração as tuas palavras, para não pecar contra ti.
Salmo 119.11

Cf. este versículo com Pv 2.1 e 4.10.
"Entesourai suas palavras em vossos corações, como um rico tesouro, muito valioso, preferível ao ouro, à prata e às pedras preciosas, que os homens guardam em caixas e gabinetes, por causa do seu *valor*" (John Gill, *in loc.*). Os homens anseiam por não perder seus objetos valiosos. Quanto mais as instruções de Deus devem ser guardadas em nosso coração, a fim de não se perderem da alma humana, mas sendo constantemente exercitadas. Os tesouros ocultos em câmaras secretas finalmente passam a alguma outra pessoa ou são furtados por ladrões. O tesouro de Deus no coração, porém, não se pode perder. Os homens devem ser "ricos para com Deus".

> *Não acumuleis para vós outros tesouros sobre a terra, onde a traça e a ferrugem corroem e onde ladrões escavam e roubam; mas ajuntai para vós outros tesouros no céu, onde traça nem ferrugem corrói, e onde ladrões não escavam, nem roubam; porque, onde está o teu tesouro, aí estará também o teu coração.*
> Mateus 6.19,20

■ 22.23

אִם־תָּשׁוּב עַד־שַׁדַּי תִּבָּנֶה תַּרְחִיק עַוְלָה מֵאָהֳלֶךָ׃

Se te converteres ao Todo-poderoso. *A Volta aos Princípios Corretos*. O autor sagrado falava nas instruções do Todo-poderoso, com a volta do coração ao próprio Deus, o que tem mais valor do que os tesouros ocultos em câmaras secretas. Jó teria todas as iniquidades condenadoras removidas de si mesmo e de sua tenda. Então as bênçãos de Deus fluiriam, a começar com a cura de seu corpo. Jó estava em desesperadora necessidade de *restauração*, e o verdadeiro arrependimento seria o caminho para a restauração. Elifaz eliminou completamente a possibilidade de que um *inocente* podia sofrer, e esse era o caso de Jó. A teologia de Elifaz não tinha enigmas, mas isso não significa que não há enigmas neste mundo miserável. Jó, de acordo com a avaliação de seu crítico, era um homem arrogante. Ele precisava de humildade para ser capaz de sentir o impacto dos argumentos dirigidos contra ele. A arrogância era apenas outro dos pecados de Jó. O Todo-poderoso é suficiente para a tarefa restauradora, se confiarmos nele.

■ 22.24

וְשִׁית־עַל־עָפָר בָּצֶר וּבְצוּר נְחָלִים אוֹפִיר׃

E deitares ao pó o teu ouro. Nossa versão portuguesa por certo está correta ao começar esta declaração com um "se", e não com um "quando". Se Jó jogasse fora o seu ouro terreno, no pó, e *se* jogasse no rio suas pepitas de ouro, então ele teria a oportunidade de fazer de Deus o seu ouro. "Para de confiar em tuas riquezas. Entrega tuas pepitas ao pó, aquele ouro de Ofir que tens acumulado (ver Jó 28.16 e Is 14.12). Lança teu ouro na ravina. Que as águas o levem. Então, sê rico para com Deus, e teus problemas em breve estarão resolvidos."

Ofir. Para completo entendimento da referência ao ouro daquele lugar, ver o artigo no *Dicionário* chamado *Ofir*. Para ganhar as *riquezas* de Deus, Jó tinha de considerar suas riquezas terrenas como se fossem *poeira*. O hebraico original do texto é difícil, pelo que é traduzido e interpretado de maneiras diversas. "Ao amar o ouro, em vez de amar Deus (vss. 24,25), Jó encontraria estranho deleite no Todo-poderoso (ver Sl 37.11; Is 55.2; 58.14 e 66.11)" (Samuel Terrien, *in loc.*). O ouro é, com frequência, extraído dos rios. Jó foi exortado a lançar seu ouro de volta ao rio, a fim de obter um tesouro maior, da parte do próprio Deus. *Deus* é o grande rio da bênção.

■ 22.25,26

וְהָיָה שַׁדַּי בְּצָרֶיךָ וְכֶסֶף תּוֹעָפוֹת לָךְ׃
כִּי־אָז עַל־שַׁדַּי תִּתְעַנָּג וְתִשָּׂא אֶל־אֱלוֹהַּ פָּנֶיךָ׃

Então o Todo-poderoso será o teu ouro. O Deus Todo-poderoso deve tornar-se para um homem o seu tesouro, no qual ele confia. Deus deve tornar-se o ouro, a prata e as pedras preciosas do crente. Somente então um homem pode elevar seu rosto a Deus (vs. 26). Elifaz estava convidando Jó para a verdadeira *espiritualidade*. Ele o estava chamando para longe da vida mundana e para fora das ambições mundanas.

> *Por que gastais o dinheiro naquilo que não é pão, e o vosso suor, naquilo que não satisfaz? Ouvi-me atentamente, comei o que é bom e vos deleitareis com finos manjares.*
> Isaías 55.2

"Dá menos trabalho encontrar Deus do que encontrar metais ocultos, pelo menos para aquele que o busca humildemente (Jó 28.12-28)" (Fausset, *in loc.*).

"... Eleva para ele a tua face, sem mancha, sem confusão, sem pejo, sem corar, sem a carga da culpa" (John Gill, *in loc.*). Provavelmente, a *oração* é aqui aludida. *Nisso*, os homens elevam o rosto para Deus. Portanto, o vs. 27 continua a tratar da ideia da oração.

■ 22.27

תַּעְתִּיר אֵלָיו וְיִשְׁמָעֶךָּ וּנְדָרֶיךָ תְשַׁלֵּם׃

Orarás a ele, e ele te ouvirá. As orações de Jó deixaram de ser respondidas. Ele lançava suas palavras contra a cúpula de bronze dos céus, e estes apenas reverberavam as palavras a ele. Mas o homem que eleva o rosto inocente para Deus (vs. 26) pode esperar respostas às suas orações. O homem justo fará votos e promessas e, quando os estiver cumprindo, a bênção de Deus fluirá para ele das comportas abertas do céu. Ver no *Dicionário* o artigo chamado *Oração*.

Jó seria um homem de *orações* bem-sucedidas, se cumprisse essas condições.

> *Então, clamarás, e o Senhor te responderá; gritarás por socorro, e ele dirá: Eis-me aqui...*
> Isaías 58.9

Comparar os *votos* mencionados neste versículo com Sl 56.12,13 e 66.13,14. Ver no *Dicionário* o verbete chamado *Voto*, quanto a amplos comentários sobre a questão.

22.28

וְתִגְזַר־אֹומֶר וְיָקָם לָךְ וְעַל־דְּרָכֶיךָ נָגַהּ אֹור׃

Se projetas alguma cousa, ela te sairá bem. Jó era um miserável pecador, jazendo ali, naquele monturo de cinzas, queixando-se e chorando. Mas o *Jó restaurado* se tornaria, uma vez mais, homem de poder e decisão, pronunciando *decretos* e controlando homens e situações. Quando ele decidisse sobre alguma coisa, estaria aquilo decidido, e outros indivíduos viriam para fazer o que estivesse de acordo com seu desejo. Por trás de tudo isso estaria a *Providência de Deus* ajudando o *homem justo*.

Além disso, Jó teria *luz para a sua vereda*. Ele teria uma mente iluminada. Saberia o que era melhor e o faria corretamente. Não padeceria *dilemas de decisão*. Oh, Senhor, concede-nos tal graça! Abraão sabia que Ló tinha de sair de Sodoma. Não era fácil arrancar Ló de Sodoma, pois até sua esposa voltou o rosto para trás e foi transformada em coluna de sal. A diferença foi *iluminação*. Abraão *sabia* o que fazer. Os demais *hesitavam*.

Se, porém, algum de vós necessita de sabedoria, peça-a a Deus, que a todos dá liberalmente e nada lhes impropera; e ser-lhe-á concedida.

Tiago 1.5

Confia ao Senhor as tuas obras, e os teus desígnios serão estabelecidos.

Provérbios 16.3

22.29

כִּי־הִשְׁפִּילוּ וַתֹּאמֶר גֵּוָה וְשַׁח עֵינַיִם יֹושִׁעַ׃

Se estes descem, então dirás. Um *princípio padronizado* é que Deus humilha os orgulhosos, mas exalta os humildes, e Elifaz empregou esse ensino em seu apelo final a Jó. Seus sofrimentos confirmaram que ele era um pecador arrogante. E Jó seria destruído completamente, caso continuasse a caminhar por aquela vereda. É característico dos arrogantes não ouvir os conselhos alheios, portanto Jó estava em perigo mortal.

A soberba precede a ruína, e a altivez de espírito, a queda.

Provérbios 16.18

... Deus resiste aos soberbos, contudo, aos humildes concede a sua graça.

1Pedro 5.5

A misericórdia e a graça pertencem àqueles cujo coração participa da genuína espiritualidade. O homem mundano e orgulhoso só pode terminar mal. Jó tinha sido homem poderoso, mas agora — conforme Elifaz supunha — fora humilhado pela ira de Deus. Mas, da mesma maneira que Deus humilha o pecador, pode levantar de novo o pecador arrependido.

22.30

יְמַלֵּט אִי־נָקִי וְנִמְלַט בְּבֹר כַּפֶּיךָ׃ פ

E livrará até o que não é inocente. Jó necessitava desesperadamente ser libertado de suas agonias. Mas, para conseguir isso, precisava ter mãos limpas. Para obter mãos limpas, precisava arrepender-se. Para tornar o arrependimento eficaz, precisava ser sincero e constante em seu novo caminho. Deus estava preparado e disposto a ajudar, mas não haveria de ajudar aquele *pecador arrogante*, Jó. A verdade da questão, contudo, era que o golpe divino caíra sobre um *inocente*, algo completamente fora dos dogmas de Elifaz. Havia um *enigma*, que continuava. Seja como for, o argumento geral de Elifaz era que, enquanto a piedade de Jó não era nada para Deus, para o próprio Jó, uma piedade genuína poderia ser de grande valor.

O hebraico original do versículo é difícil. Quanto a "inocente", a *King James Version* diz "ilha", o que não faz sentido. Alguns estudiosos opinam que a palavra envolvida é "casa". A casa de um homem é livrada de calamidades. A versão siríaca e a Vulgata complicam a questão, dando a entender que o homem que *não é inocente* será livrado por Deus, um sentido improvável.

Graças à pureza de tuas mãos. Uma metáfora poética para indicar um *inocente*, alguém livre do pecado que domina o indivíduo. As mãos são usadas para fazer coisas, incluindo atos maus. Assim também o *homem* que está limpo tem as mãos limpas, sendo mãos o símbolo de sua *pessoa inteira*.

Quem subirá ao monte do Senhor? Quem há de permanecer no seu santo lugar? O que é limpo de mãos e puro de coração, que não entrega a sua alma à falsidade.

Salmo 24.3,4

CAPÍTULO VINTE E TRÊS

TERCEIRA RÉPLICA DE JÓ A ELIFAZ (23.1—24.25)

O plano dos discursos era que cada um dos três amigos-críticos de Jó apresentariam três discursos, e então Jó replicaria a cada discurso. Mas o terceiro dos amigos-críticos apresentou apenas dois discursos, o que significa que o terceiro discurso dele pode ter sido substituído pelo longo discurso de Eliú (Jó 32—37). Jó não respondeu a Eliú, porque foi então que Deus interveio com seus próprios discursos (ver Jó 38.1—42.6). Quanto a detalhes sobre o plano dos discursos e os problemas principais do livro, ver as introduções aos capítulos 4, 8 e 20.

Os consoladores molestos de Jó (ver Jó 16.2) não desistiram. Continuavam dizendo que Jó era um pecador notório e constante, culpado de atos criminosos e, naturalmente, tinha de sofrer o julgamento de Deus, de acordo com a *Lei Moral da Colheita segundo a Semeadura* (ver a respeito no *Dicionário*). Jó também não desistiu, porque continuava a proclamar em altas vozes a própria inocência. Muitas palavras cortantes e insultuosas foram proferidas tanto pelos amigos-críticos de Jó quanto por ele próprio, e as palavras de queixa e insultos deste último foram lançadas na direção do céu, contra o próprio Deus, o que chocou seus críticos.

Na réplica que temos à nossa frente, Jó não deu resposta aos argumentos de Elifaz. Antes, examinou os pontos fundamentais da situação e deu, em sua maioria, respostas generalizadas. Deus é retratado como a distorcer sempre suas tentativas de obter um encontro (ver Jó 23.2-17) e a recusar-se a responder às orações de Jó (ver Jó 24.1-25). Jó, pois, continuou a sentir-se oprimido, tanto por Deus quanto pelo homem.

Jó respondeu a algumas das alegações de Elifaz, no capítulo 31 do livro. Nos capítulos intervenientes, concentrou sua atenção na relutância de Deus em ouvir o seu caso e responder de maneira significativa. Jó estava decepcionado com a injustiça e o *silêncio* de Deus.

23.1,2

וַיַּעַן אִיֹּוב וַיֹּאמַר׃

גַּם־הַיֹּום מְרִי שִׂחִי יָדִי כָּבְדָה עַל־אַנְחָתִי׃

Respondeu, porém, Jó. O vs. 1 é a introdução padronizada a uma nova réplica. Jó retornou ao seu já famoso *pessimismo* (ver a respeito na *Enciclopédia de Bíblia, Teologia e Filosofia*). A própria existência se tornara um mal para Jó; assim, continuaram suas amargas queixas. Deus ou distorcia ou ignorava todos os seus esforços para "entrar em contato" com os céus. Suas orações não eram ouvidas, tinham deixado de ser respondidas. E Jó continuou sentindo-se oprimido, mesmo sem saber a razão disso. "Ainda hoje" são palavras que, provavelmente, significam "agora". Não sabemos por quantos dias perduraram as discussões, mas devem ter perdurado, ao menos, por duas semanas.

Revoltado. A palavra hebraica tem o sentido de "rebelde". "Era manifesto que os amigos de Jó pensavam que ele estivesse revoltado, e ele continuaria a sentir-se um revoltado. Sempre que o erro estiver entrincheirado e o *status quo* tiver de ser modificado, o desafiador ganha para si mesmo o nome de *rebelde*. Jó parecia um subversivo.

Ele se tornara inimigo do povo... Parecia um herege" (Paul Scherer, in loc.). O mesmo autor salienta que o *Roget's Thesaurus* lista os seguintes grupos como hereges ou representantes da *heterodoxia*: deístas, teístas, unitários, protestantes, católicos, judeus, luteranos, calvinistas episcopais, metodistas, batistas, islamitas e budistas. *Por quê?* Porque, para *algumas pessoas* (oponentes daqueles grupos), *todas* essas denominações e religiões representam os "alienados", ou seja, os "hereges". Jó também tinha opiniões diferentes de seus amigos, pelo que, para eles, era um herege rebelado, embora ele tivesse a *verdade*, e eles não a tivessem. A curto prazo, as tradições sempre saem ganhando, e a verdade tem de esperar.

> A verdade, esmagada na terra, levantar-se-á de novo.
> Os anos eternos de Deus lhe pertencem.
> Mas o erro, ferido, debate-se em meio a dores
> E morre entre os seus adoradores.
>
> William Cullen Bryant

Apesar de a minha mão reprimir o meu gemido. A pesada mão da punição divina era ainda mais pesada que os gemidos desesperados de Jó, e pesava mais a cada dia. A Septuaginta e a versão siríaca dizem: "Meu castigo é pesado a *despeito* do meu gemido". Em outras palavras, Deus tornou-se surdo diante dos clamores de Jó e continuou a aumentar as dores dele. Isso dá algum sentido a um trecho hebraico difícil, mas provavelmente temos aqui uma emenda, para tornar mais fácil o sentido da passagem.

Seja como for, Jó estava revoltado e tinha consciência disso. Essa percepção, porém, não o fez parar. Jó continuava a atirar-se contra Deus, conforme seus críticos disseram que ele estava fazendo (ver Jó 5.8; 8.5; 11.12 e 22.23). Mas coisa alguma que ele fizesse alterava sua situação desesperadora.

■ **23.3**

מִי־יִתֵּן יָדַעְתִּי וְאֶמְצָאֵהוּ אָבוֹא עַד־תְּכוּנָתוֹ׃

Ah! Se eu soubesse onde o poderia achar! Jó continuava clamando, buscando e choramingando. Mas o cobre dos céus só reverberava seus apelos, sem lhe dar nenhum "alívio". Se ao menos Jó pudesse localizar o salão do trono e ver Deus em seu devido lugar! Então Jó correria para Deus e lançaria diante dele todas as suas queixas e agonias, exigindo resposta às suas tristezas, requerendo uma transformação, porque, quanto a ele, estava no fim de suas forças. Mas não acontecia absolutamente nada, a despeito de suas severas dores e de seus clamores intermináveis. É correto salientar que Deus tem encontrado homens em Cristo, e tem sido providenciado o acesso (ver Hb 6.19,20), mas Jó não antecipava coisa alguma dessa natureza. Ele só queria sair de suas agonias miseráveis. Ver também Hb 10.19-22 e, no *Dicionário*, o verbete chamado *Acesso*. Finalmente, porém, Jó obteve suas respostas, as quais solucionaram seus problemas (nos capítulos finais do livro de Jó); mas, primeiramente, ele precisava ser submetido a teste.

■ **23.4**

אֶעֶרְכָה לְפָנָיו מִשְׁפָּט וּפִי אֲמַלֵּא תוֹכָחוֹת׃

Exporia ante ele a minha causa. *Argumentação.* Jó imaginou-se inutilmente na corte celeste, assediando o Deus Todo-poderoso com uma chuva de queixas e argumentos, exigindo alguma espécie de resposta divina para a sua miséria. Jó seria o seu próprio advogado e assaltaria o Juiz com a apresentação lógica. Ele argumentaria de maneira persuasiva (cf. Jó 10.2); proferiria palavras de peso, que fariam a audição do Todo-poderoso inclinar-se em sua direção. Assim corria o seu sonho. Mas Deus estava ausente e ocultava-se, e continuaria nessa atitude *até* que chegasse o seu tempo para mudar. Ver Sl 22.1-5, quanto a algo similar.

> *Verdadeiramente, tu és Deus misterioso...*
>
> Isaías 45.15

■ **23.5**

אֵדְעָה מִלִּים יַעֲנֵנִי וְאָבִינָה מַה־יֹּאמַר לִי׃

Saberia as palavras que ele me respondesse. Se recebesse tal oportunidade, Jó obteria a sua resposta. Ele *compreenderia* a explicação que o Juiz houvesse de proferir. Então conheceria a *causa* de seus sofrimentos, e isso lhe daria certo alívio. Ou assim corria o seu sonho. "Jó buscava obter, da parte do Juiz fugidio, uma audiência e o reconhecimento de sua virtude" (*Oxford Annotated Bible,* comentando sobre este versículo). Jó seria *vindicado* perante seus amigos-críticos. E ficaria demonstrada sua inocência, conforme ele proclamava, insistentemente.

> *Porque de nada me argúi a consciência; contudo, nem por isso me dou por justificado, pois quem me julga é o Senhor.*
>
> 1Coríntios 4.4

■ **23.6**

הַבְּרָב־כֹּחַ יָרִיב עִמָּדִי לֹא אַךְ־הוּא יָשִׂם בִּי׃

Acaso segundo a grandeza do seu poder... A fé de Jó aumentou, ao imaginar-se ele, pessoalmente, no salão do trono de Deus, pleiteando seu caso diante do Juiz supremo. Porventura o Juiz divino haveria de avassalá-lo e lutar contra ele, reduzindo a nada o próprio Jó e seus argumentos? Não! Pelo contrário, o Juiz haveria de fortalecê-lo, reconhecendo a justiça de sua causa, vindicando-o e restaurando-o, assim lhe segredava o seu sonho. Cf. Jó 9.19,34 e 13.21.

> *Lutou com o anjo e prevaleceu; chorou e lhe pediu mercê; em Betel, achou a Deus, e ali falou Deus conosco.*
>
> Oseias 12.4

■ **23.7**

שָׁם יָשָׁר נוֹכָח עִמּוֹ וַאֲפַלְּטָה לָנֶצַח מִשֹּׁפְטִי׃

Ali o homem reto pleitearia com ele. Jó era homem reto, inocente das acusações feitas contra ele e, pelo menos no momento, apegou-se a esse pensamento e proclamou que um *homem justo* não seria rejeitado na presença do Juiz. Por conseguinte, o resultado era inevitável: seu caso seria ouvido; sua inocência seria reconhecida; o Juiz declarar-se-ia em favor dele, e Deus se tornaria o *curador* de todos os seus males. Seus temores cessariam. Assim corria o seu sonho. Contudo, ainda não era chegado o tempo de Deus. A vontade de Deus corre de acordo com a cronologia divina, e é muito difícil proceder sem que estejam as coisas no tempo marcado por Deus. Mas então as portas fechadas abrem-se, miraculosamente. Um homem ímpio teria medo de comparecer perante o Juiz (ver Jó 13.16); se ele o fizesse, as coisas correriam muito ruins para ele. Jó, porém, estava convencido de sua inocência. O problema do sofrimento humano envolve enigmas. O fato brutal é que o homem inocente pode sofrer. Ele, juntamente com os pecadores, participa da futilidade deste mundo (ver Rm 8.20). E não podemos perguntar *por quê?* A vida pós-túmulo *cura* o sofredor, mas por que um homem sofre *agora*, e por muitas vezes mais do que seu vizinho injusto, permanece um enigma. A *adversidade,* todavia, pode atuar como *disciplina*, e esse foi exatamente um dos argumentos de Eliú (Jó 32—37). Mas essa é apenas mais uma resposta, que não resolve completamente o enigma do sofrimento humano, embora possa explicá-lo parcialmente.

■ **23.8**

הֵן קֶדֶם אֶהֱלֹךְ וְאֵינֶנּוּ וְאָחוֹר וְלֹא־אָבִין לוֹ׃

Eis que se me adianto, ali não está. As *tentativas fúteis* de chegar a Deus deixavam vexada a alma de Jó. Ele *avançava*, mas nada acontecia. Ele retrocedia e, ainda assim, nada sucedia. Deus se ocultava. As orações supostamente não chegavam aonde Deus estava. Os sofrimentos de Jó pareciam não impressionar a Deus. Seus apelos e queixumes não eram ouvidos; a dor não era sentida.

O hebraico original diz aqui, literalmente, *leste* (adiante) e *oeste* (para trás). Jó ia até o alvorecer para encontrar-se com Deus. Mas Deus não aparecia. Ia até o pôr do sol para encontrar-se com Deus. Mas Deus também não aparecia. No *dia de Jó,* Deus não estava em parte alguma.

"Os vss. 8-9 retratam um quadro vividamente colorido da aflição e ansiedade de uma alma em busca do favor divino. *Nenhum meio* ficou sem ser experimentado, nenhum lugar ficou sem ser explorado" (Adam Clarke, *in loc.*).

23.9

שְׂמֹאול בַּעֲשֹׂתוֹ וְלֹא־אָחַז יַעְטֹף יָמִין וְלֹא אֶרְאֶה׃

Se opera à esquerda, não o vejo. Deus não podia ser achado no leste ou no oeste, nem do lado esquerdo nem do lado direito. A esquerda nos dá o *norte*, e a direita, o *sul*. Portanto, Jó buscava Deus em todas as posições da bússola. Ele não deixou de experimentar todas as direções. A famosa providência divina cuida do homem no mundo inteiro, mas Jó não a encontrava em parte alguma. Ver no *Dicionário* o artigo intitulado *Providência de Deus*. Cf. Gn 13.9,11 e 28.14.

Foi por esse motivo que Jó descreveu a si mesmo como um viajante solitário, que ia até as extremidades da rosa dos ventos, buscando descanso. "Ele era o peregrino do horizonte, pois a sua peregrinação não tinha centro", Samuel Terrien parafraseou os vss. 8,9 como segue:

> Se vou para o leste, ele não está ali; E se vou para o oeste, não o percebo; Vou para o norte, onde ele opera, mas não o vejo; ele oculta-se no sul, e não o enxergo.

Jó se tornara homem *solitário* no mundo, rejeitado pelos homens e abandonado por Deus. Cf. Jó 18.20, parte do discurso de Bildade contra o homem que dera a entender tal calamidade. Deus era transcendente para Jó; ele o buscava em todos os lugares, mas não o encontrava em parte alguma.

23.10

כִּי־יָדַע דֶּרֶךְ עִמָּדִי בְּחָנַנִי כַּזָּהָב אֵצֵא׃

Mas ele sabe o meu caminho. *Continuava de Pé a Fé do Inocente.* Embora Jó não conseguisse encontrar Deus na sua experiência com as coisas externas, mesmo assim ele acreditava que Deus se manifestaria em algum lugar, de alguma maneira. Jó presumia que Deus o estava observando, consciente da vereda que ele estava palmilhando. Imaginava que suas provações fossem tais, que seria refinado como o ouro e, finalmente, sairia tão puro quanto o ouro que fosse submetido ao fogo por sete vezes. Jó antecipava, assim, o argumento de Eliú de que a provação é uma *disciplina*. Jó esperava que suas provações o aprimorassem, tornando-se, assim, um homem inocente glorioso. Se Deus *sabe* o que está acontecendo, mais cedo ou mais tarde o justo atrairia sua atenção. Oh, Senhor, concede-nos tal graça!

"Ele me prova, mas, semelhantemente ao ouro, nada perderei no fogo. Sairei mais puro e luminoso... O mais forte fogo não destrói nem altera o ouro" (Adam Clarke, *in loc.*).

> *Farei passar a terceira parte pelo fogo, e a purificarei como se purifica a prata, e provarei como se prova o ouro; ela invocará o meu nome, e eu a ouvirei; direi: É o meu povo, e ela dirá: O Senhor é meu Deus.*
> Zacarias 13.9

> *Pois o Senhor conhece o caminho dos justos.*
> Salmo 1.6

> *Sondas-me o coração, de noite me visitas, provas-me no fogo e iniquidade nenhuma encontras em mim; a minha boca não transgride.*
> Salmo 17.3

23.11

בַּאֲשֻׁרוֹ אָחֲזָה רַגְלִי דַּרְכּוֹ שָׁמַרְתִּי וְלֹא־אָט׃

Os meus pés seguem as suas pisadas. A despeito de suas severas provações, Jó não se desviara da vereda da justiça. Seus pés estavam fixos na inocência; ele não abandonara a vereda reta, a despeito dos obstáculos e das armadilhas que encontrara ao longo do caminho.

> *Os meus passos se afizeram às tuas veredas, os meus pés não resvalaram.*
> Salmo 17.5

Ver no *Dicionário* o artigo denominado *Caminho*, que inclui usos metafóricos. Ver também o verbete chamado *Caminho de Deus*. E ver na *Enciclopédia de Bíblia, Teologia e Filosofia* o verbete chamado *Caminho, Cristo como o*. Jó confiava e obedecia, embora não recebesse reconhecimento e recompensa apropriados, pelo contrário: *o homem obediente* estava sendo severamente perseguido pelos Céus.

> *Pois tenho guardado os caminhos do Senhor e não me apartei perversamente do meu Deus.*
> Salmo 18.21

23.12

מִצְוַת שְׂפָתָיו וְלֹא אָמִישׁ מֵחֻקִּי צָפַנְתִּי אִמְרֵי־פִיו׃

Do mandamento de seus lábios nunca me apartei. Sem dúvida, o autor sagrado alude aqui à *lei de Moisés*, embora tenha posto o livro numa data anterior, dentro do período dos patriarcas. Naturalmente, havia leis espirituais nos livros e na natureza, antes da lei de Moisés, mas a alusão à legislação mosaica é bastante óbvia, tal como o fraseado é típico do livro de Deuteronômio. Ver o caráter *distintivo* de Israel, conferido através da lei e, subsequentemente, mediante a obediência àquela lei (ver Dt 4.4-8). Ver a tríplice designação da lei, em Dt 5.16; 22.6,7 e 25.15. A referência do presente versículo obviamente aponta para a lei como o padrão da justiça. Jó observava essa lei, de maneira que era justo e inocente. Ele também realizava os sacrifícios requeridos pela lei (ver Jó 1.5). Portanto, sem dúvida, o livro de Jó foi escrito após os tempos patriarcais e após a outorga da lei mosaica, a despeito de sua colocação artificial no tempo dos patriarcas. O homem que observa a lei pode corretamente esperar bênçãos da parte de Deus, no entanto Jó continuava agonizando. Ele era o modelo de obediência à lei, mas também era o modelo de sofrimento. No entanto, o Deus de Jó o havia abandonado, negando tudo quanto o homem justo esperava da obediência.

Jó tinha feito, da lei e da obediência à lei, um tesouro seu, o que fica implícito na palavra *escondi*. Ele ocultou o tesouro em seu coração. Mas Deus não dava a mínima atenção a Jó.

> *Guardo no coração as tuas palavras, para não pecar contra ti.*
> Salmo 119.11

"Eis aqui o quadro de um homem que se apega a seu voto de integridade e declarou sua perfeita obediência à lei divina... Mas Deus recusava-se a cumprir a sua parte, quando Jó tinha feito a sua" (Samuel Terrien, *in loc.*).

23.13

וְהוּא בְאֶחָד וּמִי יְשִׁיבֶנּוּ וְנַפְשׁוֹ אִוְּתָה וַיָּעַשׂ׃

Mas, se ele resolveu alguma cousa, quem o pode dissuadir? *O Deus Voluntarista.* Deus, em sua vontade suprema, não dava atenção ao devoto que era tão zeloso e inocente. E continuava a fazer a sua vontade. "O que ele deseja, isso ele faz" (*Revised Standard Version*). E isso incluía ignorar o pobre sofredor, Jó, e até adicionar mais dores às suas grandes agonias. Deus obedecia a seus próprios padrões e não era obrigado a abençoar o homem justo. Seus padrões não eram, necessariamente, aqueles que ele tinha imposto ao homem. Ver na *Enciclopédia de Bíblia, Teologia e Filosofia* o artigo chamado *Voluntarismo*. Dentro desse sistema, a razão se esvai e é desconsiderada. Poder é direito. Algo está certo porque Deus o faz; Deus não faz algo porque isso está correto pelos padrões humanos. Ninguém pode questionar a Deus, a despeito da injustiça óbvia das situações. Deus é chamado aqui de *imutável*, em seus caminhos voluntaristas, e não em seus caminhos beneficentes, como em Sl 33.5. Suas misericórdias também perduram para sempre (ver 1Cr 16.34), mas Jó não falava sobre isso. De fato, ele lamentava o fato de Deus persistir em sua punição, quando nenhuma misericórdia podia ser encontrada. A persistência de Deus na perseguição deixava Jó perplexo (vs. 15). Deus tinha posto a sua soberania antes do sofrimento humano, como sua *causa*. Nenhum homem pode mudar sua mente e fazer Deus desviar-se de seus decretos de punição. Note o leitor como até Paulo, influenciado por uma teologia primitiva dos hebreus, caiu nesse modo voluntarista de pensamento, em Rm 9. Caros leitores, o voluntarismo é uma teologia deficiente, sem importar quem o defenda; ele oblitera o amor de Deus; ignora e distorce um conceito melhor de Deus, que a revelação cristã trouxe, no *geral,* do Novo Testamento.

> *Eis que arrebata a presa! Quem o pode impedir? Quem lhe dirá: Que fazes?*
>
> Jó 9.12

> *Para mim tudo é o mesmo; por isso digo: tanto destrói ele o íntegro como o perverso.*
>
> Jó 9.22

Melhor: *Deus é amor* (1Jo 4.8). Os decretos de Deus são beneficentes. O próprio julgamento é *remediador* (ver 1Pe 4.6).

■ 23.14

כִּי יַשְׁלִים חֻקִּי וְכָהֵנָּה רַבּוֹת עִמּוֹ׃

Pois ele cumprirá o que está ordenado a meu respeito. O Deus da concepção voluntarista é incansável. Ele colocou Jó naquele terrível período de sofrimento e cumpriu os seus planos com precisão. Eis a razão pela qual os sofrimentos de Jó foram tão variados e as suas dores foram tão diversas. A mente divina planejou tudo! "Ele diversifica as questões humanas. Não há dois homens que tenham precisamente a mesma sorte, e nem uma mesma pessoa tem a mesma porção o tempo todo" (Adam Clarke, *in loc.*).

> *Estas cousas, as ocultaste no teu coração; mas bem sei o que resolveste contigo mesmo.*
>
> Jó 10.13

Para os antigos hebreus, Deus era a única causa, ou seja, a causa do mal, mas nenhum homem questiona suas decisões e atos. Cf. Ec 3.1,2.

■ 23.15

עַל־כֵּן מִפָּנָיו אֶבָּהֵל אֶתְבּוֹנֵן וְאֶפְחַד מִמֶּנּוּ׃

Por isso me perturbo perante ele. Deus era a única causa, e todas as coisas corriam erradas; tudo se transformava em sofrimento e dor. Jó veio a *temer* a Deus porque sabia, *em primeiro lugar,* que não havia alívio em vista, e, *em segundo lugar,* porque poderia esperar mais golpes divinos de angústia. A única causa era, igualmente, a causa de todos os males e agonias, de maneira que Jó nunca estava em paz. Seu coração era continuamente agitado com *tribulações.* Não era exatamente correto referir-se a Deus como o "Deus desconhecido e enigmático". Em seus atos, ele se mostrava um destruidor e um infligidor de dor. Foi assim que Jó se afundou ainda mais em seu *pessimismo* (ver na *Enciclopédia de Bíblia, Teologia e Filosofia*). Para Jó, a própria existência se tornara um mal, e morrer seria considerado um ato de salvação, não para a alma, mas para libertação dos sofrimentos.

■ 23.16

וְאֵל הֵרַךְ לִבִּי וְשַׁדַּי הִבְהִילָנִי׃

Deus é quem me fez desmaiar o coração. Algumas vezes Deus mostrava-se escondido, especialmente quando Jó orava. Mas quando ele se manifestava era para ferir. Sua *soberania* estava por trás daqueles atos espantosos. Jó ficava aterrorizado com Deus quando ele não agia, e aterrorizado quando ele agia. Jó não era um homem maligno, mas não gozava de paz. Tinha esperado encontrar o Juiz e ser considerado inocente, pelo poder dos argumentos persuasivos (vss. 4 ss.). Mas acabou perdendo essa confiança. Deus era imprevisível. Ninguém pode *predizer* Deus nem resistir a ele. Deus se escondia (vss. 23.3,8,9). Ele era soberano (Jó 23.13,14) e Jó estava aterrorizado (no hebraico, *bahal,* "perturbado", "desalentado": Jó 4.5; 21.6; 22.10; 23.15,16). E assim Jó *desmaiou.* Seu coração estava *mole* ou *desmaiado (Revised Standard Version).*

■ 23.17

כִּי־לֹא נִצְמַתִּי מִפְּנֵי־חֹשֶׁךְ וּמִפָּנַי כִּסָּה־אֹפֶל׃

Porque não estou desfalecido por causa das trevas. Jó estava "pressionado" pelas trevas, ou seja, por uma provação severa e aterrorizante, que lhe prometia a *morte.* Densas trevas lhe encobriam o rosto. A parte do versículo que diz "desfalecido por causa das trevas" pode significar, mediante outra interpretação, "sem fala" (no hebraico, *niphal*). Os decretos de Deus tinham-se tornado trevas e deixaram Jó de boca escancarada, incapaz de proferir um som sequer. O trecho hebraico original é obscuro e não cede diante de nenhuma interpretação certa.

A maioria dos manuscritos hebraicos diz: "não cortado antes das trevas", o que significa que a morte não interveio para salvá-lo de seus próprios sofrimentos. Certo manuscrito hebraico deixa de fora o *não,* e então temos o sentido das trevas a apertá-lo, que é a tradução escolhida pela *Revised Standard Version.* A primeira tradução poderia significar que Jó não parou de falar, embora cercado de desastres. A segunda tradução significa que Jó ficou sem fala, diante de todas aquelas calamidades. Cf. este versículo com Jó 10.21,22.

CAPÍTULO VINTE E QUATRO

Este capítulo prossegue com a terceira réplica de Jó ao terceiro discurso de Elifaz. Ver a introdução à seção, em Jó 23.1. Não repito a informação dada, por ser uma medida supérflua. Em Jó 24.1-17, Jó retorna a uma discussão sobre a *indiferença de Deus* diante de seu triste estado, repetindo anteriores queixumes.

■ 24.1

מַדּוּעַ מִשַּׁדַּי לֹא־נִצְפְּנוּ עִתִּים וְיֹדְעָיו לֹא־חָזוּ יָמָיו׃

Por que o Todo-poderoso não designa tempos de julgamento? Deus permanecia indefinível. Não punia os ímpios nem recompensava os justos. "Por que o Todo-poderoso não guarda tempos de julgamento?" (*Revised Standard Version*). Deus parecia indiferente para com os atos dos ímpios, que espalham a confusão na terra. Entrementes, os bons (aqueles que conhecem Deus) não veem "seus dias", isto é, aqueles tempos benditos em que as bênçãos e as recompensas foram "dias bons, nomeados por sua vontade generosa e operados por uma soberania benigna". Em outras palavras, o mal vence "com o homicídio", segundo dizemos em uma expressão idiomática moderna, enquanto os bons permanecem em seu fracasso. Alguns estudiosos pensam que os "tempos" aqui referidos sejam tempos de *vingança.* Os justos esperam ver os ímpios punidos, mas Deus não observa seus dias marcados nem separa dias para julgamento. Os pecadores se tornam paulatinamente piores, e, no entanto, coisa alguma acontece a eles.

> *Deus, dizeis vós, guarda a iniquidade do perverso para seus filhos. Mas é a ele que deveria Deus dar o pago, para que o sinta.*
>
> Jó 21.19

"Se Deus não fosse *onisciente,* o problema do mal não seria a pedra de tropeço para os homens de fé, como o é" (*Oxford Annotated Bible,* comentando sobre o vs. 1 deste capítulo).

■ 24.2

גְּבֻלוֹת יַשִּׂיגוּ עֵדֶר גָּזְלוּ וַיִּרְעוּ׃

Há os que removem os limites. *Violência e Pecados Sociais.* Há muitas maneiras de oprimir e causar confusão. Os homens ímpios são *versáteis.* Estudos mostram que os criminosos usualmente ofendem em *todas* as categorias de atos antissociais: *danos contra o corpo,* como assalto e estupro; *danos contra a propriedade* — destruição voluntária e furto; desonestidade com dinheiro, brutalidades e crimes de "colarinho branco". No presente versículo, temos crimes contra a propriedade alheia: os marcos de terrenos (indicadores de limites) eram mudados para tirar terreno do próximo e aumentar o próprio terreno. Em seguida, o gado era atacado e arrebatado. O ímpio celebra sua "vitória" oferecendo uma grande festividade, comendo a carne roubada! Os códigos legais antigos puniam severamente o deslocamento dos marcos de terrenos. Ver Dt 19.14; 27.17; Os 5.10; Pv 22.28 e 23.10. No entanto, Deus, que presumivelmente deu a lei, olha em outra direção e permite que o ímpio continue a agir sem ser punido, ao passo que homens pobres, infelizes e inocentes como Jó eram submetidos a testes severos. *Indicadores comuns de limites* eram pilhas de pedras, formações arbustivas ou cercas.

■ 24.3

חֲמוֹר יְתוֹמִים יִנְהָגוּ יַחְבְּלוּ שׁוֹר אַלְמָנָה׃

Levem do órfão o jumento. Nem ao menos tinham sido poupados *os terrenos e as casas das viúvas.* Os maridos delas estavam mortos. Elas foram deixadas com alguns poucos animais domésticos, como o asno e o boi. Mas homens ímpios levaram esses animais, deixando as viúvas e seus filhos sem recursos, a padecer fome. Jó, pois, foi acusado de ter agido dessa maneira. Ver Jó 22.6. A Septuaginta fala sobre o pastor a trabalhar nas terras da viúva que estava sendo atacada. No caso em foco, o pastor era um dos filhos da viúva, sem dúvida. Ele foi atacado e sequestrado. A viúva ficou sem um filho amado.

■ 24.4

יַטּוּ אֶבְיוֹנִים מִדָּרֶךְ יַחַד חֻבְּאוּ עֲנִיֵּי־אָרֶץ׃

Desviam do caminho aos necessitados. Adicionando males a seus crimes e às suas violências, eles até expulsavam os proprietários de suas terras, transformando-os em nômades vagabundos, que perderam todas as coisas. E esses ex-proprietários tinham de reunir-se em bandos e esconder-se, a fim de sobreviver. Mas, mesmo no deserto, eles poderiam esperar o ataque de nômades de tipo animalesco, cuja violência aumentava a cada dia.

"A desumanidade do homem contra o homem. O poeta extraiu para a sua geração, tanto quanto para a nossa, não somente o quadro mental, mas também um quadro *vindo do coração,* daquilo que faz um número incontável de pessoas lamentar-se. Nos vss. 22,23 a desumanidade parece tornar-se o projeto do próprio Deus Todo-poderoso. No vs. 25, Jó desafiou qualquer pessoa a contradizê-lo. Ele tinha dito a verdade" (Paul Scherer, *in loc.*).

"A desumanidade do homem contra o homem, infelizmente, é um crime de longa duração" (Ellicott, *in loc.*).

Quando sobem os perversos os homens se escondem, mas, quando eles perecem, os justos se multiplicam.

Provérbios 28.28

■ 24.5

הֵן פְּרָאִים ׀ בַּמִּדְבָּר יָצְאוּ בְּפָעֳלָם מְשַׁחֲרֵי לַטָּרֶף עֲרָבָה לוֹ לֶחֶם לַנְּעָרִים׃

Como asnos monteses no deserto. Os infelizes expulsos de suas terras passavam a viver como animais no deserto. Eles tinham de caçar animais selvagens para alimentar a si mesmos e a seus filhos. Para sua simples sobrevivência, tinham de fazer esforços ingentes. Entrementes, os ímpios que arrebataram as terras deles engordavam e prosperavam às expensas do próximo. Uma interpretação menos provável faz aqueles que estavam no deserto parecer bandos selvagens que saíam para saquear como animais de rapina. Disse Fausset, *in loc.*: "Aqueles ladrões beduínos, com selvageria a toda brida, como um burro selvagem no deserto, saem à caça. O furto é o trabalho *ilegítimo* deles. O deserto, que não fornece alimentos para *outros homens,* cede alimentos a eles e seus filhos, mediante ataque a caravanas".

■ 24.6,7

בַּשָּׂדֶה בְּלִילוֹ יִקְצֹרוּ וְכֶרֶם רָשָׁע יְלַקֵּשׁוּ׃
עָרוֹם יָלִינוּ מִבְּלִי לְבוּשׁ וְאֵין כְּסוּת בַּקָּרָה׃

No campo segam o pasto do perverso. Os pobres, expulsos de seus campos, caçavam alimentos no deserto como se fossem animais selvagens. Quando podiam, respigavam um pouco das fazendas e dos vinhedos, para adicionar ao que podiam obter no deserto. Vivendo dessa maneira, como era óbvio, eles não tinham recursos para vestir-se de maneira adequada, de modo que andavam virtualmente despidos, usando somente trapos esfarrapados, símbolo de pobreza extrema (vs. 7). Quando fazia frio, eles não tinham cobertas nem vestes externas que os protegessem. Novamente, os intérpretes colocam os *bandos de nômades árabes* como os indivíduos referidos neste versículo, mas essa é uma interpretação menos provável. Aquela pobre gente não era de ladrões do deserto, mas de *exilados* que tinham fugido, aterrorizados, da presença dos assaltantes. A geada não era incomum nas áreas desérticas (ver Gn 31.40). Por conseguinte, aquela pobre gente com frequência sofria de frio, pois não tinha casas nem mesmo cobertores para passar a noite.

■ 24.8

מִזֶּרֶם הָרִים יִרְטָבוּ וּמִבְּלִי מַחְסֶה חִבְּקוּ־צוּר׃

Pelas chuvas das montanhas são molhados. Não tendo residências, eles eram molhados pelas águas da chuva, que traziam ondas de frio, forçando-os a sofrer sem roupas e cobertores adequados. Eles habitavam em cavernas frias e úmidas, por ser esse o único abrigo que podiam encontrar, ou construíam cabanas feitas de vegetação esparsa.

Abraçam-se com as rochas. Esta é uma forma poética de "abrigam-se entre as rochas", embaixo de lajes que se projetavam ou cavernas.

Habitam nos desfiladeiros sombrios, nas cavernas da terra e das rochas.

Jó 30.6

... errantes pelos desertos, pelos montes, pelas covas, pelos antros da terra.

Hebreus 11.38

■ 24.9

יִגְזְלוּ מִשֹּׁד יָתוֹם וְעַל־עָנִי יַחְבֹּלוּ׃

Orfãozinhos são arrancados ao peito. Alguns *indivíduos ímpios* chegavam a arrancar infantes do seio de suas mães, não demonstrando misericórdia ou simpatia humana. Chegavam a tomar os infantes como garantia do pagamento de uma dívida, reduzindo as mães ao nada. Este breve versículo descreve os *temíveis abismos* em que os ímpios podem cair. Eles não têm misericórdia da mãe nem de seu infante, e separam os dois em sua ganância por mais dinheiro. "Feitos de selvageria são perpetrados especialmente contra os membros indefesos da sociedade, os órfãos e as viúvas" (Samuel Terrien, *in loc.*). Os infantes furtados não eram mais devolvidos, excetuando-se casos raros, sendo antes criados como escravos. Adam Clarke queixou-se que, em seu tempo, na Europa do século XIX, tais crimes continuavam a ser praticados contra os pobres. Ocasionalmente, ouvimos falar em trabalho escravo no Brasil, e escravas prostitutas são enviadas a outros países, a fim de ganhar dinheiro para seus ímpios "proprietários". Cf. este versículo com 2Rs 4.1. Tais males podiam acontecer na antiga sociedade dos hebreus, com a sanção da lei!

■ 24.10,11

עָרוֹם הִלְּכוּ בְּלִי לְבוּשׁ וּרְעֵבִים נָשְׂאוּ עֹמֶר׃
בֵּין־שׁוּרֹתָם יַצְהִירוּ יְקָבִים דָּרְכוּ וַיִּצְמָאוּ׃

De modo que estes andam nus, sem roupa. O poeta sacro repete suas ideias, voltando às noções expressas no vs. 7. Mas agora vemos os famintos e despidos andando com alguns poucos molhos colhidos para preparar uma refeição, totalmente inadequada, para si mesmos e para seus filhos. Eram casos avançados de inanição. Eles conseguiam algumas azeitonas, colhidas entre os muros dos campos e vinhedos dos ricos, ou, talvez, compradas a troco de salários magros para servirem os vilões. Eles sofriam sede, tão extrema era a necessidade deles. Ninguém os ajudava, e Deus olhava com *indiferença* para seus sofrimentos (vs. 12). Jó, entrementes, sofria; contudo, ele era inocente, de maneira que se aparentava com pobre gente perseguida. "Deus parecia ter esquecido de tudo quanto estava acontecendo" (Roy B. Zuck, *in loc.*). Não obstante, os ímpios prosperavam e aumentavam suas riquezas, explorando os semelhantes. Os pobres infelizes eram oprimidos de tal maneira, que nem ao menos podiam sugar um pouco das uvas que tinham sido forçados a colher. Chefes sem coração controlavam a operação inteira. Os pobres eram *escravos* famintos e sedentos, sem haver lei que os protegesse, nem ao menos a lei de Deus.

■ 24.12

מֵעִיר מְתִים יִנְאָקוּ וְנֶפֶשׁ־חֲלָלִים תְּשַׁוֵּעַ וֶאֱלוֹהַּ
לֹא־יָשִׂים תִּפְלָה׃

Desde as cidades gemem os homens. Entrementes, *nas cidades,* as condições eram deploráveis (onde eles sempre estavam e os homens se reuniam em grandes números). Brigham Young, no começo da história do Estado americano de Utah, não permitia a construção de grandes cidades, com o propósito mesmo de cessar os abusos que sempre as acompanham. Os moradores das cidades são aqui retratados como homens que *gemiam*. Todos os dias, pela televisão e pelos jornais, vemos os gemidos e as lamentações de populações que vivem nas cidades. Nas cidades há muitas "almas feridas", mas Deus olha com indiferença para tudo. Os homens oram, mas Deus não lhes confere resposta (ideia que aparece na *Revised Standard Version*). Essa tradução segue a versão siríaca, e não o hebraico, onde a palavra "anormal" é oração. A versão Atualizada diz: "contudo Deus não tem isso por anormal". Mas a tradução da Imprensa Bíblica Brasileira tem a mesma ideia da *Revised Standard Version*: "... contudo, Deus não considera o seu clamor".

Emanuel Kant, em seu argumento moral em favor da alma e de Deus, postulou a necessidade de supormos que Deus existe, para assegurar que a justiça será finalmente feita. É óbvio que a justiça não é feita na terra, pelo que tem de haver suficiente sobrevivência da alma para garantir que cada indivíduo receba aquilo que merece. Além disso, deve haver um Juiz, justo e poderoso, que providencie para que os justos sejam recompensados e os ímpios sejam punidos, após a morte. Antes da morte, porém, isso raramente acontece. Jó, entretanto, não tinha uma doutrina de existência pós-vida, com punições e recompensas, portanto continuou lamentando as condições injustas que prevaleciam na terra.

Adam Clarke conta-nos como ele foi nomeado para investigar as condições reais em que viviam os pobres num distrito de Londres chamado St. Giles. Ele encontrou casas superpovoadas, o povo vivendo na imundície e nas enfermidades. Viu o desespero nas entradas dessas casas e ficou espantado. Adam Clarke, amigo de Charles e John Wesley, não era homem rico, mas possuía bens materiais razoáveis. Ele nem conseguia imaginar a condição dos pobres; precisou vê-las por si mesmo. Fez alguma diferença o relatório daquilo que ele viu?

■ 24.13

הֵמָּה הָיוּ בְּמֹרְדֵי־אוֹר לֹא־הִכִּירוּ דְרָכָיו וְלֹא יָשְׁבוּ
בִּנְתִיבֹתָיו׃

Os perversos são inimigos da luz. *Deus concede luz,* mas os homens rebelam-se contra essa doação divina, preferindo andar nas trevas. Nessa condição, perpetram seus deboches e injustiças; preferem as veredas escuras com seus pecados e excessos, prazeres vis e emoções baratas. Há muitos atos tenebrosos na cidade, quando o sol desaparece por trás das colinas e somente uma candeia ilumina as habitações dos ímpios. Os vss. 13 e 16 enumeram os pecados e crimes efetuados nas trevas. Para os pecadores, o alvorecer vem *como se* fossem as trevas. E odeiam o alvorecer, porquanto, para eles, a luz é como as trevas da morte (ver o vs. 17).

> *O julgamento é este: que a luz veio ao mundo, e os homens amaram mais as trevas do que a luz; porque as suas obras eram más.*
>
> João 3.19

> *... para andarem pelos caminhos das trevas; que se alegram de fazer o mal, folgam com as perversidades dos maus.*
>
> Provérbios 2.13,14

Ver as metáforas da luz e das trevas no *Dicionário,* sob o título *Luz, A Metáfora da.*

Operando nas trevas, livres da luz literal do dia, os pecadores rejeitam a luz da natureza e da consciência. Antes, alimentam sua natureza tenebrosa. São cheios de barbarismo e desumanidade. Fazem muitas vítimas inocentes. E então, ao chegar o amanhecer, deitam-se para descansar de seus deboches, *contentes* com o que fizeram, e não ouvem os clamores dos inocentes. Que lhes importa se suas vítimas estão sofrendo? Eles são como criaturas noturnas, como as corujas e os morcegos, que caçam durante a noite e dormem durante o dia. A coruja é um caçador notoriamente violento. Mas quem pode comparar-se com o predador *homem?*

■ 24.14

לָאוֹר יָקוּם רוֹצֵחַ יִקְטָל־עָנִי וְאֶבְיוֹן וּבַלַּיְלָה יְהִי
כַגַּנָּב׃

De madrugada se levanta o homicida. O sentido da expressão é que certos ladrões e assassinos praticam seus feitos terríveis imediatamente antes da alvorada, quando "a luz está para começar". A *Revised Standard Version* diz "no escuro". Ou, então, este versículo pode descrever, acima de tudo, os ladrões de estradas que atacam durante o dia. "Esta descrição é própria dos *ladrões de estrada,* aqueles que furtam durante as horas claras do dia, usando esse modo perigoso e ilegítimo de viver para obter seu pão e enriquecer. Com medo de serem descobertos ou tomados como prisioneiros, eles cometem assassinatos juntamente com seus furtos e, assim, acrescentam crimes aos seus crimes" (Adam Clarke, *in loc.*).

Mas Fausset (*in loc.*) comenta: "De madrugada, quando o viajante do Oriente usualmente sai de casa, e o pobre trabalhador vai para o seu trabalho. É então que o ladrão e homicida fica à espera dele".

> *Põe-se de tocaia nas vilas, trucida os inocentes nos lugares ocultos.*
>
> Salmo 10.8

■ 24.15

וְעֵין נֹאֵף שָׁמְרָה נֶשֶׁף לֵאמֹר לֹא־תְשׁוּרֵנִי עָיִן וְסֵתֶר
פָּנִים יָשִׂים׃

Aguardam o crepúsculo os olhos do adúltero. Os *pecados de natureza sexual* são listados entre as coisas que são efetuadas melhor durante a noite. Ver no *Dicionário* os artigos intitulados *Adultério* e *Fornicação*. Os povos semitas, no caso dos varões, tinham um código de ética muito frouxo. A poligamia permitia que um homem contraísse concubinas por qualquer período de tempo, até mesmo por um único dia. A única coisa condenada entre eles era seduzir a esposa ou a concubina de outro homem enquanto o contrato de concubinato estivesse em vigência. *Isso* era considerado *pecado grave*. Para as mulheres (de acordo com o eterno duplo padrão), naturalmente, o código era mais estrito. A vida sexual da mulher só podia ocorrer livremente dentro do contexto do casamento ou do concubinato e, mesmo assim, ela só poderia ter um homem de cada vez. Se a mulher se divorciasse, poderia casar-se novamente. Ver no *Dicionário* o artigo chamado *Sexo.* "Os assassinos, ladrões e adúlteros operam à *noite*, pensando que, assim, seus crimes não serão detectados. Eles se recusam a agir à *luz do dia* (Jo 3.19,20). Por isso, amam as *trevas profundas.* Cf. Jó 3.5 (que diz 'as trevas'). Deus parecia apático para com esses tipos de pessoas, igualmente" (Roy B. Zuck, *in loc.*).

> *Vi entre os simples, descobri entre os jovens um que era carecente de juízo, que ia e vinha pela rua junto à esquina da mulher e seguia o caminho da sua casa, à tarde do dia, no crepúsculo, na escuridão da noite, nas trevas. Eis que a mulher lhe sai ao encontro...*
>
> Provérbios 7.7-10

> *... tendo olhos cheios de adultério e insaciáveis no pecado, engodando almas inconstantes, tendo coração exercitado na avareza, filhos malditos.*
>
> 2Pedro 2.14

■ 24.16

חָתַר בַּחֹשֶׁךְ בָּתִּים יוֹמָם חִתְּמוּ־לָמוֹ לֹא־יָדְעוּ אוֹר׃

Nas trevas minam as casas. A referência poderia ser à entrada furtiva do adúltero, o qual desliza para dentro da casa da mulher que ele seduziu, continuando a ideia do vs. 15. Mas provavelmente a referência é a ladrões que penetram nas casas, fazendo buracos nas paredes. As casas eram feitas apenas de argila ressecada, e o truque não era assim tão difícil. É por isso que se ouve falar em "escavadores de casas", referindo-se a esse tipo de *modus operandi* dos ladrões. Ver Mt 6.19.

Quanto a detalhes completos sobre a questão, ver os comentários sobre aquele versículo no *Novo Testamento Interpretado*. Israel tinha uma lei contra a invasão de casas (ver Êx 22.2). Ellicott (*in loc.*) fala do ardil de um homem obter acesso a um harém vestindo roupas femininas. Sem dúvida, isso acontecia, mas não parece ser esse o caso do presente versículo. Entrar na casa de um homem e seduzir sua esposa ou concubina era, verdadeiramente, uma *invasão de casa metafórica,* mas a variedade literal está sob questão aqui.

■ **24.17**

כִּי יַחְדָּו ׀ בֹּקֶר לָמוֹ צַלְמָוֶת כִּי־יַכִּיר בַּלְהוֹת צַלְמָוֶת׃

Pois a manhã para todos eles é como sombra da morte. *Eles Odeiam a Luz.* Eles odeiam a manhã que traz o sol e faz parar a diversão. A noite chega para eles como *sombra da morte,* porque é durante a noite que eles vivem. Sêneca queixou-se de certo tipo de romanos que tinha revertido dia e noite. A noite era para o deboche, o dia era para dormir. Tais homens são amigos da noite, mas inimigos do dia, que revela as suas más obras. Alguns homens temem a escuridão da noite, mas aqueles patifes ficam contentes com ela e amam as oportunidades para o pecado trazidas pela noite. Seus "terrores" são suas alegrias. Esses homens rebelam-se contra a luz (vs. 13) e tornam-se rebeldes durante a noite; cometendo sua variedade de pecados à noite, eram *terroristas da noite,* devidamente temidos pelos inocentes, aos quais transformavam em presas. O texto informa-nos que eles se tornavam amigos dos terroristas, participando do terrorismo de modo pleno.

■ **24.18**

קַל־הוּא ׀ עַל־פְּנֵי־מַיִם תְּקֻלַּל חֶלְקָתָם בָּאָרֶץ לֹא־יִפְנֶה דֶּרֶךְ כְּרָמִים׃

Vós dizeis: Os perversos são levados rapidamente. Os *vss. 18-24* apresentam, uma vez mais, a tese da retribuição adiada (vs. 22) mas certa, que vem contra esses pecadores desprezíveis (vs. 23). Naturalmente, esse era o argumento dos críticos de Jó, que o presente *contexto* nega. Por isso, tanto a *Revised Standard Version* como a nossa versão portuguesa iniciam o versículo com as palavras "Vós dizeis", atribuindo esses sentimentos aos consoladores molestos, enquanto o próprio Jó estava convencido, pela evidência, de que Deus se mostra indiferente para com todo esse jogo doentio dos pecados noturnos. No entanto, no vs. 25, Jó parece endossar o dogma. Isso não nos deve surpreender. Um homem em turbulência mental entra em todo o tipo de conflitos e contradições em seus pensamentos e em sua fala. Na tentativa de resolver o problema, alguns estudiosos supõem que os vss. 18 e 24 tenham sido pedidos por empréstimo. Não há como ter certeza sobre a questão, mas voto em favor de um Jó confuso e contraditório, que poderia dizer uma coisa, para então reverter seu curso, dizendo outra contrária.

Seja como for, os perversos são retratados como *arrebatados* pelas correntezas velozes do dilúvio do julgamento divino. Suas propriedades e suas famílias são *amaldiçoadas.* Seus vinhedos, ou o que restou deles, não são cultivados, e as poucas uvas que sobraram morrem na planta. Ellicott (*in loc.*) retrata o criminoso da noite como rápido na corrida, escapando por sobre as águas, ao fugir para não ser detectado pela luz do sol nascente. Mas não parece ser isso o que está em foco. A referência também não é a piratas que cometem seus crimes no mar, conforme alguns pensam, pois dificilmente poderia ser esse o significado do versículo. Cf. Jó 22.16, quanto ao *dilúvio* de Noé, um *julgamento* conspícuo. A metáfora é repetida aqui. O julgamento vem como uma grande correnteza avassaladora, que leva os pecadores ao esquecimento.

■ **24.19**

צִיָּה גַם־חֹם יִגְזְלוּ מֵימֵי־שֶׁלֶג שְׁאוֹל חָטָאוּ׃

A secura e o calor desfazem as águas da neve. *As enchentes* varrem os ímpios, e o que é deixado deles, a *seca* devora, com sua fome e suas enfermidades, que lhe seguem na esteira. Em alguns lugares, como na parte ocidental dos Estados Unidos, a água deriva essencialmente das neves que se dissolvem, acumuladas nas montanhas durante os meses de inverno. Mas uma seca severa logo esgota essas águas e os reservatórios cheios pela neve dissolvida. E então o *seol* (ver no *Dicionário*) recebe aqueles miseráveis pecadores que foram julgados pelos golpes desfechados por Deus. Assim como a seca extermina as águas, também o *seol* arrebata os que morreram devido à sede e à fome. Por meio dessas metáforas, o poeta sagrado descreveu a retribuição de Deus, adiada, mas garantida, contra os pecadores que não querem arrepender-se. O *seol,* aqui, não é o lugar das almas (conforme se via na teologia posterior dos hebreus), mas meramente a *morte,* o sepulcro (conforme se via na teologia dos *patriarcas*).

Temos aqui uma "imagem árabe: neve dissolvida, em contraste com fontes de água viva. Tal água rapidamente se resseca, na areia escaldante por causa do sol, sem deixar vestígio de sua presença. Cf. Jó 6.16-18. O original hebraico é resumido e elíptico, expressando a rápida e total destruição dos ímpios" (Fausset, *in loc.*). "Jó já se havia referido à morte súbita do ímpio como uma bênção (ver Jó 9.23 e 21.13), em contraste com a demorada tortura que o próprio Jó fora chamado a experimentar" (Ellicott, *in loc.*).

■ **24.20**

יִשְׁכָּחֵהוּ רֶחֶם ׀ מְתָקוֹ רִמָּה עוֹד לֹא־יִזָּכֵר וַתִּשָּׁבֵר כָּעֵץ עַוְלָה׃

A mão se esquecerá dele. O original hebraico quanto a este versículo é obscuro. Alguns eruditos, em vez de "mão", preferem "ventre". O ímpio nasceu do ventre da mulher (*King James Version*), mas esse elemento doador de vida esquecerá o homem mau quando ele morrer. Essa é uma expressão poética que exprime o desespero. A *Revised Standard Version,* por outra parte, dá "quarteirões da cidade", lugares que o homem tinha visitado, onde conversava com outros, comprava e vendia, mas que logo o esquecerão quando ele morrer. Seu nome nunca mais será proferido por nenhum ser humano. Em lugar de *vermes* (*King James Version* e a nossa versão portuguesa), a *Revised Standard Version* diz *nome.* Assim, de acordo com certas versões, os vermes destroem o corpo do pecador, que é lançado no esquecimento. Mas de acordo com outras versões, o nome dele é esquecido. A Atualizada tem a ideia da *King James Version* e substitui "ventre" por "mãe". O homem mau é esquecido até por sua mãe, quando morre. Mas a palavra "vermes" permanece na Atualizada. Quanto aos *vermes consumidores,* comparar Jó 17.14 e 19.26.

Uma metáfora final fala sobre o *fim* do ímpio. O ímpio é quebrado como se fosse uma árvore (cf. Jó 19.10). Em vez de "árvore", alguns eruditos preferem a palavra "cajado". Um cajado quebrado para nada serve. É jogado no lixo ou queimado. Ver Is 14.5, quanto a essa metáfora: "*Quebrou o Senhor a vara dos perversos e o cetro dos dominadores".*

A memória do justo é abençoada, mas o nome dos perversos cai em podridão.

Provérbios 10.7

■ **24.21**

רֹעֶה עֲקָרָה לֹא תֵלֵד וְאַלְמָנָה לֹא יְיֵטִיב׃

Aquele que devora a estéril que não tem filhos. *Mulheres solteiras* são sempre objeto do ataque de homens inescrupulosos. Os romanos entregavam as mulheres *jovens* aos cuidados de uma guardiã feminina (uma mulher de *mais idade*), a fim de protegê-las. As mulheres são naturalmente crédulas, e homens espertos sabem como falar docemente aos ouvidos delas. As jovens preferem conversas adocicadas a fatos crus e duros, de maneira que sempre acabam transformando-se em vítimas. A sedução leva ao furto de bens e a todas as espécies de crimes.

A mulher é sempre volúvel e inconstante.

Virgílio

Mary Ann foi descansar,
Segura, finalmente, no seio de Abraão,
Isso deve ser bom para Mary Ann,
Mas difícil para Abraão!

Epitáfio, anônimo

Aqui jaz a minha esposa,
Aqui ela jaz;
Aleluia!
Aleluia!

Epitáfio encontrado em Leeds

O pensamento não ocorre naturalmente a uma jovem.

Richard Sheridan

Homens malignos *alimentam-se* da mulher estéril (ver a *Revised Standard Version*). A sociedade zomba dela, que é um ser humano explorado. Além disso, a *viúva* é igualmente objeto especial de ataque. Cf. Jó 6.7; 22.9 e 24.3,9.

Matam a viúva e o estrangeiro e aos órfãos assassinam.
Salmo 94.6

■ **24.22**

וּמָשַׁךְ אַבִּירִים בְּכֹחוֹ יָקוּם וְלֹא־יַאֲמִין בַּחַיִּין:

Não! pelo contrário! A despeito de todos os seus abusos, Deus prolonga a vida dos pecadores. Eles continuam vivendo e pecando, adicionando crimes aos seus crimes. Embora ninguém possa ter *certeza da própria vida*, os ímpios parecem prosperar mais do que os justos, enquanto a vida perdura. Eles têm uma maneira esperta de evitar o desastre, bem como uma maneira inteligente de continuar prosperando em seus feitos ousados.

A primeira parte deste versículo pode ser interpretada como dando a entender que o pecador, em sua arrogância, também ataca com sucesso os poderosos. Ele não tem como presa apenas as mulheres indefesas. Mas a nossa versão portuguesa, acompanhando a *Revised Standard Version*, faz de *Deus* o sujeito, em lugar do homem forte (um objeto do ataque dos pecadores). Deus prolonga a vida dos tiranos.

É provável que Fausset (*in loc.*) estivesse com a razão ao dizer que Jó se queixava de como homens malignos recebem a proteção de Deus, longe de cair em terrível julgamento. Mesmo quando tais homens chegam a situações perigosas e desesperadoras, que deveriam pôr-lhes fim à vida, de alguma forma eles escapam, para que possam continuar na sua senda de crimes.

■ **24.23**

יִתֶּן־לוֹ לָבֶטַח וְיִשָּׁעֵן וְעֵינֵיהוּ עַל־דַּרְכֵיהֶם:

Ele lhes dá descanso, e nisso se estribam. O próprio Deus dá ao ímpio a força, a segurança e a longa vida. Deus o vigia, mas não o julga quando ele comete algum crime. De fato, essa vigilância até parece ser protetora. Jó, pois, queixou-se da *injustiça divina*. Comparar com isso o trecho de Pv 15.3: "Os olhos do Senhor estão em todo lugar, contemplando os maus e os bons".

Alguns estudiosos pensam que a palavra "olhos", que aparece nessa citação de Provérbios, são os olhos do tirano oriental, o qual olha em derredor para ver outro ato mal que possa praticar. Mas essa interpretação é menos provável.

O *Deus voluntarista* da concepção de Jó não obedeceria às regras que ele impôs aos homens. Estaria acima de suas próprias regras, que seriam para *os homens*. Sua *vontade* é suprema, ele faz o que lhe agrada, a despeito do que os homens *pensem* acerca da justiça ou injustiça em determinada situação. Ver na *Enciclopédia de Bíblia, Teologia e Filosofia* o artigo chamado *Voluntarismo*. De acordo com esse sistema, a razão é posta de lado. Uma coisa é correta porque Deus a faz. Deus não faz coisa alguma porque ela é correta.

■ **24.24**

רוֹמּוּ מְּעַט וְאֵינֶנּוּ וְהֻמְּכוּ כַּכֹּל יִקָּפְצוּן וּכְרֹאשׁ שִׁבֹּלֶת יִמָּלוּ:

São exaltados por breve tempo. Finalmente, *Cai sobre o Ímpio o Julgamento*. O perverso chegou ao seu fim. Seu ato ridículo terminou. O sepulcro o engoliu. O pecador foi cortado como um homem corta o alto de uma espiga de cereal. Essa ponta da espiga é jogada fora, por não ter utilidade. Cai por terra para morrer e ser queimada. A maioria dos monarcas orientais (tiranos) morria de forma violenta. Isso se ajusta bem à figura de ser "cortado".

Este versículo, como é natural, não corresponde muito bem à tese de Jó sobre a *impunidade* dos perversos, mas Jó parece ceder, finalmente, diante da tese de seus amigos-críticos. Ele hesitava, conforme acontece a qualquer homem que esteja sendo pressionado. Ver as notas expositivas, no começo do vs. 18 deste capítulo, quanto à dificuldade das *contradições*, que têm variegadas explicações.

A *metáfora agrícola* constante neste versículo pode não ter o sentido de falar da morte violenta. Pelo contrário, pode indicar que os ímpios vivem longamente e morrem somente em idade avançada e em paz, tal como o grão de cereal amadurece e cumpre o seu curso. Nesse caso, Jó estava repetindo o tema de Jó 21.13, onde os pecadores ocupam posições exaltadas e morrem tranquilamente, não têm morte dolorosa e demorada, que parecia ser o tipo de morte que Jó estava experimentando.

Por breve tempo. Toda a vida humana é breve, mesmo quando é longa, de acordo com os padrões humanos. O ímpio pode viver *longamente*, mas esse tempo é miseravelmente curto.

Tu os arrastas na torrente, são como um sono, como a relva que floresce de madrugada; de madrugada, viceja e floresce; à tarde, murcha e seca.
Salmo 90.5,6

■ **24.25**

וְאִם־לֹא אֵפוֹ מִי יַכְזִיבֵנִי וְיָשֵׂם לְאַל מִלָּתִי: ס

Se não é assim, quem me desmentirá...? Jó desafiou alguém que provasse ser ele um *mentiroso*. Ele havia demonstrado detalhadamente como os ímpios prosperam e como Deus olha para eles com indiferença. E então o pecador morre, após uma longa vida, e em paz. *Injustiça* é a regra do jogo. Jó chegou às suas conclusões mediante cuidadosa investigação e observação. Ele *sabia* o que estava acontecendo, ao passo que seus consoladores molestos (ver Jó 16.2) tinham somente dogmas sobre o que *deveria* acontecer. Jó estava afirmando: aquilo que deveria acontecer *não acontece*, aquilo que não deveria acontecer é o que *acontece*. E ele desafiou seus amigos-críticos a provar que ele era um mentiroso, e a *apresentar evidências* contra a tese de que os ímpios prosperam e morrem após uma longa vida. "Jó havia provado, por meio de exemplos, que os justos por muitas vezes são oprimidos, e os ímpios com frequência triunfam sobre os justos. E também desafiou seus amigos a demonstrar uma única falha em sua argumentação, ou um erro na sua ilustração" (Adam Clarke, *in loc.*).

CAPÍTULO VINTE E CINCO

TERCEIRO DISCURSO DE BILDADE (25.1-6)

O plano dos discursos era que os três amigos-críticos de Jó apresentariam três discursos cada um, e Jó responderia a cada um deles, por sua vez. Mas o terceiro amigo, Zofar, apresentou somente dois discursos. O poeta sacro pode ter substituído o terceiro discurso de Zofar pelo longo discurso de Eliú, um recém-chegado à discussão. Ver os capítulos 32—37, quanto às diatribes de Eliú. Alguns eruditos supõem que tenha havido, realmente, um terceiro discurso de Zofar, e uma terceira réplica a ele por parte de Jó, mas a linguagem ficara tão áspera e abusiva que a seção inteira foi apagada, por ser chocante demais para os ouvidos piedosos dos leitores judeus. Seja como for, visto que nossos atuais manuscritos de Jó não contêm tal material, o discurso diante de nós é o último da terrível tríade de amigos de Jó. Jó respondeu a Bildade no início do capítulo 26, que poderia também conter partes dos discursos feitos por Bildade, mas que não são identificados. Alguns pensam que Jó 26.5-14 pertence a Bildade, e não a Jó. Além disso, alguns eruditos supõem que tenhamos fragmentos do terceiro discurso de Zofar, como Jó 27.13-23.

Nesse caso, não houve resposta da parte de Jó. Pelo contrário, temos um magnífico Hino à Sabedoria (Jó 28.1-28), além de outros materiais suplementares.

"No presente texto massorético, o terceiro discurso de Bildade é reduzido à doxologia de alguns poucos versículos (ver Jó 25.1-6). Entretanto, uma análise do capítulo 26 demonstra que ele contém uma passagem (vss. 5-14) talvez posta na boca de Jó, que, com toda a probabilidade, continua a discussão feita por Bildade. Assim sendo, o texto presente pode ter sido resultado de uma transferência editorial de material, numa tentativa de rebaixar o tom das declarações blasfemas do herói" (Samuel Terrien, *in loc.*). Quanto ao texto massorético, ver no *Dicionário* o artigo intitulado *Massora (Massorah); Texto Massorético*.

Roy B. Zuck (*in loc.*) pensa que a brevidade do terceiro discurso de Bildade mostra que já "lhe faltavam argumentos". Cf. Seus discursos prolixos dos capítulos 8—18. Seja como for, (nos manuscritos de que dispomos), Bildade não replicou a nenhuma das palavras de Jó. Ele meramente exaltou a Deus, em contraste com o verme miserável que é o homem. Repetiu o "tema da imundícia e da vileza do homem, que já havia sido desenvolvido por Elifaz (ver Jó 4.17-21 e 15.14-16) e por Zofar (ver Jó 11.5-12), ao que Jó tinha respondido em Jó 9.2-12; 12.9-25; 14.4" (*Oxford Annotated Bible*, comentando sobre o vs. 1 deste capítulo).

■ 25.1

וַיַּעַן בִּלְדַּד הַשֻּׁחִי וַיֹּאמַר׃

Então respondeu Bildade, o suíta. Este versículo é idêntico a Jó 8.1 e 18.1, onde oferecemos notas expositivas. Ver também Jó 2.11 e os artigos, no *Dicionário*, sobre cada um dos terríveis amigos de Jó.

■ 25.2

הַמְשֵׁל וָפַחַד עִמּוֹ עֹשֶׂה שָׁלוֹם בִּמְרוֹמָיו׃

A Deus pertence o domínio e o poder. *Bildade exaltou a Deus*. Ele queria contrastar Deus com o humilde e pecaminoso homem, entre os quais ele contava Jó. Deus é soberano, o Rei do universo, e todos o temem, exceto Jó, aquele pecador que continuava propagando sua própria inocência. As hostes do céu temem a Deus; homens sensatos o temem; justos o temem; mas não aquele verme, Jó. Deus, que habita nos altos céus, aplaca toda a oposição e *estabelece a paz*, até mesmo nas habitações mais elevadas de todas as criaturas, incluindo os santos anjos. No entanto, Deus não teria conseguido estabelecer a paz com o rebelde, Jó. Cf. a paz trazida por Cristo na escala universal, em Cl 1.20 e Ef 1.10. No céu, Deus mantém a harmonia, mas, na terra, é forçado a tolerar homens como Jó, que estão sempre semeando o caos. Seja como for, a profunda admiração nem sempre se transmuda em amor, sendo certo que a rebeldia de Jó não o fazia. Deus governa inúmeras forças, mas o minúsculo e miserável Jó resistia ao governo de Deus, sendo esse o *motivo* pelo qual ele sofria tão grandes dores.

■ 25.3

הֲיֵשׁ מִסְפָּר לִגְדוּדָיו וְעַל־מִי לֹא־יָקוּם אוֹרֵהוּ׃

Acaso têm número os seus exércitos? Deus ordena e vastos e inúmeros exércitos lhe obedecem, fazendo projetar sua luz sobre todas as criaturas dotadas de razão. Como, pois, um miserável pecador como Jó continuava resistindo a Deus e aos seus exércitos, preferindo as trevas à sua luz? A luz de Deus não era meramente a luz do sol físico. Era a *luz espiritual*, porquanto Deus é Luz e ilumina todas as trevas. Ao assim fazer, deixava pecadores como Jó expostos em sua nudez pecaminosa. A luz de Deus retrata tanto sua onipotência quanto sua onisciência.

Quanto aos anjos inumeráveis (que são organizados em exércitos celestiais), comparar este versículo com Is 40.26; Jr 33.22; Gn 15.5; Dn 7.11 e Tg 1.17 (a luz divina que ilumina todos os homens). Deus é "o Pai das luzes". Quanto à cristianização de tais conceitos, na doutrina do Logos, ver Jo 1.4,5. A vida é luz, e a luz é dada a todos os homens em Cristo. Adam Clarke pensa que "luz", no presente versículo, subentende a *Providência de Deus*. Ver no *Dicionário* o artigo chamado *Providência*.

■ 25.4

וּמַה־יִּצְדַּק אֱנוֹשׁ עִם־אֵל וּמַה־יִּזְכֶּה יְלוּד אִשָּׁה׃

Como, pois, seria justo o homem perante Deus...? *Deus é o Altíssimo*. Mas o homem é tão vil quanto um verme. Como pode, pois, um verme exaltar-se tanto a ponto de proclamar sua inocência perante o Deus Altíssimo, que tudo sabe? Um homem que fizesse isso seria *mentiroso*, como Bildade classificou Jó, por implicação. Nos vss. 4-6, Bildade seguiu o tema que era o favorito de Elifaz (ver Jó 4.17 ss.; 15.14-16), bem como de Zofar (ver Jó 11.5-12), com o qual o próprio Jó havia concordado, pelo menos uma vez (ver Jó 9.2). Cf. Jó 12.9-15 e 14.4. Jó, por sua parte, tinha declarado a *impunidade* dos que "se rebelam contra a luz" (ver Jó 24.1). Por conseguinte, Bildade voltou a esse tema, a fim de castigar novamente o rebelde Jó. Ser *justo*, nesta passagem, nada tem a ver com a *justificação* em termos cristãos. Está em vista se Jó poderia justificar-se e provar sua inocência, o que comprovaria a *injustiça* do castigo divino. No presente versículo não há nenhuma ideia quanto à salvação da alma. Jó só queria que sua inocência fosse reconhecida, a fim de que seus sofrimentos físicos terminassem, pelo poder de Deus. Quanto a outros versículos que falam sobre a justificação de um homem perante Deus, ver também Jó 4.17,18; 14.4 e 15.14. Em nenhum desses casos está envolvida a salvação da alma, algo que a teologia dos patriarcas não contemplava. Essa doutrina só entrou na fé dos hebreus nos Salmos e Profetas e, mesmo assim, com pouca clareza. Os livros pseudepígrafos e apócrifos fizeram algo para esclarecer a questão, mas é o Novo Testamento que nos dá mais material, embora não tanto quanto gostaríamos de ter recebido. A verdade marcha. Muitas grandes revelações ainda nos serão dadas, quando chegarmos à morada celeste.

■ 25.5

הֵן עַד־יָרֵחַ וְלֹא יַאֲהִיל וְכוֹכָבִים לֹא־זַכּוּ בְעֵינָיו׃

Eis que até a luz não tem brilho. Os luzeiros do firmamento parecem-nos tão brilhantes, mas são opacos para Deus, cuja Luz brilha mais que todos eles.

> Nossos pequenos sistemas têm sua época,
> Eles têm seu dia, e logo passam.
> São apenas lâmpadas suleantes ao lado
> Da tua Luz, ó Senhor.
>
> Russell Champlin

O poeta sacro não estava fazendo dos luzeiros do firmamento pequenas divindades, conforme acontece na antiga mitologia grega e no pensamento popular. Ele estava meramente usando uma metáfora poética. Na verdade, há somente uma Luz. Ver no *Dicionário* o verbete intitulado *Luz, Metáfora da*, cuja seção II discute sobre Deus como Luz.

Uma luz abafada torna-se luz *suja* e, novamente, estamos abordando uma linguagem poética. Tal luz abafada representa a *imundícia*. Às luzes secundárias falta integridade, visto que são tão secundárias. Se isso é verdade quanto às luzes celestes, que dizer sobre o minúsculo ser do homem, que nem ao menos brilha? O homem é uma criatura *imunda*.

Alguns estudiosos interpretam as luzes mencionadas como seres celestes, mas isso é improvável. As estrelas aparecem e desaparecem no horizonte, e a luz tem manchas em sua face. O autor via evidências disso como imperfeições e ampliou a ideia para simbolizar a imundície. Cf. o presente versículo com Jó 22.12, onde temos outra forma de referência cosmológica.

■ 25.6

אַף כִּי־אֱנוֹשׁ רִמָּה וּבֶן־אָדָם תּוֹלֵעָה׃ פ

Quanto menos o homem, que é gusano...? O homem não passa de um *verme*, ou melhor, um *gusano*. Portanto, como podemos esperar encontrar alguma perfeição nele? Pelo contrário, ele é um modelo de imperfeições e imundícia. Portanto, "tu, Jó, és apenas um hipócrita, apesar de toda a tua conversa de seres inocente. És um pecador notório e recusas receber a luz e a repreensão do Deus Todo-poderoso. *Essa* é a razão dos teus sofrimentos. Nenhuma criatura humana, nascida de mulher pequena, frágil e pecaminosa, deveria ser tão desavergonhada a ponto de afirmar-se inocente diante de Deus. Cf. Jó 14.1". Ver o homem comparado a um gusano em Jó 7.5; 17.14; 21.26, ou a um verme, em Jó 22.6; Is 14.11 e 41.14. A palavra hebraica do versículo corresponde ao português *gusano*, o pequeno animal que devora carne morta e limpa carne apodrecida nos ossos.

"Na Bíblia, o homem é um paradoxo de poeira e divindade (cf. Sl 2.8; Jó 7.17,18; 9.14-19; 16.3 e 19.22). Bildade reduziu Jó à maior insignificância e argumentou com base nas limitações de Jó, em razão de sua pecaminosidade... Jó foi diminuído a ponto de desaparecer... Não obstante, ele era tanto um príncipe (ver Jó 31.37) quanto um titã. O poder diminui o tamanho de um homem, mas o amor aumenta a sua estatura" (Paul Scherer, *in loc.*).

Ao humilhar Jó, Bildade esperava fazê-lo confessar seu pecado e endireitar sua posição diante de Deus. Dessa maneira, pensava Bildade, o pobre homem teria oportunidade de recuperar sua saúde.

> *Mas eu sou verme e não homem; opróbrio dos homens e desprezado do povo.*
>
> Salmo 22.6

Cf. com este versículo Sl 8.4 e Is 41.14.

"Assim terminaram os discursos de Bildade, o suíta, que se esforçou por falar de um assunto que não compreendia" (Adam Clarke, *in loc.*). Na verdade, continuamos tentando deslindar os enigmas do problema do mal: por que o homem sofre e por que sofre como sofre. E, acima de tudo, por que os *inocentes* sofrem.

CAPÍTULO VINTE E SEIS

O *discurso de Bildade* (capítulo 25) foi pouco mais do que uma doxologia e, agora, vem uma curta réplica de Jó. Os críticos supõem que algum escriba subsequente tenha truncado a última parte do livro de Jó, reduzindo o discurso de Bildade e a resposta de Jó, e eliminando, para todos os propósitos práticos, o *terceiro* discurso de Zofar, juntamente com a respectiva réplica de Jó. Talvez os críticos tenham razão ao supor que a linguagem tenha ficado tão dura e abusiva, que se tornara chocante para os piedosos leitores judeus, o que explicaria as partes truncadas. Ver detalhes sobre essas especulações na introdução ao capítulo 25. Talvez o trecho de Jó 26.5-11 deva ser atribuído a Bildade, e não a Jó, o que seria outro fragmento de seu terceiro discurso. Jó 27.13-23 talvez seja um fragmento do terceiro discurso de Zofar.

TERCEIRA RÉPLICA DE JÓ A BILDADE (26.1—31.40)

Quando examinados, os *seis capítulos* que supostamente contêm a terceira resposta ao terceiro discurso de Bildade parecem mais uma colcha de retalhos do que uma réplica estudada a um único discurso. Esta seção parece incorporar outros materiais, até mesmo fragmentos do terceiro discurso de Bildade e partes do terceiro discurso de Zofar. Além disso, parece haver alguns suplementos quanto ao Hino à Sabedoria, que provavelmente não fazia parte da réplica de Jó (ver Jó 28.1-28). Enquanto avançamos, tento identificar o que os textos representam, em vez de pô-los em uma *única cesta* (terceira réplica de Jó ao terceiro discurso de Bildade).

FUTILIDADE DE AJUDAR UM HOMEM SEM PODER (26.1-4)

"Os vss. 2-4 são corretamente atribuídos ao herói Jó, por parte do editor do livro (vs. 1). Quando Bildade celebrava com eloquência divina (ver Jó 25.2-6), Jó concordou prontamente, como é claro, mas reverberou com triste *ironia* sobre a total *irrelevância* de tal alocução. A ajuda de que precisava consistia em *poder* e *sabedoria* (vss. 2,3)" (Samuel Terrien, *in loc.*). "Aqui, Jó procurou mostrar a Bildade que ele, Jó, sabia mais sobre a majestade de Deus do que seu pugilista. Mas, primeiro, ele repreendeu sarcasticamente a Bildade, dando a entender que *ele*, e não Jó, era o homem minúsculo" (Roy B. Zuck, *in loc.*).

■ **26.1**

וַיַּעַן אִיּוֹב וַיֹּאמַר׃

Jó, porém, respondeu. Este *versículo* é a introdução padronizada das réplicas de Jó. Cf. Jó 6.1; 9.1; 12.1; 16.1; 19.1 e 21.1. Os três amigos-críticos de Jó, a terrível tríade, deveriam falar três vezes cada um, mas Zofar, o terceiro amigo, falou apenas duas vezes. Talvez fragmentos de seu terceiro discurso estejam contidos no material que se segue (ver a introdução ao presente capítulo). Seja como for, Jó respondeu a cada crítico. Então Eliú apresentou seu longo discurso (capítulos 32—37), e Jó não lhe deu resposta, porque Deus interrompeu os discursos, apresentando um discurso todo seu.

■ **26.2**

מֶה־עָזַרְתָּ לְלֹא־כֹחַ הוֹשַׁעְתָּ זְרוֹעַ לֹא־עֹז׃

Como sabes ajudar ao que não tem força! Usando de ironia, Jó procurou repreender a fútil tentativa de Bildade de fazê-lo confessar seus pecados e assim aliviar suas agonias. Bildade tinha tratado Jó como se ele fosse fraco e destituído de poder (cf. Jó 18.2) e sabedoria (ver Jó 18.2). Em sua réplica, Jó queixou-se de que o homem, na realidade, não o ajudou. Ele apresentou discursos irrelevantes e degradou-o, em vez de levantá-lo, como um amigo deveria fazer. Não foi dado nenhum bom conselho. Os discursos de Bildade não explicaram o enigma dos homens sofredores, e mais, especificamente, a dor do próprio Jó. Jó precisava de um *braço poderoso*, mas tão somente recebeu socos no rosto. Precisava do *poder divino*, mas só obteve os poderes que o homem dirigira *contra ele*.

A versão caldaica diz: "Por que fingiste prestar ajuda, quando tu mesmo estavas sem forças? Por que fingiste salvar-me, quando o teu próprio braço era fraco? Por que deste conselho, quando não tinhas entendimento? Como podes dizer que és a própria essência da sabedoria?"

"Bildade nada fez para aliviar Jó de suas aflições físicas e de alma. Nem contribuiu, no mínimo, para ajudar Jó... Que tinham feito os amigos de Jó para convencê-lo do erro de seu caminho?" (John Gill, *in loc.*).

■ **26.3**

מַה־יָּעַצְתָּ לְלֹא חָכְמָה וְתוּשִׁיָּה לָרֹב הוֹדָעְתָּ׃

Como sabes aconselhar ao que não tem sabedoria! Aumenta a Ironia de Jó. O pobre Bildade, tão arrogante em sua presumível sabedoria, dera seu conselho; mas ele era um ignorante. Ele é que precisava de instrução. Ele transmitiu o que era considerado um conhecimento bom e válido, mas não sabia do que estava falando. Seus discursos eram bonitos e, algumas vezes, eloquentes, contudo não tocaram no problema em mãos: por que os inocentes sofrem? Ele era um indivíduo dogmático e tradicionalista, cujas doutrinas e tradições não continham elementos que solucionassem o *enigma*: por que os homens sofrem e por que sofrem como sofrem? Ver sobre o *Problema do Mal* na seção V da Introdução e sobre o mesmo assunto no *Dicionário*, onde a questão é tratada com maiores detalhes. Os amigos-críticos de Jó eram "médicos que não valiam nada" (ver Jó 13.4) e também *consoladores molestos* (ver Jó 16.2).

■ **26.4**

אֶת־מִי הִגַּדְתָּ מִלִּין וְנִשְׁמַת־מִי יָצְאָה מִמֶּךָּ׃

Com a ajuda de quem proferes tais palavras? Agora, o discurso de Jó torna-se duro e abusivo. Bildade fingiu ter obtido sabedoria da parte de Deus, mas Jó suspeitava que sua verdadeira fonte fossem espíritos malignos. "O sofredor novamente usou de um sarcasmo pesado. Deixou entendido que Bildade, por mais exaltado que fosse o monoteísmo dos sábios, à superfície, tinha comunhão com maus espíritos" (*Oxford Annotated Bible*, comentando sobre o vs. 1 deste capítulo). "Jó deixou subentendido que, qualquer que fosse o espírito que eles tivessem, não era o Espírito de Deus, porque, em suas respostas, fora encontrada a falsidade" (Adam Clarke, *in loc.*).

> *Amados, não deis crédito a qualquer espírito; antes, provai os espíritos se procedem de Deus, porque muitos falsos profetas têm saído pelo mundo afora.*
>
> 1João 4.1

Jó Exagerou na Apresentação de seu Caso. O pobre Bildade não estava possuído por demônios. Era apenas um indivíduo arrogante e dogmático, cujo sistema fechado não continha respostas para questões críticas, o que é sempre verdadeiro no caso dos indivíduos dogmáticos e seus sistemas fechados. Naturalmente, Bildade estava equivocado ao reivindicar inspiração divina para seu sistema fechado. Essa é outra característica de sujeitos dogmáticos e tradicionalistas. A chave é: *livre investigação*. Com isso, desenvolvemos nossa compreensão da teologia e somos até capazes de abrir novas avenidas de pensamento, que enriquecem e melhoram a teologia. Tudo mais neste mundo está avançando, mas em sua estupidez, os homens têm feito *estagnar* a teologia.

O DISCURSO DE BILDADE TERMINA AQUI? OU JÓ CONTINUAVA EM SUA RÉPLICA? (26.5-14)

Os *críticos supõem* que o material dos capítulos 26 a 31 contenha fragmentos de outros materiais, além da terceira réplica ao terceiro discurso de Bildade. Quanto às conjecturas apresentadas, ver a introdução aos capítulos 25—26. É possível, portanto, que os vss. 5-14 nos levem de volta ao discurso truncado de Bildade, que nossa Bíblia apresenta como o capítulo 25, com apenas seis versículos. "Esses versículos continuam o tema inaugurado por Bildade em Jó 25.2-6 e também fornecem uma sequência normal, esperada e quase inevitável para esses versículos. Ali, o orador usou o motivo da *grandeza* de Deus a fim de depreciar o estado mortal e moral do homem sobre a face da terra. Aqui, porém, o orador usou o motivo do *controle* soberano de Deus sobre o *submundo*, a fim de salientar o fato de que coisa alguma criada no mundo escapa ao poder de sua vontade. Essa ideia edifica e culmina em sua assertiva (declaração final) de que o homem é incapaz de compreender os caminhos de Deus (vs. 14)" (Samuel Terrien, *in loc.*).

Os Olhos Sondadores de Deus: Aplicação de Sua Soberania — Sumário:
1. Sobre a morte (vss. 5,6).
2. Sobre o espaço exterior (vs. 7).
3. Sobre as nuvens (vss. 8,9).
4. Sobre a luz e as trevas (vs. 10).
5. Sobre as coisas da terra (montes e mares) (vss. 11,12).
6. Sobre o céu (vs. 13).

■ 26.5

הָרְפָאִים יְחוֹלָלוּ מִתַּחַת מַיִם וְשֹׁכְנֵיהֶם׃

As almas dos mortos tremem debaixo das águas. Está em pauta o *sheol* (vs. 6), naturalmente. As palavras de Bildade (ou de Jó?) falam *como se* houvesse alguma espécie de espíritos sobreviventes que se tinham afastado dos corpos humanos e agora estavam no hades. Ver no *Dicionário* o artigo chamado *Sheol*. Ver como em Jó 21.33 os "torrões do vale" são postos sobre a sepultura do ímpio e, presumivelmente, ele tem prazer no fato. Ver a exposição naquele lugar quanto aos sentidos da expressão. A mensagem constante do livro (exceto no capítulo 19) é que, quando um homem morre, ele está morto e desaparecido, e nada mais dele permanece. Pode ser, portanto, que Bildade (Jó?) tenha falado poeticamente, *como se* os mortos fossem para o seol, de alguma maneira indefinida; até ali, governa a soberania de Deus e, portanto, muito mais na terra. Ou, então, é possível que as palavras diante de nós ensinem, de fato, que os espíritos dos mortos vivem, de alguma maneira indefinida, no sheol. Isso não nos deve surpreender, porquanto o livro de Jó foi escrito para a era patriarcal (isto é, posto naquele ambiente), mas, sem dúvida, após a legislação mosaica ter sido dada e ter feito parte da literatura de Sabedoria: Salmos, Provérbios e Eclesiastes. Sabemos que, por *esse tempo*, a teologia dos hebreus já havia desenvolvido uma doutrina da sobrevivência da alma, embora em uma forma muito primitiva e sem definição. Por consequência, é possível que, neste ponto, a doutrina tenha *escorregado para dentro do texto*, embora *anacronicamente*, quando consideramos o ambiente em que o autor nos deu no livro.

Sem importar qual seja a verdade da questão, os espíritos dos mortos são apresentados no vs. 5 como trêmulos diante do Deus soberano que os governa, até mesmo naquele lugar (seol). Eles habitavam um lugar debaixo das águas. Ver na *Enciclopédia de Bíblia,* *Teologia e Filosofia* o verbete intitulado *Astronomia*, quanto a um diagrama que ilustra a antiga noção dos hebreus referente ao cosmos. Esse diagrama põe o sheol abaixo do solo, e o centro da terra e a própria terra afundados no *abismo de águas*. Ver na *Enciclopédia de Bíblia, Teologia e Filosofia* o artigo sobre *Sheol* (e sobre *Hades*), quanto a detalhes sobre essas crenças.

Os habitantes do submundo não são retratados, aqui, como quem estava em paz, mas vivendo em temor ao Deus soberano e feroz, que governa sobre eles. O ponto frisado pelo autor é o de que não há lugar onde possamos esconder-nos. O próprio sheol está aberto ao olhar de Deus, enquanto os habitantes dele estão sujeitos a seu escrutínio. Os homens na terra estão também abertos ao seu exame, e isso deve ter levado *Jó* a tremer e confessar seus pecados e corrigir seu caminho com Deus.

Mortos. No hebraico, *rephaim* (cf. Is 14.9; 26.14; Sl 88.10). Originalmente, a palavra referia-se aos habitantes aborígenes do sul da Palestina e das vizinhanças do mar Morto, mas aqui é usada para indicar os espíritos dos mortos. Ver o detalhado artigo sobre o termo, no *Dicionário*. A palavra pode significar "afundados", e é provável que esse seja o significado no vs. 5. Eles são "destituídos de poder". As outras referências em que essa palavra hebraica se aplica aos espíritos dos mortos são: Sl 88.10; Pv 2.18; 9.18; 21.16; Is 14.9; 26.14 e 26.19.

■ 26.6

עָרוֹם שְׁאוֹל נֶגְדּוֹ וְאֵין כְּסוּת לָאֲבַדּוֹן׃

O além está desnudo perante ele. Se o sheol e tudo mais está exposto aos olhares de Deus, quanto mais a terra, que é iluminada pelo sol. O sheol é o *Abadon*, ou seja, a destruição, e não está encoberto aos olhos de Deus, embora oculto no interior da terra (de acordo com a explicação popular). Talvez *Abadon* fale do mais profundo inferno, tal como o grego *Tártaro*, em contraste com o hades (ver 2Pe 2.4). Ver na *Enciclopédia de Bíblia, Teologia e Filosofia* o verbete *Abadon*.

Considere o leitor o desejo de Jó de esconder-se no sheol, a fim de escapar à atenção do Todo-poderoso, que o perseguia (ver Jó 14.13). Ver também Sl 139.8,11,12. Mas até o perseguidor eterno haveria de encontrá-lo e lançar sobre ele mais sofrimentos ainda. O sheol é retratado como dentro da jurisdição divina, ideia originalmente estranha para a mente dos hebreus. Cf. Jó 12.11; Sl 139.7; Pv 15.11 e Am 9.2.

■ 26.7

נֹטֶה צָפוֹן עַל־תֹּהוּ תֹּלֶה אֶרֶץ עַל־בְּלִי־מָה׃

Ele estende o norte sobre o vazio e faz pairar a terra sobre o nada. Este breve versículo é, aparentemente, um pouco de ciência surpreendente para uma época em que não teríamos suspeitado de que essa ciência existisse. Ao que tudo indica, a terra está apoiada sobre o *nada*. Naturalmente, sabemos sobre as *forças gravitacionais* e *magnéticas* que firmam a terra no espaço, mas os antigos nada imaginavam a respeito. As forças gravitacionais e magnéticas certamente nada são. Dou um diagrama no artigo sobre *Astronomia* na *Enciclopédia de Bíblia, Teologia e Filosofia*, que ilustra a antiga cosmologia dos hebreus. A terra está nos abismos de água, mas sobre o que repousam essas águas? Nenhuma resposta foi dada. Talvez este breve versículo nos forneça uma conjectura. As águas repousam sobre alguma coisa no espaço, uma vez que os homens não sabiam o que era. Ou o conteúdo de cosmologia perante nós, neste versículo, é simples conjectura, estranha aos pontos de vista ordinários dos hebreus.

Alguns tomam o versículo como uma forma primitiva da ideia do *creatio ex nihilo*, e não uma declaração sobre como a terra está pendurada no espaço. Nessa declaração, a terra veio do nada. Ver no *Dicionário* o verbete chamado *Êx Nihilo*. Para o autor do livro de Jó, era claro que a terra está suspensa em alguma coisa, que não sabemos dizer o que é e ao que chamamos de *nada*. Mas o poder de suspensão real é o poder de Deus que controla todas as coisas. Sua soberania, pois, estende-se ao *espaço*, e como poderia o homem escapar ao seu olhar?

O norte. Esta alusão, mais provavelmente, aponta para a *Stella Polaris*, em torno da qual as constelações *parecem* circular. O autor sagrado reteve uma cosmologia geocêntrica, embora não estivesse cego para forças que atuavam "lá fora".

26.8

צֹרֵר־מַיִם בְּעָבָיו וְלֹא־נִבְקַע עָנָן תַּחְתָּם׃

Prende as águas em densas nuvens. As *nuvens* são depositárias da água, da qual toda a vida depende. Somos informados de que Deus cuida dessa operação e garante o seu sucesso. Deus conserva suas águas em reserva. A referência pode ser às *águas* acima do firmamento, que Deus não permite que desçam e destruam tudo. Sua soberania funciona em todas as nuvens, onde quer que elas se encontrem. Portanto, sua soberania também trabalha na terra e estava prestes a ferir aquele pecador, Jó. O conceito, disse Ellicott (*in loc.*), acerca das nuvens é sobre um vasto tesouro de água *acima* do céu visível, guardado ali, em aparente desafio ao que sabemos sobre as leis da gravidade, porquanto aquelas águas são, potencialmente, uma grande força destruidora. Provavelmente, essa é uma opinião correta, pelo que as nuvens deste versículo são mais do que as que o homem pode ver a olho nu. Isso nos envolve na teologia e cosmologia dos antigos hebreus, que não ocorrem no *moderno* pensamento científico ou teológico. Cf. com Pv 26.9.

26.9

מְאַחֵז פְּנֵי־כִסֵּה פַּרְשֵׁז עָלָיו עֲנָנוֹ׃

Encobre a face do seu trono. O hebraico diz aqui, literalmente, "trono", que algumas versões interpretam como "lua" (*Revised Standard Version*). Seja como for, a linguagem é poética. Deus está no seu trono, no céu. Ali, ele é totalmente soberano, pelo que, muito mais na terra, onde o ímpio Jó atuava à sua maneira arrogante. O trono de Deus está oculto aos homens por sua nuvem metafísica, portanto os homens não veem Deus franzindo o cenho para eles. A lua pode sofrer um eclipse, e assim os homens, por algum tempo, não conseguem vê-la. Por semelhante modo, o trono de Deus pode sofrer um eclipse para os homens, mas isso não significa que Deus não possa ferir do alto e punir os pecadores. "Sua agência está em todos os lugares, embora ele mesmo seja invisível (Sl 18.11 e 104.3)" (Fausset, *in loc.*).

> *Das trevas fez um manto em que se ocultou; escuridade de águas e espessas nuvens dos céus eram o seu pavilhão.*
> Salmo 18.11

A Derrota de Raabe (26.10-12)

26.10

חֹק־חָג עַל־פְּנֵי־מָיִם עַד־תַּכְלִית אוֹר עִם־חֹשֶׁךְ׃

"**Deus estabeleceu um limite** entre a luz e as trevas (vs. 10). Cf. Pv 8.27. Deus definiu um limite às forças do *caos*. Vestígios da antiga crença mitológica em uma *luta cósmica, a Raabe* (vs. 12), são visíveis no pano de fundo do desenvolvimento poético (vss. 11-13; cf. Jó 3.7; 7.12; 9.13). Entretanto, o *dualismo pagão* foi absorvido no *monismo* avassalador do teólogo. Deus governa sozinho e sem nenhum desafio. Ele é verdadeiramente onipotente" (Samuel Terrien, *in loc.*).

Raabe. Nos livros poéticos do Antigo Testamento, este nome é aplicado a um monstro de poderes demoníacos. As alusões ocorrem dentro do contexto do poder de Deus sobre a natureza. Deus domina *Raabe* em uma demonstração de força. Ver Jó 9.13; este versículo; Sl 89.10 e Is 51.9. Nossa versão portuguesa diz "Raabe" em Sl 89.10. Outras versões portuguesas confundem a questão, não transliterando a palavra hebraica e dizendo "monstro marinho".

O constrangimento das águas (vs. 10; cf. o vs. 8) faz parte do conflito cósmico. A luz e as trevas estão em conflito, e o Deus Todo-poderoso é a Luz (ver Jó 25.5) que impede o avanço das trevas (o mal). Ver no *Dicionário* o artigo chamado *Luz, A Metáfora da*. A maldade pode avançar só até certo ponto; e então Deus põe a mão na questão, garantindo a vitória da Luz. O poder limitador de Deus é como um *círculo de separação* que foi desenhado. Alguns estudiosos veem uma alusão à curvatura da terra nessa declaração. Seja como for, a vinda do dia oblitera a noite. Os homens ficam de pé e contemplam, admirados, o fenômeno. É escuro, e o horizonte é negro. Então o sol se eleva no horizonte e anula as trevas. O fenômeno ocorre na curvatura da terra, no horizonte. Nasce um novo dia, e é maravilhoso ver isso ocorrer. Cf. Gn 1.4,6,9. O poder de Deus está sempre trazendo um novo dia, sempre derrotando o mal.

26.11

עַמּוּדֵי שָׁמַיִם יְרוֹפָפוּ וְיִתְמְהוּ מִגַּעֲרָתוֹ׃

A *cosmologia dos hebreus* imaginava *colunas* existentes na beirada da terra, que repousavam sobre montanhas ali localizadas, segurando a abóbada do firmamento. Ilustro isso no diagrama apresentado no *Dicionário*, no artigo chamado *Astronomia*. Podemos ter certeza de que os antigos hebreus consideravam tudo isso com grande seriedade, mas, com a mudança dos tempos e o avanço do conhecimento, tais expressões foram aplicadas metafórica e poeticamente. Vimos a metáfora em Jó 9.6, onde dou informações adicionais. Segundo a cosmologia dos hebreus, temos colunas nas beiradas da terra (apoiadas sobre montanhas ali existentes) e também por baixo da terra. Essas colunas suportariam a massa inteira da terra.

26.12

בְּכֹחוֹ רָגַע הַיָּם וּבִתוּבְנָתוֹ מָחַץ רָהַב׃

O primeiro parágrafo (em Jó 12.10-12) comenta sobre a antiga cosmologia dos hebreus, por trás das expressões do versículo, incluindo o grande conflito entre a luz e as trevas, o bem e o mal. A *sabedoria* de Deus aparece por trás do golpe de Raabe, o monstro terrível. O poeta ilustra assim a soberania de Deus. Era com um Deus terrível que Jó tinha de tratar. E finalmente ele seria derrotado pela mesma sabedoria que acalma a tempestade cósmica. Ele teria de renunciar às suas reivindicações fraudulentas de inocência. Ver no fim do vs. 6 os comentários e o *sumário* sobre os vários elementos da metáfora da soberania divina.

26.13

בְּרוּחוֹ שָׁמַיִם שִׁפְרָה חֹלְלָה יָדוֹ נָחָשׁ בָּרִיחַ׃

Pelo seu sopro aclara os céus. A *soberania de Deus* também inclui os céus inferiores da terra e os céus superiores, lugar da habitação de Deus. Tudo é obra de suas mãos e está sob sua jurisdição direta. Seu *Espírito* esteve ativo, embelezando a criação para mostrar as supremas habilidades artísticas de Deus. Ato contínuo, Deus também criou e, então, derrotou a terrível e veloz serpente do mar, o leviatã (ver Is 27.1; em nossa versão portuguesa, o dragão, serpente sinuosa). Por conseguinte, Deus é soberano sobre os céus e o mar. Com seu sopro (que algumas versões, como a portuguesa, põem em lugar do Espírito de Deus), ele aclara o temporal e todo o conflito que pode perturbar a harmonia de sua criação. Naturalmente, leviatã é também uma figura do antigo mal cósmico, que, em tempos posteriores, simplesmente tornou-se outra metáfora. Ver no *Dicionário* o verbete chamado *Leviatã*. Cf. Jó 41.1.

O texto hebraico, no presente texto, não menciona o leviatã, mas o Targum nos dá essa identificação. Finalmente, dentro da teologia dos hebreus, ele passou a ser identificado como o diabo, a grande serpente.

26.14

הֶן־אֵלֶּה קְצוֹת דְּרָכוֹ וּמַה־שֵּׁמֶץ דָּבָר נִשְׁמַע־בּוֹ
וְרַעַם גְּבוּרֹתָו מִי יִתְבּוֹנָן׃ ס

Eis que isto são apenas as orlas dos seus caminhos! Bildade (Jó?) admitiu que dera uma descrição parcial das operações da soberania de Deus. Os homens ouvem apenas um *sussurro* de tudo, e assim permanecem essencialmente ignorantes dos caminhos e do poder do Deus Todo-poderoso. Mas até esse sussurro é um *grito* alto para o homem disposto a ouvir. O infeliz Jó, a proclamar inutilmente sua inocência, não ouvia o grito cósmico. Que ninguém confunda as forças da natureza com a plena exibição do próprio Deus! O universo, por mais impressionante que seja o seu espetáculo, é apenas *espelho fosco* da magnificência divina. A natureza não revela verdadeiramente Deus. É meramente um sussurro da majestade divina. Há o *trovão* do poder de Deus, em contraste com o sussurro do poder de Deus. Ninguém pode entender esse trovão. Não obstante, o homem pode sentir algo da majestade divina, quando ouve o tipo de descrições que têm sido dadas. Bildade esperava que Jó abrisse os ouvidos para o sussurro divino. Algum dia ele ouviria o trovão e seria destruído por ele, caso não respondesse no tempo hábil. Cf. este versículo e seus sentimentos com 1Co 13.9,10,12.

Orlas. Os homens só são capazes de descobrir as *bordas* do Ser divino (no hebraico, literalmente, os "confins"). Não podem descobrir a essência divina. Mas até nas bordas de seus caminhos os homens descobrem bastante de sua majestade para torná-los humildes perante ele, fazendo-os cumprir sua vontade. No entanto, o iníquo Jó não foi conquistado por Bildade nem abandonou sua ignorância. Ele estava distante demais de Deus para ouvir o sussurro divino. Ou assim pensava o seu amigo-crítico.

CAPÍTULO VINTE E SETE

JÓ CONTINUA A SUA RÉPLICA (27.1-12)

O Discurso é Reiniciado Depois de Jó 26.4. Quanto aos problemas de quem disse o quê, a *colcha de retalhos* dos discursos, iniciada em Jó 25.1, ver as introduções aos capítulos 25—26, cujo material não repito aqui. Se Jó foi verdadeiramente o orador de Jó 26.5-14, teria sido supérfluo para o poeta dizer-nos que Jó *estava continuando* o seu discurso. Na obra literária original não havia divisões sob a forma de capítulos. Portanto, devemos compreender que Jó *reiniciou* o discurso que havia sido interrompido por Bildade. Ademais, a veemência do vs. 2 deste capítulo 27 parece ser uma *reação* ao que Bildade acabara de dizer (ver Jó 26.5-14). Os discursos posteriores e as réplicas de Jó parecem ter sido truncados, porquanto o que foi dito se tornou muito pesado e bastante abusivo. Dou explicações sobre isso na introdução ao capítulo 25. O que os críticos dizem hoje em dia talvez seja uma verdade: as partes posteriores do livro de Jó foram mudadas, a fim de não chocar os leitores judeus piedosos.

■ **27.1**

וַיֹּסֶף אִיּוֹב שְׂאֵת מְשָׁלוֹ וַיֹּאמַר׃

Prosseguindo Jó em seu discurso, disse. Ver a *introdução padronizada* que o poeta dá às réplicas de Jó em Jó 26.1, onde ofereço os diversos usos da expressão. "Mas Jó respondeu e disse." Aqui se declara que Jó *reiniciou* sua resposta a Bildade. Isso pode indicar que seu discurso tinha sido interrompido e que o trecho de Jó 26.5-14 pertence ao discurso de Bildade, e não ao de Jó. Ver sobre isso na introdução ao presente capítulo. No entanto, alguns intérpretes preferem o termo "prosseguindo", em vez de "reiniciando", tal e qual faz a nossa versão portuguesa.

■ **27.2**

חַי־אֵל הֵסִיר מִשְׁפָּטִי וְשַׁדַּי הֵמַר נַפְשִׁי׃

Tão certo como vive o Senhor, que me tirou o direito. Alguns críticos veem *choque* nesses versículos, e isso poderia indicar que Jó se chocou diante do que Bildade acabara de dizer (ver Jó 26.5-14) ou, talvez, seu espanto tenha sido geral diante das acusações cortantes e abusos exagerados de linguagem de seus amigos-críticos.

De qualquer maneira, Jó ficou desalentado quando viu o que tinha acontecido. Deus (a causa única) recusou a Jó os seus direitos como homem inocente e continuava a puni-lo por algo que ele não fizera (ver Jó 2.3). Jó sofria "sem causa". Era o Todo-poderoso que amargurava a sua alma. Essa amargura é refletida em seus discursos de *desespero*. Comparar Jó 3.20; 7.11; 10.1 e 21.25. Jó apelara aos tribunais do céu e buscara o Juiz para apresentar o seu caso. Mas, ignorado, seu caso continuava sem ser ouvido, e Jó continuava sofrendo por seus múltiplos males.

Repetidamente, Jó tinha acusado o Deus Todo-poderoso de injustiça. Ver Jó 6.4; 7.20; 10.2,3; 13.24; 16.12,13; 19.7 e 23.14. Com frequência, Jó falou em *amargor* de espírito (ver Jó 3.20; 7.11; 10.1 e 23.2) e continuava a sustentar sua inocência, conforme demonstra o versículo seguinte.

Tão certo como vive o Senhor. Estas palavras significam que Jó estava jurando. Ele era *inocente,* a despeito do que o Todo-poderoso lhe fazia. Ver no *Dicionário* o verbete chamado *Juramentos.*

■ **27.3**

כִּי־כָל־עוֹד נִשְׁמָתִי בִי וְרוּחַ אֱלוֹהַּ בְּאַפִּי׃

Enquanto em mim estiver a minha vida. Há uma alusão, aqui, a como Deus *soprou* na estátua de argila que ele fizera para torná-la um ser vivo, durante a criação de Adão. Enquanto o *sopro divino* estiver com o homem, ele estará *vivo*. E por todo esse tempo, Jó continuaria afirmando a sua inocência. Somente a morte silenciaria a sua voz, que proclamava ter sido feita uma injustiça. Entretanto, não há indício de uma alma imaterial que Deus teria adicionado ao corpo para tornar o homem um ser vivo *dual*. Essa ideia era estranha ao antigo pensamento dos hebreus e só surgiu na época dos Salmos e Profetas, mesmo assim não muito claramente. Ver Gn 2.7: "E lhe soprou na narina o fôlego de vida". A vida de Jó se resumira a queixumes sobre sofrimentos desmerecidos e apelos por justiça e misericórdia, para que ficasse livre de suas dores. Cf. este versículo com Jó 10.12; 12.10 e 34.14,15 quanto a algo similar.

■ **27.4**

אִם־תְּדַבֵּרְנָה שְׂפָתַי עַוְלָה וּלְשׁוֹנִי אִם־יֶהְגֶּה רְמִיָּה׃

Nunca os meus lábios falarão injustiça. *Apesar de muito falar,* e embora chorando e queixando-se, Jó limitaria seu discurso à verdade. Ele não estava ansioso por enganar e não rebaixaria sua integridade para fazer isso. Não proferiria iniquidades, acusando Deus ou o homem de coisas exageradas ou inverídicas. O *engano* se caracterizaria se sua causa não fosse justa, se seus amigos-críticos tivessem falado a verdade, ou se ele merecesse os sofrimentos que estava experimentando. Cf. este versículo com Jó 6.28. Foi assim que, ao fazer esse juramento e começar a falar, Jó garantiu a absoluta *veracidade* do que estava dizendo.

■ **27.5**

חָלִילָה לִּי אִם־אַצְדִּיק אֶתְכֶם עַד־אֶגְוָע לֹא־אָסִיר תֻּמָּתִי מִמֶּנִּי׃

Longe de mim que eu vos dê razão. Seria uma mentira e um engano se Jó revertesse o seu curso e, de súbito, dissesse a seus amigos: "Vocês estão com a razão. Sou um pecador e meu sofrimento é um julgamento divino contra o meu pecado". Se assim falasse, Jó estaria "justificando" os amargos discursos de seus amigos-críticos; mas eles não mereciam tal tratamento, por serem *falsos*. Por outro lado, Jó sabia ser uma verdade por ter um exemplo primário e em primeira mão: *ele mesmo*. Jó manteve a sua *integridade* por não ter negado a validade de seus argumentos. Assim sendo, continuou a firmar o seu juramento, ao dizer as palavras: "Longe de mim que eu vos dê razão".

■ **27.6**

בְּצִדְקָתִי הֶחֱזַקְתִּי וְלֹא אַרְפֶּהָ לֹא־יֶחֱרַף לְבָבִי מִיָּמָי׃

À minha justiça me apegarei, e não largarei. O *coração* de Jó dizia que ele estava com a razão, pelo que se apegou à sua causa justa e defendeu a sua inocência. Ele foi apanhado em um esquema de *injustiça*. Ele não estava pagando por um ou mais pecados, em consonância com a *Lei Moral da Colheita segundo a Semeadura* (ver a respeito no *Dicionário*). Jó jamais faria o que sua louca esposa o exortara a fazer (ver Jó 2.9). Ele continuaria na luta pela defesa própria, buscando alguma resposta para o problema de por que os homens sofrem e por que sofrem como sofrem (o *Problema do Mal,* ver na seção V da *Introdução* ao livro de Jó). A consciência (coração) de Jó era clara e limpa. Essa condição continuaria enquanto Jó vivesse. Ele esperava jamais mudar de ideia, pois tinha evidências em favor de sua afirmação.

■ **27.7**

יְהִי כְרָשָׁע אֹיְבִי וּמִתְקוֹמְמִי כְעַוָּל׃

Seja como o perverso o meu inimigo. Os inimigos de Jó, seus amigos-críticos, consoladores molestos (ver Jó 16.2), eram como os *ímpios,* por terem abraçado uma causa injusta. Estavam enganados e tentavam enganar. Eles se tornaram injustos ao defender sua *teologia deficiente*.

Este é um versículo interessante, porquanto descreve como até homens bons caem na armadilha do pecado, quando seus *dogmas* são falsos. Os "amigos" de Jó promoviam uma doutrina falsa contra ele, agindo como pecadores fazem quando enganados pelo diabo. A promoção das doutrinas falsas os transformou em *perseguidores,* o que vem a ser um corolário para alguém demasiadamente dogmático e exageradamente tradicional. Caros leitores, o que é mais claro, neste vasto mundo, do que o fato de que os indivíduos dogmáticos também são perseguidores daqueles que deles diferem? Os homens temem o que é diferente, mas o que é *diferente* pode ser justo e verdadeiro.

Os "amigos" de Jó eram ativados por mentalidade e atos criminosos. Eles estavam *ferindo* um homem bom que, de fato, era melhor do que eles. Eles eram impulsionados por uma hostilidade ímpia, nascida da *intolerância.*

■ 27.8

כִּי מַה־תִּקְוַת חָנֵף כִּי יִבְצָע כִּי יֵשֶׁל אֱלוֹהַּ נַפְשׁוֹ׃

Porque qual será a esperança do ímpio...? O homem ímpio e hipócrita pode prosperar por algum tempo, enganando e exaltando-se entre os homens. Mas qual será o bem de tudo isso, quando Deus puser fim à sua vida? Jó diz que o caminho do hipócrita não é nada atrativo, porquanto termina em nada, em última análise. Jó, por conseguinte, não tinha desejo de imitar tal homem. Essa declaração pode indicar que Jó colocava seus amigos-críticos no lugar dos hipócritas: "Vocês pagarão pela maneira hipócrita com que me estão tratando!" Cf. Jó 8.14 e 9.20, onde a inutilidade de ser um hipócrita também está em pauta.

■ 27.9

הַצַעֲקָתוֹ יִשְׁמַע אֵל כִּי־תָבוֹא עָלָיו צָרָה׃

Acaso ouvirá Deus o seu clamor...? Quando a vida do hipócrita está prestes a terminar, e ele começa a clamar a Deus, pedindo misericórdia, Deus porventura o ouvirá? Pelo contrário, esse homem será cortado da vida. Ele morrerá e desaparecerá para sempre da cena terrestre. Portanto, que proveito ele tirou por ter sido um insensato durante algum tempo? Ou digamos que, *antes da morte,* uma grande provação sobrevenha ao hipócrita. Serão ouvidas as suas orações de desespero? Pelo contrário, o Todo-poderoso só fará aumentar o calor da dor. Portanto, que vantagem ele obteve por ter feito o papel de insensato durante tanto tempo?

> *Se eu no coração contemplara a vaidade, o Senhor não me teria ouvido.*
>
> Salmo 66.18

Também eu me rirei na vossa desventura, e, em vindo o vosso terror, eu zombarei.

Provérbios 1.26

■ 27.10

אִם־עַל־שַׁדַּי יִתְעַנָּג יִקְרָא אֱלוֹהַּ בְּכָל־עֵת׃

Deleitar-se-á o perverso no Todo-poderoso...? Jó move-se da cena da morte dos hipócritas e fala de sua vida em geral. O perverso, como é óbvio, não tem a integridade da espiritualidade. Jó, em contraste, tinha tal integridade, pelo que não era um hipócrita como seus amigos-críticos pensavam. Um hipócrita não é um homem de oração e devoção, conforme era Jó. E Jó não tinha *pecados secretos,* ocultos por uma piedade falsa, conforme fazem alguns hipócritas. "Jó não mais declarava que Deus se recusa a ouvir qualquer oração. Agora, ele dizia que Deus não ouve o clamor dos ímpios. O ponto nevrálgico de seu argumento parecia ser o seguinte: Como podiam os amigos aconselhá-lo a implorar a Deus, quando eles afirmavam, ao mesmo tempo, que ele era um pecador?" (Samuel Terrien, *in loc.*).

> *Confiai nele, ó povo, em todo tempo; derramai perante ele o vosso coração; Deus é o nosso refúgio.*
>
> Salmo 62.8

■ 27.11

אוֹרֶה אֶתְכֶם בְּיַד־אֵל אֲשֶׁר עִם־שַׁדַּי לֹא אֲכַחֵד׃

Ensinar-vos-ei o que encerra a mão de Deus. *Jó, o Mestre.* Longe de ser um ouvinte humilde e humilhado, Jó toma a iniciativa de ensinar seus amigos-críticos. Ele esteve no conflito; ele esteve na batalha. Sabia melhor do que eles o que estava acontecendo. Outrossim, ele condenava (vs. 6). Seus amigos poderiam ter sido sábios seletos. Eis por que estavam ali, a fim de instruí-lo. Mas Jó era mais sábio que eles. Jó afirmava ter inspiração da parte de Deus, ou, pelo menos, que Deus o havia ensinado por longo tempo. Portanto, ele estava *qualificado* a ensinar outras pessoas. Jó reconhecia um homem *realmente* iníquo, quando via um deles, e passava a descrever tais pessoas, bem como as calamidades que os alcançavam, devido ao julgamento de Deus. No entanto, ele não era membro *daquela tribo.* Os ricos e ímpios prosperam, isso é verdade; mas a retribuição espera por eles, finalmente. "Essas palavras são contrárias aos sentimentos prévios de Jó. Ver Jó 21.22-33 e 24.22-25. Portanto, parece que Jó expressou declarações não tanto sobre os seus próprios sentimentos, mas sobre o que Zofar teria dito, quando chegasse a sua vez (seu terceiro discurso). Por conseguinte, Jó afirmou a opinião de seus amigos (Jó 24.18-21)" (Fausset, *in loc.*).

Há outras maneiras de aproximar-nos dessa linguagem contraditória:

1. Em seus sofrimentos, Jó hesitava em suas opiniões e nem sempre falava como pensamos que ele deveria fazer. Em outras palavras, ele não era coerente e seria errado supor que pudesse sê-lo, em toda aquela dor.

2. Ou então essas palavras realmente não foram ditas por Jó (vss. 11-23), mas faziam parte do *terceiro discurso* de Zofar, que o poeta colocou de maneira bastante desajeitada, *como se* fizessem parte do discurso de Jó.

3. Ou as palavras introduziram uma negação, por parte de Jó, de que tais declarações eram verdadeiras, mas foram truncadas para não obter cumprimento. Ver as introduções aos capítulos 25—26, quanto à mutilação de materiais para salvar os piedosos leitores judeus de choque muito forte, diante da linguagem violenta e abusiva em que os discursos do livro se degeneraram.

4. Já pudemos observar que Zofar não fez um terceiro discurso, o que perfaria o total de *nove* (três de cada um dos três amigos-críticos). Talvez, de fato, ele o tenha feito, e esse discurso tenha sido apagado em sua maior parte por algum escriba subsequente. Contudo, partes desse discurso podem ter sido incluídas no discurso de Jó, desajeitadamente. Ver a introdução ao capítulo 4, quanto ao *plano* dos discursos. Mas não há apoio para essa ideia nos manuscritos (do original hebraico ou das versões), pelo que ela sempre permanecerá uma conjectura. Talvez o *autor original* tenha truncado sua própria obra, temendo ter ido longe demais em sua linguagem abusiva, já que deixar essas partes no livro original estragaria a sua aceitação.

■ 27.12

הֵן־אַתֶּם כֻּלְּכֶם חֲזִיתֶם וְלָמָּה־זֶּה הֶבֶל תֶּהְבָּלוּ׃

Eis que todos vós já vistes isso. A *observação* havia comprovado o caso de Jó, e seus amigos-críticos eram testemunhas oculares. O versículo parece estar dizendo: "Tendes visto os meus sofrimentos e sabeis perfeitamente bem que não sou um hipócrita". Jó haveria de desenvolver aquele tema e apresentar novamente Deus como *injusto* em seu trato com os homens. Mas então ele concordou (incoerentemente) com seus críticos, quanto à sorte dos ímpios. Suas conclusões, contra tal sorte para os ímpios, não foram expressas, e, subsequentemente, foram *removidas* do livro, por algum escriba posterior, ou mesmo pelo autor original, para evitar que leitores piedosos deixassem de ler o livro. "O leitor *espera* encontrar aqui outro dos discursos de Jó sobre os temas do silêncio divino, do sofrimento dos justos ou da consternadora prosperidade dos ímpios. Os versículos que se seguem (ver Jó 27.13-23), entretanto, declaram novamente o antigo dogma da retribuição individual e coletiva. A única conclusão possível consiste em conjecturar que o *discurso* original de Jó foi censurado por algum editor e substituído por uma seção emprestada daquilo que, no princípio, foi o *terceiro discurso* de Zofar" (Samuel Terrien, *in loc.*).

■ 27.13

זֶה חֵלֶק־אָדָם רָשָׁע עִם־אֵל וְנַחֲלַת עָרִיצִים מִשַּׁדַּי יִקָּחוּ׃

Eis qual será da parte de Deus a porção do perverso. O *ímpio* ganha uma herança especial: a ira de Deus. Ele tem sua porção, mas essa será cortada por desastres de todas as espécies. Cf. com Jó 20.29, que faz parte do discurso de Zofar. É altamente provável que tenhamos nos vss. 13-23 um fragmento do terceiro discurso de Zofar, e não uma parte da réplica de Jó a Bildade. Ver as introduções aos capítulos 25,26, quanto a notas expositivas sobre essa conjetura. Ver também os vss. 11-12, que a desenvolvem. A similaridade entre Jó 20.29 e o presente versículo é óbvia, e isso empresta peso à teoria do discurso truncado. Zofar quase certamente é o orador da seção. Não é muito provável que Jó aceitasse, nesse ponto, os argumentos de seus críticos, quando, por tanto tempo, havia feito oposição à mesma antiga tese da retribuição. Antes, Jó continuou a dizer que o ímpio prospera e o justo sofre. Isso significa que há *enigmas* na questão do sofrimento humano. Jó não aceitou as "respostas fáceis" dos dogmáticos.

■ 27.14

אִם־יִרְבּוּ בָנָיו לְמוֹ־חָרֶב וְצֶאֱצָאָיו לֹא יִשְׂבְּעוּ־לָחֶם׃

Se os seus filhos se multiplicarem. Um homem ímpio pode ter muitos filhos, o que era considerado bênção especial (ver Sl 127.5). Mas se ele os tem, podemos estar certos de que cairão vítimas de tragédias e acidentes insensatos. A *espada* abaterá alguns deles; a enfermidade, outros; acidentes, outra parte ainda; o homicídio ficará com alguns; outros morrerão de fome, porque as riquezas do ímpio se acabarão, e ele sofrerá de extrema pobreza. Além disso, os julgamentos de Deus arruinarão as suas plantações. Insetos devorarão seus grãos, e as chuvas pararão de cair sobre os justos.

Essas palavras quase certamente pertencem a Zofar, e não a Jó, quando replica a Bildade, conforme observo nas notas sobre os vss. 12-13. Por outra parte, as *observações* de Jó lhe segredavam que *ele* era o *justo* que recebia aquele tipo de tratamento, enquanto os ímpios continuavam em paz e abundância.

■ 27.15

שְׂרִידוֹ בַּמָּוֶת יִקָּבֵרוּ וְאַלְמְנֹתָיו לֹא תִבְכֶּינָה׃

Os que ficarem dela. A *maioria* dos filhos de um homem ímpio morrerá. Alguns *poucos sobreviverão* aos desastres naturais. Mas esses, afinal, também morrerão súbita e estupidamente, e serão sepultados sobre a terra eterna. Eles (o pai e os filhos) deixarão um bando de viúvas chorosas. É possível que as palavras "os que ficarem" se refiram a *todos* os seus filhos, de modo geral. Todos os filhos do ímpio terão um fim nefasto. E tudo quanto restará serão viúvas desamparadas.

"A morte haverá de conquistá-los plenamente e o sepulcro terá vitória completa" (Adam Clarke, *in loc.*). Contrastar este versículo com a declaração do apóstolo Paulo, em 1Co 15.55,57: *Onde está, ó morte, a tua vitória? Onde está, ó morte, o teu aguilhão?... Graças a Deus, que nos dá a vitória por intermédio de nosso Senhor Jesus Cristo.* Cf. este versículo com Jó 18.13; Jr 15.2 e Rm 6.8. As declarações de Zofar não antecipavam um pós-vida onde o julgamento ocorre, e muito menos ainda houve declarações de que as fortunas poderiam ser revertidas. No entanto, ver 1Pe 4.6. Deus está na fortuna, revertendo os negócios, até mesmo no que diz respeito aos perdidos. Caros leitores, essa é a mensagem mais sublime do evangelho. Onde quer que estejam os homens, Jesus pode salvá-los, até mesmo *do outro lado* do sepulcro. Ver na *Enciclopédia de Bíblia, Teologia e Filosofia* o artigo intitulado *Descida de Cristo ao Hades*. Ver a exposição sobre 1Pe 4.6 no *Novo Testamento Interpretado*.

■ 27.16

אִם־יִצְבֹּר כֶּעָפָר כָּסֶף וְכַחֹמֶר יָכִין מַלְבּוּשׁ׃

Se o perverso amontoar prata como pó. O homem rico e ímpio fica maior e mais rico, mais rico e maior. A prata é apenas como o pó para ele, e ele faz grandes pilhas de prata em seus depósitos. Roupas finas são apenas como barro para ele e decoram a sua casa, guardadas em lugares especiais. As roupas eram, naturalmente, parte dos tesouros orientais, tal como o eram animais domésticos, terras, metais e pedras preciosas. O dinheiro chegava aos montes, e os homens eram despertados em sua ganância! Precisamos de dinheiro para sermos mais capazes de abundar nas boas obras (ver 2Co 9.8). Mas o ímpio usa o dinheiro para aumentar seu poder e sua glória, isto é, ele *serve a seu próprio eu*. O dinheiro pode ser usado com altruísmo ou egoísmo. O amor ao dinheiro pode ser a fonte de todos os tipos de males (ver 1Tm 6.10). O Pai celeste sabe do que precisamos e de quanto, e confiamos nele pelo suprimento certo (ver Mt 6.31-33).

A bolsa do rico está geralmente cheia do dinheiro de outras pessoas. Ele obtém o que possui por exploração e, algumas vezes, por violência. Mas, para o homem pobre, há somente o salário mínimo. Você consegue lembrar-se de uma época em que o dinheiro não fosse escasso?

■ 27.17

יָכִין וְצַדִּיק יִלְבָּשׁ וְכֶסֶף נָקִי יַחֲלֹק׃

Ele os acumulará, mas o justo é que os vestirá. Embora o homem rico tenha acumulado prata e ouro, por um truque esperto da sorte, o justo é que terminará com eles. De fato, os *inocentes* dividirão as riquezas entre eles. Esse *otimismo* acerca do dinheiro dificilmente poderia ser palavras ditas por Jó. Zofar falou nos vss. 12-23. Ele não estava somente falando, mas também pronunciando todas as espécies de absurdos. Quando foi que os justos se apossaram do dinheiro do rico e o dividiram entre si? Admitimos que o dinheiro é propriedade de Deus (ver Ag 2.8), mas os pecadores estão neste mundo com o propósito explícito de confundir as coisas.

Todavia, o homem não permanece em sua ostentação; é, antes, como os animais, que perecem.

Salmo 49.12

■ 27.18

בָּנָה כָעָשׁ בֵּיתוֹ וּכְסֻכָּה עָשָׂה נֹצֵר׃

Ele edifica a sua casa como a da traça. O *pobre homem rico* está voando alto com todo o seu dinheiro e casas excelentes, mas, de fato, sua casa não é mais substancial do que a teia de uma aranha. Qualquer tipo de desastre o reduzirá a nada, até mesmo a ruptura de uma veia em seu cérebro. A *Revised Standard Version* traz a imagem da *aranha*. Outras traduções — como nossa versão portuguesa — trazem a imagem da traça, outra imagem de fragilidade. Admiramos a aranha e a traça por construírem suas respectivas casas com notável habilidade. Mas, se quisermos falar sobre estabilidade e durabilidade, não citaremos esses pequenos animais. Além disso, há a cabana temporária do vigia, que não tem ideia de permanecer muito tempo no mesmo lugar, ou de fazer de sua cabana lar permanente. A sua cabana é apenas uma habitação temporária. Esta é outra ilustração de como o rico constrói aquilo que em breve deverá ser desmanchado. A Septuaginta diz *aranha* em lugar de *traça*; e alguns estudiosos pensam que o texto original do hebraico dizia mesmo aranha. Cf. Is 51.8 e Mt 7.26,27.

Uma *casa* representa tudo quanto os ricos edificam, a sua *vida geral*. E também alude ao *corpo*, algo comum nos sonhos e nas visões.

■ 27.19,20

עָשִׁיר יִשְׁכַּב וְלֹא יֵאָסֵף עֵינָיו פָּקַח וְאֵינֶנּוּ׃

תַּשִּׂיגֵהוּ כַמַּיִם בַּלָּהוֹת לַיְלָה גְּנָבַתּוּ סוּפָה׃

Rico se deita. O indivíduo rico, sem suspeitar de mal algum, deita-se em paz e *aparente* segurança. Um desastre súbito o atinge e o deixa pobre (e talvez até morto), em uma única noite. Quando esse homem abre os olhos pela manhã, alguma calamidade natural, ou de feitura humana, o teria deixado reduzido a nada. O vs. 20 sugere que tipos de coisas têm o poder de operar dessa maneira. Uma inundação, por exemplo, pode reduzir milhares de pessoas a nada, em poucas horas, e também destruir muitas vidas. Até um grande furacão, como um tornado, pode fazer a mesma coisa. O forte *siroco* (vento oriental) do deserto também é uma ameaça e, algumas vezes, tem poder suficiente para levar tudo na sua passagem.

"Ocorre lugar entre o crepúsculo e a alvorada. Pobreza ou morte, cataratas de terror, redemoinhos de calamidade. O céu não tem piedade. O céu zomba e assobia diante dos homens, quando eles fogem" (Paul Scherer, *in loc.*).

Cf. com Jó 18.11 e 22.11,21. Calamidades como inundações súbitas apagam os ricos e suas propriedades. Ver Is 8.7,8.

> *Assim diz o Senhor: Eis que do Norte se levantam as águas, e se tornarão em torrentes transbordantes, e inundarão a terra e a sua plenitude, a cidade e os seu habitantes; clamarão os homens, e todos os moradores da terra se lamentarão.*
>
> Jeremias 47.2

Pelo contrário, entretanto:

> *Tu és meu esconderijo; tu me preservas da tribulação e me cercas de alegres cantos de livramento.*
>
> Salmo 32.7

■ **27.21,22**

יִשָּׂאֵהוּ קָדִים וְיֵלַךְ וִישָׂעֲרֵהוּ מִמְּקֹמוֹ׃

וְיַשְׁלֵךְ עָלָיו וְלֹא יַחְמֹל מִיָּדוֹ בָּרוֹחַ יִבְרָח׃

O vento oriental o leva, e ele se vai. Isto é, a calamidade, a tempestade, mas por trás dessa tempestade está Deus, a causa única, e algumas traduções fazem a referência divina. O vs. 21 identifica o temporal com o vento oriental, o poderoso *siroco*, que não tem misericórdia. O homem rico e ímpio é levado pelo temporal e removido de seu lugar (vs. 21). E, então, Deus o persegue quando ele foge aterrorizado (vs. 22). Não há misericórdia alguma nesse processo. Os céus estão irados com os pecadores e executam o castigo como um ato esportivo, como se tudo fosse hilariante (vs. 23). Cf. Jó 6.4; 7.20 e 16.13.

> *Naqueles dias, os homens buscarão a morte e não a acharão; também terão ardente desejo de morrer, mas a morte foge deles.*
>
> Provérbios 9.6

■ **27.23**

יִשְׂפֹּק עָלֵימוֹ כַפֵּימוֹ וְיִשְׁרֹק עָלָיו מִמְּקֹמוֹ׃

À sua queda lhe batem palmas. Várias traduções dão diferentes sujeitos ao verbo: algumas delas dizem Deus; outras, os homens; e ainda outras, a tempestade destruidora. Provavelmente, porém, a metáfora da *tempestade personalizada* continua neste versículo e é o sujeito do verbo. Uma vez que a tempestade chega, oblitera a propriedade do homem, provavelmente matando a maior parte de seus familiares e de seus animais domésticos. Aterrorizado, o pobre pecador foge; e a tempestade o persegue, a fim de terminar com ele; então bate palmas e escarnece dele. A tempestade zune de alegria, uma vívida metáfora, visto que os ventos produzem toda a espécie de ruído zumbidor.

> *Ri-se aquele que habita nos céus; o Senhor zomba deles.*
>
> Salmo 2.4

"Ninguém se mostrou tão cheio de alegria feroz como Zofar. Seu deleite diante da sorte do ímpio era selvagem e cômico. Jó sentiu-se impulsionado a pensar em Deus como um Ser maldoso, e até deliberadamente malicioso. Cf. Jó 9.30,31; 13.13. Mas o Deus de Zofar ainda era pior" (Paul Scherer, *in loc.*). Devemos lembrar que Jó, em seu *pessimismo* (ver a respeito na *Enciclopédia de Bíblia, Teologia e Filosofia*), havia inventado um Deus *voluntarista*. Na verdade, porém, ele aprovou aquele tipo de Deus que fazia parte dos antigos dogmas dos hebreus. O *voluntarismo* (ver na *Enciclopédia de Bíblia, Teologia e Filosofia*) afirma que a vontade é suprema, às expensas da razão. Deus faz coisas irracionais. Ele não obedece às suas próprias leis morais. Contudo, aquilo que Deus faz é correto, porque ele é quem o está fazendo. Ele não faz, necessariamente, alguma coisa porque seja correta inerentemente.

O homem, ator ridículo, é apupado no próprio teatro. Ele desempenhou muito mal o seu papel e tornou-se uma piada perante Deus e os homens. Cf. Jó 18.18; Lm 2.15; Ne 3.19.

Somos informados sobre o pai da igreja, Tertuliano, que se imaginou a inclinar-se por sobre o peito de Deus, esfregando as mãos e gorgolejando de satisfação por causa dos atormentados no inferno. Caros leitores, isso é uma desgraça. Eu mesmo já ouvi evangélicos falar com ânimo e alegria, contemplando os sofrimentos dos condenados. Como poderia o amor de Deus habitar no coração deles?

John Gill (infelizmente!) fala de uma suposta alegria futura nos céus, por todos os seus habitantes, porque a justiça foi feita e os condenados estão em tormentos. Mas, se estou pensando corretamente, há "alegria no céu" por causa de um pecador que se arrepende. Alguns cristãos, especialmente os de certas denominações radicais, apesar de alegadamente pregarem o evangelho, certamente estão cheios de ódio e deleitam-se na controvérsia e na destruição. De fato, algumas denominações *atraem* indivíduos que são radicalmente destituídos de sentimentos.

CAPÍTULO VINTE E OITO

Uma Réplica Perdida de Jó? Alguns intérpretes supõem que não somente esteja faltando, em Jó 27.5-11, o terceiro discurso de Zofar (que alguns eruditos imaginam não ter sido registrado, se é que, realmente, existiu), mas, *também*, a *terceira réplica* de Jó. O argumento de alguns é o de que os discursos se tornaram tão cortantes, duros e de linguagem tão abusiva, que um editor posterior apagou porções da parte final deles. Ou talvez tenha sido o próprio autor original que apagou os trechos do livro, ao dar-se conta de que os leitores judeus piedosos não suportariam as blasfêmias proferidas. Ele desejava que seu livro fosse lido e não quis pôr em risco o todo, por causa de uma parte que caíra no exagero. Para salvar o todo, pois, ele sacrificou certas partes menos desejáveis. Ver a discussão, em Jó 27.11, sobre essa questão.

Se algum editor apagou as partes finais do livro de Jó, então é difícil explicar por que não há nenhum apoio, nos manuscritos antigos, quanto a uma versão mais longa do livro de Jó, nem no original hebraico, nem nas versões antigas. Mas se o autor original apagou essas porções, então podemos afirmar que somente sua versão truncada foi enviada para ser lida, de modo que não houve manuscritos que contivessem a versão mais longa.

O HINO À SABEDORIA (28.1-28)

Chegamos ao *Hino à Sabedoria* que, segundo se presume, tomou o lugar de certas porções apagadas do escrito original. Isso aparece em nossas Bíblias, como se fosse parte da continuação da réplica de Jó ao terceiro discurso de Bildade, mas que, de fato, não foi realmente escrito por essa razão. Foi uma bela peça escrita que o poeta relutou em excluir, pelo que, um tanto desajeitadamente, a inseriu onde a encontramos.

"Podemos ter poucas dúvidas de que esse magnífico poema, sobre quão *inacessível* é a sabedoria para o homem, não pertence, de fato, aos discursos de Jó. Não acompanha o estilo dele, não está vinculado a nenhum contexto de Jó... Vários detalhes do hino estão intimamente paralelos aos discursos de Yahweh" (Samuel Terrien, *in loc.*). Dou as notas expositivas desses paralelos, conforme prosseguimos.

Três Divisões Naturais do Hino:
1. Vss. 1-13: O homem escava fundo, mas não encontra a sabedoria.
2. Vss. 14-22: A sabedoria não se acha nas profundezas do mar.
3. Vss. 23-28: Só Deus sabe o caminho da sabedoria.

Seja como for, o hino serve tanto para denunciar Jó quanto seus amigos-críticos que pretendiam conhecer a mente divina. Deus é *totalmente outro*, transcendental, e precisamos ser lembrados desse fato, para evitar nossas representações extremamente antropomórficas da deidade. Deus também é imanente, mas essa não é a consideração do texto à nossa frente.

■ **28.1**

כִּי יֵשׁ לַכֶּסֶף מוֹצָא וּמָקוֹם לַזָּהָב יָזֹקּוּ׃

Na verdade, a prata tem suas minas. "A sabedoria não está à disposição do homem, mas permanece como uma das prerrogativas de Deus. Ver os refrãos nos vss. 12, 13, 20 e 21. Assim como Bildade louvou o poder divino no céu, na terra e no seol (ver Jó 25.2-6; 26.5-11), também o poeta pesquisou *cada porção do universo*, a fim de encontrar a sabedoria divina" (*Oxford Annotated Bible*, comentando sobre este versículo).

Na terra, encontramos metais preciosos contidos em veios. Esses metais podem ser difíceis de extrair. Muito labor é necessário para obtê-los, mas eles estão *disponíveis*. Além disso, os homens têm meios para refinar os metais, a fim de torná-los úteis para trabalhos de decoração e construção de objetos. Os homens são capazes de recuperar certa variedade de metais, como o ouro, a prata, o ferro, o cobre e algumas pedras preciosas. Seus esforços são recompensados e os produtos são bons; não é assim que se dá com a sabedoria de Deus. O homem não é capaz de encontrar a sabedoria por seus próprios esforços. A verdadeira sabedoria é *atributo divino*.

O homem tem sua tecnologia e seus métodos científicos, e suas realizações são verdadeiramente estupendas. Mas a sua tecnologia, até a representada pela ciência moderna, não foi capaz de abrir os tesouros da sabedoria divina. Esses tesouros nos vêm pela *revelação*. Ver na *Enciclopédia de Bíblia, Teologia e Filosofia* o artigo chamado *Conhecimento e a Fé Religiosa*, e no *Dicionário* os verbetes *Sabedoria* e *Revelação*.

■ 28.2

בַּרְזֶל מֵעָפָר יֻקָּח וְאֶבֶן יָצוּק נְחוּשָׁה׃

O ferro tira-se da terra. Metais fortes são usados para fazer instrumentos de guerra, ou são úteis nas edificações, que precisam de materiais duradouros, como o ferro e o cobre. Esses metais podem ser dissolvidos, refinados e trabalhados em diferentes itens. Tais metais úteis estão *ocultos* na terra; é preciso esforço para obtê-los e refiná-los. Mas eles estão *disponíveis* aos que trabalham. Não se trata do mesmo caso com o maior tesouro de todos, a *sabedoria divina*. Deus dá de sua sabedoria, até certo ponto, aos homens, através da revelação. Trata-se de um atributo divino e comunicável somente por um ato especial da vontade divina. Logicamente, portanto, que o homem é um ser limitado que, com frequência, fala como se estivesse falando por Deus. Usualmente, em tais casos, o pobre homem fará tudo impulsionado pela *arrogância*, pensando que é um porta-voz de Deus.

Vss. 2-6. Encontramos aqui "alusões às minas do Egito, provavelmente na península do Sinai" (*Oxford Annotated Bible*, comentando sobre o vs. 2). O autor sagrado enfatizou que a tecnologia humana é *impotente* no terreno do conhecimento divino.

■ 28.3

קֵץ שָׂם לַחֹשֶׁךְ וּלְכָל־תַּכְלִית הוּא חוֹקֵר אֶבֶן אֹפֶל וְצַלְמָוֶת׃

Os homens põem termo à escuridão. A referência aqui é às antigas técnicas de mineração. O mineiro tem de penetrar na terra, onde tudo é escuro como breu. Não há ali nenhuma luz natural. Portanto, o homem tem de levar sua própria luz, sua tocha, sua lanterna. Com a tecnologia, ele pode iluminar o que era escuro; pode abrir túneis e iluminá-los. Mas não pode descobrir a luz de Deus, sua sabedoria. "Até as pedras que jaziam escondidas no seio da terra, ele escavou e trouxe para a luz. Ele penetrou nos lugares onde a luz do sol nunca entrou; portanto, parece ter penetrado em regiões da sombra da morte" (Adam Clarke, *in loc.*). Grandes são as realizações do homem, mas a sabedoria divina não está no âmbito de suas buscas, não se sujeita aos métodos científicos.

> *Se buscares a sabedoria como a prata e como a tesouros escondidos a procurares, então, entenderás o temor do Senhor e acharás o conhecimento de Deus. Porque o Senhor dá a sabedoria, e da sua boca vem a inteligência e o entendimento.*
> Provérbios 2.4-6

■ 28.4

פָּרַץ נַחַל מֵעִם־גָּר הַנִּשְׁכָּחִים מִנִּי־רָגֶל דַּלּוּ מֵאֱנוֹשׁ נָעוּ׃

Abrem entrada para minas longe da habitação dos homens. A *Revised Standard Version* diz que homens *abrem fendas na terra*, longe de onde vivem. Eles exploram lugares onde o viajante nunca pisou, locais "esquecidos" e misteriosos. A *King James Version* e outra versão portuguesa, diferente da nossa, dizem que os homens descobrem *rios subterrâneos*, águas que há muito foram esquecidas e ocultadas em seus leitos. Esses rios passam no subsolo, mas ninguém sabe deles. Tais rios subterrâneos são alimentados pelas águas que corriam à superfície; aparentemente, esses rios secaram, mas sob a superfície do solo fluem com força, e forneceriam um espetáculo terrível se pudessem ser vistos. O mineiro, porém, *vê* esses fenômenos misteriosos e escondidos; no entanto, não é capaz de descobrir a sabedoria de Deus. O hebraico original é incerto, de modo que existem traduções largamente diferentes. A *navegação aparece* como o sujeito do versículo, por parte de alguns intérpretes, mas isso é completamente estranho ao contexto, que fala da mineração e de suas maravilhas. Algumas vezes, os rios subterrâneos são liberados pelas escavações dos mineiros, aflorando à superfície e espalhando destruição. O que era invisível tornou-se visível, mas outro tanto não acontece com relação à sabedoria divina.

■ 28.5

אֶרֶץ מִמֶּנָּה יֵצֵא־לָחֶם וְתַחְתֶּיהָ נֶהְפַּךְ כְּמוֹ־אֵשׁ׃

Da terra procede o pão. O *pão* procede do solo, mediante algum poder misterioso, ou seja, os grãos crescem e se transformam, subsequentemente, em pão ou *alimento em geral,* conforme a palavra pode significar. Os agricultores estão familiarizados com o pão e sabem muitas coisas a seu respeito, mas nenhum ser humano sabe muita coisa sobre a sabedoria de Deus.

Não há certeza quanto ao significado do *fogo* que aparece neste versículo. Há quatro posições:

1. *Combustível fóssil*, como o carvão. Também existem chamas subterrâneas, tanto naturais como provocadas pelo homem. Alguns homens conhecem esses fenômenos misteriosos, mas quem sabe muito acerca da sabedoria? Outros supõem, entretanto, que o fogo dê continuação à metáfora da mineração.
2. Fogo subterrâneo era usado em alguns *processos de mineração*.
3. Fogo é o poder que *refina os metais*. Os homens sabem sobre essas coisas, mas pouco sabem sobre a *ciência divina*.
4. Outros fazem *fogo* significar os metais preciosos que são minados. Ele refletem a luz e se assemelham ao *fogo*. Esta interpretação pode ser favorecida pelo fato de que o vs. 6 menciona imediatamente safiras, que é o *lápis-lazúli*.

■ 28.6

מְקוֹם־סַפִּיר אֲבָנֶיהָ וְעַפְרֹת זָהָב לוֹ׃

Nas suas pedras se encontra safira. Entre os tesouros que os homens são capazes de desenterrar, mediante seu modo de proceder, estão as pedras preciosas, incluindo a *safira* ou *lápis-lazúli*. Elas refletem a luz e brilham como o fogo (vs. 5), admirando a mente humana. Mas a mente humana permanece nas trevas com respeito à luz da sabedoria divina, a menos que ele escolha manifestar-se por meio da revelação. Certas coisas estão além dos esforços humanos. Certas coisas são divinas e não humanas. Então, temos também o metal mais precioso de todos, o ouro, que será sempre objeto de busca dos homens. O ouro é amarelo ou pálido por *temer* a busca constante do homem e os frenéticos esforços para encontrá-lo. O ouro e as pedras preciosas são valiosos para os homens, mas não se comparam ao valor da sabedoria de Deus (assim dizem os vss. 16 ss.).

Pó que contém ouro. Talvez isso signifique que, em alguns lugares, o ouro seja tão abundante que deva ser comparado ao pó; ou o ouro encontra-se em *partículas de pó* e precisa ser refinado a partir delas. Plínio falou sobre o *pulvis aureus*, partículas de ouro que brilham no pó (*Nat. Hist.* 1.37, cap. 9). Ou talvez estejam em pauta as *pepitas de ouro* chamadas de pó, por serem tão abundantes quanto a poeira da terra. A Vulgata Latina diz *torrões de ouro*, ou seja, as pepitas de ouro são como a poeira da terra. O ouro é abundante, mas a sabedoria de Deus é rara e continua oculta aos homens. O ouro está disponível, mas a sabedoria de Deus só é dada mediante intervenção divina, na revelação.

28.7

נָתִיב לֹא־יְדָעוֹ עָיִט וְלֹא שְׁזָפַתּוּ עֵין אַיָּה׃

Essa vereda, a ave de rapina a ignora. *Alguns animais* têm a percepção dos sentidos muito aguçada, como a ciência tem demonstrado. Um pombo, por exemplo, pode ouvir a longas distâncias. Um pombo em São Paulo pode ouvir uma tempestade no Rio de Janeiro, porque ouvir é muito importante para a sua sobrevivência. Algumas aves que costumam caçar à noite podem ver a *aura* de um animal, porque seus olhos veem fora do alcance da visão normal. Portanto, para tais aves, os animais são *visíveis*, o que significa que podem ser apanhados. Uma abelha tem o olfato muito apurado e pode sentir o odor de um jardim de flores a cerca de dez quilômetros de distância. Uma abelha em Guaratinguetá pode sentir um jardim de flores em Aparecida do Norte. Algumas espécies de aves têm visão muito aguçada, necessária para apanharem seu alimento. A despeito dessas habilidades incomuns de visão, as coisas estão ocultas a tais criaturas; isso ilustra como o homem não pode *ver* claramente o bastante, para discernir a sabedoria de Deus, sem a ajuda divina direta. As aves não podem ver tesouros e rios subterrâneos, nem podem os homens descobrir, por meios naturais, muito sobre a oculta sabedoria de Deus.

Neste versículo, o poeta pode estar aludindo à adivinhação por meio de *pássaros*. Nesse caso, isso também seria inútil para encontrar a sabedoria. Ver as notas sobre o vs. 21.

28.8

לֹא־הִדְרִיכֻהוּ בְנֵי־שָׁחַץ לֹא־עָדָה עָלָיו שָׁחַל׃

Nunca a pisaram feras majestosas. Os animais da floresta andam procurando por presas e seguem muitas veredas conhecidas. Mas existem veredas desconhecidas por tais feras, sob a superfície da terra e sobre ela. Os animais irracionais são limitados por sua ignorância, e assim também acontece ao homem que tenta encontrar a *vereda da sabedoria*. O leão é a mais feroz das feras, diante do qual os outros animais tremem e se escondem. Seus caminhos são muitos, e seu apetite é enorme. No entanto, o leão é um animal *limitado*. Ele é considerado o rei dos animais, mas não deixa de ter suas limitações. Assim também o homem é o principal animal *da terra*, mas é severamente limitado quando se trata das realidades celestiais. O mineiro escava seus túneis abaixo da superfície da terra, e mesmo as aves de visão mais aguda não podem ver esses túneis. O leão percorre suas veredas à superfície da terra, sem nunca suspeitar de que existem veredas abaixo da superfície. Um homem não pode descobrir por si mesmo a sabedoria divina, assim como o leão não pode descobrir veredas por baixo da terra.

O leãozinho. O leão é uma fera orgulhosa e sabe o quão forte é. Mas o animal mais orgulhoso de todos é o homem. Ele pensa ser forte e sábio, mas está enganado, pois é apenas arrogante.

28.9

בַּחַלָּמִישׁ שָׁלַח יָדוֹ הָפַךְ מִשֹּׁרֶשׁ הָרִים׃

Estende o homem a sua mão contra o rochedo. *O Homem Só é Forte até Certo Ponto*. Ele pode movimentar pesadas rochas. Ele escava a terra e revolve suas entranhas. Por assim dizer, ele escava montanhas por suas raízes. O homem pode partir ao meio as mais duras rochas, incluindo a *pederneira*. No entanto, não consegue rachar a *casca* dos mistérios divinos. Ele ainda não encontrou solução para o problema do mal, isto é, por que os homens sofrem como sofrem. E ainda não descobriu por que os *inocentes* sofrem. O poeta, portanto, continuou a metáfora da mineração iniciada no vs. 1. Ele louva as realizações humanas, mas também sabe, e muito bem, quais são suas limitações. Alguns estudiosos supõem que o trabalho do homem sobre a face da terra esteja incluído neste versículo: ele escava cisternas, canais e represas. Com suas construções, controla seu meio ambiente e, no entanto, não exerce controle sobre a sabedoria divina, que permanece fora do alcance de sua tecnologia.

28.10

בַּצּוּרוֹת יְאֹרִים בִּקֵּעַ וְכָל־יְקָר רָאֲתָה עֵינוֹ׃

Abre canais nas pedras. É bem provável que este versículo continue a metáfora da mineração. Rios são descobertos, tal como se viu no vs. 4, e o homem é retratado como *se* tivesse criado aqueles rios. Ou talvez esteja em pauta um trabalho feito à superfície da terra. O homem é capaz de construir rios (canais) ou alterar o seu curso. Ele é forte até certo ponto, mas não pode estalar a *casca* dos mistérios divinos. Enfrenta tarefas difíceis e vence por causa de sua determinação. Certas coisas, entretanto, estão acima de seu poder e inteligência. Talvez, este versículo devesse ser interpretado juntamente com o vs. 11. O homem não permite que os rios inundem suas minas; ele desvia as águas, antes que elas possam causar dano. Um homem *também* é capaz de *drenar* águas que tenham penetrado em uma mina, impedindo as operações de mineração. No entanto, ele não é capaz de explorar a sabedoria divina.

28.11

מִבְּכִי נְהָרוֹת חִבֵּשׁ וְתַעֲלֻמָהּ יֹצִא אוֹר׃ פ

Tapa os veios de água e nem uma gota sai deles. A fim de *proteger suas minas*, ou com outros propósitos, o homem é capaz de controlar os rios e as inundações. Ele constrói represas que não derramam; faz cisternas ou simplesmente desvia as águas à sua vontade. Pode haver referência à drenagem de minas de águas que ali se acumularam, para que a operação pudesse continuar. Seja como for, o homem é visto como capaz de controlar seu meio ambiente, até mesmo as temíveis e destruidoras águas. Mas ele tem pouco controle sobre as águas do céu, a sabedoria que confere vida.

Plínio disse que o homem é capaz de escavar a terra e chegar à moradia dos espíritos malignos, sem dúvida um exagero. Ovídio (*Met.* lib. 1, vs. 137) fazia pouco da capacidade de mineração do homem. O homem *invadiu* a terra com suas atividades, *assaltando-lhe* o ouro e a prata.

28.12

וְהַחָכְמָה מֵאַיִן תִּמָּצֵא וְאֵי זֶה מְקוֹם בִּינָה׃

Mas onde se achará a sabedoria? A despeito de todos os esforços dos homens, e apesar de todos os seus avanços no campo da tecnologia, a sabedoria permanece distante deles, que não se tornaram espertos na compreensão *espiritual*. A sabedoria não está nos lugares onde os homens a procuram. Eles não têm *escavado* as minas da sabedoria, nem acumulado as águas da compreensão. Embora o homem se mostre otimista e determinado em suas realizações, o poeta não viu razão para otimismo no tocante às realizações espirituais. O poeta não acreditava que a sabedoria estivesse ao alcance do homem. "Ele não acreditava que o segredo da vida jaz ao alcance do homem ou à sua disposição" (Samuel Terrien, *in loc.*). Ver o vs. 20, onde essas questões são repetidas.

O maior de todos os tesouros é a sabedoria divina. O poeta, pois, antecipou o ensino paulino da *graça*. Deus precisa dar sabedoria, mediante um ato de sua divina vontade. Deus tem de tomar providências, ou o homem estará para sempre limitado a realizações bastante pequenas.

Os *vss. 12-27* personificam a sabedoria, e os intérpretes cristãos cristianizam esses versículos. Cf. Pv 8.22 ss., que alguns transformam em trecho profético e messiânico, fazendo-o falar sobre o Logos, que era chamado o Cristo em sua encarnação. Ver no *Dicionário* o artigo sobre *Sabedoria*, quanto a amplos detalhes.

Mas vós sois dele, em Cristo Jesus, o qual se nos tornou, da parte de Deus, sabedoria, e justiça, e santificação, e redenção.
1Coríntios 1.30

Ó profundidade da riqueza, tanto da sabedoria como do conhecimento de Deus! Quão insondáveis são os seus juízos, e quão inescrutáveis, os seus caminhos!
Romanos 11.33

28.13

לֹא־יָדַע אֱנוֹשׁ עֶרְכָּהּ וְלֹא תִמָּצֵא בְּאֶרֶץ הַחַיִּים׃

O homem não conhece o valor dela. Nenhum ser humano pode apreçar a sabedoria e, se algum homem inteligente conseguir fazê-lo, ninguém poderia pagar por ela. Sem essa sabedoria, o homem é pobre. Ninguém conhece o caminho da sabedoria (ver a *Revised Standard Version*), e sua vereda não pode ser achada na terra dos vivos. O verdadeiro valor da sabedoria não é conhecido pelos homens, nem podem eles descobri-lo, como um mineiro faz com o ouro.

"É de um valor infinito e a única ciência que diz respeito a *ambos os mundos*. Sem a sabedoria, porém, o mais sábio dos homens é apenas um animal irracional. Mas, com a sabedoria, o homem mais simples só perde para um anjo" (Adam Clarke, *in loc.*).

Já não verei o Senhor na terra dos viventes.
Isaías 38.11

A sabedoria tem valor incalculável e seria impossível comprá-la, caso ela pudesse ser apreçada. Em outras palavras, ela é inacessível aos homens, *a menos* que seja dada como dom de Deus, por meio da revelação e transformação da alma para que se faça o que é requerido. "Não há nada no globo terrestre inteiro que se iguale ao valor da sabedoria" (John Gill, *in loc.*).

■ 28.14

תְּהוֹם אָמַר לֹא בִי־הִיא וְיָם אָמַר אֵין עִמָּדִי:

O abismo diz: Ela não está em mim. O poeta personifica várias essências inanimadas da terra. O *mar* é uma entidade profunda e misteriosa. Muitos animais incomuns habitam no mar, que oculta surpresas. Mas o mar diz: "A sabedoria não se encontra em mim!" A profundidade é parte integrante do mar, mas fala como se fosse uma entidade desesperada. Essa profundidade é a porção mais enigmática do mar. A metáfora declara que não há como o homem buscar a sabedoria. O homem pode ter ideias sobre o que procurar, no entanto, todos os homens falham nessa busca. Não há vereda que possa ser seguida e leve à Sabedoria.

O poeta usou o abismo (no hebraico, *tehom*) e o mar (no hebraico, *yam*), como variação poética, mas o primeiro, de fato, é a parte mais misteriosa do segundo, de maneira que esse fato se presta bem à metáfora. Talvez o poeta aluda a certas práticas de culto politeísta e a certas crenças do antigo Egito, nas quais essas essências misteriosas eram *transformadas em deuses* ou habitações de deuses. Isso se parece com a declaração de Plínio, acerca de homens escavando a terra para encontrar em suas entranhas espíritos malignos (ver o vs. 11). Assim, os homens que desciam às profundezas do oceano poderiam encontrar algum deus, ao qual ofereceriam sacrifício e adoração.

"As forças do *abismo* e do *oceano primevo* não somente foram personificadas, mas também *deificadas*. Os homens antigos adoravam-nas como a seres divinos e buscavam seu favor, para dar estabilidade à terra" (Samuel Terrien, *in loc.*). Cf. a antiga crença dos gregos, ainda defendida no tempo de Sócrates, que fazia da lua um deus (500 a.C.). Mas o poeta negou que nas profundezas do oceano houvesse qualquer poder ou inteligência que pudesse dar aos homens sabedoria, e certamente a própria sabedoria não estava em tal lugar. Os homens falavam sobre Abadon ou a Morte, de maneira personificada, endeusada, mas o poeta não via nenhuma utilidade em tal conversa, *se* um homem estivesse em busca da Sabedoria. Ver sobre o vs. 22, quanto a essa referência.

■ 28.15

לֹא־יֻתַּן סְגוֹר תַּחְתֶּיהָ וְלֹא יִשָּׁקֵל כֶּסֶף מְחִירָהּ:

Não se dá por ela ouro fino. *Coisas frívolas,* como ouro e prata (embora sejam de grande valor para os homens e buscadas com diligência), não podem comprar a sabedoria, sem importar o montante de dinheiro envolvido no pagamento. Essa é uma declaração *metafórica* que significa que a sabedoria *não tem preço,* nem pode ser obtida por *nenhum tipo* de esforço humano. Deus dispensa sabedoria àqueles que pensa ser merecedores, de acordo com sua vontade e graça, que operam através da revelação. Assim sendo, aprendemos que as técnicas religiosas (ritos, cerimônias, sacrifícios, orações) são limitadas. Os homens não podem obter a sabedoria divina, tal como obtém a tecnologia científica. A sabedoria divina é inacessível, salvo pelo *fiat divino*. Assim sendo, os vss. 23-28 enfatizam o tema de que *somente Deus* entende o caminho da sabedoria. Homens espirituais chegam a compreender parte dos mistérios da piedade, mas a verdadeira espiritualidade é uma questão de um *longo cultivo,* não um acontecimento único em que a pessoa diga: "Obtive!" Um número demasiadamente grande de pessoas diz "Obtive a sabedoria", quando, na realidade, elas permanecem como infantes espirituais. Os homens vivem com pressa e são sempre enganados por si mesmos e por outras pessoas, para pensarem que algo tão grande como uma avançada espiritualidade possa acontecer subitamente. Essa é uma doutrina falsa. Afinal de contas, nossa glorificação será um *processo eterno,* que sobe de um estágio de glória a outro, mediante o qual somos transformados à imagem de Cristo.

E todos nós, com o rosto desvendado, contemplando, como por espelho, a glória do Senhor, somos transformados, de glória em glória, na sua própria imagem, como pelo Senhor, o Espírito.
2Coríntios 3.18

Ver na *Enciclopédia de Bíblia, Teologia e Filosofia* o verbete intitulado *Transformação Segundo a Imagem de Cristo*.

■ 28.16

לֹא־תְסֻלֶּה בְּכֶתֶם אוֹפִיר בְּשֹׁהַם יָקָר וְסַפִּיר:

O seu valor não se pode avaliar pelo ouro de Ofir. Até mesmo o *ouro abundante de Ofir* (ver a respeito no *Dicionário*) não pode comprar a sabedoria. Os homens não possuem recursos adequados para fazer tal compra. A sabedoria é inacessível ao homem. Nem mesmo as pedras preciosas que os mineiros obtêm da terra, com suas habilidades, aproximam-se do preço da sabedoria divina. "A sabedoria não pode ser comprada em um mercado como pedras preciosas e joias que o homem tenha descoberto na terra, como o ônix, a safira, o rubi ou o topázio, pois a sabedoria excede em muito ao valor dessas pedras (cf. Pv 3.13-15; 8.11; 16.16)" (Roy B. Zuck, *in loc.*).

Feliz o homem que acha sabedoria, e o homem que adquire conhecimento; porque melhor é o lucro que ela dá do que o da prata, e melhor a sua renda do que o ouro mais fino.
Provérbios 3.13,14

■ 28.17-19

לֹא־יַעַרְכֶנָּה זָהָב וּזְכוֹכִית וּתְמוּרָתָהּ כְּלִי־פָז:

רָאמוֹת וְגָבִישׁ לֹא יִזָּכֵר וּמֶשֶׁךְ חָכְמָה מִפְּנִינִים:

לֹא־יַעַרְכֶנָּה פִּטְדַת־כּוּשׁ בְּכֶתֶם טָהוֹר לֹא תְסֻלֶּה: פ

O ouro não se iguala a ela, nem o cristal. Os *padrões de valor* não se aplicam à Sabedoria. Esses três versículos continuam a *metáfora da mineração*, iniciada no vs. 1 deste capítulo. O homem tem admirável engenhosidade e notável avanço tecnológico. É capaz de penetrar na terra e fazer túneis. Pisa as veredas, feitas por ele mesmo, que estão ocultas às aves e aos animais poderosos. Desenterra produtos admiráveis da natureza, aos quais atribui altos valores. Além dos metais preciosos, há pedras preciosas, das quais os vss. 16-19 listam seis tipos. Note como o autor do Apocalipse (capítulo 21) usou tais pedras para descrever as glórias da Nova Jerusalém. Dou artigos separados sobre todas essas pedras preciosas na *Enciclopédia de Bíblia, Teologia e Filosofia*. Ver também ali o artigo chamado *Joias e Pedras Preciosas*. Mediante uma lista extensa das coisas avaliadas pelo homem, o autor sacro enfatiza a sua tese: os valores humanos não têm nenhuma aplicação às questões divinas, sobretudo quando estamos falando sobre a sabedoria. Temos aí alguns *lugares* mencionados que eram fontes famosas dos itens citados, como Ofir (vs. 16, ouro) e a Etiópia (vs. 19, topázio). Existem lugares ricos na terra, mas eles não são fontes das verdadeiras riquezas, os valores espirituais que os homens deveriam estar procurando. Cf. os vss. 5,7,10 e 14. Nenhum lugar na terra é a fonte da sabedoria. A sabedoria é um empreendimento celestial, porque somente Deus sabe o caminho da sabedoria (vss. 23-28). Da Mesopotâmia ao vale do rio Nilo, e por todo o Crescente Fértil, os homens se ocupavam da mineração. Esses esforços, entretanto, em nada têm contribuído para produzir o maior de todos os tesouros: a sabedoria.

As *doze pedras* do peitoral do sumo sacerdote, as *pedras do santuário* (Lm 4.1), têm sua contraparte neste capítulo. Aquelas pedras preciosas simbolizavam *luzes* e *perfeições* (o sentido das palavras hebraicas *Urim* e *Tumim*). Talvez, ao olhar para elas, o sumo sacerdote atingisse um leve transe que o ajudava em seus pronunciamentos, e suas declarações tinham algo a ver com a sabedoria divina. Assim, as pedras preciosas estavam *associadas* ao ato de adquirir as mensagens de Deus, mas não eram a fonte de compreensão.

Algumas de minhas fontes informativas dão breves descrições das pedras mencionadas. Não dou aos vss. 16-19 esse tratamento, visto que o leitor pode achar no *Dicionário* artigos individuais sobre as pedras preciosas citadas. O leitor curioso poderá informar-se através desses artigos.

As *descrições elaboradas* foram um esforço heroico feito pelo poeta para informar-nos de que a sabedoria é "algo diferente", "algo totalmente outro". Não podemos encontrar a sabedoria na terra, sem importar onde e como a busquemos. Tais coisas simplesmente estavam além do homem. A sabedoria divina é uma dessas coisas. Portanto, confiar na vontade e na graça de Deus é "deixar tudo claro". Algum dia, "ele deixará tudo claro para mim", como dizia, esperançoso, o autor de um hino.

> A sabedoria não é finalmente testada nas escolas. A sabedoria não pode ser passada de quem a possui para quem não a tem. A sabedoria é da alma. Não está susceptível à prova. É a sua própria prova.
>
> Walt Whitman

■ 28.20

וְהַחָכְמָה מֵאַיִן תָּבוֹא וְאֵי זֶה מְקוֹם בִּינָה׃

Donde, pois, vem a sabedoria...? *A Grande Pergunta*. Se a sabedoria não é produto ou empreendimento humano, "de onde" ela vem? Onde é o lugar da compreensão, visto que nenhum lugar humano é seu lar? Deve haver um lugar e uma maneira de buscá-la.

"O homem tem gastado fortunas imensas não somente na construção e ornamentação de santuários, mas também na celebração sazonal de enfeites e rituais festivos. O homem tem pago um alto preço para comungar com as forças universais, ou para proteger-se delas. Muito naturalmente, o homem poderia pedir delas o prêmio mais cobiçado: a sabedoria! Ele poderia até buscar as divindades do submundo, Abadon e a Morte (vs. 22)" (Samuel Terrien, *in loc.*). Mas a sabedoria permanece facilmente oculta para o homem, a despeito de seus esforços e de sua devoção.

Este versículo repete, quase verbatim, o vs. 12 do presente capítulo, onde ofereço outra ideia.

■ 28.21

וְנֶעֶלְמָה מֵעֵינֵי כָל־חָי וּמֵעוֹף הַשָּׁמַיִם נִסְתָּרָה׃

Está encoberta aos olhos de todo vivente. Não existem *olhos de animais* (a despeito de sua aguda percepção dos sentidos) ou de seres humanos (a despeito de sua busca diligente) que possam encontrar a sabedoria. A sabedoria está *oculta* a todas as criaturas vivas e inteligentes. Cf. os vss. 6-11, onde já vimos essas ideias.

"O dom da adivinhação era atribuído pelos pagãos especiais aos *pássaros*. Seu voo veloz na direção do céu, e sua visão aguda originaram a superstição. Jó pode estar aludindo à questão. Mas nem mesmo a adivinhação suposta dos pássaros tem coisa alguma a ver com a sabedoria (Ec 10.20)" (Fausset, *in loc.*). Quando os homens perdem os recursos e não mais confiam na *razão*, voltam-se para certas coisas como a adivinhação. A cultura hebraica estava cheia de "formas aprovadas" da sabedoria. Ver no *Dicionário* o artigo chamado *Adivinhação*, onde dou abundantes detalhes sobre essa questão.

Não digamos nenhuma palavra má contra as autoridades, ou um pássaro pode vir e ouvir suas maldições, e isso seria mau para você. O pássaro em foco, como um *revelador*, era um pensamento comum entre os antigos, e isso fica subentendido em Ec 10.20: "Nem no teu pensamento amaldiçoes o rei, nem tão pouco no mais interior do teu quarto, o rico; porque as aves dos céus poderiam levar a tua voz, e o que tem asas daria notícias das tuas palavras".

Oculta às aves do céu. Para Jarchi, esses animais representam, no texto, os santos anjos de Deus. Nesse caso, pois, nem mesmo eles podem dar sabedoria. Mas essa ideia está longe da realidade, tanto quanto a ideia dos *demônios,* que é a interpretação de outros estudiosos.

■ 28.22

אֲבַדּוֹן וָמָוֶת אָמְרוּ בְּאָזְנֵינוּ שָׁמַעְנוּ שִׁמְעָהּ׃

O abismo e a morte dizem. A *sabedoria* não se encontra na face da terra, nem no *abismo*, nem no hades, onde as divindades *Abadon* e *Morte* dominam. O poeta sagrado personalizou as forças destrutivas que residem no *seol*. Os antigos levavam muito a sério essas forças, supondo que os deuses do submundo fossem reais. Se tais divindades realmente *existem*, então nem elas, embora temidas e reverenciadas pelos homens, são fontes da sabedoria. Esses poderes *ouviram* falar na sabedoria. Rumores sobre a sabedoria penetraram em suas escuras habitações, mas eles mesmos nada sabem a respeito, e com igual certeza não são suas fontes originárias. Ver no *Dicionário* o artigo intitulado *Abadon*. Para os antigos, os deuses do submundo não eram demônios e, sim, *entidades diversas* que faziam os homens estremecer, porque nada de bom podiam esperar delas. Era melhor manter-se afastado. Mas se alguém se aproximasse de uma daquelas divindades, ficaria amargamente desapontado.

> O Anjo da Morte tem estado ao redor por toda a terra. Talvez você até tenha ouvido o bater de suas asas.
>
> John Bright

Quando o Anjo da Morte passar, não pare para perguntar-lhe sobre a sabedoria!

SÓ DEUS ENTENDE O CAMINHO DA SABEDORIA (28.23-28)

■ 28.23

אֱלֹהִים הֵבִין דַּרְכָּהּ וְהוּא יָדַע אֶת־מְקוֹמָהּ׃

Deus lhe estende o caminho. Esta é a resposta! É Deus que conhece o *caminho da compreensão*. Mas como vamos ter com Deus? O autor sagrado responde que *ele* chega até nós em suas revelações, embora só visite homens que merecem receber essas revelações. Ou, então, em certas ocasiões, ele meramente faz o que quer, dando a um homem a sabedoria, mediante um dom da graça. Nesse caso, o recebedor é transformado pelas próprias experiências. "Quando todo o esforço humano tiver fracassado, e somente então, o homem estará pronto para chegar a si mesmo e reconhecer que o Deus que criou o cosmo continua sendo o *Criador fiel* (vss. 24-26), compreendendo o caminho da sabedoria e conhecendo o lugar onde ela está (vs. 23). A sabedoria é a possessão suprema de Deus" (Samuel Terrien, *in loc.*).

Referindo-se à *sabedoria personificada*, o autor do livro de Provérbios asseverou:

> *O Senhor me possuía no início de sua obra, antes de suas obras mais antigas. Desde a eternidade fui estabelecida, desde o princípio, antes do começo da terra. Antes de haver abismos, eu nasci, e antes ainda de haver fontes carregadas de águas. Antes que os montes fossem firmados, antes de haver outeiros, eu nasci.*
>
> Provérbios 8.22-25

Esse texto naturalmente é cristianizado a fim de aludir ao Logos como a sabedoria sterna, o Logos que se manifestou na pessoa do Cristo. Ver as notas sobre essa ideia, no vs. 12.

"Desde o começo do tempo, ele a conhecia, ele a media, ele a explorava. Deus, e nenhum outro. Quanto ao homem, ele nunca conhecerá a sabedoria conforme Deus a conhece. Pelo contrário, ele pode ter conhecido o *temor do Senhor*. Para ele, o temor do Senhor é que é a sabedoria" (Paul Scherer, *in loc.*). Na doutrina cristã, entretanto, o homem, transformado segundo a imagem de Cristo, compartilha de modo espetacular a sabedoria divina, visto que chega a ter a natureza divina (ver 2Pe 1.4). Mas o poeta sagrado não antecipou nenhuma doutrina elevada como essa.

"Deus possui e é, ele mesmo, a sabedoria, pelo que somente ele compreende o caminho da sabedoria e conhece o lugar onde ela se encontra" (Fausset, *in loc.*). "A sede da sabedoria está dentro dele mesmo" (John Gill, *in loc.*). A seguir, esse mesmo comentador cristianizou o versículo, vendo o Logos, o Cristo, como a sabedoria de Deus. Ao serem remidos, os homens encontram em Cristo a sua sabedoria (ver 1Co 1.30).

28.24

כִּי־הוּא לִקְצוֹת־הָאָרֶץ יַבִּיט תַּחַת כָּל־הַשָּׁמַיִם יִרְאֶה:

Porque ele perscruta até as extremidades da terra. A *onisciência de Deus* garante que ele conhece o caminho da sabedoria e da compreensão. Os *olhos de Deus* sondam a inteireza da terra e dos céus. Coisa alguma está oculta ao seu olhar. "Seu conhecimento é ilimitado, e seu poder é infinito" (Adam Clarke, *in loc.*). Isso é preciso para garantir a possessão e a utilidade da sabedoria. Trata-se de um empreendimento divino, não humano. "A sabedoria é propriedade exclusiva de Deus" (*Oxford Annotated Bible,* comentando sobre este versículo). A mesma ideia é enfatizada em Pv 8.22 ss., que personificam a sabedoria.

> Faz da sabedoria tua provisão para a jornada da juventude à idade avançada. Isso te será um apoio mais certo do que todas as outras possessões.
>
> Bias

28.25

לַעֲשׂוֹת לָרוּחַ מִשְׁקָל וּמַיִם תִּכֵּן בְּמִדָּה:

Quando regulou o peso do vento. *O ar,* bem o sabemos, tem peso e poder específicos. Foi Deus quem deu ao *vento* essas propriedades, de maneira que o ar funciona no mundo como deveria funcionar. Pode refrigerar o ambiente ou assustar-nos com seu poder. O vento traz as nuvens fornecedoras de água e confere ao oxigênio necessário à respiração. Ademais, Deus nos deu água doadora de vida, na medida certa para todos os usos que lhe foram atribuídos. Ele é o Deus das *provisões apropriadas,* pelo que não ficamos admirados que seja, igualmente, a fonte e o doador da sabedoria, outro elemento necessário para a vida e a existência. O vento e a chuva representam *todos os elementos da natureza,* dados e controlados por Deus. As perfeições da natureza também nos informam que a sabedoria é, igualmente, uma das prerrogativas de Deus. Cf. Pv 8.29, onde a água é igualmente associada à sabedoria, nas operações de Deus. O vento pode funcionar para o bem. E também serve para impor julgamento. A água pode funcionar para o bem. E, por semelhante modo, também serve para impor julgamento. Deus opera em suas mãos as forças e os benefícios da natureza. Assim também ele segura em suas mãos a sabedoria.

28.26

בַּעֲשֹׂתוֹ לַמָּטָר חֹק וְדֶרֶךְ לַחֲזִיז קֹלוֹת:

Quando determinou leis para a chuva. Os *decretos divinos* controlam todos os atos da natureza, como a chuva e as tempestades com relâmpagos. Tais coisas ilustram a bondade e o poder de Deus, e são necessárias à sustentação da vida na face da terra.

Caminho para o relâmpago dos trovões. O trovão é produzido por Deus. É a voz de Deus, e a palavra é usada no plural, *vozes,* dando a entender vários raios que caíram. O relâmpago é o causador do trovão, e ambos são produzidos e enviados por Deus. O Targum diz que Deus controla as veredas de um relâmpago, tão preciso é o seu controle sobre a natureza. Em contraste, Plínio referiu-se ao trovão e ao relâmpago como coisas que acontecem ao acaso (*Hist. Natural* 1.2, cap. 43). Mas Sêneca prefere a posição aceita pelos hebreus: Deus está nesses fenômenos e os controla. Tudo isso faz parte da providência divina (*Mt Quest.* 1.2, cap. 13,31). Naturalmente, o poeta fala em linguagem poética e metafórica, sem supor que o texto fosse interpretado literalmente.

28.27

אָז רָאָהּ וַיְסַפְּרָהּ הֱכִינָהּ וְגַם־חֲקָרָהּ:

Então viu ele a sabedoria e a manifestou. Deus viu que o relâmpago e o trovão são bons, decretou que eles operassem e, então, conservou-os sob seu poder e direção. Coisa alguma está fora do poder de Deus, especialmente a sabedoria. E há certas coisas que estão exclusivamente dentro de seu poder, como os atos da natureza e a sabedoria. Foi por isso que o poeta direcionou nossa mente para compreendermos como a sabedoria pertence somente a Deus, pelo que só pode ser buscada nele.

Atos divinos: 1. ver; 2. declarar; 3. numerar; 4. preparar; 5. determinar e 6. investigar. Todas essas coisas, aspectos do poder e da sabedoria divina, estão exclusivamente dentro de seu poder. Deus examina suas obras na natureza, para certificar-se de que elas são adequadas às tarefas a que foram destinadas. Ele as acha boas e as põe em operação. Assim, a revelação é também seu ato criativo, e é assim que obtemos a sabedoria.

> Os céus proclamam a glória de Deus, e o firmamento anuncia as obras das suas mãos.
>
> Salmo 19.1

28.28

וַיֹּאמֶר לָאָדָם הֵן יִרְאַת אֲדֹנָי הִיא חָכְמָה וְסוּר מֵרָע בִּינָה: ס

E disse ao homem. O homem não é capaz de adquirir a sabedoria por meio de sua tecnologia e de ritos e cerimônias religiosas. Nem é capaz de *possuir* a sabedoria divina. Não obstante, pode ter um bom começo quanto a essa questão. O temor do Senhor é sabedoria, e afastar-se do mal é a compreensão. Tais coisas são apenas aspectos da sabedoria divina, mas para o homem representam um bom começo. Naturalmente, em Cristo, em quem o homem regenerado adquire natureza divina (2Pe 1.4), ele chega a compartilhar os atributos divinos, incluindo a sabedoria, posto que de maneira finita. Contudo, o finito cresce cada vez mais, conforme o indivíduo avança para a infinitude, e o homem continuará a mover-se na direção do infinito. Ver os comentários sobre o vs. 15 deste capítulo, que explora essas questões.

> O temor do Senhor consiste em aborrecer o mal.
>
> Provérbios 8.13

Ver no *Dicionário,* o artigo geral intitulado *Temor,* quanto a detalhes completos.

> O temor do Senhor é o princípio da sabedoria; revelam prudência todos os que a praticam. O seu louvor permanece para sempre.
>
> Salmo 111.10

O texto ensina que adquirir a sabedoria é uma *questão moral,* e não apenas mística. Somente o indivíduo justo tem chance de crescer na sabedoria. Nós a procuramos sendo bons. O temor do Senhor indica que estamos admirados diante do Ser divino e não ousamos poluir nossos caminhos. É aí que começamos a caminhar pela vereda espiritual. O conhecimento divino pertence exclusivamente ao Criador do cosmos, mas uma *atitude prática* de comportamento humano nos conduz a ela. Contudo, a sabedoria mencionada no vs. 28 não resulta de algum empreendimento humano, mas um homem pode condicionar-se para receber o *dom divino.* O livro trata de uma espiritualidade genuína que o próprio sofrimento não pode anular. Pode o homem adorar a Deus de *maneira desinteressada?* Esse é o tema principal do livro. Pode um homem manter esse tipo de espiritualidade diante de intensos sofrimentos? Ou o ser humano é egoísta que corre para o ateísmo na primeira vez em que sofre um golpe divino? Ver na *Enciclopédia de Bíblia, Teologia e Filosofia* o verbete intitulado *Egoísmo.* E a *Introdução* ao livro de Jó fala sobre o *Problema do Mal,* seção V.

Essa passagem naturalmente é uma censura aos amigos-críticos de Jó, a terrível tríade. A sabedoria estava fora do alcance deles, mas eles se gabavam como depositários do conhecimento de Deus. Não obstante, eles não resolveram os problemas de Jó nem apresentaram solução para o problema do sofrimento humano. E mesmo para nós, hoje em dia, embora tenhamos superior revelação, a questão do sofrimento humano ainda contém *enigmas.*

CAPÍTULO VINTE E NOVE

Bildade tinha discursado pela terceira vez (capítulo 25). Então Jó replicou, mas parece claro que os capítulos 26—31 não são apenas uma resposta prolongada de Jó a Bildade. Provavelmente, temos incluídos aí alguns fragmentos do terceiro discurso de Zofar, bem como a respectiva réplica de Jó. Talvez, conforme supõem alguns estudiosos, esses capítulos sejam uma colcha de retalhos, tornando-se difícil distinguir quem é o orador, em cada ponto. Talvez a linguagem dos discursos finais se tenha tornado tão violenta, cruel e abusiva, que um editor subsequente, ou o próprio autor original, apagou algumas partes. Talvez o grande Hino à Sabedoria (capítulo 28) seja realmente material que tomou o lugar de partes apagadas, mas, originalmente, era uma peça literária em separado. Comento sobre esses problemas nas introduções aos capítulos 25—28, assim deixo o leitor respigar informações das introduções a esses quatro capítulos.

Agora, encontramos Jó resumindo sua resposta a Bildade, mas é possível que o material à nossa frente também represente parte da resposta, que esteja "faltando", do terceiro discurso perdido de Zofar. Ou, então, Jó respondeu a todos os seus críticos e apresentou seu caso final na presença de Deus.

SOLILÓQUIO FINAL DE JÓ (29.1—31.40)

RELEMBRANDO TEMPOS MAIS FELIZES (29.1-25)

"Com o toque firme de um grande artista, o poeta permitiu que seu herói refletisse sobre dias passados. Assim sendo, o ideal nômade de quieta felicidade, responsabilidade social e nobreza graciosa foi recriado de forma inigualável na Bíblia, ou talvez até fora dela. No entanto, era isso precisamente o que o poeta sagrado queria atingir. Mais ainda, ele fez seu herói oferecer um autorretrato que incorpora os mais *puros ideais* de piedade e moralidade, oferecendo assim um pano de fundo convincente para a expressão final do orgulho. 'Como um príncipe, eu me aproximaria de Deus' (Jó 31.37)" (Samuel Terrien, *in loc.*, que apresentou uma observação penetrante).

"*A defesa final de Jó*. Contrastando seu passado feliz (capítulo 29) com sua aflição presente (capítulo 30), o sofredor fez seu apelo final ou juramento de libertação (capítulo 31)" (*Oxford Annotated Bible*, comentando sobre o vs. 1 deste capítulo).

■ 29.1

וַיֹּסֶף אִיּוֹב שְׂאֵת מְשָׁלוֹ וַיֹּאמַר׃

Prosseguiu Jó no seu discurso. Este versículo, tal como Jó 27.1, representa a continuação ou o reinício do discurso de Jó. Ver o modo de *introduzir* as réplicas de Jó nas notas sobre Jó 26.1. Este versículo pode subentender que o capítulo 28 não fazia parte da réplica de Jó ao terceiro discurso de Bildade, porquanto aqui Jó *reinicia* o discurso de Jó 27.12. Se essa é a verdade da questão, então Jó 27.13-23 representa o terceiro discurso de Zofar, que "está faltando", ou, pelo menos, fragmentos dele.

■ 29.2

מִי־יִתְּנֵנִי כְיַרְחֵי־קֶדֶם כִּימֵי אֱלוֹהַּ יִשְׁמְרֵנִי׃

Ah! Quem me dera ser como fui nos meses passados. Os *sofrimentos de Jó* tinham-se prolongado por vários *meses* excruciantes, conforme aprendemos neste versículo. Ele olhou para trás, para "antes" de suas prolongadas agonias, e relembrou com prazer como as coisas "costumavam ser". Houve época em que Deus olhava para Jó, zelando pelo seu bem, abençoando-o e garantindo-lhe um lugar decente na sociedade. O período de sofrimento, porém, pusera fim à sua felicidade. Jó vivera em termos amigáveis com Deus, mas então, de súbito, Deus se tornara seu adversário e começara a bater nele com um látego divino. Houve tempo em que "tudo estivera bem" com Jó (ver Jó 16.12), e ele não conseguira entender o *porquê* da mudança. Sem dúvida, não se deveria a algum pecado secreto. Há enigmas no sofrimento, até no caso dos justos. Lá fora há um *caos* que derruba por terra tanto os bons quanto os maus.

Jamais digas: Por que foram os dias passados melhores do que estes? Pois não é sábio perguntar assim.

Eclesiastes 7.10

Penso que um homem deve deixar tudo nas mãos de Deus e contentar-se com a sua atual situação.

O Senhor me desamparou, o Senhor se esqueceu de mim. Acaso, pode uma mulher esquecer-se do filho que ainda mama, de sorte que não se compadeça do filho do seu ventre? Mas ainda que esta viesse a se esquecer dele, eu, todavia, não me esquecerei de ti.

Isaías 49.14,15

■ 29.3

בְּהִלּוֹ נֵרוֹ עֲלֵי רֹאשִׁי לְאוֹרוֹ אֵלֶךְ חֹשֶׁךְ׃

Quando fazia resplandecer a sua lâmpada. *A luz de Deus* pertencia-lhe, Jó andava naquela luz. Quão bom é caminhar pela vereda iluminada! Algumas vezes, porém, somos solicitados a caminhar pelas trevas, *confiando* na luz que ainda existe e se manifestará no tempo apropriado. Oh, Senhor, concede-nos tal graça! Ver no *Dicionário* a metáfora da luz no artigo intitulado *Luz, Deus como a*. Ver também o artigo geral chamado *Luz, A Metáfora da*.

Guia luz bondosa, em meio ao halo que circula!
Guia-me. A noite está escura e eu estou
Longe de casa. Guia-me.
Guarda meus pés. Não peço para ver
A praia distante. Um passo basta para mim.

John H. Newman

Algumas vezes somos guiados passo a passo. Por outra parte, algumas vezes ver a praia distante nos ajuda a dar o passo seguinte. Jó, para sua consternação, havia sofrido blecaute total. Deus retirara dele a sua luz e cessara de responder às suas orações.

"A lâmpada de Deus estivera sobre ele, como uma lâmpada suspensa no meio de uma tenda (cf. Jó 18.6; Ec 12.6). O texto indica que Jó estivera sob o favor de Deus, que o guiara através das trevas da dificuldade, mostrando-se amigo e permanecendo com ele. Ele tinha um lar feliz. Seus filhos (agora mortos!) ainda estavam com ele, no passado. Ele era um homem próspero" (Roy B. Zuck, *in loc.*).

■ 29.4

כַּאֲשֶׁר הָיִיתִי בִּימֵי חָרְפִּי בְּסוֹד אֱלוֹהַּ עֲלֵי אָהֳלִי׃

Como fui nos dias do meu vigor. Houve tempo em que Jó era jovem. Naquela época, Deus o favorecia, a despeito dos seus pecados de juventude (ver Jó 13.26). Mas agora, como adulto, ele não tinha pecados, secretos ou de qualquer tipo, que provocassem o julgamento divino. Deus mostrava-se destituído de misericórdia, ao castigá-lo "sem causa" (Jó 2.3).

Dias do meu vigor. Ou *juventude*, conforme dizem algumas traduções. O hebraico diz literalmente *outono*, ou seja, o tempo das frutas maduras, o tempo da abundância e da bênção, o tempo da prosperidade. De repente, Jó foi lançado para dentro de um *inverno* incansável. Jó esteve carregado de prosperidade, tal como as árvores frutíferas de seu pomar estiveram sobrecarregadas de frutos. No entanto, logo tudo morreu ou estava morrendo.

Quando a amizade de Deus estava sobre a minha tenda. Jó era tão abençoado pela divina *providência* (ver no *Dicionário*) que se tornara amigo de Deus Jó tinha sido admitido no círculo secreto dos eleitos de Deus. No entanto, agora era um pária, jazendo ali no monturo, a raspar os seus furúnculos.

■ 29.5

בְּעוֹד שַׁדַּי עִמָּדִי סְבִיבוֹתַי נְעָרָי׃

Quando o Todo-poderoso ainda estava comigo. O Todo-poderoso ainda estava com Jó. Seus filhos, agora mortos, ainda estavam com ele. Com profunda saudade, Jó relembrou aqueles dias abençoados. No entanto, o golpe aplicado por Deus havia destruído tudo e transformado sua vida em um inferno. Tudo quanto era preciso para Jó havia sido cremado pelo fogo divino. Houve ocasião em que o poder de Deus estivera presente para abençoar e dar vida, saúde e riquezas. De súbito, o mesmo poder aniquilou Jó. Por quê? Ver no *Dicionário* o artigo chamado *Problema do Mal*, onde tento dar algumas respostas. Mas nenhuma resposta nos deixa livres de *enigmas*.

■ 29.6

בִּרְחֹץ הֲלִיכַי בְּחֵמָה וְצוּר יָצוּק עִמָּדִי פַּלְגֵי־שָׁמֶן׃

Quando eu lavava os meus pés em leite. Jó teve significativa prosperidade. Seu caminho era lavado adiante dele com leite, tão abundantes eram os seus suprimentos materiais. As próprias rochas (das quais ninguém podia esperar coisa alguma) derramavam torrentes de azeite! Esses itens simbolizavam a opulência. Tudo quanto Jó pensava em fazer produzia maior prosperidade. Ele continuava a pensar em mais e mais meios de ficar rico e aumentar as alegrias de sua vida fácil e boa. De súbito, porém, o teto cedeu, e Jó foi apanhado no desastre. Isso era *ridículo*, pois, embora fosse um homem rico, ele nunca se esquecera de Deus e de sua vida espiritual. Jó era rico espiritualmente, e não apenas fisicamente. Além disso, era *inocente*. Estava sendo castigado *sem causa* (ver Jó 2.3). Isso tornava as coisas impossíveis de compreender e suportar. Ver no *Dicionário* os artigos intitulados *Leite* e *Azeite*, quanto a informações, incluindo os usos metafóricos desses itens.

■ 29.7

בְּצֵאתִי שַׁעַר עֲלֵי־קָרֶת בָּרְחוֹב אָכִין מוֹשָׁבִי׃

Quando eu saía para a porta da cidade. Jó era um *honrado cidadão* da sociedade. Ele se sentava junto ao portão da cidade com sábios e juízes. Homem respeitado, fazia parte do conselho da cidade. Ele julgava os outros, por ser um sábio reconhecido. Era também um homem dotado de poder. Ele tinha muitos amigos, alguns dos quais ocupavam os postos de autoridade mais altos na comunidade. "Jó cumpria com facilidade e intensidade os deveres cívicos que, naturalmente, cabiam a ele. Na qualidade de seminômade, ele vivia em uma tenda durante as estações mais quentes (vs. 4), mas se estabelecia em uma cidade durante o inverno" (Samuel Terrien, *in loc.*).

"Tribunais de justiça eram efetuados nos portões ou entradas das cidades, no Oriente. Jó, como homem especialmente sábio, era um magistrado supremo. Costumava ir ao portão administrar justiça" (Adam Clarke, *in loc.*). Mas, quando chegou o seu tempo de receber justiça, ele se sentiu humilhado.

■ 29.8,9

רָאוּנִי נְעָרִים וְנֶחְבָּאוּ וִישִׁישִׁים קָמוּ עָמָדוּ׃

שָׂרִים עָצְרוּ בְמִלִּים וְכַף יָשִׂימוּ לְפִיהֶם׃

Os moços me viam, e se retiravam. Jó era um homem altamente respeitado. Todos se escondiam do augusto homem. Os homens idosos se levantavam, em demonstração de respeito, quando ele se aproximava. Até os príncipes (vs. 9), os governantes e os poderosos receavam falar muito em sua presença, temendo sua repreensão, por terem dito algo estúpido. Jó era verdadeiramente um homem "citadino", conforme dizemos em uma expressão moderna. Os príncipes não se aventuravam a emitir opinião contrária à de Jó, pois a palavra dele era a final. Ele sempre tinha algo para dizer sobre cada coisa importante que tocava a vida dos homens de sua aldeia.

> *Assim causará admiração às nações, e os reis fecharão a sua boca por causa dele; porque aquilo que não lhes foi anunciado verão, e aquilo que não ouviram entenderão.*
>
> Isaías 52.15

No tribunal ou na rua, Jó era o homem que devia ser ouvido. Sua sabedoria superior tornou-o objeto de admiração para o povo. Mas o castigo de açoite aplicado por Deus reduziu-o a nada. Por quê?

■ 29.10

קוֹל־נְגִידִים נֶחְבָּאוּ וּלְשׁוֹנָם לְחִכָּם דָּבֵקָה׃

A voz dos nobres emudecia. Jó não vivia em uma comunidade desprezível. Sua comunidade tinha sábios, príncipes e nobres. Mas, acima de todos eles, Jó brilhava intensamente. Sua luz obscurecia a luz de outras pessoas. Deus brilhava através dele. Jó era uma autoridade política e religiosa reconhecida. Não obstante, *Deus* acabara com ele. Por quê? Nobres e políticos poderosos emudeciam em sua presença. O poeta amontoa descrições impressionantes, todas apontando para as credenciais de Jó como *homem importante* da vila. Mas quanto Deus se importava com homens importantes?

Uma vez Jó derrubado por terra, a tríade terrível chegou e começou a esmagá-lo com suas palavras. Eles o assediavam, cortando-o em pedaços. Mas não teriam ousado fazer isso quando Jó estava bem.

■ 29.11

כִּי אֹזֶן שָׁמְעָה וַתְּאַשְּׁרֵנִי וְעַיִן רָאֲתָה וַתְּעִידֵנִי׃

Ouvindo-me algum ouvido. Quando Jó falava, os ouvintes o bendiziam, bem como às suas palavras. Ele se movia na sociedade como um *benfeitor*, e era reconhecido como tal. Os que o viam passando falavam cortesmente com ele, o *grande homem idoso* da aldeia. Todos o conheciam e lhe tributavam honrarias. Referiam-se a ele com respeito, mas agora ele experimentava a difamação às mãos da *tríade terrível*. Sua fama como benfeitor lhe trazia louvores e congratulações. Agora, porém, tudo isso tinha desaparecido. O nobre Jó era visto jazendo no monturo de cinzas, rapando seus furúnculos. Temos, neste versículo, uma negação direta do que Elifaz havia dito em Jó 22.6 ss., quando o acusou de várias injustiças sociais praticadas contra vítimas indefesas.

> O mais puro tesouro que os tempos mortais dão
> É uma reputação imaculada.
> ...
>
> Minha honra é minha vida, ambas as coisas se resumem em uma só.
> Tira-me a minha honra e minha vida estará destruída.
>
> Shakespeare

■ 29.12,13

כִּי־אֲמַלֵּט עָנִי מְשַׁוֵּעַ וְיָתוֹם וְלֹא־עֹזֵר לוֹ׃

בִּרְכַּת אֹבֵד עָלַי תָּבֹא וְלֵב אַלְמָנָה אַרְנִן׃

Porque eu livrara os pobres que clamavam. Jó continuava a negar as acusações de Elifaz (ver Jó 22.6 ss.), que o culpou de sérias injustiças sociais contra vítimas indefesas. Pelo contrário, muitos se beneficiaram de suas boas obras, que eram abundantes e realizadas gratuitamente, sem esperar coisa alguma em troca. Os pobres, os órfãos, as viúvas — todos participavam dos benefícios providos por Jó. "Por que Jó era tão altamente respeitado? Uma das razões era que ele ajudava os necessitados, contra as acusações de Elifaz (ver Jó 22.6,7,9), incluindo os pobres, os órfãos, os moribundos, as viúvas desamparadas (vss. 12,13)" (Roy B. Zuck, *in loc.*). As viúvas começavam a cantar de alegria; os órfãos recebiam um pai; os moribundos tinham suas enfermidades curadas. Jó era, em suma, um benfeitor *público*. Não era um homem bom apenas em seu próprio círculo familiar. Seu amor espalhava-se por uma esfera mais ampla.

> O amor concede em um momento
> O que o trabalho não poderia
> Obter em uma era.
>
> Goethe

> O amor, como a morte, muda tudo.
>
> Kahlil Gibran

> *Amados, amemo-nos uns aos outros, porque o amor procede de Deus; e todo aquele que ama é nascido de Deus e conhece a Deus.*
>
> 1João 4.7

29.14

צֶדֶק לָבַשְׁתִּי וַיִּלְבָּשֵׁנִי כִּמְעִיל וְצָנִיף מִשְׁפָּטִי׃

Eu me cobria de justiça. Jó usava a justiça como se fosse uma veste, tão intimamente a ela estava ligado. Seu julgamento era como uma veste esplendorosa e imaculada e, também, como uma coroa. Mas quando ele foi derrubado por terra, seus amigos recusaram-se a ajudá-lo. Isso nos mostra quão pequenos eram aqueles homens.

> ... porque me cobriu de vestes de salvação e me envolveu com o manto de justiça, como noivo que se adorna de turbante, como noiva que se enfeita com as suas joias.
> Isaías 61.10

> Já agora a coroa da justiça me está guardada, a qual o Senhor, reto juiz, me dará naquele dia; e não somente a mim, mas também a todos quantos amam a sua vinda.
> 2Timóteo 4.8

Cf. também com Rm 13.14 e 2Co 5.2-4, quanto à "metáfora das vestes".

O sumo sacerdote vestia-se com vestes especiais, para desempenhar o seu ofício. Assim também, juízes e magistrados civis usam roupas especiais que os identificam com seus ofícios. As vestes que Jó disse vestir não eram roupas, literalmente falando. A bondade e a justiça eram suas vestes. Ver no *Dicionário* o artigo geral e detalhado chamado *Vestimentas*, especialmente a seção VII, *Metáforas*.

> Revesti-vos, pois, como eleitos de Deus, santos e amados, de ternos afetos de misericórdia, de bondade, de humildade, de mansidão, de longanimidade.
> Colossenses 3.12

29.15

עֵינַיִם הָיִיתִי לַעִוֵּר וְרַגְלַיִם לַפִּסֵּחַ אָנִי׃

Eu me fazia de olhos para o cego. Aquilo que faltava aos homens, Jó provia. Um homem "sem pés" é alguém verdadeiramente fraco. É um aleijado, instável em todos os seus caminhos. É do tipo de homem que a sociedade costuma pisar. Jó, pois, ajudava *esse tipo* de pessoa. Além disso, atuava como se fosse olhos para os cegos. Talvez devamos entender, literalmente, que Jó servia a esse tipo de gente, mas a aplicação metafórica também não deve ser negligenciada. Aleijados moral, espiritual, econômica e socialmente — essas eram as pessoas que recebiam ajuda de Jó. Por conseguinte, longe de ter sido um opressor dos menos privilegiados, ele era o melhor e mais conhecido benfeitor da cidade. Visão e capacidade são as palavras-chave para a grandeza de uma pessoa. Jó possuía essas duas coisas e, por isso, vivia para aqueles a quem faltava alguma qualidade espiritual. Naturalmente, a maior palavra-chave de todas é *amor*. Jó, embora grande e poderoso, não se esquecia de amar os outros, cuidando do bem-estar deles, mostrando-se altruísta e até sacrificando-se por eles. No entanto, quando caiu por terra, a terrível tríade o espezinhou.

29.16

אָב אָנֹכִי לָאֶבְיוֹנִים וְרִב לֹא־יָדַעְתִּי אֶחְקְרֵהוּ׃

Dos necessitados era pai. Jó continuou, neste versículo, a descrever como beneficiava, geralmente, a sociedade. Existem os órfãos, uma classe que dá pena. Em nosso Brasil, milhares de *crianças* sem lar e sem pais vagabundeiam pelas ruas das grandes cidades. Que temos feito em favor delas? Jó, contrastando com almas menores, saía de seu caminho para encontrar esses necessitados e ajudá-los. Embora muitas igrejas evangélicas se gabem de ser as únicas a pregar o evangelho, o que fazem pelos enfermos e necessitados? Essas igrejas são notoriamente fracas quanto a boas obras, ao mesmo tempo que falam orgulhosamente de seus *dogmas*. Outrossim, a Igreja Católica Romana envergonha as igrejas evangélicas na questão das obras de *caridade*. Jó chegava ao extremo de procurar pessoas necessitadas. Ele não esperava que elas chegassem às suas portas.

> Se um irmão ou uma irmã estiverem carecidos de roupa e necessitados do alimento cotidiano, e qualquer dentre vós lhes disser: Ide em paz, aquecei-vos e fartai-vos, sem, contudo, lhes dardes o necessário para o corpo, qual é o proveito disso?
> Tiago 2.15,16

> Ora, aquele que possuir recursos deste mundo, e vir a seu irmão padecer necessidade, e fechar-lhe o seu coração, como pode permanecer nele o amor de Deus?
> 1João 3.17

Até as causas dos desconhecidos eu examinava. Quando os pobres chegavam e apresentavam uma queixa contra algum opressor, Jó examinava o caso e cuidava para que a justiça fosse feita. Jó opunha-se às injustiças sociais e usava sua sabedoria e poder para diminuí-las, até mesmo em favor de desconhecidos. Opressores notórios eram tirados de seus negócios escusos (vs. 17).

29.17

וָאֲשַׁבְּרָה מְתַלְּעוֹת עַוָּל וּמִשִּׁנָּיו אַשְׁלִיךְ טָרֶף׃

Eu quebrava os queixos do iníquo. *Esmagando os Esmagadores*. Os opressores ímpios da sociedade são agora retratados como animais ferozes que apanham suas presas e as fazem em pedaços com seus dentes. Jó saía a *caçar* essas feras humanas, arrancando as vítimas de seus dentes, derrotando os desígnios e a violência dos opressores. Cf. este texto com 1Sm 17.34-37.

> Levanta-te, Senhor! Salva-me, Deus meu, pois feres nos queixos a todos os meus inimigos e aos ímpios quebras os dentes.
> Salmo 3.7

> Há daqueles cujos dentes são espadas, e cujos queixais são facas, para consumirem na terra os aflitos e os necessitados entre os homens.
> Provérbios 30.14

29.18

וָאֹמַר עִם־קִנִּי אֶגְוָע וְכַחוֹל אַרְבֶּה יָמִים׃

Eu dizia: No meu ninho expirarei. O hebraico original é aqui obscuro. Algumas traduções dizem "no meu ninho", mas a preposição hebraica significa "com", o que resulta em "morrerei com meu ninho". Além disso, alguns estudiosos sugerem que deveríamos ler "cana" e "palmeira", em vez de *ninho* e *areia*. Outrossim, alguns eruditos pensam em *fênix*, em vez de *areia*. Diante de tal confusão, é difícil atribuir um significado indiscutível ao versículo. Mas, se Jó tivesse de morrer "em seu ninho", então o mais provável é que ele estivesse pensando em uma ave segura e de vida longa em seu *hábitat*, sem ser molestada.

A segunda parte do versículo é mais fácil. Os dias de vida de Jó seriam multiplicados como a areia, isto é, se tornariam sem-número, pois por longo tempo ele esperava viver. Ele falava sobre vida longa, prosperidade e bem-estar, que caracterizavam sua vida e suas aspirações *anteriores*. Na realidade, entretanto, seu ninho fora perturbado e seus dias foram abreviados como se, de repente, a areia tivesse terminado e desaparecido. Jó gostaria de ter longos dias, uma residência confortável, raízes estáveis, abundância de orvalho, glória, elevada reputação, respeito por parte de outras pessoas e forças (o meu arco). Mas o golpe divino pusera fim a todas as esperanças. Naturalmente, no fim, quando as bênçãos de Deus retornassem, as esperanças de Jó receberiam pleno cumprimento (ver Jó 42.16).

Fênix era o pássaro mitológico que vivia por muito, muito tempo, até mesmo centenas de anos, e mesmo depois de morto, era capaz de levantar-se das próprias cinzas e tornar a viver. Jarchi, em seus comentários, dava mil anos como a duração normal da vida da fênix! Ver na *Enciclopédia de Bíblia, Teologia e Filosofia* o artigo denominado *Fênix*.

29.19

שָׁרְשִׁי פָתוּחַ אֱלֵי־מָיִם וְטַל יָלִין בִּקְצִירִי׃

A minha raiz se estenderá até às águas. A *vida anterior de Jó* era bem regada. Suas raízes eram espalhadas perto das águas, de modo que nunca sofriam ameaça de morte. Além disso, ele contava com o suprimento de água *do céu e* com o orvalho da atmosfera, para regar-lhe a vida e garantir-lhe saúde e muitos anos de vida. Contudo, é melhor viver bem do que por muito tempo. Mas ainda mais agradável é viver tanto longamente quanto bem. Oh, Senhor, concede-nos tal graça!

> *Ele é como árvore plantada junto a corrente de águas, que, no devido tempo, dá o seu fruto, e cuja folhagem não murcha; e tudo quanto ele faz será bem-sucedido.*
>
> Salmo 1.3

Cf. também com este versículo Is 44.4 e Jr 17.7,8. A metáfora pode ser ampliada para incluir as boas obras, os *frutos* de uma boa vida. No Novo Testamento (Jo 15), Cristo é a vinha e os crentes são os ramos. A vida está em Cristo, e o fruto é o resultado inevitável. Cf. Gl 5.22,23, quanto à metáfora do fruto do Espírito. Ver também Os 14.5-7.

■ 29.20

כְּבוֹדִי חָדָשׁ עִמָּדִי וְקַשְׁתִּי בְּיָדִי תַחֲלִיף:

A minha honra se renovará em mim. Jó teve a glória da força e do bem-estar em sua juventude, na primavera de sua vida. Poderes naturais e espirituais corriam através dele, como corria o sangue em suas veias. Ele também tinha um arco nas mãos, símbolo da força e do poder para derrotar inimigos que a ele se opusessem. Jó sempre tinha os *meios* para realizar o que queria (uma aplicação mais expansiva do *arco*).

> *Eis que eu quebrarei o arco de Elão, a fonte do seu poder.*
>
> Jeremias 49.35

Ver no *Dicionário* o verbete intitulado *Arco*, quanto a detalhes sobre essa arma e às metáforas que a circundam. Essa metáfora inclui a *força espiritual* de um homem.

> *Mas os que esperam no Senhor renovam as suas forças, sobem com asas como águias, correm e não se cansam, caminham e não se fatigam.*
>
> Isaías 40.31

■ 29.21,22

לִי־שָׁמְעוּ וְיִחֵלּוּ וְיִדְּמוּ לְמוֹ עֲצָתִי:

אַחֲרֵי דְבָרִי לֹא יִשְׁנוּ וְעָלֵימוֹ תִּטֹּף מִלָּתִי:

Os que me ouviam esperavam o meu conselho. Este versículo repete a questão do *poder especial* de Jó entre os homens, o respeito com que ele era honrado como o homem mais importante da aldeia. Trata-se de um breve sumário do que é dado a longo termo nos vss. 7-11. "Jó retornou aqui, com prazer especial, à sua anterior dignidade nas assembleias (vss. 7-10)" (Fausset, *in loc.*). Os conselhos de Jó eram praticamente como um oráculo de Deus. Sua palavra era a final (vs. 22). Depois de ele haver falado, ninguém ousava modificar o que havia sido dito e, muito menos, desafiá-lo. Suas palavras produziam *silêncio*, e este sempre significava *consentimento*. Jó obtinha o seu caminho, não por ser poderoso e persuasivo, mas porque era sábio e sempre dizia o que era correto e melhor para todos os envolvidos. Sua linguagem caía sobre os ouvidos dos homens como o orvalho cai do céu. As palavras de Jó sempre refrigeravam, davam novos discernimentos quanto a problemas diversos, consolavam e fortaleciam. Sua linguagem era virtualmente uma espécie de *profecia*, que caía sobre os outros como gotas caídas do céu (ver Am 7.16). Suas palavras, como a chuva doadora de vida (Dt 32.2), eram doces e curadoras (Ct 4.11).

■ 29.23

וְיִחֲלוּ כַמָּטָר לִי וּפִיהֶם פָּעֲרוּ לְמַלְקוֹשׁ:

Esperavam-me como à chuva. "As pessoas recebiam alegremente suas opiniões, como o solo (quebrado pela ação do arado) bebe as chuvas da primavera. Estão em vista as *primeiras chuvas* do outono, após o tempo da semeadura, garantindo a colheita. Tais chuvas eram esperadas ansiosamente, e os homens sempre agradeciam por elas, pois sua vida dependia dessas chuvas. Deus é a força originadora dessas chuvas, pois nelas temos a bênção e uma instância da *providência* (ver a respeito no *Dicionário*). Jó era um meio para fazer os atos providenciais de Deus chegarem até os homens. Como o solo abre a boca (metaforicamente) ansiosamente, para receber as chuvas, assim os homens agiam no tocante aos conselhos de Jó. Eles *dependiam* de Jó, que era o canal das bênçãos divinas, mais do que qualquer outro homem da aldeia. Ver no *Dicionário* os artigos intitulados *Chuvas* e *Chuvas Anteriores e Posteriores*.

■ 29.24

אֶשְׂחַק אֲלֵהֶם לֹא יַאֲמִינוּ וְאוֹר פָּנַי לֹא יַפִּילוּן:

Sorria-me para eles quando não tinham confiança. Até o *sorriso* de Jó fortalecia aqueles com quem ele entrava em contato. Sorrindo, ele espantava as tribulações e restaurava a confiança deles. O rosto deles se iluminava quando viam o sorriso de Jó. Em contraste, os terríveis consoladores de Jó, aqueles *miseráveis* (ver Jó 16.3), nunca sorriram para ele. Mantinham-se de carranca feroz a ameaçar o pobre homem. Olhe o leitor agora para Jó, sentado no montruo de cinzas, rapando seus furúnculos, enquanto a terrível tríade de amigos molestos balançava a cabeça na sua direção! Metaforicamente, um sorriso é a luz do rosto de uma pessoa. Que poder tem um sorriso! Vemos muita gente de cara *franzida*. Um sorriso gentil algumas vezes pode encorajar mais do que muitas palavras.

> Fortuna, ó noite boa!
> Sorri uma vez mais.
> Gira a tua roda.
>
> Kent

■ 29.25

אֶבְחַר דַּרְכָּם וְאֵשֵׁב רֹאשׁ וְאֶשְׁכּוֹן כְּמֶלֶךְ בַּגְּדוּד
כַּאֲשֶׁר אֲבֵלִים יְנַחֵם:

Eu lhes escolhia o caminho. Era Jó quem tomava as decisões para escolher o curso das ações em sua aldeia. Ele habitava no meio de sua gente como se fosse um *rei*. Era o chefe do exército. Era um homem que podia consolar os lamentadores e trazer-lhes de volta a felicidade. Tinha e cumpria responsabilidades pastorais para satisfação de todo o homem. Mas, ao cair por terra, foi abandonado por todos. Jó era homem disciplinado, mas ele curava, em vez de ferir com sua disciplina. E todas as disciplinas e julgamentos de Deus são um poder que ultrapassa em muito a autoridade de Jó.

"Olhem para Jó! Imitem sua benevolência ativa e sejam então saudáveis e felizes. Sejam como anjos guardiães em seus distritos particulares, governantes. Abençoem com o seu exemplo e com a sua bondade. Enviem seus cavalos caçadores com os arados. Enviem seus galos de briga à esterqueira. Ajam como homens e como cristãos" (Adam Clarke, *in loc.*). Foi assim que Clarke objetou às barbaridades praticadas pela sociedade inglesa de sua época, quando os homens abusavam dos animais e os punham cumprir tarefas sanguinárias!

"Jó sumariou aqui seu relacionamento com *todas as classes* da sociedade: as figuras públicas, os estadistas (vs. 25a), o povo em geral (vs. 25b) e os membros mais débeis da comunidade (vs. 25c)" (Samuel Terrien, *in loc.*).

CAPÍTULO TRINTA

Neste capítulo, Jó continua com seu *solilóquio final,* que constitui os capítulos 29—31. O discurso foi entregue, aparentemente, como sua terceira réplica ao terceiro discurso de Bildade; mas, examinando o material, descobrimos que é muito mais do que isso. Também é mais do que mera réplica aos discursos de seus três amigos, que já haviam sido entregues. Ver as notas de introdução ao capítulo 29, onde discuto a natureza e os propósitos do discurso final de Jó.

No capítulo 29, Jó relembra os "anteriores bons tempos", com uma esplendorosa descrição do homem e de seus labores notáveis em favor de outras pessoas da comunidade. Verdadeiramente, ele era o homem mais importante da aldeia, incluindo-se suas qualidades espirituais e suas habilidades de liderança. O capítulo 30 leva-nos de volta aos sofrimentos de Jó. Suas memórias rebrilhantes empalidecem, e ele retorna a seu monturo de cinzas e dores, passando a descrever novamente os sofrimentos de seu presente.

"Em abrupto contraste com o quadro idílico de um passado inapagável, Jó oferece agora uma descrição concreta e circunstancial das calamidades que estava enfrentando" (Samuel Terrien, *in loc.*).

"Jó lamentava sua presente miséria, que contrastava tão violentamente com os dias anteriores à sua enfermidade. Agora, ele era socialmente desrespeitado (vss. 1-15); sofria dores físicas (vss. 16-19); estava espiritualmente abandonado (vss. 24-26) e exausto, física e emocionalmente (vss. 27-31)" (Roy B. Zuck, *in loc.*).

■ 30.1

וְעַתָּה שָׂחֲקוּ עָלַי צְעִירִים מִמֶּנִּי לְיָמִים אֲשֶׁר־מָאַסְתִּי אֲבוֹתָם לָשִׁית עִם־כַּלְבֵי צֹאנִי:

Mas agora se riem de mim. Houve tempo em que os jovens fugiam da presença de Jó. Eles temiam ficar perto do homem augusto, Jó. Ver Jó 29.8. Agora, em sua arrogância, na presença do homem enfermo e caído, eles se punham de pé e proferiam piadas. Escarneciam dele, zombavam de seus sofrimentos e chamavam-no de verme. Aqueles jovens patifes eram de classe tão desprezível que, anteriormente, Jó nem teria chamado seus pais para acompanhar cães aos seus rebanhos, para fazer o mesmo tipo de serviço que faziam seus cachorros, ou para dirigir o trabalho dos animais. Em outras palavras, os pais deles nem eram tão bons quanto cães, e Jó jamais teria permitido que trabalhassem para ele em suas terras. Mas, agora, seus filhos adolescentes, aqueles insensatos, tinham coragem de zombar do nobre Jó. Os pais daqueles jovens idiotas eram tão inferiores a Jó que ele jamais os chamaria para fazer o trabalho de agricultores seus. Mas agora seus jovens filhos tornaram-se atormentadores de Jó.

Um jovem zombar de um idoso era uma descortesia impensada no antigo Oriente Próximo e Médio. E isso nos mostra a que estado aviltante as coisas se tinham desintegrado para Jó.

■ 30.2

גַּם־כֹּחַ יְדֵיהֶם לָמָּה לִּי עָלֵימוֹ אָבַד כָּלַח:

De que também me serviria a força das suas mãos? Este versículo é bastante obscuro, de modo que admite várias interpretações. A *Revised Standard Version*, tal como nossa versão portuguesa, diz que Jó não poderia tirar proveito das obras das mãos de seus amigos-críticos, pois, embora fossem relativamente jovens, eles já estavam desgastados (pela dissipação?). Aqueles patifes não tinham utilidade alguma para ele; não tinham energia física, estavam magros, famintos e decrépitos, a despeito de sua juventude.

As pessoas aqui referidas parecem ser semelhantes àqueles conhecidos pelos antigos como trogloditas (Heródoto, *Hist.* iv.183 ss.). Os trogloditas viviam em cavernas, mas a vida deles era como a dos párias, e eles preservavam costumes próprios. Eram perseguidos pela fome e pelas enfermidades. Contudo, até tais entidades encontraram tempo para zombar do pobre Jó, sentado ali, naquele monturo de cinzas. John Gill (*in loc.*) os vê como preguiçosos, mais do que como fracos, mas isso não concorda com as diversas descrições que aparecem no texto sagrado. Seja como for, eles eram insensatos, filhos de insensatos, sem utilidade alguma para nenhum homem realizador. A idade avançada não era para eles, ou seja, seus vícios e privações não lhes permitiriam chegar à idade avançada. Ben Gerson e Bar Tzemach viam-nos passando o tempo inteiro na preguiça e nos vícios, ou seja, eles *dissiparam inutilmente sua vida,* desde a juventude.

■ 30.3

בְּחֶסֶר וּבְכָפָן גַּלְמוּד הָעֹרְקִים צִיָּה אֶמֶשׁ שׁוֹאָה וּמְשֹׁאָה:

De míngua e fome se debilitaram. Eles eram uma espécie de *nômades selvagens,* que se ocultavam em cavernas, percorriam o deserto e abandonavam lugares. Eram indivíduos solitários, que pouco tinham a ver com a sociedade em geral e certamente não participavam de suas obras e empreendimentos. A *Revised Standard Version,* juntamente com nossa versão portuguesa, diz "roendo o terreno seco e desolado", ou seja, eles conseguiam viver sob circunstâncias difíceis, extraindo do deserto o suficiente para comer e sobreviver, mas não para viver bem.

"Jó descreve aqui os mais rudes dentre os beduínos do deserto" (Fausset, *in loc.*). Isso é o mesmo que dizer que eles eram "ratos do deserto", conforme alguns chamam tal gente hoje em dia. A despeito de tudo isso, eles ainda tinham tempo de ir ao monturo de cinzas para escarnecer de Jó.

■ 30.4

הַקֹּטְפִים מַלּוּחַ עֲלֵי־שִׂיחַ וְשֹׁרֶשׁ רְתָמִים לַחְמָם:

Apanham malvas e folhas dos arbustos. Jó continuava falando sobre aqueles *zombadores desprezíveis*. Por meio de suas palavras, ele enfatizou quão más as coisas se tinham tornado. Até mesmo *aqueles tipos,* escórias da sociedade, tornaram-se seus críticos e inimigos, mas antes daquela época difícil eles tinham receio até de se aproximar dele. Assim sendo, os vis zombavam do nobre, o que geralmente acontece em nosso *mundo de cabeça para baixo.* Aqueles homens eram tão baixos e desesperados que comiam as miseráveis *malvas,* que nenhuma pessoa civilizada teria ao menos tocado. Chegavam, pois, a comer folhas de árvores e arbustos, conforme costumam fazer os animais. O termo *malvas* vem de uma palavra hebraica que significa algo *salgado,* referindo-se a um arbusto próprio do deserto. Talvez fosse a mesma planta que os gregos chamavam de *alimos* e os romanos chamavam de *halimus.* Alguns pensam tratar-se das *urtigas,* como o que está em foco. Talvez esteja em pauta o *atriplex halimus* ou a *salsola.* Qualquer que seja a planta específica em vista, podemos estar certos de que nenhuma pessoa civilizada faria dela uma salada. As pessoas que consumiam tal espécie pertenciam às classes inferiores, dos ratos do deserto, que comiam qualquer coisa que achassem. No *Dicionário* há um artigo intitulado *Malva;* e, se o leitor quiser considerar outras especulações, poderá encontrar algumas ali. Unger diz-nos que, mesmo quando cozidas, as folhas dessa planta permanecem extremamente amargas, dotadas de pouco valor nutritivo.

Além disso, de acordo com algumas traduções, aquela gente pobre até fazia pão das raízes do junipeiro ou zimbro, um ato verdadeiramente desesperado. Mas a *Revised Standard Version* diz que eles se *aqueciam* queimando as raízes do junipeiro. Isso significa que eles eram salvos do frio extremo do deserto, à noite, pelas fogueiras feitas com as raízes do junipeiro. É fato bem conhecido que a madeira de junipeiro produz chamas bem quentes, e seu carvão continua queimando e esfumaçando por longo tempo. Essa árvore produz uma espécie de frutinha que homens famintos comem. E também se faziam roupas da casca do junipeiro. Mas somente pessoas extremamente pobres, que padeciam grande necessidade, recorriam a esses usos do junipeiro ou zimbro. Ver no *Dicionário* o verbete intitulado *Zimbro*.

■ 30.5

מִן־גֵּו יְגֹרָשׁוּ יָרִיעוּ עָלֵימוֹ כַּגַּנָּב:

Do meio dos homens são expulsos. *Homens decentes* expulsavam esses tipos vis de seu meio, não querendo ter coisa alguma com eles. Corriam atrás deles, gritando para nunca mais voltarem. Por isso, esses fugiam para o deserto e assumiam o tipo de vida descrito acima. No entanto, tiveram tempo para voltar e zombar do pobre Jó, em seu monturo de cinzas. Eram homens de moral baixa, uma multidão sem reputação e, ainda assim, foram bons o bastante para assediar o nobre Jó, uma vez que ele estava caído. "Quando aqueles selvagens vagabundos faziam incursões nas aldeias, eram expulsos como o seriam os ladrões" (Fausset, *in loc.*). Tais homens eram apenas *escória* para Jó, embora isso não os tivesse impedido de vexá-lo.

■ 30.6

בַּעֲרוּץ נְחָלִים לִשְׁכֹּן חֹרֵי עָפָר וְכֵפִים:

Habitam nos desfiladeiros sombrios. Tendo sido expulsos para o deserto, eles faziam o que podiam para sobreviver. Comiam coisas que nenhuma outra pessoa comeria (vs. 4) e moravam em fendas sob as rochas ou cavernas. Parece-nos que não tinham meios suficientes para fabricar tendas, como faziam outros nômades do deserto. E assim, aquela gente tornava-se pouco mais do que animais, em suas colinas rochosas. E temiam outras pessoas, por se terem tornado párias completos. Outros homens os abominavam. Não obstante, eles reduziram ainda mais o pobre Jó, tratando-o como se fosse um pária pior do que eles. Tornar-se habitantes das fendas das rochas e das cavernas era considerado, no Oriente Próximo e Médio, calamidade e desgraça especial. *Até onde você pode ir?*, perguntava uma antiga canção popular. Aquela pobre gente tinha descido tão baixo quanto era possível descer. Mas, em seu atrevimento, conseguiram rebaixar Jó ainda mais do que eles mesmos. Contraste-se isso com o respeitado, nobre, orgulhoso, influente e rico rei entre os homens, Jó, retratado no capítulo 29.

■ 30.7

בֵּין־שִׂיחִים יִנְהָקוּ תַּחַת חָרוּל יְסֻפָּחוּ׃

Bramam entre os arbustos. Eles se refugiavam do sol sob arbustos e produziam sons como se fossem animais. Lugares cheios de espinhos eram o seu *hábitat*. Eles eram pouco melhores do que animais, mas tinham estatura suficiente, enquanto Jó estava enfermo, e assim assediavam o grande e sábio homem. O poeta comparou aqueles homens miseráveis a jumentos monteses. Nem ao menos eram domesticados. Heródoto degradou esse tipo de pessoas, dizendo que a linguagem delas era como gritos estridentes. Em sua arrogância, elas guinchavam contra Jó. Os jumentos monteses bramam por alimentos e encontram as coisas mais improváveis para comer, em seu desespero. Cf. Jó 6.5.

■ 30.8

בְּנֵי־נָבָל גַּם־בְּנֵי בְלִי־שֵׁם נִכְּאוּ מִן־הָאָרֶץ׃

São filhos de doidos. Eles eram *insensatos*, filhos de insensatos, e mais vis do que os sujos. Formavam uma "raça insensata, sem reputação, que fora expulsa da terra" (*Revised Standard Version*). Embora fossem indivíduos *expulsos* da terra, tiveram a audácia de atacar Jó quando ele ficou indefeso, devido à enfermidade. "Filhos de *nabal*, ou seja, sem nome, pessoas que não mereciam nenhuma consideração, descendentes daquele tipo de pessoas... eram incapazes de viver na sociedade" (Adam Clarke, *in loc.*). "Insensatos e ignóbeis, em sentido moral e religioso, e não tanto em sentido puramente mental (cf. Jó 2.10; 2Sm 3.33; Sl 14.1), filhos de 'nenhum nome', homens vis" (Samuel Terrien, *in loc.*).

"Aqueles párias da sociedade, raça que nem ao menos tinha nomes pelos quais fossem chamados, consideravam Jó um pária" (Roy B. Zuck, *in loc.*).

■ 30.9

וְעַתָּה נְגִינָתָם הָיִיתִי וָאֱהִי לָהֶם לְמִלָּה׃

Mas agora sou a sua canção de motejo. Umas pessoas miseráveis compunham e entoavam canções de derrisão contra Jó, zombando dele. Desconhecendo inteiramente a lei do amor (a essência mesma da espiritualidade), seus ataques contra a sua vítima, só se aviltavam. Eram vis em seu caráter básico, enquanto Jó se tornara aviltado pela calamidade. Cf. Jó 16.10 (eles zombavam) e Jó 17.6 (eles cuspiram no rosto de Jó).

Uma Passagem Messiânica? Alguns intérpretes cristianizam o texto, por causa de sua similaridade com Sl 69.12 (também considerado messiânico). Cf. Lm 3.14.

■ 30.10

תִּעֲבוּנִי רָחֲקוּ מֶנִּי וּמִפָּנַי לֹא־חָשְׂכוּ רֹק׃

Abominam-me, fogem para longe de mim. O benfeitor Jó tornou-se o odiado Jó. As pessoas pensavam que Deus o estivesse castigando, fazendo dele objeto de desprezar. Ou então, simplesmente, gostavam de ferir quem já tinha sido ferido, por causa de sua mentalidade sádica. Cf. Jó 19.19. As pessoas fugiam de Jó, porque, em sua enfermidade, ele se parecia com alguma espécie de monstro. Cf. isso com o caso do Messias, em Is 53.3. Os algozes de Cristo também cuspiram em sua face. Comparar isso com a experiência de Jesus, em Mt 26.67; e ver também Is 50.6.

O que temos aqui pode ser mera similaridade de linguagem com passagens messiânicas. Mesmo assim é instrutivo ver que os sofrimentos de Jó eram um tanto semelhantes aos sofrimentos do Messias e vice-versa. Houve desespero no caso de ambos. Cuspir na presença de outrem era completamente intolerável no Oriente Próximo e Médio, um insulto por *excelência*.

■ 30.11

כִּי־יִתְרוֹ פִתַּח וַיְעַנֵּנִי וְרֶסֶן מִפָּנַי שִׁלֵּחוּ׃

Porque Deus afrouxou a corda do meu arco, e me oprimiu. Encontramos aqui uma antiga expressão idiomática, no hebraico, que significa algo como: "Ele desencordoou meu arco, tornando-o, assim, inútil". A Vulgata compreendeu a metáfora do arqueiro, como se significasse que Deus, o grande Arqueiro, tivesse atirado uma flecha contra Jó, ferindo-o mortalmente. A flecha atirada naturalmente é projetada pela corda esticada do arco. Assim sendo, temos a antítese de Jó 29.20: "O meu arco se reforçará na minha mão". Alguns veem a metáfora como se falasse sobre a soltura das *prisões*, retratadas como cordas que prendem alguma coisa. Mas outros veem a destruição do sistema nervoso, o sistema de cordas e conexões. Sem importar o que a metáfora pretenda ser, o significado é o mesmo: Jó parecia um destroço, por causa de suas dores.

A segunda parte do versículo é clara. Qualquer *restrição* que pudesse ter atuado sobre Jó foi posta de lado por aqueles homens *miseráveis* e por Deus. Os homens e o Ser divino tinham conspirado contra o pobre Jó, para reduzi-lo a nada. Esta parte do versículo é expressa no ato de soldar as bridas dos animais, que os controlavam. Uma vez livres delas, eles estão soltos para fazer o que bem entenderem.

■ 30.12

עַל־יָמִין פִּרְחַח יָקוּמוּ רַגְלַי שִׁלֵּחוּ וַיָּסֹלּוּ עָלַי אָרְחוֹת אֵידָם׃

À direita se levanta uma súcia, e me empurra. Aqueles homens arrogantes atacavam Jó como se fossem um exército vindo contra ele pela sua mão direita, e, depois, vindos de todas as direções. Eles puseram Jó em retirada, "empurrando os seus pés", conforme diz o hebraico, literalmente. "Eles me empurraram para fora do caminho" (foi como Fausset, *in loc.*, entendeu a questão). Cf. Jó 24.4, onde encontramos ideia similar. A metáfora parece ser a de um exército que assediava e expulsava tudo em seu caminho, conforme o inimigo atacava.

Uma súcia. O hebraico diz "colegas", provavelmente referindo-se à *juventude* arrogante que tinha atacado Jó (ver os vss. 1-8). "... a turma jovem, o rebotalho" (Ellicott, *in loc.*). Outros estudiosos pensam que eles formavam a *flor dos homens*, ou seja, a elite entre os perseguidores. Mas estão em pauta os jovens, aqueles que apenas recentemente tinham brotado do solo, "jovenzinhos imberbes", conforme a opinião de John Gill (*in loc.*).

Suscita contra ele um ímpio, e à sua direita esteja um acusador.
Salmo 109.6

■ 30.13

נָתְסוּ נְתִיבָתִי לְהַוָּתִי יֹעִילוּ לֹא עֹזֵר לָמוֹ׃

Arruínam a minha vereda. Ninguém os impedia (*Revised Standard Version*), de maneira que, livre e facilmente, eles destruíam as veredas (a vida) do infeliz Jó e assim promoveram a sua calamidade. O poeta continuou a metáfora sobre o exército atacante que empregava a política da terra arrasada.

Gente para quem já não há socorro. Assim traduz a nossa versão portuguesa e a *King James Version*, mas a *Revised Standard Version* e a versão da Imprensa Bíblica Brasileira dizem "não há quem os detenha". Se a primeira versão está correta, então o significado é difícil de ser entendido, e foi isso o que deu origem à segunda ideia. Talvez a passagem signifique que um exército de selvagens não precisava de nenhuma ajuda em sua obra destruidora. Ou, então, que não há nenhuma ajuda divina para tal *cambada* de gente, pelo que finalmente eles haveriam de falhar. Ou então não havia nenhuma ajuda da parte de pessoas notáveis, porquanto o que faziam era um crime. Ou eles não tinham *conselheiros* que pudessem corrigir os seus crimes, ensinando-os a conduzir-se na comunidade dos homens. Coisa alguma restringia a selvageria deles. Mas, se compreendermos o original hebraico, traduzido por alguns como *socorro,* como se fosse *constrange,* então temos o segundo sentido, que é mais fácil.

■ 30.14

כְּפֶרֶץ רָחָב יֶאֱתָיוּ תַּחַת שֹׁאָה הִתְגַּלְגָּלוּ׃

Vêm contra mim como por uma grande brecha. Talvez a metáfora agora mude para *águas impetuosas,* que se escoam por uma brecha em uma represa, e assim se precipitam sobre vítimas impotentes. Ou, então, o exército (vss. 12,13) é agora retratado como irrompendo através de qualquer tipo de barreira ou obstáculo, precipitando-se sem nenhum constrangimento. Seja como for, Jó sentia-se avassalado pelo dilúvio de dores, e seus perseguidores eram a principal causa de seus sofrimentos. "Seus inimigos rolavam por cima dele, a fim de esmagá-lo e destruí-lo" (John Gill, *in loc.*). Nenhuma fortaleza era capaz de detê-los; para eles, nenhum obstáculo constituía um problema; nenhuma muralha era forte o bastante para detê-los. Eles saltavam por cima das trincheiras e nivelavam fortificações. Pareciam invencíveis, e Jó era a vítima.

■ 30.15

הָהְפַּךְ עָלַי בַּלָּהוֹת תִּרְדֹּף כָּרוּחַ נְדִבָתִי וּכְעָב עָבְרָה יְשֻׁעָתִי׃

Sobrevieram-me pavores. A vida de Jó tinha-se transformado em um *terror.* Ele fora derrubado por terra mediante um vento irresistível. Sua prosperidade e sua saúde tinham sido reduzidas a nada. Quanto a *terrores,* ver Jó 21.6; 23.15,16. Jó não era mais respeitado. Era caçado como um animal e ferido sem misericórdia. O evangelho cristão ensina que nenhum homem é um *refugo* e, no entanto, Jó fora reduzido a mero refugo por seus assaltantes e por suas dores. O bem-estar dele não passava de uma nuvem, que tinha permanecido por algum tempo, mas logo fora dissipada por ventos atmosféricos. Cf. Jó 7.9 e Is 44.22.

■ 30.16

וְעַתָּה עָלַי תִּשְׁתַּפֵּךְ נַפְשִׁי יֹאחֲזוּנִי יְמֵי־עֹנִי׃

Agora dentro em mim se me derrama a alma. A vida (alma, vida física) de Jó foi *derramada* dentro dele, tal como um homem esvazia e perde algum líquido de um pote. Jó não se referia à sua alma imortal, doutrina estranha à teologia dos patriarcas. Antes, falava sobre a sua vida física, que quase tinha terminado por seus sofrimentos e calamidades. Sua alma fora derramada para dentro da morte. Ele fora quebrado como um vaso, e assim perdera o seu conteúdo. As aflições o alquebraram.

A começar por este versículo, Jó para de falar com seus assaltantes. Agora ele se queixa amargamente a respeito de seus sofrimentos, e, uma vez mais, encontra em Deus a causa real desses sofrimentos.

■ 30.17

לַיְלָה עֲצָמַי נִקַּר מֵעָלָי וְעֹרְקַי לֹא יִשְׁכָּבוּן׃

A noite me verruma os ossos e os desloca. Os vss. 16-23 falam sobre a *crueldade de Deus.* Devemos lembrar que os antigos hebreus tinham um conceito voluntarista de Deus. Ele faz o que quer, a despeito do que pensamos sobre a moralidade de seus atos, a julgar pelos padrões humanos. O Deus voluntarista estabelece regras, mas não é obrigado a observá-las. A razão não entra no quadro para modificá-lo. Ver na *Enciclopédia de Bíblia, Teologia e Filosofia* o verbete chamado *Voluntarismo.* Ademais, devemos lembrar que Deus era visto como a única causa e, portanto, até do mal, e não somente do bem. Por conseguinte, Jó se queixava desse *tipo* de Deus, limitado como estava pela quantidade de amor que lhe era dado. Mas dizer isso não resolve a *razão* dos sofrimentos humanos: por que os homens sofrem e por que sofrem como sofrem. Ver a seção V da *Introdução* ao livro de Jó, quanto às respostas de que dispomos sobre a questão, e ver mais detalhes no artigo do *Dicionário* intitulado *Problema do Mal.*

Os sofrimentos de Jó afetavam todos os seus ossos. Doía-lhe da cabeça às pontas dos pés. Suas infecções eram generalizadas. Ele não encontrava descanso em suas misérias. Suas dores o corroíam como se um grande rato não parasse de atacá-lo. Ou, talvez, ele estivesse falando sobre *vermes* que o roíam, ou seja, gusanos que continuavam a limpar seus ferimentos, comendo a carne em decadência. As noites eram o pior momento de seus sofrimentos. A noite foi aqui *personificada.* Então suas dores duplicavam e não lhe concediam descanso. A noite intensificava os terrores de Jó.

■ 30.18

בְּרָב־כֹּחַ יִתְחַפֵּשׂ לְבוּשִׁי כְּפִי כֻתָּנְתִּי יַאַזְרֵנִי׃

Pela grande violência do meu mal. A *Revised Standard Version* continua a metáfora da noite personificada, no que é acompanhada pela nossa versão portuguesa. A noite segurava violentamente as vestes de Jó e o desfigurava. Alguns intérpretes, entretanto, veem Deus neste versículo. Deus surge em cena como um assaltante, com seu grande poder (cf. Jó 9.4; 10.16; 12.13; 24.22; 26.12,14 e 27.11). Talvez agora a noite se tenha transmutado em Deus, em uma metáfora expandida. Deus torturava Jó em seu leito, à noite. Mais difícil de explicar é a referência, aqui, às *vestes* de Jó. Provavelmente, Jó falava sobre seu *corpo* como se fossem vestes. Esse corpo, desfigurado pelo pus e pelos ferimentos, tornou-se uma veste apertada que ameaçava sufocá-lo. Antigamente, Jó tinha uma veste decente, mas agora esse corpo era nojento e pútrido, uma "confusão" que o prendia. Talvez a *pele* de Jó esteja particularmente em vista aqui. Alguns supõem que, metaforicamente, o poeta estivesse falando das *aflições* como uma muda de roupa que Jó era forçado a vestir. As vestes emprestam *honras* aos homens. As pessoas usam vestes especiais para ocasiões especiais. Os reis vestem-se com trajes majestosos. Mas tudo quanto Jó tinha obtido era a veste de desgraça e dor.

■ 30.19

הֹרָנִי לַחֹמֶר וָאֶתְמַשֵּׁל כֶּעָפָר וָאֵפֶר׃

Deus, tu me lançaste na lama. Deus é agora *o sujeito,* sem nenhuma metáfora suavizadora. O *poder divino* tinha transformado Jó no que ele era agora. Para os hebreus antigos só havia uma Causa. A teologia deles era fraca quanto a causas secundárias, assim a única causa era também a causa do mal, e não somente do bem. Jó, pois, fora lançado na lama. Ele ficara sujo e coberto de cinzas, assentado sobre um monturo. "Há um sentido no qual, para Jó, Deus se tornara satânico. Deus era *o adversário* por excelência, a justiça retributiva que enchia Jó de terror (vs. 15; cf. Jó 21.6). Devemos lembrar, entretanto, que o Deus a quem Jó acusava era o Deus da antiga fé dos hebreus, e que uma nova fé ainda teria de nascer" (Paul Scherer, *in loc.*).

Cf. Jó 42.6, onde Jó se arrependeu em poeira e cinzas, sem dúvida uma *ironia.*

Disse mais Abraão: Eis que me atrevo a falar ao Senhor, eu que sou pó e cinza.

Gênesis 18.27

ÚLTIMO DISCURSO DE JÓ AO DIVINO ATORMENTADOR (30.20-23)

■ 30.20

אֲשַׁוַּע אֵלֶיךָ וְלֹא תַעֲנֵנִי עָמַדְתִּי וַתִּתְבֹּנֶן בִּי׃

Clamo a ti, e não me respondes. Pela última vez, Jó dirige-se à única causa, o divino afligidor. "Não somente Deus recusou-se a responder às orgulhosas orações de Jó... mas também intensificou seus golpes (vss. 21,22), até que a morte o atingisse (vs. 23)" (Samuel Terrien, *in loc.*).

Estou em pé. As orações parecem mais poderosas quando aquele que ora se levanta e fica passeando para cá e para lá. Mas o gesto de Jó, ao levantar-se, foi sem dúvida um gesto de desafio. Uma vez mais, Jó enfrentaria o atormentador. Uma vez mais, suas orações não seriam respondidas. Uma vez mais, ele simplesmente cairia em maior dor. Deus estava ocupado demais para ver Jó, de pé, chorando, gritando orações de dor e rebelião.

Pois o necessitado não será para sempre esquecido, e a esperança dos aflitos não se há de frustrar perpetuamente.

Salmo 9.18

"... levantou-se como um suplicante diante do rei (1Rs 8.14; Lc 18.11-13)" (Fausset, *in loc.*). Quanto ao ato de levantar-se nas orações, ver também Jr 15.1 e Mt 6.5.

■ 30.21

תֵּהָפֵ֣ךְ לְאַכְזָ֣ר לִ֑י בְּעֹ֖צֶם יָדְךָ֣ תִשְׂטְמֵֽנִי׃

Tu foste cruel contra mim. *O Deus Cruel.* A *causa* dos sofrimentos é chamada aqui de *cruel* pelo sofredor. Jó estava sofrendo sem causa (ver Jó 2.3). Até agora não somos informados, no livro de Jó, por que os *inocentes* sofrem. Certamente isso não se deve ao fato de Deus ter feito uma barganha cósmica com Satanás, conforme o prólogo do livro sugere. Quando muito, pode ser considerado um artifício literário, e não uma explicação das *razões* dos sofrimentos de um inocente. Talvez os inocentes sofram por causa do *caos*, que ocasionalmente apanha os homens bons e maus, igualmente. Se isso é verdade, então, diariamente, através da oração, peçamos *proteção* contra o caos insensato ou contra qualquer outro tipo de caos. Caros leitores, é coisa temerosa ser cortado por um acidente estúpido ou enfermidade, enquanto Deus está olhando em outra direção. Oremos para que ele sempre olhe em nossa direção, e nunca sejamos feridos pelo caos, de qualquer espécie.

No presente versículo, vemos a *poderosa mão* de Deus a afligir Jó, ao que ele chamou de "perseguição". Ele era mais do que *negligenciado* por Deus, conforme declara uma de minhas fontes informativas. Está envolvida uma perseguição ativa, na estimativa de Jó. Ver Jó 16.12, onde encontramos ideia similar. Este versículo deve ser contrastado com Jr 30.14; 31.20 e Os 11.8,9. Ver também Rm 8.28, quanto à *Providência de Deus*, conforme vista no Novo Testamento. No caso de Jó, entretanto, essa *providência* (ver a respeito no *Dicionário*) havia falhado.

■ 30.22

תִּשָּׂאֵ֣נִי אֶל־ר֭וּחַ תַּרְכִּיבֵ֑נִי וּ֝תְמֹגְגֵ֗נִי תּוּשִׁיָּֽה׃

Levantas-me sobre o vento. A *tempestade rugidora* tráz consigo um vento irresistível que predomina sobre todas as coisas e faz a poeira levantar-se no ar. Jó era apenas pó (vs. 19) e assim era levado em um passeio terrível pelos céus, somente para ser lançado em uma queda que muito o machucava. Deus pusera Jó na tempestade e ali o deixara. Um novo dia tinha raiado. A tempestade nunca se acalmava. Para Deus, Jó tinha-se tornado como a *palha*. O Deus cheio de benevolência tinha desaparecido, e um Deus feroz e perseguidor tinha tomado o lugar dele.

> *Por pão tenho comido cinza e misturado com lágrimas a minha bebida, por causa da tua indignação e da tua ira, porque me elevaste e depois me abateste. Como a sombra que declina, assim os meus dias, e eu me vou secando como a relva.*
>
> Salmo 102.9-11

"Deus o atacou e o jogou longe como se fora um violento temporal, que, como Jó dissera, Deus faz aos ímpios, em Jó 27.21" (Roy B. Zuck, *in loc.*).

■ 30.23

כִּֽי־יָ֭דַעְתִּי מָ֣וֶת תְּשִׁיבֵ֑נִי וּבֵ֖ית מוֹעֵ֣ד לְכָל־חָֽי׃

Pois eu sei que me levarás à morte. Jó esperava pelo fim da perseguição divina, a *morte*. Ele tinha perdido toda esperança de ver sua causa vindicada, e esperava sofrer a despropositada injúria final. Seu Deus voluntarista estava prestes a terminar com ele, sem o menor sinal de misericórdia. A morte é aqui chamada de *casa,* um lugar para onde todos os homens vão pois tal é a *decisão de Deus*. Naquela casa não há vida, memória ou consciência. Está morta como um túmulo. Em Jó 19.25 ss., Jó contempla alguma espécie de vida pós-túmulo, embora não em um céu ou outro lugar. Mas aqui ele parece ter abandonado toda a esperança de um céu. Jó apenas contemplava aquela casa vazia e silenciosa, no futuro, o fim de tudo. O próprio aniquilamento é melhor do que o sofrimento, pelo que supomos que Jó tenha proferido essas palavras com alívio. Cf. Jó 28.22, o *reino da morte*. Ver Hb 9.27 quanto à nomeação para a morte, por parte de Deus.

Vais à casa paterna, e os pranteadores andem rodeando pela praça.

Eclesiastes 12.5

Há tempo de nascer e tempo de morrer; tempo de plantar e tempo de arrancar o que se plantou.

Eclesiastes 3.2

■ 30.24

אַ֣ךְ לֹא־בְ֭עִי יִשְׁלַח־יָ֑ד אִם־בְּ֝פִיד֗וֹ לָהֶ֥ן שֽׁוּעַ׃

De um montão de ruínas não estenderá o homem a mão. *A Morte é o Final.* Quando os homens descem ao olvido, a mão divina não se estende para eles. Eles choram, mas ele não os ouve; eles oram, mas suas orações não são atendidas. Jó, que estava encarapitado sobre um montão de cinzas, em breve haveria de desaparecer para sempre no abismo do esquecimento. Na literatura lemos a patética história de Sir Leslie Stephen, que lamentava a morte de sua esposa. Ele afirmou: "Eu a amava de coração tanto quanto sei como amar". Contudo Jó, presumivelmente amado por Deus, teve permissão de sofrer e enfrentar aquele grande nada, e suas orações não eram ouvidas. Portanto, perguntamos sobre o famoso amor de Deus. Onde estava esse amor?

> Nenhuma vida vive para sempre;
> Homens mortos nunca se levantam de novo.
> Até o rio mais sonolento
> Serpeia em algum lugar e deságua no mar.
>
> Adaptado de Swinburne

"No sepulcro há liberdade da calamidade e descanso para os cansados" (Adam Clarke, *in loc.*). Jó esqueceu, pelo momento, qualquer esperança para além do sepulcro, pois seus discernimentos do capítulo 19 foram obscurecidos pela dor.

■ 30.25

אִם־לֹ֣א בָ֭כִיתִי לִקְשֵׁה־י֑וֹם עָֽגְמָ֥ה נַ֝פְשִׁ֗י לָאֶבְיֽוֹן׃

Acaso não chorei...? Jó ouviu os clamores de pessoas desesperadas, em contraste com Deus (vs. 24), que lhe voltou um ouvido surdo. Sua alma *se entristecia* por aqueles que sofriam perda e dor. Ele tinha simpatia pelos pobres, mas Deus não tinha piedade do pobre Jó. "No passado, ele tinha ouvido os clamores de homens e mulheres angustiados (cf. Jó 29.11-17). Mas para ele nada havia, exceto o mal e as trevas (vs. 26)" (Samuel Terrien, *in loc.*). Ver uma lista das boas obras de Jó em favor dos necessitados, em Jó 31.1-20. Jó amava e agia. Mas *Deus* se mantinha indiferente e parecia não notar o sofrimento humano.

■ 30.26

כִּ֤י ט֣וֹב קִ֭וִּיתִי וַיָּ֣בֹא רָ֑ע וַאֲיַחֲלָ֥ה לְ֝א֗וֹר וַיָּ֥בֹא אֹֽפֶל׃

Aguardava eu o bem, e eis que me veio o mal. Deus não somente se mostrava indiferente. Ele também *agia*, mas para trazer maior dor a Jó, em violento contraste com a maneira com que Jó tratava seus semelhantes. Quando Jó esperava algum alívio durante a noite e continuava chorumingando perante Deus, para fazer alguma coisa por ele e diminuir suas dores, mais dores lhe chegavam. Ele esperava o raiar de um novo dia, mas era esmagado na longa noite de seu desespero.

"Jó compartilhou de sua última refeição com um esmoler. Fez isso pela mesma razão por que fizera tudo mais — por ser a coisa correta a fazer" (Daman, *in loc.*). Mas o Deus Todo-poderoso parecia esquecido da "melhor coisa a fazer" por Jó.

A luz. Ou seja, alguma espécie de mudança de situação que clareasse a noite caracterizada pelo sofrimento; alívio da dor; cura da enfermidade; a volta do bem-estar e da prosperidade. ... as *trevas* da adversidade, ainda mais espessas e escuras, continuamente, e sem nenhum aparecimento de luz espiritual e favor, ou qualquer descoberta do amor de Deus, ou aprazimento de sua presença. Cf. Jr 8.15 e Is 59.9.

■ 30.27

מֵעַ֖י רֻתְּח֥וּ וְלֹא־דָ֗מּוּ קִדְּמֻ֥נִי יְמֵי־עֹֽנִי׃

O meu íntimo se agita sem cessar. *Minhas vísceras ferviam* (*King James Version*) é uma tradução literal melhor do que falar na *tempestade do coração* (Revised Standard Version). "Alude à forte comoção das vísceras, que todo ser humano sente diante da visão de alguém que está sofrendo miséria" (Adam Clarke, *in loc.*) e, naturalmente, diante de qualquer pessoa que é posta sob severas dores físicas. Nossa tradução portuguesa, "meu íntimo se agita sem cessar", é boa e vívida. As entranhas eram consideradas a sede de sentimentos profundos (ver Is 16.11). Talvez a referência seja literal, uma febre violenta causada por infecções internas que requeimavam dentro de Jó. Ou a referência é figurada: ele queimava sob a aflição dos sofrimentos. Cf. Jr 4.19 e Lm 1.20.

Quando Jó esperava que sua boa vida continuasse, de súbito, sem aviso prévio, suas aflições lhe sobrevieram, como se fossem um exército, surpreendendo-o inteiramente.

> Que horas pacíficas antes eu desfrutava!
> Quão doce é até hoje a memória delas.
> Mas elas deixaram esse vazio doloroso,
> Que este mundo jamais pode preencher.
>
> Antigo hino

■ 30.28

קֹדֵר הִלַּכְתִּי בְּלֹא חַמָּה קַמְתִּי בַקָּהָל אֲשַׁוֵּעַ׃

Ando de luto, sem a luz do sol. Pálido de dor, Jó não podia ver o sol de um novo dia. Ele se pôs de pé na assembleia de sua aldeia e chorou; mas nenhum homem lhe trouxe alívio, nenhum ser humano se importou com a sua alma. O hebraico original, vocalizado de maneira diferente, pode falar sobre *protetor* ou *guardião*, em lugar de "sol". Jó continuou suas lamentações, mas nenhum homem veio protegê-lo, ninguém saiu em seu socorro. Ou podemos traduzir a palavra "sol" como *quente*, conforme faz a Vulgata Latina. Nesse caso, Jó continuou em sua ira contra a *dor*, indignado pelo que lhe estava acontecendo. Mas esse também era um esforço inútil, pois não trouxe nenhuma mudança em seu estado de saúde.

"Tal era a extrema angústia de sua alma que quando uma multidão de gente se punha ao redor dele para vê-lo em suas aflições, ele não podia conter-se e explodia em lágrimas e choro, embora soubesse que isso era impróprio para um homem de sua idade e de seu caráter" (John Gill, *in loc.*).

Ando de luto. Por causa de sua enfermidade; ou, figurativamente, mediante as divinas chamas da aflição; ou então por causa das trevas, pois o *sol* de um novo dia recusava-se a brilhar.

■ 30.29

אָח הָיִיתִי לְתַנִּים וְרֵעַ לִבְנוֹת יַעֲנָה׃

Sou irmão dos chacais. Jó tornou-se um animal selvagem. Perdeu a humanidade, em virtude de seus sofrimentos. Era um chacal, uma besta feroz. Seus companheiros eram as corujas (King James Version) ou as avestruzes (Revised Standard Version e a nossa versão portuguesa). Ele não passava de um animal feroz, em seu montão de cinzas.

> *Acha-se a minha alma entre leões, ávidos de devorar os filhos dos homens; lanças e flechas são os seus dentes, espada afiada, a sua língua.*
>
> Salmo 57.4

Minha mãe agonizou por quatro anos com câncer, antes de morrer. Ela me disse um dia: "Esta enfermidade nos rouba a humanidade". Jó estava dizendo algo similar neste versículo.

A figura de linguagem usada por Jó fala em "animais uivadores e lamentadores, que podem ser ouvidos à noite, quase em qualquer lugar do Oriente Próximo e Médio, fazendo um som como se fosse uma música amarga, que será ouvida novamente no momento da morte de alguém" (Samuel Terrien, *in loc.*). "Tanto o chacal quanto a avestruz fêmea são famosos por seus clamores lamentadores, e ambos se vinculam a lugares desolados" (Dodd, *in loc.*).

■ 30.30

עוֹרִי שָׁחַר מֵעָלָי וְעַצְמִי־חָרָה מִנִּי־חֹרֶב׃

Enegrecida se me cai a pele. Este versículo repete essencialmente a mensagem do vs. 28. A pele de Jó provavelmente estava enegrecida por sua enfermidade e por infecções internas que queimavam seus ossos com a inflamação. Não obstante, Deus continuava a olhar para o outro lado. Por que os inocentes sofrem? Continuamos formulando a *pergunta*. Compreendemos a *Lei Moral da Colheita segundo a Semeadura* (ver no *Dicionário*). Um homem obtém aquilo que tiver dado, e isso é verdadeiramente uma lei universal. Mas que dizer sobre o sofrimento daquele que sofre "sem causa" aparente? (ver Jó 2.3).

Jó tinha posto uma pele escura como veste de lamentação. Cf. Jr 14.2 e Is 29.9.

> *Mas, agora, escureceu-se-lhes o aspecto mais do que a fuligem; não são conhecidos nas ruas; a sua pele se lhes pegou aos ossos, secou-se como uma madeira.*
>
> Lamentações 4.8

■ 30.31

וַיְהִי לְאֵבֶל כִּנֹּרִי וְעֻגָבִי לְקוֹל בֹּכִים׃

Por isso a minha harpa se me tornou em prantos de luto. A *música de alegria*, como aquela tocada na harpa, transformou-se em cântico fúnebre. Instrumentos de sopro usados para fazer as pessoas dançar acompanhavam os lamentadores. A música de Jó tornou-se ruim com seus tons lamentáveis e dissonantes. A mente fértil do poeta nos deixa admirados com sua interminável invenção de metáforas. Assim, a harpa e a flauta se tornaram instrumentos musicais de luto, prontos para acompanhar os lamentadores profissionais, que prantearam nos serviços fúnebres de Jó.

"Tanta e tão variegada miséria, como a expressa por Jó neste capítulo, o tinha guiado por uma vereda de grande depressão" (Roy B. Zuck, *in loc.*). Cf. Lm 5.15 e Am 8.10. Ver no *Dicionário* o artigo chamado *Música (Instrumentos Musicais)*.

"Esses instrumentos são usados devidamente em ocasiões festivas (ver Is 30.29,32), o que torna o emprego deles em momentos de tristeza mais triste ainda" (Fausset, *in loc.*).

CAPÍTULO TRINTA E UM

Continuamos a seção iniciada em Jó 29.1. Ver as notas de introdução à seção (ver Jó 29.1—31.40), naquele versículo. O capítulo 32 começa a apresentação dos discursos finais do livro, com o recém-chegado, Eliú. Então, Deus falou e pôs todo o problema em perspectiva correta.

JURAMENTO FINAL DE INOCÊNCIA DE JÓ (31.1-40)

"A felicidade do passado (capítulo 29) fora engolida pela tristeza e pela vergonha do presente (capítulo 30). Não havia futuro a ser contemplado, excetuando a morte e, por conseguinte, *nada havia* (ver Jó 30.23,31). Não obstante, Jó continuava asseverando a sua retidão. Portanto, ele terminou seu solilóquio com o mais solene e elaborado protesto de *inocência*, que jamais tentara expressar. Com esse propósito, ele examinou mais de dezesseis *hipóteses* concretas de atos pecaminosos dos quais ele poderia ser culpado. Cada uma dessas hipóteses começa com a conjunção *se* (ver Jó 31.5,7,9,13,16,19,20,21,2 4,25,26,29,31,33,38 e 39). Jó declarou-se inocente de qualquer feito mau, ou mesmo de intenção maligna. Também negou ser culpado de qualquer torpidez religiosa ou ética, revelando a mais alta consciência moral encontrada no Antigo Testamento. Ele tinha um passado limpo e a mente esclarecida, e declarou-se pronto para enfrentar o Juiz, orgulhoso de sua honra, que continuava intacta, e orgulhoso de um registro sem jaça (vss. 35-37)" (Samuel Terrien, *in loc.*).

■ 31.1

בְּרִית כָּרַתִּי לְעֵינָי וּמָה אֶתְבּוֹנֵן עַל־בְּתוּלָה׃

Fiz aliança com meus olhos. *A Declaração de Jó Envergonha os Homens*. Jó, aquele homem reto, fez um pacto com seus olhos. Os olhos dos varões são notórios instrumentos de concupiscência. Mas Jó, diferentemente do restante dos homens, fez um acordo com seus olhos de que não cobiçaria relações sexuais com uma virgem! Essa virgem passaria a um casamento honroso com algum homem, tendo sua família sem a mácula do pecado a sujar seu passado.

Não contemples uma virgem.

Eclesiástico 9.5

Em outras palavras, não imites o homem maligno, que vive seduzindo virgens como se isso fosse algum grande jogo de conquista. Antes, permita que cada jovem chegue a seu casamento virgem. Cf. Mt 5.28, que nos confere o comentário do Senhor Jesus: "Eu, porém, vos digo: qualquer que olhar para uma mulher com intenção impura, no coração, já adulterou com ela".

Ver no *Dicionário* o verbete chamado *Adultério e Fornicação*. Jó acreditava que as atitudes e os atos pecaminosos naturalmente estabelecem o palco para a retribuição divina (vss. 2 ss.). Deus vigia o que os homens fazem (vs. 4). Nenhum ato pode passar sem o devido julgamento. "Jó não olhava para a beleza feminina com concupiscência, porquanto Deus estava olhando para ele, vendo tudo quanto fazia (cf. Jó 7.19,20; 10.24; 13.27)" (Roy B. Zuck, *in loc.*).

Não cobices no teu coração a sua formosura, nem te deixes prender com as suas olhadelas.

Provérbios 6.25

Assim começaram as declarações de inocência de Jó, naquele ponto onde os homens revelam maior fraqueza.

"O poeta representa o *olho*, como a janela pela qual a beleza de uma mulher passa mais rapidamente do que uma flecha ao coração dos homens, e ali deixa impressões" (John Gill, *in loc.*).

■ 31.2

וּמֶה ׀ חֵלֶק אֱלוֹהַּ מִמָּעַל וְנַחֲלַת שַׁדַּי מִמְּרֹמִים׃

Que porção, pois, teria eu do Deus lá de cima...? Jó esperava receber uma recompensa da parte do céu. Esperava que Deus o abençoasse, o fizesse prosperar financeiramente e lhe conferisse alegria e poder. Mas, se ele ficasse a seduzir virgens, por que esperaria qualquer coisa do alto? Deus estaria vigiando o que ele fizesse. Deus vigia os sedutores de virgens e lhes dá a "recompensa" apropriada. Ver no *Dicionário* o verbete intitulado *Lei Moral da Colheita segundo a Semeadura*. Alguns homens pensam que o sexo é entretenimento e esporte. Jó, entretanto, encarava a questão com muito mais seriedade. Cf. o presente versículo com Jó 20.29, que apresenta notas expositivas também aplicáveis aqui. Ver também Gn 39.9. Muito provavelmente, Jó não tinha em vista nenhuma doutrina de punição e recompensa pós-túmulo, a qual só penetrou mais claramente no Antigo Testamento, bem mais tarde, sendo expressa nos livros pseudepígrafos e apócrifos e, mais claramente, no Novo Testamento.

"O que pessoas impuras podem esperar da parte de Deus?" Esse é o comentário do Targum sobre este versículo. Um apelo é feito à santidade de Deus, que castiga a falta de santidade dos homens. Além disso, ele não abençoa essas pessoas. Elas poderão prosperar pela força de sua própria vontade, mas logo o teto ruirá sobre elas.

■ 31.3

הֲלֹא־אֵיד לְעַוָּל וְנֵכֶר לְפֹעֲלֵי אָוֶן׃

Acaso não é a perdição para o iníquo...? Ao contemplar os seres humanos, Deus logo se ira diante do que vê e os fere com seus relâmpagos. A "destruição" (*King James Version*) ou a "perdição" (nossa versão portuguesa) torna-se a recompensa ou herança deles (vs. 2). "Desastres" lhes sobrevêm sob a forma de acidentes e enfermidades. Suas colheitas fracassam; seus lares são atacados por assassinos; suas esposas são seduzidas e violadas. A *lex talionis* (vingança de acordo com a gravidade do crime) está em operação. Ver sobre *Lex Talionis* no *Dicionário*. No caso de Jó, entretanto, algo havia falhado. Ele era *inocente*, mas estava sendo punido *como se fosse* um grande e incansável pecador. Contudo, quando pensava corretamente (liberto, momentaneamente, de sua dor), Jó via a lei da semeadura e da colheita em operação.

■ 31.4

הֲלֹא־הוּא יִרְאֶה דְרָכָי וְכָל־צְעָדַי יִסְפּוֹר׃

Ou não vê Deus os meus caminhos...? Cada *indivíduo* é visto, observado e punido de acordo com suas ações. De fato, este versículo personaliza a declaração geral do vs. 3. Deus sabia como Jó tratava as pessoas do sexo oposto ou se ele se envolvia em relações duvidosas e pecaminosas. Jó negava que o sexo consistisse em mera recreação. E, no entanto, apesar de altamente moral, o resultado final foi sua punição, enquanto os ímpios saíam livres de suas iniquidades; é acerca desse *paradoxo* que o texto fala.

Cf. Jó 18.21; 27.7 e 29.17. Quanto ao modo como cada passo humano é vigiado por Deus, ver Jó 14.16.

Os caminhos do homem estão perante os olhos do Senhor, e ele considera todas as suas veredas.

Provérbios 5.21

Três Outros Pecados Possíveis (31.5-7)

■ 31.5

אִם־הָלַכְתִּי עִם־שָׁוְא וַתַּחַשׁ עַל־מִרְמָה רַגְלִי׃

Se andei com falsidade. Jó introduziu suas violações possíveis da lei moral com uma série de "se", referindo-se a dezesseis ou mais violações. Chegamos à *segunda*, à *terceira* e à *quarta* dessas violações. Ele também não era culpado de *falsidade, desvio* e *imundícia* (vss. 5-7). Se *tivesse* cometido qualquer desses erros, então desejava ser punido com a *fome* (vs. 8). O vs. 5 fala do pecado humano quase universal do engodo, da falsidade e da hipocrisia, de negócios desonestos com o próximo, cobertos pela *pretensão* e por palavras mentirosas.

Falam com falsidade uns aos outros, falam com lábios bajuladores e coração fingido.

Salmo 12.2

A *falsidade* pode envolver a *idolatria* (Jr 18.15; Sl 31.6; Os 12.11), embora isso não pareça estar em vista no presente versículo.

Se o meu pé se apressou para o engano. Se Jó tolerasse a falsidade em si mesmo, isso o teria levado a cometer pecados específicos, como "enganar os homens nas compras e nas vendas, mostrando-se rápido e esperto quanto a essas coisas, na pressa de *enriquecer* às expensas do próximo e através de meios duvidosos" (John Gill, *in loc.*).

O homem fiel será cumulado de bênçãos, mas o que se apressa a enriquecer não passará sem castigo.

Provérbios 28.20

■ 31.6

יִשְׁקְלֵנִי בְמֹאזְנֵי־צֶדֶק וְיֵדַע אֱלוֹהַּ תֻּמָּתִי׃

(Pese-me Deus em balanças fiéis...) Jó também não era culpado de ganância (vs. 6), uma ideia já introduzida (vs. 5). Ele sempre negociara com justiça, tinha *balanças justas* (metaforicamente e, talvez, até literalmente) e estava disposto a ser pesado nas balanças de Deus, que confirmariam sua *integridade*. O homem que clama a Deus precisa ser *inocente* para que ele o pese em suas balanças celestes e confirme sua integridade. Não são muitos os homens que ousariam fazer uma declaração como essa. Sua vida era impoluta e, no entanto, ele sofria perseguição da parte de Deus, enquanto homens ímpios viviam soltos e à vontade. Este versículo subentende uma vida honesta, e não apenas honestidade quanto a questões monetárias. Jó, pois, estava livre de qualquer pecado de cobiça.

■ 31.7

אִם תִּטֶּה אַשֻּׁרִי מִנִּי הַדָּרֶךְ וְאַחַר עֵינַי הָלַךְ לִבִּי וּבְכַפַּי דָּבַק מְאוּם׃ פ

Se os meus passos se desviaram do caminho. Jó era inocente de qualquer forma de *imundícia*. Ele não permitia a seu coração seguir o que seus olhos vissem. Tinha um interruptor de circuito divino que não lhe permitia fazer o que seus olhos mandassem. Ele não tinha manchas de culpa nas mãos. Este versículo poderia afirmar o pecado geral da *imundícia*, mas certamente sugere vários subpecados. Jó apegava-se à *estrada estreita* em sua maneira de viver e tinha um estrito código moral. Cf. a expressão neotestamentária "eram do Caminho" (At 9.2). Jó não se desviava do caminho espiritual. John

Gill generalizou o versículo, tornando-o a expressão da lei de Deus com seus muitos mandamentos, ou seja, *o caminho de Deus*. Apesar de ter sido posto na época patriarcal, pelo autor, o caminho da lei de Deus poderia ser antecipado. Mas o pecado específico em vista é a imundícia que o olho cobiça. Pensemos no caso de Acã (ver Js 7.21). Seus olhos seguiram riquezas ilícitas e ele causou toda a espécie de confusão em Israel.

> *Porque tudo que há no mundo, a concupiscência da carne, a concupiscência dos olhos e a soberba da vida, não procede do Pai, mas procede do mundo.*
>
> 1João 2.16

■ 31.8

אֶזְרְעָה וְאַחֵר יֹאכֵל וְצֶאֱצָאַי יְשֹׁרָשׁוּ׃

Então semeie eu e outro coma. *Se* Jó fosse culpado dos pecados anteriormente mencionados, então queria que outros colhessem e desfrutassem do que ele tinha semeado. Nesse caso, que seus filhos também sofressem maldição e padecessem necessidades e privações. Que suas raízes fossem arrancadas da terra. Eles não deveriam ter estabilidade. A confusão seria uma praga na vida deles. Ver no *Dicionário* o artigo chamado *Lei Moral da Colheita segundo a Semeadura*. Jó, entretanto, não temia essa lei, porque nunca semeara males.

Sejam arrancados os renovos do meu campo. Jó costumava semear em *campos literais*. Se ele fosse culpado, queria perder suas colheitas, e que outros tirassem proveito delas. Além disso, ele semeava no *campo de sua família*, através da procriação. As plantas (filhos e filhas) que cresceriam deveriam ser arrancadas do solo. Visto que Jó havia perdido seus filhos, talvez seus netos ou parentes mais distantes estejam em foco.

> *Do trabalho de tuas mãos comerás, feliz serás, e tudo te irá bem.*
>
> Salmo 128.2

■ 31.9

אִם־נִפְתָּה לִבִּי עַל־אִשָּׁה וְעַל־פֶּתַח רֵעִי אָרָבְתִּי׃

Se o meu coração se deixou seduzir por causa de mulher. Jó não era culpado de *adultério* (ver a respeito no *Dicionário*). Vimos que seus olhos não seguiam as virgens (vs. 1), nem ele cobiçava a esposa do próximo, para, então, seguir algum plano com o propósito de seduzi-la.

> *Achei cousa mais amarga do que a morte: a mulher cujo coração são redes e laços e cujas mãos são grilhões; quem for bom diante de Deus fugirá dela, mas o pecador virá a ser seu prisioneiro.*
>
> Eclesiastes 7.26

As virgens e as mulheres casadas são as que mais excitam a cobiça moral dos homens. Jó, porém, ganhou a batalha em ambos os casos e assim uniu-se ao grupo de elite dos homens que aprenderam a controlar as paixões.

> *... tendo olhos cheios de adultério e insaciáveis no pecado, engodando almas inconstantes, tendo coração exercitado na avareza, filhos malditos.*
>
> 2Pedro 2.14

Conta-se a história de Tomás de Aquino, que queria ser um dos líderes da igreja. Seus pais não estavam felizes com as suas ambições, de modo que enviaram uma jovem e bela donzela para seu quarto, a fim de seduzi-lo. Eles calcularam que, uma vez assim seduzido, suas intenções de tornar-se padre seriam debilitadas. Tomás permitiu que a jovem entrasse no quarto, mas, ao perceber quais eram as reais intenções, perseguiu-a com um ferro em brasa, tirado da lareira. Ela fugiu e bateu a porta, trancando-a. Ato contínuo, ele desenhou uma cruz na porta, com o ferro em brasa. Não são muitos os homens, padres ou não, que têm esse tipo de coragem moral. Tomás de Aquino juntou-se, assim, ao grupo de elite e encontrou Jó sorrindo para ele. Epicteto chamou os pecados morais de "falácia bonita".

■ 31.10

תִּטְחַן לְאַחֵר אִשְׁתִּי וְעָלֶיהָ יִכְרְעוּן אֲחֵרִין׃

Então moa minha mulher para outro. Se Jó tivesse cometido adultério, ele queria que várias maldições caíssem sobre ele. Talvez essas maldições fossem aquelas próprias da *lex talionis* (ver a respeito no *Dicionário*), isto é, "vingança segundo a gravidade do crime", ou aquelas infligidas a outros. Tendo seduzido a mulher que servia a outro homem, sua esposa também terminaria servindo a outro homem. Tendo-se deitado com a esposa de outro homem, deitar-se-iam com sua mulher também. Que o trabalho árduo na mó, moendo grãos, próprio dos *escravos* mais vis, se tornasse o trabalho dela. Mas não podemos ter dúvidas de que muitas mulheres das classes mais baixas trabalhavam como escravas. As versões siríaca e árabe assim compreendiam o texto. Ver Êx 11.5. "... realizavam todos os trabalhos braçais, como uma escrava" (Ellicott, *in loc*.). Cf. Mt 24.41. E cf. esta parte do versículo com 2Sm 12.11 e Is 47.2.

"O pecado de Davi com Bate-Seba foi punido pelo ato de Absalão, que se deitou com as esposas e concubinas de Davi ao sol, isto é, aberta e publicamente, para desgraçar Davi (ver 2Sm 12.11). Cf. Dt 28.30. Jó amaldiçoara a própria esposa, *caso* ele tivesse sido culpado de adultério. Ela poderia perder o controle sobre sua pessoa e seu próprio corpo, servindo às concupiscências de outros homens.

> *Toma a mó e mói a farinha; tira o teu véu, ergue a cauda da tua vestidura, desnuda as pernas e atravessa os rios.*
>
> Isaías 47.2

■ 31.11

כִּי־הוּא זִמָּה וְהִיא עָוֹן פְּלִילִים׃

Pois seria isso um crime hediondo. *Continuam as Maldições contra o Adultério.* Se Jó fosse culpado de adultério, ele queria que toda a espécie de males ocorresse a ele. Além de sua esposa entregar-se a outros homens (vs. 10), também queria que seu caso fosse apresentado aos juízes da tribo e que ele fosse desmascarado, e, subsequentemente, punido de maneira exemplar e severa. Ele queria ser submetido à desgraça pública para sofrer o devido processo da lei. Desejava que seu adultério se tornasse uma *ofensa pública*, sendo então julgado de acordo com seu crime. Êx 20.14 torna esse crime proibido, mediante mandamento específico, a saber, um dos dez principais mandamentos. Ver no *Dicionário* o artigo chamado *Dez Mandamentos*. Esses mandamentos regulavam todo o comportamento particular e público, e eram a essência do que se achava certo e errado. A violação desses mandamentos era considerada algo muito sério.

■ 31.12

כִּי אֵשׁ הִיא עַד־אֲבַדּוֹן תֹּאכֵל וּבְכָל־תְּבוּאָתִי תְשָׁרֵשׁ׃

Pois seria fogo que consome. A morte por apedrejamento era a punição usual para ofensas graves. Mas ser queimado na fogueira era a maneira reservada para os piores pecadores. Se filha de um sacerdote fosse apanhada em pecados de imoralidade, era queimada (ver Lv 21.9). O incesto com a própria mãe também era um pecado punido dessa maneira, com o que concordava o código de Hamurabi (157). Ver Gn 38.34 e Lv 20.11. Um homem que cometesse incesto com a sogra também era punido dessa maneira (Lv 20.14). Mas o versículo presente é *metafórico*, pois fala das chamas que alguém toma no peito, ao aceitar e praticar pecados morais. Esse é um fogo consumidor que deixa um homem queimado e desfigurado. A prosperidade inteira de um homem também seria queimada com as chamas de *Abadon*, a Destruição. O homem imoral tanto se desgasta no corpo, quanto perde a sua substância.

> *Tomará alguém fogo no seio, sem que as suas vestes se incendeiem? Ou andará alguém sobre brasas, sem que se queimem os seus pés? Assim será com o que se chegar à mulher do seu próximo; não ficará sem castigo todo aquele que a tocar.*
>
> Provérbios 6.27-29

O autor sacro fala da desolação e da destruição que mostravam o quanto o pecado do adultério o aborrecia.

Os Direitos dos Escravos (31.13-15)

31.13

אִם־אֶמְאַס מִשְׁפַּט עַבְדִּי וַאֲמָתִי בְּרִבָם עִמָּדִי׃

O abuso contra os escravos é o pecado referido nos vss. 13-15. "A ideia de que os escravos têm direitos (vs. 13) é uma das ideias mais notáveis deste capítulo, e ainda mais admirável é a declaração de que esses direitos foram estabelecidos pelo próprio Criador de todos os homens. *Aquele que me fez no ventre, não fez também a ele* (o escravo)? (vs. 15). Essa consciência da igualdade do nascimento entre os homens é tanto o alvo como o nível ético do Novo Testamento" (Samuel Terrien, *in loc.*). Ver no *Dicionário* os verbetes intitulados *Escravidão* e *Escravo, Escravidão,* quanto a completos detalhes sobre essa desgraçada instituição e as atitudes bíblicas relacionadas. Embora, em essência, a Bíblia defenda o *status quo* quanto ao assunto, ela injetou na questão inteira a lei do amor, sendo esse o fato que, afinal, desmantelou tudo e pôs fim à escravidão como fato social universal. Atualmente, temos formas mais sutis de escravidão. Referimo-nos aos *escravos do salário,* que ganham miseravelmente em troca de seu trabalho árduo, por meio do abuso das classes mais ricas e de ricos industriais.

O Antigo Testamento fornece-nos leis que melhoraram as condições dos escravos (ver Êx 20.10; 21.2-11; 26.27; Lv 25.39-55). Mas a presente passagem de Jó vai além do espírito humanitário, tornando o Criador o protetor benevolente dos escravizados. O Antigo Testamento procedeu de uma raça que era culpada de muitos abusos, crueldades, guerras e outros atos lamentáveis. Eles não conheciam as artes, as filosofias e as graças culturais de outros povos, como os gregos, para exemplificar. Mas eles respeitavam os sacerdotes e profetas e tinham profundos sentimentos espirituais. Esse sentimento, finalmente, obteve forte base e as condições se alteraram, embora não tão completamente quanto poderíamos esperar.

No Novo Testamento, ver Ef 6.9 e Cl 4.1. O próprio cristianismo não promoveu o fim da instituição da escravidão, mas, antes, requeria obediência da parte dos escravos e um bom tratamento da parte de seus senhores. Idealmente, o amor fazia-se presente, e essa ideia finalmente exerceu efeitos universais.

Em Jó 22.8, Elifaz acusou Jó de abusar dos fracos e favorecer os ricos. Mas Jó mostra que não era culpado de opressão, nem mesmo para com um humilde escravo. Antes, ouvia os queixumes deles e cumpria seus desejos, em consonância com a justiça e a bondade.

Um escravo não podia levar seu senhor aos tribunais e forçá-lo a fazer alguma coisa. Seu único recurso eram as queixas pessoais dirigidas ao senhor, na esperança de estabelecer alguma mudança para melhor. Jó, pois, ouvia as queixas e agia em prol dos escravos.

31.14

וּמָה אֶעֱשֶׂה כִּי־יָקוּם אֵל וְכִי־יִפְקֹד מָה אֲשִׁיבֶנּוּ׃

Então que faria eu quando Deus se levantasse? *Deus Vigiava Jó e seus Escravos.* Ele avaliava a conduta de Jó. O nobre homem estava tratando com Deus, e não meramente com escravos. Haveria castigo por decisões erradas que resultassem em abusos. Deus se "levantará" em favor dos oprimidos e punirá os opressores. Ele é o Juiz justo. Neste mundo há uma providência divina em operação. Ver no *Dicionário* o verbete denominado *Providência de Deus.*

"Jó afirmou o tratamento justo para com os servos. *Se* ele fosse injusto com seus escravos, depois de terem-se queixado, então ele seria incapaz de enfrentar Deus... Jó admitiu a igualdade entre eles como objetos da obra criativa de Deus. Cf. Jó 10.8-11" (Roy B. Zuck, *in loc.*).

31.15

הֲלֹא־בַבֶּטֶן עֹשֵׂנִי עָשָׂהוּ וַיְכֻנֶנּוּ בָּרֶחֶם אֶחָד׃

Aquele que me formou no ventre materno. *A igualdade* de todos os homens no ventre materno foi reconhecida por Jó, bem como o fato de que Deus é quem assim o fizera. Subsequentes desigualdades sociais não anularam direitos básicos, dados por ocasião da criação, por parte do Criador. Jó conservava em mente essa igualdade original, quando tratava com os seus escravos. Certo romano expressou vergonha por ter sentido piedade de um escravo que estava sendo sujeitado a abusos! Mas seus sentimentos instintivos estavam corretos, e não sua subsequente racionalização.

"Os proprietários de escravos tentam defender-se, mantendo a inferioridade *original* dos escravos. Mas Ml 2.10; At 27.26 e Ef 6.9 fazem da origem comum dos proprietários de escravos e dos escravos o argumento pelo amor fraternal, que é demonstrado pelos primeiros e pelos últimos" (Fausset, *in loc.*, o qual escreveu em um tempo em que a escravidão continuava sendo uma instituição universal). Jó, pois, negou as acusações que Elifaz fez contra ele (ver Jó 22.6,7,9).

Macróbio (*Praecidean Sacr.*, pág. 193, por Hackman) legou-nos uma passagem notável, considerando-se que era romano. Ele nos diz como os *céus* olham para todos os homens, incluindo os escravos, e como forças divinas ressentem-se da desumanidade dos homens contra seus semelhantes.

Pecados contra as Classes Inferiores e os Menos Afortunados (31.16-23)

31.16

אִם־אֶמְנַע מֵחֵפֶץ דַּלִּים וְעֵינֵי אַלְמָנָה אֲכַלֶּה׃

Se retive o que os pobres desejavam. Jó estabeleceu aqui um programa de *responsabilidade social,* ao negar que fosse culpado de pecados contra seus vizinhos, amigos e pessoas de classes menos afortunadas e inferiores. Jó tinha vivido a lei do amor: positivamente, dando coisas de que os necessitados precisavam; e negativamente, por não prejudicá-los de maneira alguma. Ele era o próprio modelo de comportamento social. Jó era um homem justo. Mas, além disso, era generoso. Não lhe era bastante ser um homem *reto.* O indivíduo também deve ser positivamente *bom.* Paulo também via isso distintamente, conforme se constata em Rm 5.7,8: "Dificilmente, alguém morreria por um justo; pois poderá ser que pelo bom alguém se anime a morrer. Mas Deus prova o seu próprio amor para conosco pelo fato de ter Cristo morrido por nós, sendo nós ainda pecadores".

Jó, em sua bondade positiva, teve o cuidado de suprir as necessidades dos mais carentes, os abjetamente pobres e as viúvas. Devemos lembrar que as sociedades antigas não contavam com programas de ajuda social dirigidos pelo governo. Isso ficava ao encargo das famílias dos necessitados e das pessoas com tendências filantrópicas. Se a lei do amor não operasse, muitos passariam fome.

A prova da espiritualidade consiste em viver a lei do amor, como se vê claramente em 1Jo 4.7.

> O químico que pode extrair de seu próprio coração os elementos da compaixão, do respeito, do anelo, da paciência, do lamento, da surpresa e do perdão, compondo-os em um só, poderá criar aquele átomo que se chama AMOR.
> Declarações espirituais de Kahlil Gibran

Jó respondia às acusações de Elifaz (ver Jó 22.7-9), mostrando que as alegações deste eram falsas. Jó era um benfeitor dos menos afortunados, não um explorador, conforme aquele homem afirmara.

31.17,18

וְאֹכַל פִּתִּי לְבַדִּי וְלֹא־אָכַל יָתוֹם מִמֶּנָּה׃

כִּי מִנְּעוּרַי גְּדֵלַנִי כְאָב וּמִבֶּטֶן אִמִּי אַנְחֶנָּה׃

Ou se sozinho comi o meu bocado. Jó *compartilhava* de seu suprimento básico de alimentos, de vestuário, das necessidades básicas da vida, e os órfãos foram os primeiros recebedores dessa generosidade. Ele não se mostrou egoísta, desfrutando sozinho de seus suprimentos. Outros serviam-se de sua mesa. O vs. 18 mostra-nos que ele chegou a receber certas crianças órfãs em sua própria casa, para criá-las. Em outras palavras, ele tinha seu orfanato particular. Jó fora iluminado pelo Espírito Santo acerca do sofrimento humano, e seu *coração* correspondia ao Espírito. Quão pouca *caridade* vemos nas igrejas evangélicas! Como o amor de Deus estaria nelas? Certo pastor salientou *com orgulho* que virtualmente todos os *membros* de sua igreja eram *donos* de suas próprias residências. Chocados por isso, poderíamos indagar, em vez de alegrar-nos por tal informação: "Que dizer sobre os pobres? Por que a igreja não os alcançou?" A igreja deveria estar repleta dos menos afortunados, que não têm chance alguma de ser proprietários de suas casas. Ver a vontade de Deus em Dt 15.7-11, e nos primeiros dois capítulos da epístola de Tiago. Nossas igrejas estão repletas de pessoas que conhecem o cristianismo de Paulo, da justificação pela fé. Mas poucos existem, ali, que estejam praticando o cristianismo de Tiago.

A versão da Vulgata, no vs. 18, diz que "a misericórdia cresceu com Jó". Esteve com ele desde o começo, e ele a cultivava por toda a sua vida. Agora, entretanto, ele estava assentado sobre um montoro de cinzas, e nem mesmo seus amigos procuravam aliviar seus sofrimentos, mediante boas palavras. Jó era um nômade e, às vezes, um seminômade, e isso tornava qualquer espécie de ajuda social uma coisa difícil. Mas quando ele se mudava, levava consigo certas crianças necessitadas.

Órfão... viúva. O original hebraico diz aqui, literalmente, *ele* e *ela*. O sentido poderia ser que Jó tomou tanto meninos quanto meninas em seu lar. Ou o masculino "ele" refere-se aos órfãos, ao passo que o feminino "ela" refere-se às viúvas. Ele aceitava em sua residência os órfãos. A versão da Septuaginta tem esse pronome pessoal masculino como tradução feminina dos termos que sugiro aqui. Outras versões diferem. O hebraico deste versículo é difícil e admite várias traduções possíveis.

31.19,20

אִם־אֶרְאֶה אוֹבֵד מִבְּלִי לְבוּשׁ וְאֵין כְּסוּת לָאֶבְיוֹן׃

אִם־לֹא בֵרֲכוּנִי חֲלָצוֹ וּמִגֵּז כְּבָשַׂי יִתְחַמָּם׃

Se a alguém vi perecer por falta de roupa. Jó supria aos pobres o vestuário e a proteção necessários. Ele era um modelo de comportamento social. Algumas pessoas assim beneficiadas não expressavam nenhuma gratidão a ele (vs. 20), mas isso não o impedia de continuar suas doações. Ele dava aos *necessitados*, e não necessariamente aos *agradecidos*.

A qualidade da misericórdia não é forçada. Ela escorre como a chuva gentil vinda do céu sobre o lugar abaixo. É abençoada por duas vezes: abençoa aquele que dá e aquele que a recebe.

Shakespeare

O amor não é amor
Que se altera quando encontra alteração,
Ou que se inclina quando fere a algum perverso.
Oh, não! Antes, é um marco sempre fixo.
...
O amor não se altera
Com as horas e as semanas breves.
Mas prossegue até a beira da condenação!

Shakespeare

"Jó vestia os despidos não com vestes esplendorosas, mas com um vestuário decente e útil, não com a lã das ovelhas de nossos animais, mas com a lã produzida por seus próprios rebanhos" (John Gill, *in loc.*).

31.21

אִם־הֲנִיפוֹתִי עַל־יָתוֹם יָדִי כִּי־אֶרְאֶה בַשַּׁעַר עֶזְרָתִי׃

Se eu levantei a mão contra o órfão, por me ver apoiado pelos juízes. *Justiça no Tribunal.* Jó era um homem de poder, um conselheiro e, provavelmente, um juiz. Ele poderia ter influenciado casos, de qualquer maneira, se assim quisesse fazer. Ele não arrebatava a propriedade da viúva, por um testemunho manipulado ou falso. Nem permitia que outros perpetrassem a injustiça no tribunal. *Na porta*, o lugar onde se julgavam os casos, ele estava presente para garantir a justiça e a bondade. Ele tomava a peito a causa do necessitado que não tinha dinheiro para comprar os juízes e conseguir falsas testemunhas.

Jó era o campeão das classes menos privilegiadas. Era um benfeitor social, a força dos fracos.

Ele distribui partes iguais.
Ele dispensa justiça às tribos.
Ele fica indignado quando os direitos deles são diminuídos.
Para estabelecer os direitos deles,
Ele desiste dos seus próprios direitos.
Ele age com grandeza mental
E com nobreza de coração.

Lebeid, em *o Moallakhat*

31.22

כְּתֵפִי מִשִּׁכְמָה תִפּוֹל וְאֶזְרֹעִי מִקָּנָה תִשָּׁבֵר׃

Então caia a omoplata do meu ombro. Uma maldição foi proferida por Jó contra si mesmo, *se* o que ele dizia não correspondesse à realidade dos fatos. Se ele não tivesse feito essas coisas pelos pobres, se não tivesse sido o protetor deles, um juiz justo, o defensor dos fracos, então ele desejava que seu corpo sofresse súbita desfiguração, ou mesmo alterações fatais, que a sua omoplata lhe arriasse do ombro, e seu braço se soltasse da junta. Que isso acontecesse com *aquele braço* que se tivesse erguido contra os órfãos em tribunal. Seu gesto mau teria sido punido por um golpe de Deus, que arrancasse seu braço da junta. Se a maldição de Jó caísse sobre todos os gananciosos e injustos, então a maioria das pessoas andaria como aleijadas, hoje em dia. Mas, na realidade, a maioria das pessoas é aleijada, hoje em dia: são *aleijadas espirituais*, que nunca aprenderam a amar.

"Que o julgamento caia particularmente sobre aquelas partes que têm cometido o erro, ou que se têm recusado a fazer o que podem quando está em seu poder" (Adam Clarke, *in loc.*). Que essas partes do corpo "apodrecessem e caíssem" (John Gill, *in loc.*). Jó aludia à acusação de Elifaz, feita em Jó 22.9.

31.23

כִּי פַחַד אֵלַי אֵיד אֵל וּמִשְּׂאֵתוֹ לֹא אוּכָל׃

Porque o castigo de Deus. *Jó Temia a Deus.* Ele supunha que a prática do erro traria contra ele o raio de Deus. Portanto, resolveu fazer o bem, mas também levava em consideração o *fator divino*. Ele respeitava a *Lei Moral da Colheita segundo a Semeadura* (ver a respeito no *Dicionário*).

"Na fonte de sua consciência social, jazia sua profunda dedicação à vontade de Deus, que cuida de todos os homens (vs. 23; cf. o vs. 15). Era a sua fé religiosa que justificava, apoiava, explicava e tornava possível sua moralidade" (Samuel Terrien, *in loc.*).

O poder divino imobilizava Jó para que ele não pudesse cometer erros, mas também mobilizava-o a praticar a justiça e a bondade. Ele era um escravo da vontade divina, liberto para agir impulsionado pelo amor.

Contudo, Jó, o benfeitor, estava sendo punido "sem causa" (Jó 2.3). "A autodefesa de Jó, nos vss. 13, 16-22 e 29.12-17,25, subentendem que ele tinha feito um trabalho melhor do que o próprio Senhor ao efetuar a justiça" (Roy B. Zuck, *in loc.*).

31.24

אִם־שַׂמְתִּי זָהָב כִּסְלִי וְלַכֶּתֶם אָמַרְתִּי מִבְטַחִי׃

Se no ouro pus a minha esperança. O dinheiro é necessário e bom, e assim todos corremos atrás dele. Mas o dinheiro pode tornar-se um deus, uma forma de idolatria. Além disso, os homens podem pôr sua confiança nas riquezas, e não em Deus, tornando-as centrais em sua vida diária. Em outras palavras, os homens podem abusar daquilo que é necessário, bem como de tudo quanto é bom. Precisamos de dinheiro para trabalhar, e precisamos trabalhar para servir.

Deus pode fazer-vos abundar em toda graça, a fim de que, tendo sempre, em tudo, ampla suficiência, superabundeis em toda boa obra.

2Coríntios 9.8

O dinheiro é como um sexto sentido, sem o qual você não poderá fazer uso dos outros cinco.

Somerset Maughan

Mas o dinheiro pode tornar-se um monstro, a ponto de eliminar o bom senso e fazer do homem um escravo. "Jó desconsiderava não somente a idolatria dos joelhos dobrados, mas também a idolatria de um coração anelante" (Paul Scherer, *in loc.*). Muitos homens caem na armadilha de desejar o dinheiro, e não Deus. Jó repudiava a adoração ao ouro. Ver no *Dicionário* o artigo intitulado *Dinheiro*, onde são oferecidas citações e poesias ilustrativas.

Fazei, pois, morrer... a avareza, que é idolatria.
Colossenses 3.5

"Aqui, Jó refere-se à admoestação de Elifaz (ver Jó 22.23,24), declarando que essa nunca tinha sido a sua prática" (Ellicott, *in loc.*).

Exorta aos ricos do presente século que não sejam orgulhosos, nem depositem a sua esperança na instabilidade da riqueza, mas em Deus, que tudo nos proporciona ricamente para nosso aprazimento.
1Timóteo 6.17

■ 31.25

אִם־אֶשְׂמַח כִּי־רַב חֵילִי וְכִי־כַבִּיר מָצְאָה יָדִי׃

Se me alegrei por serem grandes os meus bens. O dinheiro é bom; o dinheiro é necessário; o dinheiro prevê prazeres de que os homens necessitam, bem como o suprimento de coisas necessárias à vida diária. Mas o homem pode vir a "regozijar-se" no dinheiro, esquecendo a alegria da existência humana, que um hino majestoso diz que está em Jesus: "Jesus, Alegria da Vida do Homem" (Bach).

Amor divino, melhor que todos os amores,
Alegria do céu, desce até a terra.
Fixa em nós tua habitação humilde...
...

Jesus, és todo compaixão,
Puro e ilimitado amor és tu;
Visita-nos com a tua salvação,
Entra em cada coração trêmulo.

Charles Wesley

Não obstante, parte da alegria do homem, na existência, é possuir dinheiro suficiente para desfrutar um pouco da vida.

Eis o que eu vi: boa e bela cousa é comer e beber e gozar cada um do bem de todo o seu trabalho, com que se afadigou debaixo do sol, durante os poucos dias da vida que Deus lhe deu; porque esta é a sua porção.
Eclesiastes 5.18

O impacto do presente versículo é uma reprimenda ao materialismo. Os homens transformam o dinheiro em um deus. Jó, pois, diz-nos aqui que repudiava essa forma de idolatria. O grande conselho dos gregos era *moderação* em todas as coisas. Os idólatras esquecem-se disso quando exageram.

■ 31.26

אִם־אֶרְאֶה אוֹר כִּי יָהֵל וְיָרֵחַ יָקָר הֹלֵךְ׃

Se olhei para o sol, quando resplandecia. Jó repudiava outras formas comuns de idolatria, como o *sabaísmo*, ou seja, a adoração aos corpos celestes, o sol, a lua e as estrelas. "Sabaísmo" deriva de uma palavra hebraica, *tsaba*, referência ao *exército dos corpos celestes*. Esse tipo de idolatria foi uma das mais antigas pragas, porque os homens admiram os céus e supõem que deuses controlam os corpos celestes, ou que esses corpos são, eles mesmos, divindades. Ver Ez 8.16; Dt 4.19 e 2Rs 23.5,11. Foi por isso que os homens vieram a adorar a criação, em lugar do Criador, dando origem ao politeísmo. Os egípcios adoravam as grandes luminárias do céu, a lua, à qual chamavam de Osíris, e o sol, ao qual chamavam de Ísis (*Diodoro Sículo*, 1.1, parte 10). Até mesmo nos dias de Sócrates, homens educados pensavam que a lua era uma divindade. E, naturalmente, os planetas eram altamente estimados como habitações dos deuses. Mas Jó estava isento da idolatria de seu povo e de seus vizinhos, porquanto possuía uma sabedoria superior, que o libertara de todas essas formas de insensatez. Ver no *Dicionário* o artigo geral que versa sobre *Idolatria*, onde ilustro seu imenso poder e suas multifacetadas expressões. Ver também sobre *Deuses Falsos*.

"Jó tinha consciência da deterioração espiritual que há por trás da adoração aos ídolos. A adoração às forças da natureza foi condenada por ele. Cf. 2Rs 21.3-5; Jr 44.17,18 e Ez 8.16. A adoração à natureza dá aos homens a ilusão de serem os senhores de seus destinos (vs. 28)" (*Oxford Annotated Bible*, comentando sobre o vs. 24 deste capítulo).

Mas, desde que cessamos de queimar incenso à Rainha dos Céus e de lhe oferecer libações, tivemos falta de tudo e fomos consumidos pela espada e pela fome.
Jeremias 44.18

A tentativa de gozar da comunhão com as forças da vida, no universo, era aspecto essencial no politeísmo dos egípcios e dos povos semitas. Os instintos básicos dos homens em busca de segurança, prosperidade e cumprimento sexual floresciam em vários tipos de cultura, incluindo a variedade da fertilidade.

■ 31.27

וַיִּפְתְּ בַּסֵּתֶר לִבִּי וַתִּשַּׁק יָדִי לְפִי׃

E o meu coração se deixou enganar em oculto. A idolatria *sideral* era atrativa, mas Jó resistia a essa atração. Isso não podia ser dito em relação a Israel, nação que caía e tornava a cair nessa e em muitas outras formas de idolatria.

Beijos lhe atirei com a mão. O gesto consistia em elevar a mão à altura da boca e, então, beijá-la nas costas. Isso servia de sinal de adoração e respeito. De fato, a palavra *adoração* reflete dessa prática. Vem do latim, *ad* (para) e *oris* (boca). Mas Jó era esperto demais para engajar-se nesse tipo de insensatez. No entanto, há muitos "beijadores de mão", que não resistem à atração das maravilhas constituídas pelos céus.

Evidentemente, o gesto do beija-mão incluía a ideia do "lançamento de beijos", como se fosse um apelo aos deuses e um tributo aos seus poderes. Cf. 1Rs 19.18 e Os 13.2, versículos que falam de outros tipos de "beijo sagrado".

■ 31.28

גַּם־הוּא עָוֹן פְּלִילִי כִּי־כִחַשְׁתִּי לָאֵל מִמָּעַל׃

Também isto seria delito à posição de juízes. O Juiz de toda a terra não deixaria de perceber a tola idolatria de Jó e o castigaria por agir como um pagão. Deus o chamaria a prestar contas, por não viver segundo a luz que possuía. Sua idolatria equivaleria a negar a própria existência de Deus. Assim agindo, ele se tornaria um *ateu prático*, embora teoricamente continuasse afirmando a existência de Deus.

O filósofo Emanuel Kant baseou um argumento filosófico e racional em favor da existência de Deus e da alma humana na ideia de que deve haver um Deus para endireitar as contas, efetuando o julgamento apropriado. Deve haver um Deus poderoso o bastante para retribuir aos homens o que eles têm feito, de bom ou de mal, em recompensa ou punição. De outra maneira, teríamos de dizer que o mundo é *caótico*. A escolha racional deve ser entre Deus e o caos. Um sujeito ateu, egoísta e natural, preferirá o *caos* como seu poder dominador. É fato que a justiça não está garantida neste mundo. Para que a justiça seja feita, é mister que haja tanto um Justo Juiz quanto almas que tenham sobrevivido à morte biológica, para receber sua justa recompensa ou punição.

Alguns estudiosos veem neste versículo uma alusão à lei mosaica, pensando que o Juiz quis destacá-la; mas, mesmo que o livro de Jó tenha sido escrito depois da outorga da lei de Moisés, essa alusão é improvável. O detalhe foi colocado dentro do período patriarcal, por parte do autor sagrado, mesmo que não tenha ocorrido originalmente.

■ 31.29

אִם־אֶשְׂמַח בְּפִיד מְשַׂנְאִי וְהִתְעֹרַרְתִּי כִּי־מְצָאוֹ רָע׃

Se me alegrei da desgraça do que me tem ódio. Neste versículo, Jó apresenta outro pecado que ele *não cometeu*. Ele não tinha *espírito vingativo*, de maneira que se alegrasse no desastre de quem o odiava. Quão fácil é alguém odiar, especialmente um oponente que assedia! Quão difícil é alguém amar de maneira altruísta, até mesmo aqueles que não o merecem! Tal é a perversidade do coração humano. Existe uma *alegria maligna* que se deleita nas catástrofes de outras pessoas, e penso que quase todos (pelo menos até certo ponto) já sentimos alegria diante da ruína ou da tribulação de inimigos. Algumas vezes, até sentimos alegria perversa diante da consternação de pessoas que nunca praticaram nenhum malefício. Tal é a perversidade do coração humano. Nos escritos de Davi, temos muitos salmos imprecatórios, ou seja, o sentimento de alegria diante da queda de inimigos. Cf. Jz 5.24-31 e Is 14.12 ss. O trecho de Jó 2.4 retrata o próprio Deus, como quem risse (sem dúvida em uma explosão de alegria) diante da destruição dos ímpios, dando-nos, assim, o exemplo. Jó rejeitou, contudo, a alegria devido à queda dos inimigos como desnatural e barata. Aben Ezra fala dos movimentos de alegria que as pessoas fazem quando veem outras pessoas, a quem desprezam, ser atingidas pela adversidade. Algumas dessas pessoas chegam a dançar de alegria.

No bem-estar dos justos exulta a cidade, e, perecendo os ímpios, há júbilo.

Provérbios 11.10

Regozijamos no infortúnio de nossos melhores amigos,
Quando encontramos algo que não é agradável.

Duque de la Rochefoucauld

Cf. este versículo também com Sl 58.10; Ap 18.20 e 19.1,2.

■ 31.30

וְלֹא־נָתַתִּי לַחֲטֹא חִכִּי לִשְׁאֹל בְּאָלָה נַפְשׁוֹ:

(Também não deixei pecar a minha boca). Jó não se regozijava diante da queda de um inimigo, até era cuidadoso para não amaldiçoá-lo com suas palavras. Devemos temer as maldições. E mesmo que outros não as temam, não é nosso direito efetuar ou esperar vingança.

Não vingueis a vós mesmos, amados, mas dai lugar à ira; porque está escrito: A mim me pertence a vingança; eu é que retribuirei, diz o Senhor.

Romanos 12.19, citando Deuteronômio. 32.35

Ver no *Dicionário* o detalhado artigo intitulado *Vingança.*
"Quão *poucos* são os crentes que podem falar conforme Jó falou acerca de seus *inimigos*, ou acerca daqueles que praticam qualquer maldade" (Adam Clarke, *in loc.*). Davi estabeleceu um bom exemplo, quando não prejudicou a seu arqui-inimigo, Saul, embora tivesse tido a chance (ver 1Sm 26.8,9). E ele deixou outro bom exemplo, quando não permitiu que Abisai matasse a Simei, que o amaldiçoava (ver 2Sm 16.9,10). Naturalmente, o maior exemplo foi dado pelo próprio Jesus, que, embora tivesse poder para matar seus algozes, que o julgaram tão injustamente, não o fez.

■ 31.31

אִם־לֹא אָמְרוּ מְתֵי אָהֳלִי מִי־יִתֵּן מִבְּשָׂרוֹ לֹא נִשְׂבָּע:

Se a gente da minha tenda não disse. Abruptamente, Jó nos leva de volta a um *pecado social* que ele não cometeu. Sua casa estava aberta aos famintos. Muitas pessoas, até mesmo completos estranhos, paravam para comer em sua residência. Ele tinha uma espécie de serviço particular de SOS. Jó não era mesquinho. Este versículo refere-se, naturalmente, ao costume árabe sagrado da *hospitalidade*. Cf. Jó 19.14,15 e Êx 22.21. Ver no *Dicionário* o verbete com esse nome, onde há elucidação completa a respeito. O vs. 31 subentende que Jó alimentava bem os que entravam em sua tenda. Ele era louvado pelas refeições esplêndidas que dava, até aos esmoleres. As pessoas ansiavam por comer em sua tenda. Provavelmente, o versículo fala também de seus servos (escravos), que eram bem alimentados. Jó compartilhava com eles do melhor que possuía. Eles não tinham uma refeição diferente da que lhe era servida.

Abraão e Ló entretiveram anjos, sem saber o que estavam fazendo (ver Gn 18.1-5; 19.1-3), e isso era sempre inspiração a uma *generosa* hospitalidade. Paulo recomendou que praticássemos "a hospitalidade" (Rm 12.13). O *Didache* fazia da hospitalidade uma das virtudes cristãs (11.3-6), mas naturalmente a hospitalidade foi, antes de tudo, um princípio judaico. Jó tornou-se conhecido por sua *liberalidade*, apenas outro nome para *amor*, a prova da própria espiritualidade. Ver no *Dicionário* o detalhado artigo chamado *Liberalidade e Generosidade*.

■ 31.32

בַּחוּץ לֹא־יָלִין גֵּר דְּלָתַי לָאֹרַח אֶפְתָּח:

O estrangeiro não pernoitava na rua. Jó não permitia que viajantes ou esmoleres jazessem nas ruas durante a noite, quando não tinham dinheiro para alugar um local onde passar a noite. Antes, ele os convidava a pernoitar em sua tenda e ali dormir! Isso demonstra a extensão de sua hospitalidade. Não posso imaginar-me a fazer isso. Pode o leitor imaginar-se a fazê-lo? Muito bem, agir dessa maneira pode não parecer seguro, mas, se o fosse, você faria tal coisa? Cf. este versículo com Gn 19.2,3 e Jz 19.20,21. O ponto principal é que a generosidade de Jó não se limitava aos seus amigos, à sua família e aos seus escravos pessoais. Estendia-se aos pobres que passavam na rua. Penso que, para alguém agir com essa caridade, é necessário ser um judeu ou um árabe; é necessário ter algo de especial nos genes ou na cultura.

Não negligencieis a hospitalidade, pois alguns, praticando-a, sem o saber acolheram anjos.

Hebreus 13.2

Minha mãe contava-me histórias sobre a generosidade de seus pais durante a Grande Depressão de 1929. Certas coisas que eles faziam a deixavam com medo, pois algumas das pessoas necessitadas eram *totalmente estranhas*. Verdadeiramente, eles não perderam sua recompensa. Seus bons feitos os seguiram para o mundo do além.

Então, ouvi uma voz do céu, dizendo: Escreve: Bem-aventurados os mortos que, desde agora, morrem no Senhor. Sim, diz o Espírito, para que descansem das suas fadigas, pois as suas obras os acompanham.

Apocalipse 14.13

■ 31.33

אִם־כִּסִּיתִי כְאָדָם פְּשָׁעָי לִטְמוֹן בְּחֻבִּי עֲוֹנִי:

Se, como Adão, encobri as minhas transgressões. Outro pecado que Jó não cometia era encobrir (esconder, ocultar) seus pecados. Em outras palavras, Jó não era um hipócrita. Ele não se afirmava um homem impecável, conforme fazem alguns evangélicos tolos, atualmente. Ele admitia que tinha praticado alguns atos errados quando jovem (ver Jó 13.26). Ele pecava tal e qual fazem outros homens, mas não escondia seus pecados; antes, confessava-os e realizava os sacrifícios apropriados, determinado a mudar seus caminhos e a não ser apanhado por algum vício. Ver no *Dicionário* o artigo detalhado chamado *Hipocrisia*.

A hipocrisia é uma homenagem que o vício presta à virtude.
Provérbio do século XVIII

A *hipocrisia* consiste no *fingimento* de alguém que pretende ser aquilo que não é, como se representasse ser melhor do que o é, na realidade. Essa é a base do falso orgulho. Ver Mt 23.28; Mc 12.15; Gl 2.13; 1Tm 4.2; Tg 5.12 e 1Pe 2.1.

Especificamente, Jó não usava nenhuma máscara de integridade social. Não fingia generosidade, a fim de ser visto e louvado pelos homens. Ele não imitava Adão, que pecou e tentou ocultar de Deus os fatos.

Ocultando o meu delito no meu seio. As vestes longas e cheias dos antigos judeus e árabes permitiam que um homem ocultasse uma arma mortífera em seu peito. Jó não fazia isso *figurativamente*. Não havia em sua vida pecados destrutivos e ocultos. Adão fugira de Deus, por temor. Ele tinha algo para esconder. Não era esse o caso de Jó. Ver Gn 3.

Deus fez o homem reto, mas ele se meteu em muitas astúcias.

Eclesiastes 7.29

31.34

כִּי אֶעֱרוֹץ ׀ הָמוֹן רַבָּה וּבוּז־מִשְׁפָּחוֹת יְחִתֵּנִי וָאֶדֹּם
לֹא־אֵצֵא פָתַח׃

Porque eu temia a grande multidão. Se Jó tivesse sido um hipócrita social, isso logo teria sido descoberto, e ele teria sido objeto de alguma espécie de vingança comunitária. Mas, na verdade, ele não se deixava influenciar pela comunidade dos homens, para cometer alguma injustiça ou oprimir alguém. Ele não temia o rosto deles. Jó não se ocultava em sua tenda, quando alguma crise pública ocorria "lá fora". Antes, ele intervinha e falava palavras de justiça, requerendo que as coisas fossem feitas da maneira certa.

Jó não era nenhum hipócrita, em particular, que ocultasse os seus pecados a fim de salvar-se da consternação de seus vizinhos. E nem dava margem à hipocrisia pública, que não permitia que a justiça fosse feita em caso nenhum. "... nem o temor do clamoroso Jó, nem o desprezo de famílias famosas, nem de grandes personagens, impediam-no de executar seu ofício com retidão" (John Gill, *in loc.*).

31.35,36

מִי יִתֶּן־לִי ׀ שֹׁמֵעַ לִי הֶן־תָּוִי שַׁדַּי יַעֲנֵנִי וְסֵפֶר כָּתַב
אִישׁ רִיבִי׃

אִם־לֹא עַל־שִׁכְמִי אֶשָּׂאֶנּוּ אֶעֶנְדֶנּוּ עֲטָרוֹת לִי׃

Oxalá eu tivesse quem me ouvisse! Jó tinha feito a revisão de seu passado e de seu presente. E descobriu que era um homem *inocente*. Ele não era culpado de nenhum daqueles muitos pecados, dos quais os homens costumeiramente se ocupam. Era um homem limpo. E, no entanto, ninguém dava ouvidos aos seus apelos; nem Deus o ouvia. O Todo-poderoso olhava tudo em silêncio, diante do infeliz Jó, sentado em seu monte de cinzas, chorando e sofrendo. Sua dor não era aliviada, e ele não recebera informação alguma sobre o *porquê* de seus sofrimentos. Só sabia que esses sofrimentos eram "sem causa" (Jó 2.3), fato que não influenciou Deus a agir em seu favor. Ele se dirigiu ao tribunal divino para pleitear sua causa, mas encontrou-o vazio. Sua voz ecoava no nada.

Eis aqui a minha defesa. A *Revised Standard Version* diz "minha assinatura" em lugar dessas palavras, isto é, o X (tau), a marca de aprovação de um juiz que tivesse examinado um documento, ou de um rei, quando aprovasse algum decreto. Jó imaginava aproximar-se de Deus com o documento de defesa (vs. 36) já marcado pela aprovação divina, o X de Deus. Nossa versão portuguesa tem uma tradução parecida: "minha defesa assinada".

A sua acusação. Jó estava ansioso por responder às acusações que lhe tinham sido feitas, e imaginava que um documento escrito pudesse ser preparado para leitura no tribunal divino. Ele seria capaz de responder a todas as acusações e ganhar o seu caso. Estava seguro de que poderia replicar com sucesso a todas as acusações. Ele se imaginava "usando" o documento escrito que continha tais acusações, levando-o nos ombros e marchando ao redor do tribunal, evidenciando a tolice das acusações (vs. 36). Ou, então, ele poderia até ter posto o documento com a acusação escrita sobre a cabeça, como se fosse uma coroa, declarando-se um rei moralmente acima de qualquer acusação que pudesse ser assacada contra ele! Foi assim que Jó desafiou aos homens e a Deus, mas sua voz ecoava no silêncio. Sua coroa de acusações se tornaria uma marca de distinção, porque ficaria provada sua inocência. No entanto, a Jó não foi permitido pôr tal coroa sobre a cabeça. Ele foi simplesmente ignorado e continuou a sofrer.

Serás uma coroa de glória na mão do Senhor, um diadema real na mão do teu Deus.

Isaías 62.3

31.37

מִסְפַּר צְעָדַי אַגִּידֶנּוּ כְּמוֹ־נָגִיד אֲקָרֲבֶנּוּ׃

Mostrar-lhe-ia o número dos meus passos. Jó estava disposto e preparado para fazer uma completa declaração acerca de sua conduta, a *cada passo*. Em sua inocência, ele poderia aproximar-se de Deus como um príncipe, com confiança real. Nenhum verme maligno o manteria envergonhado perante Deus. Jó era homem de integridade e poder. Nem mesmo o escrutínio divino poderia abatê-lo. Ele forçaria Deus a pôr a assinatura divina de aprovação sobre ele (vs. 35), conforme a *Revised Standard Version* traduz as palavras "a minha defesa". A referência é à letra X, a marca colocada no fim de documentos legais, por parte do juiz apropriado. O próprio Deus teria de escrever o seu X sobre o documento, dizendo: "Jó está aprovado!", Ver os detalhes da metáfora, nos comentários sobre o vs. 35.

Aproximemo-nos, com sincero coração, em plena certeza de fé, tendo o coração purificado de má consciência e lavado o corpo com água pura.

Hebreus 10.22

Muitas acusações tinham sido feitas contra Jó por seus "amigos molestos". Ele era um tolo (Jó 5.2); homem cheio de palavras e sem nenhum sentido, mentiroso, zombador (11.2,3); ele era perverso (11.12,14); blasfemo e hipócrita (15.4,5,13,16,34); um ladrão que ignorava os caminhos de Deus (18.5,14); um opressor social (20.15,19); um tirano (22.5,9,13,17). No entanto, quando Jó preparou a sua lista, descobriu ser inocente de todas essas acusações.

31.38

אִם־עָלַי אַדְמָתִי תִזְעָק וְיַחַד תְּלָמֶיהָ יִבְכָּיוּן׃

Se a minha terra clamar contra mim. "Como um rico proprietário de terras, Jó poderia ter maltratado seus empregados; no entanto, ele negou ter praticado qualquer fraude ou injustiça. Se trabalhadores nos campos alugados tivessem sido postos a trabalhar em excesso ou se tivessem sido pagos abaixo do merecido, suas *terras* teriam clamado contra ele, e até os sulcos da terra teriam testificado contra ele" (Roy B. Zuck, *in loc.*). Portanto, uma vez mais Jó chegou a responder a acusações de exploração social, afirmando enfaticamente que tinha sido justo com todos os homens, incluindo os que trabalhavam para ele. Jó imaginou a própria terra a erguer-se para testificar contra ele, porquanto era ali que os homens trabalhavam para Jó. Os sulcos feitos na terra chorariam de vergonha, *se* Jó tivesse oprimido aqueles que trabalhavam para ele. Não obstante, não havia necessidade de chorar. Jó tinha sido generoso com todos os homens.

O mal fere a terra...
Onde as riquezas se acumulam, mas os homens entram em decadência.
Príncipes e senhores podem florescer, ou podem desaparecer;
Um hálito os fez, e um hálito pode tirá-los.

Oliver Goldsmith

31.39

אִם־כֹּחָהּ אָכַלְתִּי בְלִי־כָסֶף וְנֶפֶשׁ בְּעָלֶיהָ הִפָּחְתִּי׃

Se comi os seus frutos sem tê-la pago devidamente. Jó não era um saqueador. Produzia o que era suficiente para ele e para os que viviam ao seu redor. Não se apropriava dos produtos agrícolas produzidos por outros agricultores. Pagava o preço justo por tudo quanto obtinha. Ademais, ele não era um assassino que acabasse com a competição. Jamais cometeu um ato de violência, a fim de enriquecer. Quão comum é isso hoje em dia! Ainda recentemente fomos testemunhas, no Brasil, do massacre dos "sem-terra" por ricos latifundiários, que tinham algo a perder se suas terras fossem invadidas (abril de 1996). Os proprietários de terras chegaram a alugar assassinos profissionais para aniquilar os inocentes.

Quando o solo era usado erroneamente, era amaldiçoado. Jó talvez estivesse aludindo a Gn 3.17,18. Jó nunca abusou do uso do solo, nem dos homens que trabalhavam com o solo. Ver 1Rs 21, sobre como o ímpio Acabe e a horrenda Jezabel matavam para apossar-se das terras que queriam.

31.40

תַּחַת חִטָּה ׀ יֵצֵא חוֹחַ וְתַחַת־שְׂעֹרָה בָאְשָׁה תַּמּוּ דִּבְרֵי
אִיּוֹב׃ פ

Por trigo me produza cardos. Esta era a maldição que Jó desejava que sobreviesse a ele e às suas terras, *se* tivesse abusado daqueles pobres agricultores que o ajudavam, não lhes pagando o salário justo — que as próprias terras ficassem sujeitas à maldição divina. Em vez de trigo, que produzissem espinhos; em vez de cevada, que produzissem ervas daninhas. Dessa maneira, haveria fome até mesmo para Jó, o proprietário das terras.

Jó sabia que, se ele tivesse obtido seus campos de maneira criminosa, então, à semelhança de Caim, ele seria "errante pela terra" (Gn 4.11,12); e se tivesse abusado da terra, tornando-a fonte de proveito pessoal, em detrimento dos agricultores, isso também atrairia contra ele as maldições de Caim.

Fim das palavras de Jó. Esta declaração assinala o fim dos discursos de reprimenda de Jó, e não meramente o seu discurso final contido neste capítulo 31. Dois amigos de Jó tinham proferido três discursos cada, e o terceiro proferiu somente dois. Fragmentos de um possível terceiro discurso, entretanto, podem ser encontrados nos capítulos que se seguem. Seja como for, Jó respondeu às acusações e apresentou *oito,* senão, mesmo, *nove* réplicas. Esses foram os discursos de Jó, mas nem isso pôs fim às acusações. Os discursos apresentam, da maneira mais veemente, a declaração de sua *inocência,* pois, de fato, já fomos informados de que ele sofria "sem causa" (Jó 2.3). Por conseguinte, ficamos com a terrível verdade de que até os *inocentes* sofrem, e não temos nenhuma solução final para o *Problema do Mal* (ver a respeito no *Dicionário*). Por que os homens sofrem e por que sofrem como sofrem?

Cf. esta declaração com a afirmativa de Davi, quando terminava o Sl 72.20. A notícia do fim dos discursos de Jó não se encontra em certo número de manuscritos antigos da Vulgata e, no texto hebraico, essa declaração aparece separada do corpo principal. Essas palavras podem representar uma nota escribal posterior.

PECADOS QUE JÓ NÃO COMETEU

Jó confessou que tinha cometido os pecados comuns da mocidade (13.26), mas negou que fosse culpado dos muitos e graves pecados que os seus amigos o acusaram de ter praticado. Também, para Jó, a ideia de que Yahweh o estava castigando com aqueles imensos sofrimentos por causa de seus "pecados atuais" (ou pelos pecados do passado) era inaceitável. O *Jó presente* era um homem "inocente" que não merecia as agonias às quais estava sendo sujeitado. A maioria de seus detratores tinha pouca imaginação, afirmando, sem cansar, que a lei da colheita segundo a semeadura era *a causa* de suas desgraças. Eliú (cap. 33) era mais hábil e encontrou outras possíveis causas. Ver meu gráfico sobre suas percepções no início da exposição do cap. 33. Por que os homens sofrem, e por que sofrem como sofrem é o *Problema do Mal* (ver o artigo no *Dicionário* que dá um sumário de explicações).

CAPÍTULO 31	
Os Alegados Pecados de Jó	Referências em Jó
1. Jó nunca seduziu uma virgem como a maioria dos jovens faz. Nunca deu promessas falsas de casamento para facilitar o processo de sedução. Ele fez um pacto com os seus olhos para ficar longe da debocheira.	31.1
2. Ele nunca foi uma pessoa desonesta e enganadora.	31.5
3. Ele conduzia sua vida de modo irrepreensível. Sua vida podia ser testada nas balanças de Deus.	31.6
4. Jó praticava o bem, evitando os caminhos perversos. Não foi ganancioso ou violento.	31.7
5. Não cometeu adultério. Nunca empregou meios astuciosos para seduzir uma vizinha.	31.9
6. Não maltratou os seus escravos, homens ou mulheres. Escutava suas queixas e corrigia os excessos. Praticava a justiça social.	31.13
7. Jó era generoso com as pessoas menos afortunadas. Tratava bem as viúvas e órfãos. Compartilhava sua comida com eles.	31.16,17
8. Ele nunca foi um opressor dos membros mais fracos da sociedade. Foi, ativamente, generoso. Alimentava os pobres. Nunca explorou ninguém.	31.19
9. Jó nunca praticou perseguição contra os mais fracos como os órfãos. Nunca explorou os facilmente explorados. No seu ofício de juiz, sempre administrava justiça e misericórdia.	31.21
10. Nunca foi culpado de crimes de sangue para aumentar seus bens. Não cometeu crime algum.	31.21,22
11. Não era materialista que confiava no ouro, nem gastava suas energias em busca da riqueza.	31.24
12. Nunca praticou a idolatria, fazendo do sol um objeto de adoração. Embora árabe e não judeu, ficou longe do politeísmo.	31.26,27
13. Nunca se regozijou das calamidades dos outros, nem dos sofrimentos de seus piores inimigos.	31.29
14. Nunca pronunciou maldição contra uma pessoa, esperando sua morte. Rejeitou o poder da maldição tão temida pelos antigos.	31.30
15. Outra classe fraca que Jó não explorou foi a do estrangeiro. De fato, eles também compartilhavam benefícios de sua mesa.	31.31,32
16. Jó não escondeu os seus pecados dos outros. Não era hipócrita. Sua vida era aberta e limpa.	31.33
17. Jó não era culpado de pecados secretos. Ele era o que parecia ser: um homem inocente.	31.37
18. Ele pagou seus débitos pronta e completamente. Não praticou pilhagem dos bens de outros. Nunca confiscou a propriedade de ninguém.	31.39

No capítulo 31 descobrimos as acusações dos detratores de Jó nas suas negações. Seus "amigos" fizeram muitas e sérias acusações, inventando falsos pecados na vida de Jó, que, entretanto, os negou, um por um.

CAPÍTULO TRINTA E DOIS

O *plano* dos discursos dos três amigos-críticos de Jó, seus consoladores molestos (ver Jó 16.2), era cada um deles fazer três discursos, enquanto Jó responderia aos argumentos de cada discurso, um por vez, perfazendo *nove* réplicas. No entanto, não nos é dado (formalmente) o terceiro discurso do terceiro "amigo", Zofar. Os críticos supõem que o livro de Jó tenha sido truncado, como se o terceiro discurso realmente não existisse. Esses mesmos críticos também supõem que a linguagem desse terceiro suposto discurso se tenha tornado tão violenta e abusiva que um escriba subsequente ou o próprio autor original *eliminou* esse discurso, o terceiro de Zofar, bem como a terceira resposta de Jó. Essa eliminação teve o propósito de evitar que o texto se tornasse um escândalo para os judeus piedosos, garantindo assim a distribuição do livro. Contudo, parte do terceiro discurso de Zofar (e fragmentos da resposta de Jó) pode estar contida na réplica final de Jó ao terceiro discurso de Bildade, a começar pelo capítulo 26 do livro de Jó. O autor sacro suplementou o livro com outras coisas. O grande Hino à Sabedoria (capítulo 28) não parece ajustar-se bem como parte de um discurso de réplica, mas talvez possa ser uma composição adicionada ao livro original, para preencher o espaço do que seria o terceiro discurso de Zofar. Seja como for, é improvável que a resposta de Jó ao terceiro discurso de Bildade tenha tomado todo esse espaço, os capítulos 26–31 do livro de Jó. Não há um único manuscrito em apoio a essas especulações, mas, se o autor original fez as mudanças, então é provável que o livro tenha sido truncado desde o começo, pelo que nunca houve manuscritos da versão diferenciada, o original do livro de Jó, do capítulo 26 até o fim.

Sem importar, realmente, o que tenha acontecido, os discursos de Eliú, que ocupam os capítulos 32–37 (seus *quatro* discursos), podem ter sido uma adição posterior ao livro feita pelo próprio autor original. Jó não teria tido tempo de replicar, visto que Yahweh interrompeu o processo todo e fez um grande discurso para pôr fim às discussões humanas. A introdução de um *quarto* discursador, cuja fala não foi contestada por Jó, quebra a simetria do plano original do livro de Jó. Entretanto, esses discursos têm algumas poucas partes brilhantes, além de adições valiosas, embora, em sua maior parte, sejam repetições de coisas declaradas nos discursos anteriores.

"Esses capítulos introduzem um novo discursador que ainda não tinha sido mencionado, nem no prólogo nem na discussão poética, e, por igual modo, também foi ignorado nos discursos de Yahweh e no epílogo. O plano dos discursos de Eliú é indicado, no *texto presente*, por uma série de fórmulas introdutórias que aparecem em Jó 32.6; 34.1; 35.1 e 36.1. Em adição, parece haver clara divisão em Jó 33.1, e outra em Jó 36.26. Qualquer que tenha sido a origem literária desses discursos, eles sem dúvida oferecem uma transição significativa das últimas palavras do herói (ver Jó 31.40) para os discursos de Yahweh (ver Jó 38.1–42.6). Tem sido expressa, com frequência, a opinião de que essas coisas abrandam o poder dramático do livro, mas também podemos observar que constituem uma espécie de transição gradual para a teofania divina" (Samuel Terrien, *in loc.*).

Natureza dos Quatro Discursos de Eliú:

- *Primeiro Discurso*. a) Feito a todos os quatro participantes do drama: Jó e seus três "amigos molestos" (Jó 32.6-9).

Os discursos presumivelmente foram feitos sob inspiração divina (Jó 32.8,9), pois ultrapassavam o acúmulo da sabedoria dos homens mais velhos. Por conseguinte, Eliú tinha autoridade para dizer o que disse, embora não fosse idoso "em sabedoria", como os outros supunham que fosse. Eliú não estava interessado em lisonjear os homens, nem Jó nem seus amigos-críticos, mas fingia falar as próprias palavras de Deus. b) Feito aos três amigos-críticos (Jó 32.10-14). c) Feito a Jó tão somente (Jó 32.15–33.33).

Eliú não aceitou a defesa de Jó. Em sua opinião, Jó certamente não era inocente, conforme afirmava ser. Ademais, Jó lutava contra Deus, mantendo sua tese falsa e, a isso, ele adicionava seus pecados anteriores. O arrependimento poderia ter revertido os sofrimentos de Jó, mas ele era tão arrogante, a ponto de não buscar cura pelo caminho reto. As expressões de Eliú compõem uma excelente poesia, mas ele não adicionou nenhuma novidade à discussão. Ele repetiu, essencialmente, os temas que os três cruéis "amigos" já haviam apresentado.

- *Segundo Discurso*. a) Feito à tríade terrível (Jó 34.1-15). b) Feito a Jó (Jó 34.16-37).

Eliú tomou sobre si mesmo a tarefa de instruir a terrível tríade, homens dotados de suposta sabedoria. Em suas palavras, repetiu elementos dos discursos que já haviam sido dados. Na opinião dele, Jó certamente era um ímpio; ele disse que Deus não se importa com os bons, mais do que com os maus, e trata-os com zombaria. Ele reafirmou o tema principal da *Lei Moral da Colheita segundo a Semeadura* (ver Jó 34.70), o impacto primordial do argumento dos três amigos. Ver sobre este assunto no *Dicionário*. Eliú queria que Jó continuasse a sofrer por causa de suas ousadas blasfêmias (vs. 36). Jó adicionou *rebelião* aos seus pecados (Jó 34.37). E quem poderia tolerar a arrogância dele? (vs. 37). A maior parte do capítulo 34 está preocupada com a lei da colheita segundo a semeadura. Nada novo foi adicionado ao que vemos nos discursos anteriores, mas Eliú disse coisas bem pensadas, acrescentando valor poético ao livro.

- *Terceiro Discurso*. Feito a Jó (Jó 35.1-16): Jó foi violentamente atacado por suas reivindicações ridículas de ser mais justo do que Deus (ver Jó 35.2). Jó era culpado de pecados contra Deus e contra os homens, mas continuava fingindo-se de inocente. Jó era um falador inveterado em suas defesas. Ele multiplicava palavras, mas não apresentava conhecimento algum. Eliú apontava para as vantagens de ser piedoso, em contraste com a asserção de que Deus trata com os justos exatamente como trata com os maus (ver Jó 9.22).

- *Quarto Discurso*. a) Feito a Jó (Jó 36.1—37.1). b) Feito à miserável tríade (Jó 37.2-13). c) Feito a Jó (Jó 37.14-24).

Eliú continuou defendendo Deus contra os ataques mordazes de Jó. Prosseguiu com seu tema da lei da colheita segundo a semeadura, como se isso solucionasse o problema do mal com um único golpe mágico. No vs. 10, ele apresentou valiosa adição, entretanto: a aflição pode agir como medida *disciplinadora,* e não, meramente, como retribuição. Não obstante, em sua rebeldia, Jó negligenciava os possíveis bons efeitos disso. Homens que rejeitam a disciplina devem perecer. Eles demonstram ingratidão e devem sofrer por esse motivo. Eles morrem jovens e na corrupção.

No capítulo 37, é exibida a majestade de Deus. Ele é o governante de toda a criação, tanto animada quanto inanimada: o homem, as feras selvagens e os elementos da natureza. De fato, Deus é a única causa (vs. 12). Ele produz a *correção em suas manifestações* (a noção de disciplina é repetida, vs. 13). Eliú aconselhou Jó a respeitar o Elevado Deus, em vez de continuar a blasfemar contra ele. Convidou-o a respeitar o Deus Altíssimo e assim exibir verdadeira sabedoria (vs. 24). Os que são sábios, de acordo com seus próprios pensamentos e definições (conforme se julgava que Jó o fosse), não são respeitados pela mente divina (vs. 24). Nesse ponto, porém, Yahweh interveio e cortou todos os raciocínios humanos, argumentações e insensatez.

Eliú, o jovem místico, conseguiu adicionar algo de valor à discussão, e ofereço um *gráfico ilustrativo* sobre a questão no fim do capítulo 37.

DISCURSOS DE ELIÚ (32.1—37.24)

1. O propósito da aflição (capítulos 32 e 33)
2. Vindicação da pessoa de Deus (capítulo 34)
3. As vantagens da piedade (capítulo 35)
4. Deus é grande, e Jó era um ignorante (capítulos 36 e 37)
5. O sofrimento pode servir-nos de disciplina (capítulo 37)

O *principal tema* do livro é a *adoração desinteressada*. Porventura os homens adoram a Deus somente como um meio de obter algo para si mesmos, e não por causa do próprio Deus? Quando afligidos, terminarão eles no ateísmo e na blasfêmia? (ver Jó 1.11 e 2.5). Para tentar descobrir a verdade, Jó tinha de sofrer. Portanto, temos o segundo grande tema do livro: o *problema do mal,* que discuto na quinta seção da *Introdução* e em um artigo existente no *Dicionário*. Por que os homens sofrem e *por que* sofrem como sofrem? Por que os *inocentes* sofrem? Jó era um homem inocente (ver Jó 2.3). Talvez o *caos* atinja tanto os justos quanto os ímpios. *Nesse caso*, devemos pedir proteção contra o *caos*, a cada dia, para nós mesmos, para nossos entes queridos e para nossos amigos.

PREFÁCIO AOS DISCURSOS DE ELIÚ, DADOS COMO PROSA (32.1-5)

O SILÊNCIO DOS AMIGOS (32.1)

As palavras de Jó tinham terminado (ver Jó 31.40), deixando mudos os seus "amigos". Eles simplesmente desistiram da tentativa de mostrar a Jó o erro de seu caminho, e retrocederam diante de sua arrogância e da ridícula insistência em ser *inocente*.

■ 32.1

וַיִּשְׁבְּתוּ שְׁלֹשֶׁת הָאֲנָשִׁים הָאֵלֶּה מֵעֲנוֹת אֶת־אִיּוֹב כִּי
הוּא צַדִּיק בְּעֵינָיו׃ פ

Cessaram aqueles três homens de responder a Jó. *Jó Havia Terminado seus Discursos*. E outro tanto havia acontecido a seus três amigos. Nada mais ele tinha para dizer, nem eles continuaram a falar. Isso preparou o palco para Eliú, que afirmaria falar por inspiração divina e, portanto, com maior *autoridade* do que a terrível tríade. Mas Eliú apenas repetiria o que os outros já haviam dito, em boa poesia, mas não com nova substância, exceto porque falaria sobre o sofrimento como medida disciplinadora. Ver a introdução a este capítulo, anteriormente. Jó tinha feito reivindicações ridículas. Suas dores demonstravam que ele era ímpio, estava sendo castigado e, no entanto, continuava afirmando a sua inocência. Conforme dizemos em uma expressão idiomática moderna, seus amigos "desistiram dele", ou seja, consideraram que seu caso era inaceitável e deixaram de gastar mais tempo com ele. Eles disseram tudo quanto podiam. De fato, tinham feito *esforços heroicos*, mas esses esforços foram dilapidados em Jó, aquele homem arrogante. Os amigos molestos de Jó (ver Jó 16.2) simplesmente desistiram da batalha. A boca deles se esvaziara de argumentos (vs. 5). Eles não conseguiram convencê-lo, fato que usualmente acontece nas argumentações. Quanto a Jó considerar-se justo aos seus próprios olhos, cf. Jó 3.26; 6.10; 10.7; 13.15; 19.6; 23.7,10,11 e 27.6.

■ 32.2

וַיִּחַר אַף אֱלִיהוּא בֶן־בַּרַכְאֵל הַבּוּזִי מִמִּשְׁפַּחַת רָם
בְּאִיּוֹב חָרָה אַפּוֹ עַל־צַדְּקוֹ נַפְשׁוֹ מֵאֱלֹהִים׃

Então se acendeu a ira de Eliú. Ver no *Dicionário* o artigo sobre *Eliú*, quanto ao que se sabe sobre ele e seus discursos. Seu nome significa "Meu Deus é ele", referindo-se a *El*, o Deus Todo-poderoso. No panteão dos semitas, *El* era o Deus principal. No monoteísmo dos hebreus, esse tornou-se o nome do único Deus.

Eliú ficou desgostoso e sua ira acendeu-se pelo fracasso dos consoladores miseráveis em convencer Jó de seu pecado, levando-o ao arrependimento. Mas ele concordou com os *três* amigos, quanto aos argumentos gerais, e esperou, mediante alguma expressão superior (divinamente inspirada, vs. 8), conseguir fazer aquilo que eles deixaram de fazer. Eliú era um "jovem de cabeça quente", que pensava saber mais do que as pessoas mais velhas, e buscava soluções fáceis para questões difíceis, que a "geração mais idosa" não fora capaz de descobrir. O jovem ficara especialmente indignado com Jó, diante de suas declarações bizarras, de seu desrespeito por Deus e de sua contínua insistência em ser inocente. Ele pensava que a justificação de Jó sobre si mesmo era totalmente ridícula, e clamava por uma réplica que ele (em sua arrogância) julgava ser capaz de oferecer. Jó chegara ao extremo de justificar a si mesmo, em lugar de Deus. De fato, ele chamara Deus de injusto, porquanto punia os bons tanto quanto os maus (ver Jó 9.22), sem nenhuma distinção.

Quanto à justificação de Jó sobre si mesmo, cf. Jó 19.6. Jó, pois, defendia tanto os seus motivos quanto a sua conduta.

■ 32.3

וּבִשְׁלֹשֶׁת רֵעָיו חָרָה אַפּוֹ עַל אֲשֶׁר לֹא־מָצְאוּ מַעֲנֶה
וַיַּרְשִׁיעוּ אֶת־אִיּוֹב׃

Também a sua ira se acendeu contra os três amigos. *Eliú Era Jovem Iracundo*. Ele estava irado contra Jó e contra seus três amigos, por não terem feito valer sua opinião contra Jó; eles tinham falhado em convencer o hipócrita de seus erros. Os argumentos deles formavam bela poesia, mas tinham fraco poder de persuasão. "Ele se inflamou contra os três, porque eles haviam declarado que Jó era culpado, mas sem apresentar evidências adequadas (cf. Jó 32.12). A ira parecia ter caracterizado grande parte daqueles conflitos verbais. Os três *pugilistas* ficaram irados contra Jó que, por sua vez, estava com raiva deles e de Deus. Jó também pensava que Deus estava com raiva deles. E agora Eliú também estava furioso" (Roy B. Zuck, *in loc.*). De fato, *aquele* jovem estava furioso com todos, exceto contra Deus.

Os três amigos tinham condenado Jó, mas não o haviam convencido. Eliú, em sua juventude precipitada, esperava obter maior sucesso, e, de fato, foi isso o que tentou fazer.

■ 32.4

וֶאֱלִיהוּ חִכָּה אֶת־אִיּוֹב בִּדְבָרִים כִּי זְקֵנִים־הֵמָּה
מִמֶּנּוּ לְיָמִים׃

Eliú, porém, esperava para falar a Jó. *Eliú, o cabeça quente*, precisava observar o costume oriental de respeitar os mais velhos. Portanto, sentou-se quietamente, ouvindo toda a discussão, mas ia esquentando mais e mais ao perceber a futilidade de todos os esforços dos três amigos de Jó. Ele mal podia conter-se, quando Jó apresentou sua defesa final. Mas, assim que esta terminou, Eliú se levantou com toda a arrogância, projetou o maxilar inferior e começou a atirar suas palavras de terror. Ele atacou Jó e seus três amigos, pois, afinal de contas, eram *todos* idosos estúpidos que precisavam receber instrução da parte de um jovem superior! "A ira de Eliú *explodiu* ainda com maior violência, porque ele teve de conter-se durante a discussão, por causa de sua juventude" (Samuel Terrien, *in loc.*).

> Os jovens prestam-se mais a inventar do que a julgar; inclinam-se mais a executar do que a aconselhar. Dispõem-se mais a iniciar novos projetos do que a terminar projetos antigos.
>
> Francis Bacon

> Os jovens pensam que homens idosos são tolos.
> Os homens idosos sabem que os jovens são tolos.
>
> Provérbio do século XVI

> Não há insensato como um insensato velho.
>
> John Lyly

■ 32.5

וַיַּרְא אֱלִיהוּא כִּי אֵין מַעֲנֶה בְּפִי שְׁלֹשֶׁת הָאֲנָשִׁים
וַיִּחַר אַפּוֹ׃ פ

Vendo Eliú que já não havia resposta na boca daqueles três homens. Este versículo repete a menção à ira de Eliú vista nos vss. 2,3, onde ressalto a questão. Ele considerou a idade de Jó e de seus amigos, e manteve-se quieto o máximo que pôde, em consonância com os costumes orientais (cf. Jó 29.8,21; 32.6,7,11,12). Finalmente, sua vez de falar tinha chegado, e ele tirou proveito da ocasião com toda a sanha.

> Eu estava irado com meu amigo;
> Eu disse à minha ira "para" e minha ira terminou.
> Eu estava irado com meu adversário;
> Eu não disse nada, e minha ira apenas cresceu.
>
> William Blake

> A ira começa com a insensatez e termina com o arrependimento.
>
> Henry G. Bohn

> A ira e a insensatez caminham juntas, e então o arrependimento segue a ambas.
>
> Benjamim Franklin

> A melhor resposta para a ira é o silêncio.
>
> Um provérbio alemão

A resposta branda desvia o furor, mas a palavra dura suscita a ira.

Provérbios 15.1

PRIMEIRO DISCURSO. A FONTE VERDADEIRA DA SABEDORIA: O ESPÍRITO DE DEUS (32.6-22)

■ 32.6

וַיַּעַן אֱלִיהוּא בֶן־בַּרַכְאֵל הַבּוּזִי וַיֹּאמַר צָעִיר אֲנִי לְיָמִים וְאַתֶּם יְשִׁישִׁים עַל־כֵּן זָחַלְתִּי וָאִירָא מֵחַוֹּת דֵּעִי אֶתְכֶם:

Disse Eliú, filho de Baraquel, o buzita. Eliú enveredou pela abordagem do *misticismo;* ver o artigo com esse nome no *Dicionário*, quanto ao problema de "como conhecer as coisas". As *revelações* são uma subcategoria do misticismo. Eliú, pois, rejeitou os pontos de vista tradicionais e dogmáticos. Ele não se deixava impressionar pela sabedoria acumulada, como aquela contida nas declarações dos sábios, e supunha que um homem jovem (conforme ele mesmo o era) fosse tão sujeito à iluminação direta como às declarações dos homens mais velhos. Ver na *Enciclopédia de Bíblia, Teologia e Filosofia* o artigo chamado *Conhecimento e a Fé Religiosa,* onde se encontra uma discussão completa do problema de como obter conhecimento.

Como o Misticismo Funciona:

Deus (deuses, espíritos etc.)

Profeta (um recebedor)

Livros Sagrados

Igreja (protetora e propagadora das "verdades")

Se Deus quiser revelar-se a si mesmo e a outras verdades, essa é uma questão dele. Usualmente, Deus tem um mediador, um profeta, um homem santo etc., cujos discípulos registram suas declarações. Esses escritos tornam-se os Livros Sagrados. Uma igreja ou outra organização é formada a fim de proteger, canonizar e propagar as verdades recebidas por profetas. Naturalmente, essa é a maneira geral pela qual as coisas operam, mas os sistemas místicos, apesar de concordes com alguns pontos vitais, diferem quanto aos detalhes.

Existem testes para determinar a validade das experiências místicas e das revelações. O artigo sobre *Misticismo* entra no aspecto da questão. Naturalmente, há um *misticismo falso,* o que, provavelmente, constitui a maior parte dessa questão toda. Caros leitores, existe um misticismo falso na igreja cristã, e devemos ter consciência disso. Ainda precisamos discernir os espíritos. E há também um misticismo verdadeiro na igreja, no qual devemos ser hostis a essa forma de misticismo. Precisamos do toque místico em nossa vida, visando o desenvolvimento espiritual. Ver no *Dicionário* o verbete intitulado *Desenvolvimento Espiritual, Meios do.* Eliú *afirmava* possuir iluminação direta da parte do Espírito de Deus, no entanto ele não pôde solucionar o problema de Jó nem desvendar as *razões* do sofrimento humano. Ademais, Eliú acusou falsamente Jó. Portanto, que podemos dizer sobre seu alegado conhecimento especial através da Luz? Parece que Eliú estava auto-enganado, e ser arrogante sobre a sua luz não a faria brilhar. Não obstante, ele tinha algumas coisas úteis para dizer.

Arreceei-me e temi. O *jovem* hesitou em interromper a conversação, por ser sensível ao conceito oriental do respeito aos mais idosos. Ele "temia" (vs. 6) envolver-se. Finalmente, sua *opinião* sobre a questão tinha de ser expressa, tão grandes eram os seus anelos íntimos para revelar sua alegada sabedoria superior, obtida por meio de experiências místicas. O caso de Eliú adverte a não termos tanta segurança quanto a nós mesmos; a não nos deixarmos inchar pelo nosso suposto conhecimento, verdadeiro, falso ou parcialmente verdadeiro, mas, em *todos* os casos, *defeituoso,* pois nenhum ser humano é assim tão esperto.

■ 32.7

אָמַרְתִּי יָמִים יְדַבֵּרוּ וְרֹב שָׁנִים יֹדִיעוּ חָכְמָה:

Dizia eu: Falem os dias. Os *dias* deveriam ter permissão para falar, ou seja, o homem que tinha vivido longo tempo presumivelmente deveria ter acumulado sabedoria, embora existam homens que, como é óbvio, são *idosos insensatos.* A idade não garante a sabedoria, mas, em alguns casos notáveis, há uma correspondência. Portanto, Eliú estava disposto a permitir que homens mais velhos falassem primeiro, mantendo a boca fechada, até que seu espírito se irasse e ele tivesse de falar. A verdadeira sabedoria, ele haveria de dizer, vem pela iluminação, e não pela mera passagem dos anos; ele, como jovem, estava tão sujeito à iluminação (conforme ele pensava) quanto os homens mais velhos que tinham atacado o infeliz Jó. Eliú não se impressionava com a sabedoria acumulada, como aquela contida em provérbios registrados nos livros. Ele não era um tradicionalista nem um indivíduo dogmático. Antes, era um revelacionista, sempre à procura de uma visão, um sonho, uma iluminação interior.

■ 32.8

אָכֵן רוּחַ־הִיא בֶאֱנוֹשׁ וְנִשְׁמַת שַׁדַּי תְּבִינֵם:

Na verdade, há um espírito no homem. O *espírito humano* recebe as mensagens do Espírito de Deus. Deus anseia por revelar a verdade, mas precisa de um espírito receptivo. O ponto que os revelacionistas constantemente perdem de vista é que um homem, que vive em batalha espiritual por longo tempo, acumulou não somente sabedoria através da experiência espiritual, mas também é um *depositário* do conhecimento que *outras pessoas* obtiveram, pela iluminação espiritual ou por qualquer outro modo. Caros leitores, tenho de dizer a vocês a verdade. John Gill, em seus comentários versículo após versículo da Bíblia, disse-nos mais verdades e é uma fonte muito maior de sabedoria e verdade do que aquelas pessoas "lá fora" que estão sempre obtendo alguma nova sabedoria e algum presumido novo conhecimento. Se respeitamos o que o Espírito Santo nos dá, então também devemos respeitar o que é dado a outros, por quaisquer meios que ele tiver escolhido. Há muitas maneiras de comunicar o conhecimento, não somente o meio místico, e todos esses modos são *defeituosos* (incluindo o místico), porquanto o homem é um receptor e um comunicador defeituoso. O *anti-intelectualismo* (ver a respeito no *Dicionário*) está sempre em erro, porquanto o intelecto é dom de Deus e poderoso meio de comunicar conhecimento. O intelecto não compete com a iluminação espiritual. Antes, eles jogam na mesma equipe. Precisamos de todos os meios que pudermos obter em nosso conhecimento e progresso espiritual. Eliú era um jovem de cabeça virada para baixo, dependendo demais de um único modo de conhecer as coisas. Uma espiritualidade madura não lança em competição os modos de aprendizado, mas unifica-os em um esforço para adicionar conhecimento à nossa fé. Há duas grandes colunas espirituais, dois grandes elementos que compõem nossa espiritualidade: *amor* e *conhecimento*. Podemos saber todas as coisas, compreender todos os mistérios e ter visões todos os dias; mas, se não tivermos *amor*, nada seremos (ver 1Co 13.2).

É possível que a única coisa que a discussão de Eliú tenha adicionado à compreensão do problema do mal tenha sido o discernimento de que o sofrimento humano pode ser uma disciplina, conforme ele declarou. Ver Jó 37.10,13. A *Oxford Annotated Bible,* no vs. 1 deste capítulo, vê mais valor nos discursos de Eliú do que a mera repetição dos argumentos da terrível tríade, e menciona os seguintes elementos: a função reveladora dos sofrimentos; a natureza severa do *amor de Deus;* e um indício da salvação pela fé. Conforme avançarmos, descobriremos que essa avaliação é correta. No fim do capítulo 37, dou um gráfico que ilustra o que Eliú adicionou.

Seja como for, Eliú falou sobre um Deus Todo-poderoso que pode agir conforme achar melhor, e por certo pode inspirar um *jovem* se assim o quiser. Vivemos, movemo-nos e pensamos mediante o poder de Deus, de maneira que nosso conhecimento está envolvido em nossa comunhão com o poder divino.

Espírito. Consideremos os pontos abaixo:
1. Alguns escrevem esta palavra com letra maiúscula inicial e falam sobre o Espírito Santo em nós residente.
2. Outros retêm a letra inicial minúscula e dão a impressão de que se trata do espírito da profecia.
3. Ainda outros veem no espírito um poder receptivo, no homem, à revelação divina.

4. Outros pensam que Eliú se referia à alma imortal, um agente natural da iluminação. Mas é duvidoso ter aqui uma referência velada à parte imaterial do homem, que não era assunto da teologia patriarcal.
5. Finalmente, esse "espírito" é apenas uma referência à iluminação divina.

■ 32.9

לֹא־רַבִּים יֶחְכָּמוּ וּזְקֵנִים יָבִינוּ מִשְׁפָּט׃

Os de mais idade não é que são os sábios. Os grandes, os anciãos, os que têm conhecimento acumulado, adquirido através dos livros, nem sempre são sábios, e os idosos não compreendem, necessariamente, o que é *correto* (*Revised Standard Version*). Mas é conforme tem sido dito: "Não há tolo como um tolo velho" (John Lyly). Cf. o vs. 7, onde já encontramos, de forma antecipada, essa linha de pensamento. O trecho diz, no hebraico original, "grandes", mas com essa palavra devemos compreender os *idosos*. Cf. Gn 25.3, onde temos a mesma palavra hebraica envolvida. Cf. a declaração de Jó, em Jó 12.2: "Na verdade vós sois o povo, e convosco morrerá a sabedoria".

Cf. também 1Co 1.26. A *sabedoria dos gregos* não encontrou solução para nenhum problema importante, a despeito de toda a excelência e poder intelectual. Por outro lado, isso não significa que devamos desprezar a sabedoria dos gregos, ou qualquer outra espécie de sabedoria, nem que devamos mostrar-nos tão arrogantes a ponto de pensar que a *nossa sabedoria* é tão grande assim. A arrogância quase sempre acompanha os revelacionistas. Não obstante, os tradicionalistas e os dogmáticos, promovendo seus sistemas *sábio-estúpidos*, não são menos arrogantes.

■ 32.10

לָכֵן אָמַרְתִּי שִׁמְעָה־לִּי אֲחַוֶּה דֵּעִי אַף־אָנִי׃

Pelo que digo: Dai ouvidos. Porquanto os de mais idade não são, necessariamente, os grandes modelos de sabedoria, Eliú disse que tinha o direito de expressar sua *opinião*. Ao assim fazer, não exageraria em suas opiniões? Ver os comentários sobre o vs. 8.

PRINCIPAIS IDEIAS DOS DISCURSOS

Queixas de Jó	Respostas de Eliú
1. Deus silenciou. Ele recusou-se a responder às orações de Jó. 13.22; 33.13.	Primeiro discurso. Deus fala por meio dos sonhos e da dor: cap. 33.
2. Deus é injusto. Ele recusou-se a aliviar a dor de Jó, embora fosse homem inocente. 2.3; 19.6,7; 27.2; 34.5,6.	Segundo discurso. Deus é justo: cap. 33.
3. Deus não dá atenção aos homens, já que não se importa com eles.	Terceiro discurso. Deus é soberano. Portanto, pare de se queixar; o sofrimento humano não o atinge, nem mesmo quando um inocente sofre: 10.7; 35.3.
4. Nenhuma queixa de Jó foi respondida.	Quarto discurso. O educador divino tem métodos especiais. Há propósito na aflição. Está envolvida a disciplina. O temor do Senhor é central em toda a vida, se um homem deseja ser justo.

Quanto a um tratamento mais detalhado, ver a introdução ao presente capítulo. Ver o gráfico em Jó 33.8 quanto a citações de Jó nos discursos de Eliú, onde também encontramos suas refutações às acusações e presunções de Jó.

■ 32.11

הֵן הוֹחַלְתִּי לְדִבְרֵיכֶם אָזִין עַד־תְּבוּנֹתֵיכֶם עַד־תַּחְקְרוּן מִלִּין׃

Eis que aguardei as vossas palavras. Este versículo repete o que é dito nos vss. 4-10, como se fosse um sumário. Eliú teve cortesia oriental, ao permitir que os idosos falassem primeiro. Ele estava *queimando* e *esfumaçando* de ansiedade, mas permaneceu calmo. Estava irado, porque os chamados homens idosos não demonstraram habilidade em refutar o ímpio Jó. Por conseguinte, nada mais justo que ter a sua vez de falar. Eliú asseverou que tinha *cumprido o* seu dever, ao esperar pela sua vez de falar, mas também disse que tinha o *direito* de manifestar-se.

Os homens idosos buscaram para cima e para baixo (tradução literal do original hebraico) por palavras que derrotassem os argumentos de Jó. Temos aqui uma *fina ironia*. A busca diligente deles não produzira nenhum resultado. Mas o jovem não precisava pesquisar: ele estava cheio de conhecimento revelado, ou não?

■ 32.12

וְעָדֵיכֶם אֶתְבּוֹנָן וְהִנֵּה אֵין לְאִיּוֹב מוֹכִיחַ עוֹנֶה אֲמָרָיו מִכֶּם׃

Atentando, pois, para vós outros. A despeito de esforços heroicos, que Eliú nervosamente tinha testemunhado, os idosos homens sábios não encontraram solução para o problema do mal (por que os homens sofrem e por que sofrem como sofrem), nem refutaram as blasfemas palavras de Jó e sua constante reivindicação de inocência. Eliú, pois, justificava sua *intrusão* na discussão. Ele tinha o direito de intervir (embora fosse apenas um jovem) porque os homens de mais idade não tinham obtido sucesso. *Deus* precisava de alguém que fizesse Jó retroceder até o lugar que lhe cabia. E Eliú considerava-se a pessoa divinamente escolhida para realizar essa tarefa.

"Eles tinham falado multidões de palavras, mas foram incapazes de derrubar os argumentos de Jó" (Adam Clarke, *in loc.*). Ninguém vencera na argumentação, mas Eliú viu, desolado, que Jó tinha certa vantagem. Alguém precisava ganhar o dia. Ele era o salvador nomeado e poria o ímpio Jó de volta no seu devido lugar, ao mesmo tempo que vindicaria Deus! Na verdade, Eliú era um jovem extremamente pretensioso.

■ 32.13

פֶּן־תֹּאמְרוּ מָצָאנוּ חָכְמָה אֵל יִדְּפֶנּוּ לֹא־אִישׁ׃

Não vos desculpeis, pois, dizendo. Eliú chegou a perceber uma *razão divina* pela qual a terrível tríade falhara em derrotar Jó: se tivessem tido sucesso, sentir-se-iam orgulhosos e gloriar-se-iam de que *sua sabedoria* realizara o feito. Mas Eliú, labutando somente em favor da sabedoria de Deus, dada por iluminação, naturalmente daria o crédito a Deus. Fosse como fosse, Jó era um oponente tão poderoso, que somente Deus poderia repreender sua insensatez e suas falsas pretensões. Só Deus poderia fazer aquele *hipócrita* voltar ao devido lugar. Em sua arrogância, Eliú pensava ter uma comissão especial da parte de Deus, e os três amigos de Jó haviam fracassado por contarem somente com a sabedoria humana, não tendo sido nomeados para a tarefa de humilhar o orgulhoso Jó.

■ 32.14

וְלֹא־עָרַךְ אֵלַי מִלִּין וּבְאִמְרֵיכֶם לֹא אֲשִׁיבֶנּוּ׃

Ora ele não me dirigiu palavra alguma. O sujeito dessa frase é Jó, e não Deus. Jó não havia dirigido ataques verbais contra Eliú, de modo que este não tinha nenhuma obrigação em responder às tolas invectivas de Jó. Além disso, mesmo que Eliú tivesse sido atacado por Jó, estava acima de todas as disputas insensatas. Ele tinha uma mensagem e uma comissão *da parte de Deus*, e soaria como se fosse o próprio Deus que dissesse a Jó como e por que ele estava errado. Foi assim que o jovem Eliú adotou ares de *superioridade*, conforme dizemos em nossa expressão moderna. Ele estava acima de Jó; também estava acima dos miseráveis consoladores de Jó (ver Jó 16.2), e somente *um pouco abaixo* do próprio Deus! De fato, Eliú soava como o fazem os *homens,* quando aceitam uma causa qualquer e agem com precipitação típica da juventude.

> Os embaraços jovens!
>
> Paul Gavarni

Os jovens são rudes e crus. Dão respostas improváveis a perguntas difíceis. Suas simplificações são embaraçosas.

> O sangue jovem deve correr o seu curso,
> E todo o cão deve ter sua carreira desimpedida.
>
> Charles Kingsley

Se um homem não é radical quando tem 20 anos de idade, não tem coração. Mas, se um homem continua sendo radical aos 30 anos, então não tem cabeça.

Em sua sabedoria superior, Eliú não faria uso de nenhum discurso da tríade terrível (mas, na realidade, foi o que ele fez). Ele apresentaria uma nova argumentação, proveniente diretamente de Deus, por meio da iluminação espiritual! A *antiga* argumentação falhara. Eliú tinha certeza de que seu *novo estofo* alcançaria sucesso retumbante.

■ 32.15

חַתּוּ לֹא־עָנוּ עוֹד הֶעְתִּיקוּ מֵהֶם מִלִּים׃

Estão pasmados, já não respondem. Este versículo reitera a mensagem dos vss. 1 e 3. Os molestos amigos de Jó estavam "pasmados" e "silentes", devido aos argumentos usados por Jó. Estavam *embaraçados (Revised Standard Version).* E terminaram todos no silêncio. Por conseguinte, era apenas justo que Eliú tomasse e continuasse a causa que eles haviam abandonado. O ímpio Jó precisava ser confundido, por amor a Deus. O grande Eliú viera em socorro para salvar a causa de Deus. Os *impotentes profissionais* (Samuel Terrien, *in loc.*) tinham fracassado, pelo que o gênio inspirado, Eliú, teve de ocupar-se da tarefa.

■ 32.16

וְהוֹחַלְתִּי כִּי־לֹא יְדַבֵּרוּ כִּי עָמְדוּ לֹא־עָנוּ עוֹד׃

Acaso devo esperar, pois não falam. Visto que os homens de mais idade se calaram, de pé, em sua estupidez, boca aberta mas sem palavras, era *responsabilidade* de Eliú quebrar o silêncio com seus discursos dourados. Teria sido ridículo para ele continuar esperando. "Eles não falavam. Estavam mudos como peixes" (John Gill, *in loc.*). E isso deu ao impetuoso Eliú a oportunidade pela qual ele tanto aguardara.

■ 32.17

אַעֲנֶה אַף־אֲנִי חֶלְקִי אֲחַוֶּה דֵּעִי אַף־אָנִי׃

Também eu concorrerei com a minha resposta. Este versículo repete o que lemos no vs. 10, cujas notas expositivas também se aplicam aqui. Eliú usaria de muitas palavras. Seu discurso ocuparia 157 versículos, mais ou menos a mesma coisa que o chamado discurso final de Jó (capítulos 26—31). Seu discurso foi mais longo que os três discursos combinados de qualquer dos "amigos molestos" de Jó, ou seja, ele falou mais do que qualquer um deles, isolados, mas não mais do que os três conjuntamente. Portanto, Eliú foi o mais falador dos quatro, e somente o próprio Jó falou mais do que ele.

■ 32.18

כִּי מָלֵתִי מִלִּים הֱצִיקַתְנִי רוּחַ בִּטְנִי׃

Porque tenho muito que falar. *Eliú Estava Cheio de Palavras.* Também estava cheio de poder; cheio de argumentos, e não podia continuar contendo-se. Ele lançava toda a culpa daquela *impulsão para falar* sobre o espírito dentro dele, presumivelmente inspirado pelo Espírito de Deus. Essa circunstância faz-me lembrar de uma história contada por um pregador, acerca de um amigo dele. Certo homem pertencia à classe dos pregadores orgulhosos e pensava não precisar preparar suas mensagens, pois, afinal de contas, o Espírito Santo o inspirava! Por conseguinte, ele se referiu à forma como *o Espírito* enchia sua boca com as palavras que ele falava. Mas o outro pregador replicou: "Sim, sua boca está cheia, mas com ar quente". Caros leitores, profecias espontâneas ou presumivelmente inspiradas muitas vezes são sem substância, o que se evidencia quando são examinadas. Dai-me John Gill, que sempre falava palavras de peso e nunca reivindicou receber iluminação direta para elas. Algumas vezes, o Espírito nos inspira diretamente, mas não com muita frequência. *Espontaneidade* não é sinônimo de verdade. Eliú estava levando-se por demais a sério. Cf. a ansiedade de Paulo, em At 18.5. Algumas vezes, a ansiedade vem da parte de Deus, mas o mais frequente é haver alguma origem humana para ela. "... meras palavras, como aquelas que nada têm de sólido e de substancial. Isso exibe o caráter de um homem insensato" (John Gill, *in loc.*).

> *O estulto multiplica as palavras, ainda que o homem não saiba o que sucederá; e quem lhe manifestará o que será depois dele?*
>
> Eclesiastes 10.14

■ 32.19,20

הִנֵּה־בִטְנִי כְּיַיִן לֹא־יִפָּתֵחַ כְּאֹבוֹת חֲדָשִׁים יִבָּקֵעַ׃

אֲדַבְּרָה וְיִרְוַח־לִי אֶפְתַּח שְׂפָתַי וְאֶעֱנֶה׃

Eis que dentro em mim sou como o vinho. Eliú era o homem de ventre explosivo. Estava cheio de gases de vinho, produzidos pela fermentação. Seu estômago e seus intestinos eram como velhos odres de vinho, prontos a estourar. Cf. Mt 9.17. O vs. 19, pois, repete o vs. 18, dizendo a mesma coisa com a metáfora dos odres de vinho. É um perigo guardar vinho novo em odres previamente esticados; esse fato, os fermentadores de vinho novo sempre observavam. Portanto, eles sempre usavam odres novos, que podiam suportar a fermentação do vinho novo, pois o couro era novo e forte. Eliú teve de falar, a fim de *aliviar* a pressão causada pelos gases (vs. 20). Caso contrário, ele explodiria num ataque de nervosismo. Na verdade, ele era um jovem precipitado e impulsivo!

> Minhas palavras voam, mas meus pensamentos
> permanecem cá embaixo. Palavras sem pensamentos nunca
> sobem aos céus.
>
> William Shakespeare

> As palavras podem ser falsas e cheias de arte.
> Suspiros são a linguagem natural do coração.
>
> Thomas Shadwell

Eliú falou sem tato, inspirado por sua mente jovem e inexperiente. Sua sinceridade era precipitada, não abrandada pelo amor, nem temperada com a razão. Ele era puro fogo. Jó terminaria severamente queimado pelo discurso precipitado de Eliú. Sairia cortado e queimado com a sua teologia.

Odium Teologicum

> Ó Deus... que carne e sangue fossem tão baratos!
> Que os homens viessem a odiar e matar,
> Que os homens viessem a silvar e decepar a outros
> Com língua de vileza,
> ... por causa de...
> "Teologia".
>
> Russell Champlin

■ 32.21

אַל־נָא אֶשָּׂא פְנֵי־אִישׁ וְאֶל־אָדָם לֹא אֲכַנֶּה׃

Não farei acepção de pessoas. Conforme diz uma expressão idiomática moderna, Eliú derrubaria a árvore sem se preocupar onde cairiam as lascas de madeira. Ele não temia a fisionomia de nenhum indivíduo nem glorificaria pessoa alguma com títulos honoríficos, como "senhor", "doutor" ou "venerável". Ele era como o Deus Altíssimo que estava acima de todos e não tinha respeito por nenhum ser humano. Presumivelmente, não respeitando a quem quer que fosse, ele não tomaria partido. Não defenderia automaticamente os amigos molestos nem Jó. Simplesmente diria a verdade. Eliú, entretanto, tinha todos os sinais de um indivíduo preconceituoso, a despeito de suas corajosas palavras. Em sua maior parte, entretanto, ele simplesmente tomou o lado dos três críticos de Jó.

Títulos Orientais Lisonjeadores que Eliú evitaria: difusor de benefícios; exaltado e pomposo; respeitável; creme dos contemporâneos; benfeitor dos pobres; monarca vigilante; asilo da verdade; difusor da luz; solucionador de todos os problemas humanos; pureza dos morais; sol do firmamento; fio do bom conselho; portão da bondade; porta da pureza; língua inspirada.

Quanto a um tratamento *imparcial*, segundo a lei de Moisés, ver Êx 23.3 e Lv 19.15.

■ 32.22

כִּי לֹא יָדַעְתִּי אֲכַנֶּה כִּמְעַט יִשָּׂאֵנִי עֹשֵׂנִי׃

Porque não sei lisonjear. Além de não tomar partido e não usar títulos honoríficos tolos, Eliú estava *ansioso por agradar* ao Justo Juiz, que poderia chamá-lo a prestar contas por sua frivolidade. Ele contemplava um Criador severo, que poderia arrebatar-lhe a vida, ferindo-o com alguma enfermidade ou acidente, ou encurtando-lhe a vida, caso ele saísse da linha. Aben Ezra interpreta, aqui, o *golpe* que ele poderia sofrer como uma queimadura produzida pelo *fogo do inferno*, mas essa observação é anacrônica. A teologia patriarcal não desenvolveu uma doutrina de recompensas ou punições na vida vindoura. Cf. Sl 12.2,3: "Falam com falsidade uns aos outros, falam com lábios bajuladores e coração fingido. Corte o Senhor todos os lábios bajuladores, a língua que fala soberbamente".

"A jactância cômica de suas observações de introdução pode ter sido apresentada como *elemento cômico*, com o propósito de aliviar uma tensão trágica" (*Oxford Annotated Bible*, comentando sobre o vs. 22 deste capítulo).

> *Quem teme ao homem arma ciladas, mas o que confia no Senhor está seguro.*
>
> Provérbios 29.25

A despeito de suas faltas, Eliú parece ter chegado mais perto de dizer algo significativo sobre os sofrimentos de Jó do que seus outros três amigos. Mas alguns intérpretes chamam Eliú de saco de vento vazio e arrogante.

Quanto ao tema de Deus como o *doador da vida*, cf. Jó 4.17; 9.9; 35.10; 36.3; 40.19. Aquele que dá a vida também pode tirá-la, e Eliú reteve esse pensamento em sua mente. Ele procurou dizer somente a verdade, não agradando a homem algum. Pelo menos, essa foi a sua intenção declarada.

CAPÍTULO TRINTA E TRÊS

Ofereço elaborada introdução ao longo discurso de Eliú, no começo do capítulo 32, pelo que não repito o material. Em Jó 32.10, registro os temas principais de seu discurso. Neste capítulo 33, continuamos a tratar de um desses *quatro discursos*, que ocupa Jó 32.6—33.33. A subseção de Jó 32.15—33.33 foi dirigida a Jó. Os quatro discursos de Eliú ocupam a totalidade dos capítulos 32—37. Eliú falou mais do que os três amigos de Jó, embora um tanto menos que Jó em suas réplicas. Jó não teve oportunidade de responder a Eliú, visto que Yahweh interrompeu o processo inteiro, com seu próprio discurso.

Em Jó 33.8 apresento um gráfico que mostra como Eliú respondeu a Jó. Apresento sete declarações de Jó que foram contestadas no capítulo 33 por esse quarto oponente. Naturalmente, ele inventou muitas outras declarações e observações que não respondiam diretamente ao que Jó tinha dito.

As Sete Declarações Respondidas por Eliú: vs. 9: três; vs. 10: duas; vs. 11: duas. De modo geral, o capítulo à nossa frente fala do significado da persistência sob os sofrimentos.

Uma divisão menos detalhada é como segue:
1. O propósito da aflição (capítulos 32 e 33)
2. Vindicação da pessoa de Deus (capítulo 34)
3. As vantagens da piedade (capítulo 35)
4. Deus é grande, e Jó era um ignorante (capítulos 36 e 37)
5. O sofrimento pode servir-nos de disciplina (capítulo 37)

SIGNIFICADO DA PERSISTÊNCIA SOB OS SOFRIMENTOS (33.1-33)

Eliú Falou a Jó de Homem para Homem (33.1-7)

O prolixo Eliú iniciou seu discurso com uma longa introdução, falando face a face com Jó e declarando as bases de seu discurso. Ele falou primeiramente a Jó (capítulo 33); em seguida, dirigiu-se aos três amigos de Jó (capítulo 34); e, então, falou novamente a Jó (capítulo 35). Eliú era homem atarefado, corrigindo o curso daqueles quatro homens com sua sabedoria superior. Ele afirmou estar falando com total candura (vss. 1-3). E convidou Jó a ouvir sem terror, visto que ambos eram apenas criaturas mortais, feitas de barro (vss. 4-7).

■ 33.1

וְאוּלָם שְׁמַע־נָא אִיּוֹב מִלָּי וְכָל־דְּבָרַי הַאֲזִינָה׃

Ouve, pois, Jó, as minhas palavras. *O Discurso Diretamente Administrado*. Por três vezes Eliú dirigiu-se diretamente a Jó: Jó 33.1,31 e 36.16. Por sete vezes ele mencionou o seu nome: Jó 32.12,14; 34.5,7,35,36; 36.16. Isso fez contraste com o que disseram os outros, os quais nunca dirigiram palavra diretamente a Jó nem mencionaram o seu nome. Eliú definitivamente se levava muito a sério, pensando que suas palavras solucionariam todos os problemas de Jó. O quarto oponente, é de presumir-se, nada falou de supérfluo e valia a pena ouvir todas as suas palavras de sabedoria, todos os seus conselhos dourados, pois eram dignos de ser ouvidos e Jó deveria agir de acordo com eles. "Ele começou professando sua sinceridade e integridade. Com referência ao desejo expresso por Jó, ele queria encontrar um árbitro (Jó 9.33), alguém que mantivesse seu direito com Deus (Jó 16.21)" (Ellicott, *in loc.*). No capítulo 32, Eliú falou à terrível tríade, mas neste capítulo se dirigiu a Jó e queria que ele soubesse o quanto estava tentando ser justo. No entanto, ele não podia esconder seu ar de superioridade. Continuou falando sobre toda aquela "inspiração divina" à qual ele estava sujeitado, pelo que não era um tradicionalista nem um indivíduo dogmático, mas, antes, um revelacionista. O que mais o Espírito realmente revelou a ele, é outra questão.

■ 33.2

הִנֵּה־נָא פָּתַחְתִּי פִי דִּבְּרָה לְשׁוֹנִי בְחִכִּי׃

Passo agora a falar. Eliú, aquele saco cheio de vento, tinha algo digno para dizer, mas com a boca aberta ele exibiu a arrogância usual de um jovem que pensava conhecer tudo. Em vez de "boca", o original hebraico diz *palato*. O homem estava provando (submetendo a teste) toda a palavra que saía de sua boca, certificando-se de que tudo era

---

ELIÚ INTERROGA E CONTRADIZ JÓ

Eliú foi o mais hábil dos amigos terríveis de Jó. Em relação ao *problema do mal* (por que os homens sofrem e por que sofrem como sofrem), ele tinha as melhores percepções de todos, inclusive Jó. Eliú empregou o argumento quase exclusivo dos outros: a lei moral da colheita segundo a semeadura, mas acrescentou algumas compreensões. Jó manteve sua inocência em toda a discussão e não achou muita ajuda nos argumentos de Eliú para explicar o *enigma* do sofrimento. De qualquer maneira, o livro de Jó não resolve o problema, mas fornece alguma luz. Ao fim do cap. 37, apresento as compreensões superiores de Eliú. O gráfico presente ilustra como os comentários de Eliú se originaram de declarações que Jó tinha proferido. Ele apresentou quatro discursos, cujos argumentos são em grande parte ecos da argumentação de Jó.

ELIÚ INTERROGA E CONTRADIZ JÓ

Sumário de Ideias Principais	Ideias Principais	Referências
Primeiro Discurso: Cap. 33	**Jó:** Deus é indiferente aos sofrimentos do homem. **Eliú:** Deus fala através dos sonhos e pela dor instrutiva.	Cap. 33; ver também 13.22
Segundo Discurso: Cap. 34	**Jó:** Deus não é justo em seu tratamento para com os homens. Ele é arbitrário e não respeita o homem inocente. **Eliú:** Deus é justo, embora sua justiça possa ser misericordiosa para os homens. Há muitos mistérios.	Cap. 34; ver também 19.6,7 e 27.2
Terceiro Discurso: Cap. 35	**Jó:** Deus sabe o que os homens estão sofrendo, mesmo assim continua indiferente, não agindo em favor dos inocentes nem castigando os maus. **Eliú:** Deus é soberano e, assim, está além das queixas dos homens. Os mistérios persistem.	Cap. 35; ver também 10.7
Detalhes dos Discursos:		
Primeiro Discurso: Cap. 33	**Jó tinha dito:** "Sou puro", mas Eliú não conseguia entender como um homem puro podia sofrer tanto. Deus é arbitrário? Jó estava proferindo blasfêmias.	33.9,12; cf. 6.10; 9.21; 10.7; 12.4; 16.17; 31.6
	Jó tinha dito: "Estou sem pecado", mas nenhum homem é imaculado.	33.9,12,13; cf. 13.23
	Jó tinha dito: "Estou limpo e livre de culpa", mas sua condição demonstrava claramente uma alma podre.	33.9,12, 13; cf. 9.20,21; 10.7 e 27.6
Primeiro Discurso: Cap. 33	**Jó tinha dito:** "Deus me culpa injustamente". O Deus justo é soberano, não podendo agir daquela maneira. O homem bom não se torna o inimigo de Deus.	33.10,13,18; cf. 10.6
	Jó tinha dito: "Deus colocou meus pés em correntes". Melhor: é o próprio homem que se priva de liberdade por causa de seus pecados.	33.1,12,13,17; cf. 13.27
	Jó tinha dito: "Deus atormenta o homem, observando cada passo seu, esperando para feri-lo". Melhor: se o homem é atormentado, ele é auto-atormentado.	33.11,12,13,17; cf. 7.17-20; 10.14; 13.27; 14.16 e 31.4
Segundo Discurso: Cap. 34	**Jó tinha dito:** "Sou justo". Ele falou assim por ignorância. Era um mentiroso e auto-enganado.	34.5,6,7; cf. 9.15,20; 27.6
	Jó tinha dito: "Deus me nega justiça". Melhor: o homem rebelde fica, aparentemente, roubado de justiça.	34.5,6,7,8,12; cf. 19.6-7; 27.2
	Jó tinha dito: "Não sou mentiroso. Falo a verdade". Melhor: Jó era um zombador.	34.6,7,9; cf. 34.6
	Jó tinha dito: "Nem o homem nem Deus podem descobrir nenhum pecado em mim". Melhor: Deus sabe bem em quem atirar.	34.6,10,11; cf. 10.7 e cap. 31
	Jó tinha dito: "As flechas de Deus me feriram estupidamente". Melhor: Deus sabe bem em quem atirar.	34.6,10,11,14,15; cf. 6.4 e 16.13
	Jó tinha dito: "Deus não recompensa o servo fiel". Melhor: seu governo é perfeito.	34.9,10,11,21; cf. 21.15 e 35.2
Terceiro Discurso: Cap. 35	**Jó tinha dito:** "Afinal, Deus me vindicará". Melhor: Deus é indiferente às pretensões de Jó. Deus é transcendente.	35.2,6,7; cf. 13.18 e 23.7
	Jó tinha dito: "Nada ganho pecando; nada ganho sendo justo". Melhor: Deus, como professor, esclarece tudo, afinal.	35.3,6,7,11; cf. 21.15
Quarto Discurso: Cap. 36	**Jó tinha dito:** "Deus tem agido erradamente contra mim". Melhor: é ridículo fazer tais acusações contra o Deus Supremo. Quem pode acusar Deus de qualquer coisa?	36.23,33,36; cf. 19.6,7

certo, cheio de poder e retidão. Ele falava com *discriminação* e dizia coisas realmente boas (ver Jó 6.30 e 12.11). Fazendo grandes reivindicações de conhecimento, ele insistia: "Eu sei". Ver Jó 32.6,10,17. "Palato... provando e experimentando alimentos (suas palavras); de fato, ele tinha considerado inteiramente o que deveria dizer, pesando bem as palavras, para não dizer coisa alguma que fosse crua ou indigesta" (John Gill, *in loc.*).

33.3

יֹשֶׁר־לִבִּי אֲמָרָי וְדַעַת שְׂפָתַי בָּרוּר מִלֵּלוּ׃

As minhas razões provam a sinceridade do meu coração. *Eliú* falou claramente o que era certo. Ele era sincero e bom conhecedor das coisas. Que *jovem* excelente ele era! Quando terminasse seu discurso, conforme pensava, Jó ficaria sem fala e convencido de seu erro, encontraria a vereda do arrependimento, e assim seria curado. Eliú era homem de milagres. Ele solucionaria o problema de por que os homens sofrem e por que sofrem como sofrem, então Jó seria livrado de todas as suas tribulações. Ele era a *panaceia* original, a cura para todas as enfermidades. Isso tudo era verdade, porque era o Espírito de Deus que o inspirava. Portanto, como podia ele cometer um equívoco? Eliú deixou entendido que os *quatro*, isto é, os três amigos terríveis de Jó e o próprio Jó, não tinham sabedoria e distorceram a verdade. Mas os discursos de Eliú endireitariam tudo.

33.4

רוּחַ־אֵל עָשָׂתְנִי וְנִשְׁמַת שַׁדַּי תְּחַיֵּנִי׃

O Espírito de Deus me fez. O jovem Eliú afirmou ser o homem da mão direita de Deus, o qual estava de pé ao seu lado, a cada minuto, sussurrando palavras de sabedoria em seus ouvidos. Ele tinha sido criado pelo Espírito e continuava a andar bem próximo do princípio divino. Em consequência, ele foi capaz de descarregar sua torrente de discursos sábios.

Conforme disse Shakespeare: "Penso que o homem está protestando demais". Havia em Eliú falsidade. Ele fazia um número muito grande de reivindicações estranhas. E muitas pessoas, atualmente, seguem o exemplo de Eliú, falando o tempo todo como se estivessem ouvindo a voz de Deus, e assim acham que podem falar com *autoridade*. Talvez sua *jactância cômica* (*Oxford Annotated Bible*) fosse realmente um artifício literário que o autor do livro colocou ali para aliviar a trágica tensão, com um pouco de *humor*.

> De nada adianta argumentar com o inevitável. O único argumento disponível contra o vento leste é vestir seu sobretudo.
> James Russell Lowell

A parte do mundo onde residia Eliú (o deserto da Arábia) era contra o *vento sul,* por isso os homens precisavam de proteção. Por conseguinte, o pobre Jó tinha de resistir aos redemoinhos do vento sul de Eliú.

Ver na *Enciclopédia de Bíblia, Teologia e Filosofia* o artigo chamado *Conhecimento e a Fé Religiosa,* quanto às maneiras pelas quais adquirimos conhecimento. O *misticismo* (do qual a revelação é subcategoria) é uma dessas maneiras. Eliú pensava ser um especialista na maneira revelatória de tomar conhecimento das coisas.

Quanto ao sopro do Espírito de Deus na criação, ver Gn 2.7. Uma vez que recebeu o sopro e foi trazido à vida, Eliú *supunha* que o Espírito continuasse soprando revelações em seus ouvidos, tornando-o um vaso especial de comunicação para outras pessoas.

33.5

אִם־תּוּכַל הֲשִׁיבֵנִי עֶרְכָה לְפָנַי הִתְיַצָּבָה׃

Se podes, contesta-me. O pobre Jó foi chamado a *erguer-se*, enfrentar o temível revelador, Eliú, e derrotá-lo em suas palavras. O poeta tomou por empréstimo, uma vez mais, a metáfora do tribunal. O culpado Jó devia responder às acusações. Eliú tinha de mostrar a falsidade dos argumentos de Jó e também que seus próprios argumentos eram verazes. Jó devia *confrontar* Eliú (no hebraico, *yasab*, "tomar posição"). Essa palavra também pode referir-se à ideia de preparar-se para a batalha (ver 1Sm 17.16; Jr 46.4; Jó 41.10). Eliú estava preparado para *lutar.* Cf. Jó 30.20, onde Jó queria apresentar diante de Deus sua própria defesa.

33.6

הֵן־אֲנִי כְפִיךָ לָאֵל מֵחֹמֶר קֹרַצְתִּי גַם־אָנִי׃

Eis que diante de Deus sou como tu és. Jó desejou confrontar a Deus e, assim, ter uma chance de apresentar o seu caso. Agora, porém, seu desejo foi cumprido, porquanto Eliú estava em lugar de Deus e ouviria os argumentos de Jó, aceitando-os ou refutando-os. O arrogante Eliú, isso posto, era (em sua mente) o agente especial de Deus, ou seu substituto, o homem escolhido para a tarefa de submeter a julgamento o caso de Jó no tribunal divino (ver Jó 30.20).

Outro significado é dado a este versículo. Eliú era *favorável* a Deus (quanto ao relacionamento), tal como Jó também era. Portanto, eles eram *iguais*, meras criaturas feitas de barro. Nesse caso, compreendemos "diante de Deus quanto à posição", e não "em lugar de Deus", como um oponente de Jó. Seja como for, ambas as ideias figuram no livro. John Gill interpretava conforme o primeiro sentido: "Ele assumiu a posição de advogado de Deus, vindicando sua justiça e seu trato com os filhos dos homens". Mas o Targum dá preferência ao segundo sentido, o de *igual posição* diante de Deus, por parte dos dois homens. Com esse parecer também concordava Ben Gerson. Ambos eram vasos, formados por Deus, de um mesmo bolo de argila. Por conseguinte, Eliú dirigiu-se a Jó como homem igual a ele, não como seu superior, e tentou convencê-lo da veracidade de seus discursos. O vs. 7 parece dar peso à segunda dessas ideias.

33.7

הִנֵּה אֵימָתִי לֹא תְבַעֲתֶךָּ וְאַכְפִּי עָלֶיךָ לֹא־יִכְבָּד׃

Por isso não te inspiro terror. *Jó se Aterrorizou diante de Deus* (ver Jó 7.14; 9.34; 13.21; 23.15,16). Eliú, embora porta-voz de Deus (conforme ele pensava), não estava ali para aumentar o terror de Jó. Afinal de contas, ele era apenas outro vaso de barro, feito pelo mesmo divino Oleiro. Eliú não tinha *mão pesada,* que pressionasse indevidamente Jó, procurando esmagá-lo. Antes, Eliú trataria gentilmente com ele, procurando apenas convencê-lo com raciocínios bem ordenados, baseados em seu conhecimento especial. Eliú prometeu ser gentil, mas o que se seguiu foi, realmente, amargo e duro. Ver Jó 13.21, quanto à *pesada mão* de Deus. Eliú mostrou-se mais prolixo e até mais aterrorizante do que fora a terrível tríade. O pobre Jó teve de resistir aos *quatro* homens. Presumivelmente, Jó nada tinha a temer da parte de Eliú, que, afinal de contas, era apenas um homem, e não Deus. Mas Eliú mostrou-se tão assustador quanto lhe foi possível.

Implicações das Reivindicações de Jó (33.8-12)

33.8

אַךְ אָמַרְתָּ בְאָזְנָי וְקוֹל מִלִּין אֶשְׁמָע׃

Eliú ouviu tudo quanto Jó disse em suas réplicas aos três "amigos molestos". Jó fez oito discursos, ou, talvez, nove. Eliú não pensava grande coisa sobre o que Jó havia dito; de fato, ele achava que os discursos de Jó estavam cheios de mentiras. Portanto, nos vss. 9-11, temos referências a *sete* das declarações de Jó, cada uma das quais Eliú passava a atacar. Sem dúvida, Eliú teria desejado responder a muito mais declarações, mas aquelas sete eram suficientes para mostrar quão hipócrita e falsificador Jó fora. "No seu total, Eliú não distorceu os repetidos apelos de Jó, mas citou palavras, sem compreender a profundeza da dor e das tristezas do herói" (Samuel Terrien, *in loc.*).

No capítulo 34, Eliú refere-se a outras seis afirmações de Jó; no capítulo 35, a outras duas; e, no capítulo 36, a mais uma, perfazendo um total de *dezesseis* declarações.

33.9

זַךְ אֲנִי בְּלִי פָשַׁע חַף אָנֹכִי וְלֹא עָוֹן לִי׃

Estou limpo sem transgressão. *Temos aqui sete citações,* que Eliú mencionou, das réplicas de Jó:

1. Jó afirmara ser *puro* (ver Jó 6.10; 9.21; 10.7; 12.4; 16.17 e 31.6). Mas qualquer *idiota* saberia que nenhum homem puro poderia

sofrer como Jó. Na verdade, ele era um pecador imundo, que recebia o merecido, em toda aquela dor e sofrimento.

2. Jó afirmara ser um homem *sem pecado* (ver Jó 13.23 e 23.11), mas não falara em sentido absoluto. Ele não se declarou dotado de *perfeição impecável,* conforme fazem alguns tolos evangélicos de nossos dias. Durante minha vida, só encontrei duas pessoas que afirmavam não ter nenhum pecado: uma delas era um bêbado que vagueava pelas ruas, um homem coberto de vícios e pecados; a outra era um pregador pentecostal, homem obviamente enganado. Ver 1Jo 1.8.

> *Se dissermos que não temos pecado nenhum, a nós mesmos nos enganamos, e a verdade não está em nós.*
> 1João 1.8

Ver no *Dicionário* o artigo chamado *Pecado,* sexta seção, intitulada *Perfeição Impecável.* Jó confessou haver semeado certas ações más em sua juventude (Jó 13.26). Ele continuava pecando, mas não tinha pecados que justificassem a *enormidade* de seus sofrimentos. Ele não havia pecado de tal modo que *merecesse* o que estava sofrendo. Nesse sentido, pois, é que Jó não tinha pecado. Ele negava que a causa de seu sofrimento fosse a *Lei Moral da Colheita segundo a Semeadura* (ver no *Dicionário*). Esta é, verdadeiramente, uma das principais causas de sofrimento neste mundo, mas não a causa dos sofrimentos de Jó. Alguma outra resposta precisava ser encontrada. Jó estava sendo punido "sem causa" (ver Jó 2.3).

Eliú naturalmente encarava Jó como pecador ímpio, que desempenhava um papel em um palco, *como se* fosse um homem justo. Em outras palavras, Jó era apenas um *hipócrita.*

3. Jó afirmava ser *limpo de qualquer culpa* (ver Jó 9.20,21; 10.7; 27.6). Em outras palavras, ele estava isento de pecados específicos capazes de torná-lo um indivíduo culpado e objeto da retribuição divina. Eliú, entretanto, tentaria mostrar que Jó fizera muitas coisas que o tornavam culpado. Jó não era culpado de nenhum curso vicioso de vida, jamais abusara de outras pessoas, de indivíduos de classes menos afortunadas, como os pobres, as viúvas e os órfãos. Nem tinha ele permitido injustiças em tribunal. Ver o capítulo 31, quanto à sua longa defesa, na qual ele nega participação em, pelo menos, *dezesseis* erros e abusos humanos comuns. Jó não era culpado de ter cometido nenhuma dessas *coisas específicas erradas,* nem outras semelhantes.

■ 33.10

הֵ֭ן תְּנוּא֣וֹת עָלַ֣י יִמְצָ֑א יַחְשְׁבֵ֖נִי לְאוֹיֵ֣ב לֽוֹ׃

4. Deus descobriu que Jó era *culpado* e o estava castigando, embora, na realidade, ele fosse inocente. Ver Jó 10.6. Portanto, Jó acusou Deus de haver-se enganado, ou mesmo de ser injusto. O capítulo 31 é uma longa defesa de Jó contra qualquer acusação de ser um homem culpado. Ele era inocente de *todas as acusações,* mas pensava que Deus o estava chamando de culpado por causa da *aparente dor retributiva* de que era alvo, pela suposta perpetração de vários pecados específicos. Deus encontrou motivos contra Jó, pelas ocasiões que ele tinha pecado. Cf. Jó 13.24,26,27 e 19.11. Essas ocasiões provocaram a *hostilidade* de Deus.

5. Deus parecia considerar Jó seu inimigo, sendo essa a razão pela qual o punia. Cf. Jó 13.24 e 19.11. Havia guerra entre Deus e Jó, conforme Jó pensava. Além de um inimigo improvável para enfrentar Deus, Jó também era um adversário inocente, que não merecia receber aqueles ataques divinos. Para Eliú, entretanto, a justiça divina estava cumprindo-se. Conforme ele pensava, Jó se atirara contra Deus e provocara a guerra.

■ 33.11

יָשֵׂ֣ם בַּסַּ֣ד רַגְלָ֑י יִ֝שְׁמֹ֗ר כָּל־אָרְחֹתָֽי׃

6. Deus *perseguia* Jó injustamente, ao pôr seus pés no tronco e ameaçá-lo como se ele fosse um criminoso. A referência parece ser a Jó 13.27, onde dou plenas explicações. Jó era um *prisioneiro inocente* que sofria os rigores e abusos do carcereiro divino. Essa conversa não fazia sentido para Eliú, que só sabia aplicar a regra da colheita segundo a semeadura. Ele não tinha visão mais profunda para encontrar a solução à causa do sofrimento humano. Ver no *Dicionário* o artigo chamado *Problema do Mal,* e a seção V da *Introdução* do livro.

7. Deus estava *perseguindo* Jó mediante um *escrutínio dominador* sobre a sua vida, seguindo-o exageradamente a cada passo e enviando relâmpagos de tempestade divina, cada vez que ele imaginava alguma infração na conduta apropriada. Ver Jó 7.17-20; 10.14; 13.27; 14.16 e 31.4. Enquanto os ímpios gozavam de lazer e prosperidade, o pobre Jó era atingido de todas as direções, por causa de pecados imaginários. O seu caminho era de espinhos.

O capítulo 33, portanto, contém sete citações dos discursos de Jó. O capítulo 34 contém outras seis citações; o capítulo 35, mais duas; e o capítulo 36, mais uma citação.

■ 33.12

הֶן־זֹ֣את לֹא־צָדַ֣קְתָּ אֶעֱנֶ֑ךָּ כִּֽי־יִרְבֶּ֥ה אֱל֗וֹהַ מֵאֱנֽוֹשׁ׃

Nisto não tens razão. *Negação Geral.* Com uma declaração geral, Eliú negou todas as reivindicações de Jó e prosseguiu para entrar em detalhes. Jó não era um homem *justo.* Era apenas um mentiroso que usava de argumentos falazes. Era também um hipócrita que ocultava os seus pecados, mas se movimentava como se fosse um homem justo. Ele blasfemava contra Deus; era um indivíduo abusivo, em palavras e atos. Na realidade, Jó seria um pecador notório, pois, de outro modo, não estaria sofrendo como estava.

Deus é Maior que os Homens. Isso significa que *somente Deus* poderia ser o tipo de pessoa que Jó afirmava ser. Jó era apenas uma criatura miserável, repleta de pecados, e não um semideus, acima dos outros homens. Quando alguém exalta a Deus, o que Eliú estava prestes a fazer, degrada automaticamente outros homens, por comparação. Ver o capítulo 9 quanto à exaltação de Deus.

O Desvendamento de Deus ao Homem (33.13-14)

■ 33.13

מַ֭דּוּעַ אֵלָ֣יו רִיב֑וֹתָ כִּ֥י כָל־דְּ֝בָרָ֗יו לֹ֣א־יַעֲנֶֽה׃

Por que contendes com ele...? *O pobre pecador* Jó se atirou contra o próprio Deus, com toda a velha conversa de ser inocente. De fato, Jó era um modelo de imperfeições, pecados e abusos. Em sua arrogância, embora se tenha atirado contra Deus, Jó acreditava que Deus não lhe daria resposta. "Ele não responderá a nenhuma de minhas palavras" (*Revised Standard Version*), Jó pensou. As traduções manuseiam de forma diferente o original hebraico, neste ponto. Algumas fazem com que *Deus* nada diga, isto é, não dê explicações de seus pensamentos e caminhos, porquanto nenhum homem merece a condescendência divina. O Deus Altíssimo não condescende diante do homem nem explica as *razões* do que lhes acontece. Ademais, "ninguém pode responder às suas palavras". Ninguém tem o direito ou a capacidade de replicar a Deus ou de esperar explicações da parte dele. O sofrimento, pois, contém um *mistério* que está oculto na vontade de Deus, e nenhum ser humano pode objetar ao que Deus faz. Se esse é, realmente, o significado, então temos aqui, como em outros lugares, o *Deus voluntarista.* Em outras palavras, sua *vontade é tudo,* e não precisaremos esperar que a razão tenha algum peso. Outrossim, sua vontade pode fazer com que coisas que acontecem nos pareçam erradas. Deus não é obrigado a obedecer às suas próprias regras, que ele impôs aos homens. Sua vontade é suprema e não segue as nossas regras. Quanto a uma completa explicação sobre o *Voluntarismo,* ver o artigo assim chamado na *Enciclopédia de Bíblia, Teologia e Filosofia.* A pergunta de Trasímaco (em um dos diálogos de Platão) se aplica aqui: Deus faz uma coisa por ser ela correta, ou ela é correta porque ele a faz? O voluntarismo nos fornece a segunda resposta.

■ 33.14

כִּֽי־בְאַחַ֥ת יְדַבֶּר־אֵ֑ל וּ֝בִשְׁתַּ֗יִם לֹ֣א יְשׁוּרֶֽנָּה׃

Pelo contrário, Deus fala de um modo, sim, de dois modos. Deus realmente fala, mas o homem, em sua ignorância, não o ouve. Isso se dá, pelo menos em parte, porque o homem, carregado de pecados, não pode ser atingido pela Palavra divina. Ademais, Deus fala em mistérios, em uma linguagem que os pecadores não podem compreender. Alguns homens simplesmente não se acham onde possam ouvir a Deus. Deus não está surdo a apelos como os de Jó. Era Jó que estava surdo para com Deus. Deus fala de várias maneiras, conforme Eliú passou a demonstrar. Deus é um *revelador*, mas o homem se esquece disso. Um pregador que conheci disse estar em *terreno de oração*. Em outras palavras, numa situação e *condição* em que as orações de uma pessoa podem ser ouvidas e respondidas por Deus. Eliú falou sobre um homem que estava em *terreno apropriado para ele ouvir*. Em outras palavras, esse homem estava em uma condição na qual podia ouvir a voz de Deus. Jó, como é óbvio, não estava nesse terreno, pois, de outro modo, não se queixaria por Deus não responder às suas orações.

O compositor de um hino intitulado *Spirit of God, Descend Upon my Heart*, estava mais próximo da verdade quando falou sobre "orações não respondidas":

> Ensina-me... a impedir a dúvida crescente, o suspiro rebelde,
> Ensina-me a paciência da oração não respondida.

Parte importante do teste de Jó era que Deus tinha deixado de responder às suas orações. Mas isso não acontecia porque Jó era culpado. Havia outras razões, até então ocultas.

Modos Divinos de Comunicação e a Resposta Humana (33.15-30)

■ 33.15

בַּחֲלוֹם חֶזְיוֹן לַיְלָה בִּנְפֹל תַּרְדֵּמָה עַל־אֲנָשִׁים בִּתְנוּמוֹת עֲלֵי מִשְׁכָּב׃

Em sonho ou em visão de noite. *Eliú*, que pensava ser recebedor da iluminação, tinha elevado respeito tanto por visões quanto por sonhos. Há artigos sobre essas manifestações do misticismo no *Dicionário*; e, como é óbvio, Deus pode comunicar-se com os homens através desses meios e realmente o faz. Quando um homem está dormindo e sua percepção dos sentidos está fechada, *então* ele pode receber alguma espécie de sonho ou visão. Esses são meios místicos de comunicação porque, realmente, existem *sonhos espirituais*. O longo artigo sobre *Sonhos* penetra nesses assuntos, pelo que não estendo aqui a questão. E, como é óbvio, visões válidas comunicam toda a espécie de mistérios e conhecimentos que precisamos saber, embora também existam misticismos falsos e reivindicações frívolas sobre coisas que não são verdadeiras. Ver o artigo geral denominado *Misticismo*. As revelações são uma subcategoria do misticismo. Precisamos do toque místico em nossa vida, pois esse é um dos meios do desenvolvimento espiritual. Ver no *Dicionário* o artigo chamado *Desenvolvimento Espiritual, Meios do*. Não devemos esquecer o elemento *ético*. A santificação põe o homem no *terreno do desenvolvimento*. Eliú falava demais e também se jactava em ser um grande místico, mas parece que tinha experiência válida suficiente para ser um *pequeno místico*. Demos crédito a ele por isso. Ele tinha *algo* de valor para comunicar.

■ 33.16

אָז יִגְלֶה אֹזֶן אֲנָשִׁים וּבְמֹסָרָם יַחְתֹּם׃

Então lhes abre os ouvidos. Através dos meios místicos mencionados no versículo anterior, o Revelador divino abre a mente dos recebedores e, dessa maneira, eles terminam iluminados. Eliú havia passado por essa experiência, de maneira que estava qualificado para instruir Jó. Esse pobre homem estava privado, não havia passado através do sistema de iluminação e, assim sendo, continuava ignorante dos caminhos de Deus.

Deus "derrama a sua luz" e dá compreensão aos homens. O Espírito Santo é o Iluminador. Presumivelmente, Jó veria quão terrível pecador ele era, o quanto precisava de arrependimento para ser purificado. Diante disso, seria curado. O conhecimento resultaria dessa cura. Um homem informado ficaria "aterrorizado" (*Revised Standard Version*) pelas advertências divinas que obteria acerca de seu estado deplorável, fazendo algo a respeito. Diz a nossa versão portuguesa "sela a sua instrução", conforme diz igualmente a *King James Version*. Essa instrução seria "impressa na mente" (John Gill, *in loc.*) e teria o selo da aprovação divina, tornando-a *eficaz*.

■ 33.17

לְהָסִיר אָדָם מַעֲשֶׂה וְגֵוָה מִגֶּבֶר יְכַסֶּה׃

Para apartar o homem do seu desígnio. A *iluminação divina* afasta o pecador de seus feitos e corta o seu orgulho. O pecador arrogante, Jó, seria humilhado e assim se tornaria um candidato *apropriado* para a cura. Mas enquanto ele continuasse a vangloriar-se de sua inocência, sua condição apenas iria tornando-se cada vez pior.

Os castigos de Deus são, assim, vistos como *disciplinadores*, e esse era o grande discernimento de Eliú, que ele repetiria no capítulo 36.

■ 33.18

יַחְשֹׂךְ נַפְשׁוֹ מִנִּי־שָׁחַת וְחַיָּתוֹ מֵעֲבֹר בַּשָּׁלַח׃

Para guardar a sua alma da cova. Compare-se isso com algo similar, em Sl 103.4: "Quem da cova redime a tua vida e te coroa de graça e misericórdia".

Eliú não estava apresentando a ideia de redenção do hades (seol), que não fazia parte da teologia patriarcal. Ele apenas dizia que Jó, *uma vez curado*, não seria em breve um homem morto, apodrecendo na sepultura. Segundo ele, o pobre homem poderia *prolongar sua vida* como efeito do arrependimento apropriado. Ele "o preservaria da morte prematura" (Samuel Terrien, *in loc.*). Ele não sofreria de morte violenta, como a morte à espada. Seria protegido e teria um longo período de paz e prosperidade. Neste capítulo, a palavra "cova" significa sepultura, usada por cinco vezes: vss. 18, 22, 24, 28 e 30.

■ 33.19

וְהוּכַח בְּמַכְאוֹב עַל־מִשְׁכָּבוֹ וְרִיב עֲצָמָיו אֵתָן׃

Também no seu leito é castigado com dores. Jó estava sendo *disciplinado* ali, em seu leito de dores. Ele tiraria proveito daquilo *se*, porventura, se arrependesse. Deus obtém a atenção das pessoas, quando as faz suportar dores. Esse era outro dos discernimentos de Eliú. Um sonho pode falar a um homem; uma visão pode falar com ele; e o sofrimento também pode falar com ele. Já pudemos observar todos esses três modos de comunicação divina.

Nos seus ossos. Literalmente, como nas infecções, reumatismo e gota, mas aqui a declaração é figurada, e os ossos representam o corpo *em geral*.

> Espero com paciência até a madrugada, mas ele, como leão, me quebrou todos os ossos; do dia para a noite darás cabo de mim.
>
> Isaías 38.13

Meios de comunicação: 1. sonhos; 2. visões; 3. inspiração secreta (vss. 15-19); 4. aflições; 5. intervenção divina no ministério dos anjos (vs. 23); e 6. finalmente, redenção (vs. 24), que torna o processo inteiro eficaz.

> Não há saúde nos meus ossos, por causa do meu pecado.
>
> Salmo 38.3

> A voz do Senhor clama à cidade.
>
> Miqueias 6.9

■ 33.20

וְזִהֲמַתּוּ חַיָּתוֹ לָחֶם וְנַפְשׁוֹ מַאֲכַל תַּאֲוָה׃

De modo que a sua vida abomina o pão. Um homem enfermo perde o apetite e pode chegar a abominar o pão. Ele não tem apetite nem por alimentos saborosos que, ordinariamente, o atrairiam. Ele está doente demais para importar-se com tais coisas. Já começou a agonizar. Mas mesmo, depois de ter chegado a esse extremo, Deus pode trazer de volta um homem arrependido (vss. 23,24). O caso de Jó foi reconhecido como *drástico*, mas Eliú não pensou que fosse impossível sua recuperação.

> A sua alma aborreceu toda sorte de comida, e chegaram às portas da morte. Então, na sua angústia, clamaram ao Senhor, e ele os livrou das suas tribulações.
>
> Salmo 107.18-19

33.21

יִ֭כֶל בְּשָׂר֣וֹ מֵרֹ֑אִי וּשְׁפִ֥י עַ֝צְמוֹתָ֗יו לֹ֣א רֻאּֽוּ׃

A sua carne, que se via, agora desaparece. O homem enfermo continua perdendo peso, de modo que logo será possível ver seus ossos através da carne. Seu declínio físico avança. Ele não pode esperar viver por muito tempo, nem mesmo o deseja. Ele se tornou "pele e ossos", conforme diz uma expressão idiomática moderna. Se ele estiver sendo afligido por Deus por causa do pecado, convém que se arrependa imediatamente, pois do contrário seu arrependimento será tardio. Sua condição de deterioração é devida ao pecado, e somente o abandono do pecado poderá receber algum bem (vs. 24). Jó havia sido reduzido a um esqueleto vivo.

Os meus ossos se apegam à minha pele e à minha carne...
Jó 19.20

33.22

וַתִּקְרַ֣ב לַשַּׁ֣חַת נַפְשׁ֑וֹ וְ֝חַיָּת֗וֹ לַֽמְמִתִֽים׃

A sua alma se vai chegando à cova. Uma vez mais, o poeta fala na "cova" (cinco vezes nesta passagem, ver o vs. 18). Ele estava falando sobre a morte biológica e não sobre o julgamento no pós-vida. Além disso, a palavra "alma" (no hebraico, *nephesh*), neste caso, não faz referência à alma imaterial. Tal referência seria um anacronismo na teologia patriarcal. Está em pauta a *vida* de uma pessoa, e, para os hebreus primitivos, isso era a vida física conferida a um homem para fazer dele uma criatura viva, mas não uma vida que sobrevivesse à morte física. Nos Salmos e nos Profetas, *nephesh* começou a referir-se à sobrevivência da alma. Porém, mesmo então, a doutrina ficava indefinida, e nenhuma recompensa ou punição no pós-vida entrava na questão. Esse desenvolvimento deu-se essencialmente durante o período intermediário, aparecendo nos livros pseudepígrafos e apócrifos e, naturalmente, nas páginas do Novo Testamento, onde recebeu dimensões ainda mais importantes.

A sua vida aos portadores da morte. O mais provável é que estejam em vista os *anjos da morte,* aqueles poderes que chegam para garantir que o homem morrerá. Em tempos posteriores, tais poderes eram vistos a transportar as almas para o lugar de bem-aventurança ou punição. Aqui, esses poderes são os *destruidores,* ou seja, efetuam ou garantem a morte biológica da pessoa que visitam. No versículo subsequente, entretanto, eles se tornam os *mediadores* ou, talvez, devamos pensar nos outros anjos que tinham esse mesmo ofício. Ver no *Dicionário* o artigo chamado *Anjo,* quanto a explicações completas. Portanto, se a teologia patriarcal não continha uma doutrina da alma humana em sua sobrevivência ou imortalidade, tinha uma *angelologia* bem desenvolvida. No livro de Gênesis, naturalmente, já encontramos a atividade dos anjos.

Lançou contra eles o furor da sua ira: cólera, indignação e calamidade, legião de anjos portadores de males.
Salmo 78.49

Alguns estudiosos falam aqui sobre *enfermidades mortíferas,* mas não há nenhuma razão para tirar o aspecto pessoal deste versículo. A Septuaginta diz *anjos,* como também o faz Aben Ezra.

33.23

אִם־יֵ֤שׁ עָלָ֨יו ׀ מַלְאָ֗ךְ מֵלִ֗יץ אֶחָ֥ד מִנִּי־אָ֑לֶף לְהַגִּ֖יד לְאָדָ֣ם יָשְׁרֽוֹ׃

Se com ele houver um anjo intercessor. Temos aqui menção a um anjo, ou anjos, "por ele", um anjo "intérprete" (*King James Version*), ou, melhor ainda, "mediador" (*Revised Standard Version*). A Septuaginta estampa a famosa palavra *paracleto,* título neotestamentário (ver Jo 14.16) para o Espírito Santo. O ajudador ou mediador teria o ofício de mostrar ao homem o que é certo e o que é errado, dando ao pecador a orientação necessária para a cura.

A *esperança* era a de que o pecador assim orientado seria graciosamente tratado pelo Deus Todo-poderoso (vs. 24). A *Oxford Annotated Bible* vê na seção dos vss. 23-28 uma antecipação ao princípio da graça, que se torna tão vívido e evidente no Novo Testamento. Isso pode exprimir uma verdade, mas seria um anacronismo ver a salvação evangélica aqui, efetuada por meio da graça divina. De fato, seria um exagero do texto, uma *eisegese,* e não uma exegese. Não está em pauta a salvação da alma. Antes, está em vista a salvação da morte física prematura de um pobre pecador, dando-lhe uma ajuda divina para arrepender-se e endireitar seu caminho com Deus. Por conseguinte, dizer "Eis a teologia inteira da salvação pela graça, em miniatura" (conforme faz a *Oxford Annotated Bible*) é ver demais nesta passagem. Na verdade, a *mediação* é vista como necessária à salvação do pecador da morte biológica, mas este texto não vai além disso. Não obstante, vemos aqui um princípio em operação, que a terrível tríade havia perdido de vista, mas Eliú compreendeu como um caminho do Ser divino para tratar com os homens.

Um dos milhares. Estas palavras poderiam significar que tal mediador é uma *raridade*. Há muitos anjos, mas apenas alguns estão engajados no trabalho de mediação. Ou então a ideia contrária poderia estar em pauta. Há muitos (milhares) de tais anjos, e um deles poderia ser enviado para ajudar Jó. Cf. Jó 9.3. A passagem de Jó 5.1 antecipa esse ministério, mas o rejeita como improvável. Eliú referiu-se a si mesmo como divinamente enviado (ver Jó 32.8 e 33.6), talvez indicando ser um anjo mediador, um intérprete para explicar certas coisas a Jó. Além disso, Jó esperou que tal personagem o ajudasse em sua causa (Jó 9.33). Ver esse princípio desenvolvido no Novo Testamento, em passagens como 1Jo 2.1; Rm 8.34 e Hb 7.25. Ver também Rm 8.26 e, na *Enciclopédia de Bíblia, Teologia e Filosofia,* o artigo chamado *Mediação (Mediador).*

O autor, assim sendo, adiciona o quinto modo de comunicação, intervenções divinas mediante o ministério dos anjos. Ver os outros *quatro* modos comentados no vs. 19 deste capítulo.

33.24

וַיְחֻנֶּ֗נּוּ וַיֹּ֗אמֶר פְּ֭דָעֵהוּ מֵרֶ֥דֶת שָׁ֗חַת מָצָ֥אתִי כֹֽפֶר׃

Então Deus terá misericórdia dele. A *graça divina intervém* em favor do homem arrependido, livrando-o da morte prematura. A "cova" é mencionada uma vez mais. Cf. os vss. 18, 22, 24, 28 e 30 (em um total de *cinco* vezes). É anacronismo fazer tudo isso se referir à salvação nos termos evangélicos. O autor sacro tão somente falava no livramento da morte física prematura. Não obstante, o princípio da graça e da mediação estão aqui, juntamente com o princípio da *redenção.* Ver os comentários sobre o vs. 23, quanto a explicações mais completas. Ver na *Enciclopédia de Bíblia, Teologia e Filosofia* os artigos chamados *Graça* e *Resgate.*

Redime-o. O significado da palavra hebraica por trás desta tradução é incerto. Trata-se de um *hapax legomenon,* termo usado somente uma vez em toda a Bíblia. Alguns estudiosos emendam o texto e dizem "redime", ou seja, "redime-o", conforme faz a nossa versão portuguesa. Cf. Sl 49.8. Se permanecermos com a palavra usada no texto massorético (ver no *Dicionário* o artigo chamado *Massora (Massorah); Texto Massorético*), poderemos supor que esteja em pauta alguma frase como "deixa-o ir-se", "deixa-o sozinho". Nesse caso, o poeta queria ver Jó libertado de descer para o abismo. O Targum e a versão siríaca optam pela outra palavra hebraica como representante do original e falam sobre o *resgate.*

Achei resgate. O *resgate* não é definido, mas o autor sagrado provavelmente tinha em mente a *expiação* efetuada por meio de sacrifícios. Provavelmente, ele escreveu depois da lei de Moisés haver sido dada, embora tenha colocado seu livro no período patriarcal. Mesmo então, havia sacrifícios de expiação, e a lei de Moisés desenvolveu ainda mais essa noção. "O resgate não é definido, mas pode-se reconhecer facilmente a linguagem dos profetas e dos salmistas, particularmente Is 43.3. Aqui o resgate pode ser obtido, talvez, pela paciente resistência do sofrimento (cf. Jó 36.18)" (Samuel Terrien, *in loc.*). Cf. este versículo com Êx 21.30.

O *resgate* é um sexto meio de ajudar o pecador, um modo de conceder o favor divino. Ver o vs. 19, quanto a uma lista, e o gráfico no fim do capítulo 37, sobre as contribuições de Eliú à discussão, certos *discernimentos* que ele tinha, mas que outras pessoas não possuíam.

33.25

רֻֽטֲפַ֣שׁ בְּשָׂר֣וֹ מִנֹּ֑עַר יָ֝שׁ֗וּב לִימֵ֥י עֲלוּמָֽיו׃

Sua carne se robustecerá. A esperança que Eliú tinha era a de que Jó seria tão completamente restaurado que recuperaria a saúde corporal de uma criança ou de um jovem. Ele recuperaria o vigor físico de um adolescente, uma grande esperança para um homem idoso doente!

> *Quem da cova redime a tua vida e te coroa de graça e misericórdia; quem farta de bens a tua velhice, de sorte que a tua mocidade se renova como a da águia.*
>
> Salmo 103.4,5

Oh, Senhor! Concede-nos tal graça! "Ele nascerá como nova criatura. Retornará aos dias de sua juventude. Nascerá de novo" (Adam Clarke, *in loc.*). Cf. a história de como o leproso Naamã foi restaurado e recebeu a carne de uma criança (2Rs 5.14). Alguns intérpretes cristianizam o texto e veem o *novo nascimento* do crente tipificado. Ver Jo 3.3-7.

Oração e Confissão do Sofredor (33.26-28)

■ **33.26**

יֶעְתַּ֤ר אֶל־אֱל֨וֹהַּ ׀ וַיִּרְצֵ֗הוּ וַיַּ֣רְא פָּ֭נָיו בִּתְרוּעָ֑ה וַיָּ֥שֶׁב לֶ֝אֱנ֗וֹשׁ צִדְקָתֽוֹ׃

Deveras orará a Deus. Restaurado, Jó se voltaria a Deus em oração agradecida. Deus tem sido gracioso acima do que se poderia esperar. Jó, em saúde e força, receberia vida nova. Ficaria livre de seus pecados e reconquistaria a saúde e as forças. Uma *nova vida* abriria o caminho para o *homem renovado*. As frases usadas por Eliú deixavam claro que Jó poderia ganhar aqueles benefícios exclusivamente através do perdão dos pecados. Ele deveria primeiramente confessar seus pecados e arrepender-se de seus caminhos ímpios. Então, uma vez restaurado, apresentaria a oração de graças.

Portanto, foi Eliú quem pôs Jó em contato com o programa de "terapêutica teológica" (Samuel Terrien, *in loc.*). Eliú tinha fé nisso, mas perdeu de vista o ponto verdadeiro de toda a dor de Jó, que sofria "sem causa" (ver Jó 2.3), pelo que, em consequência, seu problema não era arrepender-se. Ainda havia alguma questão agonizante *sem resposta*. Por que os homens sofrem e por que sofrem como sofrem? Os *inocentes* podem sofrer! Alguma razão deve ser encontrada nos caminhos misteriosos de Deus, ou, então, o *caos* algumas vezes pode atingir até mesmo os justos, e devemos pedir proteção *contra isso*. Ver no *Dicionário* o artigo chamado *Problema do Mal*, bem como a seção V da *Introdução*, que também trata desse problema.

E este lhe restituirá a sua justiça. Isto é, o indivíduo arrependido recebe de volta sua justiça, uma parte natural da restauração. A *Revised Standard Version* diz aqui "salvação", mas, se traduzirmos o texto dessa maneira, deveremos compreender algo de temporal, pois a salvação da alma não está em foco no presente texto. A *Revised Standard Version* corrige o texto para obter outra ideia. Isso é uma conjectura e, conforme penso, não muito boa; pelo contrário, Jó receberia de volta seu *estado reto* (comparar as palavras de Bildade, em Jó 8.21). O texto é cristianizado por alguns intérpretes, para que homens convertidos vivam a vida espiritual, produzindo os frutos do Espírito (ver Gl 5.22,23).

> *Bem-aventurado aquele cuja iniquidade é perdoada, cujo pecado é coberto. Bem-aventurado o homem a quem o Senhor não atribui iniquidade.*
>
> Salmo 32.1,2

■ **33.27**

יָשֹׁ֤ר ׀ עַל־אֲנָשִׁ֗ים וַיֹּ֗אמֶר חָ֭טָאתִי וְיָשָׁ֥ר הֶעֱוֵ֗יתִי וְלֹא־שָׁ֥וָה לִֽי׃

Cantará diante dos homens. Jó foi induzido mentalmente por Eliú a fazer uma apropriada confissão de pecado. Ele tinha *pervertido* o seu caminho; eis por que sofria. Mas ele abandonara a vida de deboche. Foi assim que, embora tivesse sofrido terrivelmente, fora salvo da morte prematura (vs. 28). Deus favorece o pecador arrependido. Cf. Is 42.1; Sl 44.4 e 147.11. O homem restaurado anseia testificar a outros sua experiência e apresentar-lhes o *seu exemplo*. *O homem restaurado* é tão alegre que "canta perante os homens". Ele diz palavras de agradecimento em um hino improvisado. Ele pecou, foi punido e sofreu, mas nada que se parecesse com o grau que ele merecia. Deus interveio e o perdoou, não retribuindo conforme ele merecia. O que ele merecia era a morte prematura, o fim natural de sua dor, mas Deus o salvou *daquilo*.

■ **33.28**

פָּדָ֣ה נַ֭פְשִׁי מֵעֲבֹ֣ר בַּשָּׁ֑חַת וְ֝חַיָּתִ֗י בָּא֥וֹר תִּרְאֶֽה׃

Deus redimiu a minha alma de ir para a cova. O *Deus gracioso*, tendo misericórdia pelo pecador arrependido, salvou-o da morte prematura, não permitindo que seu corpo físico fosse posto no sepulcro, onde ele apodreceria e os vermes o consumiriam. Isto finalmente aconteceria, mas *depois* de ele ter vivido a vida que deveria viver e ter cumprido o seu propósito.

E a minha vida verá a luz. A "luz", neste caso, provavelmente é a do *sol*, que rebrilha sobre os mortais e lhes dá vida e alegria. Experimentar a luz do sol significa desfrutar uma boa vida. Cf. o vs. 30.

> *Doce é a luz, e agradável aos olhos ver o sol.*
>
> Eclesiástico 11.7

Metaforicamente, ver a luz do sol é ser beneficiado pela luz espiritual de Deus e receber a iluminação divina, que torna a vida digna de ser vivida.

> *Pois da morte me livraste a alma, sim, livraste da queda os meus pés, para que eu ande na presença de Deus, na luz da vida.*
>
> Salmo 56.13

Tipicamente, o pecador restaurado finalmente andará na luz eterna, desfrutando para sempre da vida espiritual. Isso exprime uma verdade, mas o autor do livro de Jó não se referia a isso.

> *A vida estava nele e a vida era a luz dos homens.*
>
> João 1.4

O Propósito Final de Deus (33.29-30)

■ **33.29**

הֶן־כָּל־אֵ֭לֶּה יִפְעַל־אֵ֑ל פַּעֲמַ֖יִם שָׁל֣וֹשׁ עִם־גָּֽבֶר׃

Eis que tudo isto é obra de Deus. Deus está acostumado a tratar assim os homens, de modo que o caso de Jó tinha esperança. Se outros tinham recebido os benefícios divinos descritos, o mesmo podia acontecer com Jó, *contanto* que ele cumprisse as condições. Com frequência, Deus age assim. Pois por "duas ou três vezes" (*Revised Standard Version*) Jó o observara beneficiando os homens (assim também diz a nossa versão portuguesa). Essa é a tradução literal do original hebraico, mas a tradução portuguesa mais acertada é "com frequência". Em outras palavras, os benefícios divinos estão facilmente disponíveis àqueles que se qualificam para recebê-los. Deus atua através de sonhos, visões, inspirações, aflições, mensageiros angelicais, e do princípio da graça, na redenção. Nos últimos dias, naturalmente, ele nos tem falado através de seu Filho (ver Hb 1.2). Ele age, assim, "com grande frequência". Bendito seja Deus!

"Este versículo é um sumário do que fora dado anteriormente, a começar pelo vs. 15. Deus é um Ser operante. Ele está sempre em atividade de uma maneira providencial. "Meu Pai trabalha até agora" (Jo 5.17). Algumas vezes, Deus trabalha na mente dos homens em sonhos e visões; outras vezes, mediante aflições; ainda outras, por meio de profetas, mensageiros e ministros da Palavra" (John Gill, *in loc.*).

■ **33.30**

לְהָשִׁ֣יב נַ֭פְשׁוֹ מִנִּי־שָׁ֑חַת לֵ֝א֗וֹר בְּא֣וֹר הַֽחַיִּֽים׃

Para reconduzir da cova a sua alma. Este versículo repete os elementos do vs. 28, onde se encontra a exposição. Aqui novamente está a própria nota-chave da doutrina de Eliú. "O trato de Deus visa o propósito da educação e da disciplina, e era com isso que ele queria que Jó se impressionasse" (Ellicott, *in loc.*).

Eliú estava seguro da providência positiva de Deus, enquanto trabalhava em favor de Jó. Contudo, houve condições a satisfazer e, por longo tempo, Eliú continuou dando suas instruções douradas. Ver no *Dicionário* o artigo *Providência de Deus*.

Apelo Final a Jó (33.31-33)

■ **33.31**

הַקְשֵׁב אִיּוֹב שְׁמַע־לִי הַחֲרֵשׁ וְאָנֹכִי אֲדַבֵּר:

Escuta, pois, ó Jó, ouve-me. Jó estava impaciente com as diatribes de Eliú e era necessário que Eliú o chamasse para ouvi-lo, conforme se vê também no vs. 1 deste capítulo, que é virtualmente igual. Eliú avançaria mais e mais, e teve de garantir uma audiência receptiva. Ele estava certo de ter muita *sabedoria* para falar, e seria uma insensatez Jó interrompê-lo.

■ **33.32**

אִם־יֵשׁ־מִלִּין הֲשִׁיבֵנִי דַּבֵּר כִּי־חָפַצְתִּי צַדְּקֶךָּ:

Se tens alguma cousa que dizer. Um *indivíduo arrogante* tem tanta certeza de suas ideias, que não pode deixar de acumular palavras. Torna-se, então, alguém que fala compulsivamente. Alegadamente, Eliú ofereceu a Jó a chance de dizer alguma coisa, mas nada lemos no sentido de uma réplica. Eliú, hilariante, esperava justificar-se perante Jó, ao ouvir sua resposta. Mas Jó tinha desmaiado sob o ataque do precipitado e impulsivo jovem e não abriu a boca. O jovem começou o seu discurso com ira escaldante (ver Jó 32.2,3,5), mas agora se tinha acalmado e falava em um sentido bastante civilizado. Ele esperava levar Jó à confissão e ao arrependimento e, finalmente, à justificação. Eliú fingiu ser um antagonista justo, permitindo que o amigo criticado replicasse. Mas, na realidade, ele não era um verdadeiro advogado da liberdade de expressão, pois a maioria dos tradicionalistas, dogmáticos e revelacionistas não o são.

Contraste-se esse tipo de atitude com Erasmo, que defendia com vigor a liberdade da investigação.

■ **33.33**

אִם־אַיִן אַתָּה שְׁמַע־לִי הַחֲרֵשׁ וַאֲאַלֶּפְךָ חָכְמָה: ס

Se não, escuta-me. Eliú não esperou que Jó replicasse. Talvez, com um aceno de cabeça, Jó tivesse solicitado que ele continuasse, e foi o que Eliú fez. Jó perdeu sua chance, de maneira que seu crítico, Eliú, o instruiu a calar-se, enquanto lhe dirigia palavras douradas de sabedoria que, estava certo, apontariam a *razão* de seu sofrimento e o fariam voltar à vereda da retidão, onde ele poderia ser curado.

Dá instrução ao sábio, e ele se fará mais sábio ainda.
Provérbios 9.9

Todos os quatro conselheiros de Jó perderam de vista o problema central: um homem *inocente* estava sofrendo. Mas todos os quatro apontaram corretamente para a verdadeira possibilidade de restauração. E assim "a experiência de Jó resultou no fato de que ele desfrutou uma relação mais profunda com Deus (ver Jó 42.2,5,6,9) e também uma longa e plena vida depois disso (ver Jó 42.10,12,16)" (Roy B. Zuck, *in loc.*).

Prosseguindo sua fala, Eliú se dirige à terrível tríade (ver Jó 34.1-15) e retorna a Jó (ver Jó 34.16-37).

A multiplicação de palavras torna-se cansativa para a alma. Mas se uma pessoa fala palavras dignas de serem ouvidas, então nosso coração salta e aprova. O homem sábio, ato contínuo, tenta incorporar em sua vida o que foi dito. Eliú, o pequeno místico, acabou dizendo coisas boas que adicionaram algo à nossa compreensão, pelo menos até certo grau. Apresento um gráfico sobre isso, no fim do capítulo 37.

CAPÍTULO TRINTA E QUATRO

Apresento *detalhada introdução* aos discursos de Eliú no capítulo 21, pelo que peço ao leitor que examine aquele trecho. Não repito as informações que dou ali. Os discursos do jovem místico ocupam os capítulos 32—37, e ele falou mais do que qualquer dos três críticos de Jó. Somente as oito ou nove réplicas de Jó ocuparam mais volume. Embora a maioria dos discursos de Eliú fosse apenas repetição do que a terrível tríade já havia dito, ele conseguiu contribuir com algumas valiosas adições à discussão. Ilustro isso no fim do capítulo 37 com um gráfico.

OS CAMINHOS DE DEUS SÃO JUSTOS (34.1-37)

"Eliú agora dirigiu suas palavras ao amigo, e, talvez, igualmente, aos circunstantes (vs. 2), enquanto discutia sobre o caso de Jó, usando a terceira pessoa (vss. 5 e 7). Após breve exórdio (vss. 2-4), ele relembrou as implicações blasfemas do protesto de Jó (vss. 5-9) e, com isso, refutou-as em duas contenções. *Primeira:* Deus é justo (vss. 10-22), porquanto criou todos os homens iguais (vss. 10-15). Ele mostrou agora parcialidade aos príncipes e aos ricos (vss. 16-20). *Segunda:* Algumas vezes Deus pode *parecer* injusto (vss. 29-37), mas ele poupa os ímpios somente para induzi-los ao arrependimento (vss. 29,30), e, em consequência, Jó, mediante as suas palavras, levantou-se contra Deus em monstruoso julgamento (vss. 34-37)" (Samuel Terrien, *in loc.*).

O SEGUNDO DISCURSO (34.1-37)

Eliú fez *quatro discursos*. Ver informações sobre esses discursos, e a quem foram endereçados, na introdução ao capítulo 32. Ver as *ideias principais* dos discursos, explicadas em Jó 32.10.

Em Jó 33.8, ver o gráfico que apresenta as citações de Jó, que Eliú relembrou e refutou.

Discurso Dirigido à Terrível Tríade (34.1-15)

Necessidade de Testar as Palavras (34.1-4)

■ **34.1**

וַיַּעַן אֱלִיהוּא וַיֹּאמַר:

"Visto que Jó permaneceu em silêncio (33.21), Eliú continuou. Seu *segundo discurso* foi uma defesa da justiça de Deus, em resposta à alegação de Jó de que Deus se mostrava injusto. O jovem protagonista falou primeiro aos três visitantes mais idosos (ver Jó 34.1-15), conforme indicado pelas palavras no plural, 'ouvi' e 'vós' (vss. 2 e 10) e pela palavra 'nós' (vs. 4); em seguida, Eliú dirigiu-se a Jó (vss. 16-37), conforme indicado pelo pronome no singular 'tu' (vss. 16,17 e 33)" (Roy B. Zuck, *in loc.*).

■ **34.2**

שִׁמְעוּ חֲכָמִים מִלָּי וְיֹדְעִים הַאֲזִינוּ לִי:

Ouvi, ó sábios, as minhas razões. *Constantes Apelos por Atenção.* O jovem, para reter a atenção dos seus ouvintes, tinha de continuar a dirigir-se a eles diretamente, chamando-lhes a atenção. Ver Jó 32.10; 33.1,31,33; 34.2,10,16 e 37.14. Em primeiro lugar, os consoladores molestos de Jó tiveram de suportar sua longa diatribe (vss. 1-15) e, então, chegou a vez de Jó ter de suportá-la (vss. 16-37). Ele chamou aos três amigos molestos de Jó de "sábios" e "homens de conhecimento", talvez com alguma ironia, pois, afinal de contas, eles tinham falhado na tentativa de convencer Jó da culpa dele, e também não tinham descoberto as razões pelas quais os homens sofrem, exceto pelo fato de que continuamente falavam da *Lei Moral da Colheita segundo a Semeadura* (ver a respeito no *Dicionário*). Embora Eliú também não tivesse descoberto por que os *inocentes* sofrem, pelo menos adicionou algumas boas ideias à discussão, além das apresentadas pelos outros três.

O impacto maior do capítulo presente é este: "Os caminhos de Deus são finalmente justos; não há nele nem mal nem parcialidade. O pecado de Jó era o pecado da arrogância" (*Oxford Annotated Bible*, comentando sobre o vs. 1).

■ **34.3**

כִּי־אֹזֶן מִלִּין תִּבְחָן וְחֵךְ יִטְעַם לֶאֱכֹל:

Porque o ouvido prova as palavras. *Ouvir com atenção* (vs. 2) significava testar cada palavra para ver quão pesada era, tal como a boca tem a função de provar o que é ingerido, tornando-se um benefício para o corpo todo. Aquilo que tem mau gosto é cuspido fora, para que o corpo não sofra dano. O mesmo ocorre com alegadas palavras de sabedoria e inspiração. As palavras, pois, devem ser submetidas a teste:

> Amados, não deis crédito a qualquer espírito; antes, provai os espíritos se procedem de Deus, porque muitos falsos profetas têm saído pelo mundo afora.
>
> 1João 4.1

Existe o *ouvido* que testa, que não é a audição literal, mas a compreensão iluminada do indivíduo, parte originada do conhecimento acumulado, e parte da intuição, talvez inspirada pelo Espírito Santo.

Naturalmente, Eliú, em sua arrogância jovem, não conseguia provar o seu ponto. Ele tinha certeza de que aqueles velhos e sábios homens, se ouvissem cuidadosamente e submetessem suas palavras a teste, logo reconheceriam que ele tinha mais verdade a proferir do que eles. Em outras palavras, suas revelações lançavam mais luz sobre a situação do que os dogmas, as tradições e o conhecimento acumulado. Eles eram indivíduos dogmáticos e tradicionalistas, ao passo que Eliú era um revelacionista. A exemplo de Eliú, eles dependiam do conhecimento acumulado, mas ele dependia da inspiração direta do Espírito. Ver Jó 33.4. Eliú era um jovem *místico*. A revelação é uma subcategoria do *misticismo* (ver a respeito no *Dicionário*).

Cf. o presente versículo com Jó 12.11 e 33.2, onde encontramos expressões similares.

■ 34.4

מִשְׁפָּט נִבְחֲרָה־לָּנוּ נֵדְעָה בֵינֵינוּ מַה־טּוֹב׃

O que é direito escolhamos para nós. Eliú anelava que *todos* encontrassem a verdade; distinguissem a verdade da falsidade; descobrissem por que os homens sofrem. Isso logo mostraria que Jó era um mentiroso (vs. 5). Ele afirmava ser inocente, mas ninguém poderia sofrer como ele sofria se não carregasse uma grande peso de iniquidade. Eliú apelava para a iluminação divina (ver Jó 32.18; 33.4), mas também respeitava o *bom senso*. Não obstante, em seu orgulho, ele pensava que a *comunidade* tinha de aprovar o que ele dizia, pois nisso consistia o *seu* bom senso. Fosse ou não fosse, alguma espécie de *seleção* tinha de ser efetuada. Não se poderia acreditar no que Jó dizia e, ao mesmo tempo, em Eliú. Alguém teria de estar errado.

Irreligiosidade de Jó (34.5-9)

■ 34.5

כִּי־אָמַר אִיּוֹב צָדַקְתִּי וְאֵל הֵסִיר מִשְׁפָּטִי׃

As acusações de Eliú eram *graves*, porquanto os discursos de Jó tinham sido ásperos e pesados. Ele não somente afirmava ser inocente, mas também dizia que Deus não havia respeitado seus direitos como homem inocente; pelo contrário, lhe havia infligido grande dor, "sem causa" (ver Jó 2.3). Isso significava que Deus abusava de seu poder sobre os homens. Além disso, Deus trataria os justos e os injustos da mesma maneira miserável, sem distinguir o que estaria errado por qualquer padrão humano (ver Jó 9.22). Jó concebia um *Deus voluntarista*, cuja *vontade* seria suprema, às expensas da razão. Deus não tinha de obedecer às regras que ele mesmo impusera aos homens. Ver na *Enciclopédia de Bíblia, Teologia e Filosofia* o artigo denominado *Voluntarismo*, quanto a explicações completas sobre esse conceito.

Ver Jó 27.2, onde Jó fez a declaração que Eliú repetiu neste versículo e onde há mais informações adicionais. Repetidamente, Jó acusou a Deus Todo-poderoso de ser injusto (ver Jó 6.4; 7.20; 10.2,3; 13.24; 16.12,13; 19.7 e 23.14).

Citando Jó. Ver Jó 33.8, quanto a um gráfico no qual ilustro como Eliú citou as declarações anteriores de Jó, tomando-as por base de suas réplicas. O presente versículo tem *duas* dessas citações: Jó era inocente (Jó 9.15,20 e 27.6); Deus lhe negara os direitos de homem inocente (ver Jó 19.6,7 e 27.2). O vs. 6 tem *três* outras citações, e o vs. 9, mais *uma*.

■ 34.6

עַל־מִשְׁפָּטִי אֲכַזֵּב אָנוּשׁ חִצִּי בְלִי־פָשַׁע׃

Apesar do meu direito, sou tido por mentiroso. Jó estava incuravelmente achacado pela aflição divina, que era *arbitrária*, pois ele não merecia o tratamento que estava recebendo.

Três Outras Citações de Jó São Refutadas:

1. Jó tinha direitos e estava coberto de *razões*. Ver Jó 27.5,6. Jó era homem *íntegro*, embora parecesse que ele estava sendo castigado por ser um homem iníquo.
2. Jó não era *culpado*. Ver Jó 10.7 e o capítulo 31, onde ele mostrou que não havia cometido todos aqueles pecados comuns aos homens. Ele listou mais de dezesseis pecados nos quais nunca se envolvera, portanto não era *culpado* deles. A despeito disso, a mão divina o estava esmigalhando.
3. Os dardos de Deus tinham infligido (injustamente) ferimentos incuráveis em Jó. Ver Jó 6.4 e 16.13,17. Esses *dardos* significam maneiras específicas como as suas aflições se expressavam. Mas Jó não merecia um único dardo divino de dor. Para Eliú, entretanto, tais reivindicações de Jó pareciam hipocrisia a toda prova, uma situação vergonhosa. Jó zombava de Deus. Suas dores não eram demais para ele suportar, pois seriam bem merecidas.

As palavras "sou tido por mentiroso", na versão da Septuaginta, aparecem como "ele (Deus) é um mentiroso". Se isso corresponde ao original, podemos compreender facilmente por que algum editor subsequente mudou o sujeito do verbo. Alguns supõem que essa declaração possa ter sido encontrada na terceira réplica de Jó ao terceiro discurso de Zofar, que foi removido por algum editor subsequente ou então pelo próprio autor original, como por demais chocante para os leitores judeus piedosos. Ver a introdução ao capítulo 25, quanto a especulações sobre o suposto terceiro discurso perdido de Zofar e sobre a terceira réplica de Jó a esse discurso.

■ 34.7

מִי־גֶבֶר כְּאִיּוֹב יִשְׁתֶּה־לַּעַג כַּמָּיִם׃

Que homem há como Jó...? Jó era o principal dos pecadores, o chefe dos hipócritas, um homem tão corrupto que bebia a zombaria como se fosse água. De fato, Jó tomou sobre si a tarefa de zombar até mesmo de Deus, para nada dizer sobre os homens. Suas palavras eram cortantes, infames e blasfemas. Ver Jó 11.3, onde Zofar disse o mesmo a respeito de Jó. Ele era um zombador desavergonhado. Ver também Jó 15.16 (uma declaração de Elifaz), que é similar. A imagem provavelmente foi extraída do hábito dos camelos de beber água. Apesar de não precisar beber água com frequência, quando o camelo começa a beber, parece que não mais parará. Ele enche o *tanque* para aquelas longas viagens pelo deserto, onde há tão pouca água. Jó atacava Deus com golpes rebeldes e zombeteiros. Ele declarou que uma pessoa não está em melhor situação por ter servido a Deus (capítulo 35), e que Deus trata justos e injustos do mesmo modo miserável (ver Jó 9.22). Jó nunca parou com as suas reclamações, que tomavam novas formas constantemente, da mesma maneira que um camelo sedento continua bebendo e bebendo, mesmo que seja água *suja*.

■ 34.8

וְאָרַח לְחֶבְרָה עִם־פֹּעֲלֵי אָוֶן וְלָלֶכֶת עִם־אַנְשֵׁי־רֶשַׁע׃

E ainda em companhia dos que obram a iniquidade. Jó parecia ser um pecador notório, que mantinha a companhia de homens ímpios, como ele mesmo. No entanto, quando foi atingido pelo relâmpago divino, ele mentiu e se fingiu de homem piedoso, *intocável*. Eliú, tal como a tríade terrível, falou coisas cortantes contra Jó, embora não tivesse a menor evidência para o que dizia. Os três atarefaram-se nessa forma de argumento, chamado *ad hominem*, isto é, de maneira apaixonada contra uma pessoa e não contra os seus princípios. O raciocínio é que o homem mau *necessariamente* deve ter maus princípios. Mas os quatro temíveis críticos também atacaram os princípios de Jó. Este pertencia à *classe ultrajante* e era culpado de pecados estúpidos. Mas Jó negou tudo, item por item, no capítulo 31.

Talvez a alusão aqui seja a uma caravana de camelos, que atraía todo o tipo de pessoas, as respeitáveis e as não tão respeitáveis. Ou talvez estejam em foco os ladrões de caravanas. Os indivíduos que pertenciam a esse grupo eram *todos* maus. Elifaz (ver Jó 22.15 e 25.4,5) já havia acusado Jó de manter a companhia de indivíduos maus.

> Aves das mesmas penas se juntam em bandos.
>
> Provérbio do século XVI

Entrai pela porta estreita (larga é a porta, e espaçoso, o caminho que conduz para a perdição, e são muitos os que entram por ela), porque estreita é a porta, e apertado, o caminho que conduz para a vida, e são poucos os que acertam com ela.
Mateus 7.13,14

34.9

כִּי־אָמַר לֹא יִסְכָּן־גָּבֶר בִּרְצֹתוֹ עִם־אֱלֹהִים׃

Pois disse: De nada aproveita ao homem. Uma vez mais, a sexta, neste capítulo, Eliú citou parte do discurso de Jó que supunha incriminá-lo. De nada valeria a Jó servir a Deus. Ver Jó 21.15. Ele serviria a Deus, mas somente pela "recompensa" e, no entanto, receberá apenas aflições e dor. Ver o gráfico em Jó 33.8, quanto às citações de Jó que Eliú usou como munição para atirar contra o pobre homem. Ver também as declarações de Jó, em Jó 9.20-22,30,31; 10.6,7,14,15. Elifaz disse o contrário, em Jó 22.21.

Contrastar isso com 1Tm 4.8: "Pois o exercício físico para pouco é proveitoso, mas a piedade para tudo é proveitosa, porque tem a promessa da vida que agora é e da que há de ser".

Jó, em suas severas dores, tinha visto evidências contrárias àqueles dogmas religiosos padronizados. Sem dúvida, quando gozava saúde, ele concordava com os dogmas. É mais fácil ser piedoso quando as coisas estão correndo bem, e não é tão fácil quando a maré vira. O tema principal do livro de Jó é a *adoração desinteressada*. Porventura um homem que está sofrendo severos testes reterá a integridade espiritual, ou correrá para o ateísmo e a dissipação? Blasfemará? Satanás disse que Jó blasfemaria (ver Jó 1.11 e 2.5), porquanto considerava a adoração humana totalmente egoísta, ou seja, o homem adoraria a Deus por interesse próprio. Se esse interesse for removido, o homem descontinuará sua adoração, como inútil. Ver na *Enciclopédia de Bíblia, Teologia e Filosofia* o artigo chamado *Egoísmo*. O problema do mal (por que os homens sofrem e por que sofrem como sofrem) entra no quadro para testar a espiritualidade do homem. Ver no *Dicionário* o verbete intitulado *Problema do Mal*. Jó é o único livro da Bíblia em que essa questão é discutida longamente. E esse é um dos mais difíceis problemas da teologia e da filosofia.

Defesa da Justiça Divina (34.10-28)

Não Há Mal Algum no Criador (34.10-15)

34.10

לָכֵן אַנְשֵׁי לֵבָב שִׁמְעוּ לִי חָלִלָה לָאֵל מֵרֶשַׁע וְשַׁדַּי מֵעָוֶל׃

Deus, disse Eliú, não seria semelhante ao que Jó afirmava que ele era. Deus é justo e trata todos os homens com justiça. Portanto, era *óbvio* que Jó não era inocente, conforme afirmava. Eliú apelou a homens de "entendimento" para que concordassem com ele nesse ponto. Todos sacudiram a cabeça, concordando: "sim"; mas Jó tinha um "não" no coração. Para Jó, Deus agia injustamente. Ele pune o reto e faz o ímpio prosperar. Fora isso o que Jó vira "lá fora". Bildade (ver Jó 8.3) já se pronunciara contra qualquer ideia de que Deus possa cometer um erro. Todos concordavam com isso, de fato, mas Jó não tinha tanta certeza. Jó também representou Deus como um Ser "irresponsável". Para Eliú, isso equivalia a uma blasfêmia, parte da zombaria que Jó bebia como se fosse água (vs. 7). Devemos lembrar que a antiga teologia dos hebreus alegava ser Deus a única causa, ou seja, tanto do bem quanto do *mal*. Um calvinismo extremado toma a mesma posição hoje em dia, e até Paulo, em Rm 9, *escorregou* para essa maneira de pensar, influenciado por seu treinamento rabínico. Afortunadamente, o apóstolo *usualmente* não pensava nem falava dessa forma. A *reprovação ativa* por certo é uma doutrina falsa, a despeito de quem a tenha ensinado. Até a reprovação passiva é contra a verdade maior, o amor de Deus. Ver sobre *Reprovação* na *Enciclopédia de Bíblia, Teologia e Filosofia*. Há *causas secundárias* que a teologia antiga dos hebreus não reconhecia, mas nenhuma teologia sã pode avançar muito sem esse conceito.

34.11

כִּי פֹעַל אָדָם יְשַׁלֶּם־לוֹ וּכְאֹרַח אִישׁ יַמְצִאֶנּוּ׃

Pois retribuirá ao homem segundo as suas obras. A posição teológica antiga, a doutrina da *Lei Moral da Colheita segundo a Semeadura* (ver a respeito no *Dicionário*), uma vez mais foi trazida como argumento para debate entre Jó e seus críticos. De fato, os homens colhem aquilo que semeiam (ver Gl 6.7,8), mas algumas vezes o sofrimento acomete um inocente. Os quatro críticos terríveis de Jó não encontraram essa doutrina em seus livros de teologia. Talvez o *caos* possa atacar e, realmente, ataca os justos, tanto quanto os injustos, por isso precisamos orar por proteção contra essa possibilidade. Além disso, existem os *mistérios* do reino de Deus, que não somos capazes de sondar. A lei da retribuição opera agora em parte, e em parte operará depois desta vida (ver Jr 32.19; Rm 2.6; 1Pe 1.17 e Ap 22.12), mas não pode explicar todos os aspectos do problema do mal: por que os homens sofrem e por que sofrem como sofrem? A teologia patriarcal não antecipava que, após esta vida, "haveria recompensas ou punições", de modo que Eliú falava somente das coisas más que acontecem aos pecadores, aqui nesta vida. Mas a experiência humana demonstra a inadequação dessa doutrina. Outros fatores explicam melhor os sofrimentos humanos.

34.12

אַף־אָמְנָם אֵל לֹא־יַרְשִׁיעַ וְשַׁדַּי לֹא־יְעַוֵּת מִשְׁפָּט׃

Na verdade, Deus não procede maliciosamente. Realizar um ato errado ou perverter a justiça (conforme Jó acusou Deus) era algo *impossível*, uma perversão da própria ideia da natureza de Deus. Nesse caso, de onde vem toda a dor que nos assedia, chegando mesmo a atingir homens bons, de maneira tão arbitrária e inútil? Mas Eliú insistia em não haver nenhuma corrupção ou capricho no trato de Deus para com os homens. Deus é o "Criador fiel", que sempre faz o que é bom. Ele não se parece com o temível deus dos gregos, Zeus, que feria os homens por qualquer *razão,* ou mesmo sem nenhuma razão. Bildade negou que Deus pudesse perverter a justiça (ver Jó 8.3), e Eliú repete aqui essa noção, para efeito de ênfase. O homem continuava a raciocinar com base em sua fraca teologia, que não levava em conta as causas secundárias. Contudo, para Jó "as tendas dos tiranos gozam paz" (Jó 12.6). Para Jó, Deus parecia indiferente ao destino dos homens (capítulo 12).

34.13

מִי־פָקַד עָלָיו אָרְצָה וּמִי שָׂם תֵּבֵל כֻּלָּהּ׃

Quem lhe entregou o governo da terra? Deus governa este mundo de maneira absoluta. Ver no *Dicionário* o artigo chamado *Soberania de Deus*. Deus sempre governou a criação. Esse ofício não lhe foi dado por outrem, que tivesse governado a criação antes dele. Nesse caso, de onde viria o mal? Apesar de esperar que o governo de Deus sempre fosse exercido mediante *providência positiva*, Jó via a *providência negativa* operar neste mundo. Ateus nascem, sempre que esse princípio é destacado. É conforme um de meus professores de filosofia disse certo dia, em classe: "Se eu fosse Deus e contasse com todo o poder que lhe é atribuído, teria criado um mundo melhor do que o nosso".

> Se eu fosse Deus...
> Não haveria mais o adeus solene,
> A vingança, a maldade, o ódio medonho,
> E o maior mal, que a todos anteponho,
> A sede, a fome da cobiça infrene!
>
> Eu exterminaria a enfermidade,
> Todas as dores da senilidade;
> A criação inteira alteraria,
> Se eu fosse Deus.
>
> Martins Fontes, Santos, 1884-1937

Por isso, também os que sofrem segundo a vontade de Deus encomendem a sua alma ao fiel Criador, na prática do bem.
1Pedro 4.19

Nossas opiniões sobre o que ocorre à face do planeta podem ser como as de Jó ou como as de seus quatro terríveis críticos. Essas opiniões são apenas parciais e laboram em erro. Há muitos mistérios. Mas confiamos que, *finalmente*, o bem prevalecerá sobre o mal.

> Deus se move de forma misteriosa
> Para realizar as suas maravilhas.
> Implanta seus passos no mar,
> E cavalga por cima do tufão.
>
> A incredulidade cega sempre erra
> E examina sua obra em vão;
> Deus é o seu próprio intérprete,
> E deixará tudo bem claro.
>
> William Cowper

■ 34.14,15

אִם־יָשִׂים אֵלָיו לִבּוֹ רוּחוֹ וְנִשְׁמָתוֹ אֵלָיו יֶאֱסֹף׃
יִגְוַע כָּל־בָּשָׂר יָחַד וְאָדָם עַל־עָפָר יָשׁוּב׃

Se Deus pensasse apenas em si mesmo. Deus é o doador e sustentador da vida humana. Ele soprou sobre o homem o hálito da vida, e o homem tornou-se criatura vivente (ver Gn 3.19). Esse ato não deve ter sido nenhum grande feito para o poder de Deus. Com igual facilidade, ele pode reverter o processo, tirando o hálito ou espírito do homem. Não há aqui nenhum ensino sobre o recolhimento da alma humana, que então volta a Deus, conforme se lê em Ec 12.7. Descobrir isso aqui é anacronismo. Isso não fazia parte da teologia patriarcal. Antes, o poeta estava falando meramente sobre a morte biológica. De fato, Deus pode recolher a si *toda a carne* (vs. 15). Poderia haver um súbito *nada*, tal como antes da criação havia apenas Deus. Isso não acontece, porque a vontade benevolente de Deus mantém toda a vida em continuação.

> *Pois nele vivemos, e nos movemos, e existimos, como alguns dos vossos poetas têm dito: Porque dele também somos geração.*
>
> Atos 17.28

> *Nele tudo subsiste.*
>
> Colossenses 1.17

> *Se ocultas o rosto, eles se perturbam; se lhes cortas a respiração, morrem e voltam ao seu pó.*
>
> Salmos 104.29

Discurso Dirigido a Jó (34.16-37)

Não Há Parcialidade no Juiz (34.16-20)

■ 34.16

וְאִם־בִּינָה שִׁמְעָה־זֹּאת הַאֲזִינָה לְקוֹל מִלָּי׃

Uma vez mais, o impetuoso Eliú chamou a atenção de sua audiência, para que ouvisse cuidadosamente suas palavras de ouro. Cf. o vs. 2, onde discuto sobre essa questão e ofereço referência. Ver Jó 32.10; 33.1,31,33; 34.2,10,16 e 37.14. Agora, Eliú convocou o infeliz Jó para considerar a verdade: não há parcialidade no Juiz dos céus. Ele dirigiu vigorosamente suas palavras a *Jó*, enquanto os outros três críticos ficavam em pé, nas proximidades, escutando (vss. 16-37). Se Jó tivesse razão, então Deus estaria errado e, como é evidente, isso seria uma teologia má. Por outro lado, talvez fosse o *conceito de Deus* que estivesse laborando em erro, não o próprio Deus. Jó tinha um conceito voluntarista de Deus, evidentemente equivocado. Ver na *Enciclopédia de Bíblia, Teologia e Filosofia* o artigo chamado *Voluntarismo*. Ver os comentários sobre o vs. 5 deste capítulo.

■ 34.17

הַאַף שׂוֹנֵא מִשְׁפָּט יַחֲבוֹשׁ וְאִם־צַדִּיק כַּבִּיר תַּרְשִׁיעַ׃

Acaso governaria o que aborrecesse o direito? Deus não poderia *governar* o universo se odiasse a justiça. Jó acusou Deus de ser injusto, porque ele punia sem causa (ver Jó 2.3). Se um tirano sobe a uma posição de poder, então temos o *caos* no governo. Os ateus naturalmente acreditam que o caos governa este mundo, por causa dos sofrimentos humanos, o problema do mal. Eliú, pois, acusa Jó de tomar o ponto de vista ateu sobre o que acontece no mundo. Se rejeitarmos o caos como o poder que domina todas as coisas, então temos de dizer que Deus é justo e Jó acusara Deus falsa e precipitadamente. Ele "condenou injustamente Deus", quanto à maneira como este manuseou a sua vida. Tendo dito isso (e isso se parece com uma boa teologia), ainda assim não teremos respondido à pergunta central: "Por que os *inocentes* sofrem?" Portanto, as palavras eloquentes de Eliú não fornecem a resposta que ele buscava para o caso de Jó. Não faria o que é certo o Juiz de toda a terra? (ver Gn 18.25). A onipotência precisa andar de mãos dadas com a justiça. De outra sorte, teríamos de supor que Deus se assemelhasse ao deus Zeus dos gregos, que não fingia ter nenhuma moralidade, mas, em certas oportunidades, era o próprio modelo da injustiça. De fato, Jó acusou Deus de ser como Zeus! Se Deus é voluntarista, então está fora das categorias humanas da justiça e do direito, e o argumento de Eliú cai por terra. Ele estava julgando a Deus, pelo momento, em concordância com o que considerava justo.

■ 34.18,19

הַאֲמֹר לְמֶלֶךְ בְּלִיָּעַל רָשָׁע אֶל־נְדִיבִים׃
אֲשֶׁר לֹא־נָשָׂא פְּנֵי שָׂרִים וְלֹא נִכַּר־שׁוֹעַ לִפְנֵי־דָל
כִּי־מַעֲשֵׂה יָדָיו כֻּלָּם׃

Dir-se-á um rei: Oh! Vil? Chegamos a respeitar os governantes *humanos* e esperamos que eles façam justiça. Mas com frequência eles nos desapontam, pois a imoralidade é *hábito* dos políticos. Contudo, esperamos mais deles. E quanto mais justiça não devemos esperar da parte do grande governante? Não é apropriado dizer aos reis e príncipes que eles são *ímpios*. Isso seria contrário às expectativas. Muito menos, podemos acusar Deus de injustiça. Ele não aceita apenas os ricos e poderosos. Ele é imparcial e julga com justiça (vs. 19).

A *Revised Standard Version* dá aos vss. 18,19 uma distorção diferente da interpretação que acabamos de mencionar. Naquela versão, temos Deus a condenar os reis e príncipes e a chamá-los de "indignos" e "ímpios". Ele chama os nobres de "perversos" (vs. 18); ademais, não mostra parcialidade para com eles (vs. 19) nem olha para ver quão ricos e poderosos são os nobres, a fim de favorecê-los. Deus não os considera mais do que aos pobres, os quais também são obras de suas mãos. Ora, se Deus reconhece os políticos quanto ao que eles *realmente* são, e os chama de *ímpios* e de *inúteis*, e se ele não faz acepção de pessoas e dispensa justiça a ricos e pobres igualmente, então temos uma *prova* de que Deus é justo. Deus vê o homem e o condena. Em consequência, Jó, estava na mesma categoria. *Conclusão*: Jó era mau e *merecia* o tratamento duro que estava obtendo da parte de Deus.

■ 34.20

רֶגַע יָמֻתוּ וַחֲצוֹת לָיְלָה יְגֹעֲשׁוּ עָם וְיַעֲבֹרוּ וְיָסִירוּ
אַבִּיר לֹא בְיָד׃

De repente morrem. Tanto os ricos quanto os pobres, tanto os fortes quanto os fracos, tanto os príncipes como os aldeões, esperam a mesma sorte, mediante o decreto de Deus: em um momento, Deus pode remover e realmente os remove da vida física. O anjo da morte pode passar à meia-noite, quando os homens temem a escuridão. No meio da noite, o poderoso ou o fraco morrem, e é a mão de Deus que estará em operação. Temos de presumir que a justiça divina esteve em operação, e que a morte foi governada pela sabedoria e retidão. O versículo ensina que nenhum indivíduo resiste às operações do governo de Deus. O homem rico e poderoso não está isento do anjo da morte.

> A morte é a grande niveladora.
>
> Provérbio do século XVIII

Eliú *estava dizendo* que o governo da justiça divina opera em todos os ângulos as coisas da vida e da morte dos homens. Temos de presumir que algum plano benévolo da razão esteja por trás de sua operação. De outra sorte, o *caos* é o verdadeiro deus deste mundo. Uma coisa que macula a discussão inteira e o livro todo de Jó é a natureza primitiva da antiga teologia patriarcal, entre os judeus. De acordo com essa teologia, não havia nenhuma esperança de vida pós-túmulo, e nenhuma promessa de recompensa aos bons, ou ameaça de punição aos maus. Nesse caso, é difícil pensar na morte, seguindo algum plano, exceto o caos. Poderíamos até indagar que bem faria a prática do bem se, no fim, tudo se reduz a nada? A teologia posterior dos hebreus reconhecia essa futilidade e começou a falar sobre a *nephesh* (alma) como sendo um princípio diferente do corpo, uma parte imaterial capaz de sobreviver à morte biológica. Naturalmente, as religiões orientais e até a filosofia grega há muito vinham falando dessa maneira. De acordo com a teologia dos hebreus, a *alma* era uma doutrina recente. Portanto, caros leitores, estou dizendo que, em certo sentido, Platão sabia mais do que Moisés! Seja como for, é bom conhecer as crenças alheias; é bom adquirir novos conhecimentos, incluindo aqueles que são encontrados fora da Bíblia, no mundo das ciências, por exemplo. A Bíblia não assevera ser a única fonte de conhecimento útil, embora alguns crentes ajam assim, negligenciando grandes tesouros que podem ser escavados em outros lugares. O conhecimento deve ser adicionado à nossa fé (ver 2Pe 1.5).

A Onisciência Divina é Absoluta (34.21-28)

■ **34.21**

כִּי־עֵינָיו עַל־דַּרְכֵי־אִישׁ וְכָל־צְעָדָיו יִרְאֶה׃

A *visão divina* não perde uma única coisa, mas vê tudo. Nenhum homem é justo sem ser visto por Deus. *Seus olhos* guiam tudo. Nenhum ser humano pode ocultar-se de Deus. Ele recompensa e pune, de acordo com o que vê. Jó estava dizendo que Deus os via tentando derrubar um homem inocente, pelo que eles não eram justos! Eliú afirmou que Deus estava vendo o que Jó fazia, sabendo que esses atos não eram bons, de maneira que o castigava. A teologia de Eliú e dos outros três críticos de Jó não tinha espaço para nenhum inocente que estivesse sofrendo. Eliú falava com grande zelo e tinha confiança em seu conhecimento, que, ele cria, lhe viera por meio de revelações divinas (ver Jó 32.8). Mas sua teologia era *defeituosa*, como todas as teologias, sem importar quem mantém e ensina esses princípios. Isso nos alerta a *continuar investigando*. Há um imenso acúmulo de verdade "lá fora", esperando ser descoberto, sobre o qual os livros teológicos nada dizem.

■ **34.22**

אֵין־חֹשֶׁךְ וְאֵין צַלְמָוֶת לְהִסָּתֶר שָׁם פֹּעֲלֵי אָוֶן׃

Não há trevas nem sombra assaz profunda. Deus combina *onipotência* com *onisciência* (ver sobre essas duas ideias no *Dicionário*). E ato contínuo, nessa combinação, ele mistura a justiça, de modo que nos resta o trio de atributos divinos formado pela onipotência, pela onisciência e pela justiça. *Essa* combinação, pois, governa o mundo, de acordo com Eliú. Nenhum ser humano pode escapar dessa mistura divina. Um homem não pode ocultar-se nas trevas, continuando em seus pecados, sem ser visto por Deus e, finalmente, castigado. Os feitores da iniquidade tentam ocultar-se, mas tudo é vão. Se os homens não descobrirem a iniquidade, para puni-la, *Deus* o fará. Ver no *Dicionário* o artigo chamado *Luz, Metáfora da*, onde também incluo a metáfora das *trevas*, sob o ponto I. Ver ainda sobre *Trevas (Metáforas)*. Os homens nem ao menos podem esconder-se nas sombras da morte. De fato, Deus lhes devolve na medida do mal que tiverem praticado. Naturalmente, após isso, nada mais lhes resta fazer; em certo sentido, homens ímpios são capazes de esconder-se nas trevas do pós-morte. Essa era uma deficiência da teologia patriarcal, que discuto na exposição sobre o vs. 20, último parágrafo.

> *Senhor, tu me sondas e me conheces... Se eu digo: as trevas, com efeito, me encobrirão, e a luz ao redor de mim se fará noite, até as próprias trevas não te serão escuras: as trevas e a luz são a mesma cousa.*
>
> Salmo 139.1,11,12

■ **34.23,24**

כִּי לֹא עַל־אִישׁ יָשִׂים עוֹד לַהֲלֹךְ אֶל־אֵל בַּמִּשְׁפָּט׃

יָרֹעַ כַּבִּירִים לֹא־חֵקֶר וַיַּעֲמֵד אֲחֵרִים תַּחְתָּם׃

Pois Deus não precisa observar por muito tempo o homem. A *King James Version* dá aqui a ideia de que somente Deus leva o homem ao tribunal divino, para que a justiça seja feita. Mas a *Revised Standard Version* diz que a justiça não é nomeada para o homem, pois ele não entrará no tribunal divino para ser julgado, como se isso fosse um direito seu. Pelo contrário, Deus *esmaga* o poderoso, mesmo sem fazer investigação (vs. 24). A *King James Version* diz "sem-número", em vez de "observar". Em lugar desses homens arrogantes, que se pavoneavam como se fossem viver para sempre, Deus põe homens no palco deste mundo. E o tempo marcado para receberem a retribuição divina também haverá de chegar. Eliú estava dizendo que os homens não têm de ser conduzidos ao tribunal divino para que seus casos sejam julgados. Deus já sabe, antes mesmo desse julgamento no tribunal divino, que eles merecem ser removidos da terra, e ele realmente os remove.

Todavia, poderíamos entender essas declarações em um sentido voluntarista. A vontade de Deus é suprema, e as categorias da justiça humana simplesmente não se aplicam a ele. Por conseguinte, qualquer coisa que Deus faça é automaticamente certa, independentemente de nossa razão dizer sim ou não. "Deus não precisa marcar nenhum tempo especial para impor julgamento. Ele persegue sua tarefa com justiça estrita e rápida, mesmo sem investigar (vs. 24), e à vista dos homens (vs. 26). Portanto, não expressa verdade dizer que Deus não ouve o clamor dos oprimidos (vss. 27,28; cf. Jó 24.12)" (Samuel Terrien, que negou a ideia voluntarista e afirmou que a justiça é feita, embora sem nenhum ato de investigação divina).

"Nem a onisciência nem a onipotência podem tomar o lugar do *amor*. Sem esse fator, ambas as coisas são intoleráveis. Um Deus que tudo soubesse e de tudo tivesse conhecimento seria uma *Gestapo celestial*, se o todo não fosse temperado pelo amor" (Paul Scherer, *in loc.*).

■ **34.25**

לָכֵן יַכִּיר מַעְבָּדֵיהֶם וְהָפַךְ לַיְלָה וְיִדַּכָּאוּ׃

Ele conhece, pois, as suas obras. O resultado da combinação de onisciência e onipotência seria a destruição dos ímpios. Mesmo assim, de acordo com uma teologia mais iluminada, sabemos que até os julgamentos de Deus são dedos da mão de seu *amor*, operando a *restauração*. Ver 1Pe 4.6 e a exposição a respeito, no *Novo Testamento Interpretado*. A cruz de Cristo foi um julgamento, mas também a fonte da bênção e do benefício universal. Foi com essa motivação que Jesus veio a este mundo, não para condená-lo, mas para salvá-lo. A teologia patriarcal era deficiente, e alguns homens tornam a teologia cristã deficiente, impondo-lhe limitações indevidas. Caros leitores, considero que uma de minhas maiores realizações espirituais foi aprender que justiça, julgamento e amor são apenas *sinônimos*! Algumas vezes Deus pode operar seus caminhos de benevolência, de maneira melhor, julgando severamente os homens. Orígenes afirmou corretamente que reduzir o julgamento à mera retribuição é condescender diante de uma *teologia inferior*. O princípio que enuncio aqui aplica-se ao julgamento dos perdidos. Ver na *Enciclopédia de Bíblia, Teologia e Filosofia* o verbete intitulado *Julgamento de Deus dos Homens Perdidos*. Essa doutrina impede que nossa teologia faça do *caos* o verdadeiro deus deste mundo. Não obstante, não me ajuda a falar sobre um caos direcionado por Deus, como se *isso* fosse a justiça. Como poderíamos falar sobre o interminável castigo da vasta maioria dos seres inteligentes, as criaturas de Deus, como qualquer coisa senão o caos?

Tem de haver, e realmente há, uma provisão divina sobre a maioria dos homens, na missão de Cristo, mesmo que essa gente não venha a assumir a posição de eleitos. Ver sobre Ef 1.9,10 no *Novo Testamento Interpretado*. Para a alma que poderia ter sido remida, mas que será meramente restaurada, essa seria uma punição interminável, mas não do mesmo tipo que alguns homens pregam, hoje em dia, na igreja. A fúria do julgamento divino realizará alguma coisa, sim, alguma coisa boa. Esse julgamento não consistirá apenas em fúria. Antes, será um dedo da mão amorosa de Deus. A missão de

Cristo não cairá sobre o solo. *Todos* os homens serão tocados por ela, embora de diferentes maneiras (ver Ef 1.10; 4.8-10; 1Pe 3.18—4.6).

34.26

תַּחַת־רְשָׁעִים סְפָקָם בִּמְקוֹם רֹאִים׃

Ele os fere como a perversos. Deus é um poderoso golpeador, e os ímpios recebem esses golpes. No entanto, Jó sofria golpes divinos, embora fosse *inocente!* Eliú havia dito ótimas palavras, mas deixou de tocar no problema com o qual Jó se defrontava: Por que os inocentes sofrem? A lei da retribuição não soluciona todos os problemas relacionados à dor. Jó sabia disso, mas seus quatro terríveis críticos não o sabiam. Até hoje continuamos tentando encontrar as *razões do sofrimento humano*. Ver no *Dicionário* o verbete chamado *Problema do Mal*, bem como a seção V da *Introdução* do presente livro.

Este versículo enfatiza a *maneira aberta* pela qual os homens são punidos. Os homens pecam em particular, nas trevas (vs. 22). Mas Deus os julga à luz do dia. Isso remove todas as dúvidas sobre o que eles merecem. Eliú deixou entendido que o pobre Jó estava ali, sofrendo sobre seu monturo de cinzas, exposto aos olhares de todos como um ímpio, um hipócrita a quem o julgamento divino tinha finalmente ferido.

A imagem é a de uma *execução pública*. Deus executa os homens diante de todos, e assim avisa sobre as consequências necessárias de sua iniquidade. "... de maneira pública, como geralmente ocorre entre os malfeitores, que podem estar sendo aludidos aqui. Isso denota a maneira pública da justiça de Deus contra os ímpios, o que, por sua vez, ilustra a justiça dos seus atos" (John Gill, *in loc.*).

34.27

אֲשֶׁר עַל־כֵּן סָרוּ מֵאַחֲרָיו וְכָל־דְּרָכָיו לֹא הִשְׂכִּילוּ׃

Porque dele se desviaram. Deus fere aos que tiveram a chance de praticar o bem, mas recusaram receber as instruções divinas. Poderiam ter seguido no caminho da retidão, mas voluntariamente *voltaram atrás*, rejeitando a luz que possuíam. Dessa maneira, *desprezaram* as divinas provisões de conhecimento e instrução. Não nos admiremos, pois, que tenham terminado tão mal sua carreira terrestre.

Eliú também não considerou os casos de homens ímpios que pecaram por ignorância (Rm 2). Provavelmente, a exemplo do apóstolo Paulo, ele teria considerado a natureza luz suficiente para a ação correta (ver Rm 1.20). Seja como for, ele defendeu o julgamento divino em *qualquer caso* e rejeitou qualquer refinamento da questão. Contudo, há respostas melhores do que essa, como o amor universal de Deus, que atinge a todos os homens e dá a todos oportunidade, de alguma maneira, em algum lugar (ver 1Pe 4.6). "Todos os que pecaram sem lei também sem lei perecerão" (Rm 2.12). Esse princípio, entretanto, não combina com as revelações posteriores dadas a Paulo. Deus também faz alguma coisa por aquela pobre gente, conforme comento no vs. 25 do presente capítulo.

34.28

לְהָבִיא עָלָיו צַעֲקַת־דָּל וְצַעֲקַת עֲנִיִּים יִשְׁמָע׃

E assim fizeram que o clamor do pobre subisse até Deus. *Homens ímpios* fazem dos pobres e dos fracos vítimas suas. Jó, pois, foi acusado desse tipo de ação (ver Jó 22.7-9). Porém, Jó havia declarado que isso estava entre os pecados que ele não havia cometido (ver Jó 31.16). Eliú estava falando sobre os *tiranos* que sobem ao poder e lançam a confusão (vs. 18), mas, sem dúvida, Jó também estava em sua mente, quando ele fez essa declaração. Jó reivindicou jamais ter cometido *qualquer* injustiça social. Indivíduos cruéis e opressores provocam a ira de Deus. Deus os observa e tudo vê. Isso reflete o *teísmo* (ver a respeito no *Dicionário*). Deus não somente criou todas as coisas, mas também está presente para governar a sua criação. Ele recompensa os homens bons e pune os maus. Isso pode ser contrastado com o *deísmo* (ver também no *Dicionário*), o qual propõe que o Criador abandonou a criação aos cuidados das leis naturais. Nesse caso, existe uma espécie de lei da colheita segundo a semeadura, porquanto a quebra de uma lei natural produz consequências negativas. Mas, para o *teísmo*, Deus, uma pessoa, está por trás de toda a questão, tornando-a mais *precisa*. "Quando um homem pobre apresenta sua causa a Deus, ele é um vingador terrível... ai do homem que contende com o seu Criador" (Adam Clarke, *in loc.*).

O Que Significa o Silêncio Divino? (34.29-37)

A Aparente Inatividade de Deus (34.29-33)

34.29

וְהוּא יַשְׁקִט וּמִי יַרְשִׁעַ וְיַסְתֵּר פָּנִים וּמִי יְשׁוּרֶנּוּ וְעַל־גּוֹי וְעַל־אָדָם יָחַד׃

Deus age conforme lhe parece melhor. Sua vontade é suprema. Ver no *Dicionário* o artigo chamado *Soberania*. Quando Deus se aquieta (decidindo nada fazer, ocultando-se, não se manifestando), quem pode chamá-lo a entrar em ação? Quando, ao que tudo parece, ele se oculta, ignorando o homem, quem pode questionar a propriedade das ações do Senhor? Quem é capaz de procurá-lo e encontrá-lo, baixando-lhe alguma ordem? Deus faz o que melhor lhe parece com um indivíduo ou com uma nação. Seus caminhos são secretos e misteriosos.

Ó profundidade da riqueza, tanto da sabedoria como do conhecimento de Deus! Quão insondáveis são os seus juízos, e quão inescrutáveis, os seus caminhos!

Romanos 11.33

Ninguém conhece a mente de Deus. Ninguém pode aconselhá-lo. Ninguém é igual a Deus ou seu conselheiro. Ele nada deve a ninguém. Nele está a vida; ele é a fonte e o sustentador da vida; o alvo de toda a existência humana. Em outras palavras, não temos categorias para descrever Deus, quando falamos sobre sua *outra* natureza ou transcendência. Ver no *Dicionário* o artigo chamado *Transcendente, Transcendência*.

Eliú julgava Jó um homem inativo e surdo. Ele estava sofrendo sem nenhum alívio. Suas orações não eram ouvidas. Ele tinha caído no desespero e dizia: "Onde está Deus?", mas não obtinha respostas. Não temos respostas para tais coisas. Portanto, vivemos pela fé, em vez de fugirmos para o ateísmo.

34.30

מִמְּלֹךְ אָדָם חָנֵף מִמֹּקְשֵׁי עָם׃

Para que o ímpio não reine. O Deus *soberano* não tolera por muito tempo os hipócritas. Embora Deus se oculte geralmente em sua *outra* natureza, de súbito ele se manifesta quando o pecador menos espera. Então é que um golpe divino nivela o ímpio. Um hipócrita pode até chegar a uma posição de destaque e vir a ser rei; mas isso será para punir um povo pecaminoso, para que esse povo receba o que merece. Mas a providência divina, tanto a *negativa* quanto a *positiva*, exerce controle sobre tudo, e atuará no tempo devido. Cf. o vs. 24 deste capítulo. Em pauta está o *hipócrita político*, não o hipócrita privado. Poderíamos perguntar corretamente se existe outro tipo de hipócrita. Seja como for, esse homem torna-se um instrumento que vergasta um povo pecaminoso. Mas tudo isso terminará algum dia.

34.31,32

כִּי־אֶל־אֵל הֶאָמַר נָשָׂאתִי לֹא אֶחְבֹּל׃

בִּלְעֲדֵי אֶחֱזֶה אַתָּה הֹרֵנִי אִם־עָוֶל פָּעַלְתִּי לֹא אֹסִיף׃

Se alguém diz a Deus. Em seguida, Eliú leva avante a ideia do hipócrita privado que, finalmente, descobre o erro de seu caminho. Ele suporta a sua dor e, de súbito, percebe quão insensato tem sido. Por conseguinte, volta-se para Deus, procurando correção e alívio para o sofrimento. O homem mau pede a Deus *iluminação espiritual* (vs. 32). Ele já viveu nas trevas por tempo suficiente; agora quer viver sob o sol do favor divino. Portanto, pede que Deus lhe mostre o caminho.

Eliú, naturalmente, esperava que seu discurso ajudasse Jó a ser esse homem, em vez do homem que se oculta de Deus, afirmando-se inocente. Talvez haja alguns pecadores que, em *particular*, se arrependem e, assim, seus sofrimentos são aliviados. Essas pessoas não fazem propaganda da questão, mas todos podem ver como suas ações mudaram para melhor. Isso poderia explicar *alguns* casos de prosperidade dos *presumíveis* ímpios. Se esse foi o argumento de Eliú, então este está alinhado entre os seus mais fracos argumentos. Os ímpios não tendem a arrepender-se, em particular. Seja como for, descrevemos aqui a correta atitude dos homens para com Deus: submissão e penitência.

> *Tema ao Senhor toda a terra, temam-no todos os habitantes do mundo. Pois ele falou, e tudo se fez; ele ordenou, e tudo passou a existir. O Senhor frustra os desígnios das nações e anula os intentos dos povos.*
>
> Salmo 33.8-10

34.33

הַמֵעִמְּךָ יְשַׁלְמֶנָּה כִּי־מָאַסְתָּ כִּי־אַתָּה תִבְחַר וְלֹא־אָנִי וּמַה־יָדַעְתָּ דַּבֵּר׃

Acaso deve ele recompensar-te...? Deus está esperando uma atitude correta da parte do homem. Se a encontrar, porá fim ao sofrimento e derramará a prosperidade. Essa é a verdade, sem importar se Jó estava ou não disposto a ouvi-la. Porém, rejeitando tal ação divina, Jó permaneceria na miséria causada por seus pecados secretos. Ele permanecia um hipócrita privado. Jó tinha de fazer uma escolha. Portanto, ele tinha de arrepender-se, trazendo seus pecados a céu aberto e abandonando-os. O texto hebraico é extremamente obscuro, mas algo parecido com o que asseverado acima provavelmente expressa o intuito do autor sagrado. Deus não age em consonância com a mente dos homens, nem mesmo em consonância com a mente de Jó. Deus fez coisas que Jó nem esperava. Talvez recompensar o hipócrita arrependido, o qual não fez propaganda da mudança operada em sua vida (vs. 32), faça parte do significado do vs. 33. "Visto que Deus é soberano, ele não se encurvará diante das condições humanas, sobretudo em face de uma atitude impenitente. Eliú, então, disse que Jó teria de decidir se Deus o recompensaria quando ele se arrependesse" (Roy B. Zuck, *in loc.*).

A Rebeldia de Jó (34.34-37)

34.34

אַנְשֵׁי לֵבָב יֹאמְרוּ לִי וְגֶבֶר חָכָם שֹׁמֵעַ לִי׃

Os homens sensatos dir-me-ão. Jó prosseguiu em seus caminhos insensatos, falando sobre como os inocentes sofrem. Eliú, pois, conclamou os homens de *compreensão* a rejeitar tal falta de bom senso. *Homens sábios* lhe dariam ouvidos, mesmo que Jó se recusasse a fazê-lo. Grande companhia de sábios haveria de dominar o pobre Jó, continuando a assediá-lo, tentando mudar sua ideia, para que ele abandonasse as blasfêmias. Aos quatro temíveis críticos de Jó, outras pessoas se ajuntariam, todas entoando a mesma música: "Arrepende-te, Jó, hipócrita, e então a bênção divina retornará à tua vida!" Todos os sábios perderiam o ponto primordial do episódio inteiro: os homens inocentes algumas vezes sofrem de maneira inexplicável.

34.35

אִיּוֹב לֹא־בְדַעַת יְדַבֵּר וּדְבָרָיו לֹא בְהַשְׂכֵּיל׃

Jó falou sem conhecimento. Jó, aquele homem estúpido, tinha fingido ser sábio, mas considerem-no agora, sofrendo ali em seu monturo de cinzas. Deus o havia reduzido a nada, por causa de seus pecados secretos, contudo ele continuava afirmando que sua punição era injusta. Parecia claro que Jó tinha falado sem entendimento. Ele não era nem nunca tinha sido um sábio. Vinha desempenhando um papel teatral. Jó era um bom ator, mas Deus mostrou quem ele realmente era. Jó preferiu a vereda da rebeldia e, portanto, teria de pagar por isso. Jó se rebelara contra o bom senso e contra a luz que já possuía. Que ninguém desperdiçasse com ele a sua piedade!

34.36

אָבִי יִבָּחֵן אִיּוֹב עַד־נֶצַח עַל־תְּשֻׁבֹת בְּאַנְשֵׁי־אָוֶן׃

Oxalá fosse Jó provado até o fim. "É certo que Deus o está punindo, e espero que continue, até que ele sofra morte miserável. Isso seria uma expressão de justiça, e eu sou um homem que sempre se deleita em ver a justiça ser feita!" Assim falou Eliú, sem nenhuma misericórdia, completamente errado em suas premissas básicas. Ele não tinha espaço em sua teologia para a ideia de que os inocentes podem sofrer, pelo que procurou esmigalhar um homem que já estava derrubado.

"Trata-se de um desejo muito duro, mas o capítulo inteiro foi vazado no mesmo espírito, sendo quase inteiramente destituído de suavidade e compaixão. Quem poderia supor que tais argumentos tivessem saído da boca do Salvador da humanidade?" (Adam Clarke, *in loc.*).

Jó tornou-se *porta-voz* dos ímpios, pleiteando causas más e escondendo pecados secretos. Isso agravava a sua rebeldia. Ele era não somente um pecador; era o chefe dos pecadores, o líder do bando de pecadores.

Eliú compartilhava das atitudes sem coração da terrível tríade e, ao aliar-se a ela, compôs uma quadra temível. Caros leitores, isso parece típico dos *fundamentalistas agressivos*, que *odeiam* em nome de Deus. E, no entanto, a prova da espiritualidade consiste em viver a lei do amor, segundo aprendemos em 1Jo 4.7.

> Todos nascemos para o amor. Esse é o princípio da existência, e é seu único fim.
>
> Benjamim Disraeli

A leitura da nota posta à margem da Bíblia em hebraico mostra Eliú apelando a Deus como *Pai*, conclamando-o a continuar punindo Jó. E a versão da Vulgata Latina segue esse texto.

34.37

כִּי יֹסִיף עַל־חַטָּאתוֹ פֶשַׁע בֵּינֵינוּ יִסְפּוֹק וְיֶרֶב אֲמָרָיו לָאֵל׃ ס

Pois ao seu pecado acrescenta rebelião. Jó parecia já cheio de pecados, mas cometeu o equívoco fatal de adicionar *rebelião* à massa total de seus pecados. Quando Jó falou, também "bateu palmas" para chamar a atenção de seus ouvintes, a fim de enfatizar suas palavras. Jó tornou-se um tolo intolerável. Ele continuava multiplicando palavras, que se tornaram um grande monte de tolices.

Bate ele palmas. Talvez o fato de Jó bater palmas fosse um gesto de ira, e não meramente de ênfase para as palavras. O bater de palmas também pode expressar *alegria* (ver Sl 47.1), mas Jó não tinha muito para sentir-se feliz.

CAPÍTULO TRINTA E CINCO

Os discursos de Eliú começaram no capítulo 32; forneço detalhada caracterização desses discursos na introdução àquele capítulo, portanto não a repito aqui. Eliú falou mais do que a terrível tríade, e somente o próprio Jó falou mais do que Eliú. Contudo, ele tinha algumas coisas para acrescentar, a despeito de sua dureza e arrogância. Forneço um gráfico no fim do capítulo 37, que exibe a contribuição de Eliú, oferecendo também alguma compreensão sobre por que os homens sofrem e por que sofrem como sofrem.

Verdadeiramente, Eliú era homem agressivo, em imitação aos outros três amigos de Jó, que o atacavam sem misericórdia. A despeito disso, ele produziu excelente composição poética, com algumas novas ideias. Eliú era jovem precipitado e impetuoso, místico autoproclamado (ver Jó 32.8). Os três amigos de Jó eram indivíduos tradicionalistas e dogmáticos, ao passo que Eliú era um *revelacionista*. Há diversos tipos de saber, que não competem entre si, embora homens insensatos os separem em classes antagônicas. Ver na *Enciclopédia de Bíblia, Teologia e Filosofia* o verbete denominado *Conhecimento e a Fé Religiosa*, quanto a uma exibição de como tomamos conhecimento das coisas e uma revisão das teorias da verdade.

DEUS, O DOADOR DE CANÇÕES À NOITE (35.1-16)

Direitos dos Homens Diante de Deus (35.1-4)

Eliú continuou a defender a soberania de Deus às expensas de Jó. Jó queixou-se de que era homem *inocente,* mas, apesar disso, estava recebendo providência divina negativa, sem dúvida, um absurdo. Mas Deus está acima de todo o raciocínio humano e a vontade dele é suprema. Logo, o homem acha-se em posição falsa, quando se queixa do que aparece em seu caminho. Deus não ouviria Jó, seja como for, por causa de seu orgulho teimoso.

Jó prosseguia em seus discursos ímpios, por causa da repreensão de Eliú (vss. 1-4). Nenhum ser humano pode afetar Deus pela sua iniquidade, nem dar-lhe alguma vantagem pela sua piedade (vss. 5-8). Muitas pessoas são afligidas, mas poucas têm o bom senso de clamar a Deus da maneira correta, pelo que continuam sendo afligidas (vss. 9-16).

35.1,2

וַיַּעַן אֱלִיהוּא וַיֹּאמַר:
הֲזֹאת חָשַׁבְתָּ לְמִשְׁפָּט אָמַרְתָּ צִדְקִי מֵאֵל:

Disse mais Eliú. Este jovem precipitado e impetuoso, místico autonomeado (ver Jó 32.8), continuava a falar. Ele tinha certeza de possuir a resposta para o problema do sofrimento humano (ver no *Dicionário* o verbete intitulado *Problema do Mal*).

Jó, em sua arrogância e hipocrisia, pôs-se acima do próprio Deus, porquanto o chamou de injusto, quanto à maneira como tratara com seu caso, ao mesmo tempo que estava seguro de que *ele próprio* era justo e inocente. Portanto, Jó estava em um plano moral mais elevado que o do Deus Todo-poderoso! Naturalmente, o Deus concebido por Jó era voluntarista, um ponto de vista que põe a vontade acima da razão e obscurece a justiça. De fato, Jó estava acima *desse tipo* de Deus. Quanto a uma explicação, ver na *Enciclopédia de Bíblia, Teologia e Filosofia* o artigo chamado *Voluntarismo*.

Neste ponto, Eliú citou Jó e, então, o refutou. Ele disse: "Serei justificado". Ou seja, serei declarado inocente, quando a justiça finalmente vier à tona. Ver o gráfico em Jó 33.8, que lista todas as citações usadas por Eliú.

"Como Jó esperava ser vindicado por Deus (cf. Jó 13.18) como alguém inocente ao mesmo tempo que insistia que a sua inocência não tinha valor diante de Deus? Tal posição era incoerente, argumentou Eliú. Este já havia citado Jó, como quem tinha perguntado que *proveito* ou *vantagem* ele receberia por estar servindo a Deus (ver Jó 34.8; cf. Jó 21.15)" (Roy B. Zuck, *in loc.*). Naturalmente, Eliú acusava Jó de criar uma visão distorcida de Deus, que também consistia em um problema para os outros críticos (conforme fica implícito no vs. 4).

Em paz eu vivia, porém ele me quebrantou; pegou-me pelo pescoço e me despedaçou.

Jó 16.12

35.3

כִּי־תֹאמַר מַה־יִּסְכָּן־לָךְ מָה־אֹעִיל מֵחַטָּאתִי:

Porque dizes: De que me serviria ela? Eliú relembrou várias citações de Jó e passou a refutá-las. Neste capítulo encontramos duas dessas citações: uma no vs. 2, e outra no vs. 3. "De que me adianta ser bom, e que ganharei por não pecar?" (ver Jó 21.15). Jó queixou-se de que Deus tratava tanto os bons como os maus da mesma maneira cruel (ver Jó 9.22). Por conseguinte, aparentemente Deus não observava o que acontece na terra e permite que o mesmo caos atinja tanto os bons quanto os maus e, mesmo que ele esteja vigiando, não aplica seu poder para garantir que os bons estão sendo recompensados, enquanto os maus sofrem algum desastre. O que aconteceu a Jó o tornou amargo e queixoso. Ver Jó 33.8 quanto a um gráfico que lista todas as citações feitas por Eliú dos discursos de Jó, às quais Eliú então respondeu. Ele tentava mostrar que Jó tinha um ponto de vista distorcido sobre Deus. Os homens têm o mau hábito de procurar recompensa imediata e dramática por sua piedade e, quando essa recompensa demora, eles começam a questionar e a rebelar-se. Ver Mt 19.27. O símbolo milenar do cristianismo é a cruz. A cruz manifesta grande sofrimento, *antes* que a vitória seja concedida. Por conseguinte, os homens contemplam o ridículo jogo da vida, tentando encontrar nele algum significado, mas não conseguem ir muito longe. Eles veem o *caos* golpeando por todos os lados e, em face disso, volvem-se para o ateísmo.

35.4

אֲנִי אֲשִׁיבְךָ מִלִּין וְאֶת־רֵעֶיךָ עִמָּךְ:

Dar-te-ei resposta. Eliú, o jovem revisionista precipitado e impetuoso, tomou sobre si a tarefa de responder tanto a Jó quanto a seus três amigos molestos. Ele acreditava que todos os quatro tinham distorcido o conceito de Deus, de modo que proferiram palavras tolas. Primeiro, ele apresentou como parte de sua refutação uma doutrina da *transcendência* de Deus.

Aos teus amigos contigo. Eliú fez dos quatro um todo, como a quem faltava plena compreensão e como distorcedores de certas verdades importantes. "... juntou em um único bloco àqueles que entretinham sentimentos parecidos (ver Jó 34.8,36)" (Fausset, *in loc.*).

Deus Está Livre dos Homens (35.5-8)

Em certo sentido, Eliú afirmava que Deus está além do bem e do mal; ele está acima de todos. O homem não oferece a Deus nenhuma vantagem por ser bom ou mau, apesar da existência da justiça que equilibrará as contas, afinal. Parece haver certa contradição entre a transcendência de Deus e o fato de ele ter descido para julgar. A distinção entre o bem e o mal deve permanecer, pois do contrário o mundo cairá no caos (vs. 8). Temos aqui uma espécie de paradoxo: transcendente, mas ao mesmo tempo, imanente. Deus é transcendental, pelo que está acima e além do bem e do mal que ocorrem na terra. Nenhum homem tira proveito por ser bom ou mau. Por outro lado, sua justiça desce para acertar as contas (um ato de imanência). Temos aqui um paradoxo natural, mas há verdade em ambos os lados. Ver no *Dicionário* os verbetes chamados *Transcendente, Transcendência* e também *Imanência de Deus*. Na sua natureza essencial, Deus é *totalmente outro*. Não temos categorias para descrevê-lo. Contudo, em outro sentido, *ele está aqui*, recompensando os bons e castigando os maus. Tal como se dá com todos os *paradoxos* (ver a respeito no *Dicionário*), não temos uma perfeita harmonização dos fatos.

35.5

הַבֵּט שָׁמַיִם וּרְאֵה וְשׁוּר שְׁחָקִים גָּבְהוּ מִמֶּךָּ:

Ilustrando a transcendência de Deus, podemos contemplar o firmamento, tão elevado, tão insondável. "Aqueles céus e seus exércitos foram criados por Deus. A mera visão deles é suficiente para mostrar que Deus nos ultrapassa infinitamente em sabedoria e excelência" (Adam Clarke, *in loc.*).

Cf. este versículo com algo similar ao que Elifaz disse em Jó 22.12,13. Os homens tateiam em busca do conhecimento. Eles entendem, por natureza, que Deus deve ser grande e poderoso, mas não sabem como aplicar isso a si mesmos. Será possível que um Deus tão *alto* realmente se preocupe com os homens? O *teísmo* será uma verdade? Ver sobre esse assunto no *Dicionário*.

35.6

אִם־חָטָאתָ מַה־תִּפְעָל־בּוֹ וְרַבּוּ פְשָׁעֶיךָ מַה־תַּעֲשֶׂה־לּוֹ:

Se pecas, que mal lhe causas tu? Cf. os vss. 6,7 com partes do discurso de Elifaz (ver Jó 22.2,3) e com um elemento no discurso de Jó (ver Jó 7.20). A ideia da transcendência naturalmente promove o *deísmo* (ver a respeito no *Dicionário*) e não o *teísmo*. De acordo com essa ideia, o Deus transcendental abandonou sua criação ao governo das leis naturais. Mas a transcendência é apenas uma das ideias. Ela é incompleta e unilateral, sem o equilíbrio da imanência de Deus. Deus está *acima* de todas as suas criaturas, ao mesmo tempo que está *em* todas elas! Quase todas as grandes verdades nos envolvem em paradoxos. As teologias sistemáticas, entretanto, tentam tirar o paradoxo da fé, pelo que distorcem as ideias, tornando-as abordagens unilaterais. O julgamento divino é *retributivo*, mas também *restaurador* (ver 1Pe 4.6). Isso é um paradoxo. Eliminar o elemento retributivo ou o elemento restaurador do conceito do julgamento divino é cair em uma teologia unilateral, que requer certa distorção. As teologias sistemáticas detestam problemas. Assim sendo, os teólogos sistemáticos simplificam e distorcem a verdade a fim de obter *conforto mental*. Caros leitores, conforto mental não é sinônimo da verdade. Somente porque uma declaração soa aceitável, porque não levanta perguntas, não significa que exprima a verdade. A verdade não é um sinônimo que soa bem. Grandes verdades nos excitam; não nos acalmam. Os pioneiros produzem novas verdades e sempre causam dor aos homens.

O presente versículo usa um tom deísta ao falar sobre a transcendência de Deus, mas o livro de Jó também está repleto da ideia contrária, a noção da imanência. Falando sobre o Deus transcendental, pode-se supor que nossos pecados não o afetam de maneira alguma, nem mesmo despertam seu julgamento. Mas seja como for, por certo não o prejudicamos, em nenhum sentido, pelo mal que praticamos.

■ 35.7

אִם־צָדַקְתָּ מַה־תִּתֶּן־לוֹ אוֹ מַה־מִיָּדְךָ יִקָּח׃

Se és justo, que lhe dás...? O *tom deísta* continua a ter o lado oposto da moeda. Nossa retidão também em nada afeta Deus. Não o aprimora nem O piora. "Deus não é afetado adversamente pelos pecados, nem beneficiado pelas condições de retidão do homem (cf. as palavras similares de Elifaz sobre as *estrelas* em Jó 22.12), nem pela *indiferença do homem* (ver Jó 22.2,3). A maldade ou a retidão das pessoas afetam somente o homem (vs. 8) e não Deus" (Roy B. Zuck, *in loc.*). Esses são bons argumentos, mas apenas *unilaterais*, porque deixam de fora outra grande verdade, a imanência de Deus, que tantas outras passagens bíblicas enfatizam. É que estamos abordando a questão de um *paradoxo*, conforme comento no versículo anterior.

"Eliú exaltou a grandeza de Deus à custa de sua graça. Exaltou a transcendência de Deus, às expensas de sua imanência. Estabeleceu um padrão material, em vez de um padrão espiritual de proveito ou perda. Eliú não percebeu que Deus *ganha* o que ele mais deseja, pela bondade do homem, e perde o que mais ama, pela maldade do mesmo homem. Ele faz Deus tornar-se um Ser tão frio, distante, apático e sem coração... Esse não é o Deus de Israel, nem o Deus de quem Eliú falará nas próximas sentenças" (James Strahan, *The Book of Job, in loc.*).

■ 35.8

לְאִישׁ־כָּמוֹךָ רִשְׁעֶךָ וּלְבֶן־אָדָם צִדְקָתֶךָ׃

A tua impiedade só pode fazer o mal ao homem. Importa muito aquilo que o homem faz ao homem; importa muito se ele vive ou não a lei do amor. De fato, seu *novo nascimento* é submetido a teste ali mesmo, mediante a qualidade do amor (ver 1Jo 4.7). Outrossim, as duas grandes colunas da espiritualidade são o amor e o conhecimento. O centro não é o próprio "eu" e, sim, as *outras pessoas*. Além disso, cada um de nós encontra o seu centro em Deus (ver Cl 1.16). Sem o amor, não há centro em parte alguma. O amor é onde as ações se concentram. Ver no *Dicionário* o artigo chamado *Amor*, quanto a informações detalhadas.

Gostaria de ser veraz, pois há aqueles que confiam em mim;
Gostaria de ser puro, pois há aqueles que se importam.
...

Gostaria de ser amigo de todos, dos inimigos e dos poucos amigos;
Eu estaria dando e esquecendo tudo.
...

E eu teria fé para guardar a vereda pela qual Cristo palmilhou.
Howard Arnold Walter

... a piedade para tudo é proveitosa, porque tem a promessa da vida que agora é e da que há de ser.
1Timóteo 4.8

Dons de Deus aos Homens (35.9-12)

■ 35.9

מֵרֹב עֲשׁוּקִים יַזְעִיקוּ יְשַׁוְּעוּ מִזְּרוֹעַ רַבִּים׃

Por causa das muitas opressões. O homem preocupado com o bem-estar de outros homens tem consciência dos muitos e grandes abusos que se acham neste mundo.

Vi ainda todas as opressões que se fazem debaixo do sol: eis as lágrimas dos que foram oprimidos, sem que ninguém os condenasse; vi a violência na mão dos opressores, sem que ninguém os consolasse.
Eclesiastes 4.1

Jó sofria "sem causa" (Jó 2.3) e, presumivelmente, às mãos de Deus. Assim também outros sofrem por causa de homens ímpios desprovidos de razão. As massas sofrem, e os programas de alívio são inadequados. Ademais, há homens que seguem uma vereda de egoísmo e pouco se importam com o que acontece a outras pessoas. Mas a espiritualidade serve para *aliviar o sofrimento* (Tg 2.14 ss.). O versículo pode ser interpretado como se dissesse que os sofredores não encontram ajuda nem mesmo quando apelam a Deus; mas outras interpretações dizem que não "apelam para Deus *de maneira correta*", embora isso seja menos provável.

■ 35.10

וְלֹא־אָמַר אַיֵּה אֱלוֹהַּ עֹשָׂי נֹתֵן זְמִרוֹת בַּלָּיְלָה׃

Mas ninguém diz. Algumas pessoas angustiadas deixam de apelar para Deus e, por isso mesmo, continuam angustiadas. Outras apelam para Deus, mas suas orações não são ouvidas. Outras, ainda, apelam para Deus, mas não da maneira certa. Mas o que está incluso neste versículo? Se o autor continuasse aqui a expressar o seu *deísmo* (ver a respeito no *Dicionário*), então teríamos o *Deus indiferente* dos vss. 6,7. Talvez a resposta seja que o homem, em suas corrupções, *não sabe* como aproximar-se do Deus Altíssimo, pelo que também não recebe nenhuma ajuda da parte dele. Os homens, em seu *orgulho* (vs. 10), perderam de tal maneira o rumo, que anularam o conhecimento de como devemos aproximar-nos dele. *Presume-se* que, se essas pessoas se aproximassem humildemente de Deus, o Criador delas, seriam aliviadas de seus sofrimentos. Parece ser isso o que querem dizer os vss. 14-16, onde o autor sacro retorna à ideia do Deus que vê e pune os errados. Ele *pode ser* um Deus que recompensa, se os homens assim merecerem. Sem dúvida, Eliú tinha em mente o caso de Jó. Este sofria contínua dor, mas não sabia como aproximar-se de Deus, por causa de sua iniquidade, que conseguira ocultar de seus semelhantes.

Que inspira canções de louvor durante a noite. Alguns estudiosos veem aqui o opressor dançando a noite inteira em sua alegria, enquanto outras pessoas, "lá fora", sofriam; mas isso não parece ajustar-se bem ao texto sagrado. O que mais provavelmente está em foco é que o alívio do sofrimento é possível, pois poderá haver canções de louvor para os oprimidos, *se* eles aprenderem a clamar a Deus. Uma alma santa tem comunhão contínua com Deus: suas noites e seus dias são cheios de felicidade. "Deus, a fonte de todas as bênçãos, é o alvo contínuo dos cânticos de louvor" (Adam Clarke, *in loc.*).

Contudo, o Senhor, durante o dia, me concede a sua misericórdia, e à noite comigo está o seu cântico, uma oração ao Deus da minha vida.
Salmo 42.8

■ 35.11

מַלְּפֵנוּ מִבַּהֲמוֹת אָרֶץ וּמֵעוֹף הַשָּׁמַיִם יְחַכְּמֵנוּ׃

Que nos ensina mais do que aos animais da terra. Deus é o mestre especial dos *homens*, os quais são objetos especiais de seus dons e de sua graça. Outras criaturas vivas, como as feras do campo e as aves do céu, não são *ensinadas* por ele. O homem que recebe instruções torna-se objeto da bondade de Deus. E é demonstração de *sabedoria* receber os ensinos de Deus, pois é dali que flui a *boa vida*. Naturalmente, o homem é superior aos animais irracionais; mas, devido à sua iniquidade, ele desce abaixo das feras. Dessa maneira, ele interrompe o fluxo das bênçãos divinas e é lançado nas trevas, onde nenhuma canção de louvor é ouvida. A própria opressão, pois, pode ser um instrumento das instruções divinas, se for recebida da maneira correta. Alguns homens, entretanto, preferem ser afligidos a humilhar-se diante de Deus.

O boi conhece o seu possuidor, e o jumento, o dono da sua manjedoura; mas Israel não tem conhecimento, o meu povo não entende.
Isaías 1.3

Até a cegonha no céu conhece as suas estações; a rola, a andorinha e o grou observam o tempo da sua arribação; mas o meu povo não conhece o juízo do Senhor.

Jeremias 8.7

■ 35.12

שָׁם יִצְעֲקוּ וְלֹא יַעֲנֶה מִפְּנֵי גְּאוֹן רָעִים:

Clamam, porém ele não responde. Os *homens* clamam pedindo a ajuda de Deus, mas suas orações não são ouvidas, porque eles são orgulhosos e não abandonam os males que praticam. Naturalmente, Eliú pensava em Jó ao proferir essas palavras. Jó estava sofrendo a *Lei Moral da Colheita segundo a Semeadura* (ver a respeito no *Dicionário*), de acordo com a opinião de Eliú; ou seja, sem se arrepender, Jó nada poderia esperar da parte de Deus. Jó não elevava a voz aos céus, confessando seus pecados, nem queria esquecer esses pecados, a despeito de seus intensos sofrimentos. Por conseguinte, nenhum alívio divino lhe era conferido.

O perverso, na sua soberba, não investiga; que não há Deus são todas as suas cogitações.

Salmo 10.4

A maior parte dos homens acredita na existência de um Deus (ou deus) de alguma espécie. Entretanto, quase todos são *ateus práticos*. Também são *ateus teóricos*, mas não acreditam que isso faça alguma diferença na vida deles. Jó professava crer em Deus, mas vivia (segundo Eliú pensava) como se ele não existisse. Os ateus práticos clamam a Deus quando estão em angústia, mas não têm nenhuma intenção de arrepender-se uma vez que a dor cessa. "Deus não responde a clamores *vazios* (insinceros), pois tais orações estão alicerçadas na arrogância" (Roy B. Zuck, *in loc.*).

■ 35.13

אַךְ־שָׁוְא לֹא־יִשְׁמַע אֵל וְשַׁדַּי לֹא יְשׁוּרֶנָּה:

Só gritos vazios Deus não ouvirá. Deus vela sua presença e retira sua graça de pecadores arrogantes que clamam a ele somente quando precisam de alívio para suas dores. De acordo com a estimativa das coisas feita por Eliú, era o que acontecia a Jó. Ele clamara que não podia ver a Deus nem encontrá-lo (ver Jó 9.11; 23.8,9), embora tivesse entregado o caso em suas mãos (ver Jó 13.18 e 23.7). Eliú pensava compreender o que estava acontecendo. Jó era um buscador insincero, um hipócrita arrogante. Não se admirava que Deus ignorasse suas orações e mantivesse a opressão. As orações de Jó, pois, eram inúteis, ou seja, *vazias*. Não havia espiritualidade por trás delas. Jó era apenas um grande fingidor.

■ 35.14

אַף כִּי־תֹאמַר לֹא תְשׁוּרֶנּוּ דִּין לְפָנָיו וּתְחוֹלֵל לוֹ:

Ainda que digas que não o vês. Jó disse que não podia "localizar Deus". Mas, embora não pudesse localizá-lo, era certo que Deus sabia onde encontrar Jó para puni-lo, por causa do mau espetáculo que ele estava realizando. O lamentável caso de Jó era conhecido pelo Deus Todo-poderoso, que punia o pecador. Mais ainda viria, e toda aquela miséria terminaria com a morte do ímpio Jó. Eliú volta ao Deus imanente, abandonando a fala sobre a transcendência (vss. 5 ss.). De súbito, Deus desceu de seus exaltados céus, onde ele era totalmente "outro", e feriu o pecador com sua vara. Jó havia negado a moralidade de Deus, acusando-o de ameaçar os bons e os maus da mesma maneira miserável (ver Jó 9.22). Mas esse Deus imoral estava prestes a ensinar a Jó algumas lições sobre a justiça.

■ 35.15,16

וְעַתָּה כִּי־אַיִן פָּקַד אַפּוֹ וְלֹא־יָדַע בַּפַּשׁ מְאֹד:

וְאִיּוֹב הֶבֶל יִפְצֶה־פִּיהוּ בִּבְלִי־דַעַת מִלִּין יַכְבִּר: פ

Mas agora, porque Deus na sua ira não está punindo. *Pelo momento*, Deus se mantinha relativamente indiferente, permitindo que Jó, aquele homem iníquo, continuasse a seguir seu curso. Deus estava mostrando a sua ira, mas não com a intensidade com que poderia fazê-lo. Visto que Jó não havia acolhido o "tratamento máximo", ele continuava com a conversa de ser um homem inocente, enchendo a cena com palavras vãs (vs. 16). Ele continuava multiplicando palavras que não tinham sentido, chegando algumas vezes ao extremo de blasfemar. As coisas, porém, não podiam continuar como estavam. Os raios divinos em breve poriam fim a todo aquele teatro. Este vs. 15 é extremamente obscuro, e apresento a ideia que sugere a *Revised Standard Version*, semelhante à tradução das versões da Imprensa Bíblica Brasileira e da Atualizada. A *King James Version* não nos oferece muito sentido, reproduzindo fielmente a *obscuridade* do original hebraico.

"O adiamento do julgamento divino não prova que ele deixará de ser executado; nem o adiamento da misericórdia prova que Deus se esqueceu de ser gracioso" (Adam Clarke, *in loc.*).

"Eliú sentia que Deus não poderia justificar Jó (ver Jó 35.2), enquanto este questionasse o valor de servir a Deus (vs. 2) e orasse com coração orgulhoso (vs. 12), ao mesmo tempo que pensava nada fazer Deus quanto à iniquidade" (Roy B. Zuck, *in loc.*).

Não repreende perpetuamente, nem conserva para sempre a sua ira. Não nos trata segundo os nossos pecados, nem nos retribui consoante as nossas iniquidades.

Salmo 103.9,10

CAPÍTULO TRINTA E SEIS

Os *discursos de Eliú* ocupam os capítulos 32—37 e são os mais volumosos, excetuando os discursos de Jó, que falou ligeiramente mais em suas oito ou nove réplicas aos oito ou nove discursos de seus três amigos. Eliú não é referido nem no começo do livro (como examinador de Jó) nem no epílogo. Alguns estudiosos supõem que o autor original (ou algum escriba subsequente) tenha truncado o livro original, eliminando o terceiro discurso de Zofar, bem como a terceira réplica de Jó a ele. Isso aconteceu, segundo supõem esses estudiosos, também porque a linguagem desceu a declarações amargas e até blasfemas, que os piedosos leitores judeus não suportariam. Consequentemente, no hiato deixado, os discursos de Eliú foram colocados. Seja como for, seus discursos conseguiram adicionar fatores importantes à discussão sobre a questão de por que os homens sofrem, e por que sofrem como sofrem (ver no *Dicionário* o verbete chamado *Problema do Mal*). Quanto às adições feitas por Eliú, ver o gráfico no fim do capítulo 37.

No começo das notas sobre o capítulo 32, dou uma *introdução geral* aos discursos de Eliú, pelo que não repito essa informação.

DEUS É GRANDE, E JÓ ERA UM IGNORANTE
(36.1—37.24)

"Eliú, a esta altura dos acontecimentos, tinha completado sua refutação dos ataques teológicos de Jó. Agora ele oferecerá uma contribuição positiva, descrevendo os propósitos de Deus na aflição dos justos (ver Jó 36.1-25); continuando com uma meditação, em forma de hino, sobre as maravilhas da providência divina (ver Jó 36.1—37.13); e concluindo com uma exortação final para Jó temer o seu Criador (ver Jó 37.14-24)" (Samuel Terrien, *in loc.*).

- Capítulo 34: Eliú defende a justiça de Deus.
- Capítulo 35: Eliú defende a soberania de Deus.
- Capítulos 36—37: Ambos os princípios são novamente defendidos. Eliú tentou responder tanto a Jó (ver Jó 32.2 e 33.10-12) quanto aos seus três "amigos" (ver Jó 32.3,12).

■ 36.1,2

וַיֹּסֶף אֱלִיהוּא וַיֹּאמַר:

כַּתַּר־לִי זְעֵיר וַאֲחַוֶּךָּ כִּי עוֹד לֶאֱלוֹהַּ מִלִּים:

Prosseguiu Eliú, e disse. *Eliú Continuou Falando*. Ele ansiava por apresentar *defesas adicionais* a Deus contra os ataques de Jó e suas tolas conversas, que, algumas vezes, desciam a meras blasfêmias. Ele tinha mais para dizer em *favor* de Deus. Sentia-se infeliz com a conversa insensata de Jó (ver Jó 35.16), mas também com os três amigos, porquanto nada tinham feito para fechar a boca de Jó. Eliú era um *revelacionista* que afirmava receber inspiração divina direta (ver Jó 32.8), ou seja, revelações superiores às dos indivíduos dogmáticos e tradicionalistas, que meramente apresentam conhecimento acumulado como aquele adquirido em livros (que era a condição da terrível tríade).

Começa Aqui o Quarto Discurso de Eliú. O primeiro discurso ocupou os capítulos 32–33; o segundo discurso, o capítulo 34; e o terceiro discurso ocupou o capítulo 35. Eliú apresentou algumas valiosas adições à discussão, as quais sumario em um gráfico no fim das notas expositivas sobre o capítulo 37.

■ 36.3

אֶשָּׂא דֵעִי לְמֵרָחוֹק וּלְפֹעֲלִי אֶתֵּן־צֶדֶק׃

De longe trarei o meu conhecimento. Temos *outra defesa da justiça* de Deus. Deus é o Criador do homem, e o Criador sempre faz o que é reto, a despeito das queixas contrárias de Jó.

Em contraste com os três amigos molestos de Jó (ver Jó 16.2), que dependiam do conhecimento acumulado dos sábios, Eliú obteria suas palavras *de longe*. Provavelmente, ele se referia à contenção de que recebera revelações diretas "do céu" (ver Jó 32.8). Os três "amigos" de Jó eram indivíduos dogmáticos e tradicionalistas, mas Eliú era um *revelacionista*. Para Eliú, como é natural, isso significava ser um homem superior e um porta-voz direto de Deus. Como é óbvio, ele era um jovem arrogante. Não obstante, ainda assim tinha alguma coisa digna para dizer, o que ocorre no caso de *alguns* homens arrogantes. Ter Eliú por perto tornava desnecessária a aparição de uma teofania (ver a respeito no *Dicionário*). Eliú era a teofania de Deus! Alguns eruditos pensam que Eliú quis dizer somente que tinha *larga gama de discernimentos*; mas isso não está em consonância com a arrogância demonstrada no vs. 4.

Contraste-se isso com a avaliação de Jó, feita por Eliú, a quem ele acusou de ser um homem "sem conhecimento" (ver Jó 34.35; 35.16).

■ 36.4

כִּי־אָמְנָם לֹא־שֶׁקֶר מִלָּי תְּמִים דֵּעוֹת עִמָּךְ׃

Porque na verdade as minhas palavras não são falsas. O jovem Eliú era realmente impetuoso e precipitado. Uma vez mais, reivindicou possuir inspiração divina. Deus, aquele Ser perfeito, inspirava as suas declarações. Portanto, Eliú não poderia estar equivocado. Todas as suas palavras eram autênticas e douradas. Assim é que este versículo amplia e fortalece o que foi dito no vs. 3. Talvez Eliú até afirmasse que a teofania de Deus regularmente o acompanhava, sussurrando segredos em seus ouvidos. Ver Jó 37.16. A Vulgata traduz este versículo de tal maneira, que faz do próprio Eliú aquele ser perfeito que não podia errar em nada. Nesse caso, Eliú se revestia de autoridade semelhante à do papa, falando *ex cathedra* aos que lhe eram inferiores. "Eliú apontou para si mesmo em oposição aos raciocínios desonestos dos três amigos de Jó (ver Jó 31.34)" (Fausset, *in loc.*). Mas a maioria dos intérpretes rejeita corretamente esse significado. Eliú simplesmente continuou a reivindicar ser um revelacionista, em contraste com os dogmáticos e tradicionalistas inferiores, que assediaram Jó, mas sem o convencer de coisa alguma.

■ 36.5

הֶן־אֵל כַּבִּיר וְלֹא יִמְאָס כַּבִּיר כֹּחַ לֵב׃

Eis que Deus é mui grande. Embora Deus seja Todo-poderoso, não se assenhoreia dos homens como um tirano. Deus não despreza nenhum ser humano. Ele está pronto para revelar o certo e o errado; está pronto para castigar, mas também para abençoar o homem arrependido que abandona sua anterior impiedade. Eliú, pois, apresentou alguma esperança para Jó. "A onipotência divina não é incompatível com a justiça e a bondade divina" (Samuel Terrien, *in loc.*).

Se, porém, algum de vós necessita de sabedoria, peça-a a Deus, que a todos dá liberalmente e nada lhes impropera; e ser-lhe-á concedida.

Tiago 1.5

"Deus não repreende nenhum homem por sua falta de conhecimento. Se alguém não tem sabedoria, pode aproximar-se de Deus, o qual dá liberalmente e não censura" (Adam Clarke, *in loc.*). "Alguns *homens* têm forças, mas não dispõem de sabedoria para usar essas forças; Deus, contudo, abunda tanto em sabedoria como em força. Ele é o único Deus Todo-poderoso e *Todo-sábio*, de modo que também não pode praticar nenhuma injustiça" (John Gill, *in loc.*).

■ 36.6

לֹא־יְחַיֶּה רָשָׁע וּמִשְׁפַּט עֲנִיִּים יִתֵּן׃

Não poupa a vida ao perverso. Os ímpios estão destinados a um fim mau, mas os inocentes (conforme Jó afirmava ser) têm os *direitos* preservados. Os inocentes têm o direito de viver longo tempo, de prosperar, de gozar de boa saúde e de ser salvos dos desastres da vida. Jó teria tais direitos, *se fosse verdadeiramente inocente*. Assim sendo, Eliú repetiu argumentos dos debatedores desgastados. Ver Jó 15.27-35; 20.5-29. Em contraste, Jó observou os ímpios viver por longo tempo e prosperar (ver Jó 21.7,27-33), enquanto um inocente fora cortado miseravelmente e roubado de tudo quanto possuía. Por que os indivíduos *inocentes* sofrem? Essa é a grande pergunta que o caso levantou. Não tocava à teologia dos dogmáticos explicar por que era assim. E também não pertencia à teologia dos tradicionalistas explicar tal coisa. Nem cabia à teologia dos revelacionistas explicar por que as coisas eram assim. A pergunta continuou sem resposta.

■ 36.7

לֹא־יִגְרַע מִצַּדִּיק עֵינָיו וְאֶת־מְלָכִים לַכִּסֵּא וַיֹּשִׁיבֵם לָנֶצַח וַיִּגְבָּהוּ׃

Dos justos não tira os seus olhos. O humilde homem justo é exaltado pelo Deus Todo-poderoso, a ponto de ser elevado com os reis sobre seus tronos. Juntamente com os homens mais poderosos, ele é exaltado para sempre. Não obstante, Jó tinha observado exatamente o contrário "lá fora".

Ele ergue do pó o desvalido e do monturo, o necessitado, para o assentar ao lado dos príncipes, sim, com os príncipes do seu povo.

Salmo 113.7-8

Não tira os seus olhos. Os olhos orientadores, protetores e abençoadores do Deus Todo-poderoso acompanham o justo e garantem sua longa vida e seu sucesso.

Os olhos do Senhor repousam sobre os justos, e os seus ouvidos estão abertos ao seu clamor.

Salmo 34.15

Assim sendo, Eliú elaborou sobre a *Lei Moral da Colheita segundo a Semeadura* (ver no *Dicionário*). No entanto, Jó sabia que estava sofrendo miséria "sem causa" (Jó 2.3).

Os hebreus esperavam justo tratamento da parte do Deus Todo-poderoso, porquanto combinavam a onipotência com a bondade. Os gregos, em contraste, tinham deuses ferozes e injustos, que podiam praticar a maldade e prejudicar homens bons, abençoando os ímpios, tudo dependendo da vontade deles. Em outras palavras, seus deuses eram voluntaristas, para quem a *vontade*, e não a razão, era suprema. As queixas de Jó retratavam um deus (Deus) voluntarista, uma distorção dos fatos teológicos, mas não uma distorção do que estava acontecendo a ele. Ver na *Enciclopédia de Bíblia, Teologia e Filosofia* o artigo chamado *Voluntarista*.

■ 36.8,9

וְאִם־אֲסוּרִים בַּזִּקִּים יִלָּכְדוּן בְּחַבְלֵי־עֹנִי׃

וַיַּגֵּד לָהֶם פָּעֳלָם וּפִשְׁעֵיהֶם כִּי יִתְגַּבָּרוּ׃

Se estão presos em grilhões. Se um *presumível* homem justo estiver sofrendo alguma aflição, literal ou figurada, preso por cadeias e em desastre, então Deus mostra-se misericordioso, caso ele seja um pecador *honesto*, apontando-lhe os erros, as "transgressões", a fim de que ele se arrependa e se livre de suas dores. Uma vez mais Eliú, imitando os três amigos de Jó, voltou a usar uma *teologia-cura-tudo*, ao asseverar que o sofrimento é causado pelo pecado e que Jó estava envolvido na síndrome do pecado-julgamento. Jó sabia mais que isso. Sua teologia era melhor, embora também ele não tivesse sido capaz de descobrir *por que* os homens sofrem. Os homens bons podem sofrer (ver 1Pe 2.20). Algumas vezes, as causas desse sofrimento são conhecidas, outras vezes não.

Este versículo, como é lógico, transforma o sofrimento em *disciplina*, e não apenas retribuição, e essa foi uma das contribuições de Eliú à discussão. Ver o gráfico no fim do capítulo 37, quanto a um sumário das contribuições de Eliú. Ele trouxe *alguma luz*, embora não tivesse encontrado a solução para o *Problema do Mal* (ver no *Dicionário*, bem como a seção V da *Introdução* ao livro).

Que se houveram com soberba. Esta é uma interpretação do hebraico literal, "eles se mostraram *fortes*". Eles se fanfarronaram perante o Deus Todo-poderoso, como se fossem fortes o bastante para desafiá-lo. Mas a força deles não passava de orgulho falso, um vício próprio dos fracos, e não dos fortes.

■ **36.10**

וַיִּגֶל אָזְנָם לַמּוּסָר וַיֹּאמֶר כִּי־יְשֻׁבוּן מֵאָוֶן׃

Abre-lhes também os ouvidos. *Deus nos instrui* através das aflições, como também à parte delas, e é capaz de abrir os ouvidos dos ímpios que estejam dispostos a receber a ajuda divina. Durante esse processo, eles são curados e suas aflições cessam. Portanto, Eliú continuou a apresentar aquela resposta *simplista* para as dores dos homens: a lei da colheita conforme a semeadura, e também a lei do *arrependimento*, o cura-tudo. Esses são bons princípios, mas não explicam por que os inocentes sofrem, nem avançam muito para explicar o complexo problema do sofrimento humano.

Cf. este versículo com Jó 33.16,18,23, onde temos declarações similares e cuja exposição também se aplica aqui.

■ **36.11**

אִם־יִשְׁמְעוּ וְיַעֲבֹדוּ יְכַלּוּ יְמֵיהֶם בַּטּוֹב וּשְׁנֵיהֶם בַּנְּעִימִים׃

Se o ouvirem e o servirem. A obediência conduz à *prosperidade*. A prosperidade inclui todas as modalidades de *prazer*. O homem arrependido não pode resistir a tal barganha. Ele se livra dos pecados que vinham causando caos em sua vida, corrige-a, começa a praticar exercícios espirituais, a fim de manter sua espiritualidade, e eis que, em breve, sua vida será caracterizada pela prosperidade e pelo prazer. Essa atitude simplista era imprópria a um homem que se afirmava recebedor da inspiração divina direta (vss. 3 e 4). Jó era um homem justo que vinha praticando exercícios espirituais e contribuindo para o benefício da comunidade e, no entanto, terminou naquele montão de cinzas, com furúnculos por todo o corpo! A doutrina simplista de Eliú não podia reconciliar-se com a miséria da condição humana, que afeta tanto os bons quanto os maus.

Cf. este versículo com sentimentos similares, em Jó 5.17,18,23; 11.18; 17.12. "Um dos impulsos fundamentais da vida humana é o de atravessar a vida neste mundo com toda a segurança possível. Mas ninguém o faz" (Paul Scherer, *in loc.*).

Em última análise, assim acontecerá. O propósito universal de Deus em Cristo, o *mistério de sua vontade*, garantirá esse resultado. Mas esse é um plano a longo prazo, que opera através dos séculos e, finalmente, centraliza todos os seres inteligentes e todas as coisas em torno de Cristo (ver Ef 1.9,10). Ver a exposição sobre esses versículos no *Novo Testamento Interpretado*; e, na *Enciclopédia de Bíblia, Teologia e Filosofia*, ver o artigo chamado *Restauração*. Caros leitores, é propósito de Deus resolver o problema do mal, mas essa é uma operação a longo prazo. Entrementes, os inocentes sofrem e continuamos perguntando *por quê*. Ver no *Dicionário* o verbete chamado *Mistério da Vontade de Deus*.

■ **36.12**

וְאִם־לֹא יִשְׁמְעוּ בְּשֶׁלַח יַעֲבֹרוּ וְיִגְוְעוּ כִּבְלִי־דָעַת׃

Porém, se não o ouvirem. Este versículo contrasta os ímpios com os bons, referidos no vs. 11. Enquanto os bons prosperam e têm prazeres, os ímpios sofrem toda espécie de desastres, dos quais a espada da guerra e da violência é um exemplo conspícuo. Os ímpios não somente morrem, mas morrem sem nunca ter obtido conhecimento ou sabedoria. Talvez até tivessem uma oportunidade de adquirir conhecimento. Não é que necessariamente não tiveram oportunidade, mas, se a tiveram, rejeitaram-na voluntariamente. O *conhecimento* aplicado poderia tê-los salvado da morte prematura, ou de um prolongado período de sofrimentos, até que a morte finalmente chegasse. Jó, porém, tinha conhecimento e sabedoria, e estava sofrendo, prestes a morrer prematuramente. Outrossim, conforme Adam Clarke supôs (*in loc.*), havia meramente alguns "poucos" e "evidentes desvios" para longe da lei, que Eliú destacou. Jó estava mais correto do que Eliú, quando observou que o mundo "lá fora" está cheio de injustiças e sofrimentos, e que os bons não estão isentos deles. Tomemos o caso da vida de Jesus, que foi chamado de "homem de dores", e suas dores não eram merecidas. Ver Is 53.3.

> Homem de Dores! Que nome!
> Para o Filho de Deus que veio
> Pecadores arruinados recuperar!
> Aleluia, que Salvador.
>
> P. P. Bliss

■ **36.13,14**

וְחַנְפֵי־לֵב יָשִׂימוּ אָף לֹא יְשַׁוְּעוּ כִּי אֲסָרָם׃
תָּמֹת בַּנֹּעַר נַפְשָׁם וְחַיָּתָם בַּקְּדֵשִׁים׃

Os ímpios de coração amontoam para si a ira. Os *ímpios* são hipócritas. Eles continuam fazendo papel de homens bons e honestos. Mas a vida deles é uma mentira, e suas palavras são cheias de engano. Eles guardam a ira no coração (ver a *Revised Standard Version*). Quando caem em dificuldades, porque as aflições de Deus os atingem, não têm o bom senso de invocar a Deus, pedindo ajuda, nem se arrependem de seus pecados. E assim, continuam fingindo, em seu teatro particular, preferindo enganar os homens e sofrer a corrigir seus caminhos diante de Deus e abandonar o pecado. Eles insistem sobre esse modo de agir, até morrerem, ainda na juventude (vs. 14). A morte prematura é a maneira pela qual Deus os faz prestar-lhe contas. É dessa forma que a vida deles "termina vergonhosamente" (*Revised Standard Version*), em vez de *alegremente*. Mas porventura um homem que morre e não sai desta vida terrena abençoado por Deus tem morte jubilosa? A teologia patriarcal não prometia a recompensa para os justos, após a morte biológica, nem punição para os ímpios, em alguma espécie de pós-vida. Eliú nunca levantou essas possibilidades. Como é óbvio, sua teologia era deficiente, a despeito de toda a sua conversa infantil sobre ser diretamente inspirado por Deus (vss. 3,4).

Morrem entre os prostitutos cultuais. Assim é a tradução portuguesa da Atualizada, referindo-se à prostituição sagrada. O homem mau leva avante o seu programa debochado, que inclui a prostituição sagrada, e faz isso até o fim, morrendo "vergonhosamente" entre os prostitutos cultuais (ver Dt 23.18 e 1Rs 14.24). Roy B. Zuck (*in loc.*) afirma que *prostitutos masculinos* dos santuários pagãos é tradução da palavra hebraica *qedesim*, que significa literalmente "consagrados", isto é, homens e mulheres dedicados a ritos depravados, adoração idólatra e prática de prostituição nos templos pagãos, a fim de ganhar dinheiro para a manutenção do culto. Os cultos a Baal, Vênus, Astarote, Príapo etc. contavam com tais instituições abomináveis.

■ **36.15**

יְחַלֵּץ עָנִי בְעָנְיוֹ וְיִגֶל בַּלַּחַץ אָזְנָם׃

Ao aflito livra por meio da sua aflição. Em contraste com os pecadores hipócritas, o pobre homem reto tem acesso a Deus. Ele o ouve; ele o livra; ele o faz prosperar. Tal homem tem vida longa e cheia de alegria, e morre feliz! A única exceção é que isso nem sempre acontece de fato, embora seja um *bom ideal*. "A aceitação apropriada das aflições é o caminho da salvação" (Samuel Terrien, *in loc.*). Deus *abre os ouvidos* dos pecadores e mostra-se ativo para corrigir a situação. Mas o pecador precisa encorajar a abertura divina, e não rejeitá-la, como Jó fizera (na estimativa de Eliú). Para Eliú, Deus não estava *indiferente* para com o homem nem tratava bem aos maus, e mal aos bons; muito menos tratava ambos da mesma maneira (ver Jó 9.22).

Nos dias antigos, nos Estados Unidos, os homens deixavam a parte oriental para ocupar a parte ocidental do país. Tinham de atravessar leitos de rios e cruzar montanhas íngremes. Assim o faziam, eram bem-sucedidos e muito aprendiam pelo caminho. Agora, aviões a jato voam "por cima" do território e levam pessoas tão rapidamente, que mal se pode acreditar. Mas ninguém aprende coisa alguma. Eliú, entretanto, dizia que a "viagem através das tristezas" pode ensinar algo de valor. Os hipócritas, contudo, nada aprendem.

■ 36.16,17

וְאַף הֲסִיתְךָ ׀ מִפִּי־צָר רַחַב לֹא־מוּצָק תַּחְתֶּיהָ וְנַחַת שֻׁלְחָנְךָ מָלֵא דָשֶׁן׃

וְדִין־רָשָׁע מָלֵאתָ דִּין וּמִשְׁפָּט יִתְמֹכוּ׃

Assim também procura tirar-te das fauces da angústia. O discurso de Eliú fala da *trajetória* seguida por Jó. Deus realmente o havia feito prosperar. Deus o removeu de seu lugar estreito e o pôs noutro espaçoso. Em seguida, encheu a sua mesa de coisas boas. Infelizmente, porém, a boa vida de Jó logo o levou a cair no pecado. Ele perdeu a disciplina e começou a usar seu dinheiro, posição e poder para promover uma vida pecaminosa (e hipócrita). E Jó continuou a fingir que era o mesmo "homem bom" de ontem. Suas aflições, entretanto, caracterizavam-no como mentiroso. Algo tinha dado uma torção para pior na vida de Jó (vs. 17). A vida próspera e bendita por Deus (vs. 16) se arruinara em uma vida de *juízo divino* (vs. 17). A prosperidade deixou Jó descuidado, distorceu sua visão e engendrou desejos pelo deboche. A justiça divina, no entanto, apanhou o homem.

Alguns estudiosos pensam que os vss. 16,17 são *hipotéticos*. Deus teria feito por Jó o que é dito nestes versículos, *se* ele tivesse cumprido as condições para receber a bênção. Mas ele não as cumpriu, de modo que também terminou na miséria.

■ 36.18

כִּי־חֵמָה פֶּן־יְסִיתְךָ בְסָפֶק וְרָב־כֹּפֶר אַל־יַטֶּךָ׃

Guarda-te, pois, de que a ira não te induza a escarnecer. *Uma vez irado,* Jó poderia ter-se tornado um homem endurecido, caindo na zombaria e no ateísmo, que, com tanta frequência, é o resultado dos sofrimentos. Não fora o problema do mal, e o ateísmo dificilmente existiria. Poucos homens são ateus intelectuais. Esses são homens que permitiram aos sofrimentos distorcer-lhes a mente. Eliú acenou com uma esperança para Jó, contanto que ele recebesse de bom grado as aflições e permitisse que elas realizassem sua obra restauradora. Em outras palavras, através do *sofrimento* ocorre disciplina e restauração. Jó, pois, foi exortado a permitir que a restauração atuasse. "O ressentimento de Jó contra Deus não deveria conduzi-lo a um pecado ainda mais grave. De Deus não se zomba. Sua ira deve ser aceita com penitência. Jó suportava, em *suas aflições,* a expiação de seu crime. Ele deveria carregar o peso inteiro de sua carga, em vez de ser atraído ainda mais para longe do livramento" (Samuel Terrien, *in loc.*). Cf. este versículo com Jó 33.23-28. Em Jó 33.24, podem estar em vista *sacrifícios expiatórios* para efetuar resgate. Mas, na *resistência paciente* dos sofrimentos, também há um resgate disponível para salvar o homem aflito de suas tristezas. Em nenhuma dessas passagens há nenhuma noção de resgate da alma que a livre do pecado, de modo que ela desfrute da salvação. Isso seria cristianizar o texto. Contudo, há nobres sentimentos ali, que apontam na direção da maior revelação do cristianismo.

■ 36.19

הֲיַעֲרֹךְ שׁוּעֲךָ לֹא בְצָר וְכֹל מַאֲמַצֵּי־כֹחַ׃

Estimaria ele as tuas lamúrias. Deus, não tendo respeito humano, não se impressionava com as riquezas de Jó, sua posição social, sua influência sobre a comunidade ou qualquer outro fator que os *homens* pensam exaltar uma pessoa. O julgamento divino já estava nivelando aquele pecador e continuaria a fazê-lo, até deixá-lo na sepultura. "Ele não podia salvar a si mesmo por seu próprio poder e seus próprios recursos. *O poder do homem* de nada adianta. O gigante deve render-se. Prometeu está amarrado" (Samuel Terrien, *in loc.*).

Alguns intérpretes cristianizam o versículo, vendo nele o *princípio da graça* em operação. Realmente, o versículo soa um tanto parecido com Ef 2.8,9, mas ver tão augusto princípio cristão aqui é anacrônico e fantasioso.

... dos que confiam nos seus bens e na sua muita riqueza se gloriam? Ao irmão, verdadeiramente, ninguém o pode remir, nem pagar por ele a Deus o seu resgate.

Salmo 49.6,7

As riquezas de nada aproveitam no dia da ira, mas a justiça livra da morte.

Provérbios 11.4

■ 36.20

אַל־תִּשְׁאַף הַלָּיְלָה לַעֲלוֹת עַמִּים תַּחְתָּם׃

Não suspires pela noite. Alguns eruditos consideram que o presente versículo é ininteligível, e só podem conjecturar quanto ao seu significado. É provável que "suspirar pela noite", neste caso, signifique *desejar a morte.* Jó já havia sofrido bastante. A morte seria o seu livramento, e ele não estava preocupado se a alma, a parte imaterial do homem, sobreviveria ao evento da morte. Ele apenas queria paz. Ver Jó 3.3 ss. quanto aos desejos de Jó no tocante à morte. Algumas vezes, ele orava pedindo cura; de outras vezes, em desespero, simplesmente queria morrer, o que é comum àqueles que passam por intensos períodos de sofrimento. Ver Jó 7.2, onde se lê: "Como o escravo suspira pela sombra". Ver também Jó 16.22; 17.13 e 19.27.

Serão tomados do seu lugar. Literalmente, o texto hebraico original diz "serão cortados do seu lugar". O livro não ensina nenhum tipo de recompensa ou punição além da morte biológica, pois essa doutrina era estranha à teologia patriarcal. A morte era vista como fim de tudo. Jó elevou-se a um nível mais alto, em Jó 19.25,26, mas, mesmo ali, coisa alguma é dita sobre recompensas e punições. Os homens desejam continuar vivendo quando a vida vale a pena. Mas quando a vida se torna indigna, eles preferem morrer.

■ 36.21

הִשָּׁמֶר אַל־תֵּפֶן אֶל־אָוֶן כִּי־עַל־זֶה בָּחַרְתָּ מֵעֹנִי׃

Guarda-te, não te inclines para a iniquidade. Jó tinha optado pela rebeldia, em vez de aceitar humildemente a aflição, que poderia exercer *efeito curador,* um *resgate* do mal por ele experimentado (vs. 18). Eliú, pois, repreendeu-o pela escolha insensata. "Muitos que são afligidos anelam pela morte, no entanto, não estão preparados para comparecer diante de Deus! Que tremenda loucura!... As aflições podem ser o meio da salvação, mas a morte desejada pode ser o portal para a condenação eterna" (Adam Clarke, *in loc.*, que cristianizou o versículo, encontrando ali o julgamento depois da vida terrena). De acordo com a visão de Eliú, Jó adicionava o pecado da rebelião à sua dor. Nunca lhe ocorreu que Jó poderia estar sofrendo, embora fosse *inocente.* Essa ideia estava fora dos limites estreitos de sua teologia.

■ 36.22,23

הֶן־אֵל יַשְׂגִּיב בְּכֹחוֹ מִי כָמֹהוּ מוֹרֶה׃

מִי־פָקַד עָלָיו דַּרְכּוֹ וּמִי־אָמַר פָּעַלְתָּ עַוְלָה׃

Eis que Deus se mostra grande em seu poder! O *Deus Todo-poderoso* é, igualmente, o *Mestre Todo-poderoso.* E Jó deveria aprender a verdade da parte dele. Nenhum homem pode ensinar a Deus, dizendo-lhe: "Não agiste como deverias ter feito. Estás sendo injusto por mandar-me a aflição" (vs. 23). Não obstante, Jó havia tomado sobre si mesmo o ofício de ensinar a Deus! Ele haveria de receber um poderoso raio divino por causa de tais palavras. Nenhum ser humano pode ensinar a Deus. Aos seus muitos outros pecados, Jó adicionava arrogância e extrema insensatez.

Os Pontos Aqui Salientados São: 1. Deus é a fonte originária de toda a grandeza. 2. Não há mestre como Deus, e nenhum homem pode ensinar-lhe coisa alguma (vs. 22). 3. Deus é absoluto e Todo-poderoso (vs. 23), insondável e eterno (vs. 26). Se confrontasse esses fatos, Jó deveria abandonar sua arrogância, arrepender-se e ser restaurado pelo único poder verdadeiro, Deus.

Bem-aventurado o homem, Senhor, a quem tu repreendes, a quem ensinas a tua lei.

Salmo 94.12

Com quem tomou ele conselho, para que lhe desse compreensão? Quem o instruiu na vereda do juízo, e lhe ensinou sabedoria, e lhe mostrou o caminho de entendimento?

Isaías 40.14

■ 36.24

זְכֹר כִּי־תַשְׂגִּיא פָעֳלוֹ אֲשֶׁר שֹׁרְרוּ אֲנָשִׁים׃

Lembra-te de lhe magnificares as obras. Em vez de afirmar que Deus agira injustamente com ele, Jó deveria ter exaltado a Deus, por causa da magnificência de suas obras, que se tornaram os cânticos de homens justos. Jó foi convidado a unir-se ao coro universal de louvores. Cf. Jó 33.27 e 35.10. Em vez de agir como um *gigante* insensato, querendo oferecer oposição a Deus, Jó deveria erguer a voz em louvor ao verdadeiro e único poder. As obras de Deus servem de prova tanto de seu poder quanto de sua sabedoria. Eliú pensava que a Jó faltavam poderes de observação, pois, se ele ao menos contemplasse tudo quanto existe na natureza, não teria assumido uma posição rebelde contra Deus. O capítulo 35 enfatiza a soberania de Deus, e é a esse tema que Eliú agora retornou, neste e nos versículos que se seguem.

O grande Deus é, igualmente, o Deus da *Providência* (ver a respeito no *Dicionário*). Deus era capaz de libertar Jó de sua tristeza, *se ele cumprisse as condições apropriadas*.

■ 36.25

כָּל־אָדָם חָזוּ־בוֹ אֱנוֹשׁ יַבִּיט מֵרָחוֹק׃

Todos os homens a contemplam. *A grandeza de Deus*, ilustrada em suas obras magníficas, está aqui para ser vista diariamente por todos os homens. Essa questão não envolve segredo algum. Até os indivíduos mais insensatos podem ver a exibição de poder e sabedoria todos os dias. Apesar de Deus ser transcendental (vs. 26), contudo também é imanente em suas obras. Estas são seu porta-voz.

Os céus proclamam a glória de Deus, e o firmamento anuncia as obras das suas mãos. Um dia discursa ao outro dia, e uma noite revela conhecimento à outra noite. Não há linguagem, nem há palavras, e deles não se ouve nenhum som; no entanto, por toda a terra se faz ouvir a sua voz, e as suas palavras, até aos confins do mundo.

Salmo 19.1-4

"A contemplação dará nascimento à música de adoração. Talvez Jó fosse incapaz de compreender os caminhos misteriosos de Deus, mas ele podia elevar-se acima das vicissitudes da existência e até mesmo transmutar o gemido de suas torturas em um hino Magnificat. Seu lamento autopiedoso pode, portanto, ser transformado em hino de louvor" (Samuel Terrien, *in loc.*).

A GLÓRIA INSONDÁVEL DO SENHOR DA NATUREZA
(36.26—37.13)

■ 36.26

הֶן־אֵל שַׂגִּיא וְלֹא נֵדָע מִסְפַּר שָׁנָיו וְלֹא־חֵקֶר׃

Eis que Deus é grande. A *Oxford Annotated Bible* afirma que agora temos o *quinto discurso* de Eliú, embora "sem a introdução usual... O governante soberano da natureza, seu propósito e sua benevolência aparecem no desdobramento majestático das estações, como o outono (vss. 7-33), o inverno (Jó 37.1-13) e o verão (vss. 14-22), sequência que aponta para o calendário outonal, com a festividade do Ano Novo durante o outono" (o que é dito no vs. 26).

A grandeza da natureza inspira os homens à reflexão teológica. Para que haja tão grande *efeito*, também deve haver uma *causa*, e essa causa é Deus. A natureza ensina duas coisas principais sobre o Ser divino: há um grande *poder* ali, bem como uma grande *inteligência*. Alicerçados sobre tais fatos, os teólogos inventaram as doutrinas da onipotência e da onisciência de Deus. Ver sobre esses dois termos no *Dicionário*. Além disso, ver os artigos gerais sobre os *Atributos de Deus*.

Nenhum ser humano pode sondar as questões do início de Deus, ou por quantos anos ele tem existido. Nós o chamamos de *eterno*. Ele é dotado de uma *infinitude* que não pode ser investigada. Bertrand Russell afirmou, corretamente, que há certas perguntas que não podemos formular com proveito, e qualquer pergunta que sonde a eternidade ou a infinitude de Deus é obviamente fútil. Esses são simplesmente dogmas que aceitamos sem investigação alguma, pois há neles um sentido *intuitivo*. A natureza nos *sugere* esses atributos, mas o assunto está acima de nossos poderes de investigação.

■ 36.27,28

כִּי יְגָרַע נִטְפֵי־מָיִם יָזֹקּוּ מָטָר לְאֵדוֹ׃
אֲשֶׁר־יִזְּלוּ שְׁחָקִים יִרְעֲפוּ עֲלֵי אָדָם רָב׃

Porque atrai para si as gotas de água. O maravilhoso *modus operandi* da chuva formadora (origem da vida física) é aqui comentado. Cf. Jó 5.9,10 e 37.13. Toda a chuva vem dos oceanos, em última análise. Nosso autor não menciona isso, entretanto, e provavelmente não sabia desse fato. Mas ele sabia que o poder de Deus estava em operação no processo, e essa é uma das maravilhas da natureza, que inspira nossa mente à contemplação teológica e à invenção de dogmas. O autor movimentou-se da natureza para Deus, um ato comum aos filósofos e aos teólogos. Na natureza há *revelação* de Deus, conforme Paulo assevera no primeiro capítulo de sua epístola aos Romanos. Essa revelação é poderosa o bastante para deixar o homem sem desculpa (ver Rm 1.20). Mas a isso, uma revelação direta foi adicionada, por meio dos profetas, para garantir que o homem compreende o que dele é requerido. Eliú acusava Jó de ser insensível diante da natureza. Se não fosse isso, ele não estaria degradando Deus em seus discursos.

O milagre divino da chuva tem início nas águas que se evaporam. Dali, as partículas de água se transformam em nuvens, que são as produtoras da "chuva". Um maravilhoso processo, doador da vida, foi assim divinamente determinado e está sendo conservado (vs. 28). Os agricultores examinam com atenção o firmamento e regozijam-se ao ver *nuvens*. Quando se instala um período de seca, tornamo-nos como os agricultores, buscando as nuvens transmissoras de vida. Os homens oram pedindo chuva, quando um longo período de seca ameaça as atividades agrícolas.

■ 36.29

אַף אִם־יָבִין מִפְרְשֵׂי־עָב תְּשֻׁאוֹת סֻכָּתוֹ׃

E os trovões. Literalmente, no hebraico, temos aqui a palavra "barulho", ou seja, grandes rugidos feitos quando os trovões resultam dos relâmpagos. Tudo isso faz parte do milagre da chuva. Nesses ruídos potentes, o poder de Deus se manifesta. Zeus era o deus grego do trovão, que o usava a fim de controlar tanto outros deuses como os homens. Se a teologia hebreia não incluía tal noção, contudo, os tremendos rugidos dos trovões inspiravam a mente dos hebreus com profunda admiração, conduzindo-a na direção de Deus, o único poder, a causa primitiva de todas as coisas.

Seu pavilhão. Os próprios céus são a *tenda* de Deus, o lugar de sua habitação, e ele exibe ali o seu poder, nos vários atos da natureza. Cf. isso com as imagens de Sl 18.11 e 104.3.

Tais maravilhas da natureza, que o poeta acabara de descrever, ultrapassam a compreensão dos homens, pelo que são mistérios da graça para nós, objetos de profunda admiração. Nenhum homem sabe exatamente como Deus faz essas maravilhas. Naturalmente, a moderna ciência da meteorologia nos dá algumas boas ideias que, por mais incompletas, ultrapassam em muito o que os antigos conheciam. As ciências naturais tiram o elemento divino da questão, mas a *providência divina* continua presente. Deus estabeleceu as *leis naturais*, que cuidam dessas coisas. Jó foi chamado a admirar-se. Ao observar as maravilhas da natureza, ele ansiaria por mudar sua ideia sobre as injustiças de Deus, que o faziam sofrer. Ele sentiria que deve haver algum plano em toda a natureza, alguma operação de inteligência e *designio*. Sua dor deveria tangê-lo ao arrependimento e à restauração, outra das maravilhas de Deus para os seres humanos.

36.30

הֵן־פָּרַשׂ עָלָיו אוֹרוֹ וְשָׁרְשֵׁי הַיָּם כִּסָּה׃

Eis que estende sobre elas o seu relâmpago. Deus envolve-se em seus relâmpagos, sinais especiais de seu poder. Então, temos uma magnífica exibição das operações de Deus que todos podem observar. A parte final do versículo é modernizada por alguns intérpretes para tentar convencer-nos de que o poeta compreendia que toda a água vem do oceano, por meio da evaporação e, então, por meio da chuva. Mas tudo quanto está indicado é que Deus "inunda", isto é, "cobre as profundezas do mar, de modo que o homem não pode ver o que está por baixo". Esse é, igualmente, um dos mistérios de Deus que nossa ciência dispersou apenas parcialmente. As *profundezas* do mar são, poeticamente, chamadas de "raízes". As águas inundam essas raízes e as escondem. Deus controla o céu, suas nuvens e seus trovões. Ele também controla o que está oculto nas profundezas do oceano. Sua soberania, portanto, é *completa*, sendo essa uma das lições que o autor sagrado estava tentando ensinar.

Alguns estudiosos veem aqui as tempestades do céu como manifestações tão poderosas, que "descobrem" ou "encobrem" as profundezas do mar, isto é, revelam-nas. Nesse caso, temos um paralelo de Sl 18.15. Notemos, porém, que estão em vista ali os alicerces do mundo, não o mar. A outra ideia, porém, é melhor.

36.31

כִּי־בָם יָדִין עַמִּים יִתֶּן־אֹכֶל לְמַכְבִּיר׃

Pois por estas cousas julga os povos. O processo inteiro resulta em *alimentos necessários* aos povos, e esse é outro aspecto da *Providência de Deus* (ver a respeito no *Dicionário*). Se as operações de Deus na natureza garantissem, *universalmente*, o alimento dos homens, então eles poderiam fazer a tarefa menor de prover cura para o enfermo Jó. A *tempestade* poderia ser algo terrível; mas, se fosse recebida da maneira certa, poderia haver bom resultado, a saber, sua cura por meio do arrependimento. Há abundância nas operações de Deus. O caso de Jó não era desesperador. Mas ele tinha de cumprir as condições. Deus pode controlar as chuvas, de modo que julgue os povos, porquanto a seca sempre foi uma das armas à disposição de Deus. As tribulações de Deus também visam o bem, como sucede a todos os juízos divinos. Uma grande tempestade na natureza pode causar muito caos. Outro tanto pode ser dito com relação a uma tempestade particular, que atinja um único homem. Em ambas as possibilidades, porém, Deus estará operando para o bem do homem.

36.32

עַל־כַּפַּיִם כִּסָּה־אוֹר וַיְצַו עָלֶיהָ בְמַפְגִּיעַ׃

Enche as mãos de relâmpagos. *Guia para os Relâmpagos*. Um trovão pode ser uma grande força destruidora. Eliú declara que *é Deus* quem guia sua vereda e fere qualquer coisa que queira (assim diz em a *Revised Standard Version* e a nossa versão portuguesa). Mas a *King James Version* diz "nuvens", em lugar de "mãos", e permanece com a metáfora do vs. 28. Seja como for, compreendemos que Deus é quem controla as forças da natureza, e isso ilustra a sua *Soberania*. Jó não seria capaz de escapar do poder que fere objetos com seus relâmpagos. Ele era apenas uma vítima, e em breve seria uma vítima fatal, *se não se arrependesse*. Deus atira seus relâmpagos como se fossem *dardos*, e ele é um excelente atirador de dardos. Que os ímpios se cuidem! A *Providência de Deus* pode ser *negativa*. Ele julga os pecadores. O que Eliú não explicou foi *por que* Deus feriria um homem inocente com seus relâmpagos! Ele não estava fazendo as perguntas certas. Determinadas perguntas vitais estavam fora de sua teologia, mas ele jamais admitiria tal coisa.

36.33

יַגִּיד עָלָיו רֵעוֹ מִקְנֶה אַף עַל־עוֹלֶה׃

O fragor da tempestade dá notícias a respeito dele. O grande estampido produzido pelo relâmpago explode no ar como testemunha do poder envolvido. Trata-se de um *Deus zeloso* (*Revised Standard Version*), que fere a iniquidade. Essa versão segue o Targum sobre o versículo, que tem uma vocalização diferente da palavra em questão. O texto massorético diz *gado* (ver *Massora (Massorah); Texto Massorético*, no *Dicionário*). A versão da Imprensa Bíblica Brasileira retém a palavra *gado*, em lugar de "zeloso", tornando o texto praticamente ininteligível. Isso nos dá base para o sentido do trecho: "Até o gado pressente a sua aproximação", isto é, a *tempestade* no caminho. Mas a versão Atualizada diz (notícias): "dele que é zeloso na sua ira contra a injustiça". Seja como for, Deus anuncia sua aproximação como uma grande tempestade que ferirá homens vis. Jó fora abundantemente avisado de antemão. A tempestade estava a caminho. Ele seria uma vítima fatal, caso não se arrependesse. O vs. 33 tem recebido bom número de interpretações diferentes, das quais apresentei as duas principais.

"Eliú detectou nas tempestades de outono os sinais da fidelidade providencial e lembrou o juízo ético de Deus (cf. o vs. 31)" (Samuel Terrien, *in loc.*).

CAPÍTULO TRINTA E SETE

Não há interrupção alguma entre os capítulos 36 e 37. Apresento uma introdução detalhada aos discursos de Eliú no início dos comentários sobre o capítulo 32, pelo que não repito essa informação. O capítulo 34 defende a *justiça* de Deus. O capítulo 35 defende a *soberania* de Deus. Nos capítulos 36 e 37, ambos os princípios são reiterados. Eliú procurou responder a Jó (ver Jó 32.2; 33.10-12), bem como a seus três consoladores molestos (ver Jó 32.3,12). Ele deduziu que tais argumentos eram defeituosos. Na qualidade de *revelacionista* (alguém que reivindicava inspiração direta da parte do *Espírito Santo*; ver Jó 32.8), Eliú julgava ter mais conhecimento que Jó e sua terrível tríade.

Alguns estudiosos pensam que o capítulo 37 continua a dar o quarto discurso de Eliú, mas outros supõem que temos cinco discursos distintos de Eliú. Quanto a isso, ver a exposição em Jó 36.25. Seja como for, Eliú ilustra como a *Providência de Deus* é retratada na natureza: ela tem manifestações especiais em três das estações do ano: no outono (ver Jó 36.7-33); no inverno (ver Jó 37.1-13); e no verão (ver Jó 37.14-22). Ele deixou de mencionar a primavera. Seja como for, a sequência dada aponta para um calendário outonal, com o Novo Ano começando no outono.

DEUS É O SENHOR DO INVERNO (37.1-13)

"No *inverno*, as tempestades trazem à tona as maravilhas da neve e as cataduvas persistentes da chuva (vs. 6), que conservam os homens distantes de sua labuta, para que tenham lazer e considerem as obras maravilhosas de Deus (vs. 7). Aqui, uma vez mais, o cantor descobre uma *lição moral*, no fenômeno da natureza" (Samuel Terrien, *in loc.*).

37.1

אַף־לְזֹאת יֶחֱרַד לִבִּי וְיִתַּר מִמְּקוֹמוֹ׃

Sobre isto treme também o meu coração. Eliú estava aterrorizado com os fenômenos da natureza, e o terror levou seu coração a pensar na grandeza de Deus. A providência divina controla todas as coisas. Ele é soberano e justo, e faz com que as coisas aconteçam visando a correção ou a misericórdia (vs. 13). Nada existe de acidental em seu governo, e nenhum ser humano está fora de seu escrutínio. Deus é o soberano de todas as estações do ano. O inverno era uma estação especial para os relâmpagos (que Eliú mencionou por cinco vezes: Jó 36.30,32; 37.3,11,15). A tempestade que se avizinhava fez o coração de Eliú palpitar. Jó, por sua vez, deveria estar aterrorizado pelo Deus-tempestade que se aproximava.

A natureza testifica sobre a grandeza e o poder de Deus. Sua providência torna-se evidente em todos os lugares:

> Tal como o galeirão se aninha em terreno pantanoso,
> Eis que farei meu ninho na grandiosidade de Deus;
> Voarei na grandeza de Deus como voa o galeirão,
> Na liberdade que há entre o pântano e os céus;
> Como o galeirão se agarra a raízes, no pântano,
> De todo o coração me segurarei na grandeza de Deus.
>
> Sidney Lanier

37.2

שִׁמְעוּ שָׁמוֹעַ בְּרֹגֶז קֹלוֹ וְהֶגֶה מִפִּיו יֵצֵא׃

Dai ouvidos ao trovão de Deus. *A tempestade divina* se aproximava, o trovão que rugia era a voz de Deus. O troar no céu era o poder que chamava Jó a ouvir e obedecer à sua voz. O trovão é a poderosa voz de Deus (ver Jó 37.2,4,5), e o relâmpago (ver Jó 36.30,32; 37.3,11,15), a ameaça de seu julgamento.

> *Ouve-se a voz do Senhor sobre as águas; troveja o Deus da glória; o Senhor está sobre as muitas águas. A voz do Senhor é poderosa; a voz do Senhor é cheia de majestade.*
>
> Salmo 29.3,4

37.3

תַּחַת־כָּל־הַשָּׁמַיִם יִשְׁרֵהוּ וְאוֹרוֹ עַל־כַּנְפוֹת הָאָרֶץ׃

Ele o solta por debaixo de todos os céus. Sua voz de trovão e seus relâmpagos são dirigidos. Essas coisas seguem um plano e um propósito, e são *universais*, afetando tudo e todos. Manifestam a *soberania de Deus*. O ribombar enche os céus e os relâmpagos ferem por toda a terra.

Plínio falou sobre os atos da natureza como coisas que acontecem por acaso (*Hist. Natural* 1.2. cap. 43), mas o poeta via Deus em toda a natureza, pois ele estabeleceu as leis naturais. Os teístas exagerados veem os relâmpagos atingir até mesmo árvores, pelo decreto de Deus. "Sua voz de trovão rola de uma extremidade à outra dos céus. Ele ordena às nuvens com seus trovões e dirige seus relâmpagos sobre a árvore, a casa ou o homem que eles deveriam ferir, e faz a chuva cair onde deve" (John Gill, *in loc.*).

37.4

אַחֲרָיו יִשְׁאַג־קוֹל יַרְעֵם בְּקוֹל גְּאוֹנוֹ וְלֹא יְעַקְּבֵם כִּי־יִשָּׁמַע קוֹלוֹ׃

Depois deste, ruge a sua voz. Após o relâmpago e o trovão, a voz de Deus *ruge*. E esse é um sonido espantoso para o pecador. É sua *voz majestática* que fala sobre sua soberania. Seus relâmpagos não podem ser limitados por ninguém nem por força alguma que exista nos céus ou na terra.

> Tão próxima é a grandeza do nosso pó,
> Tão próximo está Deus do homem,
> Quando o Dever sussurra baixo "Tu deves",
> Então a juventude retruca: "Eu posso".
>
> Ralph W. Emerson

"... outono, inverno e, depois do inverno, a primavera; e sempre atrás deles está a mão de Deus... Há o Deus da Bíblia, transcendental, soberano, distante e, no entanto, próximo. Ele está além e, no entanto, próximo. Seu resplendor faz com que a luz do homem orgulhoso se transmute em trevas" (Paul Scherer, *in loc.*).

> A ti, Alma Eterna, seja o louvor!
> Ao qual, desde a antiguidade aos nossos dias,
> Através das almas de santos e profetas, Senhor,
> Enviaste a tua Luz, o teu Amor, a tua Palavra.
>
> Richard W. Gilder

37.5

יַרְעֵם אֵל בְּקוֹלוֹ נִפְלָאוֹת עֹשֶׂה גְדֹלוֹת וְלֹא נֵדָע׃

Com a sua voz troveja Deus maravilhosamente. Na soberania de Deus, obras maravilhosas são realizadas pelo poder divino. Sua voz trovejante anuncia suas obras, e os homens se confundem diante dela.

> *Isto procede do Senhor e é maravilhoso aos nossos olhos.*
>
> Salmo 118.23

"Deus troveja maravilhosamente com a sua voz. Essa é a conclusão da descrição, feita por Eliú, dos trovões e relâmpagos" (Adam Clarke, *in loc.*). "De que modo Deus realiza suas obras na natureza, é algo espantoso e além da compreensão humana (vs. 5; cf. Jó 36.26,29), uma verdade que Elifaz afirmou por uma vez (ver Jó 5.10) e Jó proferiu por duas vezes (ver Jó 9.10; 26.14)" (Roy B. Zuck, *in loc.*).

37.6

כִּי לַשֶּׁלֶג יֹאמַר הֱוֵא אָרֶץ וְגֶשֶׁם מָטָר וְגֶשֶׁם מִטְרוֹת עֻזּוֹ׃

Porque ele diz à neve. Eliú prosseguiu com a descrição das maravilhosas obras de Deus na natureza e citou alguns exemplos. Deus é o doador da neve, através de processos pouco compreendidos pelos antigos. Sua neve espalha-se por toda a terra e fornece água às fontes. Ele também envia seus aguaceiros gentis, bem como chuvas violentas, tudo para benefício do homem, porquanto tais coisas são dadas por sua providência positiva, sob o controle de sua soberania. A água representa vida, e Deus a dá em abundância para homens, animais e plantas. Todas essas coisas são extremamente comuns, mas os homens não as compreendem. Qualquer homem podia observar o vapor d'água a elevar-se da tampa de uma panela; mas, quando James Watt observou esse fenômeno, compreendeu que podia colocar essa força para trabalhar, e logo a poderosa locomotiva a vapor veio à existência. Qualquer homem poderia ter observado como as águas impulsionadas dos rios para os oceanos traziam objetos às praias de Portugal. Mas, quando os primeiros navegadores observaram esse fenômeno, compreenderam que havia novos mundos "em algum lugar". Benjamim Franklin viu o relâmpago no céu e chamou-o de eletricidade, e capturou essa eletricidade na linha de seu papagaio. Intermináveis indústrias finalmente seguiram-se, baseadas nesse poder. Por semelhante modo, Eliú observou as forças da natureza, compreendeu que a força divina estava por trás delas e aplicou esse conhecimento aos homens.

"Os homens podem depreender dessas coisas que eles e suas obras estão sob o controle de Deus. Eles não são os agentes inteiramente livres como supõem" (Ellicott, *in loc.*).

> Nossos pequenos sistemas têm sua época,
> Têm o seu dia, mas logo passam.
> São apenas lâmpadas bruxuleantes, ao lado
> Da tua Luz, ó Senhor.
>
> Russell Champlin

37.7

בְּיַד־כָּל־אָדָם יַחְתּוֹם לָדַעַת כָּל־אַנְשֵׁי מַעֲשֵׂהוּ׃

Assim torna ele inativas as mãos de todos os homens. O poder de Deus age livremente na natureza. Além disso, Deus limita os homens, que também estão sob o seu controle e não podem fazer tudo quanto lhes agrada. Os poderes e as limitações são determinados pela soberania de Deus. Por conseguinte, os homens são responsáveis diante de Deus, e ninguém é independente dele. A independência é atributo divino. Somente Deus é verdadeiramente independente. E um dos principais atributos humanos é a dependência: o homem está sujeito à vontade de Deus. Os bons são recompensados e os ímpios, punidos, e isso foi algo que Eliú repetiu continuamente. Para Jó foi uma repetição *ad nauseum*. Adam Clarke (*in loc.*) pensa que o enregelamento é a metáfora que está por trás deste versículo. Deus enregela os homens em seus atos; permite um tanto, nada mais do que aquilo. Ele menciona a curiosidade no fato de que certas pessoas têm encontrado um texto de prova em favor da quiromancia neste versículo! Essa teoria diz que Deus determinou as marcas em nossas mãos para serem usadas a fim de predizer tudo quanto acontece conosco, de bom ou de mau. O homem é a obra das mãos de Deus, e as obras das mãos dos homens estão sob o controle de Deus. As mãos de Deus estão livres para trabalhar. As mãos dos homens são limitadas.

37.8

וַתָּבֹא חַיָּה בְמוֹ־אָרֶב וּבִמְעוֹנֹתֶיהָ תִשְׁכֹּן׃

E as alimárias entram nos seus esconderijos. Quando a natureza fica violenta com suas chuvas, neve e frio cortante, os animais do campo retiram-se para suas covas. Suas atividades também estão sob o poder da soberania universal de Deus. Os animais também são limitados. Quando há liberdade para eles agirem, é Deus quem lhes dá essa liberdade. E quando seus atos cessam, Deus é a causa disso. Ele é a única Causa neste mundo, um determinismo exagerado (ver na *Enciclopédia de Bíblia, Teologia e Filosofia*). Quando tudo está enregelado, a natureza providencia que certos animais entrem em estado de hibernação. Portanto, embora eles não possam obter alimentos para comer e sustentar-se, sobrevivem, porque não precisam alimentar-se durante esse tempo. Então, pela ordem de Deus, chega a primavera e, com ela, um novo suprimento alimentar para a continuação da vida.

■ 37.9

מִן־הַחֶדֶר תָּבוֹא סוּפָה וּמִמְּזָרִים קָרָה׃

De suas recâmaras sai o pé-de-vento. A *King James Version* diz aqui "do sul sai", mas a melhor tradução é a de nossa versão portuguesa (ver Jó 9.9). Da constelação do sul, isto é, dessa direção dos céus, sai um terrível vento quente, mas, durante o inverno, aquele feroz vento frio. "Esses ventos são poeticamente considerados enviados por Deus, de suas câmaras no sul (assim também lemos em Jó 38.22 e Sl 135.7). 'Ele tira os ventos de seus tesouros'" (Fausset, *in loc.*). Além disso, há também os ventos frios provenientes do norte, a direção oposta. Os ventos sopram sobre os bons e os maus, e ambos são controlados pelos ditames soberanos de Deus. Ver os ferozes ventos do sul mencionados em Is 21.1 e Zc 9.14. Das *Mazzaroth*, as recâmaras do norte, sopram ventos gélidos, isto é, da direção daquelas estrelas que ficam sobre o Ártico ou Polo Norte.

■ 37.10

מִנִּשְׁמַת־אֵל יִתֶּן־קָרַח וְרֹחַב מַיִם בְּמוּצָק׃

Pelo sopro de Deus se dá a geada. Os ventos são como o hálito de Deus. Seu hálito frio produz o gelo que se deposita sobre lagoas e lagos e causa tantas dificuldades aos homens. Até os grandes lagos (largas águas) podem ficar completamente enregelados, e as atividades humanas são severamente limitadas, e até a fome pode ser o resultado, se provisões apropriadas não forem feitas com urgência. Mas os campos cobertos de neve e os lagos gelados fazem parte do maravilhoso mundo de Deus. A beleza da neve é proverbial, embora seja pouco compreendida pelos habitantes do sul, onde o sol é sempre quente e a terra produz mais de uma colheita por ano. Um hino evangélico celebra as belezas da "terra maravilhosa do inverno", muito bela de contemplar, mas não tão bela quando se tem de trabalhar nela.

>No inverno, quando os campos branquejam,
>Canto este cântico para teu deleite.
>Lewis Carroll

Todos os atos da natureza nos fazem lembrar da soberania de Deus. Na verdade, o homem continua dependendo da cooperação da natureza para viver.

Ele envia as suas ordens à terra, e sua palavra corre velozmente; dá a neve como lã, e espalha a geada em migalhas; quem resiste ao seu frio?

Salmo 147.15-17

"Admiro-me de qualquer ser humano que permaneça em uma terra fria, se puder achar espaço em uma terra quente" (Thomas Jefferson).

■ 37.11

אַף־בְּרִי יַטְרִיחַ עָב יָפִיץ עֲנַן אוֹרוֹ׃

Também de umidade carrega as densas nuvens. Devido à umidade, as nuvens ficam mais espessas e se acumulam como montes macios no firmamento. As nuvens produzem relâmpagos que ficam a dardejar para frente e para trás entre elas. O autor sacro continuava a descrever as maravilhas da natureza, sinais das obras das mãos de Deus e de sua soberania. Deus "carrega as nuvens de umidade" (*Revised Standard Version*), enquanto a *King James Version* diz "dissipa as grossas nuvens", produzindo assim a chuva. A água cai sobre a terra, e as nuvens diminuem de volume, de maneira correspondente.

Nossa versão portuguesa concorda com a tradução da *Revised Standard Version*. Seja como for, o quadro retrata a providência divina, que produz as nuvens necessárias para a continuação da vida na terra. Tais obras estão acima dos homens e são pouco compreendidas por eles. A vida de Jó também estava sujeita ao controle divino. Não havia nenhum acaso na questão. Jó foi então exortado a "deixar as coisas correr e dar lugar a Deus", conforme os pregadores de meus tempos de juventude costumavam dizer.

■ 37.12

וְהוּא מְסִבּוֹת מִתְהַפֵּךְ בְּתַחְבּוּלֹתָו לְפָעֳלָם כֹּל אֲשֶׁר יְצַוֵּם עַל־פְּנֵי תֵבֵל אָרְצָה׃

Então elas, segundo o rumo que ele dá. A ação das nuvens, capazes de dar vida, é controlada por Deus, de maneira que elas ficam girando no espaço, impulsionadas pelo vento, e obedecem a Deus, provendo água para os homens, os animais e as plantas. Assim é que o mundo habitável (*Revised Standard Version*) pode continuar sendo habitado. As nuvens podem impor julgamento aos homens, quando retêm suas águas. A seca e a fome são instrumentos comuns da ira divina. Ou as nuvens podem causar terríveis tempestades que espalham a destruição. Ou, então, quando os tempos são bons, elas suprem a terra com a água necessária. As ações morais dos homens podem levar as nuvens a fazer o que elas fazem. Eliú queria que Jó se lembrasse disso como uma lição objetiva, para aproveitá-la em causa própria. Jó estava abatido e enfermo. Ele podia levantar-se e ficar curado, *se* cumprisse as condições do arrependimento e da humildade.

Ele falou e fez levantar o vento tempestuoso, que elevou as ondas do mar.

Salmo 107.25

■ 37.13

אִם־לְשֵׁבֶט אִם־לְאַרְצוֹ אִם־לְחֶסֶד יַמְצִאֵהוּ׃

E tudo isso faz ele vir para disciplina. *Para o bem ou para o mal*, a decisão cabe ao homem. Deus é a *causa*, mas o homem é quem provoca as ações. As nuvens trazem misericórdia doadora de vida; ou podem trazer a *correção*, uma disciplina destruidora que assedia os pecadores. Por uma vez (de acordo com os hebreus), mas por muitas vezes (de acordo com os egípcios), Deus enviou um dilúvio moral. Razões morais estão por trás dessas coisas. Sem embargo, de dia para dia, a benevolência divina controla as questões das águas que caem do céu.

Copiosa chuva derramaste, ó Deus, para a tua herança; quando já ela estava exausta, tu a restabeleceste.

Salmo 68.9

"A palavra de Deus serve de correção para alguns e consolo para outros (ver 2Tm 3.16); sim, é sabor de morte para alguns, mas sabor de vida para outros (2Co 2.16)" (John Gill, *in loc.*). O Targum deste versículo fala sobre chuvas de *vingança* e sobre chuvas de *misericórdia*.

ÚLTIMA ADMOESTAÇÃO DE ELIÚ (37.14-24)

O Senhor do Verão (37.14-22)

■ 37.14

הַאֲזִינָה זֹּאת אִיּוֹב עֲמֹד וְהִתְבּוֹנֵן נִפְלְאוֹת אֵל׃

"Eliú volve-se agora diretamente para *Jó*, em uma exortação final. Contudo, o tema das estações do ano demora-se em seus pensamentos por algum tempo mais e mistura-se apropriadamente com o seu propósito" (Samuel Terrien, *in loc.*).

Ilustrando como Deus é soberano sobre a natureza (e, por conseguinte, sobre a vida humana), o poeta demonstrou como operam os seus propósitos através das estações do ano: o outono (ver Jó 36.7-33); o inverno (36.1-13); e o verão (37.14-22). A sequência aponta para um calendário outonal, em que a festa do Ano Novo coincidia com o outono.

O inverno é um tempo belo, mas temível. A *Providência de Deus* opera de forma positiva e negativa, e são os atos humanos que

OS DISCERNIMENTOS DE ELIÚ SOBRE O PROBLEMA DO MAL

Jó é o único livro da Bíblia que se dedica, essencialmente, ao problema do mal. Ver na introdução ao livro, seção V, onde apresento um sumário de ideias sobre este enigma.

O *Problema do Mal*: Por que os homens sofrem e por que sofrem da maneira como sofrem? Por que o infante morre e o homem bom não tem o privilégio de ter tempo para completar sua missão? Por que o inocente sofre enquanto o ímpio prospera? Ver este título no *Dicionário*, onde forneço mais detalhes.

Os detratores de Jó não tinham muita imaginação. Todos eles, menos Eliú, apresentaram um só argumento ou explicação: a lei moral da colheita segundo a semeadura. Eliú também empregou esse argumento, mas sendo mais hábil do que os outros, acrescentou algumas ideias valiosas. Os discursos dele se estendem do cap. 32 até o cap. 37. O leitor cuidadoso, examinando essa seção, sem dúvida, encontrará mais discernimentos de Eliú do que apresento no gráfico a seguir. O problema do mal é um dos mais difíceis tanto para a filosofia como para a teologia. Não devemos esperar demais do livro de Jó por causa de sua posição histórica. Todavia, ganhamos alguns conceitos de valor. Ofereço, aqui, *onze* contribuições de Eliú.

Os Discernimentos de Eliú	Referências
1. O entendimento do problema do sofrimento exige a ação do sopro do Todo-poderoso, que anima e ilumina o espírito do homem. Verdadeiramente, a inspiração divina é essencial para a compreensão deste enigma. Existem muitos mistérios e existem certas coisas que só Deus sabe.	32.8; 33.4 32.9; 33.4
2. Idade e aprendizagem através de livros não são suficientes para resolver todas as dúvidas que cercam este problema. Por outro lado, é estúpido promover um *anti-intelectualismo* (ver na *Enciclopédia de Bíblia, Teologia e Filosofia*).	
3. Uma resposta honrada é a da lei da colheita segundo a semeadura. Muitas coisas que os homens sofrem são castigos contra más ações, pecados, omissões, arrogância, orgulho etc. Todavia, precisamos de mais informações do que isto. Jó era inocente, mas sofreu terrivelmente.	33.12,13,17,19; 34.37
4. Existe *disciplina* na dor, totalmente à parte de pecados cometidos. O homem pode crescer espiritualmente através da dor.	33.17-19; 36.9, 10,15
5. A dor pode ser *restauradora*, operando assim uma boa obra. O homem que ia morrer continua vivendo e termina ganhando muitos bons anos. Os anjos podem participar deste processo como uma porção de seu ministério.	33.18,22,23,24
6. O sofrimento pode tornar-se um tipo de *resgate* (ou substituto) que Deus aceita em lugar da morte do sofredor. "Você merece morrer, mas já que sofreu tanto, aceito sua agonia em lugar de sua morte. Tenha uma longa vida."	33.24
7. O princípio da *graça* pode entrar no quadro. Este princípio opera no sofrimento para tirar dele alguns benefícios. A graça de Deus brilha sobre o homem que sofreu, como um tipo de recompensa por tanta dor. O homem readquire sua vida e seu vigor e continua a viver uma longa e próspera vida.	33.24,25
8. A dor pode aumentar o *poder da oração* do sofredor. O homem grita, chora e ora, até que Deus escute e aja. O homem procura uma cura e é curado porque suas orações se tornaram poderosas. Vê alegria em lugar de sofrimento.	33.26
9. Muito sofrimento pode ser, simplesmente, *muita insistência* da parte de Deus, fazendo o homem mudar. Neste caso, a dor é restauradora, não esmagadora. O homem vê a luz através do relâmpago e trovões de Deus.	33.29,30
10. O *tratamento gentil* de Deus aos ímpios é seu ato gracioso para levar o homem ao arrependimento, não para confirmá-lo em seu pecado. O homem bom pode sofrer, e o homem mau pode ser tratado gentilmente. São métodos divinos para restaurar os homens. Como Deus age em cada caso, depende de suas decisões soberanas.	34.29-33. Cf. Rm 2.4, onde temos um sentimento semelhante
11. O entendimento humano não pode substituir o *temor* do Senhor, que é o princípio da sabedoria. Jó, na sua arrogância, não realizou uma boa atuação. Por isso sofreu.	37.24. Cf. Sl 119.38 e Pv 1.7

determinam o que acontecerá. Jó, uma vez mais, é chamado à atenção para ouvir o discurso de Eliú. Por *oito vezes* ele convocou seus ouvintes a dar-lhe atenção: Jó 32.10; 33.1,31,33; 34.2,10,16 e 37.14. Eliú era um revelacionista que tinha mais para dizer do que os indivíduos dogmáticos e tradicionalistas (a terrível tríade). Conforme a audiência continuava pacientemente ouvindo seu discurso quase interminável, ele chamou a atenção deles, uma vez mais, para as maravilhas da natureza e como Deus opera por meio delas.

"As obras de Deus na natureza são infindas em sua variedade; estupendas em sua estrutura; complicadas em suas partes; indescritíveis em seu relacionamento e conexões; e incompreensíveis em sua formação" (Adam Clarke, *in loc.*). Portanto, Eliú declarou: "Levante e ouve!" Grandes são as lições a serem aprendidas com a natureza.

Os céus proclamam a glória de Deus, e o firmamento anuncia as obras das suas mãos.

Salmo 19.1

■ 37.15

הֲתֵדַע בְּשׂוּם־אֱלוֹהַּ עֲלֵיהֶם וְהוֹפִיעַ אוֹר עֲנָנוֹ:

Porventura sabes tu como Deus as opera...? Ninguém *sabe* quando e como Deus ordena as forças da natureza, quando o processo começa e como continua. Mas todos conhecemos esse *fato;* com base nele, compreendemos a grandeza de Deus e de sua soberania. *Eliú* volta, uma vez mais, à questão dos *relâmpagos* (ver os vss. 3,4,11). Jó ignorava todo o *modus operandi* da natureza e, no entanto, tomou sobre si mesmo a tarefa de questionar a justiça de Deus, por ser um homem inocente em relação aos sofrimentos. Para ele, havia um *enigma* naquilo que lhe estava acontecendo, e Deus se recusava a dar qualquer explicação. Mas Eliú não via nenhum enigma nos sofrimentos de Jó, que apenas estava recebendo o que merecia. O Deus soberano estava por trás dessas coisas. O homem é ignorante, mas o conhecimento de Deus (sobre o qual todas as suas ações estão baseadas) é perfeito. Portanto, ele sabia bem por que tinha de afligir Jó.

Como faz resplandecer o relâmpago da sua nuvem? Assim dizem tanto a *Revised Standard Version* quanto nossa versão portuguesa. Mas a *King James Version* diz "luz de sua nuvem", que alguns eruditos pensam ser o *arco-íris*. Os índios do norte do Brasil supõem que o arco-íris aparece quando o deus do céu tem uma dor de estômago. Os antigos se maravilhavam diante do arco-íris e não compreendiam o que o causava. Sabemos que se trata da luz refratada na umidade do ar. E até nós, que já sabemos o que causa o arco-íris, maravilhamo-nos diante do fenômeno.

■ 37.16

הֲתֵדַע עַל־מִפְלְשֵׂי־עָב מִפְלְאוֹת תְּמִים דֵּעִים׃

Tens tu notícia do equilíbrio das nuvens...? A formação das nuvens, seus movimentos e seu suposto "equilíbrio", como as nuvens são conservadas no céu, flutuando ao redor, movimentadas pelas correntes de ar, eram todos misteriosos fenômenos da natureza atribuídos à soberania de Deus sobre os céus. Jó, naturalmente, não sabia como as nuvens operam, mas podia prestar atenção e dar o crédito a Deus, que dirige todas as coisas, incluindo a vida e os sofrimentos dele próprio. O grande Deus, perfeito em sabedoria, estava fazendo a coisa certa com Jó, tentando purificá-lo de seus pecados e de suas dores. Jó havia acusado Deus de ser cruel e indiferente. Mas esse foi um julgamento blasfemo, na estimativa de Eliú.

> Vós, nuvens, tão lá em cima,
> Sois postadas e suspensas
> Tão altas, no céu.
>
> Coleridge
>
> Maravilhas, perfeições da sabedoria.
>
> Good

■ 37.17

אֲשֶׁר־בְּגָדֶיךָ חַמִּים בְּהַשְׁקִט אֶרֶץ מִדָּרוֹם׃

Que faz aquecer as tuas vestes. Não são bem conhecidas as *fontes originárias* do calor e do frio. Como é óbvio, o sol é fonte do calor que há na face da terra, mas outras coisas, como o corpo dos homens e dos animais, também geram o próprio calor. Portanto, um homem põe suas vestes, o calor de seu corpo é mantido, e ele se mantém aquecido. Nisso encontramos outro sinal da providência divina, bem como da sua soberania, e esse sinal é uma fonte de bênçãos para nós. Então o grande aquecedor, o sol, continua sendo um mistério para nós, embora saibamos mais sobre ele do que o sabiam os povos antigos. E até no inverno, o aquecedor interior do homem conserva-o quente, quando captura esse calor por meio de suas vestes. Mas o corpo humano logo se esfria, quando há a intervenção da morte! Um homem pode acender a fogueira e obter dela o calor. Os antigos, entretanto, conheciam pouco sobre como as coisas queimam, bem como o *modus operandi* da produção de calor.

■ 37.18

תַּרְקִיעַ עִמּוֹ לִשְׁחָקִים חֲזָקִים כִּרְאִי מוּצָק׃

Ou estendeste com ele o firmamento...? *Deus teria estendido o firmamento,* que seria duro como o bronze. O bronze, uma vez bem polido, virava espelho. Os antigos não contavam com espelhos de vidro, mas metais polidos serviam bem a essa função. Ver no *Dicionário* o artigo chamado *Espelho,* quanto a informações completas. Este versículo nos dá clara referência à antiga ideia dos hebreus sobre a *taça invertida,* aquele tipo de *tampa arqueada* dos céus, feita por uma espécie de substância sólida e dura. Eis a razão pela qual algumas versões da Bíblia chamam o céu de "firmamento". Ofereço completa descrição da cosmologia dos hebreus no artigo denominado *Astronomia,* no *Dicionário,* além de fornecer um gráfico que ilustra a questão. Portanto, não reitero aqui a informação.

Os intérpretes modernos tentam *corrigir* tais noções, preservando assim o mito de que a Bíblia não pode conter nenhum erro. Mas, caros leitores, qualquer coisa que passa pelas mãos dos homens contém erros. E nenhuma pessoa sensível dirá que a revelação, ou qualquer outra forma de obtenção de informações, é perfeita. Tais ideias são apenas dogmas. Além disso, certos intérpretes afirmam que tudo isso é apenas "poético", e não ideias apresentadas pelo autor sacro como se fossem, realmente, verdadeiras. Essa explicação, contudo, é *anacrônica.* Assim sendo, a ideia da taça da antiga cosmologia pode ser poética para nós, mas era a "crença científica" dos povos antigos. Roy B. Zuck (*in loc.*) evitou encarar frontalmente a questão, ao dizer que o firmamento *parecia* duro como um espelho de bronze. Foi isso o que Zuck afirmou, mas não o que o autor do livro de Jó disse. Antes, o côncavo inteiro do céu era supostamente feito de uma substância firme. Era um firmamento arcado, feito de substância sólida. Isso era simplesmente aquilo em que os antigos acreditavam, e não há razão para supormos que o autor do livro de Jó não compartilhasse dessa noção. Por outra parte, tais coisas não são contra a inspiração. Simplesmente, temos de admitir que a revelação não atinge esses detalhes, *corrigindo* crenças errôneas dos homens.

"Eliú descreveu as obras de Deus de acordo com seu aspecto fenomenal, em vez de seu aspecto científico, pois a própria Bíblia não é um tratado científico, mas um tratado religioso" (Fausset, *in loc.*).

■ 37.19

הוֹדִיעֵנוּ מַה־נֹּאמַר לוֹ לֹא־נַעֲרֹךְ מִפְּנֵי־חֹשֶׁךְ׃

Ensina-nos o que lhe diremos. Que podemos dizer sobre as maravilhas da criação de Deus, como aquelas descritas no versículo anterior? Para dizer algo significativo sobre elas, precisamos ser instruídos por Deus. Portanto, Eliú enviou uma minúscula oração, pedindo informações que corroborassem sua admiração. Alguns estudiosos, entretanto, pensam que Eliú se *dirigiu* a Jó, neste versículo, como se Jó fosse tão sábio que pudesse explicar os mistérios dos céus e da natureza. Se esse é realmente o significado, então o versículo exprime uma ironia cortante. Seja como for, os vss. 19-21 mostram a incapacidade dos homens (e também de Jó) para entender os caminhos de Deus; como poderia Jó acusar Deus de qualquer desgoverno, injustiça ou indiferença? Jó queria entrar em batalha legal contra o Todo-poderoso (ver Jó 13.18), mas, sendo um *homem ignorante,* estava totalmente despreparado para tal encontro.

■ 37.20

הַיְסֻפַּר־לוֹ כִּי אֲדַבֵּר אִם־אָמַר אִישׁ כִּי יְבֻלָּע׃

Contar-lhe-ia alguém o que tenho dito? Neste versículo, era Deus ou a natureza que falava aos homens sobre as maravilhas celestiais. O Deus Altíssimo ou seu porta-voz falava, e o homem caía em silêncio. Se levantasse sua voz, ele seria engolido na confusão e na destruição. Em outras palavras, a boca do homem foi fechada à força, e todas as blasfêmias e a insensatez que os homens proferem foram silenciadas para sempre. Pedir, pois, para falar na presença de Deus e argumentar contra ele, tal como Jó quis fazer (ver Jó 10.2; 13.3,22), era uma forma de suicídio, e somente um homem inocente como Jó teria proposto tal contexto. Se um homem contemplar o sol por determinado tempo, ficará cego. Assim também, se um homem chegasse na presença de Deus, por certo seria consumido.

> Ousaria eu ao menos sussurrar diante de Deus?
>
> Adam Clarke

Não obstante, o ensino do Novo Testamento é extremamente diferente:

> *Acheguemo-nos, portanto, confiadamente, junto ao trono da graça, a fim de recebermos misericórdia e acharmos graça para socorro em ocasião oportuna.*
>
> Hebreus 4.16

Seja como for, Eliú ensinou a valiosa lição de que a sabedoria humana não pode substituir o temor a Deus.

■ 37.21

וְעַתָּה ׀ לֹא רָאוּ אוֹר בָּהִיר הוּא בַּשְּׁחָקִים וְרוּחַ עָבְרָה וַתְּטַהֲרֵם:

Eis que o homem não pode olhar para o sol. A menos que as nuvens sejam espessas o bastante, o homem não pode olhar diretamente para o sol. Se as nuvens forem ralas, não serão suficientes para proteger os olhos humanos. Quando o céu está descoberto de nuvens, os homens evitam olhar diretamente para o sol. E muito menos ainda o homem é capaz de olhar diretamente para o Sol dos céus, o Deus Altíssimo. No entanto, o arrogante Jó queria ter uma confrontação direta com Deus para pleitear em causa própria. O sol apresenta um brilho insuportável para os olhos humanos; e Deus, muito mais ainda!

O versículo antecipa a súbita aparição de Deus, no capítulo 38. As nuvens protegem os olhos físicos dos homens do brilho do sol. O que protegeria Jó, se ele obtivesse diante de Deus a audiência que tanto desejava? "O fraco homem nem ao menos pode olhar diretamente para o sol, quando ele está em seu brilho límpido, sem ficar cego. Como, pois, podia Jó esperar poder resistir na presença de Deus?" (Roy B. Zuck, *in loc.*).

Mas algum dia possuiremos *olhos* para olhar diretamente para Deus.

Porque, agora, vemos como em espelho, obscuramente; então veremos face a face. Agora, conheço em parte; então, conhecerei como também sou conhecido.
1Coríntios 13.12

■ 37.22,23

מִצָּפוֹן זָהָב יֶאֱתֶה עַל־אֱלוֹהַּ נוֹרָא הוֹד:
שַׁדַּי לֹא־מְצָאנֻהוּ שַׂגִּיא־כֹחַ וּמִשְׁפָּט וְרֹב־צְדָקָה לֹא יְעַנֶּה:

Do norte vem o áureo resplendor. Diz aqui a *King James Version*: *"Do norte vem o clima temperado"*, mas é preferível o que diz a nossa versão portuguesa, acompanhando de perto a *Revised Standard Version*. Deus acompanha o clima em todos os seus fenômenos cósmicos, e nisso, como de muitas outras maneiras, sua terrível majestade torna-se conhecida pelos homens. Embora Deus seja esplendoroso, isso não significa que ele é injusto. A onipotência divina não é incompatível com a justiça divina (vs. 23). Dizemos que Deus é Todo-poderoso, mas também dizemos que é Todo-bom, Todo-justo, sem nenhum defeito moral. Ele é dotado de abundante retidão, mas o homem não o aflige, a menos que viole a lei moral. O sofrimento de Jó indicava séria violação. Deus não é um Ser arbitrário. Um homem inocente não poderia sofrer. Portanto, apesar de seu belo discurso, não mais do que os outros, Eliú não havia descoberto *aquela verdade* para a qual as teologias não criam espaço: um homem inocente pode sofrer. Talvez isso derive do caos (ver Rm 1.20), contra o qual precisamos orar todos os dias; ou, talvez, venha de algum mistério incompreensível para nós, ao qual somente o Ser divino seja capaz de compreender. É digno de ser observado que nossas teologias, os credos tão preciosos para nossas denominações cristãs, não abrem espaço para certas verdades importantes que fazem parte da revelação bíblica. Estamos todos crescendo na verdade, e não somos mestres completos. Somos como crianças que ainda estão frequentando a escola, e não doutores formados com as mais elevadas notas universitárias. Mas em nossas igrejas e escolas bíblicas, só encontramos doutores que pensam que seus credos contêm toda a verdade. Por meio dessa atitude arrogante, os homens obtêm *conforto mental*, pois é desconfortável confessar que podemos estar errados acerca de certos fatos importantes.

Áureo esplendor. Provavelmente temos aqui uma alusão à beleza do nascer do sol, com sua exibição dourada de raios. Algo semelhante está contido nos mitos ugaríticos, nos quais o elevado deus Baal é declarado como quem deixou seu palácio dourado nas montanhas do norte. O fraseado no livro de Jó é tão semelhante ao daqueles mitos que chegamos a pensar que o autor sagrado, consciente dessa descrição, aplicou-a a El (o Poder).

■ 37.24

לָכֵן יְרֵאוּהוּ אֲנָשִׁים לֹא־יִרְאֶה כָּל־חַכְמֵי־לֵב: פ

Por isso os homens o temem. Eliú trouxe à tona um ponto importante aqui, para concluir seu prolongado discurso (capítulos 32-37). Toda a sabedoria humana é como nada, quando posta ao lado do simples temor a Deus, onde começa toda verdadeira sabedoria (ver Pv 9.10). Portanto, que o leitor *obtenha a sabedoria* que é divina. Verdadeiramente, "a glória de Deus é a inteligência" (Joseph Smith), e os homens podem participar dessa sabedoria, pelo menos parcialmente. Mas a sabedoria humana com frequência incha, em lugar de edificar, e um homem pode perder-se em meio às suas pretensões.

Tão Moderno Quanto É Possível

Esta busca, este anelo, esta sede de saber,
Tão moderno quanto é possível,
Apenas me levaram de volta a ti.

Fortes inclinações, águas revoltas a correr,
Veredas distorcidas do pensar, descendo por muitas vertentes,
Apenas me fizeram esperar de novo em ti.

De noite, de dia, em esperança, em desespero,
Vagueando por ásperas ravinas montanhosas,
em cumes altíssimos e gélidos,
Em veredas estranhas, ainda ali,
Te achei perto.

Sorvos intoxicaram meu cérebro quando,
Desejando e aprendendo, provei da fonte Pieriana:
Mas bebendo mais, isso me devolveu a sobriedade.
Russell Champlin

Vi ainda debaixo do sol que não é dos ligeiros o prêmio, nem dos valentes, a vitória, nem tão pouco dos sábios, o pão, nem ainda dos prudentes, a riqueza, nem dos inteligentes, o favor...
Eclesiastes 9.11

CAPÍTULO TRINTA E OITO

Terminaram os discursos dos *quatro* críticos terríveis de Jó. O plano dos discursos era que cada um dos *três* amigos molestos (consoladores, ver Jó 16.2) de Jó apresentasse três discursos. Por sua vez, Jó replicaria a cada um dos discursos, resultando em um *total* de nove discursos e nove réplicas correspondentes. Formalmente, porém, Zofar (o terceiro amigo) apresentou somente dois discursos, com somente duas réplicas. Mas muitos eruditos modernos supõem que um escriba subsequente, ou o autor original, tenha truncado a parte final dos discursos, deixando de fora o terceiro discurso de Zofar e a terceira réplica de Jó. Isso pode ter acontecido porque a linguagem se tornou tão crua, e as afirmações, tão violentas, ao mesmo tempo que a *honra* de Deus foi tão degradada, que a história foi diminuída para garantir a circulação do livro. Leitores judeus piedosos teriam rejeitado o livro, se lessem tais ultrajes. Por outro lado, há palavras realmente cortantes em todos os discursos, e as queixas de Jó contra Deus foram de fato severas. Não existem manuscritos em apoio à teoria da versão truncada do livro, mas, se foi o *autor original* quem assim procedeu, então a primeira cópia do livro foi feita da edição já truncada, de modo que nunca houve manuscritos da versão original e mais dura. Ver a introdução aos capítulos 25—28, onde amplio essas especulações.

Em seguida, *Eliú* é introduzido, embora não tivesse sido apresentado no prólogo nem mencionado no epílogo. Ele parece ser um intrujão no livro, e seus discursos podem ter sido inventados pelo autor, a fim de preencher o espaço deixado pelo material retirado dos discursos da terrível tríade. Seja como for, Eliú foi muito prolixo em suas palavras, mais do que os três amigos molestos de Jó, e somente as réplicas de Jó ocupam mais espaço. Eliú era um jovem revelacionista (ver Jó 32.2), em contraste com os três amigos de Jó, que eram indivíduos dogmáticos e tradicionalistas. Embora tenha repetido muitas das coisas que seus três amigos já haviam afirmado, Eliú produziu algum material útil adicional. Ilustro isso em um gráfico no fim do capítulo 37. Ver a introdução ao capítulo 32, quanto à natureza geral dos discursos de Eliú.

O *tema principal* do livro (embora não repetido com muita frequência) é a *adoração desinteressada*. Continuaria um homem a adorar e a servir a Deus, *se* viesse a sofrer severas aflições e houvesse toda a razão para perder a esperança? Ou um homem só continuaria a adorar a Deus se isso o beneficiasse pessoalmente? Ver na *Enciclopédia de Bíblia, Teologia e Filosofia* o verbete intitulado *Egoísmo*. Secundária a esse tema, e também um corolário necessário ao problema geral do mal, é a pergunta: Por que os homens sofrem e por que sofrem como sofrem? Pode sofrer um homem *inocente*? O livro de Jó é o único da Bíblia que examina demoradamente o problema, sendo esse, essencialmente, um antigo manual sobre o assunto. A seção V da *Introdução* do livro versa sobre o *Problema do Mal*; ver também esse assunto, com maiores detalhes, no *Dicionário*. Os três amigos molestos de Jó só podiam ver uma resposta óbvia para esse problema, isto é, *a Lei Moral da Colheita segundo a Semeadura* (ver a respeito no *Dicionário*). Em outras palavras, Jó seria um pecador secreto castigado por Deus. Eliú, porém, conseguiu adicionar alguma coisa à discussão: além disso, uma resposta simplista e uma revisão que tem sua própria contribuição, no fim do capítulo 37 (ver o gráfico). Agora chegamos aos *discursos divinos*, os quais acrescentam um importante fator: a *presença* de Deus. Nela sabemos que "tudo vai bem no mundo, porquanto Deus está em seu trono", mas não nos são dadas proposições racionais. *Sentimos* essa resposta, e nosso coração consente com ela, apesar de nosso cérebro continuar sentindo a ausência de descrições. Não é dada nenhuma resposta racional ao problema do mal no livro de Jó, embora sejamos exortados a confiar na providência divina, com fé cega, em sua maior parte. Debates filosóficos e teológicos subsequentes adicionam alguns aspectos importantes à discussão que menciono no artigo do *Dicionário* sobre esse assunto.

A Grande Fraqueza do Livro de Jó. No livro de Jó não há nenhum ensino sobre uma vida pós-túmulo, em que recompensas e punições garantem a justiça para a alma humana. De fato, isso é uma fraqueza e uma deficiência, uma das características da teologia patriarcal. Portanto, nossa melhor resposta para o problema do mal, "Todas as coisas estarão, finalmente, bem", nem é considerada. É verdade que a passagem de Jó 19.25,26 fala sobre alguma esperança para além-túmulo, tema completamente ignorado no livro de Jó (mesmo nos capítulos que se seguem), mas, mesmo ali, não temos nenhuma aplicação da ideia das recompensas e das punições que garantem a cura e a justiça.

A teologia cresce como qualquer outra ciência, e na teologia patriarcal não havia ainda surgido a doutrina da vida pós-túmulo. Essa doutrina começou nos Salmos e nos Profetas, e desenvolveu-se ainda mais nos livros intermediários entre o Antigo e o Novo Testamento, ou seja, nos livros apócrifos e pseudepígrafos. Naturalmente, o Novo Testamento fornece mais informações a respeito, de maneira formal e dogmática. Portanto, o livro de Jó nos dá uma resposta apenas parcial, omitindo o melhor argumento de todos acerca das *razões* do sofrimento humano e de como esse sofrimento será, finalmente, anulado. Mesmo contando com nosso avançado conhecimento, o problema do mal ainda é um dos mais difíceis para a teologia e a filosofia. Saber que "algo de bom nos espera mais adiante" não resolve o problema de por que os *inocentes* sofrem agora. Nem podemos sondar por que os inocentes (ou mesmo os culpados) algumas vezes são submetidos a um sofrimento *irracional e excessivo*. O problema do mal é mais fácil de explicar quando é "outra pessoa" quem sofre, e não nós mesmos ou um ente querido. Talvez o *caos* esteja presente, ferindo bons e maus igualmente (ver Rm 1.20), pelo que precisamos orar diariamente para que ele não nos atinja, levando-nos a algum acontecimento adverso e *desnecessário*. Rejeitamos a ideia, ventilada no prólogo, que faz o sofrimento humano resultar da barganha de Deus com Satanás, às expensas do bem. Isso, quando muito, é apenas um artifício literário que introduz o livro, não uma declaração dogmática que nos explique por que Jó, o homem *inocente*, sofreu.

Tendo dito essas coisas, deixo ao encargo do leitor ler no *Dicionário* o artigo intitulado *Problema do Mal*. Conforme nossa experiência e teologia forem crescendo, sem dúvida, obteremos outros discernimentos quanto à questão. Portanto, paciência!

OS DISCURSOS DE DEUS. A VOZ SAÍDA DO REDEMOINHO: A PRESENÇA MANIFESTA (38.1—42.6)

DEUS É TODO-PODEROSO E MAJESTÁTICO! JÓ PERCEBE SUA PEQUENEZ E RECONHECE A VAIDADE DE SUAS PALAVRAS (38.1—40.5)

Em sua arrogância, Jó havia exigido uma entrevista com o Poder (El), a fim de apresentar seu caso diante do tribunal divino e provar sua inocência (ver Jó 9.3; 14.20; 28.35 e 31.35-37). Finalmente, manifestou-se a temível presença de Deus. Jó não foi acusado pelo Todo-poderoso de ter transgredido, conforme afirmaram os *quatro críticos*. Mediante um interrogatório irônico, foi mostrado quão pequeno Jó era, como homem, *em comparação* com Deus. A sabedoria e o poder de Deus aparecem então como além de qualquer imaginação ou investigação humana.

A Sabedoria do Criador. Jó é silenciado (38.1—40.5). O Criador tem poder sobre todas as forças cósmicas (40.6—42.6): poder sobre o hipopótamo (40.15-24); poder sobre o leviatã (41.1-26); poder sobre todos os inimigos imagináveis (41.27-34).

Mais de Setenta Perguntas Deixadas sem Resposta. As perguntas dizem respeito a coisas que o conhecimento dos dias do autor sagrado não podia responder. A lista foi reduzida pelo conhecimento moderno, mas, como é óbvio, permanecem os grandes mistérios da natureza sobre os quais sabemos muito pouco. Essas perguntas revelam a natureza da majestade e da transcendência do Criador, em comparação com o estado humilhado e apequenado dos homens. Jó não foi repreendido por causa de alguma transgressão, mas pela atitude arrogante em sua busca para descobrir por que ele, um *inocente*, estava sofrendo tantas dores. Apesar de Jó não poder responder às perguntas e se sentir confuso diante delas, o episódio representou um conforto, porquanto, de súbito, suas orações foram respondidas, e ele descobriu que Deus não estava indiferente! *Oh, Senhor, concede-nos tal graça!* A sessão de perguntas e respostas não foi o debate que Jó imaginara ter com o Ser divino. Deus não respondeu à solicitação de Jó de comparecer ao tribunal divino. Antes, o poder de Deus o intimou! Jó foi repreendido por ser tão arrogante ao desafiar os caminhos de Deus. Nenhuma aplicação lhe foi dada, entretanto, quanto aos caminhos divinos. Jó ficou apenas com a própria fé. Mas a presença divina foi confortadora, embora também aterrorizante, porque Deus agiu, preocupou-se e tornou-se disponível para o homem. Deus deixou o seu silêncio e, de repente, tornou-se dolorosamente imanente. Naturalmente, em tudo isso, temos o Deus voluntarista, cuja vontade é suprema e não deve ser posta em dúvida pela razão. Ver na *Enciclopédia de Bíblia, Teologia e Filosofia* o verbete chamado *Voluntarismo*.

Nessa confrontação com o Ser divino, encontramos a mais longa declaração feita por Deus, na Bíblia. Os críticos louvam a excelência das ideias e o modo de expressão. "Sua exuberante exaltação das maravilhas de Deus na natureza excede todas as outras exclamações de seu poder criativo. Não admira que Jó tenha silenciado, humilhando-se e arrependendo-se!" (Roy B. Zuck, *in loc.*). Estamos tratando com um grande livro de poesia, que atingiu o clímax nos discursos que se seguem. A *excelência poética* das ideias e expressões do livro de Jó garantiu sua preservação através dos séculos, reservando para ele uma posição permanente no cânon hebraico das Sagradas Escrituras.

O DESAFIO DE ABERTURA E A REPRIMENDA (38.1-3)

■ **38.1**

וַיַּ֤עַן־יְהוָ֣ה אֶת־אִ֭יּוֹב מִ֥ן הַסְּעָרָ֗ה וַיֹּאמַֽר׃

Depois disto o Senhor, do meio de um redemoinho, respondeu a Jó. *Finalmente, a Resposta Divina!* Afinal, veio a manifestação divina pela qual Jó tanto pleiteara (ver Jó 9.3; 14.20; 28.35 e 31.35-37). Por muito tempo as orações de Jó ficaram sem resposta, e Deus parecia indiferente, exceto pelo fato de que continuava a massacrá-lo com dores. O poder divino apareceu em meio a um redemoinho. No hebraico, essa palavra é *searah*, "tempestade acompanhada por ventos fortes" (ver 2Rs 2.1,11; Is 20.24) ou redemoinho (ver Sl 107.25 e Is 29.6). Ironicamente, através de uma dessas tempestades é que os filhos e filhas de Jó foram mortos. Um novo temporal foi assim assinalado como o começo de um novo dia. A dor seria revertida, mas não antes de Jó ter sido humilhado por uma ofuscante exibição do poder e da sabedoria divina. A tempestade se dissiparia por sua própria fúria, e a terra inteira seria limpa. Cf. outras tempestades divinas, em Êx 19.16,17 e 1Rs 19.19. Não está claro, entretanto, se devemos compreender que houve uma tempestade literal de elementos físicos, ou que Jó passou por poderosa experiência mística de alguma espécie, semelhante a uma tempestade. Pessoalmente, estou convencido de que devemos apostar na segunda dessas possibilidades. Ver no *Dicionário* o artigo chamado *Misticismo*.

A tempestade de Jó foi visionária, e não física e, pela mesma razão, avassaladora. "De acordo com o uso bíblico, o redemoinho é o meio das teofanias e designa uma tempestade de natureza específica (cf. Na 1.3; Zc 9.14; Sl 18.7-15; 50.3; Ez 1.4 e Hc 3). Note o nome divino *Yahweh*, que mostra que o autor tencionava falar a uma audiência formada por hebreus" (Samuel Terrien, *in loc.*). A versão caldaica fala em "redemoinho de tristeza", expressão alegórica ou mística, não um redemoinho formado de elementos físicos. O Targum concorda com essa avaliação. Jó estava sujeito a grande *manifestação divina,* e não a uma tempestade literal de vento e chuvas.

■ 38.2

מִי זֶה מַחְשִׁיךְ עֵצָה בְמִלִּין בְּלִי־דָעַת׃

Quem é este que escurece os meus desígnios...? O *dedo divino* estava apontado para Jó, e a voz divina perguntou: "Quem é esse homem que está confundindo as questões com muitas perguntas?" As palavras de Jó eram excessivas. Ele falara mais do que a terrível tríade, em seus oito ou nove discursos, e até mesmo mais do que o prolixo Eliú. Suas palavras foram multiplicadas, mas lhes faltava sabedoria, e Jó seria severamente repreendido por sua exibição de ignorância, às expensas da reputação de Deus diante dos homens. Por esse motivo o discurso divino começou com uma *reprimenda*. As perguntas feitas por Jó tinham lançado confusão, em vez de esclarecer a questão. Cf. isso com o comentário de Eliú acerca das *trevas humanas* (ver Jó 37.19). Por duas vezes Eliú declarou que as palavras de Jó eram desprovidas de conhecimento (ver Jó 34.35; 35.16), e nisso ele tinha razão. Por suas *contribuições* às discussões, ver o gráfico após o fim do capítulo 37.

Quem era o homem que tinha vociferado perante Deus?

O homem, nascido de mulher, vive breve tempo, cheio de inquietação.

Jó 14.1

"Tu, que pretendes falar a respeito das coisas profundas de Deus, sobre sua administração da justiça e da providência, que não são compreendidas. Tu, que deixaste meus conselhos e desígnios mais obscurecidos pelas tuas explicações" (Adam Clarke, *in loc.*).

"... o conselho de Deus e suas obras de providência foram representados erroneamente por Jó, como se não fossem sábios e bons, justos e equitativos. Ver Jó 34.35,37" (John Gill, *in loc.*). Finalmente, Deus haveria de vindicar Jó. De fato, ele era um homem inocente, segundo dissera. Em primeiro lugar, entretanto, o homem tinha de ser humilhado, por haver falado tanto! Tinha de ser reconduzido a uma atitude mental correta.

■ 38.3

אֱזָר־נָא כְגֶבֶר חֲלָצֶיךָ וְאֶשְׁאָלְךָ וְהוֹדִיעֵנִי׃

Cinge, pois, os teus lombos como homem. O pobre Jó quis batalhar com o Deus Todo-poderoso e, agora, era chamado a preparar-se para o confronto. As vestes longas antigas tinham de ser amarradas em torno do corpo para dar liberdade aos movimentos, e isso, neste versículo, tornou-se símbolo da preparação de Jó para os ataques divinos. Jó teria de ser um guerreiro valente. A expressão "sublinha a zombaria brincalhona, mas não sem gentileza, com a qual Deus convidou o possível oponente a resistir e responder a perguntas difíceis de serem respondidas" (Samuel Terrien, *in loc.*). Deus tomou a posição de grande inquisidor. A aguda incapacidade de Jó para enfrentar Deus estava prestes a ser exibida. Ele prefigurou qualquer homem que tivesse de resistir na presença do Todo-poderoso, com suas próprias forças e em seus próprios méritos. Jó havia dito: "Que o Todo-poderoso me responda" (ver Jó 31.35), mas agora chegou a vez de o Deus Todo-poderoso lançar um desafio. A boca de Jó teria de ser fechada, mas, após breve e intensa humilhação, a cura estava a caminho.

"A veste de um homem, usualmente flutuante, era apertada em torno do corpo quando ele corria, trabalhava ou combatia (ver 1Pe 1.13)" (Fausset, *in loc.*). Cf. Jó 13.22.

■ 38.4

אֵיפֹה הָיִיתָ בְּיָסְדִי־אָרֶץ הַגֵּד אִם־יָדַעְתָּ בִינָה׃

Onde estavas tu...? A *primeira pergunta* foi sobre a origem da terra. Só podemos responder: *Deus criou*. Mas não sabemos *quando* ou *como*. Jó, de existência ainda tão breve, temporal, foi chamado a refletir sobre as eras eternas do passado, a fim de condicionar sua mente com profundo respeito. A rebelião logo seria arrancada de Jó pelo interrogatório divino. A metáfora usada para falar sobre a criação é a da construção de um edifício que requer, antes de tudo, um *alicerce*. Na criação, Deus lançou o alicerce e passou a criar, a partir daí, em um processo que nenhum ser humano pode sondar. Nossa ciência continua a conjecturar sobre tais coisas. A *Filosofia da Ciência* (ver na *Enciclopédia de Bíblia, Teologia e Filosofia*) abandonou as pesquisas atrás de quaisquer indagações relativas às origens. Mas a teologia e a filosofia continuam investigando, posto que *fracamente*. Cf. Jó 15.7,8 e 28.12.

Ouvi, filhos, a instrução do pai e estai atentos para conhecerdes o entendimento; porque vos dou boa doutrina; não deixeis o meu ensino.

Provérbios 4.1

"Mediante uma série de perguntas sobre cosmologia, oceanografia, meteorologia e astronomia, Deus desafiou a compreensão de Jó a julgar o seu controle sobre o mundo. Deus usou de *ironia* para destacar a *ignorância* de Jó, mediante declarações como 'dize-mo' (vss. 4, 18) e 'se é que o sabes' (vss. 5, 21)" (Roy B. Zuck, *in loc.*). Ver Hb 1.3,10.

■ 38.5

מִי־שָׂם מְמַדֶּיהָ כִּי תֵדָע אוֹ מִי־נָטָה עָלֶיהָ קָּו׃

Quem lhe pôs as medidas...? *Segunda Pergunta*. Continua a *metáfora da construção*. Como foi planejada a criação? Quem foi o planejador e o arquiteto? A filosofia tem formulado argumentos em favor da existência de Deus sobre essas questões. Ver na *Enciclopédia de Bíblia, Teologia e Filosofia* o artigo geral intitulado *Argumentos em Prol da Existência de Deus;* e mais especificamente o verbete chamado *Argumento Cosmológico; Argumento Teleológico* (origens e desígnios considerados, respectivamente). Jó não sabia grande coisa sobre a filosofia, e, mesmo que o soubesse, não teria sido capaz de responder às perguntas a respeito do planejamento e execução divinos na criação. Cf. as figuras deste versículo com Pv 8.27 e Is 40.22.

■ 38.6

עַל־מָה אֲדָנֶיהָ הָטְבָּעוּ אוֹ מִי־יָרָה אֶבֶן פִּנָּתָהּ׃

Sobre que estão fundadas as suas bases...? *Terceira Pergunta*. No artigo do *Dicionário* chamado *Astronomia,* dou uma ilustração sobre a ideia cosmológica dos antigos hebreus. Deve-se notar que as colunas que davam suporte à terra não eram propostas como se apoiadas em alguma coisa. As especulações (a maior parte delas errôneas) não continham nenhuma explicação razoável quanto a apoios finais para a terra. As palavras *pedra angular* nos dão a ideia da terra chata e quadrada, tal como um edifício é quadrado ou retangular. Apesar de falar sobre *expressões poéticas*, para aliviar os erros contidos nas cosmologias antigas, isso não corrige tais crenças, cientificamente equivocadas. Ilustro tudo isso no artigo mencionado, portanto não o repito. Os *fundamentos* da terra estariam, de alguma maneira, *fixados* em algo *por baixo*, tal como ocorre com as edificações terrestres, mas ninguém sabia, na época de Jó, nem sabe sobre tais coisas, atualmente. Falamos da gravidade cósmica e interplanetária, mas conhecemos pouco sobre elas e continuamos tateando atrás de respostas.

Ele estende o norte sobre o vazio e faz pairar a terra sobre o nada.

Jó 26.7

Parece-nos uma notável percepção antiga aquela que diz que a terra está suspensa no ar, mas a palavra "nada" dificilmente diz alguma coisa sobre as *forças* que conservam o globo terrestre em seu lugar, e, naturalmente, nada diz também sobre a sua órbita ao redor do sol, do que os antigos nem desconfiavam. Ver a exposição sobre Jó 26.7, quanto ao que pode ser dito sobre aquele antigo *discernimento*, por mais fraco que fosse. Essa especulação era estranha às usuais explicações cosmológicas dos hebreus, pelo que não sabemos onde se originaram.

■ 38.7

בְּרָן־יַחַד כּוֹכְבֵי בֹקֶר וַיָּרִיעוּ כָּל־בְּנֵי אֱלֹהִים׃

Quando as estrelas da alva juntas alegremente cantavam. *Quarta Pergunta.* Houve uma pré-criação, uma criação de seres inteligentes, da qual Jó não participou. O autor sacro não está falando sobre o dualismo de forças do bem e do mal que não foram criadas, conforme outras cosmologias antigas asseveravam. Mas é claro que ele via alguma coisa (provavelmente forças angelicais) em existência, antes de terem sido criados a terra e o ser humano.

Muito provavelmente, as *estrelas da alva* são Vênus e Mercúrio, luzes conspícuas no firmamento, de menor brilho que o sol e a lua, mas, mesmo assim, magníficas. O "cântico", sem dúvida, é a ode divina à manifestação e ao mistério da vida. Não há nenhuma referência à descoberta moderna de que as estrelas fazem um ruído em sua emanação de energias, que poderia ser tomado como um *cântico*. Não estão em vista estrelas, e, sim, planetas, dotados de maior poder de reflexo da luz; esses planetas não estão, literalmente, cantando ou fazendo ruídos. É um erro modernizar tais declarações, como se grandes antecipações da ciência moderna fossem encontradas nelas. Isso seria uma *eisegese* e não uma *exegese*, ou seja, seria ler no texto algo que não está ali, em vez de se falar do que está presente no texto sacro. Alguns estudiosos supunham que a alma humana também fosse preexistente, diferente dos anjos apenas quanto à extensão da queda (assim pensava Orígenes, e era também o ensino da Igreja Ortodoxa Oriental), mas esse tipo de coisa não parece ter sido antecipado nas declarações do presente versículo. "Filhos de Deus", provavelmente, são as *ordens de anjos*. Alguns veem aqui as *estrelas*, como referências personificadas aos mesmos seres.

Louvai-o, sol e lua; louvai-o, todas as estrelas luzentes. Louvai-o, céus dos céus e as águas que estão acima do firmamento. Louvem o nome do Senhor, pois mandou ele, e foram criados.

Salmo 148.3-5

■ 38.8

וַיָּסֶךְ בִּדְלָתַיִם יָם בְּגִיחוֹ מֵרֶחֶם יֵצֵא׃

Ou quem encerrou o mar com portas...? *Quinta Pergunta.* O mar sempre foi misterioso para os homens, e até hoje as explorações marítimas são chamadas de *empreitada de fronteira*. Temos aqui a origem do mar, retratada mediante a metáfora do nascimento. O mar irrompeu de algum ventre cósmico, como um bebê que emerge de seu ninho aquoso. Mas então, para deter o seu fluxo, foram criadas *portas*. Por conseguinte, o mar foi *confinado* por forças desconhecidas e inexplicáveis, sobre as quais podemos dizer que são "de Deus", mas nada podemos afirmar sobre o *modus operandi*. Talvez a referência a este versículo inclua as águas "acima do firmamento", aquele grande oceano "lá em cima", muito superior à superfície do globo terrestre, e não apenas as águas que existem abaixo do firmamento. Ver Sl 148.4, quanto a uma referência sobre águas "acima do firmamento". Ver Gn 1.6,7 (bem como a exposição sobre esses versículos), quanto à separação entre as águas por parte do firmamento. Além disso, o gráfico existente no *Dicionário,* no artigo chamado *Astronomia,* fornece detalhes sobre esses itens da antiga cosmologia dos hebreus. Nosso autor parece supor que os mares "tenham nascido" depois que a terra foi criada. A vontade de Deus deu aos mares o seu nascimento, e sua sustentação e confinamento dependem dessa mesma vontade divina.

Jó nada sabia dizer sobre essas coisas; como poderia ele disputar com Deus sobre questões menores, como as razões de seus sofrimentos? Jó estava sendo humilhado a ponto de ter de calar-se. As águas primitivamente cobriam o globo terrestre inteiro (ver Gn 1.2,9; Sl 104.9), mas Deus separou os mares das terras, confinando-os em seus limites e estabelecendo espaço para as terras, onde sua criação da vida vegetal, animal e humana poderia ser produzida. Cf. este versículo com Ez 32.2 e Mq 4.10, onde encontramos outras metáforas relativas aos mares e à sua origem. Os autores da Bíblia incorporaram ideias não científicas em seus livros. Ver os comentários sobre o vs. 18. Talvez Sl 104.6 signifique que os hebreus pensavam que os oceanos saíram do *interior* da terra (seu ventre) e nasceram para a superfície. Nenhuma explicação é dada sobre como toda aquela água existiria nas profundezas da terra, esperando pelo seu nascimento. Outras cosmologias antigas fazem o *ventre* dos mares ser o caos, no espaço. Os mistérios antigos receberam uma série de respostas ridículas, mas nossas respostas não são muito melhores do que elas.

■ 38.9

בְּשׂוּמִי עָנָן לְבֻשׁוֹ וַעֲרָפֶל חֲתֻלָּתוֹ׃

Quando eu lhe pus as nuvens por vestidura...? *Sexta Pergunta.* O bebê recém-nascido, o mar, tinha de ser vestido. Portanto, as nuvens tornaram-se suas vestes, e talvez o autor sagrado tenha incluído a porção seca, ou terra, nessa metáfora. O bebê-mar precisou ser vestido, e as nuvens serviram a esse propósito. Mas como podia Deus fazer algo assim? Novamente nos deparamos com o problema da origem e das funções subsequentes. Compreendemos muito mais sobre a meteorologia que os antigos, equipados como estamos com nossa tecnologia e nossos satélites. Mas a astronomia nunca solucionou, de forma adequada, o enigma sobre como a terra obteve a atmosfera, e como essa atmosfera continua sendo renovada, dia após dia e ano após ano. Muitas dessas perguntas ainda nos deixam perplexos. O autor sagrado, contudo, tinha uma resposta teísta para tudo. Ver no *Dicionário* o artigo chamado *Teísmo.* Deus criou e agora sustenta. Ele intervém no cosmos e na vida dos homens. Também recompensa e pune, sobre bases morais. Sabemos atualmente que as nuvens se formam das águas evaporadas do mar, porém o que mais se refere às nuvens primevas, aquela vasta quantidade de água que foi necessária para formar os oceanos, a fim de *dar início* ao ciclo da evaporação e da queda da água sob a forma de chuva?

E a escuridão por fraldas? É provável que nessas palavras tenhamos referência às trevas primevas que circundavam a terra, antes de Deus ter criado a luz. Ver Gn 1.2,3. Poeticamente, o autor vê que as trevas perfaziam parte do vestuário do bebê, como se fossem fraldas.

■ 38.10

וָאֶשְׁבֹּר עָלָיו חֻקִּי וָאָשִׂים בְּרִיחַ וּדְלָתָיִם׃

Quando eu lhe tracei limites...? *Sétima Pergunta.* Esta é uma elaboração da quinta pergunta. A figura simbólica é a do *berço* de um bebê. Antes de tudo, temos uma espécie de imenso golfo, na própria terra, que contém o mar. Em segundo lugar, temos as praias do mar, especialmente equipadas, que fazem estancar as ondas e contêm as marés altas. Portanto, se juntarmos o "berço" com as "portas", temos um limite adequado para os vastos depósitos de águas. Isso é o melhor que os povos antigos podiam pensar sobre a questão. Nós, entretanto, contamos com os refinamentos da ciência moderna, as atrações gravitacionais da terra e do espaço, mas mesmo assim os oceanos ainda nos parecem misteriosos. Temos respostas parciais, mas os enigmas ainda dominam em nossa época. "Quando pensamos na natureza instável do mar, parece uma maravilha que ele permita qualquer espécie de restrição" (Ellicott, *in loc.*). A referência é a Gn 1.9. O poder de Deus conteve os mares em seus devidos lugares e lhes disse: "Não passeis daqui".

■ 38.11

וָאֹמַר עַד־פֹּה תָבוֹא וְלֹא תֹסִיף וּפֹא־יָשִׁית בִּגְאוֹן גַּלֶּיךָ׃

E disse: Até aqui virás. Este versículo elabora a sétima pergunta, do vs. 10. A ordem divina criou as forças que contiveram as águas. As ondas, orgulhosas, ameaçavam cobrir a terra inteira, mas a voz divina disse: "Parai, não ide adiante". Os homens se põem de pé sobre as praias do mar e se admiram de tudo isso. Por que aquelas vastas ondas simplesmente não chegam e não cobrem toda a terra? Algumas vezes um grande terremoto no meio do oceano cria vastas ondas que inundam a terra, mas, mesmo nesses casos, a superfície de terra coberta pelas ondas é, comparativamente, pequena. As *portas divinas* fazem parar as águas, para nossa admiração. Os antigos sabiam sobre as forças naturais, mas pensavam que elas eram teisticamente controladas. Conhecemos atualmente as atrações gravitacionais exercidas pelo sol e pela lua, bem como essas mesmas forças que atuam na terra, as quais agem como controladoras; mas nosso conhecimento é parcial e, algumas vezes, é abertamente conjectural. É preciso que os cientistas digam algumas coisas inteligentes sobre essas questões, mas, mesmo depois de eles terem falado, elas continuam como *enigmas patentes*.

■ 38.12,13

הֲמִיָּמֶיךָ צִוִּיתָ בֹּקֶר יִדַּעְתָּה שַׁחַר מְקֹמוֹ׃

לֶאֱחֹז בְּכַנְפוֹת הָאָרֶץ וְיִנָּעֲרוּ רְשָׁעִים מִמֶּנָּה׃

Acaso desde que começaram os teus dias...? A *oitava pergunta* foi proferida ironicamente. Por acaso Jó teve alguma coisa a ver com a causa dos ciclos dos dias e das noites, para que continuassem operando ininterruptamente? Qual fora o *poder* que fizera tais coisas inicialmente? Jó estava ausente por ocasião da criação original de todas as coisas, e também quando foram estabelecidas as leis subsequentes, para o funcionamento da criação. Não obstante, *esse era o homem* que queria chamar Deus ao tribunal e repreendê-lo por sua injustiça, por havê-lo punido "sem causa" (ver Jó 2.3).

A alvorada eleva as trevas como o véu que estivera repousando sobre a terra, quando ela dormia, e sacode para fora os ímpios que ali havia (vs. 13). Esses ímpios são os indivíduos perversos que praticam toda a espécie de vício durante a noite, que os protege dos olhares de estranhos. A alvorada põe fim às suas nefandas atividades, mas esses iníquos anelam para que logo chegue a noite novamente, a fim de prosseguirem em seus debochés. Os ímpios odeiam a luz, porque ela interfere em suas atividades. Cf. Jó 24.13, cuja exposição ilustra o presente versículo.

> *O julgamento é este: que a luz veio ao mundo, e os homens amaram mais as trevas do que a luz; porque as suas obras eram más.*
>
> João 3.19

Os *vss. 12-15* fornecem operações que ocorrem dentro do *tempo*, ou seja, a ordem de acontecimentos e funções que acontecem naturalmente, dentro do cosmo criado. Deus é aqui declarado o "Criador do tempo" (*Oxford Annotated Bible*, comentando sobre o vs. 12). Os antigos pensavam que o sol girava em torno da terra e tinham alguma noção sobre o que causava a sequência de dias e noites, mas não antecipavam que a terra é que orbitava em redor do sol, nem que a terra girava em torno de seu próprio eixo, criando a sequência de dias e noites. O autor teísta do livro de Jó tão somente deu crédito a Deus por qualquer coisa que estivesse acontecendo, relacionada ao nascer e ao pôr do sol, bem como às múltiplas funções relativas ao tempo. Assim sendo, a ciência dos antigos era primitiva, mas sua teologia estava certa.

■ 38.14

תִּתְהַפֵּךְ כְּחֹמֶר חוֹתָם וְיִתְיַצְּבוּ כְּמוֹ לְבוּשׁ׃

A terra se modela como o barro debaixo do selo. Os *vss. 14-15* prosseguem com uma elaboração da oitava pergunta, bem como com as questões por ela levantadas.

Nesta passagem bíblica, o autor sagrado apresenta duas metáforas: a do *selo* e a das *vestes*. Ele ilustra com essas metáforas os poderes da *Providência de Deus*. O selo molda a argila ou a cera, na forma que essas coisas tomam, as quais são exigidas por sua própria natureza. A referência, nesse caso, parece ser que a *alvorada é o selo* que amolda as coisas em consonância com sua natureza. Os ímpios não mudam, os bons continuam sendo bons; a *Providência de Deus* está ali. Além disso, tudo na terra é tingido como é tingida uma veste pela alvorada. Assim sendo, o autor sacro introduziu *outra* metáfora. A própria terra é como uma veste que Deus, por meio de seus atos naturais, tinge da maneira como ele quer, até a noite retornar e reverter as coisas. Alguns estudiosos veem neste versículo a interminável variedade da natureza, e como ela é *causada*, ou seja, como o desígnio ordena todas as coisas e faz delas o que elas são, tal como um selo força a argila a ser aquilo que é, quando moldada. Está em vista a *providência geral* de Deus.

No *escuro*, as coisas eram caóticas e informes. Mas, quando chegou a luz de Deus, tudo assumiu o formato por ele determinado. Os ímpios, se não forem transformados, pelo menos fogem ou param de pecar por algum tempo, esperando que a noite oculte seus pecados.

■ 38.15

וְיִמָּנַע מֵרְשָׁעִים אוֹרָם וּזְרוֹעַ רָמָה תִּשָּׁבֵר׃

Dos perversos se desvia a sua luz. A *verdadeira luz* é retirada dos ímpios, porque eles fizeram das trevas a sua luz. Por conseguinte, eles têm de sofrer as consequências da má escolha. Eles se regozijam na noite, mas a noite da alma, a morte, está a caminho e eficazmente porá fim aos seres dedicados à maldade. O braço "levantado" fala da opressão e arrogância dos homens maus. Mas esse braço levantado será quebrado pela ira divina. Ver no *Dicionário* o artigo chamado *Ira de Deus*.

Braço levantado. Isto apresenta o braço como uma arma que fere e mata. Trata-se de uma metáfora para qualquer tipo de mal praticado pelo homem contra seu semelhante. Mas o poder do homem logo termina, devido ao poder de Deus. A *Lei Moral da Colheita segundo a Semeadura* (ver a respeito no *Dicionário*) toma conta da questão. Jó havia sido acusado de toda a espécie de crime social, o que ele negou meticulosamente neste capítulo.

■ 38.16

הֲבָאתָ עַד־נִבְכֵי־יָם וּבְחֵקֶר תְּהוֹם הִתְהַלָּכְתָּ׃

Acaso entraste nos mananciais do mar...? *Nona pergunta*. Os leitos dos oceanos até hoje constituem mistérios, mesmo para a ciência moderna. Jó, em seu estado primitivo, naturalmente nada sabia sobre esses mistérios, ao passo que nós sabemos algumas coisas. Jó não havia pesquisado os recessos do *abismo*, no hebraico, *tehom*, conforme se vê em Gn 1.2. O termo hebraico *nebek*, traduzido aqui por "mananciais", apresenta-nos a ideia de que os oceanos, de alguma maneira, surgiram do interior da terra, pelo que a metáfora do vs. 8 deste capítulo continua até aqui (ver as notas expositivas ali). O autor sacro aplicou ideias mistas em suas "indagações divinas", pois a ciência do autor sacro também era primitiva. Fosse como fosse, o pobre Jó não tinha respostas sobre como o mar veio à existência e sobre quais leis o governavam. Não haveria nenhuma água à superfície da terra, sobre ela ou debaixo dela, a menos que alguma atmosfera primeva a tivesse suprido. Mas acerca disso virtualmente nada sabemos e dependemos apenas de adivinhações. Aconteceu, mas não sabemos dizer como. É um erro alterar a ideia dos *mananciais* a fim de indicar as "profundezas sem veredas, sem caminhos, do oceano" (Ellicott, *in loc.*). As ideias eram que "através do fundo poroso do oceano, águas novas fluíam constantemente" (Adam Clarke, *in loc.*). Deus é o Senhor das profundezas, e basta-nos saber disso. Ele é, igualmente, o Senhor de toda a vida humana e julga de acordo com as leis morais. Jó, de acordo com a estimativa de seus três amigos, tinha esquecido esse fato e, portanto, vivia em regime de opressão social (vs. 15).

■ 38.17

הֲנִגְלוּ לְךָ שַׁעֲרֵי־מָוֶת וְשַׁעֲרֵי צַלְמָוֶת תִּרְאֶה׃

Porventura te foram reveladas as portas da morte...? *Décima Pergunta*. As *profundezas* do mar sugeriram outra pergunta. O que Jó sabia sobre as *portas da morte*, no mundo inferior? Sem dúvida, há aqui uma referência ao *seol* (ver a respeito no *Dicionário*), o qual é descrito como dotado de portas que se abrem, engolem os homens e se fecham sobre eles, de modo que não lhes permitem mais voltar. Cf. Sl 9.13; 107.18 e Is 38.10. Durante o período patriarcal, a teologia dos hebreus ainda não havia desenvolvido a ideia de *almas* encerradas no seol. Mas a linguagem aqui usada sugere que esse desenvolvimento estava em processo. Em uma teologia posterior, o seol, no interior da terra, seria o receptáculo das almas. O autor sagrado referiu-se elaboradamente à morte, como uma espécie de prisão temível que abre suas portas diante dos mortos, engole-os e nunca mais os devolve. Em outras palavras, a morte é final. Não há aqui nenhuma ideia de uma alma que sobreviva diante da morte biológica, o que era estranho à teologia patriarcal. Temos um começo desse pensamento em Jó 19.25,26, mas mesmo ali não há céu nem inferno, recompensas nem punições. Somente no período entre o Antigo e o Novo Testamento, nos livros pseudepígrafos e apócrifos, é que essas ideias adquiriram forma. O Novo Testamento continuou o processo. O Targum simplesmente interpreta este versículo como referindo-se ao seol, que recebe as almas; mas isso é anacrônico.

■ 38.18

הִתְבֹּנַנְתָּ עַד־רַחֲבֵי־אָרֶץ הַגֵּד אִם־יָדַעְתָּ כֻלָּהּ׃

Tens ideia nítida da largura da terra? *Décima Primeira Pergunta.* Os antigos não dispunham de tecnologia para medir as dimensões da terra. Só sabiam que a terra é uma esfera verdadeiramente grande. Eles nem ao menos dispunham da tecnologia de preparar mapas exatos, e mesmo a maior parte da superfície da terra e seus muitos povos (exceto a área do mar Mediterrâneo) eram completamente desconhecidos para eles. A ciência moderna nos confere medidas exatas das *dimensões da terra*, embora persistam muitos mistérios sobre a sua superfície. Pelo menos, podemos dizer que a questão das *dimensões* da terra tem sido resolvida pelo avanço da ciência. Para Jó, entretanto, a questão postulava uma indagação irretorquível.

Largura. Conforme pensavam os antigos hebreus, a terra era concebida como uma vasta *planície* retangular, de maneira que encontramos descrições como *largura* e *cantos*. Eles não sabiam que a terra é um *globo* e, para medi-la, é preciso saber sua *circunferência*. Ver a ilustração sobre a antiga cosmologia dos hebreus no *Dicionário*, no artigo chamado *Astronomia*. Os discursos divinos, aqui dados, incorporam a ciência *deficiente* da era patriarcal. A linguagem não científica, entretanto, não diminui o poder da mensagem. Contudo, é tolice tentar *modernizar* tais textos, por meio de vários truques interpretativos, como se nenhum erro houvesse neles. O emprego de uma argumentação falsa é impróprio para homens devotos, que estejam buscando apenas conforto mental. Existem erros e deficiências humanos na Bíblia, e negá-los em certo lugar é, simplesmente, encontrá-los em outro. Somente os eruditos mais dogmáticos não admitem isso. Qualquer coisa que passe pelas mãos dos homens contém algum erro. Só Deus é perfeito. Afiançar que qualquer outra coisa é *perfeita* é apenas uma forma de *idolatria*. Não obstante, as imperfeições existentes na Bíblia em nada derrotam qualquer sã teoria de inspiração. Tais *trivialidades,* como os erros científicos, nada têm a ver com a validade da mensagem espiritual transmitida. Ver no *Dicionário* os verbetes intitulados *Inspiração* e *Revelação.* Todos os nossos métodos de adquirir conhecimentos têm suas próprias deficiências.

■ 38.19

אֵי־זֶה הַדֶּרֶךְ יִשְׁכָּן־אוֹר וְחֹשֶׁךְ אֵי־זֶה מְקֹמוֹ׃

Onde está o caminho para a morada da luz? *Nos vss. 19-21 encontramos a décima segunda pergunta.* O nascer e o pôr do sol eram fenômenos misteriosos para os povos antigos. Eles não sabiam que a terra gira em torno de seu eixo e, assim, produz a progressão sucessiva de dias e noites. Naturalmente, eles pensavam que o sol se movia pelo firmamento e fazia uma volta a cada dia. Não sabiam que o globo terrestre girava, dando aos homens a ilusão de que o sol é que se movia. Esse conhecimento dos giros da terra só foi averiguado no século XVI, pelo que os homens ignoraram certos grandes fatos científicos por um período excessivamente longo.

O livro de Gênesis naturalmente fala sobre a *luz primeva* que existia antes da luz do sol (ver Gn 1.3). Talvez exista uma referência a essa noção no presente versículo. As trevas, portanto, são referidas como uma *entidade real,* e não como a privação da luz. Talvez haja aqui indício do antigo mito cósmico da luta entre a Luz e as Trevas, que nos envolve nos poderes e entidades espirituais, e não meramente na luz e nas trevas literais.

Seja como for, a Luz e as Trevas são aqui personificadas e apresentadas poeticamente, como se vivessem em casas. Elas saem de suas moradias e realizam seus deveres diários. Ninguém podia seguir o sol até ele desaparecer atrás do horizonte, e descobrir para onde ele ia. Ademais, nenhum ser humano podia apanhar o sol quando ele saía de sua "casa", para fazer outra aparição sobre a terra. Todas essas questões eram realmente misteriosas, a ponto de o autor sagrado ter de usar uma poesia estranha para falar a respeito. O autor sacro não fazia a menor ideia de como o sol, que agora nos ilumina, no extremo oposto do globo terrestre, abandona os povos na escuridão! O único mundo por ele conhecido era aquela minúscula porção que circunda o mar Mediterrâneo, a qual, na verdade, é o *mundo da Bíblia.*

■ 38.20

כִּי תִקָּחֶנּוּ אֶל־גְּבוּלוֹ וְכִי־תָבִין נְתִיבוֹת בֵּיתוֹ׃

Para que as conduzas aos seus limites...? Este versículo prossegue a metáfora do vs. 1 e desenvolve ainda mais a décima segunda pergunta. Nenhum homem podia correr atrás do sol e "estar presente" para vê-lo entrar em sua casa. Nenhum ser humano podia ver as trevas saírem de casa ou *traçar* a vereda do sol. O sol teria uma mente própria e obedeceria às suas próprias leis. Somente Deus tem conhecimento verdadeiro sobre tais coisas. O ignorante Jó teria de ser humilhado, para que, abandonando sua arrogância, fosse curado. A ciência moderna tem sido capaz de acompanhar os movimentos do sistema planetário; também tem feito algumas descobertas interessantes, que respondem às perguntas dos vss. 19,20. Mas ainda restam grandes mistérios, até mesmo quanto ao nosso sistema planetário, à nossa galáxia da Via Láctea e à grande vastidão da criação, com seus bilhões de galáxias. O artigo sobre *Astronomia* fornece alguns fatos que nos deixam aturdidos.

> ... o qual, como noivo que sai dos seus aposentos, se regozija como herói, a percorrer o seu caminho. Principia numa extremidade dos céus, e até à outra vai o seu percurso; e nada refoge ao seu calor.
>
> Salmo 19.5,6

■ 38.21

יָדַעְתָּ כִּי־אָז תִּוָּלֵד וּמִסְפַּר יָמֶיךָ רַבִּים׃

Tu o sabes, porque nesse tempo eras nascido. Este versículo prossegue com a décima segunda pergunta. A voz divina ralhou com Jó, com uma observação sarcástica. Jó, aquele tolo homem sábio, também era antiquíssimo, pelo que podia dizer-nos como o sol opera, porquanto, de algum vantajoso ponto cósmico, ele foi capaz de observar o sol sair e entrar em sua casa. Naturalmente, a ideia é que somente Deus, em seu Dia eterno, poderia ter ordenado os movimentos do sol, estando presente para ver o começo de suas operações. E agora somente Deus poderia observar os atos do sol e informar-nos sobre a questão. Jó, em sua arrogância, presumiu conhecer muito sobre como Deus opera, e teve a audácia de querer convocar Deus a um tribunal celeste para responder às suas acusações! Ver Jó 9.3,14-20,28-35; 13.22 e 31.35-37. Deus, finalmente, apareceu e convocou Jó ao tribunal. A humilhação traria a restauração final, portanto, valeu a pena ser humilhado. Jó não estava por perto para ver os atos criativos, entre eles, a criação da luz e das trevas. Mas estaria presente para ver a sua própria vindicação. Jó não era um transgressor, mas tornou-se um orador arrogante, dizendo coisas duras contra o próprio Deus. Os poucos anos de vida de Jó o reduziam a nada, em comparação com o Deus eterno (ver Jó 36.26).

■ 38.22

הֲבָאתָ אֶל־אֹצְרוֹת שָׁלֶג וְאֹצְרוֹת בָּרָד תִּרְאֶה׃

Acaso entraste nos depósitos da neve...? *Décima Terceira Pergunta.* Ver os vss. 22-30. Os antigos conheciam muito pouco sobre o que causava as *condições climáticas,* a queda das chuvas, da neve e do granizo, de onde vinham as águas, juntamente com os ventos e os relâmpagos, e como tudo se renovava constantemente. O granizo sempre foi uma das armas de Deus (ver Js 10.11; Sl 18.12,13; Is 30.30 e Ez 13.11,13). Todas as condições climáticas podem ser destrutivas, e suas manifestações eram consideradas dependentes de Deus. Os antigos sabiam que dependiam, de forma absoluta, das condições do clima (com suas variegadas formas de água), pelo que muito se preocupavam, como também nós, hoje, a despeito de toda a nossa tecnologia. Quem poderia depender mais da natureza do que o ser humano? Essa é a *dependência* a que estamos sujeitos. Portanto, o autor desenvolveu o tema em *nove versículos*. Várias formas de feitura de água também se tornam armas na mão divina, como elementos de destruição. Portanto, a mesma coisa da qual dependemos pode produzir nossa destruição!

Tal como o sol e as trevas, os elementos da natureza (as formas variegadas de água) também são retratados poeticamente como tendo moradias, ou seja, *depósitos*. Deus retira essas coisas de seus tesouros para causar manifestações meteorológicas. Cf. Sl 33.7; 135.7. Uma vez retiradas dos depósitos, as águas obedecem à vontade do Senhor e fazem o que lhes é ordenado.

Ele ajunta em montão as águas do mar; e em reservatórios encerra as grandes vagas.

Salmo 33.7

38.23

אֲשֶׁר־חָשַׂכְתִּי לְעֶת־צָר לְיוֹם קְרָב וּמִלְחָמָה׃

Que eu retenho até o tempo da... guerra? Deus reserva suas armas de água para intervir nas batalhas humanas, como enviar a saraiva contra um inimigo odiado. Ou, então, ele retém as águas e envia o julgamento da seca. Parece que a ideia, nesse caso, é que Deus batalha contra os iníquos. Seus *soldados* são os elementos da natureza. Além disso, há o açoitante vento oriental, que resseca e transforma tudo em deserto (vs. 24). Portanto, a água ou a ausência de água pode tornar-se arma na mão de Deus. Ver Êx 9.33, quanto ao uso das chuvas de pedra contra os egípcios. Ver também Js 10.10,11, quanto a algo similar.

Trovejou, então, o Senhor, nos céus; O Altíssimo levantou a sua voz, e houve granizo e brasas de fogo. Despediu as suas setas e espalhou os meus inimigos.

Salmo 18.13,14

Ver também Ap 16.21; Is 28.17 e Ag 2.17.

38.24

אֵי־זֶה הַדֶּרֶךְ יֵחָלֶק אוֹר יָפֵץ קָדִים עֲלֵי־אָרֶץ׃

Onde está o caminho para onde se difunde a luz...? Samuel Terrien (*in loc.*) sugeriu que, em vez de luz, neste versículo, deveríamos ler *vapor*, o que requer leve modificação no hebraico original envolvido. Nesse caso, continua a questão da manifestação da água, em suas diversas formas. No caso de termos de ficar com a *luz*, então ficamos com os relâmpagos ou, mais provavelmente, retornamos à metáfora dos vss. 19,20, quanto à questão do nascer e do pôr do sol, e quanto à questão da distribuição de luz que essas coisas produzem. A luz *difunde-se* por toda a terra, mas como, era algo que os antigos não sabiam. Isso, pois, poderia formar uma *décima quarta pergunta*, uma espécie de subcategoria da questão *décima segunda*. Roy B. Zuck, *in loc.*, vê o *relâmpago* na referência. Quem poderia predizer como Deus usará esse elemento? Cf. 36.30,32; 37.3,11,15 e 38.35. Essa também é uma das armas divinas e muito temida pelos homens.

O vento oriental. O sopro quente do Oriente podia ressecar todas as águas, tornando-se uma força destruidora e produzindo a seca. Os vss. 22-30 demoram-se sobre as manifestações do *clima*. O que Jó sabia acerca dessas coisas? É óbvio que muito pouco. Portanto, como poderia ousar enfrentar Deus com sua conversa infantil, chamando-o quanto à questão concernente a seus sofrimentos? Teria de haver a vontade divina por trás de tudo isso, bem como razões que explicassem os sofrimentos de Jó. O vento oriental era um fator sério no deserto da Arábia, onde o livro de Jó foi escrito e, de fato, em todo o crescente fértil.

Ver Gn 1.4, quanto à difusão da luz de Deus e seus poderes de separação. As trevas fogem, e os homens são iluminados, sem importar onde estejam.

38.25

מִי־פִלַּג לַשֶּׁטֶף תְּעָלָה וְדֶרֶךְ לַחֲזִיז קֹלוֹת׃

Quem abriu regos para o aguaceiro...? Fortes chuvas caem, e rios são formados. Estes, por sua vez, escavam leitos e ravinas, e começam a corrida de volta ao oceano. O sistema funciona, ao que tudo indica, sem direção e sem causa; porém, de acordo com a teologia do livro de Jó, Deus está por trás dos bastidores, dirigindo tudo. As águas caudalosas falam do poder de Deus e, voltando ao oceano, reiniciam o processo das águas vivas que sustentam toda a forma de vida, vegetal, animal e humana. Deus é o Criador do rego, pois o versículo diz: "Quem abriu regos para o aguaceiro?" Ora, se Deus dirige as águas, então também dirige a vida humana. A *providência generalizada* é o poder por trás de todas as coisas que acontecem. Ver no *Dicionário* o artigo chamado *Providência de Deus*.

Os relâmpagos dos trovões. Deus também dirige a vereda dos relâmpagos, que, para nós, parecem tão arbitrários. Com essa parte do versículo, retemos a ideia do vs. 24, as diversas manifestações da luz. Cf. Jó 36.30; 37.3,11,15; 38.35.

38.26

לְהַמְטִיר עַל־אֶרֶץ לֹא־אִישׁ מִדְבָּר לֹא־אָדָם בּוֹ׃

Para que se faça chover sobre a terra...? Este versículo desenvolve informações sobre a chuva. A queda da chuva pode parecer arbitrária, mas é Deus quem faz a chuva cair por toda parte, onde estiverem os homens e os animais que dela precisarem, e mesmo onde nada existir, senão o ermo. Os animais ferozes também se beneficiam, sendo também eles parte da criação de Deus. A *Revised Standard Version* diz aqui "deserto". Sabemos hoje que o deserto é habitado por certo número de animais muito especializados, que podem sobreviver e realmente sobrevivem em lugares onde não há muita água. Deus também cuida deles. "Deus se preocupa com a sua criação, de forma independente das necessidades dos homens" (Ellicott, *in loc.*). Este versículo fala do *poder beneficente* de Deus. Jó, nas condições espirituais corretas, também poderia ser beneficiado. Ele teria de ser primeiramente humilhado, para libertar-se de sua mente arrogante.

38.27

לְהַשְׂבִּיעַ שֹׁאָה וּמְשֹׁאָה וּלְהַצְמִיחַ מֹצָא דֶשֶׁא׃

Para dessedentar a terra deserta e assolada...? Este versículo continua com os benefícios advindos das chuvas de Deus, conferidos tão abundante e gratuitamente. Até os lugares desolados recebem atenção, e os animais daquele lugar e as plantas especializadas do deserto absorvem um pouco da chuva, que é *suficiente* para as suas necessidades. Existem feras, aves e insetos, e todas as formas de lagartos, serpentes e animais que habitam nas áreas desertas, e até essas formas humildes de vida têm sua provisão de água e alimentos, através da providência generalizada de Deus. "Até as formas mais humildes dessas espécies são sustentadas por sua bondosa providência" (Adam Clarke, *in loc.*).

38.28

הֲיֵשׁ־לַמָּטָר אָב אוֹ מִי־הוֹלִיד אֶגְלֵי־טָל׃

Acaso a chuva tem pai? A chuva não tem um pai que a gere, mas Deus Pai está por trás da queda da chuva e da bênção universal. Ele *gera* as águas em suas variegadas formas. O autor sagrado retornou à metáfora da procriação-nascimento empregada no vs. 8, onde vemos os oceanos nascendo do interior da terra.

Orvalho. Até mesmo no tempo de Adam Clarke (1760-1832), os cientistas continuavam a perguntar se o orvalho pode elevar-se da terra, à parte da umidade na atmosfera. Sem dúvida, Gn 2.6 estava por trás da discussão. Mas a noção de que alguma forma de nevoeiro ou orvalho se elevava da terra e a regava, não havendo ainda chuva, é um pouco de ciência antiga, que, atualmente, sabemos estar equivocada. Não pode haver umidade sobre a terra, exceto por chuvas vindas da atmosfera, provenientes dos oceanos. Naturalmente, alguns intérpretes falam sobre nuvens *miraculosas* de alguma espécie, algum *nevoeiro divino*. Mas isso envolve harmonia a qualquer preço, mesmo à custa da honestidade. O livro de Gênesis não menciona alguma provisão miraculosa de água e, sim, um processo natural. Já vimos, no livro de Jó, que os hebreus tinham ideias equivocadas sobre a natureza, e a inspiração divina não impediu que os autores bíblicos incorporassem ideias não científicas em seus livros. Ver as notas sobre Jó 38.18. O presente versículo simplesmente assevera a "origem divina" de todas as águas transmissoras de vida, sem importar a origem material. O autor sagrado enfatizou que o homem certamente não é a fonte originária das águas, e, em sua época, a questão inteira da meteorologia estava envolvida em mistérios. Jó ficou confuso por questões relativas a tais coisas, e essa foi a razão do interrogatório divino. Jó precisava ser humilhado para depois ser exaltado.

Humilhai-vos, portanto, sob a poderosa mão de Deus, para que ele, em tempo oportuno, vos exalte.

1Pedro 5.6

■ 38.29

מִבֶּטֶן מִי יָצָא הַקָּרַח וּכְפֹר שָׁמַיִם מִי יְלָדוֹ׃

De que ventre procede o gelo? Agora volta à tona a *metáfora do ventre*. Os oceanos (vs. 8) nasceram do ventre (recesso interior) da terra, de acordo com a ciência da época de Jó. Agora, poeticamente, somos informados de que os grandes depósitos de gelo, que caem sob a forma de granizo, e a geada que se forma sobre o solo, também têm um ventre divino. Certos processos misteriosos estavam envolvidos, e Jó certamente não podia falar de forma inteligente sobre eles. Deus é o grande gerador e Pai de tudo, até dos processos inanimados da natureza. Mistérios cercavam o todo, sobre os quais Jó nem podia começar a responder. Mas um Jó humilhado em breve se tornaria um Jó restaurado. O processo de cura pode ser *doloroso*.

Quanto aos processos iniciados por Deus, que envolvem a chuva e o gelo, cf. os comentários de Eliú em Jó 36.27-38; 37.6,10. "Neste ponto, o Senhor é representado como uma mãe, e assim ele foi representado por Ofeu, e chamado *metropater* (mãe-pai) (Apud Clemente, *Stromat.* 1.5, parte 608). Deus, mediante o seu hálito, formou a geada. Ver Jó 37.10" (John Gill, *in loc.*).

■ 38.30

כָּאֶבֶן מַיִם יִתְחַבָּאוּ וּפְנֵי תְהוֹם יִתְלַכָּדוּ׃

As águas ficam duras como a pedra. Estas palavras referem-se ao gelo formado pelo frio. Até grandes corpos de água podem transformar-se em gelo, e isso era misterioso para aquela era pré-científica. Nossa ciência dá-nos detalhes essenciais de como a temperatura muda o estado da água, de maneira que obtemos desde o gelo até o vapor de água; mas os antigos não contavam com termômetros nem teorias sobre a questão, apenas sabiam que essas coisas aconteciam. Em seu *teísmo* (ver a respeito no *Dicionário*), o autor sagrado atribuiu tudo a Deus. O Deus da criação é, igualmente, o Deus da intervenção, tanto na natureza como na vida dos homens. O processo de enregelamento é chamado de "compactação" das águas. Elas se tornam compactas para formar o gelo. "A água perde sua qualidade familiar e torna-se como uma pedra" (Ellicott, *in loc.*). Não sabemos dizer se o autor sacro conhecia algo sobre as calotas polares do norte distante. Provavelmente não. Se o soubesse, certamente teria ficado admirado diante da grande quantidade de gelo ali existente. Para ele, o lugar inteiro teria parecido uma pedra gigantesca.

■ 38.31,32

הַתְקַשֵּׁר מַעֲדַנּוֹת כִּימָה אוֹ־מֹשְׁכוֹת כְּסִיל תְּפַתֵּחַ׃

הֲתֹצִיא מַזָּרוֹת בְּעִתּוֹ וְעַיִשׁ עַל־בָּנֶיהָ תַנְחֵם׃

Temos nos *vss. 31-38* várias questões sobre as estrelas e as nuvens, incluindo as constelações. O que sabia Jó sobre as *constelações*? A astronomia é uma ciência que ainda está em seus estágios iniciais, porque lhe faltam os meios de experimentação em laboratório; ela depende da observação e de instrumentos não muito exatos, por causa das grandes distâncias envolvidas. Chega à terra luz que tem dezesseis bilhões de anos de idade, talvez até mais. É perfeitamente possível que algumas das fontes dessa luz nem mais existam atualmente, pois essa luz partiu há dezesseis bilhões de anos de sua origem. Não foi criada a meio do caminho, atingindo a terra dentro dos seis mil anos que algumas pessoas pensam ter sido o começo da criação. As narrativas de Gênesis não têm por propósito ensinar que a terra (e a criação) têm apenas seis mil anos, pois, se forçarmos esse livro a dizer tal coisa, terminaremos com estúpidas especulações nada científicas, anuladas pelos muitos anos de pesquisas. Contudo, algumas pessoas continuam insistindo nessa fútil afirmação. Ver no *Dicionário* o verbete chamado *Astronomia*, que aborda essas questões.

Na discussão sobre os vss. 31-38, encontramos questões que giram em torno de nuvens e vapores, o que também já mencionamos. Todas essas perguntas têm algo a ver com o que acontece "lá fora"; e, naturalmente, são indagações sobre as quais Jó nada sabia. Portanto, ele ficava cada vez mais confuso pelas interrogações divinas. "Jó nada sabia sobre as leis dos céus, os princípios pelos quais se regulam as estrelas, os planetas e a lua. Como, pois, podia criticar as leis de Deus e o modo como ele trata a humanidade? O domínio sobre a terra era negócio de Deus, não de Jó" (Roy B. Zuck, *in loc.*).

Ou poderás tu atar as cadeias do Sete-estrelo...? Em Jó 38.31,32, temos a *décima terceira pergunta*. Certas estrelas parecem encontrar-se em constelações. Na realidade, porém, elas não estão todas em uma mesma região, apenas parecem estar, devido ao nosso ângulo de observação, que nos faz vê-las como se estivessem agrupadas. Na realidade, elas estão separadas umas das outras por espaços imensos. Mas a ideia nada científica da época era a de que tais constelações se mantinham em seus lugares por alguma espécie de força, que nossa versão portuguesa, juntamente com a *Revised Standard Version*, chama de "cadeias". Deus é quem manteria essas constelações em seus respectivos lugares, podendo soltá-las pela aplicação de pressões ou relaxamentos das cadeias. Talvez esse vocábulo tenha sido escolhido somente para falar sobre alguma "força cósmica desconhecida". Era natural aos antigos pensar em supostas constelações unidas por uma espécie de força unificadora. Mas atualmente sabemos que tais constelações não formam verdadeiros grupos de estrelas; também não existe nenhum poder interconectador que as mantém juntas. O autor sagrado nos dá os nomes de *quatro* constelações. No *Dicionário*, forneço artigos com comentários sobre cada uma delas e sobre seu uso no livro de Jó, bem como outro artigo chamado *Plêiades (e Outras Constelações)*. Não repito o material oferecido nesses verbetes.

"As Plêiades e o Órion são constituídos por estrelas que nos dão a aparência de estar reunidas por cadeias e cordas" (Samuel Terrien, *in loc.*). Jó não podia dar a menor resposta ao seu divino interrogador sobre as forças cósmicas que reúnem as constelações. De fato, temos nessa última pergunta apenas uma verdade poética, não científica, pelo que ela se baseia em uma ciência equivocada. Ver os comentários do vs. 18, a respeito das ideias anticientíficas evidentes nos livros bíblicos, embora isso não afete nenhuma sã teoria da inspiração divina da Bíblia.

■ 38.33

הֲיָדַעְתָּ חֻקּוֹת שָׁמָיִם אִם־תָּשִׂים מִשְׁטָרוֹ בָאָרֶץ׃

Sabes tu as ordenanças dos céus...? *Décima Quarta Pergunta.* O autor sagrado aparentemente retornou à pergunta sobre as *estações do ano* que controlam o clima na terra, repetindo a essência do discurso de Eliú em Jó 36.26—37.22. O governo soberano de Deus proveu distintas estações do ano para a terra, o que o discurso de Eliú salientou ser contado por meio de um calendário outonal, em que a festa do Ano Novo caía no outono.

Os povos antigos não tinham consciência de *como* são produzidas as estações do ano, de maneira que a mente teísta simplesmente atribuía essas mudanças às operações divinas. Observamos que, durante o inverno, os dias ficam mais curtos do que as noites, e menos calor é fornecido pelo sol. Então temos o verão, quando os dias ficam mais longos, e as noites, mais curtas, e o sol fornece mais calor. Porventura sabemos dizer o motivo? A ciência moderna sabe dizer, mas e você? Seja como for, Jó nem ao menos contava com uma conjectura decente sobre tais fenômenos. Quem estiver curioso sobre essa questão deve consultar uma enciclopédia. Muitos antigos tinham apenas três estações: a primavera, o verão e o inverno. O autor do livro de Jó fala sobre o outono, o inverno e o verão, deixando de lado a primavera.

■ 38.34

הַתָרִים לָעָב קוֹלֶךָ וְשִׁפְעַת־מַיִם תְּכַסֶּךָּ:

Podes levantar a tua voz até às nuvens? *Décima Quinta Pergunta*. O autor sagrado retorna à questão das nuvens e das águas, sobre o que já havia falado. Nos vss. 9, 25 e ss., o homem mostra-se impotente diante das nuvens. Naturalmente, agora temos um pouco de controle, porquanto, em algumas ocasiões favoráveis, as nuvens podem ser "semeadas", provocando chuva. Mas esse controle é pequeno. Jó, entretanto, não exercia nenhum controle sobre as nuvens. Ele não sabia dizer como Deus controla a produção de chuvas. Mas sabia que ali havia poder que supria águas doadoras da vida. Os homens continuam orando para obter chuvas, para que Deus ouça e responda a tais orações. Esta décima quinta pergunta enfatiza os poderes providenciais de Deus, em contraste com a impotência humana. "Você não pode fazer o que Deus faz, pode?", respondeu a voz divina. Cf. Jr 14.22 e Jó 22.11. Ver também Zc 10.1 e Am 5.8.

■ 38.35

הַתְשַׁלַּח בְּרָקִים וְיֵלֵכוּ וְיֹאמְרוּ לְךָ הִנֵּנוּ:

Ou ordenarás aos relâmpagos que saiam...? *Décima Sexta Pergunta*. O autor sacro retorna à questão dos *relâmpagos*. Cf. os vss. 24,25. Nenhum homem pode determinar que o relâmpago ataque. A voz divina perguntou: "Podes fazer o que Deus faz e causar o relâmpago?" A pergunta contrasta o poder divino com a impotência dos homens. Os relâmpagos são uma das armas divinas, mas o homem não tem poder para usá-la. Trata-se de um fenômeno assustador, mas só Deus sabe usá-lo conforme a sua vontade. Contrastar este texto com os atos de Elias (ver 2Rs 1.10,12). Ele empregou os elementos para servir a seus propósitos, mas somente porque Deus, naquele momento, lhe permitiu fazê-lo. Mas o poder real por trás de tudo foi o poder divino. Jó certamente não se parecia com Elias. Ele também não tinha poder sobre a *Providência de Deus* na vida dos homens, mas podia submeter-se a essa providência e ser curado. Cf. este texto com Jó 36.29,30. Ver também Is 6.8.

■ 38.36

מִי־שָׁת בַּטֻּחוֹת חָכְמָה אוֹ מִי־נָתַן לַשֶּׂכְוִי בִינָה:

Quem pôs sabedoria nas camadas de nuvens? *Décima Sétima Pergunta*. A *King James Version* refere-se às maravilhas do corpo humano e à inteligência da mente e do corpo. Quem pôs essas coisas no ser humano? Que poder está por trás do código genético, o DNA, as maravilhosas funções dos órgãos físicos? E o que dá ao homem sua consciência e inteligência? Essas coisas certamente não foram autogeradas. O que Jó sabia sobre fisiologia e sobre psicologia? A *Revised Standard Version*, por outro lado, continuou com a discussão sobre as nuvens. O autor sagrado via sabedoria naquilo que as nuvens fazem, e compreensão nos atos dos nevoeiros. Como é óbvio, encontramos palavras hebraicas cujos significados são disputados, o que explica diferentes interpretações. As nuvens e o relâmpago atuam como se tivessem mente própria, mas, por trás deles, temos a mente divina. A Vulgata Latina, na segunda parte deste versículo, traduz por: "Quem dá ao galo entendimento" para que ele cante no tempo certo e cumpra seu dever como uma sentinela? Alguns escritos judeus e o Targum sobre este versículo compreendem a questão dessa maneira. A versão árabe também diz assim, pois as palavras referentes a *coração* e *galo* são bastante similares. O galo desperta um bom árabe para realizar seu dever de orar a cada manhã. A Septuaginta também tem um sentido "incomum", ao falar sobre a *sabedoria das mulheres*, as quais, tão habilidosamente, costuram e tecem. Deus lhes dá sabedoria para tais tarefas.

■ 38.37

מִי־יְסַפֵּר שְׁחָקִים בְּחָכְמָה וְנִבְלֵי שָׁמַיִם מִי יַשְׁכִּיב:

Quem pode numerar com sabedoria as nuvens? *Décima Oitava Pergunta*. O autor sagrado continua a discussão sobre as nuvens. Elas se assemelham a odres de água, onde os homens guardam fluidos transmissores de vida. Esses odres podem ser inclinados, levando a chuva a cair sobre a terra. Mas não é o homem quem os inclina; Deus é o grande inclinador, o causador das chuvas. Ninguém pode numerar as nuvens que vão e vêm o dia inteiro. Deus escolhe qual desses odres deve ser inclinado para dar a água necessária a cada dia. Há sabedoria e poder na produção de chuva. O homem não tem poder algum sobre essa questão e tem bem pouca compreensão sobre ela. Por certo Jó não era meteorologista. O grande *Meteorologista* cuida das necessidades dos homens. Cf. o vs. 34, Gn 8.2 e Am 4.7.

■ 38.38

בְּצֶקֶת עָפָר לַמּוּצָק וּרְגָבִים יְדֻבָּקוּ:

Para que o pó se transforme em massa sólida. *Décima Nona Pergunta*. Até mesmo o endurecimento de poeira para formar torrões duros, por meio do ressecamento da umidade, é um processo que o homem comum dificilmente compreende. Deus é o diretor de todos os processos naturais, desde o maior e o mais misterioso até o menor e menos difícil. Mas o homem, em sua ignorância, sabe muito pouco sobre qualquer processo natural. Como, pois, podia ele, à semelhança de Jó, chamar o Criador ao tribunal e provar qualquer coisa sobre o modo de governar o mundo *moral*? O homem não sabe muito sobre o poder de coesão das partículas de poeira e, certamente, não sabe como o mundo moral "se mantém coeso" na justiça e no julgamento apropriado. Alguns veem nessa pergunta os minerais e as pedras preciosas, os metais e as joias em estado bruto, e pensam que o autor acreditava que, por meio de algum estranho poder de coesão na terra, tais substâncias eram formadas. Nesse caso, temos verdadeiros mistérios.

AS MARAVILHAS DA VIDA ANIMAL (38.39—39.30)

Conforme se percebe, não há nenhuma interrupção entre os capítulos 38 e 39. Uma divisão natural seria fazer os vss. 39-41 formarem uma parte do capítulo seguinte, visto que o mesmo assunto está sendo discutido. *Doze animais* foram mencionados, cada qual tendo sua própria natureza misteriosa e seus próprios caminhos, para que Jó os considerasse e confessasse nada saber sobre zoologia, biologia e fisiologia. Temos *seis feras*, animais grandes, cinco tipos de aves e até um inseto, todos exibindo um tipo particular de gênio, e todos criados por Deus, de maneira notável e providencial. Naturalmente, o rei das feras, o *leão*, encabeça a lista. "Alguém poderia pensar que os animais, estando abaixo do homem, poderiam ser controlados, cuidados e compreendidos por ele. Mas Deus mostrou a Jó que, quanto a certas coisas, ele era *inferior* até ao reino animal" (Roy B. Zuck, *in loc.*).

Até recentemente, a ciência subestimava a inteligência dos animais. Agora sabemos que certos primatas são perfeitamente capazes de desenvolver uma linguagem, embora lhes faltem os aparelhos físicos necessários para tanto. Eles podem pensar verbalmente, comunicando-se através de computadores. Portanto, não há tão grande abismo entre os animais e o homem, conforme se pensava. De fato, testes demonstram que os mais espertos entre os macacos são mais inteligentes que os mais estúpidos dos homens, porquanto o quociente de inteligência deles é superior ao de certos humanos! Além disso, como é óbvio, alguns animais, entre eles aves e insetos, têm percepções dos sentidos muito superiores às dos seres humanos. Uma abelha, em Guaratinguetá, pode sentir o cheiro de um jardim de flores em Aparecida do Norte (a dez quilômetros de distância!) Um pombo, em São Paulo, pode captar um temporal no Rio, porquanto detectar temporais é algo vital para sua sobrevivência. Um urso polar pode sentir o cheiro de um animal que queira comer, mesmo estando sob o gelo; ele pode sentir o odor de um animal a mais de dezesseis quilômetros de distância. Algumas aves de rapina podem ver a *aura* dos animais, aquele brilho luminoso em torno dos seres vivos, à noite, de forma que mergulham sobre o pobre animalzinho e o apanham. Mas carne morta no campo (a qual, naturalmente, não tem aura) não poderá ser vista à noite pela ave de rapina. Se quisermos falar sobre força física, muitos animais derrotam facilmente o homem, o mesmo ocorrendo no que diz respeito à velocidade. Talvez os golfinhos sejam até mais inteligentes que os homens, embora estejam cativos em um corpo de peixe, o que, por certo, é uma *piada* da natureza.

Então, para nossa surpresa, aprendemos que Deus cuida dos animais, ele é seu protetor. Ele providencia a sobrevivência para eles. E muito mais, ainda, Deus ama o mundo dos homens, *todo o mundo*! (Jo 3.16). Quando Deus poupou a cidade de Nínive, parte do motivo foi que ele estava preocupado com o gado do lugar (ver Jó 4.11).

Alguns supõem que os animais (pelo menos das espécies superiores) tenham alma e sejam pessoas. Platão especulou que toda a vida é psíquica, e que os corpos físicos são apenas veículos materiais de tipos de psiques. Ver na *Enciclopédia de Bíblia, Teologia e Filosofia* o verbete chamado *Animais, Alma dos;* e no *Dicionário* os artigos intitulados *Animais, Direitos dos* e *Moralidade*.

■ 38.39

הֲתָצוּד לְלָבִיא טָרֶף וְחַיַּת כְּפִירִים תְּמַלֵּא׃

Caçarás, porventura, a presa para a leoa? *Vigésima Pergunta.* O leão, poderosa fera, facilmente se refestelaria comigo; alegro-me que ele esteja "longe". O leão precisa ingerir tremenda quantidade de carne e, além disso, tem sua família de leõezinhos carnívoros. O leão precisa de inteligência especial que o ajuda suprir suas próprias necessidades e as de sua família, e Deus tem de preocupar-se com ele, para não falhar em sua tarefa. Porventura Jó sabia algo sobre tais coisas? Ele ao menos pensava que é Deus quem cuida dos animais? Se Deus cuida dos animais, é certo que cuida do homem, e sua justiça será sempre o poder orientador. Jó, por conseguinte, estava errado em suas queixas, ao chamar Deus de injusto e arbitrário, por enviar-lhe a dor. A *providência divina* (ver a respeito no *Dicionário*) está sempre em operação, em favor dos animais e dos homens.

Os leõezinhos rugem pela presa e buscam de Deus o sustento.
Salmo 104.21

Dizemos que os animais têm instinto, necessário à sua sobrevivência. Um animal nasce com os seus instintos, como parte da herança genética. Porém, além do instinto, eles também têm inteligência. Deus está por trás do código genético dos animais e dos seres humanos. Isso faz parte da providência divina.

■ 38.40

כִּי־יָשֹׁחוּ בַמְּעוֹנוֹת יֵשְׁבוּ בַסֻּכָּה לְמוֹ־אָרֶב׃

Quando se agacham nos covis...? *O leão,* aquela fera terrível, tem sua própria moradia, de onde sai para caçar; ao mesmo tempo, a caça é seu esporte e seu sustento. Ele *gosta* de sua vida, podemos ter certeza.

Está ele de emboscada, como o leão na sua caverna.
Salmo 10.9

O vs. 40 pode estar falando de leões jovens, os quais precisam ocultar-se em suas covas, esperando pela providência do Pai, ou então, fala de leões velhos, incapazes de caçar, que precisam da ajuda de leões fortes. Por semelhança, Deus cuida tanto dos jovens quanto dos idosos.

■ 38.41

מִי יָכִין לָעֹרֵב צֵידוֹ כִּי־יְלָדָיו אֶל־אֵל יְשַׁוֵּעוּ יִתְעוּ לִבְלִי־אֹכֶל׃

Quem prepara aos corvos o seu alimento? *Vigésima Primeira Pergunta.* Quem toma conta do corvo, terrível ave de rapina? Quem deu a essa ave a inteligência e o instinto suficiente para suas necessidades? A *voz celeste* desce do poderoso leão para o roufenho corvo e encontra a mesma providência divina em operação. Jó certamente desconhecia os cuidados com um corvo, mas *Deus* os conhecia e também sabia como cuidar do homem, embora Jó tivesse duvidado disso.

Dá o alimento aos animais e aos filhos dos corvos, quando clamam...
Salmo 147.9

Cf. Mt 6.26 e Lc 12.24.

Observai as aves do céu: não semeiam, não colhem, nem ajuntam em celeiros; contudo, vosso Pai celeste as sustenta. Porventura, não valeis vós muito mais do que as aves?
Mateus 6.26

"Talvez esse pássaro (o corvo) tenha sido escolhido para servir de ilustração, por causa de seu apetite voraz... acima da maioria das outras aves. Ele grita continuamente, e seu grito é o da fome" (Adam Clarke, *in loc.*).

Aeliano (lib. ii. cap. 48) observou o clamor contínuo dos corvos buscando alguma coisa para comer. Essa ave era abundante nas margens do rio Nilo, e o mais barulhento de todos os pássaros.

CAPÍTULO TRINTA E NOVE

Não há interrupção entre os capítulos 38 e 39. A Bíblia hebraica corretamente faz a divisão em Jó 38.39. Os vss. 39-41 devem pertencer ao mesmo material dado no capítulo 39, até o vs. 30. Forneço a introdução à seção de Jó 38.39, que trata das *Maravilhas da Vida Animal,* quando a voz divina fala sobre seus instintos e inteligência, concedidos por Deus, e também sobre como ele cuida dos animais, objetos de sua preocupação. Quanto mais, pois, Deus se preocupa com os homens? Ver Mt 6.26. No entanto, em suas queixas contra os sofrimentos, Jó tinha duvidado dos cuidados providenciais de Deus, supondo-o cruel e injusto. A voz divina precisou corrigir as falsas impressões de Jó. Por conseguinte, temos uma longa ilustração do reino animal, na qual *doze* animais servem de instrução.

■ 39.1

הֲיָדַעְתָּ עֵת לֶדֶת יַעֲלֵי־סָלַע חֹלֵל אַיָּלוֹת תִּשְׁמֹר׃

Sabes tu o tempo em que as cabras monteses têm os filhos...? *Vigésima Segunda Pergunta.* Até a relativamente humilde cabra montês vivia envolvida por mistérios, no que dizia respeito a Jó. O que ele sabia sobre os hábitos desse animal e de seu período de gestação? Tão misteriosas como as cabras monteses são as *corças*. Ora, se Jó não sabia praticamente nada sobre questões simples de biologia e zoologia, como poderia ser tão arrogante e ajuizar os julgamentos morais de Deus? O sofrimento humano tem um propósito, embora Jó não fosse um transgressor (ver Jó 2.3). Aristóteles tornou-se grande conhecedor do comportamento animal, e foi o homem mais inteligente de sua época, quanto a matérias como a zoologia e a biologia. Jó, todavia, era ignorante, embora achasse que, quanto às "questões celestiais", era um grande conhecedor, tendo o desplante de dizer a Deus como governar o mundo.

"Essa cabra montês pode ser o íbex núbio, uma cabra que vive nos lugares ermos do Oriente Médio e se oculta quando tem seus filhotes. Até hoje, relativamente poucas pessoas viram essas cabras dando à luz as suas crias" (Roy B. Zuck, *in loc.*).

Plínio (*Hist. Natural* 1.8, cap. 53) fez algumas observações sobre as *corças* que estavam ausentes na educação de Jó. Esses animais podem viver até os 35 anos, se algum predador natural não os apanhar. Aristóteles também fez menção à longevidade da cabra montês, mas Jó ignorava esses fatos.

A voz do Senhor faz dar cria às corças...
Salmo 29.9

■ 39.2

תִּסְפֹּר יְרָחִים תְּמַלֶּאנָה וְיָדַעְתָּ עֵת לִדְתָּנָה׃

Podes contar os meses que cumprem? *Vigésima Terceira Pergunta.* Conforme se vê na exposição sobre o vs. 1 deste capítulo, os hábitos de gravidez e parto das cabras monteses eram, especialmente, misteriosos para os antigos; esse aspecto particular da vida delas forma uma nova pergunta ou, então, poderíamos considerar o vs. 2 como continuação de uma única pergunta, iniciada no vs. 1. Seja como for, o autor sagrado salientou o *aspecto menos conhecido* da vida das cabras monteses. Enquanto isso, Deus estava nos montes e nos campos, supervisionando o que acontecia com elas, de modo que a sua providência estava ali, e também acompanhava Jó, que, se ao menos tivesse olhos para ver, constataria tais fatos.

39.3,4

תִּכְרַעְנָה יַלְדֵיהֶן תְּפַלַּחְנָה חֶבְלֵיהֶם תְּשַׁלַּחְנָה׃

יַחְלְמוּ בְנֵיהֶם יִרְבּוּ בַבָּר יָצְאוּ וְלֹא־שָׁבוּ לָמוֹ׃

Elas encurvam-se, para terem seus filhos. Os vss. 3,4 prosseguem as informações sobre o parto das cabras monteses e das corças, e sobre os seus filhotes, que crescem e se tornam independentes dos pais. Nesses fatos havia toda espécie de mistérios para Jó. Não obstante, quanto a outros muito mais importantes, como a justiça e o desígnio universal, Jó se considerava grande conhecedor. Esses animais, uma vez que começam a desenvolver-se, entram nos campos abertos em busca de pasto. Nenhum homem os ajuda, mas Deus garante que nada lhes falte. Eles vivem em condições que nenhum ser humano suportaria, mas se saem bem, crescem, ficam fortes e tornam-se independentes. Os animais aprendem a própria subsistência, mas Deus está por trás de tudo. O mesmo se dá no caso do homem. Deus está presente. Oh, Senhor, concede-nos tal graça!

39.5

מִי־שִׁלַּח פֶּרֶא חָפְשִׁי וּמֹסְרוֹת עָרוֹד מִי פִתֵּחַ׃

Quem despediu livre o jumento selvagem...? *Vigésima Quarta Pergunta*. O jumento selvagem está "lá fora", cuidando de si mesmo. Nenhum homem o amansou, e ninguém cuida dele. Mas Deus está presente. O jumento selvagem é rápido e foge do homem que quer torná-lo cativo. A liberdade é o orgulho dele, sem o qual não quererá viver. Jó nunca amansara um desses animais, pelo que não sabia absolutamente nada a seu respeito. Deus dava a moradia ao jumento, e sua vida corria belamente, sem a ajuda de Jó. No entanto, o arrogante Jó pretendia dizer a Deus como dirigir o seu universo moral! Deus deu liberdade ao jumento selvagem, o *sine qua non* de sua vida. E Deus deu ao homem a *justiça*, o *sine qua non* da vida espiritual. Plínio (*Hist. Natural* 1.8) conta-nos sobre amansar o jumento, mas isso reduz a sua natureza, que ama a liberdade e odeia a servidão ao homem.

39.6

אֲשֶׁר־שַׂמְתִּי עֲרָבָה בֵיתוֹ וּמִשְׁכְּנוֹתָיו מְלֵחָה׃

Ao qual dei o ermo por casa...? Deus conferiu liberdade ao jumento selvagem e deu-lhe um *hábitat* impróprio para outros animais, mas perfeito para ele. O jumento selvagem aprecia os lugares ermos e as montanhas desnudas. Sua terra é estéril (*King James Version*) ou salgada (*Revised Standard Version* e nossa versão portuguesa). Essa terra é improdutiva para outros, mas adequada para o jumento selvagem. A provisão de Deus lhe é *suficiente*, e assim também acontece no caso de Jó, o homem queixoso sentado em seu monturo de cinzas. O jumento selvagem está fora do bulício da barulhenta civilização, uma vantagem distinta.

Xenofonte (*De Expedition Cyri*. 1.1) conta-nos sobre esse animal que vive no deserto, tão rápido, tão livre. Leão Africanus (*Description Africae* l.9) fala sobre como esses animais conseguem reproduzir-se em grandes números, até mesmo nos desertos e lugares próximos aos desertos.

> *Jumenta selvagem, acostumada ao deserto e que, no ardor do cio, sorve o vento. Quem a impediria de satisfazer seu desejo?*
> Jeremias 2.24

39.7

יִשְׂחַק לַהֲמוֹן קִרְיָה תְּשֻׁאוֹת נוֹגֵשׂ לֹא יִשְׁמָע׃

Ri-se do tumulto da cidade. *Esse animal livre* em nada se importa com a civilização. Ele evita os homens, suas cidades e sua confusão e, especialmente, que o homem o capture e o reduza à escravidão. Nenhum guia, aos gritos, dirige a vida dele. Ele prefere os rigores da vida selvagem. Esse animal não precisa de livramento, pois já é livre. Sua velocidade ajuda-o a evitar a servidão. Ele deixa os homens consternados. Leão Africanus assegura-nos (*Description Africae*, 1.9, par. 752) que o jumento selvagem pode correr mais depressa que qualquer animal, exceto o cavalo selvagem. Ele podia correr mais rápido do que qualquer cavalo comum, conhecido na Palestina e na Arábia. Tanto Xenofonte (*De Expedition Cyri* 1.1) quanto Aristóteles (*Hist. Animal* 1.9, cap. 5) observaram ser o jumento selvagem espécie dotada de incomum capacidade na corrida. No hebraico, o nome desse animal é uma variação da palavra que significa *correr*.

39.8

יְתוּר הָרִים מִרְעֵהוּ וְאַחַר כָּל־יָרוֹק יִדְרוֹשׁ׃

Os montes são o lugar do seu pasto. O jumento selvagem tem *fome* e percorre grandes distâncias para encontrar seu alimento. Mas, se estiver livre, isso será uma pequena inconveniência. Ele percorre as montanhas em busca de verdura comestível para a sua espécie. *De alguma maneira*, Deus cuida desses animais sob circunstâncias difíceis. E, *de alguma maneira*, Deus também cuida de nós em situações adversas. O autor sagrado enfatiza a Providência de Deus o tempo todo, e continua a lembrar-nos de que o queixoso Jó não havia sido esquecido, apesar das evidências contrárias. Depois de humilhado, Jó seria restaurado e receberia prosperidade maior do que a que gozara antes. Cf. este versículo com Jó 6.5, cujas notas expositivas também se aplicam aqui.

39.9

הֲיֹאבֶה רֵּים עָבְדֶךָ אִם־יָלִין עַל־אֲבוּסֶךָ׃

Acaso quer o boi selvagem servir-te? *Vigésima Quinta Pergunta*. Outro animal sobre o qual Jó nada sabia era o *boi selvagem* (ver a respeito no *Dicionário*, e ver outros nomes, quanto a detalhes sobre os animais que estão sendo discutidos). O boi selvagem também era independente, à semelhança do jumento selvagem, e não consentiria em passar uma noite com Jó, comendo seu alimento, de modo que, no dia seguinte, tivesse de trabalhar para o homem. Esse animal era sujeito somente a Deus e bem o servia, da maneira que um homem não poderia fazê-lo. O boi selvagem era um animal domesticável, mas não que apreciasse esse tratamento. Ele não queria ser como o boi domesticado, deitado ali no celeiro de Jó. Nem gostaria de ajudar a arar o campo de Jó. O boi selvagem era um *agente livre,* sob os cuidados de Deus, e não tinha queixas sobre sua vida, em contraste com o que acontecia ao arrogante Jó.

O animal em questão provavelmente é o *remu*, o búfalo acádico ou asiático. Esse animal era muito forte, mas usava sua força para comer e lutar, não para ajudar o homem em sua labuta. O boi selvagem era um animal que encontrava alimento com facilidade, mas levava uma vida difícil. Intérpretes mais antigos viam aqui o rinoceronte, mas essa interpretação atualmente é rejeitada. Nenhum rinoceronte poderia ser ligado a um arado para puxá-lo e trabalhar no campo, conforme o texto sagrado supõe que pudesse suceder ao animal em questão. Imagine-se pôr um rinoceronte em um celeiro, para compartilhar a vida com o gado domesticado.

39.10

הֲתִקְשָׁר־רֵים בְּתֶלֶם עֲבֹתוֹ אִם־יְשַׂדֵּד עֲמָקִים אַחֲרֶיךָ׃

Porventura podes prendê-lo ao sulco com cordas? O autor sacro dá mais três versículos ao boi selvagem, e as perguntas feitas poderiam dar categorias separadas em minha enumeração. Considero essas subquestões ampliações das principais questões, como o fato de o boi selvagem ser posto a servir o homem (vs. 9). O animal em pauta tinha grande força física, poderia ajudar um homem em suas atividades agrícolas, mas não estava nem um pouco interessado em ser um escravo do homem. O animal em questão é tão poderoso, que poderia diminuir o trabalho do agricultor pela metade, caso substituísse bois comuns domesticados; mas ninguém pode forçar o boi selvagem a puxar um arado, não há como forçá-lo. Esse animal se rebelaria e o homem não teria forças para domá-lo. Embora incomumente forte, essa sua força não é usada para servir ao homem. Jó não poderia amansar o animal e, muito menos, pô-lo a trabalhar no cultivo da terra. Como, pois, poderia desafiar os caminhos do Deus Todo-poderoso, para forçá-lo a *cumprir a sua vontade?*

39.11

הֲתִבְטַח־בּוֹ כִּי־רַב כֹּחוֹ וְתַעֲזֹב אֵלָיו יְגִיעֶךָ׃

Confiarás nele, por ser grande a sua força...? Seria inútil alguém incluir o boi selvagem em seus planos para completar alguma tarefa. Ele não faria nem uma *parte* do que lhe fosse delegado fazer. Em outras palavras, esqueça o boi selvagem! Precisamos saber a diferença entre o que está sob nosso controle e o que está fora de nosso domínio. Oh, Senhor! Ajuda-nos a fazer tudo o que está sob nosso controle, mas a entregar-te as coisas fora de nosso controle, e a reconhecer a diferença!

39.12

הֲתַאֲמִין בּוֹ כִּי־יָשׁוּב זַרְעֶךָ וְגָרְנְךָ יֶאֱסֹף׃

Farás dele que te traga para a casa o que semeaste e o recolha na tua eira? É inútil confiar no boi selvagem. Ele não cumprirá nenhuma tarefa que lhe for dada. Ele não tem a mínima disposição de ajudar o homem, é um rebelde constante. Alguém talvez pense que poderia pô-lo a puxar um arado ou um vagão, arrastando os grãos para guardá-los no celeiro. Mas ele desapareceria no campo aberto e nunca mais seria visto. "Você não poderá pô-lo a trabalhar em algum trabalho doméstico ou agrícola" (Adam Clarke, *in loc.*). Ora, se Jó não podia desafiar os caminhos naturais do boi selvagem, como poderia dar instruções ao Deus Todo-poderoso para dizer-lhe o que é certo ou errado?

A AVESTRUZ (39.13-18)

39.13

כְּנַף־רְנָנִים נֶעֱלָסָה אִם־אֶבְרָה חֲסִידָה וְנֹצָה׃

Vigésima Sexta Pergunta. Você sabe alguma coisa sobre os caminhos da avestruz? Muitos mistérios circundam esse pássaro e seus hábitos. O autor sagrado lançou mão de seis versículos para descrever as maravilhas que circundam essa enorme ave, mas Jó sabia bem pouco sobre ela. Se um simples pássaro constituía uma maravilha para Jó, podia ele falar sobre o Juiz divino e fazê-lo prestar contas de seu governo moral?

A versão da Septuaginta não tem esses versículos em seus manuscritos mais antigos, o que pode significar que eles foram adicionados por algum editor subsequente, por razões desconhecidas. A avestruz combina fatores desejáveis e indesejáveis. Ela é feia (vs. 13), um pássaro tolo e estúpido (vss. 14-17), mas pode correr mais depressa do que um cavalo! A avestruz é uma ave bizarra, com características estranhas, pesando até 180 quilos e podendo atingir uma altura de 2,10 m a 2,44 metros. Tem pequenas asas agitáveis, mas não pode voar. Várias avestruzes podem pôr seus ovos em um mesmo ninho e, talvez, até na areia. Isso faz parte de sua insensatez ou, pelo menos, tais atos nos parecem estúpidos. Esse pássaro pode abandonar seus ovos. Se algum ser humano perturbar o ninho de uma avestruz, a fêmea pode sentar-se no choco, sobre os ovos de outra avestruz fêmea, abandonando os próprios ovos! Esses atos são considerados estúpidos, mas, mesmo assim, Jó não tinha conhecimentos sobre esse pássaro, portanto como poderia ele resolver qualquer coisa acerca dos mistérios de Deus? Ver no *Dicionário* o verbete chamado *Avestruz*, quanto a maiores detalhes.

As penas do avestruz são belas e dotadas de alto valor comercial; no entanto, de nada valem para o efeito de voar. Deus equipou esse pássaro com características *estranhas* e, algumas vezes, é difícil seguir as sendas do Deus Todo-poderoso. Há muitas surpresas no caminho. O hebraico da segunda parte do versículo é obscuro, e várias sugestões têm sido feitas. A *Revised Standard Version* diz "plumagem de amor", mas é difícil perceber o que essas palavras poderiam significar. A Atualizada diz "penas de bondade", mas essa tradução é, igualmente, difícil de ser entendida. Talvez "adorno da sua plumagem" (tradução da Imprensa Bíblica Brasileira) esteja correto.

39.14

כִּי־תַעֲזֹב לָאָרֶץ בֵּצֶיהָ וְעַל־עָפָר תְּחַמֵּם׃

Ela deixa os seus ovos na terra. A avestruz pode depositar seus ovos no próprio ninho, no ninho de outra avestruz, ou simplesmente pô-los no chão. Ela também pode deitar-se sobre os próprios ovos ou sobre os ovos de outra avestruz. Algumas vezes ela parece ser insensível ao bem-estar dos filhotes, mostrando-se estúpida em todos os seus caminhos. Mas até mesmo um pássaro estúpido representava muitos mistérios insolúveis para Jó, o *homem* que teve a ousadia de convocar o Deus Todo-poderoso a prestar-lhe contas!

39.15

וַתִּשְׁכַּח כִּי־רֶגֶל תְּזוּרֶהָ וְחַיַּת הַשָּׂדֶה תְּדוּשֶׁהָ׃

E se esquece de que algum pé os pode esmagar. "A avestruz só se deita sobre os ovos à noite, quando o rio poderia enregelá-los e destruí-los. Durante o dia, o calor da areia continua o processo do choco" (Ellicott, *in loc.*). Se esse intérprete está correto, então a avestruz é mais *econômica* do que estúpida. Naturalmente, os ovos depositados no chão poderiam ser pisados por algum homem ou animal. Além disso, predadores se deleitariam em encontrar um gigantesco ovo no chão, apenas esperando ser comido. Fausset (*in loc.*) confiava nos instintos dados por Deus a essa ave, para que fizesse a coisa certa, mas o autor do livro de Jó certamente estava falando sobre a *insensatez* do pássaro. Não devemos cometer uma *falácia natural*, ou seja, "o que é, deveria ser". *É*, necessariamente, não constitui sinônimo para *deveria ser*. Há coisas loucas na *natureza*, naturalmente errôneas, fracas e defeituosas. As leis naturais certamente não são perfeitas. Alguns explicam as imperfeições da criação, conforme a conhecemos atualmente, com suas leis naturais inerentemente imperfeitas. O Deus Altíssimo deixou que as leis naturais governassem a maioria das coisas. Essa regra é defeituosa, mas, em geral, consegue fazer o seu trabalho. Seja como for, é inútil esperar qualquer coisa como a perfeição da parte da natureza e de suas criaturas.

39.16

הִקְשִׁיחַ בָּנֶיהָ לְּלֹא־לָהּ לְרִיק יְגִיעָהּ בְּלִי־פָחַד׃

Trata com dureza os seus filhos. A avestruz é um pássaro que não atacará se você se aproximar do seu ninho. Na verdade, alguma coisa de somenos importância, como ela ficar com fome, pode levá-la a abandonar aquela atividade e deitar-se no ninho de outra avestruz. Ou, então, ela se levanta de maneira inteiramente arbitrária e se deita no ninho de outra avestruz. E, se algum predador se aproxima, ela usa sua força para sair do ninho, deixando os ovos para a raposa ou outro animal qualquer. Ela é *cruel* (*Revised Standard Version*) no tocante a seus filhotes. E não teme que seus labores terminem em vão e seus ovos sejam destruídos. Afinal, haverá oportunidades de produzir mais ovos e alguns deles sobreviverão. Isso basta para essa ave. Jovens avestruzes podem ser encontrados vagabundeando famintos, piando e gemendo, esperando a morte pela inanição, enquanto a mãe está deitada no ninho de outra avestruz. Em alguns sentidos, pois, o avestruz é uma das *piadas* da natureza: uma ave gigantesca que, tendo asas, não consegue voar; e, correndo, é mais ligeira que um cavalo; mãe negligente, egoísta e insensata; cruel e independente. Alguns estudiosos desculpam os lapsos da avestruz, dizendo que essa ave é, simplesmente, *esquecida*. Assim também muitas mulheres justificam seus lapsos dizendo: "Esqueci!" Uma de minhas fontes informa que, algumas vezes, a avestruz defende seus filhotes em vigor, quando algum predador se aproxima. Portanto, acrescentemos outro dos seus pecados, o de ser *arbitrária*.

Quando o avestruz abana as asas, não o faz como empreendimento inútil. De fato, é para aumentar a velocidade de sua corrida a pé. Não se trata de uma inútil tentativa de voar.

39.17

כִּי־הִשָּׁהּ אֱלוֹהַּ חָכְמָה וְלֹא־חָלַק לָהּ בַּבִּינָה׃

Porque Deus lhe negou sabedoria. Deus é aqui acusado pela estupidez do pássaro, porquanto, segundo a antiga teologia dos hebreus, Deus era a *única causa*. No que diz respeito ao avestruz, a conclusão é que a estupidez dessa ave é a coisa certa, por ter sido divinamente causada. A teologia dos hebreus era fraca quanto a *causas secundárias*, as quais realmente acontecem e se misturam em todas as espécies de coisas. As leis naturais são cheias de defeitos em suas operações. Na natureza há muitas deficiências, e não precisamos acusar Deus por elas. Mas no texto presente, quando Deus dotava os animais de suas propriedades, que deveriam passar de geração em geração pelo código do DNA, o pobre avestruz foi feito um pássaro maravilhosamente estúpido. O avestruz pode correr a mais de 60 km por hora (tornando-se assim mais ligeiro que um cavalo), mas, ao chegar onde chegou, esquece o porquê de estar correndo tanto. Leão Africanus (*Description Africae*, 1.9, parte 766) diz que esse pássaro é tão estúpido que, tendo depositado seus ovos, logo esquece onde construiu o ninho. Talvez por isso costume deitar-se no ninho de outra avestruz. Além disso, Plínio (*Hist. Nat.* 1.10, cap. 1) diz que esse estúpido pássaro enfia a cabeça em meio a um arbusto para "fugir" de algum predador, pensando que, por não poder vê-lo, também não poderá ser visto. A cabeça do avestruz é bastante pequena e deve ter um cérebro minúsculo. Também somos informados de que Heliogabalo, um dos imperadores romanos, gostava muito de comer cérebros de avestruz e, numa de suas festas, mandou preparar seiscentos miolos de avestruz, para si e seus convidados!

■ 39.18

כְּעֵת בַּמָּרוֹם תַּמְרִיא תִּשְׂחַק לַסּוּס וּלְרֹכְבוֹ׃

Mas quando de um salto se levanta para correr. A grande força do avestruz é sua velocidade e, aparentemente, essa é a única característica remidora. Xenofonte (*De Expedit. Cyri.* 1.1) informou-nos que Ciro usava essa ave para testar a velocidade dos cavalos. Ele nunca encontrou um cavalo capaz de correr mais depressa do que o avestruz. Uma grande soma de dinheiro foi oferecida ao dono do cavalo que corresse mais que um avestruz. Em qualquer ocasião em que era posto a competir com um cavalo, o avestruz terminava *rindo* diante do pobre competidor, ou assim disse a imaginação do autor, em sua descrição poética. Xenofonte também afirmou que esse pássaro costumava parar e lançar pedras (com os pés, como se estes fossem uma funda) contra qualquer criatura que o estivesse perseguindo. Seja como for, o avestruz costuma correr em curvas, e não em linha reta, o que muito dificulta ser apanhado.

O HUMILDE CAVALO É UM ANIMAL ADMIRÁVEL (39.19-25)

■ 39.19

הֲתִתֵּן לַסּוּס גְּבוּרָה הֲתַלְבִּישׁ צַוָּארוֹ רַעְמָה׃

Vigésima Sétima Pergunta, a qual se compõe de várias subquestões a respeito do cavalo comum. Jó era proprietário de muitos cavalos e estava com eles todos os dias. No entanto, até mesmo o que era *comum* para Jó estava tão eivado de mistérios, que o deixava confuso.

Qualquer um dos cavalos de Jó possuía propriedades que ele não sabia explicar, e o autor sacro empregou *sete* versículos para justificá-las. Como poderia o pobre homem explicar Deus, o Criador dos cavalos? Há muitos mistérios nos caminhos de Deus, e fazer com que os homens sofram, ou permitir que isso aconteça, é um desses mistérios. O problema do mal (por que os homens sofrem e por que sofrem como sofrem) está eivado de mistérios; mas Deus está presente, tal como no caso dos cavalos e de suas misteriosas qualidades, mediante os decretos divinos. *A conclusão* é que Deus sabia dos sofrimentos de Jó e tinha razões para tanto. O arrogante Jó foi humilhado, seria restaurado e prosperaria mais do que nunca. Mas tinha de atravessar a noite escura da alma, antes de tudo. Jó não era nenhum transgressor (ver Jó 2.3), mas precisava ser disciplinado para melhorar sua qualidade espiritual. Ver a seção V da *Introdução* ao livro de Jó, quanto ao que ele oferece como explicação do *Problema do Mal;* ver também o artigo no *Dicionário* sobre esse assunto.

O cavalo é um animal admirável (vs. 19), cuja força, até onde retrocede a história, tem sido empregada por homens para empreendimentos variegados. O cavalo é um bom trabalhador de fazendas; serve bem na guerra; é útil para os esportes que envolvem a corrida. É um animal obediente. O que há no cavalo que o leva a obedecer ao homem estúpido? Mesmo quando sofre abusos, o cavalo continua a servir o homem. A segunda parte deste vs. 19 tem por trás um texto hebraico obscuro, pelo que há várias conjeturas sobre seu significado. A *King James Version* apresenta o pescoço do cavalo "vestido de trovões". A *Revised Standard Version* traz simplesmente uma alusão à "força" do pescoço do cavalo, como uma espécie de vestidura. A palavra "trovão", que aparece em algumas versões da Bíblia, como a *King James Version*, é "crina" em nossa versão portuguesa. O cavalo, na guerra, é um dos elementos que aterrorizam o inimigo. As vestes do pescoço desse animal são sua crina, que ele pode sacudir violentamente quando excitado ou irado. Com um pouco de imaginação, podemos entender por que os antigos viam isso como se fosse um trovão.

■ 39.20

הֲתַרְעִישֶׁנּוּ כָּאַרְבֶּה הוֹד נַחְרוֹ אֵימָה׃

Acaso o fazes pular como ao gafanhoto? O cavalo é um grande *animal saltador,* quase como se fosse um gafanhoto. Foi Jó quem equipou seus cavalos com esse poder? Além disso, o cavalo tem um relincho terrível, que pode lançar o medo no coração do inimigo, mesmo que a longa distância. A figura naturalmente é a da guerra. O cavalo serve muito bem ao homem na guerra e ajuda-o a vencer as batalhas. Os cavalos do deus Netuno caracterizavam-se por suas habilidades no salto (Homero, *Ilíada,* 13. v.31). Jl 2.4 compara o cavalo a um gafanhoto. Os cavalos são tão bons saltadores que um esporte foi inventado para exibir isso, e muitos ganham dinheiro com cavalos saltadores. Os homens veem certa beleza nos saltos dos cavalos e pagam dinheiro a pessoas habilidosas que os fazem dar belos saltos.

Ademais, os cavalos têm fogo nas narinas e bufam espantando os inimigos. Há uma bela linha composta por Virgílio (*Geog.* iii. vs. 85) que descreve essa habilidade:

Collectumque premens volvit sub naribus ignem.

Essas palavras significam:

E em suas narinas rolos coligem o fogo.

■ 39.21

יַחְפְּרוּ בָעֵמֶק וְיָשִׂישׂ בְּכֹחַ יֵצֵא לִקְרַאת־נָשֶׁק׃

Escarva no vale, folga na sua força. Outra característica do cavalo é o seu ato de escarvar o chão nervosamente quando está excitado ou, presumivelmente, irado. Seja como for, o animal, com seu escarvar, dá a nítida impressão de que está *ansioso* para entrar na batalha e no derramamento de sangue. Somos informados de que os cavalos de corrida realmente desfrutam da competição, e que o rugido das multidões lhes dá forças extremas para vencer. Mesmo à distância, quando um cavalo corredor ouve o ruído da multidão ele sapateia, ansioso por entrar na corrida. Assim também, os cavalos de guerra gostam de sua profissão e ficam excitados por matar, conforme os homens, segundo se presume. "Resfolegando, o cavalo sente o odor da batalha à distância e ouve os comandos. A natureza espirituosa da poesia, nesses versos, equipara-se à vitalidade do cavalo. Visto que Jó era inferior ao cavalo, certamente era inferior ao Criador do cavalo" (Roy B. Zuck, *in loc.*).

Lactâncio (*Instit.* 1.3, cap. 8) diz-nos que é óbvio que os cavalos exultam quando seus soldados vencem uma batalha e *entristecem-se* quando perdem. Talvez um homem acostumado às lides da guerra pudesse informar do que Lactâncio estava falando. Imagino que um cavalo seja uma animal inteligente, que parece estúpido apenas porque não recebeu boa educação. Experiências feitas com a inteligência dos cavalos têm provado alguns fatos admiráveis sobre eles. De fato, a cabeça dos cavalos é grande o suficiente para conter um cérebro bastante sofisticado. Mas, de que adianta um cérebro grande, se ele não for treinado pela educação? Tomemos, pois, uma lição de um cavalo: Eduquemos bem nossas crianças, dando-lhes a chance de competir neste mundo hostil.

■ 39.22

יִשְׂחַק לְפַחַד וְלֹא יֵחָת וְלֹא־יָשׁוּב מִפְּנֵי־חָרֶב׃

Ri-se do temor, e não se espanta. Embora um cavalo comum possa assustar-se diante de algum acontecimento fortuito, os *cavalos de guerra* não o fazem. Eles são cidadelas de coragem, gostam da violência. Um homem voltará as costas para a batalha, por medo, mas um cavalo *ri-se do medo.* Um cavalo não desanima por causa de condições desesperadoras. Ele não teme a morte; enfrentá-la é um prazer. A espada não o assusta, e lanças são como brinquedos para ele. Um bom cavalo de guerra é corajoso e temerário. Um bom dia de batalha é melhor para um cavalo de guerra do que ficar pastando nos campos. Um bom cavalo de guerra anseia por outro dia no vale (vs. 21), onde os homens efetuam a guerra, porque ele desfruta da matança. Ele gosta de guerras. Não pode dizer-nos isso, mas mostra brilho nos olhos, enquanto empina, fogoso. Quando a batalha termina, ele volta cansado e suado, todo coberto de sangue, mas feliz com tudo o que sucedeu. Ele, então, como que pergunta ao cavaleiro: "Quando teremos outro dia como este?" Esse cavalo, em seu estábulo, sente-se muito infeliz. Ele gosta de ação. Não foi por acidente que os egípcios fizeram do cavalo símbolo de coragem e ousadia (Clemente Alex. *Stromat.* 1.5, par. 567).

■ **39.23**

עָלָיו תִּרְנֶה אַשְׁפָּה לַהַב חֲנִית וְכִידֹון׃

Sobre ele chocalha a aljava. O cavalo de guerra sai à batalha enfeitado com armas. Seu cavaleiro leva essas armas, e o cavalo transporta cavaleiro e armas, com orgulho e alegria. Essas coisas constituem suas vestes especiais, que os cavalos de fazenda desconhecem inteiramente. Quando o inimigo atira suas flechas e dardos, e quando outro cavalo corre com o cavaleiro erguendo uma lança para matar, o cavalo *ri-se* de tal esporte. O cavalo gosta de todos os aparatos da guerra e sabe bem como eles são usados. Ele enfrenta a questão com coragem e determinação e não teme morrer.

> Com olhos destemidos, ele pesquisa a turma rebrilhante,
> E olha diretamente para o rebrilho do elmo;
> Ele conhece as palavras de seu senhor e as leis da guerra.
> E sabe onde deve estar, e quando deve carregar o inimigo.
> Virgílio, *Oppian Cyneget*, lib. 1, vs. 206

Aeliano (*De Animal.* 1.15, cap. 25) conta como os persas treinavam os seus cavalos para não terem medo dos ruídos da batalha, nem do entrechocar das armas, nem do arremesso das lanças.

■ **39.24**

בְּרַעַשׁ וְרֹגֶז יְגַמֶּא־אָרֶץ וְלֹא־יַאֲמִין כִּי־קֹול שׁוֹפָר׃

De fúria e ira devora o caminho. O cavalo corre, furioso, para o meio da batalha, sua coragem inchando-o como as ondas do mar. Ele "devora o caminho", isto é, em seu avanço veloz ele até parece engolir o terreno. "Ele avança pela planície com tal velocidade, que antes parece estar engolindo o terreno, do que estar correndo por sobre ele" (John Gill, *in loc.*). Quando a trombeta soa, chamando homens e cavalos à batalha, não se encontra um único cavalo relutante no campo. Embora alguns homens pareçam ter medo, seus cavalos avançam velozes para o terreno da matança.

> *Cada um corre a sua carreira como um cavalo que arremete com ímpeto na batalha.*
> Jeremias 8.6

■ **39.25**

בְּדֵי שֹׁפָר יֹאמַר הֶאָח וּמֵרָחוֹק יָרִיחַ מִלְחָמָה רַעַם שָׂרִים וּתְרוּעָה׃

Em cada sonido da trombeta. O admirável animal, o cavalo de guerra, assim que ouve a trombeta soar, convocando homens, animais e máquinas de guerra, *diz:* "Avante!" E lá se vão cavalo e cavaleiro novamente. A ação será divertida! O cavalo fareja, da batalha, o suor, a poeira e o sangue derramado. Ouve os sons de ordem bombástica que os capitães emitem, bem como os gritos dos soldados, e se deleita em mais um dia de matança. Talvez pensemos que o autor tenha exagerado, mas os estudos sobre os animais nos surpreendem, sendo perfeitamente possível que os cavalos possam ter todos esses sentimentos e ansiedades, bem como os prazeres, conforme indicado na atual passagem. Talvez o cavalo seja, realmente, uma *pessoa* capaz de pensar e sentir, que possa ser apanhado na alegria da guerra, conforme se dá com alguns soldados profissionais. Talvez seja errado chamar essas descrições de "poéticas", segundo fazem alguns intérpretes.

O FALCÃO E A ÁGUIA (39.26-30)

■ **39.26**

הֲמִבִּינָתְךָ יַאֲבֶר־נֵץ יִפְרֹשׂ כְּנָפָו לְתֵימָן׃

Ou é pela tua inteligência que voa o falcão...? *Vigésima Oitava Pergunta.* Duas perguntas, uma sobre o falcão e outra sobre a águia (essencialmente a mesma ave), perfazem a vigésima oitava inquirição feita pela voz divina. O conhecimento zoológico de Jó era realmente pequeno, pelo que as perguntas sobre zoologia eram irretorquíveis para ele. A ciência moderna tem respondido à maioria das perguntas desta seção *zoológica* (ver Jó 38.39—39.30). Os voos dos pássaros sempre foram fascinantes para os antigos e constituíam uma forma de adivinhação. A palavra portuguesa *augúrio* vem do vocábulo latino para pássaro, *avis.* A "ciência" do augúrio se propõe a prever os acontecimentos futuros, mediante a interpretação de *augúrios,* especialmente o voo dos pássaros. Ver no *Dicionário* o verbete chamado *Adivinhação.*

Gavião. Ver o artigo com este nome no *Dicionário.* Algumas traduções, em lugar de falcão, dizem "gavião". Estão em vista os voos individuais do pássaro, o que poderia prover augúrios; ou, talvez, a migração anual desse pássaro para o sul. Jó também nada sabia sobre essa ave e, uma vez mais, penetramos em terreno misterioso. Se o humilde falcão podia deixar Jó admirado, quanto mais poderia fazê-lo o *Criador* desse pássaro. Talvez houvesse razões para o sofrimento sobre as quais Jó nada sabia, de modo que foi encorajado a interromper suas queixas. Alguns pássaros, com propósitos de sobrevivência, têm o instinto de migração, porque a providência divina os supriu com essa propriedade.

> *A cegonha no céu conhece as suas estações; a rola, a andorinha e o grou observam o tempo da sua arribação; mas o meu povo não conhece o juízo do Senhor.*
> Jeremias 8.7

Estrabão falou de uma cidade onde o gavião era o *deus* principal (*Geogr.* 1.17, par. 562). Para Porfírio, o gavião era corretamente associado à adoração ao sol (*De Abstinentia,* 1.4, 9.1). Homero julgava o gavião um dos pássaros de voo mais rápido (*Ilíada* 5. vs. 238). Adam Clarke, *in loc.,* menciona certo nobre da sua época, possuidor de um gavião que voava todo o caminho de Londres a Paris em uma única noite! Seja como for, verdade ou não, os egípcios faziam dessa ave o emblema do *vento,* em seus hieróglifos.

■ **39.27**

אִם־עַל־פִּיךָ יַגְבִּיהַּ נָשֶׁר וְכִי יָרִים קִנּוֹ׃

Ou é pelo teu mandado que se remonta a águia. A águia é um pássaro voador campeão, que sobe no ar com notável velocidade, devido a asas incomumente poderosas. Além disso, para efeito de proteção, a águia arma seus ninhos onde nem o homem nem as feras podem chegar. Ela sobe até lá e voa ao redor, pelas vizinhanças, a fim de divertir-se. Mas, quando a fome a impele, eis que desce, caindo sobre algum animal que de nada suspeita. Os hábitos e as capacidades desse notável pássaro (símbolo de Roma e dos Estados Unidos) eram desconhecidos para Jó, o que serviu para deixá-lo ainda mais humilhado, a fim de ser restaurado algum dia. De muitas maneiras, esses animais realçaram um Jó *insignificante,* e esse foi um dos motivos para as perguntas feitas pela voz divina.

> *Quem da cova redime a tua vida e te coroa de graça e misericórdia; quem farta de bens a tua velhice, de sorte que a tua mocidade se renova como a da águia.*
> Salmo 103.4,5

> *Os que esperam no Senhor renovam as suas forças, sobem com asas como águias, correm e não se cansam, caminham e não se fatigam.*
> Isaías 40.31

Oh, Senhor, concede-nos tal graça! Ver sobre *Águia* no *Dicionário*. Parece claro que, por voar mais alto do que qualquer outro pássaro, a águia seja chamada de "o pássaro do céu". Apuleius (*Florida,* 1) acredita que o voo da águia é tão elevado que ela sai da zona do clima em que se encontra, livrando-se da chuva, do relâmpago e dos demais elementos que compõem nossas condições atmosféricas.

■ 39.28

סֶלַע יִשְׁכֹּן וְיִתְלֹנָן עַל־שֶׁן־סֶלַע וּמְצוּדָה:

Habita no penhasco onde faz a sua morada. Lá no alto, em reentrâncias das montanhas, onde nenhum outro animal ou o homem podem chegar, esse notável pássaro faz seu ninho. O que a águia fará lá em cima? Jó por certo não sabia responder. Nesse caso, como saberia o que estava acontecendo no céu, onde Deus se encontra? Como poderia proferir palavras altivas sobre a justiça divina? O ninho da águia é uma cidadela, por causa de sua elevadíssima posição. O céu protege a águia e também o homem bom, embora possa haver reveses. A águia é *inacessível,* embora o amor de Deus, que está no céu, não o seja.

■ 39.29

מִשָּׁם חָפַר־אֹכֶל לְמֵרָחוֹק עֵינָיו יַבִּיטוּ:

Dali descobre a presa. As aves de rapina possuem visão proverbialmente aguda, embora Adam Clarke, *in loc.,* tenha exagerado ao declarar: "Diz-se que a águia tem uma visão tão aguçada que, quando está alto no céu, um homem não pode vê-la, mas *ela* pode ver um pequeno peixe na água!" Sabemos também que as aves de rapina noturnas podem ver a *aura* (o campo luminoso que cerca todas as coisas vivas), pelo que podem atingir, *à noite,* algum *alvo visível* apenas para elas. Porém, se alguém expuser um pouco de carne morta no campo, a águia não poderá enxergá-la.

Horácio (livro 1. *Sat.* iii) satirizou a aguda visão do *homem,* o qual pode ver os vícios de outras pessoas, mas não os seus próprios! Compare-se essa visão aguçada com a visão de uma águia. Homero (*Ilíada,* xvii) chamou a águia de "pássaro de visão mais aguçada de todas as aves do céu".

■ 39.30

וְאֶפְרֹחָיו יְעַלְעוּ־דָם וּבַאֲשֶׁר חֲלָלִים שָׁם הוּא: פ

Seus filhos chupam sangue. Mamãe águia ensina seus filhotes a serem aves de rapina. Não precisamos tomar a expressão "chupam sangue" de modo muito literal, pois isso apontaria para o abutre, e não para a águia. Mas é que uma mesma palavra hebraica aponta para ambas as espécies de aves. Cf. Jó 9.26. Esses dois pássaros se deleitam durante as refeições sangrentas de um animal morto recentemente, ou mesmo há algum tempo. Cf. este versículo com Mt 24.28 e Lc 17.37. Jesus parece ter essa referência em suas declarações. Fausset (*in loc.*) disse que a águia-mãe traz o *sangue* das vítimas aos filhotes, antes que eles possam alimentar-se de carne. Mas eu, a exemplo de Jó, ignoro essas coisas, pelo que não sei se isso expressa verdade ou não. Além disso, também não sei se John Gill (*in loc.*) está correto ou não, ao afirmar que as águias não gostam de beber água, pois sorvem todo o líquido de que precisam ao beber o *sangue* de suas vítimas.

"Agora o poeta completou sua galeria de belas descrições da vida animal, todas designadas para dar a Jó, o herói do livro, um senso de sua insignificância, e agora retorna à questão essencial, mediante a qual Yahweh desafiou diretamente Jó" (Samuel Terrien, *in loc.*).

CAPÍTULO QUARENTA

PRIMEIRO DISCURSO DIVINO (40.1-5)

Jó 40.1-6 encerra o *primeiro* discurso divino. As mais de *setenta perguntas* continuam tencionadas a humilhar o arrogante Jó e, pela humilhação, levá-lo à restauração, o que ocupa a parte final do livro. Quanto à introdução aos discursos divinos, ver o começo da exposição sobre o capítulo 38. Naquele ponto, dou informações detalhadas, pelo que não as repito.

"O primeiro discurso de Deus começou com uma repreensão e um desafio (cf. Jó 38.2,3), e também concluiu com uma repreensão e um desafio. A repreensão tem a forma de uma pergunta. *Aquele que contende* refere-se a Jó. Por duas vezes (Jó 10.2 e 23.6), Jó considerou a contenção de Deus com ele (Jó 10.1), marcando um caso de tribunal. Agora, porém, ironicamente, Deus fez as acusações se voltarem contra Jó. Cf. as palavras de Eliú: "Por que contendes com ele...?" (Jó 33.13). Como podia Jó ousar acusar Deus de alguma coisa? Visto que Jó tinha acusado Deus, deveria *responder* a essas perguntas (de maneira que temos o "responde-me" de Jó 38.3 e 40.7).

JÓ É SILENCIADO (40.1-5)

O Desafio Final (40.1,2)

■ 40.1

וַיַּעַן יְהוָה אֶת־אִיּוֹב וַיֹּאמַר:

Disse mais o Senhor a Jó. Continua aqui o primeiro discurso divino, que logo terminará, e no vs. 6 começará o segundo discurso, que se estenderá até Jó 42.6. É *Yahweh* quem está falando, mostrando-nos que o autor esperava que seu livro fosse lido pelos hebreus, para quem Yahweh era um nome especial de Deus. Ver sobre esse nome no *Dicionário.* Ver também ali o verbete *Deus, Nomes Bíblicos de.*

■ 40.2

הֲרֹב עִם־שַׁדַּי יִסּוֹר מוֹכִיחַ אֱלוֹהַּ יַעֲנֶנָּה: פ

Acaso quem usa de censuras contenderá com o Todo-poderoso? Quanto a explicações sobre este versículo, ver o segundo parágrafo da introdução ao capítulo. Jó e Deus contendiam com acusações e contra-acusações. Jó agora aceitou a reprimenda, visto que sua ignorância era tão profunda, e silenciou completamente. Sua arrogância começou a dissipar-se. Finalmente, Jó chegou a um lugar onde poderia ser restaurado e receber prosperidade, pelo que a graça divina ganhou no final. Jó, o *achador de faltas* (*Revised Standard Version*), acusou Deus de injustiça arbitrária, porquanto era um homem inocente, que estava sofrendo sem causa (ver Jó 2.3). Porém, continuava havendo enigmas em toda a situação, que sua mente não era capaz de perscrutar; até hoje, nossa mente continua a debater-se com o *Problema do Mal* (ver no *Dicionário*). Responder por que os homens sofrem e por que sofrem como sofrem, é um dos mais difíceis problemas da filosofia e da teologia. Devemos adicionar a isso a indagação: Por que os *inocentes* sofrem? Jó não olhou para alguma existência além da vida terrena, como solução para esse problema, nem para recompensas no "mundo além", embora em Jó 19.25,26 ele tenha chegado a ver a possibilidade da sobrevivência da alma. Portanto, sem a dimensão eterna (onde todas as coisas podem ser remediadas e curadas), o problema do mal é *insolúvel.* De fato, o livro de Jó não oferece solução a esse problema, embora dê algumas sugestões valiosas. Ver a seção V da *Introdução* ao livro.

■ 40.3,4

וַיַּעַן אִיּוֹב אֶת־יְהוָה וַיֹּאמַר:

הֵן קַלֹּתִי מָה אֲשִׁיבֶךָּ יָדִי שַׂמְתִּי לְמוֹ־פִי:

Então Jó respondeu ao Senhor. Jó, o homem arrogante, agora totalmente humilhado, respondeu com o devido respeito. Ele não foi capaz de responder às perguntas divinas, que versavam sobre coisas na natureza; como poderia falar com tanta confiança sobre coisas no céu, e como poderia chamar Deus de injusto e cruel? Ele chegou a ver sua condição real como um ser mortal "vil" (*King James Version*) ou de "pequena importância". O hebraico é *qalal,* algo insignificante, pequeno, sem importância. Essa palavra pode ter má conotação e significar *pecaminoso;* mas, se esse é o sentido desse vocábulo hebraico, então uma palavra melhor poderia ter sido escolhida. Jó, despertado pelas perguntas divinas, passando a enxergar as coisas sob uma perspectiva mais aguçada, pôde ver a si mesmo com mais clareza, e viu virtualmente nada. Portanto, ele pôs a mão sobre a boca para silenciar e parar de ter conversas infantis sobre o Ser divino. Este versículo não parece significar que Jó estava chamando a si mesmo de *transgressor*, o que ele negou coerentemente por todo o livro. Antes, ele via a si mesmo como criatura *indigna* de indagar Deus, e *assim caiu em silêncio*. Naturalmente, Jó era um pecador, como o são todos os homens, mas os seus pecados não eram a causa de seus imensos sofrimentos. Ele já havia sido declarado inocente. Estava sofrendo "sem causa" (ver Jó 2.3), segundo a estimativa do próprio Yahweh.

Ponho a mão na minha boca. Cf. esta declaração com Jó 21.5 e Jz 18.19. Esse gesto de silêncio prevalece até hoje como um ato humano comum.

> *Todas as nações são perante ele como cousa que não é nada; ele as considera menos do que nada, como um vácuo.*
>
> Isaías 40.17

Por outro lado:

> Sentimos que nada somos, pois tudo és tu e em ti;
> Sentimos que algo somos, isso também vem de ti.
> Sabemos que nada somos, mas tu nos ajudas a ser algo.
> Bendito seja o teu nome — Aleluia!
>
> Alfred Lord Tennyson

40.5

אַחַת דִּבַּרְתִּי וְלֹא אֶעֱנֶה וּשְׁתַּיִם וְלֹא אוֹסִיף: פ

Uma vez falei, e não replicarei. As expressões "uma vez" e "duas vezes" não devem ser tomadas literalmente de forma numérica. Jó havia falado por *muitas vezes* em protesto contra a suposta injustiça de Deus, por causa de seus imensos sofrimentos. Mas dizer "uma vez", e logo em seguida, "duas vezes" significa *por repetidas vezes*. Ele continuara a falar bobagens, em sua ignorância. Agora, porém, resolveu cortá-las. "Nunca mais Jó se aproximaria de Deus como se fosse um príncipe augusto" (Jó 31.37). Jó admitiu não poder replicar a Deus, conforme Deus o desafiara (ver Jó 38.3 e 40.2). Sua réplica era, agora, o silêncio. Cf. este versículo com Jó 23.14. Embora Jó não estivesse sendo punido por causa de alguma transgressão, "tudo é impureza na presença de Vossa Majestade" (Adam Clarke, *in loc.*), e isso força um homem arrogante ao silêncio.

> *Eis que Deus não confia nos seus servos e aos seus anjos atribui imperfeições; quanto mais àqueles que habitam em casas de barro, cujo fundamento está no pó, e são esmagados como a traça!*
>
> Jó 4.18,19

Jó não era culpado de falhas morais (ver como ele nega isso no capítulo 31). Mas era culpado de insolência teológica.

SEGUNDO DISCURSO DIVINO. A PRESENÇA DE DEUS GARANTE A SOLUÇÃO FINAL PARA O PROBLEMA DO MAL (40.6—42.6)

Ver a introdução aos discursos divinos, no início da exposição sobre o capítulo 38, onde dou um sumário das essências. Ver a seção V da *Introdução*, quanto às contribuições do livro de Jó para o problema do mal. Esta seção continua com as mais de *setenta* perguntas divinas que Jó não pôde responder, e seu estado de humilhação é confirmado. Ele seria restaurado (informação dada no epílogo; ver Jó 42.7-17), mas, primeiro, teve de assumir seu lugar apropriado como pobre mortal, quedando-se admirado diante do poder e da sabedoria divina que subitamente lhe foram reveladas.

O *tema principal* do livro de Jó é: Continuará um homem a adorar a Deus *se* não tiver razões egoístas para fazê-lo, e *se* não obtiver algo para si mesmo? Ver na *Enciclopédia de Bíblia, Teologia e Filosofia* o verbete chamado *Egoísmo*. Satanás havia dito a Deus que Jó o amaldiçoaria em sua face, se viesse a sofrer sem causa e não visse mais vantagem em ser um homem piedoso (ver Jó 1.11 e 2.5). Os duros discursos de Jó sem dúvida contêm elementos blasfemos, pelo menos contra o conceito voluntarista de Deus, por parte dos hebreus. De acordo com essa compreensão do Ser divino, Deus é *vontade pura*, e a razão não influencia tanto assim as suas decisões. Deus faz aquilo que quiser, e o que ele quer automaticamente torna-se correto, porque ele assim o deseja. Nosso conceito neotestamentário de Deus ultrapassou o voluntarismo. Seja como for, o livro retorna a seu *tema principal* em Jó 40.8 ss. Nada é dito sobre a questão de maneira direta, mas pode-se supor que, embora arrogante, Jó não se tenha rebaixado a uma blasfêmia fatal, nem tenha corrido para o ateísmo, conforme fazem tantas pessoas quando estão sob testes severos. O problema do mal é naturalmente um corolário necessário à questão da *adoração desinteressada*, e é sobre esse problema que o livro de Jó se demora, do começo ao fim.

Parece fora de lugar que a voz divina tenha voltado às suas indagações. Por isso, alguns intérpretes supõem que um editor posterior tenha adicionado material ao documento original. Outros eruditos imaginam que o material fizesse parte autêntica do autor original, mas foi deslocado de sua posição natural, antes das declarações concludentes de Jó 40.1-5. Por que o autor sacro teria continuado com suas ilustrações *zoológicas*, (ver Jó 38.39—39.30) constitui um mistério. Por outra parte, talvez o documento original simplesmente não tivesse a simetria que gostaríamos de impor a ele. A maioria dos autores têm segundos pensamentos, e algumas vezes retornam aos temas antigos, a fim de não esquecer alguma coisa de valor. Talvez seja isso o que aconteceu aqui. De qualquer maneira, para atingir as setenta perguntas ou mais, temos de subdividir as relativas ao *hipopótamo* (capítulo 40) e as atinentes ao *crocodilo* (capítulo 41). A identidade de ambos é controvertida, e talvez tenhamos ali animais de significação mística, e não meros animais terrestres. Anoto sobre essas questões ao chegar às palavras relativas a esses animais (ver Jó 40.15 e 41.1).

Seja como for, chegamos agora ao final de uma grande peça literária de poesia antiga, universalmente reconhecida por sua excelência literária. Ademais, esse é o único livro proveniente da antiguidade que trata essencialmente de certo problema vexatório: Por que os homens sofrem e por que sofrem conforme sofrem?

40.6

וַיַּעַן־יְהוָה אֶת־אִיּוֹב מִן סְעָרָה וַיֹּאמַר:

Então o Senhor, do meio de um redemoinho. Este versículo, que introduz o segundo discurso divino, é igual ao versículo que introduziu o primeiro discurso. Ver Jó 38.1 quanto à exposição.

"Tal como no primeiro discurso de Deus, este inclui um desafio (ver Jó 40.6,7), uma repreensão (ver Jó 40.8-14) e perguntas sobre a natureza (ver Jó 40.15—41.34). O primeiro discurso de Deus apontava para a criação inanimada e para a animada. Essa oração chamou a atenção de Jó para dois animais. Diferentemente do primeiro discurso, este não termina com uma repreensão final e um desafio (ver Jó 40.2)" (Roy B. Zuck, *in loc.*).

40.7

אֱזָר־נָא כְגֶבֶר חֲלָצֶיךָ אֶשְׁאָלְךָ וְהוֹדִיעֵנִי:

Cinge agora os teus lombos como homem. Este versículo é idêntico a Jó 38.3, que faz parte da introdução ao primeiro discurso divino. Ver ali a exposição.

40.8

הַאַף תָּפֵר מִשְׁפָּטִי תַּרְשִׁיעֵנִי לְמַעַן תִּצְדָּק:

Acaso anularás tu, de fato, o meu juízo? *Vigésima Nona Pergunta*. Seria Jó culpado de adoração e serviço divino egoístas? "As novas indagações de Yahweh penetram até o âmago do problema apresentado pelo livro de Jó e delineiam com grande clareza a sua configuração: o propósito do livro não era essencialmente discutir o sofrimento dos inocentes ou a prosperidade dos ímpios e, sim, meditar sobre o significado da *religião pura* (ver sobre 1.9) e, por conseguinte, sobre a justificação pela fé" (Samuel Terrien, *in loc.*).

Naturalmente, o dr. Terrien exagera um pouco, porque o livro não aborda a questão da salvação da alma (sobre cuja questão não oferece nenhum ensinamento), mesmo porque isso seria anacronismo. Os princípios apresentados no livro, no entanto, podem tocar nesses elementos, quanto a essa *maneira de pensar*. Jó asseverou sua própria inocência, mas pôs em dúvida a questão da justiça de Deus. Ver Jó 19.6,7 e 27.2. Ele *condenou* Deus por fazê-lo sofrer e por fazer prosperar os ímpios. Ele tinha dito que o bem ou o mal não faziam nenhuma diferença. No fim, *tanto o bom quanto o ímpio* seriam destruídos pelo Deus de vontade arbitrária (ver Jó 9.22). Jó se apresentou como modelo de virtudes, mas suas amargas acusações o tornavam culpado de insolência teológica. Ele não era um transgressor, mas sua arrogância deixava atônitos os circunstantes, e o colocava em posição embaraçosa. Suas queixas modificariam sua adoração pura? Sua adoração era, verdadeiramente, desinteressada, ou Satanás tinha vencido em sua argumentação?

■ **40.9**

וְאִם־זְרוֹעַ כָּאֵל ׀ לָךְ וּבְקוֹל כָּמֹהוּ תַרְעֵם׃

Ou tens braço como Deus...? *Trigésima Pergunta.* Poderia Jó, aquela criatura sem valor, ser comparado a Deus? Tinha ele um braço como o braço de Deus? Em outras palavras, tinha ele *poder* como Deus é poderoso? A onipotência divina está em mira aqui (ver Is 53.1). Quanto poder tinha aquele verme, Jó? Naturalmente, o antigo filósofo falava sobre "o poder é direito", e isso faz parte do conceito voluntarista de Deus. Ver na *Enciclopédia de Bíblia, Teologia e Filosofia* o verbete intitulado *Voluntarismo.*

Jó quase se autodeificava, comparando, desfavoravelmente, Deus *consigo mesmo.* Se Jó fosse Deus, sem dúvida endireitaria o mundo e cuidaria para que a justiça fosse feita. Na verdade, porém, faltavam-lhe o poder e a sabedoria para conseguir realizar esse feito. Ele não contava com o *trovão* de Deus, ou seja, o *poder manifestado* pela sua palavra, no mundo, e referido poeticamente. Ver a voz de Deus, representada pelo trovão, em Jó 37.4.

> *Ouve-se a voz do Senhor sobre as águas; troveja o Deus da glória.*
> Salmo 29.3

Braço, símbolo de força e de aplicação eficaz de poder. Cf. Jó 38.15; Sl 89.13; Is 40.10. *Mão* tem o mesmo sentido. Quanto a isso, ver Jó 40.14.

> *O teu braço é armado de poder, forte é a tua mão, e elevada, a tua destra.*
> Salmo 89.13

■ **40.10**

עֲדֵה נָא גָאוֹן וָגֹבַהּ וְהוֹד וְהָדָר תִּלְבָּשׁ׃

Orna-te, pois, de excelência e grandeza. Jó é ironicamente retratado aqui como se estivesse no processo de deificação. Jó obteria a majestade de Deus, sua excelência, sua glória e sua beleza. Como Deus, ele tem de agir e realizar coisas divinas, derrubando inimigos poderosos, ordenando a natureza, punindo os ímpios e fazendo outras coisas semelhantes. Somente se Jó realmente pudesse agir como Deus, é que Deus lhe conferiria o direito de fazer discursos ribombantes, como os que Jó estava fazendo. Somente então sua destra poderia salvá-lo (vs. 14). Não está em pauta a salvação da alma. Antes, estão em vista o livramento dos sofrimentos e o tornar-se o senhor de sua própria sorte. Porém, visto que seria um absurdo pensar em um Jó deificado, também seria pensar em um Jó a salvar a si mesmo e a controlar o seu próprio destino. Essas coisas, Jó teria de deixar nas mãos de Deus, o qual tem a sabedoria e o poder para produzi-las. Naquilo tudo havia *enigmas,* estejamos certos, mas não solucionados pela arrogância do homem.

O propósito desta porção do discurso divino era humilhar Jó mais ainda, para que finalmente ele pudesse ser exaltado.

> *Humilhai-vos, portanto, sob a poderosa mão de Deus, para que ele, em tempo oportuno, vos exalte.*
> 1Pedro 5.6

> Se eu fosse Deus...
> Não haveria mais o adeus solene,
> A vingança, a maldade, o ódio medonho,
> E o maior mal, que a todos anteponho,
> A sede, a fome da cobiça infrene!
> Eu exterminaria a enfermidade,
> Todas as dores da senilidade;
> A criação inteira alteraria,
> Se eu fosse Deus.
> Martins Fontes, Santos, 1884-1937

■ **40.11,12**

הָפֵץ עֶבְרוֹת אַפֶּךָ וּרְאֵה כָל־גֵּאֶה וְהַשְׁפִּילֵהוּ׃

רְאֵה כָל־גֵּאֶה הַכְנִיעֵהוּ וַהֲדֹךְ רְשָׁעִים תַּחְתָּם׃

Derrama as torrentes da tua ira. Jó, deificado e transformado no Poder Supremo, teria a responsabilidade de punir todos os arrogantes pecadores, derramando sua ira até encher o mundo inteiro e transbordar. Todo homem orgulhoso seria aviltado e humilhado (vs. 12). Os que tivessem explorado e prejudicado outros seriam devastados pelos relâmpagos divinos. Os que tivessem pisado outros sob os seus pés seriam pisados pelo pé divino. Sem dúvida, *se Jó fosse Deus,* ele teria de fazer todas essas coisas. Além disso, nada haveria do que Jó pudesse queixar-se, porquanto existiria *justiça* absoluta. E, naturalmente, nenhum inocente sofreria. O caos não tocaria nele e nenhum golpe divino se aproximaria dele. Não obstante, a justiça divina não opera dessa maneira, e *imediatamente.* Permanecem enigmas, que não podemos compreender. Talvez Deus esteja esperando que os ímpios se arrependam e sejam curados. Talvez a graça e a misericórdia, agora mesmo, no caso de muitos, sejam, na economia divina, melhores que o julgamento imediato. Entretanto, Jó não usou de paciência e golpeou sem nenhuma pausa. Deus teria sido acusado de negligência, por não haver punido os ímpios (ver Jó 21.29-31 e 24.1-17). O texto sugere razões para isso, sobre as quais Jó nada sabia. Algumas vezes, a cura pode ser efetuada sem que o indivíduo seja esmagado. Seja como for, Deus não está com pressa.

> *... o mau é poupado no dia da calamidade, é socorrido no dia do furor?*
> Jó 21.30

Além do mais, outra coisa que devemos relembrar é que somente pela *graça* de Deus não somos todos consumidos.

> *As misericórdias do Senhor são a causa de não sermos consumidos, porque as suas misericórdias não têm fim.*
> Lamentações 3.22

■ **40.13,14**

טָמְנֵם בֶּעָפָר יָחַד פְּנֵיהֶם חֲבֹשׁ בַּטָּמוּן׃

וְגַם־אֲנִי אוֹדֶךָּ כִּי־תוֹשִׁעַ לְךָ יְמִינֶךָ׃

Cobre-os juntamente no pó. Se Jó pudesse realizar a gigantesca tarefa de julgar a todos os homens, da maneira correta e no tempo certo, empurrando o rosto deles para o pó, em um gesto de ira pelos seus *pecados secretos,* então Yahweh confessaria a Jó que sua própria mão direita poderia salvá-lo. Somente se Jó tivesse tal poder, é que poderia ser seu *próprio salvador.* Contudo, não se fala aqui na salvação da alma, por meio da justificação pela fé, conforme alguns intérpretes cristianizam o trecho. Pelo contrário, Jó, o *homem salvo,* seria liberado de seus sofrimentos, por razões corretas e no tempo certo. Só a justiça e a misericórdia divina poderiam arranjar as coisas dessa maneira. Jó, porém, não tinha poder para efetuar seu próprio livramento, através das razões corretas.

No sepulcro. Nossa versão portuguesa muito provavelmente está correta, onde outras versões dizem "escondido". A *Revised Standard Version* diz "no mundo inferior", mas isso é apenas uma interpretação, que possivelmente tem induzido a pensarmos no *seol,* a residência das almas que partem deste mundo. Tal doutrina, entretanto, não fazia parte da teologia patriarcal, e "estar escondido no sepulcro" provavelmente é tudo quanto devemos entender aqui. Se Jó fosse Deus, ele produziria grande *retaliação* contra os ímpios e, depois de puni-los, os limitaria ao "lugar secreto do sepulcro", onde ficariam escondidos do olhar dos homens. O dia da arrogância deles terminaria, assim, na noite eterna do sepulcro.

O vs. 14, naturalmente, apresenta certo *princípio* de operação divina que antecipa a justificação pela fé, mas não registra nenhuma noção da salvação da alma neste texto.

O HIPOPÓTAMO (BEEMOTE) (40.15-24)

No original hebraico, *behemoth* vem da palavra egípcia *p-e-mu*, que significa "cavalo de água", o equivalente à palavra portuguesa derivada do grego *hippos* (cavalo) e *potamos* (rio). Temos nessa palavra, tão somente, um *hipopótamo*, e alguns intérpretes pensam que devemos pensar literalmente no animal (*beemote*). Por outro lado, o próprio texto sagrado diz mais do que estaríamos dispostos a falar sobre qualquer tipo de animal. Portanto, estão corretos os intérpretes que insistem em que o autor sagrado não retornava meramente às suas *indagações zoológicas* (ver Jó 38.39—39.30), mediante as quais Yahweh já teria deixado o pobre Jó confuso e humilhado. Mas, de maneira bastante óbvia, o autor sagrado avança para uma categoria diferente: um animal mitológico, algum tipo de personificação do mal, talvez, ou um poder sobrenatural como o *caos*, acerca do qual Jó naturalmente nada sabia. Essa *diferente categoria de animais* se estende ao *leviatã* (o crocodilo), referido no capítulo 41, o qual não é somente um animal terrestre nesta passagem bíblica. Foram formuladas novas perguntas, sobre as quais os homens nada sabem. Essas perguntas nos deixam perplexos, entrando nos mistérios da fé mitológica. Isso não equivale a dizer que os povos antigos deixassem de acreditar em tais monstros semidivinos somente porque, *agora*, nós os chamamos de mitológicos.

"O poeta tinha em mente uma criatura de significação mítica, e não um mero representante de alguma espécie animal, embora ele tivesse concebido esse animal de acordo com a imagem do hipopótamo. A palavra em foco está no plural, sendo uma instância do plural de majestade, e significando 'o colosso de animal por excelência'. O monstro em questão é uma criatura de Yahweh, tal como Jó o era (vs. 15). Nenhum dos animais primevos originou-se fora do ato criador de Deus... O beemote aqui mencionado não é um animal similar aos referidos no primeiro discurso, mas um *monstro ímpar*, uma 'obra-prima dos feitos de Deus' (vs. 19). Apesar de alguns detalhes das descrições sugerirem um *hábitat* egípcio (loto, canas, rio, vss. 21-23), outros detalhes não dão essa impressão (montes, vs. 20; animais do campo, vs. 20; salgueiros do ribeiro, vs. 22; a vegetação das margens do rio Jordão, vs. 23). Seja como for, os egípcios eram bem-sucedidos na captura do hipopótamo comum, mas o poderoso crocodilo escapa de qualquer caçador humano (vs. 24)" (Samuel Terrien, *in loc.*).

Ver no *Dicionário* o artigo chamado *Beemote*, quanto a outros detalhes. Além do hipopótamo, esse animal tem sido identificado como um elefante, um rinoceronte, um brontossauro (espécie de dinossauro), um búfalo da água, mas nenhum animal terrestre realmente contém todas as descrições do texto sagrado.

O Estilo Diferente da Seção. A esta seção faltam perguntas, embora facilmente pudessem ter sido apresentadas sob a forma interrogativa, como na seção zoológica e em todas as demais seções. Isso pode indicar que o tratado sobre o beemote foi uma adição ao livro original de Jó, ou, então, que o mesmo autor sagrado adicionou a passagem com base em outra fonte informativa, não se tendo incomodado em apresentá-la na forma interrogativa. Seja como for, poderíamos reagrupar o material, transformando o trecho em um grupo de perguntas, e assim aumentaríamos o número das perguntas já apresentadas. Visto que o autor original ou editor subsequente não arranjou o material sob a forma interrogativa, não apresentarei nenhum trecho como perguntas. Note o leitor, entretanto, que o capítulo 41 volta a mostrar perguntas.

"Este retrato do beemote (como também a passagem que fala sobre o leviatã, Jó 41.1-34) pode ter recebido ampliação literária, mas desempenha parte integral no propósito do poeta: o Deus Criador controla todas as forças do mal, incluindo o caos, a despeito das aparências contrárias. O monstro primevo (cf. o vs. 19) não era apenas o hipopótamo, mas um símbolo mítico. *Que eu criei contigo* (vs. 15): o mistério do mal não é dissolvido, mas é claro que o controle divino abarca *todas as coisas*" (*Oxford Annotated Bible*, comentando sobre o vs. 15).

O leviatã também é associado ao *caos*, e isso quer dizer que até o caos está sob o *controle de Deus,* embora não saibamos dizer como. Ver Rm 8.20.

■ **40.15**

הִנֵּה־נָא בְהֵמוֹת אֲשֶׁר־עָשִׂיתִי עִמָּךְ חָצִיר כַּבָּקָר יֹאכֵל׃

Contempla agora o hipopótamo. *Trigésima Primeira Pergunta*. Que sabes sobre o poderoso beemote? Muitas subquestões podem ser compreendidas. O beemote (tal como o hipopótamo terrestre) come erva como o boi. Ver a elaborada introdução sobre a natureza desse animal, que, certamente, é uma criatura mitológica, e não algum animal terrestre. A palavra "beemote" significa "cavalo de água" (de origem egípcia), tal como o termo grego *hipopótamo*. Esse animal tinha algumas características comuns do hipopótamo, conforme demonstro na introdução anterior. O autor sagrado não estava somente dando continuidade à sua *seção zoológica* (ver Jó 38.39—39.30), conforme alguns supõem. Ele avança para uma *nova categoria* de animais com o *beemote* do capítulo 40, e com o *leviatã* do capítulo 41. Algumas indicações sugerem um *hábitat* egípcio, mas outras não o fazem. Não se pode localizar esse animal com precisão em nenhum lugar. Ver a introdução à seção.

Esta seção mostra-nos que Jó não podia submeter ao seu controle nem os animais inferiores (as perguntas zoológicas) nem os animais semidivinos. Ele não podia responder a perguntas acerca deles. Dessa forma, Jó foi totalmente humilhado, esperando subsequente exaltação e restauração.

Alguns intérpretes, debatendo-se com a identidade do animal e vendo que as características declaradas não se ajustam a nenhum animal conhecido, chegam à conclusão de que o animal em pauta foi *extinto*. Mas a explicação mitológica é provavelmente a mais correta. Foram trazidos à tona assuntos sobre os quais não temos nenhum conhecimento em nossos dias. Mas ouso dizer que Jó sabia muito bem o que estava sendo enfocado pelas referências ao *beemote* e ao *leviatã*. Ele sabia disso através da literatura e da tradição religiosa, mas não por haver descido até a beira do rio e contemplado as feras!

Que eu criei contigo. Os temíveis *beemote* e *leviatã* eram produtos da criação divina, tal como o são os homens. Portanto, esses animais vivem sob o *controle* de Deus. *Todas as coisas* estão sujeitas ao *controle* divino, incluindo o problema do mal, as *razões* do sofrimento humano, e outras coisas que parecem caóticas, de acordo com a estimativa humana, mas que foram ordenadas segundo a vontade divina. A *providência divina* é aqui afirmada como universal. Os homens percebem o caos. Deus vê um desígnio. Ver no *Dicionário* o verbete chamado *Providência de Deus*.

■ **40.16**

הִנֵּה־נָא כֹחוֹ בְמָתְנָיו וְאֹנוֹ בִּשְׁרִירֵי בִטְנוֹ׃

Sua força está nos seus lombos. O *poderoso beemote* tem poderosos músculos nos lombos e no estômago. O animal em questão é uma espécie de monstro semifísico, semidivino, talvez um protótipo do mal. Mas até o próprio beemote está sob o controle de Deus. Não dispondo de nenhuma outra referência literária nem tradições orais que aumentem nosso conhecimento acerca desse animal, resta-nos tentar adivinhar o que se pensava a respeito dele. As descrições, neste trecho, são essencialmente físicas, mas não cabem em nenhum animal físico. Devemos lembrar, entretanto, que os antigos misturavam, com grande facilidade, suas mitologias com objetos da "vida real", pelo que algo verdadeiramente temível, não humano ou não animal, poderia ter sido retratado como a nadar pelos rios da terra, comendo erva como o boi. Os deuses gregos com facilidade misturavam-se com os guerreiros, para dar-lhes a vitória ou causar-lhes a derrota. Esses deuses podiam ser vistos em algumas ocasiões, mas certamente não pertenciam à ordem natural das coisas. Atributos humanos eram, com frequência, conferidos a esses deuses, mas eles não eram meras criaturas humanas. Portanto, algo parecido se aplica ao *beemote* e ao *leviatã*. O estômago forte poderia aplicar-se ao hipopótamo, mas incorremos em um equívoco ao tentar "analisar" essa criatura temível.

■ **40.17**

יַחְפֹּץ זְנָבוֹ כְמוֹ־אָרֶז גִּידֵי פַחֲדוֹ יְשֹׂרָגוּ׃

Endurece a sua cauda como cedro. O beemote tinha uma cauda tão grande que se parecia com uma árvore de *cedro*! E gozava de um arranjo especial com os terminais nervosos de suas coxas, que eram costurados entre si, dando-lhe força física especial. As descrições ultrapassam as de um humilde hipopótamo, a menos que insistamos em que eles representem um *exagero poético*. Uma de minhas fontes informativas reduz a figura a um "ramo de cedro", em vez de uma árvore de cedro, para tornar o animal crível. Outros estudiosos chegam a falar na *tromba de um elefante*, o que torna um absurdo o texto sagrado. Mas a cauda do hipopótamo é pequena, e não gigantesca, conforme diz o versículo à nossa frente. Além disso, ele não sacode a cauda no ar, ameaçando seus adversários! Novamente, para explicar as descrições, alguns intérpretes continuam a falar em algum animal extinto. Antes, estamos tratando com alguma fera temível das histórias mitológicas, mas que eram tomadas a sério pelos povos antigos. Ver as observações introdutórias ao vs. 15. Ou então o animal é apenas *simbólico*.

■ 40.18

עֲצָמָיו אֲפִיקֵי נְחוּשָׁה גְּרָמָיו כִּמְטִיל בַּרְזֶל׃

Os seus ossos são como tubos de bronze. O beemote tinha ossos que se pareciam com o ferro. Nenhuma força humana podia partir um daqueles ossos, os quais garantiam força e estrutura que desafiavam qualquer caçador. Em outras palavras, o animal era invencível, não podendo ser preso pelo homem. Mas o que era verdade com relação ao beemote não era verdade com relação ao hipopótamo. Os egípcios capturavam com bastante facilidade o hipopótamo, com seus arpões e outras armas. Haverá algum animal terreno que o homem não tenha conseguido subjugar com suas armas? Alguns estudiosos veem no beemote uma espécie de dinossauro, mas não havia dinossauros no tempo de Jó. Alguns intérpretes veem aqui a *tromba* de um elefante, mas isso faz a questão cair no absurdo e não em uma interpretação. Outros veem os *dentes* de um animal qualquer, outra estupidez.

■ 40.19

הוּא רֵאשִׁית דַּרְכֵי־אֵל הָעֹשׂוֹ יַגֵּשׁ חַרְבּוֹ׃

Ele é obra-prima dos feitos de Deus. Esse maravilhoso "animal" é o "principal" dos animais terrestres. É difícil perceber de que forma tais descrições poderiam aplicar-se a animais como o elefante ou o hipopótamo, os quais, apesar de impressionantes, dificilmente poderiam ser considerados obra-prima de Deus.

O vs. 19 enfatiza o seguinte: 1. O animal em foco está *fora* da criação animal original. 2. Embora admirável, poderoso e, talvez, um modelo da maldade, é uma criação de Deus, ou seja, está sob o seu controle. 3. Os homens não têm armas que possam prevalecer contra o beemote. Nenhum homem pode capturar esse dragão, nem mesmo para obter a filha do rei como esposa! 4. Os atos criadores de Deus produzem algumas coisas admiráveis, sobre as quais o arrogante Jó não tinha nenhum conhecimento. Muitas perguntas poderiam ser formuladas sobre esse animal, e Jó não conseguia responder, deixando-o perplexo. Mas apenas a descrição do poderoso beemote teria sido o bastante para fazer isso. 5. Os sofrimentos de Jó eram monstruosos, fora do desígnio ordinário das coisas, mas também estavam sob o controle de Deus, e, de alguma maneira, debaixo dos desígnios divinos, tal como se dava no caso do beemote. O tecedor divino fez alguns desenhos em seu tapete, deixando perplexos os homens, mas há alguma razão para cada fio, para cada desígnio e para cada cor. 6. A *Providência de Deus* também pode deixar-nos perplexos. 7. Nenhum ser humano pode avizinhar-se do temível beemote, tal como nenhum homem pode aproximar-se de seu Criador, Deus. Mas a mão divina estende-se para os *homens*, no devido tempo, visando o seu bem.

Um hipopótamo adulto pode atingir quase 3.700 quilos, e nenhuma arma manual pode levá-lo ao cativeiro. Mas o texto não está limitando a questão a tais armas, a fim de fazer a descrição ajustar-se ao humilde hipopótamo.

■ 40.20

כִּי־בוּל הָרִים יִשְׂאוּ־לוֹ וְכָל־חַיַּת הַשָּׂדֶה יְשַׂחֲקוּ־שָׁם׃

Em verdade os montes lhe produzem pasto. O hipopótamo logicamente não é um animal *montês*, mas vemos aqui o beemote a correr pelas montanhas, junto com outros animais que, naturalmente, habitam aquele lugar, a caçar seu alimento. Alguns intérpretes, em seu desespero, levam o hipopótamo para as montanhas, pelo menos em *algumas* ocasiões. Mas isso é um absurdo para todos, exceto para os que têm a ideia fixa de que algum animal terrestre *deve* estar em vista. Uma de minhas fontes informativas destaca aqui os rios das montanhas, que trazem sustento para o animal, mas não é isso o que o texto sagrado está dizendo. E também não é verdade que o sustento alimentar do hipopótamo lhe é trazido por rios que descem dos montes. A ideia do texto parece ser a de que o monstro em pauta sai a caçar nos montes, e come outros animais que ali encontra. *Dessa maneira*, os montes lhe fornecem uma fonte de alimento. Assim disse Adam Clarke (*in loc.*), com uma anotação honesta: "Ele frequenta os lugares onde pode encontrar a maior parte de suas *presas*. Ele zomba de todas as feras do campo. Essas feras nem podem resistir à sua força nem escapar de sua agilidade". De novo, alguns intérpretes falham completamente, vendo o *elefante* a pastar nos montes, onde a *erva* cresce. Antes, o temível beemote caçava outros animais nos montes, transformando-os em refeições. O maravilhoso animal em foco, pois, é tanto carnívoro (vs. 20) quanto herbívoro (vs. 15).

Sessenta por Cento do Antigo Testamento. A exposição chega a essa marca com os comentários sobre Jó 40.20. Dou graças a Deus pela força física, mental e espiritual que me tem sido conferida para chegar onde cheguei hoje. Também agradeço pela equipe que me acompanha neste empreendimento, bem como pela saúde que eles têm desfrutado. Em algum tempo, atingiremos a marca dos 100%, e então veremos, uma vez mais, a boa terra de Dã a Berseba! A marca dos 60% foi atingida a 24 de maio de 1996: 13.888 versículos já foram comentados.

■ 40.21

תַּחַת־צֶאֱלִים יִשְׁכָּב בְּסֵתֶר קָנֶה וּבִצָּה׃

Deita-se debaixo dos lotos. Vários *hábitats* são ocupados pela espécie do ser brutal sendo descrita. O beemote é muito diversificado, não se sentindo feliz por confinar-se a um único *hábitat*. O presente versículo apresenta um tipo egípcio de habitação associado aos rios, mas também vimos que seu *hábitat* sobe as montanhas (vs. 20). As plantas eram os arbustos de *lotos*, uma flora típica das margens dos rios egípcios. Se contássemos somente com este versículo, pensaríamos corretamente no hipopótamo; mas vimos no vs. 17 que ele tinha uma cauda gigantesca; no vs. 20, que ele sobe pelas montanhas; no vs. 23, que ele habitava no minúsculo rio Jordão; e, no vs. 19, que ele é a obra-prima das criaturas de Deus, tudo apontando para algum outro animal, não o simples hipopótamo.

■ 40.22

יְסֻכֻּהוּ צֶאֱלִים צִלֲלוֹ יְסֻבּוּהוּ עַרְבֵי־נָחַל׃

Os lotos o cobrem com sua sombra. Os arbustos dos lotos ocultam o beemote do olhar de homens hostis ou, então, ele apenas gosta da sombra fornecida por esse arbusto. Ele estava entre os salgueiros do ribeiro, escondendo-se ou, talvez, apenas tendo um momento de privacidade. Além disso, podia estar caçando por ali, quando algum animal que de nada suspeitava se tornou o seu lanche.

■ 40.23

הֵן יַעֲשֹׁק נָהָר לֹא יַחְפּוֹז יִבְטַח כִּי־יָגִיחַ יַרְדֵּן אֶל־פִּיהוּ׃

Se um rio transborda, ele não se apressa. O grande beemote não se apressa, e para para beber abundantemente, pelo que até parece que engoliria um rio inteiro. Até mesmo quando bebia, o beemote era temível. Contudo, nossa versão portuguesa, acompanhando a *Revised Standard Version*, diz "Se um rio transborda, ele não se apressa", em vez de "beber", que combina com a *King James Version*. A versão portuguesa diz que o rio "transborda", mas o beemote não se assusta diante de fenômeno tão trivial. O rio *Jordão* se precipitaria na direção de sua boca, mas isso não perturba a tranquilidade do beemote. Que era um rio impetuoso contra aquele grande poder místico? O autor sagrado certamente está descrevendo alguma terrível fera semidivina, conhecida de Jó, mediante a literatura ou as tradições orais da época. O hipopótamo obviamente não tinha *hábitat* algum no rio Jordão, e é inútil dizer que o termo *Jordão* aqui empregado significa qualquer rio caudaloso. O *intuito* da descrição é afiançar que Deus *controla todas as forças,* naturais e sobrenaturais, de modo que o problema do mal também está dentro do escopo de sua providência. Jó, por conseguinte, não precisava desesperar-se. Havia esperança para ele, uma vez passada a tempestade.

40.24

בְּעֵינָיו יִקָּחֶנּוּ בְּמוֹקְשִׁים יִנְקָב־אָף׃

Acaso pode alguém apanhá-lo...? *O Beemote Era um Animal Invencível.* Nenhum homem podia pôr uma argola em seu nariz para amansá-lo e confiná-lo numa jaula. Ninguém podia pôr um arpão em suas costas e arrastá-lo para um jardim zoológico, no entanto os egípcios capturavam o hipopótamo com grande facilidade. O homem não consegue controlar a criação animal inferior, nem um animal mítico, nem mesmo os seus próprios impulsos. Portanto, como poderia Jó fazer o trabalho de Deus e trazer justiça a um mundo aparentemente caótico (vs. 10)? Essas palavras humilharam Jó, pelo que finalmente ele poderia ser exaltado e restaurado, não antes de ser disciplinado.

A *King James Version* diz "arpão" para a captura do beemote, mas o hebraico diz literalmente "olhos". Isso talvez signifique que nenhuma *atração* pode chamar a sua atenção, fazendo-o cair em uma armadilha. Ou, antes, pode referir-se à *cegueira* dos olhos com argila, um método de capturar crocodilos, e não os hipopótamos, de acordo com as informações dadas por Heródoto (ver *História,* II, 70). As palavras "lhe meter um laço pelo nariz" provavelmente seriam mais bem traduzidas por "com arpões". Esse método era usado contra o hipopótamo, mas a tremenda fera de Yahweh, neste capítulo, não podia ser capturada ou aprisionada. Como é óbvio, o original hebraico é difícil, podendo ter mais de uma tradução. A mensagem principal é clara: Deus exerça controle até sobre os poderes mais temíveis, males cósmicos e criaturas vivas. A *Providência de Deus* garante o benefício do homem bom, mas isso não significa que Jó não teria de passar por um teste disciplinador. Jó não era nenhum transgressor (ele estava sofrendo sem causa; ver Jó 2.3), mas se tornara arrogante e precisava ser humilhado. Além disso, poderia ser curado e restaurado, mas não *por si mesmo*. Somente o poder divino tinha capacidade para cumprir essa tarefa (ver o vs. 14).

CAPÍTULO QUARENTA E UM

O LEVIATÃ (41.1-34)

Continua neste capítulo o *segundo discurso divino,* que se estende até Jó 42.6. Ver as notas de introdução em Jó 40.15, onde o *beemote* está em vista. Ali demonstro que o poeta mudou sua atenção para uma *nova categoria* de poderes. Ele não estava apenas continuando sua seção zoológica (ver Jó 38.39—39.30). As descrições dadas vão além de qualquer coisa conhecida e natural, embora, com relação aos animais míticos, o que é físico e comum esteja misturado às descrições mitológicas. Até aos *deuses* eram conferidas qualidades e emoções humanas. Ver a exposição em Jó 40.15, quanto a uma argumentação completa. O leviatã certamente não é o humilde *crocodilo* a que alguns intérpretes o reduzem e, então, invocam descrições que não se ajustam aos "exageros poéticos". Antes, o autor sacro estava entrando nos relatos sobre semideuses, monstros míticos e coisas similares, que Jó pouco conhecia e, por alguma informação a respeito, saberia mais ou menos o que lhe estava sendo dito. Tais histórias faziam parte da atmosfera religiosa dos antigos. O ponto frisado nas passagens concernentes ao beemote e ao leviatã é que Deus controla todas as forças, cósmicas ou terrestres, não tendo sido apanhado de surpresa pelo problema do mal. Ele sabia muito bem por que os homens sofrem e por que sofrem como sofrem. E sabia muito bem por que os inocentes sofrem, embora boas respostas nem sempre estejam disponíveis, mediante tais *enigmas.* Ademais, a providência divina finalmente cuidará do *problema do mal* (ver a respeito no *Dicionário* bem como na seção V da *Introdução* ao livro de Jó).

A Identidade do Leviatã. 1. O *crocodilo.* Esta é a opinião mais comum dos intérpretes que querem evitar referências míticas. Mas devemos lembrar que o que é mítico para nós era assunto sério para os antigos, e os mitos eram e continuam sendo, pelo menos algumas vezes, veículos esplêndidos para comunicar verdades espirituais, tal como se dá no caso das parábolas. 2. Alguns intérpretes falam em um animal, atualmente extinto, *parecido com um dragão.* Como o fogo sai da boca e do nariz do leviatã (vss. 19,20), dificilmente ele pode representar um animal físico e real, sendo perfeito para retratar alguma fera mitológica. 3. O *lotão de sete cabeças* da mitologia ugarítica é um bom candidato. 4. A *baleia,* o *golfinho* ou algum *dinossauro marinho,* atualmente extinto, são pobres conjecturas que não se ajustam ao contexto.

O Caos. O texto sagrado certamente fala sobre os poderes do caos, animais marinhos míticos com frequência tinham esse simbolismo nas histórias antigas. A mensagem é que Deus tem poder sobre o caos ou sobre qualquer outra força, visível ou invisível. Portanto, a providência divina é garantida para o governo do mundo e de todas as criaturas inteligentes, incluindo Jó, o homem que sofria como vítima inocente. Uma vez humilhado, Jó ainda seria restaurado pela graça e pela misericórdia de Deus. Seu caso parecia de solução impossível, mas não estava acima da *Providência de Deus* (ver sobre esse tema no *Dicionário*).

O animal em questão está completamente além de qualquer coisa que conhecemos à face da terra: 1. não podia ser capturado (vss. 1 ss.); 2. produzia eclipses (ver Jó 3.8; 25.13); 3. estava associado às forças primevas do caos (ver Sl 74.14; Enoque 60.7-9; 2Baruque 29.4; 2Esdras 6.49-52); 4. a humanidade seria totalmente impotente diante dele (vs. 5; Sl 104.26); 5. ninguém ousava despertar o animal ou fazê-lo irar-se, porque as consequências seriam terríveis (vss. 10,11). Mas Deus o tinha sob controle. Ver a exposição em Jó 3.8. Só Deus pode controlar o *caos;* sua providência envolve até aquilo que deixa o homem tão perplexo.

O Tema Principal do Livro de Jó. Se as descrições sobre o problema do mal (por que os homens sofrem e por que sofrem como sofrem) ocupam a maior parte do livro, o tema principal do livro, do qual o problema do mal é corolário necessário, é a *adoração desinteressada.* Um homem pesadamente aflito reterá sua piedade ou irá se refugiar no ateísmo e amaldiçoará Deus (ver Jó 1.11; 2.5)? Um homem é totalmente controlado pelo *egoísmo* (ver a respeito na *Enciclopédia de Bíblia, Teologia e Filosofia*), a ponto de abandonar a fé religiosa, quando parece não mais servir a seus desejos pessoais? Nenhum ser humano pode ficar de pé diante do leviatã, nem confrontar o aparente *caos* que ele representa. Mas Deus joga com aquele poderoso animal e o controla com facilidade (ver os vss. 10 e ss.). O homem não pode conferir dons a Deus e, no entanto, é obrigado a adorá-lo. Deus pode negar dons aos homens, mas eles são forçados a adorá-lo mediante a fé. A adoração do homem precisa ser *desinteressada.* Esperamos pela graça, quando estamos sendo testados. Confiamos na razão, quando as coisas parecem irracionais. Estes versículos falam sobre a *sola gratia* (graça somente). Ver também as exposições em Jó 1.9 e 40.14.

Volta às Indagações. Acerca do beemote, nenhuma pergunta foi feita para confundir Jó. Mas as descrições poderiam ser formuladas sob a forma interrogativa, dando-nos novas perguntas que aumentariam para mais de *setenta* as que a voz divina fez a Jó, a fim de humilhá-lo. Mas, na passagem concernente ao leviatã, voltamos ao método das perguntas. A introdução a Jó 40.15 atribui significado (ou conjecturas) sobre o porquê do autor abandonar as *perguntas* na seção concernente ao beemote. Ver sob o título *O Estilo Diferente da Seção.*

41.1 (na Bíblia hebraica corresponde ao 40.25)

תִּמְשֹׁךְ לִוְיָתָן בְּחַכָּה וּבְחֶבֶל תַּשְׁקִיעַ לְשֹׁנוֹ׃

Podes tu, com anzol, apanhar o crocodilo...? *Trigésima Segunda Pergunta.* Nenhum homem pode *pescar* o leviatã e retirá-lo das águas. Na verdade, o leviatã é alguma espécie de fera gigantesca, que respira fogo (vss. 19,20), pelo que a ideia inteira de capturá-lo é simplesmente absurda. Quanto à sua *identificação,* e como ele e o beemote representam animais míticos, dotados de algumas características físicas, ver as introduções a Jó 40.15 e ao presente capítulo. O autor sagrado realmente tinha mudado para uma *nova categoria.* Ele não estava apenas aumentando sua seção zoológica (ver Jó 38.39—39.30). É ridícula a tentativa de eliminar as descrições que ultrapassam qualquer animal, extinto ou vivo, chamando-as de "exageros poéticos". Caros leitores, Jó não teria nenhuma razão para temer o hipopótamo (beemote) e o crocodilo comum (leviatã). Ver a exposição em Jó 3.8 para saber como devemos aproximar-nos de uma explicação. Não ignoremos o pensamento dos tempos antigos, impondo sobre tais passagens as ideias comuns que apreciamos, para aplicá-las a uma exegese, quando nosso conforto mental for ameaçado.

Ver sob o título *Caos*, anteriormente, especialmente o segundo parágrafo, quanto às qualidades do animal descrito que não se ajustam a nenhuma realidade terrena.

Algumas vezes os *crocodilos* eram apanhados por anzóis com chamarizes (Heródoto liv. ii. cap. 70), de maneira que os intérpretes se deixam enganar, atribuindo à passagem a presença daquele animal comum. Cordas eram usadas para fechar a imensa boca dos crocodilos, de modo que eles não pudessem ferir seus captores. Mas descrições que se prestam para falar dos crocodilos não podem ser usadas para anular as descrições que vão além do que poderíamos dizer sobre o animal ora descrito. Seja como for, é certo que o animal em questão *não poderia* ser apanhado conforme se fazia com o crocodilo, em cuja captura os antigos não encontravam nenhuma dificuldade.

■ **41.2** (na Bíblia hebraica corresponde ao **40.26**)

הֲתָשִׂים אַגְמוֹן בְּאַפּוֹ וּבְחוֹחַ תִּקּוֹב לֶחֱיוֹ׃

Podes meter-lhe no nariz uma vara de junco? *Trigésima Terceira Pergunta.* Podes levar o leviatã (o caos) até o cativeiro e fazê-lo obedecer-te? Podes amarrar-lhe o nariz com uma corda (*Revised Standard Version*) ou atravessar suas queixadas com um gancho? Essas coisas podiam ser feitas aos crocodilos, mas não ao leviatã. Note-se como os vss. 1,2 apresentam duas perguntas cada, mas eu as reduzo a uma pergunta cada. Ao multiplicar as questões, obtemos mais de setenta perguntas feitas por Deus (40.3—40.14; 40.15—41.34; 42.1-6, que continua o segundo discurso divino e adiciona mais perguntas). Essas perguntas foram proferidas para confundir e humilhar Jó, a fim que ele fosse finalmente curado e restaurado. Temos dois discursos divinos envolvidos: o *primeiro* (Jó 38.1—40.5) e o *segundo* (Jó 40.6—42.6).

Algumas feras são conduzidas, mediante o emprego de ganchos postos em seus narizes (ver Is 37.29; Ez 29.4), mas não era esse o caso do temível leviatã. Por que, pois, os intérpretes insistem em fazer do leviatã um crocodilo comum? O autor sagrado estava, como é claro, descrevendo algum animal *incomum*. Por que alguns intérpretes, a fim de obter *conforto mental* (a Bíblia não pode empregar um mito!), realizam uma *eisegese*, em lugar de uma *exegese*? Em outras palavras, eles leem no texto o que não está ali, a fim de evitar o que realmente está.

■ **41.3** (na Bíblia hebraica corresponde ao **40.27**)

הֲיַרְבֶּה אֵלֶיךָ תַּחֲנוּנִים אִם־יְדַבֵּר אֵלֶיךָ רַכּוֹת׃

Acaso te fará muitas súplicas. *Trigésima Quarta Pergunta.* Porventura o leviatã alguma vez te perguntará alguma coisa? O leviatã é uma fera independente. Ele não se sujeita à bondade do homem nem às provisões humanas para sua vida e bem-estar. É uma criatura que, quanto a certos aspectos, parece-se mais com Deus do que com o homem e com seu reino animal. Somente Deus é verdadeiramente *independente*, mas o leviatã é, pelo menos, muito mais independente do que o homem. Ele não se humilhará perante o homem, como um cavalo ou uma vaca se humilham, dependendo das provisões humanas quanto ao seu sustento. Ninguém pode capturar o leviatã, pelo que ele nunca pleiteará para que o libertem.

"Leviatã (não apenas um crocodilo ordinário) era o monstro marinho (ver Jó 3.8; 26.13; Sl 74.14) associado ao *caos*. Tal como o salmista (ver Sl 104.36), o poeta mostrou que aquele monstro era apenas um brinquedo aos olhos de Deus" (*Oxford Annotated Bible*, comentando sobre o vs. 1 deste capítulo). Mas, para o homem, o leviatã é uma força temível.

O leviatã não tem palavras *suaves* para o ser humano. De fato, o leviatã é o próprio *caos*, o destruidor da vida humana. Talvez o caos chegue mesmo a envolver os justos e inocentes. Ver Rm 8.20. Nesse caso, todos os dias, devemos pedir proteção contra aquela força que poderia ser a causa de, *pelo menos, parte* dos sofrimentos dos inocentes.

■ **41.4** (na Bíblia hebraica corresponde ao **40.28**)

הֲיִכְרֹת בְּרִית עִמָּךְ תִּקָּחֶנּוּ לְעֶבֶד עוֹלָם׃

Fará ele acordo contigo? *Trigésima Quinta Pergunta.* Poderia alguém forçar o leviatã a fazer um pacto? E, tendo feito isso, serviria o leviatã a alguém, em algum sentido? Portanto, temos aqui duas perguntas relativas à mesma situação. O *caos* não faz pactos com o homem. A atividade dessa força é confundir e destruir. Ele não se limita a barganhas com os homens. Estes entram em acordos com seus inimigos, como uma espécie de situação de benefício mútuo. Eles não matam a fim de não serem mortos. Ou deixam de lado a guerra, para gozar de paz.

O leviatã é uma fera tão poderosa que não pode ser amansada para uso doméstico. É imprevisível e está sempre irado. Não se pode entrar em acordo com ele, para que sirva a alguém. Pelo contrário, ele deve ser admirado como o senhor. Está sempre a ameaçar, e é o homem que se sujeita a condições indesejáveis. O temor a ele pôs o homem em sujeição.

... pelo pavor da morte, estavam sujeitos à escravidão por toda a vida.

Hebreus 2.15

■ **41.5** (na Bíblia hebraica corresponde ao **40.29**)

הַתְשַׂחֶק־בּוֹ כַּצִּפּוֹר וְתִקְשְׁרֶנּוּ לְנַעֲרוֹתֶיךָ׃

Brincarás com ele, como se fora um passarinho? *Trigésima Sexta Pergunta.* Pode-se fazer do leviatã um bichinho de estimação? Poderia você pô-lo em uma gaiola, como se fosse uma ave, e fazê-lo cantar? Poderia você dá-lo a uma namorada, como um presente agradável? O *caos* não pode ser domesticado, isto é, *controlado* pelos homens.

Alusão do Versículo. "Este versículo provavelmente alude ao costume de apanhar pássaros, amarrar um fio às suas pernas e dá-los às crianças como se fossem brinquedos, costume que parecia execrável para os antigos, mas que continua a ser uma desgraça nos tempos modernos" (Adam Clarke, *in loc.*).

■ **41.6** (na Bíblia hebraica corresponde ao **40.30**)

יִכְרוּ עָלָיו חַבָּרִים יֶחֱצוּהוּ בֵּין כְּנַעֲנִים׃

Acaso os teus sócios negociam com ele? *Trigésima Sétima Pergunta.* Poderia o leviatã ser transformado em um item de comércio, como sucede a tantos outros animais? Os negociantes nunca barganharão por causa dele. Ele nunca será incluído em uma caravana de camelos para ser levado a alguma terra estrangeira. Um negociante não pode vender aquilo que não pode capturar. Não obstante, os *crocodilos* são transformados em bolsas femininas! O leviatã não é um animal para comércio, pelo que não se sabe nada sobre ele. De fato, ele é o tipo monstro-marinho-caos que assusta todos os seres humanos. O contexto inteiro grita contra fazer do leviatã um animal comum e, facilmente, identificável. Antes, ele é uma força maior que a do homem, e só por Deus pode ser controlado. O leviatã é apresentado como senhor dos homens. Desde quando o crocodilo foi senhor dos homens? É somente através da *ignorância* que alguns intérpretes forçam a imagem do crocodilo na seção presente. Pelo contrário, estamos tratando com princípios cósmicos temíveis, subjugados somente por Deus. Esses princípios são referidos por meio do monstro marinho mítico, o leviatã. Ele é o símbolo desses princípios, conforme o beemote também o era (ver Jó 40.15 ss.).

■ **41.7** (na Bíblia hebraica corresponde ao **40.31**)

הַתְמַלֵּא בְשֻׂכּוֹת עוֹרוֹ וּבְצִלְצַל דָּגִים רֹאשׁוֹ׃

Encher-lhe-ás a pele de arpões? *Trigésima Oitava Pergunta.* Os arpões ou outras armas mostram-se eficazes contra o leviatã? Naturalmente não. O homem não pode deter o caos. Ele precisa de Deus para isso. Os crocodilos, entretanto, são facilmente mortos por meio de arpões e outros instrumentos aguçados. Sei de um homem que matou um jacaré, no norte do Brasil, com um único tiro de uma pistola calibre 22, atirando na pobre fera em um dos olhos! Não suponho que um jacaré seja muito mais fraco do que um crocodilo. Em contraste, o leviatã é um animal *invencível*. Seu "couro" é impenetrável. Os homens precisam de Deus para tratar com esse poder. Somente a *graça divina* ajuda o homem bom que espera o favor de Deus, *mediante a fé*. Os homens que enfrentam forças ameaçadoras, incluindo as que causam sofrimentos aos inocentes, devem reter sua integridade, e não tentar refúgio no ateísmo ou no pessimismo. Eles devem continuar a adorar e servir Deus, por sua própria causa, e não por razões egoístas. Esse é o principal tema do livro de Jó, e o problema do mal é um corolário necessário. O homem justo deve ter uma adoração desinteressada.

■ **41.8** (na Bíblia hebraica corresponde ao **40.32**)

שִׂים־עָלָיו כַּפֶּךָ זְכֹר מִלְחָמָה אַל־תּוֹסַף׃

Põe a tua mão sobre ele. Se você quiser pôr a mão sobre o leviatã e combater a fera, fará isso somente por *uma vez!* Os homens põem as mãos ou combatem toda a espécie de animais, e vencem, por causa de suas armas, mas nem mesmo os instrumentos de guerra poderiam ajudar quando ele se defrontasse com o terrível monstro marinho. É óbvio, portanto, que não se fala aqui do crocodilo ou de outro animal conhecido. Somente Deus pode lançar as mãos sobre o caos e sobre as forças cósmicas para subjugá-los.

■ **41.9** (na Bíblia hebraica corresponde ao **41.1**)

הֵן־תֹּחַלְתּוֹ נִכְזָבָה הֲגַם אֶל־מַרְאָיו יֻטָל׃

Eis que a gente se engana em sua esperança. Longe de ser capaz de derrotar e matar o leviatã, ou transformá-lo em bicho de estimação de seu jardim zoológico, o homem nem ao menos pode olhar para esse animal sem desmaiar de medo. Um homem precipitado poderia atacar o leviatã, mas, ao aproximar-se do monstro, desmaiaria de medo, antes mesmo de arremessar a sua lança.

■ **41.10** (na Bíblia hebraica corresponde ao **41.2**)

לֹא־אַכְזָר כִּי יְעוּרֶנּוּ וּמִי הוּא לְפָנַי יִתְיַצָּב׃

Ninguém há tão ousado que se atreva a despertá-lo. *Trigésima Nona Pergunta.* Se um homem tem medo de despertar o leviatã (o que seria fatal, por certo), então muito mais deveria ele temer despertar *Deus,* com acusações de ser injusto, cruel, indiferente ou arbitrário, acusações feitas por Jó contra Deus, por seus insuportáveis sofrimentos. As muitas perguntas (a começar pelo capítulo 38, o primeiro discurso divino) tinham por propósito *humilhar* o arrogante Jó, para que ele visse não ter salvação em si mesmo (ver Jó 40.14), e que, no devido tempo, sua salvação seria dada pelo Senhor, que o curaria e restauraria. Uma salvação terrena está em pauta aqui, e não a salvação da alma, que não fazia parte da teologia patriarcal. Nem o mais corajoso homem atacaria o leviatã; no entanto, Jó, o arrogante, fez uma tentativa contra o Criador do leviatã. Naturalmente, Jó estava alucinado com seus sofrimentos, sendo capaz de qualquer ato. O que poderia tê-lo feito sofrer tanto? Jó nada tinha a perder.

■ **41.11** (na Bíblia hebraica corresponde ao **41.3**)

מִי הִקְדִּימַנִי וַאֲשַׁלֵּם תַּחַת כָּל־הַשָּׁמַיִם לִי־הוּא׃

Quem primeiro me deu a mim...? *Quadragésima Pergunta.* Quem pode dar a Deus alguma coisa, pondo-o debaixo de uma dívida de favor?

Deus é o *grande proprietário* dos céus e da terra, e nenhum homem pode acrescentar-lhe nada. Temos aqui o tipo de linguagem que se aplica à salvação por meio da fé e da *sola gratia* (graça divina somente). Cf. Jó 35.7 e Rm 11.35. Porém, é anacronismo ver aqui a salvação espiritual. Ademais, temos um argumento em tal linguagem, contra as tentativas ritualistas e moralistas, procurando forçar a mão de Deus a abençoar. Cf. Sl 50.10. Podemos supor que o poeta sagrado tenha antecipado esses princípios teológicos, que teriam aplicação quando a luz chegasse a mostrar que há uma alma a ser salva, o que deve ocorrer somente pela graça de Deus. Por conseguinte, em certo sentido, que não deve ser exagerado nem cristianizado, "o poeta do livro de Jó tomou seu lugar entre os que cantam teologicamente a *sola gratia.* O homem não pode conceder a Deus nenhum dom, nem da parte de suas riquezas, nem da parte de seus feitos e de seu comportamento. Deus não deveria a Jó coisa alguma, e Jó não poderia dar nada a Deus, nem fazer-lhe exigências tolas" (Samuel Terrien, *in loc.*).

Ao Senhor pertence a terra e tudo o que nela se contém.
Salmo 24.1

■ **41.12** (na Bíblia hebraica corresponde ao **41.4**)

לֹא־אַחֲרִישׁ בַּדָּיו וּדְבַר־גְּבוּרוֹת וְחִין עֶרְכּוֹ׃

Não me calarei a respeito dos seus membros. As traduções ocultam o fato de que temos aqui um original hebraico obscuro. A Septuaginta simplesmente deixa de lado o versículo, provavelmente porque os tradutores pensaram ser ele ininteligível. Este versículo pode ser compreendido como se introduzisse a longa descrição do temível leviatã, que se segue, ou, então, como o término da discussão anterior. Talvez, referindo-se a Jó, Deus revelasse tudo a respeito, tanto de bom quanto de mau, para ver o que poderia ser restaurado nele. Ou a revelação seria acerca das *jactâncias* de Jó. Nesse caso, isso foi trazido à luz para ser corretamente julgado. Mas se o versículo introduz uma longa descrição sobre o leviatã, então significaria que nenhum item seria deixado de fora: seguir-se-ia completa discussão sobre as propriedades e os atributos do monstro. A Vulgata Latina, entretanto, parece aplicar o versículo a Jó: "Eu não o pouparei nem cederei diante de suas palavras ousadas, por meio das quais ele fez o seu apelo". Mas, se essas palavras se aplicam ao leviatã, então a ideia é a de que o Criador não estava intimidado pelo monstro marinho, a mais formidável de suas obras. O homem pode tremer diante do leviatã, mas Deus certamente não! Deus não se deixa intimidar pelo *caos* que reina, mas corrigirá todas as coisas, afinal de contas. E até agora o caos é um instrumento que leva os homens ao arrependimento (ver Rm 8.20). Segue-se, então, uma longa descrição do monstro verdadeiramente terrível; mas Deus não se deixa intimidar por ele.

Este versículo parece adaptar-se melhor à descrição que se segue e serve como introdução a ela. Deus "diria a verdade inteira" acerca do leviatã, incluindo sua poderosa força e seu temível arcabouço, extraordinários atributos.

■ **41.13** (na Bíblia hebraica corresponde ao **41.5**)

מִי־גִלָּה פְּנֵי לְבוּשׁוֹ בְּכֶפֶל רִסְנוֹ מִי יָבוֹא׃

Quem lhe abrirá as vestes do seu dorso? *Quadragésima Primeira Pergunta.* Pode um homem despir-lhe suas vestes externas (armadura natural)? Duas perguntas falam da cobertura externa do leviatã, que era impenetrável a qualquer arma que o homem pudesse fabricar. Nenhum ser humano poderia remover aquela armadura natural, a fim de feri-lo ou satisfazer sua curiosidade sobre o que estava "dentro" da fera. Este versículo enfatiza a invencibilidade do monstro, conforme também se vê nos vss. 1,2 do mesmo capítulo. O *caos* é uma espécie de divindade inferior, que espalha a destruição e deixa os homens perplexos, embora Deus esteja controlando até mesmo os monstros cósmicos, como esse. Em consequência, não temos razão para temer. Os monstros cósmicos são invencíveis diante do homem, mas não diante de Deus. O bem e o mal não estão igualmente divididos. A balança pende para o lado do bem, neste mundo. O autor não se referia a um dualismo cujo resultado do conflito estivesse em dúvida. Deus deve vencer; e o homem deve ser abençoado.

"Algum homem sábio, da escola de Jó, deve ter sido o responsável pela lista de maravilhosos detalhes concernentes à invencibilidade do leviatã: suas escamas, queixadas, costas (vss. 13-17); seus olhos, boca, nariz, respiração e pescoço (vss. 18-23); seu poder (vss. 24-30); seus efeitos sobre o abismo e o mar (vss. 31,32); e, em *conclusão*, seu caráter *ímpar* (vss. 33,34)" (Samuel Terrien, *in loc.*). E que o leitor preste atenção a isto: nenhum animal terreno podia estar em vista. Essas descrições são próprias do temível monstro marinho, o emblema do caos e dos poderes cósmicos. Ver sobre Jó 3.8. São cômicas as tentativas para fazer tudo isso se ajustar ao crocodilo terreno. Todavia, os intérpretes que supõem, através de seus dogmas, que o livro de Jó não podia conter referências mitológicas, continuam a tentar insensatamente fazer essas descrições ajustar-se ao reino animal comum, ordinário, terreno. Mas o autor sacro não estava continuando a sua *seção zoológica* (ver Jó 38.39—39.30). Com o beemote e o leviatã (ver Jó 40.15—41.34), o autor sagrado apresenta uma categoria de coisas *completamente diferentes,* que simbolizam as forças cósmicas caóticas sobre as quais Deus é o governante, mas contra as quais nenhum ser humano tem a menor chance de sobreviver. Jó passou ao *pessimismo* (ver na *Enciclopédia de Bíblia, Teologia e Filosofia*), por causa de seus sofrimentos, que eram "sem causa" (ver Jó 2.3). Ele pensava que Deus tinha perdido o controle das coisas, ou simplesmente era indiferente às suas dores. A discussão sobre o beemote e o leviatã (entre outras coisas) demonstra que Deus está no controle de tudo, inclusive das forças cósmicas do caos, apesar das aparências contrárias. O caos não pode escrever o capítulo final da história humana. Há algo para além do "sofrimento".

■ **41.14** (na Bíblia hebraica corresponde ao **41.6**)

דַּלְתֵי פָנָיו מִי פִתֵּחַ סְבִיבוֹת שִׁנָּיו אֵימָה׃

Quem abriria as portas do seu rosto? *Quadragésima Segunda Pergunta*. As queixadas do monstro são chamadas aqui de "portas do seu rosto". Quem ousaria chegar suficientemente perto daquela temível entidade, para tentar abrir a sua boca? E, mesmo que alguém ousasse, seria incapaz de abrir-lhe a bocarra. E, se porventura, conseguisse abri-la, seria imediatamente consumido. Ensina-se aqui a lição de que o homem não pode aproximar-se do caos nem fazer coisa alguma a respeito. Esses são poderes completamente acima do homem, mas não acima de Deus. Ele pode aproximar-se da fera e humilhá-la. Coisa alguma está fora do domínio de Deus.

Em roda dos seus dentes está o terror. Seria melhor que a fera mantivesse a boca cerrada. Se algum homem conseguisse abrir-lhe a boca, o que encontraria? Veria um jogo temível de dentes, que estão ali a fim de destruir. O caos está armado com armas terríveis, e o homem, todos os dias, vê-se mutilado por elas. Os homens perguntam: Onde está Deus? Como não podem encontrá-lo, refugiam-se no ateísmo. Talvez Jó estivesse sendo mutilado pelo caos. Ele poderia ter caído entre os dentes do monstro cósmico. O monstro aplicava pressões insuportáveis, e seus dentes aguçados moíam o corpo e a alma de Jó. Deus parecia contemplar a cena com indiferença. Mas a ordem divina poria fim ao espetáculo. O problema do mal até hoje está cercado de enigmas que nos deixam perplexos, mas temos segurança de que o poder divino está no controle de todas as coisas e, de alguma maneira, tudo vai bem no mundo, porquanto Deus está assentado em seu trono. Os dentes de um crocodilo ordinário não podem estar em pauta, mas podem ter sido usados como ilustração: a fera tem *sessenta dentes*, alguns pontudos e outros serrilhados, todos bem ajustados uns aos outros, como os dentes de um pente.

■ **41.15** (na Bíblia hebraica corresponde ao **41.7**)

גַּאֲוָה אֲפִיקֵי מָגִנִּים סָגוּר חוֹתָם צָר׃

As fileiras de suas escamas são o seu orgulho. Muitas perguntas poderiam ser deduzidas da seção que se segue (vss. 15-34), mas o autor apresenta o material em sentido declarativo. Assim foram manuseadas as informações sobre o beemote (ver Jó 40.15-24). Para conseguir as *setenta perguntas* que constituem essencialmente os dois discursos divinos (ver Jó 38.1—42.6), teremos de subdividir alguns versículos para que contenham mais de uma pergunta, e compreender as sentenças declarativas de maneira interrogativa. Não tento listar *setenta* perguntas, mas deixo exemplos suficientes para demonstrar como a voz divina humilhou Jó ao revelar-lhe sua total ignorância sobre tantas coisas. Ora, se ele era ignorante sobre *coisas comuns*, o que saberia sobre Deus e *seus caminhos*? Ele deve ter sido inspirado por essa abordagem dos discursos, para interromper as queixas e acusações contra o Ser divino, sendo primeiramente humilhado, para que, subsequentemente, fosse curado e restaurado. Naturalmente, essa abordagem foi eficaz, conforme informa o epílogo do livro.

O monstro em foco tinha admirável cobertura de escamas que eram como fileiras de escudos. Em vez de "escudos" (*Revised Standard Version*), a *King James Version* e nossa versão portuguesa dizem "orgulho". Em outras palavras, as escamas do leviatã eram tão belas e poderosas que constituíam para ele motivo de *orgulho*. As escamas estavam tão compactamente arranjadas, que funcionavam como um grande *selo*, pelo que o corpo do leviatã era impenetrável. Em outras palavras, o corpo da fera era como um grande *escudo*, razão pela qual nenhuma arma de invenção humana era eficaz contra ela. Ver o vs. 7 deste capítulo, que contém essencialmente a mesma mensagem, sem fazer nenhuma referência direta às escamas. A lição espiritual é que o caos é invencível para o homem, embora não seja para Deus. Os atos do monstro têm limites. As coisas estão sob o controle divino. Há graça para curar e restaurar.

Embora não esteja em vista um mero crocodilo, seus atributos podem ser usados como ilustrações. Um crocodilo tem dezessete fileiras de escamas, todas intrincadamente unidas, formando um maravilhoso desenho.

■ **41.16** (na Bíblia hebraica corresponde ao **41.8**)

אֶחָד בְּאֶחָד יִגַּשׁוּ וְרוּחַ לֹא־יָבוֹא בֵינֵיהֶם׃

A tal ponto uma se chega à outra. *O selo formado pelas escamas* (vs. 15) é tão perfeito e compacto que nenhum ar penetra entre elas. A armadura do leviatã é impenetrável. O leviatã é invencível. O homem não tem armas que prevaleçam contra ele. Contemple o leitor esse deus-caos. No entanto, Deus pode controlá-lo e, realmente, o controla e o derrota, pelo menos, no final. O caos não escreverá o último capítulo da história humana. Ele ri diante do ruído produzido pelas lanças e não se importa em fugir quando os inimigos se aproximam. Só Deus é poderoso para impressionar a fera. Os intérpretes continuam com a ridícula luta para ver alguma fera terrena nessas descrições bíblicas, ou, pelo menos, algum animal terrestre, atualmente extinto. Mas a linguagem bíblica transcende ao que é meramente terreno, elevando-se aos poderes cósmicos, como o caos.

Uma de minhas fontes informativas diz que a bala de um mosquete não pode penetrar na armadura do crocodilo, mas pode atingir os olhos, a garganta e a barriga. Assim sendo, devemos acreditar estar em vista aqui o crocodilo? Contra o leviatã, entretanto, não existe arma humana, de espécie alguma, que seja eficaz. Por conseguinte, temos de nos voltar para Deus, como proteção contra o mal e contra as forças cósmicas do caos. *O Problema do Mal* (ver a respeito no *Dicionário*), como é claro, pode lançar tais poderes contra o homem. Somente Deus nos dá solução para tamanho perigo.

■ **41.17** (na Bíblia hebraica corresponde ao **41.9**)

אִישׁ־בְּאָחִיהוּ יְדֻבָּקוּ יִתְלַכְּדוּ וְלֹא יִתְפָּרָדוּ׃

Umas às outras se ligam. Continua a descrição sobre a impenetrabilidade do leviatã. Isto posto, somos informados, mediante detalhes elaborados, que o leviatã é *invencível*. Caros leitores, o crocodilo, porventura, é invencível? Devemos desculpar todas essas descrições que realmente não se ajustam ao animal, chamando-as de "exageros poéticos"? É evidente que o autor sagrado estava no campo do simbolismo religioso e aplicava seu conhecimento àquelas feras mitológicas temíveis, o beemote (ver Jó 40.1 ss.) e o leviatã (ver Jó 41). Somos convidados a considerar condições, conflitos e ameaças cósmicas. O crocodilo, literalmente falando, não se ajusta a esse quadro, embora ocasionalmente, nesta passagem bíblica, fatos sobre esse animal possam *ilustrar* o texto. Jesus também usou *parábolas* e contou histórias fictícias a fim de ilustrar a verdade espiritual. Por que não pode o livro de Jó incluir um par de mitos com o mesmo propósito? Os mitos sempre foram uma rica fonte de instruções religiosas. Carl Jung demonstrou que o mito faz parte vital de nosso fundo psíquico, ou seja, da mente subconsciente, e isso se manifesta em nossos sonhos e visões.

■ **41.18** (na Bíblia hebraica corresponde ao **41.10**)

עֲטִישֹׁתָיו תָּהֶל אוֹר וְעֵינָיו כְּעַפְעַפֵּי־שָׁחַר׃

Cada um dos seus espirros faz resplandecer luz. Quando o leviatã espirra, sai fogo de sua boca, e suas narinas expelem nuvens de fumaça! Agimos erroneamente quando reduzimos essa figura ao espirro do crocodilo, quando as partículas de água expelidas se refletem na luz do sol, que as ilumina. Tal fato ilustra, mas não explica o texto sagrado. Outra figura aqui usada é a dos olhos do leviatã como pálpebras da alvorada. Os hieróglifos egípcios empregavam os olhos do crocodilo como símbolo do irromper do dia, e o autor sagrado pode ter tomado tal símbolo por empréstimo. Mas o que significa o símbolo tomado por empréstimo é outra questão. O grande *monstro maravilhoso* é uma fera cósmica envolvida em manifestações celestiais, como a alvorada. Ele tem poderes que chegam aos mundos do além. É uma espécie de monstro semideus, símbolo das forças caóticas diante das quais os homens não podem resistir; portanto, temos de correr para Deus, pedindo-lhe ajuda.

A Figura. A alvorada é como uma fera gigantesca que abre os olhos e dissipa as trevas. Os céus abrem as suas pálpebras, e a luz brilha, iluminando a terra. Os *olhos fechados* simbolizam as trevas. Os *olhos abertos* simbolizam a luz. Em Jó 3.8, o leviatã é declarado como uma fera que *produz obscurecimentos*. Cf. Jó 26.13. Leviatã é dotado de grandes poderes e é associado ao caos primevo (ver Sl 74.14; Enoque 60.7-9; 2Baruque 29.4 e 2Esdras 6.49-52). A humanidade vê-se totalmente incapaz diante de tais poderes cósmicos. Temos de invocar Deus para enfrentar um monstro como esse.

- **41.19,20** (na Bíblia hebraica corresponde ao **41.11,12**)

מִפִּיו לַפִּידִים יַהֲלֹכוּ כִּידוֹדֵי אֵשׁ יִתְמַלָּטוּ׃

מִנְּחִירָיו יֵצֵא עָשָׁן כְּדוּד נָפוּחַ וְאַגְמֹן׃

Da sua boca saem tochas. *A boca do monstro* emite "tochas de fogo" (*Revised Standard Version*) e "faíscas de fogo". De suas narinas (vs. 20) saem rolos de fumaça, formando uma grande e temível nuvem que obscurece a visão dos homens. De seu caldeirão fervente sai o vapor de água, formando grandes nuvens e, quando os homens queimam arbustos, a fumaça sobe até o céu. O monstro marinho produz fenômenos como esses. Contudo, a despeito de tais descrições pertencentes a um ser do *outro mundo*, alguns intérpretes insistem em falar sobre o humilde crocodilo. Assim é que uma de minhas fontes informativas fala na *hipérbole* das figuras poéticas. Pelo contrário, algo de maior vulto está em pauta. A fera em questão é de origem cósmica, seus poderes estão muito acima dos poderes humanos, apenas podendo ela ser confinada e amansada pelo próprio Deus. É inútil falar aqui sobre a ousadia das metáforas orientais. Para aceitar tais interpretações, seria preciso esquecer as outras passagens citadas na exposição do vs. 18, que falam de algo cósmico e não do humilde crocodilo. Pode o crocodilo causar eclipses (ver Jó 3.8)? É o crocodilo comum o caos primevo e cósmico? (ver Sl 74.14; Enoque 60.7-9; 2Baruque 29.4)? Pode ele produzir efeitos sobre as profundezas do mar (ver Jó 41.31,32)? É o crocodilo um animal ímpar (vss. 33,34)? É um animal *marinho*? Antes, nesta passagem, está em foco o monstro marinho, que tem poderes nos céus e no mar. Ele é o caos, um deus monstruoso. Simboliza os mistérios e os poderes enigmáticos nos céus e no fundo do mar. Porém, o que há de enigmático no crocodilo?

- **41.21** (na Bíblia hebraica corresponde ao **41.13**)

נַפְשׁוֹ גֶּחָלִים תְּלַהֵט וְלַהַב מִפִּיו יֵצֵא׃

O seu hálito faz incender os carvões. O *monstro marinho* respira tal abundância de fogo, que é capaz de incendiar arbustos, ou mesmo uma floresta inteira. É fato que, se o leviatã tiver quaisquer inimigos, eles fugirão, pois, do contrário, serão reduzidos a cinzas. Cf. Sl 18.8. Não obstante, esse monstro era apenas um brinquedo nas mãos de Deus (ver Sl 104.26).

- **41.22** (na Bíblia hebraica corresponde ao **41.14**)

בְּצַוָּארוֹ יָלִין עֹז וּלְפָנָיו תָּדוּץ דְּאָבָה׃

No seu pescoço reside a força. O pescoço do leviatã é indiscutivelmente poderoso, e o "terror dança perante ele" (*Revised Standard Version*). A *King James Version* diz "a tristeza se transforma em alegria perante ele", tradução obviamente inferior e contrária à natureza temível do contexto. Nossa versão portuguesa diz: "diante dele salta o desespero", uma boa descrição do que o caos pode fazer. Um crocodilo, entretanto, não faz as pessoas desmaiar, mas o sofrimento de inocentes as deixa desoladas, o que pode ser uma obra má do caos. Os vss. 24-30 ampliam a força extraordinária do monstro. Observe-se que o crocodilo não tem pescoço, mas o monstro marinho certamente tem um pescoço tão comprido que é como uma torre a projetar-se no ar. Pode-se imaginar um crocodilo com o pescoço parecido com o de um dragão? Isso já não seria um monstro, mas uma monstruosidade! Esse semideus, que é um monstro marinho, espalha terror por onde for. Portanto, os homens sofrem. Mas Deus o tem preso por uma corrente, como se fosse um bichinho de estimação com o qual ele brinca. Algum dia, a vida dos homens estará livre da influência do leviatã. Entrementes, a humanidade tem de viver pela fé.

- **41.23** (na Bíblia hebraica corresponde ao **41.15**)

מַפְּלֵי בְשָׂרוֹ דָבֵקוּ יָצוּק עָלָיו בַּל־יִמּוֹט׃

Suas partes carnudas são bem pegadas entre si. As *dobras* da carne do leviatã se juntam em um arranjo maciço que lhe dá força e proteção. Alguns estudiosos preferem pensar aqui em seus *músculos*, e provavelmente isso está incluído. Outros estudiosos dizem *papada*, a pele pendular que fica defronte da garganta, suspensa e frouxa. O leviatã, porém, não tem partes moles nem gordura. Ele é todo músculo. "Os músculos de seu corpo não são flácidos e frouxos, mas sólidos e firmemente compactos" (John Gill, *in loc.*).

- **41.24** (na Bíblia hebraica corresponde ao **41.16**)

לִבּוֹ יָצוּק כְּמוֹ־אָבֶן וְיָצוּק כְּפֶלַח תַּחְתִּית׃

O seu coração é firme como uma pedra. O monstro tem um coração muito forte que pode resistir a qualquer esforço. É como uma pedra, não pode ser prejudicado por nenhum processo. Alguns compreendem sua *disposição* e *vontade,* o que pode ser referido pela palavra "coração", não estando em vista o órgão físico assim chamado. Portanto, coisa alguma pode fazer a fera desanimar ou ficar preocupada. O leviatã é uma força invencível. Seu coração é como as pedras de um moinho, a de cima e a de baixo. Ver no *Dicionário* o verbete denominado *Moinho.* O versículo cita a pedra inferior de um moinho, especificamente, que era a mais dura das duas. Se o versículo fala em sentido metafórico, então somos informados que o leviatã é ousado, destemido, corajoso, cruel, sem misericórdia e invencível. Ele tem um *coração de leão*.

- **41.25** (na Bíblia hebraica corresponde ao **41.17**)

מִשֵּׂתוֹ יָגוּרוּ אֵלִים מִשְּׁבָרִים יִתְחַטָּאוּ׃

Levantando-se ele, tremem os valentes. A palavra "valentes", neste caso, pode significar *deuses*. Esse animal é tão poderoso que todos os homens valentes, os demônios, os deuses e as forças cósmicas tremem quando o veem levantar-se para quebrar as coisas. Eles "fogem espantados", conforme diz o texto hebraico, literalmente. A *Revised Standard Version* diz "ficam fora de si", conforme a nossa versão portuguesa. Ele lança essas criaturas em um ataque de insanidade, e elas perdem o controle da própria mente, quando o leviatã se aproxima. E ainda querem afirmar que está em pauta o crocodilo comum! Se todos os tipos de seres inteligentes se aterrorizam diante dessa *criatura,* quanto mais aterrorizados deveriam ficar diante do Criador do leviatã! Por conseguinte, Jó devia ser um louco para convocar Deus a um tribunal, onde queria defender a sua causa, acusando-o de cruel, arbitrário e injusto. Os dois discursos divinos, portanto, tinham de humilhá-lo, para que finalmente ele pudesse ser curado e restaurado.

- **41.26** (na Bíblia hebraica corresponde ao **41.18**)

מַשִּׂיגֵהוּ חֶרֶב בְּלִי תָקוּם חֲנִית מַסָּע וְשִׁרְיָה׃

Se o golpe de espada o alcança de nada vale. *Espadas* atingem o leviatã nas costas, mas não exercem efeito algum. Lanças e dardos são projetados contra ele, o alcançam, mas são ricocheteados como se fossem brinquedos. Até a temível lança não lhe perfura a armadura. Ele é impenetrável e invencível contra qualquer inimigo, e somente Deus pode confinar um poder como esse. Assim também o *caos*, por mais forte, cheio de enigmas e temível, está amarrado pelas cadeias de Deus. Os homens são feridos algumas vezes por razões desconhecidas. Mas tudo vai bem no mundo, porque Deus está no trono. O caos tem seu dia, mas o dia eterno pertence a Deus e ao homem.

- **41.27** (na Bíblia hebraica corresponde ao **41.19**)

יַחְשֹׁב לְתֶבֶן בַּרְזֶל לְעֵץ רִקָּבוֹן נְחוּשָׁה׃

Para ele o ferro é palha. As armas de guerra são feitas de ferro, para atravessar escudos e carne. Também são feitas de bronze, para matar e impedir que sejamos mortos. Ver no *Dicionário* o verbete chamado *Armadura, Armas. Para o leviatã,* entretanto, o monstro marinho, um semideus, qualquer forma de arma de metal que o ataque ou o resguarde de ser atacado, é apenas como madeira podre. "Poderíamos jogar contra ele um pedaço de palha, tanto quanto uma barra de ferro... O aço mais agudo ricochetearia nele, e o bronze é como madeira apodrecida" (John Gill, *in loc.*).

■ **41.28** (na Bíblia hebraica corresponde ao **41.20**)

לֹא־יַבְרִיחֶנּוּ בֶן־קָשֶׁת לְקַשׁ נֶהְפְּכוּ־לוֹ אַבְנֵי־קָלַע׃

A seta o não faz fugir. O autor sacro prossegue, a fim de listar *outras armas*. A flecha, lançada de longe, podia atravessar alguns dos escudos menos espessos do homem, e o pobre soldado que levasse uma flechada no pescoço ou nas costas, onde não havia nenhuma proteção, estava perdido. A *pedra* projetada por um bom fundibulário podia ser instantaneamente fatal, caso atingisse um homem em local vital. Tais armas, porém, no caso do leviatã, eram apenas como palha. O monstro marinho não podia ser ferido. Não se podia resistir a ele, em contraste com os animais ordinários e as forças naturais. Uma história clássica conta sobre homens que podiam atirar bolas de ferro com tanta velocidade, com suas fundas, que as bolas se dissolviam no caminho! Mas mesmo que isso acontecesse no caso do leviatã, ele riria da bola dissolvida, quando esta se aproximasse dele.

> Enquanto a crueldade não foi melhorada pela arte,
> E a fúria não forneceu espada ou dardo,
> Com punhos, ou ramos, ou pedras lutavam os homens;
> Essas eram as únicas armas ensinadas pela Natureza:
> Mas, quando chamas queimavam árvores e crestavam o solo,
> Então apareceu o bronze e foi preparado o ferro para ferir.
> O bronze foi usado primeiro por ser mais fácil de trabalhar
> E visto que as veias da terra o continham em maior dose.
>
> Lucrécio, *De Rerum Nat.* lib v, 1282

■ **41.29** (na Bíblia hebraica corresponde ao **41.21**)

כְּקַשׁ נֶחְשְׁבוּ תוֹתָח וְיִשְׂחַק לְרַעַשׁ כִּידוֹן׃

Os cacetes atirados são para ele como palha. *Cacetes* feitos de pedra, madeira ou ferro em nada impressionavam o leviatã, embora um único golpe com essas armas pudesse matar um homem. Esses cacetes eram como palitos de madeira para o leviatã, ou como palha dos campos. Quando uma lança atirada contra ele se aproximava, ele *ria* dela e não fazia o menor esforço para desviar-se, porque ser atingido nada significava para ele. Os homens faziam um barulho estrepitoso com suas lanças contra o leviatã, mas esse ruído era como música para o animal, fazendo-o gargalhar. Não obstante, um golpe bem lançado com uma lança pode matar um *crocodilo*, que alguns intérpretes continuam a mencionar como se esse animal comum terreno fosse o monstro da passagem! Adam Clarke, *in loc.*, fala sobre um crocodilo com 3,66 metros de comprimento, que causava grande bulício no lugar onde estava confinado. Mas o monstro marinho causa grande agitação nos céus, na terra e nas profundezas do mar (vs. 31). O *caos* é um terrível provocador de tribulação para a terra inteira e para seus habitantes (ver Rm 8.20), reduzindo os homens à ninharia. Deus está atarefado no trabalho de reverter o caos e não na tarefa de controlar crocodilos.

■ **41.30** (na Bíblia hebraica corresponde ao **41.22**)

תַּחְתָּיו חַדּוּדֵי חָרֶשׂ יִרְפַּד חָרוּץ עֲלֵי־טִיט׃

Debaixo do ventre há escamas pontiagudas. A parte inferior do leviatã é como fragmentos aguçados de louça de barro (*Revised Standard Version*). Outros pensam que o leviatã se deita sobre pedras agudas, como se formassem um leito, mas sem nada sentir; mas a primeira ideia é, mais provavelmente, a correta. Quando o monstro se arrasta pela lama, deixa marcas como as que um agricultor faz na terra, com seu arado. Em outras palavras, ele deixa sulcos no solo. "Quando ele jaz na lama, deixa as marcas de suas escamas tão impressas, que poderíamos imaginar que um instrumento como um arado, com seus dentes afiados, deixou suas marcas no solo (ver Is 28.27)" (Fausset, *in loc.*). Este versículo adiciona um pouco mais de informações sobre a temível natureza do leviatã.

■ **41.31** (na Bíblia hebraica corresponde ao **41.23**)

יַרְתִּיחַ כַּסִּיר מְצוּלָה יָם יָשִׂים כַּמֶּרְקָחָה׃

As profundezas faz ferver, como uma panela. Neste ponto, alguns intérpretes veem o crocodilo avançar por baixo da água, agitando as águas de um rio, fazendo-as parecer-se com uma panela fervendo. No entanto, deixam de comentar sobre o *mar*. Está em vista um *monstro marinho*, uma fera que é um semideus, o caos, e não um mero crocodilo. É ridículo chamar o rio Nilo de *mar*. *Nas profundezas do mar*, o leviatã se movimenta, provocando o caos. Ele faz as águas da profundeza do mar se parecerem com um pote de unguento que está sendo mexido pelo boticário, quando ferve o líquido para a mistura atingir seu estado final. Alguns estudiosos referem-se aqui ao mau cheiro que o crocodilo deixa na água, como se isso fosse o medicamento (mau cheiro) do boticário. Mas o que está em pauta aqui é o caos, e não maus odores. Por onde quer que o leviatã avance, agita as coisas. Ele semeia o caos; ele é o próprio caos e somente Deus pode controlá-lo.

■ **41.32** (na Bíblia hebraica corresponde ao **41.24**)

אַחֲרָיו יָאִיר נָתִיב יַחְשֹׁב תְּהוֹם לְשֵׂיבָה׃

Após si deixa um sulco luminoso. O feroz leviatã, o monstro do caos, faz as profundezas do mar ferverem como se fossem uma panela e deixa um brilho atrás de si, quando nada. Ele torna brancas as profundezas do oceano, e branco é a cor da onda, pelo que elas se parecem com uma geada que penetrou nas águas. A vereda de sua natação enche-se de espuma, parecendo espuma branca. Talvez o autor sagrado estivesse referindo-se ao ato de *nadar à superfície* da água, deixando uma esteira branca, ondas que se parecem com cabelos brancos ou com um caminho coberto de geada. "Poderíamos até pensar que as profundezas do mar são *cabeludas*, como os cabelos esbranquiçados de um homem de avançada idade, figura usada com frequência pelos poetas do mar, que falam sobre Nereus (Phurnutus, *de Natura Deodum,* par. 62), que é o *mar,* declarado como se fosse um homem de avançada idade, porquanto a espuma feita pelas ondas se parece com cabelos brancos" (John Gill, *in loc.*).

■ **41.33** (na Bíblia hebraica corresponde ao **41.25**)

אֵין־עַל־עָפָר מָשְׁלוֹ הֶעָשׂוּ לִבְלִי־חָת׃

Na terra não tem ele igual. Agora o monstruoso leviatã sai do mar e põe-se a vagar sobre a terra, outro de seus esconderijos e lugares de caça. Ele se move com arrogância, porque na terra nada há similar quanto ao poder e à crueldade. Imagine-se o crocodilo comum a nadar nas profundezas do oceano, para então sair da água e espalhar o terror sobre a terra! Sem embargo, vários intérpretes continuam a insistir em fazer do crocodilo essa fera terrível. O poeta, entretanto, fala aqui da natureza ímpar do leviatã, prosseguindo no tema do vs. 34. O crocodilo é um animal interessante, mas nada tem de ímpar. Em contraste, o monstro marinho é tão invencível que absolutamente *não tem medo,* algo que não pode ser dito acerca de todo o animal terrestre. O próprio homem, aquele predador cruel, está cheio de temores e ansiedades.

■ **41.34** (na Bíblia hebraica corresponde ao **41.26**)

אֵת־כָּל־גָּבֹהַּ יִרְאֶה הוּא מֶלֶךְ עַל־כָּל־בְּנֵי־שָׁחַץ׃ ס

Ele olha com desprezo tudo o que é alto. O monstro marinho que é um semideus, o leviatã, olha e zomba de todas as coisas altas e arrogantes, que são como nada em comparação. Até o altivo e arrogante homem está *sujeito* a ele. Pode-se dizer isso sobre um crocodilo? Esse animal comum é *rei* sobre o homem? Antes, o *caos* é o rei que provoca tanta confusão na terra e reduz um homem arrogante a uma criatura trêmula. O orgulhoso leviatã olha para todas as demais criaturas de Deus como seus inferiores. Afinal, ele foi feito, por Deus, um *poder ímpar,* sendo Deus o único Ser que está acima dele. Nenhuma hipérbole oriental descreveria dessa maneira o crocodilo comum. Tal descrição do crocodilo seria uma *piada*. Portanto, o Criador do caos aparece diante de nós como formidável e terrível. A vida do homem perante o leviatã é precária, a menos que a graça divina intervenha e que a mensagem trazida por Jesus nos conte a verdade da questão. Por isso mesmo, os homens encontram consolo na presença do Senhor, em vez de o temerem.

Acheguemo-nos, portanto, confiadamente, junto ao trono da graça, a fim de recebermos misericórdia e acharmos graça para socorro em ocasião oportuna.

Hebreus 4.16

Adam Clarke, que ao longo de seus comentários se referiu ao crocodilo como leviatã, no fim do capítulo indago: "Afinal, que é o *leviatã*? Tenho fortes dúvidas se está em foco a baleia ou o crocodilo. Penso até que o crocodilo é avaliado excessivamente por essa descrição". Em seguida, Adam Clarke chega a especular se algum animal atualmente extinto poderia estar em pauta. Mas ele se aproxima da verdade da questão quando começa a falar sobre o leviatã como *emblema*, e não como animal, na verdadeira acepção da palavra, e especula que o próprio diabo pode estar em vista, mas, ato contínuo, duvida igualmente dessa ideia. Ele conclui com esta observação: "Mas, depois de tudo quanto foi dito, ainda temos de aprender o que é o leviatã!" Se ele tivesse tido a vantagem da erudição moderna, estaria consciente da tradição mitológica sobre o monstro marinho, o leviatã, uma espécie de figura de semideus, como falando sobre o *caos*.

Devemos entender que até mesmo essa força temível está sujeita a Deus, o Criador e a origem de todas as coisas e, por conseguinte, o controlador de tudo. Até mesmo o problema do mal, por que os homens sofrem e por que sofrem como sofrem, embora seja enigmático para nós em muitos aspectos (e compreendido em *alguns* casos), é solucionado pela *Providência de Deus*, afinal. O livro de Jó não apela para uma vida pós-túmulo, na qual todas as coisas serão endireitadas e todos os ferimentos serão curados. Portanto, o autor sagrado deixa o melhor *argumento* de todos, ao discutir as *razões* do sofrimento humano. Jó aproximou-se da crença no pós-vida em Jó 19.25—26, mas pôs isso dentro do contexto da defesa de sua inocência, e não da solução do problema geral do mal. Esse tema do pós-vida é inconsistente em todas as discussões. A teologia dos hebreus era deficiente nessa área, e foi somente no tempo dos Salmos e dos Profetas que a ideia da alma começou a figurar no pensamento dos hebreus. Ver no *Dicionário* o verbete intitulado *Problema do Mal*, bem como a seção V da *Introdução* ao presente livro.

Neste ponto, termina o segundo discurso divino, e agora olhamos a reação e a esperança de Jó quanto à sua própria *restauração* (temas do capítulo 42).

CAPÍTULO QUARENTA E DOIS

O ARREPENDIMENTO DE JÓ (42.1-6)

O primeiro discurso divino reduziu Jó a um silêncio atônito, mas não arrancou dele nenhuma ação. Ver Jó 40.3-5. Ele confessou que "nada significava" e pôs a mão sobre a boca. Mas agora ele agia, respondendo positivamente, ao ver a luz no fim do túnel de seus sofrimentos. Ele confessou sua ignorância e arrogância. Ele esteve errado ao abusar de Deus com suas queixas amargas. Falou de assuntos sobre os quais pouco ou nada sabia; confessou que havia coisas "altas demais para ele", e que não deveria ter saído a falar infantilmente sobre elas. Jó, porém, vivenciou uma espécie de experiência mística (vs. 5), vendo Deus, ou seja, sua *teofania*. Por conseguinte, ele se "arrependia" e abominava a si mesmo. Naturalmente, ele era um pecador, mas as coisas tinham ficado claras, já que ele não sofria por causa de algum estado pecaminoso, nem era punido em razão desse estado. Ver Jó 2.3. Seus sofrimentos tinham sido grandes demais para serem lançados na conta de sua vida moral. Não obstante, quando fitou a Deus, Jó viu a massa lamentável em que se transformara e arrependeu-se de todas as palavras duras e de todos os atos maus que tinham caracterizado sua vida. O humilhado Jó podia agora avançar para a cura e para a restauração, o que encontramos no epílogo do livro.

"Na primeira reação de Jó (ver Jó 40.3-5), ele admitiu seu caráter finito diante da exibição divina de numerosas maravilhas da natureza, acima, neste mundo e debaixo da terra. Mas ele não se submeteu à soberania de Deus para livrar-se de seu orgulho. Agora, em sua segunda reação e resposta, Jó confessava essas duas coisas. Avassalado pela força de beemote e leviatã, Jó sentiu sua inadequação para conquistar e controlar o mal que eles representavam. Portanto, Jó viu novamente a grandeza do poder e da soberania de Deus... Seus esforços por cortar o *plano de Deus* foram, agora, vistos como fúteis" (Roy B. Zuck, *in loc.*).

■ 42.1,2

וַיַּעַן אִיּוֹב אֶת־יְהוָה וַיֹּאמַר:

יָדַעְתִּ כִּי־כֹל תּוּכָל וְלֹא־יִבָּצֵר מִמְּךָ מְזִמָּה:

Então respondeu Jó ao Senhor. Ver a introdução a este capítulo, que oferece uma caracterização geral. Jó respondeu pela *segunda* vez, e sua réplica ao segundo discurso divino ocupa Jó 40.6—42.6. Ele deu resposta a *Yahweh,* o nome distintivo de Deus entre os hebreus, o que demonstrava que o livro estava destinado aos leitores hebreus.

Todas as coisas são conhecidas por Yahweh e estão sob o seu controle; ele pode fazer todas as coisas. Ver no *Dicionário* o verbete intitulado *Atributos de Deus,* onde são enfatizados assuntos como *onipotência* e *onisciência* de Deus. Ver no *Dicionário* os artigos separados sobre esses assuntos.

Os *discursos divinos* exerceram efeito! Jó viu Deus conforme ele é, e também viu a si mesmo conforme ele realmente era (vs. 6). A cura estava a caminho. Ele confiou em Deus para fazer o que é certo, abandonando sua conversa infantil sobre o caráter arbitrário de Deus, sua justiça e sua indiferença. Deus provou a *debilidade* de Jó (ver Jó 40.15; 41.34). em contraste com Jó (ver Jó 40.8-14), Deus era competente para tratar com o mundo. Nenhum mal pode emanar da parte de Deus Pai (ver Tg 1.13,17).

■ 42.3

מִי זֶה ׀ מַעְלִים עֵצָה בְּלִי דָעַת לָכֵן הִגַּדְתִּי וְלֹא אָבִין נִפְלָאוֹת מִמֶּנִּי וְלֹא אֵדָע:

Quem é aquele, como disseste...? Os ousados discursos de Jó tiveram o efeito de ocultar o conselho divino, sendo conversas inchadas sem grande conhecimento. Ele falou do que não compreendia, proferindo coisas por demais elevadas para ele. Em outras palavras, conforme dizemos em uma expressão idiomática moderna, "ele estava fora do seu elemento". Schopenhauer disse sobre Hegel e Fichte: "Eles são sacos cheios de vento na filosofia". E, por causa dessa declaração, ele perdeu sua posição na Universidade de Berlim. Jó, pois, agora, confessava ser o saco de vento da teologia e perdeu a sua arrogância. "Agora estava abandonada a ideia de que ele poderia refutar ousadamente qualquer das acusações 'falsificadas' de Deus (ver Jó 23.4-7; 31.35,36)" (Roy B. Zuck, *in loc.*).

Jó, pois, deveria ter tido a mesma atitude de Davi e poupado a si mesmo muitas tribulações:

Senhor, não é soberbo o meu coração, nem altivo o meu olhar; não ando à procura de grandes cousas, nem de cousas maravilhosas demais para mim.

Salmo 131.1,2

Quem é aquele, como disseste, que sem conhecimento encobre o conselho? Com essas palavras, Jó citou a voz divina que lhe tinha sido endereçada e confessou que a verdade fazia parte da pergunta. Ele estava ocultando o conselho, mediante seus discursos tolos. A citação foi feita a partir das palavras de Deus, em Jó 38.2, proferidas no início do primeiro discurso divino. A exposição naquele ponto aplica-se também aqui.

■ 42.4

שְׁמַע־נָא וְאָנֹכִי אֲדַבֵּר אֶשְׁאָלְךָ וְהוֹדִיעֵנִי:

Escuta-me, pois, havias dito, e eu falarei. Jó citou novamente o que a voz divina lhe havia dito, no começo de cada um dos dois discursos divinos. Ver Jó 38.3 e 40.7, onde ofereço notas expositivas abundantes. "Quanto de nosso conhecimento de Deus deriva apenas do ouvir dizer? Assim será enquanto não nos for dado o *ensino experimental* do Espírito Santo, o que nos revela Deus à nossa consciência, capacitando-nos, realmente, a vê-lo com nossos olhos internos. A confissão de Jó, por conseguinte, é a confissão de todo o homem convertido" (Ellicott, *in loc.*). Cf. Gl 1.16, quanto à experiência do apóstolo Paulo. Jó citou Yahweh, admitindo sua incapacidade de responder às perguntas feitas por Deus. "Jó foi reprovado em seu exame teológico". As *setenta perguntas* (expressas de forma interrogativa ou declarativa) feitas por Deus deixaram Jó confuso. O propósito dessas indagações era tapar a boca de Jó, levando-o a reconhecer a própria ignorância, e, nessa "nova atmosfera", obter um lance de olhos da majestade de Deus.

"Jó agora estava disposto a tomar o conselho de Eliú e segui-lo (ver Jó 34.31,32)" (John Gill, *in loc.*).

42.5

לְשֵׁמַע־אֹזֶן שְׁמַעְתִּיךָ וְעַתָּה עֵינִי רָאָתְךָ׃

Eu te conhecia só de ouvir. O *conhecimento experimental*, por meio da administração do Espírito Santo, é muito mais revelador, poderoso e eficaz do que aprender de outros, ler em livros etc. A visão que Jó teve da teofania lançou nova luz sobre os seus problemas de conhecimento e sabedoria. Jó foi soerguido, mediante sua experiência mística (ver sobre *Misticismo*, no *Dicionário*). É deveras maravilhoso obter conhecimento da parte de outras pessoas; podemos obter muito conhecimento a partir de livros que outros escreveram laboriosamente. Mas também precisamos da iluminação do Espírito. Dessa maneira, nosso crescimento espiritual é auxiliado. Ver no *Dicionário* o artigo chamado *Iluminação* e também o verbete denominado *Desenvolvimento Espiritual, Meios do*. Essas diferentes maneiras de obter conhecimento não competem umas com as outras. Sempre será uma tolice depender somente da experiência mística. Algumas pessoas muito superficiais reivindicam demais para si mesmas. Existe aquele *misticismo falso* das massas populares. Em muitos casos, as *profecias* das pessoas são vazias, em comparação com o conhecimento acumulado que os mestres descrevem em livros. Mas isso não significa que o Espírito Santo ocasionalmente não aja de forma independente, conferindo conhecimento e sabedoria como um dom da graça.

Importância da Experiência de Jó Neste Versículo. A voz divina levou Jó à revelação divina, e foi assim que ele foi colocado na vereda certa e atingiu a maturidade espiritual que lhe faltava. A *teologia tradicional* é insuficiente. A inspiração divina deve permear nossa mente e continuar a ensinar-nos novos discernimentos e novos conhecimentos. *Eliú* tinha afirmado ser um revelacionista, em contraste com os três amigos de Jó, que eram apenas indivíduos dogmáticos e tradicionalistas. O dogma é bom; as tradições são boas. Mas também precisamos da revelação. Ver Jó 33.8. Mas sempre entram *abusos* em qualquer sistema. Eliú afirmava demais a seu próprio respeito. Ele se julgava possuidor de tremendas revelações, mas não foi capaz de responder à indagação: "Por que os *inocentes* sofrem?" Não obstante, pôde fazer mais adições proveitosas à discussão do que fizera a terrível tríade. Ver o gráfico no fim do capítulo 37, quanto às contribuições de Eliú. O misticismo, por certo, é motivo de abuso pelos fingidos, consciente ou inconscientemente. Além disso, sempre tenhamos receio do homem que faz de "suas revelações" algo mais importante do que o conhecimento de outras pessoas, porque esse homem é um arrogante. Além disso, as revelações tendem a ser subjetivas e auto-inventadas, algumas vezes baseadas nas próprias funções psíquicas do indivíduo, que ele confunde com os movimentos do Espírito de Deus. Ademais, *todos* os modos de conhecimento são *imperfeitos* e contêm erros. A primeira coisa que o verdadeiro místico faz é duvidar de sua própria revelação. Ele precisa submeter tudo a teste, "provando os espíritos". Mas também deve ter receio dos indivíduos dogmáticos e tradicionalistas que negam a necessidade da inspiração do Espírito. Esses fazem *estagnar* a fé religiosa, e aquilo de que menos necessitamos é a estagnação. Precisamos de pessoas que experimentam os modos de conhecimento e anseiam por "ultrapassar" as tradições. Nada existe de tão mortífero para a busca pela verdade do que o homem que só sabe citar versículos bíblicos, como se esse método resolvesse todos os problemas no céu e na terra. Em primeiro lugar, a própria Bíblia não pretende solucionar todos os problemas de conhecimento. Em segundo lugar, as *interpretações* podem fazer a Bíblia apoiar sistemas muito diferentes entre si. Portanto, precisamos avançar e experimentar, precisamos dedicar-nos à perene investigação.

O versículo que ora comentamos, para algumas pessoas, apresenta a "lição suprema" do livro de Jó. Porém, embora o versículo não nos dê a lição suprema, ainda assim temos uma lição importantíssima. Nem mesmo para o verdadeiro místico a inspiração recebida é *suprema*. Caros leitores, a *lei do amor* é a revelação suprema. As pessoas ficam inchadas tanto pelo conhecimento acumulado como pelo revelado, mas o amor ultrapassa ambos os tipos.

> *Ainda que eu tenha o dom de profetizar e conheça todos os mistérios e toda a ciência; ainda que eu tenha tamanha fé, a ponto de transportar montes, se não tiver amor, nada serei.*
> 1Coríntios 13.2

Defronte da minha residência há uma igreja evangélica carismática, e as pessoas ali presumivelmente falam em línguas e profetizam, querendo demonstrar uma espiritualidade superior. Mas quando a esposa do porteiro teve um derrame e ficou paralisada em seu leito, nenhuma das mulheres da igreja veio para dar à pobre mulher o seu banho diário. Oh, sim, elas vieram para tentar expulsar os "demônios causadores do derrame" e provocaram-lhe dores físicas aplicando-lhe tabefes, na tentativa de expulsar os espíritos. Mas ninguém lhe deu um banho. Então, minha esposa, que nada sabe sobre as experiências místicas, visitava aquela irmã todos os dias e lhe dava um banho. As mulheres daquela igreja ouviram falar desse ato de amor, e uma delas observou sobre minha esposa: "Oh! Ela é um anjo!" Se estou entendendo corretamente 1Co 13, então digo: é melhor ser um anjo de boas obras, de atos de amor, do que falar em línguas e profetizar. Por outro lado, que nenhum crente negligencie a comunhão com o Espírito e o que isso confere; a espiritualidade deve ter *ambas* as qualidades sobre as quais falaram tanto Tiago quanto Paulo, sob pena de se ficar de cabeça para baixo. Um número demasiadamente grande de pessoas viradas de cabeça para baixo enfatizam o *seu próprio lado* das coisas, e logo se tornam arrogantes.

"O que *agora* Jó conhecia acerca de Deus era incomparável a suas ideias anteriores, pois, então, ele era realmente um ignorante. A confrontação pessoal com Deus silenciou sua argumentação e aprofundou ainda mais seu respeito por Deus" (Roy B. Zuck, *in loc.*).

"*Os meus olhos te veem*. O sábio tornou-se um *profeta* (cf. Is 6.5). E, à semelhança de um profeta, que contempla um Deus santo, foi lançado nas manoplas do auto-aborrecimento... Assim sendo, o vs. 5 está indissoluvelmente ligado às linhas que se seguem. Finalmente, Jó, o orgulhoso xeque, tomou consciência de sua pecaminosidade e foi capaz de se confessar" (Samuel Terrien, *in loc.*).

Os intérpretes hebreus falam aqui da glória *shekinah* (ver sobre essa palavra no *Dicionário*), ao passo que os intérpretes cristãos cristianizam o versículo para que ele ensine que Jó viu uma aparição do *Logos* no Antigo Testamento. Naturalmente, nenhum homem viu ou poderá ver Deus em sua essência. Mas as teofanias divinas podem ser vistas. Ver Jo 1.18, no *Novo Testamento Interpretado*, quanto a uma discussão sobre os problemas envolvidos.

A Presença Divina. Em sua *visão beatífica*, Jó obteve a melhor resposta para o problema do mal. Na presença de Deus, sabemos que há respostas para o enigma do sofrimento, embora não obtenhamos respostas *racionais*. Deus está em seu trono, sua presença está à disposição dos homens e, *finalmente*, tudo correrá bem no mundo. Ver sob o ponto 10 de minha discussão no vs. 6 deste capítulo, quanto a uma aplicação da discussão.

42.6

עַל־כֵּן אֶמְאַס וְנִחַמְתִּי עַל־עָפָר וָאֵפֶר׃ פ

Por isso me abomino, e me arrependo. *O Arrependimento de Jó*. Pontos a considerar:

1. Jó não disse que seus *pecados* tinham *causado* seus sofrimentos, pois, afinal, o próprio Deus havia declarado que ele sofria "sem causa" (ver Jó 2.3).
2. A terrível tríade dos consoladores molestos de Jó (ver Jó 16.2), bem como Eliú, dependeram da explicação de uma *Lei Moral da Colheita segundo a Semeadura* (ver a respeito no *Dicionário*), como se isso resolvesse todos os problemas atinentes à razão do sofrimento dos homens e por que eles sofrem como sofrem (ver no *Dicionário* o artigo chamado *Problema do Mal*, bem como a seção V da *Introdução* ao livro de Jó). Mas *essa* explicação, que esclarece grande parte do sofrimento humano, não era a solução para o caso de Jó, pois ele, como indivíduo *inocente*, ainda assim sofria.
3. Sem embargo, temos uma verdadeira confissão de pecado. Jó jamais afirmara não ter nenhum pecado. Ele tão somente havia insistido sobre o fato de serem seus sofrimentos tão grandes, que não podiam ser explicados por seus pecados. Ele também confessara ter plantado algumas sementes do mal na juventude (ver Jó 13.26), mas não sentia que estava sofrendo por causa desses erros. A confissão de pecados, que vemos no presente versículo, por conseguinte, era a arrogância por haver falado infantilmente contra Deus, em seus discursos ousados. Naturalmente, ele obteve uma boa visão de todos os seus pecados e sua confissão abriu caminho

para a cura e a restauração, sobre o que o epílogo trata, embora seus pecados não fossem a *causa* de suas dores.

4. Para que Jó fosse curado e restaurado, ele teve de experimentar a presença de Deus e crescer espiritualmente. Dessa maneira, seus sofrimentos atuaram como *medida disciplinadora* que provocou o seu crescimento espiritual.
5. Além disso, os sofrimentos de Jó faziam parte do seu *destino,* para seu crescimento espiritual. Os homens que sofrem, se aceitam corretamente esse sofrimento, ganham terreno espiritual inteiramente à parte de seus pecados.
6. Jó tinha sido um *egocêntrico* em sua suposta sabedoria e espiritualidade superior. Ele foi um homem exemplar, conforme deixa claro o prólogo. Contudo, sua visão de Deus o tornou um homem muito mais teocêntrico do que ele era, e isso foi necessário ao seu crescimento. Embora Jó tivesse sido um homem exemplar, em comparação a Deus ele se "dissolvia no nada"; então, ele desprezou a si mesmo, como uma criatura pecaminosa, e arrependeu-se no pó e na cinza. Arrepender-se no pó e na cinza era uma "cerimônia externa usada pelas pessoas chorosas e penitentes (ver Jó 2.8 e Jn 3.6) como expressão da sinceridade do arrependimento" (John Gill, *in loc.*).
7. Jó foi reduzido ao *autoaborrecimento,* uma experiência especial para os homens que usualmente são arrogantes acerca de quem são e do que fazem. Estando assim reduzido, Jó pôde ser exaltado em sua restauração. Jó abominou suas palavras, mas também abominou a si mesmo. Ele atingiu o máximo de humildade. A humildade é uma virtude espiritual que falta ao ser humano e faltava também a Jó.

> *Humilhai-vos, portanto, sob a poderosa mão de Deus, para que ele, em tempo oportuno, vos exalte.*
>
> 1Pedro 5.6

8. Amargura e orgulho tinham-se seguido à sua perda de riquezas, familiares e saúde (ver Jó 32.2; 33.17; 35.12,13 e 36.9). Ele tinha de libertar-se desses sentimentos antes que pudesse ser restaurado. Mas não foram eles que causaram as suas dores; ele já estava sofrendo quando essas coisas lhe sobrevieram; na verdade, as dores de Jó é que as *causaram.*
9. "Por isso me abomino." As palavras hebraicas por trás dessa declaração são obscuras. Mas provavelmente estão relacionadas a uma raiz que significa "dissolver-se no nada": *eu me arrependo.* A palavra hebraica aqui usada não era comumente empregada para indicar o arrependimento de pecados, mas é um vocábulo que expressa o máximo de tristeza e autodepreciação. Tal experiência seguiu, em vez de preceder, a visão de Deus" (*Oxford Annotated Bible,* comentando sobre o vs. 6 deste capítulo).
10. *A Presença.* "O problema do qual o livro de Jó é a discussão mais profunda encontra aqui a solução. Levado à presença de Deus, Jó revelou-se a si mesmo. Em nenhum sentido um hipócrita, mas piedoso e possuidor de uma fé que toda a sua aflição não pôde abalar, Jó, ainda assim, possuía justiça própria e era falho quanto à humildade. O capítulo 29 desvendou plenamente essa questão. Na presença de Deus, entretanto, ele antecipou, por assim dizer, a experiência de Paulo (ver Fp 3.4-9), e o problema foi solucionado. Os piedosos são afligidos para que possam ser conduzidos ao autoconhecimento e ao autojulgamento. Tais aflições não são penais por causa de seus pecados, mas são *remediadoras* e purificadoras. O livro de Jó fornece uma sublime ilustração da verdade anunciada em 1Co 11.31—32 e Hb 12.7-11. O melhor de tudo é que tais autoconhecimento e autojulgamento são o prelúdio para maior frutificação (vss. 7-17; Jo 15.2). Cf. Js 5.13,14; Ez 1.28; 2.1-3; Dn 10.5-11" (*Scofield Reference Bible,* sobre Jó 42.6, fornecendo anotações brilhantes e espirituais).

A Presença. Encontramos a solução para o *problema do mal* na presença de Deus. Nem por isso, temos uma resposta intelectual ao problema; mas, na presença de Deus, sabemos que o bem deve triunfar e que há razões genuínas para explicar o enigma do sofrimento. Ainda não aprendemos muitas dessas razões, mas, na presença de Deus, sentimos que elas existem. Ademais, sabemos que há cura e prosperidade no Espírito, finalmente. "*O problema filosófico não fica resolvido, mas é transfigurado pela realidade teológica* do arrebatamento divino-humano" (*Oxford Annotated Bible,* comentando sobre o vs. 5 deste capítulo).

Na *Introdução* ao livro de Jó, seção V, apresento um sumário de "respostas" ao problema do mal, que o livro registra. Conspícua por sua ausência, é qualquer argumentação de que o pós-*vida* soluciona todos os problemas da dor, na vida presente. O livro de Jó não apela para a noção da sobrevivência da alma e recompensas e punições como meio de explicar ou infundir esperança quanto ao sofrimento humano nesta vida. A teologia patriarcal ainda não havia avançado a esse ponto, mas isso se tornou uma resposta a qualquer discussão moderna sobre o problema. Enfatizo isso nos artigos chamados *Problema do Mal e Visão Beatífica,* no *Dicionário.*

EPÍLOGO (42.7-17)

Os molestos consoladores de Jó são repreendidos. Deus reverte a fortuna de Jó. Paz e abundância material substituem a enfermidade e a carência.

Tive um professor de latim que observou diante de mim, certo dia, que as tragédias gregas são superiores à história de Jó, porquanto a experiência humana mostra que o homem esmagado morre esmagado. Por outro lado, algumas vezes, grandes reversões caracterizam a *presente vida* do ser humano. Nem sempre precisamos esperar pelo céu para prosperar e ficar livres dos sofrimentos e dos problemas. Alguns eruditos pensam que o término "exageradamente otimista", que foi dado a Jó, indica que esse *epílogo* não fazia parte original do livro de Jó, mas, antes, foi adicionado por algum editor subsequente para "corrigir" o livro, criando um final que inspira a esperança e não o desespero. Todavia, não há nos manuscritos nenhuma evidência quanto a essa conjectura, tanto no hebraico quanto nas versões. Portanto, afirmo novamente que Deus pode reverter um curso lamentável, transformando-o em um término de triunfo e alegria, *nesta vida.* Algumas vezes, o silêncio de pedra é quebrado de súbito, com a voz jubilosa de Deus vinda do céu, que abençoa e faz prosperar. Oh, Senhor, concede-nos tal graça!

Caros leitores, a sombra da mão de Deus cai sobre a seção final do livro de Jó; nós a vemos e nela percebemos a providência divina em nosso favor. E corretamente discernimos essa esperança, porque, afinal de contas, Deus é o Deus de amor. Além disso, Deus é a solução para os problemas, e não a deidade que nos abandona em nossas dores. Os homens sofrem de maneiras horríveis, e até os inocentes sofrem. Mas *isso* não representa o capítulo final do livro da vida humana, tal como essa situação não terminou o livro de Jó. Em sentido real, o *epílogo* do livro de Jó é, igualmente, o epílogo de toda a existência humana. Para os remidos, haverá redenção, mas, para os perdidos, haverá restauração em uma glória menor. Certamente, é isso o que ensina Ef 1.9,10. Ver no *Dicionário* o artigo chamado *Mistério da Vontade de Deus.* Os homens que enfatizam demasiadamente o julgamento esquecem que ele é apenas um lado da mão divina amorosa, e é remediador, e não meramente retributivo, conforme ensina 1Pe 4.6. Não nos inclinemos diante de uma teologia inferior nem rejeitemos a esperança.

Portanto, permitamos que o *epílogo de Jó* fique como está. Que ele permaneça como o fim de um livro que versa sobre o sofrimento. Que o epílogo do livro de Jó represente toda a experiência humana e como as coisas finalmente terminam. As operações de Deus se estendem às eras futuras, muito para lá da morte biológica da raça humana. Nesse futuro, o amor continuará a operar e a restaurar. É exatamente isso o que podemos esperar da parte do Deus de amor.

42.7

וַיְהִ֗י אַחַ֨ר דִּבֶּ֧ר יְהוָ֛ה אֶת־הַדְּבָרִ֥ים הָאֵ֖לֶּה אֶל־אִיּ֑וֹב
וַיֹּ֨אמֶר יְהוָ֜ה אֶל־אֱלִיפַ֣ז הַתֵּימָנִ֗י חָרָ֤ה אַפִּי֙ בְךָ֣ וּבִשְׁנֵ֣י
רֵעֶ֔יךָ כִּ֠י לֹ֣א דִבַּרְתֶּ֥ם אֵלַ֛י נְכוֹנָ֖ה כְּעַבְדִּ֥י אִיּֽוֹב׃

Tendo o Senhor falado estas palavras a Jó. Os consoladores molestos de Jó (ver Jó 16.2) tinham insistido na estrita operação de uma *Lei Moral da Colheita segundo a Semeadura* (ver a respeito no *Dicionário*). Portanto, eles mesmos deveriam colher o que haviam semeado. Eles perseguiram um homem inocente, por causa de uma teologia deficiente, e tiveram de sofrer as dores enviadas pelo céu. O Deus temível apareceu a *Elifaz* para transmitir-lhe a mensagem da condenação. Ele passou por uma experiência mística notável, como um sonho, uma visão ou a visita de uma teofania, e essa palavra se cumpriu. Houve apresentações falsas de Deus a atacar Jó. Os três amigos de Jó exaltaram seus dogmas e suas tradições, onde não havia nenhum conceito que permitisse a um inocente sofrer. Por conseguinte, eles chegaram à conclusão de que Jó era culpado. A teologia deles era deficiente e, na verdade, todas as teologias o são. Temos de continuar aprendendo, a fim de que a verdade prospere entre nós. Não existe estagnação, nem há, em nenhum ponto da história, um sistema sem defeitos, erros e inadequações. E não existe, hoje em dia, um sistema que seja como Deus, isto é, *perfeito*. Ter como perfeição qualquer outra coisa além de Deus é criar um *ídolo*.

"Conforme Jó predissera, as coisas não correram bem para os seus três amigos (ver Jó 13.7-9). Eles pensavam conhecer os caminhos de Deus, mas não esperavam pelo que presenciaram! As palavras 'meu servo, Jó', ditas por Deus por quatro vezes, em Jó 42.7,8, apontam para sua posição restaurada de servo obediente e para a confiança do Senhor (cf. Jó 1.8 e 2.3)" (Roy B. Zuck, *in loc.*).

Quanto ao que sabemos sobre os três "consoladores", ver as notas expositivas em Jó 2.11. Provavelmente Elifaz era o mais idoso (e sábio) dos três, pelo que foi escolhido como o instrumento que receberia a mensagem de repreensão divina.

Eliú não é mencionado no epílogo nem no prólogo. Os críticos veem nisso uma evidência de que seus discursos foram adicionados a um livro truncado, para preencher espaço, e não faziam parte do plano do autor original. Ver essa ideia na introdução ao capítulo 32. Os estudiosos conservadores supõem que os discursos de Eliú tenham sido essencialmente puros e irrepreensíveis. Contra isso, podemos observar que ele repetiu os argumentos dos três amigos de Jó, embora tivesse contribuído muito mais para a discussão do que eles. Ver no fim do capítulo 37 o gráfico que ilustra as suas contribuições.

■ 42.8

וְעַתָּ֡ה קְחֽוּ־לָכֶ֡ם שִׁבְעָֽה־פָרִים֩ וְשִׁבְעָ֨ה אֵילִ֜ים וּלְכ֣וּ ׀ אֶל־עַבְדִּ֣י אִיּ֗וֹב וְהַעֲלִיתֶ֤ם עוֹלָה֙ בַּֽעַדְכֶ֔ם וְאִיּ֣וֹב עַבְדִּ֔י יִתְפַּלֵּ֖ל עֲלֵיכֶ֑ם כִּ֧י אִם־פָּנָ֣יו אֶשָּׂ֗א לְבִלְתִּ֞י עֲשׂ֤וֹת עִמָּכֶם֙ נְבָלָ֔ה כִּ֠י לֹ֣א דִבַּרְתֶּ֥ם אֵלַ֛י נְכוֹנָ֖ה כְּעַבְדִּ֥י אִיּֽוֹב׃

Tomai, pois, sete novilhos e sete carneiros. Isso para evitar que fossem severamente punidos, por causa da *insensatez*; eles precisariam de: 1. sacrifícios apropriados; e 2. orações medianeiras de Jó, que devem ter sido muito amargas, sem falar no elemento *surpresa* contido nelas. Eles apresentaram mal a verdade, pois não falaram em *favor* de Deus e perseguiram Jó com falsas acusações. Nem uma única vez aqueles homens miseráveis oraram por Jó, porém, o homem perseguido seria generoso e oraria por eles. Irados, eles procuraram ferir Jó e reivindicaram estar servindo a Deus, algo tão comum entre os perseguidores nos círculos religiosos. A arrogância sempre se faz presente nesses casos. "Jó tinha anelado por um mediador entre si mesmo e Deus (ver Jó 16.19-21), visto que seus três compatriotas não intercediam por ele. Ironicamente, entretanto, ele mesmo se tornou o mediador *em favor deles,* embora eles não tivessem pedido nenhum mediador" (Roy B. Zuck, *in loc.*).

Oferecei holocaustos. Cf. Jó 1.5, onde vemos Jó fazendo tais sacrifícios em prol de seus filhos. Jó 1.2 mostra que Jó tinha sete filhos, sendo provável, pois, que ele oferecesse sete sacrifícios. Contudo, não parece haver coisa alguma de especial quanto ao número. Provavelmente, é por pura coincidência o número de *sete* animais em Jó 1.5, bem como no presente versículo. O número sete representa um sacrifício completo ou total. Ver no *Dicionário* o verbete chamado *Holocausto*.

Esta passagem deve ser comparada a Nm 23.2-29. O livro de Jó foi escrito como se pertencesse à época dos patriarcas, e a discussão sobre a lei foi cuidadosamente evitada. Mas os sacrifícios expiatórios eram uma prática antiquíssima, antecedendo ao período patriarcal. Cf. também Ez 4.22-25.

■ 42.9

וַיֵּלְכ֡וּ אֱלִיפַ֣ז הַתֵּֽימָנִי֩ וּבִלְדַּ֨ד הַשּׁוּחִ֜י צֹפַ֣ר הַנַּֽעֲמָתִ֗י וַֽיַּעֲשׂ֔וּ כַּאֲשֶׁ֛ר דִּבֶּ֥ר אֲלֵיהֶ֖ם יְהוָ֑ה וַיִּשָּׂ֥א יְהוָ֖ה אֶת־פְּנֵ֥י אִיּֽוֹב׃

Então foram Elifaz... Bildade... e Zofar. A *terrível tríade* agiu conforme ordenado: sacrifícios foram devidamente oferecidos, e Jó desempenhou seu ofício de mediador. O resultado foi o *perdão* para aqueles que tinham errado. Portanto, esse é outro bom resultado que encontramos neste epílogo.

"O espírito perdoador de Jó serve de prefiguração do amor de Jesus Cristo e dos cristãos, quanto aos seus *inimigos* (ver Mt 5.44; Lc 23.34; At 7.60; 16.24,28,30,31)" (Fausset, *in loc.*).

Tipo. Os que cristianizam o episódio veem em Jó um tipo de Jesus, o Mediador. Ver no *Dicionário* o verbete intitulado *Mediação (Mediador)*. "Seu povo é aceito no Amado, tal como o são todos os seus serviços e sacrifícios de oração e louvor (Mt 3.17; Ef 1.16; 1Pe 2.5)" (John Gill, *in loc.*).

■ 42.10

וַֽיהוָ֗ה שָׁ֚ב אֶת־שְׁב֣וּת אִיּ֔וֹב בְּהִֽתְפַּֽלְל֖וֹ בְּעַ֣ד רֵעֵ֑הוּ וַיֹּ֧סֶף יְהוָ֛ה אֶת־כָּל־אֲשֶׁ֥ר לְאִיּ֖וֹב לְמִשְׁנֶֽה׃

Mudou o Senhor a sorte de Jó. Aprecio a tradução da *King James Version*, "O Senhor mudou o *cativeiro* de Jó", pois ela subentende que Jó estivera cativo dos poderes caóticos que causaram sua enfermidade e dor, bem como a perda de tudo quanto possuía. Suas orações não foram respondidas, mas a voz do céu livrou-o de todos os seus adversários. Mas é provável que nossa versão portuguesa, que acompanha a *Revised Standard Version*, esteja mais correta. Jó intercedeu por seus amigos molestos e, no meio daquele serviço altamente humanitário, ele mesmo foi grandemente favorecido e ganhou da parte do Senhor o *dobro* de tudo quanto tivera. Sua juventude e suas forças físicas foram renovadas para assemelhar-se às da águia. Seu período de maldição havia terminado. Em seguida, ele recebeu de volta todas as suas possessões materiais, em dobro, e uma nova família. O *epílogo* dá-nos conta do poder de Deus em curar e restaurar, *revertendo* as tragédias e os retrocessos. Também se destaca a *intervenção divina* em tempos difíceis, pelo que oramos e olhamos para o céu, a fim de recebê-la.

> *Quem perdoa todas as tuas iniquidades; quem sara todas as tuas enfermidades; quem da cova redime a tua vida e te coroa de graça e misericórdia; quem farta de bens a tua velhice, de sorte que a tua mocidade se renova como a da águia.*
> Salmo 103.3-5

Jó foi abençoado com o "efeito de Ezequias", recebendo vida além das expectativas de seu código genético e de sua herança e condições físicas, porquanto ainda tinha coisas para fazer, e recebeu longa vida a fim de cumpri-las. Oh, Senhor, concede-nos tal graça! (ver 2Rs 20.6).

O *problema do mal*, pois, foi resolvido para Jó. Ver as notas expositivas no vs. 6, bem como a introdução ao epílogo, no vs. 7, quanto a um desenvolvimento do tema. Note-se que foi Deus quem redigiu o último capítulo do drama, e não as forças do caos.

Eliú tinha prometido que a juventude de Jó seria restaurada e ele teria um novo dia, se cumprisse as condições divinas:

> *Sua carne se robustecerá com o vigor da sua infância, e ele tornará aos dias da sua juventude.*
> Jó 33.25

"A disciplina pessoal de Jó não se completou, enquanto ele não passou da esfera de suas próprias tristezas para o trabalho de intercessão em favor de seus amigos; foi através desse ato de auto-esquecimento e autossacrifício que se processou o seu próprio livramento. Mas, quando ele orou por seus amigos, conforme somos informados, o Senhor mudou a sua sorte! Em outras palavras, ele foi restaurado e reintegrado na prosperidade, ainda mais do que o era no começo" (Ellicott, *in loc.*).

A Lição Universal. O texto fala sobre a aplicação da lei do amor. Jó orou por aqueles que se tinham mostrado seus amargos inimigos. Aquele que segue a lei do amor abençoa e é abençoado.

> *Quando o Senhor restaurar a sorte do seu povo, então, exultará Jacó, e Israel se alegrará.*
> Salmo 14.7

"Deus estava agora prestes a mostrar a Jó a sua *misericórdia,* que só pode ser revelada aos *misericordiosos.* Jó precisou perdoar seus amigos sem ressentimentos... Aquele que *ora* por outrem não pode entreter inimizade contra ele. Portanto, Jó orou e, quando orou por seus amigos, Deus mudou sua sorte" (Adam Clarke, *in loc.*).

"Note-se que a restauração de Jó é enfaticamente vinculada à sua atitude para com os amigos, porquanto o texto hebraico significa literalmente: '*porque ele orou em favor de seu próximo*'" (Samuel Terrien, *in loc.*).

"Um homem bom orará não somente por si mesmo, conforme Jó sem dúvida o fez, mas também por outras pessoas, por seus amigos naturais e espirituais, por pessoas sem gentileza, e até pelos inimigos. E a oração do homem reto é muito aceitável diante do Senhor" (John Gill, *in loc.*).

42.11

וַיָּבֹאוּ אֵלָיו כָּל־אֶחָיו וְכָל־אַחְיֹתָיו וְכָל־יֹדְעָיו לְפָנִים וַיֹּאכְלוּ עִמּוֹ לֶחֶם בְּבֵיתוֹ וַיָּנֻדוּ לוֹ וַיְנַחֲמוּ אֹתוֹ עַל כָּל־הָרָעָה אֲשֶׁר־הֵבִיא יְהוָה עָלָיו וַיִּתְּנוּ־לוֹ אִישׁ קְשִׂיטָה אֶחָת וְאִישׁ נֶזֶם זָהָב אֶחָד: ס

Então vieram a ele todos os seus irmãos. *A Jubilosa Reunião e Celebração.* As boas-novas se espalharam rapidamente, e todos os ex-amigos, incluindo a terrível tríade e Eliú, bem como todos os seus parentes, reuniram-se na casa de Jó para um banquete de ação de graças. Todos eles trouxeram ao bom homem presentes, entre eles um anel de ouro, sinal especial de amizade. É provável que fosse, na realidade, um anel de nariz (ver Gn 24.22,47 e Is 3.21). Esses presentes simbolizavam cortesia e amizade e, na ocasião, foram um sinal de alegria especial. A intervenção divina corrigira tudo quanto estava errado.

Isto procede do Senhor e é maravilhoso aos nossos olhos. Este é o dia que o Senhor fez; regozijemo-nos e alegremo-nos nele. Oh! Salva-nos, Senhor, nós te pedimos; oh! Senhor, concede-nos prosperidade. Bendito o que vem em nome do Senhor.

Salmo 118.23-26

Jó foi restaurado; seus amigos voltaram; sua saúde lhe foi devolvida; agora ele era novamente um homem próspero. Foi permitido a Jó ver a reversão do passado e o alvorecer de um novo dia. O crocodilo abriu seus olhos, e o sol gloriosamente iluminou a terra inteira. Ver sobre a figura do crocodilo e seus olhos, em Jó 41.18. O hieróglifo egípcio para indicar a alvorada era um olho aberto de crocodilo. Essa fera era capturada encobrindo-se seus olhos com barro, e figurativamente tinha sido removido o barro dos olhos de Jó. Um novo dia amanhecera diante de Jó. Ele era um homem de oração e de observâncias religiosas, e não deixou seus amigos de fora, nem mesmo os que se tinham voltado contra ele. Esse era o segredo do poder de Jó.

Ora melhor aquele que ama mais.
Ele ora por todas as coisas, as grandes e as pequenas.
Pois o caro Deus que nos ama,
Ama a todos.

Coleridge, adaptado

Os amigos reunidos e os familiares de Jó lamentaram pelo que lhe havia acontecido, e o *consolaram* (o que deveriam ter feito antes, mas não o fizeram). Talvez Jó ainda tivesse cicatrizes psicológicas, devido à má experiência. Falar sobre as coisas ajuda as pessoas a entrar em bons termos com as perdas, e a começar a esquecer a má sorte.

42.12

וַיהוָה בֵּרַךְ אֶת־אַחֲרִית אִיּוֹב מֵרֵאשִׁתוֹ וַיְהִי־לוֹ אַרְבָּעָה עָשָׂר אֶלֶף צֹאן וְשֵׁשֶׁת אֲלָפִים גְּמַלִּים וְאֶלֶף־צֶמֶד בָּקָר וְאֶלֶף אֲתוֹנוֹת:

Assim abençoou o Senhor o último estado de Jó. *Dupla Restauração.* Jó estava de volta às atividades normais da vida, mais forte do que nunca. O autor sagrado teve o cuidado de dizer com detalhes como as possessões materiais de Jó lhe foram restauradas. Já constatamos que sua saúde e sua posição social lhe foram recuperadas. Seus amigos voltaram a ele. Adicione-se a essas coisas desejáveis sua prosperidade material, considerada no Antigo Testamento um sinal de bênçãos divinas. Este versículo repete Jó 1.3, que descreve as riquezas anteriores de Jó, mas agora essas riquezas foram duplicadas. Este versículo diz que foi *bom* Jó ter mantido a integridade, que ele não se refugiou no ateísmo em meio à provação. Ele demonstrou que um homem pode adorar e servir Deus na adversidade, mesmo quando não há nenhuma vantagem pessoal à vista. Jó derrotou a diabólica tese do *egoísmo* e também demonstrou que existe a *adoração desinteressada,* o tema principal do livro. Ver as notas expositivas que se seguem ao subtítulo, *Ao Leitor,* na introdução ao livro, quinto parágrafo. Ver as notas expositivas na introdução à seção de Jó 1.9-12, bem como as observações visando o esclarecimento sobre o tema principal de Jó. Ademais, para Jó, o *Problema do Mal* (ver a respeito no *Dicionário*) foi solucionado pela presença de Deus e por eventos subsequentes ao seu encontro com a teofania. Ver o vs. 6 do presente capítulo. O problema do mal era um corolário necessário ao tema principal.

Os consoladores molestos de Jó (ver Jó 16.2) predisseram que haveria prosperidade material para um Jó penitente, como sinal do valor divino (ver Jó 5.8,17-26; 8.5-7; 11.13-19). Podemos afirmar que, sob circunstâncias normais, a prosperidade no Antigo Testamento era considerada sinal da aprovação divina a uma vida humana, mas isso não significa que Jó, ao perder tudo, tivesse caído na desaprovação divina. A prosperidade material, de acordo com a doutrina dos hebreus, era dada a um homem por causa da *justiça* (um homem é recompensado se ele é bom) e mediante a *graça* divina (Deus dá suas bênçãos a alguém livremente, pois a nada está obrigado).

"Todas as bênçãos vêm do Senhor, as temporais e as espirituais, e, algumas vezes, os últimos dias de um homem bom são seus melhores dias, quanto às coisas temporais, como sucedeu a Davi e a Jó, embora nem sempre aconteça assim. Entretanto, se os dias finais de um homem são os seus melhores, quanto às coisas espirituais, isso será suficiente" (John Gill, *in loc.*).

Seja como for, um homem goza de prosperidade, de maneira que pode promover causas boas e ajudar os outros, para que assim participe, com maior eficácia, das *boas obras.*

Deus pode fazer-vos abundar em toda graça, a fim de que, tendo sempre, em tudo, ampla suficiência, superabundeis em toda boa obra.

2Coríntios 9.8

O Novo Testamento mostra-se cuidadoso em adicionar as razões *altruístas* de por que riquezas são dadas a alguém: é para que sejam usadas em favor alheio e para financiar boas causas. Portanto, até o dinheiro é envolvido no praticar a lei do amor. Ver no *Dicionário* o artigo chamado *Amor.*

42.13

וַיְהִי־לוֹ שִׁבְעָנָה בָנִים וְשָׁלוֹשׁ בָּנוֹת:

Também teve outros sete filhos e três filhas. O número de filhos e filhas permaneceu o mesmo, como antes. Cf. Jó 1.2. Mas o Targum, notando que o hebraico tem um dual pelo número, *duplicou* o número, que certamente é exagerado, e uma interpretação improvável para fazer o vs. 13 concordar com a duplicação do vs. 12.

Naturalmente, os outros filhos de Jó não se *perderam,* pelo que, na realidade, houve duplicação. Eles ainda existiam no mundo da luz, mas a teologia do livro de Jó não contempla essa possibilidade, embora seja verdadeira. Portanto, seria anacrônico fazer os dez filhos deste versículo serem os originais, para, então, adicionar outros dez, duplicando-se, assim, o número original. Um novo filho que nasceu não substitui, na mente de seus pais, a criança que morreu. Mas, em sentido real, a primeira criança, morta, fez apenas uma transição, em vez de ter morrido. Naturalmente, se a reencarnação é verdadeira, então um filho desses, que "morreu", pode voltar; mas isso não é afiançado no livro de Jó. Isso *poderia* acontecer, não obstante, de acordo com a crença de alguns, o que tem alguma consubstanciação científica em nossa época. Ver na *Enciclopédia de Bíblia, Teologia e Filosofia* o verbete chamado *Reencarnação,* quanto a uma discussão completa, pró e contra.

42.14,15

וַיִּקְרָא שֵׁם־הָאַחַת יְמִימָה וְשֵׁם הַשֵּׁנִית קְצִיעָה וְשֵׁם הַשְּׁלִישִׁית קֶרֶן הַפּוּךְ׃

וְלֹא נִמְצָא נָשִׁים יָפוֹת כִּבְנוֹת אִיּוֹב בְּכָל־הָאָרֶץ וַיִּתֵּן לָהֶם אֲבִיהֶם נַחֲלָה בְּתוֹךְ אֲחֵיהֶם׃ ס

Chamou o nome da primeira Jemina... Quezia... Quéren-Hapuque. É curioso que o autor nos dê os nomes das três filhas de Jó, mas não os nomes de seus sete filhos. Samuel Terrien (*in loc.*) sugeriu que o autor sagrado tinha um ponto de vista pró-feminista: "Ele registrou os nomes das jovens, que significam respectivamente Pomba (Jemina), Cinamomo (Quezia) e Chifre de Sombra dos Olhos (Quéren-Hapuque), mas ignorou os nomes dos filhos. Ele salientou a extraordinária beleza das donzelas e terminou sua narrativa com o *detalhe* ímpar de que o pai lhes deu herança entre os seus irmãos (vs. 15; cf. Nm 27.1-11, que só permitia que as filhas recebessem herança quando não houvesse filho algum)". A referência ao "chifre" lembra-nos de que os chifres de animais eram usados como receptáculos para líquidos. As mulheres, então, como agora, pintavam as pestanas, pálpebras e sobrancelhas, o que elas acreditam torná-las mais belas. Além disso, havia toda aquela tinta que elas punham nos lábios e nas bochechas, além de tingir os cabelos!

Outros significados são dados aos nomes, como, em vez de Pomba, *Luz do Dia*, talvez falando do novo dia de Jó, após sua noite de sofrimento. A Septuaginta fala em Chifre de Amalteia, isto é, a aia de Júpiter, que o alimentava com leite de cabra, quando ele era menino. Acidentalmente a cabra teve os chifres quebrados, pelo que Júpiter lhe deu um lugar no firmamento, transformando-a em constelação. Não sabemos dizer por que a Septuaginta fez uma alusão a esse exemplo da mitologia.

Tipo. Em Cristo não há macho nem fêmea, pois são todos iguais (ver Gl 3.28), mas ver no presente texto uma antecipação é uma interpretação dúbia. Não obstante, tal é a verdade da questão, e essa verdade foi destacada pelo Novo Testamento, em tremendo avanço sobre as atitudes do judaísmo.

A VIDA LONGA QUE AGRADA

*Depois disto viveu Jó cento e
quarenta anos; e viu a seus filhos e
aos filhos de seus filhos, até à
quarta geração.
Então morreu Jó, velho e farto de dias.*

Jó 42.16,17

Ó Senhor, concede-nos tal graça!

COMO O TEMPO AGE

Considere como o Tempo age:
Nós confiamos a ele nossa juventude
E tudo que temos, inclusive as nossas alegrias.
Daí ele devolve para nós velhice e poeira,
E o sepulcro escuro e silencioso.
Depois que vagueamos em muitos caminhos,
O Tempo termina a história dos nossos dias;
Mas desta terra, deste sepulcro, desta poeira,
Meu Deus me levantará — eu espero.

Sir Walter Raleigh

42.16

וַיְחִי אִיּוֹב אַחֲרֵי־זֹאת מֵאָה וְאַרְבָּעִים שָׁנָה וַיִּרְאֶה אֶת־בָּנָיו וְאֶת־בְּנֵי בָנָיו אַרְבָּעָה דֹּרוֹת׃

Depois disto viveu Jó cento e quarenta anos. *Vida Longa*. Não sabemos dizer qual seria a idade de Jó quando sua provação começou, portanto também é impossível dizer qual era a idade dele ao morrer. Os intérpretes hebreus nos dão como 70 anos a idade de Jó, quando ele começou a ser testado, o que significa que sua vida total foi de 210 anos. Contudo, não há como comprovar essa teoria. A Septuaginta nos dá a idade total de Jó como 240 anos, o que é apenas outra conjectura. Seja como for, uma vida longa (tal como as riquezas) era considerada uma bênção de Deus conferida aos justos. Há um eco desse pensamento em Ef 6.3. As figuras concordam com as informações de que dispomos sobre a vida geralmente longa dos patriarcas, em contraste com a média de 70 anos nos dias de Davi (ver Sl 90.10). Fazia parte das crenças dos hebreus que guardar a lei contribuía para uma longa vida (ver Dt 4.1; 5.33; 6.2; Ez 20.1). Quanto à *desejabilidade de uma longa vida*, ver as notas detalhadas sobre Gn 5.21.

Ter vivido por tantos anos permitiu que Jó visse seus descendentes até a *quarta* geração. Para os hebreus, isso também era tido como dispensação especial de Deus.

O Senhor te abençoe desde Sião, para que vejas a prosperidade de Jerusalém durante os dias de tua vida, vejas os filhos de teus filhos.

Salmo 128.5,6

"José viu somente até sua *terceira* geração, mas Jó viu até a quarta. Ele foi trisavô. Sem dúvida, foi-lhe muito agradável ver tão numerosa descendência... especialmente andando nos caminhos de Deus, conforme provavelmente aconteceu" (John Gill, *in loc.*).

... verá a sua posteridade e prolongará os seus dias; e a vontade do Senhor prosperará nas suas mãos.

Isaías 53.10

"De acordo com as condições judaicas, os últimos dias de Jó (140 anos) foram exatamente o *dobro* do número de seus dias anteriores (70 anos)" (Roy B. Zuck, *in loc.*), pelo que obtemos outro número duplo (ver o vs. 12).

Os vss. 16,17 constituem um tema patriarcal que também pode ser visto em Gn 25.8; 35.29; 50.23; ver ainda Sl 128.6; Pv 17.6 e 1Cr 29.28. "A grande idade de Jó mostra-nos que ele deve ser colocado no início dos tempos patriarcais, provavelmente antes de Moisés" (Ellicott, *in loc.*). Naturalmente, o livro de Jó foi escrito muito depois disso, mas coloca a ação nos tempos patriarcais. Ver sobre a questão da *Data*, na seção IV da *Introdução* ao livro de Jó.

42.17

וַיָּמָת אִיּוֹב זָקֵן וּשְׂבַע יָמִים׃

Então morreu Jó, velho e farto de dias. Jó morreu, pleno de dias, e não prematuramente, conforme esperara morrer, quando sob seu teste severo. Ver Jó 3.20-26 e 10.18-22. Este versículo enfatiza a mensagem do vs. 16. Note-se que coisa alguma é dita sobre a sobrevivência da alma, que não fazia parte da doutrina dos hebreus da era patriarcal. Jó, contudo, elevou-se até esse nível em Jó 19.25,26, mas esse não foi um tema bem desenvolvido no livro de Jó, nem entrou na discussão sobre o problema do mal. Atualmente, ninguém pode falar no *Problema do Mal* (ver a respeito no *Dicionário*) sem se ver envolvido em afirmações e especulações sobre uma existência pós-túmulo. Emanuel Kant baseou na *justiça* um argumento em prol da existência de Deus e da realidade da alma humana. É claro que não vemos a justiça sendo feita nesta vida. Homens bons são perseguidos e explorados, e homens maus mostram-se prósperos e vivem longa vida em paz, embora causem confusão para outras pessoas. A fim de equilibrar as narrativas, fazendo com que os bons sejam recompensados e os maus, punidos, temos de supor que a existência da alma continue após o sepulcro, para que os ajustes próprios possam ser feitos. Por conseguinte, o homem deve sobreviver à morte biológica. Ademais, deve haver um juiz com sabedoria e poder suficiente para fazer os devidos ajustes, e esse Juiz é Deus. Somente dessa maneira a justiça pode ser alcançada, uma importante consideração quando se trata do problema do mal.

É difícil chegar a qualquer conclusão decente acerca do problema do mal, a menos que nos envolvamos em uma discussão sobre a existência pós-túmulo. Jó não recebeu explicações racionais para o problema do sofrimento, embora possamos depreender alguma explanação apropriada do livro de Jó. Ver a seção V da *Introdução*, bem como a contribuição de Eliú, retratada no gráfico no fim do capítulo 37. Entretanto, Jó chegou a desfrutar de uma vida espiritual mais profunda, depois que recebeu sua visão da teofania (vs. 5), e assim veio a compreender, em seu coração, que estava na presença de Deus. Sabemos que Deus está em seu trono e que tudo vai bem no mundo.

Portanto, o livro de Jó não resolve o problema filosófico do sofrimento humano, embora nos apresente uma realidade espiritual que, pelo menos, nos tranquiliza a mente. Há aquele arrebatamento divino-humano que garante que a providência divina ganhará no fim. Ver no *Dicionário* o artigo chamado *Providência de Deus*.

"Uma das grandes lições da história é a maneira como a malícia de Satanás está sendo frustrada. Ele insinuou que *todo o culto* que Jó prestava a Deus era movido pelo *interesse*, tendo em vista seu próprio proveito. Mas Jó demonstrou claramente que era capaz de amar Deus, mesmo sob as mais severas aflições" (Ellicott, *in loc.*). Tomando a liderança de Ellicott, repito aqui a declaração de minha fé, que amplio na introdução ao epílogo (ver nas notas expositivas sobre o vs. 7), afirmando que Deus finalmente transformará o mal em bem *para toda a humanidade*. Deus deverá escrever o último capítulo para todos os homens, embora isso vá ser feito nas eras distantes da eternidade futura. Quando Deus acabar de escrever esse último capítulo da história, veremos que ele terá restaurado todos os homens, através de uma experiência parecida com a de Jó, e *através do sofrimento,* não sem ele. Afirmo que o julgamento é *remediador.* e não meramente retributivo. Esse é o princípio enunciado em 1Pe 4.6, ensino que podemos concluir, indiretamente, do *epílogo* do livro de Jó. Confio que toda a malícia de Satanás será finalmente frustrada, ou seja, derrotada, anulada. Ef 1.9,10 dá-me razões para sustentar essa fé.

"Jó conheceu o pior e o melhor aspecto da vida humana e, nele, a história inteira da providência divina foi exemplificada e ilustrada, e muitos de seus mistérios foram desdobrados" (Adam Clarke, *in loc.*).

Laus in Excelsis Deo!

Aqui flui a maré que vem do mar sem praias,
De longe, uma vereda incomensurável,
Atingindo a ti e a mim.
Russell Champlin

Sua graça é grande o bastante para corresponder às grandes coisas:
As ondas que ribombam e avassalam a alma,
Os ventos rugidores que nos deixam atônitos e sem respiração,
As tempestades súbitas que fogem ao nosso controle.

A graça divina é grande o bastante para satisfazer todas as pequenas coisas:
As pequenas tribulações que nos irritam como picadas de alfinete,
A preocupação com os insetos, zumbindo persistentes,
As rodas que chiam e nos desgastam a alegria.
Annie Johnson Flint